法人税の決算調整と申告の手引

令和6年版

Web版サービス付き

早子 忠 編

公益財団法人 納税協会連合会

ま え が き

　申告納税制度の下では、納税者自らが課税所得金額及び税額を計算し、適正な申告と納税を行うことが求められており、この制度が円滑に機能するためには、まず納税者である皆様方が税法の基本的な仕組みを十分に理解する必要があります。

　しかしながら、法人税に関する規定は、法律、政令、省令、告示、通達等膨大な条項から形成され、これら相互の関係は複雑なものとなっており、更に、毎年法令の改正とこれに伴う通達の制定が行われることから、これらの法令通達等を体系的に理解するにはかなりの苦労が伴うという声が少なくありません。

　このような煩雑さを解消し、職業会計人はもとより、経営者や経理を担当される方々に、法人税に関する必要な知識を習得していただくことをねらいとして、関係する法令通達等を体系的に収録し、法人税の百科事典に相当する本書を編さんしました。

　幸いにして、昭和31年の創刊以来、本書は、各界からのご支援をいただき版を重ね、内容の充実に努めてまいりました。本書が、読者の方々の法人税の理解に少しでもお役に立ち、正しい法令解釈による適正な申告と納税が実現されますことを心から願うものであります。

　なお、本書は大阪国税局法人課税課に勤務する者が休日等を使って執筆したもので、本文中意見にわたる部分については、執筆者の個人的意見であることをお断りしておきます。

　令和6年8月

早　子　　　忠

目 次

> * 網掛け部分については、書籍への収録を割愛し、Web版のみの収録としている。

第一章　法人税関係法令の主要改正事項とその適用時期一覧表

　一　令和6年度改正 …………………………………………………………………… 1
　二　令和5年度改正
　三　令和4年度改正

第二章　通則・青色申告その他

第一節　通　　則 …………………………………………………………………… 24
　一　法人税法の趣旨 ………………………………………………………………… 24
　二　定　　義 ………………………………………………………………………… 24
　三　人格のない社団等 …………………………………………………………… 118
　四　納税義務 ……………………………………………………………………… 118
　五　課税所得の範囲 ……………………………………………………………… 120
　六　実質所得者課税の原則 ……………………………………………………… 121
　七　事業年度等 …………………………………………………………………… 121
　八　納税地 ………………………………………………………………………… 129
　九　期間及び期限 ………………………………………………………………… 130

第二節　青色申告 ………………………………………………………………… 132
　一　青色申告 ……………………………………………………………………… 132
　二　青色申告の承認の申請 ……………………………………………………… 132
　三　青色申告法人の帳簿書類 …………………………………………………… 133
　四　青色申告の承認の取消し …………………………………………………… 140
　五　青色申告の取りやめ ………………………………………………………… 141

第三節　更正、決定等 …………………………………………………………… 142
　一　更正又は決定 ………………………………………………………………… 142
　二　同族会社等の行為又は計算の否認 ………………………………………… 147
　三　加算税 ………………………………………………………………………… 148

第四節　不服申立て及び訴訟 …………………………………………………… 159
　一　不服申立て …………………………………………………………………… 159
　二　訴　　訟 ……………………………………………………………………… 177

第五節	**雑　　　則**···	179
一	内国普通法人等の設立の届出··	179
二	公益法人等又は人格のない社団等の収益事業の開始等の届出······················	179
三	帳簿書類の備付け等···	180
四	通算法人の電子情報処理組織による申告··	212
五	通算法人の連帯納付の責任··	213
六	質問検査権···	213
七	調　査　手　続···	219
八	罰　　　則···	226
九	公益法人等の損益計算書等の提出··	228

第三章　各事業年度の所得の金額及びその計算

第一節	**課税標準及びその計算**···	230
第一款	通則及び帰属年度の特例··	230
一	各事業年度の所得に対する法人税の課税標準·······································	230
二	各事業年度の所得の金額··	230
三	各事業年度の所得の金額の計算の通則··	230
四	収益及び費用の計算に関する取扱い···	239
五	収益及び費用の帰属事業年度の特例···	262
六	リース取引に係る所得の金額の計算···	284
七	消費税法等の施行に伴う法人税の取扱い···	287
八	平成28年熊本地震に関する諸費用の法人税の取扱い·······························	295
第二款	受取配当等··	299
一	受取配当等の益金不算入··	299
二	短期保有株式等に係る配当等の益金算入···	309
三	負債の利子がある場合の受取配当等の益金不算入額·······························	312
四	自己株式としての取得が予定されている株式を取得した場合のみなし配当の額の益金算入···	312
五	配当等の額とみなす金額《みなし配当金額》··	313
六	受取配当等の益金不算入の申告··	319
七	外国子会社から受ける配当等··	319
第三款	受　贈　益··	323
一	受贈益の益金不算入··	323
二	受贈益の意義···	323
三	低廉譲渡等による受贈益··	323
第四款	還　付　金　等··	324
一	租税公課の還付金等の益金不算入···	324
二	外国源泉税等の額が減額された場合の益金不算入·································	324

	三　外国法人税の額が減額された場合の益金不算入	324
	四　通算税効果額の益金不算入	326
	五　罰科金等の還付金の益金不算入	326
	六　中間申告における繰戻し還付に係る災害損失欠損金額の益金算入	326

第五款　棚卸資産の評価 327
　一　棚卸資産の意義 327
　二　棚卸資産の売上原価等の算定の基礎となる期末評価額 328
　三　棚卸資産の評価の方法 329
　四　棚卸資産の評価の方法の選定等 332
　五　棚卸資産の取得価額 334
　六　原価差額の調整 338

第六款　減価償却資産の償却額の計算 341
　一　減価償却資産の範囲 341
　二　少額の減価償却資産の取得価額の損金算入等 344
　三　減価償却資産の償却費等の損金算入 352
　四　減価償却資産の償却の方法 356
　五　減価償却資産の償却の方法の選定、変更等 377
　六　減価償却資産の取得価額 382
　七　資本的支出と修繕費 392
　八　減価償却資産の耐用年数 398
　九　償却率及び残存価額 430
　十　減価償却資産の償却限度額 432
　十一　減価償却に関する明細書の添付 443
　十二　除却損失等 444
　十三　劣化資産の経理 446

第七款　租税特別措置法による特別償却 448
　一　中小企業者等が機械等を取得した場合の特別償却 452
　二　国家戦略特別区域において機械等を取得した場合の特別償却 458
　三　国際戦略総合特別区域において機械等を取得した場合の特別償却 462
　四　地域経済牽引事業の促進区域内において特定事業用機械等を取得した場合の特別償却 466
　五　地方活力向上地域等において特定建物等を取得した場合の特別償却 469
　六　中小企業者等が特定経営力向上設備等を取得した場合の特別償却 473
　七　認定特定高度情報通信技術活用設備を取得した場合の特別償却 481
　八　事業適応設備を取得した場合等の特別償却 483
　九　特定船舶の特別償却 488
　十　被災代替資産等の特別償却 492
　十一　関西文化学術研究都市の文化学術研究地区における文化学術研究施設の特別償却 496
　十二　特定事業継続力強化設備等の特別償却 499
　十三　共同利用施設の特別償却 501

十四	環境負荷低減事業活動用資産等の特別償却	503
十五	生産方式革新事業活動用資産等の特別償却	506
十六	特定地域における工業用機械等の特別償却	507
十七	医療用機器等の特別償却	553
十八	輸出事業用資産の割増償却	561
十九	特定都市再生建築物の割増償却	563
二十	倉庫用建物等の割増償却	570
二十一	事業再編計画の認定を受けた場合の事業再編促進機械等の割増償却	582
二十二	港湾隣接地域における技術基準適合施設の特別償却	584
二十三	特別償却不足額がある場合の償却限度額の計算の特例	586
二十四	準備金方式による特別償却	591
二十五	特別償却等に関する複数の規定の不適用	600
二十六	圧縮記帳の適用を受けた資産に対する特別償却等の不適用	603
二十七	廃止された特別償却制度のうち経過的に適用があるもの	604

第八款　繰延資産の償却 605

一	繰延資産の意義	605
二	繰延資産となる費用のうち少額のものの損金算入	608
三	繰延資産の償却費等	608
四	繰延資産の償却限度額	613
五	繰延資産の償却に関する明細書の添付	616

第九款　資産の評価損益 618

一	資産の評価益の益金不算入等	618
二	資産の評価損の損金不算入等	623

第十款　役員の給与等 636

一	役員給与の損金不算入等	636
二	使用人給与の損金不算入等	657
三	その他給与に関する取扱い	659

第十一款　租税公課等 662

一	損金の額に算入しない租税公課	662
二	損金の額に算入される租税公課の損金算入の時期	666

第十二款　寄附金 669

一	寄附金の損金不算入	669
二	完全支配関係がある他の内国法人に対する寄附金の損金不算入	672
三	国等に対する寄附金、指定寄附金、特定公益増進法人等に対する寄附金の特例	672
四	寄附金の範囲	685
五	認定特定非営利活動法人に対する寄附金の損金算入の特例等	693

目　次

第十三款　交際費等の損金不算入 …………………………………… 695
　一　交際費等の損金不算入 ……………………………………………… 695
　二　交際費等の範囲 ……………………………………………………… 699

第十四款　その他の費用又は損失 ……………………………………… 707
　一　貸倒損失 ……………………………………………………………… 707
　二　保険料 ………………………………………………………………… 710
　三　その他の経費 ………………………………………………………… 726

第十五款　圧縮記帳 ……………………………………………………… 731
　一　国庫補助金等による圧縮記帳 ……………………………………… 731
　二　工事負担金による圧縮記帳 ………………………………………… 739
　三　非出資組合の賦課金による圧縮記帳 ……………………………… 742
　四　保険金等による圧縮記帳 …………………………………………… 744
　五　交換資産の圧縮記帳 ………………………………………………… 755
　六　農用地等を取得した場合の課税の特例 …………………………… 760
　七　特定の資産の買換えの場合等の課税の特例 ……………………… 763
　八　特定の交換分合により土地等を取得した場合の課税の特例 …… 839
　九　特定普通財産とその隣接する土地等の交換の場合の課税の特例 … 842
　十　技術研究組合の試験研究用資産の圧縮記帳 ……………………… 847
　十一　転廃業助成金等に係る課税の特例 ……………………………… 848
　十二　圧縮記帳をした資産の帳簿価額 ………………………………… 857

第十六款　収用等の場合の課税の特例 ………………………………… 858
　一　収用等に伴い代替資産を取得した場合の課税の特例 …………… 858
　二　換地処分等に伴い資産を取得した場合の課税の特例 …………… 893
　三　損金算入の申告及び収用証明書の保存 …………………………… 903
　四　収用換地等の場合の所得の特別控除 ……………………………… 920
　五　特定土地区画整理事業等のために土地等を譲渡した場合の所得の特別控除 …… 932
　六　特定住宅地造成事業等のために土地等を譲渡した場合の所得の特別控除 ……… 940
　七　農地保有の合理化のために農地等を譲渡した場合の所得の特別控除 …………… 962
　八　特定の長期所有土地等の所得の特別控除 ………………………… 965

第十七款　引当金 ………………………………………………………… 972
　一　貸倒引当金 …………………………………………………………… 972
　二　返品調整引当金 ……………………………………………………… 993

第十八款　準備金 ………………………………………………………… 1000
　一　海外投資等損失準備金 ……………………………………………… 1000
　二　中小企業事業再編投資損失準備金 ………………………………… 1015
　三　特定船舶に係る特別修繕準備金 …………………………………… 1022
　四　その他の準備金 ……………………………………………………… 1031

目　次

第十九款　譲渡制限付株式を対価とする費用等 …………………………………… 1040
　　一　譲渡制限付株式を対価とする費用等 ……………………………………… 1040
　　二　新株予約権を対価とする費用等 …………………………………………… 1041

第二十款　不正行為等に係る費用等の損金不算入 ……………………………… 1044
　　一　隠蔽仮装行為に要する費用等の損金不算入 …………………………… 1044
　　二　隠蔽仮装行為に基づき確定申告書を提出した場合等の費用等の損金不算入 ……… 1044
　　三　附帯税、罰科金等の損金不算入 …………………………………………… 1046

第二十一款　繰越欠損金 …………………………………………………………… 1048
　　一　欠損金の繰越し …………………………………………………………… 1048
　　二　青色申告書を提出しなかった事業年度の欠損金の特例 ………………… 1071
　　三　会社更生等による債務免除等があった場合の欠損金の損金算入 ……… 1075
　　四　欠損金額の引継ぎ及び繰越制限等 ………………………………………… 1083

第二十二款　短期売買商品等の譲渡損益及び時価評価損益の益金又は損金算入
　　一　短期売買商品等の譲渡損益の益金又は損金算入
　　二　短期売買商品等の時価評価損益の益金又は損金算入
　　三　未決済暗号資産信用取引に係る利益相当額又は損失相当額の益金又は損金算入額等

第二十三款　有価証券に係る損益 ………………………………………………… 1120
　　一　有価証券の意義等 ………………………………………………………… 1120
　　二　有価証券の譲渡益又は譲渡損の益金又は損金算入 …………………… 1157
　　三　売買目的有価証券の評価益又は評価損の益金又は損金算入等 ……… 1169
　　四　有価証券の空売り等に係る利益相当額又は損失相当額の益金又は損金算入等 …… 1174
　　五　償還有価証券の調整差益又は調整差損の益金又は損金算入 ………… 1175

第二十四款　デリバティブ取引
　　一　デリバティブ取引に係る利益相当額又は損失相当額の益金又は損金算入
　　二　デリバティブ取引により資産を取得した場合の処理

第二十五款　ヘッジ処理
　　一　繰延ヘッジ処理による利益額又は損失額の繰延べ
　　二　時価ヘッジ処理による売買目的外有価証券の評価益又は評価損の計上

第二十六款　外貨建取引の換算等 ………………………………………………… 1180
　　一　用語の意義 ………………………………………………………………… 1180
　　二　外貨建取引に係る会計処理等 …………………………………………… 1181
　　三　外貨建取引の換算 ………………………………………………………… 1183
　　四　外貨建資産等の期末換算差益又は期末換算差損の益金又は損金算入等 ……… 1187
　　五　為替予約差額の配分 ……………………………………………………… 1193

目 次

第二十七款　その他の所得計算規定 …………………………………………… 1197
 一　確定給付企業年金等の掛金等の損金算入 ………………………………… 1197
 二　特定の損失、基金の負担金等の損金算入 ………………………………… 1205
 三　金銭債務の償還差損益 …………………………………………………… 1208
 四　医療法人の設立に係る資産の受贈益等 …………………………………… 1210
 五　借 地 権 等 ……………………………………………………………… 1211
 六　１株未満の株式等の処理の場合等の所得計算の特例 ……………………… 1218
 七　資産に係る控除対象外消費税額等の損金算入 …………………………… 1219
 八　対外船舶運航事業を営む法人の日本船舶による収入金額の課税の特例 … 1225
 九　特許権等の譲渡等による所得の課税の特例 ……………………………… 1231
 十　沖縄の認定法人の課税の特例 …………………………………………… 1245
 十一　国家戦略特別区域における指定法人の課税の特例 …………………… 1259
 十二　株式等を対価とする株式の譲渡に係る所得の計算の特例 …………… 1266
 十三　特定事業活動として特別新事業開拓事業者の株式の取得をした場合の課税の特例 … 1270
 十四　社会保険診療報酬の所得の計算の特例 ………………………………… 1282
 十五　農地所有適格法人の肉用牛の売却に係る所得の課税の特例 …………… 1287
 十六　組合事業等による損失がある場合の課税の特例 ……………………… 1298
 十七　特定目的会社に係る課税の特例 ………………………………………… 1310
 十八　投資法人に係る課税の特例 …………………………………………… 1316

第二十八款　協同組合等の所得計算の特例 ……………………………………… 1324
 一　協同組合等の特別の賦課金 ……………………………………………… 1324
 二　協同組合等の事業分量配当等の損金算入 ………………………………… 1324

第二十九款　鉱業所得の課税の特例
 一　探鉱準備金又は海外探鉱準備金
 二　新鉱床探鉱費又は海外新鉱床探鉱費の特別控除

第三十款　国外関連者との取引に係る課税の特例等―移転価格税制―
 一　国外関連者との取引に係る課税の特例
 二　国外関連取引の対価の額と独立企業間価格との差額の損金不算入
 三　国外関連者に対する寄附金の損金不算入
 四　国外関連取引に係る書類の保存
 五　特定無形資産国外関連取引に係る独立企業間価格の更正又は決定
 六　独立企業間価格の推定による更正又は決定
 七　国外関連者に関する明細書の添付
 八　当初申告に係る更正の請求の特例
 九　更正・決定等の期間制限の特例
 十　国外関連者との取引に係る課税の特例に係る納税の猶予
 十一　国外関連者との取引に係る課税の特例により納付すべき法人税に係る延滞税の一部免除
 十二　租税条約に基づく合意があった場合の更正の特例
 十三　特定多国籍企業グループに係る国別報告事項の提供

―目次7―

十四　特定多国籍企業グループに係る事業概況報告事項の提供

第三十一款　支払利子等に係る課税の特例

　　一　国外支配株主等に係る負債の利子等の課税の特例（過少資本税制）
　　二　対象純支払利子等に係る課税の特例
　　三　超過利子額の損金算入

第三十二款　内国法人の外国関係会社に係る所得の課税の特例
　　　　　　―外国子会社合算税制―

　　一　内国法人に係る外国関係会社の課税対象金額等の益金算入
　　二　外国関係会社の課税対象金額等に係る税額の計算等
　　三　外国法人の特定課税対象金額等の計算等
　　四　特殊関係株主等である内国法人に係る外国関係法人の課税対象金額等の益金算入
　　五　外国関係法人の課税対象金額等に係る税額の計算等
　　六　外国法人の特定課税対象金額等の計算等

第三十三款　完全支配関係がある法人の間の取引の損益―グループ税制―………… 1328
　　一　譲渡損益調整資産に係る譲渡利益額又は譲渡損失額の繰延べ……………… 1328
　　二　譲渡損益調整資産に係る譲渡利益額又は譲渡損失額の戻入れ……………… 1330
　　三　譲渡損益調整資産に係る譲渡利益額又は譲渡損失額のうち益金の額又は損金の額に戻し入れる金額の計算等……………………………………………… 1331
　　四　組織再編成が行われた場合の処理……………………………………………… 1336
　　五　通算法人における処理…………………………………………………………… 1337
　　六　譲渡損益調整資産を譲渡した場合の通知……………………………………… 1338

第三十四款　組織再編成の所得金額の計算………………………………………………… 1340
　　一　組織再編成における移転資産等の譲渡損益の取扱い………………………… 1340
　　二　株式交換完全子法人等の有する資産の時価評価損益及び株式交換等における一定の株式のみの交付を受けた場合等の課税の繰延べ…………………… 1351
　　三　特定株主等によって支配された欠損等法人の資産の譲渡等損失額の損金不算入…… 1354
　　四　特定資産に係る譲渡等損失額の損金不算入…………………………………… 1357
　　五　組織再編成に関する課税の特例………………………………………………… 1378

第三十五款　グループ通算制度

　　一　損益通算及び欠損金の通算
　　二　通算承認等
　　三　通算制度における資産の時価評価損益

第二節　税額の計算、申告、納付及び還付等………………………………………………… 1392

第一款　税　　　率………………………………………………………………………… 1392
　　一　各事業年度の所得に対する法人税の税率……………………………………… 1392

目　次

二	特定同族会社の特別税率	1403
三	使途秘匿金の支出がある場合の課税の特例	1412
四	土地の譲渡等がある場合の特別税率	1415
五	短期所有に係る土地の譲渡等がある場合の特別税率	1416

第二款　税額控除 …………………………………………………………………… 1417

一	所得税額の控除	1417
二	外国税額の控除	1429
三	分配時調整外国税相当額の控除	1502
四	仮装経理に基づく過大申告の場合の更正に伴う法人税額の控除	1505
五	試験研究を行った場合の法人税額の特別控除	1509
六	中小企業者等が機械等を取得した場合の法人税額の特別控除	1567
七	沖縄の特定地域において工業用機械等を取得した場合の法人税額の特別控除	1575
八	国家戦略特別区域において機械等を取得した場合の法人税額の特別控除	1587
九	国際戦略総合特別区域において機械等を取得した場合の法人税額の特別控除	1592
十	地域経済牽引事業の促進区域内において特定事業用機械等を取得した場合の法人税額の特別控除	1597
十一	地方活力向上地域等において特定建物等を取得した場合の法人税額の特別控除	1602
十二	地方活力向上地域等において雇用者の数が増加した場合の法人税額の特別控除	1606
十三	認定地方公共団体の寄附活用事業に関連する寄附をした場合の法人税額の特別控除	1620
十四	中小企業者等が特定経営力向上設備等を取得した場合の法人税額の特別控除	1623
十五	給与等の支給額が増加した場合の法人税額の特別控除	1633
十六	認定特定高度情報通信技術活用設備を取得した場合の法人税額の特別控除	1652
十七	事業適応設備を取得した場合等の法人税額の特別控除	1656
十八	法人税額の特別控除等に関する複数の規定の不適用	1672
十九	圧縮記帳の適用を受けた資産に対する法人税額の特別控除の不適用	1674
二十	税額控除の順序	1675
二十一	法人税の額から控除される特別控除額の特例	1677

第三款　申告、納付及び還付等 ……………………………………………………… 1688

一	中間申告	1688
二	確定申告	1697
三	期限後申告	1707
四	修正申告	1707
五	電子情報処理組織による申告の特例	1708
六	納税申告書の提出先等	1715
七	納付	1716
八	還付	1725
九	更正の請求	1740

第四章　清算所得に対する法人税及び継続等の場合の課税の特例

第一節　課税標準及びその計算 …… 1743

 一　解散の場合の清算所得に対する法人税の課税標準 …… 1743
 二　解散による清算所得の金額 …… 1743
 三　解散による清算所得の金額の計算 …… 1744
 四　清算中に公益法人等が内国普通法人等に移行する場合の特例 …… 1748

第二節　税額の計算、申告、納付及び還付 …… 1749

 一　税額の計算 …… 1749
 二　申　　告 …… 1750
 三　納　　付 …… 1754
 四　還　　付 …… 1755
 五　清算中に公益法人等が内国普通法人等に移行する場合の特例 …… 1757

第三節　継続等の場合の課税の特例 …… 1758

 一　継続等の場合の清算所得の金額の特例 …… 1758
 二　継続等の場合の法人税額の特例 …… 1758
 三　継続等の場合の所得税額等の還付 …… 1758

第五章　公益法人等及び人格のない社団等における課税

第一節　公益法人等及び人格のない社団等における課税 …… 1760

 一　公益法人等及び人格のない社団等の納税義務等 …… 1760
 二　収益事業の範囲 …… 1761
 三　収益事業に係る所得の計算等 …… 1782

第二節　課税所得の変更等の場合の所得の金額の計算 …… 1786

 一　課税所得の範囲の変更 …… 1786
 二　公共法人等が普通法人等に移行する場合の所得の金額の計算 …… 1790
 三　転用資産等及び移行時資産等の帳簿価額 …… 1795

第六章　地方法人税

第一節　地方法人税法の趣旨 …… 1797

第二節　総　　則 …… 1798

 一　定　　義 …… 1798
 二　法人課税信託の受託者等 …… 1798
 三　納税義務者 …… 1799
 四　課税の対象 …… 1799

	五　基準法人税額等	1799
	六　課税事業年度等	1799
	七　納　税　地	1799
第三節	課　税　標　準	1800
	一　課　税　標　準	1800
	二　課税標準法人税額	1800
第四節	税額の計算	1801
	一　税　　率	1801
	二　外国税額の控除	1801
	三　分配時調整外国税相当額の控除	1806
	四　仮装経理に基づく過大申告の場合の更正に伴う地方法人税額の控除	1806
	五　税額控除の順序	1806
第五節	申告、納付及び還付等	1807
	一　中　間　申　告	1807
	二　確　定　申　告	1809
	三　通算法人の災害等による地方法人税確定申告書の提出期限の延長	1810
	四　電子情報処理組織による申告の特例	1810
	五　納　　付	1814
	六　還　　付	1814
	七　更正の請求の特例等	1822
	八　青色申告	1823
第六節	雑　　則	1825
	一　連帯納付の責任	1825
	二　罰　　則	1825

目 次

付　録

一　減価償却資産の耐用年数等に関する省令　別表 ……………………………… 1829

別表第一　機械及び装置以外の有形減価償却資産の耐用年数表 …………………………… 1829
別表第二　機械及び装置の耐用年数表 …………………………………………………… 1848
別表第三　無形減価償却資産の耐用年数表 ……………………………………………… 1852
別表第四　生物の耐用年数表 ……………………………………………………………… 1853
別表第五　公害防止用減価償却資産の耐用年数表 ……………………………………… 1855
別表第六　開発研究用減価償却資産の耐用年数表 ……………………………………… 1855
別表第七　平成19年3月31日以前に取得をされた減価償却資産の償却率表 ………… 1856
別表第八　平成19年4月1日以後に取得をされた減価償却資産の定額法の償却率表 …… 1857
別表第九　平成19年4月1日から平成24年3月31日までの間に取得をされた減価償却資産の定率法の償却率、改定償却率及び保証率の表 ……………………… 1858
別表第十　平成24年4月1日以後に取得をされた減価償却資産の定率法の償却率、改定償却率及び保証率の表 ………………………………………………… 1860
別表第十一　平成19年3月31日以前に取得をされた減価償却資産の残存割合表 …… 1862

二　耐用年数の適用等に関する取扱通達　付表

付表1　塩素、塩酸、硫酸、硝酸その他の著しい腐食性を有する液体又は気体の影響を直接全面的に受ける建物の例示
付表2　塩、チリ硝石……の影響を直接全面的に受ける建物の例示
付表3　鉄道業及び軌道業の構築物（総合償却資産であるものに限る）の細目と個別耐用年数
付表4　電気業の構築物（総合償却資産であるものに限る）の細目と個別耐用年数
付表5　通常の使用時間が8時間又は16時間の機械装置
付表6　漁網、活字地金及び専用金型等以外の資産の基準率、基準回数及び基準直径表
付表7　旧定率法未償却残額表及び定率法未償却残額表
付表8　「設備の種類」と日本標準産業分類の分類との対比表
付表9　機械及び装置の耐用年数表（別表第二）における新旧資産区分の対照表
付表10　機械及び装置の耐用年数表（旧別表第二）

三　医療用機器等の特別償却の対象となる医療用機器の範囲に関する取扱通達

四　漁ろう用設備の範囲に関する取扱通達

★法令及び通達索引・50音順索引 ……………………………………………………… 1863

<凡　　例>

本文中の主な法令・通達等は、下記の略語を用いた。

通法	国税通則法	所法	所得税法
通令	国税通則法施行令	所令	所得税法施行令
通規	国税通則法施行規則	耐用年数省令	減価償却資産の耐用年数等に関する省令
法	法人税法		
令	法人税法施行令	財告	財務省告示
規	法人税法施行規則	蔵告	大蔵省告示
措法	租税特別措置法	基通	法人税基本通達
措令	租税特別措置法施行令	所基通	所得税基本通達
措規	租税特別措置法施行規則	措通	租税特別措置法（法人税関係）通達
地方法	地方法人税法		
地方令	地方法人税法施行令	耐通	耐用年数の適用等に関する取扱通達
地方規	地方法人税法施行規則		
徴法	国税徴収法		

令6改法附…………所得税法等の一部を改正する法律（令和6年法律第8号）の附則
令6改令附…………法人税法施行令等の一部を改正する政令（令和6年政令第142号）の附則
令6改規附…………法人税法施行規則等の一部を改正する省令（令和6年財務省令第15号）の附則
令6改措令附………租税特別措置法施行令の一部を改正する政令（令和6年政令第151号）の附則
令6改措規附………租税特別措置法施行規則の一部を改正する省令（令和6年財務省令第24号）の附則
令6改耐用年数省令附
　　　　…………減価償却資産の耐用年数等に関する省令の一部を改正する省令（令和6年財務省令第30号の附則）
令5改法附…………所得税法等の一部を改正する法律（令和5年法律第3号）の附則
令5改令附…………法人税法施行令の一部を改正する政令（令和5年政令第135号）の附則
令5改規附…………法人税法施行規則の一部を改正する省令（令和5年財務省令第13号）の附則
令5改措令附………租税特別措置法施行令等の一部を改正する政令（令和5年政令第145号）の附則
令5改措規附………租税特別措置法施行規則等の一部を改正する省令（令和5年財務省令第19号）の附則
令4改法附…………所得税法等の一部を改正する法律（令和4年法律第4号）の附則
令3改法附…………所得税法等の一部を改正する法律（令和3年法律第11号）の附則
令3改措令附………租税特別措置法施行令等の一部を改正する政令（令和3年政令第119号）の附則
令3改措規附………租税特別措置法施行規則等の一部を改正する省令（令和3年財務省令第21号）の附則
令2改法附…………所得税法等の一部を改正する法律（令和2年法律第8号）の附則
令2改措令附………租税特別措置法施行令等の一部を改正する政令（令和2年政令第121号）の附則
令2改措規附………租税特別措置法施行規則等の一部を改正する省令（令和2年財務省令第21号）の附則
平31改法附…………所得税法等の一部を改正する法律（平成31年法律第6号）の附則
平31改令附…………法人税法施行令等の一部を改正する政令（平成31年政令第96号）の附則
平31改措令附………租税特別措置法施行令等の一部を改正する政令（平成31年政令第102号）の附則
平31改措規附………租税特別措置法施行規則等の一部を改正する省令（平成31年財務省令第14号）の附則
平30改法附…………所得税法等の一部を改正する法律（平成30年法律第7号）の附則
平30改令附…………法人税法施行令等の一部を改正する政令（平成30年政令第132号）の附則
平30改規附…………法人税法施行規則等の一部を改正する省令（平成30年財務省令第13号）の附則
平29改法附…………所得税法等の一部を改正する等の法律（平成29年法律第4号）の附則
平29改措令附………租税特別措置法施行令等の一部を改正する政令（平成29年政令第114号）の附則
平29改措規附………租税特別措置法施行規則等の一部を改正する省令（平成29年財務省令第24号）の附則
平28改法附…………所得税法等の一部を改正する法律（平成28年法律第15号）の附則
平28改令附…………法人税法施行令等の一部を改正する政令（平成28年政令第146号）の附則

平28改規附	………………	法人税法施行規則の一部を改正する省令（平成28年財務省令第16号）の附則
平28改措令附	…………	租税特別措置法施行令等の一部を改正する政令（平成28年政令第159号）の附則
平28改措規附	…………	租税特別措置法施行規則等の一部を改正する省令（平成28年省令第22号）の附則
旧消費税経理通達	……	令和3年2月9日付課法2－6による改正前の「消費税法等の施行に伴う法人税の取扱いについて」通達（平元3．1直法2－1他）
消費税経理通達	………	「消費税法等の施行に伴う法人税の取扱いについて」通達（平元3．1直法2－1他）
税務調査手続通達	……	「国税通則法第7章の2（国税の調査）関係通達の制定について」通達（平24．9．12課総5－9他）
復興財源確保法	………	東日本大震災からの復興のための施策を実施するために必要な財源の確保に関する特別措置法（平成23年法律第117号）
復興特別法人税政令	…	復興特別法人税に関する政令（平成24年政令第17号）
復興特別所得税政令	…	復興特別所得税に関する政令（平成24年政令第16号）
平26改正復興令附	……	復興特別法人税に関する政令の一部を改正する政令（平成26年政令第151号）の附則
熊本地震通達	…………	「平成28年熊本地震に関する諸費用の法人税の取扱いについて」通達（平28．6．16課法2－5他）
阪神・淡路震災特例法		
	………………	阪神・淡路大震災の被災者等に係る国税関係法律の臨時特例に関する法律（平成7年法律第11号）
阪神・淡路震災特例令		
	………………	阪神・淡路大震災の被災者等に係る国税関係法律の臨時特例に関する法律施行令（平成7年政令第29号）
電子帳簿保存法	………	電子計算機を使用して作成する国税関係帳簿書類の保存方法等の特例に関する法律（平成10年法律第25号）
電子帳簿保存令	………	電子計算機を使用して作成する国税関係帳簿書類の保存方法等の特例に関する法律施行令（令和3年政令第128号）
電子帳簿保存規	………	電子計算機を使用して作成する国税関係帳簿書類の保存方法等の特例に関する法律施行規則（平成10年大蔵省令第43号）
電子帳簿保存通達	……	「電子帳簿保存法取扱通達の制定について」通達（平10．5．28課法5－4他）

≪ 引 用 例 ≫

法22③Ⅱ	…………法人税法第22条第3項第2号		基通1－2－3	
			…………………	法人税基本通達第1章第2節の1－2－3
令6改法附10②				
	…………………所得税法等の一部を改正する法律の附則第10条第2項		措通43(1)－1	……租税特別措置法（法人税関係）通達第43条《特定設備等の特別償却》関係の第1款の1

(注) 原則として令和6年7月1日現在の法令通達（通達の経過的取扱いは一部省略）により編集している。
　　また、外国法人に関するもの及び信託における課税については、本書に収録していない。

第一章　法人税関係法令の主要改正事項とその適用時期一覧表

一　令和6年度改正

改　正　事　項	条　　項	適　用　時　期　等
（法人税法関係） **1　暗号資産** （1）　市場暗号資産に該当する暗号資産のうち譲渡についての制限その他の条件が付されていることにつき適切に公表されるための手続が行われている一定の暗号資産（特定譲渡制限付暗号資産）の期末時における評価額は、時価法又は原価法のうち内国法人が選定した方法によることとし、その内国法人がその方法を選定しなかった場合には原価法によることとされた。一定の暗号資産とは、次の要件の全てに該当する暗号資産をいう。 　イ　その暗号資産につき、譲渡についての制限その他の条件として移転制限が付されていること。 　ロ　その暗号資産につき、暗号資産交換業者が認定資金決済事業者協会を通じて上記イの譲渡についての制限その他の条件が付されていることを公表するための一定の手続を行っていること。	法61② （改法附9①）	令和6年4月1日以後に終了する事業年度 令和6年3月31日以前に終了した事業年度については、なお従前の例による。
（2）　暗号資産の1単位当たりの帳簿価額の算出等における暗号資産の種類は、次の暗号資産のいずれかに区分した後のそれぞれの種類とすることとされた。 　イ　特定譲渡制限付暗号資産に該当する暗号資産であって自己発行暗号資産に該当しないもの 　ロ　特定譲渡制限付暗号資産に該当する暗号資産であって自己発行暗号資産に該当するもの 　ハ　特定自己発行暗号資産に該当する暗号資産 　ニ　上記イからハまでの暗号資産以外の暗号資産	令118の6② （改令附6①）	
（3）　内国法人が有する自己発行暗号資産で、特定譲渡制限付暗号資産に該当するもの又は特定譲渡制限付暗号資産に該当していたものについては、特定自己発行暗号資産に該当しないものとみなして、法人税法第61条（第5項及び第7項から第9項までを除く。）の規定を適用することとされている。 　なお、特定譲渡制限付暗号資産に該当していたものについても特定自己発行暗号資産に該当しないこととされている。	令118の7④	
（4）　内国法人が暗号資産を自己の計算において有する場合において、その暗号資産が特定譲渡制限付暗号資産に該当することとなったこと等の一定の事実が生じたときは、その生じた事実の区分に応じて、その暗号資産を譲渡し、かつ、その暗号資産を取得したも	法61⑥ （改法附9①）	

改 正 事 項	条　　　項	適 用 時 期 等
のとみなして、その内国法人の各事業年度の所得の金額を計算することとされた。		
2　新たな公益信託制度の創設に伴う寄附金の損金不算入の見直し		
公益信託の信託財産とするために支出したその公益信託に係る信託事務に関連する寄附金の額については、一定の金額を限度として、一般の寄附金の損金算入限度額とは別に損金の額に算入することとされた。	法37⑤ （改法附7）	公益信託法の施行の日以後に効力が生ずる公益信託（移行認可を受けた信託を含む。）
3　適格現物出資の対象となる現物出資の範囲		
現物出資について、次の見直しが行われた。	法2 XIIのXIV、令4の3⑫ （改法附6、改令附2）	令和6年10月1日以後に行われる現物出資 令和6年9月30日以前に行われた現物出資については、なお従前の例による。
（1）　適格現物出資の対象となる現物出資から、被現物出資法人である外国法人に無形資産等の移転を行う一定の現物出資が除外された。		
（2）　現物出資により移転する資産又は負債が、国内資産等又は国外資産等のいずれに該当するか（内外判定）は、内国法人の本店等若しくは外国法人の恒久的施設を通じて行う事業に係る資産若しくは負債又は内国法人の国外事業所等若しくは外国法人の本店等を通じて行う事業に係る資産若しくは負債のいずれに該当するかによることとされた。		
4　公共法人の範囲		
公共法人の範囲に、国立研究開発法人情報通信研究機構が追加された。	平15.9財告606 （令6.3財告90前文）	令和6年4月1日
5　公益法人等の範囲		
公益法人等の範囲について、次の見直しが行われた。		
（1）　金融経済教育推進機構が追加された。	法別表2、金融商品取引法等の一部を改正する法律附則43 （同附1Ⅱ）	金融商品取引法等の一部を改正する法律の公布の日（令和5年11月29日）から起算して3月を超えない範囲内において政令で定める日（令和6年2月1日）。
（2）　脱炭素成長型経済構造移行推進機構が追加された。	法別表2 （改法附1）	令和6年4月1日
（3）　外国人技能実習機構が除外され、外国人育成就労機構が追加された。	法別表2、出入国管理及び難民認定法及び外国人の技能実習の適正な実施及び技能実習生の保護に関する法律の一部を改正する法律附則27Ⅳ （同附1）	出入国管理及び難民認定法及び外国人の技能実習の適正な実施及び技能実習生の保護に関する法律の一部を改正する法律の施行の日
（4）　公益法人等となる独立行政法人の範囲から国立研究開発法人情報通信研究機構が除外された。	平15.9財告607 （令6.3財告91前文）	令和6年4月1日
（5）　社会医療法人について、社会医療法人の認定要件のうち救急医療等確保事業に係る業務の基準に、新興感染症発生・まん延時における医療の確保に必要な事業に関する基準が追加されるとともに、認定要件の見直し後の社会医療法人を引き続き公益法人等とすることとされた。	令5①XXIXチ （改令附1）	令和6年4月1日

改　　正　　事　　項	条　　項	適　用　時　期　等
6　収益事業から除外される事業の範囲 　収益事業から除外される事業の範囲について、次の見直しが行われた。	令5①	
（1）　金銭貸付業から除外される事業に、広域的運営推進機関が認定整備等事業者に対し認定整備等計画に基づく電気工作物の整備又は更新に必要な資金を貸し付ける業務として行う金銭貸付業が追加された。	令5①Ⅲリ （改令附1）	令和6年4月1日
（2）　請負業（事務処理の委託を受ける業を含む。）から除外される事業に、国民健康保険団体連合会が国等の委託を受けて行うものであること等の一定の要件に該当するものが追加された。	令5①Ⅹホ、規4の2の2 （改令附3）	令和6年4月1日以後に開始する事業年度
（3）　医療保健業から除外される公的医療機関に該当する病院等を設置する一定の厚生農業協同組合連合会が行う医療保健業の要件について、その厚生農業協同組合連合会の行う事業が公的に運営されるものであることその他の厚生労働大臣及び農林水産大臣の定める基準に該当することとの要件が追加された。	規5の2①Ⅲ、令6.3厚労・農水告2 （改規附1）	令和6年4月1日
7　減価償却資産の見直し 　減価償却資産について、次の見直しが行われた。		
（1）　減価償却資産の範囲に、無形固定資産として漁港水面施設運営権が追加された。	令13Ⅷワ （改令附1）	令和6年4月1日
（2）　鉱業権のうち、石油又は可燃性天然ガスに係る試掘権の耐用年数が6年（改正前：8年）に、アスファルトに係る試掘権の耐用年数が5年（改正前：8年）に、それぞれ短縮された。	耐用年数省令1②Ⅱ （改耐用年数省令附②）	令和6年4月1日以後に開始する事業年度 令和6年3月31日以前に開始した事業年度については、なお従前の例による。
8　役員給与の損金不算入 　役員給与の損金不算入制度について、一定の業績連動給与の算定方法の内容が開示されていることとの要件における開示の方法から四半期報告書に記載する方法によるものが除外された。	旧規22の3⑥Ⅰ （改規附2①②）	令和6年3月31日以前に行った四半期報告書に記載する方法による開示については、なお従前の例による。 令和6年4月1日以後に金融商品取引法等の一部を改正する法律（令和5年法律第79号）附則第2条第1項の規定により従前どおり提出される四半期報告書に記載する方法による開示については、なお従前の例による。
9　第二次納税義務に係る納付税額の損金不算入 　第二次納税義務に係る納付税額の損金不算入制度における国税徴収法等の第二次納税義務の規定により納付し、又は納入すべき国税等に、偽りその他不正の行為により国税を免れた株式会社の役員等の第二次納税義務の規定により納付すべき国税等が追加された。	法39①、令78の2① （改法附1Ⅳ、改令附1Ⅱ）	令和7年1月1日
10　国庫補助金等で取得した固定資産等の圧縮額の損金算入 　国庫補助金等で取得した固定資産等の圧縮額の損金算入制度について、対象となる国庫補助金等に国立研究開	令79Ⅴ・Ⅸ （改令附5）	令和6年4月1日以後に確定申告書の提出期限が到来する事業

改　正　事　項	条　　項	適　用　時　期　等
発法人新エネルギー・産業技術総合開発機構法に基づく国立研究開発法人新エネルギー・産業技術総合開発機構の供給確保事業助成金及び独立行政法人エネルギー・金属鉱物資源機構法に基づく独立行政法人エネルギー・金属鉱物資源機構の供給確保事業助成金が追加された。		年度
11　子会社株式簿価減額特例の見直し （1）　株式等の帳簿価額から減算する金額に関する特例計算（金額特例）の対象に、対象配当等の額を受ける日の属する他の法人の事業年度（以下「対象事業年度」という。）の期間内に特定支配日がある場合を加え、この場合（利益剰余金期中増加及び期中配当等があった場合（その対象事業年度が当該他の法人の設立の日の属する事業年度である場合にあっては、利益剰余金期中増加及び期中配当等があった場合に準ずる場合）に限る。）における特定支配後増加利益剰余金額は、イに掲げる金額からロに掲げる金額を減算した金額とされた。 　イ　その対象配当等の額を受ける直前の当該他の法人の利益剰余金の額からその対象事業年度の前事業年度（その対象事業年度が当該他の法人の設立の日の属する事業年度である場合には、その設立の時。下記ロにおいて同じ。）の貸借対照表に計上されている利益剰余金の額を減算した金額とその対象事業年度開始の日から当該直前の時までの期間内に当該他の法人の株主等が当該他の法人から受ける配当等の額に対応して減少した当該他の法人の利益剰余金の額の合計額とを合計した金額 　ロ　その特定支配日の前日の当該他の法人の利益剰余金の額からその前事業年度の貸借対照表に計上されている利益剰余金の額を減算した金額とその対象事業年度開始の日から当該前日までの期間内に当該他の法人の株主等が当該他の法人から受ける配当等の額に対応して減少した当該他の法人の利益剰余金の額の合計額とを合計した金額	令119の3⑪Ⅱ （改令附7）	令和6年4月1日以後に開始する事業年度 令和6年3月31日以前に開始した事業年度については、なお従前の例による。
（2）　（1）の改正に伴い、ロに掲げる金額を適用回避防止規定等における判定に用いることとするための規定の整備が行われた。	令119の3⑭Ⅰロ、ハ、Ⅱロ、ハ、⑮Ⅰ （改令附7）	
12　その他 法人税法施行令の規定について次の整備が行われた。 （1）　寄附金の損金算入限度額の基礎となる所得金額について、特許権等の譲渡等による所得の課税の特例の適用がある場合には、この特例の適用をしないものとして計算することとされた。	令73②ⅩⅥ （法人税法施行令の一部を改正する政令附則）	令和7年4月1日
（2）　法人税の負担を不当に減少させる結果となると認められる場合の全体再計算の要件である「遮断に関する規定を適用したならば欠損金額が生ずる等の事実が生じ、その通算法人又は他の通算法人の各事業年度終了の日以後に終了する事業年度の所得に対する	令131の7②Ⅸ （法人税法施行令の一部を改正する政令附則）	令和7年4月1日

改　正　事　項	条　項	適　用　時　期　等
法人税の負担を不当に減少させる結果となると認めるとき」について、「遮断に関する規定」に、特許権等の譲渡等による所得の課税の特例における遮断に関する規定が追加された。		
（租税特別措置法関係） **1　試験研究を行った場合の法人税額の特別控除制度（研究開発税制）** 　研究開発税制について、次の見直しが行われた。		
（1）　試験研究費の額の範囲から、内国法人が国外事業所等を通じて行う事業に係る費用の額が除外された。	措法42の4⑲Ⅰ （改法附39③）	令和7年4月1日以後に開始する事業年度 令和7年3月31日以前に開始した事業年度については、なお従前の例による。
（2）　一般試験研究費の額に係る税額控除制度について、増減試験研究費割合が0に満たない場合の税額控除割合が次の事業年度の区分に応じそれぞれ次の割合とされるとともに、税額控除割合の下限が1％から0に引き下げられた。 　イ　令和8年4月1日から令和11年3月31日までの間に開始する事業年度……8.5％から、その増減試験研究費割合が0に満たない場合のその満たない部分の割合に30分の8.5を乗じて計算した割合を減算した割合 　ロ　令和11年4月1日から令和13年3月31日までの間に開始する事業年度……8.5％から、その増減試験研究費割合が0に満たない場合のその満たない部分の割合に27.5分の8.5を乗じて計算した割合を減算した割合 　ハ　令和13年4月1日以後に開始する事業年度……8.5％から、その増減試験研究費割合が0に満たない場合のその満たない部分の割合に25分の8.5を乗じて計算した割合を減算した割合	措法42の4①Ⅱ （改法附39①）	令和8年4月1日以後に開始する事業年度 令和8年3月31日以前に開始した事業年度については、なお従前の例による。
2　国家戦略特別区域において機械等を取得した場合の特別償却又は法人税額の特別控除制度 　国家戦略特別区域において機械等を取得した場合の特別償却又は法人税額の特別控除制度について、対象事業の見直し等が行われた上、その適用期限が令和8年3月31日まで2年延長された。	措法42の10①、国家戦略特別区域法施行規則10 （総合特別区域法施行規則及び国家戦略特別区域法施行規則の一部を改正する内閣府令附則②）	令和6年4月1日以後に国家戦略特別区域法施行規則第3条第4項の国家戦略特別区域担当大臣の確認（以下「確認」という。）を受ける事業実施計画に係る事業 令和6年3月31日以前に確認を受けた事業実施計画に係る事業については、なお従前の例による。
3　国際戦略総合特別区域において機械等を取得した場合の特別償却又は法人税額の特別控除制度 　国際戦略総合特別区域において機械等を取得した場合	措法42の11①②	令和6年4月1日以後に取得又

改　正　事　項	条　　項	適　用　時　期　等
の特別償却又は法人税額の特別控除制度について、令和6年4月1日以後に取得等をした特定機械装置等（令和6年3月31日以前に受けた指定に係る指定法人事業実施計画に令和6年3月31日において記載されているものを除く。）の特別償却限度額及び税額控除割合が次のとおり引き下げられるとともに、対象事業の見直しが行われた上、その適用期限が令和8年3月31日まで2年延長された。 （1）　特別償却限度額……その取得価額の30％（建物等及び構築物については、15％）相当額（改正前：その取得価額の34％（建物等及び構築物については、17％）相当額） （2）　税額控除割合……8％（建物等及び構築物については、4％）（改正前：10％（建物等及び構築物については、5％））	（改法附40）	は製作若しくは建設をする特定機械装置等 令和6年3月31日以前に取得又は製作若しくは建設をした特定機械装置等については、なお従前の例による。
4　地域経済牽引事業の促進区域内において特定事業用機械等を取得した場合の特別償却又は法人税額の特別控除制度 　　地域経済牽引事業の促進区域内において特定事業用機械等を取得した場合の特別償却又は法人税額の特別控除制度について、特別償却割合又は税額控除割合の引上げに係る措置の対象となる承認地域経済牽引事業が、地域の事業者に対して著しい経済的効果を及ぼすものである場合には、その対象となる機械装置及び器具備品の税額控除割合を6％とすることとされた。	措法42の11の2②Ⅰ （改法附41）	令和6年4月1日以後に取得又は製作若しくは建設をする特定事業用機械等 令和6年3月31日以前に取得又は製作若しくは建設をした特定事業用機械等については、なお従前の例による。
5　地方活力向上地域等において特定建物等を取得した場合の特別償却又は法人税額の特別控除制度 　　地方活力向上地域等において特定建物等を取得した場合の特別償却又は法人税額の特別控除制度について、次の見直しが行われた上、地方活力向上地域等特定業務施設整備計画の認定期限が令和8年3月31日まで2年延長された。	措法42の11の3①	
（1）　特定建物等の範囲に、認定地方活力向上地域等特定業務施設整備計画に記載された特定業務児童福祉施設のうち特定業務施設の新設に併せて整備されるものに該当する建物等及び構築物が追加された。	措法42の11の3① （改法附42②）	令和6年4月19日以後に地方活力向上地域等特定業務施設整備計画について認定を受ける法人が取得又は建設をするその認定に係る認定地方活力向上地域等特定業務施設整備計画に記載された特定建物等 令和6年4月18日以前に地方活力向上地域等特定業務施設整備計画について認定を受けた法人が取得又は建設をするその認定に係る認定地方活力向上地域等特定業務施設整備計画に記載された特定建物等については、なお従前の例による。
（2）　中小企業者（適用除外事業者又は通算適用除外事	措令27の11の3	令和6年4月1日以後に地方活

改　正　事　項	条　　項	適　用　時　期　等
業者に該当するものを除く。）以外の法人の適用対象となる特定建物等の取得価額に係る要件が、3,500万円以上（改正前：2,500万円以上）に引き上げられた。	（改措令附11）	力向上地域等特定業務施設整備計画について認定を受ける法人が取得又は建設をするその認定に係る認定地方活力向上地域等特定業務施設整備計画に記載された特定建物等 令和6年3月31日以前に地方活力向上地域等特定業務施設整備計画について認定を受けた法人が取得又は建設をするその認定に係る認定地方活力向上地域等特定業務施設整備計画に記載された特定建物等については、なお従前の例による。
（3）　特別償却限度額及び税額控除限度額の計算の基礎となる特定建物等の取得価額の上限が、80億円とされた。	措法42の11の3①② （改法附42①）	令和6年4月1日以後に地方活力向上地域等特定業務施設整備計画について認定を受ける法人が取得又は建設をするその認定に係る認定地方活力向上地域等特定業務施設整備計画に記載された特定建物等 令和6年3月31日以前に地方活力向上地域等特定業務施設整備計画について認定を受けた法人が取得又は建設をするその認定に係る認定地方活力向上地域等特定業務施設整備計画に記載された特定建物等については、なお従前の例による。
6　地方活力向上地域等において雇用者の数が増加した場合の法人税額の特別控除制度 　地方活力向上地域等において雇用者の数が増加した場合の法人税額の特別控除制度について、次の見直しが行われた上、地方活力向上地域等特定業務施設整備計画の認定期限が令和8年3月31日まで2年延長された。	措法42の12①	
（1）　地方事業所特別基準雇用者数に係る措置について、地方事業所特別税額控除限度額の計算の基礎となる地方事業所特別基準雇用者数が、無期雇用かつフルタイムの雇用者の数に限ることとされた。	措法42の12⑥XVI、措令27の12⑪ （改法附43、改措令附12）	令和6年4月1日以後に地方活力向上地域等特定業務施設整備計画について計画の認定を受ける法人のその地方活力向上地域等特定業務施設整備計画 令和6年3月31日以前に地方活力向上地域等特定業務施設整備計画について計画の認定を受けた法人のその地方活力向上地域等特定業務施設整備計画については、なお従前の例による。
（2）　特定業務施設の新設に係る地方活力向上地域等特定業務施設整備計画における適用年度に含まれる	措法42の12⑥Ⅱ・Ⅲ、措令27の12⑯	令和6年4月1日以後に地方活力向上地域等特定業務施設整備

改　正　事　項	条　項	適　用　時　期　等
期間の起算日が、その特定業務施設を事業の用に供した日（改正前：計画の認定を受けた日）とされた。	（改法附43、改措令附12）	計画について計画の認定を受ける法人のその地方活力向上地域等特定業務施設整備計画 令和6年3月31日以前に地方活力向上地域等特定業務施設整備計画について計画の認定を受けた法人のその地方活力向上地域等特定業務施設整備計画については、なお従前の例による。
（3）　適用要件のうち離職者に関する要件について、離職者がいないこととの要件を満たさなければならない事業年度が本制度の適用を受けようとする事業年度及びその事業年度開始の日前2年以内に開始した各事業年度（改正前：本制度の適用を受けようとする事業年度及びその事業年度開始の日前1年以内に開始した各事業年度）とされた。	措法42の12⑧ （改法附43）	令和6年4月1日以後に地方活力向上地域等特定業務施設整備計画について計画の認定を受ける法人のその地方活力向上地域等特定業務施設整備計画 令和6年3月31日以前に地方活力向上地域等特定業務施設整備計画について計画の認定を受けた法人のその地方活力向上地域等特定業務施設整備計画については、なお従前の例による。
7　給与等の支給額が増加した場合の法人税額の特別控除制度 　給与等の支給額が増加した場合の法人税額の特別控除制度について、次の見直しが行われた。		
（1）　法人の継続雇用者給与等支給額が増加した場合に係る措置について、次の見直しが行われた上、その適用期限が令和9年3月31日まで3年延長された。	措法42の12の5①	令和6年4月1日以後に開始する事業年度 令和6年3月31日以前に開始した事業年度については、なお従前の例による。
イ　税額控除割合の上乗せ措置について、適用事業年度において次の要件を満たす場合には、原則の税額控除割合にそれぞれ次の割合を加算した割合を税額控除割合とし、適用事業年度において次の要件のうち2以上の要件を満たす場合には、原則の税額控除割合にそれぞれの割合を合計した割合を加算した割合（最大で35％）を税額控除割合とする措置に見直されるとともに、原則の税額控除割合が、10％（改正前：15％）とされた。 　　（イ）　継続雇用者給与等支給増加割合が4％以上であること……次の割合 　　　A　継続雇用者給与等支給増加割合が4％以上5％未満である場合……5％ 　　　B　継続雇用者給与等支給増加割合が5％以上7％未満である場合……10％ 　　　C　継続雇用者給与等支給増加割合が7％以上である場合……15％ 　　（ロ）　次の要件の全てを満たすこと……5％ 　　　A　その法人のその適用事業年度の所得の金額	措法42の12の5① （改法附38）	

改　正　事　項	条　　　項	適　用　時　期　等
の計算上損金の額に算入される教育訓練費の額からその比較教育訓練費の額を控除した金額のその比較教育訓練費の額に対する割合が10％以上であること。 　　Ｂ　その法人のその適用事業年度の所得の金額の計算上損金の額に算入される教育訓練費の額のその法人の雇用者給与等支給額に対する割合が0.05％以上であること。 　（ハ）　その適用事業年度終了の時において次の者のいずれかに該当すること……５％ 　　Ａ　次世代育成支援対策推進法に規定する特例認定一般事業主 　　Ｂ　女性の職業生活における活躍の推進に関する法律に規定する特例認定一般事業主		
ロ　本措置の適用を受けるためにマルチステークホルダー方針を公表しなければならない者に、適用事業年度終了の時においてその法人の常時使用する従業員の数が2,000人を超える法人が追加された。	措法42の12の５① （改法附38）	
ハ　上記６(1)の見直しに伴い、地方活力向上地域等において雇用者の数が増加した場合の法人税額の特別控除制度の適用を受ける場合の控除対象雇用者給与等支給増加額の調整計算の見直しが行われた。	措令27の12の５③ （改措令附13①②）	
ニ　次の額の算定に際し、給与等に充てるため他の者から支払を受ける金額のうち役務の提供の対価として支払を受ける金額は、給与等の支給額から控除しないこととされた。 　（イ）　継続雇用者給与等支給増加割合に関する要件の判定における継続雇用者給与等支給額及び継続雇用者比較給与等支給額 　（ロ）　控除対象雇用者給与等支給増加額の算定の基礎となる雇用者給与等支給額及び比較雇用者給与等支給額 　（ハ）　控除対象雇用者給与等支給増加額の上限となる調整雇用者給与等支給増加額の算定の基礎となる雇用者給与等支給額及び比較雇用者給与等支給額	措法42の12の５⑤Ⅳ （改法附38）	
(2)　青色申告書を提出する法人が、令和６年４月１日から令和９年３月31日までの間に開始する各事業年度において国内雇用者に対して給与等を支給する場合で、かつ、その事業年度終了の時において特定法人に該当する場合において、その事業年度において継続雇用者給与等支給増加割合が３％以上であるとき（その事業年度終了の時において、その法人の資本金の額又は出資金の額が10億円以上であり、かつ、その法人の常時使用する従業員の数が1,000人以上である場合には、給与等の支給額の引上げの方針、下請事業者その他の取引先との適切な関係の構築の方針その他の	措法42の12の５②	

改　正　事　項	条　項	適　用　時　期　等
事項を公表している場合として一定の場合に該当する場合に限る。）は、その法人のその事業年度の控除対象雇用者給与等支給増加額（その事業年度において、地方活力向上地域等において雇用者の数が増加した場合の法人税額の特別控除制度の適用を受ける場合には、その適用による控除を受ける金額の計算の基礎となった者に対する給与等の支給額として計算した金額を控除した残額）に10％（その事業年度において次の要件を満たす場合には、それぞれ次の割合（その事業年度において次の要件のうち2以上の要件を満たす場合には、それぞれの割合を合計した割合）を加算した割合）を乗じて計算した金額の税額控除（税額控除額は、当期の調整前法人税額の20％相当額が上限とされている。）ができる措置が追加された。 イ　継続雇用者給与等支給増加割合が4％以上であること……15％ ロ　次の要件の全てを満たすこと……5％ 　（イ）　その法人のその事業年度の所得の金額の計算上損金の額に算入される教育訓練費の額からその比較教育訓練費の額を控除した金額のその比較教育訓練費の額に対する割合が10％以上であること。 　（ロ）　その法人のその事業年度の所得の金額の計算上損金の額に算入される教育訓練費の額のその法人の雇用者給与等支給額に対する割合が0.05％以上であること。 ハ　次の要件のいずれかを満たすこと……5％ 　（イ）　その事業年度終了の時において次世代育成支援対策推進法に規定する特例認定一般事業主に該当すること。 　（ロ）　その事業年度において女性の職業生活における活躍の推進に関する法律の認定を受けたこと（同法の女性労働者に対する職業生活に関する機会の提供及び雇用環境の整備の状況が特に良好な一定の場合に限る。）。 　（ハ）　その事業年度終了の時において女性の職業生活における活躍の推進に関する法律に規定する特例認定一般事業主に該当すること。		
（3）　中小企業者等の雇用者給与等支給額が増加した場合に係る措置について、次の見直しが行われた上、その適用期限が令和9年3月31日まで3年延長された。	措法42の12の5③	令和6年4月1日以後に開始する事業年度 令和6年3月31日以前に開始した事業年度については、なお従前の例による。
イ　税額控除割合の上乗せ措置について、適用事業年度において次の要件を満たす場合には、15％にそれぞれ次の割合を加算した割合を税額控除割合とし、適用事業年度において次の要件のうち2以上の要件を満たす場合には、15％にそれぞれの割合を合計した割合を加算した割合（最大で45％）を税額控除	措法42の12の5③ （改法附38）	

改　正　事　項	条　項	適　用　時　期　等
割合とする措置に見直された。 　（イ）　雇用者給与等支給増加割合が2.5％以上であること……15％ 　（ロ）　次の要件の全てを満たすこと……10％ 　　A　その中小企業者等のその適用事業年度の所得の金額の計算上損金の額に算入される教育訓練費の額からその比較教育訓練費の額を控除した金額のその比較教育訓練費の額に対する割合が5％以上であること。 　　B　その中小企業者等のその適用事業年度の所得の金額の計算上損金の額に算入される教育訓練費の額のその中小企業者等の雇用者給与等支給額に対する割合が0.05％以上であること。 　（ハ）　次の要件のいずれかを満たすこと……5％ 　　A　その適用事業年度において次世代育成支援対策推進法の認定を受けたこと（同法に規定する次世代育成支援対策の実施の状況が良好な一定の場合に限る。）。 　　B　その適用事業年度終了の時において次世代育成支援対策推進法に規定する特例認定一般事業主に該当すること。 　　C　その適用事業年度において女性の職業生活における活躍の推進に関する法律の認定を受けたこと（同法の女性労働者に対する職業生活に関する機会の提供及び雇用環境の整備の状況が良好な一定の場合に限る。）。 　　D　その適用事業年度終了の時において女性の職業生活における活躍の推進に関する法律に規定する特例認定一般事業主に該当すること。 　ロ　上記(1)ハ及びニと同様の見直しが行われた。	措法42の12の5⑤Ⅳ、措令27の12の5④ （改法附38、改措令附13①②）	
（4）　青色申告書を提出する法人の各事業年度において雇用者給与等支給額がその比較雇用者給与等支給額を超える場合において、中小企業者等の雇用者給与等支給額が増加した場合に係る措置（上記(3)の措置）による控除をしてもなお控除しきれない金額を有するときは、その控除しきれない金額につき5年間繰り越して税額控除（税額控除額は、上記(1)から(3)までの措置と合計して当期の調整前法人税額の20％相当額が上限とされている。）ができる制度が創設された。	措法42の12の5④ （改法附44）	令和6年4月1日以後に開始する事業年度において生ずる控除しきれない金額

8　事業適応設備を取得した場合等の特別償却又は法人税額の特別控除制度

　事業適応設備を取得した場合等の特別償却又は法人税額の特別控除制度について、次の見直しが行われた。

改　正　事　項	条　　項	適　用　時　期　等
（1）　カーボンニュートラルに向けた投資促進税制について、次の見直しが行われた。 　イ　本制度の対象となる法人が、青色申告書を提出する法人で産業競争力強化法等の一部を改正する等の法律の施行の日（令和3年8月2日）から令和8年3月31日までの間にされた産業競争力強化法の認定に係る同法に規定する認定事業適応事業者（その認定エネルギー利用環境負荷低減事業適応計画にその計画に従って行うエネルギー利用環境負荷低減事業適応のための措置として生産工程効率化等設備を導入する旨の記載があるものに限る。）であるものとされ、対象資産が、その認定を受けた日から同日以後3年を経過する日までの間に、取得等をして、その法人の事業の用に供した生産工程効率化等設備とされた。	措法42の12の7③⑥ （改法附45①）	令和6年4月1日以後に取得又は製作若しくは建設をする生産工程効率化等設備 令和6年3月31日以前に取得又は製作若しくは建設をした生産工程効率化等設備等については、なお従前の例による。
ロ　税額控除割合が、次の区分に応じそれぞれ次のとおりとされた。 　　（イ）　中小企業者（適用除外事業者又は通算適用除外事業者に該当するものを除く。）が事業の用に供した生産工程効率化等設備……次の生産工程効率化等設備の区分に応じそれぞれ次の割合 　　　A　エネルギーの利用による環境への負荷の低減に著しく資する生産工程効率化等設備……14％ 　　　B　上記A以外の生産工程効率化等設備……10％ 　　（ロ）　中小企業者（適用除外事業者又は通算適用除外事業者に該当するものを除く。）以外の法人が事業の用に供した生産工程効率化等設備……次の生産工程効率化等設備の区分に応じそれぞれ次の割合 　　　A　エネルギーの利用による環境への負荷の低減に特に著しく資する生産工程効率化等設備……10％ 　　　B　上記A以外の生産工程効率化等設備……5％	措法42の12の7⑥ （改法附45①）	
ハ　対象資産について、次の見直しが行われた。 　　（イ）　対象資産である生産工程効率化等設備に、車両のうち、列車の走行に伴う二酸化炭素の排出量の削減に資する鉄道車両として国土交通大臣が定めるものが追加された。	生産工程効率化等設備に関する命令①、令6.3国交告289四 （生産工程効率化等設備に関する命令の一部を改正する命令附則）	令和6年4月1日
（ロ）　対象資産から次の資産が除外された。 　　　A　生産工程効率化等設備のうち、広く一般に流通している照明設備及びエアコンディショナ	生産工程効率化等設備に関する命令①、措法42の12の7③⑥ （生産工程効率化等設備に関する命令の一部	

改　正　事　項	条　　　項	適　用　時　期　等
一（使用者の快適性を確保するために使用されるものに限る。） 　　　B　需要開拓商品生産設備	を改正する命令附則）。 （改法附45①）	 令和6年4月1日以後に取得又は製作若しくは建設をする生産工程効率化等設備 令和6年3月31日以前に取得又は製作若しくは建設をした生産工程効率化等設備等については、なお従前の例による。
（ハ）　令和6年3月31日以前に認定の申請がされた認定エネルギー利用環境負荷低減事業適応計画に記載された資産が除外された。	措法42の12の7⑮Ⅲ （改法附45③）	令和6年4月1日以後に終了する事業年度
ニ　事業適応計画の認定要件のうち事業所等の炭素生産性に係る要件等の見直しが行われた。	実施指針1Ⅱハ①(1)、生産工程効率化等設備に関する命令④（生産工程効率化等設備に関する命令の一部を改正する命令附則）	令和6年4月1日
（2）　次のイ及びロの措置で構成される戦略分野国内生産促進税制が創設された。	措法42の12の7⑦～⑫、⑰～㉒、措令27の12の7④～⑦ （改法附1ⅩⅢ）	産業競争力強化法等改正法の施行の日
イ　青色申告書を提出する法人で産業競争力強化法等改正法の施行の日から令和9年3月31日までの間にされた産業競争力強化法の認定に係る認定事業適応事業者であるものが、その認定エネルギー利用環境負荷低減事業適応計画に記載された産業競争力基盤強化商品のうち半導体の生産をするための設備の新設又は増設をする場合において、その新設又は増設に係る機械その他の減価償却資産（以下「半導体生産用資産」という。）の取得等をして、その法人の事業の用に供したときは、その事業の用に供した日からその認定の日以後10年を経過する日までの期間（イにおいて「対象期間」という。）内の日を含む各事業年度において、その半導体生産用資産により生産された半導体のうちその事業年度の対象期間において販売されたものの数量等に応じた金額とその半導体生産用資産及びこれとともにその半導体の生産をするために直接又は間接に使用する減価償却資産に対して投資した金額の合計額（その半導体生産用資産について既に本措置により調整前法人税額から控除された金額及び繰越控除の対象となった金額を除く。）とのうちいずれか少ない金額の税額控除ができる措置 　　なお、控除を受ける金額は、デジタルトランスフォーメーション投資促進税制及びカーボンニュートラルに向けた投資促進税制の税額控除と合計して当期の調整前法人税額の20％を上限とし、税額控		

改　正　事　項	条　項	適　用　時　期　等
除限度超過額は３年間の繰越しができることとされている。 　ロ　青色申告書を提出する法人で産業競争力強化法等改正法の施行の日から令和９年３月31日までの間にされた産業競争力強化法の認定に係る認定事業適応事業者であるものが、その認定エネルギー利用環境負荷低減事業適応計画に記載された産業競争力基盤強化商品（半導体を除く。以下「特定産業競争力基盤強化商品」という。）の生産をするための設備の新設又は増設をする場合において、その新設又は増設に係る機械その他の減価償却資産（以下「特定商品生産用資産」という。）の取得等をして、その法人の事業の用に供したときは、その事業の用に供した日からその認定の日以後10年を経過する日までの期間（ロにおいて「対象期間」という。）内の日を含む各事業年度において、その特定商品生産用資産により生産された特定産業競争力基盤強化商品のうちその事業年度の対象期間において販売されたものの数量等に応じた金額とその特定商品生産用資産及びこれとともにその特定産業競争力基盤強化商品の生産をするために直接又は間接に使用する減価償却資産に対して投資した金額の合計額（その特定商品生産用資産について既に本措置により調整前法人税額から控除された金額及び繰越控除の対象となった金額を除く。）とのうちいずれか少ない金額の税額控除ができる措置 　　なお、控除を受ける金額は、デジタルトランスフォーメーション投資促進税制及びカーボンニュートラルに向けた投資促進税制の税額控除並びに上記イの措置と合計して当期の調整前法人税額の40％を上限とし、税額控除限度超過額は４年間の繰越しができることとされている。		
９　法人税の額から控除される特別控除額の特例 　　法人税の額から控除される特別控除額の特例における特定税額控除制度の不適用措置について、次の見直しが行われた上、その適用期限が令和９年３月31日まで３年延長された。	措法42の13⑤	
（１）　継続雇用者給与等支給額に係る上乗せ要件の対象となる場合に、次のいずれにも該当する場合が追加された。 　イ　当該事業年度終了の時においてその法人の常時使用する従業員の数が2,000人を超える場合 　ロ　当該事業年度が設立事業年度及び合併等事業年度のいずれにも該当しない場合であって当該事業年度の前事業年度の所得の金額が０を超える一定の場合又は当該事業年度が設立事業年度若しくは合併等事業年度に該当する場合	措法42の13⑤Ⅰイ （改法附38）	令和６年４月１日以後に開始する事業年度 令和６年３月31日以前に開始した事業年度については、なお従前の例による。
（２）　国内設備投資額に係る要件について、次のいずれ	措法42の13⑤Ⅱ	

改　　正　　事　　項	条　　　　項	適　用　時　期　等
にも該当する場合又は上記（1）イ及びロのいずれにも該当する場合には、国内設備投資額が当期償却費総額の40％（改正前：30％）相当額を超えることとされた。 　イ　当該事業年度終了の時において、その法人の資本金の額又は出資金の額が10億円以上であり、かつ、その法人の常時使用する従業員の数が1,000人以上である場合 　ロ　当該事業年度が設立事業年度及び合併等事業年度のいずれにも該当しない場合であって当該事業年度の前事業年度の所得の金額が0を超える一定の場合又は当該事業年度が設立事業年度若しくは合併等事業年度に該当する場合	（改法附38）	
（3）　継続雇用者給与等支給額に係る要件の判定上、継続雇用者給与等支給額及び継続雇用者比較給与等支給額の算定に際し、給与等に充てるため他の者から支払を受ける金額のうち役務の提供の対価として支払を受ける金額は、給与等の支給額から控除しないこととされた。	措法42の12の5⑤Ⅳ、 42の13⑤Ⅰイ （改法附38）	
10　通算法人の仮装経理に基づく過大申告の場合等の法人税額 　通算法人の仮装経理に基づく過大申告の場合等の法人税額の特例について、特例の対象に創設された一定の税額控除規定等が追加された。		
（1）　税額控除規定の追加	措法42の14①	
イ　租税特別措置法第42条の12の5第2項及び第4項《給与等の支給額が増加した場合の法人税額の特別控除のうち、特定法人の継続雇用者給与等支給額が増加した場合に係る措置及び中小企業者等税額控除限度超過額の繰越控除制度》の規定	（改法附1）	令和6年4月1日（（2）のイの租税特別措置法第42条の12の5第4項に係る部分についても同じ。）
ロ　租税特別措置法第42条の12の7第7項、第8項、第10項及び第11項《事業適応設備を取得した場合等の法人税額の特別控除のうち、戦略分野国内生産促進税制》の規定	（改法附1 ⅩⅢ）	新たな事業の創出及び産業への投資を促進するための産業競争力強化法等の一部を改正する法律の施行の日
（2）　特別税額控除規定の追加	措法42の14④	
イ　租税特別措置法第42条の12の5第3項及び第4項《給与等の支給額が増加した場合の法人税額の特別控除のうち、中小企業者等の雇用者給与等支給額が増加した場合に係る措置及び中小企業者等税額控除限度超過額の繰越控除制度》の規定	（改法附47①）	令和6年4月1日以後に開始する各事業年度（租税特別措置法第42条の12の5第3項に係る部分に限る。）
ロ　租税特別措置法第42条の12の7第7項、第8項、第10項及び第11項《事業適応設備を取得した場合等の法人税額の特別控除のうち、戦略分野国内生産促進税制》の規定	（改法附1 ⅩⅢ）	新たな事業の創出及び産業への投資を促進するための産業競争力強化法等の一部を改正する法律の施行の日
（3）　戦略分野国内生産促進税制に係る整備 　　租税特別措置法第42条の12の7第10項及び第11項《戦略分野国内生産促進税制のうち特定産業競争力基盤強化商品に係る措置》の規定により各事業年度の法	措法42の14⑤ （改法附1 ⅩⅢ）	新たな事業の創出及び産業への投資を促進するための産業競争力強化法等の一部を改正する法律の施行の日

改　　正　　事　　項	条　　　　項	適　用　時　期　等
人税額から控除された金額について、通算法人の仮装経理に基づく過大申告の場合等の法人税額の特例（措法42の14①）及び通算承認の失効の場合の法人税額の特例（措法42の14④）の措置により調整事業年度又は失効事業年度の法人税額に加算された金額は、地方法人税の課税標準となる法人税額に加算しないこととされた。		
11　環境負荷低減事業活動用資産等の特別償却制度 環境負荷低減事業活動用資産等の特別償却制度のうち基盤確立事業用資産に係る措置について、次の見直しが行われた上、制度の適用期限が令和8年3月31日まで2年延長された。	措法44の4①②	
（1）　基盤確立事業用資産の適合基準に、専ら化学的に合成された肥料又は農薬に代替する生産資材を生産するために用いられる機械等及びその機械等と一体的に整備された建物等であることについて基盤確立事業実施計画に係る認定の際、確認が行われたものであることが追加された。	令4.9農水告1415（2Ⅱ） （令6.3農水告679附則）	令和6年4月1日
（2）　法人が、その取得等をした機械等につき本措置の適用を受ける場合には、その機械等につき本措置の適用を受ける事業年度の確定申告書等にその機械等が基盤確立事業用資産に該当するものであることを証する書類を添付しなければならないこととされた。	措令28の7④ （改措令附14）	令和6年4月1日以後に取得又は製作若しくは建設をする機械その他の減価償却資産
12　生産方式革新事業活動用資産等の特別償却制度（創設） 青色申告書を提出する法人でスマート農業法の認定生産方式革新事業者であるものが、同法の施行の日から令和9年3月31日までの間に、その認定生産方式革新事業者として行う生産方式革新事業活動の用に供するための認定生産方式革新実施計画に記載された設備等を構成する機械その他の減価償却資産のうち農作業の効率化等を通じた農業の生産性の向上に著しく資する一定のもの等（以下「生産方式革新事業活動用資産等」という。）の取得等をして、これをその法人のその生産方式革新事業活動等の用に供した場合には、その用に供した日を含む事業年度において、その生産方式革新事業活動用資産等の区分に応じ次の特別償却限度額の特別償却ができる制度が創設された。	措法44の5、措令32 （改法附1 XIV）	農業の生産性の向上のためのスマート農業技術の活用の促進に関する法律の施行の日
（1）　認定生産方式革新実施計画に記載された生産方式革新事業活動の用に供する設備等を構成する機械装置、器具備品、建物等及び構築物……その取得価額の32％（建物等及び構築物については、16％）相当額		
（2）　認定生産方式革新実施計画に記載された促進措置の用に供する設備等を構成する機械装置……その取得価額の25％相当額		
13　特定地域における工業用機械等の特別償却制度 特定地域における工業用機械等の特別償却制度について、次の見直しが行われた。		
（1）　過疎地域等に係る措置の適用期限が令和9年3	措法45③、措令28の9	

改　正　事　項	条　　項	適　用　時　期　等
月31日まで3年延長された。 （2）　奄美群島に係る措置は、その適用期限（令和6年3月31日）の到来をもって廃止された。	⑮Ⅰ 旧措法45③表Ⅳ、旧措令28の9⑮Ⅳ⑯Ⅳ㉕㉖、旧措規20の16⑧ （改法附48①）	令和6年3月31日以前に取得等をした産業振興機械等については、なお従前の例による。
14　事業再編計画の認定を受けた場合の事業再編促進機械等の割増償却制度 　事業再編計画の認定を受けた場合の事業再編促進機械等の割増償却制度は、廃止された。	旧措法46、旧措令29の3、旧措規20の19 （改法附48②）	法人が取得又は製作若しくは建設をした事業再編促進機械等で令和6年3月31日以前に受けた農業競争力強化支援法第18条第1項の認定に係る同法第19条第2項に規定する認定事業再編計画に記載されたものについては、なお従前の例による。
15　輸出事業用資産の割増償却制度 　輸出事業用資産の割増償却制度について、次の見直しが行われた上、その適用期限が令和8年3月31日まで2年延長された。	措法46①	
（1）　対象資産から、開発研究の用に供される資産が除外された。	措法46①、措令29② （改法附48③）	令和6年4月1日以後に取得又は製作若しくは建設をする輸出事業用資産 令和6年3月31日以前に取得又は製作若しくは建設をした輸出事業用資産については、なお従前の例による。
（2）　農林水産物等の生産の合理化等に関する要件のうち一定の交付金の交付を受けた資産でないこととの要件の見直しが行われた。	令4.9農水告1476Ⅱ （令6.3農水告680附則）	令和6年4月1日
16　倉庫用建物等の割増償却制度 　倉庫用建物等の割増償却制度について、次の見直しが行われた上、その適用期限が令和8年3月31日まで2年延長された。	措法48①	
（1）　対象資産について、次の見直しが行われた。 　イ　到着時刻表示装置を有する倉庫用の建物等及び構築物について、貨物自動車運送事業者から到着時刻管理システムを通じて提供された貨物の搬入及び搬出をする数量に関する情報その他の情報を表示できる到着時刻表示装置を有するものに限ることとされた。 　ロ　対象資産から、特定搬出用自動運搬装置を有する貯蔵槽倉庫（到着時刻表示装置を有するものを除く。）用の建物等及び構築物が除外された。	平28.9国交告1108 （令6.3国交告300附則）	令和6年4月1日
（2）　本制度の適用を受けることができる事業年度について、供用日以後5年以内の日を含む各事業年度のうちその適用を受けようとする倉庫用建物等が流通業務の省力化に特に資するものとして一定の要件を満たす特定流通業務施設であることにつき証明がさ	措法48① （改法附48④）	令和6年4月1日以後に取得又は建設をする倉庫用建物等 令和6年3月31日以前に取得又は建設をした倉庫用建物等については、なお従前の例による。

改正事項	条項	適用時期等
れた事業年度に限ることとされた。		
17 特別償却等に関する複数の規定の不適用措置 　特別償却等に関する複数の規定の不適用措置について、法人の有する減価償却資産につき当該事業年度前の各事業年度において租税特別措置法の規定による特別償却又は税額控除制度に係る規定のうちいずれか一の規定の適用を受けた場合には、その減価償却資産については、そのいずれか一の規定以外の租税特別措置法の規定による特別償却又は税額控除制度に係る規定は、適用しないこととされた。	措法53③ （改法附38）	令和6年4月1日以後に開始する事業年度 令和6年3月31日以前に開始した事業年度については、なお従前の例による。
18 海外投資等損失準備金制度 　海外投資等損失準備金制度について、対象となる株式等から独立行政法人エネルギー・金属鉱物資源機構法の規定による助成金の交付を受けた内国法人がその助成金をもって取得するその助成金の交付の目的に適合した株式等が除外された上、その適用期限が令和8年3月31日まで2年延長された。	措法55①、措令32の2⑦ （改措令附15①）	令和6年4月1日以後に取得する特定株式等 令和6年3月31日以前に取得した特定株式等については、なお従前の例による。
19 中小企業事業再編投資損失準備金制度 　中小企業事業再編投資損失準備金制度について、次の見直しが行われた。		
（1）　青色申告書を提出する法人で産業競争力強化法等改正法の施行の日から令和9年3月31日までの間に産業競争力強化法の特別事業再編計画について認定を受けた同法の認定特別事業再編事業者である法人が、各事業年度においてその認定に係る特別事業再編計画に従って行う特別事業再編のための措置（他の会社の株式又は持分の取得で一定のものに限る。）として他の法人の株式又は出資（以下「株式等」という。）の取得（購入による取得に限る。）をし、かつ、これをその取得の日を含む事業年度終了の日まで引き続き有している場合（その取得をした株式等（以下「特定株式等」という。）の取得価額が100億円を超える金額又は1億円に満たない金額である場合及び同日においてその措置に基因し、又は関連する損害を填補するための特定保険契約を締結している場合を除く。）において、その特定株式等の価格の低落による損失に備えるため、その特定株式等の取得価額に、次の特定株式等の区分に応じそれぞれ次の割合を乗じて計算した金額以下の金額を中小企業事業再編投資損失準備金として積み立てたときは、その積み立てた金額を損金の額に算入することができる措置が追加された。 　イ　その認定特別事業再編計画に従って行う最初の特別事業再編のための措置として取得をした株式等……90% 　ロ　上記イ以外の株式等……100% 　なお、この準備金は、各事業年度終了の日において前事業年度から繰り越された金額のうち積立事業年度終了の日の翌日から10年を経過したものがある場	措法56①Ⅱ （改法附49②）	産業競争力強化法等改正法の施行の日以後に取得をする株式等

改正事項	条項	適用時期等
合には、その各事業年度において、積立金額の5年均等額を益金の額に算入することとされた。 （2） 経営力向上計画に係る措置について、次の見直しが行われた上、経営力向上計画の認定の期限が令和9年3月31日まで3年延長された。	措法56①③Ⅶ	
イ 事業承継等による株式等の取得の日を含む事業年度終了の日において、その事業承継等に基因し、又は関連する損害を填補する特定保険契約を締結している場合には、その株式等に係る中小企業事業再編投資損失準備金の積立額を損金算入できないこととされた。	（改法附49①）	令和6年4月1日以後に取得をする株式等 令和6年3月31日以前に取得をした株式等については、なお従前の例による。
ロ 中小企業事業再編投資損失準備金を積み立てている法人が、特定保険契約を締結した場合で、その特定保険契約に係る事業承継等として他の法人の株式等の取得をしていた場合には、その締結した日における当該他の法人に係る中小企業事業再編投資損失準備金の金額は、その日を含む事業年度の所得の金額の計算上、益金の額に算入することとされた。	（改法附49③）	令和6年4月1日以後に締結する特定保険契約
20 収用等に伴い代替資産を取得した場合の課税の特例等 収用等に伴い代替資産を取得した場合の課税の特例等について、適用対象に次の場合が加えられた。	（改法附1、改措令附1）	令和6年4月1日
（1） 土地収用法に規定する事業の施行者が行うその事業の施行に伴う漁港水面施設運営権の消滅により、補償金を取得する場合	措法64①Ⅶ	
（2） 漁港管理者が漁港及び漁場の整備等に関する法律の規定に基づき行う漁港水面施設運営権を取り消す処分に伴う資産の消滅等によって補償金を取得する場合	措法64①Ⅷ、措令39⑭	
21 特定土地区画整理事業等のために土地等を譲渡した場合の所得の特別控除制度（2,000万円特別控除制度） 特定土地区画整理事業等のために土地等を譲渡した場合の所得の特別控除制度について、次の見直しが行われた。		
（1） 適用対象となる場合に、古都保存法又は都市緑地法の規定により対象土地が都市緑化支援機構に買い取られる一定の場合が追加された。	措法65の3①ⅢのⅡ・ⅢのⅢ、措令39の4③④ （改法附1Ⅹ）	都市緑地法等の一部を改正する法律（令和6年法律第40号。以下「都市緑地法等改正法」という。）の施行の日
（2） 適用対象となる古都保存法、都市緑地法等の買取請求に基づき地方公共団体等に土地等が買い取られる場合に係る措置について、都市緑地法の規定により土地等が緑地保全・緑化推進法人に買い取られる場合に係る措置が除外された。	措法65の3①Ⅲ、旧措令39の4③、旧措規22の4①Ⅲロ（2） （改法附51）	法人の有する土地等が都市緑地法等改正法の施行の日以後に買い取られる場合 法人の有する土地等が都市緑地法等改正法の施行の日前に買い取られた場合については、なお従前の例による。
22 特定住宅地造成事業等のために土地等を譲渡した場合の所得の特別控除 特定住宅地造成事業等のために土地等を譲渡した場	措法65の4①Ⅲ	

改正事項	条項	適用時期等
の所得の特別控除制度のうち一団の宅地の造成に関する事業の用に供するために土地等が買い取られる場合に係る措置の適用期限が、令和8年12月31日まで3年延長された。		
23 特許権等の譲渡等による所得の課税の特例（創設） 　青色申告書を提出する法人が、令和7年4月1日から令和14年3月31日までの間に開始する各事業年度において、特許権譲渡等取引を行った場合に、特許権譲渡等取引に係る所得の金額に研究開発費割合を乗じて計算した金額の30％相当額を、その事業年度の所得の金額の計算上、損金の額に算入することができる制度が創設された。	措法59の3 （改法附1Ⅴ）	令和7年4月1日
24 国家戦略特別区域における指定法人の課税の特例 　国家戦略特別区域における指定法人の課税の特例について、次の見直しが行われた上、内国法人の指定期限が2年延長された。		
（1）所得控除割合等の引下げ 　イ　所得控除割合が、18％（改正前：20％）に引き下げられた。	措法61① （改法附50①）	令和6年4月1日以後に指定を受ける内国法人（経過内国法人を除く。）の各事業年度 令和6年3月31日以前に指定を受けた内国法人（経過内国法人を含む。）の各事業年度については、なお従前の例による。 経過内国法人とは、指定に係る国家戦略特別区域法第27条の3の認定区域計画に定められている特定事業の実施に関する国家戦略特別区域法施行規則第3条の2第1項の事業実施計画を令和6年3月31日以前に国家戦略特別区域担当大臣に提出したものをいう。
ロ　上記イの改正に伴い、通算法人の仮装経理に基づく過大申告の場合等の益金算入措置について、益金算入額の計算の基礎となる通算不足欠損控除額に乗ずる割合が、18％（改正前：20％）に引き下げられた。	措法61⑤ （改法附50②）	令和6年4月1日以後に指定を受ける内国法人（経過内国法人を除く。）の適用事業年度においてこの制度により損金の額に算入した金額 令和6年3月31日以前に指定を受けた内国法人（経過内国法人を含む。）の適用事業年度においてこの制度により損金の額に算入した金額については、なお従前の例による。
（2）対象事業の除外 　対象事業である特定事業から一定の事業が除外された。	旧国家特区規11の2Ⅱロハ （総合特別区域法施行規則及び国家戦略特別区域法施行規則の一部を改正する内閣府令附	令和6年4月1日

改　　正　　事　　項	条　　項	適　用　時　期　等
	則①）	
25　交際費等の損金不算入制度 　　交際費等の損金不算入制度について、交際費等の範囲から除外される飲食費が1人当たり1万円以下（改正前：5,000円以下）とされた上、制度の適用期限が令和9年3月31日まで3年延長された。	措法61の4①、措令37の5① （改措令附16）	令和6年4月1日以後に支出する飲食費 令和6年3月31日以前に支出した飲食費については、なお従前の例による。
26　対象純支払利子等に係る課税の特例の見直し 　　令和12年4月1日から令和17年3月31日までの間に開始する事業年度における超過利子額の損金算入の対象に、当該事業年度開始前10年以内に開始した事業年度（令和4年4月1日から令和7年3月31日までに開始した事業年度に限る。）に係る超過利子額を含むこととされた。	措法66の5の3④、措令39の13の3⑥ （改法附38）	令和6年4月1日以後に開始する事業年度 令和6年3月31日以前に開始した事業年度については、なお従前の例による。
27　外国関係会社に係る所得の課税の特例（外国子会社合算税制）の見直し		
（1）ペーパー・カンパニーの範囲から除外される外国関係会社に係る判定方法の見直し 　　ペーパー・カンパニーの範囲から除外される外国関係会社に係る収入割合要件の判定方法について、その事業年度に係る収入の金額がない場合には、その収入割合要件の判定を求めないこととされた。	措令39の14の3⑥⑧⑨、措規22の11⑩⑭⑳ （改措令附17）	令和6年4月1日以後に開始する事業年度に係る課税対象金額、部分課税対象金額及び金融子会社等部分課税対象金額を計算する場合 令和6年3月31日以前に開始した事業年度に係る課税対象金額、部分課税対象金額及び金融子会社等部分課税対象金額を計算する場合については、なお従前の例による。
（2）各国におけるグローバル・ミニマム課税に対する法令上の整備に伴う対応 　イ　適用対象金額の計算 　　　現地法令基準を用いて適用対象金額を計算する場合に、その計算の基礎となる「本店所在地国の法人所得税に関する法令により計算した所得の金額」は、外国における次に掲げる税に関する法令により計算された金額でないこととされた。 　　（イ）外国における各対象会計年度の国際最低課税額に対する法人税に相当する税（いわゆるIncome Inclusion Rule（IIR）に係る税） 　　（ロ）法人税法施行令第155条の34第2項第3号に掲げる税（いわゆるUndertaxed Profits Rule（UTPR）に係る税） 　　（ハ）自国内最低課税額に係る税（いわゆるQualified Domestic Minimum Top-up Tax（QDMTT）に係る税） 　ロ　租税負担割合の計算税法令がある国に本店等がある外国関係会社に係る租税負担割合について、その租税負担割合の計算における分母の金額に係る「外国法人税に関する法令により計算した所得の金額」は、外国におけるQDMTTに関する法令により	措令39の15② （改措令附17） 措令39の17の2②Ⅰイロ （改措令附17）	令和6年4月1日以後に開始する事業年度に係る課税対象金額、部分課税対象金額及び金融子会社等部分課税対象金額を計算する場合（ハを除く。） 令和6年3月31日以前に開始した事業年度に係る課税対象金額、部分課税対象金額及び金融子会社等部分課税対象金額を計算する場合については、なお従前の例による。

改　正　事　項	条　　項	適　用　時　期　等
計算された金額でないこととされた。 　　また、法人の所得に対して課される税が存在しない国・地域（いわゆる無税国）に本店等がある外国関係会社に係る租税負担割合について、ここでいう「法人の所得に対して課される税」には、上記イ(イ)から(ハ)までの税が含まれないこととされた。 　ハ　書類添付義務に係る書類の範囲 　　　各事業年度の確定申告書に添付することとされている書類のうち本店所在地国の法人所得税に関する法令により課される税に関する申告書で各事業年度に係るものの写しについて、ここでいう「法人所得税に関する法令により課される税」には、上記イ(イ)から(ハ)までの税が含まれないこととされた。	措規22の11㊽四 （改措規附17①）	令和6年4月1日以後に開始する事業年度に係る添付書類 令和6年3月31日以前に開始した事業年度に係る添付書類については、なお従前の例による。
28　技術研究組合の所得の計算の特例 　　技術研究組合の所得の計算の特例について、次の見直しが行われた上、その適用期限が令和9年3月31日まで3年延長された。 　(1)　対象となる試験研究用資産について、新たな知見を得るため又は利用可能な知見の新たな応用を考案するために行う試験研究の用に直接供する固定資産に限定された。 　(2)　対象となる試験研究用資産から、電気ガス供給施設利用権が除外された。	措法66の10① （改法附52） 措令39の21 （改措令附18）	技術研究組合が令和6年4月1日以後に取得又は製作をする試験研究用資産 技術研究組合が令和6年3月31日以前に取得又は製作をした試験研究用資産については、なお従前の例による。
29　特定の基金に対する負担金等の損金算入の特例 　　特定の基金に対する負担金等の損金算入の特例のうち独立行政法人中小企業基盤整備機構が行う中小企業倒産防止共済事業に係る措置について、法人の締結していた共済契約につき解除があった後共済契約を締結したその法人がその解除の日から同日以後2年を経過する日までの間にその共済契約について支出する掛金については、本特例を適用しないこととされた。	措法66の11② （改法附53）	法人の締結していた独立行政法人中小企業基盤整備機構が行う中小企業倒産防止共済事業に係る基金に充てるための共済契約につき令和6年10月1日以後に解除があった後、その共済契約を締結したその法人がその共済契約について支出するその共済契約の掛金
30　中小企業者の欠損金等以外の欠損金の繰戻しによる還付の不適用措置 　　中小企業者の欠損金等以外の欠損金の繰戻しによる還付の不適用措置の適用期限が、令和8年3月31日まで2年延長された。	措法66の12①	
31　特定事業活動として特別新事業開拓事業者の株式の取得をした場合の課税の特例 　　特定事業活動として特別新事業開拓事業者の株式の取得をした場合の課税の特例の適用期限が、令和8年3月31日まで2年延長された。	措法66の13①	
32　中小企業者等の少額減価償却資産の取得価額の損金算入の特例 　　中小企業者等の少額減価償却資産の取得価額の損金算入の特例について、対象法人から電子情報処理組織を使	措法67の5①、措令39の28①	中小企業者等が令和6年4月1日以後に取得又は製作若しくは

改　正　事　項	条　　項	適　用　時　期　等
用する方法（e-Tax）により法人税の確定申告書等に記載すべきものとされる事項を提供しなければならない法人のうち常時使用する従業員の数が300人を超えるものが除外された上、その適用期限が令和8年3月31日まで2年延長された。	（改措令附19）	建設をする少額減価償却資産中小企業者等が令和6年3月31日以前に取得又は製作若しくは建設をした少額減価償却資産については、なお従前の例による。
33　投資法人に係る課税の特例 　　投資法人に係る課税の特例について、配当等の額の支払額が配当可能利益の額の90％相当額を超えていることとする要件における配当可能利益の額の計算上税引前当期純利益金額から控除することとされる繰越利益等超過純資産控除項目額の計算の基礎となる純資産控除項目額から、貸借対照表において評価・換算差額等に区分された金額が除外された。	措規22の19②Ⅳ （令6.1改措規附2①）	投資法人の令和6年2月1日以後に開始する事業年度 投資法人の令和6年1月31日以前に開始した事業年度については、なお従前の例による。
34　特定の協同組合等の法人税率の特例 　　特定の協同組合等の法人税率の特例について、物品供給事業における物品の範囲に電気が含まれることが明確化された。	措令39の34② （改措令附1）	令和6年4月1日
35　認定株式分配に係る課税の特例 　　認定株式分配に係る課税の特例について、認定株式分配が適格株式分配に該当するための要件にその認定株式分配に係る完全子法人の主要な事業における事業活動が新事業活動であることとの要件が追加された上、事業再編計画の認定期限が令和10年3月31日まで4年延長された。	措法68の2の2①、令5.3経産告50 （令6.3経産告62附則）	令和6年4月1日

注　「二　令和5年度改正」及び「三　令和4年度改正」については、収録を割愛し、本書Web版にのみ収録しているので、そちらを参照されたい。

第二章　通則・青色申告その他

第一節　通　則

一　法人税法の趣旨

法人税法は、法人税について、納税義務者、課税所得等の範囲、税額の計算の方法、申告、納付及び還付の手続並びにその納税義務の適正な履行を確保するため必要な事項を定めるものとする。（法1）

（国税通則法の目的）
（1）　国税通則法は、国税についての基本的な事項及び共通的な事項を定め、税法の体系的な構成を整備し、かつ、国税に関する法律関係を明確にするとともに、税務行政の公正な運営を図り、もって国民の納税義務の適正かつ円滑な履行に資することを目的とする。（通法1）

（租税特別措置法の趣旨）
（2）　租税特別措置法は、当分の間、……法人税、……を軽減し、若しくは免除し、若しくは還付し、又はこれらの税に係る納税義務、課税標準若しくは税額の計算、申告書の提出期限若しくは徴収につき、……法人税法、……の特例を設けることについて規定するものとする。（措法1）

二　定　義

法人税法において、次に掲げる用語の意義は、それぞれ次に掲げるところによる。（法2）
注　法人税法施行令及び法人税法施行規則においても同じ用語を用いる。（令1、規1）

1	国　　　内	法人税法の施行地をいう。
2	国　　　外	法人税法の施行地外の地域をいう。
3	内 国 法 人	国内に本店又は主たる事務所を有する法人をいう。
4	外 国 法 人	内国法人以外の法人をいう。
5	公 共 法 人	法人税法別表第一《公共法人の表（法人税法第2条関係）》に掲げる法人をいう。 注　別表第一は106ページに掲載した。（編者）
6	公益法人等	法人税法別表第二《公益法人等の表（法人税法第2条、第3条、第37条、第66条関係）》に掲げる法人をいう。 注　別表第二は109ページに掲載した。（編者）
7	協同組合等	法人税法別表第三《協同組合等の表（法人税法第2条関係）》に掲げる法人をいう。 注　別表第三は116ページに掲載した。（編者）
8	人格のない社団等	法人でない社団又は財団で代表者又は管理人の定めがあるものをいう。 注　詳細は第五章第一節の一の3《人格のない社団等の意義》を参照。（編者）
9	普 通 法 人	5から7までに掲げる法人以外の法人をいい、人格のない社団等を含まない。
9の2	非営利型法人	一般社団法人又は一般財団法人（公益社団法人又は公益財団法人を除く。）のうち、次のイ又はロに掲げるものをいう。
		イ　その行う事業により利益を得ること又はその得た利益を分配することを目的としない法人であってその事業を運営するための組織が適正であるものとして、次の(イ)から(ニ)までに掲げる要件の全てに該当する一般社団法人又は一般財団法人（清算中に次の(イ)から(ニ)までに掲げる要件の全てに該当することとなったものを除く。）（令3①）

	(イ)	その定款に剰余金の分配を行わない旨の定めがあること。
	(ロ)	その定款に解散したときはその残余財産が国若しくは地方公共団体又は次のA若しくはBに掲げる法人に帰属する旨の定めがあること。
		A 公益社団法人又は公益財団法人
		B 公益社団法人及び公益財団法人の認定等に関する法律第5条第17号イからトまで《公益認定の基準》に掲げる法人
	(ハ)	(イ)又は(ロ)に掲げる定款の定めに反する行為((イ)、(ロ)及び(ニ)に掲げる要件の全てに該当していた期間において、剰余金の分配又は残余財産の分配若しくは引渡し以外の方法〔合併による資産の移転を含む。〕により特定の個人又は団体に特別の利益を与えることを含む。)を行うことを決定し、又は行ったことがないこと。
	(ニ)	各理事(清算人を含む。以下(ニ)及び**ロ**の(ト)において同じ。)について、当該理事及び当該理事と次のAからFまでに掲げる特殊の関係のある者である理事の合計数の理事の総数のうちに占める割合が、$\frac{1}{3}$以下であること。(規2の2①)
		A 当該理事の配偶者
		B 当該理事の3親等以内の親族
		C 当該理事と婚姻の届出をしていないが事実上婚姻関係と同様の事情にある者
		D 当該理事の使用人
		E AからDまでに掲げる者以外の者で当該理事から受ける金銭その他の資産によって生計を維持しているもの
		F CからEまでに掲げる者と生計を一にするこれらの者の配偶者又は3親等以内の親族
ロ		その会員から受け入れる会費により当該会員に共通する利益を図るための事業を行う法人であってその事業を運営するための組織が適正であるものとして、次の(イ)から(ト)までに掲げる要件の全てに該当する一般社団法人又は一般財団法人(清算中に次の(イ)から(ト)までに掲げる要件の全てに該当することとなったものを除く。)(令3②)
	(イ)	その会員の相互の支援、交流、連絡その他の当該会員に共通する利益を図る活動を行うことをその主たる目的としていること。
	(ロ)	その定款(定款に基づく約款その他これに準ずるものを含む。)に、その会員が会費として負担すべき金銭の額の定め又は当該金銭の額を社員総会若しくは評議員会の決議により定める旨の定めがあること。
	(ハ)	その主たる事業として収益事業を行っていないこと。
	(ニ)	その定款に特定の個人又は団体に剰余金の分配を受ける権利を与える旨の定めがないこと。
	(ホ)	その定款に解散したときはその残余財産が特定の個人又は団体(国若しくは地方公共団体、**イ**の(ロ)のA若しくはBに掲げる法人又はその目的と類似の目的を有する他の一般社団法人若しくは一般財団法人を除く。)に帰属する旨の定めがないこと。
	(ヘ)	(イ)から(ホ)まで及び(ト)に掲げる要件の全てに該当していた期間において、特定の個人又は団体に剰余金の分配その他の方法(合併による資産の移転を含む。)により特別の利益を与えることを決定し、又は与えたことがないこと。
	(ト)	各理事について、当該理事及び当該理事と**イ**の(ニ)のAからFまでに掲げる特殊の関係のある者である理事の合計数の理事の総数のうちに占める割合が、$\frac{1}{3}$以下であること。(規2の2①)

(理事とみなす者)
(1)　**9の2**《非営利型法人》の表の**イ**又は**ロ**の一般社団法人又は一般財団法人の使用人（職制上使用人としての地位のみを有する者に限る。）以外の者で当該一般社団法人又は一般財団法人の経営に従事しているものは、当該一般社団法人又は一般財団法人の理事とみなして、同表の**イ**又は**ロ**の規定を適用する。（令3③）

(収益事業に係る読替規定)
(2)　**9の2**《非営利型法人》の表の**ロ**の(ハ)に掲げる収益事業は、次の表の左欄に掲げる第五章第一節の**二**《収益事業の範囲》中同表の中欄に掲げる字句を同表の右欄に掲げる字句に読み替えた場合における収益事業とする。（令3④⑤、規2の2②）

同二の2の②《不動産販売業》のイの表の(イ)	公益社団法人又は第二章第一節の二の**別表第二**（以下この章において「法別表第二」という。）に掲げる一般社団法人	一般社団法人
同二の2の②のイの表の(ロ)	公益財団法人又は法別表第二に掲げる一般財団法人	一般財団法人
同二の2の②のイの表の(ハ)	(イ)又は(ロ)に掲げる法人	特定社団法人（その社員総会における議決権の総数の$\frac{1}{2}$以上の数が当該地方公共団体により保有されている公益社団法人又は法別表第二に掲げる一般社団法人をいう。(ニ)において同じ。）又は特定財団法人（その拠出をされた金額の$\frac{1}{2}$以上の金額が当該地方公共団体により拠出をされている公益財団法人又は同表に掲げる一般財団法人をいう。(ニ)において同じ。）
	公益社団法人又は法別表第二に掲げる一般社団法人	一般社団法人
同二の2の②のイの表の(ニ)	(イ)又は(ロ)に掲げる法人	特定社団法人又は特定財団法人
	公益財団法人又は法別表第二に掲げる一般財団法人	一般財団法人
同二の2の㉙《医療保健業》のリ	公益社団法人若しくは公益財団法人又は法別表第二に掲げる一般社団法人若しくは一般財団法人（㉙において「公益社団法人等」	一般社団法人又は一般財団法人（以下2及び3の②の表の**ロ**において「一般社団法人等」
同二の2の㉙のヌ	公益社団法人等	一般社団法人等
同二の2の㉙のル	法別表第二に掲げる一般社団法人若しくは一般財団法人	一般社団法人等（公益社団法人又は公益財団法人を除く。）
同二の2の㉙のヲ	公益社団法人又は法別表第二に掲げる一般社団法人	一般社団法人
同二の2の㉙のカ	公益社団法人等	一般社団法人等
同二の2の㉙のヨ	次に掲げる要件（法別表第二に掲げる一般社団法人及び一般財	次に掲げる要件に該当する一般社団法人等

	団法人以外の法人にあっては、（イ）から（ヘ）までに掲げる要件）に該当する公益法人等	
同二の2の㉙のヨの表の（イ）	公益法人等の	一般社団法人等の
	公益法人等が	一般社団法人等が
	公益法人等と	一般社団法人等と
同二の2の㉙のヨの表の（ロ）	公益法人等の役員	一般社団法人等の役員
同二の2の㉙のヨの表の（ロ）のA、B及びE	公益法人等	一般社団法人等
同二の2の㉙のヨの表の（ロ）のF	公益法人等の	一般社団法人等の
同二の2の㉙のヨの表の（ロ）のG及び同表の（ハ）から（ト）まで	公益法人等	一般社団法人等
同二の2の㉝《無体財産権の提供等を行う事業》のハ及び同二の3の②《収益事業に含まれない場合》の表のロ	公益法人等	一般社団法人等

（非営利型法人における特別の利益の意義）

(3) **9の2**《非営利型法人》の表の**イ**の(ハ)及び同表の**ロ**の(ヘ)に掲げる「特別の利益を与えること」とは、例えば、次の(一)から(六)までに掲げるような経済的利益の供与又は金銭その他の資産の交付で、社会通念上不相当なものをいう。（基通1－1－8）

(一)	法人が、特定の個人又は団体に対し、その所有する土地、建物その他の資産を無償又は通常よりも低い賃貸料で貸し付けていること。
(二)	法人が、特定の個人又は団体に対し、無利息又は通常よりも低い利率で金銭を貸し付けていること。
(三)	法人が、特定の個人又は団体に対し、その所有する資産を無償又は通常よりも低い対価で譲渡していること。
(四)	法人が、特定の個人又は団体から通常よりも高い賃借料により土地、建物その他の資産を賃借していること又は通常よりも高い利率により金銭を借り受けていること。
(五)	法人が、特定の個人又は団体の所有する資産を通常よりも高い対価で譲り受けていること又は法人の事業の用に供すると認められない資産を取得していること。
(六)	法人が、特定の個人に対し、過大な給与等を支給していること。

なお、「特別の利益を与えること」には、収益事業に限らず、収益事業以外の事業において行われる経済的利益の供与又は金銭その他の資産の交付が含まれることに留意する。

（特別の利益に係る要件を欠くこととなった場合）

(4) **9の2**《非営利型法人》の表の**イ**の(ハ)に掲げる要件を欠くことにより普通法人に該当することとなった一般社団法人又は一般財団法人は、その該当することとなった日の属する事業年度以後の事業年度において同(ハ)の要件を満たすことはないことから、再び同**イ**に掲げる非営利型法人に該当することはないことに留意する。

同表の**ロ**の(ヘ)に掲げる要件を欠くことにより普通法人に該当することとなった一般社団法

人又は一般財団法人についても、同様とする。(基通1－1－9)

　　　　　　　(主たる事業の判定)
(5)　9の2《非営利型法人》の表の口の(ハ)に掲げる「主たる事業として収益事業を行っていない」場合に該当するかどうかは、原則として、その法人が主たる事業として収益事業を行うことが常態となっていないかどうかにより判定する。この場合において、主たる事業であるかどうかは、法人の事業の態様に応じて、例えば収入金額や費用の金額等の合理的と認められる指標(以下(5)において「合理的指標」という。)を総合的に勘案し、当該合理的指標による収益事業以外の事業の割合がおおむね50％を超えるかどうかにより判定することとなる。

　ただし、その法人の行う事業の内容に変更があるなど、収益事業の割合と収益事業以外の事業の割合の比に大きな変動を生ずる場合を除き、当該事業年度の前事業年度における合理的指標による収益事業以外の事業の割合がおおむね50％を超えるときには、その法人は、当該事業年度の開始の日において「主たる事業として収益事業を行っていない」場合に該当しているものと判定して差し支えない。(基通1－1－10)
　　注　本文後段の判定を行った結果、収益事業以外の事業の割合がおおむね50％を超えないとしても、そのことのみをもって「主たる事業として収益事業を行っていない」場合に該当しないことにはならないことに留意する。

　　　　　　　(収益事業を行っていないことの判定)
(6)　一般社団法人又は一般財団法人(公益社団法人又は公益財団法人を除く。以下(6)において「一般社団法人等」という。)が、事務処理の受託の性質を有する業務を行う場合において、当該業務が法令の規定、行政官庁の指導又は当該業務に関する規則、規約若しくは契約に基づき実費弁償(その委託により委託者から受ける金額が当該業務のために必要な費用の額を超えないことをいう。)により行われるものであり、かつ、そのことにつきあらかじめ一定の期間(おおむね5年以内の期間とする。)を限って所轄税務署長(国税局の調査部〔課〕所管法人にあっては、所轄国税局長)の確認を受けたときは、その確認を受けた期間については、当該業務は、その委託者の計算に係るものとし、当該一般社団法人等の収益事業としないものとして9の2《非営利型法人》の表の口の(ハ)の要件に該当するかどうかの判定を行うこととする。(基通1－1－11)

　　　　　　　(理事の親族等の割合に係る要件の判定)
(7)　9の2《非営利型法人》の表のイの(ニ)及び同表の口の(ト)に掲げる要件に該当するかどうかの判定は、原則として、判定される時の現況によることに留意する。(基通1－1－12)

　ただし、例えば、非営利型法人が理事の退任に基因して当該要件に該当しなくなった場合において、当該該当しなくなった時から相当の期間内に理事の変更を行う等により、再度当該要件に該当していると認められるときには、継続して当該要件に該当しているものと取り扱って差し支えない。

10	同族会社	会社(投資法人を含む。以下10において同じ。)の株主等(その会社が自己の株式〔投資信託及び投資法人に関する法律第2条第14項《定義》に規定する投資口を含む。以下同じ。〕又は出資を有する場合のその会社を除く。)の3人以下並びにこれらと特殊の関係のある個人及び法人が次の①から③までに掲げる場合におけるその会社をいう。(令4⑤)
	①	その会社の発行済株式又は出資(その会社が有する自己の株式又は出資を除く。)の総数又は総額の$\frac{50}{100}$を超える数又は金額の株式又は出資を有する場合
	②	その会社の(2)《他の会社を支配している場合》の(ニ)の表のイからニまでに掲げる議決権のいずれかにつきその総数(当該議決権を行使することができない株主等が有する当該議決権の数を除く。)の$\frac{50}{100}$を超える数を有する場合
	③	その会社の株主等(合名会社、合資会社又は合同会社の社員〔その会社が業務を執行する社員を定めた場合にあっては、業務を執行する社員〕に限る。)の総数の半数を超える数を占める場合

(同族関係者の範囲)
（１）　10《同族会社》に掲げる「特殊の関係のある個人及び法人」の範囲は、次の(一)から(三)までに掲げるところによる。

(一)	株主等と「**特殊の関係のある個人**」は、次のイからホまでに掲げる者とする。(令4①)	
	イ	株主等の親族
	ロ	株主等と婚姻の届出をしていないが事実上婚姻関係と同様の事情にある者
	ハ	個人である株主等の使用人
	ニ	イからハまでに掲げる者以外の者で個人である株主等から受ける金銭その他の資産によって生計を維持しているもの
	ホ	ロからニまでに掲げる者と生計を一にするこれらの者の親族
(二)	株主等と「**特殊の関係のある法人**」は、次のイからハまでに掲げる会社とする。(令4②)	
	イ	同族会社であるかどうかを判定しようとする会社（投資法人を含む。以下(1)において同じ。）の株主等（当該会社が自己の株式〔投資信託及び投資法人に関する法律第2条第14項《定義》に規定する投資口を含む。以下同じ。〕又は出資を有する場合の当該会社を除く。以下(三)までにおいて「判定会社株主等」という。）の1人（個人である判定会社株主等については、その1人及びこれと(一)に掲げる特殊の関係のある個人。以下(二)において同じ。）が**他の会社を支配している場合**における当該他の会社
	ロ	判定会社株主等の1人及びこれとイに掲げる特殊の関係のある会社が他の会社を支配している場合における当該他の会社
	ハ	判定会社株主等の1人及びこれとイ又はロに掲げる特殊の関係のある会社が他の会社を支配している場合における当該他の会社
(三)	同一の個人又は法人と(二)に掲げる特殊の関係のある2以上の会社が、判定会社株主等である場合には、その2以上の会社は、相互に(二)に掲げる特殊の関係のある会社であるものとみなす。(令4④)	

(他の会社を支配している場合)
（２）　（１）《同族関係者の範囲》に掲げる他の会社を支配している場合とは、次の(一)から(三)までに掲げる場合のいずれかに該当する場合をいう。(令4③)

(一)	他の会社の発行済株式又は出資（その有する自己の株式又は出資を除く。）の総数又は総額の$\frac{50}{100}$を超える数又は金額の株式又は出資を有する場合	
(二)	他の会社の次に掲げる議決権のいずれかにつき、その総数（当該議決権を行使することができない株主等が有する当該議決権の数を除く。）の$\frac{50}{100}$を超える数を有する場合	
	イ	事業の全部若しくは重要な部分の譲渡、解散、継続、合併、分割、株式交換、株式移転又は現物出資に関する決議に係る議決権
	ロ	役員の選任及び解任に関する決議に係る議決権
	ハ	役員の報酬、賞与その他の職務執行の対価として会社が供与する財産上の利益に関する事項についての決議に係る議決権
	ニ	剰余金の配当又は利益の配当に関する決議に係る議決権
(三)	他の会社の株主等（合名会社、合資会社又は合同会社の社員〔当該他の会社が業務を執行する社員を定めた場合にあっては、業務を執行する社員〕に限る。）の総数の半数を超える数を占める場合	

（同一の内容の議決権を行使することに同意している者がある場合の議決権）
（３）　個人又は法人との間で当該個人又は法人の意思と同一の内容の議決権を行使することに同意している者がある場合には、当該者が有する議決権は当該個人又は法人が有するものとみなし、かつ、当該個人又は法人（当該議決権に係る会社の株主等であるものを除く。）は当該議決権に係る会社の株主等であるものとみなして、10《同族会社》の表の②及び（2）《他の会社を支配している場合》の(二)を適用する。（令4⑥）

　　　（同族会社の判定）
（４）　会社が10《同族会社》に掲げる同族会社であるかどうかを判定する場合において、10の表の①の株式又は出資の数又は金額による判定により同族会社に該当しないときであっても、例えば、議決権制限株式を発行しているとき又は10の表の②に掲げる「当該議決権を行使することができない株主等」がいるときなどは、同②の議決権による判定を行う必要があることに留意する。（基通1－3－1）
　　注　10に掲げる「株式」及び「発行済株式」には、議決権制限株式が含まれる。

　　　（名義株についての株主等の判定）
（５）　10《同族会社》に掲げる「株主等」は、株主名簿、社員名簿又は定款に記載又は記録されている株主等によるのであるが、その株主等が単なる名義人であって、当該株主等以外の者が実際の権利者である場合には、その実際の権利者を株主等とする。（基通1－3－2）

　　　（生計を維持しているもの）
（６）　（1）《同族関係者の範囲》の(一)のニに掲げる「株主等から受ける金銭その他の資産によって生計を維持しているもの」とは、当該株主等から給付を受ける金銭その他の財産又は給付を受けた金銭その他の財産の運用によって生ずる収入を日常生活の資の主要部分としている者をいう。（基通1－3－3）

　　　（生計を一にすること）
（７）　（1）《同族関係者の範囲》の(一)のホに掲げる「生計を一にする」こととは、有無相助けて日常生活の資を共通にしていることをいうのであるから、必ずしも同居していることを必要としない。（基通1－3－4）

　　　（同族会社の判定の基礎となる株主等）
（８）　同族会社であるかどうかを判定する場合には、必ずしもその株式若しくは出資の所有割合又は議決権の所有割合の大きいものから順にその判定の基礎となる株主等を選定する必要はないのであるから、例えばその順に株主等を選定した場合には同族会社とならない場合であっても、その選定の仕方を変えて判定すれば同族会社となるときは、その会社は10《同族会社》に掲げる同族会社に該当することに留意する。（基通1－3－5）

　　　（議決権を行使することができない株主等が有する議決権の意義）
（９）　（2）《他の会社を支配している場合》の表の(二)に掲げる「議決権を行使することができない株主等が有する当該議決権」には、例えば、子会社の有する親会社株式など、その株式の設定としては議決権があるものの、その株主等が有することを理由に会社法第308条第1項《議決権の数》の規定その他の法令等の制限により議決権がない場合におけるその議決権がこれに該当する。
　　10《同族会社》の表の②に掲げる「議決権を行使することができない株主等が有する当該議決権」についても、同様とする。（基通1－3－6）

　　　（同一の内容の議決権を行使することに同意している者の意義）
（10）　（3）《同一の内容の議決権を行使することに同意している者がある場合の議決権》に掲げる「同一の内容の議決権を行使することに同意している者」に当たるかどうかは、契約、合意等により、個人又は法人との間で当該個人又は法人の意思と同一の内容の議決権を行使することに同

意している事実があるかどうかにより判定することに留意する。（基通1－3－7）

 注 単に過去の株主総会等において同一内容の議決権行使を行ってきた事実があることや、当該個人又は法人と出資、人事・雇用関係、資金、技術、取引等において緊密な関係があることのみをもっては、当該個人又は法人の意思と同一の内容の議決権を行使することに同意している者とはならない。

（同一の内容の議決権を行使することに同意している者がある場合の同族会社の判定）

(11)　(3)《同一の内容の議決権を行使することに同意している者がある場合の議決権》により当該議決権に係る会社の株主等であるものとみなされる個人又は法人は、**10**《同族会社》の表の①の株式又は出資の数又は金額による同族会社の判定の場合にあっては、株主等とみなされないことに留意する。

（2）《他の会社を支配している場合》の表の（一）の他の会社の判定に当たっても、同様とする。（基通1－3－8）

11	被合併法人	合併によりその有する資産及び負債の移転を行った法人をいう。
12	合　併　法　人	合併により被合併法人から資産及び負債の移転を受けた法人をいう。
12の2	分　割　法　人	分割によりその有する資産又は負債の移転を行った法人をいう。
12の3	分割承継法人	分割により分割法人から資産又は負債の移転を受けた法人をいう。
12の4	現物出資法人	現物出資によりその有する資産の移転を行い、又はこれと併せてその有する負債の移転を行った法人をいう。
12の5	被現物出資法人	現物出資により現物出資法人から資産の移転を受け、又はこれと併せて負債の移転を受けた法人をいう。
12の5の2	現物分配法人	**現物分配**（法人〔公益法人等及び人格のない社団等を除く。〕がその株主等に対し当該法人の次の**イ**から**ハ**までに掲げる事由により金銭以外の資産の交付をすることをいう。**ニ**において同じ。）によりその有する資産の移転を行った法人をいう。

	イ	剰余金の配当（株式又は出資に係るものに限るものとし、分割型分割によるものを除く。）若しくは利益の配当（分割型分割によるものを除く。）又は剰余金の分配（出資に係るものに限る。）
	ロ	解散による残余財産の分配
	ハ	第三章第一節第二款の**五**《配当等の額とみなす金額》の表の**5**から**7**までに掲げる事由

12の5の3	被現物分配法人	現物分配により現物分配法人から資産の移転を受けた法人をいう。
12の6	株式交換完全子法人	株式交換によりその株主の有する株式を他の法人に取得させた当該株式を発行した法人をいう。
12の6の2	株式交換等完全子法人	株式交換完全子法人及び株式交換等（株式交換を除く。）に係る**12の16**に掲げる対象法人をいう。
12の6の3	株式交換完全親法人	株式交換により他の法人の株式を取得したことによって当該法人の発行済株式の全部を有することとなった法人をいう。
12の6の4	株式交換等完全親法人	株式交換完全親法人並びに株式交換等（株式交換を除く。）に係る**12の16**の**イ**及び**ロ**に掲げる最大株主等である法人並びに**12の16**の**ハ**に掲げる一の株主等である法人をいう。

第二章　第一節《通　則》

12の6の5	株式移転完全子法人	株式移転によりその株主の有する株式を当該株式移転により設立された法人に取得させた当該株式を発行した法人をいう。
12の6の6	株式移転完全親法人	株式移転により他の法人の発行済株式の全部を取得した当該株式移転により設立された法人をいう。
12の6の7	通算親法人	第三章第一節第三十五款の二の1《通算承認》に掲げる親法人であって同1による承認を受けたものをいう。
12の7	通算子法人	第三章第一節第三十五款の二の1の（3）《通算承認を受ける場合の記載事項》に掲げる他の内国法人であって同1による承認を受けたものをいう。
12の7の2	通算法人	通算親法人及び通算子法人をいう。
12の7の3	投資法人	投資信託及び投資法人に関する法律第2条第12項に規定する投資法人をいう。
12の7の4	特定目的会社	資産の流動化に関する法律第2条第3項《定義》に規定する特定目的会社をいう。
12の7の5	支配関係	当事者間の支配の関係（一の者が法人の発行済株式若しくは出資〔当該法人が有する自己の株式又は出資を除く。以下二において「**発行済株式等**」という。〕の総数若しくは総額の$\frac{50}{100}$を超える数若しくは金額の株式若しくは出資を直接若しくは間接に保有する関係として（1）《当事者間の支配の関係の意義》に掲げる関係をいう。以下**12の7の5**において同じ。）又は一の者との間に当事者間の支配の関係がある法人相互の関係をいう。 （当事者間の支配の関係の意義） （1）　**12の7の5**《支配関係》に掲げる当事者間の支配の関係は、一の者（その者が個人である場合には、その者及びこれと**10の（1）**《同族関係者の範囲》の表の（一）に掲げる特殊の関係のある個人）が法人の発行済株式等の総数又は総額の$\frac{50}{100}$を超える数又は金額の株式又は出資を保有する場合における当該一の者と法人との間の関係（以下（1）において「直接支配関係」という。）とする。 　　　この場合において、当該一の者及びこれとの間に直接支配関係がある1若しくは2以上の法人又は当該一の者との間に直接支配関係がある1若しくは2以上の法人が他の法人の発行済株式等の総数又は総額の$\frac{50}{100}$を超える数又は金額の株式又は出資を保有するときは、当該一の者は当該他の法人の発行済株式等の総数又は総額の$\frac{50}{100}$を超える数又は金額の株式又は出資を保有するものとみなす。（令4の2①） 　　　　注　**10の（1）**の表の（一）は株主等と特殊の関係のある個人を掲げているため、当該個人と特殊の関係のある個人に該当するかどうかについて同（一）を適用するときは、同（一）（ハ及びニを除く。）中「株主等」及び同ハ及びニ中「個人である株主等」とあるのは、「当該個人」と読み替える。（以下**12の17**までにおいて同じ。）（編者） （名義株がある場合の支配関係の判定） （2）　**12の7の5**《支配関係》の適用上、一の者と法人との間に当該一の者による支配関係があるかどうかは、当該法人の株主名簿、社員名簿又は定款に記載又は記録されている株主等により判定するのであるが、その株主等が単なる名義人であって、当該株主等以外の者が実際の権利者である場合には、その実際の権利者が保有するものとして判定する。（基通1-3の2-1・編者補正） （支配関係を有することとなった日の意義） （3）　支配関係があるかどうかの判定における当該支配関係を有することとなった日とは、例えば、その有することとなった原因が次の表の左欄に掲げる場合には、それぞれ同表の右欄に掲げる日となることに留意する。（基通1-3の2-2・編者補正） | (一) | 株式の購入 | 当該株式の引渡しのあった日 |

		(二)	新たな法人の設立	当該法人の設立後最初の事業年度開始の日
		(三)	二の(7)《組織再編成の日》に掲げる組織再編成	二の(7)で掲げる組織再編成の日

注　上表の(一)の株式を譲渡した法人における第三章第一節第二十三款の二の1《有価証券の譲渡益又は譲渡損の益金又は損金算入》に掲げる譲渡利益額又は譲渡損失額の計上は、原則として、当該株式の譲渡に係る契約の成立した日に行うことに留意する。

12の7の6	完全支配関係	**当事者間の完全支配の関係**（一の者が法人の発行済株式等の全部を直接若しくは間接に保有する関係として(1)《当事者間の完全支配の関係の意義》に掲げる関係をいう。以下**12の7の6**において同じ。）又は一の者との間に当事者間の完全支配の関係がある法人相互の関係をいう。

（当事者間の完全支配の関係の意義）

（1）　**12の7の6**《完全支配関係》に掲げる当事者間の完全支配の関係は、一の者（その者が個人である場合には、その者及びこれと**10**の(1)《同族関係者の範囲》の表の(一)に掲げる特殊の関係のある個人）が法人の発行済株式等（発行済株式〔自己が有する自己の株式を除く。〕の総数のうちに次の(一)又は(二)に掲げる株式の数を合計した数の占める割合が$\frac{5}{100}$に満たない場合の当該株式を除く。以下(1)において同じ。）の全部を保有する場合における当該一の者と当該法人との間の関係（以下(1)において「直接完全支配関係」という。）とする。

この場合において、当該一の者及びこれとの間に直接完全支配関係がある一若しくは二以上の法人又は当該一の者との間に直接完全支配関係がある一若しくは二以上の法人が他の法人の発行済株式等の全部を保有するときは、当該一の者は当該他の法人の発行済株式等の全部を保有するものとみなす。（令4の2②）

(一)	当該法人の使用人が組合員となっている民法第667条第1項《組合契約》に規定する組合契約（当該法人の発行する株式を取得することを主たる目的とするものに限る。）による組合（組合員となる者が当該使用人に限られているものに限る。）の当該主たる目的に従って取得された当該法人の株式		
(二)	会社法第238条第2項《募集事項の決定》の決議（同法第239条第1項《募集事項の決定の委任》の決議による委任に基づく同項に規定する募集事項の決定及び同法第240条第1項《公開会社における募集事項の決定の特則》の規定による取締役会の決議を含む。）により当該法人の役員又は使用人（当該役員又は使用人であった者及び当該者の相続人を含む。以下(二)において「役員等」という。）に付与された新株予約権（次のイからハまでに掲げる権利を含む。）の行使によって取得された当該法人の株式（当該役員等が有するものに限る。）		
	イ	商法等の一部を改正する等の法律（平成13年法律第79号）第1条《商法の一部改正》の規定による改正前の商法第210条ノ2第2項《取締役又は使用人に譲渡するための自己株式の取得》の決議により当該法人の役員等に付与された同項第3号に規定する権利	
	ロ	商法等の一部を改正する法律（平成13年法律第128号）第1条《商法の一部改正》の規定による改正前の商法第280条ノ19第2項《取締役又は使用人に対する新株引受権の付与》の決議により当該法人の役員等に付与された同項に規定する新株の引受権	
	ハ	会社法の施行に伴う関係法律の整備等に関する法律（平成17年法律第87号）第64条《商法の一部改正》の規定による改正前の商法第280条ノ21第1項《新株予約権の有利発行の決議》の決議により当該法人の役員等に付与された新株予約権	

（名義株がある場合の完全支配関係の判定）

（2）　**12の7の6**《完全支配関係》の適用上、一の者と法人との間に当該一の者による完全支配関係があるかどうかは、当該法人の株主名簿、社員名簿又は定款に記載又は記録されている株主等

により判定するのであるが、その株主等が単なる名義人であって、当該株主等以外の者が実際の権利者である場合には、その実際の権利者が保有するものとして判定する。（基通1－3の2－1・編者補正）

（完全支配関係を有することとなった日の意義）
（3） 完全支配関係があるかどうかの判定における当該完全支配関係を有することとなった日とは、例えば、その有することとなった原因が次の表の左欄に掲げる場合には、それぞれ同表の右欄に掲げる日となることに留意する。（基通1－3の2－2・編者補正）

（一）	株式の購入	当該株式の引渡しのあった日
（二）	新たな法人の設立	当該法人の設立後最初の事業年度開始の日
（三）	二の（7）《組織再編成の日》に掲げる組織再編成	二の（7）で掲げる組織再編成の日

注　上表の（一）の株式を譲渡した法人における第三章第一節第二十三款の二1《有価証券の譲渡益又は譲渡損の益金又は損金算入》に掲げる譲渡利益額又は譲渡損失額の計上は、原則として、当該株式の譲渡に係る契約の成立した日に行うことに留意する。

（完全支配関係の判定における従業員持株会の範囲）
（4） （1）の表の（一）に掲げる組合は、民法第667条第1項《組合契約》に規定する組合契約による組合に限られるのであるから、いわゆる証券会社方式による従業員持株会は原則としてこれに該当するが、人格のない社団等に該当するいわゆる信託銀行方式による従業員持株会はこれに該当しない。（基通1－3の2－3）

（従業員持株会の構成員たる使用人の範囲）
（5） （1）の表の（一）の「当該法人の使用人」には、第三章第一節第十款の一の4《使用人兼務役員の意義》に掲げる使用人としての職務を有する役員は含まれないことに留意する。（基通1－3の2－4）

12の7の7	通算完全支配関係	通算親法人と通算子法人との間の完全支配関係（第三章第一節第三十五款の二1の（1）《完全支配関係の意義》に掲げる関係に限る。以下12の7の7において同じ。）又は通算親法人との間に完全支配関係がある通算子法人相互の関係をいう。
12の8	適格合併	次の①から③までのいずれかに該当する合併で被合併法人の株主等に合併法人又は合併親法人（（1）《合併法人の発行済株式等の全部を直接又は間接に保有する関係》に掲げる関係がある法人をいう。）のうちいずれか一の法人の株式又は出資以外の資産（当該株主等に対する剰余金の配当〔株式又は出資に係る剰余金の配当、利益の配当又は剰余金の分配をいう。〕として交付される金銭その他の資産、合併に反対する当該株主等に対するその買取請求に基づく対価として交付される金銭その他の資産及び合併の直前において合併法人が被合併法人の発行済株式等の総数又は総額の$\frac{2}{3}$以上に相当する数又は金額の株式又は出資を有する場合における当該合併法人以外の株主等に交付される金銭その他の資産を除く。）が交付されないものをいう。
	①	**完全支配間合併**（その合併に係る被合併法人と合併法人〔当該合併が新設合併〈法人を設立する合併をいう。以下**12の8**において同じ。〉である場合にあっては、当該被合併法人と他の被合併法人。以下①において同じ。〕との間に次の（1）《合併当事者間の完全支配関係の意義》又は（2）《同一の者による完全支配関係・継続見込の意義》に掲げるいずれかの関係がある場合の当該合併をいう。）（法2ⅫのⅧイ、令4の3②） （合併当事者間の完全支配関係の意義） （1）　合併当事者間の完全支配関係とは、合併に係る被合併法人と合併法人（当該合併が新設合併である場合にあっては、当該被合併法人と他の被合併法人）との間にいずれか一方の法人による完全支配関係（当該合併が被合併法人の株主等に合併法人の株式その他の資産が交付されない合併〔以下**12の8**において「**無対価合併**」という。〕である場合にあっては、合併法人が被合併法人の発行済株式等の全部を保有する関係に限る。）がある場合にお

ける当該完全支配関係（（2）《同一の者による完全支配関係・継続見込の意義》に掲げる関係に該当するものを除く。）をいう。（令4の3②Ⅰ）

（同一の者による完全支配関係・継続見込の意義）
（2） 同一の者による完全支配関係・継続見込とは、合併前に当該合併に係る被合併法人と合併法人との間に同一の者による完全支配関係（当該合併が無対価合併である場合にあっては、次の㈠又は㈡に掲げる関係がある場合における当該完全支配関係に限る。）があり、かつ、当該合併後に当該同一の者と当該合併に係る合併法人との間に当該同一の者による完全支配関係が継続すること（当該合併後に当該合併に係る合併法人を被合併法人又は完全子法人〔**12の15の2**《株式分配》に掲げる完全子法人をいう。以下**12の14**までにおいて同じ。〕とする適格合併又は適格株式分配を行うことが見込まれている場合には、当該合併の時から当該適格合併又は適格株式分配の直前の時まで当該完全支配関係が継続すること。）が見込まれている場合における当該合併に係る被合併法人と合併法人との間の関係をいう。（令4の3②Ⅱ）

㈠	合併法人が被合併法人の発行済株式等の全部を保有する関係
㈡	被合併法人及び合併法人の株主等（当該被合併法人及び合併法人を除く。）の全てについて、その者が保有する当該被合併法人の株式（出資を含む。以下**12の8**において同じ。）の数（出資にあっては、金額。以下**12の8**において同じ。）の当該被合併法人の発行済株式等（当該被合併法人が保有する当該被合併法人の株式を除く。）の総数（出資にあっては、総額。以下**12の8**において同じ。）のうちに占める割合と当該者が保有する当該合併法人の株式の数の当該合併法人の発行済株式等（当該被合併法人が保有する当該合併法人の株式を除く。）の総数のうちに占める割合とが等しい場合における当該被合併法人と合併法人との間の関係

② **支配間特定合併**（その合併に係る被合併法人と合併法人〔当該合併が新設合併である場合にあっては、当該被合併法人と他の被合併法人。以下②において同じ。〕との間に次の（1）《合併当事者間の支配関係の意義》又は（2）《同一の者による支配関係・継続見込の意義》に掲げるいずれかの関係（①の（1）《合併当事者間の完全支配関係の意義》又は①の（2）《同一の者による完全支配関係・継続見込の意義》に掲げる関係に該当するものを除く。）がある場合の当該合併のうち、次に掲げる要件の全てに該当するものをいう。）（法2ⅫⅧロ、令4の3③）

㈠	当該合併に係る被合併法人の当該合併の直前の従業者のうち、その総数のおおむね$\frac{80}{100}$以上に相当する数の者が当該合併後に当該合併に係る合併法人の業務（当該合併に係る合併法人との間に完全支配関係がある法人の業務並びに当該合併後に行われる適格合併により当該被合併法人の当該合併前に行う主要な事業が当該適格合併に係る合併法人に移転することが見込まれている場合における当該適格合併に係る合併法人及び当該適格合併に係る合併法人との間に完全支配関係がある法人の業務を含む。）に従事することが見込まれていること。
㈡	当該合併に係る被合併法人の当該合併前に行う主要な事業が当該合併後に当該合併に係る合併法人（当該合併に係る合併法人との間に完全支配関係がある法人並びに当該合併後に行われる適格合併により当該主要な事業が当該適格合併に係る合併法人に移転することが見込まれている場合における当該適格合併に係る合併法人及び当該適格合併に係る合併法人との間に完全支配関係がある法人を含む。）において引き続き行われることが見込まれていること。

（合併当事者間の支配関係の意義）
（1） 合併当事者間の支配関係とは、合併に係る被合併法人と合併法人（当該合併が新設合併である場合にあっては、当該被合併法人と他の被合併法人）との間にいずれか一方の法人による支配関係（当該合併が無対価合併である場合にあっては、①の（2）《同一の者による完全支配・継続見込の意義》の表の㈡に掲げる関係がある場合における当該支配関

係に限る。）がある場合における当該支配関係（（2）《同一の者による支配関係・継続見込の意義》に掲げる関係に該当するものを除く。）をいう。（令4の3③Ⅰ）

（同一の者による支配関係・継続見込の意義）
（2）　同一の者による支配関係・継続見込とは、①の（2）《同一の者による完全支配関係・継続見込の意義》において「完全支配関係」とあるのを「支配関係」と、「被合併法人又は完全子法人〔**12の15の2**《株式分配》に掲げる完全子法人をいう。以下**12の14**までにおいて同じ。〕」とあるのを「被合併法人」と、「適格合併又は適格株式分配」とあるのを「適格合併」と読み替えた場合における同（2）に掲げる関係をいう。（令4の3③Ⅱ）

共同で事業を行うための合併（その合併に係る被合併法人と合併法人〔当該合併が新設合併である場合にあっては、当該被合併法人と他の被合併法人〕とが共同で事業を行うための合併として①《完全支配間合併》又は②《支配間特定合併》に該当する合併以外の合併〔無対価合併にあっては、①の（2）《同一の者による完全支配関係・継続見込の意義》の表の（二）に掲げる関係があるもの又は当該無対価合併に係る被合併法人の全て若しくは合併法人が資本若しくは出資を有しない法人であるものに限る。〕のうち、次に掲げる要件〔当該合併の直前に当該合併に係る被合併法人の全てについて他の者との間に当該他の者による支配関係がない場合又は当該合併に係る合併法人が資本若しくは出資を有しない法人である場合には、（一）から（四）までに掲げる要件〕の全てに該当するものをいう。）（法2ⅩⅡのⅧハ、令4の3④）

③	（一）	合併に係る被合併法人の被合併事業（当該被合併法人の当該合併前に行う主要な事業のうちのいずれかの事業をいう。以下③において同じ。）と当該合併に係る合併法人の合併事業（当該合併法人の当該合併前に行う事業のうちのいずれかの事業をいい、当該合併が新設合併である場合にあっては、他の被合併法人の被合併事業をいう。以下③において同じ。）とが相互に関連するものであること。
	（二）	合併に係る被合併法人の被合併事業と当該合併に係る合併法人の合併事業（当該被合併事業と関連する事業に限る。）のそれぞれの売上金額、当該被合併事業と合併事業のそれぞれの従業者の数、当該被合併法人と合併法人（当該合併が新設合併である場合にあっては、当該被合併法人と他の被合併法人）のそれぞれの資本金の額若しくは出資金の額若しくはこれらに準ずるものの規模の割合がおおむね**5倍**を超えないこと又は当該合併前の当該被合併法人の**特定役員**（（3）《特定役員の意義》に掲げる者をいう。以下**12の18**までにおいて同じ。）のいずれかと当該合併法人（当該合併が新設合併である場合にあっては、他の被合併法人）の特定役員のいずれかとが当該合併後に当該合併に係る合併法人の特定役員となることが見込まれていること。
	（三）	合併に係る被合併法人の当該合併の直前の従業者のうち、その総数のおおむね$\frac{80}{100}$以上に相当する数の者が当該合併後に当該合併に係る合併法人の業務（当該合併に係る合併法人との間に完全支配関係がある法人の業務並びに当該合併後に行われる適格合併により当該被合併法人の被合併事業が当該適格合併に係る合併法人に移転することが見込まれている場合における当該適格合併に係る合併法人及び当該適格合併に係る合併法人との間に完全支配関係がある法人の業務を含む。）に従事することが見込まれていること。
	（四）	合併に係る被合併法人の被合併事業（当該合併に係る合併法人の合併事業と関連する事業に限る。）が当該合併後に当該合併に係る合併法人（当該合併に係る合併法人との間に完全支配関係がある法人並びに当該合併後に行われる適格合併により当該被合併事業が当該適格合併に係る合併法人に移転することが見込まれている場合における当該適格合併に係る合併法人及び当該適格合併に係る合併法人との間に完全支配関係がある法人を含む。）において引き続き行われることが見込まれていること。
	（五）	合併により交付される当該合併に係る合併法人又は**12の8**に掲げる合併親法人のうちいずれか一の法人の株式（議決権のないものを除く。）であって支配株主（当該合併の直前に当該合併に係る被合併法人と他の者との間に当該他の者による支配関係がある

> 場合における当該他の者及び当該他の者による支配関係があるもの〔当該合併に係る合併法人を除く。〕をいう。以下(五)において同じ。)に交付されるもの（当該合併が無対価合併である場合にあっては、支配株主が当該合併の直後に保有する当該合併に係る合併法人の株式の数に支配株主が当該合併の直後に保有する当該合併に係る合併法人の株式の帳簿価額として(5)《対価の交付が省略された場合における対価株式の帳簿価額》に掲げる金額のうちに支配株主が当該合併の直前に保有していた当該合併に係る被合併法人の株式の帳簿価額の占める割合を乗じて計算した数の当該合併に係る合併法人の株式。以下(五)において「対価株式」という。）の全部が支配株主（当該合併後に行われる適格合併により当該対価株式が当該適格合併に係る合併法人に移転することが見込まれている場合には、当該適格合併に係る合併法人を含む。以下(五)において同じ。）により継続して保有されることが見込まれていること（当該合併後に当該いずれか一の法人を被合併法人とする適格合併を行うことが見込まれている場合には、当該合併の時から当該適格合併の直前の時まで当該対価株式の全部が支配株主により継続して保有されることが見込まれていること。）。

(事業関連性の判定)
(1) ①《完全支配間合併》又は②《支配間特定合併》に該当する合併以外の合併が次の(一)及び(二)に掲げる要件の全てに該当するものである場合には、当該合併に係る③《共同で事業を行うための合併》の適用については、当該合併に係る被合併法人の被合併事業と当該合併に係る合併法人（当該合併が新設合併である場合にあっては、当該合併に係る他の被合併法人。以下(1)及び(2)において同じ。）の合併事業とは、③の(一)の相互に関連するものに該当するものとする。(規3①)

(一)		当該被合併法人及び合併法人が当該合併の直前においてそれぞれ次のイからハまでに掲げる要件の全てに該当すること。	
	イ	事務所、店舗、工場その他の固定施設（その本店又は主たる事務所の所在地がある国又は地域にあるこれらの施設に限る。ハの(ヘ)において「固定施設」という。）を所有し、又は賃借していること。	
	ロ	従業者（役員にあっては、その法人の業務に専ら従事するものに限る。）があること。	
	ハ	自己の名義をもって、かつ、自己の計算において次の(イ)から(ト)までに掲げるいずれかの行為をしていること。	
		(イ)	商品販売等（商品の販売、資産の貸付け又は役務の提供で、継続して対価を得て行われるものをいい、その商品の開発若しくは生産又は役務の開発を含む。以下(一)において同じ。）
		(ロ)	広告又は宣伝による商品販売等に関する契約の申込み又は締結の勧誘
		(ハ)	商品販売等を行うために必要となる資料を得るための市場調査
		(ニ)	商品販売等を行うに当たり法令上必要となる行政機関の許認可等（行政手続法第2条第3号《定義》に規定する許認可等をいう。）についての同号に規定する申請又は当該許認可等に係る権利の保有
		(ホ)	知的財産権（特許権、実用新案権、育成者権、意匠権、著作権、商標権その他の知的財産に関して法令により定められた権利又は法律上保護される利益に係る権利をいう。以下(ホ)において同じ。）の取得をするための出願若しくは登録（移転の登録を除く。）の請求若しくは申請（これらに準ずる手続を含む。）、知的財産権（実施権及び使用権を含むものとし、商品販売等を行うために必要となるものに限る。以下(ホ)及び(ニ)のロにおいて「知的財産権等」という。）の移転の登録（実施権及び使用権にあっては、これらの登録を含む。）の請求若しくは申請

		（これらに準ずる手続を含む。）又は知的財産権若しくは知的財産権等の所有
	(ヘ)	商品販売等を行うために必要となる資産（固定施設を除く。）の所有又は賃借
	(ト)	(イ)から(ヘ)までに掲げる行為に類するもの

	当該被合併事業と合併事業との間に当該合併の直前において次のイからハまでに掲げるいずれかの関係があること。	
(二)	イ	当該被合併事業と合併事業とが同種のものである場合における当該被合併事業と合併事業との間の関係
	ロ	当該被合併事業に係る商品、資産若しくは役務（それぞれ販売され、貸し付けられ、又は提供されるものに限る。以下(二)及び(2)において同じ。）又は経営資源（事業の用に供される設備、事業に関する知的財産権等、生産技術又は従業者の有する技能若しくは知識、事業に係る商品の生産若しくは販売の方式又は役務の提供の方式その他これらに準ずるものをいう。以下(二)及び(2)において同じ。）と当該合併事業に係る商品、資産若しくは役務又は経営資源とが同一のもの又は類似するものである場合における当該被合併事業と合併事業との間の関係
	ハ	当該被合併事業と合併事業とが当該合併後に当該被合併事業に係る商品、資産若しくは役務又は経営資源と当該合併事業に係る商品、資産若しくは役務又は経営資源とを活用して行われることが見込まれている場合における当該被合併事業と合併事業との間の関係

（商品等を活用して一体として行われている場合の推定）
（2） 合併に係る被合併法人の被合併事業と当該合併に係る合併法人の合併事業とが、当該合併後に当該被合併事業に係る商品、資産若しくは役務又は経営資源と当該合併事業に係る商品、資産若しくは役務又は経営資源とを活用して一体として行われている場合には、当該被合併事業と合併事業とは、（1）《事業関連性の判定》の(二)に掲げる要件に該当するものと推定する。（規３②）

（特定役員の意義）
（3） ③の表の(二)に掲げる特定役員とは、社長、副社長、代表取締役、代表執行役、専務取締役若しくは常務取締役又はこれらに準ずる者で法人の経営に従事している者をいう。（令４の３④Ⅱ）

（特定役員の範囲）
（4） （3）《特定役員の意義》に掲げる「これらに準ずる者」とは、役員又は役員以外の者で、社長、副社長、代表取締役、代表執行役、専務取締役又は常務取締役と同等に法人の経営の中枢に参画している者をいう。（基通１－４－７）

（対価の交付が省略された場合における対価株式の帳簿価額）
（5） ③の表の(五)に掲げる合併法人の株式の帳簿価額は、同表の(五)に掲げる無対価合併に該当する合併が適格合併に該当するものとした場合における当該合併の直後の当該合併に係る合併法人の株式（出資を含む。**12の11**の表の③の(1)《分割型分割の直後に保有する分割承継法人の株式の帳簿価額》及び同③の(3)《分社型分割の直後に保有する分割承継法人の株式の帳簿価額》において同じ。）の帳簿価額とする。（規３の２①）

(合併法人の発行済株式等の全部を直接又は間接に保有する関係)
（１） **12の8**《適格合併》に掲げる関係は、合併法人との間に当該合併法人の発行済株式等の全部を直接又は間接に保有する関係として、合併の直前に当該合併に係る合併法人と当該合併法人以外の法人との間に当該法人による完全支配関係（以下（１）において「**直前完全支配関係**」という。）があり、かつ、当該合併後に当該合併法人と当該法人（以下（１）において「親法人」という。）との間に当該親法人による完全支配関係が継続すること（当該合併後に当該合併に係る合併法人を被合併法人とする適格合併を行うことが見込まれている場合には、当該合併の時から当該適格合併の直前の時まで当該完全支配関係が継続すること。）が見込まれている場合における当該直前完全支配関係とする。(法2 XIIのⅧ、令4の3①)

(当該合併後に適格合併が見込まれている場合のみなし適用)
（２） 次の表の左欄に掲げる合併後に同表の右欄に掲げる法人を被合併法人とする適格合併を行うことが見込まれている場合には、当該適格合併に係る合併法人は、当該適格合併後においては同表の右欄に掲げる法人とみなして、同表に掲げる規定及び（２）を適用する。(令4の3㉕)

一	**12の8**の（１）《合併法人の発行済株式等の全部を直接又は間接に保有する関係》に掲げる合併	**12の8**の（１）に掲げる親法人
二	**12の8**の①の（２）《同一の者による支配関係・継続見込の意義》に掲げる合併	**12の8**の①の（２）に掲げる同一の者

12の9	分割型分割	次のイ又はロに掲げる分割をいう。
		イ　分割により分割法人が交付を受ける分割対価資産（分割により分割承継法人によって交付される当該分割承継法人の株式その他の資産をいう。以下**12の11**までにおいて同じ。）の全てが当該分割の日において当該分割法人の株主等に交付される場合又は分割により分割対価資産の全てが分割法人の株主等に直接に交付される場合のこれらの分割
		ロ　分割対価資産がない分割（以下**12の9**及び**12の10**において「無対価分割」という。）で、その分割の直前において、分割承継法人が分割法人の発行済株式等の全部を保有している場合又は分割法人が分割承継法人の株式を保有していない場合の当該無対価分割

12の10	分社型分割	次のイ又はロに掲げる分割をいう。
		イ　分割により分割法人が交付を受ける分割対価資産が当該分割の日において当該分割法人の株主等に交付されない場合の当該分割（無対価分割を除く。）
		ロ　無対価分割で、その分割の直前において分割法人が分割承継法人の株式を保有している場合（分割承継法人が分割法人の発行済株式等の全部を保有している場合を除く。）の当該無対価分割

12の11	適格分割	次の①から④までのいずれかに該当する分割で分割対価資産として分割承継法人又は分割承継親法人（（１）《分割承継法人の発行済株式等の全部を直接又は間接に保有する関係》に掲げる関係がある法人をいう。）のうちいずれか一の法人の株式以外の資産が交付されないもの（当該株式が交付される**分割型分割**にあっては、当該株式が分割法人の発行済株式等の総数又は総額のうちに占める当該分割法人の各株主等の有する当該分割法人の株式の数〔出資にあっては、金額〕の割合に応じて交付されるものに限る。）をいう。(法2 XIIのXI)
		①　**完全支配間分割**（その分割に係る分割法人と分割承継法人との間に次の（１）《分割当事者間の完全支配関係・継続見込の意義》又は（２）《同一の者による完全支配関係・継続見込の意義》に掲げるいずれかの関係がある場合の当該分割をいう。）(法2 XIIのXI イ、令4の3⑥)
		(分割当事者間の完全支配関係・継続見込の意義) （１）　分割当事者間の完全支配関係・継続見込とは、分割前（当該分割が法人を設立する分割〔以下**12の11**において「**新設分割**」という。〕で一の法人のみが分割法人となるもの〔以

下12の11において「**単独新設分割**」という。〕である場合にあっては、分割後）に当該分割に係る分割法人と分割承継法人（当該分割が新設分割で単独新設分割に該当しないもの〔以下12の11において「**複数新設分割**」という。〕である場合にあっては、分割法人と他の分割法人）との間にいずれか一方の法人による完全支配関係がある分割の次の表の左欄に掲げる区分に応じそれぞれ同表の右欄に掲げる関係（（２）《同一の者による完全支配関係・継続見込の意義》に掲げる関係に該当するものを除く。）をいう。（令４の３⑥Ⅰ）

(一)	新設分割以外の分割型分割（第三章第一節第三十四款の一の１の⑤のイ《一の法人を分割法人とする分割》に掲げる分割を除く。）のうち当該分割型分割前に当該分割型分割に係る分割法人と分割承継法人との間に当該分割承継法人による完全支配関係（当該分割型分割が12の９の口に掲げる無対価分割〔以下③までにおいて「**無対価分割**」という。〕である場合にあっては、分割承継法人が分割法人の発行済株式等の全部を保有する関係に限る。）があるもの	当該完全支配関係
(二)	新設分割以外の分割（(一)に掲げる分割型分割を除く。）のうち当該分割前に当該分割に係る分割法人と分割承継法人との間にいずれか一方の法人による完全支配関係（当該分割が無対価分割である場合にあっては、分割法人が分割承継法人の発行済株式等の全部を保有する関係に限る。）があるもの	当該分割後に当該分割法人と分割承継法人との間に当該いずれか一方の法人による完全支配関係が継続すること（当該分割後に他方の法人〔当該分割法人及び分割承継法人のうち、当該いずれか一方の法人以外の法人をいう。〕を被合併法人又は完全子法人とする適格合併又は適格株式分配を行うことが見込まれている場合には、当該分割の時から当該適格合併又は適格株式分配の直前の時まで当該完全支配関係が継続すること。）が見込まれている場合における当該分割法人と分割承継法人との間の関係
(三)	単独新設分割のうち当該単独新設分割後に当該単独新設分割に係る分割法人と分割承継法人との間に当該分割法人による完全支配関係があるもの	当該単独新設分割後に当該完全支配関係が継続すること（当該単独新設分割後に当該分割承継法人を被合併法人又は完全子法人とする適格合併又は適格株式分配を行うことが見込まれている場合には、当該単独新設分割の時から当該適格合併又は適格株式分配の直前の時まで当該完全支配関係が継続すること。）が見込まれている場合における当該分割法人と分割承継法人との間の関係
(四)	複数新設分割のうち当該複数新設分割前に当該複数新設分割に係る分割法人と他の分割法人との間にいずれか一方の法人による完全支配関係があるもの	次の表の左欄に掲げる場合の区分に応じそれぞれ同表の右欄に掲げる要件に該当することが見込まれている場合における当該分割法人及び他の分割法人と当該複数新設分割に係る分割承継法人との間の関係 |// ||| イ	他方の法人（当該分割法人及び他	当該複数新設分割後に当該いずれか一方の法

		の分割法人のうち、当該いずれか一方の法人以外の法人をいう。ロにおいて同じ。）が第三章第一節第三十四款の一の①の⑤のロ《2以上の法人を分割法人とする分割で法人を設立する分割》の(イ)に掲げる法人である場合	人と当該分割承継法人との間に当該いずれか一方の法人による完全支配関係が継続すること（当該複数新設分割後に当該分割承継法人を被合併法人又は完全子法人とする適格合併又は適格株式分配を行うことが見込まれている場合には、当該複数新設分割の時から当該適格合併又は適格株式分配の直前の時まで当該完全支配関係が継続すること。）。
	ロ	イに掲げる場合以外の場合	当該複数新設分割後に他方の法人と当該分割承継法人との間に当該いずれか一方の法人による完全支配関係が継続すること（当該複数新設分割後に当該他方の法人又は分割承継法人を被合併法人又は完全子法人とする適格合併又は適格株式分配を行うことが見込まれている場合には、当該複数新設分割の時から当該適格合併又は適格株式分配の直前の時まで当該完全支配関係が継続すること。）。

（同一の者による完全支配関係・継続見込の意義）
(2) 同一の者による完全支配関係・継続見込とは、分割前（当該分割が単独新設分割である場合にあっては、分割後）に当該分割に係る分割法人と分割承継法人（当該分割が複数新設分割である場合にあっては、分割法人と他の分割法人）との間に同一の者による完全支配関係がある分割の次の表の左欄に掲げる区分に応じそれぞれ同表の右欄に掲げる関係をいう。（令4の3⑥Ⅱ）

(一)	新設分割以外の分割型分割（第三章第一節第三十四款の一の①の⑤のイ《一の法人を分割法人とする分割》に掲げる分割を除く。）のうち当該分割型分割前に当該分割型分割に係る分割法人と分割承継法人との間	当該分割型分割後に当該同一の者と当該分割承継法人との間に当該同一の者による完全支配関係が継続すること（当該分割型分割後に当該分割承継法人を被合併法人又は完全子法人とする適格合併又は適格株式分配を行うことが見込まれている場合には、当該分割型分割の時から当該適格合併又は適格株式分配の直前の時まで当該完全支配関係

			に同一の者による完全支配関係（当該分割型分割が無対価分割である場合にあっては、次に掲げる関係がある場合における当該完全支配関係に限る。）があるもの		が継続すること。）が見込まれている場合における当該分割法人と分割承継法人との間の関係
				イ	分割承継法人が分割法人の発行済株式等の全部を保有する関係
				ロ	分割法人の株主等（当該分割法人及び分割承継法人を除く。）及び分割承継法人の株主等（当該分割承継法人を除く。）の全てについて、その者が保有する当該分割法人の株式の数の当該分割法人の発行済株式等（当該分割承継法人が保有する当該分割法人の株式を除く。）の総数のうちに占める割合と当該者が保有する当該分割承継法人の株式の数の当該分割承継法人の発行済株式等の総数のうちに占める割合とが等しい場合における当該分割法人と分割承継法人との間の関係
		(二)	新設分割以外の分割（(一)に掲げる分割型分割を除く。）のうち当該分割前に当該分割に係る分割法人と分割承継法人との間に同一の者による完全支配関係（当該分割が無対価分割である場合にあっては、分割法人が分割承継法人の発行済株式等の全部を保有する関係がある場合における当該完全支配関係に限る。）があるもの		当該分割後に当該分割法人と分割承継法人との間に当該同一の者による完全支配関係が継続すること（当該分割後に当該分割法人又は分割承継法人を被合併法人又は完全子法人とする適格合併又は適格株式分配を行うことが見込まれている場合には、当該分割の時から当該適格合併又は適格株式分配の直前の時まで当該完全支配関係が継続すること。）が見込まれている場合における当該分割法人と分割承継法人との間の関係
		(三)	単独新設分割のうち当該単独新設分割後に当該単独新設分割に係る分割法人と分割承継法人との間に同一の者による完全支配関係があるもの		次の表の左欄に掲げる場合の区分に応じそれぞれ同表の右欄に掲げる要件に該当することが見込まれている場合における当該分割法人と分割承継法人との間の関係
				イ	当該単独新設分割が分割型分割（第三章第一節第三十	当該単独新設分割後に当該同一の者と当該分割承継法人との間に当

		四款の**一**の**1**の⑤のイ《一の法人を分割法人とする分割》に掲げる分割を除く。）に該当する場合	該同一の者による完全支配関係が継続すること（当該単独新設分割後に当該分割承継法人を被合併法人又は完全子法人とする適格合併又は適格株式分配を行うことが見込まれている場合には、当該単独新設分割の時から当該適格合併又は適格株式分配の直前の時まで当該完全支配関係が継続すること。）。
		ロ　イに掲げる場合以外の場合	当該単独新設分割後に当該分割法人と分割承継法人との間に当該同一の者による完全支配関係が継続すること（当該単独新設分割後に当該分割法人又は分割承継法人を被合併法人又は完全子法人とする適格合併又は適格株式分配を行うことが見込まれている場合には、当該単独新設分割の時から当該適格合併又は適格株式分配の直前の時まで当該完全支配関係が継続すること。）。
	(四)	複数新設分割のうち当該複数新設分割前に当該複数新設分割に係る分割法人と他の分割法人との間に同一の者による完全支配関係があるもの	当該複数新設分割後に当該分割法人及び他の分割法人（それぞれ第三章第一節第三十四款の**一**の**1**の⑤の**ロ**《2以上の法人を分割法人とする分割で法人を設立する分割》の(イ)に掲げる法人を除く。(四)において同じ。）並びに当該複数新設分割に係る分割承継法人と当該同一の者との間に当該同一の者による完全支配関係が継続すること（当該複数新設分割後に当該分割法人、他の分割法人又は分割承継法人を被合併法人又は完全子法人とする適格合併又は適格株式分配を行うことが見込まれている場合には、当該複数新設分割の時から当該適格合併又は適格株式分配の直前の時まで当該完全支配関係が継続すること。）が見込まれている場合における当該分割法人及び他の分割法人と当該分割承継法人との間の関係

② **支配間特定分割**（その分割に係る分割法人と分割承継法人との間に次の(1)《分割当事者間の

支配関係・継続見込の意義》又は(2)《同一の者による支配関係・継続見込の意義》に掲げるいずれかの関係〔①の(1)《分割当事者間の完全支配関係・継続見込の意義》又は同(2)《同一の者による完全支配関係・継続見込の意義》に掲げる関係に該当するものを除く。〕がある場合の当該分割のうち、次に掲げる要件に該当するものをいう。)(法２ⅫのⅪロ、令４の３⑦)

(一)	当該分割により分割事業（分割法人の分割前に行う事業のうち、当該分割により分割承継法人において行われることとなるものをいう。以下②において同じ。）に係る主要な資産及び負債が当該分割承継法人に移転していること。
(二)	当該分割の直前の分割事業に係る従業者のうち、その総数のおおむね$\frac{80}{100}$以上に相当する数の者が当該分割後に当該分割承継法人の業務（当該分割承継法人との間に完全支配関係がある法人の業務並びに当該分割後に行われる適格合併により当該分割事業が当該適格合併に係る合併法人に移転することが見込まれている場合における当該合併法人及び当該合併法人との間に完全支配関係がある法人の業務を含む。）に従事することが見込まれていること。
(三)	当該分割に係る分割事業が当該分割後に当該分割承継法人（当該分割承継法人との間に完全支配関係がある法人並びに当該分割後に行われる適格合併により当該分割事業が当該適格合併に係る合併法人に移転することが見込まれている場合における当該合併法人及び当該合併法人との間に完全支配関係がある法人を含む。）において引き続き行われることが見込まれていること。

(分割当事者間の支配関係・継続見込の意義)
(1) 分割当事者間の支配関係・継続見込とは、分割前（当該分割が単独新設分割である場合にあっては、分割後）に当該分割に係る分割法人と分割承継法人（当該分割が複数新設分割である場合にあっては、分割法人と他の分割法人）との間にいずれか一方の法人による支配関係がある分割の次の表の左欄に掲げる区分に応じそれぞれ同表の右欄に掲げる関係((2)《同一の者による支配関係・継続見込の意義》に掲げる関係に該当するものを除く。)をいう。(令４の３⑦Ⅰ)

(一)	新設分割以外の分割型分割（第三章第一節第三十四款の一の１の⑤のイ《一の法人を分割法人とする分割》に掲げる分割を除く。）のうち当該分割型分割前に当該分割型分割に係る分割法人と分割承継法人との間に当該分割承継法人による支配関係（当該分割型分割が無対価分割である場合にあっては、①の(2)の(一)の表のロに掲げる関係がある場合における当該支配関係に限る。）があるもの	当該支配関係
(二)	新設分割以外の分割((一)に掲げる分割型分割を除く。)のうち当該分割前に当該分割に係る分割法人と分割承継法人との間にいずれか一方の法人による支配関係（当該分割が無対価分割である場合にあっては、	当該分割後に当該分割法人と分割承継法人との間に当該いずれか一方の法人による支配関係が継続すること（当該分割後に他方の法人〔当該分割法人及び分割承継法人のうち、当該いずれか一方の法人以外の法人をいう。〕を被合併法人とする適格合併を行うことが見込まれている場合には、当該分割の時から当該適格合併の直前の時まで当該支

第二章　第一節《通　則》

		分割法人が分割承継法人の発行済株式等の全部を保有する関係がある場合における当該支配関係に限る。）があるもの		配関係が継続すること。）が見込まれている場合における当該分割法人と分割承継法人との間の関係
	(三)	単独新設分割のうち当該単独新設分割後に当該単独新設分割に係る分割法人と分割承継法人との間に当該分割法人による支配関係があるもの		当該単独新設分割後に当該支配関係が継続すること（当該単独新設分割後に当該分割承継法人を被合併法人とする適格合併を行うことが見込まれている場合には、当該単独新設分割の時から当該適格合併の直前の時まで当該支配関係が継続すること。）が見込まれている場合における当該分割法人と分割承継法人との間の関係
	(四)	複数新設分割のうち当該複数新設分割前に当該複数新設分割に係る分割法人と他の分割法人との間にいずれか一方の法人による支配関係があるもの		次の表の左欄に掲げる場合の区分に応じそれぞれ同表の右欄に掲げる要件に該当することが見込まれている場合における当該分割法人及び他の分割法人と当該複数新設分割に係る分割承継法人との間の関係
			イ	他方の法人（当該分割法人及び他の分割法人のうち、当該いずれか一方の法人以外の法人をいう。ロにおいて同じ。）が第三章第一節第三十四款の一の1の⑤のロ《2以上の法人を分割法人とする分割で法人を設立する分割》の(イ)に掲げる法人である場合	当該複数新設分割後に当該いずれか一方の法人と当該分割承継法人との間に当該いずれか一方の法人による支配関係が継続すること（当該複数新設分割後に当該分割承継法人を被合併法人とする適格合併を行うことが見込まれている場合には、当該複数新設分割の時から当該適格合併の直前の時まで当該支配関係が継続すること。）。
			ロ	イに掲げる場合以外の場合	当該複数新設分割後に他方の法人と当該分割承継法人との間に当該いずれか一方の法人による支配関係が継続すること（当該複数新設分割後に当該他方の法人又は分割承継法人を被合併法人とする適格合併を行うことが見込まれている場合には、当該複数新設分割の時から当該適格合併の直前の時まで当該支配関係が継続すること。）。

-45-

（同一の者による支配関係・継続見込の意義）
（2）　同一の者による支配関係・継続見込とは、①の（2）《同一の者による完全支配関係・継続見込の意義》中「完全支配関係」とあるのを「支配関係」と、「被合併法人又は完全子法人」とあるのを「被合併法人」と、「適格合併又は適格株式分配」とあるのを「適格合併」と読み替えた場合における同（2）に掲げる関係をいう。（令4の3⑦Ⅱ）

③ **共同で事業を行うための分割**（その分割に係る分割法人と分割承継法人〔当該分割が法人を設立する分割である場合にあっては、当該分割法人と他の分割法人〕とが共同で事業を行うための分割として①又は②に該当する分割以外の分割〔無対価分割にあっては、①の（2）《同一の者による完全支配関係・継続見込の意義》の表の（一）の左欄のロに掲げる関係がある分割型分割、当該無対価分割に係る分割法人の全てが資本若しくは出資を有しない法人である分割型分割又は分割法人が分割承継法人の発行済株式等の全部を保有する関係がある分社型分割に限る。〕のうち、次に掲げる要件〔当該分割が分割型分割である場合において、当該分割の直前に当該分割に係る分割法人の全てについて他の者との間に当該他の者による支配関係がないときは、次の（一）から（五）までに掲げる要件〕の全てに該当するものをいう。）（法2ⅫのⅪハ、令4の3⑧）

（一）	分割に係る分割法人の分割事業（当該分割法人の当該分割前に行う事業のうち、当該分割により分割承継法人において行われることとなるものをいう。以下③及び④において同じ。）と当該分割に係る分割承継法人の分割承継事業（当該分割承継法人の当該分割前に行う事業のうちのいずれかの事業をいい、当該分割が複数新設分割である場合にあっては、他の分割法人の分割事業をいう。以下③において同じ。）とが相互に関連するものであること。
（二）	分割に係る分割法人の分割事業と当該分割に係る分割承継法人の分割承継事業（当該分割事業と関連する事業に限る。）のそれぞれの売上金額、当該分割事業と分割承継事業のそれぞれの従業者の数若しくはこれらに準ずるものの規模の割合がおおむね**5倍**を超えないこと又は当該分割前の当該分割法人の**役員等**（役員及び12の8の表の③の（3）《特定役員の意義》に掲げるこれらに準ずる者で法人の経営に従事している者をいう。以下③及び④において同じ。）のいずれかと当該分割承継法人の特定役員（当該分割が複数新設分割である場合にあっては、他の分割法人の役員等）のいずれかが当該分割後に当該分割承継法人の特定役員となることが見込まれていること。
（三）	分割により当該分割に係る分割法人の分割事業に係る主要な資産及び負債が当該分割に係る分割承継法人に移転していること。
（四）	分割に係る分割法人の当該分割の直前の分割事業に係る従業者のうち、その総数のおおむね$\frac{80}{100}$以上に相当する数の者が当該分割後に当該分割に係る分割承継法人の業務（当該分割承継法人との間に完全支配関係がある法人の業務並びに当該分割後に行われる適格合併により当該分割事業が当該適格合併に係る合併法人に移転することが見込まれている場合における当該合併法人及び当該合併法人との間に完全支配関係がある法人の業務を含む。）に従事することが見込まれていること。
（五）	分割に係る分割法人の分割事業（当該分割に係る分割承継法人の分割承継事業と関連する事業に限る。）が当該分割後に当該分割承継法人（当該分割承継法人との間に完全支配関係がある法人並びに当該分割後に行われる適格合併により当該分割事業が当該適格合併に係る合併法人に移転することが見込まれている場合における当該合併法人及び当該合併法人との間に完全支配関係がある法人を含む。）において引き続き行われることが見込まれていること。
（六）	次の表の左欄に掲げる分割の区分に応じ、それぞれ同表の右欄に掲げる要件

（六）	イ　分割型分割	当該分割型分割により交付される当該分割型分割に係る分割承継法人又は12の11に掲げる分割承継親法人（以下ロにおいて「**分割承継親法人**」という。）のうちいずれか一の法人の株式（議決権のな

		いものを除く。）であって支配株主（当該分割型分割の直前に当該分割型分割に係る分割法人と他の者との間に当該他の者による支配関係がある場合における当該他の者及び当該他の者による支配関係があるもの〔当該分割承継法人を除く。〕をいう。イにおいて同じ。）に交付されるもの（当該分割型分割が無対価分割である場合にあっては、支配株主が当該分割型分割の直後に保有する当該分割承継法人の株式の数に支配株主が当該分割型分割の直後に保有する当該分割承継法人の株式の帳簿価額として（1）に掲げる金額のうちに支配株主が当該分割型分割の直前に保有していた当該分割法人の株式の帳簿価額のうち当該分割型分割により当該分割承継法人に移転した資産又は負債に対応する部分の金額として（2）に掲げる金額の占める割合を乗じて計算した数の当該分割承継法人の株式。イにおいて「対価株式」という。）の全部が支配株主（当該分割型分割後に行われる適格合併により当該対価株式が当該適格合併に係る合併法人に移転することが見込まれている場合には、当該合併法人を含む。イにおいて同じ。）により継続して保有されることが見込まれていること（当該分割型分割後に当該いずれか一の法人を被合併法人とする適格合併を行うことが見込まれている場合には、当該分割型分割の時から当該適格合併の直前の時まで当該対価株式の全部が支配株主により継続して保有されることが見込まれていること。）。
	ロ 分社型分割	当該分社型分割により交付される当該分社型分割に係る分割承継法人又は分割承継親法人のうちいずれか一の法人の株式（当該分社型分割が無対価分割である場合にあっては、当該分社型分割に係る分割法人が当該分社型分割の直後に保有する当該分割承継法人の株式の数に当該分割法人が当該分社型分割の直後に保有する当該分割承継法人の株式の帳簿価額として（3）に掲げる金額のうちに当該分割法人が当該分社型分割により当該分割承継法人に移転した資産又は負債の帳簿価額を基礎として計算した（4）に掲げる金額の占める割合を乗じて計算した数の当該分割承継法人の株式）の全部が当該分割法人（当該分社型分割後に行われる適格合併により当該いずれか一の法人の株式の全部が当該適格合併に係る合併法人に移転することが見込まれている場合には、当該合併法人を含む。ロにおいて同じ。）により継続して保有されることが見込まれていること（当該分社型分割後に当該いずれか一の法人を被合併法人とする適格合併を行うことが見込まれている場合には、当該分社型分割の時から当該適格合併の直前の時まで当該いずれか一の法人の株式の全部が当該分割法人により継続して保有されることが見込まれていること。）。

　　　　（分割型分割の直後に保有する分割承継法人の株式の帳簿価額）
（1）　上表の(六)のイに掲げる分割型分割の直後に保有する当該分割承継法人の株式の帳簿価額は、同(六)のイの無対価分割に該当する分割型分割が適格分割型分割に該当するものとした場合における当該分割型分割の直後の当該分割型分割に係る分割承継法人の株式の帳簿価額とする。（規3の2②）

　　　　（分割型分割により分割承継法人に移転した資産又は負債に対応する部分の金額）
（2）　上表の(六)のイに掲げる分割承継法人に移転した資産又は負債に対応する部分の金額は、同(六)のイの無対価分割に該当する分割型分割に係る第三章第一節第二十三款の二の

1の(6)《分割型分割により新株等の交付を受けた場合の譲渡対価の額及び譲渡原価の額》に掲げる分割純資産対応帳簿価額とする。(規3の2③)

(分社型分割の直後に保有する分割承継法人の株式の帳簿価額)
(3) 上表の(六)のロに掲げる分社型分割の直後に保有する当該分割承継法人の株式の帳簿価額は、同(六)のロの無対価分割に該当する分社型分割が適格分社型分割に該当するものとした場合における当該分社型分割の直後の当該分社型分割に係る分割承継法人の株式の帳簿価額とする。(規3の2④)

(分社型分割により分割承継法人に移転した資産又は負債の帳簿価額を基礎として計算した金額)
(4) 上表の(六)のロに掲げる分割承継法人に移転した資産又は負債の帳簿価額を基礎として計算した金額は、同(六)のロの無対価分割に該当する分社型分割の直前の移転資産(その分社型分割により分割承継法人に移転した資産をいう。)の帳簿価額から移転負債(その分社型分割により分割承継法人に移転した負債をいう。)の帳簿価額を控除した金額とする。(規3の2⑤)

(事業関連性の判定)
(5) 次の(一)又は(二)に掲げるものは、①、②又は④に該当する分割以外の分割に係る分割法人の分割事業と当該分割に係る分割承継法人(当該分割が法人を設立する分割である場合にあっては、当該分割に係る他の分割法人)の分割承継事業とが、③の表の(一)の相互に関連するものに該当するかどうかの判定について準用する。(令4の3㉖、規3③)

(一)	**12の8**の表の③の(1)《事業関連性の判定》
(二)	同③の(2)《商品等を活用して一体として行われている場合の推定》

④ **分割法人の分割前に行う事業を新設法人において独立して行うための分割**(その分割〔一の法人のみが分割法人となる分割型分割に限る。〕に係る分割法人の当該分割前に行う事業を当該分割により新たに設立する分割承継法人において独立して行うための分割として分割型分割に該当する分割で単独新設分割であるもの〔第三章第一節第三十四款の一の1の⑤のイ《一の法人を分割法人とする分割》に掲げる分割を除く。〕のうち、次に掲げる要件の全てに該当するものをいう。)(法2 XIIのXI ニ、令4の3⑨)

(一)	分割の直前に当該分割に係る分割法人と他の者(その者〔その者が個人である場合には、その個人との間に**10の(1)**《同族関係者の範囲》に掲げる特殊の関係のある者を含む。イにおいて同じ。〕が締結している民法第667条第1項《組合契約》に規定する組合契約、投資事業有限責任組合契約に関する法律第3条第1項《投資事業有限責任組合契約》に規定する投資事業有限責任組合契約及び有限責任事業組合契約に関する法律第3条第1項《有限責任事業組合契約》に規定する有限責任事業組合契約並びに外国におけるこれらの契約に類する契約〔以下(一)において「組合契約」という。〕並びに次に掲げる組合契約に係る他の組合員である者を含む。以下(一)において同じ。)との間に当該他の者による支配関係がなく、かつ、当該分割後に当該分割に係る分割承継法人と他の者との間に当該他の者による支配関係があることとなることが見込まれていないこと。

	イ	その者が締結している組合契約による組合(これに類するものを含む。以下(一)において同じ。)が締結している組合契約
	ロ	イ又はハに掲げる組合契約による組合が締結している組合契約
	ハ	ロに掲げる組合契約による組合が締結している組合契約

(二)	分割前の当該分割に係る分割法人の役員等(当該分割法人の重要な使用人〔当該分割法人の分割事業に係る業務に従事している者に限る。〕を含む。)のいずれかが当該分割後

			に当該分割に係る分割承継法人の特定役員となることが見込まれていること。
		(三)	分割により当該分割に係る分割法人の分割事業に係る主要な資産及び負債が当該分割に係る分割承継法人に移転していること。
		(四)	分割に係る分割法人の当該分割の直前の分割事業に係る従業者のうち、その総数のおおむね$\frac{80}{100}$以上に相当する数の者が当該分割後に当該分割に係る分割承継法人の業務に従事することが見込まれていること。
		(五)	分割に係る分割法人の分割事業が当該分割後に当該分割に係る分割承継法人において引き続き行われることが見込まれていること。

（分割承継法人の発行済株式等の全部を直接又は間接に保有する関係）

（１） **12の11**《適格分割》に掲げる関係は、分割承継法人との間に当該分割承継法人の発行済株式等の全部を直接又は間接に保有する関係として、分割の直前に当該分割に係る分割承継法人と当該分割承継法人以外の法人との間に当該法人による完全支配関係（以下（１）において「**直前完全支配関係**」という。）があり、かつ、当該分割後に当該分割承継法人と当該法人（以下（１）において「親法人」という。）との間に当該親法人による完全支配関係が継続すること（当該分割後に分割承継法人を被合併法人とする適格合併を行うことが見込まれている場合には、当該分割の時から当該適格合併の直前の時まで当該完全支配関係が継続すること。）が見込まれている場合における当該直前完全支配関係とする。（法２ⅩⅡのⅩⅠ、令４の３㉕）

（当該分割後に適格合併が見込まれている場合のみなし適用）

（２） 次の表の左欄に掲げる分割後に同表の右欄に掲げる法人を被合併法人とする適格合併を行うことが見込まれている場合には、当該適格合併に係る合併法人は、当該適格合併後においては同表の右欄に掲げる法人とみなして、同表に掲げる規定及び（２）を適用する。（令４の３㉕）

	(一)	**12の11**の（１）に掲げる分割	**12の11**の（１）に掲げる親法人
	(二)	**12の11**の①の（２）の表の（一）に掲げる分割型分割、同表の（二）に掲げる分割、同表の（三）に掲げる単独新設分割、同表の（四）に掲げる複数新設分割	**12の11**の①の（２）の表の（一）から（四）に掲げる同一の者
	(三)	**12の11**の①の（１）の表の（二）に掲げる分割、同表の（四）に掲げる複数新設分割、**12の11**の②の（１）の表の（二）に掲げる分割、同表の（四）に掲げる複数新設分割	**12の11**の①の（１）の表の（二）若しくは（四）、**12の11**の②の（１）の表の（二）若しくは（四）のいずれか一方の法人
	(四)	**12の11**の①の（１）の表の（三）又は**12の11**の②の（１）の表の（三）に掲げる単独新設分割	当該単独新設分割に係る分割法人

12の12	適格分割型分割	分割型分割のうち適格分割に該当するものをいう。
12の13	適格分社型分割	分社型分割のうち適格分割に該当するものをいう。
12の14	適格現物出資	次の①から③までのいずれかに該当する現物出資（被現物出資法人である外国法人に国内にある不動産その他の（１）《国内にある不動産その他の資産の範囲》に掲げる資産〔以下**12の14**において「国内不動産等」という。〕、国内事業所等〔内国法人にあっては第三章第二節第二款の二の１の②のイ《国外源泉所得》の表の（一）に掲げる本店等をいい、外国法人にあっては恒久的施設をいう。〕を通じて行う事業に係る資産〔外国法人の発行済株式等の総数又は総額の$\frac{25}{100}$以上に相当する数又は金額の株式を有する場合におけるその外国法人の株式を除く。〕若しくは負債〔以下**12の14**において「国内資産等」という。〕又は内国法人の工業所有権、著作権その他の（２）《工業所有権、著作権その他の資産の範囲》に掲げる資産〔以下**12の14**において「無形資産等」という。〕の移転を行うもの〔当該国

内不動産等、国内資産等及び無形資産等の全部が当該移転により当該被現物出資法人である外国法人の恒久的施設を通じて行う事業に係る資産又は負債となるものとして(4)《資産又は負債となるものの範囲》に掲げるものを除く。〕、外国法人が内国法人又は他の外国法人に法人税法第138条第1項第1号《国内源泉所得》に規定する本店等〔以下**12の14**において「本店等」という。〕を通じて行う事業に係る資産〔国内不動産等を除く。〕又は負債〔以下**12の14**において「外国法人国外資産等」という。〕の移転を行うもの〔当該他の外国法人に外国法人国外資産等の移転を行うものにあっては、当該外国法人国外資産等の全部又は一部が当該移転により当該他の外国法人の恒久的施設を通じて行う事業に係る資産又は負債となるものに限る。〕及び内国法人が外国法人に第三章第二節第二款の二の1の②のイ《国外源泉所得》の表の(一)に掲げる国外事業所等を通じて行う事業に係る資産又は負債〔以下**12の14**において「内国法人国外資産等」という。〕の移転を行うもので当該内国法人国外資産等の全部又は一部が当該移転により当該外国法人の本店等を通じて行う事業に係る資産又は負債となるもの〔国内資産等の移転を行うものに準ずるものとして(5)《国内資産等の移転を行うものに準ずるものの範囲》に掲げるものに限る。〕並びに新株予約権付社債に付された新株予約権の行使に伴う当該新株予約権付社債についての社債の給付を除き、現物出資法人に被現物出資法人の株式のみが交付されるものに限る。)をいう。

注 ──線部分は、令和6年度改正により改正された部分で、改正規定は、令和6年10月1日以後に行われる現物出資について適用され、令和6年9月30日以前に行われる現物出資については、次による。(令6改法附6、1Ⅲイ)

> 次の①から③までのいずれかに該当する現物出資（外国法人に国内にある資産又は負債として(1)《国内にある資産又は負債の範囲》に掲げる資産又は負債〔以下**12の14**において「国内資産等」という。〕の移転を行うもの〔当該国内資産等の全部が当該外国法人の恒久的施設に属するものとして(2)《外国法人の恒久的施設に属するものの範囲》に掲げるものを除く。〕、外国法人が内国法人又は他の外国法人に国外にある資産又は負債として(3)《国外にある資産又は負債の範囲》に掲げる資産又は負債〔以下**12の14**において「国外資産等」という。〕の移転を行うもの〔当該他の外国法人に国外資産等の移転を行うものにあっては、当該国外資産等が当該他の外国法人の恒久的施設に属するものとして(4)《他の外国法人の恒久的施設に属するものの範囲》に掲げるものに限る。〕及び内国法人が外国法人に国外資産等の移転を行うもので当該国外資産等の全部又は一部が当該外国法人の恒久的施設に属しないもの〔国内資産等の移転を行うものに準ずるものとして**12の14**の(5)の注による読替え後の同(5)《国内資産等の移転を行うものに準ずるものの範囲》に掲げるものに限る。〕並びに新株予約権付社債に付された新株予約権の行使に伴う当該新株予約権付社債についての社債の給付を除き、現物出資法人に被現物出資法人の株式のみが交付されるものに限る。)をいう。
>
> （国内にある資産又は負債の範囲）
> (1) **12の14**《適格現物出資》に掲げる国内にある資産又は負債は、国内にある不動産、国内にある不動産の上に存する権利、鉱業法の規定による鉱業権及び採石法の規定による採石権その他国内にある事業所に属する資産（外国法人の発行済株式等の総数の$\frac{25}{100}$以上の数の株式を有する場合におけるその外国法人の株式を除く。）又は負債とする。(令4の3旧⑩)
>
> 注 (1)は、令和6年度改正により廃止されているが、令和6年9月30日以前については、なおその適用がある。(令6改令附1Ⅰ)
>
> （外国法人の恒久的施設に属するものの範囲）
> (2) **12の14**に掲げる外国法人の恒久的施設に属するものは、外国法人に**12の14**に掲げる国内資産等の移転を行う現物出資のうち当該国内資産等の全部が当該移転により当該外国法人の恒久的施設を通じて行う事業に係るものとなる現物出資（当該国内資産等に法人税法第138条第1項第3号又は第5号《国内源泉所得》に掲げる国内源泉所得を生ずべき資産が含まれている場合には、当該資産につき当該移転後に当該恒久的施設による譲渡に相当する同項第1号に規定する内部取引がないことが見込まれているものに限る。）とする。(令4の3旧⑩)
>
> 注 (2)は、令和6年度改正により廃止されているが、令和6年9月30日以前については、なおその適用がある。(令6改令附1Ⅰ)
>
> （国外にある資産又は負債の範囲）
> (3) **12の14**に掲げる国外にある資産又は負債は、国外にある事業所に属する資産（国内にある不動産、国内にある不動産の上に存する権利、鉱業法の規定による鉱業権及び採石法の規定による採石権を除く。）又は負債とする。(令4の3旧⑪)
>
> 注 (3)は、令和6年度改正により廃止されているが、令和6年9月30日以前については、なおその適用がある。(令6改令附1Ⅰ)
>
> （他の外国法人の恒久的施設に属するものの範囲）
> (4) **12の14**に掲げる他の外国法人の恒久的施設に属するものは、外国法人が他の外国法人に**12の14**に掲げる国外資産等の移転を行う現物出資のうち当該国外資産等の全部又は一部が当該移転により当該他の外国法人の恒久的施設を通じて行う事業に係るものとなる現物出資とする。(令4の3旧⑪)
>
> 注 (4)は、令和6年度改正により廃止されているが、令和6年9月30日以前については、なおその適用があ

る。(令6改令附1Ⅰ)

完全支配間現物出資(その現物出資に係る現物出資法人と被現物出資法人との間に次の(1)《現物出資当事者間の完全支配関係・継続見込の意義》又は(2)《同一の者による完全支配関係・継続見込の意義》に掲げるいずれかの関係がある場合の当該現物出資をいう。)(法2ⅫのⅩⅣイ)

(現物出資当事者間の完全支配関係・継続見込の意義)
(1) 現物出資当事者間の完全支配関係・継続見込とは、現物出資前(当該現物出資が法人を設立する現物出資〔以下**12の14**において「**新設現物出資**」という。〕で一の法人のみが現物出資法人となるもの〔以下**12の14**において「**単独新設現物出資**」という。〕である場合にあっては、現物出資後)に当該現物出資に係る現物出資法人と被現物出資法人(当該現物出資が新設現物出資で単独新設現物出資に該当しないもの〔以下**12の14**において「**複数新設現物出資**」という。〕である場合にあっては、現物出資法人と他の現物出資法人)との間にいずれか一方の法人による完全支配関係がある現物出資の次の表の左欄に掲げる区分に応じそれぞれ右欄に掲げる関係((2)《同一の者による完全支配関係・継続見込の意義》に掲げる関係に該当するものを除く。)をいう。(令4の3⑬Ⅰ)

①

(一)	新設現物出資以外の現物出資のうち当該現物出資前に当該現物出資に係る現物出資法人と被現物出資法人との間にいずれか一方の法人による完全支配関係があるもの	当該現物出資後に当該現物出資法人と被現物出資法人との間に当該いずれか一方の法人による完全支配関係が継続すること(当該現物出資後に他方の法人〔当該現物出資法人及び被現物出資法人のうち、当該いずれか一方の法人以外の法人をいう。〕を被合併法人又は完全子法人とする適格合併又は適格株式分配を行うことが見込まれている場合には、当該現物出資の時から当該適格合併又は適格株式分配の直前の時まで当該完全支配関係が継続すること。)が見込まれている場合における当該現物出資法人と被現物出資法人との間の関係
(二)	単独新設現物出資のうち当該単独新設現物出資後に当該単独新設現物出資に係る現物出資法人と被現物出資法人との間に当該現物出資法人による完全支配関係があるもの	当該単独新設現物出資後に当該完全支配関係が継続すること(当該単独新設現物出資後に当該被現物出資法人を被合併法人又は完全子法人とする適格合併又は適格株式分配を行うことが見込まれている場合には、当該単独新設現物出資の時から当該適格合併又は適格株式分配の直前の時まで当該完全支配関係が継続すること。)が見込まれている場合における当該現物出資法人と被現物出資法人との間の関係
(三)	複数新設現物出資のうち当該複数新設現物出資前に当該複数新設現物出資に係る現物出資法人と他の現物出資法人との間にいずれか一方の法人による完全支配関係があるもの	当該複数新設現物出資後に他方の法人(当該現物出資法人及び他の現物出資法人のうち、当該いずれか一方の法人以外の法人をいう。(三)において同じ。)と当該複数新設現物出資に係る被現物出資法人との間に当該いずれか一方の法人による完全支配関係が継続すること(当該複数新設現物出資後に当該他方の法人又は被現物出資法人を被合併法人又は完全子法人とする適格合併又は適格株式分配を行うことが見込まれている場合には、当該複数新設現物出資の時から当該適格合併又は適格株式分配の直前の時まで当該完全支配関係が継続すること。)が見込まれている場合における当該現物出資法人及び他の現物出資法人と当該被現物出資法人との間の関係

(同一の者による完全支配関係・継続見込の意義)
(2) 同一の者による完全支配関係・継続見込とは、現物出資前(当該現物出資が単独新設

現物出資である場合にあっては、現物出資後）に当該現物出資に係る現物出資法人と被現物出資法人（当該現物出資が複数新設現物出資である場合にあっては、現物出資法人と他の現物出資法人）との間に同一の者による完全支配関係がある現物出資の次の表の左欄に掲げる区分に応じそれぞれ右欄に掲げる関係をいう。（令４の３⑬Ⅱ）

（一）	新設現物出資以外の現物出資のうち当該現物出資前に当該現物出資に係る現物出資法人と被現物出資法人との間に同一の者による完全支配関係があるもの	当該現物出資後に当該現物出資法人と被現物出資法人との間に当該同一の者による完全支配関係が継続すること（当該現物出資後に当該現物出資法人又は被現物出資法人を被合併法人又は完全子法人とする適格合併又は適格株式分配を行うことが見込まれている場合には、当該現物出資の時から当該適格合併又は適格株式分配の直前の時まで当該完全支配関係が継続すること。）が見込まれている場合における当該現物出資法人と被現物出資法人との間の関係
（二）	単独新設現物出資のうち当該単独新設現物出資後に当該単独新設現物出資に係る現物出資法人と被現物出資法人との間に同一の者による完全支配関係があるもの	当該単独新設現物出資後に当該完全支配関係が継続すること（当該単独新設現物出資後に当該現物出資法人又は被現物出資法人を被合併法人又は完全子法人とする適格合併又は適格株式分配を行うことが見込まれている場合には、当該単独新設現物出資の時から当該適格合併又は適格株式分配の直前の時まで当該完全支配関係が継続すること。）が見込まれている場合における当該現物出資法人と被現物出資法人との間の関係
（三）	複数新設現物出資のうち当該複数新設現物出資前に当該複数新設現物出資に係る現物出資法人と他の現物出資法人との間に同一の者による完全支配関係があるもの	当該複数新設現物出資後に当該現物出資法人、当該他の現物出資法人及び当該複数新設現物出資に係る被現物出資法人と当該同一の者との間に当該同一の者による完全支配関係が継続すること（当該複数新設現物出資後に当該現物出資法人、他の現物出資法人又は被現物出資法人を被合併法人又は完全子法人とする適格合併又は適格株式分配を行うことが見込まれている場合には、当該複数新設現物出資の時から当該適格合併又は適格株式分配の直前の時まで当該完全支配関係が継続すること。）が見込まれている場合における当該現物出資法人及び他の現物出資法人と当該被現物出資法人との間の関係

② **支配間特定現物出資**（その現物出資に係る現物出資法人と被現物出資法人との間に次の（１）《現物出資当事者間の支配関係・継続見込の意義》又は（２）《同一の者による支配関係・継続見込の意義》に掲げるいずれかの関係〔①の（１）《現物出資当事者間の完全支配関係・継続見込の意義》又は①の（２）《同一の者による完全支配関係・継続見込の意義》に掲げる関係に該当するものを除く。〕がある場合の当該現物出資のうち、次に掲げる要件の全てに該当するものをいう。）（法２ⅫのⅩⅣロ、令４の３⑭）

	（一）	当該現物出資により現物出資事業（現物出資法人の現物出資前に行う事業のうち、当該現物出資により被現物出資法人において行われることとなるものをいう。以下（二）及び（三）において同じ。）に係る主要な資産及び負債が当該被現物出資法人に移転していること。
	（二）	当該現物出資の直前の現物出資事業に係る従業者のうち、その総数のおおむね$\frac{80}{100}$以上に相当する数の者が当該現物出資後に当該被現物出資法人の業務（当該被現物出資法人との間に完全支配関係がある法人の業務並びに当該現物出資後に行われる適格合併により当該現物出資事業が当該適格合併に係る合併法人に移転することが見込まれている場合における当該合併法人及び当該合併法人との間に完全支配関係がある法人の業務を含む。）に従事することが見込まれていること。

(三)	当該現物出資に係る現物出資事業が当該現物出資後に当該被現物出資法人（当該被現物出資法人との間に完全支配関係がある法人並びに当該現物出資後に行われる適格合併により当該現物出資事業が当該適格合併に係る合併法人に移転することが見込まれている場合における当該合併法人及び当該合併法人との間に完全支配関係がある法人を含む。）において引き続き行われることが見込まれていること。

(現物出資当事者間の支配関係・継続見込の意義)
（１）　現物出資当事者間の支配関係・継続見込とは、現物出資前（当該現物出資が単独新設現物出資である場合にあっては、現物出資後）に当該現物出資に係る現物出資法人と被現物出資法人（当該現物出資が複数新設現物出資である場合にあっては、現物出資法人と他の現物出資法人）との間にいずれか一方の法人による支配関係がある現物出資の次の表の左欄に掲げる区分に応じそれぞれ右欄に掲げる関係（（２）《同一の者による支配関係・継続見込の意義》に掲げる関係に該当するものを除く。）をいう。（令４の３⑭Ⅰ）

(一)	新設現物出資以外の現物出資のうち当該現物出資前に当該現物出資に係る現物出資法人と被現物出資法人との間にいずれか一方の法人による支配関係があるもの	当該現物出資後に当該現物出資法人と被現物出資法人との間に当該いずれか一方の法人による支配関係が継続すること（当該現物出資後に他方の法人〔当該現物出資法人及び被現物出資法人のうち、当該いずれか一方の法人以外の法人をいう。〕を被合併法人とする適格合併を行うことが見込まれている場合には、当該現物出資の時から当該適格合併の直前の時まで当該支配関係が継続すること。）が見込まれている場合における当該現物出資法人と被現物出資法人との間の関係
(二)	単独新設現物出資のうち当該単独新設現物出資後に当該単独新設現物出資に係る現物出資法人と被現物出資法人との間に当該現物出資法人による支配関係があるもの	当該単独新設現物出資後に当該支配関係が継続すること（当該単独新設現物出資後に当該被現物出資法人を被合併法人とする適格合併を行うことが見込まれている場合には、当該単独新設現物出資の時から当該適格合併の直前の時まで当該支配関係が継続すること。）が見込まれている場合における当該現物出資法人と被現物出資法人との間の関係
(三)	複数新設現物出資のうち当該複数新設現物出資前に当該複数新設現物出資に係る現物出資法人と他の現物出資法人との間にいずれか一方の法人による支配関係があるもの	当該複数新設現物出資後に他方の法人（当該現物出資法人及び他の現物出資法人のうち、当該いずれか一方の法人以外の法人をいう。(三)において同じ。）と当該複数新設現物出資に係る被現物出資法人との間に当該いずれか一方の法人による支配関係が継続すること（当該複数新設現物出資後に当該他方の法人又は被現物出資法人を被合併法人とする適格合併を行うことが見込まれている場合には、当該複数新設現物出資の時から当該適格合併の直前の時まで当該支配関係が継続すること。）が見込まれている場合における当該現物出資法人及び他の現物出資法人と当該被現物出資法人との間の関係

(同一の者による支配関係・継続見込の意義)
（２）　同一の者による支配関係・継続見込とは、①の（２）《同一の者による完全支配関係・継続見込の意義》において「完全支配関係」とあるのを「支配関係」と、「被合併法人又は完全子法人」とあるのを「被合併法人」と、「適格合併又は適格株式分配」とあるのを「適格合併」と読み替えた場合における同（２）に掲げる関係をいう。（令４の３⑭Ⅱ）

③　**共同で事業を行うための現物出資**（その現物出資に係る現物出資法人と被現物出資法人〔当該

現物出資が法人を設立する現物出資である場合にあっては、当該現物出資法人と他の現物出資法人）とが共同で事業を行うための現物出資として①《完全支配間現物出資》又は②《支配間特定現物出資》に該当する現物出資以外の現物出資のうち、次に掲げる要件の全てに該当するものをいう。（法２ⅩⅡのⅩⅣハ、令４の３⑮）

(一)	現物出資に係る現物出資法人の現物出資事業（当該現物出資法人の当該現物出資前に行う事業のうち、当該現物出資により被現物出資法人において行われることとなるものをいう。以下③において同じ。）と当該現物出資に係る被現物出資法人の被現物出資事業（当該被現物出資法人の当該現物出資前に行う事業のうちのいずれかの事業をいい、当該現物出資が複数新設現物出資である場合にあっては、他の現物出資法人の現物出資事業をいう。以下③において同じ。）とが相互に関連するものであること。
(二)	現物出資に係る現物出資法人の現物出資事業と当該現物出資に係る被現物出資法人の被現物出資事業（当該現物出資事業と関連する事業に限る。）のそれぞれの売上金額、当該現物出資事業と被現物出資事業のそれぞれの従業者の数若しくはこれらに準ずるものの規模の割合がおおむね**5倍**を超えないこと又は当該現物出資前の当該現物出資法人の役員等（**12の11**の③の表の(二)に掲げる役員等をいう。以下(二)において同じ。）のいずれかと当該被現物出資法人の**特定役員**（当該現物出資が複数新設現物出資である場合にあっては、他の現物出資法人の役員等）のいずれかが当該現物出資後に当該被現物出資法人の特定役員となることが見込まれていること。
(三)	現物出資により当該現物出資に係る現物出資法人の現物出資事業に係る主要な資産及び負債が当該現物出資に係る被現物出資法人に移転していること。
(四)	現物出資に係る現物出資法人の当該現物出資の直前の現物出資事業に係る従業者のうち、その総数のおおむね$\frac{80}{100}$以上に相当する数の者が当該現物出資後に当該現物出資に係る被現物出資法人の業務（当該被現物出資法人との間に完全支配関係がある法人の業務並びに当該現物出資後に行われる適格合併により当該現物出資事業が当該適格合併に係る合併法人に移転することが見込まれている場合における当該合併法人及び当該合併法人との間に完全支配関係がある法人の業務を含む。）に従事することが見込まれていること。
(五)	現物出資に係る現物出資法人の現物出資事業（当該現物出資に係る被現物出資法人の被現物出資事業と関連する事業に限る。）が当該現物出資後に当該被現物出資法人（当該被現物出資法人との間に完全支配関係がある法人並びに当該現物出資後に行われる適格合併により当該現物出資事業が当該適格合併に係る合併法人に移転することが見込まれている場合における当該合併法人及び当該合併法人との間に完全支配関係がある法人を含む。）において引き続き行われることが見込まれていること。
(六)	現物出資により交付される当該現物出資に係る被現物出資法人の株式の全部が当該現物出資に係る現物出資法人（当該現物出資後に行われる適格合併により当該株式の全部が当該適格合併に係る合併法人に移転することが見込まれている場合には、当該合併法人を含む。以下(六)において同じ。）により継続して保有されることが見込まれていること（当該現物出資後に当該被現物出資法人を被合併法人とする適格合併を行うことが見込まれている場合には、当該現物出資の時から当該適格合併の直前の時まで当該株式の全部が当該現物出資法人により継続して保有されることが見込まれていること。）。

（事業関連性の判定）
　次の(一)又は(二)に掲げるものは、①《完全支配間現物出資》又は②《支配間特定現物出資》に該当する現物出資以外の現物出資に係る現物出資法人の現物出資事業と当該現物出資に係る被現物出資法人（当該現物出資が法人を設立する現物出資である場合にあっては、当該現物出資に係る他の現物出資法人）の被現物出資事業とが、③の表の(一)の相互に関連するものに該当するかどうかの判定について準用する。（令４の３㉖、規３③）

(一)	**12の8**の表の③の(1)《事業関連性の判定》

	(二)	同③の（２）《商品等を活用して一体として行われている場合の推定》

　　　（国内にある不動産その他の資産の範囲）
（１）　**12の14**《適格現物出資》に掲げる国内にある不動産その他の資産は、国内にある不動産、国内にある不動産の上に存する権利、鉱業法の規定による鉱業権及び採石法の規定による採石権とする。（令４の３⑩）

　　注　(1)は、令和６年度改正により追加された部分で、改正規定は、令和６年10月１日から適用される。（令６改令附１Ⅰ）

　　　（工業所有権、著作権その他の資産の範囲）
（２）　**12の14**に掲げる工業所有権、著作権その他の資産は、次の(一)又は(二)に掲げる資産（当該資産の譲渡若しくは貸付け〔資産に係る権利の設定その他他の者に資産を使用させる一切の行為を含む。〕又はこれらに類似する取引が独立の事業者の間で通常の取引の条件に従って行われるとした場合にその対価の額が支払われるべきものに限る。）とする。（令４の３⑩）

(一)	工業所有権その他の技術に関する権利、特別の技術による生産方式又はこれらに準ずるもの（これらの権利に関する使用権を含む。）
(二)	著作権（出版権及び著作隣接権その他これに準ずるものを含む。）

　　注　(2)は、令和６年度改正により追加された部分で、改正規定は、令和６年10月１日から適用される。（令６改令附１Ⅰ）

　　　（工業所有権等の意義）
（３）　法人税基本通達20－３－２《工業所有権等の意義》の取扱いは、(2)に掲げる「工業所有権その他の技術に関する権利、特別の技術による生産方式又はこれらに準ずるもの」の意義について準用する。（基通１－４－12）

　　　（資産又は負債となるものの範囲）
（４）　**12の14**に掲げる資産又は負債は、被現物出資法人である外国法人に国内不動産等、国内資産等又は無形資産等の移転を行う現物出資のうちこれらの資産又は負債の全部が当該移転により当該外国法人の恒久的施設を通じて行う事業に係る資産又は負債となる現物出資（次の表の左欄に掲げる場合に該当する場合には、同表の右欄に掲げる要件に該当するもの（次の表の左欄に掲げる場合のいずれにも該当する場合には、同表の右欄に掲げる要件のいずれにも該当するもの）に限る。）とする。（令４の３⑪）

(一)	当該現物出資が国内不動産等又は法人税法第138条第１項第３号若しくは第５号《国内源泉所得》に掲げる国内源泉所得を生ずべき国内資産等の移転を行うものである場合	当該国内不動産等又は当該国内資産等につき当該現物出資後に当該恒久的施設による譲渡に相当する同項第１号に規定する内部取引（以下(二)において「内部取引」という。）がないことが見込まれていること。
(二)	当該現物出資が無形資産等の移転を行うものである場合	当該無形資産等につき当該現物出資後に当該恒久的施設による譲渡に相当する事実で法人税法第139条第２項《租税条約に異なる定めがある場合の国内源泉所得》の規定により内部取引に含まれないものとされるものが生じないことが見込まれていること。

　　注　(4)は、令和６年度改正により追加された部分で、改正規定は、令和６年10月１日から適用される。（令６改令附１Ⅰ）

　　　（国内資産等の移転を行うものに準ずるものの範囲）
（５）　**12の14**に掲げる国内資産等の移転を行うものに準ずるものとは、内国法人が外国法人に**12の14**に掲げる内国法人国外資産等（現金、預金、貯金、棚卸資産〔不動産及び不動産の上に存する権利を除く。〕及び有価証券を除く。）でその現物出資の日以前１年以内に第三章第二節第二款の

二 《外国税額の控除》の**1**の②の**イ**《国外源泉所得》の表の（一）に掲げる内部取引その他これに準ずるものにより**12の14**に掲げる<u>内国法人国外資産等となったもの</u>の移転を行う<u>現物出資</u>とする。（令4の3⑫）

注 ──線部分は、令和6年度改正により改正された部分で、改正規定は、令和6年10月1日以後に行われる現物出資について適用され、令和6年9月30日以前に行われた現物出資については、「内国法人国外資産等（」とあるのは「国外資産等（」と、「を除く。）」とあるのは「以外の資産」と、「内国法人国外資産等となったもの」とあるのは「国外資産等となったものに限る。以下（5）において「特定国外資産等」という。）」と、「現物出資」とあるのは「現物出資（当該特定国外資産等の全部が当該移転により当該外国法人の恒久的施設を通じて行う事業に係るものとなる現物出資を除く。）」とする。（令6改令附2、1Ⅰ）

（内部取引その他これに準ずるものの例示）

（6） （5）に掲げる「内部取引その他これに準ずるもの」には、例えば、内国法人の第三章第二節第二款の**二**の**1**の②の**イ**《国外源泉所得》の表の（一）に掲げる国外事業所等と同（一）に掲げる本店等との間で行われた事実であって、同**イ**の（3）《内部取引に含まれないもの》により同（一）に掲げる内部取引に含まれないものとされる事実が含まれることに留意する。（基通1－4－13）

（当該現物出資後に適格合併が見込まれている場合のみなし適用関係）

（7） 次の表の左欄に掲げる現物出資後に同表の右欄に掲げる法人を被合併法人とする適格合併を行うことが見込まれている場合には、当該適格合併に係る合併法人は、当該適格合併後においては同表の右欄に掲げる法人とみなして、同表に掲げる規定及び（7）を適用する。（令4の3㉕）

（一）	**12の14**の①の（2）の表の（一）に掲げる現物出資、同表の（二）に掲げる単独新設現物出資、同表の（三）に掲げる複数新設現物出資	**12の14**の①の（2）の表の（一）から（三）に掲げる同一の者
（二）	**12の14**の①の（1）の表の（一）に掲げる現物出資、同表の（三）に掲げる複数新設現物出資、**12の14**の②の（1）の表の（一）に掲げる現物出資又は同表の（三）に掲げる複数新設現物出資	**12の14**の①の（1）の表の（一）若しくは（三）又は**12の14**の②の（1）の表の（一）若しくは（三）のいずれか一方の法人
（三）	**12の14**の①の（1）の表の（二）又は**12の14**の②の（1）の表の（二）に掲げる単独新設現物出資	当該単独新設現物出資に係る現物出資法人

12の15	適格現物分配	内国法人を現物分配法人とする現物分配のうち、その現物分配により資産の移転を受ける者がその現物分配の直前において当該内国法人との間に完全支配関係がある内国法人（普通法人又は協同組合等に限る。）のみであるものをいう。
12の15の2	株式分配	現物分配（剰余金の配当又は利益の配当に限る。）のうち、その現物分配の直前において現物分配法人により発行済株式等の全部を保有されていた法人（**12の18**までにおいて「**完全子法人**」という。）の当該発行済株式等の全部が移転するもの（その現物分配により当該発行済株式等の移転を受ける者がその現物分配の直前において当該現物分配法人との間に完全支配関係がある者のみである場合における当該現物分配を除く。）をいう。
12の15の3	適格株式分配	完全子法人の株式のみが移転する株式分配のうち、完全子法人と現物分配法人とが独立して事業を行うための株式分配として《独立して事業を行うための株式分配の要件》に掲げるもの（当該株式が現物分配法人の発行済株式等の総数又は総額のうちに占める当該現物分配法人の各株主等の有する当該現物分配法人の株式の数〔出資にあっては、金額〕の割合に応じて交付されるものに限る。）をいう。

（独立して事業を行うための株式分配の要件）

12の15の3に掲げる完全子法人と現物分配法人とが独立して事業を行うための株式分配は、次の（一）から（四）までに掲げる要件の全てに該当する株式分配とする。（令4の3⑯）

（一） 株式分配の直前に当該株式分配に係る現物分配法人と他の者（その者〔その者が個人である場合には、その個人との間に**10**の（1）《同族関係者の範囲》に掲げる特殊の関係のある

				者を含む。イにおいて同じ。〕が締結している組合契約〔**12の11**の④の表の(一)に掲げる組合契約をいう。以下(一)において同じ。〕及び次に掲げる組合契約に係る他の組合員である者を含む。以下(一)において同じ。)との間に当該他の者による支配関係がなく、かつ、当該株式分配後に当該株式分配に係る完全子法人と他の者との間に当該他の者による支配関係があることとなることが見込まれていないこと。
			イ	その者が締結している組合契約による組合（これに類するものを含む。以下(一)において同じ。）が締結している組合契約
			ロ	イ又はハに掲げる組合契約による組合が締結している組合契約
			ハ	ロに掲げる組合契約による組合が締結している組合契約
		(二)		株式分配前の当該株式分配に係る完全子法人の特定役員の全てが当該株式分配に伴って退任をするものでないこと。
		(三)		株式分配に係る完全子法人の当該株式分配の直前の従業者のうち、その総数のおおむね$\frac{80}{100}$以上に相当する数の者が当該完全子法人の業務に引き続き従事することが見込まれていること。
		(四)		株式分配に係る完全子法人の当該株式分配前に行う主要な事業が当該完全子法人において引き続き行われることが見込まれていること。
12の16	株式交換等	株式交換及び次のイからハまでに掲げる行為により対象法人（それぞれイからハまでに掲げる法人をいう。）がそれぞれイ若しくはロに掲げる最大株主等である法人又はハの一の株主等である法人との間にこれらの法人による完全支配関係を有することとなることをいう。		
			イ	全部取得条項付種類株式（ある種類の株式について、これを発行した法人が株主総会その他これに類するものの決議〔イにおいて「取得決議」という。〕によってその全部の取得をする旨の定めがある場合の当該種類の株式をいう。）に係る取得決議によりその取得の対価として当該法人の最大株主等（当該法人以外の当該法人の株主等のうちその有する当該法人の株式の数が最も多い者をいう。）以外の全ての株主等（当該法人及び当該最大株主等との間に完全支配関係がある者を除く。）に一に満たない端数の株式以外の当該法人の株式が交付されないこととなる場合の当該取得決議
			ロ	株式の併合で、その併合をした法人の最大株主等（当該法人以外の当該法人の株主等のうちその有する当該法人の株式の数が最も多い者をいう。）以外の全ての株主等（当該法人及び当該最大株主等との間に完全支配関係がある者を除く。）の有することとなる当該法人の株式の数が一に満たない端数となるもの
			ハ	株式売渡請求（法人の一の株主等が当該法人の承認を得て当該法人の他の株主等〔当該法人及び当該一の株主等との間に完全支配関係がある者を除く。〕の全てに対して法令〔外国の法令を含む。ハにおいて同じ。〕の規定に基づいて行う当該法人の株式の全部を売り渡すことの請求をいう。）に係る当該承認により法令の規定に基づき当該法人の発行済株式等（当該一の株主等又は当該一の株主等との間に完全支配関係がある者が有するものを除く。）の全部が当該一の株主等に取得されることとなる場合の当該承認
12の17	適格株式交換等	次の①から③までのいずれかに該当する株式交換等で株式交換等完全子法人の株主等に株式交換等完全親法人又は株式交換完全支配親法人（((1))《株式交換完全親法人の発行済株式等の全部を直接又は間接に保有する関係》に掲げる関係がある法人をいう。）のうちいずれか一の法人の株式以外の資産（当該株主等に対する剰余金の配当として交付される金銭その他の資産、株式交換等に反対する当該株主等に対するその買取請求に基づく対価として交付される金銭その他の資産、株式交換の直前において株式交換完全親法人が株式交換完全子法人の発行済株式〔当該株式交換完全子法人が有する自己の株式を除く。〕の総数の$\frac{2}{3}$以上に相当する数の株式を有する場合における当該株式交換完全親法人以外の株主に交付される金銭その他の資産、**12の16**の表のイに掲げる取得の価格の決定の申立てに基づいて交付される金銭その他の資産、同表のイに掲げる行為に係る同表のイの一に満たない端数の株式又は同表のロに掲げる行為により生ずる同表のロに掲げる法人の一に満たない端数の株式の取		

得の対価として交付される金銭その他の資産及び同表のハに掲げる取得の対価として交付される金銭その他の資産を除く。）が交付されないものをいう。

完全支配間株式交換（その株式交換に係る株式交換完全子法人と株式交換完全親法人との間に次の（1）《株式交換完全親法人による完全支配関係・継続見込の意義》又は（2）《同一の者による完全支配関係・継続見込の意義》に掲げるいずれかの関係がある場合の当該株式交換をいう。）（法2 ⅫのⅩⅦイ）

（株式交換完全親法人による完全支配関係・継続見込の意義）
（1） 株式交換完全親法人による完全支配関係・継続見込とは、株式交換前に当該株式交換に係る株式交換完全子法人と株式交換完全親法人との間に当該株式交換完全親法人による完全支配関係（当該株式交換が株式交換完全子法人の株主に株式交換完全親法人の株式その他の資産が交付されないもの〔以下12の17において「**無対価株式交換**」という。〕である場合における当該完全支配関係を除く。）があり、かつ、当該株式交換後に当該株式交換完全子法人と株式交換完全親法人との間に当該株式交換完全親法人による完全支配関係が継続すること（当該株式交換後に当該株式交換完全子法人を被合併法人とする適格合併、当該株式交換完全親法人を被合併法人とし、当該株式交換完全子法人を合併法人とする適格合併又は当該株式交換完全子法人を完全子法人とする適格株式分配〔以下（1）において「適格合併等」という。〕を行うことが見込まれている場合には、当該株式交換の時から当該適格合併等の直前の時まで当該完全支配関係が継続すること。）が見込まれている場合における当該株式交換完全子法人と株式交換完全親法人との間の関係（（2）《同一の者による完全支配関係・継続見込の意義》に掲げる関係に該当するものを除く。）をいう。（令4の3⑱Ⅰ）

（同一の者による完全支配関係・継続見込の意義）
（2） 同一の者による完全支配関係・継続見込とは、株式交換前に当該株式交換に係る株式交換完全子法人と株式交換完全親法人との間に同一の者による完全支配関係（当該株式交換が無対価株式交換である場合にあっては、株式交換完全子法人の株主（当該株式交換完全子法人及び株式交換完全親法人を除く。）及び株式交換完全親法人の株主等（当該株式交換完全親法人を除く。）の全てについて、その者が保有する当該株式交換完全子法人の株式の数の当該株式交換完全子法人の発行済株式等（当該株式交換完全親法人が保有する当該株式交換完全子法人の株式を除く。）の総数のうちに占める割合と当該者が保有する当該株式交換完全親法人の株式の数の当該株式交換完全親法人の発行済株式等の総数のうちに占める割合とが等しい場合における当該株式交換完全子法人と株式交換完全親法人との間の関係〔②及び③において「**株主均等割合保有関係**」という。〕がある場合における当該完全支配関係に限る。）があり、かつ、次に掲げる要件の全てに該当することが見込まれている場合における当該株式交換完全子法人と株式交換完全親法人との間の関係をいう。（令4の3⑱Ⅱ）

(一)	当該株式交換後に当該同一の者と当該株式交換完全親法人との間に当該同一の者による完全支配関係が継続すること（当該株式交換後に当該株式交換完全親法人若しくは株式交換完全子法人を被合併法人とする適格合併〔当該株式交換完全親法人を被合併法人とする適格合併にあっては、当該同一の者と当該適格合併に係る合併法人との間に当該同一の者による完全支配関係がない場合又は当該株式交換完全子法人を合併法人とする場合における当該適格合併に限る。〕又は当該株式交換完全親法人を完全子法人とする適格株式分配を行うことが見込まれている場合には、当該株式交換の時から当該適格合併又は適格株式分配の直前の時まで当該同一の者と当該株式交換完全親法人との間に当該同一の者による完全支配関係が継続すること。）。
(二)	当該株式交換後に当該同一の者と当該株式交換完全子法人との間に当該同一の者による完全支配関係が継続すること（当該株式交換後に(一)に掲げる適格合併〔当該株式交換完全子法人を合併法人とするものを除く。〕又は適格株式分配を行うことが見込まれている場合には、当該株式交換の時から当該適格合併又は適格株式分配の

第二章　第一節《通　則》

直前の時まで当該完全支配関係が継続すること。)。

	当該株式交換後に次に掲げる適格合併を行うことが見込まれている場合には、それぞれ次に掲げる要件に該当すること。	
(三)	イ	当該同一の者又は株式交換完全親法人を被合併法人とする適格合併	当該株式交換の時から当該適格合併の直前の時まで当該株式交換完全子法人と株式交換完全親法人との間に当該株式交換完全親法人による完全支配関係が継続すること(当該株式交換後にロ又はハに掲げる適格合併を行うことが見込まれている場合には、それぞれロ又はハに掲げる要件に該当すること。)。
	ロ	当該株式交換完全親法人を被合併法人とする適格合併(当該同一の者と当該適格合併に係る合併法人との間に当該同一の者による完全支配関係がない場合における当該適格合併に限る。ハにおいて「**特定適格合併**」という。)	当該株式交換の時から当該特定適格合併の直前の時まで当該株式交換完全子法人と株式交換完全親法人との間に当該株式交換完全親法人による完全支配関係が継続し、当該特定適格合併後に当該特定適格合併に係る合併法人と当該株式交換完全子法人との間に当該合併法人による完全支配関係が継続すること(当該株式交換後にハに掲げる適格合併を行うことが見込まれている場合には、ハに掲げる要件に該当すること。)。
	ハ	当該株式交換完全親法人(特定適格合併に係る合併法人を含む。ハにおいて同じ。)又は株式交換完全子法人を被合併法人とする適格合併(当該株式交換完全親法人を被合併法人とする適格合併にあっては、当該株式交換完全子法人を合併法人とするものに限る。)	当該株式交換の時から当該適格合併の直前の時まで当該株式交換完全子法人と株式交換完全親法人との間に当該株式交換完全親法人による完全支配関係が継続すること。

(四) 当該株式交換後に当該株式交換完全親法人を完全子法人とする適格株式分配を行うことが見込まれている場合には、当該株式交換後に当該株式交換完全子法人と株式交換完全親法人との間に当該株式交換完全親法人による完全支配関係が継続すること(当該株式交換後に当該株式交換完全子法人を被合併法人とする適格合併を行うことが見込まれている場合には、当該株式交換の時から当該適格合併の直前の時まで当該完全支配関係が継続すること。)。

② **支配間特定株式交換等**(その株式交換等に係る株式交換等完全子法人と株式交換等完全親法人との間に次の(1)《株式交換等当事者間の支配関係・継続見込の意義》又は(2)《同一の者による支配関係・継続見込の意義》に掲げるいずれかの関係〔①の(1)《株式交換完全親法人による完全支配関係・継続見込の意義》又は①の(2)《同一の者による完全支配関係・継続見込の意義》に掲げる関係に該当するものを除く。〕がある場合の当該株式交換等のうち、次に掲げる要件の全てに該当するものをいう。)(法２ⅫのⅩⅦロ、令４の３⑲)

(一) 当該株式交換等完全子法人の当該株式交換等の直前の従業者のうち、その総数のおおむね$\frac{80}{100}$以上に相当する数の者が当該株式交換等完全子法人の業務(当該株式交換等完全子法人との間に完全支配関係がある法人の業務並びに当該株式交換等後に行われる適格合併又は当該株式交換等完全子法人を分割法人若しくは現物出資法人とする適格分割若しくは適格現物出資〔(一)及び(二)において「適格合併等」という。〕により当該株式交換等完全子法人の当該株式交換等前に行う主要な事業が当該適格合併等に係る

	合併法人、分割承継法人又は被現物出資法人〔(一)及び(二)において「合併法人等」という。〕に移転することが見込まれている場合における当該合併法人等及び当該合併法人等との間に完全支配関係がある法人の業務を含む。）に引き続き従事することが見込まれていること。
(二)	当該株式交換等完全子法人の当該株式交換等前に行う主要な事業が当該株式交換等完全子法人（当該株式交換等完全子法人との間に完全支配関係がある法人並びに当該株式交換等後に行われる適格合併等により当該主要な事業が当該適格合併等に係る合併法人等に移転することが見込まれている場合における当該合併法人等及び当該合併法人等との間に完全支配関係がある法人を含む。）において引き続き行われることが見込まれていること。

(株式交換等当事者間の支配関係・継続見込の意義)

（１） 株式交換等当事者間の支配関係・継続見込とは、株式交換等前に当該株式交換等に係る株式交換等完全子法人と株式交換等完全親法人との間にいずれか一方の法人による支配関係（当該株式交換等が無対価株式交換である場合にあっては、株主均等割合保有関係がある場合における当該支配関係に限る。）があり、かつ、当該株式交換等後に当該株式交換等完全子法人と株式交換等完全親法人との間に当該いずれか一方の法人による支配関係が継続すること（当該株式交換等後に次の表の左欄に掲げる適格合併を行うことが見込まれている場合には、それぞれ同表の右欄に掲げる要件に該当すること。）が見込まれている場合における当該株式交換等完全子法人と株式交換等完全親法人との間の関係（(２)《同一の者による支配関係・継続見込の意義》に掲げる関係に該当するものを除く。）をいう。（令４の３⑲Ⅰ）

(一)	当該株式交換等完全親法人を被合併法人とする適格合併（以下(１)において「**特定適格合併**」という。）	当該株式交換等の時から当該特定適格合併の直前の時まで当該株式交換等完全子法人と株式交換等完全親法人との間に当該株式交換等完全親法人による完全支配関係が継続し、当該特定適格合併後に当該株式交換等完全子法人と当該特定適格合併に係る合併法人との間に当該合併法人による完全支配関係が継続すること（当該株式交換等後に(二)に掲げる適格合併を行うことが見込まれている場合には、(二)に掲げる要件に該当すること。）。
(二)	当該株式交換等完全親法人（特定適格合併に係る合併法人を含む。(二)において同じ。）又は株式交換等完全子法人を被合併法人とする適格合併（当該株式交換等完全親法人を被合併法人とする適格合併にあっては、当該株式交換等完全子法人を合併法人とするものに限る。）	当該株式交換等の時から当該適格合併の直前の時まで当該株式交換等完全子法人と株式交換等完全親法人との間に当該株式交換等完全親法人による完全支配関係が継続すること。

(同一の者による支配関係・継続見込の意義)

（２） 同一の者による支配関係・継続見込とは、株式交換等前に当該株式交換等に係る株式交換等完全子法人と株式交換等完全親法人との間に同一の者による支配関係（当該株式交換等が無対価株式交換である場合にあっては、株主均等割合保有関係がある場合における当該支配関係に限る。）があり、かつ、次に掲げる要件の全てに該当することが見込まれて

いる場合における当該株式交換等完全子法人と株式交換等完全親法人との間の関係をいう。(令4の3⑲Ⅱ)

(一)		当該株式交換等後に当該同一の者と当該株式交換等完全親法人との間に当該同一の者による支配関係が継続すること(当該株式交換等後に当該株式交換等完全親法人又は株式交換等完全子法人を被合併法人とする適格合併を行うことが見込まれている場合には、当該株式交換等の時から当該適格合併の直前の時まで当該支配関係が継続すること。)。
(二)		当該株式交換等後に当該同一の者と当該株式交換等完全子法人との間に当該同一の者による支配関係が継続すること(当該株式交換等後に(一)に掲げる適格合併〔当該株式交換等完全子法人を合併法人とするものを除く。〕を行うことが見込まれている場合には、当該株式交換等の時から当該適格合併の直前の時まで当該支配関係が継続すること。)。
(三)		当該株式交換等後に次の表の左欄に掲げる適格合併を行うことが見込まれている場合には、それぞれ同表の右欄に掲げる要件に該当すること。

イ	当該同一の者を被合併法人とする適格合併	当該株式交換等の時から当該適格合併の直前の時まで当該株式交換等完全子法人と株式交換等完全親法人との間に当該株式交換等完全親法人による完全支配関係が継続すること(当該株式交換等後にロ又はハに掲げる適格合併を行うことが見込まれている場合には、それぞれロ又はハに掲げる要件に該当すること。)。
ロ	当該株式交換等完全親法人を被合併法人とする適格合併((三)において「**特定適格合併**」という。)	当該株式交換等の時から当該特定適格合併の直前の時まで当該株式交換等完全子法人と株式交換等完全親法人との間に当該株式交換等完全親法人による完全支配関係が継続し、当該特定適格合併後に当該特定適格合併に係る合併法人と当該株式交換等完全子法人との間に当該合併法人による完全支配関係が継続すること(当該株式交換等後にハに掲げる適格合併を行うことが見込まれている場合には、ハに掲げる要件に該当すること。)。
ハ	当該株式交換等完全親法人(特定適格合併に係る合併法人を含む。ハにおいて同じ。)又は株式交換等完全子法人を被合併法人とする適格合併(当該株式交換等完全親法人を被合併法人とする適格合併にあっては、当該株式交換等完全子法人を合併法人とするものに限る。)	当該株式交換等の時から当該適格合併の直前の時まで当該株式交換等完全子法人と株式交換等完全親法人との間に当該株式交換等完全親法人による完全支配関係が継続すること。

③ **共同で事業を行うための株式交換**(その株式交換に係る株式交換完全子法人と株式交換完全親法人とが共同で事業を行うための株式交換として①《完全支配間株式交換》又は②《支配間特定株式交換等》に該当する株式交換以外の株式交換〔無対価株式交換にあっては、株主均等割合保有関係があるものに限る。〕のうち、次に掲げる要件〔当該株式交換の直前に当該株式交換に係る株式交換完全子法人と他の者との間に当該他の者による支配関係がない場合には、(一)から(四)まで及び(六)に掲げる要件〕の全てに該当するものをいう。)(法2ⅫのⅩⅦハ、

		令4の3⑳）
	(一)	株式交換に係る株式交換完全子法人の子法人事業（当該株式交換完全子法人の当該株式交換前に行う主要な事業のうちのいずれかの事業をいう。以下③において同じ。）と当該株式交換に係る株式交換完全親法人の親法人事業（当該株式交換完全親法人の当該株式交換前に行う事業のうちのいずれかの事業をいう。以下③において同じ。）とが相互に関連するものであること。
	(二)	株式交換に係る株式交換完全子法人の子法人事業と当該株式交換に係る株式交換完全親法人の親法人事業（当該子法人事業と関連する事業に限る。）のそれぞれの売上金額、当該子法人事業と親法人事業のそれぞれの従業者の数若しくはこれらに準ずるものの規模の割合がおおむね**5倍**を超えないこと又は当該株式交換前の当該株式交換完全子法人の**特定役員**の全てが当該株式交換に伴って退任をするものでないこと。
	(三)	株式交換に係る株式交換完全子法人の当該株式交換の直前の従業者のうち、その総数のおおむね$\frac{80}{100}$以上に相当する数の者が当該株式交換完全子法人の業務（当該株式交換完全子法人との間に完全支配関係がある法人の業務並びに当該株式交換後に行われる適格合併又は当該株式交換完全子法人を分割法人若しくは現物出資法人とする適格分割若しくは適格現物出資〔以下(三)及び(四)において「適格合併等」という。〕により当該株式交換完全子法人の子法人事業が当該適格合併等に係る合併法人、分割承継法人又は被現物出資法人〔以下③において「合併法人等」という。〕に移転することが見込まれている場合における当該合併法人等及び当該合併法人等との間に完全支配関係がある法人の業務を含む。）に引き続き従事することが見込まれていること。
	(四)	株式交換に係る株式交換完全子法人の子法人事業（親法人事業と関連する事業に限る。）が当該株式交換完全子法人（当該株式交換完全子法人との間に完全支配関係がある法人並びに当該株式交換後に行われる適格合併等により当該子法人事業が当該適格合併等に係る合併法人等に移転することが見込まれている場合における当該合併法人等及び当該合併法人等との間に完全支配関係がある法人を含む。）において引き続き行われることが見込まれていること。
	(五)	株式交換により交付される当該株式交換に係る株式交換完全親法人又は**12の17**に掲げる株式交換完全支配親法人のうちいずれか一の法人の株式（議決権のないものを除く。）であって支配株主（当該株式交換の直前に当該株式交換に係る株式交換完全子法人と他の者との間に当該他の者による支配関係がある場合における当該他の者及び当該他の者による支配関係があるもの〔当該株式交換完全親法人を除く。〕をいう。以下(五)において同じ。）に交付されるもの（当該株式交換が無対価株式交換である場合にあっては、支配株主が当該株式交換の直後に保有する当該株式交換完全親法人の株式の数に支配株主が当該株式交換の直後に保有する当該株式交換完全親法人の株式の帳簿価額のうちに支配株主が当該株式交換の直前に保有していた当該株式交換完全子法人の株式の帳簿価額の占める割合を乗じて計算した数の当該株式交換完全親法人の株式。以下(五)において「対価株式」という。）の全部が支配株主（当該株式交換後に行われる適格合併により当該対価株式が当該適格合併に係る合併法人に移転することが見込まれている場合には、当該合併法人を含む。以下(五)において同じ。）により継続して保有されることが見込まれていること（当該株式交換後に当該いずれか一の法人を被合併法人とする適格合併を行うことが見込まれている場合には、当該株式交換の時から当該適格合併の直前の時まで当該対価株式の全部が支配株主により継続して保有されることが見込まれていること。）。
	(六)	株式交換後に当該株式交換に係る株式交換完全親法人と当該株式交換に係る株式交換完全子法人との間に当該株式交換完全親法人による完全支配関係が継続することが見込まれていること（当該株式交換後に当該株式交換完全親法人又は株式交換完全子法人を被合併法人とする適格合併〔当該株式交換完全親法人を被合併法人とする適格合併にあっては、当該株式交換完全子法人を合併法人とするものに限る。〕を行うことが見込

まれている場合には当該株式交換の時から当該適格合併の直前の時まで当該株式交換完全親法人と当該株式交換完全子法人との間に当該株式交換完全親法人による完全支配関係が継続することが見込まれていることとし、当該株式交換後に当該株式交換完全子法人を合併法人等とする適格合併〔**12の8**《適格合併》に掲げる合併親法人の株式が交付されるもの及び当該株式交換完全親法人を被合併法人とするものを除く。〕、適格分割〔**12の11**《適格分割》に掲げる分割承継親法人の株式が交付されるものを除く。〕又は適格現物出資〔以下(六)において「適格合併等」という。〕が行われることが見込まれている場合には当該株式交換の時から当該適格合併等の直前の時まで当該株式交換完全親法人と当該株式交換完全子法人との間に当該株式交換完全親法人による完全支配関係が継続し、当該適格合併等後に当該株式交換完全親法人〔当該株式交換完全親法人による完全支配関係がある法人を含む。〕が当該株式交換完全子法人の当該適格合併等の直前の発行済株式等の全部に相当する数の株式を継続して保有することが見込まれていることとする。)。

(事業関連性の判定)
次の(一)又は(二)に掲げるものは、①《完全支配間株式交換》又は②《支配間特定株式交換等》に該当する株式交換以外の株式交換に係る株式交換完全子法人の子法人事業と当該株式交換に係る株式交換完全親法人の親法人事業とが、③の表の(一)の相互に関連するものに該当するかどうかの判定について準用する。(令4の3㉖、規3③)

(一)	**12の8**の表の③の(1)《事業関連性の判定》
(二)	同③の(2)《商品等を活用して一体として行われている場合の推定》

(株式交換完全親法人の発行済株式等の全部を直接又は間接に保有する関係)
(1) **12の17**《適格株式交換等》に掲げる関係は、株式交換完全親法人との間に当該株式交換完全親法人の発行済株式等の全部を直接又は間接に保有する関係として、株式交換の直前に当該株式交換に係る株式交換完全親法人と当該株式交換完全親法人以外の法人との間に当該法人による完全支配関係(以下(1)において「直前完全支配関係」という。)があり、かつ、当該株式交換後に当該株式交換完全親法人と当該法人(以下(1)において「親法人」という。)との間に当該親法人による完全支配関係が継続すること(当該株式交換後に株式交換完全親法人を被合併法人とする適格合併を行うことが見込まれている場合には、当該株式交換の時から当該適格合併の直前の時まで当該完全支配関係が継続すること。)が見込まれている場合における当該直前完全支配関係とする。(法2Ⅻの17、令4の3⑰)

(当該株式交換又は株式交換等後に適格合併が見込まれている場合のみなし適用)
(2) 次の表の左欄に掲げる株式交換又は株式交換等後に同表の右欄に掲げる法人を被合併法人とする適格合併(**12の17**の①の(2)に掲げる株式交換完全親法人を被合併法人とする適格合併にあっては同(2)に掲げる同一の者と当該適格合併に係る合併法人との間に完全支配関係がある場合における当該適格合併に限るものとする。)を行うことが見込まれている場合には、当該適格合併に係る合併法人は、当該適格合併後においては同表の右欄に掲げる法人とみなして、同表に掲げる規定及び(2)を適用する。(令4の3㉕)

(一)	**12の17**の(1)に掲げる株式交換	**12の17**の(1)に掲げる親法人
(二)	**12の17**の①の(2)に掲げる株式交換、**12の17**の②の(2)に掲げる株式交換等	**12の17**の①の(2)、**12の17**の②の(2)に掲げる同一の者(**12の17**の①の(2)の表の(三)のイ、**12の17**の②の(2)の表の(三)のイに掲げる同一の者を除く。)
(三)	**12の17**の①の(1)若しくは**12の17**の①の(2)又は**12の17**の③の表の(六)の株式交換	当該株式交換に係る株式交換完全親法人(**12の17**の①の(2)の表の(三)のイに掲げる株

					式交換完全親法人を除く。)
		(四)		12の17の①の(2)の表の(三)、12の17の②の(1)若しくは(2)の表の(三)に掲げる特定適格合併	当該特定適格合併に係る合併法人
12の18	適格株式移転	次の①から③までのいずれかに該当する株式移転で株式移転完全子法人の株主に株式移転完全親法人の株式以外の資産（株式移転に反対する当該株主に対するその買取請求に基づく対価として交付される金銭その他の資産を除く。）が交付されないものをいう。			

①		**完全支配間株式移転**（その株式移転に係る株式移転完全子法人と当該株式移転に係る他の株式移転完全子法人〔以下**12の18**において「**他の株式移転完全子法人**」という。〕との間に次の（1）《同一の者による完全支配関係・継続見込の意義》に掲げる関係がある場合の当該株式移転又は一の法人のみがその株式移転完全子会社となる株式移転で（2）《単独株式移転の意義》に掲げるものをいう。）（法2 XIIのXVIII イ）
		(同一の者による完全支配関係・継続見込の意義) （1） 同一の者による完全支配関係・継続見込とは、株式移転前に当該株式移転に係る株式移転完全子法人と他の株式移転完全子法人との間に同一の者による完全支配関係があり、かつ、次に掲げる要件の全てに該当することが見込まれている場合における当該株式移転完全子法人と他の株式移転完全子法人との間の関係をいう。（令4の3㉑）
	(一)	当該株式移転後に当該同一の者と当該株式移転に係る株式移転完全親法人との間に当該同一の者による完全支配関係が継続すること（当該株式移転後に当該株式移転完全親法人を被合併法人とする適格合併〔当該同一の者と当該適格合併に係る合併法人との間に当該同一の者による完全支配関係がない場合における当該適格合併に限る。以下（1）において「**特定適格合併**」という。〕又は当該株式移転完全親法人を完全子法人とする適格株式分配を行うことが見込まれている場合には、当該株式移転の時から当該特定適格合併又は適格株式分配の直前の時まで当該完全支配関係が継続すること。）。
	(二)	当該株式移転後に当該同一の者と当該株式移転完全子法人との間に当該同一の者による完全支配関係が継続すること（当該株式移転後に当該株式移転完全子法人若しくは当該株式移転に係る株式移転完全親法人を被合併法人とする適格合併〔当該株式移転完全親法人を被合併法人とする適格合併にあっては、特定適格合併に限る。〕又は当該株式移転完全親法人を完全子法人とする適格株式分配を行うことが見込まれている場合には、当該株式移転の時から当該適格合併又は適格株式分配の直前の時まで当該完全支配関係が継続すること。）。
	(三)	当該株式移転後に当該同一の者と当該他の株式移転完全子法人との間に当該同一の者による完全支配関係が継続すること（当該株式移転後に当該他の株式移転完全子法人若しくは当該株式移転に係る株式移転完全親法人を被合併法人とする適格合併〔当該株式移転完全親法人を被合併法人とする適格合併にあっては、特定適格合併に限る。〕又は当該株式移転完全親法人を完全子法人とする適格株式分配を行うことが見込まれている場合には、当該株式移転の時から当該適格合併又は適格株式分配の直前の時まで当該完全支配関係が継続すること。）。
	(四)	当該株式移転後に次の表の左欄に掲げる適格合併を行うことが見込まれている場合には、それぞれ同表の右欄に掲げる要件に該当すること。

	(四)	イ	当該同一の者又は当該株式移転に係る株式移転完全親法人を被合併法人とする適格合併	当該株式移転の時から当該適格合併の直前の時まで当該株式移転完全親法人と当該株式移転完全子法人との間に当該株式移転完全親法人による完全支配関係が継続すること（当該株式移転後にロ又はハに掲げる適格合併を行うことが見込まれている場合には、それぞれロ又

			はハに掲げる要件に該当すること。）。
		ロ 特定適格合併	当該株式移転の時から当該特定適格合併の直前の時まで当該株式移転に係る株式移転完全親法人と株式移転完全子法人との間に当該株式移転完全親法人による完全支配関係が継続し、当該特定適格合併後に当該特定適格合併に係る合併法人と当該株式移転完全子法人との間に当該合併法人による完全支配関係が継続すること（当該株式移転後にハに掲げる適格合併を行うことが見込まれている場合には、ハに掲げる要件に該当すること。）。
		ハ 当該株式移転完全子法人を被合併法人とする適格合併	当該株式移転の時から当該適格合併の直前の時まで当該株式移転に係る株式移転完全親法人（特定適格合併に係る合併法人を含む。）と株式移転完全子法人との間に当該株式移転完全親法人による完全支配関係が継続すること。
	(五)		当該株式移転後に当該株式移転に係る株式移転完全親法人を完全子法人とする適格株式分配を行うことが見込まれている場合には、当該株式移転後に当該株式移転完全親法人と当該株式移転完全子法人との間に当該株式移転完全親法人による完全支配関係が継続すること（当該株式移転後に当該株式移転完全子法人を被合併法人とする適格合併を行うことが見込まれている場合には、当該株式移転の時から当該適格合併の直前の時まで当該完全支配関係が継続すること。）。
	(六)		(四)及び(五)中「株式移転完全子法人」とあるのを「他の株式移転完全子法人」と読み替えた場合における(四)及び(五)に掲げる要件

(単独株式移転の意義)
（2） 単独株式移転とは、一の法人のみがその株式移転完全子法人となる株式移転で、当該株式移転後に当該株式移転に係る株式移転完全親法人と株式移転完全子法人との間に当該株式移転完全親法人による完全支配関係が継続すること（当該株式移転後に当該株式移転完全子法人を被合併法人又は完全子法人とする適格合併又は適格株式分配を行うことが見込まれている場合には当該株式移転の時から当該適格合併又は適格株式分配の直前の時まで当該完全支配関係が継続することとし、当該株式移転後に当該株式移転完全子法人を合併法人、分割承継法人又は被現物出資法人とする適格合併〔12の8《適格合併》に掲げる合併親法人の株式が交付されるものを除く。〕、適格分割〔12の11《適格分割》に掲げる分割承継親法人の株式が交付されるものを除く。〕又は適格現物出資〔以下（2）において「適格合併等」という。〕が行われることが見込まれている場合には当該株式移転の時から当該適格合併等の直前の時まで当該株式移転完全親法人と株式移転完全子法人との間に当該株式移転完全親法人による完全支配関係が継続し、当該適格合併等後に当該株式移転完全親法人〔当該株式移転完全親法人による完全支配関係がある法人を含む。〕が当該株式移転完全子法人の当該適格合併等の直前の発行済株式等の全部に相当する数の株式を継続して保有することとする。）が見込まれている場合における当該株式移転とする。（令4の3㉒）

② **支配間特定株式移転**（その株式移転に係る株式移転完全子法人と他の株式移転完全子法人との間に次の(1)《株式移転当事者間の支配関係・継続見込の意義》又は(2)《同一の者による支配関係・継続見込の意義》に掲げるいずれかの関係〔①の(1)《同一の者による完全支配関係・継続見込の意義》に掲げる関係に該当するものを除く。〕がある場合の当該株式移転のうち、次に掲げる要件の全てに該当するものをいう。）（法2 ⅫのⅩⅧロ、令4の3㉓）

(一)	当該株式移転に係る各株式移転完全子法人の当該株式移転の直前の従業者のうち、その総数のおおむね$\frac{80}{100}$以上に相当する数の者が当該株式移転完全子法人の業務（当該株式

		移転完全子法人との間に完全支配関係がある法人の業務並びに当該株式移転後に行われる適格合併又は当該株式移転完全子法人を分割法人若しくは現物出資法人とする適格分割若しくは適格現物出資〔②において「適格合併等」という。〕により当該株式移転完全子法人の当該株式移転前に行う主要な事業が当該適格合併等に係る合併法人、分割承継法人又は被現物出資法人〔②において「合併法人等」という。〕に移転することが見込まれている場合における当該合併法人等及び当該合併法人等との間に完全支配関係がある法人の業務を含む。）に引き続き従事することが見込まれていること。
	(二)	当該株式移転に係る各株式移転完全子法人の当該株式移転前に行う主要な事業が当該株式移転完全子法人（当該株式移転完全子法人との間に完全支配関係がある法人並びに当該株式移転後に行われる適格合併等により当該主要な事業が当該適格合併等に係る合併法人等に移転することが見込まれている場合における当該合併法人等及び当該合併法人等との間に完全支配関係がある法人を含む。）において引き続き行われることが見込まれていること。

（株式移転当事者間の支配関係・継続見込の意義）
（1） 株式移転当事者間の支配関係・継続見込とは、株式移転前に当該株式移転に係る株式移転完全子法人と他の株式移転完全子法人との間にいずれか一方の法人による支配関係があり、かつ、次に掲げる要件の全てに該当することが見込まれている場合における当該株式移転完全子法人と他の株式移転完全子法人との間の関係（（2）《同一の者による支配関係・継続見込の意義》に掲げる関係に該当するものを除く。）をいう。（令4の3㉓Ⅰ）

(一)	当該株式移転後に当該株式移転に係る株式移転完全親法人と当該株式移転完全子法人との間に当該株式移転完全親法人による支配関係が継続すること（当該株式移転後に次の表の左欄に掲げる適格合併を行うことが見込まれている場合には、それぞれ同表の右欄に掲げる要件に該当すること。）。		
	イ	当該株式移転完全親法人を被合併法人とする適格合併（(一)において「**特定適格合併**」という。）	当該株式移転の時から当該特定適格合併の直前の時まで当該株式移転完全親法人と当該株式移転完全子法人との間に当該株式移転完全親法人による完全支配関係が継続し、当該特定適格合併後に当該特定適格合併に係る合併法人と当該株式移転完全子法人との間に当該合併法人による完全支配関係が継続すること（当該株式移転後にロに掲げる適格合併を行うことが見込まれている場合には、ロに掲げる要件に該当すること。）。
	ロ	当該株式移転完全子法人を被合併法人とする適格合併	当該株式移転の時から当該適格合併の直前の時まで当該株式移転完全親法人（特定適格合併に係る合併法人を含む。）と当該株式移転完全子法人との間に当該株式移転完全親法人による完全支配関係が継続すること。
	ハ	当該他の株式移転完全子法人を被合併法人とする適格合併	当該株式移転の時から当該適格合併の直前の時まで当該株式移転完全親法人と当該株式移転完全子法人との間に当該株式移転完全親法人による完全支配関係が継続し、当該適格合併後に当該株式移転完全親法人と当該株式移転完全子法人との間に当該株式移転完全親法人による支配関係が継続すること（当該株式移転後にイ又はロに掲げる適格合併を行うことが見込まれている場合には、それぞれイ又はロに掲げる要件に該当すること。）。
(二)	(一)中「当該株式移転完全子法人」とあるのを「当該他の株式移転完全子法人」と、「当該他の株式移転完全子法人」とあるのを「当該株式移転完全子法人」と読み替えた場合における(一)に掲げる要件		

(同一の者による支配関係・継続見込の意義)
(2) 同一の者による支配関係・継続見込とは、株式移転前に当該株式移転に係る株式移転完全子法人と他の株式移転完全子法人との間に同一の者による支配関係があり、かつ、次に掲げる要件の全てに該当することが見込まれている場合における当該株式移転完全子法人と他の株式移転完全子法人との間の関係をいう。(令4の3㉓Ⅱ)

(一)	株式移転後に当該同一の者と当該株式移転に係る株式移転完全親法人との間に当該同一の者による支配関係が継続すること(当該株式移転後に当該株式移転完全親法人を被合併法人とする適格合併〔以下(2)において「**特定適格合併**」という。〕を行うことが見込まれている場合には、当該株式移転の時から当該特定適格合併の直前の時まで当該支配関係が継続すること。)。
(二)	当該株式移転後に当該同一の者と当該株式移転完全子法人との間に当該同一の者による支配関係が継続すること(当該株式移転後に当該株式移転完全子法人又は当該株式移転に係る株式移転完全親法人を被合併法人とする適格合併を行うことが見込まれている場合には、当該株式移転の時から当該適格合併の直前の時まで当該支配関係が継続すること。)。
(三)	当該株式移転後に当該同一の者と当該他の株式移転完全子法人との間に当該同一の者による支配関係が継続すること(当該株式移転後に当該他の株式移転完全子法人又は当該株式移転に係る株式移転完全親法人を被合併法人とする適格合併を行うことが見込まれている場合には、当該株式移転の時から当該適格合併の直前の時まで当該支配関係が継続すること)。
(四)	当該株式移転後に次の表の左欄に掲げる適格合併を行うことが見込まれている場合には、それぞれ同表の右欄に掲げる要件に該当すること。

イ	当該同一の者を被合併法人とする適格合併	当該株式移転の時から当該適格合併の直前の時まで当該株式移転に係る株式移転完全親法人と当該株式移転完全子法人との間に当該株式移転完全親法人による完全支配関係が継続すること(当該株式移転後にロ又はハに掲げる適格合併を行うことが見込まれている場合には、それぞれロ又はハに掲げる要件に該当すること。)。
ロ	特定適格合併	当該株式移転の時から当該特定適格合併の直前の時まで当該株式移転に係る株式移転完全親法人と当該株式移転完全子法人との間に当該株式移転完全親法人による完全支配関係が継続し、当該特定適格合併後に当該特定適格合併に係る合併法人と当該株式移転完全子法人との間に当該合併法人による完全支配関係が継続すること(当該株式移転後にハに掲げる適格合併を行うことが見込まれている場合には、ハに掲げる要件に該当すること。)。
ハ	当該株式移転完全子法人を被合併法人とする適格合併	当該株式移転の時から当該適格合併の直前の時まで当該株式移転に係る株式移転完全親法人(特定適格合併に係る合併法人を含む。)と当該株式移転完全子法人との間に当該株式移転完全親法人による完全支配関係が継続すること。

(五)	(四)中「株式移転完全子法人」とあるのを「他の株式移転完全子法人」と読み替えた場合における(四)に掲げる要件

③ **共同で事業を行うための株式移転**(その株式移転に係る株式移転完全子法人と他の株式移転完全子法人とが共同で事業を行うための株式移転として①《完全支配間株式移転》又は②《支配間特定株式移転》に該当する株式移転以外の株式移転のうち、次に掲げる要件〔当該株式移転の直前に当該株式移転に係る株式移転完全子法人の全てについて他の者との間に当該他の者

による支配関係がない場合には、(一)から(四)まで及び(六)に掲げる要件〕の全てに該当するものをいう。)(法2 XIIのXVIIIハ、令4の3㉔)

(一)	株式移転に係る株式移転完全子法人の子法人事業(当該株式移転完全子法人の当該株式移転前に行う主要な事業のうちのいずれかの事業をいう。以下③において同じ。)と当該株式移転に係る他の株式移転完全子法人の他の子法人事業(当該他の株式移転完全子法人の当該株式移転前に行う事業のうちのいずれかの事業をいう。以下③において同じ。)とが相互に関連するものであること。
(二)	株式移転に係る株式移転完全子法人の子法人事業と当該株式移転に係る他の株式移転完全子法人の他の子法人事業(当該子法人事業と関連する事業に限る。)のそれぞれの売上金額、当該子法人事業と他の子法人事業のそれぞれの従業者の数若しくはこれらに準ずるものの規模の割合がおおむね**5倍**を超えないこと又は当該株式移転前の当該株式移転完全子法人若しくは他の株式移転完全子法人のそれぞれの特定役員の全てが当該株式移転に伴って退任をするものでないこと。
(三)	株式移転に係る株式移転完全子法人又は他の株式移転完全子法人の当該株式移転の直前の従業者のうち、それぞれその総数のおおむね$\frac{80}{100}$以上に相当する数の者が、それぞれ当該株式移転完全子法人又は他の株式移転完全子法人の業務(当該株式移転完全子法人又は他の株式移転完全子法人との間に完全支配関係がある法人の業務並びに当該株式移転後に行われる適格合併又は当該株式移転完全子法人若しくは他の株式移転完全子法人を分割法人若しくは現物出資法人とする適格分割若しくは適格現物出資〔以下(三)及び(四)において「適格合併等」という。〕により当該株式移転完全子法人又は他の株式移転完全子法人の子法人事業又は他の子法人事業が当該適格合併等に係る合併法人、分割承継法人又は被現物出資法人(以下③において「合併法人等」という。)に移転することが見込まれている場合における当該合併法人等及び当該合併法人等との間に完全支配関係がある法人の業務を含む。)に引き続き従事することが見込まれていること。
(四)	株式移転に係る株式移転完全子法人又は他の株式移転完全子法人の子法人事業又は他の子法人事業(相互に関連する事業に限る。)が当該株式移転完全子法人又は他の株式移転完全子法人(当該株式移転完全子法人又は他の株式移転完全子法人との間に完全支配関係がある法人並びに当該株式移転後に行われる適格合併等により当該子法人事業又は他の子法人事業が当該適格合併等に係る合併法人等に移転することが見込まれている場合における当該合併法人等及び当該合併法人等との間に完全支配関係がある法人を含む。)において引き続き行われることが見込まれていること。
(五)	株式移転により交付される当該株式移転に係る株式移転完全親法人の株式(議決権のないものを除く。)のうち支配株主(当該株式移転の直前に当該株式移転に係る株式移転完全子法人又は他の株式移転完全子法人と他の者との間に当該他の者による支配関係がある場合における当該他の者及び当該他の者による支配関係があるものをいう。以下(五)において同じ。)に交付されるもの(以下(五)において「対価株式」という。)の全部が支配株主(当該株式移転後に行われる適格合併により当該対価株式が当該適格合併に係る合併法人に移転することが見込まれている場合には、当該合併法人を含む。以下(五)において同じ。)により継続して保有されることが見込まれていること(当該株式移転後に当該株式移転完全親法人を被合併法人とする適格合併を行うことが見込まれている場合には、当該株式移転の時から当該適格合併の直前の時まで当該対価株式の全部が支配株主により継続して保有されることが見込まれていること。)。
(六)	株式移転後に当該株式移転に係る株式移転完全子法人と他の株式移転完全子法人との間に当該株式移転に係る株式移転完全親法人による完全支配関係が継続することが見込まれていること(当該株式移転後に次の表のイ又はロの左欄に掲げる適格合併を行うことが見込まれている場合には、それぞれ同表の右欄に掲げる要件に該当することが見込まれていることとし、当該株式移転後に次の表のハに掲げる適格合併等〔適格合併、

適格分割又は適格現物出資をいう。ハにおいて同じ。〕が行われることが見込まれている場合には同表のハの右欄に掲げる要件に該当することが見込まれていることとする。）。

イ	当該株式移転完全子法人を被合併法人とする適格合併		次に掲げる要件の全てに該当すること。
		(イ)	当該株式移転後に当該株式移転完全親法人と当該他の株式移転完全子法人との間に当該株式移転完全親法人による完全支配関係が継続すること（当該株式移転後にロに掲げる適格合併を行うことが見込まれている場合には、ロの(ロ)に掲げる要件に該当すること。）。
		(ロ)	当該株式移転の時から当該適格合併の直前の時まで当該株式移転完全親法人と当該株式移転完全子法人との間に当該株式移転完全親法人による完全支配関係が継続すること。
ロ	当該他の株式移転完全子法人を被合併法人とする適格合併		次に掲げる要件の全てに該当すること。
		(イ)	当該株式移転後に当該株式移転完全親法人と当該株式移転完全子法人との間に当該株式移転完全親法人による完全支配関係が継続すること（当該株式移転後にイに掲げる適格合併を行うことが見込まれている場合には、イの(ロ)に掲げる要件に該当すること。）。
		(ロ)	当該株式移転の時から当該適格合併の直前の時まで当該株式移転完全親法人と当該他の株式移転完全子法人との間に当該株式移転完全親法人による完全支配関係が継続すること。
ハ	当該株式移転完全子法人又は他の株式移転完全子法人を合併法人等とする適格合併等（イ又はロに掲げる適格合併及び**12の8**に掲げる合併親法人の株式が交付される適格合併並びに**12の11**に掲げる分割承継親法人の株式が交付される適格分割を除く。）		当該株式移転の時から当該適格合併等の直前の時まで当該株式移転完全親法人と当該株式移転完全子法人及び他の株式移転完全子法人との間に当該株式移転完全親法人による完全支配関係が継続し、当該適格合併等後に次に掲げる要件の全てに該当すること。
		(イ)	当該株式移転完全親法人（当該株式移転完全親法人による完全支配関係がある法人を含む。）が当該株式移転完全子法人又は他の株式移転完全子法人（当該適格合併等に係る合併法人等となるものに限る。）の当該適格合併等の直前の発行済株式等の全部に相当する数の株式を継続して保有すること。
		(ロ)	当該株式移転完全親法人と当該株式移転完全子法人又は他の株式移転完全子法人（当該適格合併等に係る合併法人等となるものを除く。）との間に当該株式移転完全親法人による完全支配関係が継続すること。

(事業関連性の判定)
次の(一)又は(二)に掲げるものは、①《完全支配間株式移転》又は②《支配間特定株式

移転》に該当する株式移転以外の株式移転に係る株式移転完全子法人の子法人事業と当該株式移転に係る他の株式移転完全子法人の他の子法人事業とが、③の表の(一)の相互に関連するものに該当するかどうかの判定について準用する。(令4の3㉖、規3③)

(一)	**12の8**の表の③の(1)《事業関連性の判定》
(二)	同③の(2)《商品等を活用して一体として行われている場合の推定》

(当該株式移転後に適格合併が見込まれている場合のみなし適用)

次の表の左欄に掲げる株式移転後に同表の右欄に掲げる法人を被合併法人とする適格合併（**12の18**の①の(1)に掲げる株式移転完全親法人を被合併法人とする適格合併にあっては同(1)に掲げる同一の者と当該適格合併に係る合併法人との間に完全支配関係がある場合における当該適格合併に限るものとする。）を行うことが見込まれている場合には、当該適格合併に係る合併法人は、当該適格合併後においては同表の右欄に掲げる法人とみなして、同表に掲げる規定及び《当該株式移転後に適格合併が見込まれている場合のみなし適用》を適用する。(令4の3㉕)

(一)	**12の18**の①の(1)若しくは**12の18**の②の(2)に掲げる株式移転	**12の18**の①の(1)若しくは**12の18**の②の(2)に掲げる同一の者（**12の18**の①の(1)の表の(四)のイ又は**12の18**の②の(2)の表の(四)のイに掲げる同一の者を除く。）
(二)	**12の18**の①の(1)の表の(四)又は**12の18**の②の(1)の表の(一)若しくは同②の表の(2)の(四)に掲げる特定適格合併	当該特定適格合併に係る合併法人
(三)	**12の18**の①の(1)、同①の(2)又は**12の18**の③の表の(六)に掲げる株式移転	当該株式移転に係る株式移転完全親法人（**12の18**の①の(1)の表の(四)のイに掲げる株式移転完全親法人を除く。）。

12の19	恒久的施設	次に掲げるものをいう。ただし、我が国が締結した所得に対する租税に関する二重課税の回避又は脱税の防止のための条約において次に掲げるものと異なる定めがある場合には、その条約の適用を受ける外国法人については、その条約において恒久的施設と定められたもの（国内にあるものに限る。）とする。
		外国法人の国内にある次に掲げる場所（令4の4①）<table><tr><td rowspan="3">①</td><td>イ</td><td>事業の管理を行う場所、支店、事務所、工場又は作業場</td></tr><tr><td>ロ</td><td>鉱山、石油又は天然ガスの坑井、採石場その他の天然資源を採取する場所</td></tr><tr><td>ハ</td><td>その他事業を行う一定の場所</td></tr></table>（その他事業を行う一定の場所） 　**12の19**の①の表のハに掲げる「その他事業を行う一定の場所」には、倉庫、サーバー、農園、養殖場、植林地、貸ビル等のほか、外国法人が国内においてその事業活動の拠点としているホテルの一室、展示即売場その他これらに類する場所が含まれる。（基通20－1－1）
		② 外国法人の国内にある建設若しくは据付けの工事又はこれらの指揮監督の役務の提供を行う場所、外国法人の国内にある長期建設工事現場等（外国法人が国内において長期建設工事等〔建設若しくは据付けの工事又はこれらの指揮監督の役務の提供で1年を超えて行われるものをいう。以下**12の19**において同じ。〕を行う場所をいい、外国法人の国内における長期建設工事等を含む。**12の19**において同じ。）とする。（令4の4②） （契約分割後建設工事等における取扱い） （1）②において、2以上に分割をして建設若しくは据付けの工事又はこれらの指揮監督の

役務の提供（以下**12の19**において「**建設工事等**」という。）に係る契約が締結されたことにより②の外国法人の国内における当該分割後の契約に係る建設工事等（以下②において「**契約分割後建設工事等**」という。）が1年を超えて行われないこととなったとき（当該契約分割後建設工事等を行う場所〔当該契約分割後建設工事等を含む。〕を②に掲げる長期建設工事現場等に該当しないこととすることが当該分割の主たる目的の1つであったと認められるときに限る。）における当該契約分割後建設工事等が1年を超えて行われるものであるかどうかの判定は、当該契約分割後建設工事等の期間に国内における当該分割後の他の契約に係る建設工事等の期間（当該契約分割後建設工事等の期間と重複する期間を除く。）を加算した期間により行うものとする。ただし、正当な理由に基づいて契約を分割したときは、この限りでない。（令4の4③）

（1年を超える建設工事等）
（2）　**12の19**の表の②の建設若しくは据付けの工事又はこれらの指揮監督の役務の提供（以下（2）において「建設工事等」という。）で1年を超えて行われるものには、次に掲げるものが含まれる。（基通20－1－4）
　（一）　建設工事等に要する期間が1年を超えることが契約等からみて明らかであるもの
　（二）　一の契約に基づく建設工事等に要する期間が1年以下であっても、これに引き続いて他の契約等に基づく建設工事等を行い、これらの建設工事等に要する期間を通算すると1年を超えることになるもの
　　注1　建設工事等は、その建設工事等を独立した事業として行うものに限られないのであるから、例えば、外国法人が機械設備等を販売したことに伴う据付けの工事等であっても当該建設工事等に該当することに留意する。
　　注2　上記(一)又は(二)に該当しない建設工事等であっても、(1)の適用により、1年を超えて行われるものに該当する場合があることに留意する。

外国法人が国内に置く自己のために契約を締結する権限のある者、国内において外国法人に代わって、その事業に関し、反復して次に掲げる契約を締結し、又は当該外国法人によって重要な修正が行われることなく日常的に締結される次に掲げる契約の締結のために反復して主要な役割を果たす者（当該者の国内における当該外国法人に代わって行う活動〔当該活動が複数の活動を組み合わせたものである場合にあっては、その組合せによる活動の全体〕が、当該外国法人の事業の遂行にとって準備的又は補助的な性格のもの〔当該外国法人に代わって行う活動を（2）《恒久的施設の除外規定が除外される場所の範囲》の表のそれぞれに掲げる外国法人が同（2）の表のそれぞれに掲げる事業を行う一定の場所において行う事業上の活動とみなして同（2）を適用した場合に同（2）により当該事業を行う一定の場所につき（1）《恒久的施設から除外される場所等の範囲》を適用しないこととされるときにおける当該活動を除く。〕のみである場合における当該者を除く。③において「**契約締結代理人等**」という。）とする。（令4の4⑦）

③

イ	当該外国法人の名において締結される契約
ロ	当該外国法人が所有し、又は使用の権利を有する財産について、所有権を移転し、又は使用の権利を与えるための契約
ハ	当該外国法人による役務の提供のための契約

（契約締結代理人等から除外される場合）
（1）　国内において外国法人に代わって行動する者が、その事業に係る業務を、当該外国法人に対し独立して行い、かつ、通常の方法により行う場合には、当該者は、契約締結代理人等に含まれないものとする。ただし、当該者が、専ら又は主として1又は2以上の自己と特殊の関係にある者に代わって行動する場合は、この限りでない。（令4の4⑧）

（契約の締結の意義）
（2）　**12の19**の表の③の「契約」の締結には、契約書に調印することのほか、契約内容につ

き実質的に合意することが含まれる。（基通20－1－5）

　　　（契約の締結のために主要な役割を果たす者の意義）
（３）　12の19の表の③に掲げる「主要な役割を果たす者」とは、同③のイからハまでに掲げる契約が締結されるという結果をもたらす役割を果たす者をいい、例えば、外国法人の商品について販売契約を成立させるために営業活動を行う者がこれに該当する。（基通20－1－6）

　　　（反復して外国法人に代わって行動する者の範囲）
（４）　12の19の表の③に掲げる契約締結代理人等には、長期の代理契約に基づいて外国法人に代わって行動する者のほか、個々の代理契約は短期的であるが、２以上の代理契約に基づいて反復して一の外国法人に代わって行動する者が含まれる。（基通20－1－7）
　　　注　本文の「一の外国法人に代わって行動する者」は、特定の外国法人のみに代わって行動する者に限られないことに留意する。

　　　（独立代理人）
（５）　（１）《契約締結代理人等から除外される場合》に掲げる「国内において外国法人に代わって行動する者が、その事業に係る業務を、当該外国法人に対し独立して行い、かつ、通常の方法により行う場合」における当該者は、次に掲げる要件のいずれも満たす必要があることに留意する。（基通20－1－8）
　（一）　代理人として当該業務を行う上で、詳細な指示や包括的な支配を受けず、十分な裁量権を有するなど本人である外国法人から法的に独立していること。
　（二）　当該業務に係る技能と知識の利用を通じてリスクを負担し、報酬を受領するなど本人である外国法人から経済的に独立していること。
　（三）　代理人として当該業務を行う際に、代理人自らが通常行う業務の方法又は過程において行うこと。

　　（恒久的施設から除外される場所等の範囲）
（１）　外国法人の国内における次の表の左欄に掲げる活動の区分に応じそれぞれ同表の右欄に掲げる場所（次の表のそれぞれに掲げる活動を含む。）は、①に掲げる場所及び②に掲げるものに含まれないものとする。ただし、次の表のそれぞれに掲げる活動（（六）に掲げる活動にあっては、（六）の場所における活動の全体）が、当該外国法人の事業の遂行にとって準備的又は補助的な性格のものである場合に限るものとする。（令４の４④）

（一）	当該外国法人に属する物品又は商品の保管、展示又は引渡しのためにのみ施設を使用すること	当該施設
（二）	当該外国法人に属する物品又は商品の在庫を保管、展示又は引渡しのためにのみ保有すること	当該保有することのみを行う場所
（三）	当該外国法人に属する物品又は商品の在庫を事業を行う他の者による加工のためにのみ保有すること	当該保有することのみを行う場所
（四）	その事業のために物品若しくは商品を購入し、又は情報を収集することのみを目的として、①の表に掲げる場所を保有すること	当該場所
（五）	その事業のために（一）から（四）までに掲げる活動以外の活動を行うことのみを目的として、①の表のそれぞれに掲げる場所を保有すること	当該場所
（六）	（一）から（四）までに掲げる活動及び当該活動以外の活動を組み合わせた活動を行うことのみを目的として、①の表のそれぞれに掲げる場所を保有すること	当該場所

第二章 第一節《通 則》

(恒久的施設の除外規定が除外される場所の範囲)
(2) (1)は、次に掲げる場所については、適用しない。(令4の4⑤)

<table>
<tr><td>(一)</td><td colspan="2">①の表のそれぞれに掲げる場所（国内にあるものに限る。以下(2)において「事業を行う一定の場所」という。）を使用し、又は保有する(1)の外国法人が当該事業を行う一定の場所において事業上の活動を行う場合において、次に掲げる要件のいずれかに該当するとき（当該外国法人が当該事業を行う一定の場所において行う事業上の活動及び当該外国法人〔国内において当該外国法人に代わって活動をする場合における当該活動をする者を含む。〕が当該事業を行う一定の場所以外の場所〔国内にあるものに限る。イ及び(三)において「他の場所」という。〕において行う事業上の活動〔ロにおいて「細分化活動」という。〕が一体的な業務の一部として補完的な機能を果たすときに限る。）における当該事業を行う一定の場所</td></tr>
<tr><td></td><td>イ</td><td>当該他の場所（当該他の場所において当該外国法人が行う建設工事等及び当該活動をする者を含む。）が当該外国法人の恒久的施設に該当すること。</td></tr>
<tr><td></td><td>ロ</td><td>当該細分化活動の組合せによる活動の全体がその事業の遂行にとって準備的又は補助的な性格のものでないこと。</td></tr>
<tr><td>(二)</td><td colspan="2">事業を行う一定の場所を使用し、又は保有する(1)の外国法人及び当該外国法人と特殊の関係にある者（国内において当該者に代わって活動をする場合における当該活動をする者（イ及び(三)のイにおいて「代理人」という。）を含む。以下(2)において「関連者」という。）が当該事業を行う一定の場所において事業上の活動を行う場合において、次に掲げる要件のいずれかに該当するとき（当該外国法人及び当該関連者が当該事業を行う一定の場所において行う事業上の活動〔ロにおいて「細分化活動」という。〕がこれらの者による一体的な業務の一部として補完的な機能を果たすときに限る。）における当該事業を行う一定の場所</td></tr>
<tr><td></td><td>イ</td><td>当該事業を行う一定の場所（当該事業を行う一定の場所において当該関連者〔代理人を除く。イにおいて同じ。〕が行う建設工事等及び当該関連者に係る代理人を含む。）が当該関連者の恒久的施設（当該関連者が内国法人又は個人である場合にあっては、恒久的施設に相当するもの）に該当すること。</td></tr>
<tr><td></td><td>ロ</td><td>当該細分化活動の組合せによる活動の全体が当該外国法人の事業の遂行にとって準備的又は補助的な性格のものでないこと。</td></tr>
<tr><td>(三)</td><td colspan="2">事業を行う一定の場所を使用し、又は保有する(1)の外国法人が当該事業を行う一定の場所において事業上の活動を行う場合で、かつ、当該外国法人に係る関連者が他の場所において事業上の活動を行う場合において、次に掲げる要件のいずれかに該当するとき（当該外国法人が当該事業を行う一定の場所において行う事業上の活動及び当該関連者が当該他の場所において行う事業上の活動〔ロにおいて「細分化活動」という。〕がこれらの者による一体的な業務の一部として補完的な機能を果たすときに限る。）における当該事業を行う一定の場所</td></tr>
<tr><td></td><td>イ</td><td>当該他の場所（当該他の場所において当該関連者〔代理人を除く。イにおいて同じ。〕が行う建設工事等及び当該関連者に係る代理人を含む。）が当該関連者の恒久的施設（当該関連者が内国法人又は個人である場合にあっては、恒久的施設に相当するもの）に該当すること。</td></tr>
<tr><td></td><td>ロ</td><td>当該細分化活動の組合せによる活動の全体が当該外国法人の事業の遂行にとって準備的又は補助的な性格のものでないこと。</td></tr>
</table>

(外国法人が長期建設工事現場等を有する場合の取扱い)
(3) 外国法人が長期建設工事現場等を有する場合には、当該長期建設工事現場等は(1)の表の(四)から(六)までに掲げる①に掲げる場所と、当該長期建設工事現場等に係る長期建設工事等を

行う場所（当該長期建設工事等を含む。）は(2)の表に掲げる事業を行う一定の場所と、当該長期建設工事現場等を有する外国法人は(2)の表に掲げる事業を行う一定の場所を使用し、又は保有する(1)の外国法人と、当該長期建設工事等を行う場所において事業上の活動を行う場合（当該長期建設工事等を行う場合を含む。）は(2)の表のそれぞれに掲げる事業を行う一定の場所において事業上の活動を行う場合と、当該長期建設工事等を行う場所において行う事業上の活動（当該長期建設工事等を含む。）は(2)の表に掲げる事業を行う一定の場所において行う事業上の活動とそれぞれみなして、(1)及び(2)を適用する。(令4の4⑥)

（準備的な性格のものの意義）
(4) (1)に掲げる準備的な性格のものとは、外国法人としての活動の本質的かつ重要な部分を構成する活動の遂行を予定し当該活動に先行して行われる活動をいうことに留意する。(基通20－1－2)
　　注　本文の「先行して行われる活動」に該当するかどうかの判定は、その活動期間の長短によらないことに留意する。

（補助的な性格のものの意義）
(5) (1)に掲げる「補助的な性格のもの」とは、外国法人としての活動の本質的かつ重要な部分を構成しない活動で、その本質的かつ重要な部分を支援するために行われるものをいうのであるから、例えば、次に掲げるような活動はこれに該当しない。(基通20－1－3)
(一)　事業を行う一定の場所の事業目的が外国法人の事業目的と同一である場合の当該事業を行う一定の場所において行う活動
(二)　外国法人の資産又は従業員の相当部分を必要とする活動
(三)　顧客に販売した機械設備等の維持、修理等（当該機械設備等の交換部品を引き渡すためだけの活動を除く。）
(四)　専門的な技能又は知識を必要とする商品仕入れ
(五)　地域統括拠点としての活動
(六)　他の者に対して行う役務の提供

（特殊の関係の意義）
(6) ③の(1)《契約締結代理人等から除外される場合》及び(2)の表の(二)に掲げる特殊の関係とは、次に掲げる関係をいう。(令4の4⑨、規3の4①)

(一)	一方の者が他方の法人（人格のない社団等を含む。以下(6)において同じ。）の発行済株式又は出資（自己が有する自己の株式又は出資を除く。）の総数又は総額（以下**12の19**において「発行済株式等」という。）の$\frac{50}{100}$を超える数又は金額の株式等（株式又は出資をいう。以下**12の19**において同じ。）を直接又は間接に保有する関係その他の一方の者が他方の者を直接又は間接に支配する関係
(二)	二の法人が同一の者によってそれぞれその発行済株式等の$\frac{50}{100}$を超える数又は金額の株式等を直接又は間接に保有される場合における当該二の法人の関係その他の二の者が同一の者によって直接又は間接に支配される場合における当該二の者の関係（(一)に掲げる関係に該当するものを除く。）

（直接又は間接保有の判定方法）
(7) (6)の(一)の場合において、一方の者が他方の法人の発行済株式等の$\frac{50}{100}$を超える数又は金額の株式等を直接又は間接に保有するかどうかの判定は、当該一方の者の当該他方の法人に係る直接保有の株式等の保有割合（当該一方の者の有する当該他方の法人の株式等の数又は金額が当該他方の法人の発行済株式等のうちに占める割合をいう。）と当該一方の者の当該他方の法人に係る間接保有の株式等の保有割合とを合計した割合により行うものとする。(規3の4②)
　　なお、(7)は、(6)の(二)の直接又は間接に保有される関係の判定について準用する。(規3の4④)

(間接保有割合の計算方法)
(8)　(7)に掲げる間接保有の株式等の保有割合とは、次の表の左欄に掲げる場合の区分に応じそれぞれ同表の右欄に掲げる割合(次の表の左欄のいずれにも該当する場合には、それぞれ同表の右欄に掲げる割合の合計割合)をいう。(規3の4③)

(一)	(7)の他方の法人の株主等である法人の発行済株式等の$\frac{50}{100}$を超える数又は金額の株式等が(7)の一方の者により保有されている場合	当該株主等である法人の有する当該他方の法人の株式等の数又は金額が当該他方の法人の発行済株式等のうちに占める割合(当該株主等である法人が2以上ある場合には、当該2以上の株主等である法人につきそれぞれ計算した割合の合計割合)
(二)	(7)の他方の法人の株主等である法人((一)に掲げる場合に該当する(一)の株主等である法人を除く。)と(7)の一方の者との間にこれらの者と株式等の保有を通じて連鎖関係にある1又は2以上の法人(以下(二)において「出資関連法人」という。)が介在している場合(出資関連法人及び当該株主等である法人がそれぞれその発行済株式等の$\frac{50}{100}$を超える数又は金額の株式等を当該一方の者又は出資関連法人〔その発行済株式等の$\frac{50}{100}$を超える数又は金額の株式等が当該一方の者又は他の出資関連法人によって保有されているものに限る。〕によって保有されている場合に限る。)	当該株主等である法人の有する当該他方の法人の株式等の数又は金額が当該他方の法人の発行済株式等のうちに占める割合(当該株主等である法人が2以上ある場合には、当該2以上の株主等である法人につきそれぞれ計算した割合の合計割合)

(発行済株式)
(9)　(6)の「発行済株式」には、その株式の払込み又は給付の金額(以下(10)において「払込金額等」という。)の全部又は一部について払込み又は給付(以下(10)において「払込み等」という。)が行われていないものも含まれるものとする。(基通20−1−9)

(直接又は間接保有の株式)
(10)　(6)に掲げる「特殊の関係」(以下(10)において「特殊の関係」という。)にあるかどうかを判定する場合の直接又は間接に保有する株式には、その払込金額等の全部又は一部について払込み等が行われていないものが含まれるものとする。(基通20−1−10)
　　　注　名義株は、その実際の権利者が保有するものとして特殊の関係の有無を判定することに留意する。

13	収益事業	販売業、製造業その他の第五章第一節の二の2《収益事業の種類》に掲げる事業で、継続して事業場を設けて行われるものをいう。
14	株　主　等	株主又は合名会社、合資会社若しくは合同会社の社員その他法人の出資者をいう。
15	役　　員	法人の取締役、執行役、会計参与、監査役、理事、監事及び清算人並びにこれら以外の者で法人の経営に従事している者のうち次の①又は②に掲げる者をいう。(令7)
	①	法人の使用人(職制上使用人としての地位のみを有する者に限る。②において同じ。)以外の者でその法人の経営に従事しているもの (役員の範囲) (1)　15《役員》の①に掲げる「使用人以外の者でその法人の経営に従事しているもの」には、相談役、顧問その他これらに類する者でその法人内における地位、その行う職務等からみて他の役員と同様に実質的に法人の経営に従事していると認められるものが含まれることに留意する。(基通9−2−1)

				（法人である役員） （2） **15**《役員》に掲げる役員には、会計参与である監査法人又は税理士法人及び持分会社の社員である法人が含まれることに留意する。（基通9－2－2）	
		②	\multicolumn{3}{l	}{同族会社の使用人のうち、次のイからハまでに掲げる要件の全てを満たしている者で、その会社の経営に従事しているもの}

		②	イ		当該会社の株主グループにつきその所有割合が最も大きいものから順次その順位を付し、その第1順位の株主グループ（同順位の株主グループが2以上ある場合には、その全ての株主グループ。以下イにおいて同じ。）の所有割合を算定し、又はこれに順次第2順位及び第3順位の株主グループの所有割合を加算した場合において、当該使用人が次の(イ)から(ハ)までに掲げる株主グループのいずれかに属していること。
				(イ)	第1順位の株主グループの所有割合が$\frac{50}{100}$を超える場合における当該株主グループ
				(ロ)	第1順位及び第2順位の株主グループの所有割合を合計した場合にその所有割合が初めて$\frac{50}{100}$を超えるときにおけるこれらの株主グループ
				(ハ)	第1順位から第3順位までの株主グループの所有割合を合計した場合にその所有割合が初めて$\frac{50}{100}$を超えるときにおけるこれらの株主グループ
			ロ		当該使用人の属する株主グループの当該会社に係る所有割合が$\frac{10}{100}$を超えていること。
			ハ		当該使用人（その配偶者及びこれらの者の所有割合が$\frac{50}{100}$を超える場合における他の会社を含む。）の当該会社に係る所有割合が$\frac{5}{100}$を超えていること。
			注		法人税法施行令第7条第2号の規定は、「同族会社の使用人のうち、同令第71条第1項第5号イからハまで《使用人兼務役員とされない役員》の規定中『役員』とあるのを『使用人』と読み替えた場合に同号イからハまでに掲げる要件の全てを満たしている者で、……」となっているため、上表のようになる。（編者）
16	資本金等の額	\multicolumn{4}{l	}{法人の資本金の額又は出資金の額と、当該事業年度前の各事業年度（以下**16**において「過去事業年度」という。）の次の表の①から⑫まで《加算欄》に掲げる金額の合計額から当該法人の過去事業年度の同表の⑬から㉒まで《減算欄》に掲げる金額の合計額を減算した金額に、当該法人の当該事業年度開始の日以後の同表の①から⑫まで《加算欄》に掲げる金額を加算し、これから当該法人の同日以後の同表の⑬から㉒まで《減算欄》に掲げる金額を減算した金額との合計額をいう。（令8①）}
		加算	①		株式（出資を含む。以下⑩までにおいて同じ。）の発行又は自己の株式の譲渡をした場合（次のイからヌまでに掲げる場合を除く。）に払い込まれた金銭の額及び給付を受けた金銭以外の資産の価額その他の対価の額に相当する金額からその発行により増加した資本金の額又は出資金の額（法人の設立による株式の発行にあっては、その設立の時における資本金の額又は出資金の額）を減算した金額
				イ	役務の提供の対価として自己の株式を交付した場合（その役務の提供後に当該株式を交付した場合及び当該株式と引換えに給付された債権〔その役務の提供の対価として生じた債権に限る。〕がある場合〔①の2において「事後交付等の場合」という。〕を除く。）
				ロ	新株予約権（投資信託及び投資法人に関する法律第2条第17項《定義》に規定する新投資口予約権を含む。以下同じ。）の行使によりその行使をした者に自己の株式を交付した場合
				ハ	取得条項付新株予約権（第三章第一節第二十三款の**二**の**1**の(18)《取得請求権付株式の権利行使等により株式のみの交付を受けた場合の譲渡対価の額》の表の(五)に掲げる取得条項付新株予約権をいう。ハ及び③において同じ。）又は取得条項付新株予約権が付された新株予約権付社債の同(五)に掲げる事由による取得の対価として自己の株式を交付した場合（同(18)に掲げる場合に該当する場合に限る。）
				ニ	合併、分割、適格現物出資、株式交換又は株式移転により被合併法人の株主等、分

ホ	適格現物出資に該当しない現物出資（第三章第一節第三十四款の一の1の③のイの(イ)の(1)《非適格合併等の意義》に掲げる非適格合併等に該当するものに限る。）により現物出資法人に自己の株式を交付した場合
ヘ	適格分社型分割又は適格現物出資により分割承継法人又は被現物出資法人に自己が有していた自己の株式を移転した場合
ト	金銭等不交付株式交換（第三章第一節第三十四款の二の2の①《株式交換に係る完全子法人の株主が一定の株式のみの交付を受けた場合等の課税の繰延べ》に掲げる金銭等不交付株式交換をいう。⑩において同じ。）又は株式移転（同2の②《株式移転に係る完全子法人の株主が完全親法人の株式のみの交付を受けた場合の課税の繰延べ》に掲げる株式移転に限る。）により自己が有していた自己の株式を株式交換完全親法人又は株式移転完全親法人に取得された場合
チ	組織変更（当該組織変更に際して当該法人の株主等に自己の株式のみを交付したものに限る。）により株式を発行した場合
リ	第三章第一節第二十三款の二の1の(18)の表の(一)から(三)までに掲げる株式の同(一)から(三)までに掲げる事由による取得の対価として自己の株式を交付した場合（同(18)に掲げる場合に該当する場合に限る。）
ヌ	株主等に対して新たに金銭の払込み又は金銭以外の資産の給付をさせないで自己の株式を交付した場合

（募集株式の買取引受けに係る株式払込剰余金）

　法人が募集株式を証券会社に買取引受けさせた場合におけるその払い込まれた金銭の額及び給付を受けた金銭以外の資産の価額からその募集株式の発行により増加した資本金の額を減算した金額は①に掲げる金額に該当するのであるが、この場合に証券会社に支払う引受手数料の額は、たとえその買取引受けに係る募集株式の全部又は一部を最終的に当該証券会社が取得したときであっても、第三章第一節第八款の一の表の4《株式交付費》に掲げる株式交付費に該当する。（基通1－5－6）

①の2	役務の提供の対価として自己の株式を交付した場合（事後交付等の場合を除く。）の当該役務の提供に係る費用の額のうち既に終了した事業年度において受けた役務の提供に係る部分の金額（当該株式が第三章第一節第十九款の一の1《給与等課税額が生じたときの役務の提供に係る費用》に掲げる特定譲渡制限付株式である場合には、同1の適用がないものとした場合の当該金額）に相当する金額から当該株式の発行により既に終了した事業年度において増加した資本金の額又は出資金の額を減算した金額
②	新株予約権の行使によりその行使をした者に自己の株式を交付した場合のその行使に際して払い込まれた金銭の額及び給付を受けた金銭以外の資産の価額（第三章第一節第二十三款の二の1の(18)《取得請求権付株式の権利行使等により株式のみの交付を受けた場合の譲渡対価の額》に掲げる場合に該当する場合における当該新株予約権が付された新株予約権付社債についての社債にあっては、当該法人のその行使の直前の当該社債の帳簿価額）並びに当該法人の当該直前の当該新株予約権の帳簿価額に相当する金額の合計額からその行使に伴う株式の発行により増加した資本金の額を減算した金額
③	取得条項付新株予約権（取得条項付新株予約権が付された新株予約権付社債を含む。以下③において同じ。）についての第三章第一節第二十三款の二の1の(18)《取得請求権付株式の権利行使等により株式のみの交付を受けた場合の譲渡対価の額》の表の(五)に掲げる事由による取得の対価として自己の株式を交付した場合（同(18)に掲げる場合に該当する

場合に限る。）の当該法人のその取得の直前の当該取得条項付新株予約権の帳簿価額（当該新株予約権付社債にあっては、当該法人の当該直前の当該新株予約権付社債の帳簿価額）に相当する金額からその取得に伴う株式の発行により増加した資本金の額を減算した金額

④ 協同組合等及び次の**イ**から**ハ**までに掲げる法人が新たにその出資者となる者から徴収した加入金の額

イ	企業組合、協業組合、農住組合及び防災街区計画整備組合
ロ	協同組合等に該当しない農事組合法人、漁業生産組合及び生産森林組合
ハ	金融商品取引法第２条第15項《定義》に規定する金融商品会員制法人及び同法第85条第１項《自主規制業務の委託》に規定する自主規制法人並びに会員商品取引所

（加入金）
④に掲げる「加入金」とは、法令若しくは定款の定め又は総会の決議に基づき新たに組合員又は会員となる者から出資持分を調整するために徴収するもので、これを拠出しないときは、組合員又は会員たる資格を取得しない場合のその加入金をいう。（基通１－５－２）

⑤ 合併により移転を受けた資産及び負債の**純資産価額**（次の表の左欄に掲げる合併の区分に応じそれぞれ同表の右欄に掲げる金額をいう。）から当該**合併による増加資本金額等**と第三章第一節第二款の**五**の（３）《合併法人から抱合株式に対し株式その他の資産の交付がない場合におけるみなし配当の適用》に掲げる抱合株式（以下⑤において「抱合株式」という。）の当該合併の直前の帳簿価額とを合計した金額を減算した金額（被合併法人の全て又は当該法人が資本又は出資を有しない法人である場合には、零）

イ	適格合併に該当しない合併（ロに掲げるものを除く。）	当該合併に係る被合併法人の株主等に交付した当該法人の株式、金銭並びに当該株式及び金銭以外の資産並びに第三章第一節第二款の**五**の（３）により抱合株式に対して交付されたものとみなされるこれらの資産の価額の合計額
ロ	適格合併に該当しない合併のうち**12の8**の表の①の（１）《合併当事者間の完全支配関係の意義》に掲げる無対価合併で同①の（２）《同一の者による完全支配関係・継続見込の意義》の表の（二）に掲げる関係があるもの	当該合併により移転を受けた資産（営業権にあっては、第三章第一節第三十四款の**一**の１の③の**イ**の**(イ)**《資産調整勘定の金額》に掲げる独立取引営業権〔⑥の表の**ハ**及び⑦の表の**ハ**において「独立取引営業権」という。〕に限る。）の価額（同**(イ)**に掲げる資産調整勘定の金額を含む。）から当該合併により移転を受けた負債の価額（同**イ**の**(ロ)**《負債調整勘定の金額》に掲げる負債調整勘定の金額を含む。）を控除した金額
ハ	適格合併	当該適格合併に係る被合併法人の当該適格合併の日の前日の属する事業年度終了の時における資本金等の額に相当する金額

（合併による増加資本金額等）
（１） ⑤に掲げる合併による増加資本金額等とは、当該合併により増加した資本金の額又は出資金の額（法人を設立する合併にあっては、その設立の時における資本金の額又は出資金の額）並びに当該合併により被合併法人の株主等に交付した金銭並びに当該金銭及び当該法人の株式以外の資産（当該株主等に対する**12の8**《適格合併》に掲げる剰余金の配当等として交付した金銭その他の資産及び合併に反対する当該株主

等に対するその買取請求に基づく対価として交付される金銭その他の資産を除く。以下⑤において同じ。）の価額の合計額をいい、適格合併（第三章第一節第二十三款の**二**の**1**の（4）《合併の場合の有価証券の譲渡対価の額》に掲げる金銭等不交付合併に限る。）により被合併法人の株主等に**12の8**《適格合併》に掲げる合併親法人の株式（以下（2）において「合併親法人株式」という。）を交付した場合にあっては、その交付した合併親法人株式の当該適格合併の直前の帳簿価額とする。（令8①Ⅴ）

（抱合株式の当該合併の直前の帳簿価額）

（2） ⑤に掲げる抱合株式の当該合併の直前の帳簿価額とは、法人を設立する合併で適格合併に該当しないものにあっては第三章第一節第二款の**五**の（3）により当該抱合株式に対して交付されたものとみなされる当該法人の株式その他の資産の価額とし、法人を設立する合併以外の合併で適格合併に該当しないものにあっては当該帳簿価額に同（3）又は第三章第一節第二款の**五**の（5）《合併法人又は分割法人から被合併法人の株主等又は分割法人の株主等に対し株式その他の資産の交付がない場合におけるみなし配当の適用》により当該抱合株式に対して交付されたものとみなされる当該法人の株式その他の資産の価額のうち同款の**五**《配当等の額とみなす金額》により同款の**一**《受取配当等の益金不算入》の**2**の表の①又は②に掲げる金額とみなされる金額を加算した金額とする。（令8①Ⅴ）

⑥ 分割型分割により移転を受けた資産（⑥において「**移転資産**」という。）及び負債（⑥において「**移転負債**」という。）の**純資産価額**（次の表の左欄に掲げる分割型分割の区分に応じそれぞれ同表の右欄に掲げる金額をいう。）から当該**分割型分割による増加資本金額等**及び当該法人が有していた当該分割型分割（**12の11**①の（1）《分割当事者間の完全支配関係・継続見込の意義》の表の（一）に掲げる無対価分割〔以下16において「**無対価分割**」という。〕で同①の（2）《同一の者による完全支配関係・継続見込の意義》の表の（一）のイ又はロに掲げる関係があるものに限る。）に係る分割法人の株式に係る第三章第一節第二十三款の**二**の**1**の（6）《分割型分割により新株等の交付を受けた場合の譲渡対価の額及び譲渡原価の額》に掲げる**分割純資産対応帳簿価額**を減算した金額（当該法人が資本又は出資を有しない法人である場合には、零）

	イ	適格分割型分割に該当しない分割型分割（ロ及びハに掲げるものを除く。）	当該分割型分割により分割法人（分割対価資産の全てが分割法人の株主等に直接に交付される分割型分割にあっては、当該株主等）に交付した当該分割法人の株式その他の資産の価額の合計額
	ロ	適格分割型分割に該当しない分割型分割のうち第三章第一節第三十四款の**一**の**1**の③の**イ**の**(イ)**の（1）《非適格合併等の意義》に掲げる非適格合併等に該当しないもの（無対価分割に該当するものを除く。）	当該移転資産の価額から当該移転負債の価額を減算した金額
	ハ	適格分割型分割に該当しない分割型分割のうち無対価分割で**12の11**①の（2）の表の（一）の（ロ）に掲げる関係があるもの	当該移転資産（営業権にあっては、独立取引営業権に限る。）の価額（第三章第一節第三十四款の**一**の**1**の③の**イ**の**(イ)**に掲げる資産調整勘定の金額を含む。）から当該移転負債の価額（同**イ**の（ロ）《負債調整勘定の金額》に掲げる負債調整勘定の金額を含む。）を控除した金額
	ニ	適格分割型分割	当該適格分割型分割に係る分割法人の資本金等の額に

つき⑮により計算した金額に相当する金額

(分割型分割による増加資本金額等)
(1) ⑥に掲げる分割型分割による増加資本金額等とは、当該分割型分割により増加した資本金の額又は出資金の額（法人を設立する分割型分割にあっては、その設立の時における資本金の額又は出資金の額）並びに当該分割型分割により分割法人（分割対価資産の全てが分割法人の株主等に直接に交付される分割型分割にあっては、当該株主等に交付した金銭並びに当該金銭及び当該法人の株式以外の資産の価額の合計額をいい、適格分割型分割により分割法人に**12の11**《適格分割》に掲げる分割承継親法人の株式（以下⑥及び⑦において「**分割承継親法人株式**」という。）を交付した場合にあっては、その交付した分割承継親法人株式の当該適格分割型分割の直前の帳簿価額とする。（令8①Ⅵ）

(分割純資産対応帳簿価額)
(2) ⑥に掲げる分割純資産対応帳簿価額とは、当該適格分割型分割に該当しない分割型分割にあっては、第三章第一節第二款の**五**の(5)《合併法人又は分割法人から被合併法人の株主等又は分割法人の株主等に対し株式その他の資産の交付がない場合におけるみなし配当の適用》により当該株式に対して交付されたものとみなされる当該法人の株式の価額のうち同**五**《配当等の額とみなす金額》により第三章第一節第二款の**一**《受取配当等の益金不算入》の表の①に掲げる金額とみなされる金額を加算した金額とする。（令8①Ⅵ）

		分社型分割により移転を受けた資産（⑦において「移転資産」という。）及び負債（⑦において「移転負債」という。）の**純資産価額**（次の表の左欄に掲げる分社型分割の区分に応じそれぞれ同表の右欄に掲げる金額をいう。）から当該**分社型分割による増加資本金額等**を減算した金額	
⑦	イ	適格分社型分割に該当しない分社型分割（ロ及びハに掲げるものを除く。）	当該分社型分割により分割法人に交付した当該法人の株式その他の資産の価額の合計額
	ロ	適格分社型分割に該当しない分社型分割のうち第三章第一節第三十四款の**一**の1の③の**イ**の**(イ)**の(1)《非適格合併等の意義》に掲げる非適格合併等に該当しないもの（無対価分割に該当するものを除く。）	当該移転資産の価額から当該移転負債の価額を減算した金額
	ハ	適格分社型分割に該当しない分社型分割のうち無対価分割で分割法人が当該法人の発行済株式又は出資（自己が有する自己の株式を除く。）の全部を保有する関係があるもの	当該移転資産（営業権にあっては、独立取引営業権に限る。）の価額（第三章第一節第三十四款の**一**の1の③の**イ**の**(イ)**に掲げる資産調整勘定の金額を含む。）から当該移転負債の価額（同**イ**の**(ロ)**《負債調整勘定の金額》に掲げる負債調整勘定の金額を含む。）を控除した金額
	ニ	適格分社型分割	当該適格分社型分割に係る分割法人の当該適格分社型分割の直前の当該移転資産の帳簿価額から当該移転負債の帳簿価額を減算した金額

			(分社型分割による増加資本金額等) 　⑦に掲げる分社型分割による増加資本金額等とは、当該分社型分割により増加した資本金の額又は出資金の額（法人を設立する分社型分割にあっては、その設立の時における資本金の額又は出資金の額）並びに当該分社型分割により分割法人に交付した金銭並びに当該金銭及び当該法人の株式以外の資産の価額の合計額をいい、適格分社型分割により分割法人に分割承継親法人株式を交付した場合にあっては、その交付した分割承継親法人株式の当該適格分社型分割の直前の帳簿価額とする。（令8①Ⅶ）
	⑧		適格現物出資により移転を受けた資産及び当該資産と併せて移転を受けた負債の**純資産価額**から当該適格現物出資により増加した資本金の額又は出資金の額（法人を設立する適格現物出資にあっては、その設立の時における資本金の額又は出資金の額）を減算した金額 　　（純資産価額） 　⑧に掲げる純資産価額とは、現物出資法人の当該適格現物出資の直前の当該資産の帳簿価額（当該資産が当該現物出資法人である公益法人等又は人格のない社団等の収益事業以外の事業に属する資産であった場合には、当該資産の価額として当該法人の帳簿に記載された金額）から当該現物出資法人の当該適格現物出資の直前の当該負債の帳簿価額（当該負債が当該現物出資法人である公益法人等又は人格のない社団等の収益事業以外の事業に属する負債であった場合には、当該負債の価額として当該法人の帳簿に記載された金額）を減算した金額をいう。（令8①Ⅷ）
	⑨		適格現物出資に該当しない現物出資（第三章第一節第三十四款の**一**の**1**の③の**イ**の**(イ)**の(1)《非適格合併等の意義》に掲げる非適格合併等に該当するものに限る。以下⑨において「非適格現物出資」という。）により現物出資法人に交付した当該法人の株式の当該非適格現物出資の時の価額から当該非適格現物出資により増加した資本金の額又は出資金の額（法人を設立する非適格現物出資にあっては、その設立の時における資本金の額又は出資金の額）を減算した金額
	⑩		株式交換（適格株式交換等に該当しない**12の17**の①の(1)《株式交換完全親法人による完全支配関係・継続見込の意義》に掲げる無対価株式交換で同①の(2)《同一の者による完全支配関係・継続見込の意義》に掲げる株主均等割合保有関係がないものを除く。）により移転を受けた株式交換完全子法人の株式の取得価額（第三章第一節第二十三款の**一**の**2**《有価証券の取得価額》の表の⑩に掲げる費用の額が含まれている場合には、当該費用の額を控除した金額）から当該**株式交換による増加資本金額等**を減算した金額 　　（株式交換による増加資本金額等） 　⑩に掲げる株式交換による増加資本金額等とは、当該株式交換により増加した資本金の額、当該株式交換により株式交換完全子法人の株主に交付した金銭並びに当該金銭及び当該法人の株式以外の資産（当該株主に対する剰余金の配当として交付した金銭その他の資産を除く。）の価額並びに次の表の左欄に掲げる当該株式交換の区分に応じそれぞれ同表の右欄に掲げる金額（当該株式交換に伴い当該法人が同表の(一)又は(二)の右欄に掲げる当該法人の新株予約権に対応する債権を取得する場合には、その債権の価額を減算した金額）の合計額をいい、適格株式交換等（金銭等不交付株式交換に限る。）により株式交換完全子法人の株主に**12の17**《適格株式交換等》に掲げる株式交換完全支配親法人の株式（以下⑩において「株式交換完全支配親法人株式」という。）を交付した場合にあっては、同表の右欄に掲げる金額にその交付した株式交換完全支配親法人株式の当該適格株式交換等の直前の帳簿価額を加算した金額とする。（令8①Ⅹ）
		(一)	適格株式交換等に該当する	当該株式交換完全子法人の当該株式交換により消滅をした新株予約権に代えて当該法人の新株予約権を交付した場合の当

第二章　第一節《通　則》

			株式交換	該株式交換完全子法人のその消滅の直前のその消滅をした新株予約権の帳簿価額に相当する金額
		（二）	適格株式交換等に該当しない株式交換	当該株式交換完全子法人の当該株式交換により消滅をした新株予約権に代えて当該法人の新株予約権を交付した場合の当該新株予約権の価額に相当する金額
	⑪	株式移転により移転を受けた株式移転完全子法人の株式の取得価額（第三章第一節第二十三款の一の**2**《有価証券の取得価額》の表の⑫に掲げる費用の額が含まれている場合には、当該費用の額を控除した金額）から当該株式移転の時の資本金の額及び当該株式移転により当該株式移転に係る株式移転完全子法人の株主に交付した当該法人の株式以外の資産の価額並びに次の表の左欄に掲げる当該株式移転の区分に応じそれぞれ同表の右欄に掲げる金額（当該株式移転に伴い当該法人が同表の**イ**又は**ロ**の右欄に掲げる当該法人の新株予約権に対応する債権を取得する場合には、その債権の価額を減算した金額）の合計額を減算した金額		
		イ	適格株式移転	当該株式移転完全子法人の当該適格株式移転により消滅をした新株予約権に代えて当該法人の新株予約権を交付した場合の当該株式移転完全子法人のその消滅の直前のその消滅をした新株予約権の帳簿価額に相当する金額
		ロ	適格株式移転に該当しない株式移転	当該株式移転完全子法人の当該株式移転により消滅をした新株予約権に代えて当該法人の新株予約権を交付した場合の当該新株予約権の価額に相当する金額
	⑫	資本金の額又は出資金の額を減少した場合（減算欄の⑭に掲げる場合を除く。）のその減少した金額に相当する金額		
	⑬	準備金（会社法第445条第4項《資本金の額及び準備金の額》に規定する準備金その他これに類するものをいう。）の額若しくは剰余金の額を減少して資本金の額若しくは出資金の額を増加した場合のその増加した金額又は再評価積立金を資本（株式会社以外の法人の再評価積立金の資本組入に関する法律第2条《資本組入の決議》に規定する資本をいう。）に組み入れた場合のその組み入れた金額に相当する金額		
	⑭	資本又は出資を有する法人が資本又は出資を有しないこととなった場合のその有しないこととなった時の直前における資本金等の額（資本金の額又は出資金の額を除く。）に相当する金額		
減算	⑮	分割法人の分割型分割の直前の資本金等の額に当該分割法人の当該分割型分割に係る**イ**に掲げる金額のうちに**ロ**に掲げる金額の占める割合（当該直前の資本金等の額が零以下である場合には零と、当該直前の資本金等の額及び**ロ**に掲げる金額が零を超え、かつ、**イ**に掲げる金額が零以下である場合には１とし、当該割合に小数点以下３位未満の端数があるときはこれを切り上げる。）を乗じて計算した金額（当該分割型分割が適格分割型分割でない場合において、当該計算した金額が当該分割型分割により当該分割法人の株主等に交付した分割承継法人の株式〔出資を含む。以下**16**において同じ。〕その他の資産の価額〔第三章第一節第三十四款の一の**1**の①《合併又は分割による資産等の時価による譲渡》に掲げる特定分割型分割にあっては、同①により当該特定分割型分割に係る分割法人の株主等に交付したものとされる分割対価資産又は分割承継法人の株式の価額〕を超えるときは、その超える部分の金額を減算した金額）		
		イ	分割型分割の日の属する事業年度の前事業年度（当該分割型分割の日以前６か月以内に第三章第二節第三款の一の**3**《仮決算をした場合の中間申告書の記載事項等》に掲げる期間（通算子法人にあっては、第三章第二節第三款の一の**3**の(8)《通算法人である場合の適用》の表の(一)に掲げる期間。**イ**において同じ。）について同**3**に掲げる事項を記載した中間申告書を提出し、かつ、その提出した日から当該分割		

			型分割の日までの間に確定申告書を提出していなかった場合には、当該中間申告書に係る同3に掲げる期間）終了の時の資産の帳簿価額から負債（新株予約権及び株式引受権に係る義務を含む。）の帳簿価額を減算した金額（当該終了の時から当該分割型分割の直前の時までの間に資本金等の額又は利益積立金額〔18《利益積立金額》の表の加算欄の①及び⑥に掲げる金額を除く。〕が増加し、又は減少した場合には、その増加した金額を加算し、又はその減少した金額を減算した金額）
		ロ	分割型分割の直前の移転資産（当該分割型分割により当該分割法人から分割承継法人に移転をした資産をいう。）の帳簿価額から移転負債（当該分割型分割により当該分割法人から当該分割承継法人に移転をした負債をいう。）の帳簿価額を控除した金額（当該金額がイに掲げる金額を超える場合〔イに掲げる金額が零に満たない場合を除く。〕には、イに掲げる金額）
	⑯		現物分配法人の適格株式分配の直前の当該適格株式分配によりその株主等に交付した12の15の2に掲げる完全子法人の株式（⑰において「完全子法人株式」という。）の帳簿価額に相当する金額
	⑰		現物分配法人の適格株式分配に該当しない株式分配の直前の資本金等の額に次のイに掲げる金額のうちにロに掲げる金額の占める割合（当該直前の資本金等の額が零以下である場合には零と、当該直前の資本金等の額及びロに掲げる金額が零を超え、かつ、イに掲げる金額が零以下である場合には1とし、当該割合に小数点以下3位未満の端数があるときはこれを切り上げる。）を乗じて計算した金額（当該金額が当該株式分配により当該現物分配法人の株主等に交付した完全子法人株式その他の資産の価額を超える場合には、その超える部分の金額を減算した金額）
		イ	当該株式分配を⑮の表のイの分割型分割とみなした場合における同表のイに掲げる金額
		ロ	当該現物分配法人の当該株式分配の直前の当該株式分配に係る完全子法人株式の帳簿価額に相当する金額（当該金額が零以下である場合には零とし、当該金額がイに掲げる金額を超える場合〔イに掲げる金額が零に満たない場合を除く。〕にはイに掲げる金額とする。）
	⑱		資本の払戻し等（第三章第一節第二款の**五**《配当等の額とみなす金額》の表の**4**に掲げる資本の払戻し〔同款の**一**《受取配当等の益金不算入》の表の②に掲げる出資等減少分配を除く。以下⑱において「資本の払戻し」という。〕及び解散による残余財産の一部の分配をいう。以下⑱において同じ。）に係る減資資本金額（次の表の左欄に掲げる場合の区分に応じそれぞれ右欄に掲げる金額をいい、当該金額が当該資本の払戻し等により交付した金銭の額及び金銭以外の資産の価額〔適格現物分配に係る資産にあっては、その交付の直前の帳簿価額〕の合計額を超える場合には、その超える部分の金額を減算した金額とする。）
		イ ロに掲げる場合以外の場合	当該資本の払戻し等の直前の資本金等の額に(イ)に掲げる金額のうちに(ロ)に掲げる金額の占める割合（当該直前の資本金等の額が零以下である場合には零と、当該直前の資本金等の額が零を超え、かつ、(イ)に掲げる金額が零以下である場合には1とし、当該割合に小数点以下3位未満の端数があるときはこれを切り上げる。）を乗じて計算した金額（当該資本の払戻し等が資本の払戻しである場合において、当該計算した金額が当該資本の払戻し等により減少した資本剰余金の額を超えるときは、その超える部分の金額を控除した金額）
			(イ) 当該資本の払戻し等を⑮のイの分割型分割とみなした場合における同イに掲げる金額
			(ロ) 当該資本の払戻しにより減少した資本剰余金の額又は当該解散による残余財産の一部の分配により交付した金銭の額及び金銭

			以外の資産の価額（適格現物分配に係る資産にあっては、その交付の直前の帳簿価額）の合計額（当該減少した資本剰余金の額又は当該合計額が(イ)に掲げる金額を超える場合には、(イ)に掲げる金額）
	ロ 当該資本の払戻しを行った法人が2以上の種類の株式を発行していた法人である場合		当該資本の払戻しに係る株式の種類ごとに、当該資本の払戻しの直前のその種類の株式に係る種類資本金額（ロにおいて「直前種類資本金額」という。）に(イ)に掲げる金額のうちに(ロ)に掲げる金額の占める割合（直前種類資本金額又は当該直前の資本金等の額が零以下である場合には零と、直前種類資本金額及び当該直前の資本金等の額が零を超え、かつ、(イ)に掲げる金額が零以下である場合には1とし、当該割合に小数点以下3位未満の端数があるときはこれを切り上げる。）を乗じて計算した金額（当該金額が(ロ)のA又はBに掲げる場合の区分に応じそれぞれ同A又はBに掲げる金額を超える場合には、その超える部分の金額を控除した金額）の合計額
		(イ)	イの(イ)に掲げる金額に当該資本の払戻しの直前の資本金等の額のうちに直前種類資本金額の占める割合を乗じて計算した金額
		(ロ)	次に掲げる場合の区分に応じそれぞれ次に定める金額（当該金額が(イ)に掲げる金額を超える場合には、(イ)に掲げる金額） A　当該資本の払戻しにより減少した資本剰余金の額のうち当該種類の株式に係る部分の金額が明らかな場合　：　当該金額 B　Aに掲げる場合以外の場合　：　当該資本の払戻しにより減少した資本剰余金の額に当該資本の払戻しの直前の当該資本の払戻しに係る各種類の株式に係る種類資本金額（当該種類資本金額が零以下である場合には、零）の合計額のうちに直前種類資本金額の占める割合（当該合計額が零である場合には、1）を乗じて計算した金額
⑲			出資等減少分配（第三章第一節第二款の一《受取配当等の益金不算入》の表の②に掲げる出資等減少分配をいう。以下⑲において同じ。）に係る分配資本金額（当該出資等減少分配の直前の資本金等の額に次のイに掲げる金額のうちにロに掲げる金額の占める割合〔当該直前の資本金等の額が零以下である場合には零と、当該直前の資本金等の額が零を超え、かつ、イに掲げる金額が零以下である場合には1とし、当該割合に小数点以下3位未満の端数があるときはこれを切り上げる。〕を乗じて計算した金額をいい、当該計算した金額が当該出資等減少分配により増加する出資総額控除額〔投資法人の計算に関する規則〈平成18年内閣府令第47号。以下⑲において「計算規則」という。〉第39条第3項《純資産の部の区分》の規定により出資総額控除額に区分される金額をいう。〕及び出資剰余金控除額〔計算規則第39条第6項の規定により出資剰余金控除額に区分される金額をいう。〕の合計額から当該出資等減少分配により増加する一時差異等調整引当額〔計算規則第39条第3項後段又は第6項後段の規定により計算規則第2条第2項第30号《定義》に規定する一時差異等調整引当額として区分して表示される金額をいう。〕を控除した金額〔ロにお

いて「出資総額等減少額」という。〕を超える場合には、その超える部分の金額を減算した金額とする。）（規8の2の3）

イ	当該出資等減少分配の日の属する事業年度の前事業年度終了の時の資産の帳簿価額から負債の帳簿価額を減算した金額（当該終了の時から当該出資等減少分配の直前の時までの間に資本金等の額又は利益積立金額〔**18**《利益積立金額》の加算欄の①に掲げる金額を除く。〕が増加し、又は減少した場合には、その増加した金額を加算し、又はその減少した金額を減算した金額）
ロ	出資総額等減少額（当該出資総額等減少額がイに掲げる金額を超える場合には、**イ**に掲げる金額）

㉠ 第三章第一節第二款の**五**《配当等の額とみなす金額》の表の**5**から**7**までに掲げる事由（以下㉠において「自己株式の取得等」という。）により金銭その他の資産を交付した場合の取得資本金額（次の表の左欄に掲げる場合の区分に応じそれぞれ同表の右欄に掲げる金額をいい、当該金額が当該自己株式の取得等により交付した金銭の額及び金銭以外の資産の価額〔適格現物分配に係る資産にあっては、その交付の直前の帳簿価額〕の合計額を超える場合には、その超える部分の金額を減算した金額とする。）

イ	当該自己株式の取得等をした法人が一の種類の株式を発行していた法人（口数の定めがない出資を発行する法人を含む。）である場合	当該法人の当該自己株式の取得等の直前の資本金等の額を当該直前の発行済株式又は出資（自己が有する自己の株式を除く。）の総数（出資にあっては、総額）で除し、これに当該自己株式の取得等に係る株式の数（出資にあっては、金額）を乗じて計算した金額（当該直前の資本金等の額が零以下である場合には、零）
ロ	当該自己株式の取得等をした法人が2以上の種類の株式を発行していた法人である場合	当該法人の当該自己株式の取得等の直前の当該自己株式の取得等に係る株式と同一の種類の株式に係る種類資本金額を当該直前の当該種類の株式（当該法人が当該直前に有していた自己の株式を除く。）の総数で除し、これに当該自己株式の取得等に係る当該種類の株式の数を乗じて計算した金額（当該直前の当該種類資本金額が零以下である場合には、零）

（対価株式が交付される合併等が行われた場合の種類資本金額）
（1） **16**《資本金等の額》の法人を合併法人、分割承継法人、被現物出資法人、株式交換完全親法人又は株式移転完全親法人とする合併、分割、適格現物出資、**16**の表の加算欄の⑨に掲げる非適格現物出資、株式交換又は株式移転（当該法人の株式が交付されるものに限る。以下（1）において「合併等」という。）が行われた場合（当該法人が当該合併等の直後に2以上の種類の株式を発行している場合に限る。）には、当該合併等に係る増加した資本金の額又は出資金の額及び**16**の表の加算欄の⑤から⑪までに掲げる金額の合計額を当該合併等により交付した株式の当該合併等の直後の価額の合計額で除し、これに当該合併等により交付した当該種類の株式の当該合併等の直後の価額の合計額を乗じて計算した金額を、当該種類の株式に係る**16**の（1）《種類資本金額》の種類資本金額に加算する。（令8③）

（対価株式が交付されない合併等が行われた場合の種類資本金額）
（2） 2以上の種類の株式を発行する法人を合併法人、分割承継法人又は株式交換完全親法人とする合併、分割又は株式交換（当該法人の株式が交付されないものに限る。以下（2）において「合併等」という。）が行われた場合には、当該合併等に係る**16**《資本金等の額》の表の加算欄の⑤から⑦まで又は⑩に掲げる金額を当該法人の発行済株式又は出資（自己が有する自己の株式及び**償還株式**〔（3）《償還株式の意義》に掲げ

る株式をいう。以下（２）及び（５）において同じ。〕を除く。）の当該合併等の直後の価額の合計額で除し、これに株式の種類ごとにその種類の株式（自己が有する自己の株式及び償還株式を除く。）の当該合併等の直後の価額の合計額を乗じて計算した金額を、それぞれその種類の株式に係る**16**の（１）《種類資本金額》の種類資本金額に加算する。（令８④）

（償還株式の意義）
（３） （２）《対価株式が交付されない合併等が行われた場合の種類資本金額》に掲げる償還株式とは、法人が次の（一）又は（二）に掲げる株式及び次の（一）又は（二）に掲げる株式以外の株式を発行している場合における次の（一）又は（二）に掲げる株式をいう。（令８④）

（一）	法人がその発行する一部の株式の内容として株主等が当該法人に対して確定額又は確定額とその確定額に対する利息に相当する金額との合計額の金銭を対価として当該株式の取得を請求することができる旨の定めを設けている場合の当該株式
（二）	法人がその発行する一部の株式の内容として当該法人が一定の事由が発生したことを条件として確定額又は確定額とその確定額に対する利息に相当する金額との合計額の金銭を対価として当該株式の取得をすることができる旨の定めを設けている場合の当該株式

（自己を分割法人とする分割型分割等を行った場合の種類資本金額）
（４） ２以上の種類の株式を発行する法人が自己を分割法人又は現物分配法人とする分割型分割又は株式分配（以下（４）において「分割型分割等」という。）を行った場合には、当該分割型分割等に係る**16**《資本金等の額》の表の減算欄の⑮から⑰までに掲げる金額を当該法人の発行済株式又は出資（自己が有する自己の株式及び当該分割型分割等によってその価額が減少しなかったと認められる種類の株式を除く。）の当該分割型分割等の直後の価額の合計額で除し、これに株式の種類ごとにその種類の株式（自己が有する自己の株式及び当該分割型分割等によってその価額が減少しなかったと認められる種類の株式を除く。）の当該分割型分割等の直後の価額の合計額を乗じて計算した金額を、それぞれその種類の株式に係る**16**の（１）《種類資本金額》の種類資本金額から減算する。（令８⑤）

（みなし配当事由により金銭その他の資産の交付を受けた場合等の種類資本金額）
（５） ２以上の種類の株式を発行する法人が**16**《資本金等の額》の表の減算欄の⑳に掲げる場合に該当する場合には、同⑳のみなし配当事由（同⑳の残余財産の分配を受けないことが確定したことを含む。以下（５）において同じ。）に係る同⑳に掲げる金額を当該法人の発行済株式又は出資（自己が有する自己の株式及び償還株式を除く。）の当該みなし配当事由が生じた時の直後の価額の合計額で除し、これに株式の種類ごとにその種類の株式（自己が有する自己の株式及び償還株式を除く。）の当該直後の価額の合計額を乗じて計算した金額を、それぞれその種類の株式に係る**16**の（１）《種類資本金額》の種類資本金額から減算する。（令８⑥）

（取得請求権付株式の取得対価として自己株式を交付した場合の種類資本金額）
（６） 法人が第三章第一節第二十三款の**二**の１の(18)《取得請求権付株式の権利行使等により株式のみの交付を受けた場合の譲渡対価の額》の表の（一）から（三）までの左欄に掲げる株式（以下（６）において「旧株」という。）の同（一）から（三）までの右欄に掲げる事由による取得（同(18)に掲げる場合に該当する場合に限る。）の対価として自己の株式（以下（６）において「新株」という。）の交付をした場合には、当該事由が生じた時の直前の旧株と同一の種類の株式に係る**16**の（１）《種類資本金額》の種類

資本金額を当該種類の株式（自己が有する自己の株式を除く。）の総数で除し、これに当該取得をした株式の数を乗じて計算した金額を、当該新株と同一の種類の株式に係る同（1）の種類資本金額に加算し、当該旧株と同一の種類の株式に係る同（1）の種類資本金額から減算する。（令8⑦）

㉑ 自己の株式の取得（適格合併又は適格分割型分割による被合併法人又は分割法人からの引継ぎを含むものとし、16《資本金等の額》の表の減算欄の⑳に掲げる自己株式の取得等〔合併による合併法人からの取得、分割型分割に係る分割法人の株主等としての取得、適格分割に該当しない無対価分割による取得で第三章第一節第二款の**五**の（7）《自己の株式の取得から除かれる取得事由》の表の（五）に掲げる事由による取得に該当しないもの及び**12の5の2**《現物分配法人》に掲げる現物分配による現物分配法人からの取得を除く。〕及び第三章第一節第二十三款の**二**の**1**の（18）《取得請求権付株式の権利行使等により株式のみの交付を受けた場合の譲渡対価の額》の表の（一）から（三）までの左欄に掲げる株式の同（一）から（三）までの右欄に掲げる事由による取得で同（18）に掲げる場合に該当するものを除く。以下㉑において同じ。）の対価の額に相当する金額（その取得をした自己の株式が次の表の左欄に掲げるものである場合には、それぞれ同表の右欄に掲げる金額に相当する金額）

イ	その取得をした自己の株式を有価証券とみなした場合に当該自己の株式が第三章第一節第二十三款の**一**の**2**《有価証券の取得価額》の表の⑤から⑨まで、㉖又は㉗の左欄に掲げる有価証券に該当するときにおける当該自己の株式（ロに掲げるものを除く。）	第三章第一節第二十三款の**一**の**2**《有価証券の取得価額》の表の⑤から⑨まで、㉖又は㉗の右欄に掲げる金額（同表の⑤から⑨までの左欄に掲げる有価証券に該当する場合にあっては、それぞれ同表の⑤から⑨までの右欄に掲げる費用の額を除く。）
ロ	次の(イ)から(ニ)までにより移転を受けた自己の株式	次の(イ)から(ニ)までに掲げる金額
	(イ) 適格合併	(イ) 第三章第一節第三十四款の**一**の**2**の①の（5）《適格合併における合併法人の資産及び負債の引継価額》に掲げる帳簿価額
	(ロ) 適格分割	(ロ) 同**2**の②の（2）《適格分割型分割における分割承継法人の資産及び負債の引継価額》に掲げる帳簿価額又は同**2**の③の《適格分社型分割における分割承継法人の資産及び負債の取得価額》に掲げる帳簿価額
	(ハ) 適格現物出資	(ハ) 同**2**の④の《適格現物出資における被現物出資法人の資産及び負債の取得価額》に掲げる帳簿価額（同④の《適格現物出資における被現物出資法人の資産及び負債の取得価額》に掲げる費用の額が含まれている場合には、当該費用の額を控除した金額）
	(ニ) 適格現物分配	(ニ) 同**2**の⑤の（3）《適格現物分配における被現物分配法人の資産の取得価額》

㉒ 当該法人（内国法人に限る。）が第三章第一節第二款の**五**《配当等の額とみなす金額》の表の**1**から**6**までの左欄に掲げる事由（同節第二十三款の**二**の**1**の（4）《合併の場合の有

価証券の譲渡対価の額》の適用がある合併及び同1の(6)《分割型分割により新株等の交付を受けた場合の譲渡対価の額及び譲渡原価の額》に掲げる金銭等不交付分割型分割及び同1の(11)《株式分配により完全子法人株式の交付を受けた場合の譲渡対価の額及び譲渡原価の額》に掲げる金銭等不交付株式分配を除く。以下㉒において「みなし配当事由」という。）により当該法人との間に完全支配関係がある他の内国法人から金銭その他の資産の交付を受けた場合（同節第二款の**五**の表の**2**の左欄に掲げる分割型分割、同表の**3**の左欄に掲げる株式分配、同表の**4**の左欄に掲げる資本の払戻し若しくは解散による残余財産の一部の分配又は口数の定めがない出資についての出資の払戻しに係るものである場合にあっては、その交付を受けた時において当該他の内国法人の株式を有する場合に限る。）又は当該みなし配当事由により当該他の内国法人の株式を有しないこととなった場合（当該他の内国法人の残余財産の分配を受けないことが確定した場合を含む。）の当該みなし配当事由に係る同節第二款の**五**により同款の**一**《受取配当等の益金不算入》の表の①又は②に掲げる金額とみなされる金額及び当該みなし配当事由（当該残余財産の分配を受けないことが確定したことを含む。）に係る同節第二十三款の**二**の1の(26)《完全支配関係がある他の内国法人からみなし配当の額が生ずる基因となる事由により金銭その他の資産の交付を受けた場合等の譲渡対価の額》により同1《有価証券の譲渡益又は譲渡損の益金又は損金算入》の表の①に掲げる金額とされる金額の合計額から当該金銭の額及び当該資産の価額（適格現物分配に係る資産にあっては、同節第三十四款の**一**の2の⑤の(3)《適格現物分配における被現物分配法人の資産の取得価額》により当該資産の取得価額とされる金額）の合計額を減算した金額に相当する金額（当該みなし配当事由が同節第二款の**五**の表の**1**の左欄に掲げる合併である場合の当該合併に係る合併法人にあっては、零）

(種類資本金額)
（1） ⑱の表の口及び⑳の表の口に掲げる種類資本金額とは、⑱の表の口に掲げる資本の払戻し又は⑳の表の口掲げる自己株式の取得等の直前までのその種類の株式の交付（⑳の(1)《対価株式が交付される合併等が行われた場合の種類資本金額》に掲げる場合における同(1)に掲げる合併等による交付を除く。）に係る増加した資本金の額又は出資金の額及び**16**《資本金等の額》の表の加算欄の①から⑪までに掲げる金額の合計額から当該資本の払戻し又は自己株式の取得等の直前までのその種類の株式に係る同表の減算欄の⑮から㉒までに掲げる金額の合計額（（4）《自己を分割法人とする分割型分割を行った場合の種類資本金額》に掲げる場合における同表の減算欄の⑮から⑰までに掲げる金額を除く。）を減算した金額をいう。（令8②）

(資本金又は出資金の増加の日)
（2） 法人の資本金又は出資金の増加があった場合におけるその資本金又は出資金の増加の日は、次の表の左欄に掲げる場合に応じ、それぞれ同表の右欄に掲げる日による。ただし、外国法人について、その本店又は主たる事務所の所在する国の法令にこれと異なる定めがある場合には、当該法令に定めるところによる。（基通1－5－1）

		次の表の左欄に掲げるときに応じ、それぞれ同表の右欄に掲げる日	
(一)	金銭の払込み又は金銭以外の財産の給付による増資の場合（（三）に該当する場合を除く。）	イ 払込み又は給付の期日を定めたとき	当該期日
		ロ 払込み又は給付の期間を定めたとき	当該払込み又は給付をした日
(二)	準備金の額若しくは剰余金の額の減少による増資の場合又は再評価積立金の資本組入れによる増資の場合	その効力を生ずる日。ただし、当該効力を生ずる日を定めていない場合には、当該減少又は組入れに関する社員総会又はこれに準ずるものの決議の日	

		(三)	新株予約権及び新株予約権付社債に係る新株予約権の行使による増資の場合	新株予約権を行使した日

	(四)	役務の提供の対価として自己の株式を交付したことによる増資の場合（(一)に該当する場合を除く。）	\<多行ヘッダー\> 次の表の左欄に掲げるときに応じ、それぞれ同表の右欄に掲げる日	
			イ 役務の提供前に当該株式を交付したとき	その役務の提供を受けた事業年度の会社計算規則第42条の2第1項《取締役等が株式会社に対し割当日後にその職務の執行として募集株式を対価とする役務を提供する場合における株主資本の変動額》に規定する株主資本変動日
			ロ 役務の提供後に当該株式を交付したとき	当該株式の割当日

（外国法人の資本金以外の資本金等の額）
（3）　外国法人が積み立てた積立金の額で**16**《資本金等の額》に掲げる資本金以外の資本金等の額に類するものは、法人税法の適用上**16**による資本金以外の資本金等の額に該当するものとする。この場合において、その積立金の額が**16**による資本金以外の資本金等の額に類するものであるかどうかは、その積立てが行われた時における当該外国法人の本店又は主たる事務所の所在する国の法令に定めるところを勘案して判定する。（基通1－5－7）

（資本金の額が零の場合）
（4）　会社法の規定の適用を受ける法人で資本金の額が零のものについては、資本を有しない法人には該当しないことに留意する。（基通1－5－8）

17	削除	
18	**利益積立金額**	法人の当該事業年度前の各事業年度（当該法人が公共法人に該当していた事業年度を除く。以下**18**において「**過去事業年度**」という。）の次の表の①から⑦まで《**加算欄**》に掲げる金額の合計額から当該法人の過去事業年度の同表の⑧から⑭まで《**減算欄**》に掲げる金額の合計額を減算した金額に、当該法人の当該事業年度開始の日以後の同表の①から⑦まで《**加算欄**》に掲げる金額を加算し、これから当該法人の同日以後の同表の⑧から⑭まで《**減算欄**》に掲げる金額を減算した金額をいう。（令9）

			次の**イ**から**ヲ**までに掲げる金額の合計額から**ワ**から**ネ**までに掲げる金額の合計額を減算した金額（当該金額のうちに当該法人が留保していない金額がある場合には当該留保していない金額を減算した金額とし、公益法人等又は人格のない社団等にあっては収益事業から生じたものに限る。）
	加算	①	イ 所得の金額
			ロ 第三章第一節第二款の**一**《受取配当等の益金不算入》により所得の金額の計算上益金の額に算入されない金額
			ハ 第三章第一節第二款の**七**の1《外国子会社から受ける配当等の益金不算入》により所得の金額の計算上益金の額に算入されない金額
			ニ 第三章第一節第三款の**一**《受贈益の益金不算入》により所得の金額の計算上益金の額に算入されない金額
			ホ 第三章第一節第四款の**一**《租税公課の還付金等の益金不算入》に掲げる還付を受け

	又は充当される金額（同一の表の１に掲げる金額にあっては、同節第十一款の一の１の①《法人税の額の損金不算入》により所得の金額の計算上損金の額に算入されない法人税の額及び地方法人税の額並びに当該法人税の額に係る地方税法の規定による道府県民税及び市町村民税〔都民税及びこれらの税に係る均等割を含む。〕の額に係る部分の金額を除く。）、同節第四款の二《外国源泉税等の額が減額された場合の益金不算入》に掲げる減額された金額、同款の三《外国法人税の額が減額された場合の益金不算入》に掲げる減額された部分の金額、同款の四《通算税効果額の益金不算入》に掲げる通算税効果額を受け取る場合のその受け取る金額（附帯税の額に係る部分の金額に限る。）及び同款の五《罰科金等の還付金の益金不算入》に掲げる還付を受ける金額
ヘ	第三章第一節第四款の四《通算税効果額の益金不算入》に掲げる通算税効果額を受け取ることとなる場合のその受け取ることとなる金額（附帯税の額に係る部分の金額を除く。）
ト	第三章第一節第二十一款の一の１の①《前10年以内の繰越欠損金の損金算入》、同款の三の１《会社更生等による債務免除等があった場合の欠損金の損金算入》若しくは同三の２《民事再生等による債務免除があった場合の損金算入》又は同款の四の１《被合併法人等の未処理欠損金額の引継ぎ及び引継ぎ等に係る制限》若しくは同四の２《合併法人等の青色欠損金額の繰越額の制限》により所得の金額の計算上損金の額に算入される金額
チ	第三章第一節第三十三款の五の２《通算法人の不適用》の適用がある譲渡損益調整資産（同款の一《譲渡損益調整資産に係る譲渡利益額又は譲渡損失額の繰延べ》に掲げる譲渡損益調整資産をいう。チ及びタにおいて同じ。）に係る同一に掲げる譲渡利益額に相当する金額から同款の五の２の適用がある譲渡損益調整資産に係る同款の一に掲げる譲渡損失額に相当する金額を減算した金額
リ	法人税法第64条の３第３項《法人課税信託に係る所得の金額の計算》に規定する資産の同項に規定する帳簿価額から同項に規定する負債の同項に規定する帳簿価額を減算した金額
ヌ	第三章第一節第三十五款の一の１の①《所得事業年度の通算対象欠損金額の損金算入》により所得の金額の計算上損金の額に算入される金額
ル	同款の一の４《通算法人の合併等があった場合の欠損金の損金算入》により所得の金額の計算上損金の額に算入される金額
ヲ	第三章第一節第二十七款の四の１《医療法人が設立について贈与等を受けた場合の所得計算の特例》に掲げる金銭の額又は金銭以外の資産の価額及び同四の２《医療法人が持分の払戻しをしなかった場合の所得計算の特例》に掲げる利益の額
ワ	欠損金額
カ	法人税（第三章第一節第十一款の一の１の①《法人税の額の損金不算入》の表のイ及び同表のロに掲げる法人税並びに附帯税を除く。以下カにおいて同じ。）及び地方法人税（同表の二及びホに掲げる地方法人税並びに附帯税を除く。）として納付することとなる金額並びに地方税法の規定により当該法人税に係る道府県民税及び市町村民税（都民税及びこれらの税に係る均等割を含む。）として納付することとなる金額並びに第三章第一節第十一款の一の１の③《通算税効果額を支払う場合の損金不算入》に掲げる通算税効果額を支払うこととなる場合のその支払うこととなる金額（附帯税の額に係る部分の金額を除く。）
ヨ	第三章第一節第四款の六《中間申告における繰戻し還付に係る災害損失欠損金額の益金算入》により所得の金額の計算上益金の額に算入される金額
タ	第三章第一節第三十三款の四の３の①《非適格合併により譲渡損益調整資産の移転があった場合》により譲渡損益調整資産の取得価額に算入しない金額から同款の四の３の①により譲渡損益調整資産の取得価額に算入する金額を減算した金額

		レ	第三章第一節第三十五款の一の**1**の②《欠損事業年度の通算対象所得金額の益金算入》により所得の金額の計算上益金の額に算入される金額
		ソ	同款の一の**3**の③の**ロ**の（4）《非特定欠損金額の益金算入》により所得の金額の計算上益金の額に算入される金額
		ツ	第三章第一節第二款の一の（9）《適用関連法人配当等の額の益金算入の時期》により所得の金額の計算上益金の額に算入される金額
		ネ	第三章第一節第二十三款の一の**3**の②の（5）《移動平均法――特定支配関係がある他の法人の株式等の対象配当等の額に係る基準時における一単位当たりの帳簿価額の算出の特例》（同**3**の⑤《評価換え等があった場合の総平均法の適用の特例》の後段においてその例による場合を含む。）により同②の（5）に掲げる他の法人の株式又は出資の同②の（5）に掲げる基準時の直前における帳簿価額から減算される金額
	②		当該法人を合併法人とする適格合併により当該適格合併に係る被合併法人から移転を受けた資産の当該適格合併の日の前日の属する事業年度終了の時の帳簿価額（当該適格合併に起因して⑥に掲げる金額が生じた場合には、当該金額に相当する金額を含む。）から当該適格合併により当該被合併法人から移転を受けた負債の当該終了の時の帳簿価額並びに当該適格合併に係る**16**《資本金等の額》の⑤に掲げる金額、同⑤の（1）に掲げる増加資本金額等及び同⑤の（2）に掲げる抱合株式の当該適格合併の直前の帳簿価額の合計額を減算した金額（当該法人を合併法人とする適格合併に係る被合併法人が公益法人等である場合には、当該被合併法人の当該適格合併の日の前日の属する事業年度終了の時の利益積立金額に相当する金額）
	③		当該法人を分割承継法人とする適格分割型分割により当該適格分割型分割に係る分割法人から移転を受けた資産の当該適格分割型分割の直前の帳簿価額から当該適格分割型分割により当該分割法人から移転を受けた負債の当該直前の帳簿価額並びに当該適格分割型分割により増加した資本金等の額（当該適格分割型分割が当該法人を設立するものである場合には、当該法人の設立の時の資本金等の額）、当該適格分割型分割により当該分割法人に交付した分割承継親法人株式（**16**《資本金等の額》の表の加算欄の⑥の（1）《分割型分割による増加資本金額等》に掲げる分割承継親法人株式をいう。）の当該直前の帳簿価額及び当該法人が有していた当該適格分割型分割（**12の11**の①の（1）の表の（一）《分割当事者間の完全支配関係・継続見込の意義》に掲げる無対価分割に該当するものに限る。）に係る分割法人の株式に係る第三章第一節第二十三款の**二**の**1**の（6）《分割型分割により新株等の交付を受けた場合の譲渡対価の額及び譲渡原価の額》に掲げる分割純資産対応帳簿価額の合計額を減算した金額
	④		当該法人を被現物分配法人とする適格現物分配により当該適格現物分配に係る現物分配法人から交付を受けた資産の当該適格現物分配の直前の帳簿価額に相当する金額（当該適格現物分配が第三章第一節第二款の**五**《配当等の額とみなす金額》の表の**4**から**7**までに掲げる事由に係るものである場合には、当該適格現物分配に係る同**五**に掲げる株式又は出資に対応する部分の金額を除く。）
	⑤		資本又は出資を有する法人が資本又は出資を有しないこととなった場合のその有しないこととなった時の直前における資本金等の額に相当する金額
	⑥		通算法人が第三章第一節第二十三款の一の**3**の④《通算終了事由が生じた時の直後の移動平均法の適用》に掲げる他の通算法人の株式又は出資を有する場合において、当該他の通算法人について同④に掲げる通算終了事由が生ずるときの同④に掲げる簿価純資産不足額に相当する金額から同④に掲げる簿価純資産超過額に相当する金額を減算した金額
	⑦		当該法人が有する当該法人との間に完全支配関係（通算完全支配関係を除く。）がある法人（以下⑦において「子法人」という。）の株式又は出資について寄附修正事由（子法人

		が他の内国法人から第三章第一節第三款の**二**《受贈益の意義》に掲げる受贈益の額で同款の**一**《受贈益の益金不算入》の適用があるものを受け、又は子法人が他の内国法人に対して同節第十二款の**四**の**1**《寄附金の意義》に掲げる寄附金の額で同款の**二**《完全支配関係がある他の内国法人に対する寄附金の損金不算入》の適用があるものを支出したことをいう。以下⑦において同じ。）が生ずる場合の当該受贈益の額に当該寄附修正事由に係る持分割合（当該子法人の寄附修正事由が生じた時の直前の発行済株式又は出資〔当該子法人が有する自己の株式又は出資を除く。〕の総数又は総額のうちに当該法人が当該直前に有する当該子法人の株式又は出資の数又は金額の占める割合をいう。以下⑦において同じ。）を乗じて計算した金額から寄附修正事由が生ずる場合の当該寄附金の額に当該寄附修正事由に係る持分割合を乗じて計算した金額を減算した金額
減算	⑧	剰余金の配当（株式又は出資に係るものに限るものとし、資本剰余金の額の減少に伴うもの並びに分割型分割によるもの及び株式分配を除く。）若しくは利益の配当（分割型分割によるもの及び株式分配を除く。）若しくは剰余金の分配（出資に係るものに限る。）、投資信託及び投資法人に関する法律第137条《金銭の分配》の金銭の分配（第三章第一節第二款の**一**《受取配当等の益金不算入》の表の②に掲げる出資等減少分配を除く。）又は資産の流動化に関する法律第115条第１項《中間配当》に規定する金銭の分配の額として株主等に交付する金銭の額及び金銭以外の資産の価額（適格現物分配に係る資産にあっては、その交付の直前の帳簿価額）の合計額（第三章第一節第二款の**五**《配当等の額とみなす金額》により同款の**一**の**2**の表の①又は②に掲げる金額とみなされる金額を除く。）
	⑨	分割型分割（適格分割型分割を除く。）に係る分割法人が当該分割型分割により当該分割法人の株主等に交付した金銭の額及び金銭以外の資産の価額の合計額（第三章第一節第三十四款の**一**の**1**の①《合併又は分割による資産等の時価による譲渡》に掲げる特定分割型分割にあっては、同①により当該特定分割型分割に係る分割法人が当該分割法人の株主等に交付したものとされる同①に掲げる分割対価資産又は分割承継法人の株式若しくは出資の価額）から**16**《資本金等の額》の表の減算欄の⑮に掲げる金額を減算した金額
	⑩	当該法人を分割法人とする適格分割型分割により当該適格分割型分割に係る分割承継法人に移転をした資産の当該適格分割型分割の直前の帳簿価額から当該適格分割型分割により当該分割承継法人に移転をした負債の当該直前の帳簿価額及び当該適格分割型分割に係る**16**《資本金等の額》の表の減算欄の⑮に掲げる金額の合計額を減算した金額
	⑪	株式分配（適格株式分配を除く。）に係る現物分配法人が当該株式分配により当該現物分配法人の株主等に交付した**12の15の2**《株式分配》に掲げる完全子法人の株式その他の資産の価額の合計額から**16**《資本金等の額》の表の減算欄の⑰に掲げる金額を減算した金額
	⑫	**16**《資本金等の額》の表の減算欄の⑱に掲げる資本の払戻し等により交付した金銭の額及び金銭以外の資産の価額（適格現物分配に係る資産にあっては、その交付の直前の帳簿価額）の合計額が当該資本の払戻し等に係る同⑱に掲げる減資資本金額を超える場合におけるその超える部分の金額
	⑬	**16**《資本金等の額》の表の減算欄の⑲に掲げる出資等減少分配により交付した金銭の額が当該出資等減少分配に係る同⑲に掲げる分配資本金額を超える場合におけるその超える部分の金額
	⑭	**16**《資本金等の額》の表の減算欄の⑳に掲げる合計額が同⑳に掲げる取得資本金額を超える場合におけるその超える部分の金額

（租税特別措置法等の規定により損金の額に算入される金額の利益積立金額への算入）
（１）　次の（一）から（十三）までの適用を受けた法人の利益積立金額の計算については、（一）から（十三）までにより損金の額に算入される金額（（一）にあっては、（一）により減額される所得の金額のうち相手国の居住者に支払われない金額）は、**18**《利益積立金額》の表の加算欄の①の

イに掲げる所得の金額に含まれるものとする。(措法59⑦、59の2⑦、59の3⑱、60⑫、61⑪、65の2⑩、65の3⑧、65の4⑥、65の5⑤、65の5の2⑥、67の3⑧、措令35⑦、35の2⑤、36⑱、37⑧、37の5⑤、39の3⑦、39の4⑦、39の5㉙、39の6③、39の6の2⑦、39の13の3⑧、39の26⑤、租税条約等の実施に伴う所得税法、法人税法及び地方税法の特例等に関する法律7①、同法施行令6①)

(一)	第二章第三節の**一**の**3**《租税条約に基づく合意があった場合の更正の特例》
(二)	第三章第一節第十六款の**四**《収用換地等の場合の所得の特別控除》の**1**《5,000万円特別控除》
(三)	同款の**五**《特定土地区画整理事業等のために土地等を譲渡した場合の所得の特別控除》の**1**《2,000万円特別控除》
(四)	同款の**六**《特定住宅地造成事業等のために土地等を譲渡した場合の所得の特別控除》の**1**《1,500万円特別控除》
(五)	同款の**七**《農地保有の合理化のために農地等を譲渡した場合の所得の特別控除》の**1**《800万円特別控除》
(六)	同款の**八**《特定の長期所有土地等の所得の特別控除》の**1**《1,000万円特別控除》
(七)	同節第二十七款の**八**の**1**《対外船舶運航事業を営む法人の日本船舶による収入金額の課税の特例》
(八)	同款の**九**の**2**《特許権等の譲渡等による所得の課税の特例》
(九)	同款の**十**の**1**《沖縄の認定法人の所得の特別控除》
(十)	同款の**十一**の**1**《国家戦略特別区域における指定法人の所得の特別控除》
(十一)	同款の**十五**の**1**《肉用牛の売却に係る利益相当金額の損金算入》
(十二)	同節第二十九款の**二**の**1**《新鉱床探鉱費の特別控除》又は同**二**の**2**《海外新鉱床探鉱費の特別控除》
(十三)	同節第三十一款の**三**の**1**《超過利子額の損金算入》及び同**三**の**2**《調整対象超過利子額の損金算入》

注1 ──線部分は、令和6年度改正により追加された部分で、改正規定は、令和7年4月1日から適用される。(令6改法附1Ⅴ)

注2 阪神・淡路震災特例法に規定する被災市街地復興土地区画整理事業等のために土地等を譲渡した場合の所得の特別控除の特例等により損金の額に算入される金額についても、18の表の加算欄の①のイに掲げる所得の金額に含まれるものとする。(編者)

(租税特別措置法等の規定により益金の額に算入される金額の利益積立金額への不算入)
(2) 次の(一)から(三)までの適用を受けた法人の利益積立金額の計算については、(一)から(三)までにより益金の額に算入される金額は、**18**《利益積立金額》の表の加算欄の①のイに掲げる所得の金額に含まれないものとする。(措法59の2⑦、61⑪、66の6、66の9の2、措令35の2⑤、37⑧、39の20④、39の20の9④)

(一)	第三章第一節第二十七款の**八**の**1**《対外船舶運航事業を営む法人の日本船舶による収入金額の課税の特例》又は同**1**の(5)《認定を取り消された場合の所得の金額の計算》
(二)	同節第三十二款の**一**の**1**《内国法人に係る外国関係会社の課税対象金額の益金算入》又は同**一**の**6**《内国法人に係る部分対象外国関係会社の部分課税対象金額の益金算入》のイ又は同**一**の**7**《内国法人に係る部分対象外国関係会社の金融子会社等部分課税対象金額の益金算入》
(三)	同款の**四**の**1**《特殊関係株主等である内国法人に係る外国関係法人の課税対象金額の益金算入》又は同**四**の**4**《特殊関係株主等である内国法人に係る部分対象外国関係法人の部分課税対象金額の益金算入》又は同**四**の**5**《特殊関係株主等である内国法人に係る部分対象外国関係法人の金融関係法人部分課税対象金額の益金算入》

(租税特別措置法等の規定による読替え)
(3) 次の表の左欄の適用がある場合における18《利益積立金額》の表の加算欄の①のハの適用については、同ハ中次の表の中欄に掲げる字句は、それぞれ同表の右欄に掲げる字句とする。
(措令39の19⑭⑮、39の20の8⑩⑪)

第三章第一節第三十二款の三の1《外国法人から受ける剰余金の配当等の益金不算入》、同1の(2)《自己株式としての取得が予定されている株式を取得した場合のみなし配当の額の益金算入の適用を受けるもののうち益金の額に算入しない金額》、同3《外国法人から受ける剰余金の配当等の益金不算入》又は同3の(2)《自己株式として取得が予定されている株式を取得した場合のみなし配当の額の益金算入の適用を受けるもののうち益金の額に算入しない金額》	第三章第一節第二款の七の1《外国子会社から受ける配当等の益金不算入》により所得の金額の計算上益金の額に算入されない金額	第三章第一節第二款の七の1《外国子会社から受ける配当等の益金不算入》又は同節第三十二款の三《外国法人の特定課税対象金額等の計算等》により所得の金額の計算上益金の額に算入されない金額
第三章第一節第三十二款の三の1の(1)《剰余金の配当等の額がある場合の計算》の前段又は同3の(1)《剰余金の配当等の額がある場合の計算》の前段	第三章第一節第二款の七の1《外国子会社から受ける配当等の益金不算入》により所得の金額の計算上益金の額に算入されない金額	第三章第一節第二款の七の1《外国子会社から受ける配当等の益金不算入》(同節第三十二款の三の1の(1)《剰余金の配当等の額がある場合の計算》の前段又は同3の(1)《剰余金の配当等の額がある場合の計算》の前段により読み替えて適用する場合を含む。)により所得の金額の計算上益金の額に算入されない金額
第三章第一節第三十二款の六の1《外国法人から受ける剰余金の配当等の益金不算入》、同1の(2)《自己株式としての取得が予定されている株式を取得した場合のみなし配当の額の益金算入の適用を受けるもののうち益金の額に算入しない金額》、同3《外国法人から受ける剰余金の配当等の益金不算入》又は同3の(2)《自己株式として取得が予定されている株式を取得した場合のみなし配当の額の益金算入の適用を受けるもののうち益金の額に算入しない金額》	第三章第一節第二款の七の1《外国子会社から受ける配当等の益金不算入》により所得の金額の計算上益金の額に算入されない金額	第三章第一節第二款の七の1《外国子会社から受ける配当等の益金不算入》又は同節第三十二款の六《外国法人の特定課税対象金額等の計算等》により所得の金額の計算上益金の額に算入されない金額
第三章第一節第三十二款の六の1の(1)《剰余金の配当等の額がある場合の計算》の前段又は同3の(1)《剰余金の配当等の額がある場合の計算》の前段	第三章第一節第二款の七の1《外国子会社から受ける配当等の益金不算入》により所得の金額の計算上益金	第三章第一節第二款の七の1《外国子会社から受ける配当等の益金不算入》(同節第三十二款の六の1の(1)《剰余金の配当等の額がある場合の計算》の前段又は同3の(1)《剰余金の配当等の額がある場合の計算》の前段により読み替えて

			の額に算入されない金額	適用する場合を含む。）により所得の金額の計算上益金の額に算入されない金額

（納付すべき道府県民税等の計算）
（4）　利益積立金額を計算する場合において、留保している金額に含まれない道府県民税及び市町村民税（以下(4)において「道府県民税等」という。）の金額は、利益積立金額の計算を行う時までに確定している各事業年度の所得に対する法人税の額を基礎として計算した金額（実際の税率により計算することが困難である場合には、標準税率により計算した金額）による。この場合において、その後道府県民税等の申告、更正又は決定により過不足額が生じたときは、その過不足額は、当該申告、更正又は決定のあった日の属する事業年度開始の日において調整する。（基通1－6－1）

　　　注1　被合併法人の最後事業年度又は第三章第一節第二款の**五**《配当等の額とみなす金額》の表の**2**から**7**までによりみなし配当の計算が必要となる事業年度については、標準税率によらず適正額により計算の基礎となる事業年度の利益積立金額を計算することに留意する。

　　　注2　道府県民税等につき申告、更正又は決定のあった日を含む事業年度分の申告書別表五(一)の「期首現在利益積立金額①」欄を確定額に修正する。（編者）

（他の通算法人に修更正があった場合の本税に係る通算税効果額の利益積立金額の計算）
（5）　通算法人が、当該通算法人が修正申告を行い若しくは更正を受けたこと又は他の通算法人が修正申告を行い若しくは更正を受けたこと（以下(5)において「修更正の事実」という。）による当該通算法人の修正申告若しくは更正又は当該他の通算法人の修正申告若しくは更正の対象となる法人税又は地方法人税の額につき通算税効果額（第三章第一節第四款の**四**《通算税効果額の益金不算入》に掲げる通算税効果額をいう。以下同じ。）の授受をすることとしている場合には、当該通算法人又は他の通算法人がその受け取り又は支払う通算税効果額のうち本税に係る額は、当該修更正の事実があった日の属する事業年度ではなく当該通算法人の修正申告若しくは更正の基因となった事業年度又は当該他の通算法人の修正申告若しくは更正の基因となった事業年度終了の日に終了する当該通算法人の事業年度に係る①の**ヘ**に掲げる金額又は①の**カ**に掲げる「その支払うこととなる金額」として利益積立金額を計算するのであるが、他の通算法人が修正申告を行い又は更正を受けたこと（第三章第一節第三十五款の**一**の**1**の③《添付書類に記載された金額と異なる場合の取扱い》又は同款の**一**の**3**の③の**イ**《他の通算法人の事業年度の損金算入限度額が当初申告と異なるとき》又は**ロ**《適用事業年度の損金算入限度額が当初申告と異なる場合》などのいわゆる遮断措置が適用されるものに限る。）による当該他の通算法人の修正申告又は更正の対象となる法人税又は地方法人税の額につき通算税効果額を授受するときは、当該通算法人がその受け取り又は支払う通算税効果額のうち本税に係る額は、当該修更正の事実があった日の属する当該通算法人の事業年度に係る①の**ヘ**に掲げる金額又は①の**カ**に掲げる「その支払うこととなる金額」として利益積立金額を計算することができる。（基通1－6－2）

19	欠損金額	各事業年度の所得の金額の計算上当該事業年度の損金の額が当該事業年度の益金の額を超える場合におけるその超える部分の金額をいう。
20	棚卸資産	次の①から⑦までに掲げる資産で棚卸しをすべきもの（有価証券及び第三章第一節第二十二款の**一**の**1**の①《短期売買商品等の譲渡損益》に掲げる短期売買商品等を除く。）をいう。（令10）

	①	商品又は製品（副産物及び作業くずを含む。）
	②	半製品
	③	仕掛品（半成工事を含む。）
	④	主要原材料
	⑤	補助原材料
	⑥	消耗品で貯蔵中のもの
	⑦	①から⑥までに掲げる資産に準ずるもの

21	有価証券	次の①から⑤までに掲げるもの（自己が有する自己の株式又は出資及び第三章第一節第二十四款の一《デリバティブ取引に係る利益相当額又は損失相当額の益金又は損金算入》に掲げるデリバティブ取引に係るものを除く。）をいう。（令11、規8の2の4）	
		①	金融商品取引法第2条第1項《定義》に規定する有価証券
		②	金融商品取引法第2条第1項第1号から第15号まで《定義》に掲げる有価証券及び同項第17号に掲げる有価証券（同項第16号に掲げる有価証券の性質を有するものを除く。）に表示されるべき権利（これらの有価証券が発行されていないものに限るものとし、資金決済に関する法律（平成21年法律第59号）第2条第9項《定義》に規定する特定信託受益権を除く。）
		③	銀行法第10条第2項第5号《業務の範囲》に規定する証書をもって表示される金銭債権のうち同法施行規則第12条第1号《金銭債権の証書の範囲》に掲げる譲渡性預金の預金証書（外国法人が発行するものを除く。）をもって表示される金銭債権 注　銀行法施行規則第12条第1号に掲げる「譲渡性預金の預金証書」とは、譲渡性預金（払戻しについて期限の定めがある預金で、譲渡禁止の特約のないものをいう。）の預金証書をいう。
		④	合名会社、合資会社又は合同会社の社員の持分、協同組合等の組合員又は会員の持分その他法人の出資者の持分
		⑤	株主又は投資主（投資信託及び投資法人に関する法律第2条第16項《定義》に規定する投資主をいう。）となる権利、優先出資者（協同組織金融機関の優先出資に関する法律第13条第1項《優先出資者となる時期等》の優先出資者をいう。）となる権利、特定社員（資産の流動化に関する法律第2条第5項《定義》に規定する特定社員をいう。）又は優先出資社員（同法第26条《社員》に規定する優先出資社員をいう。）となる権利その他法人の出資者となる権利
		注　――線部分は、令和5年度改正により改正された部分で、改正規定は、安定的かつ効率的な資金決済制度の構築を図るための資金決済に関する法律等の一部を改正する法律（令和4年法律第61号）の施行の日（令和5年6月1日）から適用され、同日前の適用については、「限るものとし、資金決済に関する法律（平成21年法律第59号）第2条第9項《定義》に規定する特定信託受益権を除く。」とあるのは、「限る。」とする。（令5改令附1Ⅱ、令和5年政令第185号）	
22	固定資産	棚卸資産、有価証券、資金決済に関する法律第2条第14項《定義》に規定する暗号資産及び繰延資産以外の資産のうち次の①から④までに掲げるものをいう。（令12）	
		①	土地（土地の上に存する権利を含む。）
		②	23《減価償却資産》の①から⑨までに掲げる資産 注　23の①から⑨までに掲げる資産のうち事業の用に供していないもの及び時の経過によりその価値の減少しないものは、「減価償却資産」には含まれないが、「固定資産」には含まれる。（編者）
		③	電話加入権
		④	①から③までに掲げる資産に準ずるもの
		注　――線部分は、令和5年度改正により改正された部分で、改正規定は、安定的かつ効率的な資金決済制度の構築を図るための資金決済に関する法律等の一部を改正する法律（令和4年法律第61号）の施行の日（令和5年6月1日）から適用され、同日前の適用については、「第2条第14項」とあるのは「第2条第5項」とする。（令5改令附1Ⅱ、令和5年政令第185号）	
23	減価償却資産	棚卸資産、有価証券及び繰延資産以外の資産のうち次の①から⑨までに掲げるもの（事業の用に供していないもの及び時の経過によりその価値の減少しないものを除く。）をいう。（令13）	
		①	建物及びその附属設備（暖冷房設備、照明設備、通風設備、昇降機その他建物に附属する設備をいう。）
		②	構築物（ドック、橋、岸壁、桟橋、軌道、貯水池、坑道、煙突その他土地に定着する土木設備又は工作物をいう。）
		③	機械及び装置
		④	船舶
		⑤	航空機
		⑥	車両及び運搬具

	⑦	工具、器具及び備品（観賞用、興行用その他これらに準ずる用に供する生物を含む。）	
		次のイからツまでに掲げる無形固定資産	
		イ	鉱業権（租鉱権及び採石権その他土石を採掘し又は採取する権利を含む。）
		ロ	漁業権（入漁権を含む。）
		ハ	ダム使用権
		ニ	水利権
		ホ	特許権
		ヘ	実用新案権
		ト	意匠権
		チ	商標権
		リ	ソフトウエア
		ヌ	育成者権
		ル	公共施設等運営権
		ヲ	樹木採取権
		ワ	<u>漁港水面施設運営権</u>
		カ	営業権
	⑧	ヨ	専用側線利用権（鉄道事業法第2条第1項《定義》に規定する鉄道事業又は軌道法第1条第1項《軌道法の適用対象》に規定する軌道を敷設して行う運輸事業を営む者〔以下⑧において「鉄道事業者等」という。〕に対して鉄道又は軌道の敷設に要する費用を負担し、その鉄道又は軌道を専用する権利をいう。）
		タ	鉄道軌道連絡通行施設利用権（鉄道事業者等が、他の鉄道事業者等、独立行政法人鉄道建設・運輸施設整備支援機構、独立行政法人日本高速道路保有・債務返済機構又は国若しくは地方公共団体に対して当該他の鉄道事業者等、独立行政法人鉄道建設・運輸施設整備支援機構若しくは独立行政法人日本高速道路保有・債務返済機構の鉄道若しくは軌道との連絡に必要な橋、地下道その他の施設又は鉄道若しくは軌道の敷設に必要な施設を設けるために要する費用を負担し、これらの施設を利用する権利をいう。）
		レ	電気ガス供給施設利用権（電気事業法第2条第1項第8号《定義》に規定する一般送配電事業、同項第10号に規定する送電事業、同項第11号の2に規定する配電事業若しくは同項第14号に規定する発電事業又はガス事業法第2条第5項《定義》に規定する一般ガス導管事業を営む者に対して電気又はガスの供給施設〔同条第7項に規定する特定ガス導管事業の用に供するものを除く。〕を設けるために要する費用を負担し、その施設を利用して電気又はガスの供給を受ける権利をいう。）
		ソ	水道施設利用権（水道法第3条第5項《用語の定義》に規定する水道事業者に対して水道施設を設けるために要する費用を負担し、その施設を利用して水の供給を受ける権利をいう。）
		ツ	工業用水道施設利用権（工業用水道事業法第2条第5項《定義》に規定する工業用水道事業者に対して工業用水道施設を設けるために要する費用を負担し、その施設を利用して工業用水の供給を受ける権利をいう。）
		ネ	電気通信施設利用権（電気通信事業法第9条第1号《電気通信事業の登録》に規定する電気通信回線設備を設置する同法第2条5号《定義》に規定する電気通信事業者に対して同条第4号に規定する電気通信事業の用に供する同条第2号に規定する電気通信設備の設置に要する費用を負担し、その設備を利用して同条第3号に規定する電気通信役務の提供を受ける権利〔電話加入権及びこれに準ずる権利を除く。〕をいう。）

			次に掲げる生物（⑦に掲げるものに該当するものを除く。）		
			イ	牛、馬、豚、綿羊及びやぎ	
		⑨	ロ	かんきつ樹、りんご樹、ぶどう樹、梨樹、桃樹、桜桃樹、びわ樹、くり樹、梅樹、柿樹、あんず樹、すもも樹、いちじく樹、キウイフルーツ樹、ブルーベリー樹及びパイナップル	
			ハ	茶樹、オリーブ樹、つばき樹、桑樹、こりやなぎ、みつまた、こうぞ、もう宗竹、アスパラガス、ラミー、まおらん及びホップ	
		注──線部分は、令和6年度改正により追加された部分で、改正規定は、令和6年4月1日から適用される。（令6改令附1）			
24	繰延資産	法人が支出する費用（資産の取得に要した金額とされるべき費用及び前払費用を除く。）のうち支出の効果がその支出の日以後1年以上に及ぶもので次の①から⑥までに掲げるものをいう。（令14①） なお、前払費用とは、法人が一定の契約に基づき継続的に役務の提供を受けるために支出する費用のうち、その支出する日の属する事業年度終了の日においてまだ提供を受けていない役務に対応するものをいう。（令14②）			
		①	創立費（発起人に支払う報酬、設立登記のために支出する登録免許税その他法人の設立のために支出する費用で、当該法人の負担に帰すべきものをいう。）		
		②	開業費（法人の設立後事業を開始するまでの間に開業準備のために特別に支出する費用をいう。）		
		③	開発費（新たな技術若しくは新たな経営組織の採用、資源の開発又は市場の開拓のために特別に支出する費用をいう。）		
		④	株式交付費（株券等の印刷費、資本金の増加の登記についての登録免許税その他自己の株式〔出資を含む。〕の交付のために支出する費用をいう。）		
		⑤	社債等発行費（社債券等の印刷費その他債券〔新株予約権を含む。〕の発行のために支出する費用をいう。）		
		⑥	①から⑤までに掲げるもののほか、次のイからホまでに掲げる費用で支出の効果がその支出の日以後1年以上に及ぶもの		
			イ	自己が便益を受ける公共的施設又は共同的施設の設置又は改良のために支出する費用	
			ロ	資産を賃借し又は使用するために支出する権利金、立ちのき料その他の費用	
			ハ	役務の提供を受けるために支出する権利金その他の費用	
			ニ	製品等の広告宣伝の用に供する資産を贈与したことにより生ずる費用	
			ホ	イからニまでに掲げる費用のほか、自己が便益を受けるために支出する費用	
25	損金経理	法人がその確定した決算において費用又は損失として経理することをいう。 注1　第三章第二節第三款の一の**3**《仮決算をした場合の中間申告書の記載事項等》の表の①に掲げる期間に係る課税標準である所得の金額又は欠損金額の計算については、**25**中「確定した決算」とあるのは「決算」とする。（令150の2） 注2　第三章第二節第三款の一の**3**に掲げる期間（以下「中間期間」という。）に係る決算（以下「仮決算」という。）における損金経理とは、株主等に報告する当該期間に係る決算書（これに類する計算書類を含む。）及びその作成の基礎となった帳簿に費用又は損失として記載することをいう。（基通1－7－1）			
26	合同運用信託	省略			
27	証券投資信託	省略			
28	公社債投資信託	省略			

29	集団投資信託	省略
29の2	法人課税信託	省略
30	中間申告書	第三章第二節第三款の一の1《中間申告》による申告書をいう。(法71①) 注　第三章第二節第三款の一の3《仮決算をした場合の中間申告書の記載事項等》により仮決算をして提出する中間申告書も同一の1による申告書に含まれる。(編者)
31	確定申告書	第三章第二節第三款の二の1《確定申告》による申告書（当該申告書に係る期限後申告書を含む。）をいう。(法74①)
31の2	国際最低課税額確定申告書	省略
32	退職年金等積立金中間申告書	法人税法第88条《退職年金等積立金に係る中間申告》の規定による申告書（当該申告書に係る期限後申告書を含む。）をいう。
33	退職年金等積立金確定申告書	法人税法第89条《退職年金等積立金に係る確定申告》の規定による申告書（当該申告書に係る期限後申告書を含む。）をいう。
34	期限後申告書	第三章第二節第三款の三《期限後申告》に掲げる期限後申告書をいう。(通法18②)
35	修正申告書	第三章第二節第三款の四《修正申告》に掲げる修正申告書をいう。(通法19③)
36	青色申告書	第二節の一《青色申告》により青色の申告書によって提出する**30、31、32及び33**に掲げる申告書並びにこれらの申告書に係る修正申告書をいう。(法121) 注　──線部分は、令和5年度改正により改正された部分で、改正規定は、令和6年4月1日から適用され、令和6年3月31日以前の適用については、「**30、31、32及び33**」とあるのは、「**30から33まで**」とする。(令5改法附1Ⅳイ)
37	更正請求書	第三章第二節第三款の九の3《更正請求書の提出等》に掲げる更正請求書をいう。(通法23③)
38	中間納付額	第三章第二節第三款の七の1《中間申告による納付》により納付すべき法人税の額（その額につき修正申告書の提出又は更正があった場合には、その申告又は更正後の法人税の額）をいう。(法76)
39	更　　正	第三節の一の1の表の①《更正》又は同表の③《再更正》による更正をいう。(通法24、26)
40	決　　定	この節《通則》、第三章第一節《課税標準及びその計算》、同章第二節第三款の八の1《所得税額等の還付》の（5）から（9）まで、同八の2《中間納付額の還付》の（7）から（15）まで、同八の3の④《解散等があった場合の欠損金の繰戻しによる還付についての特例》並びに同八の4の（2）《最終申告期限が到来した場合の仮装経理法人税額の還付の特例》の表の（三）及び同4の（3）《会社更生法による更生手続開始決定があった場合等の仮装経理法人税額の還付の特例》の場合を除き、第三節の一の1の表の②《決定》による決定をいう。(通法25、法1～65、133、134、135③Ⅲ、④)
41	附　帯　税	国税通則法第2条第4号《定義》に規定する附帯税をいう。 注　国税のうち延滞税、利子税、過少申告加算税、無申告加算税、不納付加算税及び重加算税をいう。(通法2Ⅳ参照)
42	充　　当	国税通則法第57条第1項《充当》の規定による充当をいう。 注1　国税局長又は税務署長は、還付金又は国税に係る過誤納金（以下**42**及び**43**において「還付金等」という。）がある場合において、その還付を受けるべき者につき納付すべきこととなっている国税（その納める義務が信託財産責任負担債務〔信託法第2条第9項《定義》に規定する信託財産責任負担債務をいう。以下注1において同じ。〕である国税に係る還付金等である場合にはその納める義務が当該信託財産責任負担債務である国税に限るものとし、その納める義務が信託財産責任負担債務である国税に係る還付金等でない場合にはその納める義務が信託財産限定責任負担債務〔信託法第154条《信託の併合後の信託の信託財産責任負担債務の範囲等》に規定する信託財産限定責任負担債務をいう。〕である国税以外の国税に限る。）があるときは、還付に代えて、還付金等をその国税に充当しなければならない。この場合において、その国税のうちに延滞税又は利子税があるときは、その還付金等は、まず延滞税又は利子税の計算の基礎となる国税に充当しなければならない。(通法57①、7の2①、9の3) 注2　充当があった場合には、充当をするのに適することとなった時に、その充当をした還付金等に相当する額の国税の

納付があったものとみなす。（通法57②、通令23①）
注3　国税局長又は税務署長は、充当をしたときは、その旨をその充当に係る国税を納付すべき者に通知しなければならない。（通法57③）

43	還付加算金	国税通則法第58条第1項《還付加算金》に規定する還付加算金をいう。

注1　還付金等（二の(1)の(六)《納税申告書》に掲げる還付金〔以下注1において「還付金」という。〕及び国税に係る過誤納金をいう。以下注1において同じ。）を還付し、又は充当する場合には、次の表の左欄に掲げる還付金等の区分に従いそれぞれ同表の右欄に掲げる日の翌日からその還付のための支払決定の日又はその充当の日（同日前に充当をするのに適することとなった日がある場合には、その適することとなった日）までの期間の日数に応じ、その金額に年7.3％の割合（各年の還付加算金特例基準割合〔平均貸付割合に年0.5％の割合を加算した割合〕）を乗じて計算した還付加算金が付される。（通法58①⑤、通令24②④、措法95）

①	還付金及び更正決定等（更正、決定又は国税通則法第32条第5項《賦課決定》に規定する賦課決定をいう。）により納付すべき税額が確定した国税（当該国税に係る延滞税及び利子税を含む。）に係る過納金（②及び④に掲げるものを除く。）	当該還付金又は過納金に係る国税の納付があった日（その日が当該国税の法定納期限前である場合には、当該法定納期限）
②	更正の請求（第三章第二節第三款の九の1《更正の請求》に掲げる更正の請求をいう。以下注1において同じ。）に基づく更正（当該請求に対する処分に係る不服申立て又は訴えについての決定若しくは裁決又は判決を含む。）により納付すべき税額が減少した国税（当該国税に係る延滞税及び利子税を含む。）に係る過納金	その更正の請求があった日の翌日から起算して3か月を経過する日と当該更正があった日の翌日から起算して1か月を経過する日とのいずれか早い日（その日が当該国税の法定納期限前である場合には、当該法定納期限）
③	①及び②に掲げる過納金以外の国税に係る過誤納金（④に掲げるものを除く。）	次の表の左欄に掲げる過誤納金の区分に応じそれぞれ同表の右欄に掲げる日

イ	納税申告書の提出により納付すべき税額が確定した国税（当該国税に係る延滞税及び利子税を含む。）に係る過納金	その更正があった日の翌日から起算して1か月を経過する日
ロ	③に掲げる過誤納金のうちイに掲げる過納金以外のもの	当該過誤納金に係る国税の納付があった日（その日が当該過誤納金に係る国税の法定納期限前である場合には、当該法定納期限）の翌日から起算して1か月を経過する日

④	申告納税方式による国税の納付があった場合において、次のイからハまでに掲げる理由に基づき行われるその国税についての更正（更正の請求に基づく更正を除く。）により過納となった金額に相当する国税（その附帯税で当該更正に伴い過納となったものを含む。）	その更正があった日の翌日から起算して1か月を経過する日

イ	その課税標準の計算の基礎となった事実のうちに含まれていた無効な行為により生じた経済的効果がその行為の無効であることに基因して失われたこと	
ロ	その課税標準の計算の基礎となった事実のうちに含まれていた取り消すべき行為が取り消されたこと	
ハ	イ及びロに準ずる次の(イ)から(ハ)までに掲げる理由	
	(イ) 第三章第二節第三款の九の2《後発的事由がある場合の更正の請求の特例》の表の①	

			(ロ)	同表の③（同③のホを除く。）
			(ハ)	国税通則法以外の国税に関する法律の規定により更正の請求の基因とされている理由（修正申告書の提出又は更正若しくは決定があったことを理由とするものを除く。）で当該国税の法定申告期限後に生じたもの
		注2　注1の平均貸付割合とは、各年の前々年の9月から前年の8月までの各月における短期貸付けの平均利率（当該各月において銀行が新たに行った貸付け〔貸付期間が1年未満のものに限る。〕に係る利率の平均をいう。）の合計を12で除して計算した割合として各年の前年の11月30日までに財務大臣が告示する割合をいう。（措法93②） 注3　注1において法人税に関係のない部分は省略した。（編者）		
44	地　方　税	地方税法第1条第1項第14号《用語》に規定する地方団体の徴収金（都及び特別区のこれに相当する徴収金を含む。）をいう。 注1　地方団体の徴収金とは、地方税並びにその督促手数料、延滞金、過少申告加算金、不申告加算金、重加算金及び滞納処分費をいう。（地方税法1①XIV） 注2　地方税法中道府県に関する規定は都に、市町村に関する規定は特別区に準用される。（地方税法1②）		

注　――線線部分（上表の**31の2**に係る部分に限る。）は、令和5年度改正により追加されたもので、改正規定は、令和6年4月1日から適用される。（令5改法附1Ⅳイ）

（国税通則法における用語の意義）

（1）　国税通則法において、次に掲げる用語の意義は、それぞれ次に掲げるところによる。（通法2、19①）
　　注　法人税に関係のない用語は省略した。

(一)	国　　　　税	国が課する税のうち関税、とん税、特別とん税、森林環境税及び特別法人事業税以外のものをいう。
(二)	源泉徴収等による国税	省　略
(三)	消　費　税　等	省　略
(四)	附　　帯　　税	国税のうち延滞税、利子税、過少申告加算税、無申告加算税、不納付加算税及び重加算税をいう。
(五)	納　　税　　者	国税に関する法律の規定により国税（源泉徴収等による国税を除く。）を納める義務がある者（国税徴収法に規定する第二次納税義務者及び国税の保証人を除く。）及び源泉徴収等による国税を徴収して国に納付しなければならない者をいう。
(六)	納　税　申　告　書	申告納税方式による国税に関し国税に関する法律の規定により次に掲げるいずれかの事項その他当該事項に関し必要な事項を記載した申告書をいい、国税に関する法律の規定による国税の還付金（以下(六)において「還付金」という。）の還付を受けるための申告書でこれらのいずれかの事項を記載したものを含むものとする。 イ　課税標準 ロ　課税標準から控除する金額 　　注　法人税に関しては該当するものはない。（編者） ハ　欠損金額でその事業年度以前において生じたもの（第三章第一節第二十一款の**四**の1の①《被合併法人等の未処理欠損金額の引継ぎ》により欠損金額とみなされたものを含む。）のうち、翌事業年度以後の事業年度分の所得の金額の計算上順次繰り越して控除し、又は前事業年度以前の事業年度分の所得に係る還付金の額の計算の基礎とすることができるもの 　　注　所得税における純損失又は雑損失の金額及び相続税における相続時精算課税に係る贈与税の特別控除の合計額を2,500万円から控除した残額とともに、「**純損失等の金額**」ということとされている。（編者） ニ　納付すべき税額 ホ　還付金の額に相当する税額 　　注　所得税額等の控除不足額がこれに該当する。（編者）

		ヘ　ニの税額の計算上控除する金額又は還付金の額の計算の基礎となる税額
(七)	法定申告期限	国税に関する法律の規定により納税申告書を提出すべき期限をいう。 注　災害等により申告期限の延長の特例の適用を受けるときは、その延長された期限が法定申告期限となる。(編者)
(八)	法定納期限	省　略
(九)	課税期間	国税に関する法律の規定により国税の課税標準の計算の基礎となる期間をいう。 注　法人税においては「事業年度」がこれに当たる。(編者)
(十)	強制換価手続	省　略
(十一)	課税標準等	(六)《納税申告書》のイからハまでに掲げる事項をいう。
(十二)	税額等	(六)《納税申告書》のニからヘまでに掲げる事項をいう。

　　(租税特別措置法における用語の意義)
（２）　租税特別措置法第３章《法人税法の特例》、租税特別措置法施行令第３章《法人税法の特例》及び租税特別措置法施行規則第３章《法人税法の特例》においても、法人税法における用語と同様の用語を用いる。
　　なお、「**確定申告書等**」とは、仮決算による中間申告書及び確定申告書をいう。(措法２②XXVIII、措令１②、措規１②)
　　注１　「**確定申告書等**」には、確定申告に係る期限後申告書を含むが、修正申告書は含まれないことに留意する。(編者)
　　注２　法人税法第72条第３項の規定により、各事業年度の所得の金額及び当該所得に対する法人税の額に関する規定中「確定申告書」とあるのを「中間申告書」と読み替えるものについては、本書においては「**確定申告書等**」と表現している。(編者)

　　(組織再編に係る用語の意義)
（３）　別段の定めのあるものを除き、各章において、合併、分割、現物出資、現物分配その他の組織再編に係る次の用語の意義は、それぞれ次に掲げるところによる。(編者)

(一)	組織再編	合併、分割、現物出資、平成22年10月１日以後に行われる現物分配(残余財産の分配にあっては同日以後の解散によるものに限る。)若しくは平成22年９月30日以前に行われた事後設立又は株式交換等若しくは株式移転をいう。
(二)	事後設立	会社法第467条第１項第５号《事業譲渡等の承認等》又は保険業法第62条の２第１項第４号《事業の譲渡等》に掲げる行為に係る契約に基づき行われる資産又は負債の移転をいう。(旧法２XIIのVI)

　　(議決権のない株式に含まれるもの)
（４）　一定の事由が生じたことを条件として議決権を有することとなる旨の定めがある株式又は出資で、当該事由が生じていないものは、**12の８**の表の③《共同で事業を行うための合併》の表の(五)、**12の11**の表の③《共同で事業を行うための分割》の表の(六)のイ、**12の17**の表の③《共同で事業を行うための株式交換》の表の(五)及び**12の18**の表の③《共同で事業を行うための株式移転》の表の(五)の議決権のないものに含まれるものとする。(規３の３①)

　　(議決権のない株式に含まれないもの)
（５）　次の(一)から(三)までに掲げる株式は、**12の８**の表の③《共同で事業を行うための合併》の(五)、**12の11**の表の③《共同で事業を行うための分割》の表の(六)のイ、**12の17**の表の③《共同で事業を行うための株式交換》の表の(五)及び**12の18**の表の③《共同で事業を行うための株式移転》の表の(五)の議決権のないものに含まれないものとする。(規３の３②)

(一)	会社法第879条第３項《特別清算事件の管轄》の規定により議決権を有するものとみなされる株式
(二)	会社法第109条第２項《株主の平等》の規定により株主総会において決議をすることができる事項の全部につき議決権を行使することができない旨を定められた株主が有する株式
(三)	単元株式数に満たない株式

第二章　第一節《通　則》

(保有が制限される場合の適用)
(6)　合併、分割型分割、株式交換又は株式移転（以下(6)において「合併等」という。）により当該合併等に係る被合併法人、分割法人、株式交換完全子法人又は株式移転完全子法人の株主等に交付される株式（投資信託及び投資法人に関する法律第2条第14項《定義》に規定する投資口を含む。以下同じ。）又は出資（以下(6)において「交付株式」という。）が次に掲げる株式（出資を含む。以下(6)において同じ。）である場合には、当該交付株式は、**12の8**の表の③《共同で事業を行うための合併》の(五)、**12の11**の表の③《共同で事業を行うための分割》の表の(六)のイ、**12の17**の表の③《共同で事業を営むための株式交換》の表の(五)及び**12の18**の表の③《共同で事業を行うための株式移転》の表の(五)に掲げる対価株式に含まれないものとして、これらを適用する。（規3の3③）

(一)	会社法第135条第3項《親会社株式の取得の禁止》その他の法令の規定により当該株主等による保有の制限をされる株式
(二)	当該株主等が発行した株式

(組織再編成の日)
(7)　合併、分割、現物出資、現物分配、株式交換等（**12の16**《株式交換等》に掲げる株式交換等をいう。以下同じ。）又は株式移転（以下(7)において「組織再編成」という。）が行われた場合における当該組織再編成の日は、当該組織再編成により合併法人、分割承継法人若しくは被現物出資法人に資産若しくは負債の移転があった日、被現物分配法人その他の株主等に資産の移転があった日又は株式交換等若しくは株式移転が行われた日をいうのであるから、留意する。（基通1－4－1）

　注1　合併又は分割の場合における当該移転があった日は、合併の効力を生ずる日（新設合併の場合は、新設合併設立法人の設立登記の日）又は分割の効力を生ずる日（新設分割の場合は、新設分割設立法人の設立登記の日）をいう。
　注2　現物出資が株式交付である場合における当該移転があった日は、株式交付の効力を生ずる日をいう。
　注3　株式交換等又は株式移転が行われた日とは、次に掲げる組織再編成の区分に応じ、それぞれ次に定める日をいう。

(一)	株式交換	株式交換の効力を生ずる日
(二)	株式交換以外の株式交換等で、株式会社を対象法人（**12の16**《株式交換等》に掲げる対象法人をいう。）とするもの	次に掲げる場合に応じ、それぞれ次に定める日 イ　当該株式交換等が**12の16**の表のイに掲げる「全部取得条項付種類株式に係る取得決議」によるものである場合　同表のイの全部取得条項付種類株式を発行した法人が、会社法第234条第2項《一に満たない端数の処理》の規定により同表のイの最大株主等である法人（当該法人と完全支配関係を有する法人を含む。）へ1株未満の株式の全てを売却した日又は同条第4項の規定により1株未満の株式の全てを買い取った日 ロ　当該株式交換等が**12の16**の表のロに掲げる「株式の併合」によるものである場合　同表のロの株式の併合を行った法人が、同法第235条第2項において準用する同法第234条第2項の規定により同表のロの最大株主等である法人（当該法人と完全支配関係を有する法人を含む。）へ1株未満の株式の全てを売却した日又は同法第235条第2項において準用する同法第234条第4項の規定により1株未満の株式の全てを買い取った日 ハ　当該株式交換等が**12の16**の表のハに掲げる「株式売渡請求に係る承認」によるものである場合　同表のハの一の株主等である法人が、当該株式売渡請求をするに際して、同法第179条の2第1項《株式等売渡請求の方法》の規定により当該承認をする法人の同表のハの発行済株式等の全部を取得する日として定めた日
(三)	株式移転	株式移転完全親法人の設立登記の日

(合併等に際し1株未満の株式の譲渡代金を被合併法人等の株主等に交付した場合の適格合併等の判定)
(8)　法人が行った合併が**12の8**《適格合併》に掲げる適格合併に該当するかどうかを判定する場合において、被合併法人の株主等に交付された金銭が、その合併に際して交付すべき合併法人の株式（出資を含む。以下(8)において同じ。）に1株未満の端数が生じたためにその1株未満の株式の合計数に相当する数の株式を他に譲渡し、又は買い取った代金として交付されたものであるときは、当該株主等に対してその1株未満の株式に相当する株式を交付したこととなることに留意する。
　ただし、その交付された金銭が、その交付の状況その他の事由を総合的に勘案して実質的に当該株主等に対して支払う合併の対価であると認められるときは、当該合併の対価として金銭が交付されたものとして取り扱う。
　法人が行った株式交換等又は株式移転が**12の17**《適格株式交換等》又は**12の18**《適格株式移転》に掲げる適格株式交換等又は適格株式移転に該当するかどうかを判定する場合についても、同様とする。（基通1－4－2）

　注　当該1株未満の株式は、**12の8**の表の③《共同で事業を行うための合併》の(五)、**12の17**の表の③《共同で事業を行うための株式交換》

の表の(五)及び12の18の表の③《共同で事業を行うための株式移転》の表の(五)に掲げる議決権のないものに該当する。

　　　（従業者の範囲）
(9)　12の8の表の②《支配間特定合併》の(一)若しくは同表の③《共同で事業を行うための合併》の表の(三)、12の11の表の②《支配間特定分割》の(二)若しくは同表の③《共同で事業を行うための分割》の表の(四)若しくは同表の④《分割法人の分割前に行う事業を新設法人において独立して行うための分割》の表の(四)、12の14の表の②《支配間特定現物出資》の表の(二)若しくは同表の③《共同で事業を行うための現物出資》の表の(四)、12の15の3の《独立して事業を行うための株式分配の要件》の(三)、12の17の表の②《支配間特定株式交換》の表の(一)若しくは同表③《共同で事業を行うための株式交換》の表の(三)又は12の18の表の②《支配間特定株式移転》の表の(一)若しくは同表③《共同で事業を行うための株式移転》の表の(三)に掲げる「従業者」とは、役員、使用人その他の者で、合併、分割、現物出資、株式分配、株式交換等又は株式移転の直前において被合併法人の合併前に行う事業、分割事業（**12の11**の表の③の表の(一)に掲げる分割事業をいう。以下(15)までにおいて同じ。）、現物出資事業（**12の14**の表の③の表の(一)に掲げる現物出資事業をいう。以下(15)までにおいて同じ。）、完全子法人（**12の15の2**《株式分配》に掲げる完全子法人をいう。以下(9)において同じ。）の事業、株式交換等完全子法人の事業又はそれぞれの株式移転完全子法人の事業に現に従事する者をいうものとする。ただし、これらの事業に従事する者であっても、例えば、日々雇い入れられる者で従事した日ごとに給与等の支払を受ける者について、法人が従業者の数に含めないこととしている場合は、これを認める。

　　12の8の表の③の表の(二)、12の11の表の③の表の(二)、12の14の表の③の表の(二)、12の17の表の③の表の(二)又は12の18の表の③の表の(二)の従業者の範囲についても、同様とする。（基通1-4-4）

　　注1　出向により受け入れている者等であっても、被合併法人の合併前に行う事業、分割事業、現物出資事業、完全子法人の事業、株式交換等完全子法人の事業又はそれぞれの株式移転完全子法人の事業に現に従事する者であれば従業者に含まれることに留意する。
　　注2　下請先の従業員は、例えば自己の工場内でその業務の特定部分を継続的に請け負っている企業の従業員であっても、従業者には該当しない。
　　注3　分割事業又は現物出資事業とその他の事業とのいずれにも従事している者については、主として当該分割事業又は現物出資事業に従事しているかどうかにより判定する。

　　　（主要な事業の判定）
(10)　被合併法人の合併前に行う事業が2以上ある場合において、そのいずれが12の8の表の②《支配間特定合併》の表の(一)及び(二)に掲げる「主要な事業」であるかは、それぞれの事業に属する収入金額又は損益の状況、従業者の数、固定資産の状況等を総合的に勘案して判定する。

　　12の15の3の《独立して事業を行うための株式分配の要件》の(四)又は12の17の表の②《支配間特定株式交換》の表の(一)及び(二)若しくは12の18の表の②《支配間特定株式移転》の表の(一)及び(二)における判定についても同様とする。（基通1-4-5）

　　　（事業規模を比較する場合の売上金額等に準ずるもの）
(11)　12の8の表の③《共同で事業を行うための合併》の表の(二)、12の11の表の③《共同で事業を行うための分割》の表の(二)、12の14の表の③《共同で事業を行うための現物出資》の表の(二)、12の17の表の③《共同で事業を行うための株式交換》の表の(二)又は12の18の表の③《共同で事業を行うための株式移転》の表の(二)に掲げる「これらに準ずるものの規模」とは、例えば、金融機関における預金量等、客観的・外形的にその事業の規模を表すものと認められる指標をいう。（基通1-4-6）

　　注　事業の規模の割合がおおむね5倍を超えないかどうかは、これらに掲げるいずれか一の指標が要件を満たすかどうかにより判定する。

　　　（主要な資産及び負債の判定）
(12)　12の11の表の②《支配間特定分割》の表の(一)若しくは同表の③《共同で事業を行うための分割》の表の(三)若しくは同表の④《分割法人の分割前に行う事業を新設法人において独立して行うための分割》の表の(三)又は12の14の表の②《支配間特定現物出資》の表の(一)若しくは同表の③《共同で事業を行うための現物出資》の表の(三)の適用上、分割事業又は現物出資事業に係る資産及び負債が主要なものであるかどうかは、分割法人又は現物出資法人が当該事業を行う上での当該資産及び負債の重要性のほか、当該資産及び負債の種類、規模、事業再編計画の内容等を総合的に勘案して判定するものとする。（基通1-4-8）

(従業者が従事することが見込まれる業務)
(13)　**12の8**の表の②《支配間特定合併》の表の(一)に掲げる「合併法人の業務」、**12の11**の表の②《支配間特定分割》の表の(二)に掲げる「分割承継法人の業務」又は**12の14**の表の②《支配間特定現物出資》の表の(二)に掲げる「被現物出資法人の業務」は、合併により移転した事業、分割事業又は現物出資事業に限らないことに留意する。
　　12の8の表の③《共同で事業を行うための合併》の表の(三)、**12の11**の表の③《共同で事業を行うための分割》の表の(四)若しくは同表の④《分割法人の分割前に行う事業を新設法人において独立して行うための分割》の表の(四)又は**12の14**の表の③《共同で事業を行うための現物出資》の表の(四)の判定についても、同様とする。(基通1－4－9)

(出向により分割承継法人等の業務に従事する場合)
(14)　**12の11**の表の②《支配間特定分割》の表の(二)又は同表の③《共同で事業を行うための分割》の表の(四)若しくは同表の④《分割法人の分割前に行う事業を新設法人において独立して行うための分割》の表の(四)に掲げる「分割承継法人の業務に従事することが見込まれていること」には、分割法人の分割の直前の従業者が出向により分割承継法人の業務に従事する場合が含まれることに留意する。
　　12の14の表の②《支配間特定現物出資》の表の(二)又は同表の③《共同で事業を行うための現物出資》の表の(四)の判定についても、同様とする。(基通1－4－10)

(移転資産の範囲―借地権の設定)
(15)　分割、現物出資又は現物分配による資産の移転には、分割承継法人、被現物出資法人又は被現物分配法人を借地権者とする借地権の設定(第三章第一節第二十七款の**五の2**《借地権の設定等により地価が著しく低下する場合の土地等の帳簿価額の一部の損金算入》の適用がある設定に限る。)が含まれる。(基通1－4－11)
　　注　この場合における当該借地権に係る第三章第一節第三十四款の**一**の1の②《譲渡利益額又は譲渡損失額の最後事業年度の益金又は損金算入》若しくは同1の④の《残余財産の全部の分配又は引渡しによる譲渡に係る譲渡利益額又は譲渡損失額の益金又は損金算入》に掲げる「**原価の額**」又は同2の②《適格分割型分割による資産等の帳簿価額による引継ぎ》、同2の③《適格分社型分割による資産等の帳簿価額による譲渡》、同2の④《適格現物出資による資産等の帳簿価額による譲渡》若しくは同2の⑤《適格現物分配又は適格株式分配による資産の帳簿価額による譲渡》に掲げる「**帳簿価額**」は、当該借地権に係る土地につき第三章第一節第二十七款の**五の2**により損金の額に算入される金額に相当する金額をいう。

別表第一　公共法人の表 （第2条関係〔令和6年7月1日現在〕）

名　　　　　称	根　　　拠　　　法
沖縄振興開発金融公庫	沖縄振興開発金融公庫法（昭和47年法律第31号）
株式会社国際協力銀行	会社法及び株式会社国際協力銀行法（平成23年法律第39号）
株式会社日本政策金融公庫	会社法及び株式会社日本政策金融公庫法（平成19年法律第57号）
港務局	港湾法
<u>国立健康危機管理研究機構</u>	<u>国立健康危機管理研究機構法（令和5年法律第46号）</u>
国立大学法人	国立大学法人法（平成15年法律第112号）
社会保険診療報酬支払基金	社会保険診療報酬支払基金法（昭和23年法律第129号）
水害予防組合	水害予防組合法（明治41年法律第50号）
水害予防組合連合	
大学共同利用機関法人	国立大学法人法
地方公共団体	地方自治法（昭和22年法律第67号）
地方公共団体金融機構	地方公共団体金融機構法（平成19年法律第64号）
地方公共団体情報システム機構	地方公共団体情報システム機構法（平成25年法律第29号）
地方住宅供給公社	地方住宅供給公社法（昭和40年法律第124号）
地方税共同機構	地方税法
地方道路公社	地方道路公社法（昭和45年法律第82号）
地方独立行政法人	地方独立行政法人法（平成15年法律第118号）
独立行政法人（その資本金の額若しくは出資の金額の全部が国若しくは地方公共団体の所有に属しているもの又はこれに類するものとして、財務大臣が指定をしたものに限る。）	独立行政法人通則法（平成11年法律第103号）及び同法第1条第1項《目的等》に規定する個別法
土地開発公社	公有地の拡大の推進に関する法律（昭和47年法律第66号）
土地改良区	土地改良法（昭和24年法律第195号）
土地改良区連合	
土地区画整理組合	土地区画整理法（昭和29年法律第119号）
日本下水道事業団	日本下水道事業団法（昭和47年法律第41号）
日本司法支援センター	総合法律支援法（平成16年法律第74号）
日本中央競馬会	日本中央競馬会法（昭和29年法律第205号）
日本年金機構	日本年金機構法（平成19年法律第109号）
日本放送協会	放送法（昭和25年法律第132号）
福島国際研究教育機構	福島復興再生特別措置法（平成24年法律第25号）

注1　──線部分（国立健康危機管理研究機構に係る部分に限る。）は、国立健康危機管理研究機構法の施行に伴う関係法律の整備に関する法律（令和5年法律第47号）により追加された部分で、改正規定は、国立健康危機管理研究機構法（令和5年法律第46号）の施行の日（令和7年4月1日）から適用される。（令和5年法律第47号附18、1、令和6年政令第175号）
　　　なお、同法の施行期日を定める政令は、令和6年7月1日現在制定されていない。（編者）

注2　**別表第一**《公共法人の表》の財務大臣が指定した独立行政法人には、次のものがある。（平15財告第606号〔最終改正令6第90号〕）

名　　　　　称	根　　　拠　　　法
国立研究開発法人医薬基盤・健康・栄養研究所	国立研究開発法人医薬基盤・健康・栄養研究所法（平成16年法律第135号）

国立研究開発法人海上・港湾・航空技術研究所	国立研究開発法人海上・港湾・航空技術研究所法（平成11年法律第208号）
国立研究開発法人建築研究所	国立研究開発法人建築研究所法（平成11年法律第206号）
国立研究開発法人国際農林水産業研究センター	国立研究開発法人国際農林水産業研究センター法（平成11年法律第197号）
国立研究開発法人国立環境研究所	国立研究開発法人国立環境研究所法（平成11年法律第216号）
国立研究開発法人国立がん研究センター	高度専門医療に関する研究等を行う国立研究開発法人に関する法律（平成20年法律第93号）
国立研究開発法人国立国際医療研究センター	
国立研究開発法人国立循環器病研究センター	
国立研究開発法人国立成育医療研究センター	
国立研究開発法人国立精神・神経医療研究センター	
国立研究開発法人国立長寿医療研究センター	
国立研究開発法人産業技術総合研究所	国立研究開発法人産業技術総合研究所法（平成11年法律第203号）
国立研究開発法人情報通信研究機構	国立研究開発法人情報通信研究機構法（平成11年法律第162号）
国立研究開発法人森林研究・整備機構	国立研究開発法人森林研究・整備機構法（平成11年法律第198号）
国立研究開発法人水産研究・教育機構	国立研究開発法人水産研究・教育機構法（平成11年法律第199号）
国立研究開発法人土木研究所	国立研究開発法人土木研究所法（平成11年法律第205号）
国立研究開発法人日本医療研究開発機構	国立研究開発法人日本医療研究開発機構法（平成26年法律第49号）
国立研究開発法人物質・材料研究機構	国立研究開発法人物質・材料研究機構法（平成11年法律第173号）
国立研究開発法人防災科学技術研究所	国立研究開発法人防災科学技術研究所法（平成11年法律第174号）
国立研究開発法人量子科学技術研究開発機構	国立研究開発法人量子科学技術研究開発機構法（平成11年法律第176号）
独立行政法人奄美群島振興開発基金	奄美群島振興開発特別措置法（昭和29年法律第189号）
独立行政法人医薬品医療機器総合機構	独立行政法人医薬品医療機器総合機構法（平成14年法律第192号）
独立行政法人エネルギー・金属鉱物資源機構	独立行政法人エネルギー・金属鉱物資源機構法（平成14年法律第94号）
独立行政法人海技教育機構	独立行政法人海技教育機構法（平成11年法律第214号）
独立行政法人家畜改良センター	独立行政法人家畜改良センター法（平成11年法律第185号）
独立行政法人環境再生保全機構	独立行政法人環境再生保全機構法（平成15年法律第43号）
独立行政法人教職員支援機構	独立行政法人教職員支援機構法（平成12年法律第88号）
独立行政法人空港周辺整備機構	公共用飛行場周辺における航空機騒音による障害の防止等に関する法律（昭和42年法律第110号）
独立行政法人経済産業研究所	独立行政法人経済産業研究所法（平成11年法律第200号）
独立行政法人工業所有権情報・研修館	独立行政法人工業所有権情報・研修館法（平成11年法律第201号）
独立行政法人航空大学校	独立行政法人航空大学校法（平成11年法律第215号）
独立行政法人高齢・障害・求職者雇用支援機構	独立行政法人高齢・障害・求職者雇用支援機構法（平成14年法律第165号）
独立行政法人国際観光振興機構	独立行政法人国際観光振興機構法（平成14年法律第181号）
独立行政法人国際協力機構	独立行政法人国際協力機構法（平成14年法律第136号）
独立行政法人国際交流基金	独立行政法人国際交流基金法（平成14年法律第137号）
独立行政法人国民生活センター	独立行政法人国民生活センター法（平成14年法律第123号）
独立行政法人国立印刷局	独立行政法人国立印刷局法（平成14年法律第41号）
独立行政法人国立科学博物館	独立行政法人国立科学博物館法（平成11年法律第172号）
独立行政法人国立高等専門学校機構	独立行政法人国立高等専門学校機構法（平成15年法律第113号）
独立行政法人国立公文書館	国立公文書館法（平成11年法律第79号）
独立行政法人国立重度知的障害者総合施設のぞみの園	独立行政法人国立重度知的障害者総合施設のぞみの園法（平成14年法律第167号）
独立行政法人国立女性教育会館	独立行政法人国立女性教育会館法（平成11年法律第168号）
独立行政法人国立青少年教育振興機構	独立行政法人国立青少年教育振興機構法（平成11年法律第167号）
独立行政法人国立特別支援教育総合研究所	独立行政法人国立特別支援教育総合研究所法（平成11年法律第165号）
独立行政法人国立美術館	独立行政法人国立美術館法（平成11年法律第177号）

独立行政法人国立病院機構	独立行政法人国立病院機構法（平成14年法律第191号）
独立行政法人国立文化財機構	独立行政法人国立文化財機構法（平成11年法律第178号）
独立行政法人自動車技術総合機構	独立行政法人自動車技術総合機構法（平成11年法律第218号）
独立行政法人住宅金融支援機構	独立行政法人住宅金融支援機構法（平成17年法律第82号）
独立行政法人酒類総合研究所	独立行政法人酒類総合研究所法（平成11年法律第164号）
独立行政法人製品評価技術基盤機構	独立行政法人製品評価技術基盤機構法（平成11年法律第204号）
独立行政法人造幣局	独立行政法人造幣局法（平成14年法律第40号）
独立行政法人大学改革支援・学位授与機構	独立行政法人大学改革支援・学位授与機構法（平成15年法律第114号）
独立行政法人大学入試センター	独立行政法人大学入試センター法（平成11年法律第166号）
独立行政法人地域医療機能推進機構	独立行政法人地域医療機能推進機構法（平成17年法律第71号）
独立行政法人駐留軍等労働者労務管理機構	独立行政法人駐留軍等労働者労務管理機構法（平成11年法律第217号）
独立行政法人鉄道建設・運輸施設整備支援機構	独立行政法人鉄道建設・運輸施設整備支援機構法（平成14年法律第180号）
独立行政法人統計センター	独立行政法人統計センター法（平成11年法律第219号）
独立行政法人都市再生機構	独立行政法人都市再生機構法（平成15年法律第100号）
独立行政法人日本学術振興会	独立行政法人日本学術振興会法（平成14年法律第159号）
独立行政法人日本学生支援機構	独立行政法人日本学生支援機構法（平成15年法律第94号）
独立行政法人日本芸術文化振興会	独立行政法人日本芸術文化振興会法（平成14年法律第163号）
独立行政法人日本高速道路保有・債務返済機構	独立行政法人日本高速道路保有・債務返済機構法（平成16年法律第100号）
独立行政法人日本スポーツ振興センター	独立行政法人日本スポーツ振興センター法（平成14年法律第162号）
独立行政法人日本貿易振興機構	独立行政法人日本貿易振興機構法（平成14年法律第172号）
独立行政法人農畜産業振興機構	独立行政法人農畜産業振興機構法（平成14年法律第126号）
独立行政法人農林水産消費安全技術センター	独立行政法人農林水産消費安全技術センター法（平成11年法律第183号）
独立行政法人福祉医療機構	独立行政法人福祉医療機構法（平成14年法律第166号）
独立行政法人北方領土問題対策協会	独立行政法人北方領土問題対策協会法（平成14年法律第132号）
独立行政法人水資源機構	独立行政法人水資源機構法（平成14年法律第182号）
独立行政法人郵便貯金簡易生命保険管理・郵便局ネットワーク支援機構	独立行政法人郵便貯金簡易生命保険管理・郵便局ネットワーク支援機構法（平成17年法律第101号）
独立行政法人労働者健康安全機構	独立行政法人労働者健康安全機構法（平成14年法律第171号）
独立行政法人労働政策研究・研修機構	独立行政法人労働政策研究・研修機構法（平成14年法律第169号）
年金積立金管理運用独立行政法人	年金積立金管理運用独立行政法人法（平成16年法律第105号）

別表第二　公益法人等の表（第2条、第3条、第37条、第66条、附則19条の2関係〔令和6年7月1日現在〕）

名　　称	根　拠　法
委託者保護基金	商品先物取引法（昭和25年法律第239号）
一般財団法人（非営利型法人に該当するものに限る。）	一般社団法人及び一般財団法人に関する法律（平成18年法律第48号）
一般社団法人（非営利型法人に該当するものに限る。）	
医療法人（医療法第42条の2第1項《社会医療法人》に規定する社会医療法人に限る。）	医療法
外国人育成就労機構	外国人の育成就労の適正な実施及び育成就労外国人の保護に関する法律（平成28年法律第89号）
貸金業協会	貸金業法（昭和58年法律第32号）
学校法人（私立学校法（昭和24年法律第270号）第152条第5項《私立専修学校等》の規定により設立された法人を含む。）	私立学校法
企業年金基金	確定給付企業年金法
企業年金連合会	
危険物保安技術協会	消防法（昭和23年法律第186号）
行政書士会	行政書士法（昭和26年法律第4号）
漁業共済組合	漁業災害補償法（昭和39年法律第158号）
漁業共済組合連合会	
漁業信用基金協会	中小漁業融資保証法（昭和27年法律第346号）
漁船保険組合	漁船損害等補償法（昭和27年法律第28号）
金融経済教育推進機構	金融サービスの提供及び利用環境の整備等に関する法律（平成12年法律第101号）
勤労者財産形成基金	勤労者財産形成促進法
軽自動車検査協会	道路運送車両法（昭和26年法律第185号）
健康保険組合	健康保険法（大正11年法律第70号）
健康保険組合連合会	
原子力損害賠償・廃炉等支援機構	原子力損害賠償・廃炉等支援機構法（平成23年法律第94号）
原子力発電環境整備機構	特定放射性廃棄物の最終処分に関する法律（平成12年法律第117号）
高圧ガス保安協会	高圧ガス保安法（昭和26年法律第204号）
広域的運営推進機関	電気事業法
広域臨海環境整備センター	広域臨海環境整備センター法（昭和56年法律第76号）
公益財団法人	一般社団法人及び一般財団法人に関する法律及び公益社団法人及び公益財団法人の認定等に関する法律
公益社団法人	
更生保護法人	更生保護事業法（平成7年法律第86号）
小型船舶検査機構	船舶安全法（昭和8年法律第11号）
国家公務員共済組合	国家公務員共済組合法
国家公務員共済組合連合会	

国民健康保険組合	国民健康保険法（昭和33年法律第192号）
国民健康保険団体連合会	
国民年金基金	国民年金法
国民年金基金連合会	
市街地再開発組合	都市再開発法（昭和44年法律第38号）
自動車安全運転センター	自動車安全運転センター法（昭和50年法律第57号）
司法書士会	司法書士法（昭和25年法律第197号）
社会福祉法人	社会福祉法（昭和26年法律第45号）
社会保険労務士会	社会保険労務士法（昭和43年法律第89号）
宗教法人	宗教法人法（昭和26年法律第126号）
住宅街区整備組合	大都市地域における住宅及び住宅地の供給の促進に関する特別措置法（昭和50年法律第67号）
酒造組合	酒税の保全及び酒類業組合等に関する法律（昭和28年法律第7号）
酒造組合中央会	
酒造組合連合会	
酒販組合	
酒販組合中央会	
酒販組合連合会	
商工会	商工会法（昭和35年法律第89号）
商工会議所	商工会議所法（昭和28年法律第143号）
商工会連合会	商工会法（昭和35年法律第89号）
商工組合（組合員に出資をさせないものに限る。）	中小企業団体の組織に関する法律（昭和32年法律第185号）
商工組合連合会（会員に出資をさせないものに限る。）	
使用済燃料再処理機構	原子力発電における使用済燃料の再処理等の実施に関する法律（平成17年法律第48号）
商品先物取引協会	商品先物取引所法
消防団員等公務災害補償等共済基金	消防団員等公務災害補償等責任共済等に関する法律（昭和31年法律第107号）
職員団体等（法人であるものに限る。）	職員団体等に対する法人格の付与に関する法律（昭和53年法律第80号）
職業訓練法人	職業能力開発促進法（昭和44年法律第64号）
信用保証協会	信用保証協会法（昭和28年法律第196号）
生活衛生同業組合（組合員に出資をさせないものに限る。）	生活衛生関係営業の運営の適正化及び振興に関する法律（昭和32年法律第164号）
生活衛生同業組合連合会（会員に出資をさせないものに限る。）	
税理士会	税理士法（昭和26年法律第237号）
石炭鉱業年金基金	石炭鉱業年金基金法（昭和42年法律第135号）
船員災害防止協会	船員災害防止活動の促進に関する法律（昭和42年法律第61号）

全国健康保険協会	健康保険法
全国市町村職員共済組合連合会	地方公務員等共済組合法
全国社会保険労務士会連合会	社会保険労務士法
損害保険料率算出団体	損害保険料率算出団体に関する法律（昭和23年法律第193号）
脱炭素成長型経済構造移行推進機構	脱炭素成長型経済構造への円滑な移行の推進に関する法律（令和5年法律第32号）
地方競馬全国協会	競馬法（昭和23年法律第158号）
地方公務員共済組合	地方公務員等共済組合法
地方公務員共済組合連合会	
地方公務員災害補償基金	地方公務員災害補償法（昭和42年法律第121号）
中央職業能力開発協会	職業能力開発促進法
中央労働災害防止協会	労働災害防止団体法（昭和39年法律第118号）
中小企業団体中央会	中小企業等協同組合法（昭和24年法律第181号）
投資者保護基金	金融商品取引法
独立行政法人（**別表第一**《公共法人の表》に掲げる以外のもので、国又は地方公共団体以外の者に対し、利益又は剰余金の分配その他これに類する金銭の分配を行わないものとして財務大臣が指定したものに限る。）	独立行政法人通則法及び同法第1条第1項《目的等》に規定する個別法
土地改良事業団体連合会	土地改良法
土地家屋調査士会	土地家屋調査士法（昭和25年法律第228号）
都道府県職業能力開発協会	職業能力開発促進法
日本行政書士会連合会	行政書士法
日本勤労者住宅協会	日本勤労者住宅協会法（昭和41年法律第133号）
日本公認会計士協会	公認会計士法
日本司法書士会連合会	司法書士法
日本商工会議所	商工会議所法
日本消防検定協会	消防法
日本私立学校振興・共済事業団	日本私立学校振興・共済事業団法
日本税理士会連合会	税理士法
日本赤十字社	日本赤十字社法（昭和27年法律第305号）
日本電気計器検定所	日本電気計器検定所法（昭和39年法律第150号）
日本土地家屋調査士会連合会	土地家屋調査士法
日本弁護士連合会	弁護士法（昭和24年法律第205号）
日本弁理士会	弁理士法（平成12年法律第49号）
日本水先人会連合会	水先法（昭和24法律第121号）
認可金融商品取引業協会	金融商品取引法
農業共済組合	農業保険法（昭和22年法律第185号）
農業共済組合連合会	
農業協同組合連合会（医療法第31条《公的医療	農業協同組合法

機関の定義》に規定する公的医療機関に該当する病院又は診療所を設置するもので（１）《公益法人等に該当する農業協同組合連合会の要件》に掲げる要件を満たすものとして財務大臣が指定したものに限る。）	
農業信用基金協会	農業信用保証保険法（昭和36年法律第204号）
農水産業協同組合貯金保険機構	農水産業協同組合貯金保険法（昭和48年法律第53号）
負債整理組合	農村負債整理組合法（昭和８年法律第21号）
弁護士会	弁護士法
保険契約者保護機構	保険業法
水先人会	水先法
輸出組合（組合員に出資をさせないものに限る。）	輸出入取引法（昭和27年法律第299号）
輸入組合（組合員に出資をさせないものに限る。）	
預金保険機構	預金保険法（昭和46年法律第34号）
労働組合（法人であるものに限る。）	労働組合法（昭和24年法律174号）
労働災害防止協会	労働災害防止団体法
労働者協同組合（労働者協同組合法〔令和２年法律第78号〕第94条の３第２号《認定の基準》に規定する特定労働者協同組合に限る。）	労働者協同組合法

注１ ──線部分（「外国人育成就労機構」に係る部分に限る。）は、出入国管理及び難民認定法及び外国人の技能実習の適正な実施及び技能実習生の保護に関する法律の一部を改正する法律（令和６年法律第60号）により改正された部分で、改正規定は、同法の施行の日から適用され、同日前の適用については、「外国人育成就労機構」とあるのは「外国人技能実習機構」と、「外国人の育成就労の適正な実施及び育成就労外国人の保護に関する法律」とあるのは「外国人の技能実習の適正な実施及び技能実習生の保護に関する法律」とする。（令和６年法律第60号附則27、１）

　　なお、同法の施行期日を定める政令は、令和６年７月１日現在制定されていない。（編者）

注２ ──線部分（「第152条第５項《私立専修学校等》」に係る部分に限る。）は、私立学校法の一部を改正する法律（令和５年法律第21号）により改正された部分で、改正規定は、令和７年４月１日から適用され、令和７年３月31日以前の適用については、「第152条第５項《私立専修学校等》」とあるのは「第64条第４項《専修学校及び各種学校》」とする。（同法附18、１）

注３ ──線部分（「金融経済教育推進機構」に係る部分に限る。）は、金融商品取引法等の一部を改正する法律（令和５年法律第79号）により追加された部分で、改正規定は、令和６年２月１日から適用される。（同法附43、１Ⅱ、令和６年政令第21号）

注４ ──線部分（「脱炭素成長型経済構造移行推進機構」に係る部分に限る。）は、令和６年度改正により追加された部分で、改正規定は、令和６年４月１日から適用される。（令６改正附１）

注５ 農業協同組合法等の一部を改正する等の法律（平成27年法律第63号）附則第９条の規定によりなお存続する農業協同組合中央会（存続中央会）については、**別表第二**《公益法人等の表》に掲げる法人とみなされる。（同法附69①）

注６ 公的年金制度の健全性及び信頼性の確保のための厚生年金保険法等の一部を改正する法律（平成25年法律第63号）附則第37条の規定によりなお存続する企業年金連合会（存続連合会）については、**別表第二**《公益法人等の表》に掲げる法人とみなされる。（同法附110①、平成26年政令第72号）

注７ **別表第二**《公益法人等の表》の財務大臣が指定した独立行政法人には、次のものがある。（平15財告第607号〔最終改正令６第91号〕）

名　　　　　　　　　称	根　　　　拠　　　　法
国立研究開発法人宇宙航空研究開発機構	国立研究開発法人宇宙航空研究開発機構法（平成14年法律第161号）
国立研究開発法人海洋研究開発機構	国立研究開発法人海洋研究開発機構法（平成15年法律第95号）
国立研究開発法人科学技術振興機構	国立研究開発法人科学技術振興機構法（平成14年法律第158号）
国立研究開発法人新エネルギー・産業技術総合開発機構	国立研究開発法人新エネルギー・産業技術総合開発機構法（平成14年法律第145号）
国立研究開発法人日本原子力研究開発機構	国立研究開発法人日本原子力研究開発機構法（平成16年法律第155号）
国立研究開発法人農業・食品産業技術総合研究機構	国立研究開発法人農業・食品産業技術総合研究機構法（平成11年法律第192号）

国立研究開発法人理化学研究所	国立研究開発法人理化学研究所法（平成14年法律第160号）
独立行政法人勤労者退職金共済機構	中小企業退職金共済法（昭和34年法律第160号）
独立行政法人自動車事故対策機構	独立行政法人自動車事故対策機構法（平成14年法律第183号）
独立行政法人情報処理推進機構	情報処理の促進に関する法律（昭和45年法律第90号）
独立行政法人中小企業基盤整備機構	独立行政法人中小企業基盤整備機構法（平成14年法律第147号）
独立行政法人農業者年金基金	独立行政法人農業者年金基金法（平成14年法律第127号）
独立行政法人農林漁業信用基金	独立行政法人農林漁業信用基金法（平成14年法律第128号）

注5　次の（一）から（九）までに掲げる法人は、法人税法その他法人税に関する法令の規定の適用については、公益法人等とみなされる。（編者）

（一）	地方自治法第260条の2第7項《地縁による団体》に規定する認可地縁団体（同法260の2⑯）
（二）	建物の区分所有等に関する法律第47条第2項《成立等》に規定する管理組合法人及び同法第66条《建物の区分所有に関する規定の準用》の規定により読み替えられた同項に規定する団地管理組合法人（同法47⑬）
（三）	政党交付金の交付を受ける政党等に対する法人格の付与に関する法律第7条の2第1項《変更の登記》に規定する法人である政党等（同法13①）
（四）	密集市街地における防災街区の整備の促進に関する法律第133条第1項《法人格》に規定する防災街区整備事業組合（同法164の2①）
（五）	特定非営利活動促進法第2条第2項《定義》に規定する特定非営利活動法人（同法70①）
（六）	マンションの建替え等の円滑化に関する法律第5条第1項に規定するマンション建替組合、同法第116条に規定するマンション敷地売却組合及び同法第164条に規定する敷地分割組合（同法44①、139①）
（七）	厚生年金保険制度及び農林漁業団体職員共済組合制度の統合を図るための農林漁業団体職員共済組合法等を廃止する等の法律（平成13年法律第101号）附則第25条第1項《存続組合の業務等》の規定により農林漁業団体職員共済組合としてなお存続するものとされた同条第3項に規定する存続組合（同法附107①）
（八）	地方公務員等共済組合法の一部を改正する法律（平成23年法律第56号）附則第23条第1項《存続共済会》の規定により地方議会議員共済会としてなお存続するものとされた同項に規定する存続共済会（同法附42①）
（九）	公的年金制度の健全性及び信頼性の確保のための厚生年金保険法等の一部を改正する法律（平成25年法律第63号）附則第4条《旧厚生年金基金の存続》の規定により厚生年金基金としてなお存続するものとされた同法附則第3条第11号に規定する存続厚生年金基金及び同法附則第6条《厚生年金基金の設立に関する経過措置》の規定により従前の例により平成26年4月1日以後に設立された同法附則第3条第11号に規定する存続厚生年金基金（同法附110①、平成26年政令第72号）

（農業協同組合中央会の特例）
（1）　農業協同組合法等の一部を改正する等の法律（平成27年法律第63号）附則第12条《存続都道府県中央会の農業協同組合連合会への組織変更》に規定する存続都道府県中央会から同条の規定による組織変更をした農業協同組合連合会であって、同法附則第18条《組織変更後の農業協同組合連合会に係る事業等に関する特例》の規定により引き続きその名称中に農業協同組合中央会という文字を用いるもの（**別表第三**《協同組合等の表》の（1）において「**特例農業協同組合中央会**」という。）は、**別表第二**《公益法人等の表》に掲げる法人とみなして、法人税法、地方法人税法、租税特別措置法その他の法人税及び地方法人税に関する法令を適用する。（法附19の2①、令附12の2）

　　　注　存続都道府県中央会とは、農業協同組合法等の一部を改正する等の法律（平成27年法律第63号）附則第9条の規定によりなお存続するものとされた都道府県農業協同組合中央会をいう。（編者）

（公益法人等に該当する農業協同組合連合会の要件）
（2）　**別表第二**《公益法人等の表》の農業協同組合連合会の項に掲げる要件は、当該農業協同組合連合会の定款に次の（一）から（三）までに掲げる定めがあることとする。（令2①）

（一）	当該農業協同組合連合会の行う事業は、農業協同組合法第10条第1項第11号《医療に関する施設》に掲げる事業（これに附帯する事業を含む。）又は当該事業及び同項第12号《老人の福祉に関する施設》に掲げる事業（これらに附帯する事業を含む。）に限る旨の定め
（二）	当該農業協同組合連合会は、剰余金の配当（出資に係るものに限る。）を行わない旨の定め
（三）	当該農業協同組合連合会が解散したときは、その残余財産が国若しくは地方公共団体又は（一）に掲げる事業を行う他の農業協同組合連合会に帰属する旨の定め

(申請書の提出)
(3) 農業協同組合連合会は、**別表第二**《公益法人等の表》の農業協同組合連合会の項に掲げる指定を受けようとするときは、次の(一)から(六)までに掲げる事項を記載した申請書を財務大臣に提出しなければならない。(令2②、規2①)

(一)	申請をする農業協同組合連合会(以下(3)において「申請法人」という。)の名称及び主たる事務所の所在地
(二)	申請法人が設置する病院又は診療所の名称及び所在地
(三)	申請法人が農業協同組合法第10条第1項第12号《老人の福祉に関する施設》に掲げる事業を行う場合には、その設置する老人の福祉に関する施設の名称及び所在地
(四)	申請法人の理事の氏名及び住所
(五)	申請法人の行う事業の概要
(六)	その他参考となるべき事項

(申請書の添付書類)
(4) (3)《申請書の提出》に掲げる申請書には、次の(一)及び(二)に掲げる書類を添付しなければならない。(令2②、規2②)

(一)	定款の写し(当該定款が(3)に掲げる申請書の提出をする日前1年以内に変更をしたものである場合には、当該変更に関する農業協同組合法第44条第2項《定款の変更》に規定する行政庁の認可に係る書類の写し又は同条第4項の規定により行政庁に届け出た書類の写しを含む。)
(二)	当該申請書の提出をする日の属する事業年度の直前の事業年度の損益計算書、貸借対照表、剰余金又は損失の処分表及び事業報告書

(告示)
(5) 財務大臣は、**別表第二**《公益法人等の表》の農業協同組合連合会の項に基づき公益法人等に該当する農業協同組合連合会を指定したときは、これを告示する。(令2③)
　　注　財務大臣の指定した農業協同組合連合会には、次のものがある。(昭60蔵告第11号〔最終改正平28第95号〕)

法　人　名	主たる事務所の所在地
北海道厚生農業協同組合連合会	北海道札幌市中央区北四条西1丁目1番地
岩手県厚生農業協同組合連合会	岩手県紫波郡都南村大字永井14地割42番地
秋田県厚生農業協同組合連合会	秋田県秋田市八橋字戌川原64番地の2
福島県厚生農業協同組合連合会	福島県福島市中町7番17号
茨城県厚生農業協同組合連合会	茨城県水戸市梅香1丁目1番4号
佐野厚生農業協同組合連合会	栃木県佐野市堀米町1555番地
上都賀厚生農業協同組合連合会	栃木県鹿沼市下田町1丁目1033番地
群馬県厚生農業協同組合連合会	群馬県前橋市亀里町1310番地
千葉県厚生農業協同組合連合会	千葉県千葉市新千葉3丁目2番6号
東京都厚生農業協同組合連合会	東京都立川市柴崎町3丁目5番27号
神奈川県厚生農業協同組合連合会	神奈川県横浜市中区海岸通り1丁目2番地の2
新潟県厚生農業協同組合連合会	新潟県新潟市東中通一番町86番地
富山県厚生農業協同組合連合会	富山県富山市新総曲輪2番21号
福井県厚生農業協同組合連合会	福井県福井市大手3丁目2番18号
山梨県厚生農業協同組合連合会	山梨県甲府市飯田1丁目1番20号
長野県厚生農業協同組合連合会	長野県長野市大字南長野南県町687番地の2
岐阜県厚生農業協同組合連合会	岐阜県岐阜市宇佐南4丁目13番1号
静岡県厚生農業協同組合連合会	静岡県静岡市曲金3丁目8番1号

愛知県厚生農業協同組合連合会	愛知県愛知郡長久手町大字長湫字西塚田5番地
三重県厚生農業協同組合連合会	三重県津市栄町1丁目179番地の3
滋賀県厚生農業協同組合連合会	滋賀県大津市京町4丁目3番38号
兵庫県厚生農業協同組合連合会	兵庫県神戸市中央区海岸通1番地
島根県厚生農業協同組合連合会	島根県松江市千鳥町15番地
岡山県厚生農業協同組合連合会	岡山県岡山市磨屋町8番17号
広島県厚生農業協同組合連合会	広島県広島市中区大手町4丁目6番16号
山口県厚生農業協同組合連合会	山口県吉敷郡小郡町大字下郷2139番地
徳島県厚生農業協同組合連合会	徳島県徳島市北佐古一番地5番12号
香川県厚生農業協同組合連合会	香川県高松市屋島西町1857番地1
愛媛県厚生農業協同組合連合会	愛媛県松山市南堀端町2番地3
高知県厚生農業協同組合連合会	高知県南国市大埇甲1571番地
熊本県厚生農業協同組合連合会	熊本県熊本市南千反畑町2番3号熊本県農協会館内
大分県厚生農業協同組合連合会	大分県別府市大字鶴見4333番地
鹿児島県厚生農業協同組合連合会	鹿児島県鹿児島市鴨池新町15番地

別表第三　協同組合等の表 (第2条、附則19条の2関係〔令和6年7月1日現在〕)

名　　　　　称	根　　拠　　法
共済水産業協同組合連合会	水産業協同組合法（昭和23年法律第242号）
漁業協同組合	水産業協同組合法（昭和23年法律第242号）
漁業協同組合連合会	水産業協同組合法（昭和23年法律第242号）
漁業生産組合（当該組合の事業に従事する組合員に対し給料、賃金、賞与その他これらの性質を有する給与を支給するものを除く。）	水産業協同組合法（昭和23年法律第242号）
商工組合（組合員に出資をさせるものに限る。）	中小企業団体の組織に関する法律
商工組合連合会（会員に出資をさせるものに限る。）	中小企業団体の組織に関する法律
商店街振興組合	商店街振興組合法（昭和37年法律第141号）
商店街振興組合連合会	商店街振興組合法（昭和37年法律第141号）
消費生活協同組合	消費生活協同組合法（昭和23年法律第200号）
消費生活協同組合連合会	消費生活協同組合法（昭和23年法律第200号）
信用金庫	信用金庫法（昭和26年法律第238号）
信用金庫連合会	信用金庫法（昭和26年法律第238号）
森林組合	森林組合法（昭和53年法律第36号）
森林組合連合会	森林組合法（昭和53年法律第36号）
水産加工業協同組合	水産業協同組合法
水産加工業協同組合連合会	水産業協同組合法
生活衛生同業組合（組合員に出資をさせるものに限る。）	生活衛生関係営業の運営の適正化及び振興に関する法律
生活衛生同業組合連合会（会員に出資をさせるものに限る。）	生活衛生関係営業の運営の適正化及び振興に関する法律
生活衛生同業小組合	生活衛生関係営業の運営の適正化及び振興に関する法律
生産森林組合（当該組合の事業に従事する組合員に対し給料、賃金、賞与その他これらの性質を有する給与を支給するものを除く。）	森林組合法
船主相互保険組合	船主相互保険組合法（昭和25年法律第177号）
たばこ耕作組合	たばこ耕作組合法（昭和33年法律第135号）
中小企業等協同組合（企業組合を除く。）	中小企業等協同組合法
内航海運組合	内航海運組合法（昭和32年法律第162号）
内航海運組合連合会	内航海運組合法（昭和32年法律第162号）
農業協同組合	農業協同組合法
農業協同組合連合会（**別表第二**《公益法人等の表》の農業協同組合連合会の項の財務大臣が指定したものを除く。）	農業協同組合法
農事組合法人（農業協同組合法第72条の10第1項第2号《農業の経営》の事業を行う農事組合法人でその事業に従事する組合員に対し給料、賃金、賞与その他これらの性質を有する給与を	農業協同組合法

支給するものを除く。）	
農林中央金庫	農林中央金庫法（平成13年法律第93号）
輸出組合（組合員に出資をさせるものに限る。）	輸出入取引法
輸出水産業組合	輸出水産業の振興に関する法律（昭和29年法律第154号）
輸入組合（組合員に出資をさせるものに限る。）	輸出入取引法
労働金庫	労働金庫法（昭和28年法律第227号）
労働金庫連合会	
労働者協同組合連合会	労働者協同組合法

注　貸家組合、貸家組合連合会、貸室組合及び貸室組合連合会（以下この注において「貸家組合等」という。）は、許可、認可等の整理に関する法律（昭和53年法律第54号）附則第21項により**別表第三**から除かれたが、昭和53年5月23日に現に存する貸家組合等については、なお協同組合等とされる。（同法附㉒⑫）

（農業協同組合中央会の特例）
（1）　特例農業協同中央会は、別表第三に掲げる法人に該当しないものとみなして、法人税法、地方法人税法、租税特別措置法その他の法人税及び地方法人税に関する法令を適用する。（法附19の2②、令附12の2）

（中小企業等協同組合法抜粋）
（2）　中小企業等協同組合法では次のように定められている。
　　　（種類）
　　　第3条　中小企業等協同組合（以下「組合」という。）は、次に掲げるものとする。
　　　　一　事業協同組合
　　　　一の二　事業協同小組合
　　　　二　信用協同組合
　　　　三　協同組合連合会
　　　　四　企業組合
　　　（名称）
　　　第6条　組合は、その名称中に、次の文字を用いなければならない。
　　　　一　事業協同組合にあっては、協同組合（括弧書き省略）
　　　　一の二　事業協同小組合にあっては、協同小組合（括弧書き省略）
　　　　二　信用協同組合にあっては、信用協同組合又は信用組合
　　　　三　協同組合連合会にあっては、その種類に従い、協同組合、協同小組合又は信用協同組合のうちのいずれかを冠する連合会（括弧書き省略）
　　　　四　企業組合にあっては、企業組合
　　　2・3　省　略

（漁業生産組合等のうち協同組合等となるものの判定）
（3）　漁業生産組合、生産組合である森林組合又は農事組合法人で協同組合等として第三章第一節第二十八款の**二**《協同組合等の事業分量配当等の損金算入》の適用があるものは、これらの組合又は法人の事業に従事する組合員に対し、給料、賃金、賞与その他これらの性質を有する給与を支給しないものに限られるのであるが、その判定に当たっては、次の(一)から(三)までに掲げることについては、次の(一)から(三)までによる。（基通14－2－4）

(一)	その事業に従事する組合員には、これらの組合の役員又は事務に従事する使用人である組合員を含まないから、これらの役員又は使用人である組合員に対し給与を支給しても、協同組合等に該当するかどうかの判定には関係がない。
(二)	その事業に従事する組合員に対し、その事業年度において当該事業年度分に係る従事分量配当金として確定すべき金額を見合いとして金銭を支給し、当該事業年度の剰余金処分によりその従事分量配当金が確定するまでの間仮払金、貸付金等として経理した場合には、当該仮払金等として経理した金額は、給与として支給されたものとはしない。

| (三) | その事業に従事する組合員に対し、通常の自家消費の程度を超えて生産物等を支給した場合において、その支給が給与の支払に代えてされたものと認められるときは、これらの組合又は法人は、協同組合等に該当しない。 |

三　人格のない社団等

　人格のない社団等は、法人とみなして、法人税法（第三章第二節第三款の**五**《電子情報処理組織による申告の特例》、法人税法第82条の７《電子情報処理組織による申告》及び**二**の**別表第二**《公益法人等の表》を除く。）を適用する。（法３）

　注１　──線部分は、令和５年度改正により追加された部分で、改正規定は、令和６年４月１日から適用される。（令５改法附１Ⅳイ）
　注２　所得税法、国税通則法などにおいても、人格のない社団等は法人とみなしてこれらの法律を適用する旨の規定が設けられている。（所法４、通法３）
　注３　法人税法施行令、租税特別措置法などにおいては、人格のない社団は法人に含まれる旨の規定が設けられている。（令４④、措法２②Ⅰのロ、42の４①）

四　納　税　義　務

１　納税義務者

　内国法人は、法人税法により、法人税を納める義務がある。ただし、公益法人等又は人格のない社団等については、収益事業を行う場合、法人課税信託の引受けを行う場合、法人税法第82条第４号《定義》に掲げる特定多国籍企業グループ等に属する場合又は**五**の**３**の(１)《退職年金業務等の意義》に掲げる退職年金業務等を行う場合に限る。（法４①）

　注　──部分は、令和５年度改正により改正された部分で、改正規定は令和６年４月１日から適用され、令和６年３月31日以前の適用については、「場合、法人税法第82条第４号《定義》に掲げる特定多国籍企業グループ等に属する場合」とあるのは、「場合」とする。（令５改法附１Ⅳイ）

　　（公共法人）
（１）　公共法人は、**１**《納税義務者》にかかわらず、法人税を納める義務がない。（法４②）

　　（法人の合併による国税の納付義務の承継）
（２）　法人が合併した場合には、合併後存続する法人又は合併により設立した法人は、合併により消滅した法人（以下（２）において「被合併法人」という。）に課されるべき、又は被合併法人が納付し、若しくは徴収されるべき国税を納める義務を承継する。（通法６）

　　注　「課されるべき国税」とは、合併の時において被合併法人につき既に納税義務は成立しているがまだ申告、更正決定等により納付すべき税額が確定するに至っていない国税をいい、「納付すべき国税」とは、合併の時において被合併法人につき申告、更正決定等により既に納付すべき税額が確定している国税をいう。（編者）

　　（人格のない社団等に係る国税の納付義務の承継）
（３）　法人が人格のない社団等の財産に属する権利義務を包括して承継した場合には、その法人は、その人格のない社団等に課されるべき、又はその人格のない社団等が納付し、若しくは徴収されるべき国税（その承継が権利義務の一部についてされたときは、その国税の額にその承継の時における人格のない社団等の財産のうちにその法人が承継した財産の占める割合を乗じて計算した額の国税）を納める義務を承継する。（通法７）

　　注　「権利義務を包括して承継した場合」には、人格のない社団等が別個の人格のない社団等となった場合、人格のない社団等が法人格を取得した場合、人格のない社団等の一部門だけが別個の法人（人格のない社団等を除く。）又は人格のない社団等になった場合等がある。（編者）

　　（清算結了の登記をした場合の納税義務等）
（４）　法人が清算結了の登記をした場合においても、その清算の結了は実質的に判定すべきものであるから、当該法人は、法人税を納める義務を履行するまではなお存続するものとする。（基通１－１－７）

　　注　本文の法人が通算法人である場合において当該法人が清算結了の登記をしたときの当該法人の納税義務等について、当該法人は、その法人税については、本文に定めるところにより、当該法人税を納める義務を履行するまではなお存続するものとし、第五節の**五**の**１**《通算法人の連帯納付の責任》により連帯納付の責任を有することとなった他の通算法人の同**１**に掲げる法人税については、当該法人及び他の通算法人が当該法人税を納める義務を履行するまではなお存続するものとする。

　　（法人の合併等の無効判決に係る連帯納付義務）
（５）　合併又は分割（以下（５）において「合併等」という。）を無効とする判決が確定した場合には、当該合併等をした法人は、合併後存続する法人若しくは合併により設立した法人又は分割により事業を承継した法人の当該合併等の日

以後に納税義務（**2**の(1)《納付すべき税額の確定》に掲げる納税義務をいう。(6)において同じ。）の成立した国税（その附帯税を含む。）について、連帯して納付する義務を負う。（通法9の2）

　　　（法人の分割に係る連帯納付の責任）
（6）　法人が分割（二の表の**12の10**《分社型分割》に掲げる分社型分割を除く。以下(6)において同じ。）をした場合には、当該分割により事業を承継した法人は、当該分割をした法人の分割の日前に納税義務の成立した国税（その附帯税を含み、その納める義務が国税通則法第7条の2第4項《信託に係る国税の納付義務の承継》の規定により受託者としての権利義務を承継した法人に承継されたもの及びその納める義務が信託法第154条《信託の併合後の信託の信託財産責任負担債務の範囲等》に規定する信託財産限定責任負担債務となるものを除く。）について、連帯納付の責めに任ずる。ただし、当該分割をした法人から承継した財産（当該分割をした法人から承継した信託財産に属する財産を除く。）の価額を限度とする。（通法9の3）

　　　（第二次納税義務）
（7）　国税徴収法には、次の(一)から(八)までに掲げるような第二次納税義務に関する規定が設けられている。

(一)	合名会社等の社員の第二次納税義務（徴法33） 注　合名会社若しくは合資会社又は税理士法人、弁護士法人、外国法事務弁護士法人、弁護士・外国法事務弁護士共同法人、監査法人、特許業務法人、司法書士法人、行政書士法人、社会保険労務士法人若しくは土地家屋調査士法人が国税を滞納した場合には、その社員（合資会社及び監査法人にあっては、無限責任社員）に第二次納税義務があり、連帯してその責に任ずる。（編者）
(二)	清算人等の第二次納税義務（徴法34） 注　法人が解散した場合において、国税を納付しないで残余財産の分配又は引渡しをしたときは、清算人及び残余財産の分配又は引渡しを受けた者は、清算人は分配又は引渡しをした財産の価額を、残余財産の分配又は引渡しを受けた者はその受けた財産の価額を、それぞれ限度として、第二次納税義務を負う。（編者）
(三)	同族会社の第二次納税義務（徴法35）
(四)	実質課税額等の第二次納税義務（徴法36）
(五)	共同的な事業者の第二次納税義務（徴法37）
(六)	事業を譲り受けた特殊関係者の第二次納税義務（徴法38）
(七)	無償又は著しい低額の譲受人等の第二次納税義務（徴法39）
(八)	人格のない社団等に係る第二次納税義務（徴法41）

2　納税義務の成立

国税を納税する義務（以下**2**において「納税義務」という。）は、次の表の左欄に掲げる区分に応じ、それぞれ同表の右欄に掲げる時に成立する。（通法15①②Ⅲ、通令5Ⅵ）

①	確定申告書又は退職年金等積立金確定申告書の提出により納付すべき法人税（⑤に掲げるものを除く。）	事業年度の終了の時
②	中間申告書又は退職年金等積立金中間申告書の提出により納付すべき法人税	事業年度（通算子法人が提出すべき中間申告書にあっては、その事業年度の開始の日の属する当該通算子法人に係る通算親法人の事業年度）の開始の日から6か月を経過する時
③	地方法人税確定申告書又は地方法人税法第19条第6項《確定申告》の規定による申告書の提出により納付すべき地方法人税（⑤に掲げるものを除く。）	課税事業年度の終了の時
④	地方法人税中間申告書又は地方法人税法第16条第10項《中間申告》の規定による申告書の提出により納付すべき地方法人税	課税事業年度（通算子法人が提出すべき中間申告書にあっては、その課税事業年度の開始の日の属する当該通算子法人に係る通算親法人の課税事業年度）の開始の日から6か月を経過する時
⑤	各対象会計年度の国際最低課税額に対する法人税及び特定基準	対象会計年度（法人税法第15条の2《対象会計

	法人税額に対する地方法人税	年度の意義》に掲げる対象会計年度をいう。）の終了の時

注1 ──線部分（注2に係る部分を除く。）は、令和5年度改正により改正された部分で、改正規定は、令和6年4月1日から適用され、令和6年3月31日以前の適用については、「法人税（⑤に掲げるものを除く。）」とあるのは、「法人税」と、「地方法人税（⑤に掲げるものを除く。）」とあるのは、「地方法人税」とする。（令5改法附1Ⅳハ）

注2 ──線部分（⑤に係る部分に限る。）は、令和5年度改正により追加された部分で、改正規定は、令和6年4月1日から適用される。（令5改法附1Ⅳハ）

（納付すべき税額の確定）

（1）納税義務が成立する場合には、その成立と同時に特別の手続を要しないで納付すべき税額が確定する国税を除き、国税に関する法律の定める手続により、その国税についての納付すべき税額が確定されるものとする。（通法15①）

（納付すべき税額の確定の方式）

（2）国税（延滞税及び利子税を除く。）についての納付すべき税額の確定の手続については、次の表の（一）の左欄に掲げる方式（過少申告加算税、無申告加算税及び重加算税にあっては、同表の（二）の左欄に掲げる方式）によるものとし、これらの方式の内容は、それぞれ同表の右欄に掲げるところによる。（通法16①②）

なお、延滞税及び利子税の納付すべき税額は、納税義務の成立と同時に特別の手続を要しないで確定する。（通法15③Ⅵ）

（一）	**申告納税方式**	納付すべき税額が納税者のする申告により確定することを原則とし、その申告がない場合又はその申告に係る税額の計算が国税に関する法律の規定に従っていなかった場合その他当該税額が税務署長の調査したところと異なる場合に限り、税務署長の処分により確定する方式をいう。
（二）	**賦課課税方式**	納付すべき税額が専ら税務署長の処分により確定する方式をいう。

五 課税所得の範囲

1 内国法人の課税所得の範囲

内国法人に対しては、各事業年度の所得について、各事業年度の所得に対する法人税を課する。（法5）

（内国公益法人等の非収益事業所得等の非課税）

内国法人である公益法人等又は人格のない社団等の各事業年度の所得のうち収益事業から生じた所得以外の所得については、**1**《内国法人の課税所得の範囲》にかかわらず、各事業年度の所得に対する法人税を課さない。（法6）

2 内国法人の国際最低課税額の課税

法人税法第82条第4号《定義》に掲げる特定多国籍企業グループ等に属する内国法人に対しては、**1**《内国法人の課税所得の範囲》により課する法人税のほか、各対象会計年度の第82条の2第1項《国際最低課税額》に掲げる国際最低課税額について、各対象会計年度の国際最低課税額に対する法人税を課する。（法6の2）

注 **2**は、令和5年度改正により創設されたもので、改正規定は、令和6年4月1日から適用される。（令5改法附1Ⅳイ）

3 退職年金業務等を行う内国法人の退職年金等積立金の課税

退職年金業務等を行う内国法人に対しては、**1**《内国法人の課税所得の範囲》及び**2**《内国法人の国際最低課税額の課税》により課する法人税のほか、各事業年度の退職年金等積立金について、退職年金等積立金に対する法人税を課する。（法7）

注1 ──線部分は、令和5年度改正により改正された部分で、改正規定は、令和6年4月1日から適用され、令和6年3月31日以前の適用については、「**1**《内国法人の課税所得の範囲》及び**2**《内国法人の国際最低課税額の課税》」とあるのは、「**1**《内国法人の課税所得の範囲》」とする。（令5改法附1Ⅳイ）

注2 退職年金業務等を行う法人の平成11年4月1日から令和8年3月31日までの間に開始する各事業年度の退職年金等積立金については、**2**にかかわらず、退職年金等積立金に対する法人税を課さない。（措法68の5）

注3 退職年金等積立金に対する法人税は、厚生年金基金契約等に基づく年金受給者に対する所得税の課税をこれらの契約の締結者である法人又は個人が掛金を拠出した時から当該年金受給者が現実に年金の支給を受ける時までの間猶予することに対する利子に相当するものとして、退職年金業務等を行う法人に対して課するもので、その法人の所得に対する法人税とは異なるものである。（編者）

(退職年金業務等の意義)
(1) 2《退職年金業務等を行う内国法人の退職年金等積立金の課税》に掲げる退職年金業務等とは、次の(一)から(九)までに掲げる業務をいう。(法84①)

(一)	**確定給付年金資産管理運用契約**に係る信託、生命保険又は生命共済の業務
(二)	**確定給付年金基金資産運用契約**に係る信託、生命保険、生命共済、預貯金の受入れ又は有価証券の売買その他の方法による**確定給付年金積立金**(確定給付企業年金法第59条《積立金の積立て》〔同法第91条の25《準用規定》において準用する場合を含む。〕に規定する積立金及びこれに類するものとして政令で定める積立金をいう。以下(二)において同じ。)の運用及び当該運用に係る確定給付年金積立金の管理の受託の業務
(三)	**確定拠出年金資産管理契約**に係る信託、生命保険、生命共済又は損害保険の業務
(四)	確定拠出年金法第2条第3項《定義》に規定する**個人型年金**を実施する業務
(五)	国家公務員共済組合法第21条第2項第2号《設立及び業務》に掲げる業務
(六)	地方公務員等共済組合法第3条の2第1項第3号《組合の業務》に規定する**退職等年金給付組合積立金**の積立ての業務及び同法第38条の2第2項第4号《地方公務員共済組合連合会》に規定する**退職等年金給付調整積立金**の管理及び運用に関する事務に係る業務
(七)	日本私立学校振興・共済事業団法第23条第1項第8号《業務》に掲げる業務
(八)	**勤労者財産形成給付契約**に係る信託、生命保険、生命共済又は損害保険の業務
(九)	**勤労者財産形成基金給付契約**に係る信託、生命保険、生命共済、損害保険、預貯金の受入れ又は有価証券の購入及び当該購入に係る有価証券の保管の受託の業務

注 上表の(二)の政令は、令和6年7月1日現在制定されていない。(編者)

(退職年金等積立金に対する法人税の特例)
(2) 適格退職年金契約に係る信託、生命保険又は生命共済の業務を行う法人に対しては、これらの業務は2に掲げる退職年金業務等に該当するものとみなして、各事業年度の退職年金等積立金について、退職年金等積立金に対する法人税を課する。(法附20①)

六 実質所得者課税の原則

資産又は事業から生ずる収益の法律上帰属するとみられる者が単なる名義人であって、その収益を享受せず、その者以外の法人がその収益を享受する場合には、その収益は、これを享受する法人に帰属するものとして、法人税法を適用する。(法11)

注 この規定は、いわゆる税法の実質主義を明らかにしたもので、所得税法第12条《実質所得者課税の原則》にも同じ趣旨の規定が設けられている。(編者)

七 事業年度等

1 事業年度の意義

法人税法において**事業年度**とは、法人の財産及び損益の計算の単位となる期間(以下**七**において「**会計期間**」という。)で、法令で定めるもの又は法人の定款、寄附行為、規則、規約その他これらに準ずるもの(以下**七**において「**定款等**」という。)に定めるものをいい、法令又は定款等に会計期間の定めがない場合には、**2**の①《会計期間の届出》により納税地の所轄税務署長に届け出た会計期間又は**2**の②《届出のない場合の指定会計期間》の表の**イ**により納税地の所轄税務署長が指定した会計期間若しくは同表の**ロ**に掲げる期間をいう。ただし、これらの期間が1年を超える場合は、当該期間をその開始の日以後1年ごとに区分した各期間(最後に1年未満の期間を生じたときは、その1年未満の期間)をいう。(法13①)

注 上記の法令で定めるものには、会社法第494条《貸借対照表等の作成及び保存》の規定による清算事務年度などが含まれる。(編者)
(会社法第494条第1項)
清算株式会社は、法務省令で定めるところにより、各清算事務年度(第475条各号《清算の開始原因》に掲げる場合に該当することとなった日の翌日又はその後毎年その日に応当する日〔応当する日がない場合にあっては、その前日〕から始まる各1年の期間をいう。)に係る貸借対照表及び事務報告並びにこれらの附属明細書を作成しなければならない。

第二章　第一節《通　則》

　　（設立第1回事業年度の開始の日）
（1）　法人の設立後最初の事業年度の開始の日は、法人の設立の日による。この場合において、設立の日は、設立の登記により成立する法人にあっては設立の登記をした日、行政官庁の認可又は許可によって成立する法人にあってはその認可又は許可の日とする。（基通1－2－1）
　　　注　会社は本店の所在地において設立の登記をすることにより成立することとされている（会社法第49条《株式会社の成立》及び第579条《持分会社の成立》）ので、会社の設立第1回事業年度の開始の日は設立の登記をした日となる。（編者）

　　（組織変更等の場合の事業年度）
（2）　法人が会社法その他の法令の規定によりその組織又は種類の変更（以下（2）において「組織変更等」という。）をして他の組織又は種類の法人となった場合（**3**《事業年度の特例》の表の④に掲げる事実が生じた場合を除く。）には、組織変更等前の法人の解散の登記、組織変更等後の法人の設立の登記にかかわらず、当該法人の事業年度は、その組織変更等によっては区分されず継続することに留意する。
　　旧有限会社（会社法の施行に伴う関係法律の整備等に関する法律第2条《旧有限会社の存続》に規定する旧有限会社をいう。）が、同法第45条《株式会社への商号変更》の規定により株式会社へ商号を変更した場合についても、同様とする。（基通1－2－2）

　　（会社更生法の規定による更生会社の事業年度）
（3）　会社更生法の規定による更生会社の事業年度は、次による。（会社更生法232②参照）
　　更生会社の事業年度は、更生手続開始の時に終了し、これに続く事業年度は、定款の定めにかかわらず更生計画認可の時（その時までに更生手続が終了したときは、その終了の日）までが1事業年度となるのであるが、法人税法の規定を適用する場合における法人の事業年度は、更生手続開始の決定があった時は当該決定のあった日において終了し、これに続く事業年度は更生計画認可の決定又は更生手続の終了に関する決定があるまでは、当該更生手続開始の決定のあった日の翌日から1年間ごとに1事業年度となる。
　　　注　「金融機関等の更生手続の特例等に関する法律」（平成8年法律第95号）の規定の適用を受けている協同組織金融機関（信用協同組合、信用金庫又は労働金庫をいう。）及び相互会社の事業年度についても、同様である。（同法148の2②、321の2②）

　　（更生手続開始の決定があった更生会社等の事業年度）
（4）　更生手続開始の決定があった更生会社等（会社更生法又は金融機関等の更生手続の特例等に関する法律〔以下（4）において「更生特例法」という。〕の適用を受けている法人をいう。以下（4）において同じ。）の事業年度は、会社更生法第232条第2項《事業年度の特例》又は更生特例法第148条の2第2項若しくは第321条の2第2項《事業年度の特例》の規定により、その開始の時に終了し、これに続く事業年度は、更生計画認可の時（その時までに更生手続が終了したときは、その終了の日）に終了するのであるが、この場合において、更生手続の終了の日とは、次の（一）から（三）までに掲げる日をいうものとする。（基通14－3－1）

（一）	会社更生法第44条第3項《抗告》（更生特例法第31条又は第196条《更生手続開始の決定》の規定において準用する場合を含む。）の規定による更生手続開始決定の取消しの決定があった日
（二）	会社更生法第199条第4項《更生計画認可の要件等》（更生特例法第120条第2項又は第290条第2項《更生計画認可の要件等》の規定において準用する場合を含む。）の規定による更生計画不認可の決定があった日
（三）	会社更生法第236条又は第237条《更生が困難な場合の更生手続廃止等》（更生特例法第152条第1項又は第325条第1項《更生が困難な場合の更生手続廃止等》の規定において準用する場合を含む。）の規定による更生手続廃止の決定があった日

　　　注1　更生計画認可決定後における更生会社等の事業年度は、会社更生法第239条《更生手続終結の決定》（更生特例法第153条又は第326条《更生手続終結の決定》の規定において準用する場合を含む。）の規定による更生手続終結の決定又は会社更生法第241条《更生計画認可後の更生手続の廃止》（更生特例法第155条又は第328条《更生計画認可後の更生手続の廃止》の規定において準用する場合を含む。）の規定による更生手続廃止の決定とは関係なく、当該更生会社等の定款に定める事業年度終了の日において終了することに留意する。
　　　注2　通算子法人に更生手続開始の決定があった場合であっても、当該通算子法人が当該通算親法人に係る通算法人の事業年度を通じて当該通算親法人との間に通算完全支配関係があるときは、当該通算子法人の事業年度は、**4**（2）《通算子法人の事業年度の特例》により当該通算親法人の事業年度と同じ期間となることに留意する。

2　会計期間の定めがない場合の届出

① 会計期間の届出

　法令及び定款等に会計期間の定めがない内国法人は、設立の日（次の表の左欄に掲げる法人については、それぞれ同表の右欄に定める日）以後2か月以内に、会計期間を定めてこれを納税地の所轄税務署長に届け出なければならない。（法13②）

イ	新たに収益事業を開始した公益法人等又は人格のない社団等	その開始した日
ロ	公共法人に該当していた収益事業を行う公益法人等	当該公益法人等に該当することとなった日
ハ	公共法人又は収益事業を行っていない公益法人等に該当していた普通法人又は協同組合等	当該普通法人又は協同組合等に該当することとなった日

② 届出のない場合の指定会計期間

　①《会計期間の届出》による届出をすべき法人がその届出をしない場合には、その法人の会計期間は次の表の左欄に掲げる法人の区分に応じ、それぞれ同表の右欄に掲げるところによる。（法13③④）

イ	法人（人格のない社団等を除く。）	納税地の所轄税務署長がその会計期間を指定し、当該法人に対し、書面によりその旨を通知する。
ロ	人格のない社団等	会計期間は、その年の1月1日（①《会計期間の届出》の表のイに掲げる日の属する年については、その掲げる日）から12月31日までの期間とする。

3　事業年度の特例

　次の表の左欄に掲げる事実が生じた場合には、その事実が生じた法人の事業年度は、**1**《事業年度の意義》にかかわらず、それぞれ同表の右欄に掲げる日に終了し、これに続く事業年度は、同表の②及び⑤の左欄に掲げる事実が生じた場合を除き、同日の翌日から開始するものとする。（法14①Ⅰ～Ⅵ）

①	内国法人が事業年度の中途において解散（合併による解散を除く。）をしたこと		その解散の日
②	法人が事業年度の中途において合併により解散したこと		その合併の日の前日
③	内国法人である公益法人等又は人格のない社団等が事業年度の中途において新たに収益事業を開始したこと（人格のない社団等にあっては、**2**の②の表の**ロ**に掲げる場合に該当する場合を除く。）		その開始した日の前日
④	次の表に掲げる事実		
	イ	公共法人が事業年度の中途において収益事業を行う公益法人等に該当することとなったこと	その事実が生じた日の前日
	ロ	公共法人又は公益法人等が事業年度の中途において普通法人又は協同組合等に該当することとなったこと	
	ハ	普通法人又は協同組合等が事業年度の中途において公益法人等に該当することとなったこと	
⑤	清算中の法人の残余財産が事業年度の中途において確定したこと		その残余財産の確定の日
⑥	清算中の内国法人が事業年度の中途において継続したこと		その継続の日の前日

　　　　（非営利型法人が公益社団法人又は公益財団法人に該当することとなった場合等の事業年度）
（1）　非営利型法人が公益社団法人又は公益財団法人に該当することとなった場合等の事業年度は、公益社団法人及び公益財団法人の認定等に関する法律施行規則第38条第2項《事業報告等の提出》及び第50条の2第1項《認定取消法人等の計算書類及びその附属明細書に相当する書類の作成》に定める期間をいうのであるから、当該事業年度は次の表の左欄に掲げる場合に応じ、それぞれ同表の右欄のイ及びロに掲げる期間となることに留意する。（基通1－2－3）

(一)	非営利型法人が公益社団法人又は公益財団法人に該当することとなった場合	イ	定款で定めた事業年度開始の日から公益認定を受けた日の前日までの期間
		ロ	その公益認定を受けた日からその事業年度終了の日までの期間
(二)	公益社団法人又は公益財団法人が非営利型法人に該当することとなった場合	イ	定款で定めた事業年度開始の日から公益認定の取消しの日の前日までの期間
		ロ	その公益認定の取消しの日からその事業年度終了の日までの期間

(解散、継続又は合併の日)
(2) **3**《事業年度の特例》の表の①の右欄に掲げる「解散の日」又は同表の⑥の右欄に掲げる「継続の日」とは、株主総会その他これに準ずる総会等において解散又は継続の日を定めたときはその定めた日、解散又は継続の日を定めなかったときは解散又は継続の決議の日、解散事由の発生により解散した場合には当該事由発生日をいう。
　また、同表の②の右欄に掲げる「合併の日」とは、合併の効力を生ずる日(新設合併の場合は、新設合併設立法人の設立登記の日)をいう。(基通1−2−4・編者補正)
　　注　法人に破産手続の開始決定があった場合は、その破産手続開始決定の日が解散の日となる。(編者)

(公共法人が収益事業を行う公益法人等に該当することとなった事実が生じた日等)
(3) **3**《事業年度の特例》の表の④に掲げる「その事実が生じた日」は、次の表の左欄に掲げる場合には、それぞれ同表の右欄に掲げる日をいう。(基通1−2−6・編者補正)

(一)	公共法人が収益事業を行う公益法人等に該当することとなったこと	次の表の左欄に掲げる場合に応じ、それぞれ同表の右欄に掲げる日		
		イ	土地改良区が土地改良法第76条《組織変更》の規定により一般社団法人に組織変更をした場合(同法第76条の6第1項《組織変更の効力の発生等》に規定する効力発生日において、非営利型法人に該当し、かつ、収益事業を行う場合に限る。)	当該効力発生日
		ロ	土地改良区が同法第76条の11《組織変更》の規定により認可地縁団体(地方自治法第260条の2第7項《地縁による団体》に規定する認可地縁団体をいう。以下(3)において同じ。)に組織変更をした場合(土地改良法第76条の14第1項《組織変更の効力の発生等》に規定する効力発生日において収益事業を行う場合に限る。)	当該効力発生日
(二)	公共法人又は公益法人等が普通法人又は協同組合等に該当することとなったこと	次の表の左欄に掲げる場合に応じ、それぞれ同表の右欄に掲げる日		
		イ	土地改良区が同法第76条の規定により一般社団法人に組織変更をした場合(同法第76条の6第1項に規定する効力発生日において非営利型法人に該当しない場合に限る。)	当該効力発生日
		ロ	公益社団法人又は公益財団法人が普通法人に該当することとなったこと	公益社団法人及び公益財団法人の認定等に関する法律(以下(3)において「公益認定法」という。)第29条第1項又は第2項《公益認定の取消し》の規定による公益認定の取消しの日
		ハ	非営利型法人が普通法人に該当することとなったこと	二の**9の2**《非営利型法人》の**イ**の表の(イ)から(ニ)まで又は**ロ**の表の(イ)から(ト)までに掲げる要件のいずれかに該当しないこととなった日

第二章　第一節《通　則》

		ニ	社会医療法人が普通法人に該当することとなったこと	医療法第64条の2第1項《収益業務の停止》の規定による社会医療法人の認定を取り消された日
		ホ	ニの別表第二《公益法人等の表》に掲げる商工組合（以下（3）において「非出資商工組合」という。）がニの別表第三《協同組合等の表》に掲げる商工組合（以下（3）において「出資商工組合」という。）に移行することとなった場合等、公益法人等（農業協同組合連合会を除く。(三)の表のニにおいて同じ。）が協同組合等（農業協同組合連合会を除く。(三)の表のニにおいて同じ。）に該当することとなったこと	移行の登記の日
		ヘ	ニの別表第二《公益法人等の表》に掲げる農業協同組合連合会が農業協同組合法第87条《医療法人への組織変更》の規定により医療法人（普通法人に限る。）に組織変更をしたこと	同法第91条第1項に規定する効力発生日
		ト	特定労働者協同組合（労働者協同組合法第94条の3第2号《認定の基準》に規定する特定労働者協同組合をいう。以下（3）において同じ。）が普通法人に該当することとなった場合	同法第94条の19第1項又は第2項《認定の取消し》の規定による同法第94条の2《認定》の認定の取消しの日
(3)	普通法人又は協同組合等が公益法人等に該当することとなったこと	次の表の左欄に掲げる場合に応じ、それぞれ同表の右欄に掲げる日		
		イ	一般社団法人又は一般財団法人のうち普通法人であるものが公益社団法人又は公益財団法人に該当することとなったこと	公益認定法第4条《公益認定》に規定する行政庁の認定を受けた日
		ロ	一般社団法人又は一般財団法人のうち普通法人であるものが非営利型法人に該当することとなったこと	ニの表の9の2《非営利型法人》のイの表の（イ）から（ニ）まで又はロの表の（イ）から（ト）までに掲げる要件の全てに該当することとなった日
		ハ	医療法人のうち普通法人であるものが社会医療法人に該当することとなったこと	医療法第42条の2第1項《社会医療法人》の規定による社会医療法人の認定を受けた日
		ニ	出資商工組合が非出資商工組合に移行することとなった場合等、協同組合等（生産森林組合を除く。）が公益法人等に該当することとなったこと	移行の登記の日

		ホ	生産森林組合が森林組合法第100条の19《組織変更》の規定により認可地縁団体に組織変更をしたこと	同法第100条の23第1項《組織変更の効力の発生等》に規定する効力発生日
		ヘ	非出資組合である農業協同組合、農業協同組合連合会又は農事組合法人が農業協同組合法第77条《一般社団法人への組織変更》の規定により一般社団法人に組織変更をしたこと(同法第78条第2項第6号に規定する効力発生日において非営利型法人に該当する場合に限る。)	当該効力発生日
		ト	二の**別表第三**《協同組合等の表》に掲げる農業協同組合連合会が農業協同組合法第87条の規定により社会医療法人に組織変更をしたこと	同法第91条第1項に規定する効力発生日
		チ	労働者協同組合のうち普通法人であるものが特定労働者協同組合に該当することとなった場合	労働者協同組合法第94条の2の規定による行政庁の認定を受けた日

(設立無効等の判決を受けた場合の清算)

(4) 法人が設立無効又は設立取消しの判決により会社法又は一般社団法人及び一般財団法人に関する法律((6)において「一般法人法」という。)の規定に従って清算をする場合には、当該判決の確定の日において解散したものとする。(基通1-2-7)

(人格のない社団等が財産の全部を分配等した場合の残余財産の確定)

(5) 人格のない社団等が事業年度の中途においてその事業を行わないこととしてその有する財産の全部を分配し又は引き渡した場合には、当該人格のない社団等については、その分配又は引渡しをした日に解散し残余財産の確定があったものとする。(基通1-2-8)

(株式会社等が解散等をした場合における清算中の事業年度)

(6) 株式会社又は一般社団法人若しくは一般財団法人(以下(6)において「株式会社等」という。)が解散等(会社法第475条各号又は一般法人法第206条各号《清算の開始原因》に掲げる場合をいう。)をした場合における清算中の事業年度は、当該株式会社等が定款で定めた事業年度にかかわらず、会社法第494条第1項又は一般法人法第227条第1項《貸借対照表等の作成及び保存》に規定する清算事務年度になるのであるから留意する。(基通1-2-9)

4　通算法人における事業年度の特例

(通算親法人の事業年度の特例)

(1) 通算親法人について第三章第一節第三十五款の二の2の(7)《青色申告の承認の取消し通知を受けた場合の通算承認の効力》又は(8)《通算承認の効力を失う日》(同(8)の表の(三)、(四)又は(七)に係る部分に限る。)により同二の1《通算承認》による承認が効力を失った場合には、当該通算親法人であった内国法人の事業年度は、1《事業年度の意義》にかかわらず、その効力を失った日の前日に終了し、これに続く事業年度は、当該効力を失った日から開始するものとする。(法14②)

(通算子法人の事業年度の特例)
（２）　通算子法人で当該通算子法人に係る通算親法人の事業年度開始の時に当該通算親法人との間に通算完全支配関係があるものの事業年度は、当該開始の日に開始するものとし、通算子法人で当該通算子法人に係る通算親法人の事業年度終了の時に当該通算親法人との間に通算完全支配関係があるものの事業年度は、当該終了の日に終了するものとする。(法14③)

(完全支配関係を有すること又は有しなくなった場合の事業年度の特例)
（３）　次の表の(一)又は(二)に掲げる事実が生じた場合には、その事実が生じた内国法人の事業年度は、それぞれ同表の右欄に掲げる日の前日に終了し、これに続く事業年度は、同表の(二)の内国法人の合併による解散又は残余財産の確定に基因して同表の(二)に掲げる事実が生じた場合を除き、それぞれ同表の右欄に掲げる日から開始するものとする。(法14④)

(一)	内国法人が通算親法人との間に当該通算親法人による完全支配関係（第三章第一節第三十五款の二の１の(１)《完全支配関係の意義》に掲げる関係に限る。以下３において同じ。）を有することとなったこと	その有することとなった日
(二)	内国法人が通算親法人との間に当該通算親法人による通算完全支配関係を有しなくなったこと	その有しなくなった日

(申請特例事業年度に完全支配関係を有することとなった場合の事業年度の特例)
（４）　次の表の(一)又は(二)に掲げる内国法人の事業年度は、それぞれ同表の右欄に掲げる日の前日に終了し、これに続く事業年度は、それぞれ同表の右欄に掲げる日から開始するものとする。(法14⑤)

(一)	親法人（第三章第一節第三十五款の二の１《通算承認》に掲げる親法人をいう。以下３において同じ。）の申請特例年度（同１の(11)《申請特例年度に係るみなし承認》に掲げる申請特例年度をいう。以下３において同じ。）開始の時に当該親法人との間に完全支配関係がある内国法人	その申請特例年度開始の日
(二)	親法人の申請特例年度の期間内に当該親法人との間に当該親法人による完全支配関係を有することとなった内国法人	その有することとなった日

(通算承認を受けなかった場合等の事業年度の特例)
（５）　（４）の場合において、（４）の表の左欄に掲げる内国法人が第三章第一節第三十五款の二の１《通算承認》による承認を受けなかったとき、又は同表の左欄に掲げる内国法人が同１の(12)《申請特例年度に係る通算承認の日》の表の(一)若しくは同１の(15)《申請特例年度に係る他の内国法人のみなし承認》の表の(一)に掲げる法人に該当するときは、これらの内国法人の（４）の表の右欄に掲げる日から開始する事業年度は、申請特例年度終了の日（同日前にこれらの内国法人の合併による解散又は残余財産の確定によりそれぞれ同表の親法人との間に完全支配関係を有しなくなった場合〔以下（５）において「合併による解散等の場合」という。〕には、その有しなくなった日の前日。（６）において「**終了等の日**」という。）に終了し、これに続く事業年度は、合併による解散等の場合を除き、当該申請特例年度終了の日の翌日から開始するものとする。(法14⑥)

(通算子法人に該当する期間に係る事業年度の不適用の特例)
（６）　内国法人の通算子法人に該当する期間（（４）の表の左欄に掲げる内国法人のそれぞれ同表の右欄に掲げる日から終了等の日までの期間を含む。）については、**１**及び**３**は、適用しない。(法14⑦)

(加入時期の特例)
（７）　内国法人が、通算親法人との間に当該通算親法人による完全支配関係を有することとなり、又は親法人の申請特例年度の期間内に当該親法人との間に当該親法人による完全支配関係を有することとなった場合において、当該内国法人の（７）の適用がないものとした場合に加入日（これらの完全支配関係を有することとなった日をいう。次の表の(一)において同じ。）の前日の属する事業年度に係る第三章第二節第三款の二の１《確定申告》による申告書の提出期限となる日までに、当該通算親法人又は親法人（同表の(一)において「通算親法人等」という。）が（７）の適用を受け

る旨、同表の(一)のイ又は同(一)のロに掲げる期間その他(8)に掲げる事項を記載した書類を納税地の所轄税務署長に提出したときは、(3)((一)に係る部分に限る。)、(4)((二)に係る部分に限る。)、(5)及び(6)の適用については、次の表の左欄に掲げる場合の区分に応じそれぞれ同表の右欄に掲げるところによる。(法14⑧)

(一)	当該加入日から当該加入日の前日の属する特例決算期間（次の表に掲げる期間のうち当該書類に記載された期間をいう。以下(一)において同じ。）の末日まで継続して当該内国法人と当該通算親法人等との間に当該通算親法人等による完全支配関係がある場合		当該内国法人及び当該内国法人が発行済株式又は出資を直接又は間接に保有する他の内国法人（当該加入日から当該末日までの間に当該通算親法人等との間に完全支配関係を有することとなったものに限る。(二)において「他の内国法人」という。）については、当該加入日の前日の属する特例決算期間の末日の翌日をもって(3)の表の(一)の左欄又は(4)の表の(二)の左欄に掲げる日とする。この場合において、当該翌日が申請特例年度終了の日後であるときは、当該末日を申請特例年度終了の日とみなして、(5)を適用する。
		イ	当該内国法人の月次決算期間（会計期間をその開始の日以後1か月ごとに区分した各期間〔最後に1か月未満の期間を生じたときは、その1か月未満の期間〕をいう。）
		ロ	当該内国法人の会計期間
(二)	(一)に掲げる場合以外の場合		当該内国法人及び他の内国法人については、(3)((一)に係る部分に限る。)及び(4)((二)に係る部分に限る。)は、適用しない。

(書類の記載事項)
(8) (7)に掲げる書類の記載事項は、次に掲げる事項とする。(規8の3の3)

(一)	(7)の書類の提出をする(7)に掲げる通算親法人等の名称、納税地及び法人番号（行政手続における特定の個人を識別するための番号の利用等に関する法律〔平成25年法律第27号〕第2条第15項《定義》に規定する法人番号をいう。以下同じ。）並びに代表者の氏名
(二)	(7)に掲げる内国法人及び(7)の表の(一)に掲げる他の内国法人（既に(一)の通算親法人等により提出された(7)の書類にその名称が記載されたものを除く。）の名称及び納税地並びに代表者の氏名
(三)	(二)の内国法人及び他の内国法人の(7)に掲げる加入日（(四)において「加入日」という。）
(四)	(二)の他の内国法人の加入日の前日から(7)の表の(一)に掲げる特例決算期間の末日までの期間内の日の属する各適用後事業年度（(7)を適用するものとした場合における事業年度をいう。）開始の日及び終了の日
(五)	その他参考となるべき事項

(完全支配関係法人がある場合の加入時期の特例の適用)
(9) 内国法人と他の内国法人との間に当該内国法人による完全支配関係（第三章第一節第三十五款の二の1の(1)《完全支配関係の意義》に掲げる関係に限る。）がある場合において、当該内国法人が(7)の表の(一)の適用を受けるときは、当該他の内国法人も同(一)の適用を受けるのであるから留意する。(基通1－2－10)

(通算法人が他の通算グループに加入する場合の加入時期の特例の適用)
(10) 通算親法人の発行済株式又は出資の全部が他の通算グループ（他の通算親法人及び当該他の通算親法人との間に当該他の通算親法人による通算完全支配関係を有する法人によって構成されたグループをいう。以下同じ。）に属する通算法人に保有されることとなったことにより、当該通算親法人及びその通算子法人が当該他の通算グループに属する通算法人との間に当該他の通算グループに属する通算法人による完全支配関係（第三章第一節第三十五款の二の1の(1)《完全支配関係の意義》に掲げる関係に限る。以下(10)において同じ。）を有することとなった場合における当該通算親法人及び当該通算子法人は、(7)の適用を受けることができることに留意する。(基通1－2－11)
　　注　当該通算親法人及び当該通算子法人が(7)の表の(一)の適用を受ける場合における当該通算親法人及び当該通算子法人の事業年度は、当該通算親法人にあっては(1)により、当該通算子法人にあっては(3)の表の(二)により、それぞれ当該完全支配関係を有することとなった日の前日に終了するのであるから留意する。

5　事業年度を変更した場合等の届出

　法人がその定款等に定める会計期間を変更し、又はその定款等において新たに会計期間を定めた場合には、遅滞なく、その変更前の会計期間及び変更後の会計期間又はその定めた会計期間を納税地の所轄税務署長に届け出なければならない。（法15）

　　注　法人が定款等において会計期間の変更を行う場合においても、その変更をする日前に既に終了している会計期間に係る納税義務には影響がないことに留意する。（編者）

八　納　税　地

1　内国法人の納税地

　内国法人の法人税の納税地は、その本店又は主たる事務所の所在地とする。（法16）

　　（人格のない社団等の本店又は主たる事務所の所在地）
（1）　人格のない社団等の本店又は主たる事務所の所在地は、次の表の左欄に掲げる場合に応じ、それぞれ同表の右欄による。（基通1−1−4）

（一）	定款、寄附行為、規則又は規約（以下（一）において「定款等」という。）に本店又は主たる事務所の所在地の定めがある場合	その定款等に定められている所在地
（二）	（一）以外の場合	その事業の本拠として代表者又は管理人が駐在し、当該人格のない社団等の行う業務が企画され経理が総括されている場所（当該場所が転々と移転する場合には、代表者又は管理人の住所）

　　（被合併法人の法人税に係る納税地）
（2）　法人が合併した場合において、当該合併に係る被合併法人のその合併の日以後における法人税の納税地は、当該合併に係る合併法人の納税地によるのであるから留意する。（基通1−1−5・編者補正）

2　納税地の指定

　1《内国法人の納税地》に掲げる納税地が法人（法人課税信託の受託者である個人を含む。以下**八**において同じ。）の事業又は資産の状況からみて法人税の納税地として不適当であると認められる場合には、その納税地の所轄国税局長（この**2**により指定されるべき納税地が**1**及び同（1）による納税地〔既にこの**2**により納税地の指定がされている場合には、その指定をされている納税地〕の所轄国税局長の管轄区域以外の地域にある場合には、国税庁長官）は、**1**及び同（1）にかかわらず、その法人税の納税地を指定することができる。（法18①、令17）

　　（納税地指定の通知）
（1）　国税局長又は国税庁長官は、**2**《納税地の指定》により法人税の納税地を指定したときは、その法人に対し、書面によりその旨を通知する。（法18②）

　　注　納税地の指定の処分に不服がある法人は、国税通則法及び行政不服審査法の定めるところにより不服申立てをすることができる。（編者）

　　（納税地指定の処分の取消しがあった場合の申告等の効力）
（2）　再調査の請求についての決定若しくは審査請求についての裁決又は判決により、**2**《納税地の指定》による納税地の指定の処分の取消しがあった場合においても、その処分の取消しは、その取消しの対象となった処分のあった時からその取消しの時までの間に、その取消しの対象となった納税地をその処分に係る法人の法人税の納税地としてその法人税に関してされた申告、申請、請求、届出その他書類の提出及び納付並びに国税庁長官、国税局長又は税務署長の処分（その取消しの対象となった処分を除く。）の効力に影響を及ぼさないものとする。（法19）

3　納税地の異動の届出

　法人は、その法人税の納税地に異動があった場合（**2**《納税地の指定》の指定によりその納税地に異動があった場合を除く。）には、その納税地の異動があった後遅滞なく、異動前の納税地及び異動後の納税地を記載した書面をもって、その

第二章　第一節《通　則》

異動前の納税地の所轄税務署長にその旨を届け出なければならない。（法20、令18）
　　注　同一の税務署長の管轄区域内において納税地を異動した場合又は納税地の指定を受けている法人が本店若しくは主たる事務所の所在地を移転した場合にも、届出をすることに留意する。（編者）

九　期間及び期限

1　期間の計算

国税に関する法律において日、月又は年をもって定める期間の計算は、次の①から③までに掲げるところによる。（通法10①）

①	期間の初日は、算入しない。ただし、その期間が午前零時から始まるとき、又は国税に関する法律に別段の定めがあるときは、この限りでない。
②	期間を定めるのに月又は年をもってしたときは、暦に従う。
③	②の場合において、月又は年の始めから期間を起算しないときは、その期間は、最後の月又は年においてその起算日に応当する日の前日に満了する。ただし、最後の月にその応当する日がないときは、その月の末日に満了する。

　　注　1は、国税に関する法律に基づく政令及び省令に定められている期間についても適用がある。2《期限の特例》についても同様である。（編者、国税通則法基本通達第10条関係「1」《国税に関する法令に定める期間》参照）

（規定の内容）
　1《期間の計算》は、期間の計算の基本原則であり、なお次の(一)から(三)までに留意する。（編者）

(一)	「期間」とは、ある時点から他の時点まで継続する時の区分をいい、「期間の計算」とは、「……から10日以内」、「……から1か月後」というように日、月、年をもって定めている期間の計算をいう。
(二)	第三章第二節第三款の二の1《確定申告》に掲げる「各事業年度終了の日の翌日から2か月以内」というようにその期間が午前零時から始まるときは、初日を算入する。
(三)	「……から起算して」というように特に起算日を定めた場合も初日を算入する。

2　期限の特例

国税に関する法律に定める申告、申請、請求、届出その他書類の提出、通知、納付又は徴収に関する期限（時をもって定める期限及び第三章第二節第三款の二の1の(1)《清算中の内国法人につきその残余財産が確定した場合の取扱い》に掲げる期限のうち残余財産の最後の分配又は引渡しが行われる日の前日をもって定めた期限その他残余財産の分配又は引渡しの日の前日をもって定めた期限を除く。）が日曜日、国民の祝日に関する法律に規定する休日その他一般の休日又は土曜日若しくは12月29日、12月30日若しくは12月31日に当たるときは、これらの日の翌日をもってその期限とみなす。（通法10②、通令2①Ⅰ、Ⅳ、②）

（規定の内容）
　2《期限の特例》は、期限の特例の基本原則であり、なお次の(一)から(三)までに留意する。（編者）

(一)	括弧書は、国税通則法施行令第2条第1項各号に掲げる期限の特例を適用しない期限のうち、時をもって定めた期限のほか、内国法人に係る法人税に関する期限だけを掲げ、その他は省略した。
(二)	この特例は、申告、申請、請求、届出その他書類の提出、通知、納付又は徴収に関する期限に限り適用され、これら以外の期限には適用されない。
(三)	元日及び年始の特別休暇（1月2日及び1月3日）に申告期限等が到来する場合には、1月4日（同日が土曜日の場合は1月6日、1月4日が日曜日の場合は1月5日）が法律上の申告期限等となるから留意する。（国税通則法基本通達第10条関係「4」《一般の休日》参照）

3　災害等による期限の延長

国税庁長官、国税不服審判所長、国税局長又は税務署長は、災害その他やむを得ない理由により、申告、申請、請求、届出その他書類の提出、納付又は徴収に関する期限までにこれらの行為（以下3において「申告等」という。）をすることができないと認めるときは、次の表の左欄に掲げる区分に応じ、それぞれ同表の右欄に掲げるところによりその理由のや

んだ日から2か月以内に限り、当該期限を延長することができる。（通法11）

①	国税庁長官の地域指定による期限の延長	国税庁長官は、都道府県の全部又は一部にわたり災害その他やむを得ない理由により、**3**に掲げる期限までに申告等をすることができないと認める場合には、地域及び期日を指定して当該期限を延長するものとする。（通令3①）
②	個別指定による期限の延長	（1） 国税庁長官は、災害その他やむを得ない理由により、**3**の本文に掲げる期限までに同**3**の本文に掲げる行為をすべき者（①《国税庁長官の地域指定による期限の延長》の適用がある者を除く。）であって当該期限までに当該行為のうち特定の税目に係る国税に関する法律又は情報通信技術を活用した行政の推進等に関する法律（平成14年法律第151号）第6条第1項《電子情報処理組織による申請等》の規定により電子情報処理組織を使用して行う申告その他の特定の税目に係る特定の行為をすることができないと認める者（以下②において「対象者」という。）が多数に上ると認める場合には、対象者の範囲及び期日を指定して当該期限を延長するものとする。（通令3②） （2） 国税庁長官、国税不服審判所長、国税局長又は税務署長は、災害その他やむを得ない理由により、**3**の本文に掲げる期限までに申告等をすることができないと認める場合には、①《国税庁長官の地域指定による期限の延長》又は②の（1）の適用がある場合を除き、当該申告等をすべき者の申請により、期日を指定して当該期限を延長するものとする。（通令3③） 　この場合の申請は、**3**の本文に掲げる理由がやんだ後相当の期間内に、その理由を記載した書面でしなければならない。（通令3④）

注　最近における国税庁長官の地域指定による期限の延長の例としては、次の（1）から（7）までに掲げるものがある。
（1）　青森県、岩手県、宮城県、福島県、茨城県における国税に関する申告期限等を延長する件（平23国税庁告示第8号）
　　　青森県及び茨城県における国税に関する申告期限等を指定する件（平23国税庁告示第15号）
　　　岩手県、宮城県及び福島県の一部の地域における国税に関する申告期限等を指定する件（平23国税庁告示第23号）
　　　岩手県及び宮城県の一部の地域における国税に関する申告期限等を指定する件（平23国税庁告示第27号）
　　　宮城県の一部の地域における国税に関する申告期限等を指定する件（平24国税庁告示第4号）
　　　福島県の一部の地域における国税に関する申告期限等を指定する件（平26国税庁告示第3号）
（2）　茨城県の一部の地域における国税に関する申告期限等を延長する件（平27国税庁告示第15号）
（3）　熊本県における国税に関する申告期限等を延長する件（平28国税庁告示第9号）
　　　熊本県の一部の地域における国税に関する申告期限等を指定する件（平28国税庁告示第15号）
　　　熊本県の一部の地域における国税に関する申告期限等を指定する件（平28国税庁告示第16号）
　　　熊本県の一部の地域における国税に関する申告期限等を延長する件（令2国税庁告示第14号）
　　　熊本県の一部の地域における国税に関する申告期限等を指定する件（令2国税庁告示第20号）
（4）　岡山県、広島県、山口県及び愛媛県の一部の地域における国税に関する申告期限等を延長する件（平30国税庁告示第18号）
　　　岡山県、広島県、山口県及び愛媛県の一部の地域における国税に関する申告期限等を指定する件（平30国税庁告示第20号）
　　　岡山県、広島県、山口県及び愛媛県の一部の地域における国税に関する申告期限等を指定する件（平30国税庁告示第23号）
（5）　北海道の一部の地域における国税に関する申告期限等を延長する件（平30国税庁告示第21号）
　　　北海道の一部の地域における国税に関する申告期限等を指定する件（平30国税庁告示第26号）
（6）　岩手県、宮城県、福島県、茨城県、栃木県及び長野県の一部の地域における国税に関する申告期限等を延長する件（令元国税庁告示第13号）
　　　岩手県、宮城県、福島県、茨城県、栃木県及び長野県の一部の地域における国税に関する申告期限等を指定する件（令2国税庁告示第9号）
（7）　富山県及び石川県における国税に関する申告期限等を延長する件（令6国税庁告示第1号）
　　　富山県及び石川県の一部の地域における国税に関する申告期限等を指定する件（令6国税庁告示第13号）
　なお、（2）の告示については、それぞれの告示において、延長された申告期限等についても指定されている。

第二節　青色申告

一　青色申告

　内国法人は、納税地の所轄税務署長の承認を受けた場合には、次に掲げる申告書及びこれらの申告書に係る修正申告書を青色の申告書により提出することができる。（法121①）
（一）　中間申告書
（二）　確定申告書
　上記の承認を受けている内国法人は、次に掲げる申告書及びこれらの申告書に係る修正申告書について、青色の申告書により提出することができる。（法121②）
（三）　退職年金等積立金中間申告書
（四）　退職年金等積立金確定申告書

二　青色申告の承認の申請

　当該事業年度以後の各事業年度の一《青色申告》の（一）及び（二）に掲げる申告書を青色の申告書により提出することについて納税地の所轄税務署長の承認を受けようとする内国法人は、当該事業年度開始の日の前日までに、承認申請書を納税地の所轄税務署長に提出しなければならない。この場合において、当該事業年度が次に掲げる事業年度に該当するときは、承認申請書の提出期限は、上記にかかわらず、それぞれ次に掲げる日の前日とする。（法122①②Ⅰ～Ⅳ）

1	内国法人である普通法人又は協同組合等の設立の日の属する事業年度		設立の日以後3か月を経過した日と当該事業年度終了の日とのうちいずれか早い日
2	内国法人である公益法人等又は人格のない社団等の新たに収益事業を開始した日の属する事業年度		収益事業を開始した日以後3か月を経過した日と当該事業年度終了の日とのうちいずれか早い日
3	次の表の左欄に掲げる法人の区分に応じそれぞれ同表の右欄に掲げる日の属する事業年度		
	①	公共法人に該当していた収益事業を行う公益法人等	当該公益法人等に該当することとなった日以後3か月を経過した日と当該事業年度終了の日とのうちいずれか早い日
	②	公共法人又は収益事業を行っていない公益法人等に該当していた普通法人又は協同組合等	当該普通法人又は協同組合等に該当することとなった日以後3か月を経過した日と当該事業年度終了の日とのうちいずれか早い日
4	内国法人である普通法人若しくは協同組合等の設立の日、内国法人である公益法人等若しくは人格のない社団等の新たに収益事業を開始した日又は3の表の①若しくは②の左欄に掲げる法人の区分に応じそれぞれ同表の右欄に掲げる日（以下4において「設立等の日」という。）から1から3までに掲げる事業年度終了の日までの期間が3か月に満たない場合における当該事業年度の翌事業年度		当該設立等の日以後3か月を経過した日と当該翌事業年度終了の日とのうちいずれか早い日

　　（青色申告承認申請書の記載事項）
（１）　納税地の所轄税務署長に提出する青色申告承認申請書には、次に掲げる事項を記載しなければならない。（法122①、規52）
　　（一）　申請をする内国法人の名称、納税地及び法人番号
　　（二）　代表者の氏名
　　（三）　その他参考となるべき事項
　　　注1　──線部分は、令和5年度改正により改正された部分で、改正規定は、令和8年10月1日から適用される。（令5改規附1Ⅱ）
　　　注2　法人（人格のない社団等を含む。以下同じ。）の令和9年1月1日以後に開始する事業年度の一《青色申告》に掲げる申告書を青色の申告書により提出することについて一の承認を受けようとする場合における一の申請書について適用し、法人の令和8年12月31日以前に開始した事業年度の同一に掲げる申告書を青色の申告書により提出することについて一の承認を受けようとする場合における一の申請

書については、次による。（令5改規附3①）

> 納税地の所轄税務署長に提出する青色申告承認申請書には、次に掲げる事項を記載しなければならない。（法122旧①、規旧52）
> （一） 申請をする内国法人の名称、納税地及び法人番号
> （二） 代表者の氏名
> （三） 申請後最初に提出しようとする青色申告書に係る事業年度開始の日及び終了の日
> （四） 青色申告書の提出の承認を取り消され、又は青色申告書による申告書の提出をやめる旨の届出書を提出した後再び青色申告書の提出の承認の申請をする場合には、その取消しの通知を受けた日又は取りやめの届出書の提出をした日
> （五） （三）の事業年度が二《青色申告の承認の申請》の注の表の旧1から旧4までに掲げる事業年度に該当する場合には、内国法人である普通法人若しくは協同組合等の設立の日、内国法人である公益法人等若しくは人格のない社団等の新たに収益事業を開始した日又は公益法人等（収益事業を行っていないものに限る。）に該当していた普通法人若しくは協同組合等の当該普通法人若しくは協同組合等に該当することとなった日
> （六） その他参考となるべき事項

注3　令和5年4月1日から令和8年9月30日までの間における（1）の適用については、注2の（五）中「公益法人等（収益事業を行っていないものに限る。）に該当していた普通法人若しくは協同組合等の当該普通法人若しくは協同組合等に該当することとなった日」とあるのは、「**二《青色申告の承認の申請》の表の3の表の左欄の①若しくは②に掲げる法人の区分に応じそれぞれ同表の右欄に定める日**」とする。（令5改規附3②）

　　（青色申告の承認申請の却下）
（2）　税務署長は、青色申告の承認申請書の提出があった場合において、その申請書を提出した内国法人につき次の（一）から（三）までのいずれかに該当する事実があるときは、その申請を却下することができる。（法123）
　（一）　当該事業年度に係る帳簿書類の備付け、記録又は保存が三の1《帳簿書類の備付け等》に掲げるところに従って行われていないこと。
　（二）　その備え付ける帳簿書類に取引の全部又は一部を隠蔽し又は仮装して記載し又は記録していることその他不実の記載又は記録があると認められる相当の理由があること。
　（三）　**四**の（1）《青色申告の承認の取消しの通知》に掲げる青色申告の承認の取消しの通知を受け、又は**五**《青色申告の取りやめ》に掲げる青色申告の取りやめの届出書の提出をした日以後1年以内にその申請書を提出したこと。

　　（青色申告の承認等の通知）
（3）　税務署長は、青色申告の承認申請書の提出があった場合において、その申請につき承認又は却下の処分をするときは、その申請をした内国法人に対し、書面によりその旨を通知する。（法124）

　　（青色申告の承認があったものとみなす場合）
（4）　青色申告の承認申請書の提出があった場合において、当該事業年度終了の日（当該事業年度について中間申告書を提出すべき法人〔当該法人以外の法人で当該事業年度について第三章第二節第三款の一の3《仮決算をした場合の中間申告書の記載事項等》に掲げる事項を記載した中間申告書を提出できるものを含む。〕については、当該事業年度開始の日以後6か月を経過する日）までにその申請につき承認又は却下の処分がなかったときは、その日においてその承認があったものとみなす。（法125①）

　　（通算承認があった場合の青色申告の承認があったものとみなす場合）
（5）　**一**《青色申告》の承認を受けていない内国法人が第三章第一節第三十五款の二の1《通算承認》による承認を受けた場合には、当該承認の効力が生じた日において**一**の承認があったものとみなす。（法125②）

三　青色申告法人の帳簿書類

1　帳簿書類の備付け等

　青色申告の承認を受けている内国法人（以下「**青色申告法人**」という。）は、次の①《青色申告法人の決算》から⑧《帳簿書類の整理保存》までに掲げるところにより、帳簿書類を備え付けてこれにその取引を記録し、かつ、当該帳簿書類を保存しなければならない。（法126①）

①　青色申告法人の決算

　青色申告法人は、その資産、負債及び資本に影響を及ぼす一切の取引につき、複式簿記の原則に従い、整然と、かつ、

明瞭に記録し、その記録に基づいて決算を行わなければならない。（規53）

② **取引に関する帳簿及び記載事項**
　青色申告法人は、全ての取引を借方及び貸方に仕訳する帳簿（以下「仕訳帳」という。）、全ての取引を勘定科目の種類別に分類して整理計算する帳簿（以下「総勘定元帳」という。）その他必要な帳簿を備え、次表《**別表二十二**》に掲げるところにより、取引に関する事項を記載しなければならない。（規54）
　　注　――線部分は、法人税法施行規則の一部を改正する省令（令和6年財務省令第36号）により改正された部分で、改正規定は、令和6年4月12日から適用され、令和6年4月11日以前の適用については、「**別表二十二**」とあるのは「**別表二十一**」とする。（同省令附1）

別表二十二　青色申告書の提出の承認を受けようとする法人の帳簿の記載事項

	区　　　　　　　分	記　　載　　事　　項	備　　　　　考
(一)	現金の出納に関する事項	取引の年月日、事由、出納先及び金額並びに日々の残高	
(二)	当座預金の預入れ及び引出しに関する事項	預金の口座別に、取引の年月日、事由、支払先及び金額	
(三)	手形（融通手形を除く。）上の債権債務に関する事項	受取手形、支払手形別に、取引の年月日、事由、相手方及び金額	
(四)	売掛金（未収加工料その他売掛金と同様の性質を有するものを含む。）に関する事項	売上先その他取引の相手方別に、取引の年月日、品名その他給付の内容、数量、単価及び金額	
(五)	買掛金（未払加工料その他買掛金と同様の性質を有するものを含む。）に関する事項	仕入先その他取引の相手方別に、取引の年月日、品名その他受けた給付の内容、数量、単価及び金額	
(六)	(二)から(五)までに掲げるもの以外の債権債務に関する事項	貸付金、借入金、預け金、預り金、仮払金、仮受金、未収入金、未払金等に、それぞれ適当な名称を付して区分し、それぞれ、その取引の年月日、事由、相手方及び金額	
(七)	有価証券（商品であるものを除く。）に関する事項	取引の年月日、事由、相手方、銘柄、数量、単価及び金額	
(八)	減価償却資産に関する事項	減価償却資産については、第三章第一節第六款の**五**の**1**《償却の方法の選定》の表の①から⑥までの左欄に掲げる減価償却資産の区分に応じ同表の①から⑥までの右欄に掲げる種類の区分（その種類につき耐用年数省令別表〔第19条第2項《種類等を同じくする減価償却資産の償却限度額》の規定の適用を受ける場合には、減価償却資産の耐用年数等に関する省令の一部を改正する省令〈平成20年財務省令第32号〉による改正前の耐用年数省令別表〕において構造若しくは用途又は細目が定められているものについては、その構造若しくは用途又は細目の区分とし、2以上の事業所又は船舶を有する法人で事業所又は船舶ごとに償却の方法を選定している場合にあっては、事業所又は船舶ごとのこれらの区分とする。）ごとに、かつ、耐用年数省令に定める耐用年数の異なるものについてはその異なるごとに区分し、それぞれ、その取引の年月日、事由、相手方、数量及び金額	
(九)	繰延資産に関する事項	その種類ごとに区分し、それぞれ、	

		その取引の年月日、事由及び金額	
(十)	(一)から(四)まで及び(六)から(九)までに掲げるもの以外の資産(商品、製品、消耗品、その他棚卸しにより整理するものを除く。)に関する事項	取引の年月日、事由、相手方、数量及び金額	
(十一)	売上げ(加工その他の役務の給付等売上げと同様の性質を有するものを含む。)に関する事項	取引の年月日、売上先、品名その他給付の内容、数量、単価及び金額並びに日々の売上総額。ただし、小売その他これに類するものを行う法人の現金売上げで本文の規定により難いものについては、日々の現金売上げの総額並びに売上先又は売上先を記載し難いものについてはこれに代えて取引回数を記載し、品名その他給付の内容、数量、単価又は金額のうち、その記載し難いものを省略することができる。	イ 小売その他これに類するものを行う法人の現金売上げで左の「記載事項」欄のただし書の規定にもより難いものについては、所轄税務署長の承認を受けた場合は、日々の現金売上げの総額のみを記載することができる。 ロ 2以上の事業所を有する法人の売上げで左の「記載事項」欄本文の規定による売上総額を記載し難いものについては、1事業所ごとに、その事業所における売上総額を記載すれば足りる。
(十二)	(十一)に掲げるもの以外の収入に関する事項	受取利息、雑収入等に、それぞれ適当な名称を付して区分し、それぞれ、その取引の年月日、事由、相手方及び金額	
(十三)	仕入れに関する事項	取引の年月日、仕入先その他の相手方、品名その他給付の内容、数量、単価及び金額並びに日々の仕入総額	2以上の事業所を有する法人の仕入れで左の「記載事項」欄の規定による仕入総額を記載し難いものについては、1事業所ごとに、その事業所における仕入総額を記載すれば足りる。
(十四)	(十三)に掲げるもの以外の経費に関する事項	賃金、給料手当、法定福利費、厚生費、外注工賃、動力費、消耗品費、修繕費、減価償却費、繰延資産の償却費、地代家賃、保険料、旅費交通費、通信費、水道光熱費、手数料、倉敷料、荷造包装費、運搬費、広告宣伝費、公租公課、機密費、接待交際費、寄附金、利子割引料、雑費等に、それぞれ適当な名称を付して区分し、それぞれ、その取引の年月日、支払先、事由及び金額。ただし、少額の経費で本文の規定により難いものについては、それぞれその日々の合計金額のみを記載することができる。	

③ 仕訳帳の記載方法

青色申告法人は、仕訳帳には、取引の発生順に、取引の年月日、内容、勘定科目及び金額を記載しなければならない。(規55①)

第二章　第二節《青色申告》

④　**総勘定元帳の記載方法**
　青色申告法人は、総勘定元帳には、その勘定ごとに記載の年月日、相手方勘定科目及び金額を記載しなければならない。（規55②）

⑤　**棚卸表の作成**
　青色申告法人は、各事業年度終了の日において、商品又は製品（副産物及び作業くずを含む。）、半製品、仕掛品（半成工事を含む。）、主要原材料、補助原材料、消耗品で貯蔵中のものその他これらの資産に準ずる資産の棚卸しその他決算のために必要な事項の整理を行い、その事績を明瞭に記録しなければならない。（規56①）

　（棚卸表の記載事項）
　　⑤《棚卸表の作成》に掲げる棚卸しについては、棚卸表を作成し、棚卸資産の種類、品質及び型の異なるごとに数量、単価及び金額を記載しなければならない。この場合において、棚卸資産に付すべき単価は、その法人が選定した評価の方法《棚卸資産の評価の方法──第三章第一節第五款の**三**》により計算した価額を記載するものとする。（規56②）

⑥　**貸借対照表及び損益計算書**
　青色申告法人は、各事業年度終了の日現在において、その業種、業態及び規模等の実情により、おおむね次表《**別表二十三**》に掲げる科目に従い貸借対照表及び損益計算書を作成しなければならない。（規57）
　注──線部分は、法人税法施行規則の一部を改正する省令（令和６年財務省令第36号）により改正された部分で、改正規定は、令和６年４月12日から適用され、令和６年４月11日以前の適用については、「**別表二十三**」とあるのは「**別表二十二**」とする。（同省令附１）

別表二十三　貸借対照表及び損益計算書に記載する科目

貸借対照表に記載する科目	資産の部	現金、当座預金、預金、受取手形、売掛金、未収入金、仮払金、貸付金、有価証券、商品、原材料、仕掛品、半製品、製品、貯蔵品、繰延税金資産、建物、構築物、機械及び装置、船舶、車両及び運搬具、工具、器具及び備品、土地、建設仮勘定、鉱業権、漁業権、ダム使用権、水利権、特許権、実用新案権、意匠権、商標権、ソフトウエア、育成者権、公共施設等運営権、樹木採取権、漁港水面施設運営権、営業権、専用側線利用権、鉄道軌道連絡通行施設利用権、電気ガス供給施設利用権、水道施設利用権、工業用水道施設利用権、電気通信施設利用権、借地権、繰延資産等
	負債及び資本の部	支払手形、買掛金、未払金、未払税金、繰延税金負債、仮受金、借入金、貸倒引当金、海外投資等損失準備金、中小企業事業再編投資損失準備金、特定原子力施設炉心等除去準備金、異常危険準備金、関西国際空港用地整備準備金、中部国際空港整備準備金、特別修繕準備金、探鉱準備金、海外探鉱準備金、農業経営基盤強化準備金、福島再開投資等準備金、資本金又は出資金、資本剰余金、利益剰余金、再評価積立金、再評価差額金、積立金等
損益計算書に記載する科目	利益の部	商品製品等売上高、期末商品製品原材料等棚卸高、雑収入、資産の売却益、資産の評価益、当期欠損金等
	損失の部	商品製品原材料等仕入高、期首商品製品原材料等棚卸高、賃金、給料手当、法定福利費、厚生費、外注工賃、動力費、消耗品費、地代家賃、保険料、修繕費、減価償却費、繰延資産の償却費、旅費交通費、通信費、水道光熱費、手数料、倉敷料、荷造包装費、運搬費、広告宣伝費、公租公課、機密費、接待交際費、寄附金、利子割引料、雑費、資産の売却損、資産の評価損、貸倒引当金繰入額、海外投資等損失準備金積立額、中小企業事業再編投資損失準備金積立額、特定原子力施設炉心等除去準備金積立額、異常危険準備金積立額、関西国際空港用地整備準備金積立額、中部国際空港整備準備金積立額、特別修繕準備金積立額、探鉱準備金積立額、海外探鉱準備金積立額、農業経営基盤強化準備金積立額、福島再開投資等準備金積立額、当期利益金等

注１──線部分（「、漁港水面施設運営権」に係る部分に限る。）は、令和６年度改正により追加された部分で、改正規定は、令和６年４月１日から適用される。（令６改規附１）
注２──線部分（注１に係る部分を除く。）は、令和６年度改正により改正された部分で、改正規定は、令和６年４月１日から適用され、令和６年３月31日以前の適用については、「中小企業事業再編投資損失準備金」とあるのは「中小企業事業再編投資損失準備金、原子力発電施設解体準備金」と、「農業経営基盤強化準備金」とあるのは「農業経営基盤強化準備金、再投資等準備金」と、「中小企業事業再編投資損失準備金積立額」とあるのは「中小企業事業再編投資損失準備金積立額、原子力発電施設解体準備金積立額」と、「農業経営基盤強化準備金積立額」とあるのは「農業経営基盤強化準備金積立額、再投資等準備金積立額」とする。（令６改規附１）

⑦　帳簿書類の記載事項等の省略

青色申告法人は、その業種、業態及び規模等により②《取引に関する帳簿及び記載事項》から⑤《棚卸表の作成》までの掲げるところにより難いときは、所轄税務署長の承認を受け、②から⑤までに掲げる記載事項等の一部を省略し又は変更することができる。（規58）

⑧　帳簿書類の整理保存

青色申告法人は、次の表のイからハまでに掲げる帳簿書類を整理し、（1）に掲げる起算日から7年間、これを納税地（ハに掲げる書類にあっては、当該納税地又はハの取引に係る国内の事務所、事業所その他これらに準ずるものの所在地）に保存しなければならない。（規59①）

イ	②《取引に関する帳簿及び記載事項》に掲げる帳簿並びに当該青色申告法人の資産、負債及び資本に影響を及ぼす一切の取引に関して作成されたその他の帳簿
ロ	棚卸表、貸借対照表及び損益計算書並びに決算に関して作成されたその他の書類
ハ	取引に関して、相手方から受け取った注文書、契約書、送り状、領収書、見積書その他これらに準ずる書類及び自己の作成したこれらの書類でその写しのあるものはその写し

（保存期間の起算日）
（1）⑧《帳簿書類の整理保存》に掲げる起算日とは、帳簿についてはその閉鎖の日の属する事業年度終了の日の翌日から2か月（次の表の左欄に掲げる事業年度にあっては、同表の右欄に掲げる月数。以下（1）において同じ。）を経過した日をいい、書類についてはその作成又は受領の日の属する事業年度終了の日の翌日から2か月を経過した日をいう。（規59②）

(一)	第三章第二節第三款の二の1《確定申告》による申告書の提出期限が同二の3《確定申告書の提出期限の延長の特例》により延長されている事業年度	その延長に係る月数に2を加えた月数
(二)	清算中の内国法人の残余財産の確定の日の属する事業年度（当該内国法人が通算法人である場合には、当該内国法人に係る通算親法人の事業年度終了の日に終了するものを除く。）	1か月

（保存の方法の特例）
（2）⑧《帳簿書類の整理保存》の表に掲げる帳簿書類のうち次の表の左欄に掲げるものについてのそれぞれ同表の中欄に掲げる期間における⑧に掲げる保存については、それぞれの同表の右欄に掲げる方法によることができる。（規59③）

(一)	⑧の表のハに掲げる書類（帳簿代用書類に該当するものを除く。）のうち国税庁長官が定めるもの	（1）《保存期間の起算日》に掲げる起算日以後3年を経過した日から当該起算日以後5年を経過する日までの期間	財務大臣の定める（4）《帳簿書類の保存の方法》の（一）に掲げる方法
(二)	⑧の表のイからハに掲げる帳簿書類	（1）に掲げる起算日から5年を経過した日以後の期間	財務大臣の定める（4）の（二）に掲げる方法

注　上表(一)の左欄に掲げるところにより国税庁長官が書類を定めたときは、これを告示する。（規59⑤）
なお、国税庁長官が定める書類は、（2）（第三章第一節第二十一款の一の1の③の《欠損金に係る帳簿書類の保存》の注及び第五節の三の④の（2）《保存の方法の特例》において準用する場合を含む。以下同じ。）の表の（一）の左欄に掲げる国税庁長官が定める書類は、⑧の表のハに掲げる書類（第五節の三の④の（2）にあっては、第五節の三の③の表のイに掲げる書類とし、（3）〔第三章第一節第二十一款の一の1の③の《欠損金に係る帳簿書類の保存》の注及び第五節の三の④の（2）において準用する場合を含む。〕に掲げる帳簿代用書類に該当するものを除く。）のうち、次に掲げる書類以外の書類とする。（平10国税庁告示第2号〔最終改正令4国税庁告示第12号〕）

イ	（3）《帳簿代用書類》に掲げる帳簿代用書類	
ロ	次に掲げる書類（イに掲げる書類を除く。）	
	(イ)	契約書、契約の申込書（当該契約に係る定型的な約款があらかじめ定められている場合における当該契約の申込書〔(ロ)に掲げる書類に該当するものを除く。〕を除く。）その他これらに準ずる書類
	(ロ)	預貯金（所得税法第2条第1項第10号《定義》に規定する預貯金をいう。以下同じ。）の預入又は引出しに際して作成された

		書類、預貯金の口座の設定又は解約に際して作成された書類、為替取引に際して作成された書類（契約の申込書であって対価の支払を口座振替の方法によるものとする契約の申込みに際して作成されたものを除く。）その他これらに準ずる書類
	(ハ)	領収書その他現金の収受又は払出しその他の支払手段（外国為替及び外国貿易法第6条第1項第7号《定義》に規定する支払手段をいう。以下同じ。）の授受に際して作成された書類
	(ニ)	請求書その他これに準ずる書類（支払手段による対価の支払を求めることを内容とするものに限る。）
	(ホ)	支払のために提示された手形又は小切手
	(ヘ)	納品書その他棚卸資産の引渡しに際して作成された書類（棚卸資産の引渡しを受けた者が作成したものを除く。）
	(ト)	自己の作成した(イ)から(ニ)までに掲げる書類の写し

（帳簿代用書類）
（3）（2）《保存の方法の特例》の表の(一)の左欄に掲げる帳簿代用書類とは、⑧の表のハに掲げる書類のうち、②の**別表二十二**《青色申告書の提出の承認を受けようとする法人の帳簿の記載事項》の記載事項の全部又は一部の帳簿への記載に代えて当該記載事項が記載されている書類を整理し、その整理されたものを保存している場合における当該書類をいう。（規59④）

　　注──線部分は、法人税法施行規則の一部を改正する省令（令和6年財務省令第36号）により改正された部分で、改正規定は、令和6年4月12日から適用され、令和6年4月11日以前の適用については、「**別表二十二**」とあるのは「**別表二十一**」とする。（同省令附1）

（帳簿書類の保存の方法）
（4）（2）《保存の方法の特例》の表の右欄に掲げるところにより財務大臣が方法を定めたときは、これを告示する。（規59⑥）

なお、財務大臣が定めた方法は、次による。（平成24年財務省告示第26号〔最終改正令和4年財務省告示第96号〕）

（一）（2）（第三章第一節第二十一款の一の1の③の《欠損金に係る帳簿書類の保存》の注及び第五節の三の④の（2）《保存の方法の特例》において準用する場合を含む。以下（二）において同じ。）の表の(一)の右欄に掲げる財務大臣の定める方法は、同(一)の左欄に掲げる書類（以下（4）において「指定書類」という。）を第三章第一節第二十一款の一の1の③の《欠損金に係る帳簿書類の保存》（同款の二の5《青色申告書を提出しなかった事業年度の欠損金に係る帳簿書類の保存》により読み替えて適用する場合を含む。ホ及び（二）において同じ）、⑧《帳簿書類の整理保存》又は第五節の三の1の④《帳簿書類の整理保存》により保存すべき場所に、日本産業規格（産業標準化法第20条第1項《日本産業規格》に規定する日本産業規格をいう。以下（4）において同じ。）Ｂ七一六八（マイクロフィルムリーダ及びマイクロフィルムリーダプリンタ）に規定する基準を満たすマイクロフィルムリーダプリンタを設置し、かつ、当該指定書類が撮影された次の表に掲げる要件を満たすマイクロフィルムを、当該マイクロフィルムに撮影された当該指定書類を検索することができる措置（当該指定書類の種類及び当該指定書類に記載されている日付を検索の条件として、特定の書類を検索することができるものに限る。）を講じて保存する方法とする。

イ		日本工業規格（不正競争防止法等の一部を改正する法律〔平成30年法律第33号〕第2条の規定による改正前の工業標準化法〔昭和24年法律第185号〕第17条第1項《日本工業規格》に規定する日本工業規格をいう。）Ｋ七五五八（一九八六）2《安全性》に規定する安全性の基準を満たす材質であること。
ロ		日本産業規格Ｂ七一八七附属書一2《マイクロフォームの実用品位数》に規定する方法により求めた実用品位数の値が11以上であること。
ハ		日本産業規格Ｂ七一八七8《処理、品質及び保存方法》の背景濃度の値が0.7以上1.5以下であること。
ニ		日本産業規格Ｚ六〇〇八4《解像力の試験》の規定により求めた解像力の値が1ミリメートルにつき110本以上であること。
ホ		次に掲げる事項が記載された書面が撮影されていること。
	(イ)	第三章第一節第二十一款の一の1の③の《欠損金に係る帳簿書類の保存》によりその帳簿書類を保存すべきこととされている当該内国法人、⑧によりその帳簿書類を保存すべきこととされている当該青色申告法人又は第五節の三の④によりその帳簿及び書類を保存すべきこととされている当該普通法人等のこれらの帳簿書類又は帳簿及び書類の保存に関する事務の責任者である者の当該指定書類が真正に撮影された旨を証する記載及びその氏名
	(ロ)	撮影者の氏名

(八)	撮影年月日	

(二) (2)の表の(二)の右欄に掲げる財務大臣の定める方法は、同(二)の左欄に掲げる帳簿書類(以下(4)において「保存対象帳簿書類」という。)を第三章第一節第二十一款の一の 1 の③の《欠損金に係る帳簿書類の保存》、⑧又は第五節の三の④により保存すべき場所に、日本産業規格B七一八六に規定する基準を満たすマイクロフィルムリーダ又はマイクロフィルムリーダプリンタを設置し、かつ、当該保存対象帳簿書類が撮影された(一)のイからホまでに掲げる要件を満たすマイクロフィルムを保存する方法とする。この場合においては、(一)のホ中「当該指定書類」とあるのは、「(二)に掲げる保存対象帳簿書類」と読み替えるものとする。

2 帳簿書類についての必要な指示

納税地の所轄税務署長は、必要があると認めるときは、青色申告の承認を受けている内国法人に対し、その備え付ける帳簿書類について必要な指示をすることができる。(法126②)

(通算法人に対する帳簿書類についての必要な指示)

2 に掲げるもののほか、国税庁長官又は通算法人の納税地の所轄国税局長若しくは所轄税務署長は、必要があると認めるときは、当該通算法人及び他の通算法人に対し、1 に掲げる帳簿書類について必要な指示をすることができる。(法126③)

四 青色申告の承認の取消し

青色申告の承認を受けた内国法人につき次の 1 から 4 までのいずれかに該当する事実がある場合には、納税地の所轄税務署長は、次の 1 から 4 までに掲げる事業年度まで遡って、その承認を取り消すことができる。この場合において、その取消しがあったときは、当該事業年度開始の日以後その内国法人が提出したその承認に係る青色申告書(納付すべき義務が同日前に成立した法人税に係るものを除く。)は、青色申告書以外の申告書とみなす。(法127①)

1	その事業年度に係る帳簿書類の備付け、記録又は保存が三の 1 《帳簿書類の備付け等》に掲げるところに従って行われていないこと	当該事業年度
2	その事業年度に係る帳簿書類について三の 2 《帳簿書類についての必要な指示》による税務署長の指示に従わなかったこと	当該事業年度
3	その事業年度に係る帳簿書類に取引の全部又は一部を隠蔽し又は仮装して記載し又は記録し、その他その記載又は記録した事項の全体についてその真実性を疑うに足りる相当の理由があること	当該事業年度
4	確定申告書をその提出期限までに提出しなかったこと	当該申告書に係る事業年度

(青色申告の承認の取消しの通知)

(1) 税務署長は、四《青色申告の承認の取消し》による取消しの処分をする場合には、四の内国法人に対し、書面によりその旨を通知する。この場合において、その書面には、その取消しの処分の基因となった事実が四の表の 1 から 4 までのいずれに該当するかを付記しなければならない。(法127②)

(通算法人に係る青色申告の承認の取消しの通知)

(2) 通算法人に係る四の適用については、四中「次の 1 から 4 までに掲げる事業年度まで遡って、その」とあるのは「その」と、「当該事業年度開始の日以後その内国法人が提出したその承認に係る青色申告書(納付すべき義務が同日前に成立した法人税に係るものを除く。)は、青色申告書以外の申告書とみなす」とあるのは「その取消しの処分に係る(1)の通知を受けた日の前日(当該前日がその内国法人に係る通算親法人の事業年度終了の日である場合には、当該通知を受けた日)の属する事業年度以後の各事業年度については、その承認は、その効力を失うものとする」と、四の表の 2 中「による税務署長」とあるのは「又は(2)による国税庁長官、国税局長又は税務署長」とする。(法127③)

(通算法人であった内国法人に係る青色申告の承認の取消しの通知)

(3) 通算法人であった内国法人に係る四の適用については、四中「掲げる事業年度」とあるのは「掲げる事業年度(当

該事業年度が第三章第一節第三十五款の二の**1**《通算承認》による承認の効力を失った日の前日（当該前日がその内国法人に係る通算親法人の事業年度終了の日である場合には、当該効力を失った日）の属する事業年度（以下**四**において「失効事業年度」という。）前の事業年度である場合には、当該失効事業年度）」と、**四**の表の**2**中「による税務署長」とあるのは「又は（２）による国税庁長官、国税局長又は税務署長」とする。（法127④）

（納付すべき義務が取消事業年度開始の日前に成立した法人税に係る青色申告書）
（４）　**四**《青色申告の承認の取消し》に掲げる「納付すべき義務が同日前に成立した法人税に係るもの」とは、取消事業年度（**四**の表の**1**から**4**までに掲げる事業年度）前の各事業年度分の青色申告書を取消事業年度開始の日以後に提出した場合の当該青色申告書をいう。（編者）

五　青色申告の取りやめ

　青色申告の承認を受けている内国法人（通算法人を除く。）は、当該事業年度以後の各事業年度の申告書を青色の申告書により提出することをやめようとするときは、当該事業年度の第三章第二節第三款の**二**の**1**《確定申告》による申告書の提出期限までに、次に掲げる事項を記載した届出書を納税地の所轄税務署長に提出しなければならない。この場合において、その届出書の提出があったときは、当該事業年度以後の各事業年度については、その承認は、その効力を失うものとする。（法128、規60）
　1　届出をする内国法人の名称、納税地及び法人番号
　2　代表者の氏名
　3　その他参考となるべき事項
　注　──線部分は、令和５年度改正により改正された部分で、改正規定は、令和８年１月１日以後に開始する事業年度の**一**の**1**《青色申告》に掲げる申告書を青色の申告書により提出することをやめようとする場合における**五**の届出書の提出について適用し、令和７年12月31日以前に開始した事業年度の**一**の**1**に掲げる申告書を青色の申告書により提出することをやめようとする場合における**五**の届出書の提出については、次による。（令５改法附15、１Ⅵロ、令５改規附５、１Ⅰ）

> 　青色申告の承認を受けている内国法人は、当該事業年度以後の各事業年度の申告書を青色の申告書により提出することをやめようとするときは、当該事業年度終了の日の翌日から２か月以内に、次に掲げる事項を記載した届出書を納税地の所轄税務署長に提出しなければならない。この場合において、その届出書の提出があったときは、当該事業年度以後の各事業年度については、その承認は、その効力を失うものとする。（法旧128、規旧60）
> 　旧**1**　届出をする内国法人の名称、納税地及び法人番号
> 　旧**2**　代表者の氏名
> 　旧**3**　青色申告書の提出の承認を受けた日又はその承認があったものとみなされた日
> 　旧**4**　当該事業年度以後の各事業年度について青色申告書による申告書の提出をやめようとする当該事業年度開始の日及び終了の日
> 　旧**5**　青色申告書による申告をやめようとする理由
> 　旧**6**　その他参考となるべき事項

第三節　更正、決定等

一　更正又は決定

1　更正、決定、再更正

①	更　正	税務署長は、納税申告書の提出があった場合において、その納税申告書に記載された課税標準等又は税額等の計算が国税に関する法律の規定に従っていなかったとき、その他当該課税標準等又は税額等がその調査したところと異なるときは、その調査により、当該申告書に係る課税標準等又は税額等を更正する。（通法24） 注　申告に係る課税標準等又は税額等を増減させる処分は全て更正となる。ただし、白色申告法人の欠損金額（災害損失金の繰越控除の適用を受けることができるものを除く。）を減少させるだけのものは更正処分とはならない。（編者）
②	決　定	税務署長は、納税申告書を提出する義務があると認められる者が当該申告書を提出しなかった場合には、その調査により、当該申告書に係る課税標準等及び税額等を決定する。ただし、決定により納付すべき税額及び還付金の額に相当する税額が生じないときは、この限りでない。（通法25）
③	再更正	税務署長は、更正（再更正を含む。）又は決定をした後、その更正又は決定をした課税標準等又は税額等が過大又は過少であることを知ったときは、その調査により、当該更正又は決定に係る課税標準等又は税額等を更正する。（通法26）

　　（国税庁又は国税局の職員の調査に基づく更正又は決定）
（1）　1《更正、決定、再更正》の表の①から③までに掲げる場合において、国税庁又は国税局の当該職員の調査があったときは、税務署長は、当該調査したところに基づき、更正又は決定をすることができる。（通法27）

　　（更正又は決定の手続）
（2）　更正又は決定は、税務署長が更正通知書又は決定通知書を送達して行う。（通法28①）

　　（更正通知書の記載事項）
（3）　更正通知書には、次に掲げる事項を記載しなければならない。この場合において、その更正が（1）に掲げる調査に基づくものであるときは、その旨を付記しなければならない。（通法28②）
　（一）　その更正前の課税標準等及び税額等
　（二）　その更正後の課税標準等及び税額等
　（三）　その更正に係る次に掲げる金額
　　イ　その更正前の納付すべき税額がその更正により増加するときは、その増加する部分の税額
　　ロ　その更正前の還付金の額に相当する税額がその更正により減少するときは、その減少する部分の税額
　　ハ　純損失の繰戻し等による還付金額に係る還付加算金があるときは、その還付加算金のうちロに掲げる税額に対応する部分の金額
　　ニ　その更正前の納付すべき税額がその更正により減少するときは、その減少する部分の税額
　　ホ　その更正前の還付金の額に相当する税額がその更正により増加するときは、その増加する部分の税額

　　（決定通知書の記載事項）
（4）　決定通知書には、その決定に係る課税標準等及び税額等を記載しなければならない。この場合において、その決定が（1）に掲げる調査に基づくものであるときは、その旨を附記しなければならない。（通法28③）

　　（理由の提示）
（5）　行政手続法第3条第1項《適用除外》に定めるもののほか、国税に関する法律に基づき行われる処分その他公権力の行使に当たる行為については、行政手続法第二章《申請に対する処分》（第8条《理由の提示》を除く。）及び第三章《不利益処分》（第14条《不利益処分の理由の提示》を除く。）の規定は、適用しない。（通法74の14①）

注1　(5)により、法人税に関する処分については、原則、書面により処分の理由を示す必要がある。
　　　なお、(5)については、法人税に関すること以外については、省略した。(編者)
注2　行政手続法第8条及び第14条については、次のとおり。(編者)

> 【行政手続法】
> (理由の提示)
> 第8条　行政庁は、申請により求められた許認可等を拒否する処分をする場合は、申請者に対し、同時に、当該処分の理由を示さなければならない。ただし、法令に定められた許認可等の要件又は公にされた審査基準が数量的指標その他の客観的指標により明確に定められている場合であって、当該申請がこれらに適合しないことが申請書の記載又は添付書類その他の申請の内容から明らかであるときは、申請者の求めがあったときにこれを示せば足りる。
> 2　前項本文に規定する処分を書面でするときは、同項の理由は、書面により示さなければならない。
>
> (不利益処分の理由の提示)
> 第14条　行政庁は、不利益処分をする場合には、その名あて人に対し、同時に、当該不利益処分の理由を示さなければならない。ただし、当該理由を示さないで処分をすべき差し迫った必要がある場合は、この限りでない。
> 2　行政庁は、前項ただし書の場合においては、当該名あて人の所在が判明しなくなったときその他処分後において理由を示すことが困難な事情があるときを除き、処分後相当の期間内に、同項の理由を示さなければならない。
> 3　不利益処分を書面でするときは、前2項の理由は、書面により示さなければならない。

(青色申告書等に係る更正)
(6)　税務署長は、内国法人の提出した青色申告書に係る法人税の課税標準又は欠損金額の更正をする場合には、その内国法人の帳簿書類を調査し、その調査により当該青色申告書に係る法人税の課税標準又は欠損金額の計算に誤りがあると認められる場合に限り、これをすることができる。ただし、当該青色申告書及びこれに添付された書類に記載された事項によって、当該課税標準又は欠損金額の計算が法人税法の規定に従っていないことその他その計算に誤りがあることが明らかである場合は、その帳簿書類を調査しないでその更正をすることを妨げない。(法130①)

(更正の理由の付記)
(7)　税務署長は、内国法人の提出した青色申告書に係る法人税の課税標準の更正をする場合には、その更正に係る更正通知書にその更正の理由を付記しなければならない。(法130②)

(推計による更正又は決定)
(8)　税務署長は、内国法人に係る法人税につき更正又は決定をする場合には、内国法人の提出した青色申告書に係る法人税(その内国法人が通算法人〔通算法人であった内国法人を含む。以下(8)において同じ。〕である場合には、第二節の**四**の(2)《通算法人に係る青色申告の承認の取消しの通知》又は同**四**の(3)《通算法人であった内国法人に係る青色申告の承認の取消しの通知》により読み替えられた同**四**の**1**から**4**までに掲げる事業年度から当該事業年度後の事業年度のうち最初に青色申告書以外の申告書を提出する事業年度の前事業年度までの各事業年度に係る法人税を除く。)の課税標準又は欠損金額の更正をする場合を除き、その内国法人(その内国法人が通算法人である場合には、他の通算法人を含む。)の財産若しくは債務の増減の状況、収入若しくは支出の状況又は生産量、販売量その他の取扱量、従業員数その他事業の規模によりその内国法人に係る法人税の課税標準(更正をする場合にあっては、課税標準又は欠損金額)を推計して、これをすることができる。(法131)

(更正等の効力)
(9)　更正又は再更正(以下「**更正**」という。)で既に確定した納付すべき税額を増加させるものは、既に確定した納付すべき税額に係る部分の国税についての納税義務に影響を及ぼさない。(通法29①)
　　既に確定した納付すべき税額を減少させる更正は、その更正により減少した税額に係る部分以外の部分の国税についての納税義務に影響を及ぼさない。(通法29②)
　　更正又は決定を取り消す処分又は判決は、その処分又は判決により減少した税額に係る部分以外の部分の国税についての納税義務に影響を及ぼさない。(通法29③)

(更正又は決定の所轄庁)
(10)　更正又は決定は、これらの処分をする際における法人税の納税地(以下「現在の納税地」という。)を所轄する税務署長が行う。(通法30①)
　　法人税又は地方法人税については、事業年度又は課税事業年度が開始した時(清算所得に対する法人税又は地方法

人税については、その納税義務の成立の時）以後にその納税地に異動があった場合において、その異動に係る納税地で現在の納税地以外のもの（以下「旧納税地」という。）を所轄する税務署長においてその異動の事実が知れず、又はその異動後の納税地が判明せず、かつ、その知れないこと又は判明しないことにつきやむを得ない事情があるときは、その旧納税地を所轄する税務署長は、上記にかかわらず、その法人税又は地方法人税について更正又は決定をすることができる。（通法30②）

上記に掲げる税務署長は、更正又は決定をした後、当該更正又は決定に係る法人税又は地方法人税につき既に適法に、他の税務署長に対し納税申告書が提出され、又は他の税務署長が決定をしていたため、当該更正又は決定をすべきでなかったものであることを知った場合には、遅滞なく、当該更正又は決定を取り消さなければならない。（通法30③）

（更正又は決定の期間制限）
(11) 次に掲げる更正決定等の期間制限等は、次による。
(一) 更正又は決定は、その更正又は決定に係る国税の法定申告期限（還付請求申告書に係る更正については当該申告書を提出した日とし、還付請求申告書の提出がない場合にする**1**の表の②《決定》による決定又はその決定後にする更正については、還付請求申告書を提出することができる者についてその申告に係る還付金がなく、納付すべき税額があるものとした場合におけるその国税の法定申告期限とする。）から5年を経過した日以後においては、することができない。（通法70①一、通令29①）
(二) 法人税に係る純損失等の金額で当該課税期間において生じたものを増加させ、若しくは減少させる更正又は当該金額があるものとする更正は、（一）にかかわらず、（一）に掲げる期限から<u>10年</u>を経過する日まで、することができる。（通法70②）
(三) （一）又は（二）により更正をすることができないこととなる日前6か月以内にされた更正の請求に係る更正又は当該更正に伴って行われることとなる加算税についてする賦課決定は、（一）又は（二）にかかわらず、当該更正の請求があった日から6か月を経過する日まで、することができる。（通法70③）
(四) （一）により賦課決定をすることができないこととなる日前3か月以内にされた納税申告書の提出（源泉徴収等による国税の納付を含む。以下(四)において同じ。）に伴って行われることとなる無申告加算税（**三の2の(8)**《期限後申告又は修正申告が決定又は予知してされたものでないときの軽減》の適用があるものに限る。）又は不納付加算税（国税通則法第67条第2項《不納付加算税》の規定の適用があるものに限る。）についてする賦課決定は、（一）にかかわらず、当該納税申告書の提出があった日から3か月を経過する日まで、することができる。（通法70④）
(五) 次のイ及びロに掲げる更正決定等は、（一）、（三）又は（四）にかかわらず、（一）に掲げる期限から7年を経過する日まで、することができる。（通法70⑤）

イ	偽りその他不正の行為によりその全部若しくは一部の税額を免れ、又はその全部若しくは一部の税額の還付を受けた国税（当該国税に係る加算税及び過怠税を含む。）についての更正決定等
ロ	偽りその他不正の行為により当該課税期間において生じた純損失等の金額が過大にあるものとする納税申告書を提出していた場合における当該申告書に記載された当該純損失等の金額（当該金額に関し更正があった場合には、当該更正後の金額）についての更正（（二）又は（三）の適用を受ける法人税に係る純損失等の金額に係るものを除く。）

(六) 更正若しくは決定又は賦課決定（以下「更正決定等」という。）で次に掲げるものは、それぞれ次に掲げる期間の満了する日が（一）から（五）までにより更正決定等をすることができる期間の満了する日後に到来する場合には、（一）から（五）までにかかわらず、それぞれ次に掲げる期間においても、することができる（通法71①、通令30）

イ	更正決定等に係る不服申立て若しくは訴えについての裁決、決定若しくは判決（以下イにおいて「裁決等」という。）による原処分の異動又は更正の請求に基づく更正に伴って課税標準等又は税額等に異動を生ずべき国税（当該裁決等又は更正に係る国税の属する税目に属するものに限る。）で当該裁決等又は更正を受けた者に係るものについての更正決定等	当該裁決等又は更正があった日から6か月間
ロ	申告納税方式による国税につき、その課税標準の計算の基礎となった事実のうちに含まれていた無効な行為により生じた経済的成果がその行為の無効であることに基因して失われたこと、当該事実のうちに含まれていた取り消しうべき行為が取り消されたことその他これらに準ずる理由（国税通則法施行令第24条第4項《還付加算	当該理由が生じた日から3年間

		金の計算期間の特例に係る理由》に規定する理由──国税通則法第23条第2項第1号及び第3号《特別の場合の更正の請求》の規定により更正の請求の基因とされている理由〔修正申告書の提出又は更正若しくは決定があったことを理由とするものを除く。〕で法定申告期限後に生じたもの）に基づいてする更正（納付すべき税額を減少させる更正又は純損失等の金額で当該課税期間において生じたもの若しくは還付金の額を増加させる更正若しくはこれらの金額があるものとする更正に限る。）又は当該更正に伴い当該国税に係る加算税についてする賦課決定	
ハ		更正の請求をすることができる期限について第一節の**九**の**2**《期限の特例》又は同**九**の**3**《災害等による期限の延長》の適用がある場合における当該更正の請求に係る更正又は当該更正に伴って行われることとなる加算税についてする賦課決定	当該更正の請求があった日から6か月間
ニ		(イ)に掲げる事由が生じた場合において、(ロ)に掲げる事由に基づいてする更正決定等	(ロ)の租税条約等の相手国等に対し(ロ)の要請に係る書面が発せられた日から3年間
	(イ)	国税庁、国税局又は税務署の当該職員が納税者にその国税に係る国外取引（非居住者〔所得税法第2条第1項第5号《定義》に規定する非居住者をいう。(イ)において同じ。〕若しくは外国法人〔第一節の**二**の表の**4**《外国法人》に掲げる外国法人をいう。(イ)において同じ。〕との間で行う資産の販売、資産の購入、役務の提供その他の取引又は非居住者若しくは外国法人が提供する場を利用して行われる資産の販売、資産の購入、役務の提供その他の取引をいう。）又は国外財産（相続税法第20条の2《在外財産に対する相続税額の控除》に規定する財産をいう。）に関する書類（その作成又は保存に代えて電磁的記録の作成又は保存がされている場合における当該電磁的記録を含む。）又はその写しの提示又は提出を求めた場合において、その提示又は提出を求めた日から60日を超えない範囲内においてその準備に通常要する日数を勘案して当該職員が指定する日までにその提示又は提出がなかったこと（当該納税者の責めに帰すべき事由がない場合を除く。）。	
	(ロ)	国税庁長官（その委任を受けた者を含む。）が租税条約等の規定に基づき当該租税条約等の相手国等に(イ)の国外取引又は国外財産に関する情報の提供の要請をした場合（当該要請が(一)から(五)までにより更正決定等をすることができないこととなる日の6か月前の日以後にされた場合を除くものとし、当該要請をした旨の(イ)の納税者への通知が当該要請をした日から3か月以内にされた場合に限る。）において、その国税に係る課税標準等又は税額等に関し、当該相手国等から提供があった情報に照らし非違があると認められること。	

注1 （一）に掲げる還付請求申告書は、還付金の還付を受けるための納税申告書（納税申告書に記載すべき課税標準等及び税額等が国税に関する法律の規定により正当に計算された場合に当該申告書の提出により納付すべき税額がないものに限る。）で期限内申告書以外のものをいう。（通令26）

注2 ──線部分（（二）に係る部分に限る。）は、平成27年度改正により改正（平成28年度改正により再改正）された部分で、改正規定は、<u>平成30年</u>4月1日以後に開始する事業年度において生ずる純損失等の金額について適用され、<u>平成30年3月31日以前に開始した事業年度</u>において生じた純損失等の金額については、（二）中「10年」とあるのは「9年」とする。（平27改法附53③、1Ⅶロ、平28改法18）

注3 ──線部分（注2に係る部分に限る。）は、平成28年度改正により改正された部分で、改正前においては、注2中「平成30年」とあるのは「平成29年」とされていた。（旧平27改法附53③、1Ⅶロ、平28改法18）

注4 更正又は決定で<u>第三章第一節第三十款の**九**《更正・決定等の期間制限の特例》</u>に掲げるものは、（一）にかかわらず、<u>同**九**のそれぞれに掲げる期限又は日から**7年**を経過する日まで</u>、することができる。（措法66の4㉗）

注5 ──線部分（注4に係る部分に限る。）は、令和元年度改正により改正された部分で、改正規定は、令和2年4月1日以後に開始する事業年度について適用され、令和2年3月31日以前に開始した事業年度の適用については、「7年」とあるのは「6年」とする。（平31改法附56①、1）

（裁決等又は更正を受けた者の範囲）

(12) (11)《更正又は決定の期間制限》の(六)の表のイの左欄に掲げる当該裁決等又は更正を受けた者には、当該受けた者が分割等（分割、現物出資、現物分配又は第三章第一節第三十三款の**一**《譲渡損益調整資産に係る譲渡利益額又

は譲渡損失額の繰延べ》の適用を受ける同一に掲げる譲渡損益調整資産の譲渡をいう。以下(12)において同じ。）に係る分割法人等（分割法人、現物出資法人、現物分配法人又は同一に掲げる譲渡損益調整資産を譲渡した法人をいう。以下同じ。）である場合には当該分割等に係る分割承継法人等（分割承継法人、被現物出資法人、被現物分配法人又は同款の二の1《譲受法人において譲渡損益調整資産の譲渡があった場合等の戻入れ》に掲げる譲受法人をいう。以下同じ。）を含むものとし、当該受けた者が分割等に係る分割承継法人等である場合には当該分割等に係る分割法人等を含むものとする。（通法71②）

2　仮装経理に基づく過大申告の場合の更正の特例

　内国法人の提出した確定申告書に記載された各事業年度の所得の金額が当該事業年度の課税標準とされるべき所得の金額を超えている場合において、その超える金額のうちに事実を仮装して経理したところに基づくものがあるときは、税務署長は、当該事業年度の所得に対する法人税につき、その内国法人が当該事業年度後の各事業年度において当該事実に係る修正の経理をし、かつ、当該修正の経理をした事業年度の確定申告書を提出するまでの間は、更正をしないことができる。（法129①）
　　注　仮装経理に基づく過大申告の場合の更正の特例等に関して、上記の規定のほか、次の規定が設けられていることに留意する。（編者）
　　　（1）　仮装経理に基づく過大申告の場合の更正に伴う法人税額の控除《第三章第二節第二款の**四**参照》
　　　（2）　仮装経理に基づく過大申告の場合の更正に伴う法人税額の還付の特例《第三章第二節第三款の**八**の4参照》

3　租税条約に基づく合意があった場合の更正の特例

①　租税条約に基づく合意があった場合の更正の特例

　相手国等の法令に基づき、相手国居住者等（所得税法第2条第1項第5号《定義》に規定する非居住者又は同項第7号に規定する外国法人〔同項第8号に規定する人格のない社団等を含む。〕で、租税条約の規定により当該租税条約の相手国等の居住者又は法人とされるものをいう。）又は内国法人に係る租税（当該相手国等との間の租税条約の適用があるものに限る。）の課税標準等又は税額等につき更正（一の1の表の①又は同表の③に掲げる更正をいう。以下3において同じ。）又は決定（同表の②に掲げる決定をいう。）に相当する処分があった場合において、当該課税標準等又は税額等に関し、財務大臣と当該相手国等の権限ある当局との間の当該租税条約に基づく合意が行われたことにより、内国法人の各事業年度の所得の金額のうちに減額されるものがあるときは、当該居住者若しくは当該内国法人の第三章第二節第三款の**九**の1《更正の請求》又は同**九**の2《後発的事由がある場合の更正の請求の特例》による更正の請求に基づき、税務署長は、当該合意をした内容を基に計算される当該内国法人の各事業年度の所得の金額を基礎として、更正をすることができる。（租税条約等の実施に伴う所得税法、法人税法及び地方税法の特例等に関する法律7①、2Ⅳ）
　注1　租税条約とは、我が国が締結した所得に対する租税に関する二重課税の回避又は脱税の防止のための条約をいう。（租税条約等の実施に伴う所得税法、法人税法及び地方税法の特例等に関する法律2Ⅰ）
　注2　租税条約等とは、租税条約及び租税相互行政支援協定（租税条約以外の我が国が締結した国際約束で、租税の賦課若しくは徴収に関する情報を相互に提供すること、租税の徴収の共助若しくは徴収のための財産の保全の共助をすること又は租税に関する文書の送達の共助をすることを定める規定を有するものをいう。）をいう。（租税条約等の実施に伴う所得税法、法人税法及び地方税法の特例等に関する法律2Ⅱ）
　注3　相手国等とは、租税条約等の我が国以外の締約国又は締約者をいう。（租税条約等の実施に伴う所得税法、法人税法及び地方税法の特例等に関する法律2Ⅲ）

　（利益積立金額等との関係）
　　3に掲げる更正をする場合において、内国法人の**3**により減額される所得の金額のうちに相手国居住者等に支払われない金額があるときは、当該金額は、第三章第二節第一款の**二の2**《各事業年度の留保金額》及び同**二の3**《留保控除額》に掲げる所得等の金額並びに利益積立金額にそれぞれ含まれるものとする。（租税条約等の実施に伴う所得税法、法人税法及び地方税法の特例等に関する法律7③、租税条約等の実施に伴う所得税法、法人税法及び地方税法の特例等に関する法律施行令6①）

②　国外源泉所得について租税条約に基づく合意があった場合の更正の特例

　相手国等の法令に基づき、内国法人に係る当該相手国等の租税（当該相手国等との間の租税条約の適用があるものに限る。）の課税標準等（当該内国法人の第三章第二節第二款の**二**の1の②《国外源泉所得》の**イ**の表の（一）に掲げる国外事業所等に係るものに限る。以下②において同じ。）につき更正又は決定に相当する処分があった場合において、当該課税標準等に関し、財務大臣と当該相手国等の権限ある当局との間の当該租税条約に基づく合意が行われたことにより、内国法人の各事業年度の国外所得金額（各事業年度の第三章第二節第二款の**二**の1の①《外国法人税を納付することとなる場合の外国税額控除》に掲げる国外所得金額をいい、同**1**の②の**イ**の表の（一）に掲げる国外源泉所得に係るものに限る。以下②

において同じ。）のうちに増額されるものがあり、かつ、これらの金額が増額されることによって当該内国法人の各事業年度の所得に対する法人税の額のうちに減額されるものがあるときは、当該内国法人の更正の請求に基づき、税務署長は、当該合意をした内容を基に計算される当該内国法人の各事業年度の国外所得金額を基礎として、更正をすることができる。（租税条約等の実施に伴う所得税法、法人税法及び地方税法の特例等に関する法律7②）

二　同族会社等の行為又は計算の否認

1　同族会社等の行為又は計算の否認

　税務署長は、次の表に掲げる法人に係る法人税につき更正又は決定をする場合において、その法人の行為又は計算で、これを容認した場合には法人税の負担を不当に減少させる結果となると認められるものがあるときは、その行為又は計算にかかわらず、税務署長の認めるところにより、その法人に係る法人税の課税標準若しくは欠損金額又は法人税の額を計算することができる。（法132①）

①	内国法人である同族会社
②	次のイからハまでのいずれにも該当する内国法人 イ　3以上の支店、工場その他の事業所を有すること。 ロ　その事業所の$\frac{1}{2}$以上に当たる事業所につき、その事業所の所長、主任その他のその事業所に係る事業の主宰者又は当該主宰者の親族その他の当該主宰者と特殊の関係のある個人（以下②において「所長等」という。）が前に当該事業所において個人として事業を営んでいた事実があること。 ハ　ロに掲げる事実がある事業所の所長等の有するその内国法人の株式又は出資の数又は金額の合計額がその内国法人の発行済株式又は出資（その内国法人が有する自己の株式又は出資を除く。）の総数又は総額の$\frac{2}{3}$以上に相当すること。

　　　（事業の主宰者の特殊関係者の範囲）
（1）　1《同族会社等の行為又は計算の否認》の表の②のロに掲げる「主宰者と特殊の関係のある個人」は、次に掲げる者及びこれらの者であった者とする。（令173）
　（一）　当該主宰者の親族
　（二）　当該主宰者とまだ婚姻の届出をしないが事実上婚姻関係と同様の事情にある者
　（三）　当該主宰者の使用人
　（四）　（一）から（三）までに掲げる者以外の者で当該主宰者から受ける金銭その他の資産によって生計を維持するもの
　（五）　当該主宰者の雇主
　（六）　（二）から（五）までに掲げる者と生計を一にするこれらの者の親族

　　　（同族会社等の判定の時期）
（2）　1《同族会社等の行為又は計算の否認》の同族会社等の行為又は計算の否認の場合において、内国法人が1の表の①又は②に掲げる法人に該当するかどうかの判定は、1に掲げる行為又は計算の事実のあった時の現況によるものとする。（法132②）

　　　（所得税法等の準用）
（3）　1《同族会社等の行為又は計算の否認》は、1に掲げる更正又は決定をする場合において、1の表の①又は②に掲げる法人の行為又は計算につき、所得税法第157条第1項《同族会社等の行為又は計算の否認等》若しくは相続税法第64条第1項《同族会社等の行為又は計算の否認等》又は地価税法第32条第1項《同族会社等の行為又は計算の否認等》の規定の適用があったときについて準用する。（法132③）

2　組織再編成に係る行為又は計算の否認

　税務署長は、合併、分割、現物出資若しくは現物分配又は株式交換等若しくは株式移転（以下2において「合併等」という。）に係る次の表に掲げる法人の法人税につき更正又は決定をする場合において、その法人の行為又は計算で、これを容認した場合には、合併等により移転する資産及び負債の譲渡に係る利益の額の減少又は損失の額の増加、法人税の額から控除する金額の増加、次の表の①又は②に掲げる法人の株式（出資を含む。以下同じ。）の譲渡に係る利益の額の減少又は損失の額の増加、みなし配当金額（第三章第一節第二款**五**《配当等の額とみなす金額》の規定により同款の**一**《受取

配当等の益金不算入》の表の①又は②に掲げる金額とみなされる金額をいう。）の減少その他の事由により法人税の負担を不当に減少させる結果となると認められるものがあるときは、その行為又は計算にかかわらず、税務署長の認めるところにより、その法人に係る法人税の課税標準若しくは欠損金額又は法人税の額を計算することができる。（法132の２）

①	合併等をした法人又は合併等により資産及び負債の移転を受けた法人
②	合併等により交付された株式を発行した法人（①に掲げる法人を除く。）
③	①及び②に掲げる法人の株主等である法人（①及び②に掲げる法人を除く。）

3　通算法人に係る行為又は計算の否認

　税務署長は、通算法人の各事業年度の所得に対する法人税につき更正又は決定をする場合において、当該通算法人又は他の通算法人の行為又は計算で、これを容認した場合には、当該各事業年度の所得の金額から控除する金額の増加、法人税の額から控除する金額の増加、他の通算法人に対する資産の譲渡に係る利益の額の減少又は損失の額の増加その他の事由により法人税の負担を不当に減少させる結果となると認められるものがあるときは、その行為又は計算にかかわらず、税務署長の認めるところにより、当該通算法人に係る法人税の課税標準若しくは欠損金額又は法人税の額を計算することができる。（法132の３）

三　加算税

1 過少申告加算税	期限内申告書（還付請求申告書を含む。（1）の表の（二）《期限内申告税額》において同じ。）が提出された場合（期限後申告書が提出された場合において、**2**《無申告加算税》のただし書又は**2**の(10)《期限内に提出する意思があったと認められる場合の適用》の適用があるときを含む。）において、修正申告書の提出又は更正があったときは、当該納税者に対し、次により過少申告加算税を課する。（通法65①②）		
	①	その修正申告又は更正に基づき第三章第二節第三款の**七**の**4**《期限後申告、修正申告等による納付》により納付すべき税額に$\frac{10}{100}$の割合（修正申告書の提出が、その申告に係る国税についての調査があったことにより当該国税について更正があるべきことを予知してされたものでないときは、$\frac{5}{100}$の割合）を乗じて計算した金額	
	②	①に該当する場合（（7）《修正申告が更正を予知してされたものでないときの不適用》の適用がある場合を除く。）において、①に掲げる納付すべき税額（修正申告又は更正前に当該修正申告又は更正に係る国税について修正申告書の提出又は更正があったときは、その国税に係る累積増差税額を加算した金額）がその国税に係る期限内申告税額に相当する金額と50万円とのいずれか多い金額を超えるときは、**1**の過少申告加算税の額は、①にかかわらず、①により計算した金額に、その超える部分に相当する税額（①に掲げる納付すべき税額が当該超える部分に相当する税額に満たないときは、当該納付すべき税額）に$\frac{5}{100}$の割合を乗じて計算した金額を加算した金額	
	（用語の意義） （1）　**1**《過少申告加算税》の表の②における用語の意義については、次に掲げるところによる。（通法65③）		
		（一）累積増差税額	修正申告又は更正前にされたその国税についての修正申告書の提出又は更正に基づき第三章第二節第三款の**七**の**4**により納付すべき税額の合計額（当該国税について、当該納付すべき税額を減少させる更正又は更正に係る不服申立て若しくは訴えについての決定、裁決若しくは判決による原処分の異動があったときはこれらにより減少した部分の税額に相当する金額を控除した金額とし、（5）《正当な理由があると認められる部分に対する不適用》の適用があったときは(5)により控除すべきであった金額を控除した金額とする。）
		（二）期限内申告税額	期限内申告書（**2**《無申告加算税》のただし書又は**2**の(10)《期限内に提出する意思があったと認められる場合の適用》の適用がある場合には、期限後申告書を含む。以下(5)において同じ。）の提出に基づき第三章第二節第三款の**七**の**2**《確定申告による納付》又は同**七**の**4**《期限後申告、修正申告等による納付》により納付すべき税額（これらの申告書に係る国税について、次の表のイ及びロに掲げる金額があるときは当該

金額を加算した金額とし、法人税又は地方法人税に係るこれらの申告書に記載された還付金の額に相当する税額があるときは当該税額を控除した金額とする。）

イ	第一節の二《定義》の表の**38**に掲げる中間納付額、第三章第二節第二款の**一**《所得税額の控除》による控除をされるべき金額、同款の**二**《外国税額の控除》による控除をされるべき金額又は法人税法第90条《退職年金等積立金に係る中間申告による納付》の規定により納付すべき法人税の額（その額につき修正申告書の提出又は更正があった場合には、その申告又は更正後の法人税の額）
ロ	第六章第二節の**一**《定義》の表の**18**に掲げる中間納付額、同章第四節の**二**《外国税額の控除》による控除をされるべき金額又は地方法人税法第20条第2項《中間申告による納付》の規定により納付すべき地方法人税の額（その額につき修正申告書の提出又は更正があった場合には、その申告又は更正後の地方法人税の額）

（帳簿の記載等が著しく不十分である場合等の過少申告加算税の加重）

（2） 1《過少申告加算税》に該当する場合において、当該納税者が、帳簿（（3）《加重された過少申告加算税等の対象となる帳簿等》に掲げるものに限るものとし、その作成又は保存に代えて電磁的記録の作成又は保存がされている場合における当該電磁的記録を含む。以下（4）までにおいて同じ。）に記載し、又は記録すべき事項に関しその修正申告書の提出又は更正（以下（2）から（4）において「**修正申告等**」という。）があった時前に、国税庁、国税局又は税務署の当該職員（以下（2）において「**当該職員**」という。）から当該帳簿の提示又は提出を求められ、かつ、次に掲げる場合のいずれかに該当するとき（当該納税者の責めに帰すべき事由がない場合を除く。）は、1の①の過少申告加算税の額は、1の①及び②にかかわらず、1の①及び②により計算した金額に、1の①に掲げる納付すべき税額（その税額の計算の基礎となるべき事実で当該修正申告等の基因となる当該帳簿に記載し、又は記録すべき事項に係るもの以外のもの（以下（2）及び（4）において「帳簿に記載すべき事項等に係るもの以外の事実」という。）があるときは、当該帳簿に記載すべき事項等に係るもの以外の事実に基づく税額として（4）《過少申告加算税を加重に課さない部分の税額の計算》に掲げるところにより計算した金額を控除した税額）に$\frac{10}{100}$の割合（次の表の（二）に掲げる場合に該当するときは、$\frac{5}{100}$の割合）を乗じて計算した金額を加算した金額とする。（通法65④、通規11の2②～④）

（一）	当該職員に当該帳簿の提示若しくは提出をしなかった場合又は当該職員にその提示若しくは提出がされた当該帳簿に記載し、若しくは記録すべき事項のうち、売上げ（業務に係る収入を含む。）（（二）において「**特定事項**」という。）の金額の記載又は記録が、帳簿に記載し、又は記録すべき特定事項の金額の$\frac{1}{2}$に満たない場合
（二）	当該職員にその提示又は提出がされた当該帳簿に記載し、又は記録すべき事項のうち、特定事項の金額の記載又は記録が、帳簿に記載し、又は記録すべき特定事項の金額の$\frac{2}{3}$に満たない場合（（一）に掲げる場合を除く。）

注 （2）は、令和4年度改正により追加されたもので、改正規定は、令和6年1月1日以降に法定申告期限が到来する国税から適用される。（令4改法附20②、1Ⅵハ、令4改通規附）

（加重された過少申告加算税等の対象となる帳簿等）

（3） （2）に掲げる帳簿は、修正申告等の基因となる事項に係る次に掲げる帳簿のうち、（2）の表の（一）に掲げる特定事項に関する調査について必要があると認められるものとする。（通規11の2①）

（一）	第二節の**三の1の②**《取引に関する帳簿及び記載事項》に掲げる仕訳帳及び総勘定元帳
（二）	第五節の**三の1の①**《取引に関する帳簿等》に掲げる帳簿

注 （3）は、令和4年度改正により追加されたもので、改正規定は、令和6年1月1日から適用される。（令4改通規附）

（過少申告加算税を加重に課さない部分の税額の計算）

（4） （2）に掲げる帳簿に記載すべき事項等に係るもの以外の事実に基づく税額として計算した金額は、過少申

告加算税の額の計算の基礎となるべき税額のうち(2)に掲げる税額の計算の基礎となるべき事実で(2)に掲げる帳簿に記載すべき事項等に係るもの以外の事実のみに基づいて修正申告等があったものとした場合における当該修正申告等に基づき第三章第二節第三款の**七**の**4**《期限後申告、修正申告等による納付》により納付すべき税額とする。(通令27①)

  注 (4)は、令和4年度改正により追加されたもので、改正規定は、令和6年1月1日から適用される。(令4改通令附1Ⅱ)

   (正当な理由があると認められる部分に対する不適用)
(5) 次の表の(一)及び(二)の左欄のいずれかに該当する場合には、**1**《過少申告加算税》に掲げる納付すべき税額から同表の(一)及び(二)の右欄に掲げる税額として(6)《過少申告加算税を課さない部分の税額の計算等》に掲げるところにより計算した金額を控除して、過少申告加算税を課する。(通法65⑤、通令27③)

(一)	**1**《過少申告加算税》に掲げる納付すべき税額の計算の基礎となった事実のうちにその修正申告又は更正前の税額(還付金の額に相当する税額を含む。)の計算の基礎とされていなかったことについて正当な理由があると認められるものがある場合	その正当な理由があると認められる事実に基づく税額
(二)	**1**の修正申告又は更正前に当該修正申告又は更正に係る国税について期限内申告書の提出により納付すべき税額を減少させる更正、期限内申告書に係る還付金の額を増加させる更正又は期限内申告書に係る還付金の額がない場合において還付金の額があるものとする更正(更正の請求に基づく更正を除く。)があった場合	当該期限内申告書に係る税額(還付金の額に相当する税額を含む。)に達するまでの税額

   (過少申告加算税を課さない部分の税額の計算等)
(6) (5)に掲げる過少申告加算税を課さない部分の金額は、次の表の左欄に掲げる場合の区分に応じ、それぞれ同表の右欄に掲げる税額とする。(通令27②)

(一)	(5)の表の(一)に掲げる場合に該当する場合((三)に掲げる場合を除く。)	(5)の表の(一)に掲げる正当な理由があると認められる事実のみに基づいて修正申告書の提出又は更正があったものとした場合におけるその申告又は更正に基づき第三章第二節第三款の**七**の**4**《期限後申告、修正申告等による納付》に掲げる納付すべき税額		
(二)	(5)の表の(二)に掲げる場合に該当する場合((三)に掲げる場合を除く。)	次の表の左欄に掲げる場合の区分に応じ、それぞれ同表の右欄に掲げる税額		
		①	期限内申告書((1)の表の(二)に掲げる期限内申告書をいう。以下(二)において同じ。)の提出により納付すべき税額がある場合	次の表に掲げる税額のうちいずれか少ない税額
				イ **1**に掲げる修正申告書の提出又は更正(以下(二)において「修正申告書の提出等」という。)により納付すべき税額
				ロ 期限内申告書の提出により納付すべき税額から**1**の修正申告又は更正(以下(二)において「修正申告等」という。)前の税額を控除した税額(修正申告等前の還付金の額に相当する税額があるときは、期限内申告書の提出により納付すべき税額に当該還付金の額に相当する税額を加算した税額)
		②	期限内申告書の提出により納付すべき税額がない場合(③に掲げる場合を除く。)	次の表に掲げる税額のうちいずれか少ない税額
				イ 修正申告書の提出等により納付すべき税額
				ロ 修正申告等前の還付金の額に相当する税額

			期限内申告書に係る還付金の額がある場合	次の表に掲げる税額のうちいずれか少ない税額	
		③		イ	修正申告書の提出等により納付すべき税額
				ロ	修正申告等前の還付金の額に相当する税額から期限内申告書に係る還付金の額に相当する税額を控除した税額
	(三)	(5)に掲げる場合のいずれにも該当する場合	(一)及び(二)に掲げる税額のうちいずれか多い税額		

（修正申告が更正を予知してされたものでないときの不適用）
(7)　修正申告書の提出が、その申告に係る国税についての調査があったことにより当該国税について更正があるべきことを予知してされたものでない場合において、その申告に係る国税についての調査に係る第五節の**七**の**2**の①《事前通知》の表の**ニ**及び**ホ**並びに同①に掲げる実地の調査において質問検査等を行わせる旨（同**2**の②《事前通知を要しない場合》に該当する場合には、調査〔同**2**の①の表の**イ**に掲げる調査をいう。〕を行う旨）の通知（**2**の(7)《5年前の日までの間に無申告加算税又は重加算税を課されたことがあるときの無申告加算税の計算》の表の(二)及び**2**の(9)《期限後申告又は修正申告が決定又は更正を予知してされたものでないときの軽減》において「調査通知」という。）がある前に行われたものであるときは、その修正申告に基づき納付すべき税額については、過少申告加算税を課さない。（通法65⑥、通令27④）

　　注1　──線部分は、令和5年度改正により改正された部分で、改正規定は、令和6年1月1日から適用され、令和5年12月31日以前の適用については、「通知（**2**の(7)《5年前の日までの間に無申告加算税又は重加算税を課されたことがあるときの無申告加算税の計算》の表の(二)及び」とあるのは「通知（」とする。（令5改法附1Ⅲロ）

　　注2　(7)に掲げる通知には、第五節の**七**の**2**の①の(4)《納税義務者の同意がある場合の税務代理人に対する事前通知》に掲げる場合に該当する場合において同(4)に掲げる税務代理人（当該税務代理人について同①の(5)《代表する税務代理人に対する事前通知》に掲げる場合に該当する場合には、同(5)に掲げる代表する税務代理人）に対してする通知を含むものとする。（通令27⑤）

2 無申告加算税	次の表の①及び②のいずれかに該当する場合には、当該納税者に対し、それぞれ同表の①及び②に掲げる申告、更正又は決定に基づき第三章第二節第三款の**七**の**4**《期限後申告、修正申告等による納付》により納付すべき税額に$\frac{15}{100}$の割合（期限後申告書又は同表の②の修正申告書の提出が、その申告に係る国税についての調査があったことにより当該国税について更正又は決定があるべきことを予知してされたものでないときは、$\frac{10}{100}$の割合）を乗じて計算した金額に相当する無申告加算税を課する。ただし、期限内申告書の提出がなかったことについて正当な理由があると認められる場合は、この限りでない。（通法66①） ① 期限後申告書の提出又は**一**の**1**の表の②による決定があった場合 ② 期限後申告書の提出又は**一**の**1**の表の②による決定があった後に修正申告書の提出又は更正があった場合 （無申告加算税の加算） (1)　**2**《無申告加算税》に該当する場合（**2**に掲げる期限内申告書の提出がなかったことについて正当な理由があると認められる場合又は(10)《期限内に提出する意思があったと認められる場合の適用》の適用がある場合を除く。(2)及び(7)《5年前の日までの間に無申告加算税又は重加算税を課されたことがあるときの無申告加算税の計算》において同じ。）において、**2**に掲げる納付すべき税額（**2**の表の②の修正申告書の提出又は更正があったときは、その国税に係る累積納付税額を加算した金額。(2)において「加算後累積納付税額」という。）が50万円を超えるときは、当該無申告加算税の額は、**2**にかかわらず、**2**により計算した金額に、その超える部分に相当する税額（**2**に掲げる納付すべき税額が当該超える部分に相当する税額に満たないときは、当該納付すべき税額）に$\frac{5}{100}$の割合を乗じて計算した金額を加算した金額とする。（通法66②） 　　注　──線部分は、令和5年度改正により改正された部分で、改正規定は、令和6年1月1日から適用され、令和5年12月31日以前の適用については、「除く。(2)及び(7)において同じ。）」とあるのは「除く。」とし、「金額。(2)において「加算後累積納付税額」という。」とあるのは「金額」とする。（令5改法附1Ⅲロ）

(加算後累積納付税額の計算)
(2) **2**《無申告加算税》に該当する場合において、加算後累積納付税額(当該加算後累積納付税額の計算の基礎となった事実のうちに**2**の表に掲げる申告、更正又は決定前の税額〔還付金の額に相当する税額を含む。〕の計算の基礎とされていなかったことについて当該納税者の責めに帰すべき事由がないと認められるものがあるときは、当該納税者の責めに帰すべき事由がないと認められる事実のみに基づいて**2**の表に掲げる申告、更正又は決定があったものとした場合におけるその申告、更正又は決定に基づき第三章第二節第三款の**七**の**4**《期限後申告、修正申告等による納付》により納付すべき税額を控除した税額)が300万円を超えるときは、**2**の無申告加算税の額は、**2**及び(1)にかかわらず、加算後累積納付税額を次の表の左欄に掲げる税額に区分してそれぞれの税額に同表の右欄に掲げる割合(期限後申告書又は**2**の表の②の修正申告書の提出が、その申告に係る国税についての調査があったことにより当該国税について更正又は決定があるべきことを予知してされたものでないときは、その割合から$\frac{5}{100}$の割合を減じた割合。以下(2)において同じ。)を乗じて計算した金額の合計額から累積納付税額を同表の左欄に掲げる税額に区分してそれぞれの税額に同表の右欄に掲げる割合を乗じて計算した金額の合計額を控除した金額とする。(通法66③、通令27⑥)

(一)	50万円以下の部分に相当する税額	$\frac{15}{100}$の割合
(二)	50万円を超え300万円以下の部分に相当する税額	$\frac{20}{100}$の割合
(三)	300万円を超える部分に相当する税額	$\frac{30}{100}$の割合

注 (2)は、令和5年度改正により追加されたもので、改正規定は、令和6年1月1日から適用される。(令5改法附1Ⅲロ、令5改通令附)

(累積納付税額の意義)
(3) (1)及び(2)において、累積納付税額とは、**2**の表の②の修正申告書の提出又は更正前にされたその国税についての次の表の(一)及び(二)に掲げる納付すべき税額の合計額(当該国税について、当該納付すべき税額を減少させる更正又は更正若しくは決定に係る不服申立て若しくは訴えについての決定、裁決若しくは判決による原処分の異動があったときはこれらにより減少した部分の税額に相当する金額を控除した金額とし、(8)において準用する**1**の(5)《正当な理由があると認められる部分に対する不適用》(同(5)の表の(一)に係る部分に限る。以下(3)及び(8)において同じ。)の適用があったときは同(5)により控除すべきであった金額を控除した金額とする。)をいう。(通法66④)

(一)	期限後申告書の提出又は**一**の**1**の表の②による決定に基づき第三章第二節第三款の**七**の**4**《期限後申告、修正申告等による納付》により納付すべき税額
(二)	修正申告書の提出又は更正に基づき第三章第二節第三款の**七**の**4**により納付すべき税額

注 ――線部分は、令和5年度改正により改正された部分で、改正規定は、令和6年1月1日から適用され、令和5年12月31日以前の適用については、「(1)及び(2)」とあるのは「(1)」とする。(令5改法附1Ⅲロ)

(帳簿の記載等が著しく不十分である場合等の無申告加算税の加重)
(4) **2**《無申告加算税》に該当する場合において、当該納税者が、**帳簿**((5)《加重された過少申告加算税等の対象となる帳簿等》に掲げるものに限るものとし、その作成又は保存に代えて電磁的記録の作成又は保存がされている場合における当該電磁的記録を含む。以下(6)までにおいて同じ。)に記載し、又は記録すべき事項に関しその期限後申告書若しくは修正申告書の提出又は更正若しくは決定(以下(6)までにおいて「**期限後申告等**」という。)があった時前に、国税庁、国税局又は税務署の当該職員(以下(4)において「**当該職員**」という。)から当該帳簿の提示又は提出を求められ、かつ、次に掲げる場合のいずれかに該当するとき(当該納税者の責めに帰すべき事由がない場合を除く。)は、**2**の無申告加算税の額は、**2**、(1)及び(2)にかかわらず、**2**及び(1)により計算した金額に、**2**に掲げる納付すべき税額(その税額の計算の基礎となるべき事実で当該期限後申告等の基因となる当該帳簿に記載し、又は記録すべき事項に係るもの以外のもの(以下(4)及び(6)において「帳簿に記載すべき事項等に係るもの以外の事実」という。)があるときは、当該帳簿に記載すべき事項等に係るもの以外の事実に基づく税額として(6)《無申告加算税を加重に課さない部分の税額の計算》に掲げるところにより計算した金額を控除した税額)に$\frac{10}{100}$の割合(次の表の(二)に掲げる場合に該当するときは、$\frac{5}{100}$の割合)を乗じて計算した金額を加算した金額とする。(通法66⑤、通規11の2②⑤⑥)

―152―

(一)	当該職員に当該帳簿の提示若しくは提出をしなかった場合又は当該職員にその提示若しくは提出がされた当該帳簿に記載し、若しくは記録すべき事項のうち、売上げ（業務に係る収入を含む。）（以下（二）において「**特定事項**」という。）の金額の記載又は記録が、帳簿に記載し、又は記録すべき特定事項の額の$\frac{1}{2}$に満たない場合
(二)	当該職員にその提示又は提出がされた当該帳簿に記載し、又は記録すべき事項のうち、特定事項の金額の記載又は記録が、帳簿に記載し、又は記録すべき特定事項の金額の$\frac{2}{3}$に満たない場合（（一）に掲げる場合を除く。）

注　（4）は、令和4年度改正により追加されたもので、改正規定は、令和6年1月1日以降に法定申告期限が到来する国税から適用される。（令4改法附20②、1 Ⅵハ、令4改通規附）

（加重された過少申告加算税等の対象となる帳簿等）
（5）　帳簿は、期限後申告等の基因となる事項に係る次に掲げる帳簿のうち、（4）の表の（一）に掲げる特定事項に関する調査について必要があると認められるものとする。（通規11の2①）

(一)	第二節の**三**の**1**の②《取引に関する帳簿及び記載事項》に掲げる仕訳帳及び総勘定元帳
(二)	第五節の**三**の**1**の①《取引に関する帳簿等》に掲げる帳簿

注　（5）は、令和4年度改正により追加されたもので、改正規定は、令和6年1月1日から適用される。（令4改通規附）

（無申告加算税を加重に課さない部分の税額の計算）
（6）　帳簿に記載すべき事項等に係るもの以外の事実に基づく税額として計算した金額は、無申告加算税の額の計算の基礎となるべき税額のうち（4）に掲げる税額の計算の基礎となるべき事実で帳簿に記載すべき事項等に係るもの以外の事実のみに基づいて期限後申告等があったものとした場合における当該期限後申告等に基づき第三章第二節第三款の**七**の**4**《期限後申告、修正申告等による納付》により納付すべき税額とする。（通令27⑦）

注　（6）は、令和4年度改正により追加されたもので、改正規定は、令和6年1月1日から適用される。（令4改通令附1Ⅱ）

（5年前の日までの間に無申告加算税又は重加算税を課されたことがあるときの無申告加算税の計算）
（7）　**2**《無申告加算税》に該当する場合において、次の表のいずれかに該当するときは、**2**の無申告加算税の額は、**2**の本文から（2）までにかかわらず、**2**、（1）及び（2）により計算した金額に、**2**に掲げる納付すべき税額に$\frac{10}{100}$の割合を乗じて計算した金額を加算した金額とする。（通法66⑥）

(一)	その期限後申告書若しくは**2**の表の②の修正申告書の提出（その申告に係る国税についての調査があったことにより当該国税について更正又は決定があるべきことを予知してされたものに限る。）又は更正若しくは決定があった日の前日から起算して5年前の日までの間に、その申告又は更正若しくは決定に係る国税の属する税目について、無申告加算税（期限後申告書又は**2**の表の②の修正申告書の提出が、その申告に係る国税についての調査があったことにより当該国税について更正又は決定があるべきことを予知してされたものでない場合において課されたものを除く。）又は重加算税（**3**の①の（1）及び**3**の②の（1）において「無申告加算税等」という。）を課されたことがある場合
(二)	その期限後申告書若しくは**2**の表の②の修正申告書の提出（その申告に係る国税についての調査があったことにより当該国税について更正又は決定があるべきことを予知してされたものでない場合において、その申告に係る国税についての調査通知がある前に行われたものを除く。）又は更正若しくは決定に係る国税の課税期間の初日の属する年の前年及び前々年に課税期間が開始した当該国税（課税期間のない当該国税については、当該国税の納税義務が成立した日の属する年の前年及び前々年に納税義務が成立した当該国税）の属する税目について、無申告加算税（（9）の適用があるものを除く。）若しくは**3**の②（以下（二）、**3**の①の（1）及び**3**の②の（1）において「特定無申告加算税等」という。）を課されたことがあり、又は特定無申告加算税等に係る賦課決定をすべきと認める場合

注──線部分は、令和5年度改正により改正された部分で、改正規定は、令和6年1月1日から適用され、令和5年12月31日以前の適用については、次による。（令5改法附1Ⅲロ）

　　2《無申告加算税》に該当する場合（**2**に掲げる期限内申告書の提出がなかったことについて正当な理由があると認められる

場合若しくは(10)《期限内に提出する意思があったと認められる場合の適用》の適用がある場合又は期限後申告書若しくは**2**の表の②修正申告書の提出が、その申告に係る国税についての調査があったことにより当該国税について更正又は決定があるべきことを予知してされたものでない場合を除く。）において、その期限後申告書若しくは修正申告書の提出又は更正若しくは決定があった日の前日から起算して5年前の日までの間に、その申告又は更正若しくは決定に係る国税の属する税目について、無申告加算税（期限後申告書又は同②の修正申告書の提出が、その申告に係る国税についての調査があったことにより当該国税について更正又は決定があるべきことを予知してされたものでない場合において課されたものを除く。）又は重加算税（**3**《重加算税》において「無申告加算税等」という。）を課されたことがあるときは、**2**の無申告加算税の額は、**2**の本文及び(1)にかかわらず、**2**の本文及び(1)により計算した金額に、**2**に掲げる納付すべき税額に$\frac{10}{100}$の割合を乗じて計算した金額を加算した金額とする。（通法66旧⑤）

（正当な理由があると認められる部分に対する不適用）
(8) **1**の(5)《正当な理由があると認められる部分に対する不適用》及び同**1**の(6)《過少申告加算税を課さない部分の税額の計算等》の表の(一)は、**2**《無申告加算税》の表の②に掲げる場合について準用する。（通法66⑦）

（期限後申告又は修正申告が決定又は更正を予知してされたものでないときの軽減）
(9) 期限後申告書又は**2**の表の②に掲げる修正申告書の提出が、その申告に係る国税についての調査があったことにより当該国税について更正又は決定があるべきことを予知してされたものでない場合において、その申告に係る国税についての調査通知がある前に行われたものであるときはその申告に基づき第三章第二節第三款の**七**の**4**《期限後申告、修正申告等による納付》により納付すべき税額に係る無申告加算税の額は、**2**、(1)及び(2)にかかわらず、当該納付すべき税額に$\frac{5}{100}$の割合を乗じて計算した金額とする。（通法66⑧）

注 ──線部分は、令和5年度改正により改正された部分で、改正規定は、令和6年1月1日から適用され、令和5年12月31日以前の適用については、「**2**、(1)及び(2)」とあるのは「**2**及び(1)」とする。（令5改法附1Ⅲロ）

（期限内に提出する意思があったと認められる場合の適用）
(10) **2**は、期限後申告書の提出が、その申告に係る国税についての調査があったことにより当該国税について**一**の**1**の表の②による決定があるべきことを予知してされたものでない場合において、期限内申告書を提出する意思があったと認められる場合（次の表のいずれにも該当する場合）に該当してされたものであり、かつ、法定申告期限から1か月を経過する日までに行われたものであるときは、適用しない。（通法66⑨、通令27の2①）

(一)	当該期限後申告書の提出があった日の前日から起算して5年前の日までの間に、当該期限後申告書に係る国税の属する税目について、**2**の表の①に該当することにより無申告加算税又は重加算税を課されたことがない場合であって、この(10)の適用を受けていないとき。
(二)	(一)に掲げる期限後申告書に係る納付すべき税額の全額が法定納期限（当該期限後申告書に係る納付について、第三章第二節第三款の**七**の**6**の(7)《口座振替納付に係る納付書の通知》に掲げる依頼を税務署長が受けていた場合には、当該期限後申告書を提出した日）までに納付されていた場合又は当該税額の全額に相当する金銭が法定納期限までに第三章第二節第三款の**七**の**6**の(10)《納付受託者に対する納付の委託》（同(10)の表の(一)に係る部分に限る。）による委託に基づき納付受託者に交付されていた場合若しくは当該税額の全額について法定納期限までに同(10)（同(10)の表の(二)に係る部分に限る。）により納付受託者が委託を受けていた場合

| 3 重加算税 | ① | 過少申告加算税に代えて課する重加算税 | **1**《過少申告加算税》に該当する場合（修正申告書の提出が、その申告に係る国税についての調査があったことにより当該国税について更正があるべきことを予知してされたものでない場合を除く。）において、納税者がその国税の課税標準等又は税額等の計算の基礎となるべき事実の全部又は一部を隠蔽し、又は仮装し、<u>かつ</u>、その隠蔽し、又は仮装したところに基づき納税申告書又は第三章第二節第三款の**九**の**3**《更正請求書の提出等》に掲げる更正請求書を提出していたときは、当該納税者に対し、過少申告加算税の額の計算の基礎となるべき税額（その税額の計算の基礎となるべき事実で隠蔽し、又は仮装されていないものに基づくことが明らかであるものがあるときは、当該隠蔽し、又は仮装されていない事実に基づく税額として計算される金額を控除した税額）に係る過少申告加算税に代え、当該基礎となるべき税額に$\frac{35}{100}$の割合を乗じて計算し |

第二章　第三節《更正・決定等》

た金額に相当する重加算税を課する。(通法68①)

　　注　──線部分は、令和6年度改正により追加された部分で、改正規定は、令和7年1月1日以後に法定申告期限が到来する国税について適用する。(令6改法附19、1Ⅳロ)

　　　　（5年前の日までの間に無申告加算税等を課されたことがあるときの重加算税の計算）
（1）　②《無申告加算税に代えて課する重加算税》に該当する場合において、次の表のいずれかに該当するときは、②の重加算税の額は、②にかかわらず、②により計算した金額に、②に掲げる基礎となるべき税額に$\frac{10}{100}$の割合を乗じて計算した金額を加算した金額とする。(通法68④)

(一)	②に掲げる税額の計算の基礎となるべき事実で隠蔽し、又は仮装されたものに基づき期限後申告書若しくは修正申告書の提出、更正若しくは決定があった日の前日から起算して5年前の日までの間に、その申告、更正若しくは決定に係る国税の属する税目について、無申告加算税等を課されたことがある場合
(二)	その期限後申告書若しくは修正申告書の提出又は更正若しくは決定に係る国税の課税期間の初日の属する年の前年及び前々年に課税期間が開始した当該国税（課税期間のない当該国税については、当該国税の納税義務が成立した日の属する年の前年及び前々年に納税義務が成立した当該国税）の属する税目について、特定無申告加算税等を課されたことがあり、又は特定無申告加算税等に係る賦課決定をすべきと認める場合

　　注　（1）は、令和5年度改正により改正されており、改正規定は、令和6年1月1日から適用され、令和5年12月31日以前の適用については、次による。(令5改法附1Ⅲロ)

> ②《無申告加算税に代えて課する重加算税》に該当する場合において、②に掲げる税額の計算の基礎となるべき事実で隠蔽し、又は仮装されたものに基づき期限後申告書若しくは修正申告書の提出、更正若しくは一の1の表の②による決定があった日の前日から起算して5年前の日までの間に、その申告、更正若しくは決定に係る国税の属する税目について、無申告加算税等を課されたことがあるときは、②の重加算税の額は、②にかかわらず、②により計算した金額に、②に掲げる基礎となるべき税額に$\frac{10}{100}$の割合を乗じて計算した金額を加算した金額とする。(通法68旧④)

　　　　（加重された過少申告加算税が課される場合における重加算税に代えられるべき過少申告加算税）
（2）　①《過少申告加算税に代えて課する重加算税》又は（1）《5年前の日までの間に無申告加算税等を課されたことがあるときの重加算税の計算》（①の重加算税に係る部分に限る。）により過少申告加算税に代えて重加算税を課する場合において、当該過少申告加算税について**1**《過少申告加算税》の表の②又は同**1**の(2)《帳簿の記載等が著しく不十分である場合等の過少申告加算税の加重》により加算すべき金額があるときは、当該重加算税の額の計算の基礎となるべき税額に相当する金額を当該過少申告加算税の額の計算の基礎となるべき税額から控除して計算するものとした場合における過少申告加算税以外の部分の過少申告加算税に代え、重加算税を課するものとする。(通令27の3①)

　　注1　──線部分は、令和4年度改正により追加された部分で、改正規定は、令和6年1月1日から適用される。(令4改通令附1Ⅱ)
　　注2　(2)は、加重された過少申告加算税が課される場合において、重加算税は、まず、加重された部分の過少申告加算税に代えて課すとする趣旨である。(編者)

　　　　（重加算税を課さない部分の税額の計算）
（3）　①《過少申告加算税に代えて課する重加算税》（（1）が適用される場合を含む。）の場合における隠蔽し、又は仮装されていない事実に基づく税額として計算した金額は、過少申告加算税の額の計算の基礎となるべき税額のうち当該事実のみに基づいて修正申告書の提出又は更正があったものとした場合におけるその申告又は更正に基づき第三章第二節第三款の**七**の**4**《期限後申告、修正申告等による納付》により納付すべき税額とする。(通令28①)

②	無申告加算税に代えて課する重加算税	**2**《無申告加算税》に該当する場合（**2**のただし書により無申告加算税を課さない場合若しくは**2**の(10)《期限内に提出する意思があったと認められる場合の適用》の適用がある場合又は納税申告書の提出が、その申告に係る国税についての調査があったことにより当該国税について更正又は決定があるべきことを予知してされたものでない場合を除く。）において、納税者がその国税の課税標準等又は税額等の計算の基礎となるべき事実の全部又は一部を隠蔽し、又は仮装し、<u>かつ</u>、その隠蔽し、又は仮装したところに基づき法定申告期限までに納税申告書を提出せず、又は法定申告期限後に納税申告書<u>若しくは第三章第二節第三款の**九**の**3**《更正請求書の提出等》に掲げる更正請求書</u>を提出していたときは、当該納税者に対し、無申告加算税の額の計算の基礎となるべき税額（その税額の計算の基礎となるべき事実で隠蔽し、又は仮装されていないものに基づくことが明らかであるものがあるときは、当該隠蔽し、又は仮装されていない事実に基づく税額として計算される金額を控除した税額）に係る無申告加算税に代え、当該基礎となるべき税額に$\frac{40}{100}$の割合を乗じて計算した金額に相当する重加算税を課する。（通法68②） 注　——線部分は、令和6年度改正により追加された部分で、改正規定は、令和7年1月1日以後に法定申告期限が到来する国税について適用する。（令6改法附19、1Ⅳロ） （5年前の日までの間に無申告加算税等を課されたことがあるときの重加算税の計算） （1）　②に該当する場合において、次の表のいずれかに該当するときは、②の重加算税の額は、②にかかわらず、②により計算した金額に、②に掲げる基礎となるべき税額に$\frac{10}{100}$の割合を乗じて計算した金額を加算した金額とする。（通法68④）

(一)	②に掲げる税額の計算の基礎となるべき事実で隠蔽し、又は仮装されたものに基づき期限後申告書若しくは修正申告書の提出、更正若しくは決定があった日の前日から起算して5年前の日までの間に、その申告、更正若しくは決定に係る国税の属する税目について、無申告加算税等を課されたことがある場合
(二)	その期限後申告書若しくは修正申告書の提出又は更正若しくは決定に係る国税の課税期間の初日の属する年の前年及び前々年に課税期間が開始した当該国税（課税期間のない当該国税については、当該国税の納税義務が成立した日の属する年の前年及び前々年に納税義務が成立した当該国税）の属する税目について、特定無申告加算税等を課されたことがあり、又は特定無申告加算税等に係る賦課決定をすべきと認める場合

注　（1）は、令和5年度改正により改正されており、改正規定は、令和6年1月1日から適用され、令和5年12月31日以前の適用については、次による。（令5改法附1Ⅲロ）

> ②《無申告加算税に代えて課する重加算税》に該当する場合において、②に掲げる税額の計算の基礎となるべき事実で隠蔽し、又は仮装されたものに基づき期限後申告書若しくは修正申告書の提出、更正若しくは**一**の**1**の表の②による決定があった日の前日から起算して5年前の日までの間に、その申告、更正若しくは決定に係る国税の属する税目について、無申告加算税等を課されたことがあるときは、②の重加算税の額は、②にかかわらず、②により計算した金額に、②に掲げる基礎となるべき税額に$\frac{10}{100}$の割合を乗じて計算した金額を加算した金額とする。（通法68旧④）

（加重された無申告加算税が課される場合における重加算税に代えられるべき無申告加算税）

（2）　②《無申告加算税に代えて課する重加算税》又は（1）《5年前の日までの間に無申告加算税等を課されたことがあるときの重加算税の計算》（②の重加算税に係る部分に限る。）により無申告加算税に代えて重加算税を課する場合において、当該無申告加算税について**2**の(1)《無申告加算税の加算》若しくは**2**の(2)《加算後累積納付税額の計算》（これらが**2**の(7)《5年前の日までの間に無申告加算税又は重加算税を課されたことがあるときの無申告加算税の計算》が適用される場合を含む。）又は**2**の(4)《帳簿の記載等が著しく不十分である場合等の無申告加算税の加重》により加算し、又は計算すべき金額があるときは、当該重加算税の額の計算の基礎となるべき税額に相当する金額を当該無申告加算税の額の計算の基礎となるべき税額から控除して計算するものとした場合における無申告加算税以外

第二章　第三節《更正・決定等》

> の部分の無申告加算税に代え、重加算税を課するものとする。（通令27の3②）
> 　注1　──線部分（注2に係る部分を除く。）は、令和5年度改正により改正された部分で、改正規定は、令和6年1月1日から適用され、令和5年12月31日以前の適用については、「若しくは**2**の(2)《加算後累積納付税額の計算》」（これらが」とあるのは「（」と、「加算し、又は計算すべき」とあるのは「加算すべき」とする。（令5改通令附）
> 　注2　──線部分（「又は**2**の(4)《…》」に係る部分に限る。）は、令和4年度改正により追加された部分で、改正規定は、令和6年1月1日から適用される。（令4改通附1Ⅱ）
> 　注3　(2)は、加重された無申告加算税が課される場合において、重加算税は、まず、加重された部分の無申告加算税に代えて課すとする趣旨である。（編者）
>
> 　　　（重加算税を課さない部分の税額の計算）
> （3）　②《無申告加算税に代えて課する重加算税》（(1)が適用される場合を含む。）の場合における隠蔽し、又は仮装されていない事実に基づく税額として計算した金額は、無申告加算税の額の計算の基礎となるべき税額のうち当該事実のみに基づいて期限後申告書若しくは修正申告書の提出又は決定若しくは更正があったものとした場合におけるその申告又は決定若しくは更正に基づき第三章第二節第三款の**七**の**4**《期限後申告、修正申告等による納付》により納付すべき税額とする。（通令28②）

　　　（加算税の税目）
（1）　過少申告加算税、無申告加算税及び重加算税（以下「**加算税**」という。）は、その額の計算の基礎となる税額の属する税目の国税とする。（通法69）

　　　（加算税の計算の基礎となる税額の端数計算等）
（2）　加算税の額を計算する場合において、その計算の基礎となる税額に1万円未満の端数があるとき、又はその税額の全額が1万円未満であるときは、その端数金額又はその全額を切り捨てる。（通法118③）

　　　（加算税の賦課決定）
（3）　加算税は、税務署長がその調査により賦課決定し、その賦課決定は、税務署長がその決定に係る加算税額及びその計算の基礎となる税額を記載した賦課決定通知書を送達して行う。（通法32①③）

　　　（変更決定）
（4）　税務署長は、加算税の賦課決定をした後、その決定をした加算税額が過大又は過少であることを知ったときは、その調査により、その決定に係る加算税額を変更する決定をする。（通法32②）
　　この変更決定は、税務署長が次に掲げる事項を記載した賦課決定通知書を送達して行う。（通法32④）
　（一）　その決定前の加算税額及びその決定の基礎となった税額
　（二）　その決定後の加算税額及びその決定の基礎となる税額
　（三）　その決定により増加し又は減少する加算税額

　　　（更正又は決定に関する規定の準用）
（5）　**一**の**1**の(1)《国税庁又は国税局の職員の調査に基づく更正又は決定》、同**1**の(4)《決定通知書の記載事項》の後段及び同**1**の(9)《更正等の効力》は、加算税の賦課決定及び変更決定について準用する。（通法32⑤）

　　　（賦課決定の所轄庁等）
（6）　賦課決定は、その賦課決定の際におけるその国税の納税地を所轄する税務署長が行う。（通法33①）
　　ただし、法人税、地方法人税に係る(1)《加算税の税目》に掲げる加算税については、次の表の（一）及び（二）の左欄のいずれかに該当する場合には、それぞれ同表の（一）及び（二）の右欄に掲げる税務署長は、上記にかかわらず、それぞれ同表の（一）及び（二）の左欄に掲げる更正若しくは決定若しくは期限後申告書若しくは修正申告書の提出により納付すべき国税に係る当該加算税についての賦課決定をすることができる。（通法33②）

| （一） | **一**の**1**の(10)《更正又は決定の所轄庁　中段──通法30②》に掲げる更正又は決定があったとき | 当該更正又は決定をした税務署長 |

(二)	更正若しくは決定で(一)以外のもの若しくは期限後申告書若しくは修正申告書の提出があった後に法人税の納税地に異動があった場合において、その旧納税地を所轄する税務署長においてその異動の事実が知れず、又はその異動後の納税地が判明せず、かつ、その知れないこと又は判明しないことにつきやむを得ない事情があるとき	旧納税地を所轄する税務署長

(加算税の賦課決定の期間制限)
(7) 加算税の賦課決定の期間制限は、次による。
　(一) 加算税の賦課決定は、その加算税に係る法人税の法定申告期限の経過の日から**5年**を経過した日以後においては、することができない。(通法70①Ⅲ、15②ⅩⅣ)
　(二) 一の1の(11)《更正又は決定の期間制限》の(五)に掲げる法人税に係る加算税の賦課決定は、当該法人税の法定申告期限の経過の日から**7年**を経過する日まですることができる。(通法70⑤、15②ⅩⅣ)
　　注1　加算税の賦課決定で第三章第一節第三十款の**九**《更正・決定等の期間制限の特例》に掲げるものは、(一)にかかわらず、(一)に掲げる日から7年を経過する日まで、することができる。(措法66の4㉗)
　　注2　注1の――線部分は、令和元年度改正により改正された部分で、改正規定は、令和2年4月1日以後開始する事業年度から適用され、令和2年3月31日以前に開始した事業年度の適用については、「7年」とあるのは「6年」とする。(平31改法附56①、1Ⅶホ)

第四節　不服申立て及び訴訟

一　不服申立て

1　処分についての不服申立て

①　不服申立ての総則

イ　不服申立ての総則

　国税に関する法律に基づく処分で次の表の左欄に掲げるものに不服がある者は、それぞれ同表の右欄に掲げる不服申立てをすることができる。（通法75①～⑤）

(イ)	税務署長又は国税局長がした処分（(ハ)及び(ニ)に掲げる処分を除く。）	次の表のA及びBのうちその処分に不服がある者の選択するいずれかの不服申立て	
		A	その処分をした税務署長又は国税局長に対する再調査の請求
		B	国税不服審判所長に対する審査請求
(ロ)	国税庁長官がした処分	国税庁長官に対する審査請求	
(ハ)	税務署長がした処分で、その処分に係る事項に関する調査が国税局の当該職員によってされた旨の記載がある書面により通知されたもの	その処分をした税務署長の管轄区域を所轄する国税局長に対する再調査の請求又は国税不服審判所長に対する審査請求のうちその処分に不服がある者の選択するいずれかの不服申立て	
(ニ)	税務署長がした処分で、その処分に係る事項に関する調査が国税庁の当該職員によってされた旨の記載がある書面により通知されたもの	国税庁長官に対する審査請求	
(ホ)	(イ)の右欄のA又は(ハ)に掲げる再調査の請求（法定の再調査の請求期間経過後にされたものその他その請求が適法にされていないものを除く。(ヘ)において同じ。）についての決定があった場合において、当該再調査の請求をした者が当該決定を経た後の処分	国税不服審判所長に対する審査請求	
(ヘ)	(イ)の右欄のA又は(ハ)に掲げる再調査の請求をし、次の表のいずれかに該当する場合	国税不服審判所長に対する審査請求	
		A	再調査の請求をした日（②の**イ**の(3)《再調査の請求書の補正》により不備を補正すべきことを求められた場合にあっては、当該不備を補正した日）の翌日から起算して3か月を経過しても当該再調査の請求についての決定がない場合
		B	その他再調査の請求についての決定を経ないことにつき正当な理由がある場合
(ト)	国税庁、国税局又は税務署の職員がした処分	それぞれその職員の所属する国税庁、国税局又は税務署の長がその処分をしたものとみなして(イ)又は(ロ)を適用	

(適用除外)
（1） 次に掲げる処分については、①のイの表に掲げる不服申立ては、適用しない。（通法76①）
　(一) 国税通則法第8章第1節《不服審査》又は行政不服審査法の規定による処分その他①に掲げる不服申立て（以下「不服申立て」という。）についてした処分
　(二) 行政不服審査法第7条第1項第7号《適用除外》に掲げる処分
　　注　処分とは、公権力を主体たる国または公共団体が行う行為のうち、その行為によって、直接国民の権利義務を形成しまたはその範囲を確定することが法律上認められているものをいう。（編者）

(不作為についての審査請求の適用除外)
（2） 1による処分その他不服申立てについてする処分に係る不作為については、2《不作為についての審査請求》は、適用しない。（通法76②）

(不服申立期間)
（3） 次の表の左欄に掲げる不服申立ては、それぞれ同表の右欄に掲げる期間を経過したときは、することができない。ただし、正当な理由があるときは、この限りでない。（通法77①②）

(一)	①のイの表の(イ)から(ニ)までの不服申立て	処分があったことを知った日（処分に係る通知を受けた場合には、その受けた日）の翌日から起算して**3か月**
(二)	①のイの表の(ホ)の審査請求	②のハの(4)《再調査の請求に係る決定の効力発生時期》に掲げる再調査決定書の謄本の送達があった日の翌日から起算して**1か月**

(不服申立ての期間制限)
（4） 不服申立ては、処分があった日の翌日から起算して**1年**を経過したときは、することができない。ただし、正当な理由があるときは、この限りでない。（通法77③）

(郵送等に係る再調査の請求書及び審査請求書の提出時期)
（5） 不服申立てに係る再調査の請求書又は審査請求書が郵便又は信書便により提出された場合には、その郵便物又は信書便物の通信日付印により表示された日（その表示がないとき、又はその表示が明瞭でないときは、その郵便物又は信書便物について通常要する送付日数を基準とした場合にその日に相当するものと認められる日）にその提出がされたものとみなす。（通法77④、22）

(行政不服審査法との関係)
（6） 国税に関する法律に基づく処分に対する不服申立て（④のハ《国税庁長官に対する審査請求》に掲げる審査請求を除く。）については、国税通則法第8章第1節《不服審査》その他国税に関する法律に別段の定めがあるものを除き、行政不服審査法（第2章及び第3章《不服申立てに係る手続》を除く。）の定めるところによる。（通法80①）

(標準審理期間)
（7） 国税庁長官、国税不服審判所長、国税局長又は税務署長は、不服申立てがその事務所に到達してから当該不服申立てについての決定又は裁決をするまでに通常要すべき標準的な期間を定めるよう努めるとともに、これを定めたときは、その事務所における備付けその他の適当な方法により公にしておかなければならない。（通法77の2）

(不服申立ての取下げ)
（8） 不服申立人は、不服申立てについての決定又は裁決があるまでは、いつでも、書面により当該不服申立てを取り下げることができる。（通法110①）

(不服申立ての取下げとみなす場合)
（9） ①のイの表の(ヘ)に掲げる審査請求がされたときは、次の表の左欄に掲げる区分に応じ、次の表の右欄に掲げる不服申立ては、取り下げられたものとみなす。（通法110②）

(一)	再調査審理庁において当該審査請求がされた日以前に再調査の請求に	当該審査請求

	係る処分の全部を取り消す旨の再調査決定書の謄本を発している場合	
(二)	再調査審理庁において当該審査請求がされた日以前に再調査の請求に係る処分の一部を取り消す旨の再調査決定書の謄本を発している場合	その部分についての審査請求
(三)	その他の場合	その決定を経ないで当該審査請求がされた再調査の請求

(訴訟係属中の再調査決定書等の送付)
(10) 国税に関する法律に基づく処分についてされた再調査の請求又は審査請求について決定又は裁決をした者は、その決定又は裁決をした時にその処分についての訴訟が係属している場合には、その再調査決定書又は裁決書の謄本をその訴訟が係属している裁判所に送付するものとする。(通法115②)

(合併又は分割があったときの不服申立人の地位の承継)
(11) 不服申立人について合併又は分割(不服申立ての目的である処分に係る権利を承継させるものに限る。)があったときは、合併後存続する法人若しくは合併により設立した法人又は分割により当該権利を承継した法人は、不服申立人の地位を承継する。不服申立人である人格のない社団等の財産に属する権利義務を包括して承継した法人についても、また同様とする。(通法106②)
  注1 不服申立人の地位を承継した者は、書面でその旨を国税不服審判所長等に届け出なければならない。この場合においては、届出書には、分割による権利の承継又は合併の事実を証する書面を添附しなければならない。(通法106③)
  注2 不服申立ての目的である処分に係る権利を譲り受けた者は、国税不服審判所長等の許可を得て、不服申立人の地位を承継することができる。(通法106④)

(代理人による不服申立て)
(12) 不服申立人は、弁護士、税理士その他適当と認める者を代理人に選任することができる。(通法107①)
  当該代理人は、各自、不服申立人のために、当該不服申立てに関する一切の行為をすることができる。ただし、不服申立ての取下げ及び代理人の選任は、特別の委任を受けた場合に限り、することができる。(通法107②)
  注1 代理人(代理の権限を有することを書面で証明した者に限る。)によって再調査の請求書又は審査請求書を提出するときは、当該再調査の請求書又は審査請求書に代理人の氏名及び住所又は居所をあわせて記載しなければならない。(通法124①)
  注2 代理人の権限は、②のイの(1)《再調査の請求書の記載事項》の注3及び③のイの(3)《審査請求書の添付書類等》の注2の適用がある場合のほか、書面で証明しなければならない。(12)のただし書の特別の委任についても同様とする。(通法107③、通令37の2①)
  注3 代理人がその権限を失ったときは、不服申立人は、書面でその旨を国税不服審判所長等(③のハの(32)に掲げる国税不服審判所長等をいう。)に届け出なければならない。(通法107③、通令37の2②)

(総代による不服申立て)
(13) 多数人が共同して不服申立てをするときは、3人を超えない総代を互選することができる。(通法108①)
  注1 共同不服申立人が総代を互選しない場合において、必要があると認めるときは、国税不服審判所長等は、総代の互選を命ずることができる。(通法108②)
  注2 総代は、各自、他の共同不服申立人のために、不服申立ての取下げを除き、当該不服申立てに関する一切の行為をすることができる。(通法108③)
  注3 総代が選任されたときは、共同不服申立人は、総代を通じてのみ注2の行為をすることができる。(通法108④)

(共同不服申立人に対する通知等)
(14) 共同不服申立人に対する国税不服審判所長等(担当審判官及び①のイの表の(ロ)及び(ニ)による審査請求に係る審理員〔行政不服審査法第11条第2項《総代》に規定する審理員をいう。〕を含む。)の通知その他の行為は、2人以上の総代が選任されている場合においても、1人の総代に対してすれば足りる。(通法108⑤)
  共同不服申立人は、必要があると認める場合には、総代を解任することができる。(通法108⑥)
  注 (12)の注2及び注3については、総代について準用する。(通法108⑦、通令37の2③)

(参加人による不服申立て)
(15) 利害関係人(不服申立人以外の者であって不服申立てに係る処分の根拠となる法令に照らし当該処分につき利害関係を有するものと認められる者をいう。(15)において同じ。)は、国税不服審判所長等の許可を得て、当該不服申立てに参加することができる。(通法109①)

国税不服審判所長等は、必要があると認める場合には、利害関係人に対し、当該不服申立てに参加することを求めることができる。（通法109②）
　　なお、(12)は、**参加人**（(15)により当該不服申立てに参加する者をいう。）の不服申立てへの参加について準用する。（通法109③）

ロ　国税不服審判所

　　　　（国税不服審判所）
（１）　国税不服審判所は、国税に関する法律に基づく処分についての審査請求（**イ**の表の(ロ)及び(ニ)に掲げる審査請求を除く。③《処分についての審査請求の手続》において同じ。）に対する裁決を行う機関とする。（通法78①）

　　　　（国税不服審判所の各機関）
（２）　国税不服審判所の長は、国税不服審判所長とし、国税庁長官が財務大臣の承認を受けて、任命する。（通法78②）
　　　　国税不服審判所の事務の一部を取り扱わせるため、所要の地に支部を置く。（通法78③）
　　　　各支部に勤務する国税審判官のうち１人を首席国税審判官とする。首席国税審判官は、当該支部の事務を総括する。（通法78④）

　　　　（国税審判官等）
（３）　国税不服審判所に国税審判官及び国税副審判官を置く。（通法79①）

　　　　（国税審判官の資格）
（４）　国税審判官の任命資格を有する者は、次の(一)から(三)のいずれかに該当する者とする。（通法79④、通令31）
　(一)　弁護士、税理士、公認会計士、大学の教授若しくは准教授、裁判官又は検察官の職にあった経歴を有する者で、国税に関する学識経験を有するもの
　(二)　職務の級が一般職の職員の給与に関する法律（昭和25年法律第95号）第６条第１項第１号イ《俸給表の種類》に掲げる行政職俸給表（一）による６級若しくは同項第３号に掲げる税務職俸給表による６級又はこれらに相当すると認められる級以上の国家公務員であって、国税に関する事務に従事した経歴を有する者
　(三)　その他国税庁長官が国税に関し(一)及び(二)に掲げる者と同等以上の知識経験を有すると認める者

　　　　（国税審判官等の事務）
（５）　国税審判官は、国税不服審判所長に対してされた審査請求に係る事件の調査及び審理を行ない、国税副審判官は、国税審判官の命を受け、その事務を整理する。（通法79②）

　　　　（国税副審判官の事務）
（６）　国税副審判官のうち国税不服審判所長の指名する者は、国税審判官の職務を行なうことができる。ただし、国税通則法において担当審判官の職務とされているものについては、この限りでない。（通法79③）

② **処分についての再調査の請求の手続**

イ　再調査の請求の手続

　　　　（再調査の請求書の記載事項）
（１）　再調査の請求は、次に掲げる事項を記載した書面を提出してしなければならない。（通法81①、124）
　(一)　その書面を提出する者の氏名（法人については、名称。以下(1)において同じ。）、住所又は居所及び番号（番号を有しない者にあっては、その氏名及び住所又は居所）
　　注１　書面を提出する者が法人であるとき、納税管理人若しくは代理人（代理の権限を有することを書面で証明した者に限る。以下(一)において同じ。）によって当該書類を提出するとき、又は不服申立人が総代を通じて当該書類を提出するときは、その代表者（人格のない社団等の管理人を含む。）、納税管理人若しくは代理人又は総代の氏名及び住所又は居所をあわせて記載しなければならない。（通法124①）
　　注２　(一)に掲げる番号とは、第五節の**六**の**3**の(1)《用語の意義》の表の(四)のハに掲げる法人番号をいう。
　　注３　(1)の書面（以下「**再調査の請求書**」という。）には、再調査の請求人が代理人によって再調査の請求をする場合にあっては代理人の権限を証する書面を、再調査の請求人が総代を互選した場合にあっては総代の権限を証する書面を、それぞれ添付しなければならない。

(通令31の2)
(二) 再調査の請求に係る処分の内容
(三) 再調査の請求に係る処分があったことを知った年月日（当該処分に係る通知を受けた場合には、その受けた年月日）
(四) 再調査の請求の趣旨及び理由
(五) 再調査の請求の年月日

(期間の経過後に再調査の請求をする場合の記載事項)
(2) (1)の書面には、(1)に掲げる事項のほか、①の**イ**の(3)《不服申立期間》又は(4)《不服申立ての期間制限》に掲げる期間の経過後に再調査の請求をする場合においては、同**イ**の(3)のただし書又は同**イ**の(4)のただし書に掲げる正当な理由を記載しなければならない。(通法81②)

(再調査の請求書の補正)
(3) 再調査の請求がされている税務署長その他の行政機関の長(以下「**再調査審理庁**」という。)は、再調査の請求書が(1)又は(2)に違反する場合には、相当の期間を定め、その期間内に不備を補正すべきことを求めなければならない。この場合において、不備が軽微なものであるときは、再調査審理庁は、職権で補正することができる。(通法81③)

(出頭による補正)
(4) 再調査の請求人は、(4)の補正を求められた場合には、その再調査の請求に係る税務署その他の行政機関に出頭して補正すべき事項について陳述し、その陳述の内容を当該行政機関の職員が録取した書面を確認することによっても、これをすることができる。(通法81④)

(再調査の請求の却下)
(5) (3)の場合において再調査の請求人が(4)の期間内に不備を補正しないとき、又は再調査の請求が不適法であって補正をすることができないことが明らかなときは、再調査審理庁は、**ロ**《再調査の請求についての審理》の(4)から(7)に掲げる審理手続を経ないで、**ハ**《再調査の請求についての決定》の表の(イ)に基づき、決定で、当該再調査の請求を却下することができる。(通法81⑤)

(納税地異動の場合における再調査の請求先)
(6) 法人税、地方法人税に係る税務署長又は国税局長(以下「税務署長等」という。)の処分があった時以後にその納税地に異動があった場合において、その処分の際における納税地を所轄する税務署長等と当該処分について①の**イ**《不服申立ての総則》の表の(イ)の右欄のＡ又は(ハ)による再調査の請求をする際における納税地(以下「現在の納税地」という。)を所轄する税務署長等とが異なることとなるときは、その再調査の請求は、これらにかかわらず、現在の納税地を所轄する税務署長等に対してしなければならない。この場合においては、その処分は、現在の納税地を所轄する税務署長等がしたものとみなす。(通法85①)

(再調査の請求書への付記)
(7) (6)の再調査の請求をする者は、再調査の請求書にその処分に係る税務署又は国税局の名称を付記しなければならない。(通法85②)

(異動前の納税地の所轄税務署長等に提出された再調査の請求書)
(8) (6)の場合において、再調査の請求書がその処分に係る税務署長等に提出されたときは、当該税務署長等は、その再調査の請求書を受理することができる。この場合においては、その再調査の請求書は、現在の納税地を所轄する税務署長等に提出されたものとみなす。(通法85③)

(再調査の請求人への通知)
(9) (8)の再調査の請求書を受理した税務署長等は、その再調査の請求書を現在の納税地を所轄する税務署長等に送付し、かつ、その旨を再調査の請求人に通知しなければならない。(通法85④)

　　　　（税務署長を経由する再調査の請求）
(10)　①の**イ**《不服申立ての総則》の表の(ハ)に掲げる再調査の請求は、当該再調査の請求に係る処分をした税務署長を経由してすることもできる。この場合において、再調査の請求人は当該税務署長に再調査の請求書を提出してするものとする。（通法82①）

　　　　（税務署長を経由する再調査の請求の処理）
(11)　(10)の場合には、当該税務署長は、直ちに、再調査の請求書を当該税務署長の管轄区域を所轄する国税局長に送付しなければならない。（通法82②）

　　　　（再調査の請求期間）
(12)　(10)の場合における再調査の請求期間の計算については、当該税務署長に再調査の請求書が提出された時に再調査の請求がされたものとみなす。（通法82③）

ロ　再調査の請求についての審理

　　　　（再調査の請求事件の決定機関の特例）
(1)　法人税、地方法人税に係る税務署長等の処分について再調査の請求がされている場合において、その処分に係る国税の納税地に異動があり、その再調査の請求がされている税務署長等と異動後の納税地を所轄する税務署長等とが異なることとなるときは、当該再調査の請求がされている税務署長等は、再調査の請求人の申立てにより、又は職権で、当該再調査の請求に係る事件を異動後の納税地を所轄する税務署長等に移送することができる。（通法86①）

　　　　（事件の移送があった場合の決定機関）
(2)　(1)により再調査の請求に係る事件の移送があったときは、その移送を受けた税務署長等に初めから再調査の請求がされたものとみなし、当該税務署長等がその再調査の請求についての決定をする。（通法86②）

　　　　（事件の移送があった場合の通知）
(3)　(1)により再調査の請求に係る事件を移送したときは、その移送をした税務署長等は、その再調査の請求に係る再調査の請求書及び関係書類その他の物件（以下「再調査の請求書等」という。）をその移送を受けた税務署長等に送付し、かつ、その旨を再調査の請求人及び参加人に通知しなければならない。（通法86③）

　　　　（再調査請求人の意見陳述）
(4)　再調査審理庁は、再調査の請求人又は参加人（①の**イ**の(15)《参加人による不服申立て》に掲げる参加人をいう。以下**ロ**において同じ。）から申立てがあった場合には、当該申立てをした者（以下**ロ**において「申立人」という。）に口頭で再調査の請求に係る事件に関する意見を述べる機会を与えなければならない。ただし、当該申立人の所在その他の事情により当該意見を述べる機会を与えることが困難であると認められる場合には、この限りでない。（通法84①）
　　注1　(4)による意見の陳述（以下**ロ**において「**口頭意見陳述**」という。）は、再調査審理庁が期日及び場所を指定し、再調査の請求人及び参加人を招集してさせるものとする。（通法84②）
　　注2　口頭意見陳述において、申立人は、再調査審理庁の許可を得て、補佐人とともに出頭することができる。（通法84③）
　　注3　再調査審理庁（**イ**の(3)《再調査の請求書の補正》に掲げる再調査審理庁をいう。以下注4までにおいて同じ。）は、口頭意見陳述（注1に掲げる口頭意見陳述をいう。注4において同じ。）の期日における審理を行う場合において、遠隔の地に居住する再調査の請求人又は参加人（①の**イ**の(15)《参加人による不服申立て》に掲げる参加人をいう。以下注4までにおいて同じ。）があるとき、その他相当と認めるときは、注4に掲げるところにより、再調査審理庁並びに再調査の請求人及び参加人が映像と音声の送受信により相手の状態を相互に認識しながら通話をすることができる方法によって、審理を行うことができる。（通令31の3）
　　注4　注3に掲げる方法によって口頭意見陳述の期日における審理を行う場合には、再調査の請求人及び参加人の意見を聴いて、当該審理に必要な装置が設置された場所であって再調査審理庁が相当と認める場所を、再調査の請求人及び参加人ごとに指定して行う。（通規11の8）

　　　　（口頭意見陳述）
(5)　再調査審理庁は、必要があると認める場合には、その行政機関の職員に口頭意見陳述を聴かせることができる。（通法84④）

(口頭意見陳述の制限)
（6） 口頭意見陳述において、再調査審理庁又は（5）に掲げる職員は、申立人のする陳述が事件に関係のない事項にわたる場合その他相当でない場合には、これを制限することができる。（通法84⑤）

(証拠書類又は証拠物の提出)
（7） 再調査の請求人又は参加人は、証拠書類又は証拠物を提出することができる。この場合において、再調査審理庁が、証拠書類又は証拠物を提出すべき相当の期間を定めたときは、その期間内にこれを提出しなければならない。（通法84⑥）

(3か月後の教示)
（8） 再調査審理庁は、再調査の請求がされた日（イの（3）《再調査の請求書の補正》により不備を補正すべきことを求めた場合にあっては、当該不備が補正された日）の翌日から起算して3か月を経過しても当該再調査の請求が係属しているときは、遅滞なく、当該処分について直ちに国税不服審判所長に対して審査請求をすることができる旨を書面でその再調査の請求人に教示しなければならない。（通法111①）

ハ 再調査の請求についての決定
　再調査審理庁は、再調査の請求に対し、次の表の（イ）から（ハ）までの左欄に掲げる区分に応じ、それぞれ同表の右欄の（イ）から（ハ）までに掲げる決定をする。（通法83①～③）

（イ）	再調査の請求が法定の期間経過後にされたものである場合その他不適法である場合	当該再調査の請求を却下する決定
（ロ）	再調査の請求が理由がない場合	当該再調査の請求を棄却する決定
（ハ）	再調査の請求が理由がある場合	当該再調査の請求に係る処分の全部若しくは一部を取り消し、又はこれを変更する決定 ただし、再調査の請求人の不利益に当該処分を変更することはできない。

(再調査の請求についての決定)
（1） 再調査の請求についての決定は、主文及び理由を記載し、再調査審理庁が記名押印した再調査決定書によりしなければならない。（通法84⑦）

(再調査の請求に係る決定の理由の付記)
（2） 再調査の請求についての決定で当該再調査の請求に係る処分の全部又は一部を維持する場合における（1）に掲げる理由においては、その維持される処分を正当とする理由が明らかにされていなければならない。（通法84⑧）

(審査請求ができる旨の教示)
（3） 再調査審理庁は、（1）の再調査決定書（再調査の請求に係る処分の全部を取り消す決定に係るものを除く。）に、再調査の請求に係る処分につき国税不服審判所長に対して審査請求をすることができる旨（却下の決定である場合にあっては、当該却下の決定が違法な場合に限り審査請求をすることができる旨）及び審査請求期間を記載して、これらを教示しなければならない。（通法84⑨）

(再調査の請求に係る決定の効力発生時期)
（4） 再調査の請求についての決定は、再調査の請求人（当該再調査の請求が処分の相手方以外の者のしたものである場合におけるハの（ハ）による決定にあっては、再調査の請求人及び処分の相手方）に再調査決定書の謄本が送達された時に、その効力を生ずる。（通法84⑩）
　　注1　再調査審理庁は、再調査決定書の謄本を参加人に送付しなければならない。（通法84⑪）
　　注2　再調査審理庁は、再調査の請求についての決定をしたときは、速やかに、ロの（7）《証拠書類又は証拠物の提出》により提出された証拠書類又は証拠物をその提出人に返還しなければならない。（通法84⑫）

③ 処分についての審査請求の手続

イ 審査請求の手続

　　（審査請求書の記載事項）
（１）　審査請求は、次に掲げる事項を記載した書面を提出してしなければならない。（通法87①、124）
　（一）　その書面を提出する者の氏名（法人については、名称。以下（１）において同じ。）、住所又は居所及び番号（番号を有しない者にあっては、その氏名及び住所又は居所）
　　　注１　書面を提出する者が法人であるとき、納税管理人若しくは代理人（代理の権限を有することを書面で証明した者に限る。以下（一）において同じ。）によって当該書類を提出するとき、又は不服申立人が総代を通じて当該書類を提出するときは、その代表者（人格のない社団等の管理人を含む。）、納税管理人若しくは代理人又は総代の氏名及び住所又は居所をあわせて記載しなければならない。
　　　注２　（一）に掲げる番号とは、第五節の**六の３**の（１）《用語の意義》の表の（四）のハに掲げる法人番号をいう。
　（二）　審査請求に係る処分の内容
　（三）　審査請求に係る処分があったことを知った年月日（当該処分に係る通知を受けた場合にはその通知を受けた年月日、再調査の請求についての決定を経た後の処分について審査請求をする場合には再調査決定書の謄本の送達を受けた年月日）
　（四）　審査請求の趣旨及び理由
　　　注１　趣旨は、処分の取消し又は変更を求める範囲を明らかにするように記載する。（通法87③）
　　　注２　理由は、処分に係る通知書その他の書面により通知されている処分の理由に対する審査請求人の主張を明らかにするように記載する。（通法87③）
　（五）　審査請求の年月日

　　（一定の場合の審査請求書の記載事項）
（２）　（１）に掲げる書面（以下「**審査請求書**」という。）には、（１）に掲げる事項のほか、次の表の左欄に掲げる場合においては、それぞれ同表の右欄に掲げる事項を記載しなければならない。（通法87②）

（一）	①の**イ**《不服申立ての総則》の表の（ヘ）のＡにより再調査の請求についての決定を経ないで審査請求をする場合	再調査の請求をした年月日
（二）	同表の（ヘ）のＢにより再調査の請求についての決定を経ないで審査請求をする場合	同Ｂに掲げる正当な理由
（三）	①の**イ**の（３）《不服申立期間》及び同**イ**の（４）《不服申立ての期間制限》に掲げる期間の経過後において審査請求をする場合	これらのただし書に掲げる正当な理由

　　（審査請求書の添付書類等）
（３）　国税に関する法律に基づく処分について審査請求をしようとする者は、（２）に掲げる審査請求書に、（１）の（四）に掲げる趣旨及び理由を計数的に説明する資料を添付するように努めなければならない。（通令32）
　　　注１　審査請求書は、正副２通を提出しなければならない。（通令32②）
　　　注２　審査請求書の正本には、審査請求人が代理人によって審査請求をする場合にあっては代理人の権限を証する書面を、審査請求人が総代を互選した場合にあっては総代の権限を証する書面を、それぞれ添付しなければならない。（通令32③）

　　（審査請求に係る書類の提出先）
（４）　審査請求書その他国税不服審判所長に対する審査請求（以下「審査請求」という。）に関し提出する書類は、法令に別段の定めがある場合を除き、その審査請求に係る**ハ**の（２）《答弁書の提出等》に掲げる審査請求をする際における当該国税の納税地を管轄する国税不服審判所の支部（以下「支部」という。）の首席国税審判官に提出するものとする。（通規12①）

　　（一定の場合の審査請求に係る書類の提出先）
（５）　次の表の左欄に該当するときは、その時以後において審査請求に関し提出する書類は、（４）にかかわらず、同表の右欄に掲げる者に提出するものとする。（通規12②）

| （一） | 国税不服審判所長が国税通則法施行令第38条第２項後段《権限の委任 | 国税不服審判所長 |

	等》の規定により審査請求人に通知をしたとき	
(ニ)	審査請求に係る国税の納税地に異動があり、異動後に審査請求に関し提出する書類につき審査請求をする際における当該国税の納税地を管轄する国税不服審判所の支部の首席国税審判官がその提出先を変更する必要があると認めてその旨を審査請求人に通知したとき	異動後の納税地を管轄する支部の首席国税審判官

(処分庁を経由する審査請求)
(6) 審査請求は、審査請求に係る処分(当該処分に係る再調査の請求についての決定を含む。)をした行政機関の長を経由してすることもできる。この場合において、審査請求人は、当該行政機関の長に審査請求書を提出してするものとする。(通法88①)

(処分庁を経由して提出された審査請求書の送付)
(7) (6)の審査請求書の提出があった場合には、提出のあった行政機関の長は、直ちに、審査請求書を国税不服審判所長に送付しなければならない。(通法88②)

(審査請求期間)
(8) (6)における審査請求期間の計算については、(6)に掲げる行政機関の長に審査請求書が提出された時に審査請求がされたものとみなす。(通法88③)

(審査請求書の補正)
(9) 国税不服審判所長は、審査請求書が(1)又は(2)に違反する場合には、相当の期間を定め、その期間内に不備を補正すべきことを求めなければならない。この場合において、不備が軽微なものであるときは、国税不服審判所長は、職権で補正することができる。(通法91①)

(補正)
(10) 審査請求人は、国税不服審判所長から審査請求の補正を求められた場合には、国税不服審判所に出頭して補正すべき事項について陳述し、その陳述の内容を国税不服審判所の職員が録取した書面を確認することによっても、これをすることができる。(通法91②)
　注　補正は、原則として、審査請求書とは別の書面を提出して行う。(編者)

ロ　みなす審査請求

(イ)	**合意によるみなす審査請求**	税務署長又は国税局長に対して再調査の請求がされた場合において、当該税務署長又は国税局長がその再調査の請求を審査請求として取り扱うことを適当と認めてその旨を再調査の請求人に通知し、かつ、当該再調査の請求人がこれに同意したときは、その同意があった日に、国税不服審判所長に対し、審査請求がされたものとみなす。(通法89①) 注　(イ)により審査請求がされたものとみなされた場合には、再調査の請求がされている税務署長又は国税局長は、その再調査の請求書等を国税不服審判所長に送付し、かつ、その旨を再調査の請求人及び参加人に通知しなければならない。この場合においては、その送付された再調査の請求書は、審査請求書とみなす。(通法89③)
(ロ)	**他の審査請求に伴うみなす審査請求**	次のA及びBにより再調査の請求書等が国税不服審判所長に送付された場合には、その送付がされた日に、国税不服審判所長に対し、当該再調査の請求に係る処分についての審査請求がされたものとみなす。(通法90③)
		A　更正決定等について審査請求がされている場合において、当該更正決定等に係る国税の課税標準等又は税額等(その国税に係る附帯税の額を含む。以下同じ。)についてされた他の更正決定等について税務署長又は国税局長に対し再調査の請求がされたときは、当該再調査の請求がされた税務署長又は国税局長は、その再調査の請求書等を国税不服審判所長に送付し、かつ、その旨を再調査の請求人に通知しなければならない。(通法90①)
		B　更正決定等について税務署長又は国税局長に対し再調査の請求がされている場合において、当該更正決定等に係る国税の課税標準等又は税額等についてされた他の更正決定等について審査請

	求がされたときは、当該再調査の請求がされている税務署長又は国税局長は、その再調査の請求書等を国税不服審判所長に送付し、かつ、その旨を再調査の請求人及び参加人に通知しなければならない。（通法90②）

　（再調査の請求人への通知書の処分理由の付記）
　　ロの表の(イ)又は(ロ)に掲げる通知に係る書面には、再調査の請求に係る処分の理由が当該処分に係る通知書その他の書面により処分の相手方に通知されている場合を除き、その処分の理由を付記しなければならない。（通法89②、90④）
　　　注　《再調査の請求人への通知書の処分理由の付記》は、②のロの(8)《3か月後の教示》の教示に係る書面について準用する。（通法111②）

ハ　審査請求についての審理

　（審理手続の計画的進行）
（1）審査請求人、参加人及び(2)に掲げる原処分庁（以下「**審理関係人**」という。）並びに担当審判官は、簡易迅速かつ公正な審理の実現のため、審理において、相互に協力するとともに、審理手続の計画的な進行を図らなければならない。（通法92の2）

　（答弁書の提出等）
（2）国税不服審判所長は、審査請求書を受理したときは、その審査請求をニ《審理請求についての裁決》により却下する場合を除き、相当の期間を定めて、審査請求の目的となった処分に係る行政機関の長（①のイ《不服申立ての総則》の表の(ハ)（国税局の職員の調査に係る処分についての再調査の請求）に掲げる処分にあっては、当該国税局長。以下「**原処分庁**」という。）から、答弁書を提出させるものとする。この場合において、国税不服審判所長は、その受理した審査請求書を原処分庁に送付するものとする。（通法93①）
　　　注　(2)に掲げる審査請求書の送付は、審査請求書の副本（④のロの(3)《教示がなく再調査の請求がされた場合》の適用がある場合にあっては、審査請求書の写し。）によってする。（通令32の2①）

　（答弁書への記載）
（3）(2)に掲げる答弁書には、審査請求の趣旨及び理由に対応して、原処分庁の主張を記載しなければならない。（通法93②）

　（原処分庁から提出された答弁書の送付）
（4）国税不服審判所長は、原処分庁から答弁書が提出されたときは、これを審査請求人及び参加人に送付しなければならない。（通法93③）
　　　注1　答弁書は、正本並びに当該答弁書を送付すべき審査請求人及び参加人の数に相当する通数の副本を提出しなければならない。（通令32の3①）
　　　注2　(4)に掲げる答弁書の送付は、答弁書の副本によってする。（通令32の3②）

　（担当審判官等の指定）
（5）国税不服審判所長は、審査請求に係る事件の調査及び審理を行わせるため、担当審判官1名及び参加審判官2名以上を指定する。（通法94①）

　（担当審判官等の指定除外）
（6）国税不服審判所長が(5)により指定する者は、次の表に掲げる者以外の者でなければならない。（通法94②）

(一)	審査請求に係る処分又は当該処分に係る再調査の請求についての決定に関与した者
(二)	審査請求人
(三)	審査請求人の配偶者、4親等内の親族又は同居の親族
(四)	審査請求人の代理人
(五)	(三)又は(四)であった者

(六)	審査請求人の後見人、後見監督人、保佐人、保佐監督人、補助人又は補助監督人
(七)	①のイの(15)《参加人による不服申立て》に掲げる利害関係人

　　(担当審判官の通知)
(7)　国税不服審判所長は、(5)により担当審判官を指定したときは、遅滞なく、審査請求人及び参加人にその氏名及び所属を通知しなければならない。担当審判官を変更したときも、また同様とする。(通令33)

　　(反論書の提出)
(8)　審査請求人は、(4)により送付された答弁書に記載された事項に対する反論を記載した書面(以下ハにおいて「反論書」という。)を提出することができる。
　この場合において、担当審判官が、反論書を提出すべき相当の期間を定めたときは、その期間内にこれを提出しなければならない。(通法95①)
　　注　(8)に掲げる反論書(以下「反論書」という。)は、正本並びに当該反論書を送付すべき参加人及び原処分庁((2)《答弁書の提出等》に掲げる原処分庁をいう。以下同じ。)の数に相当する通数の副本を提出しなければならない。(通令33の2①)

　　(参加人による参加人意見書の提出)
(9)　参加人は、審査請求に係る事件に関する意見を記載した書面(以下ハにおいて「**参加人意見書**」という。)を提出することができる。この場合において、担当審判官が、参加人意見書を提出すべき相当の期間を定めたときは、その期間内にこれを提出しなければならない。(通法95②)
　　注　(9)に掲げる参加人意見書(以下「参加人意見書」という。)は、正本並びに当該参加人意見書を送付すべき審査請求人及び原処分庁の数に相当する通数の副本を提出しなければならない。(通令33の2①)

　　(反論書等の審理関係人への送付)
(10)　担当審判官は、審査請求人から反論書の提出があったときはこれを参加人及び原処分庁に、参加人から参加人意見書の提出があったときはこれを審査請求人及び原処分庁に、それぞれ送付しなければならない。(通法95③)
　　注　(10)に掲げる反論書又は参加人意見書の送付は、反論書又は参加人意見書の副本によってする。(通令33の2③)

　　(口頭意見陳述)
(11)　審査請求人又は参加人の申立てがあった場合には、担当審判官は、当該申立てをした者に口頭で審査請求に係る事件に関する意見を述べる機会を与えなければならない。(通法95の2①)
　　注1　(11)による意見の陳述((11)において「**口頭意見陳述**」という。)に際し、(11)の申立てをした者は、担当審判官の許可を得て、審査請求に係る事件に関し、原処分庁に対して、質問を発することができる。(通法95の2②)
　　注2　②の口の(4)《再調査請求人の意見陳述》及び同口の(6)《口頭意見陳述の制限》は、(11)の口頭意見陳述について準用する。この場合において②の口の(4)の注1中「再調査審理庁」とあるのは「担当審判官」と、「再調査の請求人及び参加人」とあるのは「全ての審理関係人」と、同(4)の注2中「再調査審理庁」とあるのは「担当審判官」と、同口の(6)中「再調査審理庁又は(5)に掲げる職員」とあるのは「担当審判官」と、それぞれ読み替えるものとする。(通法95の2③)
　　注3　参加審判官は、担当審判官の命を受け、注1の許可及び注2において読み替えて準用する②の口の(6)の行為をすることができる。(通法95の2④)
　　注4　担当審判官は、口頭意見陳述(注1に掲げる口頭意見陳述をいう。注5において同じ)の期日における審理を行う場合において、遠隔の地に居住する審理関係人((1)《審理手続の計画的進行》に掲げる審理関係人をいう。以下注5までにおいて同じ。)があるとき、その他相当と認めるときは、注5に掲げるところにより、担当審判官及び審理関係人が映像と音声の送受信により相手の状態を相互に認識しながら通話をすることができる方法によって、審理を行うことができる。(通令33の3)
　　注5　注4に掲げる方法によって口頭意見陳述の期日における審理を行う場合には、審理関係人の意見を聴いて、当該審理に必要な装置が設置された場所であって担当審判官が相当と認める場所を、審理関係人ごとに指定して行う。(通規11の9)

　　(証拠書類等の提出)
(12)　次の表の左欄に掲げる者は、それぞれ右欄に掲げる物を提出することができる。(通法96①②)

(一)	審査請求人又は参加人	証拠書類又は証拠物
(二)	原処分庁	当該処分の理由となる事実を証する書類その他の物件

　　注　担当審判官が、証拠書類若しくは証拠物又は書類その他の物件を提出すべき相当の期間を定めたときは、その期間内にこれを提出しなければならない。(通法96③)

(審理のための質問、検査等)
(13) 担当審判官は、審理を行うため必要があるときは、審理関係人の申立てにより、又は職権で、次に掲げる行為をすることができる。(通法97①)
   (一) 審査請求人若しくは原処分庁((16)において「審査請求人等」という。)又は関係人その他の参考人に質問すること。
   (二) (一)に掲げる者の帳簿書類その他の物件につき、その所有者、所持者若しくは保管者に対し、相当の期間を定めて、当該物件の提出を求め、又はこれらの者が提出した物件を留め置くこと。
   (三) (一)に掲げる者の帳簿書類その他の物件を検査すること。
   (四) 鑑定人に鑑定させること。

(国税審判官等の質問、検査等)
(14) 国税審判官、国税副審判官その他の国税不服審判所の職員は、担当審判官の嘱託により、又はその命を受け、(13)の(一)又は(三)に掲げる行為をすることができる。(通法97②)

(国税審判官等の身分証明書の携行等)
(15) 国税審判官、国税副審判官その他の国税不服審判所の職員は、(13)の(一)及び(三)に掲げる行為をする場合には、その身分を示す証明書を携帯し、関係者の請求があったときは、これを提示しなければならない。(通法97③)

(審査請求人等の主張の不採用)
(16) 国税不服審判所長は、審査請求人等(審査請求人と特殊な関係がある者で(17)に掲げるものを含む。)が、正当な理由がなく(13)の(一)から(三)まで又は(14)に掲げる質問、提出要求又は検査に応じないため審査請求人等の主張の全部又は一部についてその基礎を明らかにすることが著しく困難になった場合には、その部分に係る審査請求人等の主張を採用しないことができる。(通法97④)

(審査請求人の特殊関係者の範囲)
(17) (16)に掲げる審査請求人と特殊な関係がある者は、次に掲げる者とする。(通令34)
   (一) 審査請求人の配偶者(婚姻の届出をしていないが、事実上婚姻関係と同様の事情にある者を含む。)その他審査請求人と生計を一にし、又は審査請求人から受ける金銭その他の財産により生計を維持している親族
   (二) 審査請求人から受ける特別の金銭その他の財産により生計を維持している者で(一)に掲げる者以外のもの
   (三) 審査請求人の使用人その他の従業者
   (四) 審査請求人である法人の代表者(国税通則法第3条《人格のない社団等に対する法の適用》に規定する人格のない社団等の管理人を含む。)
   (五) 審査請求人が第一節の二の表の10《同族会社》に掲げる同族会社である場合には、その判定の基礎となった株主又は社員である個人及びその者と(一)又は(二)に掲げる関係がある者
   (六) 審査請求人の代理人、総代又は納税管理人である個人

(担当審判官等の権限)
(18) (13)又は(14)に掲げる当該職員の権限は、犯罪捜査のために認められたものと解してはならない。(通法97⑤)

(審理手続の計画的遂行)
(19) 担当審判官は、審査請求に係る事件について、審理すべき事項が多数であり又は錯綜しているなど事件が複雑であることその他の事情により、迅速かつ公正な審理を行うため、(11)から(13)までに掲げる審理手続を計画的に遂行する必要があると認める場合には、期日及び場所を指定して、審理関係人を招集し、あらかじめ、これらの審理手続の申立てに関する意見の聴取を行うことができる。(通法97の2①)

(通話による意見聴取)
(20) 担当審判官は、審理関係人が遠隔の地に居住している場合その他相当と認める場合には、(21)により、担当審判官及び審理関係人が音声の送受信により通話をすることができる方法によって、(19)に掲げる意見の聴取を行うことができる。(通法97の2②)

第二章　第四節《不服申立て・訴訟》

(通話者等の確認)
(21)　担当審判官は、(20)に掲げる意見の聴取を行う場合には、通話者及び通話先の場所の確認をしなければならない。(通令35)

(審理手続期日等の通知)
(22)　担当審判官は、(19)及び(20)による意見の聴取を行ったときは、遅滞なく、(11)から(13)までに掲げる審査手続の期日及び場所並びに(35)の本文前段に掲げる審理手続の終結の予定時期を決定し、これらを審理関係人に通知するものとする。当該予定時期を変更したときも、同様とする。(通法97の2③)

(審理関係人による物件の閲覧等)
(23)　審理関係人は、(35)により審理手続が終結するまでの間、担当審判官に対し、(12)又は(13)の(二)により提出された書類その他の物件の閲覧(電磁的記録にあっては、記録された事項を紙面又は出力装置の映像面に表示する方法により表示したものの閲覧)又は当該書類の写し若しくは当該電磁的記録に記録された事項を記載した書面の交付を求めることができる。この場合において、担当審判官は、第三者の利益を害するおそれがあると認めるとき、その他正当な理由があるときでなければ、その閲覧又は交付を拒むことができない。(通法97の3①、通規11の10①)
　　注　担当審判官は、閲覧について、日時及び場所を指定することができる。(通法97の3③)

(交付の求め)
(24)　(23)に掲げる交付の求めは、次に掲げる事項を記載した書面を提出してしなければならない。(通令35の2①)
(一)　交付に係る(23)に掲げる書類(以下「対象書類」という。)又は交付に係る(23)に掲げる電磁的記録(以下「対象電磁的記録」という。)を特定するに足りる事項
(二)　対象書類又は対象電磁的記録について求める交付の方法((25)《交付の方法》に掲げる交付の方法をいう。)
(三)　対象書類又は対象電磁的記録について(31)《送付に要する費用》に掲げる送付による交付を求める場合にあっては、その旨

(交付の方法)
(25)　(23)に掲げる交付は、次のいずれかの方法によってする。(通令35の2②)
(一)　対象書類の写しの交付にあっては、当該対象書類を複写機により用紙の片面又は両面に白黒又はカラーで複写したものの交付
(二)　対象電磁的記録に記録された事項を記載した書面の交付にあっては、当該事項を用紙の片面又は両面に白黒又はカラーで出力したものの交付

(審理関係人が閲覧等をする場合の意見聴取)
(26)　担当審判官は、(23)による閲覧をさせ、又は(23)による交付をしようとするときは、当該閲覧又は交付に係る書類その他の物件の提出人の意見を聴かなければならない。ただし、担当審判官が、その必要がないと認めるときは、この限りではない。(通法97の3②)

(審理関係人が閲覧等をする場合の手数料)
(27)　(23)による交付を受ける審査請求人又は参加人は、(28)により、実費の範囲内において(28)に掲げる額の手数料を納めなければならない。(通法97の3④)
　　注　担当審判官は、経済的困難その他特別の理由があると認めるときは、(28)により、手数料を減額し、又は免除することができる。(通法97の3⑤)

(手数料の額)
(28)　(27)により納付しなければならない手数料(以下(28)において「手数料」という。)の額は、用紙1枚につき10円(カラーで複写され、又は出力された用紙にあっては、20円)とする。この場合において、両面に複写され、又は出力された用紙については、片面を1枚として手数料の額を算定する。(通令35の2③)

(手数料の納付)
(29)　手数料は、対象書類を複写し、又は対象電磁的記録に記録された事項を出力した用紙について(23)による交付を

求める枚数及び手数料の額を記載した書面に収入印紙を貼って納付しなければならない。ただし、次に掲げる場合は、この限りでない。(通法35の2④、通規11の10②)

　A　手数料の納付について収入印紙によることが適当でない審査請求として国税庁長官がその範囲及び手数料の納付の方法を官報により公示した場合において、公示された方法により手数料を納付する場合

　B　国税不服審判所の事務所において手数料の納付を現金ですることが可能である旨及び当該事務所の所在地を国税庁長官が官報により公示した場合において、手数料を当該事務所において現金で納付する場合

（手数料の減額又は免除）

(30)　担当審判官は、(23)による交付を受ける審査請求人又は参加人（以下(30)において「審査請求人等」という。）が経済的困難により手数料を納付する資力がないと認めるときは、(23)による交付の求め1件につき2,000円を限度として、手数料を減額し、又は免除することができる。(通令35の2⑤)

　注1　手数料の減額又は免除を受けようとする審査請求人等は、(23)による交付を求める際に、併せて当該減額又は免除を求める旨及びその理由を記載した書面を担当審判官に提出しなければならない。(通令35の2⑥)

　注2　注1の書面には、審査請求人等が生活保護法第11条第1項各号《種類》に掲げる扶助を受けていることを理由とする場合にあっては当該扶助を受けていることを証明する書面を、その他の事実を理由とする場合にあっては当該事実を証明する書面を、それぞれ添付しなければならない。(通令35の2⑦)

（送付に要する費用）

(31)　(23)による交付を受ける審査請求人等は、手数料のほか送付に要する費用を納付して、対象書類の写し又は対象電磁的記録に記録された事項を記載した書面の送付を求めることができる。この場合において、当該送付に要する費用は、郵便切手又は国税庁長官が定めるこれに類する証票で納付する方法により納付しなければならない。(通令35の2⑧、通規11の10③)

（併合審理等）

(32)　再調査審理庁又は国税不服審判所長若しくは国税庁長官（以下「**国税不服審判所長等**」という。）は、必要があると認める場合には、数個の不服申立てに係る審理手続を併合し、又は併合された数個の不服申立てに係る審理手続を分離することができる。(通法104①)

（他の更正決定等を併せた審理）

(33)　更正決定等について不服申立てがされている場合において、当該更正決定等に係る国税の課税標準等又は税額等についてされた他の更正決定等があるときは、国税不服審判所長等は、(32)によるもののほか、当該他の更正決定等について併せて審理することができる。ただし、当該他の更正決定等について不服申立ての決定又は裁決がされているときは、この限りでない。(通法104②)

　注　国税不服審判所長等は、当該不服申立てについての決定又は裁決において当該他の更正決定等の全部又は一部を取り消すことができる。(通法104③)

（更正の請求に係る他の更正等への準用）

(34)　(33)は、更正の請求に対する処分について不服申立てがされている場合において、当該更正の請求に係る国税の課税標準等又は税額等についてされた他の更正又は決定があるときについて準用する。(通法104④)

（審理手続の終結）

(35)　担当審判官は、必要な審理を終えたと認めるときは、審理手続を終結するものとするほか、次の表のいずれかに該当するときは審理手続を終結することができる。(通法97の4①②)

（一）	次の表の(イ)から(ホ)までの左欄に掲げる相当の期間内に、同表の右欄に掲げる物件が提出されない場合において、更に一定の期間を示して、当該物件の提出を求めたにもかかわらず、当該提出期間内に当該物件が提出されなかったとき。	
	(イ)　(2)《答弁書の提出等》	答弁書
	(ロ)　(8)《反論書の提出》	反論書
	(ハ)　(9)《参加人による参加人意見書の提出》	参加人意見書

	(ニ)	(12)《証拠書類等の提出》の注	証拠書類若しくは証拠物又は書類その他の物件
	(ホ)	(13)《審理のための質問、検査等》の(二)	帳簿書類その他の物件
(ニ)		(11)《口頭意見陳述》に掲げる申立てをした審査請求人又は参加人が、正当な理由がなく、口頭意見陳述に出頭しないとき。	

(審理手続の終結の通知)
(36) 担当審判官が(35)により審理手続を終結したときは、速やかに、審理関係人に対し、審理手続を終結した旨を通知するものとする。(通法97の4③)

二 審査請求についての裁決

国税不服審判所長は、審査請求に対し、次の表の左欄の(イ)から(ホ)までに掲げる区分に応じ、それぞれ同表の右欄に掲げる裁決をする。(通法92①②、98①②③)

(イ)	審査請求人が期間内に不備を補正しないとき	ハ《審査請求についての審理》に掲げる審理手続を経ないで、当該審査請求を却下する裁決
(ロ)	審査請求が不適法であって補正することができないことが明らかなとき	
(ハ)	審査請求が法定の期間経過後にされたものである場合その他不適法である場合	当該審査請求を却下する裁決
(ニ)	審査請求が理由がない場合	当該審査請求を棄却する裁決
(ホ)	審査請求が理由がある場合	当該審査請求に係る処分の全部若しくは一部を取り消し、又はこれを変更する裁決 ただし、審査請求人の不利益に当該処分を変更することはできない。

(審判官の議決)
(1) 国税不服審判所長は、二の表の(ハ)から(ホ)までに掲げる裁決をする場合には、担当審判官及び参加審判官の過半数の意見による議決に基づいてこれをしなければならない。(通法98④、通令36)

(裁決書の記載事項)
(2) 裁決は、次に掲げる事項を記載し、国税不服審判所長が記名押印した裁決書によりしなければならない。(通法101①)

(一)	主文
(二)	事案の概要
(三)	審理関係人の主張の要旨
(四)	理由

注 ②のハの(2)《再調査の請求に係る決定の理由の付記》は、(2)の裁決について準用する。(通法101②)

(裁決の効力の発生)
(3) 裁決は、審査請求人(当該審査請求が処分の相手方以外の者のしたものである場合における二の表の(ホ)に掲げる裁決にあっては、審査請求人及び処分の相手方)に裁決書の謄本が送達された時に、その効力を生ずる。(通法101③)

(裁決書の謄本の送付)
(4) 国税不服審判所長は、裁決書の謄本を参加人及び原処分庁(①のイ《不服申立ての総則》の表の(ハ)の処分に係る審査請求にあっては、当該処分に係る税務署長を含む。)に送付しなければならない。(通法101④)

(裁決の拘束力)
（５） 裁決は、関係行政庁を拘束する。（通法102①）

(裁決に基づく処分)
（６） 申請若しくは請求に基づいてした処分が手続の違法若しくは不当を理由として裁決で取り消され、又は申請若しくは請求を却下し若しくは棄却した処分が裁決で取り消された場合には、当該処分に係る行政機関の長は、裁決の趣旨に従い、改めて申請又は請求に対する処分をしなければならない。（通法102②）

(裁決に基づく公示)
（７） 国税に関する法律に基づいて公示された処分が裁決で取り消され、又は変更された場合には、当該処分に係る行政機関の長は、当該処分が取り消され、又は変更された旨を公示しなければならない。（通法102③）

(利害関係人への通知)
（８） 国税に関する法律に基づいて処分の相手方以外の①のイの(15)《参加人による不服申立て》に掲げる利害関係人に通知された処分が裁決で取り消され、又は変更された場合には、当該処分に係る行政機関の長は、その通知を受けた者（審査請求人及び参加人を除く。）に、当該処分が取り消され、又は変更された旨を通知しなければならない。（通法102④）

(証拠書類等の返還)
（９） 国税不服審判所長は、裁決をしたときは、速やかに、ハの(12)《証拠書類等の提出》により提出された証拠書類若しくは証拠物又は書類その他の物件及びハの(13)《審理のための質問、検査等》の(二)による提出要求に応じて提出された帳簿書類その他の物件をその提出人に返還しなければならない。（通法103）

(国税庁長官の法令の解釈と異なる解釈等による裁決)
（10） 国税不服審判所長は、国税庁長官が発した通達に示されている法令の解釈と異なる解釈により裁決をするとき、又は他の国税に係る処分を行う際における法令の解釈の重要な先例となると認められる裁決をするときは、あらかじめその意見を国税庁長官に通知しなければならない。（通法99①）

(国税審議会への諮問)
（11） 国税庁長官は、(10)の通知があった場合において、国税不服審判所長の意見が審査請求人の主張を認容するものであり、かつ、国税庁長官が当該意見を相当と認める場合を除き、国税不服審判所長と共同して当該意見について国税審議会に諮問しなければならない。（通法99②）

(国税審議会への議決に基づく裁決)
（12） 国税不服審判所長は、(11)により国税庁長官と共同して国税審議会に諮問した場合には、当該国税審議会の議決に基づいて裁決をしなければならない。（通法99③）

④ 不服申立ての雑則

イ 不服申立てと国税の徴収との関係

(不服申立てと国税の徴収との関係)
（１） 国税に関する法律に基づく処分に対する不服申立ては、その目的となった処分の効力、処分の執行又は手続の続行を妨げない。ただし、その国税の徴収のため差し押さえた財産（国税徴収法第89条の２第４項《参加押えをした税務署長による換価》に規定する特定参加差押不動産を含む。）の滞納処分（その例による処分を含む。以下イにおいて同じ。）による換価は、その財産の価額が著しく減少するおそれがあるとき、又は不服申立人（不服申立人が処分の相手方でないときは、不服申立人及び処分の相手方）から別段の申出があるときを除き、その不服申立てについての決定又は裁決があるまで、することができない。（通法105①）

(徴収の猶予等)
（2） 再調査審理庁又は国税庁長官は、必要があると認める場合には、再調査の請求人又は①のイ《不服申立ての総則》の表の(ロ)又は(ニ)の審査請求をした者（（3）において「再調査の請求人等」という。）の申立てにより、又は職権で、不服申立ての目的となった処分に係る国税の全部若しくは一部の徴収を猶予し、若しくは滞納処分の続行を停止し、又はこれらを命ずることができる。（通法105②）

(滞納処分による差押えの解除等)
（3） 再調査審理庁又は国税庁長官は、再調査の請求人等が、担保を提供して、不服申立ての目的となった処分に係る国税につき、滞納処分による差押えをしないこと又は既にされている滞納処分による差押えを解除することを求めた場合において、相当と認めるときは、その差押えをせず、若しくはその差押えを解除し、又はこれらを命ずることができる。（通法105③）

(徴収の所管庁の意見聴取に基づく徴収の猶予等)
（4） 国税不服審判所長は、必要があると認める場合には、審査請求人の申立てにより、又は職権で、審査請求の目的となった処分に係る国税につき、国税通則法第43条《国税の徴収の所轄庁》及び第44条《更生手続等が開始した場合の徴収の所轄庁の特例》の規定により徴収の権限を有する国税局長又は税務署長（以下イにおいて「徴収の所轄庁」という。）の意見を聴いた上、当該国税の全部若しくは一部の徴収を猶予し、又は滞納処分の続行を停止することを徴収の所轄庁に求めることができる。（通法105④）

(担保の提供がある場合の差押えの解除等)
（5） 国税不服審判所長は、審査請求人が、徴収の所轄庁に担保を提供して、審査請求の目的となった処分に係る国税につき、滞納処分による差押えをしないこと又は既にされている滞納処分による差押えを解除することを求めた場合において、相当と認めるときは、徴収の所轄庁に対し、その差押えをしないこと又はその差押えを解除することを求めることができる。（通法105⑤）

(国税不服審判所長による徴収の猶予等の要請)
（6） 徴収の所轄庁は、国税不服審判所長から（4）により徴収の猶予若しくは滞納処分の続行の停止を求められ、又は（5）により差押えをしないこと若しくはその差押えを解除することを求められたときは、審査請求の目的となった処分に係る国税の全部若しくは一部の徴収を猶予し、若しくは滞納処分の続行を停止し、又はその差押えをせず、若しくはその差押えを解除しなければならない。（通法105⑥）

(処分の取消しに係る規定の準用)
（7） 国税通則法第49条第1項第1号及び第3号、第2項並びに第3項《納税の猶予の取消し》の規定は、（2）、（3）又は（6）による処分の取消しについて準用する。この場合において、（6）による処分の取消しについて同条第1項の規定を準用するときは、同項中「税務署長等は」とあるのは、「徴収の所轄庁は、国税不服審判所長の同意を得て」と読み替えるものとする。（通法105⑦）

(審理員による徴収の猶予等の意見書の提出)
（8） ①のイ《不服申立ての総則》の表の(ロ)又は(ニ)による審査請求に係る審理員（行政不服審査法第11条第2項《総代》に規定する審員をいう。）は、必要があると認める場合には、国税庁長官に対し、（2）により徴収を猶予し、若しくは滞納処分の続行を停止すること又は（3）により差押えをせず、若しくはその差押えを解除することを徴収の所轄庁に命ずべき旨の意見書を提出することができる。（通法105⑧）

ロ 教示

(誤った教示をした場合の救済)
（1） 国税に関する法律に基づく処分をした行政機関が、不服申立てをすべき行政機関を教示する際に、誤って当該行政機関でない行政機関を教示した場合において、その教示された行政機関に対し教示された不服申立てがされたときは、当該行政機関は、速やかに、再調査の請求書又は審査請求書を再調査の請求をすべき行政機関又は国税不服審判所長若しくは国税庁長官に送付し、かつ、その旨を不服申立人に通知しなければならない。（通法112①）

(教示がなく審査請求がされた場合)
（2）　国税に関する法律に基づく処分（再調査の請求をすることができる処分に限る。(3)において同じ。）をした行政機関が、誤って再調査の請求をすることができる旨を教示しなかった場合において、国税不服審判所長に審査請求がされた場合であって、審査請求人から申立てがあったときは、国税不服審判所長は、速やかに、審査請求書を再調査の請求をすべき行政機関に送付しなければならない。
　　　ただし、③の**ハ**の(4)《原処分庁から提出された答弁書の送付》により審査請求人に答弁書を送付した後においては、この限りでない。（通法112②）
　　　注　審査請求書の送付を受けた行政機関は、速やかにその旨を不服申立人及び参加人に通知しなければならない。（通法112④）

(教示がなく再調査の請求がされた場合)
（3）　国税に関する法律に基づく処分をした行政機関が、誤って審査請求をすることができる旨を教示しなかった場合において、税務署長又は国税局長に対して再調査の請求がされた場合であって、再調査の請求人から申立があったときは、当該税務署長又は国税局長は、速やかに、再調査の請求書等を国税不服審判所長に送付しなければならない。（通法112③）
　　　注　再調査の請求書等の送付を受けた国税不服審判所長は、速やかにその旨を不服申立人及び参加人に通知しなければならない。（通法112④）

(再調査の請求等がされたとみなす場合)
（4）　（1）から（3）までにより再調査の請求書又は審査請求書が再調査の請求をすべき行政機関又は国税不服審判所長若しくは国税庁長官に送付されたときは、初めから再調査の請求をすべき行政機関に再調査の請求がされ、又は国税不服審判所長若しくは国税庁長官に審査請求がされたものとみなす。（通法112⑤）

ハ　国税庁長官に対する審査請求

　①の**イ**《不服申立ての総則》の表の(ロ)又は(ニ)による審査請求については、国税通則法第8章第1節《不服審査》（第2款及び第3款《審査請求》を除く。）その他国税に関する法律に別段の定めがあるものを除き、行政不服審査法の定めるところによる。（通法80②）

(国税庁長官に対する審査請求書の提出)
（1）　①の**イ**の表の(ロ)又は(ニ)による審査請求をする場合における行政不服審査法第19条第2項《審査請求書の提出》の規定の適用については、同項第1号中「及び住所又は居所」とあるのは、「、住所又は居所及び第五節の**六**の**3**の(1)《用語の意義》の表の(四)のハに掲げる番号(当該番号を有しない者にあっては、その氏名又は名称及び住所又は居所)」とする。（通法113の2①）

(税務署長を経由しての審査請求)
（2）　①の**イ**の表の(ニ)による審査請求は、当該審査請求に係る処分をした税務署長を経由してすることもできる。この場合において、審査請求人は、当該税務署長に審査請求書を提出してするものとする。（通法113の2②）
　　　注1　（2）の場合には、税務署長は、直ちに、審査請求書を国税庁長官に送付しなければならない。（通法113の2③）
　　　注2　（2）の場合における審査請求期間の計算については、税務署長に審査請求書が提出された時に審査請求がされたものとみなす。（通法113の2④）

(裁決の手続)
（3）　国税庁長官は、①の**イ**の表の(ニ)による審査請求についての裁決をした場合には、裁決書の謄本を、審査請求人のほか、参加人及び当該審査請求に係る処分をした税務署長に送付しなければならない。（通法113の2⑤）

2　不作為についての審査請求

　法令に基づき行政庁に対して処分についての申請をした者は、当該申請から相当期間が経過したにもかかわらず、行政庁の**不作為**（法令に基づく申請に対して何らの処分をもしないことをいう。以下同じ。）がある場合には、次の表の左欄に掲げる税務署長、国税局長又は国税庁長官の不作為について、それぞれ右欄に掲げる者に対し審査請求をすることができる。（行政不服審査法3、4）

不 作 為 庁	審査庁に対する審査請求
税 務 署 長	国 税 局 長
国 税 局 長	国 税 庁 長 官
国 税 庁 長 官	国 税 庁 長 官

(審査請求書の記載事項)
（1）不作為についての審査請求書には、次に掲げる事項を記載しなければならない。（行政不服審査法19③）
 （一）　審査請求人の氏名又は名称及び住所又は居所
 （二）　当該不作為に係る処分についての申請の内容及び年月日
 （三）　審査請求の年月日

(審査請求についての裁決)
（2）審査庁は、不作為についての審査請求に対し、次の表の左欄に掲げる区分に応じ、それぞれ同表の右欄に掲げる裁決をする。（行政不服審査法49①～⑤）

（一）	審査請求が当該不作為に係る処分についての申請から相当の期間が経過しないでされたものである場合その他不適法である場合	当該審査請求を却下する裁決
（二）	審査請求が理由がない場合	当該審査請求を棄却する裁決
（三）	審査請求が理由がある場合	当該不作為が違法又は不当である旨を宣言する。この場合において、次の表の左欄に掲げる審査庁は、当該申請に対して一定の処分をすべきものと認めるときは、それぞれ同表の右欄に掲げる措置をとる。<table><tr><td>イ</td><td>不作為庁の上級行政庁である審査庁</td><td>当該不作為庁に対し、当該処分をすべき旨を命ずること。</td></tr><tr><td>ロ</td><td>不作為庁である審査庁</td><td>当該処分をすること。</td></tr></table>
（四）	審査請求に係る不作為に係る処分に関し、行政不服審査法第43条第1項第1号に規定する審議会等の議を経るべき旨の定めがある場合	審査庁が(三)の表のイ及びロに掲げる措置をとるために必要があると認めるときは、審査庁は、当該定めに係る審議会等の議を経ることができる。
（五）	（四）に掲げる定めがある場合のほか、審査請求に係る不作為に係る処分に関し、他の法令に関係行政機関との協議の実施その他の手続をとるべき旨の定めがある場合	審査庁が(三)の表のイ及びロに掲げる措置をとるために必要があると認めるときは、審査庁は、当該手続をとることができる。

(国税通則法との関係)
（3）不作為についての不服申立てについては、専ら行政不服審査法の定めるところによる。（編者）

二　訴　訟

　国税関係処分に関する訴訟については、国税通則法第8章第2節《訴訟》及び他の国税に関する法律に別段の定めがあるものを除き、行政事件訴訟法その他の一般の行政事件訴訟に関する法律の定めるところによる。（通法114）

(不服申立ての前置等)
（1）国税関係処分で不服申立てをすることができるものの取消しを求める訴えは、審査請求についての裁決を経た後でなければ、提起することができない。ただし、次の表の(一)から(三)までのいずれかに該当するときは、この限りでない。（通法115①）

(一)	国税不服審判所長又は国税庁長官に対して審査請求がされた日の翌日から起算して**3か月**を経過しても裁決がないとき
(二)	更正決定等の取消しを求める訴えを提起した者が、その訴訟の係属している間に当該更正決定等に係る国税の課税標準等又は税額等についてされた他の更正決定等の取消しを求めようとするとき
(三)	審査請求についての裁決を経ることにより生ずる著しい損害を避けるため緊急の必要があるとき、その他その裁決を経ないことにつき正当な理由があるとき

(管轄)
（２）　取消訴訟（処分の取消しの訴え及び裁決〔決定を含む。以下同じ。〕の取消しの訴えをいう。以下同じ。）は、被告の普通裁判籍の所在地を管轄する裁判所又は処分若しくは裁決をした行政庁の所在地を管轄する裁判所の管轄に属する。（行政事件訴訟法12①、9）

(特定管轄裁判所への取消訴訟の提起)
（３）　国を被告とする取消訴訟は、原告の普通裁判籍の所在地を管轄する高等裁判所の所在地を管轄する地方裁判所（「特定管轄裁判所」という。）にも、提起することができる。（行政事件訴訟法12④）

(出訴期間)
（４）　取消訴訟は、処分又は裁決があったことを知った日から**6か月**を経過したときは、提起することができない。ただし、正当な理由があるときは、この限りでない。（行政事件訴訟法14①）

(原告が行うべき証拠の申出)
（５）　国税関係処分（更正決定等に限る。以下「課税処分」という。）に係る行政事件訴訟法第３条第２項《処分の取消しの訴え》に規定する処分の取消しの訴えにおいては、その訴えを提起した者が損金の額の存在その他これに類する自己に有利な事実につき課税処分の基礎とされた事実と異なる旨を主張しようとするときは、相手方当事者である国が当該課税処分の基礎となった事実を主張した日以後遅滞なくその異なる事実を具体的に主張し、併せてその事実を証明すべき証拠の申出をしなければならない。ただし、当該訴えを提起した者が、その責めに帰することができない理由によりその主張又は証拠の申出を遅滞なくすることができなかったことを証明したときは、この限りでない。（通法116①）

(時機に後れた攻撃防御方法の却下)
（６）　（５）に掲げる訴えを提起した者が（５）に違反して行った主張又は証拠の申出は、民事訴訟法第157条第１項《時機に後れた攻撃防御方法の却下》の規定の適用に関しては、同項に規定する時機に後れて提出した攻撃又は防御の方法とみなす。（通法116②）

第五節 雑　　則

一　内国普通法人等の設立の届出

　新たに設立された内国法人である普通法人又は協同組合等は、その設立の日以後 **2か月** 以内に、次の表に掲げる事項を記載した届出書に定款、寄附行為、規則、規約その他これらに準ずるもの（以下二までにおいて「定款等」という。）の写し（その定款等が電磁的記録〔電子的方式、磁気的方式その他人の知覚によっては認識することのできない方式で作られる記録であって、電子計算機による情報処理の用に供されるものをいう。以下第五節一及び二の1において同じ。〕で作成され、又はその定款等の作成に代えてその定款等に記載すべき情報を記録した電磁的記録の作成がされている場合には、これらの電磁的記録に記録された情報の内容を記載した書類。二において同じ。）を添付し、これを納税地の所轄税務署長に提出しなければならない。（法148①、規63、通法124）

(一)	その名称、本店又は主たる事務所の所在地、法人番号、納税地並びに代表者の氏名及び住所
(二)	その事業の目的
(三)	その設立の日

　注　一の表の(一)に掲げる「法人番号」とは、六の **3** の(1)《用語の意義》の表の(四)のハに掲げる法人番号をいう。

二　公益法人等又は人格のない社団等の収益事業の開始等の届出

1　公益法人等又は人格のない社団等の収益事業開始の届出

　内国法人である公益法人等又は人格のない社団等は、新たに収益事業を開始した場合には、その開始した日以後 **2か月** 以内に、次の表の①に掲げる事項を記載した届出書に同表の②に掲げる書類を添付し、これを納税地の所轄税務署長に提出しなければならない。（法150①、規65①、通法124）

①	収益事業開始届出書の記載事項	イ　その名称、本店又は主たる事務所の所在地、法人番号、納税地並びに代表者（人格のない社団等で代表者の定めがなく、管理人の定めがあるものについては、管理人）の氏名及び住所 ロ　その事業の目的 ハ　その収益事業の種類 ニ　その収益事業を開始した日
②	収益事業開始届出書の添付書類	イ　その収益事業を開始した時におけるその収益事業に係る貸借対照表（その貸借対照表が電磁的記録で作成されている場合には、その電磁的記録に記録された情報の内容を記載した書類。） ロ　定款等の写し

　注　上表の①のイに掲げる「法人番号」とは、六の **3** の(1)《用語の意義》の表の(四)のハに掲げる法人番号をいう。

2　公共法人が収益事業を行う公益法人等に該当することとなった場合の届出

　公共法人が収益事業を行う公益法人等に該当することとなった場合には、その該当することとなった日以後 2 か月以内に、次の表の①に掲げる事項を記載した届出書に同表の②に掲げる書類を添付し、これを納税地の所轄税務署長に提出しなければならない。（法150②、規65②、通法124）

①	公共法人が収益事業を行う公益法人等に該当することとなった場合の届出書の記載事項	イ　その名称、本店又は主たる事務所の所在地、法人番号、納税地並びに代表者（人格のない社団等で代表者の定めがなく、管理人の定めがあるものについては、管理人）の氏名及び住所 ロ　その事業の目的 ハ　その収益事業の種類 ニ　その該当することとなった日
②	公共法人が収益事業を行う公益法人等に該当することとなった場合の届出書の添付書類	イ　その該当することとなった時における収益事業に係る貸借対照表（その貸借対照表が電磁的記録で作成されている場合には、その電磁的記録に記録された情報の内容を記載した書類。）

		ロ　定款等の写し

注　上表の①のイに掲げる「法人番号」とは、**六の3の(1)**《用語の意義》の表の(四)のハに掲げる法人番号をいう。

3　公共法人又は収益事業を行っていない公益法人等が普通法人又は協同組合等に該当することとなった場合の届出

　公共法人又は収益事業を行っていない公益法人等が普通法人又は協同組合等に該当することとなった場合には、その該当することとなった日以後2か月以内に、次の表の①に掲げる事項を記載した届出書に同表の②に掲げる書類を添付し、これを納税地の所轄税務署長に提出しなければならない。（法150③、規65③、通法124）

①	公共法人又は収益事業を行っていない公益法人等が普通法人又は協同組合等に該当することとなった場合の届出書の記載事項	イ　その名称、本店又は主たる事務所の所在地、法人番号、納税地並びに代表者（人格のない社団等で代表者の定めがなく、管理人の定めがあるものについては、管理人）の氏名及び住所 ロ　その事業の目的 ハ　その該当することとなった日
②	公共法人又は収益事業を行っていない公益法人等が普通法人又は協同組合等に該当することとなった場合の届出書の添付書類	イ　その該当することとなった時における貸借対照表（その貸借対照表が電磁的記録で作成されている場合には、その電磁的記録に記録された情報の内容を記載した書類。） ロ　定款等の写し

注　上表の①のイに掲げる「法人番号」とは、**六の3の(1)**《用語の意義》の表の(四)のハに掲げる法人番号をいう。

三　帳簿書類の備付け等

1　帳簿書類の備付け等

　普通法人、協同組合等並びに収益事業を行う公益法人等及び人格のない社団等（青色申告書を提出することにつき税務署長の承認を受けているものを除く。以下**三**において「**普通法人等**」という。）は、次の①《取引に関する帳簿等》から④《帳簿書類の整理保存》までに掲げるところにより、帳簿を備え付けてこれにその取引を簡易な方法により記録し、かつ、当該帳簿（当該取引に関して作成し、又は受領した書類及び決算に関して作成した書類を含む。）を保存しなければならない。（法150の2①）

①　取引に関する帳簿等

　普通法人等は、現金出納帳その他必要な帳簿を備え、その取引（内国法人である公益法人等又は人格のない社団等にあっては、その行う収益事業に係る取引とする。）に関する事項を整然と、かつ、明瞭に記録し、その記録に基づいて決算を行わなければならない。（規66①）

②　簡易な方法による記録

　1《帳簿書類の備付け等》に掲げる簡易な方法は、次表《**別表二十四**》の「区分」欄に掲げる事項の区分に応じ、それぞれ同表の「記録方法」欄に掲げる方法とする。（規66②）

　　注　──線部分は、法人税法施行規則の一部を改正する省令（令和6年財務省令第36号）により改正された部分で、改正規定は、令和6年4月12日から適用され、令和6年4月11日以前の適用については、「**別表二十四**」とあるのは「**別表二十三**」とする。（同省令附1）

別表二十四　普通法人等の帳簿の記録方法

区　　　分	記　録　方　法
(一) 現金の出納に関する事項	取引の年月日、事由、出納先及び金額並びに日々の残高を記載する。ただし、少額な取引については、その科目ごとに、日々の合計金額を一括記載することができる。
(二) 当座預金の預入れ及び引出しに関する事項	預金の口座別に、取引の年月日、事由、支払先及び金額を記載する。
(三) 手形（融通手形を除く。）上の債権債務に関する事項	受取手形、支払手形別に、取引の年月日、事由、相手方及び金額を記載する。
(四) 売掛金（未収加工料その他売掛金と同様の性質を有するものを含む。）に関する事項	売上先その他取引の相手方別に、取引の年月日、品名その他給付の内容、数量、単価及び金額を記載する。ただし、保存している納品書控、請求書控等によりその内容を確認できる取引については、その相手方別に、日々の合計金額のみを一括記載することができる。
(五) 買掛金（未払加工料その他買掛金と同様の性質を有するものを含む。）に関する事項	仕入先その他取引の相手方別に、取引の年月日、品名その他受けた給付の内容、数量、単価及び金額を記載する。ただし、保存している納品書、請求書等によりその内容を確認できる取引については、その相手方別に、日々の合計金額のみを一括記載することができる。
(六) (二)から(五)までに掲げるもの以外の債権債務に関する事項	貸付金、借入金、預け金、預り金、仮払金、仮受金、未収入金、未払金等に、それぞれ適当な名称を付して区分し、それぞれ、その取引の年月日、事由、相手方及び金額を記載する。
(七) 有価証券（商品であるものを除く。）に関する事項	取引の年月日、事由、相手方、銘柄、数量、単価及び金額を記載する。
(八) 減価償却資産に関する事項	取引の年月日、事由、相手方、種類（その種類につき耐用年数省令別表〔第19条第2項《種類等を同じくする減価償却資産の償却限度額》の規定の適用を受ける場合には、減価償却資産の耐用年数等に関する省令の一部を改正する省令〈平成20年財務省令第32号〉による改正前の耐用年数省令別表〕において構造若しくは用途又は細目が定められているものについては、構造若しくは用途又は細目を含む。）、数量及び金額を記載する。
(九) 繰延資産に関する事項	取引の年月日、事由及び金額を記載する。
(十) (一)から(四)まで及び(六)から(九)までに掲げるもの以外の資産（商品、製品、消耗品その他棚卸しにより整理するものを除く。）に関する事項	取引の年月日、事由、相手方、数量及び金額を記載する。
(十一) 売上げ（加工その他の役務の給付等売上げと同様の性質を有するものを含む。）に関する事項	取引の年月日、売上先、品名その他給付の内容、数量、単価及び金額並びに日々の売上総額を記載する。ただし、次に掲げるところによることができる。 イ　保存している納品書控、請求書控等によりその内容を確認できる取引については、その相手方別に、日々の合計金額のみを一括記載する。 ロ　小売その他これに類するものを行う法人の現金売上げについては、日々の現金売上げの総額のみを記載する。 ハ　2以上の事業所を有する法人の売上げで日々の売上総額を記載し難いものについては、1事業所ごとに、その事業所における売上総額を記載する。
(十二) (十一)に掲げるもの以外の収入に関する事項	受取利息、雑収入等に、それぞれ適当な名称を付して区分し、それぞれ、その取引の年月日、事由、相手方及び金額を記載する。ただし、少額な雑収入等については、それぞれ、その日々の合計金額のみを一括記載することができる。
(十三) 仕入れに関する事項	取引の年月日、仕入先その他の相手方、品名その他給付の内容、数量、単価及

		び金額並びに日々の仕入総額を記載する。ただし、次に掲げるところによることができる。 イ　保存している納品書、請求書等によりその内容を確認できる取引については、その相手方別に、日々の合計金額のみを一括記載する。 ロ　少額な現金仕入れについては、日々の合計金額のみを一括記載する。 ハ　2以上の事業所を有する法人の仕入れで日々の仕入総額を記載し難いものについては、1事業所ごとに、その事業所における仕入総額を記載する。
(十四)	(十三)に掲げるもの以外の経費に関する事項	賃金、給料手当、法定福利費、厚生費、外注工賃、動力費、消耗品費、修繕費、減価償却費、繰延資産の償却費、地代家賃、保険料、旅費交通費、通信費、水道光熱費、手数料、倉敷料、荷造包装費、運搬費、広告宣伝費、公租公課、機密費、接待交際費、寄附金、利子割引料、雑費等に、それぞれ適当な名称を付して区分し、それぞれ、その取引の年月日、支払先、事由及び金額を記載する。ただし、少額の経費については、それぞれ、その日々の合計金額のみを一括記載することができる。

③　保存すべき書類

1　《帳簿書類の備付け等》に掲げる保存すべき書類は、次の表の**イ**及び**ロ**に掲げる書類とする。（規67①）

イ	①《取引に関する帳簿等》に掲げる取引に関して、相手方から受け取った注文書、契約書、送り状、領収書、見積書その他これらに準ずる書類及び自己の作成したこれらの書類でその写しのあるものはその写し
ロ	棚卸表、貸借対照表及び損益計算書並びに決算に関して作成されたその他の書類

④　帳簿書類の整理保存

普通法人等は、①《取引に関する帳簿等》に掲げる帳簿及び③《保存すべき書類》の表に掲げる書類を整理し、（1）に掲げる起算日から7年間、これを納税地（③の表の**イ**に掲げる書類にあっては、当該納税地又はその取引に係る国内の事務所、事業所その他これらに準ずるものの所在地）に保存しなければならない。（規67②）

　　　（保存期間の起算日）
（1）　④《帳簿書類の整理保存》に掲げる起算日とは、帳簿についてはその閉鎖の日の属する事業年度終了の日の翌日から2か月（第三章第二節第三款の**二**の**3**《確定申告書の提出期限の延長の特例》の適用を受けている場合には2か月にその延長に係る月数を加えた月数とし、清算中の内国法人について残余財産が確定した場合には1か月とする。以下（1）において同じ。）を経過した日をいい、書類についてはその作成又は受領の日の属する事業年度終了の日の翌日から2か月を経過した日をいう。（規59②）

　　　（保存の方法の特例）
（2）　①《取引に関する帳簿等》及び③《保存すべき書類》に掲げる帳簿及び書類のうち次の表の左欄に掲げるものについてのそれぞれ同表の中欄に掲げる期間における④《帳簿書類の整理保存》に掲げる保存については、それぞれ同表の右欄に掲げる方法によることができる。（規67③、59③）

(一)	③の表の**イ**に掲げる書類（帳簿代用書類に該当するものを除く。）のうち国税庁長官が定めるもの	（1）《保存期間の起算日》に掲げる起算日以後3年を経過した日から当該起算日以後5年を経過する日までの期間	財務大臣の定める（4）《帳簿書類の保存の方法》の（一）に掲げる方法
(二)	③の表に掲げる帳簿書類	（1）に掲げる起算日から5年を経過した日以後の期間	財務大臣の定める（4）の（二）に掲げる方法

　　注　上表(一)の左欄に掲げるところにより国税庁長官が書類を定めたときは、これを告示する。（規67③、59⑤）
　　　　なお、(2)の表の(一)の左欄に掲げる国税庁長官が定める書類は、③の表の**イ**に掲げる書類（(3)に掲げる帳簿代用書類に該当するものを除く。）のうち、次に掲げる書類以外の書類とする。（平成10年国税庁告示第2号〔最終改正令和4年第12号〕）

イ	（3）《帳簿代用書類》に掲げる帳簿代用書類

ロ	次に掲げる書類（イに掲げる書類を除く。）	
	(イ)	契約書、契約の申込書（当該契約に係る定型的な約款があらかじめ定められている場合における当該契約の申込書〔(ロ)に掲げる書類に該当するものを除く。〕を除く。）その他これらに準ずる書類
	(ロ)	預貯金（所得税法第２条第１項第10号《定義》に規定する預貯金をいう。以下同じ。）の預入又は引出しに際して作成された書類、預貯金の口座の設定又は解約に際して作成された書類、為替取引に際して作成された書類（契約の申込書であって対価の支払を口座振替の方法によるものとする契約の申込みに際して作成されたものを除く。）その他これらに準ずる書類
	(ハ)	領収書その他現金の収受又は払出しその他の支払手段（外国為替及び外国貿易法第６条第１項第７号《定義》に規定する支払手段をいう。以下同じ。）の授受に際して作成された書類
	(ニ)	請求書その他これに準ずる書類（支払手段による対価の支払を求めることを内容とするものに限る。）
	(ホ)	支払のために提示された手形又は小切手
	(ヘ)	納品書その他棚卸資産の引渡しに際して作成された書類（棚卸資産の引渡しを受けた者が作成したものを除く。）
	(ト)	自己の作成した(イ)から(ニ)までに掲げる書類の写し

（帳簿代用書類）
（３）（２）《保存の方法の特例》の(一)に掲げる帳簿代用書類とは、③《保存すべき書類》の表の**イ**に掲げる書類のうち、②《簡易な方法による記録》の**別表二十四**《普通法人等の帳簿の記録方法》の「区分」の欄に掲げる事項の全部又は一部の帳簿への記載に代えて当該事項が記載されている書類を整理し、その整理されたものを保存している場合における当該書類をいう。（規67③、59④）

　　注　──線部分は、法人税法施行規則の一部を改正する省令（令和６年財務省令第36号）により改正された部分で、改正規定は、令和６年４月12日から適用され、令和６年４月11日以前の適用については、「**別表二十四**」とあるのは「**別表二十三**」とする。（同省令附１）

（帳簿書類の保存の方法）
（４）（２）《保存の方法の特例》の表の右欄に掲げるところにより財務大臣が方法を定めたときは、これを告示する。（規67③、59⑥）
　　なお、財務大臣が定めた方法は、次による。（平成24年財務省告示第26号〔最終改正令和４年第96号〕）
（一）（２）の表の(一)の右欄に掲げる財務大臣の定める方法は、同(一)の左欄に掲げる書類（以下(４)において「指定書類」という。）を④《帳簿書類の整理保存》により保存すべき場所に、日本産業規格（産業標準化法第20条第１項《日本産業規格》に規定する日本産業規格をいう。以下(４)において同じ。）Ｂ七一六八（マイクロフィルムリーダ及びマイクロフィルムリーダプリンタ）に規定する基準を満たすマイクロフィルムリーダプリンタを設置し、かつ、当該指定書類が撮影された次の表に掲げる要件を満たすマイクロフィルムを、当該マイクロフィルムに撮影された当該指定書類を検索することができる措置（当該指定書類の種類及び当該指定書類に記載されている日付を検索の条件として、特定の書類を検索することができるものに限る。）を講じて保存する方法とする。

イ	日本工業規格（不正競争防止法等の一部を改正する法律〔平成30年法律第33号〕第２条の規定による改正前の工業標準化法〔昭和24年法律第185号〕第17条第１項《日本工業規格》に規定する日本工業規格をいう。）Ｋ七五五八（一九八六）２《安全性》に規定する安全性の基準を満たす材質であること。	
ロ	日本産業規格Ｂ七一八七附属書一２《マイクロフォームの実用品位数》に規定する方法により求めた実用品位数の値が11以上であること。	
ハ	日本産業規格Ｂ七一八７８《処理、品質及び保存方法》の背景濃度の値が0.7以上1.5以下であること。	
ニ	日本産業規格Ｚ六〇〇八４《解像力の試験》の規定により求めた解像力の値が１ミリメートルにつき110本以上であること。	
ホ	次に掲げる事項が記載された書面が撮影されていること。	
	(イ)	④によりその帳簿及び書類を保存すべきこととされている当該普通法人等のこれらの帳簿書類又は帳簿及び書類の保存に関する事務の責任者である者の当該指定書類が真正に撮影された旨を証する記載及びその氏名
	(ロ)	撮影者の氏名
	(ハ)	撮影年月日

(二) （2）の表の（二）の右欄に掲げる財務大臣の定める方法は、同（二）の左欄に掲げる帳簿書類（以下（4）において「保存対象帳簿書類」という。）を④により保存すべき場所に、日本産業規格Ｂ七一八六に規定する基準を満たすマイクロフィルムリーダ又はマイクロフィルムリーダプリンタを設置し、かつ、当該保存対象帳簿書類が撮影された（一）のイからホまでに掲げる要件を満たすマイクロフィルムを保存する方法とする。この場合においては、（一）のホ中「当該指定書類」とあるのは、「（二）に掲げる保存対象帳簿書類」と読み替えるものとする。

2　電子計算機を使用して作成する国税関係帳簿書類の保存方法等の特例

①　趣　旨

　この法律は、情報化社会に対応し、国税の納税義務の適正な履行を確保しつつ納税者等の国税関係帳簿書類の保存に係る負担を軽減する等のため、電子計算機を使用して作成する国税関係帳簿書類の保存方法等について、法人税法その他の国税に関する法律の特例を定めるものとする。（電子帳簿保存法１）

　注　本書においては、国税関係帳簿書類の保存等に関する規定のうち法人税に関するもののみを掲げ、他は省略した。（編者）

②　定　義

　2 《電子計算機を使用して作成する国税関係帳簿書類の保存方法等の特例》において、次に掲げる用語の意義は、それぞれ次に掲げるところによる。（電子帳簿保存法２、電子帳簿保存令１、電子帳簿保存規１①②）

イ	国税	第一節の**二**の（1）《国税通則法における用語の意義》の表の（一）に掲げる国税をいう。
ロ	国税関係帳簿書類	**国税関係帳簿**（国税に関する法律の規定により備付け及び保存をしなければならないこととされている帳簿をいう。以下同じ。）又は**国税関係書類**（国税に関する法律の規定により保存をしなければならないこととされている書類をいう。以下同じ。）をいう。
ハ	電磁的記録	電子的方式、磁気的方式その他の人の知覚によっては認識することができない方式（以下「**電磁的方式**」という。）で作られる記録であって、電子計算機による情報処理の用に供されるものをいう。
ニ	保存義務者	国税に関する法律の規定により国税関係帳簿書類の保存をしなければならないこととされている者をいう。
ホ	電子取引	取引情報（取引に関して受領し、又は交付する注文書、契約書、送り状、領収書、見積書その他これらに準ずる書類に通常記載される事項をいう。以下同じ。）の授受を電磁的方式により行う取引をいう。 　　（電子取引の範囲） 　上記の「電子取引」には、取引情報が電磁的記録の授受によって行われる取引は通信手段を問わず全て該当するのであるから、例えば、次のような取引も、これに含まれることに留意する。（電子帳簿保存通達２－２） 　（一）　いわゆるＥＤＩ取引 　（二）　インターネット等による取引 　（三）　電子メールにより取引情報を授受する取引（添付ファイルによる場合を含む。） 　（四）　インターネット上にサイトを設け、当該サイトを通じて取引情報を授受する取引
ヘ	電子計算機出力マイクロフィルム	電子計算機を用いて電磁的記録を出力することにより作成するマイクロフィルムをいう。
ト	電子計算機処理	電子計算機を使用して行われる情報の入力、蓄積、編集、加工、修正、更新、検索、消去、出力又はこれらに類する処理をいう。
チ	納税地等	保存義務者が、国税関係帳簿書類に係る国税の納税者（第一節の**2**の（1）の（五）に掲げる納税者をいう。以下**チ**において同じ。）である場合には当該国税の納税地をいい、国税関係帳簿書類に係る国税の納税者でない場合には当該国税関係帳簿書類に係る対応業務（国税に関する法律の規定により業務に関して国税関係帳簿書類の保存をしなければならないこととされている場合における当該業務をいう。）を行う事務所、事業所その他これらに準ずるものの所在地をいう。

③ 他の国税に関する法律との関係

　国税関係帳簿書類の備付け又は保存及び国税関係書類以外の書類の保存については、他の国税に関する法律に定めるもののほか、この法律の定めるところによる。（電子帳簿保存法3）

　　（民間事業者等が行う書面の保存等における情報通信の技術の利用に関する法律の適用除外）
　国税関係帳簿書類については、民間事業者等が行う書面の保存等における情報通信の技術の利用に関する法律（平成16年法律第149号）第3条《電磁的記録による保存》及び第4条《電磁的記録による作成》の規定は、適用しない。（電子帳簿保存法6）

④ 国税関係帳簿書類の電磁的記録による保存等

イ　国税関係帳簿の電磁的記録による保存等

　保存義務者は、国税関係帳簿（法人税法の規定により備付け及び保存をしなければならないこととされている帳簿であって、資産、負債及び資本に影響を及ぼす一切の取引につき、正規の簿記の原則〔法人税法の規定により備付け及び保存をしなければならないこととされている帳簿にあっては、複式簿記の原則〕に従い、整然と、かつ、明瞭に記録されているものに限る。以下**イ**、⑤の**イ**及び**ハ**並びに⑦の**イ**及び**ニ**において同じ。）の全部又は一部について、自己が最初の記録段階から一貫して電子計算機を使用して作成する場合には、（1）《電磁的記録による帳簿の保存等の要件》により、当該国税関係帳簿に係る電磁的記録の備付け及び保存をもって当該国税関係帳簿の備付け及び保存に代えることができる。（電子帳簿保存法4①、電子帳簿保存規2①）

　　（電磁的記録による帳簿の保存等の要件）
（1）　**イ**により国税関係帳簿に係る電磁的記録の備付け及び保存をもって当該国税関係帳簿の備付け及び保存に代えようとする保存義務者は、次の表に掲げる要件（当該保存義務者が⑦の**ニ**の（2）《国税の納税義務の適正な履行に資するものとなる要件》の（一）に掲げる要件に従って当該電磁的記録の備付け及び保存を行っている場合には、（三）に掲げる要件を除く。）に従って当該電磁的記録の備付け及び保存をしなければならない。（電子帳簿保存規2②）

	当該国税関係帳簿に係る電磁的記録の備付け及び保存に併せて、次の表のイからニまでに掲げる書類（当該国税関係帳簿に係る電子計算機処理に当該保存義務者が開発したプログラム〔電子計算機に対する指令であって、一の結果を得ることができるように組み合わされたものをいう。以下**2**において同じ。〕以外のプログラムを使用する場合には同表のイ及びロに掲げる書類を除くものとし、当該国税関係帳簿に係る電子計算機処理を他の者〔当該電子計算機処理に当該保存義務者が開発したプログラムを使用する者を除く。〕に委託している場合には同表のハに掲げる書類を除くものとする。）の備付けを行うこと。	
（一）	イ	当該国税関係帳簿に係る電子計算機処理システム（電子計算機処理に関するシステムをいう。以下**2**において同じ。）の概要を記載した書類
	ロ	当該国税関係帳簿に係る電子計算機処理システムの開発に際して作成した書類
	ハ	当該国税関係帳簿に係る電子計算機処理システムの操作説明書
	ニ	当該国税関係帳簿に係る電子計算機処理並びに当該国税関係帳簿に係る電磁的記録の備付け及び保存に関する事務手続を明らかにした書類（当該電子計算機処理を他の者に委託している場合には、その委託に係る契約書並びに当該国税関係帳簿に係る電磁的記録の備付け及び保存に関する事務手続を明らかにした書類）
（二）		当該国税関係帳簿に係る電磁的記録の備付け及び保存をする場所に当該電磁的記録の電子計算機処理の用に供することができる電子計算機、プログラム、ディスプレイ及びプリンタ並びにこれらの操作説明書を備え付け、当該電磁的記録をディスプレイの画面及び書面に、整然とした形式及び明瞭な状態で、速やかに出力することができるようにしておくこと。
（三）		国税に関する法律の規定による当該国税関係帳簿に係る電磁的記録の提示又は提出の要求に応じることができるようにしておくこと。

(国税関係帳簿に係る電磁的記録の範囲)
(2) イ《国税関係帳簿の電磁的記録による保存等》又は⑤のイ《国税関係帳簿の電子計算機出力マイクロフィルムによる保存等》に掲げる「国税関係帳簿に係る電磁的記録」とは、(1)《電磁的記録による帳簿の保存等の要件》の表又は⑤のイの《電子計算機出力マイクロフィルムによる帳簿の保存等の要件》の表の要件に従って備付け及び保存が行われている当該国税関係帳簿を出力することができる電磁的記録をいう。
　したがって、そのような電磁的記録である限り、電子計算機処理において複数の電磁的記録が作成される場合にそのいずれの電磁的記録を備付け及び保存の対象とするかは、保存義務者が任意に選択することができることに留意する。(電子帳簿保存通達4－1)
　　注　この場合の国税関係帳簿に係る電磁的記録の媒体についても保存義務者が任意に選択することができることに留意する。

(国税関係帳簿書類の電磁的記録による保存等を適用する国税関係帳簿書類の単位)
(3) イ《国税関係帳簿の電磁的記録による保存等》の適用に当たっては、一部の国税関係帳簿又は国税関係書類について適用することもできるのであるから、例えば、保存義務者における次のような国税関係帳簿書類の作成・保存の実態に応じて、それぞれの区分のそれぞれの国税関係帳簿又は国税関係書類について適用することができることに留意する。(電子帳簿保存通達4－2・編者補正)

(一)	イを適用する場合	
	イ	仕訳帳及び総勘定元帳のみを作成している場合
	ロ	イに掲げる国税関係帳簿のほか、現金出納帳、売上帳、仕入帳、売掛金元帳、買掛金元帳などの国税関係帳簿を作成している場合
	ハ	イ又はロに掲げる国税関係帳簿を本店で作成するほか事業部若しくは事業所ごとに作成している場合
(二)	ロを適用する場合	
	イ	注文書の写しのみを作成している場合
	ロ	イに掲げる国税関係書類のほか、領収書の写し、見積書の写し、請求書の写しなどの国税関係書類を作成している場合
	ハ	イ又はロに掲げる国税関係書類を本店で作成するほか事業部若しくは事業所ごとに作成している場合
(三)	ハを適用する場合	
	イ	作成又は受領した注文書、領収書、見積書、請求書などの国税関係書類を保存している場合
	ロ	イに掲げる国税関係書類を本店で保存しているほか事業部若しくは事業所ごとに作成している場合

　なお、国税関係帳簿書類の電磁的記録による保存等に当たっては、電磁的記録による保存等を開始した日(保存等に代える日)及び電磁的記録による保存等を取りやめた日(保存等に代えることをやめた日)を明確にしておく必要があることに留意する。

(自己が作成することの意義)
(4) イ《国税関係帳簿の電磁的記録による保存等》及びロ《国税関係書類の電磁的記録による保存》並びに⑤《国税関係帳簿書類の電子計算機出力マイクロフィルムによる保存等》に掲げる「自己が」とは、保存義務者が主体となってその責任において行うことをいい、例えば、国税関係帳簿書類に係る電子計算機処理を会計事務所や記帳代行業者に委託している場合も、これに含まれることに留意する。(電子帳簿保存通達4－3)

(最初の記録段階から一貫して電子計算機を使用して作成することの意義)
(5) イ《国税関係帳簿の電磁的記録による保存等》及び⑤のイ《国税関係帳簿の電子計算機出力マイクロフィルムによる保存等》に掲げる「最初の記録段階から一貫して電子計算機を使用して作成する場合」とは、帳簿を備え付けて記録を蓄積していく段階の始めから終わりまで電子計算機の使用を貫いて作成する場合をいうことに留意する。
　なお、帳簿を備え付けて記録を蓄積していく段階の始めとは、帳簿の備付け等開始の日を指すが、課税期間(第一節の(1)《国税通則法における用語の意義》の表の(九)に掲げる課税期間をいう。以下(5)、(11)、⑥の(5)、⑦の表のニの(7)、同ニの(13)及び同ニの(21)において同じ。)の定めのある国税に係る帳簿については、原則として課税

第二章　第五節《雑　則》

期間の初日となることに留意する。（電子帳簿保存通達4－4）

　　（保存義務者が開発したプログラムの意義）
（6）（1）《電磁的記録による帳簿の保存等の要件》の表の(一)（ロの《電磁的記録による書類の保存の要件》及びハの(2)の(六)において準用する場合を含む。）に掲げる「保存義務者が開発したプログラム」とは、保存義務者が主体となってその責任において開発したプログラムをいい、システム開発業者に委託して開発したものも、これに含まれることに留意する。（電子帳簿保存通達4－5）

　　（備付けを要するシステム関係書類等の範囲）
（7）（1）《電磁的記録による帳簿の保存等の要件》の表の(一)のイからニまで（ロの《電磁的記録による書類の保存の要件》及びハの(2)《電磁的記録の保存の要件》の(六)において準用する場合を含む。）に掲げる書類は、それぞれ次に掲げる書類をいう。
　なお、当該書類を書面以外の方法により備え付けている場合であっても、その内容を(1)の(二)（ロの《電磁的記録による書類の保存の要件》において準用する場合を含む。以下(8)及び(9)において同じ。）に掲げる電磁的記録の備付け及び保存をする場所並びにハの(2)の(四)に掲げる電磁的記録の保存をする場所（以下(8)において「保存場所」という。）で、画面及び書面に、速やかに出力することができることとしているときは、これを認める。（電子帳簿保存通達4－6）

(一)	(1)の表の(一)のイに掲げる書類	システム全体の構成及び各システム間のデータの流れなど、電子計算機による国税関係帳簿書類の作成に係る処理過程を総括的に記載した、例えば、システム基本設計書、システム概要書、フロー図、システム変更履歴書などの書類
(二)	(1)の表の(一)のロに掲げる書類	システムの開発に際して作成した（システム及びプログラムごとの目的及び処理内容などを記載した）、例えば、システム仕様書、システム設計書、ファイル定義書、プログラム仕様書、プログラムリストなどの書類
(三)	(1)の表の(一)のハに掲げる書類	入出力要領などの具体的な操作方法を記載した、例えば、操作マニュアル、運用マニュアルなどの書類
(四)	(1)の表の(一)のニに掲げる書類	入出力処理（記録事項の訂正又は削除及び追加をするための入出力処理を含む。）の手順、日程及び担当部署並びに電磁的記録の保存等の手順及び担当部署などを明らかにした書類

　　（電磁的記録の保存場所に備え付ける電子計算機及びプログラムの意義）
（8）（1）《電磁的記録による帳簿の保存等の要件》の表の(二)及びハの(2)の(四)に掲げる「当該電磁的記録の電子計算機処理の用に供することができる電子計算機、プログラム」とは、必ずしも国税関係帳簿書類の作成に使用する電子計算機及びプログラムに限られないのであるから留意する。（電子帳簿保存通達4－7）
　　注　(1)の表の(二)及びハの(2)の(四)の適用に当たり、保存場所に電磁的記録が保存等をされていない場合であっても、例えば、保存場所に備え付けられている電子計算機と国税関係帳簿書類の作成に使用する電子計算機とが通信回線で接続されているなどにより、保存場所において電磁的記録をディスプレイの画面及び書面に、それぞれの要件に従った状態で、速やかに出力することができるときは、当該電磁的記録は保存場所に保存等がされているものとして取り扱う。

　　（整然とした形式及び明瞭な状態の意義）
（9）（1）《電磁的記録による帳簿の保存等の要件》の表の(二)、⑤のイの《電子計算機出力マイクロフィルムによる帳簿の保存等の要件》の表の(二)並びに⑥の(2)《電子取引の取引情報に係る電磁的記録の保存要件等》及び⑥の(3)《電子取引の取引情報に係る電磁的記録の保存に関する猶予措置》に掲げる「整然とした形式及び明瞭な状態」とは、書面により作成される場合の帳簿書類に準じた規則性を有する形式で出力され、かつ、出力される文字を容易に識別することができる状態をいう。（電子帳簿保存通達4－8）

　　（検索機能の意義）
（10）ロの《電磁的記録による書類の保存の要件》並びにハの(2)《電磁的記録の保存の要件》の表の(五)及び⑦の表のニの(2)《国税の納税義務の適正な履行に資するものとなる要件》の(二)のハに掲げる「電磁的記録の記録事項の検索をすることができる機能」とは、蓄積された記録事項から設定した条件に該当する記録事項を探し出すことがで

き、かつ、検索により探し出された記録事項のみが、ディスプレイの画面及び書面に、整然とした形式及び明瞭な状態で出力される機能をいう。この場合、検索項目について記録事項がない電磁的記録を検索できる機能を含むことに留意する。

　なお、蓄積された記録事項から設定した条件に該当する記録事項を探し出すことができるとは、原則として、保存する電磁的記録から一課税期間を通じて必要な条件設定を行って検索ができることをいうが、一課税期間を通じて検索することが困難であることにつき合理的な理由があると認められる場合で、保存媒体ごとや一課税期間内の合理的な期間等に区分して必要な条件設定を行って検索することができることとしているときには、これを認める。（電子帳簿保存通達4－9）

　　　（範囲を指定して条件を設定することの意義）
(11)　ハの(2)の表の(五)のロ及び⑦の表のニの(二)のハの(ロ)に掲げる「その範囲を指定して条件を設定することができる」とは、課税期間に、日付又は金額の任意の範囲を指定して条件設定を行い検索ができることをいうことに留意する。（電子帳簿保存通達4－10）

　　　（2以上の任意の記録事項の組合わせの意義）
(12)　ハの(2)の表の(五)のハ及び⑦の表のニの(2)の(一)のハの(ハ)に掲げる「2以上の任意の記録項目を組み合わせて条件を設定することができること」とは、個々の国税関係帳簿書類に係る電磁的記録の記録事項を検索するに当たり、当該国税関係帳簿書類に係る検索の条件として設定した記録項目（取引年月日その他の日付、取引金額及び取引先）（同(ハ)については、取引年月日、取引金額及び取引先）から少なくとも2の記録項目を任意に選択して、これを検索の条件とする場合に、いずれの2の記録項目の組合せによっても条件を設定することができることをいうことに留意する。（電子帳簿保存通達4－11）

　　　（検索できることの意義）
(13)　ハの(2)の表の(五)に掲げる「検索をすることができる機能を確保しておくこと」とは、システム上検索機能を有している場合のほか、次に掲げる方法により検索できる状態であるときは、当該要件を満たしているものとして取り扱う。（電子帳簿保存通達4－12）

(一)	国税関係書類に係る電磁的記録のファイル名に、規則性を有して記録項目を入力することにより電子的に検索できる状態にしておく方法
(二)	当該電磁的記録を検索するために別途、索引簿等を作成し、当該索引簿等を用いて電子的に検索できる状態にしておく方法

　　　（国税に関する法律の規定による提示又は提出の要求）
(14)　(1)の(三)及びハの(2)《電磁的記録の保存の要件》、⑥の(2)《電子取引の取引情報に係る電磁的記録の保存要件等》及び⑥の(3)《電子取引の取引情報に係る電磁的記録の保存に関する猶予措置》並びに⑦のニの(2)《国税の納税義務の適正な履行に資するものとなる要件》の(一)及び(二)のホに掲げる「国税に関する法律の規定による……提示又は提出の要求」については、国税通則法第74条の2から第74条の6までの規定による質問検査権の行使に基づく提示又は提出の要求のほか、以下のものが対象となる。（電子帳簿保存通達4－13）

(一)	国税通則法の規定を準用する租税特別措置法、東日本大震災からの復興のための施策を実施するために必要な財源の確保に関する特別措置法（復興特別所得税・復興特別法人税）及び一般会計における債務の承継等に伴い必要な財源の確保に係る特別措置に関する法律（たばこ特別税）の規定による質問検査権の行使に基づくもの（措法87の6⑪等、復興財確法32①、62①、財源確保法19①）
(二)	非居住者の内部取引に係る課税の特例、国外所得金額の計算の特例等に係る同種の事業を営む者等に対する質問検査権の行使に基づくもの（措法40の3の3、措法41の19の5等）
(三)	国外財産調書・財産債務調書を提出する義務がある者に対する質問検査権の行使に基づくもの（国送法7②）
(四)	支払調書等の提出に関する質問検査権の行使に基づくもの（措法9の4の2等）
(五)	相手国等から情報の提供要請があった場合の質問検査権の行使に基づくもの（実特法9①）
(六)	報告事項の提供に係る質問検査権の行使に基づくもの（実特法10の9①等）

(七) 納税の猶予の申請に係る事項に関する調査に係る質問検査権の行使に基づくもの（国税通則法46の2⑪）

(八) 滞納処分に関する調査に係る質問検査権の行使に基づくもの（国税徴収法141）

（電磁的記録の提示又は提出の要求に応じる場合の意義）

(15) (1)の(三)及びハの(2)《電磁的記録の保存の要件》、⑥の(2)《電子取引の取引情報に係る電磁的記録の保存要件等》並びに⑦のニの(2)《国税の納税義務の適正な履行に資するものとなる要件》の「国税に関する法律の規定による……電磁的記録の提示又は提出の要求に応じること」とは、法の定めるところにより備付け及び保存が行われている国税関係帳簿又は保存が行われている国税関係書類若しくは電子取引の取引情報に係る電磁的記録について、税務職員から提示又は提出の要求（以下(15)において「ダウンロードの求め」という。）があった場合に、そのダウンロードの求めに応じられる状態で電磁的記録の保存等を行い、かつ、実際にそのダウンロードの求めがあった場合には、その求めに応じることをいうのであり、「その要求に応じること」とは、当該職員の求めの全てに応じた場合をいうのであって、その求めに一部でも応じない場合はこれらの規定の適用（電子帳簿等保存制度の適用・検索機能の確保の要件の緩和）は受けられないことに留意する。

したがって、その求めに一部でも応じず、かつ、ハの(2)の(五)に掲げる要件（検索機能の確保に関する要件の全て）又は⑦のニの(2)に掲げる要件（優良な電子帳簿に関する要件。なお、国税関係書類については、これに相当する要件）が備わっていなかった場合には、(2)、ロの《電磁的記録による書類の保存の要件》、若しくはハの(2)、⑤《国税関係帳簿書類の電子計算機出力マイクロフィルムによる保存等》又は⑥の(2)《電子取引の取引情報に係る電磁的記録の保存要件等》の適用に当たって、要件に従って保存等が行われていないこととなるから、その保存等がされている電磁的記録又は電子計算機出力マイクロフィルムは国税関係帳簿又は国税関係書類とはみなされないこととなる（電子取引の取引情報に係る電磁的記録については国税関係書類以外の書類とみなされないこととなる）ことに留意する。

また、当該ダウンロードの求めの対象については、法の定めるところにより備付け及び保存が行われている国税関係帳簿又は保存が行われている国税関係書類若しくは電子取引の取引情報に係る電磁的記録が対象となり、ダウンロードの求めに応じて行われる当該電磁的記録の提出については、税務職員の求めた状態で提出される必要があることに留意する。（電子帳簿保存通達4－14）

ロ 国税関係書類の電磁的記録による保存

保存義務者は、国税関係書類の全部又は一部について、自己が一貫して電子計算機を使用して作成する場合には、下記の《電磁的記録による書類の保存の要件》により、当該国税関係書類に係る電磁的記録の保存をもって当該国税関係書類の保存に代えることができる。（電子帳簿保存法4②）

（電磁的記録による書類の保存の要件）

イの(1)《電磁的記録による帳簿の保存等の要件》は、ロ《国税関係書類の電磁的記録による保存》により国税関係書類に係る電磁的記録の保存をもって当該国税関係書類の保存に代えようとする保存義務者の当該電磁的記録の保存について準用する。この場合において、イの(1)中「⑦のニの(2)《国税の納税義務の適正な履行に資するものとなる要件》の(一)に掲げる要件に従って当該電磁的記録の備付け及び」とあるのは、「当該電磁的記録の記録事項の検索をすることができる機能（取引年月日その他の日付を検索の条件として設定すること及びその範囲を指定して条件を設定することができるものに限る。）を確保して当該電磁的記録の」と読み替えるものとする。（電子帳簿保存規2③）

ハ 国税関係書類のスキャナによる記録保存

ロに掲げるもののほか、保存義務者は、国税関係書類（(1)に掲げるものを除く。以下ハにおいて同じ。）の全部又は一部について、当該国税関係書類に記載されている事項をスキャナにより電磁的記録に記録する場合には、(2)により、当該国税関係書類に係る電磁的記録の保存をもって当該国税関係書類の保存に代えることができる。

この場合において、当該国税関係書類に係る電磁的記録の保存が(2)に掲げるところに従って行われていないとき（当該国税関係書類の保存が行われている場合を除く。）は、当該保存義務者は、(7)に掲げる要件を満たして当該電磁的記録を保存しなければならない。（電子帳簿保存法4③、電子帳簿保存規2⑤）

第二章　第五節《雑　則》

(国税関係書類)
（１）　**ハ**に掲げる書類は、国税関係書類のうち、棚卸表、貸借対照表及び損益計算書並びに計算、整理又は決算に関して作成されたその他の書類とする。（電子帳簿保存規２④）

(電磁的記録の保存の要件)
（２）　**ハ**により国税関係書類（**ハ**に掲げる国税関係書類に限る。以下④において同じ。）に係る電磁的記録の保存をもって当該国税関係書類の保存に代えようとする保存義務者は、次に掲げる要件（当該保存義務者が国税に関する法律の規定による当該電磁的記録の提示又は提出の要求に応じることができるようにしている場合には、(五)〔(ロ)及び(ハ)に係る部分に限る。〕に掲げる要件を除く。）に従って当該電磁的記録の保存をしなければならない。（電子帳簿保存規２⑥）

(一)			次に掲げる方法のいずれかにより入力すること。
	イ		当該国税関係書類に係る記録事項の入力をその作成又は受領後、速やかに行うこと。
	ロ		当該国税関係書類に係る記録事項の入力をその業務の処理に係る通常の期間を経過した後、速やかに行うこと（当該国税関係書類の作成又は受領から当該入力までの各事務の処理に関する規程を定めている場合に限る。）。
(二)			(一)の入力に当たっては、次に掲げる要件（当該保存義務者が(一)のイ又はロに掲げる方法により当該国税関係書類に係る記録事項を入力したことを確認することができる場合にあっては、ロに掲げる要件を除く。）を満たす電子計算機処理システムを使用すること。
	イ		スキャナ（次に掲げる要件を満たすものに限る。）を使用する電子計算機処理システムであること。
		(イ)	解像度が、日本産業規格（産業標準化法第20条第１項《日本産業規格》に規定する日本産業規格をいう。以下(六)の表のニ及び⑤の**イ**の（１）の表の(四)において同じ。）Ｚ6016附属書ＡのＡ・１・２に規定する一般文書のスキャニング時の解像度である25.4ミリメートル当たり200ドット以上で読み取るものであること。
		(ロ)	赤色、緑色及び青色の階調がそれぞれ256階調以上で読み取るものであること。
	ロ		当該国税関係書類の作成又は受領後、速やかに、一の入力単位ごとの電磁的記録の記録事項に総務大臣が認定する時刻認証業務（電磁的記録に記録された情報にタイムスタンプを付与する役務を提供する業務をいう。）に係るタイムスタンプ（次に掲げる要件を満たすものに限る。以下(二)において「**タイムスタンプ**」という。）を付すこと（当該国税関係書類の作成又は受領から当該タイムスタンプを付すまでの各事務の処理に関する規程を定めている場合にあっては、その業務の処理に係る通常の期間を経過した後、速やかに当該記録事項に当該タイムスタンプを付すこと）。
		(イ)	当該記録事項が変更されていないことについて、当該国税関係書類の保存期間（国税に関する法律の規定により国税関係書類の保存をしなければならないこととされている期間をいう。）を通じ、当該業務を行う者に対して確認する方法その他の方法により確認することができること。
		(ロ)	課税期間（第一節の**二**の（１）の表の(九)に掲げる課税期間をいう。以下**2**において同じ）中の任意の期間を指定し、当該期間内に付したタイムスタンプについて、一括して検証することができること。
	注		令和４年４月１日から令和５年７月29日までの間に国税関係書類又は電子取引の取引情報に係る電磁的記録について保存が行われる場合における（２）の適用については、上表の(二)のロ中「業務をいう。」とあるのは、「業務をいう。」又は一般財団法人日本データ通信協会が認定する業務」とする。（令４改電子帳簿保存規２②）
	ハ		当該国税関係書類に係る電磁的記録の記録事項について、次に掲げる要件のいずれかを満たす電子計算機処理システムであること。
		(イ)	当該国税関係書類に係る電磁的記録の記録事項について訂正又は削除を行った場合には、これらの事実及び内容を確認することができること。
		(ロ)	当該国税関係書類に係る電磁的記録の記録事項について訂正又は削除を行うことができないこと。

(三)	当該国税関係書類に係る電磁的記録の記録事項と当該国税関係書類に関連する国税関係帳簿の記録事項（当該国税関係帳簿が、**イ**により当該国税関係帳簿に係る電磁的記録の備付け及び保存をもって当該国税関係帳簿の備付け及び保存に代えられているもの又は⑤の**イ**若しくは**ハ**により当該電磁的記録の備付け及び当該電磁的記録の電子計算機出力マイクロフィルムによる保存をもって当該国税関係帳簿の備付け及び保存に代えられているものである場合には、当該電磁的記録又は当該電子計算機出力マイクロフィルムの記録事項）との間において、相互にその関連性を確認することができるようにしておくこと。	
(四)	当該国税関係書類に係る電磁的記録の保存をする場所に当該電磁的記録の電子計算機処理の用に供することができる電子計算機、プログラム、映像面の最大径が35センチメートル以上のカラーディスプレイ及びカラープリンタ並びにこれらの操作説明書を備え付け、当該電磁的記録をカラーディスプレイの画面及び書面に、次のような状態で速やかに出力することができるようにしておくこと。	
	イ	整然とした形式であること。
	ロ	当該国税関係書類と同程度に明瞭であること。
	ハ	拡大又は縮小して出力することが可能であること。
	ニ	国税庁長官が定めるところにより日本産業規格Ｚ8305に規定する4ポイントの大きさの文字を認識することができること。
(五)	当該国税関係書類に係る電磁的記録の記録事項の検索をすることができる機能（次に掲げる要件を満たすものに限る。）を確保しておくこと。	
	イ	取引年月日その他の日付、取引金額及び取引先（ロ及びハにおいて「記録項目」という。）を検索の条件として設定することができること。
	ロ	日付又は金額に係る記録項目については、その範囲を指定して条件を設定することができること。
	ハ	二以上の任意の記録項目を組み合わせて条件を設定することができること。
(六)	**イ**の(1)の(一)は、**ハ**により国税関係書類に係る電磁的記録の保存をもって当該国税関係書類の保存に代えようとする保存義務者の当該電磁的記録の保存について準用する。	

注　令和5年度改正により、上表から次のものが除かれているが、改正規定は、令和6年1月1日以降に保存が行われる**ハ**に掲げる国税関係書類について適用され、令和5年12月31日以前に保存が行われた国税関係書類については、なおその適用がある。（令5改電子帳簿保存規附2①、1）

旧(二)	旧ハ	当該国税関係書類をスキャナで読み取った際の次に掲げる情報（当該国税関係書類の作成又は受領をする者が当該国税関係書類をスキャナで読み取る場合において、当該国税関係書類の大きさが日本産業規格Ａ列4番以下であるときは、(イ)に掲げる情報に限る。）を保存すること。	
		(イ)	解像度及び階調に関する情報
		(ロ)	当該国税関係書類の大きさに関する情報
旧(三)		当該国税関係書類に係る記録事項の入力を行う者又はその者を直接監督する者に関する情報を確認することができるようにしておくこと。	

（電磁的記録の作成及び保存に関する事務の手続を明らかにした書類の備付け）

(3)　**ハ**により国税関係書類に係る電磁的記録の保存をもって当該国税関係書類の保存に代えようとする保存義務者は、当該国税関係書類のうち国税庁長官が定める書類（(3)及び(5)において「一般書類」という。）に記載されている事項を電磁的記録に記録する場合には、(2)の表の(一)及び(三)に掲げる要件にかかわらず、当該電磁的記録の保存に併せて、当該電磁的記録の作成及び保存に関する事務の手続を明らかにした書類（当該事務の責任者が定められているものに限る。）の備付けを行うことにより、当該一般書類に係る電磁的記録の保存をすることができる。

　この場合において、(2)の適用については、(2)の表の(二)のイの(ロ)中「赤色、緑色及び青色の階調がそれぞれ」とあるのは「白色から黒色までの階調が」と、同(二)のロ中「又は受領後、速やかに」とあるのは「若しくは受領後速やかに、又は当該国税関係書類をスキャナで読み取る際に、」と、「、速やかに当該」とあるのは「速やかに、又は当該国税関係書類をスキャナで読み取る際に、当該」と、同表の(四)中「カラーディスプレイ」とあるのは「ディス

プレイ」と、「カラープリンタ」とあるのは「プリンタ」とする。(電子帳簿保存規2⑦)
　　注　──線部分は、令和5年度改正により改正された部分で、改正規定は、令和6年1月1日以降に保存が行われるハに掲げる国税関係書類について適用され、令和5年12月31日以前に保存が行われた国税関係書類については、「(三)」とあるのは「(二)のハ((ロ)に係る部分に限る。)」とする。(令5改電子帳簿保存規附2①、1)

　(災害その他やむを得ない事情により国税関係書類に係る電磁的記録の保存をすることができなかったことを証明した場合)
(4)　ハの保存義務者が、災害その他やむを得ない事情により、(2)に従ってハの国税関係書類に係る電磁的記録の保存をすることができなかったことを証明した場合には、(2)及び(3)にかかわらず、当該電磁的記録の保存をすることができる。ただし、当該事情が生じなかったとした場合において、(2)に従って当該電磁的記録の保存をすることができなかったと認められるときは、この限りでない。(電子帳簿保存規2⑧)

　(承認以前の過去分重要書類に係る電磁的記録の保存)
(5)　ハにより国税関係書類に係る電磁的記録の保存をもって当該国税関係書類の保存に代えている保存義務者は、当該国税関係書類のうち当該国税関係書類の保存に代える日((二)において「基準日」という。)前に作成又は受領をした書類(一般書類を除く。以下(5)及び(6)において「過去分重要書類」という。)に記載されている事項を電磁的記録に記録する場合において、あらかじめ、その記録する事項に係る過去分重要書類の種類及び次に掲げる事項を記載した届出書(以下(5)及び(6)において「適用届出書」という。)を納税地等の所轄税務署長に提出したとき(従前において当該過去分重要書類と同一の種類の書類に係る適用届出書を提出していない場合に限る。)は、(2)の表の(一)に掲げる要件にかかわらず、当該電磁的記録の保存に併せて、当該電磁的記録の作成及び保存に関する事務の手続を明らかにした書類(当該事務の責任者が定められているものに限る。)の備付けを行うことにより、当該過去分重要書類に係る電磁的記録の保存をすることができる。
　　この場合において、(2)の適用については、同(2)の表の(二)のロ中「の作成又は受領後、速やかに」とあるのは「をスキャナで読み取る際に、」と、「こと(当該国税関係書類の作成又は受領から当該タイムスタンプを付すまでの各事務の処理に関する規程を定めている場合にあっては、その業務の処理に係る通常の期間を経過した後、速やかに当該記録事項に当該タイムスタンプを付すこと)」とあるのは「こと」とする。(電子帳簿保存規2⑨)

(一)	届出者の氏名又は名称、住所若しくは居所又は本店若しくは主たる事務所の所在地及び法人番号(行政手続における特定の個人を識別するための番号の利用等に関する法律(平成25年法律第27号)第2条第15項《定義》に規定する法人番号をいう。以下**2**において同じ。)(法人番号を有しない者にあっては、氏名又は名称及び住所若しくは居所又は本店若しくは主たる事務所の所在地)
(二)	基準日
(三)	その他参考となるべき事項

　　注1　──線部分は、令和5年度改正により改正された部分で、改正規定は、令和6年1月1日から適用され、令和5年12月31日以前の適用については、「とする。」とあるのは「、同(二)のハ中「情報(当該国税関係書類の作成又は受領をする者が当該国税関係書類をスキャナで読み取る場合において、当該国税関係書類の大きさが日本産業規格A列四番以下であるときは、(イ)に掲げる情報に限る。)」とあるのは「情報」」とする。(令5改電子帳簿保存規附1)
　　注2　(5)の保存義務者は、(5)の適用を受けようとする過去分重要書類につき、所轄税務署長等のほかに適用届出書の提出に当たり便宜とする税務署長(以下注2において「所轄外税務署長」という。)がある場合において、当該所轄外税務署長がその便宜とする事情について相当の理由があると認めたときは、当該所轄外税務署長を経由して、その便宜とする事情の詳細を記載した適用届出書を当該所轄税務署長等に提出することができる。この場合において、当該適用届出書が所轄外税務署長に受理されたときは、当該適用届出書は、その受理された日に所轄税務署長等に提出されたものとみなす。(電子帳簿保存規2⑩)
　　注3　注2《過去分重要書類の適用届出書の便宜提出》に掲げる便宜提出ができる「相当の理由」には、例えば、次に掲げる場合が、これに該当する。(電子帳簿保存通達4−34)

(一)	ハを適用する金融機関の営業所等の長が、非課税貯蓄の限度額管理に関する過去分重要書類について(5)の適用を受けようとする場合において、各営業所等ごとに行うべき届出手続を、その本店又は一の営業所等の所在地で一括して行う場合
(二)	ハを適用する複数の製造場を有する酒類製造者が、酒類の製造に関する事実を記載した過去分重要書類について(5)の適用を受けようとする場合において、各製造場ごとに行うべき届出手続を、本店又は一の製造場の所在地で一括して行う場合

第二章　第五節《雑　則》

　　　　（災害その他やむを得ない事情により過年分重要書類に係る電磁的記録の保存をすることができないことを証明
　　　　した場合）
（６）　（５）により過去分重要書類に係る電磁的記録の保存をする保存義務者が、災害その他やむを得ない事情により、
　　（２）に従って当該電磁的記録の保存をすることができないこととなったことを証明した場合には、（５）にかかわらず、
　　当該電磁的記録の保存をすることができる。ただし、当該事情が生じなかったとした場合において、（２）に従って当
　　該電磁的記録の保存をすることができないこととなったと認められるときは、この限りでない。（電子帳簿保存規２
　　⑪）

　　　　（電磁的記録の保存の要件に従って行われていない場合の要件）
（７）　ハの後段に掲げる電磁的記録の保存の要件は、ハの国税関係書類に係る電磁的記録について、当該国税関係書類
　　の保存場所に、国税に関する法律の規定により当該国税関係書類の保存をしなければならないこととされている期間、
　　保存が行われることとする。（電子帳簿保存規２⑫）

　　　　（入力すべき記載事項の特例）
（８）　ハの適用に当たっては、国税関係書類の表裏にかかわらず、印刷、印字又は手書きの別、文字・数字・記号・符
　　号等の別を問わず、何らかの記載があるときは入力することとなるが、書面に記載されている事項が、取引によって
　　内容が変更されることがない定型的な事項であり、かつ、当該記載されている事項が（２）の表の（四）に掲げる電磁的
　　記録の保存をする場所において、同一の様式の書面が保存されていることにより確認できる場合には、当該記載され
　　ている事項以外の記載事項がない面については入力しないこととしても差し支えないこととする。（電子帳簿保存通
　　達４－15）

　　　　（スキャナの意義）
（９）　ハに掲げる「スキャナ」とは、書面の国税関係書類を電磁的記録に変換する入力装置をいう。したがって、例え
　　ば、スマートフォンやデジタルカメラ等も、上記の入力装置に該当すれば、同ハに掲げる「スキャナ」に含まれるこ
　　とに留意する。（電子帳簿保存通達４－16）

　　　　（速やかに行うことの意義）
(10)　（２）の表の（一）のイ《入力方法》に掲げる「速やかに」の適用に当たり、国税関係書類の作成又は受領後おおむ
　　ね７営業日以内に入力している場合には、速やかに行っているものとして取り扱う。
　　　なお、同表の（一）のロに掲げる「速やかに」の適用に当たり、その業務の処理に係る通常の期間を経過した後、お
　　おむね７営業日以内に入力している場合には同様に取り扱う。
　　　また、タイムスタンプを付す場合の期限である、同表の（二）のロ《スキャナ保存に係るタイムスタンプの付与》及
　　び⑥の（２）の表の（二）《電子取引に係るタイムスタンプの付与》にそれぞれ掲げる「速やかに」の適用に当たっても、
　　同様に取り扱う。（電子帳簿保存通達４－17）

　　　　（業務の処理に係る通常の期間の意義）
(11)　（２）の表の（一）のロ及び同表の（二）のロ《入力方法》に掲げる「その業務の処理に係る通常の期間」とは、国税
　　関係書類の作成若しくは受領から入力まで又は作成若しくは受領からタイムスタンプを付すまでの通常の業務処理サ
　　イクルの期間をいうことに留意する。
　　　なお、月をまたいで処理することも通常行われている業務処理サイクルと認められることから、最長２か月の業務
　　処理サイクルであれば、「その業務の処理に係る通常の期間」として取り扱うこととする。
　　　また、電子取引の取引情報に係る電磁的記録の保存の要件であるタイムスタンプに係る⑥の（２）の表の（二）のロ《タ
　　イムスタンプの付与》に掲げる「その業務の処理に係る通常の期間」の適用に当たっても、同様に取り扱う。（電子帳
　　簿保存通達４－18）

　　　　（一の入力単位の意義）
(12)　（２）の表の（二）のロ《タイムスタンプの付与》に掲げる「一の入力単位」とは、複数枚で構成される国税関係書
　　類は、その全てのページをいい、台紙に複数枚の国税関係書類（レシート等）を貼付した文書は、台紙ごとをいうこ
　　とに留意する。（電子帳簿保存通達４－19）

　　　　　（タイムスタンプと電磁的記録の関連性の確保）
(13)　（２）の表の(二)のロ《タイムスタンプの付与》に掲げる「タイムスタンプ」は、当該タイムスタンプを付した国税関係書類に係る電磁的記録の記録事項の訂正又は削除を行った場合には、当該タイムスタンプを検証することによってこれらの事実を確認することができるものでなければならないことに留意する。（電子帳簿保存通達４－20）

　　　　　（タイムスタンプの有効性を保持するその他の方法の例示）
(14)　（２）の表の(二)のロの(イ)《タイムスタンプ》に掲げる「その他の方法」とは、国税関係書類に係る電磁的記録に付したタイムスタンプが当該タイムスタンプを付した時と同じ状態にあることを当該国税関係書類の保存期間を通じて確認できる措置をいう。（電子帳簿保存通達４－21）

　　　　　（認定業務）
(15)　（２）の表の(二)のロ《タイムスタンプの付与》に総務大臣が認定する時刻認証業務とは、電磁的記録に記録された情報にタイムスタンプを付与する役務を提供する業務をいい、時刻認証業務の認定に関する規程（令和３年総務省告示第146号）第２条第２項に規定する時刻認証業務（電子データに係る情報にタイムスタンプを付与する役務を提供する業務をいう。）と同義である。（電子帳簿保存通達４－22）

　　　　　（スキャナ保存における訂正削除の履歴の確保の適用）
(16)　（２）の表の(二)のハの(イ)《スキャナ保存における訂正削除の履歴の確保》に掲げる「国税関係書類に係る電磁的記録の記録事項について訂正又は削除を行った場合」とは、既に保存されている電磁的記録を訂正又は削除した場合をいうのであるから、例えば、受領した国税関係書類の書面に記載された事項の訂正のため、相手方から新たに国税関係書類を受領しスキャナで読み取った場合などは、新たな電磁的記録として保存しなければならないことに留意する。（電子帳簿保存通達４－23）

　　　　　（スキャナ保存における訂正削除の履歴の確保の特例）
(17)　（２）の表の(二)のハの(イ)《スキャナ保存における訂正削除の履歴の確保》に掲げる「国税関係書類に係る電磁的記録の記録事項について訂正又は削除を行った場合」とは、スキャナで読み取った国税関係書類の書面の情報の訂正又は削除を行った場合をいうのであるが、書面の情報（書面の訂正の痕や修正液の痕等を含む。）を損なうことのない画像の情報の訂正は含まれないことに留意する。（電子帳簿保存通達４－24）

　　　　　（スキャナ保存における訂正削除の履歴の確保の方法）
(18)　（２）の表の(二)のハの(イ)《スキャナ保存における訂正削除の履歴の確保》に掲げる「これらの事実及び内容を確認することができる」とは、電磁的記録を訂正した場合は、例えば、上書き保存されず、訂正した後の電磁的記録が新たに保存されること、又は電磁的記録を削除しようとした場合は、例えば、当該電磁的記録は削除されずに削除したという情報が新たに保存されることをいう。
　　したがって、スキャナで読み取った最初のデータと保存されている最新のデータが異なっている場合は、その訂正又は削除の履歴及び内容の全てを確認することができる必要があることに留意する。
　　なお、削除の内容の全てを確認することができるとは、例えば、削除したという情報が記録された電磁的記録を抽出し、内容を確認することができることをいう。（電子帳簿保存通達４－25）

　　　　　（国税関係書類に係る記録事項の入力を速やかに行ったこと等を確認することができる場合(タイムスタンプを付す代わりに改ざん不可等のシステムを使用して保存する場合)）
(19)　（２）の表の(二)のロ《タイムスタンプの付与》に掲げる要件に代えることができる同(二)に掲げる「当該保存義務者が同表の(一)のイ又は同(一)のロに掲げる方法により当該国税関係書類に係る記録事項を入力したことを確認することができる場合」については、例えば、他者が提供するクラウドサーバ（（２）の表の(二)のハに掲げる電子計算機処理システムの要件を満たすものに限る。）により保存を行い、当該クラウドサーバがＮＴＰ（Network Time Protocol）サーバと同期するなどにより、その国税関係書類に係る記録事項の入力がその作成又は受領後、速やかに行われたこと（その国税関係書類の作成又は受領から当該入力までの各事務の処理に関する規程を定めている場合にあってはその国税関係書類に係る記録事項の入力がその業務の処理に係る通常の期間を経過した後、速やかに行われたこと）の確認ができるようにその保存日時の証明が客観的に担保されている場合が該当する。（電子帳簿保存通達４－26）

(帳簿書類間の関連性の確保の方法)
(20) (2)の表の(三)《帳簿書類間の関連性の確保》に掲げる「関連性を確認することができる」とは、例えば、相互に関連する重要書類及び帳簿の双方に伝票番号、取引案件番号、工事番号等を付し、その番号を指定することで、重要書類又は国税関係帳簿の記録事項がいずれも確認できるようにする方法等によって、原則として全ての重要書類に係る電磁的記録の記録事項と国税関係帳簿の記録事項との関連性を確認することができることをいう。
　この場合、関連性を確保するための番号等が帳簿に記載されていない場合であっても、他の書類を確認すること等によって帳簿に記載すべき当該番号等が確認でき、かつ、関連する重要書類が確認できる場合には帳簿との関連性が確認できるものとして取り扱う。(電子帳簿保存通達4－27)
　　注　帳簿との関連性がない重要書類についても、帳簿と関連性を持たない重要書類であるということを確認することができる必要があることに留意する。

(関連する国税関係帳簿)
(21) (2)の表の(三)《帳簿書類間の関連性の確保》に掲げる「関連する②の表のロの国税関係帳簿」には、例えば、次の表の左欄に掲げる国税関係書類の種類に応じ、それぞれ同表の右欄に掲げる重要書類がこれに該当する。(電子帳簿保存通達4－28)

(一)	契約書	契約に基づいて行われた取引に関連する帳簿（例：売上の場合は売掛金元帳等）等
(二)	領収書	経費帳、現金出納帳等
(三)	請求書	買掛金元帳、仕入帳、経費帳等
(四)	納品書	買掛金元帳、仕入帳等
(五)	領収書控	売上帳、現金出納帳等
(六)	請求書控	売掛金元帳、売上帳、得意先元帳等

(4ポイントの文字が認識できることの意義)
(22) (2)の表の(四)のニ《スキャナ保存における電子計算機等の備付け等》は、全ての国税関係書類に係る電磁的記録に適用されるのであるから、日本産業規格X6933又は国際標準化機構の規格12653-3に準拠したテストチャートを同表の(二)の電子計算機処理システムで入力し、同表の(五)に掲げるカラーディスプレイの画面及びカラープリンタで出力した書面でこれらのテストチャートの画像を確認し、4ポイントの文字が認識できる場合の当該電子計算機処理システム等を構成する各種機器等の設定等で全ての国税関係書類を入力し保存を行うことをいうことに留意する。
　なお、これらのテストチャートの文字が認識できるか否かの判断に当たっては、拡大した画面又は書面で行っても差し支えない。(電子帳簿保存通達4－29)

(スキャナ保存の検索機能における記録項目)
(23) (2)の表の(五)《検索機能の確保》に掲げる「取引年月日その他の日付、取引金額及び取引先」には、例えば、次の表の左欄に掲げる国税関係書類の区分に応じ、それぞれ同表の右欄に掲げる記録項目がこれに該当する。(電子帳簿保存通達4－30)

(一)	領収書	領収年月日、領収金額及び取引先名称
(二)	請求書	請求年月日、請求金額及び取引先名称
(三)	納品書	納品年月日、品名及び取引先名称
(四)	注文書	注文年月日、注文金額及び取引先名称
(五)	見積書	見積年月日、見積金額及び取引先名称

　　注　一連番号等を国税関係帳簿書類に記載又は記録することにより(2)の表の(三)《帳簿書類間の関連性の確保》の要件を確保することとしている場合には、当該一連番号等により国税関係帳簿の記録事項及び国税関係書類を検索することができる機能が必要となることに留意する。

(電磁的記録の作成及び保存に関する事務手続を明らかにした書類の取扱い)
(24) 一般書類や過去分重要書類の保存に当たって、既に、電磁的記録の作成及び保存に関する事務手続を明らかにし

た書類を備え付けている場合において、これに当該事務の責任者の定めや対象範囲を追加して改訂等により対応するときは、改めて当該書類を作成して備え付けることを省略して差し支えないものとする。(電子帳簿保存通達4－31)

　　　(一般書類及び過去分重要書類の保存における取扱い)
(25)　(3)《電磁的記録の作成及び保存に関する事務の手続を明らかにした書類の備付け》及び(5)《承認以前の過去分重要書類に係る電磁的記録の保存》のスキャナ保存について、「国税関係書類に係る記録事項を入力したことを確認することができる場合」には、(2)の表の(二)のロ《タイムスタンプの付与》の要件に代えることができることに留意する。

　　なお、この「国税関係書類に係る記録事項を入力したことを確認することができる場合」とは、(19)の方法により確認できる場合はこれに該当する。

　　また、通常のスキャナ保存の場合と異なり、その国税関係書類に係る記録事項の入力が「(2)の表の(一)のイ又は同(一)のロに掲げる方法」によりされていることの確認は不要であり、入力した時点にかかわらず、入力した事実を確認できれば足りることに留意する。(電子帳簿保存通達4－32)

　　　(災害その他やむを得ない事情)
(26)　(4)《災害その他やむを得ない事情により国税関係書類に係る電磁的記録の保存をすることができなかったことを証明した場合》及び(6)《災害その他やむを得ない事情により過年分重要書類に係る電磁的記録の保存をすることができないことを証明した場合》並びに⑥の(3)に掲げる「災害その他やむを得ない事情」の意義は、次に掲げるところによる。(電子帳簿保存通達4－33)

(一)	「災害」とは、震災、風水害、雪害、凍害、落雷、雪崩、がけ崩れ、地滑り、火山の噴火等の天災又は火災その他の人為的災害で自己の責任によらないものに基因する災害をいう。
(二)	「やむを得ない事情」とは、前号に規定する災害に準ずるような状況又は当該事業者の責めに帰することができない状況にある事態をいう。 　なお、上記のような事象が生じたことを証明した場合であっても、当該事象の発生前から保存に係る各要件を満たせる状態になかったものについては、これらの規定の適用はないのであるから留意する。

　　　(途中で電磁的記録等による保存等をやめた場合の電磁的記録等の取扱い)
(27)　保存義務者がイ《国税関係帳簿の電磁的記録による保存等》若しくはロ《国税関係書類の電磁的記録による保存》又は⑤のイ《国税関係帳簿の電子計算機出力マイクロフィルムによる保存等》若しくは⑤のロ《国税関係書類の電子計算機出力マイクロフィルムによる保存》の適用を受けている国税関係帳簿書類について、その保存期間の途中で電磁的記録による保存等を取りやめることとした場合には、当該取りやめることとした国税関係帳簿書類については、取りやめることとした日において保存等をしている電磁的記録及び保存している電子計算機出力マイクロフィルムの内容を書面に出力して保存等をしなければならないことに留意する。

　　また、ハに掲げるところにより保存が行われている国税関係書類に係る電磁的記録について、その保存期間の途中でその財務省令で定めるところに従った電磁的記録による保存を取りやめることとした場合には、電磁的記録の基となった国税関係書類を保存しているときは当該国税関係書類を、廃棄している場合には、その取りやめることとした日において適法に保存している電磁的記録を、それぞれの要件に従って保存することに留意する。(電子帳簿保存通達4－35)

　　　(システム変更を行った場合の取扱い)
(28)　保存義務者がシステムを変更した場合には、変更前のシステムにより作成された国税関係帳簿又は国税関係書類に係る電磁的記録(電子計算機出力マイクロフィルムにより保存している場合における⑦の表の二の(2)の(二)のホにより保存すべき電磁的記録を含む。以下(28)において「変更前のシステムに係る電磁的記録」という。)については、原則としてシステム変更後においても、④、⑤《国税関係帳簿書類の電子計算機出力マイクロフィルムによる保存等》又は⑦の表の二の(2)《国税の納税義務の適正な履行に資するものとなる要件》に規定する要件に従って保存等をしなければならないことに留意する。

　　この場合において、当該要件に従って変更前のシステムに係る電磁的記録の保存等をすることが困難であると認められる事情がある場合で、変更前のシステムに係る電磁的記録の保存等をすべき期間分の電磁的記録(イの(1)《電磁的記録による帳簿の保存等の要件》により保存等が行われていた国税関係帳簿又は国税関係書類に係る電磁的記録

第二章　第五節《雑　則》

に限る。）を書面に出力し、保存等をしているときには、これを認める。
　また、上記の場合において、ハに掲げるところにより保存が行われている国税関係書類に係る電磁的記録については、変更前のシステムに係る電磁的記録の基となった書類を保存しているときは、これを認めるが、当該書類の保存がない場合は、ハによりそのシステム変更日において適法に保存している電磁的記録の保存を行うことに留意する（（27）参照）。（電子帳簿保存通達4－36）
　　注　⑦の表のニの適用を受けようとする保存義務者の特例国税関係帳簿の保存等に係るシステム変更については、書面に出力し保存する取扱いによることはできないのであるから留意する。

⑤　国税関係帳簿書類の電子計算機出力マイクロフィルムによる保存等

イ　国税関係帳簿の電子計算機出力マイクロフィルムによる保存等
　保存義務者は、国税関係帳簿の全部又は一部について、自己が最初の記録段階から一貫して電子計算機を使用して作成する場合には、**イ**の《電子計算機出力マイクロフィルムによる帳簿の保存等の要件》により、当該国税関係帳簿に係る電磁的記録の備付け及び当該電磁的記録の電子計算機出力マイクロフィルムによる保存をもって当該国税関係帳簿の備付け及び保存に代えることができる。（電子帳簿保存法5①）

　　（電子計算機出力マイクロフィルムによる帳簿の保存等の要件）
　イにより国税関係帳簿に係る電磁的記録の備付け及び当該電磁的記録の電子計算機出力マイクロフィルムによる保存をもって当該国税関係帳簿の備付け及び保存に代えようとする保存義務者は、④の**イ**の（1）《電磁的記録による帳簿の保存等の要件》の表の（一）から（三）までに掲げる要件（当該保存義務者が⑦の**ニ**の（2）《国税の納税義務の適正な履行に資するものとなる要件》の（二）に掲げる要件に従って当該電磁的記録の備付け及び当該電磁的記録の電子計算機出力マイクロフィルムによる保存を行っている場合には、④の**イ**の（1）の（三）の要件を除く。）及び次の表に掲げる要件に従って当該電磁的記録の備付け及び当該電磁的記録の電子計算機出力マイクロフィルムによる保存をしなければならない。（電子帳簿保存規3①）

（一）		当該電子計算機出力マイクロフィルムの保存に併せて、次に掲げる書類の備付けを行うこと。
	イ	当該電子計算機出力マイクロフィルムの作成及び保存に関する事務手続を明らかにした書類
	ロ	次に掲げる事項が記載された書類
	（イ）	保存義務者（保存義務者が法人（第二章第一節**二**の**8**《人格のない社団等》に掲げる人格のない社団等を含む。（イ）において同じ。）である場合には、当該法人の国税関係帳簿の保存に関する事務の責任者である者）の当該国税関係帳簿に係る電磁的記録が真正に出力され、当該電子計算機出力マイクロフィルムが作成された旨を証する記載及びその氏名
	（ロ）	当該電子計算機出力マイクロフィルムの作成責任者の氏名
	（ハ）	当該電子計算機出力マイクロフィルムの作成年月日
（二）		当該電子計算機出力マイクロフィルムの保存をする場所に、日本産業規格B7186に規定する基準を満たすマイクロフィルムリーダプリンタ及びその操作説明書を備え付け、当該電子計算機出力マイクロフィルムの内容を当該マイクロフィルムリーダプリンタの画面及び書面に、整然とした形式及び明瞭な状態で、速やかに出力することができるようにしておくこと。

　　注　上記は、ハ《電磁的記録による保存から電子計算機出力マイクロフィルムによる保存への移行》により国税関係帳簿又は国税関係書類に係る電磁的記録の電子計算機出力マイクロフィルムによる保存をもって当該国税関係帳簿又は国税関係書類に係る電磁的記録の保存に代えようとする保存義務者の当該国税関係帳簿又は国税関係書類に係る電磁的記録の電子計算機出力マイクロフィルムによる保存について準用する。（電子帳簿保存規3④）

ロ　国税関係書類の電子計算機出力マイクロフィルムによる保存
　保存義務者は、国税関係書類の全部又は一部について、自己が一貫して電子計算機を使用して作成する場合には、下記の《電子計算機出力マイクロフィルムによる書類の保存の要件》により、当該国税関係書類に係る電磁的記録の電子計算機出力マイクロフィルムによる保存をもって当該国税関係書類の保存に代えることができる。（電子帳簿保存法5②）

－197－

（電子計算機出力マイクロフィルムによる書類の保存の要件）

　イの《電子計算機出力マイクロフィルムによる帳簿の保存等の要件》は、ロにより国税関係書類に係る電磁的記録の電子計算機出力マイクロフィルムによる保存をもって当該国税関係書類の保存に代えようとする保存義務者の当該電磁的記録の電子計算機出力マイクロフィルムによる保存について準用する。この場合において、イの《電子計算機出力マイクロフィルムによる帳簿の保存等の要件》中「④のイの《電磁的記録による帳簿の保存等の要件》の(一)から(三)まで」とあるのは「④のイの(一)及び(三)」と、「⑦のニの(2)《国税の納税義務の適正な履行に資するものとなる要件》の(二)に掲げる要件に従って当該電磁的記録の備付け及び」とあるのは「⑦のニの(2)《国税の納税義務の適正な履行に資するものとなる要件》の(二)のハからホに掲げる要件に従って」と、「及び次に」とあるのは「並びに次に」と読み替えるものとする。（電子帳簿保存規3②）

　　注　上記は、ハ《電磁的記録による保存から電子計算機出力マイクロフィルムによる保存への移行》により国税関係帳簿又は国税関係書類に係る電磁的記録の電子計算機出力マイクロフィルムによる保存をもって当該国税関係帳簿又は国税関係書類に係る電磁的記録の保存に代えようとする保存義務者の当該国税関係帳簿又は国税関係書類に係る電磁的記録の電子計算機出力マイクロフィルムによる保存について準用する。（電子帳簿保存規3④）

ハ　電磁的記録による保存から電子計算機出力マイクロフィルムによる保存への移行

　④のイ《国税関係帳簿の電磁的記録による保存等》により国税関係帳簿に係る電磁的記録の備付け及び保存をもって当該国税関係帳簿の備付け及び保存に代えている保存義務者又は④のロ《国税関係書類の電磁的記録による保存》により国税関係書類に係る電磁的記録の保存をもって当該国税関係書類の保存に代えている保存義務者は、当該国税関係帳簿又は当該国税関係書類の全部又は一部について、その保存期間（国税に関する法律の規定により国税関係帳簿又は国税関係書類の保存をしなければならないこととされている期間をいう。）の全期間（電子計算機出力マイクロフィルムによる保存をもってこれらの電磁的記録の保存に代えようとする日以後の期間に限る。）につき電子計算機出力マイクロフィルムによる保存をもってこれらの電磁的記録の保存に代えようとする場合には、当該国税関係帳簿又は当該国税関係書類の全部又は一部について、イの(1)《電子計算機出力マイクロフィルムによる帳簿の保存等の要件》及びロの《電子計算機出力マイクロフィルムによる書類の保存の要件》により、当該国税関係帳簿又は当該国税関係書類に係る電磁的記録の電子計算機出力マイクロフィルムによる保存をもって当該国税関係帳簿又は当該国税関係書類に係る電磁的記録の保存に代えることができる。（電子帳簿保存法5③、電子帳簿保存規3③）

⑥　電子取引の取引情報に係る電磁的記録の保存

　法人税に係る保存義務者は、電子取引を行った場合には、(2)《電子取引の取引情報に係る電磁的記録の保存要件等》に掲げるところにより、当該電子取引の取引情報に係る電磁的記録を保存しなければならない。（電子帳簿保存法7）

　　（電磁的記録等により保存すべき取引情報）
(1)　⑥《電子取引の取引情報に係る電磁的記録の保存》の適用に当たっては、次の点に留意する。（電子帳簿保存通達7－1）
　(一)　電子取引の取引情報に係る電磁的記録は、ディスプレイの画面及び書面に、整然とした形式及び明瞭な状態で出力されることを要するのであるから、暗号化されたものではなく、受信情報にあってはトランスレータによる変換後、送信情報にあっては変換前のもの等により保存することを要する。
　(二)　取引情報の授受の過程で発生する訂正又は加除の情報を個々に保存することなく、確定情報のみを保存することとしている場合には、これを認める。
　(三)　取引情報に係る電磁的記録は、あらかじめ授受されている単価等のマスター情報を含んで出力されることを要する。
　(四)　見積りから決済までの取引情報を、取引先、商品単位で一連のものに組み替える、又はそれらの取引情報の重複を排除するなど、合理的な方法により編集（取引情報の内容を変更することを除く。）をしたものを保存することとしている場合には、これを認める。
　　注　いわゆるEDI取引において、電磁的記録により保存すべき取引情報は、一般に「メッセージ」と称される見積書、注文書、納品書及び支払通知書等の書類に相当する単位ごとに、一般に「データ項目」と称される注文番号、注文年月日、注文総額、品名、数量、単価及び金額等の各書類の記載項目に相当する項目となることに留意する。

　　（電子取引の取引情報に係る電磁的記録の保存要件等）
(2)　法人税に係る保存義務者は、電子取引を行った場合には、当該電子取引の取引情報に係る電磁的記録を、当該取引情報の受領が書面により行われたとした場合又は当該取引情報の送付が書面により行われその写しが作成されたと

第二章　第五節《雑　則》

した場合に、国税に関する法律の規定により、当該書面を保存すべきこととなる場所に、当該書面を保存すべきこととなる期間、次の表に掲げる措置のいずれかを行い、④のイの(1)の表の(二)及び同ハの(2)の表の(五)並びに(六)において準用する④のイの(1)の表の(一)（イに係る部分に限る。）に掲げる要件（当該保存義務者が国税に関する法律の規定による当該電磁的記録の提示又は提出の要求（以下(2)において「電磁的記録の提示等の要求」という。）に応じることができるようにしている場合には、④のハの(2)の表の(五)〔ロ及びハに係る部分に限る。〕に掲げる要件〔当該保存義務者が、その判定期間に係る基準期間における売上高が5,000万円以下である事業者である場合又は国税に関する法律の規定による当該電磁的記録を出力することにより作成した書面で整然とした形式及び明瞭な状態で出力され、取引年月日その他の日付及び取引先ごとに整理されたものの提示若しくは提出の要求に応じることができるようにしている場合であって、当該電磁的記録の提示等の要求に応じることができるようにしているときは、(五)に掲げる要件〕を除く。）に従って保存しなければならない。（電子帳簿保存規4①）

(一)	当該電磁的記録の記録事項にタイムスタンプ（④のハの(2)の(二)のロに掲げるタイムスタンプをいう。以下(2)において同じ。）が付された後、当該取引情報の授受を行うこと。	
(二)	当該電磁的記録の記録事項にタイムスタンプを付すこと。	
	イ	当該電磁的記録の記録事項にタイムスタンプを付すことを当該取引情報の授受後、速やかに行うこと。
	ロ	当該電磁的記録の記録事項にタイムスタンプを付すことをその業務の処理に係る通常の期間を経過した後、速やかに行うこと（当該取引情報の授受から当該記録事項にタイムスタンプを付すまでの各事務の処理に関する規程を定めている場合に限る。）。
	注――線部分は、令和5年度改正により改正された部分で、改正規定は、令和6年1月1日以降に行う電子取引の取引情報について適用され、令和5年12月31日以前に行った電子取引の取引情報については、「タイムスタンプを付すこと」とあるのは「タイムスタンプを付すとともに、当該電磁的記録の保存を行う者又はその者を直接監督する者に関する情報を確認できるようにしておくこと」とする。（令5改電子帳簿保存規附2②、1）	
(三)	次に掲げる要件のいずれかを満たす電子計算機処理システムを使用して当該取引情報の授受及び当該電磁的記録の保存を行うこと。	
	イ	当該電磁的記録の記録事項について訂正又は削除を行った場合には、これらの事実及び内容を確認することができること。
	ロ	当該電磁的記録の記録事項について訂正又は削除を行うことができないこと。
(四)	当該電磁的記録の記録事項について正当な理由がない訂正及び削除の防止に関する事務処理の規程を定め、当該規程に沿った運用を行い、当該電磁的記録の保存に併せて当該規程の備付けを行うこと。	

注1　――線部分（本文に係る部分に限る。）は、令和5年度改正により改正された部分で、改正規定は、令和6年1月1日以後に行う電子取引の取引情報について適用され、令和5年12月31日以前に行った電子取引の取引情報については、次による。（令5改電子帳簿保存規附2②、1）

> 法人税に係る保存義務者は、電子取引を行った場合には、当該電子取引の取引情報に係る電磁的記録を、当該取引情報の受領が書面により行われたとした場合又は当該取引情報の送付が書面により行われその写しが作成されたとした場合に、国税に関する法律の規定により、当該書面を保存すべきこととなる場所に、当該書面を保存すべきこととなる期間、次の表に掲げる措置のいずれかを行い、④のイの(1)の表の(二)及び同ハの(2)の表の旧(六)並びに旧(七)において準用する④のイの(1)の表の(一)（イに係る部分に限る。）に掲げる要件（当該保存義務者が国税に関する法律の規定による当該電磁的記録の提示又は提出の要求に応じることができるようにしている場合には、④のハの(2)の表の旧(六)〔ロ及びハに係る部分に限る。〕に掲げる要件〔当該保存義務者が、その判定期間に係る基準期間における売上高が1,000万円以下である事業者である場合であって、当該要求に応じることができるようにしているときは、(六)に掲げる要件〕を除く。）に従って保存しなければならない。（電子帳簿保存規旧4①）

注2　(2)において、次に掲げる用語の意義は、それぞれ次に掲げるところによる。（電子帳簿保存規4②）

(一)	事業者	法人（第二章第一節の二の表の8《人格のない社団等》に掲げる人格のない社団等を含む。）をいう。
(二)	判定期間	電子取引を行った日の属する事業年度（第二章第一節の七の1及び同七の3の事業年度をいう。）
(三)	基準期間	その事業年度の前々事業年度（当該前々事業年度が1年未満である法人については、その事業年度開始の日の2年前の日の前日から同日以後1年を経過する日までの間に開始した各事業年度を合わせた期間）をいう。

(電子取引の取引情報に係る電磁的記録の保存に関する猶予措置)
(3)　⑥に掲げる保存義務者が、電子取引を行った場合において、災害その他やむを得ない事情により、(2)に掲げるところに従って当該電子取引の取引情報に係る電磁的記録の保存をすることができなかったことを証明したとき、又は納税地等の所轄税務署長が(2)に掲げるところに従って当該電磁的記録の保存をすることができなかったことについて相当の理由があると認め、かつ、当該保存義務者が国税に関する法律の規定による当該電磁的記録及び当該電磁的記録を出力することにより作成した書面（整然とした形式及び明瞭な状態で出力されたものに限る。）の提示若しくは提出の要求に応じることができるようにしているときは、(2)にかかわらず、当該電磁的記録の保存をすることができる。ただし、当該事情が生じなかったとした場合又は当該理由がなかったとした場合において、当該(2)に掲げるところに従って当該電磁的記録の保存をすることができなかったと認められるときは、この限りでない（電子帳簿保存規4③）

> 注1　──線部分は、令和5年度改正により改正された部分で、改正規定は、令和6年1月1日以後に行う電子取引の取引情報について適用され、令和5年12月31日以前に行った電子取引の取引情報については、次による。（令5改電子帳簿保存規附2②、1）
>
> > ⑥に掲げる保存義務者が、電子取引を行った場合において、災害その他やむを得ない事情により、(2)に掲げるところに従って当該電子取引の取引情報に係る電磁的記録の保存をすることができなかったことを証明したときは、(2)にかかわらず、当該電磁的記録の保存をすることができる。ただし、当該事情が生じなかったとした場合において、当該(2)に掲げるところに従って当該電磁的記録の保存をすることができなかったと認められるときは、この限りでない（電子帳簿保存規旧4③）
>
> 注2　令和4年1月1日から令和5年12月31日までの間に電子取引を行う場合における(3)の適用については、「証明したとき」とあるのは「証明したとき、又は納税地等の所轄税務署長が当該(2)に掲げるところに従って当該電磁的記録の保存をすることができなかったことについてやむを得ない事情があると認め、かつ、当該保存義務者が国税に関する法律の規定による当該電磁的記録を出力することにより作成した書面（整然とした形式及び明瞭な状態で出力されたものに限る。）の提示若しくは提出の要求に応じることができるようにしているとき」と、「当該事情」とあるのは「これらの事情」とする。（令和3年財務省令第25号附2③、令和3年財務省令第80号）

(整然とした形式及び明瞭な状態の意義)
(4)　④の**イ**の(1)《電磁的記録による帳簿の保存等の要件》の表の(二)及び⑤の**イ**の《電子計算機出力マイクロフィルムによる帳簿の保存等の要件》の表の(二)並びに(2)《電子取引の取引情報に係る電磁的記録の保存要件等》及び(3)《電子取引の取引情報に係る電磁的記録の保存に関する猶予措置》に掲げる「整然とした形式及び明瞭な状態」とは、書面により作成される場合の帳簿書類に準じた規則性を有する形式で出力され、かつ、出力される文字を容易に識別することができる状態をいう。（電子帳簿保存通達7－2）

(取引年月日その他の日付及び取引先ごとに整理されたものの意義)
(5)　(2)に掲げる「取引年月日その他の日付及び取引先ごとに整理されたもの」とは、次に掲げるいずれかの方法により、電子取引の取引情報に係る電磁的記録を出力することにより作成した書面（整然とした形式及び明瞭な状態で出力されたものに限る。以下「出力書面」という。）が課税期間ごとに日付及び取引先について規則性を持って整理されているものをいう。

(一)	課税期間ごとに、取引年月日その他の日付の順にまとめた上で、取引先ごとに整理する方法
(二)	課税期間ごとに、取引先ごとにまとめた上で、取引年月日その他の日付の順に整理する方法
(三)	書類の種類ごとに、(一)又は(二)と同様の方法により整理する方法

なお、上記のように整理された出力書面を基に、保存する電磁的記録の中から必要な電磁的記録を探し出せるようにしておく必要があり、かつ、探し出した電磁的記録をディスプレイの画面に速やかに出力できるようにしておく必要があることに留意する。（電子帳簿保存通達7－3）

(速やかに行うことの意義)
(6)　(2)の表の(二)に掲げる「速やかに」の適用に当たり、国税関係書類の作成又は受領後おおむね7営業日以内に入力している場合には、速やかに行っているものとして取り扱う。（電子帳簿保存通達7－4・編者補正）

(業務の処理に係る通常の期間の意義)
(7)　電子取引の取引情報に係る電磁的記録の保存の要件であるタイムスタンプに係る(2)の表の(二)のロに掲げる「その業務の処理に係る通常の期間」とは、国税関係書類の作成若しくは受領から入力まで又は作成若しくは受領からタイムスタンプを付すまでの業務処理サイクルの期間をいうことに留意する。

なお、月をまたいで処理することも通常行われている通常の業務処理サイクルと認められることから、最長2か月の業務処理サイクルであれば、「その業務の処理に係る通常の期間」として取り扱うこととする。（電子帳簿保存通達7－5・編者補正）

(電子計算機処理システムの例示)
(8) (2)の表の(三)のイに掲げる「当該電磁的記録の記録事項について訂正又は削除を行った場合には、これらの事実及び内容を確認することができること」とは、例えば、電磁的記録の記録事項を直接に訂正又は削除を行った場合には、訂正前又は削除前の記録事項及び訂正又は削除の内容がその電磁的記録又はその電磁的記録とは別の電磁的記録（訂正削除前の履歴ファイル）に自動的に記録されるシステム等をいう。
また、同(三)のロに掲げる「当該電磁的記録の記録事項について訂正又は削除を行うことができないこと」とは、例えば、電磁的記録の記録事項に係る訂正又は削除について、物理的にできない仕様とされているシステム等をいう。（電子帳簿保存通達7－6）

(訂正及び削除の防止に関する事務処理の規程)
(9) (2)の表の(四)に掲げる「正当な理由がない訂正及び削除の防止に関する事務処理の規程」とは、例えば、次に掲げる区分に応じ、それぞれ次に定める内容を含む規程がこれに該当する。（電子帳簿保存通達7－7）

(一)	自らの規程のみによって防止する場合	
	イ	データの訂正削除を原則禁止
	ロ	業務処理上の都合により、データを訂正又は削除する場合（例えば、取引相手方からの依頼により、入力漏れとなった取引年月日を追記する等）の事務処理手続（訂正削除日、訂正削除理由、訂正削除内容、処理担当者の氏名の記録及び保存)
	ハ	データ管理責任者及び処理責任者の明確化
(二)	取引相手との契約によって防止する場合	
	イ	取引相手とデータ訂正等の防止に関する条項を含む契約を行うこと。
	ロ	事前に上記契約を行うこと。
	ハ	電子取引の種類を問わないこと。

(国税に関する法律の規定による提示又は提出の要求)
(10) (2)に掲げる「国税に関する法律の規定による……提示又は提出の要求」については、国税通則法第74条の2から第74条の6までの規定による質問検査権の行使に基づく提示又は提出の要求のほか、以下のものが対象となる。（電子帳簿保存通達7－8・編者補正）

(一)	国税通則法の規定を準用する租税特別措置法、東日本大震災からの復興のための施策を実施するために必要な財源の確保に関する特別措置法（復興特別所得税・復興特別法人税）及び一般会計における債務の承継等に伴い必要な財源の確保に係る特別措置に関する法律（たばこ特別税）の規定による質問検査権の行使に基づくもの（措法87の6⑪等、復興財確法32①、62①、財源確保法19①）
(二)	非居住者の内部取引に係る課税の特例、国外所得金額の計算の特例等に係る同種の事業を営む者等に対する質問検査権の行使に基づくもの（措法40の3の3、措法41の19の5等）
(三)	国外財産調書・財産債務調書を提出する義務がある者に対する質問検査権の行使に基づくもの（国送法7②）
(四)	支払調書等の提出に関する質問検査権の行使に基づくもの（措法9の4の2等）
(五)	相手国等から情報の提供要請があった場合の質問検査権の行使に基づくもの（実特法9①）
(六)	報告事項の提供に係る質問検査権の行使に基づくもの（実特法10の9①等）
(七)	納税の猶予の申請に係る事項に関する調査に係る質問検査権の行使に基づくもの（国税通則法46の2⑪）
(八)	滞納処分に関する調査に係る質問検査権の行使に基づくもの（国税徴収法141）

(電磁的記録の提示又は提出の要求に応じる場合の意義)
(11) (2)の「国税に関する法律の規定による……電磁的記録の提示又は提出の要求に応じること」とは、法の定めるところにより備付け及び保存が行われている国税関係帳簿又は保存が行われている国税関係書類若しくは電子取引の取引情報に係る電磁的記録について、税務職員から提示又は提出の要求（以下(11)において「ダウンロードの求め」という。）があった場合に、そのダウンロードの求めに応じられる状態で電磁的記録の保存等を行い、かつ、実際にそのダウンロードの求めがあった場合には、その求めに応じることをいうのであり、「その要求に応じること」とは、当該職員の求めの全てに応じた場合をいうのであって、その求めに一部でも応じない場合はこれらの規定の適用（電子帳簿等保存制度の適用・検索機能の確保の要件の緩和）は受けられないことに留意する。

したがって、その求めに一部でも応じず、かつ、④のハの（2）《電磁的記録の保存の要件》の表の(五)に掲げる要件（検索機能の確保に関する要件の全て）又は⑦の表のニの（2）《国税の納税義務の適正な履行に資するものとなる要件》に掲げる要件（優良な電子帳簿に関する要件。なお、国税関係書類については、これに相当する要件）が備わっていなかった場合には、(2)の適用に当たって、要件に従って保存等が行われていないこととなるから、その保存等がされている電磁的記録又は電子計算機出力マイクロフィルムは国税関係帳簿又は国税関係書類とはみなされないこととなる（電子取引の取引情報に係る電磁的記録については国税関係書類以外の書類とみなされないこととなる）ことに留意する。

また、当該ダウンロードの求めの対象については、法の定めるところにより備付け及び保存が行われている国税関係帳簿又は保存が行われている国税関係書類若しくは電子取引の取引情報に係る電磁的記録が対象となり、ダウンロードの求めに応じて行われる当該電磁的記録の提出については、税務職員の求めた状態で提出される必要があることに留意する。（電子帳簿保存通達7－9・編者補正）

(ファクシミリの取扱いについて)
(12) ファクシミリを使用して取引に関する情報をやり取りする場合については、一般的に、送信側においては書面を読み取ることにより送信し、受信側においては受信した電磁的記録について書面で出力することにより、確認、保存することを前提としているものであることから、この場合においては、書面による取引があったものとして取り扱うが、複合機等のファクシミリ機能を用いて、電磁的記録により送受信し、当該電磁的記録を保存する場合については、②の表のホ《電子取引》に掲げる電子取引に該当することから、(2)に掲げる要件に従って当該電磁的記録の保存が必要となることに留意する。（電子帳簿保存通達7－10）

(災害その他やむを得ない事情)
(13) (3)に掲げる「災害その他やむを得ない事情」の意義は、次に掲げるところによる。（電子帳簿保存通達7－11・編者補正）

(一)	「災害」とは、震災、風水害、雪害、凍害、落雷、雪崩、がけ崩れ、地滑り、火山の噴火等の天災又は火災その他の人為的災害で自己の責任によらないものに基因する災害をいう。
(二)	「やむを得ない事情」とは、(一)に掲げる災害に準ずるような状況又は当該事業者の責めに帰することができない状況にある事態をいう。 なお、上記のような事象が生じたことを証明した場合であっても、当該事象の発生前から保存に係る各要件を満たせる状態になかったものについては、(3)の適用はないのであるから留意する。

(猶予措置における「相当の理由」の意義)
(14) (3)に掲げる「相当の理由」とは、事業者の実情に応じて判断するものであるが、例えば、システム等や社内でのワークフローの整備が間に合わない場合等がこれに該当する。（電子帳簿保存通達7－12）

(猶予措置適用時の取扱い)
(15) (3)の適用に当たっては、電子取引の取引情報に係る電磁的記録の保存を要件に従って行うことができなかったことについて相当の理由があると認められ、かつ、その出力書面の提示又は提出の要求に応じることができるようにしている場合であっても、その出力書面の保存のみをもってその電磁的記録の保存を行っているものとは取り扱われないことに留意する。（電子帳簿保存通達7－13）

第二章　第五節《雑　則》

(猶予措置における電磁的記録及び出力書面の提示又は提出の要求に応じる場合の意義)
(16)　(3)の適用に当たっては、電子取引の取引情報に係る電磁的記録について、税務職員から当該電磁的記録及び出力書面の提示又は提出の要求（以下(16)において「ダウンロード等の求め」という。）があった場合に、そのダウンロード等の求めに応じられる状態で電磁的記録の保存等を行い、かつ、実際にそのダウンロード等の求めがあった場合には、その求めに応じることをいい、「その要求に応じること」とは、当該職員の求めの全てに応じた場合をいうのであって、その求めに一部でも応じない場合は猶予措置の適用は受けられないことに留意する。
　なお、その求めに一部でも応じない場合には、猶予措置の適用を受けるための要件を満たしたことにならないことから、その保存等がされている電磁的記録は国税関係書類以外の書類とみなされないこととなる。
　また、当該ダウンロード等の求めの対象については、電子取引の取引情報に係る電磁的記録及び出力書面が対象となり、ダウンロード等の求めに応じて行われる当該電磁的記録及び出力書面の提出については、税務職員の求めた状態で提出される必要があることに留意する。（電子帳簿保存通達7－14）

⑦　**他の国税に関する法律の規定の適用**

イ	④の**イ**の(1)《電磁的記録による帳簿の保存等の要件》、④の**ロ**《電磁的記録による書類の保存の要件》若しくは④の**ハ**の(2)《電磁的記録の保存の要件》の前段又は⑤の**イ**の《電子計算機出力マイクロフィルムによる帳簿の保存等の要件》、⑤の**ロ**《電子計算機出力マイクロフィルムによる書類の保存の要件》又は⑤の**ハ**《電磁的記録による保存から電子計算機出力マイクロフィルムによる保存への移行》に従って備付け及び保存が行われている国税関係帳簿又は保存が行われている国税関係書類に係る電磁的記録又は電子計算機出力マイクロフィルムに対する他の国税に関する法律の規定の適用については、当該電磁的記録又は電子計算機出力マイクロフィルムを当該国税関係帳簿又は当該国税関係書類とみなす。（電子帳簿保存法8①）
ロ	⑥の(2)《電子取引の取引情報に係る電磁的記録の保存要件等》により保存が行われている電磁的記録に対する他の国税に関する法律の規定の適用については、当該電磁的記録を国税関係書類以外の書類とみなす。（電子帳簿保存法8②）
ハ	⑥《電子取引の取引情報に係る電磁的記録の保存》並びに**イ**及び**ロ**の適用がある場合における第二節の**二**の(2)《青色申告の承認申請の却下》の適用については、同(2)の(一)中「**三**の1《帳簿書類の備付け等》に掲げるところ」とあるのは、「**三**の1《帳簿書類の備付け等》に掲げるところ又は第五節の**三**の2《電子計算機を使用して作成する国税関係帳簿書類の保存方法等の特例》における次のいずれかに掲げるところ」とし、第二節の**四**《青色申告の承認の取消し》の表の1の適用については、同表の1中「**三**の1《帳簿書類の備付け等》に掲げるところ」とあるのは、「**三**の1《帳簿書類の備付け等》に掲げるところ又は第五節の**三**の2《電子計算機を使用して作成する国税関係帳簿書類の保存方法等の特例》における次のいずれかに掲げるところ」とする。（電子帳簿保存法8③Ⅱ）

(イ)	④の**イ**《国税関係帳簿の電磁的記録による保存等》
(ロ)	④の**ロ**《国税関係書類の電磁的記録による保存》
(ハ)	④の**ハ**《国税関係書類のスキャナによる記録保存》の前段
(ニ)	⑤の**イ**《国税関係帳簿の電子計算機出力マイクロフィルムによる保存等》
(ホ)	⑤の**ロ**《国税関係書類の電子計算機出力マイクロフィルムによる保存》
(ヘ)	⑤の**ハ**《電磁的記録による保存から電子計算機出力マイクロフィルムによる保存への移行》
(ト)	⑥《電子取引の取引情報に係る電磁的記録の保存》

ニ	(1)に掲げる国税関係帳簿であって次表に掲げるものに係る電磁的記録の備付け及び保存又は当該電磁的記録の備付け及び当該電磁的記録の電子計算機出力マイクロフィルムによる保存が、国税の納税義務の適正な履行に資するものとして(2)に掲げる要件を満たしている場合における当該電磁的記録又は当該電子計算機出力マイクロフィルム（第一節の**二**の表の**35**に掲げる修正申告書（**ホ**において「**修正申告書**」という。）又は同表の**39**に掲げる更正（**ホ**において「**更正**」という。）（以下併せて**ニ**において「修正申告等」という。）に係る課税期間の初日以後引き続き当該要件を満たしてこれらの備付け及び保存が行われているものに限る。以下**ニ**において同じ。）に記録された事項に関し修正申告等があった場合において、第三節の**三**の1《過少申告加算税》の適用があるときは、同**三**の過少申告加算税の額は、同**三**にかかわらず、同**三**により計算した金額から当該過少申告加算税の額の計算の基礎となるべき税額（その税額の計算の基礎となるべき事実で当該修正申告等の基因となる当該電磁的記録又は当該電

-203-

子計算機出力マイクロフィルムに記録された事項にかかるもの以外のもの（以下ニにおいて「電磁的記録等に記録された事項に係るもの以外の事実」という。）があるときは、当該電磁的記録等に記録された事項に係るもの以外の事実に基づく税額として（3）に掲げる金額を控除した税額）に$\frac{5}{100}$の割合を乗じて計算した金額を控除した金額とする。ただし、その税額の計算の基礎となるべき事実で隠蔽し、又は仮装されたものがあるときは、この限りでない。（電子帳簿保存法8④、電子帳簿保存令2）

(一)	④の**イ**《国税関係帳簿の電磁的記録による保存等》により国税関係帳簿に係る電磁的記録の備付け及び保存をもって当該国税関係帳簿の備付け及び保存に代えている保存義務者の当該国税関係帳簿
(二)	⑤の**イ**《国税関係帳簿の電子計算機出力マイクロフィルムによる保存等》又は**ハ**《電磁的記録による保存から電子計算機出力マイクロフィルムによる保存への移行》により国税関係帳簿に係る電磁的記録の備付け及び当該電磁的記録の電子計算機出力マイクロフィルムによる保存をもって当該国税関係帳簿の備付け及び保存に代えている保存義務者の当該国税関係帳簿

　（特例国税関係帳簿の範囲）
（1）　**ニ**に掲げる国税関係帳簿は、修正申告等の基因となる事項に係る第二節の三の②《取引に関する帳簿及び記載事項》に掲げる仕訳帳、総勘定元帳その他必要な帳簿〔手形〔融通手形を除く。〕上の債権債務に関する事項、売掛金〔未収加工料その他売掛金と同様の性質を有するものを含む。〕その他債権に関する事項〔当座預金の預入れ及び引出しに関する事項を除く。〕、買掛金〔未払加工料その他買掛金と同様の性質を有するものを含む。〕その他債務に関する事項、第一節の二の表の**21**に掲げる有価証券〔商品であるものを除く。〕に関する事項、同表の**23**に掲げる減価償却資産に関する事項、同表の**24**に掲げる繰延資産に関する事項、売上げ〔加工その他の役務の給付その他売上げと同様の性質を有するものを含む。〕その他収入に関する事項及び仕入れその他経費〔賃金、給料手当、法定福利費及び厚生費を除く。〕に関する事項の記載に係るものに限る。）（以下**ニ**において「特例国税関係帳簿という。）のうち、保存義務者が、あらかじめ、次に掲げる事項を記載した届出書を納税地等の所轄税務署長に提出している場合における当該特例国税関係帳簿に限る。（電子帳簿保存規5①）

(一)	特例国税関係帳簿に係る電磁的記録又は電子計算機出力マイクロフィルムに記録された事項に関し修正申告等があった場合には**ニ**の適用を受ける旨
(二)	届出に係る特例国税関係帳簿の種類
(三)	届出者の名称、本店又は主たる事務所の所在地及び法人番号（法人番号を有しない者にあっては、名称及び本店又は主たる事務所の所在地）
(四)	届出に係る特例国税関係帳簿に係る電磁的記録の備付け及び保存又は当該電磁的記録の備付け及び当該電磁的記録の電子計算機出力マイクロフィルムによる保存をもって当該特例国税関係帳簿の備付け及び保存に代える日
(五)	その他参考となるべき事項

　　注　──線部分は、令和5年度改正により改正された部分で、改正規定は、令和6年1月1日以後に第一節の二の(1)の表の(七)に掲げる法定申告期限（国税に関する法律により当該法定申告期限とみなされる期限を含み、第三章第二節第三款の**七**の5の①の(4)《延滞税の額の計算の基礎となる期間の特例》の表の(二)に掲げる還付請求申告書については、当該申告書を提出した日とする。以下「法定申告期限」という。）が到来する国税について適用し、令和5年12月31日以前に法定申告期限が到来した国税については、「仕訳帳、総勘定元帳…ものに限る。）」とあるのは「帳簿」とする。（令5改電子帳簿保存規附2③、1）

　（国税の納税義務の適正な履行に資するものとなる要件）
（2）　**ニ**に掲げる国税納税義務の適正な履行に資するものとなる要件は、次表の左欄に掲げる区分に応じ、右欄に掲げる要件とする。（電子帳簿保存規5⑤）

(一)	**ニ**の(一)に掲げる保存義務者	次に掲げる要件（当該保存義務者が国税に関する法律の規定による当該国税関係帳簿に係る電磁的記録の提示又は提出の要求に応じることができるようにしている場合には、**ハ**（(ロ)及び(ハ)に係る部分に限る。）に掲げる要件を除く。）	
		イ	当該国税関係帳簿に係る電子計算機処理に、次に掲げる要件を満たす電子計算機処理システムを使用すること。
			(イ) 当該国税関係帳簿に係る電磁的記録の記録事項について訂正又は削除を行った場合には、これらの事実及び内容を確認することができること。

			(ロ)	当該国税関係帳簿に係る記録事項の入力をその業務の処理に係る通常の期間を経過した後に行った場合には、その事実を確認することができること。
		ロ		当該国税関係帳簿に係る電磁的記録の記録事項と関連国税関係帳簿（当該国税関係帳簿に関連する第2条国税関係帳簿（②の**ロ**の国税関係帳簿をいう。）をいう。ロにおいて同じ。）の記録事項（当該関連国税関係帳簿が、④の**イ**により当該関連国税関係帳簿に係る電磁的記録の備付け及び保存をもって当該関連国税関係帳簿の備付け及び保存に代えられているもの又は⑤の**イ**若しくは**ハ**により当該電磁的記録の備付け及び当該電磁的記録の電子計算機出力マイクロフィルムによる保存をもって当該関連国税関係帳簿の備付け及び保存に代えられているものである場合には、当該電磁的記録又は当該電子計算機出力マイクロフィルムの記録事項）との間において、相互にその関連性を確認することができるようにしておくこと。
		ハ		当該国税関係帳簿に係る電磁的記録の記録事項の検索をすることができる機能（次に掲げる要件を満たすものに限る。）を確保しておくこと。
			(イ)	取引年月日、取引金額及び取引先（(ロ)及び(ハ)において「記録項目」という。）を検索の条件として設定することができること。
			(ロ)	日付又は金額に係る記録項目については、その範囲を指定して条件を設定することができること。
			(ハ)	二以上の任意の記録項目を組み合わせて条件を設定することができること。
(二)	二の(二)に掲げる保存義務者			次に掲げる要件
		イ		(一)に掲げる要件
		ロ		⑤の**イ**の《電子計算機出力マイクロフィルムによる帳簿の保存等の要件》の(一)の表のロの(イ)の電磁的記録に、(一)のイの(イ)及び(ロ)の事実及び内容に係るものが含まれていること。
		ハ		当該電子計算機出力マイクロフィルムの保存に併せて、国税関係帳簿の種類及び取引年月日その他の日付を特定することによりこれらに対応する電子計算機出力マイクロフィルムを探し出すことができる索引簿の備付けを行うこと。
		ニ		当該電子計算機出力マイクロフィルムごとの記録事項の索引を当該索引に係る電子計算機出力マイクロフィルムに出力しておくこと。
		ホ		当該国税関係帳簿の保存期間（国税に関する法律の規定により国税関係帳簿の保存をしなければならないこととされている期間をいう。）の初日から当該国税関係帳簿に係る国税の第二章第一節の**二**の(1)の(七)に掲げる法定申告期限後三年を経過する日までの間（当該保存義務者が当該国税関係帳簿に係る国税の納税者〔同(1)の(五)に掲げる納税者をいう。以下**ホ**において同じ。〕でない場合には、当該保存義務者が当該納税者であるとした場合における当該期間に相当する期間）、当該電子計算機出力マイクロフィルムの保存に併せて④の**イ**の(1)の表の(二)及び(一)のハに掲げる要件（当該保存義務者が国税に関する法律の規定による当該国税関係帳簿に係る電磁的記録の提示又は提出の要求に応じることができるようにしている場合には、同ハ〔(ロ)及び(ハ)に係る部分に限る。〕に掲げる要件を除く。）に従って当該電子計算機出力マイクロフィルムに係る電磁的記録の保存をし、又は当該電子計算機出力マイクロフィルムの記録事項の検索をすることができる機能（(一)のハ〔当該保存義務者が国税に関する法律の規定による当該国税関係帳簿に係る電磁的記録の提示又は提出の要求に応じることができるようにしている場合には、同ハの(イ)に掲げる要件を満たす機能〕に相当するものに限る。）を確保しておくこと。

(電磁的記録等に記録された事項に係るもの以外の事実に基づく税額)
(3) **ニ**に掲げる電磁的記録等に記録された事項に係るもの以外の事実に基づく税額は、第三節の**三**の**1**《過少申告加算税》に掲げる過少申告加算税の額の計算の基礎となるべき税額のうち**ニ**に掲げる税額の計算の基礎となるべき事実で**ニ**に掲げる電磁的記録等に記録された事項に係るもの以外の事実のみに基づいて修正申告等があったものとした場合における当該修正申告等に基づき第三章第二節第三款の**七**の**4**により納付すべき税額(以下**ホ**において「**納付税額**」という。)とする。(電子帳簿保存令3)

(ニの適用をやめようとする場合の届け出)
(4) (1)の保存義務者は、特例国税関係帳簿に係る電磁的記録又は電子計算機出力マイクロフィルムに記録された事項に関し修正申告等があった場合において**ニ**の適用を受けることをやめようとするときは、あらかじめ、その旨及び次に掲げる事項を記載した届出書を所轄税務署長に提出しなければならない。この場合において、当該届出書の提出があったときは、その提出があった日の属する課税期間以後の課税期間については、(1)の届出書は、その効力を失う。(電子帳簿保存規5②)

(一)	届出者の名称、本店又は主たる事務所の所在地及び法人番号(法人番号を有しない者にあっては、名称及び本店又は主たる事務所の所在地)
(二)	(1)の届出書を提出した年月日
(三)	その他参考となるべき事項

(変更をしようとする場合の届け出)
(5) (1)の保存義務者は、届出書に記載した事項の変更をしようとする場合には、あらかじめ、その旨及び次に掲げる事項を記載した届出書を所轄税務署長に提出しなければならない。(電子帳簿保存規5③)

(一)	届出者の名称、本店又は主たる事務所の所在地及び法人番号(法人番号を有しない者にあっては、名称及び本店又は主たる事務所の所在地)
(二)	(1)の届出書を提出した年月日
(三)	変更をしようとする事項及び当該変更の内容
(四)	その他参考となるべき事項

(届出書の提出先の準用)
(6) (1)の保存義務者は、(1)、(4)又は(5)の適用を受けようとする場合、所轄税務署長のほかに(1)、(4)又は(5)に掲げる届出書(以下(6)において「当該届出書」という。)の提出に当たり便宜とする税務署長(以下(6)において「所轄外税務署長」という。)がある場合において、当該所轄外税務署長がその便宜とする事情について相当の理由があると認めたときは、当該所轄外税務署長を経由して、その便宜とする事情の詳細を記載した届出書を当該所轄税務署長に提出することができる。この場合において、当該届出書が所轄外税務署長に受理されたときは、当該届出書は、その受理された日に所轄税務署長に提出されたものとみなす。(電子帳簿保存規5④、2⑩)

(過少申告加算税の軽減措置)
(7) 課税期間を通じて(2)に掲げる要件を満たして特例国税関係帳簿の保存等を行っていなければ、当該課税期間について**ニ**の適用はないことに留意する。(電子帳簿保存通達8-1)

(「その他必要な帳簿」の意義)
(8) (1)に掲げる「その他必要な帳簿」には、次に掲げる記載事項の区分に応じ、例えば、それぞれ次に定める帳簿がこれに該当する。(電子帳簿保存通達8-2)

(一)	手形(融通手形を除く。)上の債権債務に関する事項	受取手形記入帳、支払手形記入帳
(二)	売掛金(未収加工料その他売掛金と同様の性質を有するものを含む。)に関する事項	売掛帳

(三)	その他債権に関する事項（当座預金の預入れ及び引出しに関する事項を除く。）	貸付帳、未決済項目に係る帳簿
(四)	買掛金（未払加工料その他買掛金と同様の性質を有するものを含む。）に関する事項	買掛帳
(五)	その他債務に関する事項	借入帳、未決済項目に係る帳簿
(六)	有価証券（商品であるものを除く。）に関する事項	有価証券受払い簿（法人税のみ）
(七)	減価償却資産に関する事項	固定資産台帳
(八)	繰延資産に関する事項	繰延資産台帳
(九)	売上げ（加工その他の役務の給付その他売上げと同様の性質を有するもの等を含む。）その他収入に関する事項	売上帳
(十)	仕入れその他経費又は費用（法人税においては、賃金、給料手当、法定福利費及び厚生費を除く。）に関する事項	仕入帳、経費帳、賃金台帳（所得税のみ）

　注　具体例のうち、有価証券受払い簿については法人税の保存義務者が作成する場合、賃金台帳については所得税の保存義務者が作成する場合に限って、それぞれ「その他必要な帳簿」に該当する。

　　　（軽減対象となる過少申告の範囲）
(9)　**ニ**の対象となるのは、過少申告加算税の額の計算の基礎となるべき税額のうち、「電磁的記録等に記録された事項に係る事実に係る税額」であるが、当該税額とは、法人税、地方法人税及び消費税（地方消費税を含む。）であれば当該基礎となるべき税額の全てをいう。（電子帳簿保存通達８－３・編者補正）

　　　（「隠蔽し、又は仮装」の意義）
(10)　**ニ**及び**ホ**に掲げる「隠蔽し、又は仮装」とは、第三節の**三**の表の**3**《重加算税》に掲げる「隠蔽し、又は仮装」と同義であることに留意する。
　　なお、**ニ**の適用に当たって、第三章第二節第三款の**七**の**7**の《附帯税の端数計算》により重加算税の全額が切り捨てられた場合についても、**ニ**のただし書に掲げる「隠蔽し、又は仮装」に該当することに留意する。（電子帳簿保存通達８－４）

　　　（「あらかじめ」の意義）
(11)　（１）に掲げる特例国税関係帳簿に係る電磁的記録又は電子計算機出力マイクロフィルムに記録された事項に関し修正申告等があった場合に**ニ**の適用を受ける旨等を記載した届出書（以下(11)において「適用届出書」という。）が、**ニ**の適用を受けようとする国税の法定申告期限までに（１）に掲げる所轄税務署長等に提出されている場合には、その適用届出書は、あらかじめ、所轄税務署長等に提出されているものとして取り扱うこととする。（電子帳簿保存通達８－５）

　　　（合併又は営業譲渡があった場合の**ニ**の適用の取扱い）
(12)　合併又は営業譲渡があった場合において、被合併法人又は営業譲渡を行った者（以下(12)において「被合併法人等」という。）が提出していた**ニ**の適用を受ける旨等を記載した届出書は、合併法人又は営業譲渡を受けた者（以下(12)において「合併法人等」という。）の特例国税関係帳簿には及ばないことから、合併法人等は、被合併法人等が当該届出書を提出していたことをもって、その特例国税関係帳簿について**ニ**の適用を受けられることにはならないことに留意する。（電子帳簿保存通達８－６）

　　　（国税関係帳簿の備付けを開始する日の意義）
(13)　（１）の表の(三)に掲げる「届出に係る特例国税関係帳簿に係る電磁的記録の備付け及び保存……をもって当該特例国税関係帳簿の備付け及び保存に代える日」とは、課税期間の定めのある国税に係る特例国税関係帳簿については、原則として課税期間の初日となることに留意する。（電子帳簿保存通達８－７）
　　注　課税期間の定めのない国税に係る特例国税関係帳簿の当該保存義務者が備え付ける特例国税関係帳簿の備付け及び保存に代える日については、保存義務者が、電磁的記録の備付け及び保存をもって特例国税関係帳簿の備付け及び保存に代えようとしたと確認できる日としている場合には、これを認める。

(特例国税関係帳簿に係る電磁的記録の訂正又は削除の意義)

(14) (2)の表の(一)のイの(イ)《訂正削除の履歴の確保》に掲げる「訂正又は削除」とは、電子計算機処理によって、特例国税関係帳簿に係る電磁的記録の該当の記録事項を直接に変更することのみをいうのではなく、該当の記録事項を直接に変更した場合と同様の効果を生じさせる新たな記録事項(いわゆる反対仕訳)を追加することもこれに含まれることに留意する。(電子帳簿保存通達8-8)

(特例国税関係帳簿に係る電磁的記録の訂正削除の履歴の確保の方法)

(15) (2)の表の(一)のイの(イ)《訂正削除の履歴の確保》の適用に当たり、例えば、次に掲げるシステム等によることとしている場合には、当該規定の要件を満たすものとして取り扱うこととする。(電子帳簿保存通達8-9)

(一)	電磁的記録の記録事項を直接に訂正し又は削除することができるシステムで、かつ、訂正前若しくは削除前の記録事項及び訂正若しくは削除の内容がその電磁的記録又はその電磁的記録とは別の電磁的記録に自動的に記録されるシステム
(二)	電磁的記録の記録事項を直接に訂正し又は削除することができないシステムを使用し、かつ、その記録事項を訂正し又は削除する必要が生じた場合には、これを直接に訂正し又は削除した場合と同様の効果を生じさせる新たな記録事項(当初の記録事項を特定するための情報が付加されたものに限る。)を記録する方法(いわゆる反対仕訳による方法)

(特例国税関係帳簿に係る電磁的記録の訂正削除の履歴の確保の特例)

(16) (2)の表の(一)のイの(イ)《訂正削除の履歴の確保》の適用に当たり、電磁的記録の記録事項の誤りを是正するための期間を設け、当該期間が当該電磁的記録の記録事項を入力した日から1週間を超えない場合であって、当該期間内に記録事項を訂正し又は削除したものについて、その訂正又は削除の事実及び内容に係る記録を残さないシステムを使用し、④のイの(1)の表の(一)のニ《電磁的記録の保存等に関する事務手続を明らかにした書類の備付け》に掲げる書類に当該期間に関する定めがあるときは、要件を充足するものとして取り扱う。(電子帳簿保存通達8-10)

(追加入力の履歴の確保の方法)

(17) (2)の表の(一)のイの(ロ)《追加入力の履歴の確保》の適用に当たり、例えば、特例国税関係帳簿に係る電磁的記録の記録事項の入力時に、個々の記録事項に入力日又は一連番号等が自動的に付され、それを訂正し又は削除することができないシステムを使用する場合には、当該規定の要件を満たすこととなることに留意する。(電子帳簿保存通達8-11)

(帳簿間の関連性の確保の方法)

(18) (2)の表の(一)のロ《帳簿間の関連性の確保》の適用に当たり、例えば、次に掲げる場合の区分に応じ、それぞれ次に掲げる情報が記録事項として記録されるときは、同(一)の要件を満たすものとして取り扱うことに留意する。(電子帳簿保存通達8-12)

(一)	一方の国税関係帳簿に係る記録事項(個々の記録事項を合計したものを含む。)が他方の国税関係帳簿に係る記録事項として個別転記される場合 相互の記録事項が同一の取引に係る記録事項であることを明確にするための一連番号等の情報
(二)	一方の国税関係帳簿に係る個々の記録事項が集計されて他方の国税関係帳簿に係る記録事項として転記される場合((一)に該当する場合を除く。) 一方の国税関係帳簿に係るどの記録事項を集計したかを明らかにする情報

(検索機能の意義)

(19) (2)の表の(一)のハ《優良な電子帳簿に関する検索機能の確保》に掲げる「電磁的記録の記録事項の検索をすることができる機能」とは、蓄積された記録事項から設定した条件に該当する記録事項を探し出すことができ、かつ、検索により探し出された記録事項のみが、ディスプレイの画面及び書面に、整然とした形式及び明瞭な状

態で出力される機能をいう。この場合、検索項目について記録事項がない電磁的記録を検索できる機能を含むことに留意する。

なお、蓄積された記録事項から設定した条件に該当する記録事項を探し出すことができるとは、原則として、保存する電磁的記録から一課税期間を通じて必要な条件設定を行って検索ができることをいうが、一課税期間を通じて検索することが困難であることにつき合理的な理由があると認められる場合で、保存媒体ごとや一課税期間内の合理的な期間等に区分して必要な条件設定を行って検索することができることとしているときには、これを認める。（電子帳簿保存通達8−13・編者補正）

（特例国税関係帳簿に係る電磁的記録の検索機能における記録項目）
(20) （2）の表の（一）のハの（イ）《検索機能の確保》に掲げる「取引年月日、取引金額及び取引先」とは、例えば、次表の左欄に掲げる特例国税関係帳簿の区分に応じ、それぞれ次表の右欄に掲げる記録項目がこれに該当する。（電子帳簿保存通達8−14・編者補正）

(一)	仕訳帳	取引年月日及び取引金額
(二)	総勘定元帳	記載年月日及び取引金額
(三)	売上帳及び仕入帳などの補助記入帳	取引年月日、取引金額及び取引先名称
(四)	売掛金元帳、買掛金元帳などの補助元帳	記録又は取引の年月日、取引金額及び取引先名称
(五)	固定資産台帳、有価証券受払い簿（法人税のみ）など資産名や社員名で区分して記録している帳簿	資産名又は社員名

注　一連番号等により（2）の表の（一）のロ《帳簿間の関連性の確保》の要件を確保することとしている場合には、当該一連番号等により特例国税関係帳簿の記録事項を検索することができるときについても要件を充足するものとして取り扱うことに留意する。

（範囲を指定して条件を設定することの意義）
(21) （2）の表の（一）のハの（ロ）《優良な電子帳簿に関する検索機能の確保》に掲げる「その範囲を指定して条件を設定することができる」とは、課税期間ごとに、日付又は金額の任意の範囲を指定して条件設定を行い検索ができることをいうことに留意する。（電子帳簿保存通達8−15・編者補正）

（二以上の任意の記録項目の組合せの意義）
(22) （2）の表の（一）のハの（ハ）に掲げる「二以上の任意の記録項目を組み合わせて条件を設定することができること」とは、個々の国税関係帳簿書類に係る電磁的記録の記録事項を検索するに当たり、当該国税関係帳簿書類に係る検索の条件として設定した記録項目（取引年月日その他の日付、取引金額及び取引先）（同ハについては、取引年月日、取引金額及び取引先）から少なくとも二の記録項目を任意に選択して、これを検索の条件とする場合に、いずれの二の記録項目の組合せによっても条件を設定することができることをいうことに留意する。（電子帳簿保存通達8−16）

（国税に関する法律の規定による提示又は提出の要求）
(23) （2）の表の（一）及び同表の（二）のホに掲げる「国税に関する法律の規定による……提示又は提出の要求」については、国税通則法第74条の2から第74条の6までの規定による質問検査権の行使に基づく提示又は提出の要求のほか、以下のものが対象となる。（電子帳簿保存通達8−17）

(一)	国税通則法の規定を準用する租税特別措置法、東日本大震災からの復興のための施策を実施するために必要な財源の確保に関する特別措置法（復興特別所得税・復興特別法人税）及び一般会計における債務の承継等に伴い必要な財源の確保に係る特別措置に関する法律（たばこ特別税）の規定による質問検査権の行使に基づくもの（措法87の6⑪等、復興財確法32①、62①、財源確保法19①）
(二)	非居住者の内部取引に係る課税の特例、国外所得金額の計算の特例等に係る同種の事業を営む者等に対する質問検査権の行使に基づくもの（措法40の3の3、措法41の19の5等）
(三)	国外財産調書・財産債務調書を提出する義務がある者に対する質問検査権の行使に基づくもの（国送法7②）
(四)	支払調書等の提出に関する質問検査権の行使に基づくもの（措法9の4の2等）

(五)	相手国等から情報の提供要請があった場合の質問検査権の行使に基づくもの（実特法9①）
(六)	報告事項の提供に係る質問検査権の行使に基づくもの（実特法10の9①等）
(七)	納税の猶予の申請に係る事項に関する調査に係る質問検査権の行使に基づくもの（国税通則法46の2⑪）
(八)	滞納処分に関する調査に係る質問検査権の行使に基づくもの（国税徴収法141）

　　　（電磁的記録の提示又は提出の要求に応じる場合の意義）
(24)　（2）の「国税に関する法律の規定による……電磁的記録の提示又は提出の要求に応じること」とは、法の定めるところにより備付け及び保存が行われている国税関係帳簿又は保存が行われている国税関係書類若しくは電子取引の取引情報に係る電磁的記録について、税務職員から提示又は提出の要求（以下(24)において「ダウンロードの求め」という。）があった場合に、そのダウンロードの求めに応じられる状態で電磁的記録の保存等を行い、かつ、実際にそのダウンロードの求めがあった場合には、その求めに応じることをいうのであり、「その要求に応じること」とは、当該職員の求めの全てに応じた場合をいうのであって、その求めに一部でも応じない場合はこれらの規定の適用（電子帳簿等保存制度の適用・検索機能の確保の要件の緩和）は受けられないことに留意する。
　　したがって、その求めに一部でも応じず、かつ、④のハの（2）の表の（五）に掲げる要件（検索機能の確保に関する要件の全て）又は（2）に掲げる要件（優良な電子帳簿に関する要件。なお、国税関係書類については、これに相当する要件）が備わっていなかった場合には、④のイの（1）、④のロの《電磁的記録による書類の保存の要件》、若しくは④のハの（2）、⑤のイの《電子計算機出力マイクロフィルムによる帳簿の保存等の要件》又は⑥の（2）の適用に当たって、要件に従って保存等が行われていないこととなるから、その保存等がされている電磁的記録又は電子計算機出力マイクロフィルムは国税関係帳簿又は国税関係書類とはみなされないこととなる（電子取引の取引情報に係る電磁的記録については国税関係書類以外の書類とみなされないこととなる）ことに留意する。
　　また、当該ダウンロードの求めの対象については、法の定めるところにより備付け及び保存が行われている国税関係帳簿又は保存が行われている国税関係書類若しくは電子取引の取引情報に係る電磁的記録が対象となり、ダウンロードの求めに応じて行われる当該電磁的記録の提出については、税務職員の求めた状態で提出される必要があることに留意する。（電子帳簿保存通達8－18）

　　　（索引簿の備付けの特例）
(25)　（2）の表の（二）のハ《索引簿の備付け》の適用に当たり、次に掲げる場合には、同ハの要件を満たすものとして取り扱う。（電子帳簿保存通達8－19）

(一)	日本産業規格Z6007に規定する計算機出力マイクロフィッシュ（以下(25)において「COMフィッシュ」という。）を使用している場合において、COMフィッシュのヘッダーに同（二）に掲げる事項が明瞭に出力されており、かつ、COMフィッシュがフィッシュアルバムに整然と収納されている場合
(二)	（2）の表の（二）のホ《電磁的記録の並行保存等》に掲げる「電子計算機出力マイクロフィルムの記録事項の検索をすることができる機能」が確保されている場合（当該機能が確保されている期間に限る。）

　　注　索引簿の備付方法については、④のイの（7）の本文なお書に掲げる方法と同様の方法によることを認める。

　　　（電子計算機出力マイクロフィルムの記録事項の検索をすることができる機能の意義）
(26)　（2）の表の（二）のホ《電磁的記録の並行保存等》に掲げる「電子計算機出力マイクロフィルムの記録事項の検索をすることができる機能（同（二）のハに掲げる機能に相当するものに限る。）」とは、（2）の表の（一）のハ《検索機能の確保》に掲げる検索機能に相当する検索機能をいうのであるから、当該検索により探し出された記録事項を含む電子計算機出力マイクロフィルムのコマの内容が自動的に出力されることを要することに留意する。（電子帳簿保存通達8－20）

　　　（システム変更を行った場合の取扱い）
(27)　保存義務者がシステムを変更した場合には、変更前のシステムにより作成された国税関係帳簿又は国税関係書類に係る電磁的記録（電子計算機出力マイクロフィルムにより保存している場合における（2）の表の（二）のホ《電磁的記録の並行保存等》により保存すべき電磁的記録を含む。以下(27)において「変更前のシステムに係る電磁的記録」という。）については、原則としてシステム変更後においても、④、⑤《国税関係帳簿書類の電子

計算機出力マイクロフィルムによる保存等》又は⑦の表のニの（２）《国税の納税義務の適正な履行に資するものとなる要件》要件に従って保存等をしなければならないことに留意する。
　この場合において、当該要件に従って変更前のシステムに係る電磁的記録の保存等をすることが困難であると認められる事情がある場合で、変更前のシステムに係る電磁的記録の保存等をすべき期間分の電磁的記録（④のイの（１）又は④のロの《電磁的記録による書類の保存の要件》に掲げるところにより保存等が行われていた国税関係帳簿又は国税関係書類に係る電磁的記録に限る。）を書面に出力し、保存等をしているときには、これを認める。
　また、上記の場合において、④のハの（２）に掲げるところにより保存が行われている国税関係書類に係る電磁的記録については、変更前のシステムに係る電磁的記録の基となった書類を保存しているときは、これを認めるが、当該書類の保存がない場合は、④のハによりそのシステム変更日において適法に保存している電磁的記録の保存を行うことに留意する（④のハの(27)参照）。（電子帳簿保存通達８－21）
　　注　ニの適用を受けようとする保存義務者の特例国税関係帳簿の保存等に係るシステム変更については、書面に出力し保存する取扱いによることはできないのであるから留意する。

ホ　④のハの（２）に従って保存が行われている同ハに掲げる国税関係書類に係る電磁的記録若しくは同ハの後段により保存が行われている当該電磁的記録又は⑥の保存義務者により行われた電子取引の取引情報に係る電磁的記録に記録された事項に関し第一節のニの表の34に掲げる期限後申告書（以下ホにおいて「期限後申告書」という。）若しくは修正申告書の提出、更正若しくは同表の40に掲げる決定（以下ホにおいて「決定」という。）（以下併せてホにおいて「期限後申告等」という。）があった場合において、第三節の三の３《重加算税》の①又は②に該当するときは、同３の重加算税の額は、同３にかかわらず、同３により計算した金額に、同３に掲げる基礎となるべき税額（その税額の計算の基礎となるべき事実で当該期限後申告等の基因となるこれらの電磁的記録に記録された事項に係るもの（隠蔽し、又は仮装された事実に係るものに限る。以下ホにおいて「電磁的記録に記録された事項に係る事実」という。）以外のものがあるときは、当該電磁的記録に記録された事項に係る事実に基づく税額として(１)に掲げる金額に限る。）に$\frac{10}{100}$の割合を乗じて計算した金額を加算した金額とする。（電子帳簿保存法８⑤）

　　（当該電磁的記録に記録された事項に係る事実に基づく税額）
（１）　ホに掲げる当該電磁的記録に記録された事項に係る事実に基づく税額は、第三節の三の１《過少申告加算税》に掲げる過少申告加算税の額又は同三の２《無申告加算税》に掲げる無申告加算税の額の計算の基礎となるべき税額のうち次表の左欄に掲げる場合の区分に応じ右欄に掲げる税額とする。（電子帳簿保存令４）

（一）	第三節の三の３の①又は同３の②に掲げる隠蔽し、又は仮装されていない事実（以下（一）において「隠蔽仮装されていない事実」という。）がある場合	当該隠蔽仮装されていない事実及びホに掲げる電磁的記録に記録された事項に係る事実（以下（一）において「隠蔽仮装されていない事実等」という。）のみに基づいて期限後申告等があったものとした場合における当該期限後申告等に基づく納付税額から当該隠蔽仮装されていない事実のみに基づいて期限後申告等があったものとした場合における当該期限後申告等に基づく納付税額を控除した税額
（二）	（一）の場合以外の場合	ホに掲げる電磁的記録に記録された事項に係る事実のみに基づいて期限後申告等があったものとした場合における当該期限後申告等に基づく納付税額

　　（国税通則法等の規定の適用）
（２）　ホの適用がある場合における次表の左欄に掲げる法令の適用については、同表の中欄に掲げる字句は、同表の右欄に掲げる字句とする。（電子帳簿保存令５）

国税通則法第35条第３項	又は第４項	若しくは第４項
	）の	）又は電子帳簿保存法第８条第５項（第68条第１項又は第２項の重加算税に係る部分に限る。）（他の国税に関する法律の規定の適用）の
国税通則法施行令第27の３第１項	又は第４項（同条第１項	若しくは第４項（同条第１項
	重加算税）	重加算税）又は電子計算機を使用して作成する国税関係帳

		簿書類の保存方法等の特例に関する法律（平成10年法律第25号。次項及び次条において「電子帳簿保存法」という。）第8条第5項（法第68条第1項の重加算税に係る部分に限る。）（他の国税に関する法律の規定の適用）
第27条の3第2項	又は第4項（同条第2項	若しくは第4項（同条第2項
	限る	限る。）又は電子帳簿保存法第8条第5項（法第68条第2項の重加算税に係る部分に限る
第28条第1項	同条第4項	同条第4項又は電子帳簿保存法第8条第5項（他の国税に関する法律の規定の適用）
第28条第2項及び第3項	同条第4項	同条第4項又は電子帳簿保存法第8条第5項

（賦課決定通知書の付記）
（3）　ニ又はホの適用がある場合における過少申告加算税又は重加算税に係る第三節の三の3の（3）《加算税の賦課決定》に掲げる賦課決定通知書には、当該過少申告加算税又は重加算税についてニ又はホの適用がある旨を付記するものとする。（電子帳簿保存規5⑧）

（重加算税の加重措置の対象範囲）
（4）　ホに掲げる「電磁的記録に記録された事項に関し……同法（国税通則法）第68条第1項から第3項まで（重加算税）の規定に該当するとき」とは、保存義務者が電磁的記録を直接改ざん等する場合のみならず、紙段階で不正のあった請求書等（作成段階で不正のあった電子取引の取引情報に係る電磁的記録を含む。）のほか、通謀等により相手方から受領した架空の請求書等を電磁的記録により保存している場合又は通謀等により相手方から受領した架空の電子取引の取引情報に係る電磁的記録を保存している場合等も含むことに留意する。
　　なお、ホによる重加算税の加重措置と消費税法第59条の2第1項の規定による重加算税の加重措置については重複適用がないことに留意する。（電子帳簿保存通達8－22）

（電磁的記録に係る重加算税の加重措置と国税通則法第68条第4項の重複適用）
（5）　ホの適用がある場合であっても、第三節の三の表の3の①の（1）《5年前の日までの間に無申告加算税等を課されたことがあるときの重加算税の計算》に該当するときは、重加算税の加重措置について重複適用があることに留意する。（電子帳簿保存通達8－23）

3　調査に際しての帳簿の検査

　国税庁、国税局又は税務署の当該職員は、普通法人等の法人税に関する調査に際しては、1《帳簿書類の備付け等》に掲げる帳簿を検査するものとする。ただし、当該帳簿の検査を困難とする事情があるときは、この限りでない。（法150の2②）

四　通算法人の電子情報処理組織による申告

1　通算法人の電子情報処理組織による申告

　通算親法人が、他の通算法人の第三章第二節第三款の五の1《電子情報処理組織による申告》に掲げる法人税の申告に関する事項の処理として、同1に掲げる申告書記載事項又は添付書類記載事項を、国税関係法令に係る情報通信技術を活用した行政の推進等に関する省令第5条第7項《電子情報処理組織による申請等》の規定の例により、同1に掲げる方法により提供した場合には、当該他の通算法人は、当該申告書記載事項又は添付書類記載事項を同1に掲げるところにより提供したものとみなす。（法151①、規69①）

2　通算親法人の名称を明らかにする措置を講じた場合

　1の場合において、1の通算親法人が1に掲げる事項の処理に際し国税関係法令に係る情報通信技術を活用した行政の推進等に関する省令第6条第2項《申請等において氏名等を明らかにする措置》の規定の例により、当該通算親法人の名

称を明らかにする措置を講じたときは、1の他の通算法人は、1の法人税の申告について第三章第二節第三款の五の1の(8)《名称及び法人番号の記載》に掲げる措置を講じたものとみなす。(法151②、規69②)

五　通算法人の連帯納付の責任

1　通算法人の連帯納付の責任

　通算法人は、他の通算法人の各事業年度の所得に対する法人税(当該通算法人と当該他の通算法人との間に通算完全支配関係がある期間内に納税義務が成立したものに限る。)について、連帯納付の責めに任ずる。(法152①)

　　(通算離脱法人の連帯納付責任)
　　通算法人が、第三章第一節第三十五款の二の2《通算制度の取りやめ等》による承認を受け、又は同2の(7)《青色申告の承認の取消し通知を受けた場合の通算承認の効力》若しくは同2の(8)《通算承認の効力を失う日》の適用を受けたことにより通算承認(同二の1《通算承認》による承認をいう。以下同じ。)の効力を失った場合であっても、当該通算承認の効力を失う日前に終了した他の通算法人の各事業年度の所得に対する法人税(当該通算法人が当該他の通算法人との間に通算完全支配関係がある期間内に納税義務が成立したものに限る。)については、1の適用があることに留意する。(基通1－1－13)

2　通算法人からの徴収

　1に掲げる法人税を1の通算法人から徴収する場合における国税通則法第43条第1項《国税の徴収の所轄庁》の規定の適用については、同項中「国税の徴収」とあるのは「法人税法第152条第1項(連帯納付の責任)に規定する通算法人の同項に規定する連帯納付の責任に係る法人税の徴収」と、「その国税の納税地」とあるのは「当該法人税の納税地又は当該通算法人の法人税の納税地」とする。(法152②)

六　質問検査権

　　注　六については、**法人税及び地方法人税に関する調査及び質問検査権以外の事項**については、省略した。(編者)

1　当該職員の質問検査権

　国税庁、国税局若しくは税務署(以下**七**までにおいて「**国税庁等**」という。)の当該職員は、法人税及び地方法人税に関する調査(国税通則法第131条第1項に規定する犯則事件の調査を除く。以下**六**及び**七**において同じ。)について必要があるときは、次の表の左欄に掲げる調査の区分に応じ、それぞれ同表の右欄に掲げる者に質問し、その者の事業に関する帳簿書類その他の物件を検査し、又は当該物件(その写しを含む。)の提示若しくは提出を求めることができる。(通法74の2①)

イ	所得税に関する調査	省略
ロ	法人税又は地方法人税に関する調査	次に掲げる者 (イ)　法人(法人税法第2条第29号の2《定義》に規定する法人課税信託の引受けを行う個人を含む。以下(2)において同じ。) (ロ)　(イ)に掲げる者に対し、金銭の支払若しくは物品の譲渡をする義務があると認められる者又は金銭の支払若しくは物品の譲渡を受ける権利があると認められる者
ハ	消費税に関する調査(ニに掲げるものを除く。)	省略
ニ	消費税に関する調査(税関の当該職員が行うものに限る。)	省略

　　注　平成29年度改正により国税犯則取締法が廃止され、国税通則法に編入されたが、本書においては省略している。(編者)

　　　(分割があった場合の法人税に関する質問検査)
　(1)　分割があった場合の1の表の**ロ**の適用については、分割法人は同**ロ**の(ロ)に掲げる物品の譲渡をする義務がある

と認められる者に、分割承継法人は同(ロ)に掲げる物品の譲渡を受ける権利があると認められる者に、それぞれ含まれるものとする。(通法74の2②)

注1　上記の分割法人とは、第二章第一節の二《定義》の表の**12の2**に掲げる分割法人をいい、分割承継法人とは、同表の**12の3**に掲げる分割承継法人をいう。(通法74の2②)

注2　分割があった場合の消費税に関する質問調査については、省略した。(編者)

　　（当該職員の質問検査権の範囲）
（2）　1に掲げる国税庁等の当該職員のうち、国税局又は税務署の当該職員は、法人税又は地方法人税に関する調査にあっては法人の納税地の所轄国税局又は所轄税務署の当該職員（納税地の所轄国税局又は所轄税務署以外の国税局又は税務署の所轄区域内に本店、支店、工場、営業所その他これらに準ずるものを有する法人に対する法人税又は地方法人税に関する調査にあっては当該国税局又は税務署の当該職員を、それぞれ含む。）に、それぞれ限るものとする。(通法74の2④)

　　（納税地の異動があった場合の質問検査権）
（3）　法人税等（法人税、地方法人税又は消費税をいう。以下(3)において同じ。）についての調査通知（第三節の三の表の1の(7)に掲げる調査通知をいう。以下(3)において同じ。）があった後にその納税地に異動があった場合において、その異動前の納税地（以下(3)において「**旧納税地**」という。）を所轄する国税局長又は税務署長が必要があると認めるときは、旧納税地の所轄国税局又は所轄税務署の当該職員は、その異動後の納税地の所轄国税局又は所轄税務署の当該職員に代わり、当該法人税等に関する調査（当該調査通知に係るものに限る。）に係る1の表の**ロ**又は**ハ**に掲げる者に対し、1に掲げる質問、検査又は提示若しくは提出の要求をすることができる。この場合において、(2)の適用については、(2)中「あっては法人の納税地」とあるのは「あっては法人の旧納税地（(3)に掲げる旧納税地をいう。以下(2)において同じ。）」と、「(納税地」とあるのは「(旧納税地」とする。(通法74の2⑤)

　　（「調査」の意義）
（4）　1における「調査」の意義は、次のとおり。(税務調査手続通達1－1・編者補正)
　(一)　1において、「調査」とは、国税に関する法律の規定に基づき、特定の納税義務者の課税標準等又は税額等を認定する目的その他国税に関する法律に基づく処分を行う目的で当該職員が行う一連の行為（証拠資料の収集、要件事実の認定、法令の解釈適用など）をいう。
　(二)　上記(一)に掲げる調査には、更正決定等を目的とする一連の行為のほか、再調査決定や申請等の審査のために行う一連の行為も含まれることに留意する。
　(三)　上記(一)に掲げる調査のうち、次のイ又はロに掲げるもののように、一連の行為のうちに納税義務者に対して質問検査等を行うことがないものについては、**七の2**《事前通知》及び**七の3**《調査の終了の際の手続》は適用されないことに留意する。
　　イ　更正の請求に対して部内の処理のみで請求どおりに更正を行う場合の一連の行為。
　　ロ　修正申告書若しくは期限後申告書の提出があった場合において、部内の処理のみで更正若しくは決定があるべきことを予知してなされたものには当たらないものとして過少申告加算税、無申告加算税の賦課決定を行うときの一連の行為。

　　（「調査」に該当しない行為）
（5）　当該職員が行う行為であって、次に掲げる行為のように、特定の納税義務者の課税標準等又は税額等を認定する目的で行う行為に至らないものは、調査には該当しないことに留意する。また、これらの行為のみに起因して修正申告書若しくは期限後申告書の提出があった場合には、当該修正申告書等の提出等は更正又は決定があるべきことを予知してなされたものには当たらないことに留意する。(税務調査手続通達1－2)
　(一)　提出された納税申告書の自発的な見直しを要請する行為で、次に掲げるもの。
　　イ　提出された納税申告書に法令により添付すべきものとされている書類が添付されていない場合において、納税義務者に対して当該書類の自発的な提出を要請する行為。
　　ロ　当該職員が保有している情報又は提出された納税申告書の検算その他の形式的な審査の結果に照らして、提出された納税申告書に計算誤り、転記誤り又は記載漏れ等があるのではないかと思料される場合において、納税義務者に対して自発的な見直しを要請した上で、必要に応じて修正申告書又は更正の請求書の自発的な提出を要請する行為。

(二) 提出された納税申告書の記載事項の審査の結果に照らして、当該記載事項につき税法の適用誤りがあるのではないかと思料される場合において、納税義務者に対して、適用誤りの有無を確認するために必要な基礎的情報の自発的な提供を要請した上で、必要に応じて修正申告書又は更正の請求書の自発的な提出を要請する行為。

(三) 納税申告書の提出がないため納税申告書の提出義務の有無を確認する必要がある場合において、当該義務があるのではないかと思料される者に対して、当該義務の有無を確認するために必要な基礎的情報（事業活動の有無等）の自発的な提供を要請した上で、必要に応じて納税申告書の自発的な提出を要請する行為。

(「当該職員」の意義)
(6) 1により質問検査等を行うことができる「当該職員」とは、国税庁、国税局又は税務署の職員のうち、その調査を行う国税に関する事務に従事している者をいう。(税務調査手続通達1-3)

(質問検査等の相手方となる者の範囲)
(7) 1による当該職員の質問検査権は、1のそれぞれに掲げる者のほか、調査のために必要がある場合には、これらの者の代理人、使用人その他の従業者についても及ぶことに留意する。(税務調査手続通達1-4)

(質問検査等の対象となる「帳簿書類その他の物件」の範囲)
(8) 1に掲げる「帳簿書類その他の物件」には、国税に関する法令の規定により備付け、記帳又は保存をしなければならないこととされている帳簿書類のほか、1に掲げる法人税及び地方法人税に関する調査の目的を達成するために必要と認められる帳簿書類その他の物件も含まれることに留意する。(税務調査手続通達1-5)
注 「帳簿書類その他の物件」には、国外において保存するものも含まれることに留意する。

(「物件の提示又は提出」の意義)
(9) 1において、「物件の提示」とは、当該職員の求めに応じ、遅滞なく当該物件（その写しを含む。）の内容を当該職員が確認し得る状態にして示すことを、「物件の提出」とは、当該職員の求めに応じ、遅滞なく当該職員に当該物件（その写しを含む。）の占有を移転することをいう。(税務調査手続通達1-6)

(「当該法人税等に関する調査（当該調査通知に係るものに限る。）」の意義)
(10) (3)に掲げる「当該法人税等に関する調査（当該調査通知に係るものに限る。）」とは、同項の規定を適用することができる調査について、当該調査通知を行った場合の調査に限ることをいうのであり、その調査の内容が当該調査通知をした項目（調査対象税目、調査対象課税期間）に限定されるものではないことに留意する。(税務調査手続通達1-9)
注 例えば、実地の調査において、調査通知をした課税期間以外の課税期間について非違が疑われる場合には、その調査通知をした課税期間以外の課税期間についても、その調査通知をした課税期間と併せて、異動前の納税地を所轄する国税局又は税務署の当該職員が質問検査等を行うことが可能であることに留意する。

2 提出物件の留置き

国税庁等の当該職員は、国税の調査について必要があるときは、当該調査において提出された物件を留め置くことができる。(通法74の7)

(「留置き」の意義等)
(1)(一) 2に掲げる提出された物件の「留置き」とは、当該職員が提出を受けた物件について国税庁、国税局又は税務署の庁舎において占有する状態をいう。
ただし、提出される物件が、調査の過程で当該職員に提出するために納税義務者等が新たに作成した物件（提出するために新たに作成した写しを含む。）である場合は、当該物件の占有を継続することは2に掲げる「留置き」には当たらないことに留意する。
注 当該職員は、留め置いた物件について、善良な管理者の注意をもって管理しなければならないことに留意する。
(二) 当該職員は、(4)《提出物件の返還》に基づき、留め置いた物件について、留め置く必要がなくなったときは、遅滞なく当該物件を返還しなければならず、また、提出した者から返還の求めがあったときは、特段の支障がない限り、速やかに返還しなければならないことに留意する。(税務調査手続通達2-1)

(預り書面の交付)
（２）　国税庁等の当該職員は、**2**により物件を留め置く場合には、次の表に掲げる事項を記載した書面を作成し、当該物件を提出した者にこれを交付しなければならない。（通令30の３①）

(一)	当該物件の名称又は種類及びその数量
(二)	当該物件の提出年月日
(三)	当該物件を提出した者の氏名及び住所又は居所
(四)	その他当該物件の留置きに関し必要な事項

(留置きに係る書面の交付手続)
（３）　（２）《預り書面の交付》により交付する書面の交付に係る手続については、国税通則法第12条第４項《書類の送達》及び国税通則法施行規則第１条第１項《交付送達の手続》の各規定の適用があることに留意する。（税務調査手続通達２－２）

(提出物件の返還)
（４）　国税庁等の当該職員は、**2**により留め置いた物件につき留め置く必要がなくなったときは、遅滞なく、これを返還しなければならない。（通令30の３②）

(提出物件の善管注意義務)
（５）　国税庁等の当該職員は、**2**により留め置いた物件を善良な管理者の注意をもって管理しなければならない。（通令30の３③）

３　特定事業者等への報告の求め

　所轄国税局長は、特定取引の相手方となり、又は特定取引の場を提供する事業者（特別の法律により設立された法人を含む。）又は官公署（以下**3**において「**特定事業者等**」という。）に、特定取引者に係る特定事項について、特定取引者の範囲を定め、60日を超えない範囲内においてその準備に通常要する日数を勘案して定める日までに、報告することを求めることができる。（通法74の７の２①）

(用語の意義)
（１）　**3**において、次の表の左欄に掲げる用語の意義は、それぞれ右欄に掲げるところによる。（通法74の７の２③）

(一)	所轄国税局長	特定事業者等の住所又は居所の所在地を所轄する国税局長をいう。	
(二)	特定取引	電子情報処理組織を使用して行われる事業者等（事業者〔特別の法律により設立された法人を含む。〕又は官公署をいう。以下(二)において同じ。）との取引、事業者等が電子情報処理組織を使用して提供する場を利用して行われる取引その他の取引のうち**3**による処分によらなければこれらの取引を行う者を特定することが困難である取引をいう。	
(三)	特定取引者	特定取引を行う者（特定事業者等を除き、（１）の表の(一)に掲げる場合に該当する場合にあっては、特定の税目について1,000万円の課税標準を生じ得る取引金額を超える同(一)の特定取引を行う者に限る。）をいう。	
(四)	特定事項	次に掲げる事項をいう。	
		イ	氏名（法人については、名称）
		ロ	住所又は居所
		ハ	番号（行政手続における特定の個人を識別するための番号の利用等に関する法律（平成25年法律第27号）第２条第５項《定義》に規定する個人番号又は同法<u>第２条第16項</u>に規定する法人番号をいう。以下同じ。）

　注　――線部分は、情報通信技術の活用による行政手続等に係る関係者の利便性の向上並びに行政運営の簡素化及び効率化を図るためのデジタル社会形成基本法等の一部を改正する法律（令和６年法律第46号）により改正された部分で、改正規定は、同法附則第１条第２号に掲げる政令で定める日から適用され、同日前の適用については、「第２条第16項」とあるのは「第２条第15項」とする。（同法附８Ⅲ、１Ⅱ）

第二章　第五節《雑　則》

　　なお、上記の施行期日を定める政令は、令和6年7月1日現在制定されていない。（編者）

　（「事業者」の範囲）
(2)　3に掲げる「事業者」とは、商業、工業、金融業、鉱業、農業、水産業等のあらゆる事業を行う者をいい、その行う事業についての営利・非営利の別は問わないことに留意する。（税務調査手続通達3－1）

　（「特別の法律により設立された法人」の範囲）
(3)　3に掲げる「特別の法律により設立された法人」とは、会社法や民法などの一般的な根拠法に基づく法人でなく、特別の単独法によって法人格を与えられた法人をいう。（税務調査手続通達3－2）

　（「特定取引者の範囲を定め」の意義）
(4)　3に掲げる「特定取引者の範囲を定め」とは、報告の求めの相手方である特定事業者等が報告の対象となる特定取引者の範囲を合理的に特定することができるよう、国税局長が対象となる取引内容や取引金額を具体的に指定することをいう。（税務調査手続通達3－3）

　（「特定事業者等」による「報告」の方法）
(5)　3に掲げる「特定事業者等」による「報告」の方法については、特定事業者等の顧客等の情報管理方法などを踏まえ、書面による提出のほか、電子媒体による提出など特定事業者等にとって合理的な方法によることができることに留意する。（税務調査手続通達3－4）

　（「特定事業者等の住所又は居所の所在地」の範囲）
(6)　(1)《用語の意義》の表の(一)に掲げる「特定事業者等の住所又は居所の所在地」には、法人の本店又は主たる事務所の所在地のほか、支店等の住所も含む。（税務調査手続通達3－9）

　（「特定取引」の範囲）
(7)　(1)の表の(二)に掲げる「電子情報処理組織を使用して行われる事業者等……との取引、事業者等が電子情報処理組織を使用して提供する場を利用して行われる取引その他の取引」とは、事業者等とその相手方との間の契約に基づく金品の授受や役務の提供などの取引全般を指し、有償の取引であるかどうかは問わず、補助金や給付金等の交付のほか事業者等を介して行われる取引も含まれる。また、当該取引には、電子情報処理組織を使用しない取引も含まれる。（税務調査手続通達3－10）

　（「これらの取引を行う者を特定することが困難である取引」の意義）
(8)　(1)の表の(二)に掲げる「3による処分によらなければこれらの取引を行う者を特定することが困難である取引」とは、国税当局が保有する他の情報収集手段（例えば法定調書、6《事業者等への協力要請》に基づく事業者等への協力要請など）では取引を行う者を特定することが困難な取引をいう。（税務調査手続通達3－11）

　（「特定事項」の範囲）
(9)　(1)の表の(四)に掲げる「特定事項」については、「氏名」、「住所又は居所」及び「番号」と定められているが、特定事業者等が「特定事項」の一部を保有していない場合には、保有している情報のみが報告の対象となることに留意する。（税務調査手続通達3－12）

　（国税に関する調査について必要がある場合）
(10)　3による処分は、国税に関する調査について必要がある場合において次の表の(一)から(三)までのいずれかに該当するときに限り、することができる。（通法74の7の2②）

(一)	当該特定取引者が行う特定取引と同種の取引を行う者に対する国税に関する過去の調査において、当該取引に係る所得の金額その他の特定の税目の課税標準が1,000万円を超える者のうち半数を超える数の者について、当該取引に係る当該税目の課税標準等又は税額等につき更正決定等（国税通則法第36条第1項〔第2号に係る部分に限る。〕《納税の告知》の規定による納税の告知を含む。）をすべきと認められている場合
(二)	当該特定取引者がその行う特定取引に係る物品又は役務を用いることにより特定の税目の課税標準等又は税額等について国税に関する法律の規定に違反する事実を生じさせることが推測される場合

(三)	当該特定取引者が行う特定取引の態様が経済的必要性の観点から通常の場合にはとられない不合理なものであることから、当該特定取引者が当該特定取引に係る特定の税目の課税標準等又は税額等について国税に関する法律の規定に違反する事実を生じさせることが推測される場合

(「特定取引と同種の取引」の意義)
(11) (10)《国税に関する調査について必要がある場合》の表の(一)に掲げる「特定取引と同種の取引」とは、例えば、介在する事業者や物件等が異なっていても物件等の性質や取引内容などに共通の特徴があるものをいう。(税務調査手続通達3－6)

(「課税標準」の意義)
(12) (10)の表の(一)から(三)までに掲げる「課税標準」とは、法人税法及び地方法人税法に規定する課税標準をいう。(税務調査手続通達3－7・編者補正)

(「課税標準等又は税額等について国税に関する法律の規定に違反する事実を生じさせることが推測される場合」の意義)
(13) (10)の表の(二)及び(三)に掲げる「課税標準等又は税額等について国税に関する法律の規定に違反する事実」とは、納税義務のある者が納税申告書を提出しないことや納税申告書に記載した納付すべき税額に不足額があることなどをいう。なお、当該事実を生じさせることが推測される場合とは、実際に違反している事実が生じていることを要しないことに留意する。(税務調査手続通達3－8)

(特定事業者等への報告の求めによる処分の意義)
(14) 3による処分は、第四節の一の1の①のイ《不服申立ての総則》の表の(イ)に掲げる処分に該当し、同(イ)に掲げる不服申立ての対象となることに留意する。(税務調査手続通達3－5)

(国税庁長官の承認)
(15) 所轄国税局長は、3による処分をしようとする場合には、あらかじめ、国税庁長官の承認を受けなければならない。(通法74の7の2④)

(書面による処分の通知)
(16) 3による処分は、所轄国税局長が、特定事業者等に対し、3に掲げる特定取引者の範囲その他3により報告を求める事項及び同3に掲げる期日を書面で通知することにより行う。(通法74の7の2⑤)

(特定事業者等の事務負担の配慮)
(17) 所轄国税局長は、3による処分をするに当たっては、特定事業者等の事務負担に配慮しなければならない。(通法74の7の2⑥)

4　権限の解釈
　1《当該職員の質問検査権》、2《提出物件の留置き》及び3《特定事業者等への報告の求め》による当該職員又は国税局長の権限は、犯罪捜査のために認められたものと解してはならない。(通法74の8)

5　身分証明書の携帯等
　国税庁等の当該職員は、1《当該職員の質問検査権》による質問、検査、提示若しくは提出の要求、閲覧の要求、採取、移動の禁止若しくは封かんの実施をする場合又は5の職務を執行する場合には、その身分を示す証明書を携帯し、関係人の請求があったときは、これを提示しなければならない。(通法74の13)

6　事業者等への協力要請
　国税庁等の当該職員は、国税に関する調査について必要があるときは、事業者(特別の法律により設立された法人を含む。)又は官公署に、当該調査に関し参考となるべき帳簿書類その他の物件の閲覧又は提供その他の協力を求めることができる。(通法74の12①)

（「事業者」の範囲）
（1）　**6**に掲げる「事業者」とは、商業、工業、金融業、鉱業、農業、水産業等のあらゆる事業を行う者をいい、その行う事業についての営利・非営利の別は問わないことに留意する。（税務調査手続通達3－1）

（「特別の法律により設立された法人」の範囲）
（2）　**6**に掲げる「特別の法律により設立された法人」とは、会社法や民法などの一般的な根拠法に基づく法人でなく、特別の単独法によって法人格を与えられた法人をいう。（税務調査手続通達3－2）

七　調査手続
注　**七**については、法人税及び地方法人税に関する調査及び質問検査権以外の事項については、省略した。（編者）

1　共通的事項

（一の調査）
（1）　調査は、納税義務者について税目と課税期間によって特定される納税義務に関してなされるものであるから、別段の定めがある場合を除き、当該納税義務に係る調査を一の調査として**七**《調査手続》が適用されることに留意する。（税務調査手続通達4－1（1）・編者補正）
注1　例えば、令和4年3月期から令和6年3月期までの法人税について実地の調査を行った場合において、調査の結果、令和6年3月期の法人税についてのみ更正決定等をすべきと認めるときには、令和4年3月期及び令和5年3月期の法人税については更正決定等をすべきと認められない旨を通知することに留意する。
注2　同一課税期間の各事業年度の所得に対する法人税の調査について、移転価格調査とそれ以外の部分の調査に区分する場合において、納税義務者の事前の同意があるときは、納税義務者の負担軽減の観点から、一の納税義務に関してなされる一の調査を複数に区分して、**七**を適用することができることに留意する。（税務調査手続通達4－1（4）・編者補正）

（「課税期間」の意義等）
（2）　（1）において、「課税期間」とは、第一節の**二**の（1）《国税通則法における用語の意義》の表の（九）に掲げる「課税期間」をいうのであるが、具体的には、法人税については、事業年度。ただし、中間申告分については、第三章第二節第三款の**一**の**1**《中間申告》に掲げる中間期間。（税務調査手続通達4－2（1）ロ・編者補正）

（「調査」の意義）
（3）　**七**における「調査」の意義は、次のとおり。（税務調査手続通達1－1）
（一）　**七**において、「調査」とは、国税に関する法律の規定に基づき、特定の納税義務者の課税標準等又は税額等を認定する目的その他国税に関する法律に基づく処分を行う目的で当該職員が行う一連の行為（証拠資料の収集、要件事実の認定、法令の解釈適用など）をいう。
（二）　上記（一）に掲げる調査には、更正決定等を目的とする一連の行為のほか、再調査決定や申請等の審査のために行う一連の行為も含まれることに留意する。
（三）　上記（一）に掲げる調査のうち、次のイ又はロに掲げるもののように、一連の行為のうちに納税義務者に対して質問検査等を行うことがないものについては、**2**《事前通知》及び**3**《調査の終了の際の手続》は適用されないことに留意する。
イ　更正の請求に対して部内の処理のみで請求どおりに更正を行う場合の一連の行為。
ロ　修正申告書若しくは期限後申告書の提出があった場合において、部内の処理のみで更正若しくは決定があるべきことを予知してなされたものには当たらないものとして過少申告加算税、無申告加算税の賦課決定を行うときの一連の行為。

（「調査」に該当しない行為）
（4）　当該職員が行う行為であって、次に掲げる行為のように、特定の納税義務者の課税標準等又は税額等を認定する目的で行う行為に至らないものは、調査には該当しないことに留意する。また、これらの行為のみに起因して修正申告書若しくは期限後申告書の提出があった場合には、当該修正申告書等の提出等は更正又は決定があるべきことを予知してなされたものには当たらないことに留意する。（税務調査手続通達4－3）
（一）　提出された納税申告書の自発的な見直しを要請する行為で、次に掲げるもの。
イ　提出された納税申告書に法令により添付すべきものとされている書類が添付されていない場合において、納税

義務者に対して当該書類の自発的な提出を要請する行為。
　　ロ　当該職員が保有している情報又は提出された納税申告書の検算その他の形式的な審査の結果に照らして、提出された納税申告書に計算誤り、転記誤り又は記載漏れ等があるのではないかと思料される場合において、納税義務者に対して自発的な見直しを要請した上で、必要に応じて修正申告書又は更正の請求書の自発的な提出を要請する行為。
　(二)　提出された納税申告書の記載事項の審査の結果に照らして、当該記載事項につき税法の適用誤りがあるのではないかと思料される場合において、納税義務者に対して、適用誤りの有無を確認するために必要な基礎的情報の自発的な提供を要請した上で、必要に応じて修正申告書又は更正の請求書の自発的な提出を要請する行為。
　(三)　納税申告書の提出がないため納税申告書の提出義務の有無を確認する必要がある場合において、当該義務があるのではないかと思料される者に対して、当該義務の有無を確認するために必要な基礎的情報（事業活動の有無等）の自発的な提供を要請した上で、必要に応じて納税申告書の自発的な提出を要請する行為。

　　　（「実地の調査」の意義）
（5）　**2**の①及び**3**に掲げる「実地の調査」とは、国税の調査のうち、当該職員が納税義務者の支配・管理する場所（事業所等）等に臨場して質問検査等を行うものをいう。（税務調査手続通達4－4）

　　　（通知等の相手方）
（6）　**2**及び**3**に掲げる納税義務者に対する通知、説明、勧奨又は交付（以下（6）において「通知等」という。）の各手続の相手方は**2**の①の（2）《用語の意義》の表の（一）に掲げる「納税義務者」（法人の場合は代表者）となることに留意する。
　　ただし、納税義務者に対して通知等を行うことが困難な事情等がある場合には、権限委任の範囲を確認した上で、当該納税義務者が法人の場合にはその役員若しくは経理に関する事務の上席の責任者等、一定の業務執行の権限委任を受けている者を通じて当該納税義務者に通知等を行うこととしても差し支えないことに留意する。（税務調査手続通達4－5）

2　事前通知

① **事前通知**
　税務署長等（国税庁長官、国税局長若しくは税務署長をいう。以下**3**までにおいて同じ。）は、国税庁等の当該職員（以下**3**までにおいて「**当該職員**」という。）に納税義務者に対し実地の調査において六の**1**《当該職員の質問検査権》による質問、検査又は提示若しくは提出の要求（以下「**質問検査等**」という。）を行わせる場合には、あらかじめ、当該納税義務者（当該納税義務者について税務代理人がある場合には、当該税務代理人を含む。）に対し、その旨及び次に掲げる事項を通知するものとする。（通法74の9①、通令30の4①）

イ	質問検査等を行う実地の調査（以下**2**において単に「**調査**」という。）を開始する日時	
ロ	調査を行う場所	
ハ	調査の目的	
ニ	調査の対象となる税目	
ホ	調査の対象となる期間	
ヘ	調査の対象となる帳簿書類その他の物件	
ト	その他調査の適正かつ円滑な実施に必要なものとして次に掲げる事項	
	(イ)	調査の相手方である（2）《用語の意義》の表の（一）に掲げる納税義務者の氏名及び住所又は居所
	(ロ)	調査を行う当該職員の氏名及び所属官署（当該職員が複数であるときは、当該職員を代表する者の氏名及び所属官署）
	(ハ)	**イ**又は**ロ**に掲げる事項の変更に関する事項
	(ニ)	（3）《事前通知事項以外の調査》の趣旨

注1　上表に掲げる事項のうち、**ロ**に掲げる事項については調査を開始する日時において質問検査等を行おうとする場所を、**ハ**に掲げる事項につ

いては納税申告書の記載内容の確認又は納税申告書の提出がない場合における納税義務の有無の確認その他これらに類する調査の目的を、それぞれ通知するものとし、ヘに掲げる事項については、ヘに掲げる物件が国税に関する法令の規定により備付け又は保存をしなければならないこととされているものである場合にはその旨を併せて通知するものとする。(通令30の4②)

注2　税関に関する事項については、省略した。(編者)

　　　(調査日時又は場所の変更協議)
(1)　税務署長等は、①による通知を受けた納税義務者から合理的な理由を付して①の表のイ又は同表のロに掲げる事項について変更するよう求めがあった場合には、当該事項について協議するよう努めるものとする。(通法74の9②)

　　　(用語の意義)
(2)　①、(1)及び(4)において、次の表の左欄に掲げる用語の意義は、それぞれ同表の右欄に掲げるところによる。(通法74の9③)

(一)	納税義務者	六の1の表のロの(イ)に掲げる者
(二)	税務代理人	税理士法第30条《税務代理の権限の明示》(同法第48条の16《税理士の権利及び義務等に関する規定の準用》において準用する場合を含む。)の書面を提出している税理士若しくは税理士法人又は同法第51条第1項《税理士業務を行う弁護士等》の規定による通知をした弁護士若しくは同条第3項の規定による通知をした弁護士法人若しくは弁護士・外国法事務弁護士共同法人

　　　(事前通知事項以外の調査)
(3)　①は、当該職員が、当該調査により当該調査に係る①の表のハからヘまでに掲げる事項以外の事項について非違が疑われることとなった場合において、当該事項に関し質問検査等を行うことを妨げるものではない。この場合において、①は、当該事項に関する質問検査等については、適用しない。(通法74の9④)

　　　(納税義務者の同意がある場合の税務代理人に対する事前通知)
(4)　納税義務者について税務代理人がある場合において、当該納税義務者の同意がある場合として税理士法施行規則第15条《税務代理権限証書》の税務代理権限証書((5)において「税務代理権限証書」という。)に、(2)の表の(一)《納税義務者》に掲げる納税義務者への調査の通知は税務代理人に対すれば足りる旨の記載がある場合に該当するときは、当該納税義務者への①の通知は、税務代理人に対してすれば足りる。(通法74の9⑤、通規11の4①)

　　　(代表する税務代理人に対する事前通知)
(5)　納税義務者について税務代理人が数人ある場合において、当該納税義務者がこれらの税務代理人のうちから代表する税務代理人を定めた場合として、税務代理権限証書に、当該税務代理権限証書を提出する者を代表する税務代理人として定めた旨の記載がある場合には、これらの税務代理人への①の通知は、当該代表する税務代理人に対してすれば足りる。(通法74の9⑥、通規11の4②)

　　　(国税通則法第74条の9又は同法第74条の10の規定の適用範囲)
(6)　2《事前通知》が適用される調査には、更正決定等を目的とする調査のほか、再調査決定や申請等の審査のために行う調査も含まれることに留意する。(税務調査手続通達5－1)

　　　(申請等の審査のために行う調査の事前通知)
(7)　申請等の審査のため実地の調査を行う場合において、納税義務者に通知する事項である①の表のホに掲げる「調査の対象となる期間」は、当該申請書等の提出年月日(提出年月日の記載がない場合は、受理年月日)となることに留意する。(税務調査手続通達5－2)

　　　(事前通知事項としての「帳簿書類その他の物件」)
(8)　実地の調査を行う場合において、納税義務者に通知する事項である①の表のヘに掲げる「調査の対象となる帳簿書類その他の物件」は、帳簿書類その他の物件が国税に関する法令の規定により備付け又は保存をしなければならないこととされている場合には、当該帳簿書類その他の物件の名称に併せて根拠となる法令を示すものとし、国税に関する法令の規定により備付け又は保存をすることとされていない場合には、帳簿書類その他の物件の一般的な名称又

第二章　第五節《雑　則》

は内容を例示するものとする。（税務調査手続通達5－3）

　　　（質問検査等の対象となる「帳簿書類その他の物件」の範囲）
(9)　六の1に掲げる「帳簿書類その他の物件」には、国税に関する法令の規定により備付け、記帳又は保存をしなければならないこととされている帳簿書類のほか、同1に掲げる国税に関する調査の目的を達成するために必要と認められる帳簿書類その他の物件も含まれることに留意する。（税務調査手続通達5－4）
　　注　「帳簿書類その他の物件」には、国外において保存するものも含まれることに留意する。

　　　（「調査の対象となる期間」として事前通知した課税期間以外の課税期間に係る「帳簿書類その他の物件」）
(10)　事前通知した課税期間の調査について必要があるときは、事前通知した当該課税期間以外の課税期間（進行年分を含む。）に係る帳簿書類その他の物件も質問検査等の対象となることに留意する。（税務調査手続通達5－5）
　　注　例えば、事前通知した課税期間の調査のために、その課税期間より前又は後の課税期間における経理処理を確認する必要があるときは、（3）《事前通知事項以外の調査》によることなく必要な範囲で当該確認する必要がある課税期間の帳簿書類その他の物件の質問検査等を行うことは可能であることに留意する。

　　　（事前通知した日時等の変更に係る合理的な理由）
(11)　(1)《調査日時又は場所の変更協議》の適用に当たり、調査を開始する日時又は調査を行う場所の変更を求める理由が合理的であるか否かは、個々の事案における事実関係に即して、当該納税義務者の私的利益と実地の調査の適正かつ円滑な実施の必要性という行政目的とを比較衡量の上判断するが、例えば、納税義務者等（税務代理人を含む。以下(11)において同じ。）の病気・怪我等による一時的な入院や親族の葬儀等の一身上のやむを得ない事情、納税義務者等の業務上やむを得ない事情がある場合は、合理的な理由があるものとして取り扱うことに留意する。（税務調査手続通達5－6）
　　注　(1)による協議の結果、①の表の**イ**又は同表の**ロ**に掲げる事項を変更することとなった場合には、当該変更を納税義務者に通知するほか、当該納税義務者に税務代理人がある場合には、当該税務代理人にも通知するものとする。ただし、(5)により①による通知を代表する税務代理人に対して行った場合には、当該変更は当該代表する税務代理人に通知すれば足りることに留意する。
　　　なお、(4)《納税義務者の同意がある場合の税務代理人に対する事前通知》に掲げる場合には、当該変更は当該税務代理人に通知すれば足りることに留意する。

　　　（税務代理人を通じた事前通知事項の通知）
(12)　実地の調査の対象となる納税義務者について税務代理人がある場合における①の通知については、(4)に掲げる「納税義務者の同意がある場合」を除き納税義務者及び税務代理人の双方に対して行うことに留意する。
　　ただし、納税義務者から①に掲げる通知について税務代理人を通じて当該納税義務者に通知して差し支えない旨の申立てがあったときは、「実地の調査において質問検査等を行わせる」旨、①の表のそれぞれに掲げる事項のうち同表の(四)及び(五)に掲げる事項については当該納税義務者に対して通知を行い、その他の事項については当該税務代理人を通じて当該納税義務者へ当該事項を通知することとして差し支えないことに留意する。（税務調査手続通達8－1）
　　注1　(4)に掲げる「納税義務者の同意がある場合」には、平成26年6月30日以前に提出された税理士法第30条《税務代理の権限の明示》に規定する税務代理権限証書に、(4)に掲げる納税義務者の同意が記載されている場合を含むことに留意する。
　　注2　(5)に掲げる「代表する税務代理人を定めた場合」、当該代表する税務代理人に対して通知すれば足りるが、同(5)に掲げる「代表する税務代理人を定めた場合」には、平成27年6月30日以前に提出された税務代理権限証書に、代表する税務代理人が定められている場合も含むことに留意する。

　　　（税務代理人からの事前通知した日時等の変更の求め）
(13)　実地の調査の対象となる納税義務者について税務代理人がある場合において、(1)《調査日時又は場所の変更協議》による変更の求めは、当該納税義務者のほか当該税務代理人も行うことができることに留意する。（税務調査手続通達8－2）

　　　（国税通則法に基づく事前通知と税理士法第34条《調査の通知》に基づく調査の通知との関係）
(14)　実地の調査の対象となる納税義務者について税務代理人がある場合において、当該税務代理人に対して①に基づく通知を行った場合には、税理士法第34条《調査の通知》の規定による通知を併せて行ったものと取り扱うことに留意する。（税務調査手続通達8－4）

(一部の納税義務者の同意がない場合における税務代理人への通知等)
(15) (4)の適用上、納税義務者の同意があるかどうかは、個々の納税義務者ごとに判断することに留意する。(税務調査手続通達8-5)
   注 例えば、相続税の調査において、複数の納税義務者がある場合における(4)の適用については、個々の納税義務者ごとにその納税義務者の同意の有無により、その納税義務者に通知等を行うかその税務代理人に通知等を行うかを判断することに留意する。

② 事前通知を要しない場合

①にかかわらず、税務署長等が調査の相手方である①の(2)の表の(一)に掲げる納税義務者の申告若しくは過去の調査結果の内容又はその営む事業内容に関する情報その他国税庁等が保有する情報に鑑み、違法又は不当な行為を容易にし、正確な課税標準等又は税額等の把握を困難にするおそれその他国税に関する調査の適正な遂行に支障を及ぼすおそれがあると認める場合には、①による通知を要しない。(通法74の10)

(「その営む事業内容に関する情報」の範囲等)
(1) ②に掲げる「その営む事業内容に関する情報」には、事業の規模又は取引内容若しくは決済手段などの具体的な営業形態も含まれるが、単に不特定多数の取引先との間において現金決済による取引をしているということのみをもって事前通知を要しない場合に該当するとはいえないことに留意する。(税務調査手続通達5-7)

(「違法又は不当な行為」の範囲)
(2) ②に掲げる「違法又は不当な行為」には、事前通知をすることにより、事前通知前に行った違法又は不当な行為の発見を困難にする目的で、事前通知後は、このような行為を行わず、又は、適法な状態を作出することにより、結果として、事前通知後に、違法又は不当な行為を行ったと評価される状態を生じさせる行為が含まれることに留意する。(税務調査手続通達5-8)

(「違法又は不当な行為を容易にし、正確な課税標準等又は税額等の把握を困難にするおそれ」があると認める場合の例示)
(3) ②に掲げる「違法又は不当な行為を容易にし、正確な課税標準等又は税額等の把握を困難にするおそれ」があると認める場合とは、例えば、次の(一)から(五)までに掲げるような場合をいう。(税務調査手続通達5-9)
  (一) 事前通知をすることにより、納税義務者において、八の **7**《当該職員の質問に対して答弁をしない等の罪》又は **8**《物件の提示若しくは提出又は報告の要求に応じない等の罪》に掲げる行為を行うことを助長することが合理的に推認される場合。
  (二) 事前通知をすることにより、納税義務者において、調査の実施を困難にすることを意図し逃亡することが合理的に推認される場合。
  (三) 事前通知をすることにより、納税義務者において、調査に必要な帳簿書類その他の物件を破棄し、移動し、隠匿し、改ざんし、変造し、又は偽造することが合理的に推認される場合。
  (四) 事前通知をすることにより、納税義務者において、過去の違法又は不当な行為の発見を困難にする目的で、質問検査等を行う時点において適正な記帳又は書類の適正な記載と保存を行っている状態を作出することが合理的に推認される場合。
  (五) 事前通知をすることにより、納税義務者において、その使用人その他の従業者若しくは取引先又はその他の第三者に対し、上記(一)から(四)までに掲げる行為を行うよう、又は調査への協力を控えるよう要請する(強要し、買収し又は共謀することを含む。)ことが合理的に推認される場合。

(「その他国税に関する調査の適正な遂行に支障を及ぼすおそれ」があると認める場合の例示)
(4) ②に掲げる「その他国税に関する調査の適正な遂行に支障を及ぼすおそれ」があると認める場合とは、例えば、次の(一)から(三)までに掲げるような場合をいう。(税務調査手続通達5-10)
  (一) 事前通知をすることにより、税務代理人以外の第三者が調査立会いを求め、それにより調査の適正な遂行に支障を及ぼすことが合理的に推認される場合。
  (二) 事前通知を行うため相応の努力をして電話等による連絡を行おうとしたものの、応答を拒否され、又は応答がなかった場合。
  (三) 事業実態が不明であるため、実地に臨場した上で確認しないと事前通知先が判明しない等、事前通知を行うことが困難な場合。

3　調査の終了の際の手続

①　更正決定等をすべきと認められない旨の通知

　税務署長等は、国税に関する実地の調査を行った結果、更正決定等（国税通則法第36条第1項〔第2号に係るものに限る。〕《納税の告知》の規定による納税の告知を含む。以下3において同じ。）をすべきと認められない場合には、納税義務者（2の①の(2)《用語の意義》の表の(一)に掲げる納税義務者をいう。以下3において同じ。）であって当該調査において質問検査等の相手方となった者に対し、その時点において更正決定等をすべきと認められない旨を書面により通知するものとする。（通法74の11①）

　　　　（国税通則法第74条の11第1項又は第2項の規定の適用範囲）
（1）　①《更正決定等をすべきと認められない旨の通知》又は②《調査結果の内容の説明》は、再調査決定や申請等の審査のために行う調査など更正決定等を目的としない調査には適用されないことに留意する。（税務調査手続通達6－1）

　　　　（「更正決定等」の範囲）
（2）　①に掲げる「更正決定等」には、第三節の一の1の表の①《更正》若しくは同表の③《再更正》による更正若しくは同表の②《決定》による決定又は同節の三の(3)から(5)まで《賦課決定》による賦課決定（過少申告加算税、無申告加算税、重加算税及び過怠税の賦課決定を含む。）が含まれることに留意する。（税務調査手続通達6－2）

　　　　（調査の終了の際の手続に係る書面の交付手続）
（3）　3《調査の終了の際の手続》による書面の交付に係る手続については、国税通則法第12条第4項《書類の送達》及び国税通則法施行規則第1条第1項《交付送達の手続》の各規定の適用があることに留意する。（税務調査手続通達6－5）

　　　　（税務代理人がある場合の実地の調査以外の調査結果の内容の説明等）
（4）　実地の調査以外の調査により質問検査等を行った納税義務者について税務代理人がある場合における②《調査結果の内容の説明》に掲げる調査結果の内容の説明並びに③《修正申告又は期限後申告の勧奨等》に掲げる説明及び交付については、④《税務代理人への通知》に準じて取り扱うこととしても差し支えないことに留意する。（税務調査手続通達8－3）

②　調査結果の内容の説明

　国税に関する調査の結果、更正決定等をすべきと認める場合には、当該職員は、当該納税義務者に対し、その調査結果の内容（更正決定等をすべきと認めた額及びその理由を含む。）を説明するものとする。（通法74の11②）

　　　　（「更正決定等をすべきと認めた額」の意義）
（1）　②に掲げる「更正決定等をすべきと認めた額」とは、当該職員が調査結果の内容の説明をする時点において得ている情報に基づいて合理的に算定した課税標準等、税額等、加算税又は過怠税の額をいう。（税務調査手続通達6－3・編者補正）
　　　注　課税標準等、税額等、加算税又は過怠税の額の合理的な算定とは、例えば、法人税の所得の金額の計算上当該事業年度の直前の事業年度分の事業税の額を損金の額に算入する場合において、課税標準等、税額等、加算税又は過怠税の額を標準税率により算出することをいう。

　　　　（調査結果の内容の説明後の調査の再開及び再度の説明）
（2）　国税に関する調査の結果、②に基づき調査結果の内容の説明を行った後、当該調査について納税義務者から当該説明に基づく修正申告書若しくは期限後申告書の提出がなされるまでの間又は当該説明に基づく更正決定等を行うまでの間において、当該説明の前提となった事実が異なることが明らかとなり当該説明の根拠が失われた場合など当該職員が当該説明に係る内容の全部又は一部を修正する必要があると認めた場合には、必要に応じ調査を再開した上で、その結果に基づき、再度、調査結果の内容の説明を行うことができることに留意する。（税務調査手続通達6－4・編者補正）

③ 修正申告又は期限後申告の勧奨等

②による説明をする場合において、当該職員は、当該納税義務者に対し修正申告又は期限後申告を勧奨することができる。この場合において、当該調査の結果に関し当該納税義務者が納税申告書を提出した場合には不服申立てをすることはできないが更正の請求をすることはできる旨を説明するとともに、その旨を記載した書面を交付しなければならない。(通法74の11③)

④ 税務代理人への通知

実地の調査により質問検査等を行った納税義務者について２の①の(2)《用語の意義》の(二)に掲げる税務代理人がある場合において、当該納税義務者の同意がある場合には、当該納税義務者への①から③までに掲げる通知、説明又は交付（以下④において「通知等」という。）に代えて、当該税務代理人への通知等を行うことができる。(通法74の11④)

　　（一部の納税義務者の同意がない場合における税務代理人への説明等）
　　④の適用上、納税義務者の同意があるかどうかは、個々の納税義務者ごとに判断することに留意する。（税務調査手続通達８－５・編者補正）
　　　注　例えば、相続税の調査において、複数の納税義務者がある場合における法第74条の11第５項の規定の適用については、個々の納税義務者ごとにその納税義務者の同意の有無により、その納税義務者に通知等を行うかその税務代理人に通知等を行うかを判断することに留意する。

⑤ 再調査

①の通知をした後又は②の調査（実地の調査に限る。）の結果につき納税義務者から修正申告書若しくは期限後申告書の提出若しくは更正決定等をした後においても、当該職員は、新たに得られた情報に照らし非違があると認めるときは、**六の１**《当該職員の質問検査権》に基づき、当該通知を受け、又は修正申告書若しくは期限後申告書の提出をし、若しくは更正決定等を受けた納税義務者に対し、質問検査等を行うことができる。(通法74の11⑤)

　　（国税通則法第74条の11第６項の規定の適用）
（1）更正決定等を目的とする調査の結果、①の通知を行った後、又は②の調査（実地の調査に限る。）の結果につき納税義務者から修正申告書若しくは期限後申告書の提出がなされた後若しくは更正決定等を行った後において、新たに得られた情報に照らして非違があると認めるときは、当該職員は当該調査（以下(1)において「前回の調査」という。）の対象となった納税義務者に対し、前回の調査に係る納税義務に関して、再び質問検査等（以下、**３**において「再調査」という。）を行うことができることに留意する。（税務調査手続通達６－６）
　　　注１　情報の要否に関する制限は、前回の調査が実地の調査の場合に限られるため、前回の調査が実地の調査以外の調査である場合、⑤に掲げる「新たに得られた情報」がなくても、**六の１**《当該職員の質問検査権》により、調査について必要があるときは、再調査を行うことができることに留意する。
　　　注２　前回の調査は、更正決定等を目的とする調査であることから、前回の調査には、①の(1)《国税通則法第74条の11第１項又は第２項の規定の適用範囲》に掲げるように再調査決定又は申請等の審査のために行う調査は含まれないことに留意する。
　　　注３　１の(1)《一の調査》の注２の取扱いによる場合には、例えば、同一の納税義務者に対し、移転価格調査を行った後に移転価格調査以外の部分の調査を行うときは、両方の調査が同一の納税義務に関するものであっても、移転価格調査以外の部分の調査は再調査には当たらないことに留意する。

　　（「新たに得られた情報」の意義）
（2）⑤に掲げる「新たに得られた情報」とは、①の通知又は②の説明（②の(2)《調査結果の内容の説明後の調査の再開及び再度の説明》の「再度の説明」を含む。）に係る国税の調査（実地の調査に限る。）において質問検査等を行った当該職員が、当該通知又は当該説明を行った時点において有していた情報以外の情報をいう。（税務調査手続通達６－７）
　　　注　調査担当者が調査の終了前に変更となった場合は、変更の前後のいずれかの調査担当者が有していた情報以外の情報をいう。

　　（「新たに得られた情報に照らし非違があると認めるとき」の範囲）
（3）⑤に掲げる「新たに得られた情報に照らし非違があると認めるとき」には、新たに得られた情報から非違があると直接的に認められる場合のみならず、新たに得られた情報が直接的に非違に結びつかない場合であっても、新たに得られた情報とそれ以外の情報とを総合勘案した結果として非違があると合理的に推認される場合も含まれることに留意する。（税務調査手続通達６－８）

4　理由附記

　行政手続法第3条第1項《適用除外》に定めるもののほか、国税に関する法律に基づき行われる処分その他公権力の行使に当たる行為については、行政手続法第二章《申請に対する処分》（第8条《理由の提示》を除く。）及び第三章《不利益処分》（第14条《不利益処分の理由の提示》を除く。）の規定は、適用しない。（通法74の14）

　注1　4により、原則、全ての不利益処分に理由附記を行うこととされている。（編者）
　注2　行政手続法第8条及び第14条については、次のとおり。

> 【行政手続法】
> （理由の提示）
> 第8条　行政庁は、申請により求められた許認可等を拒否する処分をする場合は、申請者に対し、同時に、当該処分の理由を示さなければならない。ただし、法令に定められた許認可等の要件又は公にされた審査基準が数量的指標その他の客観的指標により明確に定められている場合であって、当該申請がこれらに適合しないことが申請書の記載又は添付書類その他の申請の内容から明らかであるときは、申請者の求めがあったときにこれを示せば足りる。
> 2　前項本文に規定する処分を書面でするときは、同項の理由は、書面により示さなければならない。
>
> （不利益処分の理由の提示）
> 第14条　行政庁は、不利益処分をする場合には、その名あて人に対し、同時に、当該不利益処分の理由を示さなければならない。ただし、当該理由を示さないで処分をすべき差し迫った必要がある場合は、この限りでない。
> 2　行政庁は、前項ただし書の場合においては、当該名あて人の所在が判明しなくなったときその他処分後において理由を示すことが困難な事情があるときを除き、処分後相当の期間内に、同項の理由を示さなければならない。
> 3　不利益処分を書面でするときは、前2項の理由は、書面により示さなければならない。

八　罰　　則

1　法人税を免れる等の罪

①　偽りその他の不正の行為により法人税を免れる等の罪

　偽りその他の不正の行為により、第三章第二節第三款の二の1《確定申告》の表の②に掲げる法人税の額（第三章第二節第二款の一の1《所得税額の控除》又は同款の二《外国税額の控除》により控除をされるべき金額がある場合には、同節第三款の二の1の表の②による計算をこれらの規定を適用しないでした法人税の額）、法人税法第89条第2号《退職年金等積立金に係る確定申告》に掲げる法人税の額につき法人税を免れ、又は第三章第二節第三款の八の3《欠損金の繰戻しによる還付》の②の（3）による法人税の還付を受けた場合には、法人の代表者（人格のない社団等の管理人及び法人課税信託の受託者である個人を含む。以下3までにおいて同じ。）、代理人、使用人その他の従業者（当該法人が通算法人である場合には、他の通算法人の代表者、代理人、使用人その他の従業者を含む。9において同じ。）でその違反行為をした者は、10年以下の拘禁刑若しくは1,000万円以下の罰金に処し、又はこれを併科する。（法159①）

　注　──線部分（「拘禁刑」に係る部分に限る。）は、刑法等の一部を改正する法律の施行に伴う関係法律の整理等に関する法律（令和4年法律第68号）により改正された部分で、改正規定は、刑法等の一部を改正する法律（令和4年法律第67号）の施行の日（令和7年6月1日）から適用され、同日前の適用については、「拘禁刑」とあるのは「懲役」とする。（令和4年法律第68号184、同法附1、令和5年政令第318号）

　　（免れた法人税の額等が1,000万円を超える場合の猶予）
　　①に掲げる免れた法人税の額又は還付を受けた法人税の額が1,000万円を超えるときは、情状により、①に掲げる罰金は、1,000万円を超えその免れた法人税の額又は還付を受けた法人税の額に相当する金額以下とすることができる。（法159②）

②　確定申告書を提出しないことにより法人税を免れる等の罪

　①に掲げるもののほか、第三章第二節第三款の二の1《確定申告》に掲げる確定申告書、法人税法第89条《退職年金等積立金に係る確定申告》に規定する申告書をその提出期限までに提出しないことにより、同1の表の②に掲げる法人税の額（同節第二款の一《所得税額の控除》又は同款の二の1《直接外国税額控除》により控除をされるべき金額がある場合には、同節第三款の二の1の表の②による計算を同節第二款の一又は同款の二の1を適用しないでした法人税の額）につき法人税を免れた場合には、法人の代表者、代理人、使用人その他の従業者でその違反行為をした者は、5年以下の拘禁刑若しくは500万円以下の罰金に処し、又はこれを併科する。（法159③）

　注　──線部分は、刑法等の一部を改正する法律の施行に伴う関係法律の整理等に関する法律（令和4年法律第68号）により改正された部分で、改正規定は、刑法等の一部を改正する法律（令和4年法律第67号）の施行の日（令和7年6月1日）から適用され、同日前の適用については、

「拘禁刑」とあるのは「懲役」とする。(令和4年法律第68号184、同法附1、令和5年政令第318号)

（免れた法人税の額等が500万円を超える場合の猶予）
②に掲げる免れた法人税の額が500万円を超えるときは、情状により、②に掲げる罰金は、500万円を超えその免れた法人税の額に相当する金額以下とすることができる。(法159④)

2　確定申告書を提出しない等の罪
正当な理由がなくて、第三章第二節第三款の二の1《確定申告》に掲げる確定申告書、法人税法第89条に規定する申告書をその提出期限までに提供しなかった場合には、法人の代表者、代理人、使用人その他の従業者でその違反行為をした者は、1年以下の拘禁刑又は50万円以下の罰金に処する。ただし、情状により、その刑を免除することができる。(法160)
注　──線部分は、刑法等の一部を改正する法律の施行に伴う関係法律の整理等に関する法律（令和4年法律第68号）により改正された部分で、改正規定は、刑法等の一部を改正する法律（令和4年法律第67号）の施行の日（令和7年6月1日）から適用され、同日前の適用については、「拘禁刑」とあるのは「懲役」とする。(令和4年法律第68号184、同法附1、令和5年政令第318号)

3　偽りの記載をした中間申告書等を提出する罪
第三章第二節第三款の一の1《中間申告》に掲げる申告書で同一の3《仮決算をした場合の中間申告書の記載事項等》に掲げる事項を記載したもの又は法人税法第88条《退職年金等積立金に係る中間申告》に掲げる申告書（当該申告書に係る期限後申告書を含む。）に偽りの記載をして税務署長に提出した場合の法人の代表者、代理人、使用人その他の従業者でその違反行為をした者は、1年以下の拘禁刑又は50万円以下の罰金に処する。(法162)
注　──線部分は、刑法等の一部を改正する法律の施行に伴う関係法律の整理等に関する法律（令和4年法律第68号）により改正された部分で、改正規定は、刑法等の一部を改正する法律（令和4年法律第67号）の施行の日（令和7年6月1日）から適用され、同日前の適用については、「拘禁刑」とあるのは「懲役」とする。(令和4年法律第68号184、同法附1、令和5年政令第318号)

4　申告をしないこと等を煽動する罪
納税者がすべき国税の課税標準の申告（その修正申告を含む。以下4及び5において「申告」という。）をしないこと、虚偽の申告をすること又は国税の徴収若しくは納付をしないことを煽動した者は、3年以下の懲役又は20万円以下の罰金に処する。(通法126①)

5　申告をさせない等のため暴行又は脅迫を加える罪
納税者がすべき申告をさせないため、虚偽の申告をさせるため、又は国税の徴収若しくは納付をさせないために、暴行又は脅迫を加えた者も、5と同様とする。(通法126②)

6　偽りの記載をした更正請求書を提出する罪
第三章第二節第三款の九の1《更正の請求》に掲げる更正請求書に偽りの記載をして税務署長に提出した者は、1年以下の懲役又は50万円以下の罰金に処する。(通法128Ⅰ)

7　当該職員の質問に対して答弁をしない等の罪
六の1《当該職員の質問検査権》による当該職員の質問に対して答弁せず、若しくは偽りの答弁をし、又は同1による検査の実施を拒み、妨げ、若しくは忌避した者は、1年以下の懲役又は50万円以下の罰金に処する。(通法128Ⅱ)

8　物件の提示若しくは提出又は報告の要求に応じない等の罪
六の1《当該職員の質問検査権》又は同六の3《特定事業者等への報告の求め》による物件の提示若しくは提出又は報告の要求に対し、正当な理由がなくこれに応じず、又は偽りの記載若しくは記録をした帳簿書類その他の物件（その写しを含む。）を提示し、若しくは提出し、若しくは偽りの報告をした者は、1年以下の懲役又は50万円以下の罰金に処する。(通法128Ⅲ)

9　刑の対象となる者
法人の代表者（人格のない社団等の管理人を含む。）又は法人若しくは人の代理人、使用人その他の従業者が、その法人又は人の業務に関して1の①《偽りその他の不正の行為により法人税を免れる等の罪》若しくは同②《確定申告書を提出しないことにより法人税を免れる等の罪》、2《確定申告書を提出しない等の罪》又は3《偽りの記載をした中間申告書等を提出する罪》又は6《偽りの記載をした更正請求書を提出する罪》から8《物件の提示若しくは提出又は報告の要求に

応じない等の罪》までに掲げる違反行為をしたときは、その行為者を罰するほか、その法人又は人に対して**1**、**2**、**3**又は**6**から**8**までに掲げる罰金刑を科する。（法163①、通法130①）

　　（人格のない社団等の場合の対象者等）
（１）　人格のない社団等について**9**《刑の対象となる者》の適用がある場合には、その代表者又は管理人がその訴訟行為につきその人格のない社団等を代表するほか、法人を被告人又は被疑者とする場合の刑事訴訟に関する法律の規定を準用する。（法163③、通法130②）

　　（時効の期間）
（２）　**9**《刑の対象となる者》により**1**の①又は同②に掲げる違反行為につき法人又は人に罰金刑を科する場合における時効の期間は、**1**の①又は同②に掲げる罪についての時効の期間による。（法163②）

10　罰則に係る時効期間
　時効は、次の表の左欄に掲げる場合において、それぞれ同表の右欄に掲げる期間を経過することによって完成する。（刑事訴訟法250②Ⅳ、Ⅴ、Ⅵ）

①	長期15年未満の懲役又は禁錮に当たる罪	7	年
②	長期10年未満の懲役又は禁錮に当たる罪	5	年
③	長期5年未満の懲役若しくは禁錮又は罰金に当たる罪	3	年

九　公益法人等の損益計算書等の提出

　公益法人等（（１）《損益計算書等の提出を要しない公益法人等の範囲》に掲げるものを除く。（２）において同じ。）は、当該事業年度につき第三章第二節第三款の**二**の**1**《確定申告》に掲げる確定申告書を提出すべき場合を除き、（２）《公益法人等の損益計算書等の記載事項等》に掲げるところにより、当該事業年度の損益計算書又は収支計算書を、当該事業年度終了の日の翌日から**4か月以内**（確定給付企業年金法第91条の2第1項《連合会》に規定する企業年金連合会、国民年金基金及び国民年金基金連合会にあっては、同日から6か月以内）に、当該事業年度終了の日におけるその主たる事務所の所在地の所轄税務署長に提出しなければならない。（措法68の6、措令39の37④、法2Ⅵ、ⅩⅩⅪ）

　　（損益計算書等の提出を要しない公益法人等の範囲）
（１）　損益計算書又は収支計算書の提出を要しない公益法人等は、次に掲げるものとする。（措法68の6、措令39の37①②③、特定非営利活動促進法70①）

（一）	法人税法以外の法律によって公益法人等とみなされているもの（特定非営利活動促進法第2条第2項《定義》に規定する特定非営利活動法人については、（二）に掲げる小規模な法人に限る。）で次に掲げるもの イ　地方自治法第260条の2第7項に規定する認可地縁団体 ロ　建物の区分所有等に関する法律第47条第2項《成立等》に規定する管理組合法人及び同法第66条《建物の区分所有に関する規定の準用》の規定により読み替えられた同項に規定する団地管理組合法人 ハ　政党交付金の交付を受ける政党等に対する法人格の付与に関する法律第7条の2第1項《変更の登記》に規定する法人である政党等 ニ　密集市街地における防災街区の整備の促進に関する法律第133条第1項に規定する防災街区整備事業組合 ホ　マンションの建替え等の円滑化に関する法律第5条第1項に規定するマンション建替組合、同法第116条に規定するマンション敷地売却組合及び同法第164条に規定する敷地分割組合
（二）	**小規模な法人**（当該事業年度の**収入金額**〔資産の売却による収入で臨時的なものを除く。〕の合計額が**8,000万円**〔当該事業年度が12か月に満たない場合には、8,000万円に当該事業年度の月数を乗じてこれを12で除して計算した金額〕以下の法人をいう。） 　注　上記の月数は、暦に従って計算し、1か月に満たない端数を生じたときは、これを1か月とする。

　　（公益法人等の損益計算書等の記載事項等）
（２）　公益法人等が提出をすべき損益計算書又は収支計算書（以下（２）において「損益計算書等」という。）は、当該公

第二章　第五節《雑　則》

益法人等の行う活動の内容に応じおおむね次の**別表第十**《公益法人等の損益計算書等に記載する科目》に掲げる科目（対価を得て行う事業に係る収益又は収入〔以下「事業収益等」という。〕については、事業の種類ごとにその事業内容を示す適当な名称を付した科目）に従って作成した損益計算書等とし、当該損益計算書等には、次に掲げる事項を記載しなければならない。（措規22の22①、別表第十）

(一)	公益法人等の名称、主たる事務所の所在地及び法人番号（法人番号を有しない公益法人等にあっては、名称及び主たる事務所の所在地）
(二)	代表者の氏名
(三)	当該事業年度の開始及び終了の日
(四)	その他参考となるべき事項

　注　公益法人等は、他の法令に基づいて作成した損益計算書等（事業収益等が事業の種類ごとに区分されているもの又は事業収益等の明細書が添付されているものに限る。）をもって上記の損益計算書等に代えることができる。（措規22の22②）

別表第十　公益法人等の損益計算書等に記載する科目

(一)損益計算書に記載する科目	収益の部	基本財産運用益、特定資産運用益、受取入会金、受取会費、事業収益、受取補助金等、受取負担金、受取寄附金、雑収益、基本財産評価益・売却益、特定資産評価益・売却益、投資有価証券評価益・売却益、固定資産売却益、固定資産受贈益、当期欠損金等
	費用の部	役員報酬、給料手当、退職給付費用、福利厚生費、会議費、旅費交通費、通信運搬費、減価償却費、消耗じゅう器備品費、消耗品費、修繕費、印刷製本費、光熱水料費、賃借料、保険料、諸謝金、租税公課、支払負担金、支払寄附金、支払利息、有価証券運用損、雑費、基本財産評価損・売却損、特定資産評価損・売却損、投資有価証券評価損・売却損、固定資産売却損、固定資産減損損失、災害損失、当期利益金等
(二)収支計算書に記載する科目	収入の部	基本財産運用収入、入会金収入、会費収入、組合費収入、事業収入、補助金等収入、負担金収入、寄附金収入、雑収入、基本財産収入、固定資産売却収入、敷金・保証金戻り収入、借入金収入、前期繰越収支差額等
	支出の部	役員報酬、給料手当、退職金、福利厚生費、会議費、旅費交通費、通信運搬費、消耗じゅう器備品費、消耗品費、修繕費、印刷製本費、光熱水料費、賃借料、保険料、諸謝金、租税公課、負担金支出、寄附金支出、支払利息、雑費、固定資産取得支出、敷金・保証金支出、借入金返済支出、当期収支差額、次期繰越収支差額等

第三章　各事業年度の所得の金額及びその計算

第一節　課税標準及びその計算

第一款　通則及び帰属年度の特例

一　各事業年度の所得に対する法人税の課税標準
　内国法人に対して課する各事業年度の所得に対する法人税の課税標準は、各事業年度の所得の金額とする。（法21）

二　各事業年度の所得の金額
　内国法人の各事業年度の所得の金額は、当該事業年度の**益金の額**から当該事業年度の**損金の額**を控除した金額とする。（法22①）

三　各事業年度の所得の金額の計算の通則

1　益金の額に算入すべき金額

①　益金の額に算入すべき金額
　内国法人の各事業年度の所得の金額の計算上当該事業年度の益金の額に算入すべき金額は、別段の定めがあるものを除き、資産の販売、有償又は無償による資産の譲渡又は役務の提供、無償による資産の譲受けその他の取引で資本等取引以外のものに係る当該事業年度の収益の額とする。（法22②）

　　　（決算締切日）
（1）　法人が、商慣習その他相当の理由により、各事業年度に係る収入及び支出の計算の基礎となる決算締切日を継続してその事業年度終了の日以前おおむね10日以内の一定の日としている場合には、これを認める。（基通2－6－1）
　　注1　第二十二款《短期売買商品等の譲渡損益及び時価評価損益の益金又は損金算入》から第二十六款《外貨建取引の換算等》までに掲げる利益の額又は損失の額の計算の基礎となる日（受益者等課税信託である金銭の信託の信託財産に属するものに係る計算の締切日を含む。）を継続してその事業年度終了の日以前おおむね10日以内の一定の日としている場合においても、当該計算の基礎となる日とすることに相当の理由があると認められるときは、同様とする。
　　注2　注1に掲げる受益者等課税信託とは、法人税法第12条第1項《信託財産に属する資産及び負債並びに信託財産に帰せられる収益及び費用の帰属》に規定する受益者（同条第2項の規定により同条第1項に規定する受益者とみなされる者を含む。）がその信託財産に属する資産及び負債を有するものとみなされる信託をいう。（基通2－1－24参照）

　　　（法人の設立期間中の損益の帰属）
（2）　法人の設立期間中に当該設立中の法人について生じた損益は、当該法人のその設立後最初の事業年度の所得の金額の計算に含めて申告することができるものとする。ただし、設立期間がその設立に通常要する期間を超えて長期にわたる場合における当該設立期間中の損益又は当該法人が個人事業を引き継いで設立されたものである場合における当該事業から生じた損益については、この限りでない。（基通2－6－2）
　　注1　本文の取扱いによって申告する場合であっても、当該法人の設立後最初の事業年度の開始の日は第二章第一節の**七**の**1**の（1）《設立第1回事業年度の開始の日》によるのであるから留意する。
　　注2　現物出資により設立した法人の当該現物出資の日から当該法人の設立の日の前日までの期間中に生じた損益は、当該法人のその設立後最初の事業年度の所得の金額の計算に含めて申告することとなる。

② **資産の販売等に係る収益計上に関する通則**

イ 収益の計上の単位等

(収益の計上の単位の通則)
(1) 資産の販売若しくは譲渡又は役務の提供（ハの(4)《資産の引渡しの時の価額等の通則》及び四の11の(5)《返金不要の支払の帰属の時期》を除き、平成30年3月30日付企業会計基準第29号「収益認識に関する会計基準」〔以下(1)において「**収益認識基準**」という。〕の適用対象となる取引に限る。以下三及び四において「**資産の販売等**」という。）に係る収益の額は、原則として個々の契約ごとに計上する。ただし、次の表の左欄に掲げる場合に該当する場合には、それぞれ同表の右欄に掲げるところにより区分した単位ごとにその収益の額を計上することができる。（基通2-1-1）

(一)	同一の相手方及びこれとの間に支配関係その他これに準ずる関係のある者と同時期に締結した複数の契約について、当該複数の契約において約束した資産の販売等を組み合わせて初めて単一の履行義務（収益認識基準第7項に定める履行義務をいう。以下三及び四において同じ。）となる場合	当該複数の契約による資産の販売等の組合せ
(二)	一の契約の中に複数の履行義務が含まれている場合	それぞれの履行義務に係る資産の販売等

注1 同一の相手方及びこれとの間に支配関係その他これに準ずる関係のある者と同時期に締結した複数の契約について、次のいずれかに該当する場合には、当該複数の契約を結合したものを一の契約とみなしてただし書の表の(二)を適用する。
　イ 当該複数の契約が同一の商業目的を有するものとして交渉されたこと。
　ロ 一の契約において支払を受ける対価の額が、他の契約の価格又は履行により影響を受けること。

注2 工事（製造及びソフトウエアの開発を含む。以下(1)において同じ。）の請負に係る契約について、次のイに区分した単位における収益の計上時期及び金額が、次のロに区分した単位における収益の計上時期及び金額に比してその差異に重要性が乏しいと認められる場合には、次のイに区分した単位ごとにその収益の額を計上することができる。
　イ 当事者間で合意された実質的な取引の単位を反映するように複数の契約（異なる相手方と締結した複数の契約又は異なる時点に締結した複数の契約を含む。）を結合した場合のその複数の契約において約束した工事の組合せ
　ロ 同一の相手方及びこれとの間に支配関係その他これに準ずる関係のある者と同時期に締結した複数の契約について、ただし書の表の(一)又は(二)に掲げる場合に該当する場合（ただし書の表の(二)にあっては、上記注1においてみなして適用される場合に限る。）におけるそれぞれただし書の表の(一)又は(二)に掲げるところにより区分した単位

注3 一の資産の販売等に係る契約につきただし書の適用を受けた場合には、同様の資産の販売等に係る契約については、継続してその適用を受けたただし書の表の(一)又は(二)に掲げるところにより区分した単位ごとに収益の額を計上することに留意する。

(機械設備等の販売に伴い据付工事を行った場合の収益の計上の単位)
(2) 法人が機械設備等の販売をしたことに伴いその据付工事を行った場合（**五**の2の①《長期大規模工事の請負に係る収益及び費用の帰属事業年度》の適用がある場合及び同2の②《工事の請負に係る収益及び費用の帰属事業年度》の適用を受ける場合を除く。）において、その据付工事が相当の規模のものであり、かつ、契約その他に基づいて機械設備等の販売に係る対価の額とその据付工事に係る対価の額とを合理的に区分することができるときは、(1)のただし書の表の(二)に掲げる場合に該当するかどうかにかかわらず、その区分した単位ごとにその収益の額を計上することができる。（基通2-1-1の2）

(資産の販売等に伴い保証を行った場合の収益の計上の単位)
(3) 法人が資産の販売等に伴いその販売若しくは譲渡する資産又は提供する役務に対する保証を行った場合において、当該保証がその資産又は役務が合意された仕様に従っているという保証のみであるときは、当該保証は当該資産の販売等とは別の取引の単位として収益の額を計上することにはならないことに留意する。（基通2-1-1の3）

(部分完成の事実がある場合の収益の計上の単位)
(4) 法人が請け負った建設工事等（建設、造船その他これらに類する工事をいう。以下**四**の2の②までにおいて同じ。）について次に掲げるような事実がある場合（**五**の2の①《長期大規模工事の請負に係る収益及び費用の帰属事業年度》の適用がある場合及び同2の②《工事の請負に係る収益及び費用の帰属事業年度》の適用を受ける場合を除く。）には、その建設工事等の全部が完成しないときにおいても、(1)にかかわらず、その事業年度において引き渡した建設工事等の量又は完成した部分に区分した単位ごとにその収益の額を計上する。（基通2-1-1の4）

(一)	一の契約により同種の建設工事等を多量に請け負ったような場合で、その引渡量に従い工事代金を収入する旨の特約又は慣習がある場合
(二)	1個の建設工事等であっても、その建設工事等の一部が完成し、その完成した部分を引き渡した都度その割合に応じて工事代金を収入する旨の特約又は慣習がある場合

(技術役務の提供に係る収益の計上の単位)
（５）　設計、作業の指揮監督、技術指導その他の技術役務の提供について次に掲げるような事実がある場合には、（１）にかかわらず、次の期間又は作業に係る部分に区分した単位ごとにその収益の額を計上する。（基通２－１－１の５）

(一)	報酬の額が現地に派遣する技術者等の数及び滞在期間の日数等により算定され、かつ、一定の期間ごとにその金額を確定させて支払を受けることとなっている場合
(二)	例えば基本設計に係る報酬の額と部分設計に係る報酬の額が区分されている場合のように、報酬の額が作業の段階ごとに区分され、かつ、それぞれの段階の作業が完了する都度その金額を確定させて支払を受けることとなっている場合

(ノウハウの頭金等の収益の計上の単位)
（６）　ノウハウの開示が２回以上にわたって分割して行われ、かつ、その設定契約に際して支払を受ける一時金又は頭金の支払がほぼこれに見合って分割して行われることとなっている場合には、（１）にかかわらず、その開示をした部分に区分した単位ごとにその収益の額を計上する。（基通２－１－１の６）

 注１　ノウハウの設定契約に際して支払を受ける一時金又は頭金の額がノウハウの開示のために現地に派遣する技術者等の数及び滞在期間の日数等により算定され、かつ、一定の期間ごとにその金額を確定させて支払を受けることとなっている場合には、その期間に係る部分に区分した単位ごとにその収益の額を計上する。
 注２　ノウハウの設定契約の締結に先立って、相手方に契約締結の選択権を付与する場合には、その選択権の提供を当該ノウハウの設定とは別の取引の単位としてその収益の額を計上する。

(ポイント等を付与した場合の収益の計上の単位)
（７）　法人が資産の販売等に伴いいわゆるポイント又はクーポンその他これらに類するもの（以下（７）において「ポイント等」という。）で、将来の資産の販売等に際して、相手方からの呈示があった場合には、その呈示のあった単位数等と交換に、その将来の資産の販売等に係る資産又は役務について、値引きして、又は無償により、販売若しくは譲渡又は提供をすることとなるもの（当該法人以外の者が運営するものを除く。以下（７）及び**四**の**4**《自己発行ポイント等の付与に係る収益の帰属の時期》において「自己発行ポイント等」という。）を相手方に付与する場合（不特定多数の者に付与する場合に限る。）において、次に掲げる要件の全てに該当するときは、継続適用を条件として、当該自己発行ポイント等について当初の資産の販売等（以下（７）において「当初資産の販売等」という。）とは別の取引に係る収入の一部又は全部の前受けとすることができる。（基通２－１－１の７）

(一)	その付与した自己発行ポイント等が当初資産の販売等の契約を締結しなければ相手方が受け取れない重要な権利を与えるものであること。	
(二)	その付与した自己発行ポイント等が発行年度ごとに区分して管理されていること。	
(三)	法人がその付与した自己発行ポイント等に関する権利につきその有効期限を経過したこと、規約その他の契約で定める違反事項に相手方が抵触したことその他の当該法人の責に帰さないやむを得ない事情があること以外の理由により一方的に失わせることができないことが規約その他の契約において明らかにされていること。	
(四)	次のいずれかの要件を満たすこと。	
	イ	その付与した自己発行ポイント等の呈示があった場合に値引き等をする金額（以下（７）において「ポイント等相当額」という。）が明らかにされており、かつ、将来の資産の販売等に際して、たとえ１ポイント又は１枚のクーポンの呈示があっても値引き等をすることとされていること。 注　一定単位数等に達しないと値引き等の対象にならないもの、割引券（将来の資産の販売等の対価の額の一定割合を割り引くことを約する証票をいう。）及びいわゆるスタンプカードのようなものは上記の要件を満たす自己発行ポイント等には該当しない。
	ロ	その付与した自己発行ポイント等が当該法人以外の者が運営するポイント等又は自ら運営する他の自

己発行ポイント等で、イに該当するものと所定の交換比率により交換できることとされていること。

注　当該自己発行ポイント等の付与について別の取引に係る収入の一部又は全部の前受けとする場合には、当初資産の販売等に際して支払を受ける対価の額を、当初資産の販売等に係る引渡し時の価額等（その販売若しくは譲渡をした資産の引渡しの時における価額又はその提供をした役務につき通常得べき対価の額に相当する金額をいう。）と、当該自己発行ポイント等に係るポイント等相当額とに合理的に割り振る。

（資産の販売等に係る収益の額に含めないことができる利息相当部分）
（8）　法人が資産の販売等を行った場合において、次の（一）に掲げる額及び次の（二）に掲げる事実並びにその他のこれらに関連する全ての事実及び状況を総合的に勘案して、当該資産の販売等に係る契約に金銭の貸付けに準じた取引が含まれていると認められるときは、継続適用を条件として、当該取引に係る利息相当額を当該資産の販売等に係る収益の額に含めないことができる。（基通2－1－1の8）

（一）	資産の販売等に係る契約の対価の額と現金販売価格（資産の販売等と同時にその対価の全額の支払を受ける場合の価格をいう。）との差額
（二）	資産の販売等に係る目的物の引渡し又は役務の提供をしてから相手方が当該資産の販売等に係る対価の支払を行うまでの予想される期間及び市場金利の影響

（割賦販売等に係る収益の額に含めないことができる利息相当部分）
（9）　法人が割賦販売等（月賦、年賦その他の賦払の方法により対価の支払を受けることを定型的に定めた約款に基づき行われる資産の販売等及び延払条件が付された資産の販売等をいう。以下（9）において同じ。）又は**五**の**1**の①の**イ**《リース譲渡に係る収益及び費用の帰属事業年度》に掲げるリース譲渡（同**1**の適用を受けるものを除く。以下（9）において「リース譲渡」という。）を行った場合において、当該割賦販売等又はリース譲渡に係る販売代価と賦払期間又はリース期間（**六**の（2）《リース取引の意義》に掲げるリース取引に係る契約において定められた**六**に掲げるリース資産の賃貸借期間をいう。）中の利息に相当する金額とが区分されているときは、当該利息に相当する金額を当該割賦販売等又はリース譲渡に係る収益の額に含めないことができる。（基通2－1－1の9）

ロ　資産の販売等に係る収益の額の益金の額に算入する時期
　内国法人の資産の販売若しくは譲渡又は役務の提供（以下②において「**資産の販売等**」という。）に係る収益の額は、別段の定め（**3**《一般に公正妥当と認められる会計処理の基準》を除く。）があるものを除き、その資産の販売等に係る目的物の引渡し又は役務の提供の日の属する事業年度の所得の金額の計算上、益金の額に算入する。（法22の2①）

（公正処理基準に基づく資産の販売等に係る収益の額の益金の額に算入する時期）
（1）　内国法人が、資産の販売等に係る収益の額につき一般に公正妥当と認められる会計処理の基準に従って当該資産の販売等に係る契約の効力が生ずる日その他の**ロ**《資産の販売等に係る収益の額の益金の額に算入する時期》に掲げる日に近接する日の属する事業年度の確定した決算において収益として経理した場合には、同**ロ**にかかわらず、当該資産の販売等に係る収益の額は、別段の定め（**3**を除く。）があるものを除き、当該事業年度の所得の金額の計算上、益金の額に算入する。（法22の2②）

（引渡し等の日に近接する日の属する事業年度における申告調整）
（2）　内国法人が資産の販売等を行った場合（当該資産の販売等に係る収益の額につき一般に公正妥当と認められる会計処理の基準に従って**ロ**《資産の販売等に係る収益の額の益金の額に算入する時期》に掲げる日又は（1）《公正処理基準に基づく資産の販売等に係る収益の額の益金の額に算入する時期》に掲げる近接する日の属する事業年度の確定した決算において収益として経理した場合を除く。）において、当該資産の販売等に係る（1）に掲げる近接する日の属する事業年度の確定申告書に当該資産の販売等に係る収益の額の益金算入に関する申告の記載があるときは、その額につき当該事業年度の確定した決算において収益として経理したものとみなして、（1）を適用する。（法22の2③）

（引渡し等事業年度後の事業年度の確定した決算において修正の経理を行った場合の益金の額又は損金の額に算入する時期）
（3）　内国法人が、資産の販売等に係る収益の額（**ロ**《資産の販売等に係る収益の額の益金の額に算入する時期》又は（1）

《公正処理基準に基づく資産の販売等に係る収益の額の益金の額に算入する時期》の適用があるものに限る。以下（3）から（5）及びハ《資産の販売等に係る収益の額の益金の額に算入する金額》の（3）において同じ。）につき、一般に公正妥当と認められる会計処理の基準に従って、ロ又は（1）に掲げる事業年度（以下（3）から（5）において「**引渡し等事業年度**」という。）後の事業年度の確定した決算において修正の経理（ハの（1）《引渡しの時における価額又は通常得べき対価の額》の（一）又は（二）に掲げる事実が生ずる可能性の変動に基づく修正の経理を除く。）をした場合において、当該資産の販売等に係る収益の額につきロ又は（1）により当該引渡し等事業年度の所得の金額の計算上益金の額に算入された金額（以下（3）及び（4）において「**当初益金算入額**」という。）にその修正の経理により増加した収益の額を加算し、又は当該当初益金算入額からその修正の経理により減少した収益の額を控除した金額が当該資産の販売等に係るハ《資産の販売等に係る収益の額の益金の額に算入する金額》に掲げる価額又は対価の額に相当するときは、その修正の経理により増加し、又は減少した収益の額に相当する金額は、その修正の経理をした事業年度の所得の金額の計算上、益金の額又は損金の額に算入する。（法22の2⑦、令18の2①）

　　　（引渡し等事業年度後の事業年度における申告調整の取扱い）
（4）　内国法人が資産の販売等を行った場合において、当該資産の販売等に係る収益の額につき引渡し等事業年度後の事業年度の確定申告書に当該資産の販売等に係る当初益金算入額を増加させ、又は減少させる金額の申告の記載があるときは、その増加させ、又は減少させる金額につき当該事業年度の確定した決算において修正の経理をしたものとみなして、（3）を適用する。（法22の2⑦、令18の2②）

　　　（引渡し等事業年度終了の日後に生じた事情により収益基礎額が変動した場合の益金の額又は損金の額に算入する時期）
（5）　内国法人が資産の販売等に係る収益の額につき引渡し等事業年度の確定した決算において収益として経理した場合（当該引渡し等事業年度の確定申告書に当該資産の販売等に係る収益の額の益金算入に関する申告の記載がある場合を含む。）で、かつ、その収益として経理した金額（当該申告の記載がある場合のその記載した金額を含む。）がロ《資産の販売等に係る収益の額の益金の額に算入する時期》又は（1）により当該引渡し等事業年度の所得の金額の計算上益金の額に算入された場合において、当該引渡し等事業年度終了の日後に生じた事情により当該資産の販売等に係るハ《資産の販売等に係る収益の額の益金の額に算入する金額》に掲げる価額又は対価の額（以下（5）において「**収益基礎額**」という。）が変動したとき（その変動したことにより当該収益の額につき修正の経理〔（4）により修正の経理をしたものとみなされる場合における（4）の申告の記載を含む。以下（5）において同じ。〕をした場合において、その修正の経理につき（3）の適用があるときを除く。）は、その変動により増加し、又は減少した収益基礎額は、その変動することが確定した事業年度の所得の金額の計算上、益金の額又は損金の額に算入する。（法22の2⑦、令18の2③）

ハ　資産の販売等に係る収益の額の益金の額に算入する金額

　内国法人の各事業年度の資産の販売等に係る収益の額としてロ《資産の販売等に係る収益の額の益金の額に算入する時期》又は同ロの（1）《公正処理基準に基づく資産の販売等に係る収益の額の益金の額に算入する時期》により当該事業年度の所得の金額の計算上益金の額に算入する金額は、別段の定め（**3**《一般に公正妥当と認められる会計処理の基準》を除く。）があるものを除き、その販売若しくは譲渡をした資産の引渡しの時における価額又はその提供をした役務につき通常得べき対価の額に相当する金額とする。（法22の2④）

　　　（引渡しの時における価額又は通常得べき対価の額）
（1）　ハ《資産の販売等に係る収益の額の益金の額に算入する金額》の引渡しの時における価額又は通常得べき対価の額は、同ハの資産の販売等につき次に掲げる事実が生ずる可能性がある場合においても、その可能性がないものとした場合における価額とする。（法22の2⑤）
　（一）　当該資産の販売等の対価の額に係る金銭債権の貸倒れ
　（二）　当該資産の販売等（資産の販売又は譲渡に限る。）に係る資産の買戻し

　　　（現物配当等に係る収益の額）
（2）　②及び①の場合には、無償による資産の譲渡に係る収益の額は、金銭以外の資産による利益又は剰余金の分配及び残余財産の分配又は引渡しその他これらに類する行為としての資産の譲渡に係る収益の額を含むものとする。（法22の2⑥）

第三章　第一節　第一款　三《所得計算の通則》

　　　　（金銭債権計上差額があるときの金銭債権の帳簿価額）
（３）　内国法人が資産の販売等を行った場合において、当該資産の販売等の対価として受け取ることとなる金額のうち
（１）《引渡しの時における価額又は通常得べき対価の額》の（一）又は（二）に掲げる事実が生ずる可能性があることに
より売掛金その他の金銭債権に係る勘定の金額としていない金額（以下（３）において「金銭債権計上差額」という。）
があるときは、当該対価の額に係る金銭債権の帳簿価額は、（３）を適用しないものとした場合における帳簿価額に当
該金銭債権計上差額を加算した金額とする。（法22の２⑦、令18の２④）

　　　　（資産の引渡しの時の価額等の通則）
（４）　ハ《資産の販売等に係る収益の額の益金の額に算入する金額》の「その販売若しくは譲渡をした資産の引渡しの
時における価額又はその提供をした役務につき通常得べき対価の額に相当する金額」（以下（５）までにおいて「引渡し
時の価額等」という。）とは、原則として資産の販売等につき第三者間で取引されたとした場合に通常付される価額を
いう。なお、資産の販売等に係る目的物の引渡し又は役務の提供の日の属する事業年度終了の日までにその対価の額
が合意されていない場合は、同日の現況により引渡し時の価額等を適正に見積もるものとする。（基通２－１－１の
10）

　　注１　なお書の場合において、その後確定した対価の額が見積額と異なるときは、ロの（３）《引渡し等事業年度後の事業年度の確定した決算
において修正の経理を行った場合の益金の額又は損金の額に算入する時期》の適用を受ける場合を除き、その差額に相当する金額につき
その確定した日の属する事業年度の収益の額を減額し、又は増額する。
　　注２　引渡し時の価額等が、当該取引に関して支払を受ける対価の額を超える場合において、その超える部分が、寄附金又は交際費等その他
のその法人の所得の金額の計算上損金の額に算入されないもの、剰余金の配当等及びその法人の資産の増加又は負債の減少を伴い生ずる
もの（以下(10)までにおいて「損金不算入費用等」という。）に該当しない場合には、その超える部分の金額を益金の額及び損金の額に
算入する必要はないことに留意する。

　　　　（変動対価）
（５）　資産の販売等に係る契約の対価について、値引き、値増し、割戻しその他の事実（（１）の（一）及び（二）に掲げる
事実を除く。以下（５）において「値引き等の事実」という。）により変動する可能性がある部分の金額（以下（５）にお
いて「変動対価」という。）がある場合（当該値引き等の事実が損金不算入費用等に該当しないものである場合に限る。）
において、次に掲げる要件の全てを満たすときは、（二）により算定される変動対価につきロ《資産の販売等に係る収
益の額の益金の額に算入する時期》又はロの（１）《公正処理基準に基づく資産の販売等に係る収益の額の益金の額に
算入する時期》に掲げる事業年度（以下（５）において「引渡し等事業年度」という。）の確定した決算において収益の
額を減額し、又は増額して経理した金額（引渡し等事業年度の確定申告書に当該収益の額に係る益金算入額を減額し、
又は増額させる金額の申告の記載がある場合の当該金額を含み、変動対価に関する不確実性が解消されないものに限
る。）は、引渡し等事業年度の引渡し時の価額等の算定に反映するものとする。（基通２－１－１の11）

（一）	値引き等の事実の内容及び当該値引き等の事実が生ずることにより契約の対価の額から減額若しくは増額を する可能性のある金額又はその金額の算定基準（客観的なものに限る。）が、当該契約若しくは法人の取引慣 行若しくは公表した方針等により相手方に明らかにされていること又は当該事業年度終了の日において内部 的に決定されていること。
（二）	過去における実績を基礎とする等合理的な方法のうち法人が継続して適用している方法により（一）の減額若 しくは増額をする可能性又は算定基準の基礎数値が見積もられ、その見積りに基づき収益の額を減額し、又は 増額することとなる変動対価が算定されていること。
（三）	（一）を明らかにする書類及び（二）の算定の根拠となる書類が保存されていること。

　　注１　引渡し等事業年度終了の日後に生じた事情によりロの（５）《引渡し等事業年度終了の日後に生じた事情により収益基礎額が変動した場
合の益金の額又は損金の額に算入する時期》に掲げる収益基礎額が変動した場合において、資産の販売等に係る収益の額につきロに掲げ
る当初益金算入額に同ロに掲げる修正の経理（同ロの（１）においてみなされる場合を含む。以下（５）において「修正の経理」という。）
により増加した収益の額を加算し、又は当該当初益金算入額からその修正の経理により減少した収益の額を控除した金額が当該資産の販
売等に係るハに掲げる価額又は対価の額に相当しないときは、ロの（５）の適用によりその変動することが確定した事業年度の収益の額を
減額し、又は増額することとなることに留意する。
　　注２　引渡し等事業年度における資産の販売等に係る収益の額につき、その引渡し等事業年度の収益の額として経理していない場合におい
て、その後の事業年度の確定した決算において行う受入れの経理（その後の事業年度の確定申告書における益金算入に関する申告の記載
を含む。）は、一般に公正妥当な会計処理の基準に従って行う修正の経理には該当しないことに留意する。

－235－

(売上割戻しの計上時期)
（６） 販売した棚卸資産に係る売上割戻しについて（５）の取扱いを適用しない場合には、当該売上割戻しの金額をその通知又は支払をした日の属する事業年度の収益の額から減額する。（基通２－１－１の12）

(一定期間支払わない売上割戻しの計上時期)
（７） 法人が売上割戻しについて（５）の取扱いを適用しない場合において、当該売上割戻しの金額につき相手方との契約等により特約店契約の解除、災害の発生等特別な事実が生ずる時まで又は５年を超える一定の期間が経過するまで相手方名義の保証金等として預かることとしているため、相手方がその利益の全部又は一部を実質的に享受することができないと認められる場合には、その売上割戻しの金額については、（６）にかかわらず、これを現実に支払った日（その日前に実質的に相手方にその利益を享受させることとした場合には、その享受させることとした日）の属する事業年度の売上割戻しとして取り扱う。（基通２－１－１の13）

(実質的に利益を享受することの意義)
（８） （７）の「相手方がその利益の全部又は一部を実質的に享受すること」とは、次に掲げるような事実があることをいう。（基通２－１－１の14）

(一)	相手方との契約等に基づいてその売上割戻しの金額に通常の金利を付すとともに、その金利相当額については現実に支払っているか、又は相手方からの請求があれば支払うこととしていること。
(二)	相手方との契約等に基づいて保証金等に代えて有価証券その他の財産を提供することができることとしていること。
(三)	保証金等として預かっている金額が売上割戻しの金額のおおむね 50％以下であること。
(四)	相手方との契約等に基づいて売上割戻しの金額を相手方名義の預金又は有価証券として保管していること。

(値増金の益金算入の時期)
（９） 法人が請け負った建設工事等に係る工事代金につき資材の値上がり等に応じて一定の値増金を収入することが契約において定められている場合において、（５）の取扱いを適用しないときは、その収入すべき値増金の額については、次の表の左欄に掲げる場合の区分に応じ、それぞれ同表の右欄に掲げるところによることとする。ただし、その建設工事等の引渡しの日後において相手方との協議によりその収入すべき金額が確定する値増金については、その収入すべき金額が確定した日の属する事業年度の収益の額を増額する。（基通２－１－１の15）

(一)	当該建設工事等が四の２の①の（１）《履行義務が一定の期間にわたり充足されるものに係る収益の帰属の時期》に掲げる履行義務が一定の期間にわたり充足されるものに該当する場合（四の２の②《請負に係る収益の帰属の時期》の本文の取扱いを適用する場合を除く。）	値増金を収入することが確定した日の属する事業年度以後の四の２の①の（４）《履行義務が一定の期間にわたり充足されるものに係る収益の額の算定の通則》による収益の額の算定に反映する。
(二)	(一)の場合以外の場合	その建設工事等の引渡しの日の属する事業年度の益金の額に算入する。

(相手方に支払われる対価)
（10） 資産の販売等に係る契約において、いわゆるキャッシュバックのように相手方に対価が支払われることが条件となっている場合（損金不算入費用等に該当しない場合に限る。）には、次に掲げる日のうちいずれか遅い日の属する事業年度においてその対価の額に相当する金額を当該事業年度の収益の額から減額する。（基通２－１－１の16）

(一)	その支払う対価に関連する資産の販売等に係る口《資産の販売等に係る収益の額の益金の額に算入する時期》に掲げる日又は同口の（１）《公正処理基準に基づく資産の販売等に係る収益の額の益金の額に算入する時期》に掲げる近接する日
(二)	その対価を支払う日又はその支払を約する日

2　損金の額に算入すべき金額

　内国法人の各事業年度の所得の金額の計算上当該事業年度の損金の額に算入すべき金額は、別段の定めがあるものを除き、次の表に掲げる額とする。（法22③）

①	売上原価等	当該事業年度の収益に係る売上原価、完成工事原価その他これらに準ずる原価の額
②	販売費、一般管理費その他の費用	①《売上原価等》に掲げるもののほか、当該事業年度の販売費、一般管理費その他の費用（償却費以外の費用で当該事業年度終了の日までに債務の確定しないものを除く。）の額
③	損　　失	当該事業年度の損失の額で資本等取引以外の取引に係るもの

（売上原価等が確定していない場合の見積り）
（1）　2の表の①に掲げる「当該事業年度の収益に係る売上原価、完成工事原価その他これらに準ずる原価」（以下（1）において「売上原価等」という。）となるべき費用の額の全部又は一部が当該事業年度終了の日までに確定していない場合には、同日の現況によりその金額を適正に見積るものとする。この場合において、その確定していない費用が売上原価等となるべき費用かどうかは、当該売上原価等に係る資産の販売若しくは譲渡又は役務の提供に関する契約の内容、当該費用の性質等を勘案して合理的に判断するのであるが、たとえその販売、譲渡又は提供に関連して発生する費用であっても、単なる事後的費用の性格を有するものはこれに含まれないことに留意する。（基通2－2－1）

（債務の確定の判定）
（2）　2の表の②に掲げる償却費以外の費用で当該事業年度終了の日までに債務が確定しているものとは、別に定めるものを除き、次に掲げる要件の全てに該当するものとする。（基通2－2－12）
　（一）　当該事業年度終了の日までに当該費用に係る債務が成立していること。
　（二）　当該事業年度終了の日までに当該債務に基づいて具体的な給付をすべき原因となる事実が発生していること。
　（三）　当該事業年度終了の日までにその金額を合理的に算定することができるものであること。

（前期損益修正）
（3）　当該事業年度前の各事業年度においてその収益の額を益金の額に算入した資産の販売又は譲渡、役務の提供その他の取引について当該事業年度において契約の解除又は取消し、返品等の事実が生じた場合でも、これらの事実に基づいて生じた損失の額は、当該事業年度の損金の額に算入するのであるから留意する。（基通2－2－16）

（決算締切日）
（4）　法人が、商慣習その他相当の理由により、各事業年度に係る収入及び支出の計算の基礎となる決算締切日を継続してその事業年度終了の日以前おおむね10日以内の一定の日としている場合には、これを認める。（基通2－6－1）
　　注1　第二十二款《短期売買商品等の譲渡損益及び時価評価損益の益金又は損金算入》から第二十六款《外貨建取引の換算等》までに掲げる利益の額又は損失の額の計算の基礎となる日（受益者等課税信託である金銭の信託の信託財産に属するものに係る計算の締切日を含む。）を継続してその事業年度終了の日以前おおむね10日以内の一定の日としている場合においても、当該計算の基礎となる日とすることに相当の理由があると認められるときは、同様とする。
　　注2　事業年度の期間を単なる計算要素として用いる減価償却費の計算や交際費の計算などについては、本通達とかかわりなく、本来の事業年度の期間を用いてその計算を行うことに留意する。（編者）

（法人の設立期間中の損益の帰属）
（5）　法人の設立期間中に当該設立中の法人について生じた損益は、当該法人のその設立後最初の事業年度の所得の金額の計算に含めて申告することができるものとする。ただし、設立期間がその設立に通常要する期間を超えて長期にわたる場合における当該設立期間中の損益又は当該法人が個人事業を引き継いで設立されたものである場合における当該事業から生じた損益については、この限りでない。（基通2－6－2）
　　注1　本文の取扱いによって申告する場合であっても、当該法人の設立後最初の事業年度の開始の日は第二章第一節の**七**の1の(1)《設立第1回事業年度の開始の日》によるのであるから留意する。
　　注2　現物出資により設立した法人の当該現物出資の日から当該法人の設立の日の前日までの期間中に生じた損益は、当該法人のその設立後最初の事業年度の所得の金額の計算に含めて申告することとなる。

3　一般に公正妥当と認められる会計処理の基準

　1の①に掲げる当該事業年度の収益の額及び**2**の表の①から③までに掲げる額は、別段の定めがあるものを除き、一般に公正妥当と認められる会計処理の基準に従って計算されるものとする。（法22④）

4　資本等取引

　1の①及び**2**に掲げる資本等取引とは、法人の資本金等の額の増加又は減少を生ずる取引並びに法人が行う利益又は剰余金の分配（資産の流動化に関する法律第115条第1項《中間配当》に規定する金銭の分配を含む。）及び残余財産の分配又は引渡しをいう。（法22⑤）

　　注　資本等取引に該当する利益又は剰余金の分配には、法人が剰余金又は利益の処分により配当又は分配をしたものだけでなく、株主等に対しその出資者たる地位に基づいて供与した一切の経済的利益を含むものとする。（基通1－5－4）

四　収益及び費用の計算に関する取扱い

1　棚卸資産の販売による損益

①　棚卸資産の販売による収益の帰属の時期

　棚卸資産の販売に係る収益の額は、その引渡しがあった日の属する事業年度の益金の額に算入するのであるが、その引渡しの日がいつであるかについては、例えば出荷した日、船積みをした日、相手方に着荷した日、相手方が検収した日、相手方において使用収益ができることとなった日等当該棚卸資産の種類及び性質、その販売に係る契約の内容等に応じその引渡しの日として合理的であると認められる日のうち法人が継続してその収益計上を行うこととしている日によるものとする。この場合において、当該棚卸資産が土地又は土地の上に存する権利であり、その引渡しの日がいつであるかが明らかでないときは、次に掲げる日のうちいずれか早い日にその引渡しがあったものとすることができる。（基通2－1－2）

（一）　代金の相当部分（おおむね50％以上）を収受するに至った日
（二）　所有権移転登記の申請（その登記の申請に必要な書類の相手方への交付を含む。）をした日

　　（検針日による収益の帰属の時期）
　　ガス、水道、電気等の販売をする場合において、週、旬、月を単位とする規則的な検針に基づき料金の算定が行われ、法人が継続してその検針が行われた日において収益計上を行っているときは、当該検針が行われた日は、その引渡しの日に近接する日に該当するものとして、三の1の②のロの（1）《公正処理基準に基づく資産の販売等に係る収益の額の益金の額に算入する時期》を適用する。（基通2－1－4）

②　委託販売に係る収益の帰属の時期

　棚卸資産の委託販売に係る収益の額は、その委託品について受託者が販売をした日の属する事業年度の益金の額に算入する。ただし、当該委託品についての売上計算書が売上の都度作成され送付されている場合において、法人が継続して当該売上計算書の到達した日において収益計上を行っているときは、当該到達した日は、その引渡しの日に近接する日に該当するものとして、三の1の②のロの（1）《公正処理基準に基づく資産の販売等に係る収益の額の益金の額に算入する時期》を適用する。（基通2－1－3）

　注　受託者が週、旬、月を単位として一括して売上計算書を作成している場合においても、それが継続して行われているときは、「売上の都度作成され送付されている場合」に該当する。

③　造成団地の分譲の場合の売上原価の額

　法人が一団地の宅地を造成して2以上の事業年度にわたって分譲する場合のその分譲に係る売上原価の額の計算については、次の表に掲げるところによる。ただし、法人がこれと異なる方法で売上原価の額を計算している場合であっても、その方法が例えば分譲価額に応ずる方法である等合理的なものであると認められるときは、継続適用を条件としてこれを認める。（基通2－2－2）

イ	分譲が完了する事業年度の直前の事業年度までの各事業年度	次の算式により計算した金額を当該事業年度の売上原価の額とする。 （算式） $\left(\begin{array}{c}\text{工事原価}\\\text{の見積額}\end{array} - \begin{array}{c}\text{当該事業年度前の各事業年度において損}\\\text{金の額に算入した工事原価の額の合計額}\end{array}\right) \times \dfrac{\text{当該事業年度において分譲した面積}}{\text{分譲総}_{予定面積} - \begin{array}{c}\text{当該事業年度前の各事}\\\text{業年度において分譲し}\\\text{た面積の合計}\end{array}}$ 注1　算式の「工事原価の見積額」は、当該事業年度終了の時の現況によりその工事全体につき見積られる工事原価の額とする。 注2　算式の「分譲総予定面積」には、当該法人の使用する土地の面積を含む。
ロ	分譲が完了した事業年度	全体の工事原価の額（当該法人の使用する土地に係る工事原価の額を除く。）から当該事業年度前の各事業年度において売上原価として損金の額に算入した金額の合計額を控除した金額を当該事業年度の売上原価の額とする。

　注　適格合併、適格分割又は適格現物出資（以下四において「適格組織再編成」という。）が行われた場合の合併法人、分割承継法人又は被現物出資法人（以下四において「合併法人等」という。）における③の適用については、被合併法人、分割法人又は現物出資法人（以下四において「被

合併法人等」という。）の同③による計算を引き継ぐものとする。

　　（造成団地の工事原価に含まれる道路、公園等の建設費）
　　法人が一団地の宅地を造成して分譲する場合において、団地経営に必要とされる道路、公園、緑地、水道、排水路、街灯、汚水処理施設等の施設（その敷地に係る土地を含む。）については、たとえ当該法人が将来にわたってこれらの施設を名目的に所有し、又はこれらの施設を公共団体等に帰属させることとしているときであっても、これらの施設の取得に要した費用の額（当該法人の所有名義とする施設については、これを処分した場合に得られるであろう価額に相当する金額を控除した金額とする。）は、その工事原価の額に算入する。（基通２－２－３）

④　**砂利採取地に係る埋戻費用**
　　法人が他の者の有する土地から砂利その他の土石（以下④において「砂利等」という。）を採取して販売（原材料としての消費を含む。）する場合において、当該他の者との契約によりその採取後の跡地を埋め戻して土地を原状に復することを約しているため、その採取を開始した日の属する事業年度以後その埋戻しを行う日の属する事業年度の直前の事業年度までの各事業年度において、継続して次の算式により計算した金額を未払金に計上するとともに当該事業年度において当該土地から採取した砂利等の取得価額に算入しているときは、その計算を認めるものとする。（基通２－２－４）
（算式）

$$\left(\begin{matrix}埋戻しに要する費\\用の額の見積額\end{matrix} - \begin{matrix}当該事業年度前の各事業年度におい\\て未払金に計上した金額の合計額\end{matrix}\right) \times \frac{当該事業年度において当該土地から採取した砂利等の数量}{\begin{matrix}当該土地から採取\\する砂利等の予定\\数量\end{matrix} - \begin{matrix}当該事業年度前の各事業\\年度において採取した砂\\利等の数量の合計\end{matrix}}$$

　注１　算式の「埋戻しに要する費用の額の見積額」及び「当該土地から採取する砂利等の予定数量」は、当該事業年度終了の時の現況により適正に見積るものとする。
　注２　適格組織再編成が行われた場合の合併法人等における④の適用については、被合併法人等の同④による計算を引き継ぐものとする。

⑤　**仕入割戻しの計上時期**
　　購入した棚卸資産に係る仕入割戻しの金額の計上の時期は、次の表の左欄に掲げる区分に応じ、それぞれ同表の右欄に掲げる事業年度とする。（基通２－５－１）

(イ)	その算定基準が購入価額又は購入数量によっており、かつ、その算定基準が契約その他の方法により明示されている仕入割戻し	購入した日の属する事業年度
(ロ)	(イ)に該当しない仕入割戻し	その仕入割戻しの金額の通知を受けた日の属する事業年度

　　（一定期間支払を受けない仕入割戻しの計上時期）
（１）　三の１の②のハの(7)《一定期間支払わない売上割戻しの計上時期》の適用がある売上割戻しに対応する仕入割戻しについては、⑤の仕入割戻しの計上時期にかかわらず、現実に支払（買掛金等への充当を含む。）を受けた日（その日前に三の１の②のハの(8)《実質的に利益を享受することの意義》により実質的にその利益を享受することとなった場合には、その享受することとなった日）の属する事業年度の仕入割戻しとして取り扱う。ただし、法人が棚卸資産を購入した日の属する事業年度又は相手方から通知を受けた日の属する事業年度の仕入割戻しとして経理している場合には、これを認める。（基通２－５－２）

　　（法人が計上しなかった仕入割戻しの処理）
（２）　法人が購入した棚卸資産に係る仕入割戻しの金額につき⑤の仕入割戻しの計上時期又は(1)に掲げる事業年度において計上しなかった場合には、その仕入割戻しの金額は、当該事業年度の総仕入高から控除しないで益金の額に算入する。（基通２－５－３）

2　役務の提供に係る損益

①　役務の提供に係る収益の帰属の時期の原則等

（履行義務が一定の期間にわたり充足されるものに係る収益の帰属の時期）
（1）　役務の提供（五の2の①《長期大規模工事の請負に係る収益及び費用の帰属事業年度》の適用があるもの及び同2の②《工事の請負に係る収益及び費用の帰属事業年度》の適用を受けるものを除き、平成30年3月30日付企業会計基準第29号「収益認識に関する会計基準」の適用対象となる取引に限る。以下（2）までにおいて同じ。）のうちその履行義務が一定の期間にわたり充足されるもの（以下四において「履行義務が一定の期間にわたり充足されるもの」という。）については、その履行に着手した日から引渡し等の日（物の引渡しを要する取引にあってはその目的物の全部を完成して相手方に引き渡した日をいい、物の引渡しを要しない取引にあってはその約した役務の全部を完了した日をいう。以下四において同じ。）までの期間において履行義務が充足されていくそれぞれの日が三の1の②のロ《資産の販売等に係る収益の額の益金の額に算入する時期》に掲げる役務の提供の日に該当し、その収益の額は、その履行義務が充足されていくそれぞれの日の属する事業年度の益金の額に算入されることに留意する。（基通2－1－21の2）

（履行義務が一時点で充足されるものに係る収益の帰属の時期）
（2）　役務の提供のうち履行義務が一定の期間にわたり充足されるもの以外のもの（以下四において「履行義務が一時点で充足されるもの」という。）については、その引渡し等の日が三の1の②のロ《資産の販売等に係る収益の額の益金の額に算入する時期》に掲げる役務の提供の日に該当し、その収益の額は、引渡し等の日の属する事業年度の益金の額に算入されることに留意する。（基通2－1－21の3）

（履行義務が一定の期間にわたり充足されるもの）
（3）　次のいずれかを満たすものは履行義務が一定の期間にわたり充足されるものに該当する。（基通2－1－21の4）

（一）	取引における義務を履行するにつれて、相手方が便益を享受すること。 注　例えば、清掃サービスなどの日常的又は反復的なサービスはこれに該当する。
（二）	取引における義務を履行することにより、資産が生じ、又は資産の価値が増加し、その資産が生じ、又は資産の価値が増加するにつれて、相手方がその資産を支配すること。 注　上記の資産を支配することとは、当該資産の使用を指図し、当該資産からの残りの便益のほとんど全てを享受する能力（他の者が当該資産の使用を指図して当該資産から便益を享受することを妨げる能力を含む。）を有することをいう。
（三）	次の要件のいずれも満たすこと。

（三）	イ	取引における義務を履行することにより、別の用途に転用することができない資産が生じること。
	ロ	取引における義務の履行を完了した部分について、対価の額を収受する強制力のある権利を有していること。

（履行義務が一定の期間にわたり充足されるものに係る収益の額の算定の通則）
（4）　履行義務が一定の期間にわたり充足されるものに係るその履行に着手した日の属する事業年度から引渡し等の日の属する事業年度の前事業年度までの各事業年度の所得の金額の計算上益金の額に算入する収益の額は、別に定めるものを除き、提供する役務につき通常得べき対価の額に相当する金額に当該各事業年度終了の時における履行義務の充足に係る進捗度を乗じて計算した金額から、当該各事業年度前の各事業年度の収益の額とされた金額を控除した金額とする。（基通2－1－21の5）

　注1　本文の取扱いは、履行義務の充足に係る進捗度を合理的に見積もることができる場合に限り適用する。
　注2　履行義務の充足に係る進捗度を合理的に見積もることができない場合においても、当該履行義務を充足する際に発生する原価の額を回収することが見込まれる場合には、当該履行義務の充足に係る進捗度を合理的に見積もることができることとなる時まで、履行義務を充足する際に発生する原価のうち回収することが見込まれる原価の額をもって当該事業年度の収益の額とする。
　注3　注2にかかわらず、履行に着手した後の初期段階において、履行義務の充足に係る進捗度を合理的に見積もることができない場合には、その収益の額を益金の額に算入しないことができる。

(履行義務の充足に係る進捗度)
(5) (4)の「履行義務の充足に係る進捗度」とは、役務の提供に係る原価の額の合計額のうちにその役務の提供のために既に要した原材料費、労務費その他の経費の額の合計額の占める割合その他の履行義務の進捗の度合を示すものとして合理的と認められるものに基づいて計算した割合をいう。(基通2－1－21の6)

  注1 (3)の(一)の注の日常的又は反復的なサービスの場合には、例えば、契約期間の全体のうち、当該事業年度終了の日までに既に経過した期間の占める割合は、履行義務の進捗の度合を示すものとして合理的と認められるものに該当する。
  注2 本文の既に要した原材料費、労務費その他の経費の額のうちに、履行義務の充足に係る進捗度に寄与しないもの又は比例しないものがある場合には、その金額を進捗度の見積りには反映させないことができる。

② **請負に係る収益の帰属の時期**
　請負（五の2の①《長期大規模工事の請負に係る収益及び費用の帰属事業年度》の適用があるもの及び同2の②《工事の請負に係る収益及び費用の帰属事業年度》の適用を受けるものを除く。以下②において同じ。）については、別に定めるものを除き、①の(1)《履行義務が一定の期間にわたり充足されるものに係る収益の帰属の時期》及び①の(2)《履行義務が一時点で充足されるものに係る収益の帰属の時期》にかかわらず、その引渡し等の日が三の1の②のロ《資産の販売等に係る収益の額の益金の額に算入する時期》に掲げる役務の提供の日に該当し、その収益の額は、原則として引渡し等の日の属する事業年度の益金の額に算入されることに留意する。ただし、当該請負が①の(3)《履行義務が一定の期間にわたり充足されるもの》の(一)から(三)までのいずれかを満たす場合において、その請負に係る履行義務が充足されていくそれぞれの日の属する事業年度において①の(4)《履行義務が一定の期間にわたり充足されるものに係る収益の額の算定の通則》に準じて算定される額を益金の額に算入しているときは、これを認める。(基通2－1－21の7)

  注1 例えば、委任事務又は準委任事務の履行により得られる成果に対して報酬を支払うことを約している場合についても同様とする。
  注2 三の1の②のイの(4)《部分完成の事実がある場合の収益の計上の単位》の取扱いを適用する場合には、その事業年度において引き渡した建設工事等の量又は完成した部分に対応する工事代金の額をその事業年度の益金の額に算入する。

(建設工事等の引渡しの日の判定)
　②《請負に係る収益の帰属の時期》の本文の場合において、請負契約の内容が建設工事等を行うことを目的とするものであるときは、その建設工事等の引渡しの日がいつであるかについては、例えば作業を結了した日、相手方の受入場所へ搬入した日、相手方が検収を完了した日、相手方において使用収益ができることとなった日等当該建設工事等の種類及び性質、契約の内容等に応じその引渡しの日として合理的であると認められる日のうち法人が継続してその収益計上を行うこととしている日によるものとする。(基通2－1－21の8)

③ **請負収益に対応する原価の額**
　請負による収益に対応する原価の額には、その請負の目的となった物の完成又は役務の履行のために要した材料費、労務費、外注費及び経費の額の合計額のほか、その受注又は引渡しをするために直接要した全ての費用の額が含まれることに留意する。(基通2－2－5)

  注1 建設業を営む法人が建設工事等の受注に当たり前渡金保証会社に対して支払う保証料の額は、前渡金を受領するために要する費用であるから、当該建設工事等に係る工事原価の額に算入しないことができる。
  注2 ③に掲げる「受注又は引渡しをするために直接要した全ての費用」には、その受注をすることが確実となった時以後において支出する調査費、設計費、交際費の費用で、当該請負の原価となるべきものが含まれる。(編者)

(未成工事支出金勘定から控除する仮設材料の価額)
(1) 建設工事用の足場、型枠、山留用材、ロープ、シート、危険防止用金網のような仮設材料の取得価額を未成工事支出金勘定の金額に含めて経理している建設業者等が、建設工事等の完了の場合又は他の建設工事等の用に供するためこれらの資材を転送した場合において、当該未成工事支出金勘定の金額から控除すべき仮設材料の価額につき次に掲げる金額のいずれかによっているときは、その計算が継続している限り、これを認める。(基通2－2－6)
　(一)　当該仮設材料の取得価額から損耗等による減価の見積額を控除した金額
　(二)　当該仮設材料の損耗等による減価の見積りが困難な場合には、工事の完了又は他の工事現場等への転送の時における当該仮設材料の価額に相当する金額
　(三)　当該仮設材料の再取得価額に適正に見積った残存率を乗じて計算した金額
　　注　この取扱いは、その転送した仮設材料の全てについて適用することを条件とするのであるから留意する。

(木造の現場事務所等の取得に要した金額が未成工事支出金勘定の金額に含まれている場合の処理)
(2) 建設業者等が建設工事等の用に供した現場事務所、労務者用宿舎、倉庫等の仮設建物で木造のものの取得価額を

その建設工事等に係る未成工事支出金勘定の金額に含めている場合には、次の表の左欄に掲げる場合に応じ、それぞれ同表の右欄に掲げる金額を当該未成工事支出金勘定の金額から控除する。この場合において、その控除すべき金額を未成工事支出金勘定の金額から控除することに代え雑収入等として経理したときは、これを認める。（基通2－2－7）

(一)	当該建設工事等の完成による引渡しの日以前に当該仮設建物を他に譲渡し、又は他の用途に転用した場合	その譲渡価額に相当する金額又はその転用の時における価額に相当する金額
(二)	当該建設工事等が完成して引き渡された際に当該仮設建物が存する場合	その引渡しの時における価額に相当する金額（当該仮設建物が取り壊されるものである場合には、その取壊しによる発生資材の価額として見積もられる金額）

　　　　（金属造りの移動性仮設建物の取得価額の特例）
（3）　建設業者等が建設工事等の用に供する金属造りの移動性仮設建物については、その償却費を工事原価に算入するのであるが、この場合における当該建物の償却計算の基礎となる取得価額は、当該建物の構成部分のうちその移設に伴い反復して組み立てて使用されるものの取得のために要した費用の額によることができる。（基通2－2－8）
　　注　当該建物の組立て、撤去に要する費用及び電気配線等の附属設備で他に転用することができないと認められるものの費用は、当該建物を利用して行う工事の工事原価に算入する。

④　**不動産の仲介あっせん報酬の帰属の時期**
　土地、建物等の売買、交換又は賃貸借（以下④において「売買等」という。）の仲介又はあっせんをしたことによる報酬の額は、その履行義務が一定の期間にわたり充足されるものに該当する場合（②《請負に係る収益の帰属の時期》の本文の取扱いを適用する場合を除く。）を除き、原則としてその売買等に係る契約の効力が発生した日の属する事業年度の益金の額に算入する。ただし、法人が、売買又は交換の仲介又はあっせんをしたことにより受ける報酬の額について、継続して当該契約に係る取引の完了した日（同日前に実際に収受した金額があるときは、当該金額についてはその収受した日。以下④において同じ。）において収益計上を行っている場合には、当該完了した日は、その役務の提供の日に近接する日に該当するものとして、三の1の②のロの（1）《公正処理基準に基づく資産の販売等に係る収益の額の益金の額に算入する時期》を適用する。（基通2－1－21の9）

⑤　**技術役務の提供に係る報酬の帰属の時期**
　設計、作業の指揮監督、技術指導その他の技術役務の提供を行ったことにより受ける報酬の額は、その履行義務が一定の期間にわたり充足されるものに該当する場合（②《請負に係る収益の帰属の時期》の本文の取扱いを適用する場合を除く。）を除き、原則としてその約した役務の全部の提供を完了した日の属する事業年度の益金の額に算入するのであるが、三の1の②のイの（5）《技術役務の提供に係る収益の計上の単位》の取扱いを適用する場合には、その支払を受けるべき報酬の額が確定する都度その確定した金額をその確定した日の属する事業年度の益金の額に算入する。ただし、その支払を受けることが確定した金額のうち役務の全部の提供が完了する日まで又は1年を超える相当の期間が経過する日まで支払を受けることができないこととされている部分の金額については、その完了する日とその支払を受ける日とのいずれか早い日までその報酬の額を益金の額に算入することを見合わせることができる。（基通2－1－21の10）

⑥　**技術役務の提供に係る報酬に対応する原価の額**
　設計、作業の指揮監督、技術指導その他の技術役務の提供に係る報酬に対応する原価の額は、当該報酬の額を益金の額に算入する事業年度の損金の額に算入するのであるが、法人が継続してこれらの技術役務の提供のために要する費用のうち次に掲げるものの額をその支出の日の属する事業年度の損金の額に算入している場合には、これを認める。（基通2－2－9）
（一）　固定費（作業量の増減にかかわらず変化しない費用をいう。）の性質を有する費用
（二）　変動費（作業量に応じて増減する費用をいう。）の性質を有する費用のうち一般管理費に類するものでその額が多額でないもの及び相手方から収受する仕度金、着手金等（11の（5）《返金不要の支払の帰属の時期》の本文の適用があるものに限る。）に係るもの

⑦ 運送収入の帰属の時期

運送業における運送収入の額は、その履行義務が一定の期間にわたり充足されるものに該当する場合（②《請負に係る収益の帰属の時期》の本文の取扱いを適用する場合を除く。）を除き、原則としてその運送に係る役務の提供を完了した日の属する事業年度の益金の額に算入する。ただし、法人が、運送契約の種類、性質、内容等に応じ、例えば次に掲げるような方法のうちその運送収入に係る収益の計上基準として合理的であると認められるものにより継続してその収益計上を行っている場合には、当該計上基準により合理的と認められる日は、その運送収入に係る役務の提供の日に近接する日に該当するものとして、三の1の②のロの(1)《公正処理基準に基づく資産の販売等に係る収益の額の益金の額に算入する時期》を適用する。（基通2－1－21の11）

(一)	乗車券、乗船券、搭乗券等を発売した日（自動販売機によるものについては、その集金をした時）にその発売に係る運送収入の額につき収益計上を行う方法
(二)	船舶、航空機等が積地を出発した日に当該船舶、航空機等に積載した貨物又は乗客に係る運送収入の額につき収益計上を行う方法
(三)	一の航海（船舶が発港地を出発してから帰港地に到着するまでの航海をいう。以下⑦において同じ。）に通常要する期間がおおむね4か月以内である場合において、当該一の航海に係る運送収入の額につき当該一の航海を完了した日に収益計上を行う方法
(四)	運送業を営む2以上の法人が運賃の交互計算又は共同計算を行っている場合における当該交互計算又は共同計算によりその配分が確定した日に収益計上を行う方法
(五)	海上運送業を営む法人が船舶による運送に関連して受払いする滞船料について、その額が確定した日に収益計上を行う方法

注　早出料については、その額が確定した日の属する事業年度の損金の額に算入することができる。

⑧ 運送収入に対応する原価の額

運送業の運送収入に対応する原価の額は、当該運送収入の額を益金の額に算入する事業年度の損金の額に算入するのであるが、法人が継続してその行う運送のために要する費用（海上運送のために要する費用のうち貨物費、燃料費、港費その他その運送のために直接要するものを除く。）の額をその支出の日の属する事業年度の損金の額に算入している場合には、これを認める。（基通2－2－10）

3　商品引換券等の発行による損益

① 商品引換券等の発行に係る収益の帰属の時期

法人が商品の引渡し又は役務の提供（以下①において「商品の引渡し等」という。）を約した証券等（以下①において「商品引換券等」という。）を発行するとともにその対価の支払を受ける場合における当該対価の額は、その商品の引渡し等（商品引換券等に係る商品の引渡し等を他の者が行うこととなっている場合における当該商品引換券等と引換えにする金銭の支払を含む。以下①において同じ。）に応じてその商品の引渡し等のあった日の属する事業年度の益金の額に算入するのであるが、その商品引換券等の発行の日（適格合併、適格分割又は適格現物出資〔以下四において「適格組織再編成」という。〕により当該商品引換券等に係る契約の移転を受けたものである場合にあっては、当該移転をした法人が当該商品引換券等を発行した日）から10年が経過した日（同日前に次に掲げる事実が生じた場合には、当該事実が生じた日。①の《非行使部分に係る収益の帰属の時期》において「10年経過日等」という。）の属する事業年度終了の時において商品の引渡し等を完了していない商品引換券等がある場合には、当該商品引換券等に係る対価の額（①の《非行使部分に係る収益の帰属の時期》の適用を受けて益金の額に算入された部分の金額を除く。）を当該事業年度の益金の額に算入する。（基通2－1－39）

(一)	法人が発行した商品引換券等をその発行に係る事業年度ごとに区分して管理しないこと又は管理しなくなったこと。
(二)	その商品引換券等の有効期限が到来すること。
(三)	法人が継続して収益計上を行うこととしている基準に達したこと。

注　例えば、発行日から一定年数が経過したこと、商品引換券等の発行総数に占める②に掲げる未引換券の数の割合が一定割合になったことその他の合理的に定められた基準のうち法人が予め定めたもの（会計処理方針その他のものによって明らかとなっているものに限る。）がこれに該当

する。

　（非行使部分に係る収益の帰属の時期）
　法人が商品引換券等を発行するとともにその対価の支払を受ける場合において、その商品引換券等に係る権利のうち相手方が行使しないと見込まれる部分の金額（以下「非行使部分」という。）があるときは、その商品引換券等の発行の日から10年経過日等の属する事業年度までの各事業年度においては、当該非行使部分に係る対価の額に権利行使割合（相手方が行使すると見込まれる部分の金額のうちに実際に行使された金額の占める割合をいう。）を乗じて得た金額から既にこの取扱いに基づき益金の額に算入された金額を控除する方法その他のこれに準じた合理的な方法に基づき計算された金額を益金の額に算入することができる。（基通2－1－39の2）
　　注1　本文の非行使部分の見積りを行う場合には、過去における権利の不行使の実績を基礎とする等合理的な方法により見積もられたものであること及びその算定の根拠となる書類を保存していることを要する。
　　注2　10年経過日等の属する事業年度において、非行使部分に係る対価の額のうち本文により益金の額に算入されていない残額を益金の額に算入することとなることに留意する。

② **商品引換券等を発行した場合の引換費用**
　法人が商品引換券等を発行するとともにその対価を受領した場合において、その発行に係る事業年度以後の各事業年度（①《商品引換券等の発行に係る収益の帰属の時期》の（一）又は（三）に掲げる事実が生じた日の属する事業年度以後の各事業年度〔その商品引換券等の発行の日〈適格組織再編成により当該商品引換券等に係る契約の移転を受けたものである場合にあっては、当該移転をした法人が発行した日〉から10年が経過した日の属する事業年度以後の各事業年度を除く。〕に限る。）終了の時において商品の引渡し又は役務の提供（商品引換券等に係る商品の引渡し又は役務の提供を他の者が行うこととなっている場合における当該商品引換券等と引換えにする金銭の支払を含む。以下②において「商品の引渡し等」という。）を了していない商品引換券等（有効期限を経過したものを除く。以下②において「未引換券」という。）があるときは、その未引換券に係る商品の引渡し等に要する費用の額の見積額として、次の表の左欄に掲げる場合に応じ、それぞれ同表の右欄に掲げる金額に相当する金額を当該各事業年度の損金の額に算入することができるものとする。この場合において、その損金の額に算入した金額に相当する金額は、翌事業年度の益金の額に算入する。（基通2－2－11）

イ	未引換券をその発行に係る事業年度ごとに区分して管理する場合	次の算式により計算した金額 （算式） 当該事業年度終了の時における未引換券のうち当該事業年度及び当該事業年度開始の日前9年以内に開始した各事業年度において発行したものに係る対価の額の合計額　×　原価率
ロ	イ以外の場合	次の算式により計算した金額 （算式） 当該事業年度及び当該事業年度開始の日前3年以内に開始した各事業年度において発行した商品引換券等に係る対価の額の合計額　－　左の各事業年度において商品の引渡し等を行った商品引換券等に係る対価の額の合計額　×　原価率

　　注1　イ及びロに掲げる算式の「原価率」は、次の表の左欄に掲げる区分に応じ、それぞれ同表の右欄により計算した割合とする。

（イ）	商品の引渡し又は役務の提供を他の者が行うこととなっている場合	分母の商品引換券等と引換えに他の者に支払った金額の合計額／当該事業年度において回収された商品引換券等に係るその発行の対価の額の合計額
（ロ）	（イ）以外の場合	分母の金額に係る当該事業年度の売上原価又は役務提供の原価の額／その引渡し又は提供を約した商品又は役務と種類等を同じくする商品又は役務の販売又は提供に係る当該事業年度の収益の額の合計額

　　注2　種類等を同じくする商品又は役務に係る商品引換券等のうちにその発行の時期によってその1単位当たりの発行の対価の額の異なるものがあるときは、当該商品引換券等をその1単位当たりの発行の対価の額の異なるものごとに区分してイ及びロに掲げる算式並びに原価率の計算を行うことができる。
　　注3　適格組織再編成が行われた場合の合併法人等における②については、被合併法人等の同②による計算を引き継ぐものとする。

4　自己発行ポイント等の付与に係る収益の帰属の時期

　法人が三の1の②のイの（7）《ポイント等を付与した場合の収益の計上の単位》の取扱いを適用する場合には、前受けとした額は、将来の資産の販売等に際して値引き等（自己発行ポイント等に係る将来の資産の販売等を他の者が行うこと

となっている場合における当該自己発行ポイント等と引換えにする金銭の支払を含む。以下**4**において同じ。）をするに応じて、その失効をすると見積もられる自己発行ポイント等も勘案して、その値引き等をする日の属する事業年度の益金の額に算入するのであるが、その自己発行ポイント等の付与の日（適格組織再編成により当該自己発行ポイント等に係る契約の移転を受けたものである場合にあっては、当該移転をした法人が当該自己発行ポイント等を付与した日）から10年が経過した日（同日前に次に掲げる事実が生じた場合には、当該事実が生じた日）の属する事業年度終了の時において行使されずに未計上となっている自己発行ポイント等がある場合には、当該自己発行ポイント等に係る前受けの額を当該事業年度の益金の額に算入する。（基通2－1－39の3）

(一)	法人が付与した自己発行ポイント等をその付与に係る事業年度ごとに区分して管理しないこと又は管理しなくなったこと。
(二)	その自己発行ポイント等の有効期限が到来すること。
(三)	法人が継続して収益計上を行うこととしている基準に達したこと。

注1　本文の失効をすると見積もられる自己発行ポイント等の勘案を行う場合には、過去における失効の実績を基礎とする等合理的な方法により見積もられたものであること及びその算定の根拠となる書類が保存されていることを要する。

注2　例えば、付与日から一定年数が経過したこと、自己発行ポイント等の付与総数に占める未行使の数の割合が一定割合になったことその他の合理的に定められた基準のうち法人が予め定めたもの（会計処理方針その他のものによって明らかとなっているものに限る。）が上記(三)の基準に該当する。

5　その他の事業収益の計上時期

その他の事業に係る収益の計上時期については、次のような取扱いが定められている。

（質屋営業の利息及び流質物）
（1）　質屋営業における利息又は流質物の計上については、次による。（基通2－6－3）
　　（一）　貸付金に対する利息で流質期限までに支払を受けないものについては、未収利息として計上することを要しない。
　　（二）　流質期限を経過したため取得した流質物については、その流質物の価額に相当する金額を益金の額に、貸付金の額に相当する金額を損金の額に算入するものとする。この場合において、流質物の価額は、貸付金の額に相当する金額によるも妨げないものとする。

（商品仲買人の委託手数料に対する法人税の取扱い）
（2）　商品取引所法の規定により登録された商品仲買人の同法の規定による商品の売買取引の委託手数料に対する法人税の取扱いは、次に掲げるところによる。（昭28直法1－96）
　　（一）　商品仲買人たる法人（以下「商品仲買人」という。）が、委託を受けた先物取引による売買取引に対する委託手数料は、当該売買取引の決済のあった日において徴収することとされているので、商品仲買人が当該委託手数料を当該売買取引の決済のあった日の属する事業年度の益金の額に算入したときは、この経理を継続して行っている場合に限り認めるものとする。
　　（二）　商品仲買人が委託を受けた先物取引による売買取引に対する委託手数料を、当該売買取引の決済のあった日の属する事業年度の益金の額として経理している場合においては、当該受託に要した費用（取引税、取引所定率会費、仲買人定率会費等を含む。）についても、原則として、当該売買取引の決済のあった日を含む事業年度の損金の額に算入するものとする。ただし、当該受託に要した費用の計算が困難である等のためその支出のときの損金の額として経理している場合には、その経理が継続してなされている場合に限り認めるものとする。

（専門店会に対する法人税の取扱い）
（3）　専門店会に対する法人税の取扱いは、次に掲げるところによる。（昭31直法1－116）
　　（一）　専門店会の行う業務は、加盟店のために、消費者たる会員を募集してこれに商品引換券を発行することによりその顧客の増加を図るとともに、加盟店の会員に対する売掛債権の取立委任を受け、これと引換えに当該債権金額に相当する金額をこれに供与することを目的とした包括的な請負業と認められ、その請負契約は、専門店会が加盟店に対して商品引換券と引換えに券面金額を支払った都度部分的に完成したものとして取り扱うものとすること。したがって、当該請負契約に基づいて専門店会が加盟店から受ける手数料は、原則として、商品引換券と引換えに券面金額を支払った日を含む事業年度の益金の額に算入するものとする。

第三章　第一節　第一款　四《収益及び費用の計算に関する取扱い》

　　　(二)　専門店会が加盟店から当該債権の譲渡を受け、かつ、その危険を負担する旨契約している場合において、商品引換券と引換えに券面金額を支払った際に受けた手数料を(一)により全額益金に計上せず、これを繰延整理し、各事業年度において会員から回収すべき債権金額に応じて益金の額に計上しているものについては、毎期その方法を継続している場合に限り、その計算を認めるものとする。

　　　（証券投資信託委託会社の収入する委託者報酬等の収益計上時期等の取扱い）
（４）　証券投資信託は、証券投資信託委託会社の設立に伴い、委託者業務を行う者と受益証券の募集、売出しの業務を行う者とが分離されたが、これに伴う委託者たる証券投資信託委託会社が収入する委託者報酬等の収益計上時期等の取扱いは、次に掲げるところによる。（昭35直法１－218）

　　　（委託会社が収入する信託期間中の委託者報酬の収益計上の時期）
　(一)　証券投資信託委託会社（以下「委託会社」という。）が信託財産のうちから収入する委託者報酬（証券投資信託の解約又は終了の場合の委託者報酬を除く。）については、次に掲げる証券投資信託の種類に応じ、それぞれ次による。
　　イ　ユニット型証券投資信託の委託者報酬は、その収入すべきことが確定した日（信託財産の計算期間の初日から６か月を経過した日の前日及びその計算期間の末日）における収益とする。ただし、委託会社がその収益を継続して日割又は月割により計算しているときは、これによっても差し支えない。
　　ロ　オープン型証券投資信託の委託者報酬は、日々計算されるものであるから、日々の収益とする。

　　　（委託会社が収入する解約等の場合の委託者報酬の収益計上の時期）
　(二)　委託会社が証券投資信託の解約又は終了により信託財産のうちから収入する委託者報酬は、その信託の解約のあった日又は終了の日の収益とする。

　　　（委託会社が支払う手数料の損金算入の時期）
　(三)　委託会社が受益証券の募集取扱い、売出し等の業務を行う証券会社に対して委託者報酬のうちから支払う手数料は、委託会社が委託者報酬を益金の額に計上した時の損金とする。

　　　（証券会社が収入する手数料の収益計上の時期）
　(四)　受益証券の募集取扱、売出し等の業務を行う証券会社が委託会社から収入する手数料は、委託会社が支払手数料として計上すべき時の益金の額とする。

　　　（金融機関の未収利息の取扱い）
（５）　金融機関の貸付金及び有価証券の既経過未収利息の取扱いは、次に掲げるところによる。（昭41直審（法）72）
　　なお、同通達「９」（利息を棚上げした場合の取扱い）については、平成９年７月８日付課法２－11により廃止され、金融機関が利息を棚上げした場合の未収利息の計上時期については、**8**の①の（１）《相当期間未収が継続した場合等の貸付金利子等の帰属時期の特例》によることとされた。

　　　（用語の意義）
　(一)　この取扱いにおいて、次に掲げる用語の意義は、それぞれに掲げるところによる。
　　イ　金融機関　次に掲げる法人をいう。
　　　(イ)　銀行（信託会社を含む。）
　　　(ロ)　信用金庫、信用金庫連合会、労働金庫及び労働金庫連合会
　　　(ハ)　信用協同組合、信用協同組合連合会及び商工組合中央金庫
　　　(ニ)　信用農業協同組合連合会、信用漁業協同組合連合会、信用水産加工業協同組合連合会及び農林中央金庫
　　ロ　貸付金　次に掲げるものに該当しない貸付金をいう。
　　　(イ)　コールローン
　　　(ロ)　金融機関貸付金（系統金融機関がその出資者である下部系統金融機関に対するものを除く。）
　　ハ　利息の未収金　利払期の到来した利息のうちまだ収入していないものをいう。
　　ニ　利息の未収収益　利払期は到来していないが、事業年度終了の時までの期間について発生している利息をいう。

ホ　未収利息　　利息の未収金及び利息の未収収益をいう。

　　　　　　（貸付金及び有価証券に係る利息の益金算入の原則）
(二)　金融機関の貸付金及び有価証券に係る未収利息のうち当該事業年度に係るものの額は、当該事業年度の益金の額に算入するものとする。

　　　　　　（損害金の取扱い）
(三)　貸付けに関する契約により、貸付金の返済期限までに返済がされないためその返済期限から返済されるまでの期間に応じて損害金を徴収する場合においては、当該損害金の未収収益は計上しないことができる。ただし、分割返済を受けることとなっている貸付金に係る損害金の未収収益で最終の返済期限までの期間に係る部分については、当該貸付金についての約定利率により計算した利息の未収収益に相当する金額は益金の額に算入する。

　　　　　　（継続手形貸付金の返済期限）
(四)　手形貸付けによる貸付金で証書その他の方法による貸付けに関する契約において、手形期間よりも長い貸付期間を定めているもの及び特に期間の定めはないが手形の書換えにより貸付期間が継続することが明らかであると認められるもの（以下「継続手形貸付金」という。）は、その貸付期間が継続している間は、たとえ、その手形期間が経過しても、その手形期間の末日は返済期限とはならない。
　　注　当該手形期間経過後の未収利息の額のうち当該事業年度に係る部分の金額は、当該事業年度の益金の額に算入するのであるから留意する。

　　　　　　（継続手形貸付金として取り扱わない手形貸付金）
(五)　金融機関が、従来貸付けに関する取引関係が全くなかった者又は相当の期間貸付けに関する取引関係がなかった者に対して、手形貸付け（以下「新規手形貸付け」という。）をした場合において、その手形期間の満了に伴って手形の書換えが行われないときは、証書その他の方法による貸付けに関する契約において貸付期間の定めのあるものを除き、その新規手形貸付けによる貸付金は、(四)の適用については継続手形貸付金に該当しないものとして取り扱うものとする。
　　注　新規手形貸付けについて初回の書換えが行われなかった場合には、当事者間の契約において貸付期間が継続することが明らかであるものを除いては、初回に限って継続手形貸付金とみない趣旨である。このような手形貸付金であっても、一度書換えが行われた後その手形期間が経過した場合には、継続手形貸付金に該当するかどうかを改めて判断することになるのであるから留意する。

　　　　　　（相当期間未収が継続した場合の貸付金の未収利息の取扱い）
(六)　金融機関が当該事業年度に利払期の到来する貸付金について、(二)及び(三)により未収利息（(三)のただし書による未収収益を含む。）を計上する場合において、次に掲げる要件の全てに該当するときは、当該貸付金に係る未収利息の額のうち当該事業年度に係るものは、(二)及び(三)にかかわらず、当該事業年度の益金の額に算入しないことができるものとする。
　イ　当該貸付金について当該事業年度終了の日以前6か月（利息の計算期間が6か月より長い場合には、当該計算期間の月数とする。）に当たる日の直前に到来した利払期以後当該事業年度終了の日までに到来する利払期に係る利息の全額が当該事業年度終了の時において未収となっていること。
　ロ　当該直前に到来した利払期前の利払期に係る利息で当該事業年度の直前事業年度終了の日において未収となっていたものについて、当該事業年度終了の時までの間、その収入が全くないこと又はその収入した金額が極めて少額であること。（その収入したことにより将来当該未収利息の残額の全部又は相当部分の回収が可能であると認められる事情がない場合に限る。）
　　注1　貸付金で利息を前取りするものの利払期は次に掲げる日をいう。
　　　（イ）手形貸付けによるものは、各手形期間の末日。ただし、継続手形貸付金について一つの手形期間の満了に伴って手形の書換えが行われなかった場合には、当該手形期間の末日以後当該期間ごとに区分した各期間の末日
　　　（ロ）証書貸付けによるものは、契約に定められている利息の各計算期間の末日
　　注2　1年決算法人の場合には、ロに掲げる「当該事業年度の直前事業年度終了の日において未収となっていたもの」は、「当該事業年度終了の日以前6か月に当たる日の前日において未収となっていたもの」と読み替えて適用することになる。（編者）

　　　　　　（相当期間未収が継続した場合の利息前取りの貸付金の未収利息の特例）
(七)　継続手形貸付金及び証書貸付けによる貸付金で、利息を前取りするものの未収利息を計上する場合において、

当該事業年度終了の日以前6か月(利息の計算期間が6か月より長い場合には、当該計算期間の月数とする。)に当たる日の直前に到来した利息の計算期間の開始の日から当該事業年度終了の時までの間に、当該貸付金に係る利息についてその収入が全くなかったときは、当該貸付金の当該事業年度に係る未収利息のうち利息の未収収益については、(六)にかかわらず、これを益金の額に算入しないことができるものとする。

(貸付金の債務者について会社更生法の規定による更生手続の開始の決定等があった場合の利息の取扱い)
(八) 金融機関の貸付金の債務者について、会社更生法の規定による次のイ又はロに掲げる事実が発生した場合には、それぞれイ又はロに掲げる当該貸付金の未収利息については、(二)及び(三)にかかわらず、これを益金の額に算入しないことができるものとする。
  イ 会社更生法の規定による更生手続の開始の決定があった場合　当該貸付金に係る未収利息で当該更生手続の開始の決定があった日の属する事業年度開始の日以後更生計画の認可の決定の日の属する事業年度前に終了する事業年度終了の日までの間のもの
  ロ 会社更生法の規定による更生計画の認可の決定があった場合　当該貸付金に係る未収利息で当該更生計画の認可の決定により相当期間(おおむね2年以上とする。)棚上げすることとしたもの
    注　棚上げした未収利息であっても既に益金の額に算入したものについては、(十)《焦げ付き未収利息の貸倒れの特例》及び他の取扱いにおいて損金の額に算入する場合を除いては、損金の額に算入することはできないのであるから留意する。

(支払を停止されている有価証券利息の取扱い)
(九) 金融機関が社債その他の有価証券の未収利息を計上する場合において、当該有価証券の発行法人が会社更生法その他法令の規定による保全処分により有価証券の利息の支払を停止されているときは、その停止されている利息に係る未収利息については、(二)にかかわらず、これを益金の額に算入しないことができるものとする。
    注　既に益金の額に算入した有価証券利息については(八)の注に準ずる。

(焦げ付き未収利息の貸倒れの特例)
(十) 金融機関が貸付金又は有価証券についてその未収利息を資産に計上している場合において、貸付金及び有価証券の区分に応じ次に掲げる要件に該当するときは、その計上した事業年度終了の日(当該貸付金又は有価証券に係る未収利息を2以上の事業年度において計上しているときは、これらの事業年度のうち最後の事業年度終了の日。以下同じ。)から2年を経過した日の前日を含む事業年度において、その資産に計上している未収利息の額を貸倒れとして処理することができる。
  イ 貸付金　その計上した事業年度終了の日から2年を経過した日の前日を含む事業年度終了の日までの期間において、当該貸付金に係る未収利息(その資産に計上している未収利息以外の利息の未収金を含む。以下ロにおいて同じ。)につき、支払の督促をしたにもかかわらず、その収入が全くないこと。
  ロ 有価証券　イに掲げる期間において当該有価証券に係る未収利息につき、その収入が全くないこと。

(農業協同組合等の未収利息の取扱い)
(6) 農業協同組合(農業協同組合法第10条第1項第2号又は第8号《事業》の事業を行うものに限る。)、漁業協同組合(水産業協同組合法第11条第1項第2号《事業の種類》の事業を行うものに限る。)及び水産加工業協同組合(水産業協同組合法第93条第1項第2号《事業の種類》の事業を行うものに限る。)が、貸付金及び有価証券に係る既経過未収利息を各事業年度の収益に計上する場合において、貸付金に係る損害金及び貸付金若しくは有価証券に係る未収利息のうち回収が不確実なもの等につき、(5)の(三)から(十)までの取扱いを準用して処理しているときは、これを認めるものとする。(昭43直審(法)26)
    注　(6)に掲げる法令は、通達発遣時(昭和43年4月5日)の法令番号によっている。(編者)

(保険会社の未収利息の取扱い)
(7) 保険会社が、貸付金及び有価証券に係る既経過未収利息を各事業年度の収益に計上する場合において、貸付金に係る損害金及び貸付金若しくは有価証券に係る未収利息のうち回収が不確実なもの等につき、(5)の(三)から(十)までの取扱いを準用して処理しているときは、これを認めるものとする。(昭44直審(法)50)

(金融機関の決算にかかる未払利息の計算)
(8) 2年ものの定期預金に係る未払利息の計算においては中間利払の利率にかかわらず、約定利率を適用することと

する。(昭48直法2－109)

6　固定資産の譲渡等に係る損益

①　固定資産の譲渡に係る収益の帰属の時期

固定資産の譲渡に係る収益の額は、別に定めるものを除き、その引渡しがあった日の属する事業年度の益金の額に算入する。ただし、その固定資産が土地、建物その他これらに類する資産である場合において、法人が当該固定資産の譲渡に関する契約の効力発生の日において収益計上を行っているときは、当該効力発生の日は、その引渡しの日に近接する日に該当するものとして、三の1の②のロの(1)《公正処理基準に基づく資産の販売等に係る収益の額の益金の額に算入する時期》を適用する。(基通2－1－14)

注　本文の取扱いによる場合において、固定資産の引渡しの日がいつであるかについては、1の①《棚卸資産の販売による収益の帰属の時期》の例による。

（固定資産を譲渡担保に供した場合）

（1）　法人が債務の弁済の担保としてその有する固定資産を譲渡した場合において、その契約書に次の全ての事項を明らかにし、自己の固定資産として経理しているときは、その譲渡はなかったものとして取り扱う。この場合において、その後その要件のいずれかを欠くに至ったとき又は債務不履行のためその弁済に充てられたときは、これらの事実の生じたときにおいて譲渡があったものとして取り扱う。(基通2－1－18)

（一）　当該担保に係る固定資産を当該法人が従来どおり使用収益すること。
（二）　通常支払うと認められる当該債務に係る利子又はこれに相当する使用料の支払に関する定めがあること。

注　形式上買戻条件付譲渡又は再売買の予約とされているものであっても、上記のような要件を具備しているものは、譲渡担保に該当する。

（農地の譲渡に係る収益の帰属の時期の特例）

（2）　農地の譲渡があった場合において、当該農地の譲渡に関する契約が農地法上の許可を受けなければその効力を生じないものであるため、法人がその許可のあった日において収益計上を行っているときは、当該許可のあった日は、その引渡しの日に近接する日に該当するものとして、三の1の②のロの(1)を適用する。(基通2－1－15)

注　法人が農地の取得に関する契約を締結した場合において、農地法上の許可を受ける前に当該契約に基づく契約上の権利を他に譲渡したときにおけるその譲渡に係る収益の額を益金の額に算入する時期については、①の固定資産の譲渡に係る収益の帰属の時期による。この場合において、当該権利の譲渡に関する契約において農地法上の許可を受けることを当該契約の効力発生の条件とする旨の定めがあったとしても、当該定めは、当該許可を受けることができないことを契約解除の条件とする旨の定めであるものとして①のただし書を適用する。

（金銭の貸借とされるリース取引）

（3）　内国法人が譲受人から譲渡人に対する賃貸（リース取引に該当するものに限る。）を条件に資産の売買を行った場合において、当該資産の種類、当該売買及び賃貸に至るまでの事情その他の状況に照らし、これら一連の取引が実質的に金銭の貸借であると認められるときは、当該資産の売買はなかったものとして取り扱う。(法64の2②前段)

（工業所有権等の譲渡に係る収益の帰属の時期の特例）

（4）　**工業所有権等**（特許権、実用新案権、意匠権及び商標権並びにこれらの権利に係る出願権及び実施権をいう。以下**四**において同じ。）の譲渡につき法人が次に掲げる日において収益計上を行っている場合には、次に掲げる日は、その引渡しの日に近接する日に該当するものとして、三の1の②のロの(1)《公正処理基準に基づく資産の販売等に係る収益の額の益金の額に算入する時期》を適用する。(基通2－1－16)

| (一) | その譲渡に関する契約の効力発生の日 |
| (二) | その譲渡の効力が登録により生ずることとなっている場合におけるその登録の日 |

②　共有地の分割

法人が他の者と土地を共有している場合において、その共有に係る土地をその持分に応じて分割したときは、その分割による土地の譲渡はなかったものとして取り扱う。(基通2－1－19)

注　その分割に要した費用の額は、その支出をした日の属する事業年度の損金の額に算入することができる。

③ **法律の規定に基づかない区画形質の変更に伴う土地の交換分合**

　一団の土地の区域内に土地（土地の上に存する権利を含む。以下③において同じ。）を有する2以上の者が、その一団の土地の利用の増進を図るために行う土地の区画形質の変更に際し、相互にその区域内に有する土地の交換分合（土地区画整理法、都市再開発法等の法律の規定に基づいて行うものを除く。以下③において同じ。）を行った場合には、その交換分合が当該区画形質の変更に必要最小限の範囲内で行われるものである限り、その交換分合による土地の譲渡はなかったものとして取り扱う。この場合において、当該区域内にある土地の一部がその区画形質の変更に要する費用に充てるために譲渡されたときは、当該2以上の者が当該区域内に有していた土地の面積の比その他合理的な基準によりそれぞれその有していた土地の一部を譲渡したものとする。（基通2－1－20）

　　注1　その区画形質の変更に要した費用の額は、土地の取得価額に算入することに留意する。
　　注2　この取扱いは、当該交換分合が、一団の土地の区画形質の変更に伴い行われる道路その他の公共施設の整備、不整形地の整理等に基因して行われるもので、四囲の状況からみて必要最小限の範囲内であると認められるものについて適用できることに留意する。
　　注3　③に掲げる土地の交換分合には、その交換分合につき、その区画形質の変更に係る一団の土地の区域内の土地の全部をいったん宅地造成業者等の名において合筆登記し、区画形質の変更後その一部を従前の土地の所有者に分筆登記する方法も含まれる。（編者）

④ **道路の付替え**

　法人が、自己の有する土地の利用上障害となっている既存の公道（他の者の有する私道を含む。以下④において同じ。）を移転する目的で当該土地の一部に当該公道に代わるべき道路を建設し、当該道路及びその敷地に係る土地と当該公道の敷地に係る土地とを交換した場合には、その交換による土地の譲渡はなかったものとして取り扱う。（基通2－1－21）

　　注　その道路の建設及び交換に要した費用の額は、土地の取得価額に算入することに留意する。

7　有価証券の譲渡による損益

① **有価証券の譲渡による損益の計上時期**

　有価証券の譲渡による第二十三款の二の1《有価証券の譲渡益又は譲渡損の益金又は損金算入》に掲げる譲渡利益額又は譲渡損失額（以下③までにおいて「譲渡損益の額」という。）の計上は、同1に基づき原則として譲渡に係る契約の成立した日に行うこととなるのであるから、次に掲げる場合には、それぞれ次に掲げる日に譲渡損益の額を計上する。（基通2－1－22）

（一）　証券業者等に売却の媒介、取次ぎ若しくは代理の委託又は売出しの取扱いの委託をしている場合　当該委託をした有価証券の売却に関する取引が成立した日

（二）　相対取引により有価証券を売却している場合　金融商品取引法第37条の4《契約締結時等の書面の交付》に規定する書面に記載される約定日、売買契約書の締結日などの当該相対取引の約定が成立した日

（三）　その有価証券の譲渡が第二十三款の二の1の（1）《有価証券の譲渡損益の発生する日》の表の（六）から（八）まで及び（十）から（十五）までに掲げる事由によるものである場合　それぞれ掲げる日に応じた第二章第一節の二の（7）《組織再編成の日》に掲げる組織再編成の日

② **有価証券の譲渡による損益の計上時期の特例**

　有価証券の譲渡損益の額は、原則として譲渡に係る契約の成立した日に計上しなければならないのであるが、第二十三款の一の3の①の（1）《有価証券の目的別区分》又は同①の（2）《保険会社等の有する有価証券の目的別等区分》に掲げる区分に応じ、法人が当該譲渡損益の額（事業年度終了の日において未引渡しとなっている有価証券に係る譲渡損益の額を除く。）をその有価証券の引渡しのあった日に計上している場合には、これを認める。（基通2－1－23）

　　注1　有価証券の取得についても、原則として取得に係る契約の成立した日に取得したものとしなければならないのであるが、その引渡しのあった日に取得したものとして経理処理をしている場合には、事業年度終了の日において未引渡しとなっている有価証券を除き、本文の譲渡の場合と同様に取り扱う。この場合、同①《有価証券の一単位当たりの帳簿価額の算出の方法》の適用についても同様とする。
　　注2　本文及び注1の取扱いは、譲渡及び取得のいずれについてもこれらの取扱いを適用している場合に限り、継続適用を条件として認めるものとする。

③ **現渡しの方法による決済を行った場合の損益の計上時期**

　第二十三款の一の1の表の⑧《信用取引》に掲げる信用取引の方法により株式の売付けを行った場合において、いわゆる現渡しの方法による決済を行ったときは、当該取引に係る譲渡損益の額は、当該決済に係る約定が成立した日に計上する。（基通2－1－23の3・編者補正）

8　利子、配当、使用料等に係る損益

①　貸付金利子等の帰属の時期

　貸付金、預金、貯金又は有価証券（以下①において「貸付金等」という。）から生ずる利子の額は、その利子の計算期間の経過に応じ当該事業年度に係る金額を当該事業年度の益金の額に算入する。ただし、主として金融及び保険業を営む法人以外の法人が、その有する貸付金等（当該法人が金融及び保険業を兼業する場合には、当該金融及び保険業に係るものを除く。）から生ずる利子でその支払期日が1年以内の一定の期間ごとに到来するものの額につき、継続してその支払期日の属する事業年度の益金の額に算入している場合には、これを認める。（基通2－1－24）

注1　例えば借入金とその運用資産としての貸付金、預金、貯金又は有価証券（法人税法第12条第1項《信託財産に属する資産及び負債並びに信託財産に帰せられる収益及び費用の帰属》に規定する受益者〔同条第2項の規定により同条第1項に規定する受益者とみなされる者を含む。〕がその信託財産に属する資産及び負債を有するものとみなされる信託の信託財産に属するこれらの資産を含む。）がひも付きの見合関係にある場合のように、その借入金に係る支払利子の額と運用資産から生ずる利子の額を対応させて計上すべき場合には、その運用資産から生ずる利子の額については、ただし書の適用はないものとする。

注2　資産の販売等に伴い発生する売上債権（受取手形を含む。）又はその他の金銭債権について、その現在価値と当該債権に含まれる金利要素とを区分経理している場合の当該金利要素に相当する部分の金額は、三の1の②のイの(8)《資産の販売等に係る収益の額に含めないことができる利息相当部分》又は同イの(9)《割賦販売等に係る収益の額に含めないことができる利息相当部分》の取扱いを適用する場合を除き、当該債権の発生の基となる資産の販売等に係る売上の額等に含まれることに留意する。

注3　投資家たる法人が取得する抵当証券に係る利息は、期間対応により計上すべきものであるが、金融及び保険業を営む法人以外の法人については、履行期に計上することも認められる。（昭59直審4－30）

　　（相当期間未収が継続した場合等の貸付金利子等の帰属時期の特例）
（1）　法人の有する貸付金又は当該貸付金に係る債務者について次のいずれかの事実が生じた場合には、当該貸付金から生ずる利子の額（実際に支払を受けた金額を除く。）のうち当該事業年度に係るものは、①の貸付金利子等の帰属の時期にかかわらず、当該事業年度の益金の額に算入しないことができるものとする。（基通2－1－25）
　（一）　債務者が債務超過に陥っていることその他相当の理由により、その支払を督促したにもかかわらず、当該貸付金から生ずる利子の額のうち当該事業年度終了の日以前6か月（当該事業年度終了の日以前6か月以内に支払期日がないものは1年。以下(1)において「直近6か月等」という。）以内にその支払期日が到来したもの（当該貸付金に係る金銭債権を売買等により取得した場合のその取得前の期間のものを含む。以下(1)において「最近発生利子」という。）の全額が当該事業年度終了の時において未収となっており、かつ、直近6か月等以内に最近発生利子以外の利子について支払を受けた金額が全くないか又は極めて少額であること。
　（二）　債務者につき更生手続が開始されたこと。
　（三）　債務者につき債務超過の状態が相当期間継続し、事業好転の見通しがないこと、当該債務者が天災事故、経済事情の急変等により多大の損失を蒙ったことその他これらに類する事由が生じたため、当該貸付金の額の全部又は相当部分についてその回収が危ぶまれるに至ったこと。
　（四）　更生計画認可の決定、債権者集会の協議決定等により当該貸付金の額の全部又は相当部分について相当期間（おおむね2年以上）棚上げされることとなったこと。

注1　この取扱いにより益金の額に算入しなかった利子の額については、その後これにつき実際に支払を受けた日の属する事業年度の益金の額に算入する。

注2　法人の有する債券又は債券の発行者に上記(一)から(四)までと同様の事実が生じた場合にも、当該債券に係る利子につき同様に取り扱う。

　　（利息制限法の制限超過利子）
（2）　法人が利息制限法に定める制限利率（以下(2)において「制限利率」という。）を超える利率により金銭の貸付けを行っている場合におけるその貸付けに係る貸付金から生ずる利子の額の収益計上については、①《貸付金利子等の帰属の時期》及び(1)によるほか、次に掲げるところによるものとする。（基通2－1－26）
　（一）　当該貸付金から生ずる利子の額のうち当該事業年度に係る金額は、原則としてその貸付けに係る約定利率により計算するものとするが、実際に支払を受けた利子の額を除き、法人が継続して制限利率によりその計算を行っている場合には、これを認める。
　（二）　当該貸付金から生ずる利子の額のうち実際に支払を受けたものについては、その支払を受けた金額を利子として益金の額に算入する。
　（三）　（一）により当該事業年度に係る利子の額を計算する場合におけるその計算の基礎となる貸付金の額は、原則としてその貸付けに係る約定元本の額によるものとするが、法人が継続して既に支払を受けた利子の額のうち制限利

率により計算した利子の額を超える部分の金額を元本の額に充当したものとして当該貸付金の額を計算している場合には、これを認める。

　　注　この場合には、貸倒引当金の計算の基礎となる事業年度終了の時における金銭債権の帳簿価額についても斉一の方法によるものとする。

②　剰余金の配当等の帰属の時期

　法人が他の法人（法人税法第4条の3《受託法人等に関するこの法律の適用》の各号列記以外の部分に規定する受託法人を含む。）から受ける剰余金の配当、利益の配当、剰余金の分配、投資信託及び投資法人に関する法律第137条《金銭の分配》の金銭の分配、資産の流動化に関する法律第115条第1項《中間配当》に規定する金銭の分配（以下「特定目的会社に係る中間配当」という。）又は法人税法第2条第29号ロ《定義》に掲げる投資信託（以下②において「投資信託」という。）の収益の分配（以下⑨《送金が許可されない利子、配当等の帰属の時期の特例》までにおいてこれらを「**剰余金の配当等**」という。）の額は、次に掲げる区分に応じ、それぞれ次に掲げる日の属する事業年度の収益とする。ただし、その剰余金の配当等の額が外国法人から受けるものである場合において、当該外国法人の本店又は主たる事務所の所在する国又は地域の剰余金の配当等に関する法令にその確定の時期につきこれと異なる定めがあるときは、当該法令に定めるところにより当該剰余金の配当等の額が確定したとされる日の属する事業年度の収益とする。（基通2－1－27）

(一)　第二款の**一**《受取配当等の益金不算入》の表の①に掲げる剰余金の配当若しくは利益の配当又は剰余金の分配については、次による。

　イ　剰余金の配当　当該配当の効力を生ずる日

　ロ　利益の配当又は剰余金の分配　当該配当又は分配をする法人の社員総会又はこれに準ずるものにおいて、当該利益の配当又は剰余金の分配に関する決議のあった日。ただし、持分会社にあっては定款で定めた日がある場合にはその日

　　注　法人が、配当落ち日に未収配当金の見積計上をしている場合であっても、当該未収配当金の額は、未確定の収益として当該配当落ち日の属する事業年度の益金の額に算入しない。次の(二)及び(三)において同じ。

(二)　第二款の一の表の②に掲げる金銭の分配については、当該金銭の分配がその効力を生ずる日

(三)　特定目的会社に係る中間配当については、当該中間配当に係る取締役の決定のあった日。ただし、その決定により中間配当の請求権に関しその効力発生日として定められた日があるときは、その日

(四)　投資信託の収益の分配のうち信託の開始の時からその終了の時までの間におけるものについては、当該収益の計算期間の末日とし、投資信託の終了又は投資信託の一部の解約による収益の分配については、当該終了又は解約のあった日

(五)　第二款の**五**《配当等の額とみなす金額》によるみなし配当については、次に掲げる区分に応じ、それぞれに掲げる日

　イ　同**五**の表の**1**に掲げる合併によるものについては、合併の効力を生ずる日。ただし、新設合併の場合は、新設合併設立法人の設立登記の日

　ロ　同表の**2**に掲げる分割型分割によるものについては、分割の効力を生ずる日。ただし、新設分割の場合は、新設分割設立法人の設立登記の日

　ハ　同表の**3**に掲げる株式分配のうち剰余金の配当によるものについては、当該配当の効力を生ずる日とし、同**3**に掲げる株式分配のうち利益の配当によるものについては、当該配当をする法人の社員総会又はこれに準ずるものにおいて、当該利益の配当に関する決議のあった日。ただし、持分会社にあっては定款で定めた日がある場合にはその日

　ニ　同表の**4**に掲げる資本の払戻しによるものについては、資本の払戻しに係る剰余金の配当又は第二款の**一**の表の②に掲げる出資等減少分配がその効力を生ずる日

　ホ　第二款の**五**の表の**4**に掲げる解散による残余財産の分配によるものについては、その分配の開始の日（その分配が数回に分割してされた場合は、それぞれの分配の開始の日）

　ヘ　同表の**5**に掲げる自己の株式又は出資の取得によるものについては、その取得の日

　ト　同表の**6**に掲げる出資の消却、出資の払戻し、社員その他法人の出資者の退社若しくは脱退による持分の払戻又は株式若しくは出資をその発行した法人が取得することなく消滅させることによるものについては、これらの事実があった日

　チ　同表の**7**に掲げる組織変更によるものについては、組織変更の効力を生ずる日

　　（剰余金の配当等の帰属時期の特例）

　法人が他の法人から受ける剰余金の配当等の額でその支払のために通常要する期間内に支払を受けるものにつき継続してその支払を受けた日の属する事業年度の収益としている場合には、②の剰余金の配当等の帰属の時期にかかわ

らず、これを認める。(基通2－1－28)

③ 賃貸借契約に基づく使用料等の帰属の時期

資産の賃貸借(金融商品〔平成20年3月10日付企業会計基準第10号「金融商品に関する会計基準」の適用対象となる資産、負債及びデリバティブ取引をいう。〕に係る取引、六の(2)《リース取引の意義》に掲げるリース取引及び第二十二款の三の1の(6)《暗号資産信用取引に係る売付け及び買付けに係る対価の額》の対象となる取引に該当するものを除く。以下③において同じ。)は、履行義務が一定の期間にわたり充足されるものに該当し、その収益の額は2の①の(1)《履行義務が一定の期間にわたり充足されるものに係る収益の帰属の時期》の事業年度の益金の額に算入する。ただし、資産の賃貸借契約に基づいて支払を受ける使用料等の額(前受けに係る額を除く。)について、当該契約又は慣習によりその支払を受けるべき日において収益計上を行っている場合には、その支払を受けるべき日は、その資産の賃貸借に係る役務の提供の日に近接する日に該当するものとして、三の1の②の口の(1)《公正処理基準に基づく資産の販売等に係る収益の額の益金の額に算入する時期》を適用する。(基通2－1－29・編者補正)

注1 当該賃貸借契約について係争(使用料等の額の増減に関するものを除く。)があるためその支払を受けるべき使用料等の額が確定せず、当該事業年度においてその支払を受けていないときは、相手方が供託をしたかどうかにかかわらず、その係争が解決して当該使用料等の額が確定し、その支払を受けることとなるまで当該使用料等の額を益金の額に算入することを見合わせることができるものとする。

注2 使用料等の額の増減に関して係争がある場合には注1の取扱いによらないのであるが、この場合には、契約の内容、相手方が供託をした金額等を勘案してその使用料等の額を合理的に見積もるものとする。

注3 収入する金額が期間のみに応じて定まっている資産の賃貸借に係る収益の額の算定に要する2の①の(5)《履行義務の充足に係る進捗度》の進捗度の見積りに使用されるのに適切な指標は、通常は経過期間となるため、その収益は毎事業年度定額で益金の額に算入されることになる。

(保証金等のうち返還しないものの額の帰属の時期)

資産の賃貸借契約等に基づいて保証金、敷金等として受け入れた金額(賃貸借の開始当初から返還が不要なものを除く。)であっても、期間の経過その他当該賃貸借契約等の終了前における一定の事由の発生により返還しないこととなる部分の金額は、その返還しないこととなった日の属する事業年度の益金の額に算入するのであるから留意する。(基通2－1－41)

④ 知的財産のライセンスの供与に係る収益の帰属の時期

知的財産のライセンスの供与に係る収益の額については、次の表の左欄に掲げる知的財産のライセンスの性質に応じ、それぞれ同表の右欄に掲げる取引に該当するものとして、2の①の(1)《履行義務が一定の期間にわたり充足されるものに係る収益の帰属の時期》及び同①の(2)《履行義務が一時点で充足されるものに係る収益の帰属の時期》の取扱いを適用する。(基通2－1－30・編者補正)

(一)	ライセンス期間にわたり存在する法人の知的財産にアクセスする権利	履行義務が一定の期間にわたり充足されるもの
(二)	ライセンスが供与される時点で存在する法人の知的財産を使用する権利	履行義務が一時点で充足されるもの

⑤ 工業所有権等の実施権の設定に係る収益の帰属の時期

工業所有権等の実施権の設定により受ける対価(使用料を除く。)の額につき法人が次に掲げる日において収益計上を行っている場合には、2の①の(1)《履行義務が一定の期間にわたり充足されるものに係る収益の帰属の時期》及び同①の(2)《履行義務が一時点で充足されるものに係る収益の帰属の時期》にかかわらず、次に掲げる日はその実施権の設定に係る役務の提供の日に近接する日に該当するものとして、三の1の②の口の(1)《公正処理基準に基づく資産の販売等に係る収益の額の益金の額に算入する時期》を適用する。(基通2－1－30の2)

(一)	その設定に関する契約の効力発生の日
(二)	その設定の効力が登録により生ずることとなっている場合におけるその登録の日

⑥ ノウハウの頭金等の帰属の時期

ノウハウの設定契約に際して支払(返金が不要な支払を除く。⑥において同じ。)を受ける一時金又は頭金に係る収益の額は、2の①の(1)《履行義務が一定の期間にわたり充足されるものに係る収益の帰属の時期》及び2の①の(2)《履行義務

が一時点で充足されるものに係る収益の帰属の時期》にかかわらず、当該ノウハウの開示を完了した日の属する事業年度の益金の額に算入する。ただし、三の1の②のイの(6)《ノウハウの頭金等の収益の計上の単位》の本文の取扱いを適用する場合には、その開示をした都度これに見合って支払を受けるべき金額をその開示をした日の属する事業年度の益金の額に算入する。（基通2－1－30の3）

注1 三の1の②のイの(6)の注1の取扱いを適用する場合には、その一時金又は頭金の支払を受けるべき金額が確定する都度その確定した金額をその確定した日の属する事業年度の益金の額に算入する。

注2 三の1の②のイの(6)の注2の取扱いを適用する場合には、ノウハウの設定契約の締結に先立って、相手方に契約締結の選択権を付与するために支払を受けるいわゆるオプション料の額については、その支払を受けた日の属する事業年度の益金の額に算入する。

⑦ **知的財産のライセンスの供与に係る売上高等に基づく使用料に係る収益の帰属の時期**

知的財産のライセンスの供与に対して受け取る売上高又は使用量に基づく使用料が知的財産のライセンスのみに関連している場合又は当該使用料において知的財産のライセンスが主な項目である場合には、三の1の②のハの(5)《変動対価》の取扱いは適用せず、2の①の(1)《履行義務が一定の期間にわたり充足されるものに係る収益の帰属の時期》及び2の①の(2)《履行義務が一時点で充足されるものに係る収益の帰属の時期》にかかわらず、次に掲げる日のうちいずれか遅い日の属する事業年度において当該使用料についての収益の額を益金の額に算入する。（基通2－1－30の4）

(一)	知的財産のライセンスに関連して相手方が売上高を計上する日又は相手方が知的財産のライセンスを使用する日
(二)	当該使用料に係る役務の全部又は一部が完了する日

⑧ **工業所有権等の使用料の帰属の時期**

2の①の(1)《履行義務が一定の期間にわたり充足されるものに係る収益の帰属の時期》及び2の①の(2)《履行義務が一時点で充足されるものに係る収益の帰属の時期》並びに⑦にかかわらず、工業所有権等又はノウハウを他の者に使用させたことにより支払を受ける使用料の額について、法人が継続して契約によりその使用料の額の支払を受けることとなっている日において収益計上を行っている場合には、当該支払を受けることとなっている日は、その役務の提供の日に近接する日に該当するものとして、三の1の②の口の(1)《公正処理基準に基づく資産の販売等に係る収益の額の益金の額に算入する時期》を適用する。（基通2－1－30の5）

⑨ **送金が許可されない利子、配当等の帰属の時期の特例**

国外の者から支払を受ける貸付金の利子、剰余金の配当等又は工業所有権等若しくはノウハウの使用料（第三十二款の一の1《内国法人に係る外国関係会社の課税対象金額の益金算入》の表の(一)から(四)までに掲げる内国法人又は同款の四の1《特殊関係株主等である内国法人に係る外国関係法人の課税対象金額の益金算入》に掲げる特殊関係株主等である内国法人が同款の一の1、同一の6《内国法人に係る部分対象外国関係会社の部分課税対象金額の益金算入》若しくは同一の7《内国法人に係る部分対象外国関係会社の金融子会社等部分課税対象金額の益金算入》又は同款の四の1《特殊関係株主等である内国法人に係る外国関係法人の課税対象金額の益金算入》、同四の4《特殊関係株主等である内国法人に係る部分対象外国関係法人の部分課税対象金額の益金算入》若しくは同四の5《特殊関係株主等である内国法人に係る部分対象外国関係法人の金融関係法人部分課税対象金額の益金算入》の適用を受ける場合には、これらの内国法人に係る外国関係会社〔同款の一の2《用語の意義》の表のイに掲げる外国関係会社をいう。〕又は外国関係法人〔同款の四の1に掲げる外国関係法人をいう。〕から受けるこれらのものを除く。以下⑨において「国外からの利子、配当等」という。）について、現地の外貨事情その他やむを得ない事由によりその送金が許可されないため、長期（おおむね2年以上）にわたりその支払を受けることができないと認められる事情がある場合には、その送金が許可されることとなる日までその国外からの利子、配当等の額を益金の額に算入することを見合せることができるものとする。この場合において、その国外からの利子、配当等の額（その額が2以上あるときは、それぞれの額とする。以下⑨において同じ。）の一部につきその送金が許可されることとなり、かつ、その許可された金額の合計額が当該国外からの利子、配当等の額のおおむね50％以上の金額に達したときは、その残額をその達した日の属する事業年度の益金の額に算入する。（基通2－1－31）

注 国外からの利子、配当等の額の全部又は一部を現地における費用の支出（金銭債権以外の資産の取得を含む。）に充てた場合には、その充てた日にその充てた金額に相当する金額の送金が許可されたものとしてこの取扱いを適用する。

9 デリバティブ取引に係る損益

① **デリバティブ取引に係る契約に基づく資産の取得による損益の計上**

第二十四款の一《デリバティブ取引に係る利益相当額又は損失相当額の益金又は損金算入》に掲げるデリバティブ取引（以

下9において「デリバティブ取引」という。）に係る契約に基づき金銭以外の資産を取得した場合の当該デリバティブ取引の決済によって生じた利益の額又は損失の額（以下②において「決済損益の額」という。）の計上は、同款の二《デリバティブ取引により資産を取得した場合の処理》に基づき当該資産の取得の日に行うこととなるのであるが、この場合の「取得の日」とは、デリバティブ取引に係る契約の決済が現物の受渡しにより行われることが確定した日（当該日に具体的な引渡物件及び受渡代金が確定していない場合には、これらが具体的に確定した日をいう。以下②までにおいて「受渡決済確定日」という。）をいうことに留意する。ただし、その取得される資産が金融商品以外の資産（以下②までにおいて「非金融資産」という。）であり、かつ、当該非金融資産の受渡期日が受渡決済確定日から通常の受渡しに要する期間内に到来する場合において、法人がその受渡しの日を当該非金融資産の取得の日としているときは、継続適用を条件としてこれを認める。（基通2－1－35）

注1　取引所に上場しているデリバティブ取引に係る第二十四款の二に掲げる「取得の時における当該資産の価額」は、当該取引に係る最終の清算値段等を取引所の定める規則に従って交換比率、品質格差等によって調整した価額に基づき算出することができる。

注2　ただし書の取扱いにより、そのデリバティブ取引が事業年度終了の時において第二十四款の一の(1)《為替予約取引等の範囲》に掲げる「未決済デリバティブ取引」となる場合には、同一の適用があることに留意する。

② **デリバティブ取引に係る契約に基づく資産の譲渡による損益の計上**

デリバティブ取引に係る契約に基づき金銭以外の資産を譲渡した場合の決済損益の額の計上は、原則として受渡決済確定日に行うこととなるのであるが、その譲渡する資産が非金融資産であり、かつ、当該非金融資産の受渡期日が受渡決済確定日から通常の受渡しに要する期間内に到来する場合において、法人が継続して当該非金融資産の譲渡による決済損益の額をその受渡しの日に計上しているときは、これを認める。（基通2－1－36）

注　当該デリバティブ取引に係る当該資産の譲渡の時における価額及び本文の適用を受ける場合の第二十四款の一《デリバティブ取引に係る利益相当額又は損失相当額の益金又は損金算入》の適用については、①の注1及び注2の取扱いを準用する。

③ **デリバティブ取引の手仕舞約定等に係る損益の計上**

デリバティブ取引の手仕舞約定等に係る損益の額は、当該手仕舞約定等が成立した日の属する事業年度の益金の額又は損金の額に算入する。（基通2－3－44）

10　金融資産等に係る損益

① **金融資産の消滅を認識する権利支配移転の範囲**

法人が**金融資産**（金融商品である資産をいう。以下同じ。）の売却等の契約をした場合において、当該契約により当該金融資産に係る権利の支配が他の者に移転したときは、当該金融資産の売却等による消滅を認識するのであるから、原則として、次に掲げる要件の全てを満たしているときは、当該売却等に伴い収受する金銭等の額又は当該売却等の直前の当該金融資産の帳簿価額は、当該事業年度の益金の額又は損金の額に算入する。（基通2－1－44）

（一）　売却等を受けた者は、次のような要件が満たされていること等により、当該金融資産に係る権利を実質的な制約なしに行使できること。

イ　売却等をした者（以下①において「譲渡人」という。）は、契約又は自己の自由な意思により当該売却等を取り消すことができないこと。

ロ　譲渡人に倒産等の事態が生じた場合であっても譲渡人やその債権者（管財人を含む。）が売却等をした当該金融資産を取り戻す権利を有していない等、売却等がされた金融資産が譲渡人の倒産等のリスクから確実に引き離されていること。

（二）　譲渡人は、売却等をした金融資産を当該金融資産の満期日前に買い戻す権利及び義務を実質的に有していないこと。

注　新たに二次的な権利又は義務が発生する場合には、③《金融資産等の消滅時に発生する資産及び負債の取扱い》の適用があることに留意する。

② **金融負債の消滅を認識する債務引受契約等**

法人がその有する**金融負債**（金融商品である負債をいう。以下同じ。）について債務引受契約の締結等をした場合において、当該債務引受契約の締結等により当該金融負債の債務者の地位（保証債務等の新たに発生する二次的な責任に係る地位を除く。）から免責されたときは、当該金融負債の消滅を認識し、当該債務引受け等に伴い支払う金銭等の額又は当該債務引受け直前の当該金融負債の帳簿価額は、当該事業年度の損金の額又は益金の額に算入する。（基通2－1－45）

注　新たに二次的な権利又は義務が発生する場合には、③《金融資産等の消滅時に発生する資産及び負債の取扱い》の適用があることに留意する。

③ **金融資産等の消滅時に発生する資産及び負債の取扱い**
　金融資産等（金融商品である資産又は負債をいう。以下④において同じ。）の消滅を目的とした売却等の取引で、その取引により譲渡人、原債務者等に保証債務等の二次的な権利又は義務を発生させることとなるものを行った場合において、当該譲渡人、原債務者等である法人が、これらの潜在する二次的な権利又は義務に見合う金額として新たな資産又は負債を計上し、当該計上した金額を当該売却等の対価である受払金額に加算し、又は受払金額から控除して当該売却等に係る損益の額を計算しているときは、原則として、当該新たな資産又は負債として区分経理したものがないものとしたところにより、売却等に係る損益の額を計算する。（基通2－1－46）

④ **金融資産等の利回りが一定でない場合等における損益の計上**
　法人が金融資産等について利子の受領又は支払をする場合において、利子の計算期間ごとに異なる利率を適用していること又は据置期間があること等により当該利子の計算期間ごとに計算した利回りが一定でないとき（当該適用している利率が国内又は海外において代表的な利率又は指数として公表されているものにより決定されている場合を除く。）は、当該利子の総額につき利息法（利回りが一定となるように各期間に配分する方法をいう。）、定額法（各期間の日数等に応じて各期間に配分する方法をいう。）等の合理的な方法のうち法人が継続して適用している方法により計算した金額を、その利子の計算期間の経過に応じ当該事業年度の益金の額又は損金の額に算入する。（基通2－1－47、2－1－34の注4・編者補正）

11　その他の損益

その他の損益計上等に関して、次のような取扱いが定められている。

　　　（広告宣伝用資産等の受贈益）
（1）　販売業者等が製造業者等から資産（広告宣伝用の看板、ネオンサイン、どん帳のように専ら広告宣伝の用に供されるものを除く。）を無償又は製造業者等の当該資産の取得価額に満たない価額により取得した場合には、当該取得価額又は当該取得価額から販売業者等がその取得のために支出した金額を控除した金額を経済的利益の額としてその取得の日の属する事業年度の益金の額に算入する。ただし、その取得した資産が次に掲げるような広告宣伝用のものである場合には、その経済的利益の額は、製造業者等のその資産の取得価額の$\frac{2}{3}$に相当する金額から販売業者等がその取得のために支出した金額を控除した金額とし、当該金額（同一の製造業者等から2以上の資産を取得したときは当該金額の合計額）が30万円以下であるときは、経済的利益の額はないものとする。（基通4－2－1）
（一）　自動車（自動三輪車及び自動二輪車を含む。）で車体の大部分に一定の色彩を塗装して製造業者等の製品名又は社名を表示し、その広告宣伝を目的としていることが明らかなもの
（二）　陳列棚、陳列ケース、冷蔵庫又は容器で製造業者等の製品名又は社名の広告宣伝を目的としていることが明らかなもの
（三）　展示用モデルハウスのように製造業者等の製品の見本であることが明らかなもの
　　注　広告宣伝用の看板、ネオンサイン、どん帳のように、専ら広告宣伝の用に供される資産については、その取得による経済的利益の額はない。

　　　（広告宣伝用資産の取得に充てるため金銭の交付を受けた場合の準用）
（2）　（1）は、販売業者等が製造業者等から広告宣伝用の資産の取得に充てるため金銭の交付を受けた場合について準用する。（基通4－2－2）

　　　（未払給与を支払わないこととした場合の特例）
（3）　法人が未払給与（第十款の一の1《役員給与の損金不算入》に掲げる損金の額に算入されない給与に限る。）につき取締役会等の決議に基づきその全部又は大部分の金額を支払わないこととした場合において、その支払わないことがいわゆる会社の整理、事業の再建及び業況不振のためのものであり、かつ、その支払われないこととなる金額がその支払を受ける金額に応じて計算されている等一定の基準によって決定されたものであるときは、その支払わないこととなった金額（その給与について徴収される所得税額があるときは、当該税額を控除した金額）については、その支払わないことが確定した日の属する事業年度の益金の額に算入しないことができるものとする。（基通4－2－3）
　　注　法人が未払配当金を支払わないこととした場合のその支払わないこととなった金額については、本文の取扱いの適用がないことに留意する。

　　　（将来の逸失利益等の補塡に充てるための補償金等の帰属の時期）
（4）　法人が他の者から営業補償金、経費補償金等の名目で支払を受けた金額については、当該金額の支払がたとえ将

第三章　第一節　第一款　四《収益及び費用の計算に関する取扱い》

来の逸失利益又は経費の発生等当該事業年度後の各事業年度において生ずることが見込まれる費用又は損失の補塡に充てることを目的とするものであるとしても、その支払を受けた日の属する事業年度の益金の額に算入するのであるから留意する。（基通２－１－40）

（返金不要の支払の帰属の時期）
（５）　法人が、資産の販売等に係る取引を開始するに際して、相手方から中途解約のいかんにかかわらず取引の開始当初から返金が不要な支払を受ける場合には、原則としてその取引の開始の日の属する事業年度の益金の額に算入する。ただし、当該返金が不要な支払が、契約の特定期間における役務の提供ごとに、それと具体的な対応関係をもって発生する対価の前受けと認められる場合において、その支払を当該役務の提供の対価として、継続して当該特定期間の経過に応じてその収益の額を益金の額に算入しているときは、これを認める。（基通２－１－40の２）
　　注　本文の「返金が不要な支払」には、例えば、次のようなものが該当する。
　　　イ　工業所有権等の実施権の設定の対価として支払を受ける一時金
　　　ロ　ノウハウの設定契約に際して支払を受ける一時金又は頭金
　　　ハ　技術役務の提供に係る契約に関連してその着手費用に充当する目的で相手方から収受する仕度金、着手金等のうち、後日精算して剰余金があれば返還することとなっているもの以外のもの
　　　ニ　スポーツクラブの会員契約に際して支払を受ける入会金

（路線バス事業者が団地開発者からバス車両又はその購入費の交付を受けた場合の取扱い）
（６）　バス事業者が団地開発者から、その団地のための運行を条件としてバス車両又はその購入費の交付を受けた場合は、これによって利益を受けるというよりもそのバス車両の取得によりその運行を義務づけられるともいえる。したがって、その交付はいわば負担付贈与であり、バス車両自体も経済的に無価値であると考えられるので、その交付を受けることによる受贈益は生じないものとして取り扱う。（昭49直法２－３）

（法令に基づき交付を受ける給付金等の帰属の時期）
（７）　法人の支出する休業手当、賃金、職業訓練費等の経費を補塡するために雇用保険法、労働施策の総合的な推進並びに労働者の雇用の安定及び職業生活の充実等に関する法律、障害者の雇用の促進等に関する法律等の法令の規定等に基づき交付を受ける給付金等については、その給付の原因となった休業、就業、職業訓練等の事実があった日の属する事業年度終了の日においてその交付を受けるべき金額が具体的に確定していない場合であっても、その金額を見積り、当該事業年度の益金の額に算入するものとする。（基通２－１－42）
　　注　法人が定年の延長、高齢者及び身体障害者の雇用等の雇用の改善を図ったこと等によりこれらの法令の規定等に基づき交付を受ける奨励金等の額については、その支給決定があった日の属する事業年度の益金の額に算入する。

（債権の取得差額に係る調整差損益の計上）
（８）　金銭債権をその債権金額に満たない価額で取得した場合又は債権金額を超える価額で取得した場合において、その債権金額とその取得に要した価額との差額に相当する金額（実質的な贈与と認められる部分の金額を除く。以下（８）において「取得差額」という。）の全部又は一部が金利の調整により生じたものと認められるときは、当該金銭債権に係る支払期日までの期間の経過に応じ、利息法又は定額法に基づき当該取得差額の範囲内において金利の調整により生じた部分の金額（以下（８）において「調整差額」という。）を益金の額又は損金の額に算入する。
　　ただし、調整差額を算定することが困難である場合又は当該金銭債権につき第二十三款の三の１の（１）《償還有価証券の範囲》の（六）のイ及び同（１）の注２に掲げる事実がある場合には、この限りでない。（基通２－１－34）
　　注１　本文の取扱いは、本文の金銭債権に該当するものの全てにつき同様の調整方法による計算を行わなければならないことに留意する。
　　注２　第二十三款の五の（５）《償還有価証券に係る調整差損益の計上》の（三）は、調整差額の計算を行う場合の取扱いにおいて準用する。
　　注３　金融及び保険業を営む法人以外の法人が取得した金銭債権については、当該金銭債権に係る支払期日（１年以内の一定の期間ごとに到来するものに限る。）が到来する都度その支払期日が到来した債権金額に応じて調整差額を益金の額又は損金の額に算入することができる。
　　注４　利息法とは、調整差額を元本額の残高に対する利回りが一定となるように支払期日までの各期間に配分する方法をいい、定額法とは、調整差額を支払期日までの各期間の日数等に応じて当該各期間に均等に配分する方法をいう。

（契約者配当）
（９）　法人が生命保険契約（適格退職年金契約に係るものを含む。）に基づいて支払を受ける契約者配当の額については、その通知（据置配当については、その積立てをした旨の通知）を受けた日の属する事業年度の益金の額に算入するのであるが、当該生命保険契約が第十四款の二の３の（１）《養老保険に係る保険料》の表の（一）に該当する場合（同３

の(4)《定期付養老保険等に係る保険料》の表の(二)により同3の(1)の表の(一)の例による場合を含む。)には、当該契約者配当の額を資産に計上している保険料の額から控除することができるものとする。(基通9－3－8)

- 注1 契約者配当の額をもっていわゆる増加保険に係る保険料の額に充当することになっている場合には、その保険料の額については、第十四款の二3《生命保険に係る保険料》の(1)から(3)までに掲げるところによる。
- 注2 据置配当又は未収の契約者配当の額に付される利子の額については、その通知のあった日の属する事業年度の益金の額に算入するのであるから留意する。
- 注3 個人年金保険契約に基づいて支払を受ける契約者配当の額については、第十四款の二3の(6)《個人年金保険に係る保険料》の取扱いによるのであるから留意する。(編者)

（損害賠償金等の帰属の時期）

(10) 他の者から支払を受ける損害賠償金（債務の履行遅滞による損害金を含む。以下(10)において同じ。）の額は、その支払を受けるべきことが確定した日の属する事業年度の益金の額に算入するのであるが、法人がその損害賠償金の額について実際に支払を受けた日の属する事業年度の益金の額に算入している場合には、これを認める。(基通2－1－43)

- 注 当該損害賠償金の請求の基因となった損害に係る損失の額は、保険金又は共済金により補塡される部分の金額を除き、その損害の発生した日の属する事業年度の損金の額に算入することができる。

（損害賠償金）

(11) 法人が、その業務の遂行に関連して他の者に与えた損害につき賠償をする場合において、当該事業年度終了の日までにその賠償すべき額が確定していないときであっても、同日までにその額として相手方に申し出た金額（相手方に対する申出に代えて第三者に寄託した額を含む。）に相当する金額（保険金等により補塡されることが明らかな部分の金額を除く。）を当該事業年度の未払金に計上したときは、これを認める。(基通2－2－13)

- 注 損害賠償金を年金として支払う場合には、その年金の額は、これを支払うべき日の属する事業年度の損金の額に算入する。

（短期の前払費用）

(12) 前払費用（一定の契約に基づき継続的に役務の提供を受けるために支出した費用のうち当該事業年度終了の時においてまだ提供を受けていない役務に対応するものをいう。以下(12)において同じ。）の額は当該事業年度の損金の額に算入されないのであるが、法人が、前払費用の額でその支払った日から1年以内に提供を受ける役務に係るものを支払った場合において、その支払った額に相当する金額を継続してその支払った日の属する事業年度の損金の額に算入しているときは、これを認める。(基通2－2－14)

- 注1 例えば借入金を預金、有価証券等に運用する場合のその借入金に係る支払利子のように、収益の計上と対応させる必要があるものについては、後段の取扱いの適用はないものとする。
- 注2 「支払った場合」には、支払手段としての手形の振出しが含まれる。(編者)

（消耗品費等）

(13) 消耗品その他これに準ずる棚卸資産の取得に要した費用の額は、当該棚卸資産を消費した日の属する事業年度の損金の額に算入するのであるが、法人が事務用消耗品、作業用消耗品、包装材料、広告宣伝用印刷物、見本品その他これらに準ずる棚卸資産（各事業年度ごとにおおむね一定数量を取得し、かつ、経常的に消費するものに限る。）の取得に要した費用の額を継続してその取得をした日の属する事業年度の損金の額に算入している場合には、これを認める。(基通2－2－15)

- 注 この取扱いにより損金の額に算入する金額が製品の製造等のために要する費用としての性質を有する場合には、当該金額は製造原価に算入するのであるから留意する。

（任意組合等の組合事業から生ずる利益等の帰属）

(14) 任意組合等において営まれる事業（以下(16)までにおいて「組合事業」という。）から生ずる利益金額又は損失金額については、各組合員に直接帰属することに留意する。(基通14－1－1)

- 注 任意組合等とは、民法第667条第1項に規定する組合契約、投資事業有限責任組合契約に関する法律第3条第1項に規定する投資事業有限責任組合契約及び有限責任事業組合契約に関する法律第3条第1項に規定する有限責任事業組合契約により成立する組合並びに外国におけるこれらに類するものをいう。以下(16)までにおいて同じ。

（任意組合等の組合事業から受ける利益等の帰属の時期）

(15) 法人が組合員となっている組合事業に係る利益金額又は損失金額のうち分配割合に応じて利益の分配を受けるべき金額又は損失の負担をすべき金額（以下(16)までにおいて「帰属損益額」という。）は、たとえ現実に利益の分配を

受け又は損失の負担をしていない場合であっても、当該法人の各事業年度の期間に対応する組合事業に係る個々の損益を計算して当該法人の当該事業年度の益金の額又は損金の額に算入する。

　ただし、当該組合事業に係る損益を毎年１回以上一定の時期において計算し、かつ、当該法人への個々の損益の帰属が当該損益発生後１年以内である場合には、帰属損益額は、当該組合事業の計算期間を基として計算し、当該計算期間の終了の日の属する当該法人の事業年度の益金の額又は損金の額に算入するものとする。（基通14－１－１の２）

　　注１　分配割合とは、組合契約により定める損益分配の割合又は民法第674条《組合員の損益分配の割合》、投資事業有限責任組合契約に関する法律第16条《民法の準用》及び有限責任事業組合契約に関する法律第33条《組合員の損益分配の割合》の規定による損益分配の割合をいう。以下(16)までにおいて同じ。

　　注２　同業者の組織する団体で営業活動を行わないものは、この取扱いの適用はない。

　　注３　平成17年度改正により、平成17年４月１日以後に締結される一定の組合契約等に係る損失の損金算入を制限する制度が創設されたが、詳細は第二十七款の**十六**《組合事業等による損失がある場合の課税の特例》を参照。（以下(16)までについて同じ。）（編者）

　　（任意組合等の組合事業から分配を受ける利益等の額の計算）

(16)　法人が、帰属損益額を(14)及び(15)により各事業年度の益金の額又は損金の額に算入する場合には、次の(一)の方法により計算する。ただし、法人が次の(二)又は(三)の方法により継続して各事業年度の益金の額又は損金の額に算入する金額を計算しているときは、多額の減価償却費の前倒し計上などの課税上弊害がない限り、これを認める。（基通14－１－２）

(一)　当該組合事業の収入金額、支出金額、資産、負債等をその分配割合に応じて各組合員のこれらの金額として計算する方法

(二)　当該組合事業の収入金額、その収入金額に係る原価の額及び費用の額並びに損失の額をその分配割合に応じて各組合員のこれらの金額として計算する方法

　　この方法による場合には、各組合員は、当該組合事業の取引等について受取配当等の益金不算入、所得税額の控除等の規定の適用はあるが、引当金の繰入れ、準備金の積立て等の規定の適用はない。

(三)　当該組合事業について計算される利益の額又は損失の額をその分配割合に応じて各組合員に分配又は負担させることとする方法

　　この方法による場合には、各組合員は、当該組合事業の取引等について、受取配当等の益金不算入、所得税額の控除、引当金の繰入れ、準備金の積立て等の規定の適用はない。

　　注１　分配割合が各組合員の出資の価額を基礎とした割合と異なる場合は、当該分配割合は各組合員の出資の状況、組合事業への寄与の状況などからみて経済的合理性を有するものでなければならないことに留意する。

　　注２　(一)又は(二)の方法による場合における各組合員間で取り決めた分配割合が各組合員の出資の価額を基礎とした割合と異なるときの計算は、例えば、各組合員の出資の価額を基礎とした割合を用いて得た利益の額又は損失の額（以下(16)において「出資割損益額」という。）に、各組合員間で取り決めた分配割合に応じた利益の額又は損失の額と当該出資割損益額との差額に相当する金額を加算又は減算して調整する方法によるほか、合理的な計算方法によるものとする。

　　注３　(一)又は(二)の方法による場合には、減価償却資産の償却方法及び棚卸資産の評価方法は、組合事業を組合員の事業所とは別個の事業所として選定することができる。

　　注４　(一)又は(二)の方法による場合には、組合員に係るものとして計算される収入金額、支出金額、資産、負債等の額は、課税上弊害がない限り、組合員における固有のこれらの金額に含めないで別個に計算することができる。

　　注５　(三)の方法による場合において、当該組合事業の支出金額のうちに寄附金又は交際費の額があるときは、当該組合事業を資本又は出資を有しない法人とみなして第十二款《寄附金》又は第十三款《交際費等の損金不算入》の規定を適用するものとしたときに計算される利益の額又は損失の額を基として各事業年度の益金の額又は損金の額に算入する金額の計算を行うものとする。

　　（匿名組合契約に係る損益）

(17)　法人が匿名組合員である場合におけるその匿名組合営業について生じた利益の額又は損失の額については、現実に利益の分配を受け、又は損失の負担をしていない場合であっても、匿名組合契約によりその分配を受け又は負担をすべき部分の金額をその計算期間の末日の属する事業年度の益金の額又は損金の額に算入し、法人が営業者である場合における当該法人の当該事業年度の所得金額の計算に当たっては、匿名組合契約により匿名組合員に分配すべき利益の額又は負担させるべき損失の額を損金の額又は益金の額に算入する。（基通14－１－３）

　　（福利厚生等を目的として組織された従業員団体の損益の帰属）

(18)　法人（公共法人及び公益法人等を除く。）の役員又は使用人をもって組織した団体が、これらの者の親ぼく、福利厚生に関する事業を主として行っている場合において、その事業経費の相当部分を当該法人が負担しており、かつ、次に掲げる事実のいずれか一の事実があるときは、原則として、当該事業に係る収益、費用等については、その全額を当該法人の収益、費用等に係るものとして計算する。（基通14－１－４）

(一) 法人の役員又は使用人で一定の資格を有する者が、その資格において当然に当該団体の役員に選出されることになっていること。
(二) 当該団体の事業計画又は事業の運営に関する重要案件の決定について、当該法人の許諾を要する等当該法人がその業務の運営に参画していること。
(三) 当該団体の事業に必要な施設の全部又は大部分を当該法人が提供していること。

(従業員負担がある場合の従業員団体の損益帰属の特例)
(19) (18)に該当する従業員団体について、その団体等の損益等が、例えば、当該法人から拠出された部分と構成員から収入した会費等の部分とであん分する等(16)の方法に準じて適正に区分経理されている場合には、(18)にかかわらず、その区分されたところにより当該法人に帰属すべき収益、費用等の額を計算することができる。(基通14-1-5)

五　収益及び費用の帰属事業年度の特例

1　リース譲渡に係る収益及び費用の帰属事業年度

①　リース譲渡に係る収益及び費用の帰属事業年度

イ　リース譲渡に係る収益及び費用の帰属事業年度

　　内国法人が、**六**の（2）《リース取引の意義》に掲げるリース取引による**六**に掲げるリース資産の引渡し（以下**1**において「**リース譲渡**」という。）を行った場合において、そのリース譲渡に係る収益の額及び費用の額につき、そのリース譲渡の日の属する事業年度以後の各事業年度の確定した決算において（7）《延払基準の方法》に掲げる**延払基準の方法**により経理したとき（当該リース譲渡につき**ロ**の適用を受ける場合を除く。）は、その経理した収益の額及び費用の額は、当該各事業年度の所得の金額の計算上、益金の額及び損金の額に算入する。ただし、当該リース譲渡に係る収益の額及び費用の額につき、同日の属する事業年度後のいずれかの事業年度の確定した決算において当該延払基準の方法により経理しなかった場合又は**ハ**《非適格株式交換等に伴うリース譲渡に係る収益及び費用の帰属事業年度》若しくは**ヘ**《通算制度の開始等に伴うリース譲渡に係る収益及び費用の処理に関する規定の不適用》の適用を受けた場合は、その経理しなかった決算に係る事業年度後又はこれらの適用を受けた事業年度後の事業年度については、この限りでない。（法63①）

　　注　損失が生じたリース譲渡についても、①の適用があることに留意する。（編者）

　　　（譲渡損益調整資産の販売等の適用除外）
（1）　**イ**の適用については、リース譲渡には、内国法人が他の内国法人に対して行った第三十三款の**一**《譲渡損益調整資産に係る譲渡利益額又は譲渡損失額の繰延べ》に掲げる譲渡損益調整資産の譲渡（当該譲渡に伴って同**一**の適用を受けたものに限る。）を含まないものとする。（法63⑤）

　　　（売買があったものとされたリース取引）
（2）　賃貸人が受取リース料を賃貸料として収益の額に計上している場合において、**六**《リース取引に係る所得の金額の計算》の適用によりリース資産（**六**に掲げるリース資産をいう。以下（2）において同じ。）の売買があったものとされたときは、賃貸人はそのリース取引に係る収益の額及び費用の額の計算につき、**イ**を適用することができる。この場合には、そのリース期間中に収受すべきリース料の額の合計額を（7）《延払基準の方法》に掲げる「リース譲渡の対価の額」として取り扱う。（基通2－4－2）

　　　注1　そのリース取引が行われた日の属する事業年度後の事業年度において、当該リース取引について売買があったものとして処理すべきことが明らかになった場合には、当該明らかになった日の属する事業年度前の各事業年度についての当該リース取引に係る収益の額及び費用の額は、原則として（7）に掲げる延払基準の方法により計算した収益の額及び費用の額とする。
　　　注2　再リース料の額は、再リースをすることが明らかな場合を除き、リース譲渡の対価の額に含めないで、その収受すべき日の属する事業年度の益金の額に算入する。
　　　注3　本文及び注1の取扱いは、（1）に掲げる譲渡損益調整資産の譲渡には適用がないことに留意する。

　　　（時価以上の価額で資産を下取りした場合の対価の額）
（3）　法人がリース譲渡を行うに当たり、頭金等として相手方の有する資産を下取りした場合において、当該資産につきその取得の時における価額を超える価額を取得価額としているときは、その超える部分の金額については取得価額に含めないものとし、その販売等をした資産については、その超える部分の金額に相当する値引きをしてリース譲渡を行ったものとして取り扱う。（基通2－4－6）

　　　（賦払金の支払遅延等により販売した資産を取り戻した場合の処理）
（4）　法人がリース譲渡を行った後において、相手方の代金の支払遅延等の理由により契約を解除してリース期間の中途において当該リース譲渡をした資産を取り戻した場合には、原則としてその資産を取り戻した日の属する事業年度において、まだ支払の行われていないリース料の額の合計額から当該合計額のうちに含まれる利息に相当する金額を控除した金額をもって資産に計上するものとするが、法人がまだ支払の行われていないリース料の額の合計額又はその資産を取り戻した時における処分見込価額をもって資産に計上したときは、その計算を認めるものとする。（基通2－4－8）

第三章　第一節　第一款　**五**《収益及び費用の帰属事業年度の特例》

(契約の変更があった場合の取扱い)
（5）**イ**によりその収益の額及び費用の額の計上につき延払基準の方法を適用しているリース譲渡についてその後契約の変更があり、賦払金の支払期日又は各支払期日ごとの賦払金の額が異動した場合には、その変更後の支払期日及び各支払期日ごとの賦払金の額に基づいて**イ**による延払基準の計算を行う。ただし、その変更前に既に支払期日の到来した賦払金の額については、この限りではない。（基通２－４－９・編者補正）

(対価の額又は原価の額に異動があった場合の調整)
（6）**イ**によりその収益の額及び費用の額の計上につき延払基準の方法を適用しているリース譲渡に係る対価の額又は原価の額につきその後値増し、値引き等があったため当該リース譲渡に係る対価の額又は原価の額に異動を生じた場合には、その異動を生じた日の属する事業年度（以下（6）において「異動事業年度」という。）以後の各事業年度における当該対価の額又は原価の額に係る延払基準の方法の適用については、その異動後の対価の額又は原価の額（異動事業年度前の各事業年度において計上した部分の金額を除く。）及び異動事業年度開始の日以後に受けるべきリース料の額の合計額を基礎として（5）によりその計算を行うものとする。ただし、法人が、その値増し、値引き等に係る金額をこれらの事実の生じた日の属する事業年度の益金の額又は損金の額に算入するとともに、延払基準の方法についてはその異動前の契約に基づいてその計算を行うこととしているときは、これを認める。（基通２－４－10・編者補正）

(延払基準の方法)
（7）**イ**に掲げる延払基準の方法は、次の表に掲げる方法とする。（令124①）

（一）	リース譲渡の対価の額及びその原価の額（そのリース譲渡に要した手数料の額を含む。）にそのリース譲渡に係る賦払金割合を乗じて計算した金額を当該事業年度の収益の額及び費用の額とする方法（令124①Ⅰ） 〔リース譲渡の対価の額又はリース譲渡の原価の額（販売手数料の額を含む。）〕 × リース譲渡に係る賦払金割合＝〔（※に係る賦払金であって当期中に支払期日の到来するものの合計額）＋（当期中に支払期日の到来したもの の合計額 － 左のうち前期末までに支払を受けた金額）＋（当期中に支払を受けた金額で翌期以後に支払期日の到来するもの）〕／リース譲渡の対価の額（※）
（二）	リース譲渡に係るＡ及びＢに掲げる金額の合計額を当該事業年度の収益の額とし、Ｃに掲げる金額を当該事業年度の費用の額とする方法（令124①Ⅱ）
	Ａ　当該リース譲渡の対価の額から利息相当額（当該リース譲渡の対価の額のうちに含まれる利息に相当する金額をいう。Ｂにおいて同じ。）を控除した金額（Ｂにおいて「元本相当額」という。）をリース資産（**イ**に掲げるリース資産をいう。）のリース期間（**イ**に掲げるリース取引に係る契約において定められた当該リース資産の賃貸借の期間をいう。以下Ｂにおいて同じ。）の月数で除し、これに当該事業年度における当該リース期間の月数を乗じて計算した金額
	Ｂ　当該リース譲渡の利息相当額がその元本相当額のうちその支払の期日が到来していないものの金額に応じて生ずるものとした場合に当該事業年度におけるリース期間に帰せられる利息相当額
	Ｃ　当該リース譲渡の原価の額をリース期間の月数で除し、これに当該事業年度における当該リース期間の月数を乗じて計算した金額
	注　上表に掲げる月数は、暦に従って計算し、１か月に満たない端数を生じたときは、これを１か月とする。（令124⑤）

(延払損益の計算の基礎となる手数料の範囲)
（8）（7）に掲げる手数料には、法人が外部に支払う販売手数料のほか、当該法人の使用人たる外交員等に対して支払う歩合給、手数料等で所得税法第204条《源泉徴収義務》に規定する報酬等に該当するものも含まれるが、その支払うべき手数料の額が賦払金の回収の都度その回収高に応じて確定することとなっている場合（頭金又は一定回数までの賦払金の回収を条件として手数料の額が確定することとなっている場合を除く。）における当該手数料を含まないものとする。（基通２－４－３）

　　注　この取扱いにより延払損益の計算の基礎となる手数料に含めないものの額は、その額が確定する都度その確定した日の属する事業年度の損金の額に算入するのであるから留意する。

　　　　(延払基準の計算単位)
（９）　（７）による延払基準の方法による収益の額及び費用の額の計算は、原則としてそのリース譲渡ごとに行うのであるが、法人が継続して差益率のおおむね同じものごとその他合理的な区分ごとに一括してその計算を行っている場合には、これを認める。(基通２－４－５)

　　　　(賦払金割合の意義)
(10)　（７）の表の(一)に掲げる賦払金割合とは、リース譲渡の対価の額のうちに、当該対価の額に係る賦払金であって当該事業年度（適格分割又は適格現物出資〔以下(10)において「適格分割等」という。〕により分割承継法人又は被現物出資法人にその契約の移転をするリース譲渡〔以下(10)において「移転リース譲渡」という。〕にあっては、当該適格分割等の日の属する事業年度開始の日から当該適格分割等の日の前日までの期間。以下(10)において同じ。）においてその支払の期日が到来するものの合計額（当該賦払金につき既に当該事業年度開始の日前に支払を受けている金額がある場合には、当該金額を除くものとし、翌事業年度〔移転リース譲渡にあっては、当該適格分割等の日〕以後において支払の期日が到来する賦払金につき当該事業年度中に支払を受けた金額がある場合には、当該金額を含む。）の占める割合をいう。(令124②)
　　　　注　適格組織再編成が行われた場合の長期割賦販売等に係る収益及び費用の帰属事業年度については、(13)を参照。(編者)

　　　　(支払期日前に受領した手形)
(11)　リース譲渡の賦払金のうち当該事業年度後に支払期日の到来するものについて法人が手形を受領した場合には、その受領した手形の金額は、(10)に掲げる「支払を受けた金額」には含まれない。(基通２－４－７)

　　　　(延払基準の方法により経理しなかった場合の処理)
(12)　イの適用を受ける内国法人がリース譲渡に係る収益の額及び費用の額につき、そのリース譲渡の日の属する事業年度後のいずれかの事業年度の確定した決算においてイに掲げる延払基準の方法により経理しなかった場合には、そのリース譲渡に係る収益の額及び費用の額（その経理しなかった決算に係る事業年度前の各事業年度の所得の金額の計算上益金の額及び損金の額に算入されるものを除く。）は、その経理しなかった決算に係る事業年度の所得の金額の計算上、益金の額及び損金の額に算入する。(令125①)

　　　　(適格合併等により移転を受けたリース譲渡に係る収益及び費用の帰属事業年度)
(13)　内国法人が適格合併、適格分割又は適格現物出資（以下１において「**適格合併等**」という。）により当該適格合併等に係る被合併法人、分割法人又は現物出資法人（以下１において「**被合併法人等**」という。）から当該被合併法人等においてイの適用を受けているリース譲渡に係る契約の移転を受けた場合（ハの(１)《リース譲渡に係る収益の額と費用の額との差額が少額であるものとされる要件》に掲げる適格分割等〔以下(13)において「適格分割等」という。〕に係る分割法人又は現物出資法人〔以下(13)において「分割法人等」という。〕から当該分割法人等のハ《非適格株式交換等に伴うリース譲渡に係る収益及び費用の帰属事業年度》に掲げる非適格株式交換等の日から同日の属する事業年度終了の日までの間に行われた当該適格分割等により当該適格分割等の時におけるハの(１)に掲げる繰延長期割賦損益額が1,000万円以上である当該リース譲渡に係る契約の移転を受けた場合を除く。）には、当該適格合併等の日の属する事業年度以後の各事業年度におけるイ及びハの適用については、当該被合併法人等が行った当該契約に係る当該リース譲渡及び当該被合併法人等が当該リース譲渡について行った各事業年度の確定した決算における延払基準の方法による経理は、当該内国法人が行ったものとみなす。この場合において、当該内国法人の当該各事業年度における当該リース譲渡に係る収益の額及び費用の額は、当該被合併法人等について当該適格合併等前に当該リース譲渡に係る収益の額及び費用の額とされた金額並びにリース譲渡の対価の額に係る(10)《賦払金割合の意義》に掲げる賦払金につき当該被合併法人等において既に支払を受けている金額を、それぞれ当該内国法人について当該リース譲渡に係る収益の額及び費用の額とされた金額並びに当該内国法人において既に支払を受けている金額とみなしてイに掲げる延払基準の方法により計算した金額とする。(法63⑧、令128①)

ロ　リース譲渡に係る収益及び費用の特例

　内国法人がリース譲渡を行った場合には、その対価の額を(２)に掲げるところにより利息に相当する部分とそれ以外の部分とに区分した場合における当該リース譲渡の日の属する事業年度以後の各事業年度の収益の額及び費用の額として(３)に掲げる金額は、当該各事業年度の所得の金額の計算上、益金の額及び損金の額に算入する。ただし、当該リース譲渡に係る収益の額及び費用の額につき、当該リース譲渡の日の属する事業年度後のいずれかの事業年度においてハ《非適

格株式交換等に伴うリース譲渡に係る収益及び費用の帰属事業年度》又はヘ《通算制度の開始等に伴うリース譲渡に係る収益及び費用の処理に関する規定の不適用》の適用を受けた場合は、これらの適用を受けた事業年度後の事業年度については、この限りでない。(法63②)

(譲渡損益調整資産の譲渡の適用除外)
(1) □の適用については、リース譲渡には、内国法人が他の内国法人に対して行った第三十三款の一《譲渡損益調整資産に係る譲渡利益額又は譲渡損失額の繰延べ》に掲げる譲渡損益調整資産の譲渡(当該譲渡に伴って同一の適用を受けたものに限る。)を含まないものとする。(法63⑤)

(利息に相当する部分の金額の意義)
(2) □の利息に相当する部分の金額は、リース譲渡の対価の額からその原価の額を控除した金額の$\frac{20}{100}$に相当する金額((3)において「利息相当額」という。)とする。(法63②、令124③)

(リース譲渡に係る各事業年度の収益の額及び費用の額)
(3) □に掲げるリース譲渡に係る収益の額は次の表の(一)及び(二)に掲げる金額の合計額とし、費用の額は同表の(三)に掲げる金額とする。(法63②、令124④)

(一)	リース譲渡の対価の額から利息相当額を控除した金額((二)において「元本相当額」という。)をリース期間の月数で除し、これに当該事業年度における当該リース期間の月数を乗じて計算した金額
(二)	リース譲渡に係る賦払金の支払を、支払期間をリース期間と、支払日を当該リース譲渡に係る対価の支払の期日と、各支払日の支払額を当該リース譲渡に係る対価の各支払日の支払額と、利息の総額を利息相当額と、元本の総額を元本相当額とし、利率を当該支払期間、支払日、各支払日の支払額、利息の総額及び元本の総額を基礎とした複利法により求められる一定の率として賦払の方法により行うものとした場合に当該事業年度におけるリース期間に帰せられる利息の額に相当する金額
(三)	リース譲渡の原価の額をリース期間の月数で除し、これに当該事業年度における当該リース期間の月数を乗じて計算した金額

注 上表に掲げる月数は、暦に従って計算し、1か月に満たない端数を生じたときは、これを1か月とする。(令124⑤)

(リース譲渡に係る損金算入の申告)
(4) □は、リース譲渡の日の属する事業年度の確定申告書に、同□に掲げる収益の額及び費用の額として(3)に掲げる金額の益金算入及び損金算入に関する明細の記載がある場合に限り、適用する。(法63⑥)

(申告記載がない場合のゆうじょ規定)
(5) 税務署長は、(4)に掲げる記載がない確定申告書の提出があった場合においても、その記載がなかったことについてやむを得ない事情があると認めるときは、□を適用することができる。(法63⑦)

(リース譲渡に係る契約の解除又は移転をした場合の処理)
(6) □の適用を受けている内国法人がその適用を受けているリース譲渡に係る契約の解除又は他の者に対する移転(適格合併、適格分割又は適格現物出資による移転を除く。)をした場合には、そのリース譲渡に係る収益の額及び費用の額(その解除又は移転をした事業年度前の各事業年度の所得の金額の計算上益金の額及び損金の額に算入されるものを除く。)は、その解除又は移転をした事業年度の所得の金額の計算上、益金の額及び損金の額に算入する。(令125②)

(契約の変更があった場合の取扱い)
(7) □によりその収益の額及び費用の額の計上につき□を適用しているリース譲渡についてその後契約の変更があり、賦払金の支払期日又は各支払期日ごとの賦払金の額が異動した場合には、その変更後の支払期日及び各支払期日ごとの賦払金の額に基づいて□の計算を行う。ただし、その変更前に既に支払期日の到来した賦払金の額については、この限りでない。(基通2-4-9・編者補正)

(対価の額又は原価の額に異動があった場合の調整)
（8）　ロによりその収益の額及び費用の額の計上につきロを適用しているリース譲渡に係る対価の額又は原価の額につきその後値増し、値引き等があったため当該リース譲渡に係る対価の額又は原価の額に異動を生じた場合には、その異動を生じた日の属する事業年度（以下（8）において「異動事業年度」という。）以後の各事業年度における当該対価の額又は原価の額に係るロの適用については、その異動後の対価の額又は原価の額（異動事業年度前の各事業年度において計上した部分の金額を除く。）及び異動事業年度開始の日以後に受けるべきリース料の額の合計額を基礎として（7）によりその計算を行うものとする。ただし、法人が、その値増し、値引き等に係る金額をこれらの事実の生じた日の属する事業年度の益金の額又は損金の額に算入するとともに、ロについてはその異動前の契約に基づいてその計算を行うこととしているときは、これを認める。（基通2－4－10・編者補正）

(適格合併等により移転を受けたリース譲渡に係る収益及び費用の特例)
（9）　内国法人が適格合併等により当該適格合併等に係る被合併法人等から当該被合併法人等においてロの適用を受けているリース譲渡に係る契約の移転を受けた場合（適格分割等に係る分割法人等から当該分割法人等のハ《非適格株式交換等に伴うリース譲渡に係る収益及び費用の帰属事業年度》に掲げる非適格株式交換等の日から同日の属する事業年度終了の日までの間に行われた当該適格分割等により当該適格分割等の時におけるハの(1)に掲げる繰延長期割賦損益額が1,000万円以上である当該リース譲渡に係る契約の移転を受けた場合を除く。）には、当該適格合併等の日の属する事業年度以後の各事業年度におけるロ及びハの適用については、当該リース譲渡に係る対価の額及び原価の額並びにリース期間（イの(7)の表の(二)のAに掲げる期間をいう。以下同じ。）は、当該内国法人が行ったリース譲渡に係る対価の額及び原価の額並びにリース期間と、当該被合併法人等がした(4)の明細の記載は、当該内国法人がしたものと、それぞれみなす。（法63⑧、令128②）

ハ　非適格株式交換等に伴うリース譲渡に係る収益及び費用の帰属事業年度

　第三十四款の二の1《非適格株式交換等に係る株式交換完全子法人等の有する資産の時価評価損益》に掲げる内国法人が同1に掲げる非適格株式交換等の日の属する事業年度（以下「非適格株式交換等事業年度」という。）においてイ又はロの適用を受けている場合には、その適用を受けているリース譲渡に係る収益の額及び費用の額（当該非適格株式交換等事業年度前の各事業年度の所得の金額の計算上益金の額及び損金の額に算入されるもの並びにイ又はロにより当該非適格株式交換等事業年度の所得の金額の計算上益金の額及び損金の額に算入されるものを除く。）は、当該収益の額と費用の額との差額が少額であるものとして(1)に掲げる要件に該当する(2)に掲げる契約に係るものを除き、当該非適格株式交換等事業年度の所得の金額の計算上、益金の額及び損金の額に算入する。（法63③）

(リース譲渡に係る収益の額と費用の額との差額が少額であるものとされる要件)
（1）　ハに掲げる要件は、ハに掲げるリース譲渡に係る契約についての非適格株式交換等事業年度終了の時（非適格株式交換等〔ハに掲げる非適格株式交換等をいう。以下同じ。〕の日から当該非適格株式交換等事業年度終了の日までの期間内に行われた適格分割又は適格現物出資〔以下「適格分割等」という。〕により分割承継法人又は被現物出資法人に当該リース譲渡に係る契約の移転をした場合におけるその移転をした契約にあっては、当該適格分割等の時）における繰延長期割賦損益額（次の表の(一)に掲げる金額から同表の(二)に掲げる金額を控除した金額〔(二)に掲げる金額が(一)に掲げる金額を超える場合には、(二)に掲げる金額から(一)に掲げる金額を控除した金額〕をいう。）が1,000万円に満たないこととする。（法63③、令126①）

(一)	そのリース譲渡に係る収益の額（非適格株式交換等事業年度前の各事業年度の所得の金額の計算上益金の額に算入されるもの及びイ又はロにより非適格株式交換等事業年度の所得の金額の計算上益金の額に算入されるものを除く。）
(二)	そのリース譲渡に係る費用の額（非適格株式交換等事業年度前の各事業年度の所得の金額の計算上損金の額に算入されるもの及びイ又はロにより非適格株式交換等事業年度の所得の金額の計算上損金の額に算入されるものを除く。）

(非適格株式交換等事業年度の収益及び費用の処理に関する規定が不適用とされる契約)
（2）　ハに掲げる契約は、次に掲げる契約とする。（法63③、令126②）

| (一) | ハに掲げるリース譲渡に係る契約を非適格株式交換等の日の属する事業年度開始の日から当該非適格株式交 |

	換等の日の前日までの期間内に他の者に移転をした場合におけるその移転をした契約
(ニ)	ハに掲げるリース譲渡に係る契約を非適格株式交換等の日から同日の属する事業年度終了の日までの期間内に締結し、又は当該期間内に他の者から移転を受けた場合におけるその締結し、又は移転を受けた契約

ニ　普通法人又は協同組合等が公益法人等に該当することとなる場合の取扱い

イの本文又はロの本文の適用を受けている普通法人又は協同組合等が公益法人等に該当することとなる場合には、その適用を受けているリース譲渡に係る収益の額及び費用の額（その該当することとなる日の前日の属する事業年度前の各事業年度の所得の金額の計算上益金の額及び損金の額に算入されるものを除く。）は、その該当することとなる日の前日の属する事業年度の所得の金額の計算上、益金の額及び損金の額に算入する。（法63⑧、令125③）

ホ　特定の公共施設等運営権の設定に係る収益及び費用の帰属事業年度の特例

法人が関西国際空港及び大阪国際空港の一体的かつ効率的な設置及び管理に関する法律第30条第１項の規定による国土交通大臣の承認を受けて同法第29条第１項《民間資金法の特例等》に規定する特定空港運営事業に係る公共施設等運営権を設定した場合には、その公共施設等運営権の設定は、その設定の日以後に終了する当該法人の各事業年度の所得の金額の計算上、イ《リース譲渡に係る収益及び費用の帰属事業年度》に掲げるリース譲渡とみなして、①を適用する。（措法67の５の２①）

ヘ　通算制度の開始等に伴うリース譲渡に係る収益及び費用の処理に関する規定の不適用

第三十五款の三の１《通算制度の開始に伴う資産の時価評価損益》に掲げる内国法人、同三の２《通算制度への加入に伴う資産の時価評価損益》に掲げる他の内国法人又は同三の３《通算制度からの離脱等に伴う資産の時価評価損益》に掲げる通算法人（同３の表の㈠に掲げる要件に該当するものに限る。）が時価評価事業年度（同三の１に掲げる通算開始直前事業年度、同三の２に掲げる通算加入直前事業年度又は同三の３に掲げる通算終了直前事業年度（これらの事業年度のうちハの適用を受ける事業年度を除く。）をいう。以下ヘにおいて同じ。）においてイ又はロの適用を受けている場合には、その適用を受けているリース譲渡に係る収益の額及び費用の額（当該時価評価事業年度前の各事業年度の所得の金額の計算上益金の額及び損金の額に算入されるもの並びにイ又はロにより当該時価評価事業年度の所得の金額の計算上益金の額及び損金の額に算入されるものを除く。）は、当該収益の額と費用の額との差額が少額であるものとして(1)に掲げる要件に該当する契約その他(2)に掲げる契約に係るものを除き、当該時価評価事業年度の所得の金額の計算上、益金の額及び損金の額に算入する。（法63④）

（収益の額と費用の額との差額が少額であるもの）

(1)　ヘに掲げる要件は、ヘに掲げるリース譲渡に係る契約についてのヘに掲げる時価評価事業年度（以下(1)及び(2)において「**時価評価事業年度**」という。）終了の時における繰延長期割賦損益額（㈠に掲げる金額から㈡に掲げる金額を控除した金額（㈡に掲げる金額が㈠に掲げる金額を超える場合には、㈡に掲げる金額から㈠に掲げる金額を控除した金額）をいう。）が1,000万円に満たないこととする。（令127①）

(一)	当該リース譲渡に係る収益の額（時価評価事業年度前の各事業年度の所得の金額の計算上益金の額に算入されるもの及びイ又はロにより時価評価事業年度の所得の金額の計算上益金の額に算入されるものを除く。）
(二)	当該リース譲渡に係る費用の額（時価評価事業年度前の各事業年度の所得の金額の計算上損金の額に算入されるもの及びイ又はロにより時価評価事業年度の所得の金額の計算上損金の額に算入されるものを除く。）

（その他の契約）

(2)　ヘに掲げる契約は、次に掲げる契約とする。（令127②）

(一)		次の表の左欄に掲げる法人の区分に応じそれぞれ同表の右欄に掲げる契約	
	イ	第三十五款の三の１《通算制度の開始に伴う資産の時価評価損益》に掲げる内国法人（同１に掲げる親法人を除く。）	同款の二の１の(13)《時価評価資産その他のもの》の表の㈢のロに掲げるリース譲渡契約
	ロ	同三の２《通算制度への加入に伴う資産の時価評価損益》に掲げる他の内国法人	同款の二の１の(16)《他の内国法人における時価評価資産その他のもの》の表の㈢のロに掲

			げるリース譲渡契約
(二)			ヘに掲げるリース譲渡に係る契約を時価評価事業年度において他の者に移転をした場合におけるその移転をした契約

(通算制度の開始等に伴う繰延長期割賦損益額の判定)
（３）　（１）に掲げる繰延長期割賦損益額が1,000万円に満たないかどうかの判定については、第三十五款の二の**1**の(23)《譲渡損益調整額等が1,000万円以上であるかどうかの判定単位等》表の(二)の取扱いを準用する。（基通２－４－11）

② 平成30年度改正前の長期割賦販売等に係る収益及び費用の帰属事業年度

イ　長期割賦販売等に係る収益及び費用の帰属事業年度

　内国法人が、（１）《長期割賦販売等の意義》に掲げる長期割賦販売等に該当する資産の販売若しくは譲渡、工事（製造を含む。）の請負又は役務の提供（**２**の①の（１）《長期大規模工事の意義》に掲げる長期大規模工事の請負を除く。以下②において「**資産の販売等**」という。）をした場合において、その資産の販売等に係る収益の額及び費用の額につき、その資産の販売等に係る目的物又は役務の引渡し又は提供の日の属する事業年度以後の各事業年度の確定した決算において(10)《延払基準の方法》に掲げる延払基準の方法により経理したときは、その経理した収益の額及び費用の額は、当該各事業年度の所得の金額の計算上、益金の額及び損金の額に算入する。ただし、当該資産の販売等に係る収益の額及び費用の額につき、同日の属する事業年度後のいずれかの事業年度の確定した決算において当該延払基準の方法により経理しなかった場合には、その資産の販売等に係る収益の額及び費用の額（その経理しなかった決算に係る事業年度前の各事業年度の所得の金額の計算上益金の額及び損金の額に算入されるものを除く。）は、その経理しなかった決算に係る事業年度の所得の金額の計算上、益金の額及び損金の額に算入する。（旧法63①、旧令125①）
　　注　損失が生じた長期割賦販売等に該当する資産の販売等についても、②の適用があることに留意する。（編者）

(長期割賦販売等の意義)
（１）　長期割賦販売等とは、資産の販売等で次の表に掲げる要件に適合する条件を定めた契約に基づき当該条件により行われるもの及びロに掲げるリース譲渡をいう。（旧法63⑥、旧令127）

(一)	月賦、年賦その他の賦払の方法により３回以上に分割して対価の支払を受けること。 （賦払の方法） 　（１）の表の(一)に掲げる「月賦、年賦その他の賦払の方法」とは、対価の額につき支払を受けるべき金額の支払期日（以下「履行期日」という。）が頭金の履行期日を除き、月、年等年以下の期間を単位としておおむね規則的に到来し、かつ、それぞれの履行期日において支払を受けるべき金額が相手方との当初の契約において具体的に確定している場合におけるその賦払の方法をいう。（旧基通２－４－１）
(二)	その資産の販売等に係る目的物又は役務の引渡し又は提供の期日の翌日から最後の賦払金の支払の期日までの期間が２年以上であること。
(三)	当該契約において定められているその資産の販売等の目的物の引渡しの期日までに支払の期日の到来する賦払金の額の合計額がその資産の販売等の対価の額の$\frac{2}{3}$以下となっていること。

(延払基準の適用がある資産の譲渡)
（２）　長期割賦販売等には、次に掲げる金額の受領に係る取引で(１)に掲げる長期割賦販売等の要件に該当するものが含まれるものとする。（旧基通２－４－２）

(一)	借地権又は地役権の設定の対価として支払を受ける権利金その他の一時金の額で第二十七款の**五**の**2**《借地権の設定等により地価が著しく低下する場合の土地等の帳簿価額の一部の損金算入》の適用があるもの
(二)	建物の賃貸借契約に際して支払を受ける権利金その他の一時金の額
(三)	ノーハウの設定契約に際して支払を受ける一時金又は頭金の額

　　　　　（譲渡損益調整資産の販売等の適用除外）
（３）　**イ**の適用については、資産の販売等には、内国法人が他の内国法人に対して行った第三十三款の**一**《譲渡損益調整資産に係る譲渡利益額又は譲渡損失額の繰延べ》に掲げる譲渡損益調整資産の販売又は譲渡（当該販売又は譲渡に伴って同**一**の適用を受けたものに限る。）を含まないものとする。（旧法63⑤）

　　　　　（売買があったものとされたリース取引）
（４）　賃貸人が受取リース料を賃貸料として収益の額に計上している場合において、**六**《リース取引に係る所得の金額の計算》の適用によりリース資産（**六**に掲げるリース資産をいう。以下**イ**において同じ。）の売買があったものとされたときは、賃貸人はそのリース取引に係る収益の額及び費用の額の計算につき、**イ**を適用することができる。この場合には、そのリース期間中に収受すべきリース料の額の合計額を(10)《延払基準の方法》に掲げる「長期割賦販売等の対価の額」として取り扱う。（旧基通２－４－２の２）
　　　注１　そのリース取引が行われた日の属する事業年度後の事業年度において、当該リース取引について売買があったものとして処理すべきことが明らかになった場合には、当該明らかになった日の属する事業年度前の各事業年度についての当該リース取引に係る収益の額及び費用の額は、原則として(10)《延払基準の方法》に掲げる延払基準の方法により計算した収益の額及び費用の額とする。
　　　注２　再リース料の額は、再リースをすることが明らかな場合を除き、長期割賦販売等の対価の額に含めないで、その収受すべき日の属する事業年度の益金の額に算入する。
　　　注３　本文及び注１の取扱いは、（３）に掲げる譲渡損益調整資産の販売又は譲渡には適用がないことに留意する。

　　　　　（長期割賦販売等に係る収益の額に含めないことができる利息相当部分）
（５）　法人が**イ**に掲げる長期割賦販売等（**ロ**に掲げるリース譲渡を除く。）に該当する資産の販売等を行った場合において、当該長期割賦販売等に係る契約により販売代価と賦払期間中の利息に相当する金額とが明確、かつ、合理的に区分されているときは、当該利息相当額を当該長期割賦販売等に係る収益の額に含めないことができることに留意する。長期割賦販売等に該当しない割賦販売等についても同様とする。（旧基通２－４－11）

　　　　　（時価以上の価額で資産を下取りした場合の対価の額）
（６）　法人が長期割賦販売等に該当する資産の販売等を行うに当たり、頭金等として相手方の有する資産を下取りした場合において、当該資産につきその取得の時における価額を超える価額を取得価額としているときは、その超える部分の金額については取得価額に含めないものとし、その販売等をした資産については、その超える部分の金額に相当する値引きをして販売等をしたものとして取り扱う。（旧基通２－４－６）

　　　　　（賦払金の支払遅延等により販売した資産を取り戻した場合の処理）
（７）　法人が長期割賦販売等に該当する資産の販売等をした後において、相手方の代金の支払遅延等の理由により契約を解除して賦払期間（リース取引にあっては、リース期間）の中途において当該販売等をした資産を取り戻した場合には、原則としてその資産を取り戻した日の属する事業年度において、まだ支払の行われていない賦払金の額の合計額から当該金額のうちに含まれる延払損益を除外した金額（リース取引にあっては、まだ支払の行われていないリース料の額の合計額から当該金額のうちに含まれる利息に相当する金額を控除した金額）をもって資産に計上するものとするが、法人が当該合計額（リース取引にあっては、まだ支払の行われていないリース料の額の合計額）又はその資産を取り戻した時における処分見込価額をもって資産に計上したときは、その計算を認めるものとする。（旧基通２－４－８）

　　　　　（契約の変更があった場合の取扱い）
（８）　**イ**によりその収益の額及び費用の額の計上につき延払基準の方法を適用している長期割賦販売等に該当する資産の販売等についてその後契約の変更があり、賦払金の履行期日又は各履行期日ごとの賦払金の額が異動した場合における**イ**の適用については、次による。（旧基通２－４－９）

（一）	その契約の変更後においてなおその資産の販売等が長期割賦販売等に該当するものである場合には、その変更後の履行期日及び各履行期日ごとの賦払金の額に基づいて延払基準の計算を行う。ただし、その変更前に既に履行期日の到来した賦払金の額については、この限りでない。
（二）	その契約の変更によりその資産の販売等が長期割賦販売等に該当しないこととなった場合には、その資産の販売等に係る収益の額及び費用の額（当該事業年度前の各事業年度の所得の金額の計算上益金の額及び損金の額に算入されるものを除く。）は、その該当しないこととなった日の属する事業年度の益金の額及び損金の額に

算入する。

(対価の額又は原価の額に異動があった場合の調整)
(9) イによりその収益の額及び費用の額の計上につき延払基準の方法を適用している長期割賦販売等に係る対価の額又は原価の額につきその後値増し、値引き等があったため当該長期割賦販売等に係る対価の額又は原価の額に異動を生じた場合には、その異動を生じた日の属する事業年度(以下(9)において「異動事業年度」という。)以後の各事業年度における当該対価の額又は原価の額に係る延払基準の方法の適用については、その異動後の対価の額又は原価の額(異動事業年度前の各事業年度において計上した部分の金額を除く。)及び異動事業年度開始の日以後に受けるべき賦払金の額の合計額を基礎として(8)によりその計算を行うものとする。ただし、法人が、その値増し、値引き等に係る金額をこれらの事実の生じた日の属する事業年度の益金の額又は損金の額に算入するとともに、延払基準の方法についてはその異動前の契約に基づいてその計算を行うこととしているときは、これを認める。(旧基通2-4-10)

(延払基準の方法)
(10) イに掲げる延払基準の方法は、次に掲げる方法とする。(旧令124①)

(一)	イに掲げる長期割賦販売等の対価の額及びその原価の額(その長期割賦販売等に要した手数料の額を含む。)にその長期割賦販売等に係る賦払金割合を乗じて計算した金額を当該事業年度の収益の額及び費用の額とする方法(旧令124①Ⅰ) 〔長期割賦販売等の対価の額 又は 長期割賦販売等の原価の額(販売手数料の額を含む。)〕 × 〔長期割賦販売等に係る賦払金割合: (※に係る賦払金であって当期中に支払期日の到来するものの合計額 + 当期中に支払期日の到来したものの合計額 - 左のうち前期末までに支払を受けた金額 + 当期中に支払を受けた金額で翌期以後に支払期日の到来するもの) / 長期割賦販売等の対価の額(※)〕
(二)	長期割賦販売等(ロに掲げるリース譲渡に該当するものに限る。以下(二)において同じ。)に係るA及びBに掲げる金額の合計額を当該事業年度の収益の額とし、Cに掲げる金額を当該事業年度の費用の額とする方法(旧令124①Ⅱ)
	A 当該長期割賦販売等の対価の額から利息相当額(当該長期割賦販売等の対価の額のうちに含まれる利息に相当する金額をいう。Bにおいて同じ。)を控除した金額(Bにおいて「元本相当額」という。)をリース資産(ロに掲げるリース資産をいう。)のリース期間(ロに掲げるリース取引に係る契約において定められた当該リース資産の賃貸借の期間をいう。以下Bにおいて同じ。)の月数で除し、これに当該事業年度における当該リース期間の月数を乗じて計算した金額
	B 当該長期割賦販売等の利息相当額がその元本相当額のうちその支払の期日が到来していないものの金額に応じて生ずるものとした場合に当該事業年度におけるリース期間に帰せられる利息相当額
	C 当該長期割賦販売等の原価の額をリース期間の月数で除し、これに当該事業年度における当該リース期間の月数を乗じて計算した金額
	注 上表に掲げる月数は、暦に従って計算し、1か月に満たない端数を生じたときは、これを1か月とする。(旧令124⑤)

(延払損益の計算の基礎となる手数料の範囲)
(11) (10)の表の(一)に掲げる手数料には、法人が外部に支払う販売手数料のほか、当該法人の使用人たる外交員等に対して支払う歩合給、手数料等で所得税法第204条《報酬・料金等の源泉徴収義務》に規定する報酬等に該当するものも含まれるが、その支払うべき手数料の額が賦払金の回収の都度その回収高に応じて確定することとなっている場合(頭金又は一定回数までの賦払金の回収を条件として手数料の額が確定することとなっている場合を除く。)における当該手数料を含まないものとする。(旧基通2-4-3)
　注　この取扱いにより延払損益の計算の基礎となる手数料に含めないものの額は、その額が確定する都度その確定した日の属する事業年度の損金の額に算入するのであるから留意する。

(手数料の原価の額への加算)
(12) 長期割賦販売等に係る手数料の額が頭金若しくは一定回数までの賦払金が回収されることを条件として確定し、

又は販売数量等に応じて逓増することとなっている等のため、当該事業年度前の各事業年度においてした長期割賦販売等に係る手数料につき、当該事業年度においてその支払うべきことが確定し、又は既に支払った手数料の額が増加した場合には、その確定し又は増加した手数料の額は、当該事業年度においてした長期割賦販売等に係る手数料に加算して当該長期割賦販売等に係る原価の額を計算することができる。(旧基通2－4－4)

(延払基準の計算単位)
(13) (10)の表に掲げる延払基準の方法による収益の額及び費用の額の計算は、原則としてその長期割賦販売等をした資産の販売等ごとに行うのであるが、長期割賦販売等のうち、月賦、年賦その他の賦払の方法により対価の支払を受けることを定型的に定めた約款に基づき行われる資産の販売等について、法人が継続して差益率のおおむね同じものごとその他合理的な区分ごとに一括してその計算を行っている場合には、これを認める。(旧基通2－4－5)

(賦払金割合の意義)
(14) (10)の表の(一)に掲げる賦払金割合とは、長期割賦販売等の対価の額のうちに、当該対価の額に係る賦払金であって当該事業年度(適格分割、適格現物出資又は適格現物分配〔適格現物分配にあっては、残余財産の全部の分配を除く。以下(14)において「適格分割等」という。〕により分割承継法人、被現物出資法人又は被現物分配法人にその契約の移転をする長期割賦販売等〔以下(14)において「移転長期割賦販売等」という。〕にあっては、当該適格分割等の日の属する事業年度開始の日から当該適格分割等の日の前日までの期間。以下(14)において同じ。)においてその支払の期日が到来するものの合計額(当該賦払金につき既に当該事業年度開始の日前に支払を受けている金額がある場合には、当該金額を除くものとし、翌事業年度〔移転長期割賦販売等にあっては、当該適格分割等の日〕以後において支払の期日が到来する賦払金につき当該事業年度中に支払を受けた金額がある場合には、当該金額を含む。)の占める割合をいう。(旧令124②)

　注　適格組織再編成が行われた場合の長期割賦販売等に係る収益及び費用の帰属事業年度については、(16)を参照。(編者)

(履行期日前に受領した手形)
(15) 長期割賦販売等に該当する資産の販売等の賦払金のうち当該事業年度後に履行期日の到来するものについて法人が手形を受領した場合には、その受領した手形の金額は、(14)に掲げる「支払を受けた金額」には含まれない。(旧基通2－4－7)

(適格組織再編成により移転を受けた長期割賦販売等に係る収益及び費用の帰属事業年度)
(16) 内国法人が適格合併、適格分割、適格現物出資又は適格現物分配(以下(16)において「適格組織再編成」という。)により当該適格組織再編成に係る被合併法人、分割法人、現物出資法人又は現物分配法人(以下(16)において「被合併法人等」という。)から当該被合併法人等においてイの適用を受けている長期割賦販売等に該当する資産の販売等に係る契約の移転を受けた場合(ハの(1)《リース譲渡に係る収益の額と費用の額との差額が少額であるものとされる要件》に掲げる適格分割等に係る分割法人、現物出資法人又は現物分配法人〔以下(16)において「分割法人等」という。〕から当該分割法人等のハ《非適格株式交換等に伴うリース譲渡に係る収益及び費用の帰属事業年度》に掲げる非適格株式交換等の日から同日の属する事業年度終了の日までの間に行われた当該適格分割等により当該適格分割等の時におけるハの(1)に掲げる繰延長期割賦損益額が1,000万円以上である当該長期割賦販売等に該当する資産の販売等に係る契約の移転を受けた場合を除く。)には、当該適格組織再編成の日の属する事業年度以後の各事業年度におけるイ及びハの適用については、当該被合併法人等が行った当該契約に係る当該資産の販売等及び当該被合併法人等が当該資産の販売等について行った各事業年度の確定した決算における延払基準の方法による経理は、当該内国法人が行ったものとみなす。この場合において、当該内国法人の当該各事業年度における当該資産の販売等に係る収益の額及び費用の額は、当該被合併法人等について当該適格組織再編成前に当該資産の販売等に係る収益の額及び費用の額とされた金額並びに長期割賦販売等の対価の額に係る(14)《賦払金割合の意義》に掲げる賦払金につき当該被合併法人等において既に支払を受けている金額を、それぞれ当該内国法人について当該資産の販売等に係る収益の額及び費用の額とされた金額並びに当該内国法人において既に支払を受けている金額とみなしてイに掲げる延払基準の方法により計算した金額とする。(旧法63⑨、旧令128①)

ロ　リース譲渡に係る収益及び費用の特例
　内国法人が、六の(2)《リース取引の意義》に掲げるリース取引による同六に掲げるリース資産の引渡し(以下「リース譲渡」という。)を行った場合には、イにかかわらず、その対価の額を(2)に掲げるところにより利息に相当する部分と

第三章　第一節　第一款　**五**《収益及び費用の帰属事業年度の特例》

それ以外の部分とに区分した場合における当該リース譲渡の日の属する事業年度以後の各事業年度の収益の額及び費用の額として(3)に掲げる金額は、当該各事業年度の所得の金額の計算上、益金の額及び損金の額に算入する。ただし、当該リース譲渡に係る契約の解除又は他の者に対する移転（適格合併、適格分割又は適格現物出資による移転を除く。）をした場合には、そのリース譲渡に係る収益の額及び費用の額（その解除又は移転をした事業年度前の各事業年度の所得の金額の計算上益金の額及び損金の額に算入されるものを除く。）は、その解除又は移転をした事業年度の所得の金額の計算上、益金の額及び損金の額に算入する。（旧法63②、旧令125②）

　　　（譲渡損益調整資産の譲渡の適用除外）
（１）　□の適用については、資産の販売等又はリース譲渡には、内国法人が他の内国法人に対して行った第三十三款の**一**《譲渡損益調整資産に係る譲渡利益額又は譲渡損失額の繰延べ》に掲げる譲渡損益調整資産の販売又は譲渡（当該販売又は譲渡に伴って同**一**の適用を受けたものに限る。）を含まないものとする。（旧法63⑤）

　　　（利息に相当する部分の金額の意義）
（２）　□の利息に相当する部分の金額は、リース譲渡の対価の額からその原価の額を控除した金額の$\frac{20}{100}$に相当する金額（(3)において「利息相当額」という。）とする。（旧令124③）

　　　（リース譲渡に係る各事業年度の収益の額及び費用の額）
（３）　□に掲げるリース譲渡に係る収益の額は次の表の(一)及び(二)に掲げる金額の合計額とし、費用の額は同表の(三)に掲げる金額とする。（旧令124④）

(一)	リース譲渡の対価の額から利息相当額を控除した金額（(二)において「元本相当額」という。）をリース期間の月数で除し、これに当該事業年度における当該リース期間の月数を乗じて計算した金額
(二)	リース譲渡に係る賦払金の支払を、支払期間をリース期間と、支払日を当該リース譲渡に係る対価の支払の期日と、各支払日の支払額を当該リース譲渡に係る対価の各支払日の支払額と、利息の総額を利息相当額と、元本の総額を元本相当額とし、利率を当該支払期間、支払日、各支払日の支払額、利息の総額及び元本の総額を基礎とした複利法により求められる一定の率として賦払の方法により行うものとした場合に当該事業年度におけるリース期間に帰せられる利息の額に相当する金額
(三)	リース譲渡の原価の額をリース期間の月数で除し、これに当該事業年度における当該リース期間の月数を乗じて計算した金額

　　注　上表に掲げる月数は、暦に従って計算し、１か月に満たない端数を生じたときは、これを１か月とする。（旧令124⑤）

　　　（リース譲渡に係る損金算入の申告）
（４）　□は、リース譲渡の日の属する事業年度の確定申告書に、同□に掲げる収益の額及び費用の額として(3)に掲げる金額の益金算入及び損金算入に関する明細の記載がある場合に限り、適用する。（旧法63⑦）

　　　（申告記載がない場合のゆうじょ規定）
（５）　税務署長は、(4)に掲げる記載がない確定申告書の提出があった場合においても、その記載がなかったことについてやむを得ない事情があると認めるときは、□を適用することができる。（旧法63⑧）

　　　（契約の変更があった場合の取扱い）
（６）　□によりその収益の額及び費用の額の計上につき□を適用しているリース譲渡についてその後契約の変更があり、賦払金の履行期日又は各履行期日ごとの賦払金の額が異動した場合における□の適用については、次による。（旧基通２－４－９・編者補正）
　（一）　その契約の変更後においてなおリース譲渡に該当するものである場合には、その変更後の履行期日及び各履行期日ごとの賦払金の額に基づいて延払基準の計算を行う。ただし、その変更前に既に履行期日の到来した賦払金の額については、この限りでない。
　（二）　その契約の変更によりリース譲渡に該当しないこととなった場合には、そのリース譲渡に係る収益の額及び費用の額（当該事業年度前の各事業年度の所得の金額の計算上益金の額及び損金の額に算入されるものを除く。）は、その該当しないこととなった日の属する事業年度の益金の額及び損金の額に算入する。

(対価の額又は原価の額に異動があった場合の調整)
（7） ロによりその収益の額及び費用の額の計上につきロを適用しているリース譲渡に係る対価の額又は原価の額につきその後値増し、値引き等があったため当該リース譲渡に係る対価の額又は原価の額に異動を生じた場合には、その異動を生じた日の属する事業年度（以下（7）において「異動事業年度」という。）以後の各事業年度における当該対価の額又は原価の額に係るロの適用については、その異動後の対価の額又は原価の額（異動事業年度前の各事業年度において計上した部分の金額を除く。）及び異動事業年度開始の日以後に受けるべき賦払金の額の合計額を基礎として（6）によりその計算を行うものとする。ただし、法人が、その値増し、値引き等に係る金額をこれらの事実の生じた日の属する事業年度の益金の額又は損金の額に算入するとともに、ロについてはその異動前の契約に基づいてその計算を行うこととしているときは、これを認める。（旧基通２－４－10・編者補正）

(適格合併等により移転を受けたリース譲渡に係る収益及び費用の特例)
（8） 内国法人が適格合併、適格分割又は適格現物出資（以下（8）において「適格合併等」という。）により当該適格合併等に係る被合併法人、分割法人又は現物出資法人（以下（8）において「被合併法人等」という。）から当該被合併法人等においてロの適用を受けているリース譲渡に係る契約の移転を受けた場合（適格分割又は適格現物出資に係る分割法人又は現物出資法人から当該分割法人又は現物出資法人のハ《非適格株式交換等に伴うリース譲渡に係る収益及び費用の帰属事業年度》に掲げる非適格株式交換等の日から同日の属する事業年度終了の日までの間に行われた当該適格分割又は適格現物出資により当該適格分割又は適格現物出資の時におけるハの（1）に掲げる繰延長期割賦損益額が1,000万円以上である当該リース譲渡に係る契約の移転を受けた場合を除く。）には、当該適格合併等の日の属する事業年度以後の各事業年度におけるロ及びハの適用については、当該リース譲渡に係る対価の額及び原価の額並びにリース期間（イの(10)の表の(二)のＡに掲げる期間をいう。以下同じ。）は、当該内国法人が行ったリース譲渡に係る対価の額及び原価の額並びにリース期間と、当該被合併法人等がした（4）の明細の記載は、当該内国法人がしたものと、それぞれみなす。（旧法63⑨、旧令128②）

ハ 非適格株式交換等に伴うリース譲渡に係る収益及び費用の帰属事業年度

第三十四款の二の１《非適格株式交換等に係る株式交換完全子法人等の有する資産の時価評価損益》に掲げる内国法人が同１に掲げる非適格株式交換等の日の属する事業年度（以下「非適格株式交換等事業年度」という。）においてイ又はロの適用を受けている場合には、その適用を受けている資産の販売等又はリース譲渡に係る収益の額及び費用の額（当該非適格株式交換等事業年度前の各事業年度の所得の金額の計算上益金の額及び損金の額に算入されるもの並びにイ又はロにより当該非適格株式交換等事業年度の所得の金額の計算上益金の額及び損金の額に算入されるものを除く。）は、当該収益の額と費用の額との差額が少額であるものとして（1）に掲げる要件に該当する（2）に掲げる契約に係るものを除き、当該非適格株式交換等事業年度の所得の金額の計算上、益金の額及び損金の額に算入する。（旧法63④）

(リース譲渡に係る収益の額と費用の額との差額が少額であるものとされる要件)
（1） ハに掲げる要件は、ハに掲げる資産の販売等又はリース譲渡に係る契約についての非適格株式交換等事業年度終了の時（非適格株式交換等〔ハに掲げる非適格株式交換等をいう。以下同じ。〕の日から当該非適格株式交換等事業年度終了の日までの期間内に行われた適格分割、適格現物出資又は適格現物分配〔以下「適格分割等」という。〕により分割承継法人、被現物出資法人又は被現物分配法人に当該資産の販売等又はリース譲渡に係る契約の移転をした場合におけるその移転をした契約にあっては、当該適格分割等の時）における繰延長期割賦損益額（次の表の(一)に掲げる金額から同表の(二)に掲げる金額を控除した金額〔(二)に掲げる金額が(一)に掲げる金額を超える場合には、(二)に掲げる金額から(一)に掲げる金額を控除した金額〕をいう。）が1,000万円に満たないこととする。（旧法63④、旧令126の２①）

(一)	その資産の販売等又はリース譲渡に係る収益の額（非適格株式交換等事業年度前の各事業年度の所得の金額の計算上益金の額に算入されるもの及びイ又はロにより非適格株式交換等事業年度の所得の金額の計算上益金の額に算入されるものを除く。）
(二)	その資産の販売等又はリース譲渡に係る費用の額（非適格株式交換等事業年度前の各事業年度の所得の金額の計算上損金の額に算入されるもの及びイ又はロにより非適格株式交換等事業年度の所得の金額の計算上損金の額に算入されるものを除く。）

(非適格株式交換等事業年度の収益及び費用の処理に関する規定が不適用とされる契約)
（２） ハに掲げる契約は、次に掲げる契約とする。(旧令126の２②)

(一)	ハに掲げる資産の販売等又はリース譲渡に係る契約を非適格株式交換等の日の属する事業年度開始の日から当該非適格株式交換等の日の前日までの期間内に他の者に移転をした場合におけるその移転をした契約
(二)	ハに掲げる資産の販売等又はリース譲渡に係る契約を非適格株式交換等の日から同日の属する事業年度終了の日までの期間内に締結し、又は当該期間内に他の者から移転を受けた場合におけるその締結し、又は移転を受けた契約

ニ 特定普通法人等が公益法人等に該当することとなる場合の取扱い

イの本文又はロの本文の適用を受けている平成30年度改正前の法人税法第10条の３第１項《課税所得の範囲の変更》に掲げる特定普通法人等が公益法人等に該当することとなる場合には、その適用を受けている資産の販売等に係る収益の額及び費用の額（その該当することとなる日の前日の属する事業年度前の各事業年度の所得の金額の計算上益金の額及び損金の額に算入されるものを除く。）は、その該当することとなる日の前日の属する事業年度の所得の金額の計算上、益金の額及び損金の額に算入する。（旧令125③）

ホ 特定の公共施設等運営権の設定に係る収益及び費用の帰属事業年度の特例

法人が関西国際空港及び大阪国際空港の一体的かつ効率的な設置及び管理に関する法律第30条第１項の規定による国土交通大臣の承認を受けて同法第29条第１項《民間資金法の特例等》に規定する特定空港運営事業に係る公共施設等運営権を設定した場合には、その公共施設等運営権の設定は、その設定の日以後に終了する当該法人の各事業年度の所得の金額の計算上、イに掲げる資産の販売等とみなして、②を適用する。この場合において、イの(１)の表の(二)中「提供の期日」とあるのは、「提供の期日（ホ《特定の公共施設等運営権の設定に係る長期割賦販売等の特例》に掲げる公共施設等運営権の設定の場合には、その設定の日）」とする。（旧措法67の５の３①）

(長期割賦販売等の特例の適用における法人税法施行令の適用)
　　ホの適用がある場合におけるイの適用については、イ中「提供の日」とあるのは「提供の日（ホ《特定の公共施設等運営権の設定に係る長期割賦販売等の特例》に掲げる公共施設等運営権の設定の場合には、その設定の日）」とする。（旧措法67の５の３②、旧措令39の28の３）

③ 平成30年度改正における経過措置

イ 経過措置事業年度における平成30年度改正前の規定の適用

平成30年３月31日以前に②のイの(１)《長期割賦販売等の意義》に掲げる長期割賦販売等（以下③において「**長期割賦販売等**」という。）に該当する②のイ《長期割賦販売等に係る収益及び費用の帰属事業年度》に掲げる資産の販売等（①のイ《リース譲渡に係る収益及び費用の帰属事業年度》に掲げるリース譲渡を除く。以下③において「**特定資産の販売等**」という。）を行った法人（平成30年３月31日以前に行われた長期割賦販売等に該当する特定資産の販売等に係る契約の移転を受けた法人を含む。）の平成30年４月１日以後に終了する事業年度（令和５年３月31日以前に開始する事業年度に限る。③において「**経過措置事業年度**」という。）の所得の金額の計算については、②のイ及び②のハ（特定資産の販売等に係る部分に限る。）は、なおその効力を有する。この場合において、②のニ《特定普通法人等が公益法人等に該当することとなる場合の取扱い》中「平成30年度改正前の法人税法第10条の３第１項《課税所得の範囲の変更等》に掲げる特定普通法人等」とあるのは、「普通法人又は協同組合等」とする。（平30改法附28①、１、平30改令附13①、１）

なお、イによりなおその効力を有するものとされる②の適用がある場合における第五章第二節の一３《普通法人又は協同組合等が適格合併を行った場合の取扱い》の適用については、「規定を」とあるのは「規定及び②によりなおその効力を有するものとされる②のイの(16)《適格組織再編成により移転を受けた長期割賦販売等に係る収益及び費用の帰属事業年度》を」とする。（平30改令附13②）

注１ ――線部分（注２に係る部分を除く。）は、令和２年度改正により改正された部分で、改正規定は、令和４年４月１日から適用され、令和４年３月31日以前の適用については、「②のイ及び②のハ」とあるのは「②」とする。（令２改法附１Ⅴネ）
注２ ――線部分（「この場合において、」以降の部分に限る。）は、令和元年度改正により追加された部分で、改正規定は、平成31年４月２日以後に公益法人等に該当することとなる普通法人及び協同組合等について適用される。（平31改令附14、１）

(平成30年3月31日以前に契約し平成30年4月1日以後に引渡し等を行った特定資産の販売等の取扱い)
　法人が平成30年3月31日以前に特定資産の販売等に係る契約をし、かつ、平成30年4月1日以後に当該特定資産の販売等に係る目的物又は役務の引渡し又は提供をした場合には、イの適用については、当該特定資産の販売等は、平成30年3月31日以前に行われたものとする。(平30改令附13③)

ロ　未計上収益額及び未計上費用額の益金及び損金算入
　イ《経過措置事業年度における平成30年度改正前の規定の適用》によりなおその効力を有するものとされる②《平成30年度改正前の長期割賦販売等に係る収益及び費用の帰属事業年度》のイの本文の適用を受ける法人の長期割賦販売等に該当する特定資産の販売等に係る収益の額及び費用の額が次の表の左欄に掲げる場合に該当する場合には、当該収益の額及び費用の額((1)においてそれぞれ「**未計上収益額**」及び「**未計上費用額**」という。)は、それぞれ右欄に掲げる事業年度((1)及び(2)において「**基準事業年度**」という。)の所得の金額の計算上、益金の額及び損金の額に算入する。(平30改法附28②)

(一)	当該特定資産の販売等に係る収益の額及び費用の額につき経過措置事業年度の確定した決算(第二節第三款の**一の3**《仮決算をした場合の中間申告書の記載事項等》に掲げる期間について同**3**の表に掲げる事項を記載した中間申告書を提出する場合には、その期間に係る決算)において②のイに掲げる延払基準の方法により経理しなかった場合	その経理しなかった決算に係る事業年度
(二)	当該特定資産の販売等に係る収益の額及び費用の額のうち、令和5年3月31日以前に開始した各事業年度の所得の金額の計算上益金の額及び損金の額に算入されなかったものがある場合	同日後最初に開始する事業年度

(未計上収益額及び未計上費用額の10年均等取崩し)
(1)　イ《経過措置事業年度における平成30年度改正前の規定の適用》によりなおその効力を有するものとされる②《平成30年度改正前の長期割賦販売等に係る収益及び費用の帰属事業年度》のイの本文の適用を受ける法人の長期割賦販売等に該当する特定資産の販売等に係る収益の額及び費用の額がロの表に掲げる場合に該当する場合において、当該特定資産の販売等に係る未計上収益額が当該特定資産の販売等に係る未計上費用額を超えるときは、同ロにかかわらず、次の表の(一)に掲げる金額〔解散若しくは事業の全部の廃止若しくは譲渡〔適格分割又は適格現物出資〈当該適格分割又は適格現物出資に係る分割法人又は現物出資法人がハの**(ロ)**の適用を受ける場合における当該適格分割又は適格現物出資に限る。〉による分割承継法人又は被現物出資法人への譲渡を除く。〕の日の属する事業年度、清算中の事業年度又は被合併法人の合併〔適格合併を除く。〕の日の前日の属する事業年度、<u>普通法人又は協同組合等</u>が公益法人等に該当することとなる場合におけるその該当することとなる日の前日の属する事業年度及び次の表の(一)に掲げる金額が次の表の(二)に掲げる金額を超える事業年度にあっては、同表の(二)に掲げる金額〕を、基準事業年度以後の各事業年度の所得の金額の計算上、益金の額及び損金の額に算入する。(平30改法附28③、平30改令附13④)

(一)	当該未計上収益額及び未計上費用額を120で除し、これに当該事業年度の月数を乗じて計算した金額	
(二)	イに掲げる金額からロに掲げる金額を控除した金額	
	イ	当該未計上収益額及び未計上費用額
	ロ	イに掲げる金額のうち当該事業年度前の各事業年度の所得の金額の計算上益金の額及び損金の額に算入された金額

　注1　上表の(一)の月数は、暦に従って計算し、1か月に満たない端数を生じたときは、これを切り捨てる。(平30改法附28⑥)
　注2　──線部分は、令和元年度改正により改正された部分で、改正規定は、平成31年4月2日以後に公益法人等に該当することとなる普通法人及び協同組合等について適用され、平成31年4月1日以前に公益法人等に該当することとなった特定普通法人等については、「普通法人又は協同組合等」とあるのは「平成30年度改正前の法人税法第10条の3第1項《課税所得の範囲の変更等》に掲げる特定普通法人等」とする。(平31改法附106②、1)

(特例を適用する場合の申告)
(2)　(1)は、基準事業年度の確定申告書(基準事業年度の中間申告書で第二節第三款の**一の3**《仮決算をした場合の中間申告書の記載事項等》の表に掲げる事項を記載したものを提出する場合には、その中間申告書。(3)において同

じ。）に（1）により益金の額及び損金の額に算入される金額の申告の記載がある場合に限り、適用する。（平30改法附28④）

　（申告の記載等がない場合のゆうじょ規定）
（3）　税務署長は、（2）の記載がない確定申告書の提出があった場合においても、その記載がなかったことについてやむを得ない事情があると認めるときは、（1）を適用することができる。（平30改法附28⑤）

ハ　適格組織再編があった場合の取扱い
（イ）　未計上収益額及び未計上費用額の10年均等取崩しの適用中に適格合併が行われた場合

　ロの（1）《未計上収益額及び未計上費用額の10年均等取崩し》の適用を受けた法人を被合併法人とする適格合併が行われた場合には、当該適格合併に係る合併法人の当該適格合併の日の属する事業年度以後の各事業年度においては、当該法人がしたロの（2）《特例を適用する場合の申告》の申告の記載は当該合併法人がしたものとみなして、ロの（1）を適用する。この場合において、当該合併法人の次の表の左欄に掲げる事業年度におけるロの（1）の適用については、それぞれ右欄に掲げるところによる。（平30改法附28⑧、平30改令附13⑤）

（一）	当該適格合併の日の属する事業年度	当該法人のロの（1）の適用に係る同ロに掲げる未計上収益額及び未計上費用額（以下ハにおいてそれぞれ「**未計上収益額**」及び「**未計上費用額**」という。）を120で除して計算した金額に同日から当該事業年度終了の日までの期間の月数を乗じて計算した金額をロの（1）の表の（一）に掲げる金額とし、当該未計上収益額及び未計上費用額を同表の（二）のイに掲げる金額とし、当該未計上収益額及び未計上費用額のうち、当該法人において各事業年度の所得の金額の計算上益金の額及び損金の額に算入された金額を同表の（二）のロに掲げる金額とする。
（二）	当該適格合併の日の属する事業年度後の各事業年度	当該法人のロの（1）の適用に係る未計上収益額及び未計上費用額を120で除して計算した金額に当該事業年度の月数を乗じて計算した金額をロの（1）の表の（一）に掲げる金額とし、当該未計上収益額及び未計上費用額を同表の（二）のイに掲げる金額とし、当該未計上収益額及び未計上費用額のうち、当該法人において各事業年度の所得の金額の計算上益金の額及び損金の額に算入された金額と当該合併法人において当該事業年度前の各事業年度の所得の金額の計算上益金の額及び損金の額に算入された金額との合計額を同表の（二）のロに掲げる金額とする。

注　上表の月数は、暦に従って計算し、1か月に満たない端数を生じたときは、これを切り捨てる。（平30改令附13⑨）

（ロ）　未計上収益額及び未計上費用額の10年均等取崩しの適用中に適格分割等が行われた場合（分割法人等）

　ロの（1）《未計上収益額及び未計上費用額の10年均等取崩し》の適用を受けた法人を分割法人等（分割法人、現物出資法人又は現物分配法人をいう。）とする適格分割等（適格分割、適格現物出資又は適格現物分配をいう。以下ハにおいて同じ。）が行われた場合において、当該法人が当該適格分割等により長期割賦販売等に該当する特定資産の販売等に係る契約（（一）及び（ハ）において「**長期割賦契約**」という。）を移転したときは、当該法人の次の表の左欄に掲げる事業年度におけるロの（1）の適用については、それぞれ右欄に掲げるところによる。（平30改法附28⑧、平30改令附13⑥）

（一）	当該適格分割等の日の属する事業年度	ロの（1）の適用に係る未計上収益額及び未計上費用額を120で除して計算した金額に当該事業年度開始の日から当該適格分割等の日の前日までの期間の月数を乗じて計算した金額と残存未計上収益額及び残存未計上費用額（それぞれ当該未計上収益額及び未計上費用額のうち、当該適格分割等により移転しなかった長期割賦契約に対応する部分の金額として当該未計上収益額及び未計上費用額に当該適格分割等の直前の時における当該法人の長期割賦契約に係る金銭債権の額のうちに当該適格分割等により移転しなかった長期割賦契約に係る金銭債権の額の占める割合を乗ずる方法その他合理的な方法により計算した金額をいう。以下（ロ）において同じ。）を120で除して計算した金額に当該適格分割等の日から当該事業年度終了の日までの期間の月数を乗じて計算した金額との合計額をロの（1）の表の（一）に掲げる金額とし、当該未計上収益額及び未計上費用額から移転未計上収益額及び移転未計上費用額（それぞれ次の表のイに掲げる金額にロに掲げる月数を乗じて計算した金額をいう。以下ハにおいて同じ。）を控除した金額をロの（1）の表の（二）のイに掲げる金額とする。
		イ　当該未計上収益額及び未計上費用額から残存未計上収益額及び残存未計上費用額を控除した金額を120で除して計算した金額

	ロ	120から経過月数（ロに掲げる基準事業年度開始の日から当該適格分割等の日の前日までの期間の月数をいう。）を控除した月数
(二)	当該適格分割等の日の属する事業年度後の各事業年度	残存未計上収益額及び残存未計上費用額を120で除して計算した金額に当該事業年度の月数を乗じて計算した金額をロの(1)の表の(一)に掲げる金額とし、ロの(1)の適用に係る未計上収益額及び未計上費用額から移転未計上収益額及び移転未計上費用額を控除した金額をロの(1)の表の(二)のイに掲げる金額とする。

　注　上表の月数は、暦に従って計算し、1か月に満たない端数を生じたときは、これを切り捨てる。（平30改令附13⑨）

（適用要件）
　(ロ)《未計上収益額及び未計上費用額の10年均等取崩しの適用中に適格分割等が行われた場合（分割法人等）》は、同**(ロ)**に掲げる法人が適格分割等の日以後2か月以内に未計上収益額及び未計上費用額、移転未計上収益額及び移転未計上費用額、残存未計上収益額及び残存未計上費用額、これらの金額の計算の基礎並びに次の表に掲げる事項を記載した書類を納税地の所轄税務署長に提出した場合に限り、適用する。（平30改令附13⑦、平30改規附3）

(一)	**(ロ)**の適用を受けようとする法人（人格のない社団等を含む。）の名称、納税地及び法人番号（行政手続における特定の個人を識別するための番号の利用等に関する法律〔平成25年法律第27号〕第2条第15項《定義》に規定する法人番号をいう。）並びに代表者（人格のない社団等で代表者の定めがなく、管理人の定めがあるものについては、管理人。）の氏名
(二)	**(ロ)**に掲げる適格分割等（(三)において「適格分割等」という。）に係る分割承継法人、被現物出資法人又は被現物分配法人の名称及び納税地並びに代表者の氏名
(三)	適格分割等の日
(四)	**(ロ)**の表の(一)に掲げる残存未計上収益額及び残存未計上費用額の計算の方法の内容
(五)	その他参考となるべき事項

(ハ)　未計上収益額及び未計上費用額の10年均等取り崩しの適用中に適格分割等が行われた場合（分割承継法人等）
　適格分割等（当該適格分割等に係る**(ロ)**《未計上収益額及び未計上費用額の10年均等取崩しの適用中に適格分割等が行われた場合（分割法人等）》に掲げる分割法人等が**(ロ)**の適用を受ける場合における当該適格分割等に限る。）が行われた場合において、当該適格分割等に係る分割承継法人等（分割承継法人、被現物出資法人又は被現物分配法人をいう。以下**(ハ)**において同じ。）が当該適格分割等によりロの(1)《未計上収益額及び未計上費用額の10年均等取崩し》の適用を受けた法人から長期割賦契約の移転を受けたときは、当該分割承継法人等の当該適格分割等の日の属する事業年度以後の各事業年度においては、当該法人がしたロの(2)《特例を適用する場合の申告》の申告の記載は当該分割承継法人等がしたものとみなして、ロの(1)を適用する。この場合において、当該分割承継法人等の次の表の左欄に掲げる事業年度におけるロの(1)の適用については、それぞれ右欄に掲げるところによる。（平30改法附28⑧、平30改令附13⑧）

(一)	当該適格分割等の日の属する事業年度	当該適格分割等に係る移転未計上収益額及び移転未計上費用額を**(ロ)**の表の(一)のロに掲げる月数で除して計算した金額に同日から当該事業年度終了の日までの期間の月数を乗じて計算した金額をロの(1)の表の(一)に掲げる金額とし、当該移転未計上収益額及び移転未計上費用額をロの(1)の表の(二)のイに掲げる金額とし、同表の(二)のロに掲げる金額はないものとする。
(二)	当該適格分割等の日の属する事業年度後の各事業年度	当該適格分割等に係る移転未計上収益額及び移転未計上費用額を**(ロ)**の表の(一)のロに掲げる月数で除して計算した金額に当該事業年度の月数を乗じて計算した金額をロの(1)の表の(一)に掲げる金額とし、当該移転未計上収益額及び移転未計上費用額をロの(1)の表の(二)のイに掲げる金額とし、当該移転未計上収益額及び移転未計上費用額のうち、当該分割承継法人等において当該事業年度前の各事業年度の所得の金額の計算上益金の額及び損金の額に算入された金額を同表の(二)のロに掲げる金額とする。

　注　上表の月数は、暦に従って計算し、1か月に満たない端数を生じたときは、これを切り捨てる。（平30改令附13⑨）

(ニ)　適格組織再編成により長期割賦販売等に該当する特定資産の販売等に係る契約の移転があった場合
　法人が②の**イ**の(16)《適格組織再編成により移転を受けた長期割賦販売等に係る収益及び費用の帰属事業年度》に掲げ

る適格組織再編成により長期割賦販売等に該当する特定資産の販売等に係る収益の額及び費用の額につき②《平成30年度改正前の長期割賦販売等に係る収益及び費用の帰属事業年度》のイの本文の規定又はイ《経過措置事業年度における平成30年度改正前の規定の適用》によりなおその効力を有するものとされる②のイの本文の適用を受けている法人から当該特定資産の販売等に係る契約の移転を受けた場合におけるロ《未計上収益額及び未計上費用額の益金及び損金算入》及び同ロの（１）《未計上収益額及び未計上費用額の10年均等取崩し》の適用については、次の表に掲げるところによる。（平30改法附28⑧、平30改令附13⑫）

(一)	当該移転を受けた法人が当該特定資産の販売等に係る収益の額及び費用の額につきイによりなおその効力を有するものとされる②のイの本文の適用を受けなかった場合には、当該法人（ロ及びロの（１）に掲げる法人に該当するものを除く。）をロ及びロの（１）に掲げる法人とみなす。この場合において、当該移転を受けた法人の当該移転を受けた日の属するイに掲げる経過措置事業年度において当該法人が当該特定資産の販売等に係る収益の額及び費用の額につきロの表の(一)に掲げる延払基準の方法により経理したときは、当該法人は、ロの表の(一)に掲げる延払基準の方法により経理しなかったものとみなす。
(二)	当該移転を受けた日の属する事業年度が令和５年３月31日後最初に開始する事業年度後の事業年度であるときは、当該事業年度を同日後最初に開始する事業年度とみなす。

２　工事の請負に係る収益及び費用の帰属事業年度

①　長期大規模工事の請負に係る収益及び費用の帰属事業年度

　内国法人が、**長期大規模工事**（（１）《長期大規模工事の意義》に掲げる工事をいう。以下同じ。）の請負をしたときは、その着手の日の属する事業年度からその目的物の引渡しの日の属する事業年度の前事業年度までの各事業年度の所得の金額の計算上、その長期大規模工事の請負に係る収益の額及び費用の額のうち、当該各事業年度の収益の額及び費用の額として③《工事進行基準の方法》に掲げる**工事進行基準の方法**により計算した金額を、益金の額及び損金の額に算入する。（法64①）

　注　①は、損失が生ずると見込まれる長期大規模工事についても適用される。（編者）

　　　（長期大規模工事の意義）
（１）　長期大規模工事とは、工事（製造及びソフトウエアの開発を含む。以下２において同じ。）のうち次に掲げる要件に該当するものをいう。（法64①、令129①②）

(一)	その工事の着手の日から当該工事に係る契約において定められている目的物の引渡しの期日までの期間が１年以上であること。
(二)	その請負の対価の額（その支払が外国通貨で行われるべきこととされている工事については、その工事に係る契約の時における外国為替の売買相場による円換算額とする。）が10億円以上の工事であること。
(三)	当該工事に係る契約において、その請負の対価の額の$\frac{1}{2}$以上が当該工事の目的物の引渡しの期日から１年を経過する日後に支払われることが定められていないものであること。

　　　（工事の請負の範囲）
（２）　（１）に掲げる工事の請負には、設計・監理等の役務の提供のみの請負は含まれないのであるが、工事の請負と一体として請け負ったと認められるこれらの役務の提供の請負については、当該工事の請負に含まれることに留意する。（基通２－４－12）

　　　（契約の意義）
（３）　（１）の表の(一)に掲げる「契約」とは、当事者間における請負に係る合意をいうのであるから、当該契約に関して契約書等の書面が作成されているかどうかを問わないことに留意する。（基通２－４－13）

　　　（長期大規模工事に該当するかどうかの判定単位）
（４）　請け負った工事が長期大規模工事に該当するかどうかは、当該工事に係る契約ごとに判定するのであるが、複数の契約書により工事の請負に係る契約が締結されている場合であって、当該契約に至った事情等からみてそれらの契

第三章　第一節　第一款　五《収益及び費用の帰属事業年度の特例》

約全体で一の工事を請け負ったと認められる場合には、当該工事に係る契約全体を一の契約として長期大規模工事に該当するかどうかの判定を行うことに留意する。（基通2－4－14）
　　注　三の1の②のイの(1)《収益の計上の単位の通則》の(一)に掲げるところにより区分した単位を一の取引の単位とすることとした場合には、当該単位により判定を行うことに留意する。

　　（工事の目的物について個々に引渡しが可能な場合の取扱い）
（5）　工事の請負に係る一の契約においてその目的物について個々に引渡しが可能な場合であっても、当該工事が長期大規模工事に該当するかどうかは、当該一の契約ごとに判定することに留意する。
　　ただし、その目的物の性質、取引の内容並びに目的物ごとの請負の対価の額及び原価の額の区分の状況などに照らして、個々に独立した契約が一の契約書に一括して記載されていると認められる工事の請負については、当該個々に独立した契約ごとに長期大規模工事の判定を行うことができる。（基通2－4－15）
　　注　三の1の②のイの(1)《収益の計上の単位の通則》の(二)に掲げるところにより区分した単位を一の取引の単位とすることとした場合（当該区分した単位ごとに対価の額が区分されている場合に限る。）には、当該単位により判定を行うことに留意する。

　　（工事の請負対価の額が未確定の場合の計算等）
（6）　内国法人の請負をした工事（当該工事に係る追加の工事を含む。）の請負の対価の額が当該事業年度終了の時において確定していないときにおける①の適用については、その時の現況により当該工事につき見積もられる工事の原価の額をその請負の対価の額及び③の工事の請負に係る収益の額とみなす。（令129④）
　　注　上記は、当該工事が長期大規模工事に該当するか否かの判定及び工事進行基準の方法による収益の額及び費用の額の計算を行う場合に適用する。（編者）

　　（外貨建工事に係る契約の時における為替相場）
（7）　（1）の表の（二）に掲げる「契約の時における外国為替の売買相場による円換算額」は、その外貨建工事（請負の対価の額の支払が外国通貨で行われるべきこととされている工事をいう。以下2において同じ。）の請負の対価の額を第二十六款の二の(1)《外貨建取引及び発生時換算法の円換算》の本文及び注1から注3までに掲げる為替相場（当該外貨建工事の契約の日を同(1)に掲げる取引日とした場合の為替相場をいう。）により円換算した金額とする。（基通2－4－20）
　　注　契約の日までに当該外貨建工事の請負の対価の額の全部又は一部について先物外国為替契約等（第二十六款の一の表の5《先物外国為替契約等》をいう。）により円換算額を確定させている場合であっても、（1）の表の（二）に掲げる「契約の時における外国為替の売買相場による円換算額」は、（7）の本文により円換算した金額とすることに留意する。

　　（外貨建工事の請負の対価の額が増額又は減額された場合の取扱い）
（8）　外貨建工事について、契約後、値増しや追加工事等又は値引きや工事の削減等があったことによりその請負の対価の額が増額又は減額された場合における（1）の表の（二）の適用については、当該外貨建工事に係る当該増額後又は減額後の請負の対価の額を、当該外貨建工事に係る契約時の外国為替の売買相場（当該外貨建工事につき（7）による円換算に用いた外国為替の売買相場をいう。）により円換算した金額とすることに留意する。（基通2－4－21）

　　（契約において手形で請負の対価の額が支払われることになっている場合の取扱い）
（9）　（1）の表の（三）に掲げる「支払われること」には、契約において定められている支払期日に手形により支払われる場合も含まれることに留意する。（基通2－4－18）

　　（進行割合20％未満等の長期大規模工事の取扱い）
（10）　内国法人の請負をした長期大規模工事であって、当該事業年度終了の時において、その着手の日から6か月を経過していないもの又はその③《工事進行基準の方法》に掲げる進行割合が$\frac{20}{100}$に満たないものに係る①の適用については、③の工事進行基準の方法にかかわらず、当該事業年度の当該長期大規模工事の請負に係る収益の額及び費用の額は、ないものとすることができる。
　　ただし、当該長期大規模工事の請負に係る収益の額及び費用の額につき、その確定した決算において③に掲げる工事進行基準の方法により経理した事業年度以後の事業年度については、この限りでない。（令129⑥）

　　（長期大規模工事に着手したかどうかの判定）
（11）　①を適用する場合において、内国法人が長期大規模工事に着手したかどうかの判定は、当該内国法人がその請け

負った工事の内容を完成するために行う一連の作業のうち重要な部分の作業を開始したかどうかによるものとする。この場合において、工事の設計に関する作業が当該工事の重要な部分の作業に該当するかどうかは、当該内国法人の選択による。(令129⑦)

(長期大規模工事の着手の日等の判定)
(12) (11)に掲げる「その請け負った工事の内容を完成するために行う一連の作業のうち重要な部分の作業」を開始した日がいつであるかについては、当該工事の種類及び性質、その工事に係る契約の内容、慣行等に応じその「重要な部分の作業」を開始した日として合理的であると認められる日のうち法人が継続して判定の基礎としている日によるものとする。(基通2-4-17)

(工事の途中で長期大規模工事に該当することとなった場合の既往事業年度分の収益及び費用の繰延べ経理)
(13) 内国法人の請負をした工事(②《工事の請負に係る収益及び費用の帰属事業年度》の本文の適用を受けているものを除く。)が請負の対価の額の引上げその他の事由によりその着工事業年度後の事業年度(その工事の目的物の引渡しの日の属する事業年度〔以下「引渡事業年度」という。〕を除く。)において長期大規模工事に該当することとなった場合における①の適用については、③《工事進行基準の方法》の工事進行基準の方法にかかわらず、当該工事の請負に係る既往事業年度分の収益の額及び費用の額(その工事の請負に係る収益の額及び費用の額につき着工事業年度以後の各事業年度において工事進行基準の方法により当該各事業年度の収益の額及び費用の額を計算することとした場合に着工事業年度からその該当することとなった日の属する事業年度〔以下「適用開始事業年度」という。〕の直前の事業年度までの各事業年度の収益の額及び費用の額とされる金額をいう。)は、当該適用開始事業年度から引渡事業年度の直前の事業年度までの各事業年度の当該工事の請負に係る収益の額及び費用の額に含まれないものとすることができる。
　ただし、当該工事の請負に係る収益の額及び費用の額につき、次の表の左欄に掲げる場合に該当することとなったときは、同表の右欄に掲げる事業年度以後の事業年度については、この限りでない。(令129⑤)

(一)	当該適用開始事業年度以後のいずれかの事業年度の確定した決算において③に掲げる工事進行基準の方法により経理した場合	その経理した決算に係る事業年度
(二)	当該適用開始事業年度以後のいずれかの事業年度において本文の適用を受けなかった場合	その適用を受けなかった事業年度

(明細書の添付)
(14) (13)の本文は、確定申告書に(13)の本文の適用を受けようとする工事の名称並びにその工事の請負に係る(13)の本文に掲げる既往事業年度分の収益の額及び費用の額の計算に関する明細を記載した書類の添付がある場合に限り、適用する。(令129⑧)
　　注　第二節第三款の一の3《仮決算をした場合の中間申告書の記載事項等》に掲げる期間に係る課税標準である所得の金額又は欠損金額の計算については、(14)中「確定申告書」とあるのは「中間申告書」とする。(令150の2①)

(長期大規模工事に該当しないこととなった場合の取扱い)
(15) 長期大規模工事に該当する工事について、請負の対価の額の減額や工事期間の短縮があったこと等により、その着工事業年度後の事業年度において長期大規模工事に該当しないこととなった場合であって、その工事について工事進行基準の適用をしないこととしたときであっても、その適用しないこととした事業年度前の各事業年度において計上した当該工事の請負に係る収益の額及び費用の額を既往に遡って修正することはしないのであるから留意する。(基通2-4-16)

(適格合併等により移転を受けた長期大規模工事の請負に係る収益及び費用の帰属事業年度)
(16) 内国法人が適格合併、適格分割又は適格現物出資(以下2において「適格合併等」という。)により被合併法人、分割法人又は現物出資法人(以下2において「被合併法人等」という。)から**長期大規模工事**に係る契約の移転を受けたときは、当該適格合併等の日の属する事業年度から当該長期大規模工事の目的物の引渡しの日の属する事業年度の前事業年度までの各事業年度における①の適用については、当該被合併法人等が行った当該長期大規模工事の請負は、当該内国法人が行ったものとみなす。この場合において、当該内国法人の当該各事業年度における当該長期大規模工事の請負に係る収益の額及び費用の額は、当該被合併法人等が当該適格合併等前に当該長期大規模工事のために要し

た経費の額並びに当該被合併法人等について当該適格合併等前に当該長期大規模工事の請負に係る収益の額及び費用の額とされた金額をそれぞれ当該内国法人が当該長期大規模工事のために要した経費の額並びに当該内国法人について当該長期大規模工事の請負に係る収益の額及び費用の額とされた金額とみなして③に掲げる工事進行基準の方法により計算した金額とする。（法64③、令131①）

② **工事の請負に係る収益及び費用の帰属事業年度**

　内国法人が、工事（その着手の日の属する事業年度〔以下「着工事業年度」という。〕中にその目的物の引渡しが行われないものに限るものとし、長期大規模工事に該当するものを除く。以下②において同じ。）の請負をした場合において、その工事の請負に係る収益の額及び費用の額につき、着工事業年度からその工事の目的物の引渡しの日の属する事業年度の前事業年度までの各事業年度の確定した決算において③に掲げる工事進行基準の方法により経理したときは、その経理した収益の額及び費用の額は、当該各事業年度の所得の金額の計算上、益金の額及び損金の額に算入する。ただし、その工事の請負に係る収益の額及び費用の額につき、着工事業年度後のいずれかの事業年度の確定した決算において当該工事進行基準の方法により経理しなかった場合には、その経理しなかった決算に係る事業年度の翌事業年度以後の事業年度については、この限りでない。（法64②）

　　　　（工事進行基準の方法による未収入金）
（１）　内国法人の請負をした工事につきその着手の日からその目的物の引渡しの日の前日までの期間内の日の属する各事業年度において①又は②の本文の適用を受けている場合には、当該工事に係る次の表の（一）に掲げる金額から（二）に掲げる金額を控除した金額を当該工事の請負に係る売掛債権等（売掛金、貸付金その他これらに準ずる金銭債権をいう。）の帳簿価額として、当該各事業年度の所得の金額を計算する。（令130①）

（一）	当該工事の請負に係る収益の額のうち、③に掲げる工事進行基準の方法により当該事業年度前の各事業年度の収益の額とされた金額及び当該事業年度の収益の額とされる金額の合計額（②のただし書に掲げる経理しなかった決算に係る事業年度の翌事業年度以後の事業年度の収益の額を除く。）
（二）	既に当該工事の請負の対価として支払われた金額（当該対価の額でまだ支払われていない金額のうち、当該対価の支払を受ける権利の移転により当該内国法人が当該対価の支払を受けない金額を含む。）

　　　　（工事未収入金の帳簿価額の調整）
（２）　内国法人が有する（１）に掲げる売掛債権等について（１）に掲げる期間内において、貸倒れによる損失が生じたこと、第九款の二の**3**《会社更生等による評価換えを行った場合の資産の評価損の損金算入》又は第三十五款の三の**1**《通算制度の開始に伴う資産の時価評価損益》の適用を受けることその他これらに類する事由によりその帳簿価額を増額し、又は減額することとなる場合には、当該売掛債権等の帳簿価額は（１）に掲げる控除した金額にその増額する金額を加算し、又は当該控除した金額からその減額する金額を減算した金額とする。（令130②、規27の16の3）

　　　　（工事の請負の範囲）
（３）　②に掲げる工事の請負には、設計・監理等の役務の提供のみの請負は含まれないのであるが、工事の請負と一体として請け負ったと認められるこれらの役務の提供の請負については、当該工事の請負に含まれることに留意する。（基通2－4－12・編者補正）

　　　　（損失が見込まれる場合の工事進行基準の適用）
（４）　法人が、当該事業年度終了のときにおいて見込まれる工事損失の額（その時の現況により見積もられる工事の原価の額が、その請負に係る収益の額を超える場合における当該超える部分の金額をいう。）のうち当該工事に関して既に計上した損益の額を控除した残額（以下（４）において「工事損失引当金相当額」という。）を、当該事業年度に係る工事原価の額として計上している場合であっても、そのことをもって、②に掲げる「工事進行基準の方法により経理したとき」に該当しないとは取り扱わない。
　　この場合において、当該工事損失引当金相当額は、②により当該事業年度において損金の額に算入されることとなる工事の請負に係る費用の額には含まれないことに留意する。（基通2－4－19）

　　　　（工事の請負対価の額が未確定の場合の計算等）
（５）　内国法人の請負をした工事（当該工事に係る追加の工事を含む。）の請負の対価の額が当該事業年度終了の時にお

いて確定していないときにおける②の本文の適用を受ける場合の③の適用については、その時の現況により当該工事につき見積もられる工事の原価の額をその請負の対価の額と及び③の工事の請負に係る収益の額とみなす。（令129⑨④）

（工事に着手したかどうかの判定）
（6）　②の本文を適用する場合において、②の内国法人が工事に着手したかどうかの判定は、当該内国法人がその請け負った工事の内容を完成するために行う一連の作業のうち重要な部分の作業を開始したかどうかによるものとする。この場合において、工事の設計に関する作業が当該工事の重要な部分の作業に該当するかどうかは、当該内国法人の選択による。（令129⑩⑦）

（工事の着手の日の判定）
（7）　（6）に掲げる「その請け負った工事の内容を完成するために行う一連の作業のうち重要な部分の作業」を開始した日がいつであるかについては、当該工事の種類及び性質、その工事に係る契約の内容、慣行等に応じその「重要な部分の作業」を開始した日として合理的であると認められる日のうち法人が継続して判定の基礎としている日によるものとする。（基通2－4－17・編者補正）

（請負の対価の額の確定の日）
（8）　内国法人の請負をした②に掲げる工事のうちその請負の対価の額がその着手の日において確定していないものに係る②の適用については、当該請負の対価の額の確定の日を当該工事の着手の日とすることができる。（令129⑪）

（適格合併等により移転を受けた工事の請負に係る収益及び費用の帰属事業年度）
（9）　内国法人が適格合併等により被合併法人等から②に掲げる**工事**（②の本文の適用を受けているものに限る。）に係る契約の移転を受けたときは、当該適格合併等の日の属する事業年度から当該工事の目的物の引渡しの日の属する事業年度の前事業年度までの各事業年度における②の適用については、当該被合併法人等が行った当該工事の請負及び当該被合併法人等が当該工事について行った各事業年度の確定した決算における工事進行基準の方法による経理は、当該内国法人が行ったものとみなす。この場合において、当該内国法人の当該各事業年度における当該工事の請負に係る収益の額及び費用の額は、当該被合併法人等が当該適格合併等前に当該工事のために要した経費の額並びに当該被合併法人等について当該適格合併等前に当該工事の請負に係る収益の額及び費用の額とされた金額をそれぞれ当該内国法人が当該工事のために要した経費の額並びに当該内国法人について当該工事の請負に係る収益の額及び費用の額とされた金額とみなして③に掲げる工事進行基準の方法により計算した金額とする。（法64③、令131②）

③　工事進行基準の方法
　①及び②に掲げる工事進行基準の方法は、工事の請負に係る収益の額及びその工事原価の額（当該事業年度終了の時〔適格分割又は適格現物出資によりその請負をした長期大規模工事に係る契約又は②に掲げる工事に係る契約を分割承継法人又は被現物出資法人に移転する場合における当該適格分割又は適格現物出資の日の属する事業年度においては、当該適格分割又は適格現物出資の直前の時。以下同じ。〕の現況によりその工事につき見積もられる工事の原価の額をいう。以下同じ。）に当該事業年度終了の時におけるその工事に係る**進行割合**（工事原価の額のうちにその工事のために既に要した原材料費、労務費その他の経費の額の合計額の占める割合その他の工事の進行の度合いを示すものとして合理的と認められるものに基づいて計算した割合をいう。）を乗じて計算した金額から、それぞれ当該事業年度前の各事業年度の収益の額とされた金額及び費用の額とされた金額を控除した金額を当該事業年度の収益の額及び費用の額とする方法とする。（令129③）

（進捗度に寄与しない原価等がある場合の工事進行基準の適用）
（1）　**四の2の①の（5）**《履行義務の充足に係る進捗度》の注2は、③に掲げる「進行割合」の算定について準用する。（基通2－4－18の2）

（外貨建工事の工事進行基準の計算）
（2）　外貨建工事における③による計算は、例えば、当該計算の基礎となる金額につき全て円換算後の金額に基づき計算する方法又は当該計算の基礎となる金額につき全て外貨建ての金額に基づき計算した金額について円換算を行う方法など、法人が当該外貨建工事につき継続して適用する合理的な方法によるものとする。

第三章　第一節　第一款　五《収益及び費用の帰属事業年度の特例》

　また、当該計算の基礎となる金額について円換算を行う場合には、第二十六款の二の（１）《外貨建取引及び発生時換算法の円換算》、同二の（２）《多通貨会計を採用している場合の外貨建取引の換算》、同二の（３）《前渡金等の振替え》及び同二の（４）《先物外国為替契約等がある場合の収益、費用の換算等》によることに留意する。（基通２－４－22）

　　注　③に掲げる「工事に係る進行割合」の計算については、工事の進行の度合を示すものとして合理的と認められるものに基づいて計算した割合によることができるのであるから留意する。

六　リース取引に係る所得の金額の計算

　内国法人がリース取引を行った場合には、そのリース取引の目的となる資産（以下「**リース資産**」という。）の賃貸人から賃借人への引渡しの時に当該リース資産の売買があったものとして、当該賃貸人又は賃借人である内国法人の各事業年度の所得の金額を計算する。（法64の2①）

　　　　（金銭の貸借とされるリース取引）
（1）　内国法人が譲受人から譲渡人に対する賃貸（リース取引に該当するものに限る。）を条件に資産の売買を行った場合において、当該資産の種類、当該売買及び賃貸に至るまでの事情その他の状況に照らし、これら一連の取引が実質的に金銭の貸借であると認められるときは、当該資産の売買はなかったものとし、かつ、当該譲受人から当該譲渡人に対する金銭の貸付けがあったものとして、当該譲受人又は譲渡人である内国法人の各事業年度の所得の金額を計算する。（法64の2②）

　　　　（リース取引の意義）
（2）　**六**に掲げるリース取引とは、資産の賃貸借（所有権が移転しない土地の賃貸借その他（3）に掲げるものを除く。）で、次の表に掲げる要件に該当するものをいう。（法64の2③）

(一)	当該賃貸借に係る契約が、賃貸借期間の中途においてその解除をすることができないものであること又はこれに準ずるものであること。
(二)	当該賃貸借に係る賃借人が当該賃貸借に係る資産からもたらされる経済的な利益を実質的に享受することができ、かつ、当該資産の使用に伴って生ずる費用を実質的に負担すべきこととされているものであること。 （資産の使用に伴って生ずる費用を実質的に負担すべきこととされているものの範囲） 　資産の賃貸借につき、その賃貸借期間（当該資産の賃貸借に係る契約において定められている当該賃貸借の期間をいい、当該資産の賃貸借に係る契約の解除をすることができないものとされている期間に限る。）において賃借人が支払う賃借料の金額の合計額がその資産の取得のために通常要する価額（当該資産を事業の用に供するために要する費用の額を含む。）のおおむね$\frac{90}{100}$に相当する金額を超える場合には、当該資産の賃貸借は、上記の資産の使用に伴って生ずる費用を実質的に負担すべきこととされているものであることに該当するものとする。（法64の2④、令131の2②①）

　　　　（リース取引から除かれるもの）
（3）　（2）に掲げるリース取引から除かれる資産の賃貸借は、土地の賃貸借のうち、第二十七款の**五**の2《借地権の設定等により地価が著しく低下する場合の土地等の帳簿価額の一部の損金算入》の適用のあるもの及び次の表に掲げる要件（これらに準ずるものを含む。）のいずれにも該当しないものとする。（法64の2③、令131の2①）

(一)	当該土地の賃貸借に係る契約において定められている当該賃貸借の期間（以下（3）において「賃貸借期間」という。）の終了の時又は当該賃貸借期間の中途において、当該土地が無償又は名目的な対価の額で当該賃貸借に係る賃借人に譲渡されるものであること。
(二)	当該土地の賃貸借に係る賃借人に対し、賃貸借期間終了の時又は賃貸借期間の中途において当該土地を著しく有利な価額で買い取る権利が与えられているものであること。

　　　　（償却費として損金経理をした金額に含まれるリース取引に係る賃借料）
（4）　**六**により売買があったものとされたリース資産につき**六**の賃借人が賃借料として損金経理をした金額又は（1）により金銭の貸付けがあったものとされた場合の（1）に掲げる賃貸に係る資産につき（1）の譲渡人が賃借料として損金経理した金額は、償却費として損金経理をした金額に含まれるものとする。（法64の2④、令131の2③）

　　　　（解除をすることができないものに準ずるものの意義）
（5）　（2）の表の（一）に掲げる「これに準ずるもの」とは、例えば、次に掲げるものをいう。（基通12の5-1-1）
　　（一）　資産の賃貸借に係る契約に解約禁止条項がない場合であって、賃借人が契約違反をした場合又は解約をする場合において、賃借人が、当該賃貸借に係る賃貸借期間のうちの未経過期間に対応するリース料の額の合計額のおお

むね全部（原則として$\frac{90}{100}$以上）を支払うこととされているもの
(二) 資産の賃貸借に係る契約において、当該賃貸借期間中に解約をする場合の条項として次のような条件が付されているもの
　イ　賃貸借資産（当該賃貸借の目的となる資産をいう。以下(6)において同じ。）を更新するための解約で、その解約に伴いより性能の高い機種又はおおむね同一の機種を同一の賃貸人から賃貸を受ける場合は解約金の支払を要しないこと。
　ロ　イ以外の場合には、未経過期間に対応するリース料の額の合計額（賃貸借資産を処分することができたときは、その処分価額の全部又は一部を控除した額）を解約金とすること。
　　注　(一)に掲げる「おおむね全部」の判定に当たり、(6)の(一)及び(二)については、同(一)及び(二)のとおり取り扱うことに留意する。
　　　（編者）

（おおむね$\frac{90}{100}$の判定等）
(6) (2)の表の(二)に掲げる「おおむね$\frac{90}{100}$」の判定に当たって、次の点については、次のとおり取り扱うことに留意する。（基通12の5－1－2）
(一) 資産の賃貸借に係る契約等において、賃借人が賃貸借資産を購入する権利を有し、当該権利の行使が確実であると認められる場合には、当該権利の行使により購入するときの購入価額をリース料の額に加算する。この場合、その契約書等に当該購入価額についての定めがないときは、残価に相当する金額を購入価額とする。
　　注　残価とは、賃貸人におけるリース料の額の算定に当たって賃貸借資産の取得価額及びその取引に係る付随費用（賃貸借資産の取得に要する資金の利子、固定資産税、保険料等その取引に関連して賃貸人が支出する費用をいう。）の額の合計額からリース料として回収することとしている金額の合計額を控除した残額をいう。以下六において同じ。
(二) 資産の賃貸借に係る契約等において、中途解約に伴い賃貸借資産を賃貸人が処分し、未経過期間に対応するリース料の額からその処分価額の全部又は一部を控除した額を賃借人が支払うこととしている場合には、当該全部又は一部に相当する金額を賃借人が支払うこととなる金額に加算する。
(三) 賃貸借資産の取得者である賃貸人に対し交付された補助金等（当該補助金等の交付に当たり賃借料の減額が条件とされているものに限る。）がある場合には、(2)の表の(二)の「賃借人が支払う賃借料の金額の合計額」は、当該賃貸借に係る契約等に基づく賃借料の金額の合計額に当該減額相当額を加算した金額による。
　　注　「減額相当額」は、賃借人における賃貸借資産の取得価額には算入しない。

（これらに準ずるものの意義）
(7) (3)に掲げる「これらに準ずるもの」に該当する土地の賃貸借とは、例えば、次に掲げるものをいう。（基通12の5－1－3）
(一) 賃貸借期間の終了後、無償と変わらない名目的な賃料によって更新することが賃貸借契約において定められている賃貸借（契約書上そのことが明示されていない賃貸借であって、事実上、当事者間においてそのことが予定されていると認められるものを含む。）
(二) 賃貸人に対してその賃貸借に係る土地の取得資金の全部又は一部を貸し付けている金融機関等が、賃借人から資金を受け入れ、当該資金をして当該賃借人の賃借料等の債務のうち当該賃貸人の借入金の元利に対応する部分の引受けをする構造になっている賃貸借

（金銭の貸借とされるリース取引の判定）
(8) (1)に掲げる「一連の取引」が(1)に掲げる「実質的に金銭の貸借であると認められるとき」に該当するかどうかは、取引当事者の意図、その資産の内容等から、その資産を担保とする金融取引を行うことを目的とするものであるかどうかにより判定する。したがって、例えば、次に掲げるようなものは、これに該当しないものとする。（基通12の5－2－1）
(一) 譲渡人が資産を購入し、当該資産をリース契約（(2)に掲げるリース取引に係る契約をいう。以下(9)において同じ。）により賃借するために譲受人に譲渡する場合において、譲渡人が譲受人に代わり資産を購入することに次に掲げるような相当な理由があり、かつ、当該資産につき、立替金、仮払金等の仮勘定で経理し、譲渡人の購入価額により譲受人に譲渡するもの
　イ　多種類の資産を導入する必要があるため、譲渡人において当該資産を購入した方が事務の効率化が図られること
　ロ　輸入機器のように通関事務等に専門的知識が必要とされること
　ハ　既往の取引状況に照らし、譲渡人が資産を購入した方が安く購入できること

(二)　法人が事業の用に供している資産について、当該資産の管理事務の省力化等のために行われるもの

　　(借入金として取り扱う売買代金の額)
(9)　(1)の適用がある場合において、その資産の売買により譲渡人が譲受人から受け入れた金額は、借入金の額として取り扱い、譲渡人がリース期間（リース契約において定められた賃貸借期間をいう。以下(10)において同じ。）中に支払うべきリース料の額の合計額のうちその借入金の額に相当する金額については、当該借入金の返済をすべき金額（以下(9)において「元本返済額」という。）として取り扱う。この場合において、譲渡人が各事業年度に支払うリース料の額に係る元本返済額とそれ以外の金額との区分は、通常の金融取引における元本と利息の区分計算の方法に準じて合理的にこれを行うのであるが、譲渡人が当該リース料の額のうちに元本返済額が均等に含まれているものとして処理しているときは、これを認める。（基通12の5－2－2）

　　(貸付金として取り扱う売買代金の額)
(10)　(1)の適用がある場合において、その資産の売買により譲受人が譲渡人に支払う金額は、貸付金の額として取り扱い、譲受人がリース期間中に収受すべきリース料の額の合計額のうちその貸付金の額とした金額に相当する金額については、当該貸付金の返済を受けた金額として取り扱う。この場合において、譲受人が各事業年度に収受するリース料の額に係る貸付金の返済を受けたものとされる金額とそれ以外の金額との区分は、通常の金融取引における元本と利息の区分計算の方法に準じて合理的にこれを行うのであるが、譲受人が、当該リース料の額のうち貸付金の返済を受けたものとされる金額が均等に含まれているものとして処理しているときは、これを認める。（基通12の5－2－3）

七　消費税法等の施行に伴う法人税の取扱い

1　適格請求書等保存方式（インボイス制度）導入に伴う改正後の取扱い（令和5年10月1日以後に国内において法人が行う消費税法第2条第1項第8号《定義》に規定する資産の譲渡等、国内において法人が行う同項第12号に規定する課税仕入れ〔特定課税仕入れを除く。〕及び同項第2号に規定する保税地域から引き取られる同項第11号に規定する課税貨物に係る消費税について適用）

（用語の意義）

（1）　1において、次表の左欄に掲げる用語の意義は、同表の右欄に定めるところによる。（消費税経理通達「1」）

(一)	消費税等	消費税及び地方消費税をいう。
(二)	税抜経理方式	消費税等の額とこれに係る取引の対価の額とを区分して経理をする方式をいう。
(三)	税込経理方式	消費税等の額とこれに係る取引の対価の額とを区分しないで経理をする方式をいう。
(四)	課税期間	消費税法第19条第1項《課税期間》に規定する課税期間をいう。
(五)	課税仕入れ等	消費税法第2条第1項第12号《定義》に規定する課税仕入れ又は同項第2号に規定する保税地域からの同項第11号に規定する課税貨物の引取りをいう。
(六)	特定課税仕入れ	消費税法第5条第1項《納税義務者》に規定する特定課税仕入れをいう。
(七)	仮受消費税等の額	課税期間中に行った消費税法第2条第1項第9号に規定する課税資産の譲渡等につき課されるべき消費税の額及び当該消費税の額を課税標準として課されるべき地方消費税の額に相当する金額をこれらに係る取引の対価の額と区分する経理をする場合における当該課されるべき消費税の額及び当該課されるべき地方消費税の額に相当する金額をいう。
(八)	仮払消費税等の額	課税期間中に行った課税仕入れ等に係る消費税法第30条第2項《仕入れに係る消費税額の控除》に規定する課税仕入れ等の税額及び当該課税仕入れ等の税額に係る地方消費税の額に相当する金額（以下(1)において「課税仕入れ等に係る消費税額等」という。）をこれらに係る取引の対価の額と区分する経理をする場合における当該課税仕入れ等に係る消費税額等をいう。
(九)	控除対象外消費税額等	第二十七款の七の1の(1)《資産に係る控除対象外消費税額等の意義》に掲げる「控除をすることができない金額及び当該控除をすることができない金額に係る地方消費税の額に相当する金額の合計額」をいう。
(十)	控除対象消費税額等	消費税法第30条第1項の規定の適用を受ける場合における課税仕入れ等に係る消費税額等のうち控除対象外消費税額等以外の金額をいう。

（簡易課税制度が適用される課税期間を含む事業年度の仮払消費税等の額の特例）

（2）　法人（消費税法第9条第1項本文《小規模事業者に係る納税義務の免除》の規定により消費税を納める義務が免除されるものを除く。以下(5)までにおいて同じ。）が、簡易課税制度（消費税法第37条第1項《中小事業者の仕入れに係る消費税額の控除の特例》の規定を適用して消費税法第45条第1項第2号《課税資産の譲渡等及び特定課税仕入れについての確定申告》に掲げる課税標準額に対する消費税額から控除することができる仕入控除税額を算出する方法をいう。）が適用される課税期間を含む事業年度において、当該法人の行う取引に係る消費税等の経理処理について税抜経理方式によっている場合で、国内において行った消費税法第2条第1項第12号《定義》に規定する課税仕入れ（特定課税仕入れを除く。）に係る支払対価の額に $\frac{10}{110}$（当該課税仕入れが他の者から受けた同項第9号の2に規定する軽減対象課税資産の譲渡等に係るものである場合には、$\frac{8}{108}$）を乗じて算出した金額（当該金額に1円未満の端数が生じたときは、当該端数を切り捨て、又は四捨五入した後の金額）を当該課税仕入れに係る取引の対価の額と区分して経理をしているときは、継続適用を条件として、当該金額を仮払消費税等の額とすることができる。（消費税経理通達「1の2」）

注1　この取扱いの適用を受ける場合には、法人税に係る法令の規定及び通達の定めの適用についても同様となることに留意する。

注2　所得税法等の一部を改正する法律（平成28年法律第15号。以下「平成28年改正法」という。）附則第51条の2第1項《適格請求書発行事業者となる小規模事業者に係る税額控除に関する経過措置》の規定の適用を受ける課税期間を含む事業年度において、法人が行う取引に係る消費税等の経理処理について税抜経理方式によっている場合には、継続適用を条件として、(2)の取扱いの適用を受けることがで

きる。(令5年課法2－37　経過的取扱い(2))

(税抜経理方式と税込経理方式の選択適用)
(3)　法人が行う取引に係る消費税等の経理処理につき、当該法人の行う全ての取引について税抜経理方式又は税込経理方式のいずれかの方式に統一していない場合には、その行う全ての取引についていずれかの方式を適用して法人税の課税所得金額を計算するものとする。ただし、法人が売上げ等の収益に係る取引につき税抜経理方式で経理をしている場合において、固定資産、繰延資産及び棚卸資産(以下1において「**固定資産等**」という。)の取得に係る取引又は販売費及び一般管理費等(以下1において「**経費等**」という。)の支出に係る取引のいずれかの取引について税込経理方式で経理をしたときは、当該取引については税込経理方式を、当該取引以外の取引にあっては税抜経理方式を適用して法人税の課税所得金額を計算する。(消費税経理通達「2」)
　　　注　(3)のただし書の適用に当たっては、固定資産等のうち棚卸資産の取得に係る取引について、固定資産及び繰延資産と異なる方式を適用した場合には、継続して適用した場合に限りその適用した方式によるほか、次による。

(一)	個々の固定資産等又は個々の経費等ごとに異なる方式を適用しない。
(二)	消費税と地方消費税について異なる方式を適用しない。

(売上げと仕入れで経理方式が異なる場合の取扱い)
(4)　法人が国内において行う売上げ等の収益に係る取引について税込経理方式で経理をしている場合には、固定資産等の取得に係る取引又は経費等の支出に係る取引の全部又は一部について税抜経理方式で経理をしている場合であっても、(3)にかかわらず、税込経理方式を適用して法人税の課税所得金額を計算することに留意する。(消費税経理通達「3」)
　　　注　この取扱いは、消費税法第6条第1項《非課税》の規定により消費税を課さないこととされている資産の譲渡等のみを行う法人が、固定資産等の取得に係る取引又は経費等の支出に係る取引の全部又は一部について税抜経理方式で経理をしている場合についても同様とする。

(仮受消費税等又は仮払消費税等と異なる金額で経理をした場合の取扱い)
(5)　法人が行う取引に係る消費税等の経理処理について税抜経理方式によっている場合において、次表の左欄に掲げる場合に該当するときは、それぞれ同表の右欄に掲げるところにより法人税の課税所得金額を計算することに留意する。(消費税経理通達「3の2」)

(一)	仮受消費税等の額又は仮払消費税等の額を超える金額を取引の対価の額から区分して経理をしている場合	その超える部分の金額を売上げ等の収益に係る取引の対価の額又は固定資産等の取得に係る取引若しくは経費等の支出に係る取引の対価の額に含める。 注　減価償却資産の取得に係る取引において仮払消費税等の額を超えて取引の対価の額から区分して経理をしたことによりその取得価額に含まれることとなる金額につき損金経理をしている場合には、その損金経理をした金額は第六款の三の1《償却費等の損金算入》に掲げる「償却費として損金経理をした金額」に含まれるものとする。
(二)	仮受消費税等の額又は仮払消費税等の額に満たない金額を取引の対価の額から区分して経理をしている場合	その満たない部分の金額を売上げ等の収益に係る取引の対価の額又は固定資産等の取得に係る取引若しくは経費等の支出に係る取引の対価の額から除く。

(期末一括税抜経理方式)
(6)　税抜経理方式による経理処理は、原則として取引(請求書の交付を含む。)の都度行うのであるが、消費税法施行令第46条第2項《課税仕入れに係る消費税額の計算》の規定の適用を受ける場合を除き、その経理処理を事業年度終了の時において一括して行うことができるものとする。(消費税経理通達「4」)

(免税事業者の消費税等の処理)
(7)　消費税法第9条第1項本文《小規模事業者に係る納税義務の免除》の規定により消費税を納める義務が免除される法人については、その行う取引について税抜経理方式で経理をしている場合であっても、(3)にかかわらず、税込経理方式を適用して法人税の課税所得金額を計算することに留意する。(消費税経理通達「5」)

第三章　第一節　第一款　**七**《消費税法等の施行に伴う法人税の取扱い》

　　　　（特定課税仕入れに係る消費税等の額）
（８）　特定課税仕入れの取引については、取引時において消費税等の額に相当する金銭の受払いがないのであるから、税抜経理方式を適用することとなる法人であっても、当該特定課税仕入れの取引の対価の額と区分すべき消費税等の額はないことに留意する。
　　　ただし、法人が当該特定課税仕入れの取引につき課されるべき消費税の額及び当該消費税の額を課税標準として課されるべき地方消費税の額に相当する金額を当該取引の対価の額と区分して、例えば、仮受金及び仮払金等としてそれぞれ計上するなど仮勘定を用いて経理をしている場合には、当該仮受金又は仮払金として経理をした金額はそれぞれ仮受消費税等の額又は仮払消費税等の額に該当するものとして、法人税の課税所得金額を計算することに留意する。（消費税経理通達「５の２」）
　　　　注　この取扱いによった場合においても、（３）の適用については、税込経理方式で経理をしたことにはならないことに留意する。

　　　　（仮払消費税等及び仮受消費税等の清算）
（９）　税抜経理方式を適用することとなる法人は、課税期間の終了の時における仮受消費税等の額の合計額から仮払消費税等の額の合計額（控除対象外消費税額等に相当する金額を除く。以下（９）において同じ。）を控除した金額と当該課税期間に係る納付すべき消費税等の額とに差額が生じた場合は、当該差額については、当該課税期間を含む事業年度において益金の額又は損金の額に算入するものとする。
　　　課税期間の終了の時における仮払消費税等の額の合計額から仮受消費税等の額の合計額を控除した金額と当該課税期間に係る還付を受ける消費税等の額とに差額が生じた場合についても同様とする。（消費税経理通達「６」）

　　　　（消費税等の損金算入の時期）
（10）　税込経理方式を適用することとなる法人が納付すべき消費税等の額は、納税申告書に記載された税額については当該納税申告書が提出された日の属する事業年度の損金の額に算入し、更正又は決定に係る税額については当該更正又は決定があった日の属する事業年度の損金の額に算入する。ただし、当該法人が申告期限未到来の当該納税申告書に記載すべき消費税等の額を損金経理により未払金に計上したときの当該金額については、当該損金経理をした事業年度の損金の額に算入する。（消費税経理通達「７」）

　　　　（消費税等の益金算入の時期）
（11）　税込経理方式を適用することとなる法人が還付を受ける消費税等の額は、納税申告書に記載された税額については当該納税申告書が提出された日の属する事業年度の益金の額に算入し、更正に係る税額については当該更正があった日の属する事業年度の益金の額に算入する。ただし、当該法人が当該還付を受ける消費税等の額を収益の額として未収入金に計上したときの当該金額については、当該収益に計上した事業年度の益金の額に算入する。（消費税経理通達「８」）

　　　　（少額の減価償却資産の取得価額等の判定）
（12）　第六款の**二**の**1**《少額の減価償却資産の取得価額の損金算入》、同**二**の**2**《一括償却資産の損金算入》又は第八款の**二**《繰延資産となる費用のうち少額のものの損金算入》を適用する場合において、これらの規定における金額基準を満たしているかどうかは、法人がこれらの規定の適用がある減価償却資産に係る取引につき適用することとなる税抜経理方式又は税込経理方式に応じ、その適用することとなる方式により算定した価額により判定することに留意する。
　　　租税特別措置法による特別償却《第七款》等において掲げられている金額基準又は第十三款の**二**《交際費等の範囲》の表の（二）に掲げる金額基準についても、同様とする。（消費税経理通達「９」）

　　　　（資産の評価損益等に係る時価）
（13）　資産又は時価評価資産について、次表の左欄に掲げる規定を適用する場合におけるそれぞれ次に定める価額は、当該資産又は当該時価評価資産につき法人が適用することとなる税抜経理方式又は税込経理方式に応じ、その適用することとなる方式による価額をいうものとする。（消費税経理通達「10」）

（一）	第九款の**一**の**3**《民事再生等による特定の事実が生じた場合の資産の評価益の益金算入》	同**3**の（５）《評価益の額》の表の（一）に掲げる「当該再生計画認可の決定があった時の価額」
（二）	第九款の**二**の**2**《評価換えを行った場合の資産の評価損の損金算入》	同**2**に掲げる「評価換えをした日の属する事業年度終了の時における当該資産の価額」

(三)	第九款の二の4《民事再生等による特定の事実が生じた場合の資産の評価損の損金算入》	同4の(5)《評価損の額》の表の(一)に掲げる「当該再生計画認可の決定があった時の価額」
(四)	第三十四款の二の1《非適格株式交換等に係る株式交換完全子法人等の有する資産の時価評価損益》	同1に掲げる「時価評価資産」に係る「非適格株式交換等の直前の時の価額」又は「その時の価額」
(五)	第三十五款の三の1《通算制度の開始に伴う資産の時価評価損益》	同1に掲げる「時価評価資産」に係る「その時の時価」
(六)	第三十五款の三の2《通算制度への加入に伴う資産の時価評価損益》	同2に掲げる「時価評価資産」に係る「その時の時価」
(七)	第三十五款の三の3《通算制度からの離脱等に伴う資産の時価評価損益》	同3に掲げる「時価評価資産」に係る「その時の時価」

注　第三十四款の二の1の(1)《時価評価資産から除かれるもの》の表の(五)、第三十五款の三の1の(1)《評価損益の計上に適しないもの》の表の(五)、同三の2の(1)《評価損益の計上に適しないものの意義》の表の(三)、同三の3の(3)《評価損益の計上に適しないもの》の表の(四)に掲げる「資産の価額」についても、同様とする。

（寄附金に係る時価）
(14)　第十二款の四の1《寄附金の意義》及び同四の2《低廉譲渡等による寄附金》を適用する場合における「資産のその贈与の時における価額」又は「資産のその譲渡の時における価額」は、当該資産につき法人が適用することとなる税抜経理方式又は税込経理方式に応じ、その適用することとなる方式による価額をいい、「経済的な利益のその供与の時における価額」は、売上げ等の収益に係る取引につき法人が適用することとなる方式に応じ、その適用することとなる方式による価額をいうものとする。（消費税経理通達「11」）

（交際費等に係る消費税等の額）
(15)　法人が支出した第十三款の二《交際費等の範囲》に掲げる交際費等（以下「交際費等」という。）に係る消費税等の額は、交際費等の額に含まれることに留意する。
　　ただし、法人が当該交際費等の支出に係る取引につき税抜経理方式を適用することとなる場合には、当該交際費等に係る課税仕入れ等の仮払消費税等の額のうち控除対象消費税額等は交際費等の額に含めないものとする。（消費税経理通達「12」）
　　注1　税込経理方式を適用することとなる場合には、交際費等に係る課税仕入れ等の消費税等の額は、その全額が交際費等の額に含まれることになる。
　　注2　税抜経理方式を適用することとなる場合における交際費等に係る課税仕入れ等の仮払消費税等の額のうち控除対象外消費税額等に相当する金額は、交際費等の額に含まれることになる。
　　注3　注2により交際費等の額に含まれることとなる金額のうち、第十三款の二に掲げる飲食費に係る金額については、同二の飲食費の額に含まれる。
　　注4　控除対象外消費税額等のうち特定課税仕入れ（その支払対価の額が交際費等の額に該当するものに限る。）に係る金額は、本文の「消費税等の額」及び注2の「控除対象外消費税額等に相当する金額」に含まれないことに留意する。

（資産に係る控除対象外消費税額等の処理）
(16)　第二十七款の七《資産に係る控除対象外消費税額等の損金算入》に掲げる資産に係る控除対象外消費税額等の合計額（以下(16)において「資産に係る控除対象外消費税額等」という。）については、同七の適用を受け、又は受けないことを選択することができるが、同七の適用を受ける場合には、資産に係る控除対象外消費税額等の全額について同七の適用することになることに留意する。したがって、法人が資産に係る控除対象外消費税額等の一部について損金経理をしなかった場合には、その損金経理をしなかった資産に係る控除対象外消費税額等については、当該事業年度後の事業年度において同七の2《発生事業年度後の各事業年度における繰延消費税額等の損金算入》を適用するのであるから留意する。（消費税経理通達「13」）
　　注　この取扱いの後段の適用を受ける場合において、法人が資産に係る控除対象外消費税額等の一部について資産の取得価額に算入したときは、その資産の取得価額に算入した資産に係る控除対象外消費税額等は、当該資産の取得価額から除いて法人税の課税所得金額を計算することに留意する。

（資産の範囲）
(17)　第二十七款の七の1《発生事業年度における資産に係る控除対象外消費税額等の損金算入》に掲げる資産には、棚卸資産、固定資産のほか繰延資産が含まれるが、前払費用（一定の契約に基づき継続的に役務の提供を受けるため

第三章　第一節　第一款　七《消費税法等の施行に伴う法人税の取扱い》

に支出した費用のうち当該事業年度終了の時においてまだ提供を受けていない役務に対応するものをいう。）は含まれないことに留意する。（消費税経理通達「14」）

（控除される消費税額がない課税仕入れに係る消費税等の処理）

(18)　消費税法第2条第1項第12号《定義》に規定する課税仕入れ（特定課税仕入れを除く。）のうち、消費税法施行令第46条第1項各号《課税仕入れに係る消費税額の計算》に掲げる課税仕入れの区分に応じ当該各号に定める金額があるもの以外のものに係る取引について税抜経理方式で経理をしている場合（(2)の取扱いの適用を受ける場合を除く。）であっても、その取引の対価の額と区分して経理をした消費税等の額に相当する金額を当該課税仕入れに係る取引の対価の額に含めて法人税の課税所得金額を計算することに留意する。（消費税経理通達「14の2」）

　　注1　(5)の表の(一)の注書きの取扱いは、本文の取扱いの適用を受ける場合についても同様とする。
　　注2　本文の取扱いによった場合においても、(3)の適用については、税込経理方式で経理をしたことにはならないことに留意する。
　　注3　本文の取扱いは、消費税法別表第三に掲げる法人又は人格のない社団等が消費税法施行令第75条第8項《国、地方公共団体等の仕入れに係る消費税額の特例》の規定の適用を受け、又は受けることが見込まれる場合であっても同様であることに留意する。

（経過措置の適用期間において課税仕入れを行った場合の経理処理）

(19)　法人が、次の表の(一)又は(二)に掲げる課税仕入れ（特定課税仕入れを除く。以下(19)において同じ。）のうち、消費税法施行令第46条第1項各号《課税仕入れに係る消費税額の計算》に掲げる課税仕入れの区分に応じ当該各号に定める金額があるもの以外のもの及び次の(三)に掲げる課税仕入れに係る取引につき税抜経理方式を適用する場合（(2)の取扱いの適用を受ける場合を除く。）には、当該課税仕入れの次の表の左欄に掲げる区分に応じ、それぞれ次の表の右欄に掲げる金額を当該取引に係る(1)の表の(八)に掲げる仮払消費税等の額とする。（令3年課法2－6　経過的取扱い(2)）

(一)	令和5年10月1日から令和8年9月30日までの間に国内において行った課税仕入れ（(三)に掲げるものを除く。）	法人税法施行令等の一部を改正する政令（平成30年政令第132号。以下「平成30年改正令」という。）附則第14条第3項《資産に係る控除対象外消費税額等の損金算入に関する経過措置》の規定による読替え後の第二十七款の**七**の1の(1)《資産に係る控除対象外消費税額等の意義》に掲げる当該課税仕入れ等の税額及び当該課税仕入れ等の税額に係る地方消費税の額に相当する金額の合計額
(二)	令和8年10月1日から令和11年9月30日までの間に国内において行った課税仕入れ（(三)に掲げるものを除く。）	平成30年改正令附則第14条第4項の規定による読替え後の第二十七款の**七**の1の(1)に掲げる当該課税仕入れ等の税額及び当該課税仕入れ等の税額に係る地方消費税の額に相当する金額の合計額
(三)	令和5年10月1日から令和11年9月30日までの間に国内において行った平成28年改正法附則第53条の2《請求書等の保存を要しない課税仕入れに関する経過措置》に規定する課税仕入れ（当該課税仕入れに係る支払対価の額が1万円未満であるものに限る。）	当該課税仕入れに係る支払対価の額に$\frac{10}{110}$（当該課税仕入れが他の者から受けた消費税法第2条第1項第9号の2《定義》に規定する軽減対象課税資産の譲渡等に係るものである場合には、$\frac{8}{108}$）を乗じて算出した金額（当該金額に1円未満の端数が生じたときは、当該端数を切り捨て、又は四捨五入した後の金額）

　　注1　この経過的取扱いの適用を受ける場合には、法人税に係る法令の規定及び通達の定め（(18)の取扱いを除く。）の適用についても同様となることに留意する。
　　注2　(19)の場合において、(19)の取引（(19)の表の(三)に掲げる課税仕入れに係るものを除く。）につき、法人が当該取引の対価の額と区分して経理をした金額がないときは、(19)にかかわらず、当該取引に係る(1)の表の(八)に掲げる仮払消費税等の額はないものとすることができる。（令3年課法2－6〔令5年課法2－37により追加〕　経過的取扱い(3)）
　　注3　注2の適用を受ける場合には、法人税に係る法令の規定及び通達の定めの適用についても同様となることに留意する。
　　注4　注2の適用を受けた場合においても、(3)の適用については、税込経理方式で経理をしたことにはならないことに留意する。

（控除対象外消費税額等の対象となる消費税法の規定）

(20)　税抜経理方式を適用することとなる法人が国内において行う課税仕入れ等（消費税法第2条第1項第12号《定義》に規定する課税仕入れ〔特定課税仕入れを除く。〕のうち、消費税法施行令第46条第1項各号《課税仕入れに係る消費税額の計算》に掲げる課税仕入れの区分に応じ当該各号に定める金額があるもの以外のものを除く。）につき、消費税

第三章　第一節　第一款　七《消費税法等の施行に伴う法人税の取扱い》

　法第30条第2項《仕入れに係る消費税額の控除》のほか、例えば、次の規定の適用を受ける場合には、当該規定の適用を受ける取引に係る仮払消費税等の額は、控除対象外消費税額等となることに留意する。(消費税経理通達「14の3」)

(一)	消費税法第30条第7項及び第10項から第12項まで（同条第7項及び第11項にあっては、ただし書を除く。）
(二)	消費税法第36条第5項《納税義務の免除を受けないこととなった場合等の棚卸資産に係る消費税額の調整》

　　注　税抜経理方式を適用することとなる法人が国内において行う課税仕入れ等につき、平成28年改正法附則第53条の2《請求書等の保存を要しない課税仕入れに関する経過措置》の規定の適用を受ける場合における(20)の取扱いについては、次による。(令3年課法2－6〔令5年課法2－37により改正〕　経過的取扱い(4))

(一)	(20)の「各号に定める金額」には、消費税法施行令等の一部を改正する政令（平成30年政令135号）附則第24条の2第2項《請求書等の保存を要しない課税仕入れの範囲等》の規定による読替え後の消費税法施行令第46条第1項第6号《課税仕入れに係る消費税額の計算》に定める金額を含む。
(二)	(20)の表の(一)に掲げる規定には、平成28年改正法附則第53条の2の規定による読替え後の消費税法第30条第7項《仕入れに係る消費税額の控除》（ただし書を除く。）の規定を含む。

2　適格請求書等保存方式（インボイス制度）導入に伴う改正前の取扱い（令和5年9月30日以前に国内において法人が行う消費税法第2条第1項第8号《定義》に規定する資産の譲渡等、国内において法人が行う同項第12号に規定する課税仕入れ〔特定課税仕入れを除く。〕及び同項第2号に規定する保税地域から引き取られる同項第11号に規定する課税貨物に係る消費税について適用）

　　　（消費税等に係る経理処理の原則）
（1）　法人税の課税所得金額の計算に当たり、法人が行う取引に係る消費税等（消費税及び地方消費税をいう。以下**七**において同じ。）の経理処理については、法人税法若しくは租税特別措置法又はこの**七**に別段の定めがあるものを除き、一般に公正妥当と認められる会計処理の基準に従って処理するものとする。(旧消費税経理通達「2」)

　　　（税抜経理方式と税込経理方式の選択適用）
（2）　法人税の課税所得金額の計算に当たり、法人が行う取引に係る消費税等の経理処理については、**税抜経理方式**（消費税等の額と当該消費税等に係る取引の対価の額とを区分して経理する方式をいう。以下同じ。）又は**税込経理方式**（消費税等の額と当該消費税等に係る取引の対価の額とを区分しないで経理する方式をいう。以下同じ。）のいずれの方式によることとしても差し支えないが、法人の選択した方式は、当該法人の行う全ての取引について適用するものとする。ただし、法人が売上げ等の収益に係る取引につき税抜経理方式を適用している場合には、固定資産、繰延資産及び棚卸資産（以下「固定資産等」という。）の取得に係る取引又は販売費、一般管理費等（以下「経費等」という。）の支出に係る取引のいずれかの取引について税込経理方式を選択適用できるほか、固定資産等のうち棚卸資産の取得に係る取引については、継続適用を条件として固定資産及び繰延資産と異なる方式を選択適用できるものとする。(旧消費税経理通達「3」)
　　注1　個々の固定資産等又は個々の経費等ごとに異なる方式を適用することはできない。
　　注2　売上げ等の収益に係る取引につき税込経理方式を適用している場合には、固定資産等の取得に係る取引及び経費等に係る取引について税抜経理方式を適用することはできない。
　　注3　消費税と地方消費税について異なる方式を適用することはできない。

　　　（期末一括税抜経理方式）
（3）　税抜経理方式による経理処理は、原則として取引の都度行うのであるが、その経理処理を事業年度終了の時において一括して行うことができるものとする。(旧消費税経理通達「4」)

　　　（免税事業者等の消費税等の処理）
（4）　法人税の課税所得金額の計算に当たり、消費税の納税義務が免除されている法人については、その行う取引に係る消費税等の処理につき、(2)にかかわらず、税込経理方式によるのであるから留意する。(旧消費税経理通達「5」)
　　注1　この取扱いは、消費税が課されないこととされている資産の譲渡等のみを行う法人についても適用がある。
　　注2　これらの法人が行う取引に係る消費税等の額は、益金の額若しくは損金の額又は資産の取得価額等に算入されることになる。

　　　（特定課税仕入れに係る消費税等の額）
（5）　消費税法第5条第1項《納税義務者》に規定する特定課税仕入れ（以下「特定課税仕入れ」という。）の取引につ

いては、取引時において消費税等の額に相当する金銭の受払いがないのであるから、その取引の都度行う経理処理において当該特定課税仕入れの取引の対価の額と区分すべき消費税等の額はないことに留意する。ただし、法人が当該特定課税仕入れの取引の対価の額に対して消費税等が課せられるものとした場合の消費税等の額に相当する額を、例えば、仮受金及び仮払金等としてそれぞれ計上するなど仮勘定を用いて経理処理することとしても差し支えない。(旧消費税経理通達「5の2」)

(仮払消費税等及び仮受消費税等の清算)
(6) 法人が消費税等の経理処理について税抜経理方式を適用している場合において、消費税法第37条第1項《中小事業者の仕入れに係る消費税額の控除の特例》の規定の適用を受けたこと等により、同法第19条第1項《課税期間》に規定する課税期間の終了の時における仮受消費税等の金額(特定課税仕入れの消費税等の経理金額を含む。)から仮払消費税等の金額(特定課税仕入れの消費税等の経理金額を含み、**控除対象外消費税額等**〔同法第30条第1項《仕入れに係る消費税額の控除》の規定の適用を受ける場合における同条第2項に規定する課税仕入れ等の税額及び当該課税仕入れ等の税額に係る地方消費税の額に相当する金額の合計額((12)において「課税仕入れ等に係る消費税額等」という。)のうち同条第1項の規定による控除をすることができない金額及び当該控除をすることができない金額に係る地方消費税の額に相当する金額の合計額をいう。以下同じ。〕に相当する金額を除く。)を控除した金額と当該課税期間に係る納付すべき消費税等の額又は還付を受ける消費税等の額とに差額が生じたときは、当該差額については、当該課税期間を含む事業年度において益金の額又は損金の額に算入するものとする。(旧消費税経理通達「6」、「1(5)」)

　　注　特定課税仕入れの消費税等の経理金額とは、(5)のただし書により、特定課税仕入れの取引に係る消費税等の額に相当する額として経理した金額をいう。

(消費税等の損金算入の時期)
(7) 法人税の課税所得金額の計算に当たり、税込経理方式を適用している法人が納付すべき消費税等は、納税申告書に記載された税額については当該納税申告書が提出された日の属する事業年度の損金の額に算入し、更正又は決定に係る税額については当該更正又は決定があった日の属する事業年度の損金の額に算入する。ただし、当該法人が申告期限未到来の当該納税申告書に記載すべき消費税等の額を損金経理により未払金に計上したときの当該金額については、当該損金経理をした事業年度の損金の額に算入する。(旧消費税経理通達「7」)

(消費税等の益金算入の時期)
(8) 法人税の課税所得金額の計算に当たり、税込経理方式を適用している法人が還付を受ける消費税等は、納税申告書に記載された税額については当該納税申告書が提出された日の属する事業年度の益金の額に算入し、更正に係る税額については当該更正があった日の属する事業年度の益金の額に算入する。ただし、当該法人が当該還付を受ける消費税等の額を収益の額として未収入金に計上したときの当該金額については、当該収益に計上した事業年度の益金の額に算入する。(旧消費税経理通達「8」)

(少額の減価償却資産等の取得価額等の判定)
(9) 第六款の二の1《少額の減価償却資産の取得価額の損金算入》、同二の2《一括償却資産の損金算入》又は第八款の二《繰延資産となる費用のうち少額のものの損金算入》を適用する場合において、これらにおける金額基準を満たしているかどうかは、法人が適用している税抜経理方式又は税込経理方式に応じ、その適用している方式により算定した取得価額又は支出金額により判定する。
　租税特別措置法による特別償却《第七款》等において掲げられている金額基準又は第十三款の二《交際費等の範囲》の表の(二)に掲げる金額基準(5,000円)についても、同様とする。(旧消費税経理通達「9」)

(資産の評価損益等に係る時価)
(10) 資産又は時価評価資産について、次の表の左欄に掲げる規定を適用する場合におけるそれぞれ同表の右欄に掲げる価額は、当該資産又は当該時価評価資産につき法人が適用している税抜経理方式又は税込経理方式に応じ、その適用している方式による価額をいうものである。(旧消費税経理通達「10」・編者補正)

(一)	第九款の一の3《民事再生等による特定の事実が生じた場合の資産の評価益の益金算入》	同3の(5)《評価益の額》の表の(一)に掲げる「当該再生計画認可の決定があった時の価額」
(二)	第九款の二の2《評価換えを行った場合の資産の評価	同2に掲げる「評価換えをした日の属する事業年度終

第三章　第一節　第一款　七《消費税法等の施行に伴う法人税の取扱い》

	損の損金算入》	了の時における当該資産の価額」
(三)	第九款の二の4《民事再生等による特定の事実が生じた場合の資産の評価損の損金算入》	同4の(5)《評価損の額》の表の(一)に掲げる「当該再生計画認可の決定があった時の価額」
(四)	第三十四款の二の1《非適格株式交換等に係る株式交換完全子法人等の有する資産の時価評価損益》	同1に掲げる「時価評価資産」に係る「非適格株式交換等の直前の時の価額」又は「その時の価額」

　注　第三十四款の二の1の(1)《時価評価資産から除かれるもの》の表の(五)に掲げる「資産の価額」についても、同様とする。

　（寄附金に係る時価）
(11)　第十二款の四の1《寄附金の意義》及び同四の2《低廉譲渡等による寄附金》を適用する場合における「資産のその贈与の時における価額」又は「資産のその譲渡の時における価額」は、当該資産につき法人が適用している税抜経理方式又は税込経理方式に応じ、その適用している方式による価額をいい、同四の1及び同四の2に掲げる「経済的な利益のその供与の時における価額」については、当該法人が売上げ等の収益に係る取引につき適用している方式に応じ、その適用している方式による価額をいうものとする。（旧消費税経理通達「11」）

　（交際費等に係る消費税等の額）
(12)　法人が支出した第十三款の二《交際費等の範囲》に掲げる交際費等に係る消費税等の額は、同二に掲げる交際費等の額に含まれることに留意する。
　　ただし、法人が消費税等の経理処理について税抜経理方式を適用している場合には、当該交際費等に係る消費税等の額のうち控除対象消費税額等（消費税法第30条第1項《仕入れに係る消費税額の控除》の規定の適用を受ける場合における課税仕入れ等に係る消費税額等のうち控除対象外消費税額等以外の金額をいう。）に相当する金額は交際費等の額に含めないものとする。（旧消費税経理通達「12」、「1(6)」）
　　注1　税込経理方式を適用している場合には、交際費等に係る消費税等の額は、その全額が交際費等の額に含まれることになる。
　　注2　税抜経理方式を適用している場合における交際費等に係る消費税等の額のうち控除対象外消費税額等に相当する金額は、交際費等の額に含まれることになる。
　　注3　注2により交際費等の額に含まれることとなる金額のうち、第十三款の二に掲げる飲食費に係る金額については、同二の飲食費の額に含まれる。
　　注4　控除対象外消費税額等のうち特定課税仕入れ（その支払対価の額が交際費等の額に該当するものに限る。）に係る金額は、本文の「交際費等に係る消費税等の額」に含まれないことに留意する。

　（資産に係る控除対象外消費税額等の処理）
(13)　第二十七款の七《資産に係る控除対象外消費税額等の損金算入》に掲げる資産に係る控除対象外消費税額等については、同七の適用を受け、又は受けないことを選択することができるが、同七の適用を受ける場合には、資産に係る控除対象外消費税額等の全額について同七を適用しなければならないことに留意する。したがって、法人が資産に係る控除対象外消費税額等の一部について同七の適用を受けなかった場合（資産に係る控除対象外消費税額等を資産の取得価額に算入した場合を含む。）には、その適用を受けなかった控除対象外消費税額等については、当該事業年度後の事業年度において同七の2《発生事業年度後の各事業年度における繰延消費税額等の損金算入》を適用するのであるから留意する。（旧消費税経理通達「13」）
　　注　この取扱いの後段の適用を受ける場合には、資産の取得価額に算入した資産に係る控除対象外消費税額等は、資産の取得価額から減額することになる。

　（資産の範囲）
(14)　第二十七款の七の1《発生事業年度における資産に係る控除対象外消費税額等の損金算入》に掲げる資産には、棚卸資産、固定資産のほか繰延資産が含まれるが、前払費用（一定の契約に基づき継続的に役務の提供を受けるために支出した費用のうち当該事業年度終了の時においてまだ提供を受けていない役務に対応するものをいう。）は含まれないことに留意する。（旧消費税経理通達「14」）

　（登録国外事業者以外の者との取引に係る仮払消費税等の金額）
(15)　税抜経理方式を適用している法人が行う取引のうち、登録国外事業者以外の国外事業者から受けた事業者向け以外の電気通信利用役務の提供の取引に係る仮払消費税等の金額（以下「未登録国外事業者に対する仮払消費税等の金額」という。）は、全額が控除対象外消費税額等となることに留意する。この場合の当該仮払消費税等の金額の取扱いについては、それぞれ次のことに留意する。（旧消費税経理通達「14の2」）

(1) 未登録国外事業者に対する仮払消費税等の金額が当該法人の資産に係るものである場合には、第二十七款の**七**の**1**《発生事業年度における資産に係る控除対象外消費税額等の損金算入》の適用を受けることができる。
(2) 未登録国外事業者に対する仮払消費税等の金額が当該法人が支出した交際費等に係るものである場合には、(12)の注２の取扱いによる。
注１　登録国外事業者とは、所得税法等の一部を改正する法律（平成27年法律第９号）附則旧第39条第１項《国外事業者の登録等》の規定により登録を受けた事業者をいい、国外事業者とは、消費税法第２条第１項第４号の２《定義》に規定する国外事業者をいう。
注２　事業者向け以外の電気通信利用役務の提供とは、同項第８号の３に規定する電気通信利用役務の提供のうち、同項第８号の４に規定する事業者向け電気通信利用役務の提供に該当するもの以外のものをいう。

八　平成28年熊本地震に関する諸費用の法人税の取扱い

注　**八**は、令和５年６月20日付課法２－８ほか１課共同「法人税基本通達等の一部改正について」（法令解釈通達）により、令和５年６月20日をもって廃止されているが、令和５年６月19日以前に生じた災害に係る災害損失特別勘定への繰入額の損金算入等については、なお適用がある。（令５年課法２－８　経過的取扱い（１））

（用語の意義）
(1) **八**において、次の表の左欄に掲げる用語の意義は、それぞれ同表の右欄に掲げるところによる。（熊本地震通達１・編者補正）

(一)	災害	平成28年熊本地震をいう。
(二)	被災資産	次の表に掲げる資産で災害により被害を受けたものをいう。
		イ　法人の有する棚卸資産及び固定資産（契約により賃借人が修繕等を行うこととされているものを除く。）
		ロ　法人が賃借をしている資産又は販売等をした資産で、契約により当該法人が修繕等を行うこととされているもの
(三)	事業年度	第二章第一節の**七**の**1**《事業年度の意義》、同**七**の**2**《会計期間の定めがない場合の届出》及び同**七**の**3**《事業年度の特例》に掲げる事業年度をいう。
(四)	確定申告書	第二章第一節の**二**の表の31《確定申告書》に掲げる確定申告書をいう。

（災害損失特別勘定への繰入額の損金算入）
(2) 法人が、災害のあった日の属する事業年度（以下**八**において「被災事業年度」という。）において、被災資産の修繕等のために要する費用の見積額として次の表の(一)又は(二)に掲げる金額のうちいずれか多い金額の合計額（当該被災資産に係る保険金、損害賠償金、補助金その他これらに類するもの〔以下「保険金等」という。〕により補塡される金額がある場合には、当該金額の合計額を控除した残額）以下の金額を災害損失特別勘定として経理したときは、その災害損失特別勘定として経理した金額は、当該被災事業年度の所得の金額の計算上、損金の額に算入する。
この場合、当該被災事業年度の確定申告書に災害損失特別勘定の損金算入に関する明細書を添付するものとする。
（熊本地震通達２）

(一)	被災資産（第九款の**二**の**2**《評価換えを行った場合の資産の評価損の損金算入》の適用を受けたものを除く。）の被災事業年度終了の日における価額がその帳簿価額に満たない場合のそのの差額に相当する金額	
(二)	被災資産について、災害のあった日から１年を経過する日までに支出すると見込まれる次に掲げる費用（以下「修繕費用等」という。）の見積額（被災事業年度終了の日の翌日以後に支出すると見込まれるものに限る。）	
	イ	被災資産の取壊し又は除去のために要する費用
	ロ	被災資産の原状回復のために要する費用（被災資産の被災前の効用を維持するために行う補強工事、排水又は土砂崩れの防止等のために支出する費用を含む。）
	ハ	土砂その他の障害物の除去に要する費用その他これらに類する費用
	ニ	被災資産の損壊又は価値の減少を防止するために要する費用

注１　法令の規定、地方公共団体の定めた復興計画等により、一定期間修繕等の工事に着手できないこととされている場合には、上表の(二)の「災害のあった日から１年を経過する日」は、「修繕等の工事に着手できることとなる日から１年を経過する日」と読み替えることが

できる。
　注２　上表の(二)に掲げる金額により災害損失特別勘定に繰り入れる場合には、次のことに留意する。
　　(一)　第六款の**十二**の１の②《有姿除却》の適用を受けた資産については、上表の(二)のイ及びハに掲げる費用に限り災害損失特別勘定の繰入れの対象とすることができる。
　　(二)　第九款の**二**の２により評価損を計上した資産については、上表の(二)のハ及びニに掲げる費用に限り災害損失特別勘定の繰入れの対象とすることができる。
　注３　第二節第三款の**一**の３《仮決算をした場合の中間申告書の記載事項等》に掲げる期間（その期間のうちに災害のあった日を含む場合に限る。以下「被災中間期間」という。）について同**一**の３を適用した第二章第一節の**二**の表の30《中間申告書》に掲げる中間申告書を提出する場合には、その被災中間期間において災害損失特別勘定に繰り入れることができることに留意する。
　　　この場合、当該被災中間期間の中間申告書に災害損失特別勘定の損金算入に関する明細書を添付するものとする。
　注４　注３により被災中間期間において災害損失特別勘定に繰り入れた金額（以下「中間繰入額」という。）がある場合における被災事業年度の災害損失特別勘定の繰入れに当たり、被災事業年度の終了の日の翌日から災害のあった日から１年を経過する日までに支出すると見込まれる修繕費用等の見積額が中間繰入額から被災下半期（被災中間期間の終了の日の翌日から被災事業年度の終了の日までの期間をいう。以下同じ。）に修繕費用等として損金の額に算入した金額を控除した金額を超えるときには、その超える部分に相当する金額を繰入れの対象とすることができる。

（被災資産の修繕費用等の見積りの方法）
（３）　（２）の表の(二)の修繕費用等の見積額は、その修繕等を行うことが確実な被災資産につき、例えば次の金額によるなど合理的に見積もるものとする。（熊本地震通達３）

(一)	建設業者、製造業者等による当該被災資産に係る修繕費用等の見積額	
(二)	相当部分が損壊等をした当該被災資産につき、次のイからロを控除した金額	
	イ	再取得価額又は国土交通省建築物着工統計の建築価額等を基礎として、その取得の時から被災事業年度終了の日まで償却を行ったものとした場合に計算される未償却残額
	ロ	被災事業年度終了の日における価額
	注	被災中間期間において災害損失特別勘定に繰り入れる場合には、上表の「被災事業年度終了の日」は「被災中間期間終了の日」と読み替えることに留意する。

（災害損失特別勘定の益金算入）
（４）　次に掲げる事業年度の区分に応じ、災害損失特別勘定の金額のうちそれぞれ次に掲げる金額を当該事業年度の所得の金額の計算上、益金の額に算入するものとする。この場合、当該事業年度の確定申告書には、災害損失特別勘定の益金算入に関する明細書を添付するものとする。（熊本地震通達４）

(一)	災害のあった日から１年を経過する日の属する事業年度（以下「１年経過事業年度」という。）		当該１年経過事業年度終了の日における災害損失特別勘定の金額
(二)	１年経過事業年度前の各事業年度		
	イ	当該各事業年度が、被災中間期間において災害損失特別勘定に繰り入れた場合の被災事業年度であるとき	被災下半期において被災資産に係る修繕費用等として損金の額に算入した金額の合計額（保険金等により補填された金額がある場合には、当該金額の合計額を控除した残額）
	ロ	当該各事業年度が、半年決算であるなどにより被災事業年度と１年経過事業年度との間に事業年度が存する場合における当該事業年度であるとき	当該事業年度において被災資産に係る修繕費用等として損金の額に算入した金額の合計額（保険金等により補填された金額がある場合には、当該金額の合計額を控除した残額）

　注　（２）《災害損失特別勘定への繰入額の損金算入》の注１の適用を受けている場合であっても、１年経過事業年度は「修繕等の工事に着手できることとなる日から１年を経過する日」の属する事業年度とはならないことに留意する。

（修繕等が遅れた場合の災害損失特別勘定の益金算入の特例）
（５）　被災資産に係る修繕等がやむを得ない事情により１年経過事業年度終了の日までに完了しなかったため、同日において災害損失特別勘定の残額(次の表の(一)に掲げる金額から(二)に掲げる金額を控除した金額をいう。以下同じ。)

を有している場合において、当該１年経過事業年度終了の日までに災害損失特別勘定の益金算入時期の延長確認申請書を所轄税務署長（国税局の調査部〔課〕所管法人にあっては、所轄国税局長）に提出し、その確認を受けたときは、修繕等が完了すると見込まれる日の属する事業年度（以下「修繕完了事業年度」という。）をもって(4)の表の(一)の１年経過事業年度とすることができる。（熊本地震通達５）

(一)	被災事業年度において災害損失特別勘定に繰り入れた金額
(二)	被災事業年度終了の日の翌日から１年経過事業年度終了の日までにおいて被災資産に係る修繕費用等として損金の額に算入する金額の合計額（保険金等により補填される金額がある場合には、当該金額の合計額を控除した残額をいい、以下「修繕済額」という。）

　注　(5)の取扱いの適用を受ける場合には、その取扱いの適用を受ける前の１年経過事業年度までの各事業年度において、修繕済額と災害損失特別勘定の残額から修繕費用等の見込額（１年経過事業年度終了の日の翌日から修繕完了事業年度終了の日までに支出することが見込まれる修繕費用等の金額の合計額〔保険金等により補填される金額がある場合には、当該金額の合計額を控除した残額をいい、災害損失特別勘定の残額を限度とする。〕をいう。）を控除した金額との合計額に相当する災害損失特別勘定の金額を益金の額に算入することとなる。

（災害損失特別勘定を設定した場合の災害損失の範囲）
（６）　第二十一款の二の１《前10年以内の災害による繰越損失金の損金算入》の適用に当たり、災害のあった日の属する事業年度（以下「被災事業年度」という。）において災害損失特別勘定に繰り入れた金額は、当該被災事業年度の災害損失の額（同二の２《災害損失金額の範囲》に掲げる損失の額をいう。以下同じ。）に含まれることに留意する。（熊本地震通達６）
　注　被災事業年度が第二章第一節の二の表の**36**《青色申告書》に掲げる青色申告書を提出する事業年度（以下「青色事業年度」という。）である場合には、この取扱いはないことに留意する。

（修繕費用等の支出がある場合の災害損失の額の計算）
（７）　第二十一款の二の１《前10年以内の災害による繰越損失金の損金算入》の適用に当たり、災害損失特別勘定に繰り入れた被災事業年度後の事業年度（当該事業年度が青色事業年度である場合を除く。）開始の日において災害損失特別勘定の金額がある場合には、当該事業年度において修繕費用等として損金の額に算入した金額（保険金等により補填された金額がある場合には、当該金額の合計額を控除した残額をいい、災害損失の額に該当する部分の金額に限る。）の合計額から当該事業年度開始の日における災害損失特別勘定の金額を控除した残額が当該事業年度における災害損失の額となることに留意する。（熊本地震通達７）

（繰延資産の基因となった資産について損壊等の被害があった場合）
（８）　(2)から(7)までの取扱いは、災害により第二十一款の二の１《前10年以内の災害による繰越損失金の損金算入》に掲げる繰延資産につき、当該繰延資産に係る他の者の有する固定資産について損壊等の被害があった場合について準用する。（熊本地震通達８）

（損壊した賃借資産等に係る補修費）
（９）　法人が賃借資産（賃借をしている土地、建物、機械装置等をいう。）につき修繕等の補修義務がない場合においても、当該賃借資産が災害により被害を受けたため、当該法人が、当該賃借資産の原状回復のための補修を行い、その補修のために要した費用を修繕費として経理したときは、これを認める。
　　法人が、修繕等の補修義務がない販売をした又は賃貸をしている資産につき補修のための費用を支出した場合においても、同様とする。（熊本地震通達９）
　注１　この取扱いにより修繕費として取り扱う費用は、災害損失特別勘定の繰入れの対象とはならないことに留意する。
　注２　当該法人が、その修繕費として経理した金額に相当する金額につき賃貸人等から支払を受けた場合には、その支払を受けた日の属する事業年度の益金の額に算入する。
　注３　法人が賃借している六《リース取引に係る所得の金額の計算》に掲げるリース資産が災害により被害を受けたため、契約に基づき支払うこととなる規定損害金（免除される金額及び被災事業年度において支払った金額を除く。）については、被災事業年度において、未払金として計上することができることに留意する。

（被災者用仮設住宅の設置費用）
（10）　法人が、災害により被災した役員又は従業員（以下「従業員等」という。）の住居として一時的に使用する建物（以下「仮設住宅」という。）の用に供する資材（以下「仮設住宅用資材」という。）の取得又は賃借をして仮設住宅を設置した場合において、当該仮設住宅の組立て、設置のために要した金額につきその居住の用に供した日の属する事業

年度において費用として経理したときには、これを認める。
　法人が取得をした仮設住宅用資材について、これを反復して使用する場合には、通常の例により償却するものとするが、仮設住宅のためにのみ使用することとしている場合には、その見積使用期間を基礎として償却することを認める。この場合において、当該見積使用期間を基礎として償却を行うときは、その取得価額から当該見積使用期間に基づき算定した処分見込価額を控除した金額を基礎として償却額を計算するものとする。（熊本地震通達10）
　　注　法人が、仮設住宅の一部を自己の従業員等以外の被災者の居住の用に供した場合においても、同様とする。

第二款　受取配当等

一　受取配当等の益金不算入

　内国法人（第二十七款の**十七**の**1**《特定目的会社の支払配当の損金算入》に掲げる特定目的会社及び同款の**十八**の**1**《投資法人の支払配当の損金算入》に掲げる投資法人を除く。以下同じ。）が次の表に掲げる金額（次の表の①に掲げる金額にあっては、外国法人若しくは公益法人等又は人格のない社団等から受けるもの及び適格現物分配に係るものを除く。以下**六**《受取配当等の益金不算入の申告》までにおいて「**配当等の額**」という。）を受けるときは、その配当等の額（関連法人株式等に係る配当等の額にあっては当該配当等の額から当該配当等の額に係る利子の額に相当するものとして（4）《関連法人株式等に係る配当等の額から控除する利子の額》に掲げるところにより計算した金額を控除した金額とし、完全子法人株式等、関連法人株式等及び非支配目的株式等のいずれにも該当しない**株式等**〔株式又は出資をいう。以下**六**までにおいて同じ。〕に係る配当等の額にあっては当該配当等の額の$\frac{50}{100}$に相当する金額とし、非支配目的株式等に係る配当等の額にあっては当該配当等の額の$\frac{20}{100}$に相当する金額とする。）は、その内国法人の各事業年度の所得の金額の計算上、益金の額に算入しない。（法23①、規8の4、措法67の6①、67の14②、67の15②）

①	剰余金の配当（株式等に係るものに限るものとし、資本剰余金の額の減少に伴うもの並びに分割型分割によるもの及び株式分配を除く。）若しくは利益の配当（分割型分割によるもの及び株式分配を除く。）、剰余金の分配（出資に係るものに限る。）又は（37）《特定株式投資信託の意義》に掲げる**特定株式投資信託**（租税特別措置法第9条第1項第3号に規定する外国株価指数連動型特定株式投資信託を除く。）（以下**一**及び**二**において「**特定株式投資信託**」という。）の収益の分配の額
②	投資信託及び投資法人に関する法律第137条《金銭の分配》の金銭の分配（出資総額等の減少に伴う金銭の分配のうち、同条第3項の規定により出資総額又は同法第135条《出資剰余金》の出資剰余金の額から控除される金額があるもの〔当該金額が一時差異等調整引当額〈投資法人の計算に関する規則第39条第3項後段又は第6項後段《純資産の部の区分》の規定により同令第2条第2項第30号《定義》に規定する一時差異等調整引当額として区分して表示される金額をいう。〉の増加額と同額である当該金銭の分配を除く。**五**の表の**4**において「**出資等減少分配**」という。〕を除く。）の額
③	資産の流動化に関する法律第115条第1項《中間配当》に規定する金銭の分配の額

　注　法人が特定目的会社から支払を受ける利益の配当の額及び投資法人から支払を受ける配当等の額については、**1**は、適用しない。（措法67の14④、67の15④）

　（関連法人株式等の範囲）
（1）　**一**に掲げる関連法人株式等とは、内国法人（当該内国法人との間に完全支配関係がある他の法人を含む。）が、他の内国法人（公益法人等及び人格のない社団等を除く。）の発行済株式又は出資（当該他の内国法人が有する自己の株式等を除く。）の総数又は総額の$\frac{1}{3}$を超える数又は金額の株式等を、当該内国法人が当該他の内国法人から受ける配当等の額に係る配当等の前に最後に当該他の内国法人によりされた配当等の基準日等の翌日（次の表の左欄に掲げる場合には、同表の当該右欄に掲げる日）からその受ける配当等の額に係る基準日等（当該配当等の額が**五**《配当等の額とみなす金額》〔同**五**の表の**2**に掲げる分割型分割、同表の**3**に掲げる株式分配又は同表の**4**に掲げる資本の払戻しに係る部分を除く。〕により**一**の表の①又は②に掲げる金額とみなされる金額である場合には、当該配当等の額に係る配当等がその効力を生ずる日〔その効力を生ずる日の定めがない場合には、その配当等がされる日。以下「**効力発生日**」という。〕の前日。以下（1）において同じ。）まで引き続き有している場合における当該他の内国法人の株式等（（14）《完全法人株式等の意義》に掲げる完全子法人株式等を除く。）をいう。（法23④、令22①）

（一）	当該翌日がその受ける配当等の額に係る基準日等から起算して6か月前の日以前の日である場合又はその受ける配当等の額が当該6か月前の日以前に設立された他の内国法人からその設立の日以後最初にされる配当等に係るものである場合（（三）に掲げる場合を除く。）	当該6か月前の日の翌日
（二）	その受ける配当等の額がその配当等の額に係る基準日等以前6か月以内に設立された他の内国法人からその設立の日以後最初にされる配当等に係るものである場	当該設立の日

	合（（三）に掲げる場合を除く。）	
（三）	その受ける配当等の額がその配当等の額の元本である株式等を発行した他の内国法人から当該配当等の額に係る基準日等以前6か月以内に取得したその元本である株式等につきその取得の日以後最初にされる配当等に係るものである場合	当該取得の日

(用語の意義)
（2） （1）において、次の表の左欄に掲げる用語の意義は、それぞれ同表の右欄に掲げるところによる。（令22②）

（一）	配当等		次の表に掲げるものをいう。
		イ	剰余金の配当（株式等に係るものに限る。）若しくは利益の配当若しくは剰余金の分配（出資に係るものに限る。）、投資信託及び投資法人に関する法律第137条《金銭の分配》の金銭の分配又は資産の流動化に関する法律第115条第1項《中間配当》に規定する金銭の分配（ロ及び（二）において「剰余金の配当等」という。）
		ロ	五の表に掲げる事由が生じたことに基因する金銭その他の資産の交付（その交付により利益積立金額が減少するものに限るものとし、剰余金の配当等に該当するものを除く。）
（二）	基準日等		次の表の左欄に掲げるものの区分に応じそれぞれ同表の右欄に掲げる日をいう。
		イ	株式会社がする剰余金の配当で当該剰余金の配当を受ける者を定めるための会社法第124条第1項《基準日》に規定する基準日（以下（二）において「基準日」という。）の定めがあるもの ／ 当該基準日
		ロ	株式会社以外の法人がする剰余金の配当等で当該剰余金の配当等を受ける者を定めるための基準日に準ずる日の定めがあるもの ／ 同日
		ハ	剰余金の配当等で当該剰余金の配当等を受ける者を定めるための基準日又は基準日に準ずる日の定めがないもの ／ 当該剰余金の配当等がその効力を生ずる日（その効力を生ずる日の定めがない場合には、当該剰余金の配当等がされる日）
		ニ	（一）の表のロに掲げるもの ／ 五の表に掲げる事由が生じた日

(適格合併等があった場合における株式の保有期間)
（3） 内国法人又は当該内国法人との間に完全支配関係がある他の法人が次の表の左欄に掲げる事由によりそれぞれ同表の右欄に掲げる法人（当該内国法人との間に完全支配関係があるものを除く。）から他の内国法人の発行済株式等の総数又は総額の$\frac{1}{3}$を超える数又は金額の株式等の移転を受けた場合における（1）の適用については、当該法人が当該株式等を有していた期間は、当該内国法人が当該株式等を有していた期間とみなす。（法23⑧、令22③）

（一）	適格合併	当該適格合併に係る被合併法人
（二）	適格分割	当該適格分割に係る分割法人
（三）	適格現物出資	当該適格現物出資に係る現物出資法人
（四）	適格現物分配	当該適格現物分配に係る現物分配法人
（五）	特別の法律に基づく承継	当該承継に係る被承継法人

(関連法人株式等に係る配当等の額から控除する利子の額)
（4） 一に掲げる関連法人株式等に係る配当等の額に係る利子の額に相当するものとして計算した金額は、配当等の額の$\frac{4}{100}$に相当する金額とする。（令19①）

(関連法人株式等に係る配当等の額から控除する利子の額の特例)
（5） （4）の場合において、一の内国法人の次の表の（一）に掲げる金額が（二）に掲げる金額以下であるときは、関連法人株式等（（1）に掲げる関連法人株式等をいう。以下（5）において同じ。）につき当該内国法人が一の適用を受ける事業年度（以下1において「**適用事業年度**」という。）において受ける配当等の額に係る利子の額に相当するものとして計算した金額は、（4）にかかわらず、当該適用事業年度に係る支払利子等の額（法人が支払う負債の利子又は手形の割引料、第二十七款の三の1《金銭債務の償還差損益》に掲げる満たない部分の金額その他経済的な性質が利子に準ずるものの額をいう。次の表の（一）において同じ。）の合計額の$\frac{10}{100}$に相当する金額に当該配当等の額が当該適用事業年度において受ける関連法人株式等に係る配当等の額の合計額のうちに占める割合を乗じて計算した金額とする。（法23⑧、令19②）

（一）	当該適用事業年度に係る支払利子等の額の合計額の$\frac{10}{100}$に相当する金額
（二）	当該適用事業年度において受ける関連法人株式等に係る配当等の額の合計額の$\frac{4}{100}$に相当する金額

注　第三十一款の一の1《負債利子等の損金不算入額の計算》、同款の二の1《支払利子等の損金不算入額の計算》、同款の三の1《超過利子額の損金算入》及び同三の2《調整対象超過利子額の損金算入》の適用がある場合における（5）の適用については、次による。（措令39の13㉚、39の13の2㉞、39の13の3⑧）

（4）の場合において、一の内国法人の次の表の（一）に掲げる金額が（二）に掲げる金額以下であるときは、関連法人株式等（（1）に掲げる関連法人株式等をいう。以下（5）において同じ。）につき当該内国法人が一の適用を受ける事業年度（以下一において「適用事業年度」という。）において受ける配当等の額に係る利子の額に相当するものとして計算した金額は、（4）にかかわらず、当該適用事業年度に係る支払利子等の額（法人が支払う負債の利子又は手形の割引料、第二十七款の三の1《金銭債務の償還差損益》に掲げる満たない部分の金額その他経済的な性質が利子に準ずるものの額をいう。（5）において同じ。）の合計額（第三十一款の一の1により損金の額に算入されない金額がある場合には、当該金額を控除した残額。同款の二の1〔同1の（2）《外国子会社合算税制等の適用がある場合の二重課税の調整》により読み替えて適用する場合を含む。〕により損金の額に算入されない金額がある場合には、当該金額を控除した残額。同款の三の1及び同三の2により損金の額に算入される金額がある場合には、当該金額を加算した金額。（一）において「調整後支払利子合計額」という。）の$\frac{10}{100}$に相当する金額に当該配当等の額が当該適用事業年度において受ける関連法人株式等に係る配当等の額の合計額のうちに占める割合を乗じて計算した金額とする。

（一）	当該適用事業年度に係る調整後支払利子合計額の$\frac{10}{100}$に相当する金額
（二）	当該適用事業年度において受ける関連法人株式等に係る配当等の額の合計額の$\frac{4}{100}$に相当する金額

(経済的な性質が利子に準ずるものとされるものの範囲)
（6） 次の表に掲げる金額は、（5）に掲げる経済的な性質が利子に準ずるものに含まれるものとする。（法23⑧、令19③）

（一）		保険業法第2条第3項《定義》に規定する生命保険会社の締結した保険契約（以下（一）及び（三）において「生命保険契約」という。）に係る次の表に掲げる金額
	イ	生命保険契約に基づいて保険業法第116条第1項《責任準備金》に規定する責任準備金（イにおいて「責任準備金」という。）として積み立てられた金額のうち保険料積立金に係る利子に相当する金額（責任準備金に係る積立利率の異なる保険ごとに、その積立てに係る事業年度開始の時及び当該事業年度終了の時における責任準備金の額のうち保険料積立金に相当する金額の合計額に、二に当該積立利率を加算した数のうちに当該積立利率の占める割合を乗じて計算した金額の合計額に相当する金額をいう。）
	ロ	生命保険契約に基づき保険契約者に対して分配する金額（ハにおいて「契約者配当の額」という。）のうち利子、配当その他の資産の収益から成る部分の金額
	ハ	据置配当の額（生命保険契約に基づき契約者配当の額を当該生命保険契約の終了の際等に一時に支払うこととなっている場合におけるその支払に充てられるべき金額をいう。）又は未払の契約者配当の額に対して付されている利子に相当する金額
	ニ	前納保険料に係る利子に相当する金額
（二）		保険業法第2条第4項に規定する損害保険会社の締結した保険契約（（三）において「損害保険契約」という。）に係る（一）に掲げる金額に準ずる金額
（三）		協同組合等の共済契約で生命保険契約又は損害保険契約に準ずるものに係る（一）に掲げる金額に準ずる金額

(通算法人である場合の関連法人株式等に係る配当等の額から控除する利子の額の特例)
(7)　(5)の内国法人が通算法人である場合(適用事業年度終了の日が当該内国法人に係る通算親法人の事業年度終了の日である場合に限る。)における(5)の適用については、当該内国法人の当該適用事業年度に係る支払利子等の額の合計額は、当該適用事業年度に係る支払利子合計額(支払利子等の額〔その生ずる事業年度終了の日において通算完全支配関係がある他の通算法人に対するものを除く。〕の合計額をいう。以下一において同じ。)に(一)に掲げる金額を加算し、又は当該適用事業年度に係る支払利子合計額から(二)に掲げる金額を控除した金額とする。(令19④)

(一)		イに掲げる金額にロに掲げる金額がロ及びハに掲げる金額の合計額のうちに占める割合を乗じて計算した金額((二)において「**支払利子配賦額**」という。)が当該内国法人の当該適用事業年度に係る支払利子合計額を超える場合におけるその超える部分の金額
	イ	当該内国法人の当該適用事業年度及び当該適用事業年度終了の日において当該内国法人との間に通算完全支配関係がある他の通算法人(ハ及び(13)において「**他の通算法人**」という。)の同日に終了する事業年度(ハ及び(13)において「**他の事業年度**」という。)に係る支払利子合計額を合計した金額
	ロ	当該内国法人の当該適用事業年度において受ける関連法人株式等に係る配当等の額(一の適用を受けるものに限る。以下一において「**適用関連法人配当等の額**」という。)の合計額
	ハ	他の通算法人の他の事業年度において受ける適用関連法人配当等の額の合計額
(二)		支払利子配賦額が当該内国法人の当該適用事業年度に係る支払利子合計額に満たない場合におけるその満たない部分の金額

(適用関連法人配当等の額が当初申告支払利子合計額又は当初申告関連法人配当合計額と異なる場合)
(8)　通算法人の事業年度(当該通算法人に係る通算親法人の事業年度終了の日に終了するものに限る。)若しくは他の通算法人の当該事業年度終了の日に終了する事業年度(以下一において「**通算事業年度**」という。)に係る支払利子合計額又は当該通算事業年度において受ける適用関連法人配当等の額の合計額が当初申告支払利子合計額又は当初申告関連法人配当合計額(それぞれ当該通算事業年度の第三章第二節第三款の二の1《確定申告》による申告書に添付された書類に当該通算事業年度に係る支払利子合計額又は当該通算事業年度において受ける適用関連法人配当等の額の合計額として記載された金額をいう。以下一において同じ。)と異なる場合には、当該通算法人に対する(5)(表に係る部分に限る。)及び(7)(表に係る部分に限る。)の適用については、当初申告支払利子合計額又は当初申告関連法人配当合計額を当該通算事業年度に係る支払利子合計額又は当該通算事業年度において受ける適用関連法人配当等の額の合計額とみなす。(令19⑤)

(適用関連法人配当等の額の益金算入の時期)
(9)　(8)の通算法人の通算事業年度において受ける適用関連法人配当等の額の合計額が当該通算事業年度に係る(7)の表の(一)に掲げる支払利子配賦額(次の表の(一)に掲げる金額がある場合には当該金額を加算した金額とし、同表の(二)に掲げる金額がある場合には当該金額を控除した金額とする。)の$\frac{10}{100}$に相当する金額に満たない場合には、その満たない部分の金額に相当する金額は、当該通算事業年度の所得の金額の計算上、益金の額に算入する。(令19⑥)

(一)	当該通算事業年度に係る支払利子合計額が当初申告支払利子合計額を超える場合におけるその超える部分の金額
(二)	当該通算事業年度に係る支払利子合計額が当初申告支払利子合計額に満たない場合におけるその満たない部分の金額

(適用関連法人配当等の額に関する適用除外)
(10)　通算事業年度のいずれかについて修正申告書の提出又は更正がされる場合において、次の表に掲げる場合のいずれかに該当するときは、(8)の通算法人の通算事業年度については、(8)及び(9)は、適用しない。(令19⑦)

(一)	(7)の表の(一)のイに掲げる金額の$\frac{10}{100}$に相当する金額が同(一)のロ及びハに掲げる金額の合計額の$\frac{4}{100}$に相当する金額を超える場合
(二)	(8)及び(9)を適用しないものとした場合における(7)の表の(一)のイに掲げる金額の$\frac{10}{100}$に相当する金額が

	(8)及び(9)を適用しないものとした場合における同(一)のロ及びハに掲げる金額の合計額の$\frac{4}{100}$に相当する金額を超える場合
(三)	第三十五款の一の**1**の③の(1)《修正申告又は更正がされる場合の適用除外》の適用がある場合
(四)	同③の(3)《みなし金額の否認》の適用がある場合

(当初申告支払利子合計額又は当初申告関連法人配当合計額とみなす額)
(11) 通算事業年度について(10)((四)に係る部分を除く。)を適用して修正申告書の提出又は更正がされた後における(8)及び(9)の適用については、当該修正申告書又は当該更正に係る第二章第三節の一の**1**の(3)《更正通知書の記載事項》に掲げる更正通知書に添付された書類に当該通算事業年度に係る支払利子合計額又は当該通算事業年度において受ける適用関連法人配当等の額の合計額として記載された金額を当初申告支払利子合計額又は当初申告関連法人配当合計額とみなす。(令19⑧)

(通算法人に係る償還差損の額の計算)
(12) 法人の当該事業年度における支払利子等の額のうちに(5)に掲げる「第二十七款の**三**の**1**《金銭債務の償還差損益》に掲げる満たない部分の金額」(以下(12)において「償還差損の額」という。)がある場合で、当該償還差損の額に係る金銭債権の一部を(7)の他の通算法人が有しているとき及び当該事業年度のうち一部の期間について当該他の通算法人が当該償還差損の額に係る金銭債権を有しているときの当該償還差損の額に係る(7)により支払利子等の額から除かれる当該他の通算法人に対するものの額は、第二十七款の**三**の**1**により当該事業年度の損金の額に算入すべき償還差損の額のうち当該他の通算法人が当該事業年度の期間内において有していた金銭債権の額及びその有していた期間に対応する額として計算した金額によるものとする。(基通3－1－3の7)

(関連法人株式等に係る配当等の額から控除する利子の額の特例を受ける場合の確定申告等)
(13) (5)は、内国法人の適用事業年度の確定申告書、修正申告書又は更正請求書に(5)の適用を受ける旨及び(5)に掲げる支払利子等の額の合計額を記載した書類の添付がある場合(当該内国法人が通算法人である場合〔当該適用事業年度終了の日が当該内国法人に係る通算親法人の事業年度終了の日である場合に限る。〕には、他の通算法人〔他の事業年度に係る支払利子合計額及び他の事業年度において受ける適用関連法人配当等の額が零であるものを除く。〕の全ての他の事業年度の確定申告書、修正申告書又は更正請求書に(5)の適用を受ける旨及び(5)に掲げる支払利子等の額の合計額を記載した書類の添付がある場合に限る。)に限り、適用する。(令19⑨)

　注　第三十一款の一の**1**《負債利子等の損金不算入額の計算》、同款の**二**の**1**《支払利子等の損金不算入額の計算》、同款の**三**の**1**《超過利子額の損金算入》及び同**三**の**2**《調整対象超過利子額の損金算入》の適用がある場合における(7)の適用については、次による。(措令39の13㉚、39の13の2㉞、39の13の3⑧)

> (5)は、内国法人の適用事業年度の確定申告書、修正申告書又は更正請求書に(5)の適用を受ける旨及び(5)に掲げる調整後支払利子合計額を記載した書類の添付がある場合に限り、適用する。

(完全子法人株式等の意義)
(14) **一**に掲げる完全子法人株式等とは、配当等の額の計算期間を通じて内国法人との間に完全支配関係がある他の内国法人(公益法人等及び人格のない社団等を除く。)の株式等として(15)《完全子法人株式等の範囲》に掲げるものをいう。(法23⑤)

(完全子法人株式等の範囲)
(15) (14)に掲げる株式等は、配当等の額の計算期間の初日から当該計算期間の末日まで継続して(14)の内国法人とその配当等((2)の表の(一)に掲げる配当等をいう。(16)《計算期間》において同じ。)をする他の内国法人(公益法人等及び人格のない社団等を除く。)との間に完全支配関係がある場合(当該内国法人が当該計算期間の中途において当該他の内国法人との間に完全支配関係を有することとなった場合において、当該計算期間の初日から当該完全支配関係を有することとなった日まで継続して当該他の内国法人と他の者との間に当該他の者による完全支配関係があり、かつ、同日から当該計算期間の末日まで継続して当該内国法人と当該他の者との間及び当該他の内国法人と当該他の者との間に当該他の者による完全支配関係があったときを含む。)の当該他の内国法人の株式等(その受ける配当等の額が**五**《配当等の額とみなす金額》により**一**の表の①又は②に掲げる金額とみなされる金額であるときは、当該金額に係る効力発生日の前日において当該内国法人と当該他の内国法人との間に完全支配関係がある場合の当該他の内国

法人の株式等）とする。（令22の2①）

　　　（計算期間）
(16)　(15)に掲げる計算期間とは、その受ける配当等の額に係る配当等の前に最後に当該配当等をする他の内国法人によりされた配当等の基準日等（(2)の表の(二)に掲げる基準日等をいう。以下一において同じ。）の翌日（次の表の左欄に掲げる場合には、それぞれ同表の右欄に掲げる日）からその受ける配当等の額に係る基準日等までの期間をいう。（令22の2②）

(一)	当該翌日がその受ける配当等の額に係る基準日等から起算して1年前の日以前の日である場合又はその支払を受ける配当等の額が当該1年前の日以前に設立された他の内国法人からその設立の日以後最初にされる配当に係るものである場合（(三)に掲げる場合を除く。）	当該1年前の日の翌日
(二)	その受ける配当等の額がその配当等の額に係る基準日等以前1年以内に設立された他の内国法人からその設立の日以後最初にされる配当に係るものである場合（(三)に掲げる場合を除く。）	当該設立の日
(三)	その受ける配当等の額がその配当等の額の元本である株式等を発行した他の内国法人から当該配当等の額に係る基準日等以前1年以内に取得したその元本である株式等につきその取得の日以後最初にされる配当に係るものである場合	当該取得の日

　　　（適格合併に係る被合併法人から当該日合併法人との間に完全支配関係がある他の内国法人の株式等の移転を受けた場合）
(17)　内国法人が当該内国法人を合併法人とする適格合併（当該内国法人との間に完全支配関係がある他の法人を被合併法人とするものを除く。）により当該適格合併に係る被合併法人から配当等の額の元本である当該被合併法人との間に完全支配関係がある他の内国法人の株式等の移転を受けた場合において、当該適格合併が当該配当等の額の(16)に掲げる計算期間の末日の翌日から当該配当等の額に係る効力発生日までの間に行われたものであるときは、(15)の適用については、当該被合併法人と当該他の内国法人との間に完全支配関係があった期間は、当該内国法人と当該他の内国法人との間に完全支配関係があったものとみなす。（法23⑧、令22の2③）

　　　（完全子法人株式等に係る配当等の額）
(18)　法人が、株式等の全部を直接又は間接に保有していない他の法人（内国法人に限る。）から配当等の額を受けた場合において、当該法人が保有する当該他の法人の株式等が(15)に掲げる要件を満たすときには、当該配当等の額は(14)に掲げる完全子法人株式等に係る配当等の額に該当することに留意する。（基通3－1－9）

　　　（非支配目的株式等の意義）
(19)　一に掲げる非支配目的株式等とは、内国法人（当該内国法人との間に完全支配関係がある他の法人を含む。）が他の内国法人（公益法人等及び人格のない社団等を除く。）の発行済株式又は出資（当該他の内国法人が有する自己の株式等を除く。）の総数又は総額の $\frac{5}{100}$ 以下に相当する数又は金額の当該他の内国法人の株式等を、当該内国法人が当該他の内国法人から受ける配当等の額に係る基準日等（当該配当等の額が五《配当等の額とみなす金額》〔同五の表の2に掲げる分割型分割、同表の3に掲げる株式分配又は同表の4に掲げる資本の払戻しに係る部分を除く。〕により一の表の①又は②に掲げる金額とみなされる金額である場合には、その効力発生日の前日）において有する場合における当該他の内国法人の株式等（(14)に掲げる完全子法人株式等を除く。）及び特定株式投資信託の受益権をいう。（法23⑥、措法67の6①、令22の3①）

　　　（短期保有株式等がある場合の適用）
(20)　(19)の内国法人が他の内国法人から受ける(19)の配当等の額に係る基準日等において有する当該他の内国法人の株式等のうちに二《短期保有株式等に係る配当等の益金不算入》に掲げる株式等（以下(20)において「短期保有株式等」という。）がある場合には、当該内国法人は当該短期保有株式等を有していないものとして、(19)を適用する。（令22の3②）

(配当等の額に係る配当等がその効力を生ずる日)
(21) (1)《関連法人株式等の範囲》に掲げる「配当等の額に係る配当等がその効力を生ずる日」、(15)《完全子法人株式等の範囲》に掲げる「金額に係る効力発生日」及び(17)《適格合併に係る被合併法人から当該日合併法人との間に完全支配関係がある他の内国法人の株式等の移転を受けた場合》に掲げる「配当等の額に係る効力発生日」並びに(19)《非支配目的株式等の意義》に掲げる「その効力発生日」とは、(25)の(一)から(三)まで又は(五)に掲げる日をいうことに留意する。(基通3－1－7後段)

(関連法人株式等の判定)
(22) 法人が取得をした(1)の他の内国法人の株式等(一に掲げる株式等をいう。以下一において同じ。)について、当該株式等に係る(1)の「配当等の前に最後に当該他の内国法人によりされた配当等の基準日等の翌日（……）からその受ける配当等の額に係る基準日等（……）まで引き続き有している」かどうかを判定する場合における当該株式等を取得した日は、例えば、株式等の取得の原因が次に掲げるものであるときには、それぞれ次に定める日となることに留意する。(基通3－1－7の2)

(一)	株式の購入	当該株式の引渡しのあった日
(二)	第二章第一節の二の(7)《組織再編成の日》に掲げる組織再編成（(3)の適用を受けるものを除く。)	同(7)に掲げる組織再編成の日

(計算期間の初日から末日まで引き続き有していない株式等に係る関連法人株式等の判定)
(23) (1)に掲げる「関連法人株式等」に係る配当等(以下(24)までにおいて「関連法人株式等に係る配当等」という。)とは、他の同一法人に係る株式等の保有が(1)及び(3)に掲げる要件を満たしている場合の当該他の同一法人の株式等に係る配当等をいうのであるから、法人が有する他の同一法人の株式等の一部につき計算期間（(1)の「配当等の基準日等の翌日……からその受ける配当等の額に係る基準日等……まで」の期間をいう。）の初日から末日まで引き続き有していないものがある場合であっても、当該他の同一法人の株式等の他の部分の保有が(1)及び(3)に掲げる要件を満たすときは、当該他の同一法人の株式等に係る配当等の全てが関連法人株式等に係る配当等に該当することに留意する。(基通3－1－7の3)

(配当等の額の支払に係る基準日が2以上ある場合の関連法人株式等の判定)
(24) 法人が支払を受けた他の同一法人の発行する株式等に係る配当等が当該事業年度に2以上ある場合において、当該配当等が関連法人株式等に係る配当等に該当するかどうかは、それぞれの配当等の額に係る基準日等において当該法人の有する株式等に基づいて判定することに留意する。(基通3－1－7の4)

(剰余金の配当等の帰属の時期)
(25) 法人が他の法人(法人税法第4条の3《受託法人等に関するこの法律の適用》の各号列記以外の部分に規定する受託法人を含む。)から受ける剰余金の配当、利益の配当、剰余金の分配、投資信託及び投資法人に関する法律第137条《金銭の分配》の金銭の分配、資産の流動化に関する法律第115条第1項《中間配当》に規定する金銭の分配(以下「特定目的会社に係る中間配当」という。)又は法人税法第2条第29号ロ《定義》に掲げる投資信託(以下(25)において「投資信託」という。)の収益の分配(以下(26)までにおいてこれらを「剰余金の配当等」という。)の額は、次に掲げる区分に応じ、それぞれ次に掲げる日の属する事業年度の収益とする。ただし、その剰余金の配当等の額が外国法人から受けるものである場合において、当該外国法人の本店又は主たる事務所の所在する国又は地域の剰余金の配当等に関する法令にその確定の時期につきこれと異なる定めがあるときは、当該法令に定めるところにより当該剰余金の配当等の額が確定したとされる日の属する事業年度の収益とする。(基通2－1－27)
(一) 一の表の①に掲げる剰余金の配当若しくは利益の配当又は剰余金の分配については、次の表の左欄に掲げる区分に応じ、それぞれ右欄に掲げるところによる。

イ	剰余金の配当	当該配当の効力を生ずる日
ロ	利益の配当又は剰余金の分配	当該配当又は分配をする法人の社員総会又はこれに準ずるものにおいて、当該利益の配当又は剰余金の分配に関する決議のあった日。ただし、持分会社にあっては、定款で定めた日がある場合にはその日

注 法人が、配当落ち日に未収配当金の見積計上をしている場合であっても、当該未収配当金の額は、未確定の収益として当該配当落ち日の

属する事業年度の益金の額に算入しない。次の(二)及び(三)において同じ。
(二) 一の表の②に掲げる金銭の分配については、当該金銭の分配がその効力を生ずる日
(三) 特定目的会社に係る中間配当については、当該中間配当に係る取締役の決定のあった日。ただし、その決定により中間配当の請求権に関しその効力発生日として定められた日があるときは、その日
(四) 投資信託の収益の分配のうち信託の開始の時からその終了の時までの間におけるものについては、当該収益の計算期間の末日とし、投資信託の終了又は投資信託の一部の解約による収益の分配については、当該終了又は解約のあった日
(五) **五**《配当等の額とみなす金額》の表によるみなし配当については、次の表の左欄に掲げる区分に応じ、それぞれ右欄に掲げる日

イ	**五**の表の1に掲げる合併によるもの	合併の効力を生ずる日。ただし、新設合併の場合は、新設合併設立法人の設立登記の日
ロ	**五**の表の2に掲げる分割型分割によるもの	分割の効力を生ずる日。ただし、新設分割の場合は、新設分割設立法人の設立登記の日
ハ	**五**の表の3に掲げる株式分配のうち剰余金の配当によるもの	当該配当の効力を生ずる日
	五の表の3に掲げる株式分配のうち利益の配当によるもの	当該配当をする法人の社員総会又はこれに準ずるものにおいて、当該利益の配当に関する決議のあった日。ただし、持分会社にあっては定款で定めた日がある場合にはその日
ニ	**五**の表の4に掲げる資本の払戻しによるもの	資本の払戻しに係る剰余金の配当又は1の表の②に掲げる出資等減少分配がその効力を生ずる日
ホ	**五**の表の4に掲げる解散による残余財産の分配によるもの	その分配の開始の日（その分配が数回に分割してされた場合には、それぞれの分配の開始の日）
ヘ	**五**の表の5に掲げる自己の株式又は出資の取得によるもの	その取得の日
ト	**五**の表の6に掲げる出資の消却、出資の払戻し、社員その他法人の出資者の退社若しくは脱退による持分の払戻し又は株式若しくは出資をその発行した法人が取得することなく消滅させることによるもの	これらの事実があった日
チ	**五**の表の7に掲げる組織変更によるもの	組織変更の効力を生ずる日

(剰余金の配当等の帰属時期の特例)
(26) 法人が他の法人から受ける剰余金の配当等の額でその支払のために通常要する期間内に支払を受けるものにつき継続してその支払を受けた日の属する事業年度の収益としている場合には、(25)にかかわらず、これを認める。（基通2－1－28）

(名義株等の配当)
(27) 法人が役員、使用人等の名義をもって所有している株式又は出資について受ける一の表の①に掲げる剰余金の配当若しくは利益の配当又は剰余金の分配についても、一の適用があることに留意する。（基通3－1－1）

(名義書換え失念株の配当)
(28) 法人が、その有する株式を譲渡した場合において、その名義書換えが行われなかったため、当該譲渡した株式に係る剰余金の配当（一の表の①に掲げる剰余金の配当等をいう。以下(28)において同じ。）の額（当該譲渡後にその剰余金の配当の二の表の①に掲げる基準日が到来するものに限る。）を受けたときは、当該剰余金の配当の額は、株主たる地位に基づいて受けたものではないから、これについて一の適用はないものとする。ただし、配当権利落後その支払に係る基準日までの間に譲渡した株式について剰余金の配当の額を受けたときは、この限りでない。（基通3－1－2）

(名義が異なる特定株式投資信託の収益の分配)
(29)　(27)は、一の表の①に掲げる特定株式投資信託の収益の分配について準用する。（措通67の6－1）

(支払利子等の額の範囲)
(30)　(5)《関連法人株式等に係る配当等の額から控除する利子の額の特例》に掲げる支払利子等の額（以下第二款において「**支払利子等の額**」という。）には、次に掲げるような金額を含むことに留意する。（基通3－1－3）

(一)	受取手形の手形金額と当該受取手形の割引による受領金額との差額を手形売却損として処理している場合の当該差額（手形に含まれる金利相当額を会計上別処理する方式を採用している場合には、手形売却損として帳簿上計上していない部分の金額を含む。）
(二)	買掛金を手形によって支払った場合において、相手方に対して当該手形の割引料を負担したときにおけるその負担した割引料相当額
(三)	従業員預り金、営業保証金、敷金その他これらに準ずる預り金の利子の額
(四)	金融機関の預金利息の額及び給付補塡備金繰入額（給付補塡備金繰入額に準ずる繰入額を含む。）
(五)	相互会社の支払う基金利息の額
(六)	相互掛金契約により給付を受けた金額が掛け込むべき金額の合計額に満たない場合のその差額に相当する金額
(七)	信用事業を営む協同組合等が支出する事業分量配当のうちその協同組合等が受け入れる預貯金（定期積金を含む。）の額に応じて分配するものの額

(利子税の額又は延滞金の額)
(31)　利子税の額又は地方税の延滞金の額については、法人がこれらの金額を支払利子等の額に含めないで計算した場合には、これを認める。（基通3－1－3の2）

(割賦購入資産等の取得価額に算入しない利息相当額)
(32)　割賦販売契約又は延払条件付譲渡契約（これらに類する契約を含む。）によって購入した資産に係る割賦期間分の利息に相当する金額については、法人がこれを当該資産の取得価額に含めないこととした場合に限り、支払利子等の額に含めるものとする。（基通3－1－3の3）
　　注　第一款の**六**《リース取引に係る所得の金額の計算》に掲げるリース資産について、賃借人がリース料の額の合計額のうち利息相当額をその取得価額に含めないこととしている場合の当該利息相当額についても、同様とする。

(売上割引料の額)
(33)　売掛金又はこれに準ずる債権について支払期日前にその支払を受けたことにより支払う売上割引料の額は、支払利子等の額に該当しないものとする。（基通3－1－3の4）

(輸入決済手形借入金利息の額)
(34)　貿易商社が支払う輸入決済手形借入金の利息の額は、それが委託買付契約に係るもので、その利息相当額を委託者に負担させることとしている場合であっても、支払利子等の額に該当する。この場合において、当該委託者がその負担する利息相当額を当該委託買付契約により取得した資産の取得価額に算入しているときは、当該委託者においては、当該利息相当額は支払利子等の額に含めないことができる。（基通3－1－3の5）

(原価に算入した負債の利子の額)
(35)　固定資産その他の資産の取得価額に算入した負債の利子の額又は繰延資産として経理した負債の利子の額であっても、当該事業年度において支払ったものは、(5)《関連法人株式等に係る配当等の額から控除する利子の額の特例》に掲げる「当該適用事業年度に係る支払利子等の額」に含まれることに留意する。（基通3－1－3の6）
　　注　第二十七款の**三の1**《金銭債務の償還差損益》に掲げる満たない部分の金額については、同1により当該事業年度の損金の額に算入すべき金額を「当該適用事業年度に係る支払利子等の額」に含める。

（金銭以外の資産による配当等の額）
(36)　法人が金銭以外の資産により剰余金の配当又は利益の配当を受ける場合には、一の適用がある配当等の額は、原則として、当該剰余金の配当又は利益の配当の額の支払に係る効力が生ずる日における当該金銭以外の資産の価額によることに留意する。（基通3－1－7の5）

　（特定株式投資信託の意義）
(37)　特定株式投資信託とは、信託財産を株式のみに対する投資として運用することを目的とする証券投資信託のうち、次の表に掲げる要件に該当するものをいう。（措法3の2、措令2、措規2の3①②）

	当該証券投資信託の受益権が金融商品取引所（金融商品取引法第2条第16項に規定する金融商品取引所をいう。以下同じ。）に上場されていること及び投資信託及び投資法人に関する法律第4条第1項に規定する委託者指図型投資信託約款（当該証券投資信託が外国投資信託〔同法第2条第24項に規定する外国投資信託をいう。以下同じ。〕である場合には、当該委託者指図型投資信託約款に類する書類及び当該金融商品取引所の上場に関する規則）に次の定めがあることとする。
(一)	信託契約期間を定めないこと（当該証券投資信託が外国投資信託である場合には、信託契約期間を定めないこと又は当該証券投資信託の設定がされた国の法令の定めるところにより信託契約期間〔当該証券投資信託に係る契約において定める信託期間が、その信託の設定の日から100年を経過した日以後の日で当該契約において定めた日若しくは当該契約で指定された者のうち最後の生存者の死亡の日から20年を経過した日以後の日で当該契約において定めた日のいずれか早い日とされている場合の当該信託期間又は当該信託期間と同程度の期間が定められている場合の信託期間に限る。〕が定められていること。）。
(二)	当該証券投資信託の受益権が金融商品取引所に上場することとされていること（当該証券投資信託が外国投資信託である場合には、その受益権が金融商品取引法第2条第8項第3号ロに規定する外国金融商品市場に上場することとされていること。）。
(三)	受益者は、その有する受益権（当該証券投資信託の受託者が投資信託及び投資法人に関する法律第17条第1項第2号に規定する重大な約款の変更等に反対した受益者からの同法第18条第1項の規定による請求により買い取った受益権を除く。）について、その信託契約期間中に当該信託契約の一部解約を請求することができないこと。
(四)	信託財産は特定の株価指数（金融商品取引法第2条第17項に規定する取引所金融商品市場又は同条第8項第3号ロに規定する外国金融商品市場に上場されている株式について多数の銘柄の価格の水準を総合的に表した指数をいう。）に採用されている銘柄の株式に投資を行い、その信託財産の受益権一口当たりの純資産額の変動率を当該特定の株価指数の変動率に一致させることを目的とした運用を行うこと。
(五)	当該証券投資信託の設定又は追加設定に係る信託又は追加信託についての当初の受益者については、その者の氏名又は名称、住所及び個人番号（行政手続における特定の個人を識別するための番号の利用等に関する法律第2条第5項に規定する個人番号をいう。以下同じ。）又は法人番号（同条第15項に規定する法人番号をいう。以下同じ。）（個人番号又は法人番号を有しない者にあっては、氏名又は名称及び住所）の受益者（当該証券投資信託が外国投資信託である場合には、その受益権を上場することとされている金融商品取引所から当該受益権の売買の決済に関する事務の委託を受けた法人。(七)において同じ。）への登録を行った上で、受益権の振替又は交付を行うこと。
(六)	収益の分配は、信託の計算期間（当該証券投資信託が外国投資信託である場合には、収益の分配に係る計算期間）ごとに、信託財産について生ずる配当、受取利息その他これらに類する収益の額の合計額から支払利子、信託報酬その他これらに類する費用の額の合計額を控除した額の全額についてすることとされていること。
(七)	収益の分配の支払は、当該収益の分配に係る計算期間の終了する日において受益者としてその氏名又は名称、住所及び個人番号又は法人番号（個人番号若しくは法人番号を有しない者又は当該収益の分配につき租税特別措置法第9条の3の2第1項に規定する支払の取扱者を通じて交付を受ける者にあっては、氏名又は名称及び住所）が受託者に登録されている者に対して行われること。
(八)	受益者は、その者の有する一定口数以上の受益権をもって、当該受益権と当該受益権の信託財産に対する持分に相当する株式との交換（当該信託財産に属する株式のうちに、その株式の発行法人から支払がされる所

	得税法第24条第1項《配当所得》に規定する配当等を受ける権利その他の株主の権利に係る基準日がその交換の日であるもの〔以下(八)において「権利落ち株式」という。〕がある場合には、当該権利落ち株式の価額に相当する金銭の交付を含む。(九)において同じ。)を請求することができること。
(九)	(八)の交換の請求があった場合には、当該証券投資信託の委託者は、その受託者に対し、当該受益権と信託財産に属する株式のうち当該受益権の信託財産に対する持分に相当するものとの交換をするよう指図すること(当該証券投資信託が外国投資信託であるときは、当該外国投資信託の受託者は、当該受益権と信託財産に属する株式のうち当該受益権の信託財産に対する持分に相当するものとの交換をすること)。
(十)	当該証券投資信託の表中本文に掲げる委託者指図型投資信託約款に、当該証券投資信託の受益権の口数が(九)に掲げる交換を行うことにより一定の口数を下ることとなった場合には、委託者は当該証券投資信託を終了させることができる旨(当該証券投資信託が表中本文に掲げる外国投資信託である場合には、当該外国投資信託の信託財産の純資産額が(九)に掲げる交換を行うことにより一定の金額を下ることとなったときは、委託者は当該外国投資信託を終了させることができる旨)の定めがあること。
(十一)	当該証券投資信託が投資信託及び投資法人に関する法律施行令第12条第1号又は第2号に掲げるものであること。

(信用取引に係る配当落調整額)
(38) 金融商品取引法第156条の24第1項《免許及び免許の申請》に規定する信用取引(以下「信用取引」という。)により株式の買付けを行った法人が、証券会社又は証券金融会社から支払を受ける配当落調整額(信用取引に係る株式につき配当が付与された場合において、証券会社又は証券金融会社が、売付けを行った者から徴収し又は買付けを行った者に支払う当該配当に相当する金銭の額をいう。)は、一に掲げる配当等の額には含まれない。(基通3-1-6)

二 短期保有株式等に係る配当等の益金算入
　一《受取配当等の益金不算入》は、内国法人がその受ける**配当等の額**(五《配当等の額とみなす金額》により、その内国法人が受ける配当等の額とみなされる金額を除く。以下二において同じ。)の元本である株式等(一の表の①に掲げる特定株式投資信託の受益権を含む。以下二において同じ。)をその配当等の額に係る基準日等(次の表の左欄に掲げる配当等の額の区分に応じそれぞれ同表の右欄に掲げる日をいい、特定株式投資信託の収益の分配にあってはその計算の基礎となった期間の末日とする。以下二において同じ。)以前1か月以内に取得し、かつ、当該株式等又は当該株式等と銘柄を同じくする株式等を当該基準日等後2か月以内に譲渡した場合におけるその譲渡した株式等のうち(1)《益金に算入される配当等の元本である株式等》に掲げるものの配当等の額については、適用しない。(法23②、措法67の6①)

①	株式会社がする一の表の①に掲げる剰余金の配当で当該剰余金の配当を受ける者を定めるための会社法第124条第1項《基準日》に規定する基準日(以下二において「**基準日**」という。)の定めがあるものの額	当該基準日
②	株式会社以外の法人がする一の表の①に掲げる剰余金の配当若しくは利益の配当若しくは剰余金の分配、同表の②に掲げる金銭の分配又は同表の③に掲げる金銭の分配(以下②及び③において「配当等」という。)で、当該配当等を受ける者を定めるための基準日に準ずる日の定めがあるものの額	同日
③	配当等で当該配当等を受ける者を定めるための基準日又は基準日に準ずる日の定めがないものの額	当該配当等がその効力を生ずる日(その効力を生ずる日の定めがない場合には、当該配当等がされる日)

(益金に算入される配当等の元本である株式等)
(1)　二に掲げる株式等は、配当等の額に係る基準日等後2か月以内に譲渡(適格分社型分割、適格現物出資又は適格現物分配による分割承継法人、被現物出資法人又は被現物分配法人への移転を除く。)をした**元本株式等**(当該配当等の額の元本である株式等をいい、当該株式等と銘柄を同じくする株式等を含む。以下二において同じ。)の数(出資にあっては、金額。以下二において同じ。)に、次の表の①に掲げる数のうちに②に掲げる数の占める割合を乗じて計算した数に相当する元本株式等とする。(法23②、令20①、措令39の30)

①	当該基準日等において有する元本株式等の数と当該基準日等後2か月以内に取得（適格分割型分割による分割法人からの引継ぎを含む。）をした元本株式等の数とを合計した数	
②	当該基準日等において有する元本株式等の数に、イに掲げる数のうちにロに掲げる数の占める割合を乗じて計算した元本株式等の数	
	イ	当該基準日等から起算して1か月前の日において有する元本株式等の数と当該基準日等以前1か月以内に取得をした元本株式等の数とを合計した数
	ロ	当該基準日等以前1か月以内に取得をした元本株式等の数

注　短期保有株式等の数は、次の算式により計算した数となる。（編者）

$$短期保有株式等の数 = E \times \frac{C \times \frac{B}{A+B}}{C+D}$$

A……配当等の額に係る基準日等から起算して1か月前の日において有する元本株式等の数
B……配当等の額に係る基準日等以前1か月以内に取得をした元本株式等の数
C……配当等の額に係る基準日等において有する元本株式等の数
D……配当等の額に係る基準日等後2か月以内に取得した元本株式等の数
E……配当等の額に係る基準日等後2か月以内に譲渡した元本株式等の数

（基準日等から起算して1か月前の日の翌日から配当等の額に係る配当等がその効力を生ずる日までの期間内に適格合併が行われた場合における合併法人の短期保有株式の計算）

（2）　(1)の表の②のイに掲げる1か月前の日の翌日から配当等の額に係る配当等（二の表の②に掲げる配当等及び特定株式投資信託の収益の分配をいう。以下(2)において同じ。）がその効力を生ずる日（その効力を生ずる日の定めがない場合には、当該配当等がされる日）までの期間内に二に掲げる内国法人を合併法人とする適格合併が行われた場合における(1)の適用については、次による。（法23⑧、令20②、措令39の30）

　二に掲げる株式等は、配当等の額に係る基準日等後2か月以内に譲渡（適格分社型分割、適格現物出資又は適格現物分配による分割承継法人、被現物出資法人又は被現物分配法人への移転を除く。）をした元本株式等の数（出資にあっては、金額。以下二において同じ。）と当該基準日等の翌日から当該配当等の額に係る配当等及び特定株式投資信託の収益の分配がその効力を生ずる日（その効力を生ずる日の定めがない場合には、当該配当等がされる日。次の表の②のイにおいて同じ。）までの期間内に行われた二の内国法人を合併法人とする適格合併（以下(2)において「**基準日等後適格合併**」という。）に係る被合併法人が当該基準日等後2か月以内に譲渡をした元本株式等の数とを合計した数に、次の表の①に掲げる数のうちに②に掲げる数の占める割合を乗じて計算した数に相当する元本株式等とする。

①	当該基準日等において有する元本株式等の数（基準日等後適格合併に係る被合併法人が当該基準日等において有する元本株式等の数を加算した数。②において同じ。）と当該基準日等後2か月以内に取得（適格分割型分割による分割法人からの引継ぎを含む。）をした元本株式等の数（当該被合併法人が当該基準日等後2か月以内に取得をした元本株式等の数を加算した数）とを合計した数	
②	当該基準日等において有する元本株式等の数に、イに掲げる数のうちにロに掲げる数の占める割合を乗じて計算した元本株式等の数	
	イ	当該基準日等から起算して1か月前の日において有する元本株式等の数（当該1か月前の日の翌日から当該配当等の額に係る配当等がその効力を生ずる日までの期間内に行われた当該内国法人を合併法人とする適格合併に係る被合併法人が当該1か月前の日において有する元本株式等の数を加算した数）と当該基準日等以前1か月以内に取得をした元本株式等の数（当該被合併法人が当該基準日等以前1か月以内に取得をした元本株式等の数を加算した数。ロにおいて同じ。）とを合計した数
	ロ	当該基準日等以前1か月以内に取得をした元本株式等の数

（基準日等から起算して1か月前の日の翌日からその末日までの期間内に適格分割が行われた場合における分割法人等の短期保有株式の計算）

（3）　二の内国法人が(1)の表の②のイに掲げる1か月前の日の翌日から同イに掲げる基準日等までの期間内に当該内国法人を分割法人、現物出資法人又は現物分配法人（(4)において「分割法人等」という。）とする適格分割、適格現

物出資又は適格現物分配（以下（3）及び（4）において「適格分割等」という。）により当該適格分割等に係る分割承継法人、被現物出資法人又は被現物分配法人（（4）において「分割承継法人等」という。）に元本株式等の移転をする場合における（1）の適用については、次による。（法23⑧、令20③）

　二に掲げる株式等は、配当等の額に係る基準日等後2か月以内に譲渡（適格分社型分割、適格現物出資又は適格現物分配による分割承継法人、被現物出資法人又は被現物分配法人への移転を除く。）をした元本株式等の数（出資にあっては、金額。以下二において同じ。）に、次の表の①に掲げる数のうちに②に掲げる数の占める割合を乗じて計算した数に相当する元本株式等とする。

①		当該基準日等において有する元本株式等の数と当該基準日等後2か月以内に取得（適格分割型分割による分割法人からの引継ぎを含む。）をした元本株式等の数とを合計した数
②		当該基準日等において有する元本株式等の数に、イに掲げる数のうちにロに掲げる数の占める割合を乗じて計算した元本株式等の数
	イ	当該基準日等から起算して1か月前の日において有する元本株式等の数（当該元本株式等の数に**基準日等前適格分割等**〔当該1か月前の日の翌日から当該基準日等までの期間内に行われた当該内国法人を分割法人、現物出資法人又は現物分配法人とする適格分割、適格現物出資又は適格現物分配をいう。〕の直前に有する元本株式等の数のうちに当該基準日等前適格分割等により分割承継法人、被現物出資法人又は被現物分配法人に移転する元本株式等の数の占める割合を乗じて計算した数を控除した数）と当該基準日等以前1か月以内に取得をした元本株式等の数（当該1か月前の日の翌日から当該基準日等前適格分割等の日の前日までの期間内に取得をした元本株式等の数に当該割合を乗じて計算した数を控除した数。ロにおいて同じ。）とを合計した数
	ロ	当該基準日等以前1か月以内に取得をした元本株式等の数

（基準日等から起算して1か月前の日の翌日からその末日までの期間内に適格分割等が行われた場合における分割承継法人等の短期保有株式の計算）

（4）　二の内国法人が（1）の表の②のイに掲げる1か月前の日の翌日から同イに掲げる基準日等までの期間内に当該内国法人を分割承継法人等とする適格分割等により当該適格分割等に係る分割法人等から元本株式等の移転を受ける場合における（1）の適用については、次による。（法23⑧、令20④）

　二に掲げる株式等は、配当等の額に係る基準日等後2か月以内に譲渡（適格分社型分割、適格現物出資又は適格現物分配による分割承継法人、被現物出資法人又は被現物分配法人への移転を除く。）をした元本株式等の数（出資にあっては、金額。以下二において同じ。）に、次の表の①に掲げる数のうちに②に掲げる数の占める割合を乗じて計算した数に相当する元本株式等とする。

①		当該基準日等において有する元本株式等の数と当該基準日等後2か月以内に取得（適格分割型分割による分割法人からの引継ぎを含む。）をした元本株式等の数とを合計した数
②		当該基準日等において有する元本株式等の数に、イに掲げる数のうちにロに掲げる数の占める割合を乗じて計算した元本株式等の数
	イ	当該基準日等から起算して1か月前の日において有する元本株式等の数（**基準日等前適格分割等**〔当該1か月前の日の翌日から当該基準日等までの期間内に行われた当該内国法人を分割承継法人、被現物出資法人又は被現物分配法人とする適格分割、適格現物出資又は適格現物分配をいう。〕に係る分割法人、現物出資法人又は現物分配法人（以下②において「分割法人等」という。）が当該1か月前の日において有する元本株式等の数に当該分割法人等が当該基準日等前適格分割等の直前に有する元本株式等の数のうちに当該基準日等前適格分割等により当該内国法人に移転する元本株式等の数の占める割合を乗じて計算した数を加算した数）と当該基準日等以前1か月以内に取得（適格分社型分割、適格現物出資又は適格現物分配による分割法人等からの移転を除く。以下②において同じ。）をした元本株式等の数（当該基準日等前適格分割等に係る分割法人等が当該1か月前の日の翌日から当該基準日等前適格分割等の日の前日までの期間内に取得をした元本株式等の数に当該割合を乗じて計算した数を加算した数。ロにおいて同じ。）とを合計した数
	ロ	当該基準日等以前1か月以内に取得をした元本株式等の数

(新株予約権付社債に係る新株予約権を行使した場合の短期保有株式等の判定)
（5） 新株予約権付社債に係る新株予約権を行使して株式を取得した場合における(1)に掲げる「内国法人が……1か月以内に取得し、かつ、……2か月以内に譲渡した場合におけるその譲渡した株式等」の判定に当たって、株式を(1)に掲げる配当等の額に係る(1)に掲げる基準日等（以下「基準日等」という。）以前1か月以内に取得したかどうかは、当該行使のあった日によらないで、新株予約権付社債を取得した日によって判定するものとする。
　(1)の表の①に掲げる「当該基準日等後2か月以内」に新株予約権付社債につき新株予約権の行使があった場合における当該行使に係る(1)に掲げる「配当等の額（……）の元本である株式等」の取得の時期の判定についても、同様とする。（基通3－1－4）

(配当等の額に係る配当等がその効力を生ずる日)
（6）　(2)に掲げる「配当等の額に係る配当等（……）がその効力を生ずる日（……）」とは、**一**の**1**の(19)《剰余金の配当等の帰属の時期》の(一)から(四)までに掲げる日をいうことに留意する。（基通3－1－7）

(受益権の銘柄)
（7）　短期保有株式等の数を計算する場合の特定株式投資信託の受益権の銘柄の区分は、ユニット型の特定株式投資信託の受益権についてはその設定の回ごとに、オープン型の特定株式投資信託の受益権についてはその信託ごとに行うものとする。（措通67の6－2・編者補正）

三　負債の利子がある場合の受取配当等の益金不算入額

1　保険会社の受取配当等の益金不算入の特例

　青色申告書を提出する法人で保険業法第3条第1項又は第185条第1項に規定する免許を受けて保険業を行うものの各事業年度において、その保有する**一**の(19)《非支配目的株式等の意義》に掲げる非支配目的株式等につき支払を受ける**一**に掲げる配当等の額（以下**1**において「特例非支配目的株式等に係る配当等の額」という。）がある場合には、その特例非支配目的株式等に係る配当等の額について同**一**により当該各事業年度の所得の金額の計算上益金の額に算入しない金額は、**一**にかかわらず、当該特例非支配目的株式等に係る配当等の額の$\frac{40}{100}$に相当する金額とする。（措法67の7①）

2　協同組合等が有する普通出資に係る受取配当等の益金不算入の特例

　協同組合等の各事業年度において、その有する連合会等（農林中央金庫その他の協同組合等であってその会員又は組合員が第二章第一節の**二**《定義》の**別表第三**の右欄に掲げる根拠法の規定により他の協同組合等及びこれに準ずる法人に限られているものをいう。）に対する出資（協同組織金融機関の優先出資に関する法律に規定する優先出資に該当するものを除く。以下**2**において「普通出資」という。）につき支払を受ける配当等の額（**一**に掲げる配当等の額をいう。）がある場合には、**一**の適用については、当該普通出資は、**一**の(1)《関連法人株式等の範囲》、**一**の(14)《完全子法人株式等の意義》及び**一**の(19)《非支配目的株式等の意義》にかかわらず、これらに掲げる関連法人株式等、完全子法人株式等及び非支配目的株式等のいずれにも該当しないものとする。（措法67の8①）

四　自己株式としての取得が予定されている株式を取得した場合のみなし配当の額の益金算入

　一《受取配当等の益金不算入》は、内国法人がその受ける配当等の額（**五**《配当等の額とみなす金額》〔**五**の表の**5**に係る部分に限る。〕により、その内国法人が受ける配当等の額とみなされる金額に限る。以下**四**において同じ。）の元本である株式等でその配当等の額の生ずる基因となる**五**の表の**5**に掲げる事由が生ずることが予定されているものの取得（適格合併又は適格分割型分割による引継ぎを含む。）をした場合におけるその取得をした株式等に係る配当等の額（その予定されていた事由〔第二十三款の**二**の**1**の(26)《完全支配関係がある他の内国法人からみなし配当の額が生ずる基因となる事由により金銭その他の資産の交付を受けた場合等の譲渡対価の額》の適用があるものを除く。〕に基因するものとして(1)《益金の額に算入される配当等の額》に掲げるものに限る。）については、適用しない。（法23③）

(益金の額に算入される配当等の額)
（1）　**四**に掲げる配当等の額に基因するものとは、内国法人の受ける**四**に掲げる取得をした株式等（次の表の(一)において「取得株式等」という。）に係る配当等の額（**五**〔**五**の表の**5**に係る部分に限る。〕により、当該内国法人が受ける**一**に掲げる配当等の額とみなされる金額をいう。以下同じ。）で、次の表の左欄に掲げる場合の区分に応じ、それぞれ同表の右欄に掲げるものとする。（令21）

(一)	当該取得株式等が適格合併、適格分割又は適格現物出資により被合併法人、分割法人又は現物出資法人（右欄において「被合併法人等」という。）から移転を受けたものである場合	**四**に掲げる予定されていた事由が当該被合併法人等の当該取得株式等の取得の時においても生ずることが予定されていた場合における当該事由に基因する配当等の額
(二)	(一)に掲げる場合以外の場合	**四**に掲げる予定されていた事由に基因する配当等の額

（自己株式等の取得が予定されている株式等）
（2） **四**に掲げる「その配当等の額の生ずる基因となる**五**の表の**5**に掲げる事由が生ずることが予定されているもの」とは、法人が取得する株式等について、その株式等の取得時において**五**の表の**5**に掲げる事由が生ずることが予定されているものをいうことから、例えば、上場会社等が自己の株式の公開買付けを行う場合における公開買付期間（金融商品取引法第27条の5《公開買付けによらない買付け等の禁止》に規定する「公開買付期間」をいう。以下(2)において同じ。）中に、法人が当該株式を取得したときの当該株式がこれに該当する。（基通3－1－8）

 注 法人が、公開買付けを行っている会社の株式をその公開買付期間中に取得した場合において、当該株式についてその公開買付けによる買付けが行われなかったときには、その後当該株式に**五**の表の**5**に掲げる事由が生じたことにより**五**に掲げる配当等の額を受けたとしても、当該配当等の額については**四**の適用がないことに留意する。

五　配当等の額とみなす金額《みなし配当金額》

 法人（公益法人等及び人格のない社団等を除く。以下**五**において同じ。）の株主等である内国法人が当該法人の次の表の左欄に掲げる事由により金銭その他の資産の交付を受けた場合において、その金銭の額及び金銭以外の資産の価額（適格現物分配に係る資産にあっては、当該法人のその交付の直前の当該資産の帳簿価額に相当する金額）の合計額が当該法人の資本金等の額のうちその交付の基因となった当該法人の株式又は出資に対応する部分の金額（同表の**1**から**6**においては左欄に掲げる区分に応じ、それぞれ同表の右欄に掲げる金額をいう。）を超えるときは、その超える部分の金額は、**一**の表の①又は②に掲げる金額とみなす。（法24①、令23①③、規8の5の2）

1	合併（適格合併を除く。）	当該合併に係る被合併法人の当該合併の日の前日の属する事業年度終了の時の資本金等の額を当該被合併法人のその時の発行済株式又は出資（その有する自己の株式又は出資を除く。以下**五**において「**発行済株式等**」という。）の総数（出資にあっては、総額。以下同じ。）で除し、これに当該内国法人が当該合併の直前に有していた当該被合併法人の株式（出資を含む。以下**五**において同じ。）の数（出資にあっては、金額。以下同じ。）を乗じて計算した金額
2	分割型分割（適格分割型分割を除く。）	当該分割型分割に係る分割法人の当該分割型分割の直前の**分割資本金額等**（当該分割型分割の直前の資本金等の額に当該分割法人の当該分割型分割に係るイに掲げる金額のうちにロに掲げる金額の占める割合〔当該分割型分割の直前の資本金等の額が零以下である場合には零と、当該分割型分割の直前の資本金等の額及びロに掲げる金額が零を超え、かつ、イに掲げる金額が零以下である場合には1とし、当該割合に小数点以下3位未満の端数があるときはこれを切り上げる。〕を乗じて計算した金額をいう。）を当該分割法人の当該分割型分割に係る株式の総数（（6）《交付があったものとそれぞれみなされる株式その他の資産》の表の(二)に掲げる分割型分割にあっては、当該分割型分割の直前の発行済株式等の総数）で除し、これに当該内国法人が当該分割型分割の直前に有していた当該分割法人の当該分割型分割に係る株式の数を乗じて計算した金額
	イ	分割型分割の日の属する事業年度の前事業年度（当該分割型分割の日以前6か月以内に第二節第三款の**一**の**3**《仮決算をした場合の中間申告書の記載事項等》に掲げる期間について同**3**の表に掲げる事項を記載した中間申告書を提出し、かつ、その提出の日から当該分割型分割の日までの間に確定申告書を提出していなかった場合には、当該中間申告書に係る同**3**に掲げる期間）終了の時の資産の帳簿価額から負債（新株予約権及び株式引受権に係る義務を含む。）の帳簿価額を減算した金額（当該終了の時から当該分割型分割の直前の時までの間に資本金等の額又は利益積立金額〔第二章第一節の**二**の表の**18**《利益積立金額》の表の①に掲げる金額を除く。〕が増加し、又は減少した場合には、その増加した金額を加算し、又はその減

				少した金額を減算した金額)
		ロ		分割型分割の直前の移転資産（当該分割型分割により当該分割法人から分割承継法人に移転した資産をいう。）の帳簿価額から移転負債（当該分割型分割により当該分割法人から当該分割承継法人に移転した負債をいう。）の帳簿価額を控除した金額（当該金額がイに掲げる金額を超える場合〔イに掲げる金額が零に満たない場合を除く。〕には、イに掲げる金額）
3	株式分配（適格株式分配を除く。）	当該株式分配に係る現物分配法人の当該株式分配の直前の**分配資本金額等**（当該株式分配の直前の資本金等の額にイに掲げる金額のうちにロに掲げる金額の占める割合〔当該株式分配の直前の資本金等の額が零以下である場合には零と、当該株式分配の直前の資本金等の額及びロに掲げる金額が零を超え、かつ、イに掲げる金額が零以下である場合には1とし、当該割合に小数点以下3位未満の端数があるときはこれを切り上げる。〕を乗じて計算した金額をいう。）を当該現物分配法人の当該株式分配に係る株式の総数で除し、これにその内国法人が当該株式分配の直前に有していた当該現物分配法人の当該株式分配に係る株式の数を乗じて計算した金額		
		イ		当該株式分配を**2**のイの分割型分割とみなした場合における同イに掲げる金額
		ロ		当該現物分配法人の当該株式分配の直前の第二章第一節の**二**の表の**12の15の2**《株式分配》に掲げる完全子法人の株式の帳簿価額に相当する金額（当該金額が零以下である場合には零とし、当該金額がイに掲げる金額を超える場合〔イに掲げる金額が零に満たない場合を除く。〕にはイに掲げる金額とする。）
4	資本の払戻し（剰余金の配当〔資本剰余金の額の減少に伴うものに限る。〕のうち分割型分割によるもの及び株式分配以外のもの並びに**一**の表の②に掲げる出資等減少分配をいう。）又は解散による残余財産の分配	（出資等減少分配を除く資本の払い戻し又は解散による残余財産の分配の配当等とみなす金額） 次に掲げる場合の区分に応じそれぞれ次に定める金額		
		イ	ロに掲げる場合以外の場合	当該払戻し等を行った法人（イにおいて「払戻等法人」という。）の当該払戻し等の直前の払戻等対応資本金額等（当該直前の資本金等の額に(イ)に掲げる金額のうちに(ロ)に掲げる金額の占める割合〔当該直前の資本金等の額が零以下である場合には零と、当該直前の資本金等の額が零を超え、かつ、(イ)に掲げる金額が零以下である場合又は当該直前の資本金等の額が零を超え、かつ、残余財産の全部の分配を行う場合には1とし、当該割合に小数点以下3位未満の端数があるときはこれを切り上げる。〕を乗じて計算した金額〔当該計算した金額が当該払戻し等により減少した資本剰余金の額を超えるときは、その超える部分の金額を控除した金額〕をいう。）を当該払戻等法人の当該払戻し等に係る株式の総数で除し、これに当該内国法人が当該直前に有していた当該払戻等法人の当該払戻し等に係る株式の数を乗じて計算した金額
				(イ) 当該払戻し等を**2**のイの分割型分割とみなした場合における同イに掲げる金額
				(ロ) 当該資本の払戻しにより減少した資本剰余金の額又は当該解散による残余財産の分配により交付した金銭の額及び金銭以外の資産の価額（適格現物分配に係る資産にあっては、その交付の直前の帳簿価額）の合計額（当該減少した資本剰余金の額又は当該合計額が(イ)に掲げる金額を超える場合には、(イ)に掲げる金額）
		ロ	当該資本の払戻しを行った法人（ロ	当該内国法人が当該資本の払戻しの直前に有していた当該払戻法人の当該資本の払戻しに係る株式の種類ごとに、当該払戻法人の当該直前のその種類の株式に係る払戻対応種類資本金額（当該直前の当該種類の株式に係る第二章第一節の**二**の表の**16の⑳の（1）**《対価株式が交付される

において「払戻法人」という。）が２以上の種類の株式を発行していた法人である場合	合併等が行われた場合の種類資本金額》に掲げる種類資本金額〔ロにおいて「直前種類資本金額」という。）に種類払戻割合〔（イ）に掲げる金額のうちに（ロ）に掲げる金額の占める割合をいい、直前種類資本金額又は当該直前の資本金等の額が零以下である場合には零と、直前種類資本金額及び当該直前の資本金等の額が零を超え、かつ、（イ）に掲げる金額が零以下である場合には１とし、当該割合に小数点以下３位未満の端数があるときはこれを切り上げる。）を乗じて計算した金額〔当該金額が（ロ）のＡ又はＢに掲げる場合の区分に応じそれぞれ（ロ）のＡ又はＢに掲げる金額を超える場合には、その超える部分の金額を控除した金額〕をいう。）を当該払戻法人の当該資本の払戻しに係る当該種類の株式の総数で除し、これに当該内国法人が当該直前に有していた当該払戻法人の当該種類の株式の数を乗じて計算した金額の合計額		
	(イ)	イの（イ）に掲げる金額に当該資本の払戻しの直前の資本金等の額のうちに直前種類資本金額の占める割合を乗じて計算した金額	
	(ロ)	次表の左欄に掲げる場合の区分に応じそれぞれ同表の右欄に掲げる金額（当該金額が（イ）に掲げる金額を超える場合には、（イ）に掲げる金額）	
		Ａ	当該資本の払戻しにより減少した資本剰余金の額のうち当該種類の株式に係る部分の金額が明らかな場合	当該金額
		Ｂ	Ａに掲げる場合以外の場合	当該資本の払戻しにより減少した資本剰余金の額に当該資本の払戻しの直前の当該資本の払戻しに係る各種類の株式に係る第二章第一節の二の表の**16**の⑳の（１）《対価株式が交付される合併等が行われた場合の種類資本金額》に掲げる種類資本金額（当該種類資本金額が零以下である場合には、零）の合計額のうちに直前種類資本金額の占める割合（当該合計額が零である場合には、１）を乗じて計算した金額

（出資等減少分配の配当等とみなす金額）

　当該出資等減少分配を行った投資法人の当該出資等減少分配の直前の分配対応資本金額等（当該直前の資本金等の額に次の表のイに掲げる金額のうちにロに掲げる金額の占める割合〔当該直前の資本金等の額が零以下である場合には零と、当該直前の資本金等の額が零を超え、かつ、イに掲げる金額が零以下である場合には１とし、当該割合に小数点以下３位未満の端数があるときはこれを切り上げる。〕を乗じて計算した金額をいい、当該計算した金額が当該出資等減少分配により増加する出資総額控除額〔投資法人の計算に関する規則《以下ロにおいて「計算規則」という。》第39条第３項《純資産の部の区分》の規定により出資総額控除額に区分される金額をいう。〕及び出資剰余金控除額〔計算規則

		第39条第6項の規定により出資剰余金控除額に区分される金額をいう。〕の合計額から当該出資等減少分配により増加する一時差異等調整引当額〔計算規則第39条第3項後段又は第6項後段の規定により計算規則第2条第2項第30号《定義》に規定する一時差異等調整引当額として区分して表示される金額をいう。〕を控除した金額〔ロにおいて「出資総額等減少額」という。〕を超える部分の金額を控除した金額とする。）を当該投資法人の発行済投資口（その発行済みの投資口〔投資信託及び投資法人に関する法律第2条第14項《定義》に規定する投資口をいう。以下**4**において同じ。〕をいい、その有する自己の投資口を除く。）の総数で除し、これに当該内国法人が当該直前に有していた当該投資法人の投資口の数を乗じて計算した金額	
		イ	当該投資法人の当該出資等減少分配の日の属する事業年度の前事業年度終了の時の当該投資法人の資産の帳簿価額から負債の帳簿価額を減算した金額（当該終了の時から当該出資等減少分配の直前の時までの間に資本金等の額又は利益積立金額（第二章第一節の**二**の表の18《利益積立金額》の①に掲げる金額を除く。）が増加し、又は減少した場合には、その増加した金額を加算し、又はその減少した金額を減算した金額）
		ロ	出資総額等減少額（当該出資総額等減少額がイに掲げる金額を超える場合には、イに掲げる金額）
5	自己の株式又は出資の取得（（7）の表に掲げる事由による取得及び第二十三款の**二**の**1**(18)の表の（一）から（三）まで《取得請求権付株式・取得条項付株式・全部取得条項付種類株式》の左欄に掲げる株式又は出資の同（一）から（三）までの右欄に掲げる場合に該当する場合における取得を除く。）	左欄に掲げる場合の区分に応じそれぞれ右欄に掲げる金額（以下**5**から**7**までの事由については、「自己株式の取得等」という。）	
		当該自己株式の取得等をした法人（以下「**取得等法人**」という。）が一の種類の株式を発行していた法人（口数の定めがない出資を発行する法人を含む。）である場合	当該取得等法人の当該自己株式の取得等の直前の資本金等の額を当該直前の発行済株式等の総数で除し、これに**五**の本文に掲げる内国法人が当該直前に有していた当該取得等法人の当該自己株式の取得等に係る株式の数を乗じて計算した金額（当該直前の資本金等の額が零以下である場合には、零）
6	出資の消却（取得した出資について行うものを除く。）、出資の払戻し、社員その他法人の出資者の退社又は脱退による持分の払戻しその他株式又は出資をその発行した法人が取得することなく消滅させること	ロ	取得等法人が2以上の種類の株式を発行していた法人である場合	当該取得等法人の当該自己株式の取得等の直前の当該自己株式の取得等に係る株式と同一の種類の株式に係る第二章第一節の**二**の表の16《資本金等の額》の⑳の（1）《対価株式が交付される合併等が行われた場合の種類資本金額》に掲げる種類資本金額を当該直前の当該種類の株式（当該取得等法人が当該直前に有していた自己の株式を除く。）の総数で除し、これに**五**の本文に掲げる内国法人が当該直前に有していた当該取得等法人の当該自己株式の取得等に係る当該種類の株式の数を乗じて計算した金額（当該直前の当該種類資本金額が零以下である場合には、零）
7	組織変更（当該組織変更に際して当該組織変更をした法人の株式又は出資以外の資産を交付したものに限る。）		

　　　　（合併又は分割型分割に係る被合併法人又は分割法人の株主等に対して交付された金銭その他の資産）
（１）　**五**の表の**１**の左欄に掲げる合併又は同表の**２**の左欄に掲げる分割型分割に際して当該合併又は分割型分割に係る被合併法人又は分割法人の株主等に対する第二章第一節の**二**の表の**12の8**《適格合併》に掲げる剰余金の配当等として交付された金銭その他の資産（同**二**の表の**12の9**《分割型分割》に掲げる分割対価資産を除く。）及び合併に反対する当該株主等に対するその買取請求に基づく対価として交付される金銭その他の資産は、**五**に掲げる金銭その他の資産には含まれないものとする。（法24④、令23②）

　　　　（株主等への通知）
（２）　**五**に掲げる法人（当該法人が**五**の表の**１**の左欄に掲げる合併に係る被合併法人である場合にあっては、当該合併に係る合併法人）は、同表の左欄に掲げる事由により**五**に掲げる株主等である法人に金銭その他の資産の交付が行われる場合（（５）により株式の交付が行われたものとみなされる場合を含む。）には、当該法人に対し、次の（一）及び（二）に掲げる事項を通知しなければならない。（法24④、令23④）
　（一）　当該金銭その他の資産の交付の基因となった**五**の表に掲げる事由、その事由の生じた日及び同日の前日（同表の**２**に掲げる分割型分割、同表の**３**に掲げる株式分配又は同表の**４**に掲げる資本の払戻しの場合には、その交付に係る基準日）における発行済株式等の総数
　（二）　当該事由に係るみなし配当額（**五**により**一**の表の①又は②に掲げる金額とみなされる金額をいう。）に相当する金額の１株（口数の定めがある出資については、１口）当たり（口数の定めがない出資については、社員その他**五**に掲げる法人の各出資者ごと）の金額

　　　　（合併法人から抱合株式に対し株式その他の資産の交付がない場合におけるみなし配当の適用）
（３）　合併法人が抱合株式（当該合併法人が合併の直前に有していた被合併法人の株式〔出資を含む。以下（３）及び（５）において同じ。〕又は被合併法人が当該合併の直前に有していた他の被合併法人の株式をいう。）に対し当該合併による株式その他の資産の交付をしなかった場合においても、（４）《交付があったものとみなされる株式その他の資産》により当該合併法人が当該株式その他の資産の交付を受けたものとみなして、**五**を適用する。（法24②）

　　　　（交付があったものとみなされる株式その他の資産）
（４）　（３）《合併法人から抱合株式に対し株式その他の資産の交付がない場合におけるみなし配当の適用》に掲げる場合には、（３）の合併法人は、（３）に掲げる抱合株式に対し、（３）の合併に係る被合併法人の他の株主等がその有していた当該被合併法人の株式に対して当該合併法人の株式その他の資産の交付を受けた基準と同一の基準により、当該株式その他の資産の交付を受けたものとみなす。（法24②、令23⑤）

　　　　（合併法人又は分割法人から被合併法人の株主等又は分割法人の株主等に対し株式その他の資産の交付がない場合におけるみなし配当の適用）
（５）　合併法人又は分割法人が被合併法人の株主等又は当該分割法人の株主等に対し合併又は分割型分割により株式その他の資産の交付をしなかった場合においても、当該合併又は分割型分割が合併法人又は分割承継法人の株式の交付が省略されたと認められる合併又は分割型分割として（６）《交付があったものとそれぞれみなされる株式その他の資産》の表の左欄に掲げるものに該当するときは、同表の右欄に掲げるところによりこれらの株主等が当該合併法人又は分割承継法人の株式の交付を受けたものとみなして、**五**を適用する。（法24③）

　　　　（交付があったものとそれぞれみなされる株式その他の資産）
（６）　（５）《合併法人又は分割法人から被合併法人の株主等又は分割法人の株主等に対し株式その他の資産の交付がない場合におけるみなし配当の適用》に掲げる場合には、（５）の被合併法人又は分割法人の株主等は、次の表の左欄に掲げる合併又は分割型分割にあっては、同表の右欄に掲げるものと、それぞれみなす。（法24③、令23⑥⑦）

（一）	第二章第一節の**二**の表の**12の8**《適格合併》の表の①の（１）《合併当事者間の完全支配関係の意義》に掲げる無対価合併で同①の（２）《同一の者による完全支配関係・継続見込の意義》の表	当該合併に係る被合併法人が当該合併により当該合併に係る合併法人に移転をした資産（営業権にあっては、第三十四款の**一**の**１**の③の**イ**の**(イ)**に掲げる独立取引営業権（以下（６）において「独立取引営業権」という。）に限る。）の価額（同**イ**に掲げる資産調整勘定の金額を含む。）から当該被合併法人が当該合併により当該合併法人に移転をした負債の価額（同**イ**の**(ロ)**に掲げる負債調整勘定の金額を含む。）を控除した金額を当該被合併法

	の(二)に掲げる関係があるもの	人の当該合併の日の前日の属する事業年度終了の時の発行済株式等の総数で除し、これに当該被合併法人の株主等が当該合併の直前に有していた当該被合併法人の株式の数を乗じて計算した金額に相当する当該合併法人の株式の交付を受けたもの
(二)	第二章第一節の二の表の**12の11**《適格分割》の表の①の(1)《分割当事者間の完全支配関係・継続見込の意義》の表の(一)に掲げる無対価分割に該当する分割型分割で同①の(2)《同一の者による完全支配関係・継続見込の意義》の表の(一)のロに掲げる関係があるもの	当該分割型分割に係る分割法人が当該分割型分割により当該分割型分割に係る分割承継法人に移転をした資産(営業権にあっては、独立取引営業権に限る。)の価額(第三十四款の**一**の**1**の③の**イ**の**(イ)**に掲げる資産調整勘定の金額を含む。)から当該分割法人が当該分割型分割により当該分割承継法人に移転をした負債の価額(同**イ**の**(ロ)**に掲げる負債調整勘定の金額を含む。)を控除した金額を当該分割法人の当該分割型分割の直前の発行済株式等の総数で除し、これに当該分割法人の株主等が当該分割型分割の直前に有していた当該分割法人の株式の数を乗じて計算した金額に相当する当該分割承継法人の株式の交付を受けたもの

(自己の株式の取得から除かれる取得事由)
(7) **五**の表の**5**に掲げる自己の株式又は出資の取得から除かれるものは、次に掲げる事由による取得とする。(法24①V、令23③)

(一)	金融商品取引法第2条第16項《定義》に規定する金融商品取引所(これに類するもので外国の法令に基づき設立されたものを含む。)の開設する市場における購入
(二)	店頭売買登録銘柄(株式で、金融商品取引法第2条第13項に規定する認可金融商品取引業協会が、その定める規則に従い、その店頭売買につき、その売買価格を発表し、かつ、当該株式の発行法人に関する資料を公開するものとして登録したものをいう。)として登録された株式のその店頭売買による購入
(三)	金融商品取引法第2条第8項に規定する金融商品取引業のうち同項第10号に掲げる行為を行う者が同号の有価証券の売買の媒介、取次ぎ又は代理をする場合におけるその売買(同号ニに掲げる方法により売買価格が決定されるものを除く。)
(四)	事業の全部の譲受け
(五)	合併又は分割若しくは現物出資(適格分割若しくは適格現物出資又は事業を移転し、かつ、当該事業に係る資産に当該分割若しくは現物出資に係る分割承継法人若しくは被現物出資法人の株式が含まれている場合の当該分割若しくは現物出資に限る。)による被合併法人又は分割法人若しくは現物出資法人からの移転
(六)	適格分社型分割(第二章第一節の二の表の**12の11**《適格分割》に掲げる分割承継親法人の株式が交付されるものに限る。)による分割承継法人からの交付
(七)	第二十三款の**二**の**1**の(13)《株式交換により株式交換完全親法人の株式等以外の資産が交付されなかった場合の譲渡対価の額》に掲げる金銭等不交付株式交換(同(13)に掲げる関係がある法人の株式が交付されるものに限る。)による株式交換完全親法人からの交付
(八)	合併に反対する当該合併に係る被合併法人の株主等の買取請求に基づく買取り
(九)	会社法第182条の4第1項《反対株主の株式買取請求》(資産の流動化に関する法律第38条《特定出資についての会社法の準用》又は第50条第1項《優先出資についての会社法の準用》において準用する場合を含む。)、第192条第1項《単元未満株式の買取りの請求》又は第234条第4項《1に満たない端数の処理》(会社法第235条第2項《1に満たない端数の処理》又は他の法律において準用する場合を含む。)の規定による買取り
(十)	第二十三款の**二**の**1**の(18)《取得請求権付株式の権利行使等により株式のみの交付を受けた場合の譲渡対価の額》の表の(三)に掲げる全部取得条項付種類株式を発行する旨の定めを設ける第二章第一節の**七**の**1**《事業年度の意義》に掲げる定款等の変更に反対する株主等の買取請求に基づく買取り(その買取請求の時において、当該全部取得条項付種類株式の第二十三款の**二**の**1**の(18)の表の(三)に掲げる取得決議に係る取得対価の割当てに関する事項〔当該株主等に交付する当該買取りをする法人の株式の数が1に満たない端数となるものに限る。〕が当該株主等に明らかにされている場合〔同(18)に掲げる場合に該当する場合に限る。〕における当該買取りに限る。)

(十一)	第二十三款の**二**の**1**の(18)《取得請求権付株式の権利行使等により株式のみの交付を受けた場合の譲渡対価の額》の表の(三)に掲げる全部取得条項付種類株式に係る取得決議（当該取得決議に係る取得の価格の決定の申立てをした者でその申立てをしないとしたならば当該取得の対価として交付されることとなる当該取得をする法人の株式の数が1に満たない端数となるものからの取得〔同(18)に掲げる場合に該当する場合における当該取得に限る。〕に係る部分に限る。）
(十二)	会社法第167条第3項《効力の発生》若しくは第283条《一に満たない端数の処理》に規定する一株に満たない端数（これに準ずるものを含む。）又は投資信託及び投資法人に関する法律第88条の19《一に満たない端数の処理》に規定する一口に満たない端数に相当する部分の対価としての金銭の交付

六　受取配当等の益金不算入の申告

　一《受取配当等の益金不算入》は、確定申告書、修正申告書又は更正請求書に益金の額に算入されない配当等の額及びその計算に関する明細を記載した書類の添付がある場合に限り、適用する。この場合において、益金の額に算入されない金額は、当該金額として記載された金額を限度とする。（法23⑦）

七　外国子会社から受ける配当等

1　外国子会社から受ける配当等の益金不算入

　内国法人（第二十七款の**十七**の**1**《特定目的会社の支払配当の損金算入》に掲げる特定目的会社及び同款の**十八**の**1**《投資法人の支払配当の損金算入》に掲げる投資法人を除く。以下同じ。）が外国子会社（（1）に掲げる要件を備えている外国法人をいう。以下**七**において同じ。）から受ける**一**《受取配当等の益金不算入》の表の①に掲げる金額（以下**七**において「**剰余金の配当等の額**」という。）がある場合には、当該剰余金の配当等の額から当該剰余金の配当等の額に係る費用の額に相当するものとして剰余金の配当等の額の$\frac{5}{100}$に相当する金額を控除した金額は、その内国法人の各事業年度の所得の金額の計算上、益金の額に算入しない。（法23の2①、令22の4②、措法67の14②、67の15②）

　　　（外国子会社の要件等）
（1）　**1**に掲げる要件は、次に掲げる割合のいずれかが$\frac{25}{100}$以上であり、かつ、その状態が**1**の内国法人が外国法人から受ける剰余金の配当等の額の支払義務が確定する日（当該剰余金の配当等の額が**五**《配当等の額とみなす金額》〔**五**の表の**2**に掲げる分割型分割、同表の**3**に掲げる株式分配又は同表の**4**に掲げる資本の払戻しに係る部分を除く。〕により**一**《受取配当等の益金不算入》の表の①に掲げる金額とみなされる金額である場合には、同日の前日。以下（1）において同じ。）以前6か月以上（当該外国法人が当該確定する日以前6か月以内に設立された法人である場合には、その設立の日から当該確定する日まで）継続していることとする。（令22の4①）

(一)	当該外国法人の発行済株式又は出資（その有する自己の株式又は出資を除く。）の総数又は総額（以下(二)及び(3)において「発行済株式等」という。）のうちに当該内国法人（通算法人である当該内国法人が当該事業年度において当該外国法人から受ける剰余金の配当等の額がある場合には、他の通算法人を含む。(二)及び(3)において同じ。）が保有しているその株式又は出資の数又は金額の占める割合
(二)	当該外国法人の発行済株式等のうちの議決権のある株式又は出資の数又は金額のうちに当該内国法人が保有している当該株式又は出資の数又は金額の占める割合

　　　（外国子会社の要件のうち「その状態が継続していること」の意義）
（2）　通算法人が（1）の剰余金の配当等の額の支払義務が確定する日以前6か月以上継続しているかどうかを判定する場合において、（1）の表の(一)の通算法人である内国法人と同(一)の他の通算法人との間に当該剰余金の配当等の額の支払義務が確定する日以前6か月の期間（以下（4）において「株式保有期間」という。）、通算完全支配関係が継続していたかどうかは問わないことに留意する。（基通3－3－1）

　　　（一の事業年度に2以上の剰余金の配当等を同一の外国法人から受ける場合の外国子会社の判定）
（3）　内国法人が一の事業年度に2以上の剰余金の配当等（**一**《受取配当等の益金不算入》の表の①に掲げる剰余金の配当若しくは利益の配当又は剰余金の分配をいう。以下（3）及び**2**の（2）において同じ。）を同一の外国法人から受ける場合において、当該外国法人が外国子会社に該当するかどうかは、それぞれの剰余金の配当等の額の支払義務が確

定する日（(1)《外国子会社の要件等》に掲げる「支払義務が確定する日」をいう。）において当該内国法人の保有する当該外国法人の株式又は出資の数又は金額に基づいて判定することに留意する。（基通3－3－2）

（租税条約の適用がある場合の外国子会社の判定）
（4） 通算法人に係る1に掲げる外国子会社の判定において、その判定の対象となる外国法人が租税条約の二重課税排除条項（(6)に掲げる「二重課税排除条項」をいう。以下(4)において同じ。）により当該外国法人の1に掲げる発行済株式又は出資（その有する自己の株式又は出資を除く。）の総数又は総額に係る保有割合が軽減されている相手国の外国法人である場合には、当該通算法人及び他の通算法人が保有している当該外国法人の発行済株式又は出資の数又は金額を合計した数又は金額の保有割合が25％未満であっても、当該通算法人が当該租税条約の二重課税排除条項に定める保有割合以上の株式又は出資を株式保有期間を通じて保有するときは、当該通算法人については1の適用があることに留意する。（基通3－3－3）

（被合併法人等から株式等の移転を受けた場合の外国子会社の要件等）
（5） 内国法人が適格合併、適格分割、適格現物出資又は適格現物分配により被合併法人、分割法人、現物出資法人又は現物分配法人（当該内国法人との間に通算完全支配関係があるものを除く。以下(5)において「被合併法人等」という。）からその外国法人の発行済株式等の$\frac{25}{100}$以上に相当する数若しくは金額の株式若しくは出資又は当該外国法人の発行済株式等のうちの議決権のある株式若しくは出資の数若しくは金額の$\frac{25}{100}$以上に相当する数若しくは金額の当該株式若しくは出資の移転を受けた場合における(1)の適用については、当該被合併法人等がこれらの株式又は出資を保有していた期間は、当該内国法人がこれらの株式又は出資を保有していた期間とみなす。（法23の2⑧、令22の4⑥）

（租税条約の適用がある場合の外国子会社の要件等）
（6） 租税条約（第二章第一節の二の表の**12の19**《恒久的施設》のただし書に掲げる条約をいい、我が国以外の締約国又は締約者の居住者である法人が納付する租税を我が国の租税から控除する定め〔以下(6)において「二重課税排除条項」という。〕があるものに限る。）の二重課税排除条項において(1)の表に掲げる割合として$\frac{25}{100}$未満の割合が定められている場合には、(1)及び(5)の適用については、(1)中「$\frac{25}{100}$以上」とあるのは「(6)に掲げる租税条約の二重課税排除条項に定める割合（(5)において「租税条約に定める割合」という。）以上」と、「が外国法人」とあるのは「が外国法人（当該租税条約の我が国以外の締約国又は締約者の居住者である法人に限る。以下同じ。）」と、(5)中「$\frac{25}{100}$以上」とあるのは「租税条約に定める割合以上」とする。（令22の4⑦）

2　外国子会社の損金の額に算入される配当等の額及び自己株式としての取得が予定されている株式を取得した場合のみなし配当の額の益金算入

1は、次の表の（一）及び（二）に掲げる剰余金の配当等の額については、適用しない。（法23の2②）

（一）	内国法人が外国子会社から受ける剰余金の配当等の額で、その剰余金の配当等の額の全部又は一部が当該外国子会社の本店又は主たる事務所の所在する国又は地域の法令において当該外国子会社の所得の金額の計算上損金の額に算入することとされている剰余金の配当等の額に該当する場合におけるその剰余金の配当等の額
（二）	内国法人が外国子会社から受ける剰余金の配当等の額（**五**《配当等の額とみなす金額》〔**五**の表の**5**に係る部分に限る。〕により、その内国法人が受ける剰余金の配当等の額とみなされる金額に限る。以下（二）において同じ。）の元本である株式又は出資で、その剰余金の配当等の額の生ずる基因となる**五**の表の**5**に掲げる事由が生ずることが予定されているものの取得（適格合併又は適格分割型分割による引継ぎを含む。）をした場合におけるその取得をした株式又は出資に係る剰余金の配当等の額（その予定されていた事由に基因するものとして(4)《益金の額に算入される配当等の額》に掲げるものに限る。）

（外国子会社の損金の額に算入される配当等の額）
（1） 内国法人が外国子会社から受ける剰余金の配当等の額で、その剰余金の配当等の額の一部が当該外国子会社の所得の金額の計算上損金の額に算入されたものである場合には、**2**（**2**の表の（一）に係る部分に限る。）にかかわらず、その受ける剰余金の配当等の額のうちその損金の額に算入された部分の金額として当該内国法人が当該外国子会社から受けた剰余金の配当等の額に次の表の（一）に掲げる金額の（二）に掲げる金額に対する割合を乗じて計算した金額その他合理的な方法により計算した金額（(3)及び**3**の②において「**損金算入対応受取配当等の額**」という。）をもって、

2の表の(一)に掲げる剰余金の配当等の額とすることができる。(法23の2③、令22の4④)

(一)	(二)に掲げる剰余金の配当等の額のうち当該外国子会社の所得の金額の計算上損金の額に算入された金額
(二)	当該内国法人が当該外国子会社から受けた剰余金の配当等の額の元本である株式又は出資の総数又は総額につき当該外国子会社により支払われた剰余金の配当等の額

(剰余金の配当等の額に係る費用の額の計算)

(2) (1)を適用する場合の**1**《外国子会社から受ける配当等の益金不算入》の「剰余金の配当等の額の100分の5に相当する金額」とは、内国法人が外国子会社から受ける剰余金の配当等の額から(1)に掲げる損金算入対応受取配当等の額を控除した残額の100分の5に相当する金額をいうことに留意する。(基通3-3-5)

(損金算入対応受取配当等の額が増額された場合の配当等の額)

(3) 内国法人が外国子会社から受けた剰余金の配当等の額につき(1)の適用を受けた場合において、当該剰余金の配当等の額を受けた日の属する事業年度後の各事業年度において損金算入対応受取配当等の額が増額されたときは、**2**の表の(一)に掲げる剰余金の配当等の額は、同**2**(同**2**の表の(一)に係る部分に限る。)及び(1)にかかわらず、その増額された後の損金算入対応受取配当等の額として(1)の表の(一)に掲げる金額が増加した場合におけるその増加した後の金額を(1)の(一)に掲げる金額として(1)を適用するものとした場合に計算される金額その他合理的な方法により計算した金額とする。(法23の2④、令22の4⑤)

(益金の額に算入される配当等の額)

(4) **2**の表の(二)に掲げる予定されていた事由に基因するものとは、内国法人の受ける同(二)に掲げる取得をした株式又は出資(次の表の(一)において「取得株式等」という。)に係る剰余金の配当等の額(**五**《配当等の額とみなす金額》〔**五**の表の**5**に係る部分に限る。〕により、当該内国法人が受ける**1**に掲げる剰余金の配当等の額とみなされる金額をいう。以下同じ。)で、次の表の左欄に掲げる場合の区分に応じ、それぞれ同表の右欄に掲げるものとする。(令22の4③)

(一)	当該取得株式等が適格合併、適格分割又は適格現物出資により被合併法人、分割法人又は現物出資法人(右欄において「被合併法人等」という。)から移転を受けたものである場合	**2**の表の(二)に掲げる予定されていた事由が当該被合併法人等の当該取得株式等の取得の時においても生ずることが予定されていた場合における当該事由に基因する剰余金の配当等の額
(二)	(一)に掲げる場合以外の場合	**2**の表の(二)に掲げる予定されていた事由に基因する剰余金の配当等の額

(自己株式等の取得が予定されている株式等)

(5) **2**の表の(二)を適用する場合における同(二)に掲げる「その剰余金の配当等の額の生ずる基因となる**五**の表の**5**に掲げる事由が生ずることが予定されているもの」については、**四**の(2)《自己株式等の取得が予定されている株式等》の取扱いを準用する。(基通3-3-4)

3　外国子会社から受ける配当等の益金不算入の申告

① 外国子会社から受ける配当等の益金不算入の申告

1《外国子会社から受ける配当等の益金不算入》は、確定申告書、修正申告書又は更正請求書に益金の額に算入されない剰余金の配当等の額及びその計算に関する明細を記載した書類の添付があり、かつ、次に掲げる書類を保存している場合に限り、適用する。この場合において、**1**により益金の額に算入されない金額は、当該金額として記載された金額を限度とする。(法23の2⑤、規8の5①)

(一)	剰余金の配当等の額を支払う外国法人が**1**に掲げる外国子会社(以下**3**において「**外国子会社**」という。)に該当することを証する書類
(二)	外国子会社の剰余金の配当等の額に係る事業年度の貸借対照表、損益計算書及び株主資本等変動計算書、損益金の処分に関する計算書その他これらに類する書類

| (三) | 外国子会社から受ける剰余金の配当等の額に係る第十一款の一の**3**《外国子会社から受ける配当等に係る外国源泉税等の損金不算入》に掲げる外国源泉税等の額(以下①において「**外国源泉税等の額**」という。)がある場合には、当該外国源泉税等の額を課されたことを証する当該外国源泉税等の額に係る申告書の写し又はこれに代わるべき当該外国源泉税等の額に係る書類及び当該外国源泉税等の額が既に納付されている場合にはその納付を証する書類 |

(外国源泉税等の額を課されたことを証する書類)
(1)　**3**の①の表の(三)に掲げる「外国源泉税等の額を課されたことを証する……その納付を証する書類」には、申告書の写し又は現地の税務官署が発行する納税証明書等のほか、更正若しくは決定に係る通知書、賦課決定通知書、納税告知書、源泉徴収の外国源泉税等に係る源泉徴収票その他これらに準ずる書類又はこれらの書類の写しが含まれる。(基通3-3-6)

(申告記載のない場合のゆうじょ規定)
(2)　税務署長は、**1**《外国子会社から受ける配当等の益金不算入》により益金の額に算入されないこととなる金額の全部又は一部につき①の書類の保存がない場合においても、その書類の保存がなかったことについてやむを得ない事情があると認めるときは、その書類の保存がなかった金額につき**1**を適用することができる。(法23の2⑥)

② 外国子会社から受ける当該外国子会社の損金の額に算入される配当等の申告

　2の(1)は、同(1)の剰余金の配当等の額を受ける日の属する事業年度に係る確定申告書、修正申告書又は更正請求書に同(1)の適用を受けようとする旨並びに損金算入対応受取配当等の額及びその計算に関する明細を記載した書類の添付があり、かつ、次に掲げる書類を保存している場合に限り、適用する。(法23の2⑦、規8の5①Ⅱ、②)

(一)	外国子会社の所得の金額の計算上損金の額に算入された剰余金の配当等の額を明らかにする書類
(二)	外国子会社の本店又は主たる事務所の所在する国又は地域の法令により課される法人税に相当する税に関する申告書で(一)の剰余金の配当等の額に係る事業年度に係るものの写し
(三)	**2**の(1)に掲げる損金算入対応受取配当等の額の計算に関する明細を記載した書類
(四)	外国子会社の剰余金の配当等の額に係る事業年度の貸借対照表、損益計算書及び株主資本等変動計算書、損益金の処分に関する計算書その他これらに類する書類
(五)	その他参考となるべき事項を記載した書類

第三款　受贈益

一　受贈益の益金不算入

　内国法人が各事業年度において当該内国法人との間に完全支配関係（法人による完全支配関係に限る。以下この款において同じ。）がある他の内国法人から受けた受贈益の額（第十二款の**一**《寄附金の損金不算入》の適用がないものとした場合に当該他の内国法人の各事業年度の所得の金額の計算上損金の額に算入される同款の**四**の１《寄附金の意義》に掲げる寄附金の額に対応するものに限る。）は、当該内国法人の各事業年度の所得の金額の計算上、益金の額に算入しない。（法25の２①）

　　　　（寄附金の額に対応する受贈益）
（１）　内国法人が当該内国法人との間に完全支配関係がある他の内国法人から受けた受贈益の額が、当該他の内国法人において第十二款の**四**の１《寄附金の意義》に掲げる寄附金の額に該当する場合であっても、例えば、当該他の内国法人が公益法人等であり、その寄附金の額が当該他の内国法人において収益事業以外の事業に属する資産のうちから支出されたものであるときには、当該寄附金の額を当該他の内国法人において損金の額に算入することができないのであるから、当該受贈益の額は**一**に掲げる「寄附金の額に対応するもの」に該当しないことに留意する。（基通４－２－４）

　　　　（益金不算入とされない受贈益の額）
（２）　内国法人が当該内国法人との間に完全支配関係がある他の内国法人から受けた受贈益の額が、当該他の内国法人が当該内国法人に対して行った損失負担又は債権放棄等により供与する経済的利益の額に相当するものである場合において、その経済的利益の額が第十二款の**四**の１の（５）《子会社等を整理する場合の損失負担等》又は同１の（６）《子会社等を再建する場合の無利息貸付け等》により当該他の内国法人において同１《寄附金の意義》に掲げる寄附金の額に該当しないときには、当該受贈益の額は当該内国法人において**一**の適用がないことに留意する。（基通４－２－５）

　　　　（受贈益の額に該当する経済的利益の供与）
（３）　内国法人が、当該内国法人との間に完全支配関係がある他の内国法人から、例えば、金銭の無利息貸付け又は役務の無償提供などの経済的利益の供与を受けた場合には、支払利息又は役務提供の対価の額を損金の額に算入するとともに同額を受贈益の額として益金の額に算入することとなるのであるが、当該経済的利益の額が当該他の内国法人において第十二款の**四**の１《寄附金の意義》に掲げる寄附金の額に該当するときには、当該受贈益の額は当該内国法人において**一**の適用があることに留意する。（基通４－２－６）

二　受贈益の意義

　一《受贈益の益金不算入》に掲げる受贈益の額は、寄附金、拠出金、見舞金その他いずれの名義をもってされるかを問わず、内国法人が金銭その他の資産又は経済的な利益の贈与又は無償の供与（広告宣伝及び見本品の費用その他これらに類する費用並びに交際費、接待費及び福利厚生費とされるべきものを除く。**三**《低廉譲渡等による受贈益》において同じ。）を受けた場合における当該金銭の額若しくは金銭以外の資産のその贈与の時における価額又は当該経済的な利益のその供与の時における価額によるものとする。（法25の２②）

三　低廉譲渡等による受贈益

　内国法人が資産の譲渡又は経済的な利益の供与を受けた場合において、その譲渡又は供与の対価の額が当該資産のその譲渡の時における価額又は当該経済的な利益のその供与の時における価額に比して低いときは、当該対価の額と当該価額との差額のうち実質的に贈与又は無償の供与を受けたと認められる金額は、**二**《受贈益の意義》の受贈益の額に含まれるものとする。（法25の２③）

第四款　還付金等

一　租税公課の還付金等の益金不算入

　内国法人が次の表に掲げるものの還付を受け、又はその還付を受けるべき金額を未納の国税若しくは地方税に充当される場合には、その還付を受け又は充当される金額は、その内国法人の各事業年度の所得の金額の計算上、益金の額に算入しない。（法26①）

1	第十一款の一の1《法人税額等の損金不算入》により各事業年度の所得の金額の計算上損金の額に算入されないもの
2	第二十款の三の1《附帯税》により各事業年度の所得の金額の計算上損金の額に算入されないもの
3	第二節第三款の八の1《所得税額等の還付》の本文若しくは同1の（5）《更正等による所得税額等の還付》又は第六章第五節の六の1《外国税額の還付》の本文若しくは同1の（5）《確定申告に係る更正等による外国税額の還付》による還付金 　注　各事業年度の所得に対する法人税の額から控除することができる所得税の額又は外国法人税の額で当該法人税の額から控除しきれなかったため還付される場合の還付金をいう。（編者）
4	第二節第三款の八の3の②《欠損金の繰戻しによる還付》による欠損金の繰戻しによる還付金又は第六章第五節の六の3《欠損金の繰戻しによる法人税の還付があった場合の還付》による還付金

　（還付金の申告調整）
　　一の表の**3**又は**4**に掲げる還付金の還付を受ける場合の申告調整は、その還付金の額が確定した日の属する事業年度における法人の経理の区分に応じ、それぞれ次による。（編者）
（一）　収益の額に計上している場合（費用の額の戻入れとして経理している場合を含む。）には、申告書別表（以下「別表」という。）四の「所得税額等及び欠損金の繰戻しによる還付金額等19」欄の「総額①」及び「社外流出③」欄において減算する。
（二）　収益の額に計上しないで引当金、繰越金等に戻入れ経理をしている場合には、（一）と同様の方法により減算すると同時にその引当金、繰越金等の期中増として別表四の「加算」欄の「総額①」及び「留保②」欄において加算（同時に別表五（一）のⅠの「当期の増減」欄の「増③」に記載）する。
（三）　その還付金の額が確定した日の属する事業年度において現実に還付を受けていないため、（一）又は（二）のいずれの経理もしていない場合には、（一）と同様の方法により減算すると同時に、「未収還付金等」として別表四の「加算」欄の「総額①」及び「留保②」欄において加算（同時に別表五（一）のⅠの「当期の増減」欄の「増③」に記載）する。この場合において、当該事業年度後の事業年度において還付を受けたときの別表四における減算は、「総額①」及び「留保②」欄に記載することに留意する。
　　　注　上記の「還付金の額が確定した日の属する事業年度」については、第二節第一款の二の2の(13)《還付金額が所得等の金額に算入される時期》を参照。

二　外国源泉税等の額が減額された場合の益金不算入

　内国法人が第十一款の一の3《外国子会社から受ける配当等に係る外国源泉税等の損金不算入》により各事業年度の所得の金額の計算上損金の額に算入されない同3に掲げる外国源泉税等の額が減額された場合には、その減額された金額は、その内国法人の各事業年度の所得の金額の計算上、益金の額に算入しない。（法26②）

三　外国法人税の額が減額された場合の益金不算入

　内国法人が納付することとなった外国法人税（第二節第二款の二の1の①《外国法人税を納付することとなる場合の外国税額控除》に掲げる外国法人税をいう。以下同じ。）の額につき同二の1の①、同二の4の①《控除限度超過額が生じた場合の繰越控除限度額による外国税額の控除》又は同4の②《控除余裕額が生じた場合の繰越控除対象外国法人税額の控除》の適用を受けた事業年度開始の日後7年以内に開始する当該内国法人の各事業年度において当該外国法人税の額が減額された場合（当該内国法人が同4の③のイ《適格合併等が行われた場合の控除限度額の引継ぎ等》に掲げる適格合併等〔以下「適格合併等」という。〕により同イに掲げる被合併法人等である他の内国法人から事業の全部又は一部の移転を受

けた場合にあっては、当該被合併法人等が納付することとなった外国法人税の額のうち当該内国法人が移転を受けた事業に係る所得に基因して納付することとなった外国法人税の額に係る当該被合併法人等の適用事業年度開始の日後7年以内に開始する当該内国法人の各事業年度において当該外国法人税の額が減額された場合を含む。）には、その減額された金額のうち同二の1の①に掲げる控除対象外国法人税の額（以下「控除対象外国法人税の額」という。）が減額された部分として次の表の①に掲げる金額から②に掲げる金額を控除した残額に相当する金額（益金の額に算入する額として（1）《控除対象外国法人税の額が減額された部分とされる金額のうち益金の額に算入するもの》に掲げる金額を除く。）は、当該内国法人の各事業年度の所得の金額の計算上、益金の額に算入しない。（法26③、令25①）

①	当該外国法人税の額のうち内国法人の適用事業年度（第二節第二款の二の1の①、同二の4の①又は同4の②の適用を受けた事業年度をいう。以下同じ。）において控除対象外国法人税の額とされた部分の金額
②	当該減額がされた後の当該外国法人税の額につき当該内国法人の適用事業年度において第二節第二款の二の1の①を適用したならば控除対象外国法人税の額とされる部分の金額

（控除対象外国法人税の額が減額された部分とされる金額のうち益金の額に算入するもの）
（1） 三の外国法人税の額が減額された場合の益金不算入において益金の額に算入する金額は、次の表の左欄に掲げる場合の区分に応じ、それぞれ同表の右欄に掲げる金額とする。（令26①）

（一）	その内国法人が、外国法人税の額が減額されることとなった日の属する事業年度において納付することとなった控除対象外国法人税の額を当該事業年度の所得の金額の計算上損金の額に算入した場合	その減額された外国法人税の額のうち三により控除対象外国法人税の額が減額された部分とされる金額
（二）	その内国法人が、外国法人税の額が減額されることとなった日の属する事業年度又はその翌事業年度開始の日以後2年以内に開始する各事業年度において、三により控除対象外国法人税の額が減額された部分とされる金額の全部又は一部を第二節第二款の二の5の②《外国法人税額が減額された場合》の表の（一）による納付控除対象外国法人税額からの控除又は同表の（二）による控除限度超過額からの控除に充てることができない場合	三により控除対象外国法人税の額が減額された部分とされる金額のうちこれらの控除に充てることができなかった部分の金額

注 （1）の内国法人が通算法人である場合（三に掲げる外国法人税の額が減額されることとなった日の属する事業年度終了の日が当該内国法人に係る通算親法人の事業年度終了の日である場合に限る。）における（1）の適用については、上表（一）中「場合」とあるのは、「場合又は当該事業年度終了の日において当該内国法人との間に通算完全支配関係がある他の通算法人が、当該終了の日に終了する事業年度において納付することとなった控除対象外国法人税の額を当該事業年度の所得の金額の計算上損金の額に算入した場合」とする。（令26③）

（減額された控除対象外国法人税の額で益金の額に算入されるものの益金算入事業年度）
（2） （1）の表の（一）の左欄に掲げる場合に該当することとなった内国法人に係る同表の（一）の右欄に掲げる金額は、その内国法人の三に掲げる外国法人税の額が減額されることとなった日の属する事業年度の所得の金額の計算上益金の額に算入し、同表の（二）の左欄に掲げる場合に該当することとなった内国法人に係る同表の（二）の右欄に掲げる金額は、その内国法人の同日の属する事業年度の翌事業年度開始の日以後2年以内に開始する各事業年度のうち最後の事業年度（当該各事業年度のうちいずれかの事業年度において納付することとなった控除対象外国法人税の額を当該いずれかの事業年度の所得の金額の計算上損金の額に算入した場合には、その損金の額に算入した事業年度）の所得の金額の計算上益金の額に算入する。（令26②）

（適格合併等により事業の移転を受けた場合の外国税額の還付金のうち益金の額に算入されない金額）
（3） 内国法人が適格合併等により被合併法人等である他の内国法人から事業の全部又は一部の移転を受けた場合において、当該被合併法人等が納付することとなった外国法人税の額のうち当該内国法人が移転を受けた事業に係る所得に基因して納付することとなったものが減額されたときは、次の表の（一）に掲げる金額から（二）に掲げる金額を控除した残額に相当する金額は、三に掲げる残額に相当する金額に含まれるものとする。（令25②）

（一）	当該外国法人税の額のうち当該被合併法人等が適用事業年度（当該被合併法人等の適格合併の日の前日に属する事業年度以前の事業年度又は第二節第二款の二の4の③のイ《適格合併等が行われた場合の控除限度額の引継ぎ等》の表の（ロ）に掲げる適格分割等の日の属する事業年度前の事業年度に限る。）において控除対象外国法

	人税の額とされた部分の金額
(二)	当該減額がされた後の当該外国法人税の額につき当該被合併法人等の適用事業年度において第二節第二款の**二**の**1**の①《外国法人税を納付することとなる場合の外国税額控除》を適用したならば控除対象外国法人税の額とされる部分の金額

四　通算税効果額の益金不算入

　内国法人が他の内国法人から当該他の内国法人の通算税効果額（第三十五款の**一**の**1**の①《所得事業年度の通算対象欠損金額の損金算入》又は同**一**の**3**《欠損金の通算》その他通算法人（通算法人であった内国法人を含む。以下**四**において同じ。）のみに適用される規定を適用することにより減少する法人税及び地方法人税の額（利子税の額を除く。）に相当する金額として通算法人と他の通算法人との間で授受される金額をいう。）を受け取る場合には、その受け取る金額は、当該内国法人の各事業年度の所得の金額の計算上、益金の額に算入しない。（法26④）

五　罰科金等の還付金の益金不算入

　内国法人が第二十款の**三**の**2**《罰科金等》に掲げるものの還付を受ける場合には、その還付を受ける金額は、その内国法人の各事業年度の所得の金額の計算上、益金の額に算入しない。（法26⑤）

六　中間申告における繰戻し還付に係る災害損失欠損金額の益金算入

　内国法人の第二節第三款の**八**の**3**の⑤《災害があった場合の欠損金の繰戻しによる還付についての特例》に掲げる中間期間において生じた同⑤に掲げる災害損失欠損金額（以下**六**において「**災害損失欠損金額**」という。）について当該内国法人（当該内国法人が通算法人である場合には、他の通算法人を含む。）が同**3**の②《欠損金の繰戻しによる還付》から⑤までの適用を受けた場合には、同⑤に掲げる仮決算の中間申告書の提出により還付を受けるべき金額の計算の基礎となった災害損失欠損金額（当該内国法人が通算法人である場合には同**3**の⑥の（５）《通算法人の発生災害損失欠損金額又は他の通算法人災害損失欠損金額の計算》により還付を受けるべき金額の計算の基礎となった金額とされた金額）に相当する金額は、当該中間期間の属する事業年度の所得の金額の計算上、益金の額に算入する。（法27）

第五款　棚卸資産の評価

一　棚卸資産の意義

　棚卸資産とは、棚卸しをすべき次に掲げる資産（有価証券及び第二十二款の一の1の①《短期売買商品等の譲渡損益》に掲げる短期売買商品等を除く。）をいう。（法2XX、令10）

1	商品又は製品（副産物及び作業くずを含む。）
2	半製品
3	仕掛品（半成工事を含む。）
4	主要原材料
5	補助原材料
6	消耗品で貯蔵中のもの
7	**1**から**6**までに掲げる資産に準ずるもの
	注　仕損じ品、修理用資材、包装荷造用資材等も棚卸資産に含まれる。（編者）

　（棚卸資産の範囲に関する取扱い）
（1）　棚卸資産の範囲については、次のように取り扱われている。（編者）
　（一）　法人が請負契約により他人の資産につき改造、加工又は修理等（以下「改造等」という。）をした場合におけるその改造等に係る支出金で棚卸資産として計上している金額は、棚卸資産《仕掛品又は半成工事》に含まれる。
　（二）　不動産売買業を営む法人の有する建売りの建物のように顧客の指図に基づかないで自ら建築し、又は購入して販売する建物で使用資産と明確に区分して販売資産として経理しているもの（建築中のものを含み、その事業年度終了の日において賃貸しているものを除く。）は、棚卸資産に含まれる。
　（三）　畜産業、水産養殖業等を営む法人の有する家畜、家きん、魚介類その他これらに類する資産で直接販売を目的とし、棚卸資産として経理しているものは、棚卸資産とする。
　（四）　真珠養殖業を営む法人が真珠を養殖するために有する稚貝、母貝又は施術貝で棚卸資産として経理しているものは、棚卸資産とする。
　（五）　原木販売業又は製材業を営む法人の有する他から購入した立竹木で、その購入後おおむね1年以内に伐木又は転売されることが確実と認められるものは、法人がこれを棚卸資産として経理した場合に限り、棚卸資産とする。
　（六）　製紙業、パルプ製造業等を営む法人の有する立竹木のうち、他から購入した立竹木で伐木計画等からみてその購入後おおむね1年以内に伐木又は転売されることが確実と認められるものについては、（五）に準じて取り扱うものとし、育成林その他の立竹木については、伐木しない限り、棚卸資産としない。
　（七）　次に掲げるような資産は、棚卸資産とならない。
　　イ　固定資産として使用するために取得した資産（自己の固定資産を建設又は修理するために取得した資材であることが明らかなものを含む。）で貯蔵品として保有しているもの
　　ロ　固定資産であった資産（スクラップとしたもので自己の原材料として使用するため原材料勘定に振り替えたものを除く。）で貯蔵品等として保有しているもの
　　ハ　土建業等における足場丸太、シートその他架設のために必要な資材
　　ニ　食料品製造業における瓶又はたる、石油精製業におけるドラム缶等の容器で消費貸借契約によって貸与するもの
　（八）　土建業を営む法人が請負契約により土地の造成、整地、盛土等の工事を行っている場合におけるこれらの工事で仕掛中のものは、半成工事として棚卸資産に含まれる。

　（消耗品費等）
（2）　消耗品その他これに準ずる棚卸資産の取得に要した費用の額は、当該棚卸資産を消費した日の属する事業年度の損金の額に算入するのであるが、法人が事務用消耗品、作業用消耗品、包装材料、広告宣伝用印刷物、見本品その他これらに準ずる棚卸資産（各事業年度ごとにおおむね一定数量を取得し、かつ、経常的に消費するものに限る。）の取得に要した費用の額を継続してその取得をした日の属する事業年度の損金の額に算入している場合には、これを認め

る。(基通2－2－15)
　注　この取扱いにより損金の額に算入する金額が製品の製造等のために要する費用としての性質を有する場合には、当該金額は製造原価に算入するものであるから留意する。

二　棚卸資産の売上原価等の算定の基礎となる期末評価額

　内国法人の棚卸資産につき各事業年度の所得の金額の計算上当該事業年度の損金の額に算入する金額《**売上原価等**》を算定する場合におけるその算定の基礎となる当該事業年度終了の時において有する棚卸資産（以下**二**において「期末棚卸資産」という。）の価額は、**三**の**1**《棚卸資産の評価の方法》の表に掲げる評価の方法のうちからその内国法人が当該期末棚卸資産について選定した評価の方法により評価した金額（評価の方法を選定しなかった場合又は選定した評価の方法により評価しなかった場合には、**四**の**3**《法定評価方法》により評価した金額）とする。(法29①)

　　（棚卸しの手続）
　　棚卸資産については各事業年度終了の時において実地棚卸しをしなければならないのであるが、法人が、その業種、業態及び棚卸資産の性質等に応じ、その実地棚卸しに代えて部分計画棚卸しその他合理的な方法により当該事業年度終了の時における棚卸資産の在高等を算定することとしている場合には、継続適用を条件としてこれを認める。(基通5－4－1)

三 棚卸資産の評価の方法

1 棚卸資産の評価の方法

内国法人が当該事業年度終了の時において有する棚卸資産の評価額の計算上選定をすることができる二《棚卸資産の売上原価等の算定の基礎となる期末評価額》に掲げる評価の方法は、次の表に掲げる方法とする。(法29①、令28①)

①	**原価法**（当該事業年度終了の時において有する棚卸資産〔以下「**期末棚卸資産**」という。〕につき次に掲げる方法のうちいずれかの方法によってその取得価額を算出し、その算出した取得価額をもって当該期末棚卸資産の評価額とする方法をいう。）		
		イ 個別法	期末棚卸資産の全部について、その個々の取得価額をその取得価額とする方法をいう。
		ロ 先入先出法	期末棚卸資産をその種類、品質及び型（以下「**種類等**」という。）の異なるごとに区別し、その種類等の同じものについて、当該期末棚卸資産を当該事業年度終了の時から最も近い時において取得（適格合併又は適格分割型分割による被合併法人又は分割法人からの引継ぎを含む。以下同じ。）をした種類等を同じくする棚卸資産から順次成るものとみなし、そのみなされた棚卸資産の取得価額をその取得価額とする方法をいう。
		ハ 総平均法	棚卸資産をその種類等の異なるごとに区別し、その種類等の同じものについて、当該事業年度開始の時において有していた種類等を同じくする棚卸資産の取得価額の総額と当該事業年度において取得をした種類等を同じくする棚卸資産の取得価額の総額との合計額をこれらの棚卸資産の総数量で除して計算した価額をその1単位当たりの取得価額とする方法をいう。
		ニ 移動平均法	棚卸資産をその種類等の異なるごとに区別し、その種類等の同じものについて、当初の1単位当たりの取得価額が、再び種類等を同じくする棚卸資産の取得をした場合にはその取得の時において有する当該棚卸資産とその取得をした棚卸資産との数量及び取得価額を基礎として算出した平均単価によって改定されたものとみなし、以後種類等を同じくする棚卸資産の取得をする都度同様の方法により1単位当たりの取得価額が改定されたものとみなし、当該事業年度終了の時から最も近い時において改定されたものとみなされた1単位当たりの取得価額をその1単位当たりの取得価額とする方法をいう。
		ホ 最終仕入原価法	期末棚卸資産をその種類等の異なるごとに区別し、その種類等の同じものについて、当該事業年度終了の時から最も近い時において取得をしたものの1単位当たりの取得価額をその1単位当たりの取得価額とする方法をいう。
		ヘ 売価還元法	期末棚卸資産をその種類等又は**通常の差益の率**（棚卸資産の通常の販売価額のうちに当該通常の販売価額から当該棚卸資産を取得するために通常要する価額を控除した金額の占める割合をいう。以下同じ。）の異なるごとに区別し、その種類等又は通常の差益の率の同じものについて、当該事業年度終了の時における種類等又は通常の差益の率を同じくする棚卸資産の通常の販売価額の総額に**原価の率**（当該通常の販売価額の総額と当該事業年度において販売した当該棚卸資産の対価の総額との合計額のうちに当該事業年度開始の時における当該棚卸資産の取得価額の総額と当該事業年度において取得をした当該棚卸資産の取得価額の総額との合計額の占める割合をいう。）を乗じて計算した金額をその取得価額とする方法をいう。
②	**低価法**（期末棚卸資産をその種類等〔売価還元法により算出した取得価額による原価法により計算した価額を基礎とするものにあっては、種類等又は通常の差益の率。以下同じ。〕の異なるごとに区別し、その種類等の同じものについて、①の原価法に掲げる方法のうちいずれかの方法により算出した取得価額による原価法により評価した価額と当該事業年度終了の時における価額とのうちいずれか低い価額をもってその評価額とする方法をいう。）		

(未着品の評価)

（1） 未着品（購入した棚卸資産で運送の途中にあるものをいう。）につきその取得のために通常要する引取運賃、荷役費その他の付随費用のうち当該事業年度終了の時までに支出がされていないためその取得価額に算入されていないものがある場合には、当該未着品については、これと種類等を同じくする棚卸資産があるときであっても、当該棚卸資

産とは種類等が異なるものとして**1**《棚卸資産の評価の方法》を適用する。（基通５－２－８の２）

　　　（月別総平均法等）
（２）　１か月ごとに総平均法又は移動平均法により計算した価額を当該月末における棚卸資産の取得価額とみなし、翌月においてこれを繰越価額として順次計算することにより当該事業年度終了の日における棚卸資産の取得価額を計算する方法は、それぞれ総平均法又は移動平均法に該当するものとする。（基通５－２－３）

　　　（６か月ごと総平均法等）
（３）　６か月ごとに総平均法又は売価還元法により棚卸資産の取得価額を計算する方法は、それぞれ総平均法又は売価還元法に該当するものとする。（基通５－２－３の２）
　　注１　６か月ごと移動平均法は、移動平均法に該当しない。
　　注２　中間事業年度終了の日の翌日から確定事業年度終了の日までの期間の末日における棚卸資産の評価は、中間事業年度終了の日において付した評価額を基礎として行うことになる。（編者）

　　　（半製品又は仕掛品についての売価還元法）
（４）　製造業を営む法人が、原価計算を行わないため半製品及び仕掛品について製造工程に応じて製品売価の何割として評価する場合のその評価の方法は、売価還元法に該当するものとする。（基通５－２－４）

　　　（売価還元法の適用区分）
（５）　売価還元法により評価額を計算する場合には、その種類の著しく異なるものを除き、通常の差益の率がおおむね同じ棚卸資産はこれをその計算上の一区分とすることができるものとする。（基通５－２－５）

　　　（売価還元法により評価額を計算する場合の期中に販売した棚卸資産の対価の総額の計算）
（６）　売価還元法により評価額を計算する場合における**1**の表の①のヘ《売価還元法》に掲げる「当該事業年度において販売した当該棚卸資産の対価の総額」は、法人が当該事業年度において販売した棚卸資産の実際の販売価額の合計額によるのであるが、当該事業年度において使用人、株主、特定の顧客等特定の者に対する販売について値引きを行っている場合において、その者に対する販売状況が個別に管理されており、その値引きの額が明らかにされているときは、その値引きの額をその販売価額に加算して計算することができるものとする。（基通５－２－６）

　　　（売価還元法により評価額を計算する場合の通常の販売価額の総額の計算）
（７）　売価還元法により評価額を計算する場合における**1**の表の①のヘ《売価還元法》に掲げる「通常の販売価額の総額」は、法人が当該事業年度において販売した棚卸資産について値引き、割戻し等を行いそれを売上金額から控除しているような場合であっても、値引き、割戻し等を考慮しないところの販売価額の総額によることに留意する。（基通５－２－７）

　　　（原価の率が100％を超える場合の売価還元法の適用）
（８）　売価還元法を適用する場合において、**1**の表の①のヘ《売価還元法》に掲げる原価の率が100％を超えることとなったときでも、その率により期末棚卸資産の評価額を計算することに留意する。（基通５－２－８）

　　　（低価法における低価の事実の判定の単位）
（９）　低価法における低価の事実の判定は、棚卸資産の種類等の同じもの（棚卸資産を通常の差益の率の同じものごとに区分して売価還元法を選定している場合には、通常の差益の率の同じものとする。）について行うべきであるが、法人が事業の種類ごとに、かつ、**四**の１《評価の方法の選定区分》に掲げる棚卸資産の区分ごとに一括して計算した場合には、これを認める。（基通５－２－９）

　　　（原価差額の調整を一括して行っている場合の低価の事実の判定）
（10）　低価法により評価をしている棚卸資産について原価差額（**六**の(１)に掲げる原価差額をいう。）の調整を一括して行っている場合の低価の事実の判定は、原価差額の調整を行った区分に含まれる棚卸資産の時価の合計額と原価差額調整後の評価額の合計額とに基づいて行うこととなることに留意する。（基通５－２－10・編者補正）

（時　価）
（11）　棚卸資産について低価法を適用する場合における１の表の②《低価法》に掲げる「当該事業年度終了の時における価額」は、当該事業年度終了の時においてその棚卸資産を売却するものとした場合に通常付される価額（以下「棚卸資産の期末時価」という。）による。（基通５－２－11）
　　　注　棚卸資産の期末時価の算定に当たっては、通常、商品又は製品として売却するものとした場合の売却可能価額から見積追加製造原価（未完成品に限る。）及び見積販売直接経費を控除した正味売却価額によることに留意する。

２　個別法の選定の制限

　個別法により算出した取得価額による原価法（当該原価法により評価した価額を基礎とする低価法を含む。）は、棚卸資産のうち通常一の取引によって大量に取得され、かつ、規格に応じて価額が定められているものについては、１《棚卸資産の評価の方法》にかかわらず、選定することができない。（令28②）

　　　（個別法を選定することができる棚卸資産）
　　棚卸資産のうち、次に掲げるものについては、個別法（その評価額を基礎とする低価法を含む。）によりその評価額を計算することができるものとする。（基通５－２－１）
（一）　商品の取得から販売に至るまでの過程を通じて具体的に個品管理が行われている場合又は製品、半製品若しくは仕掛品の取得から販売若しくは消費までの過程を通じて具体的に個品管理が行われ、かつ、個別原価計算が実施されている場合において、その個品管理を行うこと又は個別原価計算を実施することに合理性があると認められるときにおけるその商品又は製品、半製品若しくは仕掛品
（二）　その性質上専ら（一）に掲げる製品又は半製品の製造等の用に供されるものとして保有されている原材料

３　棚卸資産の特別な評価の方法

　内国法人は、その有する棚卸資産の評価額を１《棚卸資産の評価の方法》に掲げる評価の方法に代え当該評価の方法以外の評価の方法により計算することについて納税地の所轄税務署長の承認を受けた場合には、当該資産のその承認を受けた日の属する事業年度以後の各事業年度の評価額の計算については、その承認を受けた評価の方法を選定することができる。（法29②、令28の２①）

　　　（申請書の提出）
（１）　３に掲げる承認を受けようとする内国法人は、次に掲げる事項を記載した申請書を納税地の所轄税務署長に提出しなければならない。（令28の２②、規９）
（一）　申請をする内国法人の名称、納税地及び法人番号並びに代表者（人格のない社団等で代表者の定めがなく、管理人の定めがあるものについては、管理人。）の氏名
（二）　その採用しようとする評価の方法の内容
（三）　その方法を採用しようとする理由
（四）　その方法により評価額の計算をしようとする四の１《評価の方法の選定区分》に掲げる事業の種類及び資産の区分
（五）　その他参考となるべき事項

　　　（申請に対する承認又は却下）
（２）　税務署長は、（１）に掲げる申請書の提出があった場合には、遅滞なく、これを審査し、その申請に係る評価の方法並びに四の１《評価の方法の選定区分》に掲げる事業の種類及び資産の区分を承認し、又はその申請に係る評価の方法によってはその内国法人の各事業年度の所得の金額の計算が適正に行われ難いと認めるときは、その申請を却下する。（令28の２③）

　　　（承認の取消し）
（３）　税務署長は、３に掲げる承認をした後、その承認に係る評価の方法によりその承認に係る棚卸資産の評価額の計算をすることを不適当とする特別の事情が生じたと認める場合には、その承認を取り消すことができる。（令28の２④）

　　　　（処分の通知）
（4）　税務署長は、（2）又は（3）の処分をするときは、その処分に係る内国法人に対し、書面によりその旨を通知する。（令28の2⑤）

　　　　（取消処分の効果）
（5）　（3）の取消処分があった場合には、その処分のあった日の属する事業年度以後の各事業年度の所得の金額を計算する場合のその処分に係る棚卸資産の評価額の計算についてその処分の効果が生ずるものとする。（令28の2⑥）

　　　　（取消処分を受けた場合のその後のよるべき評価の方法の届出）
（6）　内国法人は、（3）の取消処分を受けた場合には、その処分を受けた日の属する事業年度に係る確定申告書の提出期限（同日の属する第二節第三款の一の3《仮決算をした場合の中間申告書の記載事項等》に掲げる期間〔当該内国法人が通算子法人である場合には、同3の（8）《通算法人である場合の適用》の表の（一）に掲げる期間〕について同3の表に掲げる事項を記載した中間申告書を提出する場合には、その中間申告書の提出期限）までに、その処分に係る棚卸資産につき、四の1《評価の方法の選定区分》に掲げる事業の種類及び資産の区分ごとに、1《棚卸資産の評価の方法》に掲げる評価の方法のうちそのよるべき方法を書面により納税地の所轄税務署長に届け出なければならない。（令28の2⑦）

4　適格合併及び適格分割型分割により引継ぎを受けた棚卸資産の評価の方法

　内国法人が適格合併又は適格分割型分割により被合併法人又は分割法人（以下4において「被合併法人等」という。）から棚卸資産の引継ぎを受けた場合には、当該被合併法人等の最後事業年度終了の時又は当該適格分割型分割の直前における当該棚卸資産の評価額の計算の基礎となった取得価額に当該棚卸資産を消費し又は販売の用に供するために直接要した費用の額を加算した金額（当該棚卸資産が当該適格合併に係る被合併法人である公益法人等の収益事業以外の事業に属する棚卸資産であった場合には、当該棚卸資産の価額として当該内国法人の帳簿に記載された金額）を当該棚卸資産の取得価額として、1《棚卸資産の評価の方法》の表の①及び3《棚卸資産の特別な評価の方法》を適用する。（法29②、令28③）

　　注　「最後事業年度」とは被合併法人の合併の日の前日の属する事業年度をいう。（法62の2①、62②）

四　棚卸資産の評価の方法の選定等

1　評価の方法の選定区分

　棚卸資産の評価の方法は、内国法人の行う事業の種類ごとに、かつ、商品又は製品（副産物及び作業くずを除く。）、半製品、仕掛品（半成工事を含む。）、主要原材料及び補助原材料その他の棚卸資産の区分ごとに選定しなければならない。（令29①）

　　　　（評価方法の選定単位の細分）
　　法人は、棚卸資産の評価の方法につき、事業所別に、又は1に掲げる棚卸資産の区分を更にその種類の異なるごとその他合理的な区分ごとに細分してそれぞれ異なる評価の方法を選定することができる。（基通5－2－12）
　　　注　1に掲げる棚卸資産の区分又はその種類を同じくする棚卸資産のうちに個別法を選定することができるものがある場合には、これを区分して個別法を選定することができる。

2　評価の方法の選定の届出

　内国法人は、次の表の左欄に掲げる法人（同表の②に掲げる法人又は④に掲げる法人のうち収益事業を行っていない公益法人等に該当していた普通法人若しくは協同組合等にあっては、その行う事業に係る棚卸資産と1《評価の方法の選定区分》に掲げる事業の種類を同じくする棚卸資産につきそれぞれ同表の右欄に掲げる日の属する事業年度前の事業年度において2による届出をすべきものを除く。）の区分に応じ、それぞれ同表の右欄に掲げる日の属する事業年度に係る確定申告書の提出期限（同表の①又は⑤に掲げる内国法人がそれぞれ右欄に掲げる日の属する第二節第三款の一の3《仮決算をした場合の中間申告書の記載事項等》に掲げる期間〔当該内国法人が通算子法人である場合には、同3の（8）《通算法人である場合の適用》の表の（一）に掲げる期間〕について同3の表に掲げる事項を記載した中間申告書を提出する場合には、その中間申告書の提出期限）までに、棚卸資産につき、1に掲げる事業の種類及び資産の区分ごとに、三の1《棚卸資産の評価の方法》の表に掲げる評価の方法のうちそのよるべき方法を書面により納税地の所轄税務署長に届け出なければな

らない。（法29②、令29②）

①	新たに設立した内国法人（公益法人等及び人格のない社団等を除く。）	設立の日
②	新たに収益事業を開始した内国法人である公益法人等及び人格のない社団等	その開始した日
③	公共法人に該当していた収益事業を行う公益法人等	当該公益法人等に該当することとなった日
④	公共法人又は収益事業を行っていない公益法人等に該当していた普通法人又は協同組合等	当該普通法人又は協同組合等に該当することとなった日
⑤	設立後（②に掲げる内国法人については新たに収益事業を開始した後とし、③に掲げる内国法人については収益事業を行う公益法人等に該当することとなった後とし、④に掲げる内国法人については普通法人又は協同組合等に該当することとなった後とする。）新たに他の種類の事業（②又は③に掲げる内国法人については、収益事業。以下⑤において同じ。）を開始し、又は事業の種類を変更した内国法人	当該他の種類の事業を開始し、又は事業の種類を変更した日

3　法定評価方法

　内国法人が棚卸資産につき評価の方法を選定しなかった場合又は選定した評価の方法により評価しなかった場合における法定評価方法は、三の1の表の**ホ**《最終仕入原価法》に掲げる最終仕入原価法により算出した取得価額による原価法とする。（法29①、令31①）

　　　（法定評価方法の特例）
　　税務署長は、内国法人が棚卸資産につき選定した評価の方法（評価の方法を届け出なかった内国法人がよるべきこととされている法定評価方法《最終仕入原価法による原価法》を含む。）により評価しなかった場合において、その内国法人が行った評価の方法が三の1《棚卸資産の評価の方法》の表に掲げる評価の方法のうちいずれかの方法に該当し、かつ、その行った評価の方法によってもその内国法人の各事業年度の所得の金額の計算を適正に行うことができると認めるときは、その行った評価の方法により計算した各事業年度の所得の金額を基礎として更正又は決定（第二章第三節の一の1《更正、決定、再更正》の②に掲げる決定をいう。）をすることができる。（令31②）
　　　注　法人が評価の方法を選定しなかった場合又は選定した評価の方法によっていない場合には、最終仕入原価法による原価法によるべきものとされているが、法人がその最終仕入原価法以外の方法により評価をしているときは、その方法が税法に定める評価の方法のいずれかに該当し、かつ、その方法によっても所得計算を適正に行うことができると認められる限り、最終仕入原価法による原価法により評価をやり直すことはしないで、現に法人がよっている評価の方法による評価額に基づいて税務署長が更正又は決定をすることができることとしたものである。（編者）

4　評価の方法の変更手続

　内国法人は、棚卸資産につき選定した評価の方法（その評価の方法を届け出なかった内国法人がよるべきこととされている法定評価方法《最終仕入原価法による原価法》を含む。（6）において同じ。）を変更しようとするときは、納税地の所轄税務署長の承認を受けなければならない。（令30①）

　　　（評価の方法の変更承認申請書の提出）
（1）　4に掲げる承認を受けようとする内国法人は、その新たな評価の方法を採用しようとする事業年度開始の日の前日までに、次に掲げる事項を記載した変更承認申請書を納税地の所轄税務署長に提出しなければならない。（令30②、規9の2）
　　（一）　申請をする内国法人の名称、納税地及び法人番号並びに代表者（人格のない社団等で代表者の定めがなく、管理人の定めがあるものについては、管理人。）の氏名
　　（二）　選定した評価の方法を変更しようとする旨
　　（三）　その評価の方法を変更しようとする理由
　　（四）　その評価の方法を変更しようとする事業の種類並びに商品又は製品（副産物及び作業くずを除く。）、半製品、仕掛品（半成工事を含む。）、主要原材料及び補助原材料その他の棚卸資産の区分
　　（五）　現によっている評価の方法及びその評価の方法を採用した日
　　（六）　採用しようとする新たな評価の方法
　　（七）　その他参考となるべき事項

(申請の却下)
(2) 税務署長は、(1)に掲げる変更承認申請書の提出があった場合において、その申請書を提出した内国法人が現によっている評価の方法を採用してから相当期間を経過していないとき、又は変更しようとする評価の方法によってはその内国法人の各事業年度の所得の金額の計算が適正に行われ難いと認めるときは、その申請を却下することができる。(令30③)

(評価方法の変更申請があった場合の「相当期間」)
(3) 一旦採用した棚卸資産の評価の方法は特別の事情がない限り継続して適用すべきものであるから、法人が現によっている評価の方法を変更するために(1)に基づいてその変更承認申請書を提出した場合において、その現によっている評価の方法を採用してから3年を経過していないときは、その変更が合併や分割に伴うものである等その変更することについて特別な理由があるときを除き、(2)に掲げる相当期間を経過していないときに該当するものとする。(基通5-2-13)
　　注　その変更承認申請書の提出がその現によっている評価の方法を採用してから3年を経過した後になされた場合であっても、その変更することについて合理的な理由がないと認められるときは、税務署長は、その変更を承認しないことができる。

(承認又は却下の通知)
(4) 税務署長は、(1)に掲げる変更承認申請書の提出があった場合において、その申請につき承認又は却下の処分をするときは、その申請をした内国法人に対し、書面によりその旨を通知する。(令30④)

(みなし承認)
(5) (1)に掲げる変更承認申請書の提出があった場合において、その新たな評価の方法を採用しようとする事業年度終了の日(当該事業年度について中間申告書を提出すべき内国法人については、当該事業年度〔当該内国法人が通算子法人である場合には、当該事業年度開始の日の属する当該内国法人に係る通算親法人の事業年度〕開始の日以後6か月を経過した日の前日)までにその申請につき承認又は却下の処分がなかったときは、その日においてその承認があったものとみなす。(令30⑤)

(公益法人等の棚卸資産の評価方法の変更の届出)
(6) 2《評価の方法の選定の届出》の表の②の左欄に掲げる内国法人又は同表の④の左欄に掲げる内国法人のうち収益事業を行っていない公益法人等に該当していた普通法人若しくは協同組合等がそれぞれ同表の右欄に掲げる日の属する事業年度において、棚卸資産につき選定した評価の方法を変更しようとする場合において、当該事業年度に係る確定申告書の提出期限までに、その旨及び(1)に掲げる事項を記載した届出書を納税地の所轄税務署長に提出したときは、当該届出書をもって(1)の申請書とみなし、当該届出書の提出をもって**4**の承認があったものとみなす。この場合においては、(4)は、適用しない。(令30⑥)

(評価方法の変更に関する届出書の提出)
(7) (6)に掲げる届出書は、公益法人等又は人格のない社団等が収益事業の廃止等の事情により法人税の納税義務を有しなくなった後に、次に掲げる事情により再び法人税の納税義務が生じた場合において、既に選定していた評価方法を変更しようとするときに提出することに留意する。(基通5-2-14)
　(一)　公益法人等又は人格のない社団等が収益事業を開始したこと
　(二)　公益法人等(収益事業を行っていないものに限る。)が普通法人又は協同組合等に該当することとなったこと

五　棚卸資産の取得価額

1　棚卸資産の取得価額

三の1《棚卸資産の評価の方法》又は同3《棚卸資産の特別な評価の方法》による棚卸資産の評価額の計算の基礎となる棚卸資産の取得価額は、別段の定めがあるものを除き、次の表の左欄に掲げる資産の区分に応じ、それぞれ同表の右欄に掲げる金額とする。(法29②、令32①)

| ① | 購入した棚卸資産(第二十四号のニ《デリバティブ取引により資産を取得した場合の処理》の適用が | 次に掲げる金額の合計額
イ　当該資産の購入の代価(引取運賃、荷役費、運送保険料、購入手数料、関税〔関税法第2条第1項第4号の2《定義》に規定する附帯税を除く。〕そ |

	あるものを除く。)	の他当該資産の購入のために要した費用がある場合には、その費用の額を加算した金額 ロ　当該資産を消費し、又は販売の用に供するために直接要した費用の額
②	自己の製造、採掘、採取、栽培、養殖その他これらに準ずる行為（以下「**製造等**」という。）に係る棚卸資産	次に掲げる金額の合計額 イ　当該資産の製造等のために要した原材料費、労務費及び経費の額 ロ　当該資産を消費し、又は販売の用に供するために直接要した費用の額
③	①及び②に掲げる方法以外の方法により取得（適格分社型分割、適格現物出資又は適格現物分配による分割法人、現物出資法人又は現物分配法人からの取得を除く。以下③において同じ。）をした棚卸資産	次に掲げる金額の合計額 イ　その取得の時における当該資産の取得のために通常要する価額 ロ　当該資産を消費し、又は販売の用に供するために直接要した費用の額

　　（非適格合併により移転を受けた譲渡損益調整資産である棚卸資産の取得価額）

（1）　1の表の③に掲げる棚卸資産が適格合併に該当しない合併で第三十三款の**一**《譲渡損益調整資産に係る譲渡利益額又は譲渡損失額の繰延べ》の適用があるものにより移転を受けた同一に掲げる譲渡損益調整資産である場合には、1の表の③の右欄に掲げる金額から当該資産に係る第三十三款の**四**の3の①《非適格合併により譲渡損益調整資産の移転があった場合》に掲げる譲渡利益額に相当する金額を減算し、又は1の表の③の右欄に掲げる金額に当該資産に係る第三十三款の**四**の3の①に掲げる譲渡損失額に相当する金額を加算した金額をもって、当該資産の1による取得価額とみなす。（法29②、令32③）

　　（適格分社型分割、適格現物出資又は適格現物分配により分割法人、現物出資法人又は現物分配法人から取得した棚卸資産の取得価額）

（2）　内国法人が適格分社型分割、適格現物出資又は適格現物分配により分割法人、現物出資法人又は現物分配法人から取得した棚卸資産について当該資産を消費し、又は販売の用に供するために直接要した費用がある場合には、その費用の額を当該資産の取得価額に加算するものとする。（法29②、令32④）

　　注　適格分社型分割における分割承継法人の資産の取得価額については、第三十四款の**一**の2の③の《適格分社型分割における分割承継法人の資産及び負債の取得価額》に、適格現物出資における被現物出資法人の資産の取得価額については、同2の④の《適格現物出資における被現物出資法人の資産及び負債の取得価額》に、また、適格現物分配における被現物分配法人の資産の取得価額については、同2の⑤の（3）《適格現物分配における被現物分配法人の資産の取得価額》による。（令123の4、123の5、123の6）

　　（購入した棚卸資産の取得価額）

（3）　購入した棚卸資産の取得価額には、その購入の代価のほか、これを消費し又は販売の用に供するために直接要した全ての費用の額が含まれるのであるが、次に掲げる費用については、これらの費用の額の合計額が少額（当該棚卸資産の購入の代価のおおむね3％以内の金額）である場合には、その取得価額に算入しないことができるものとする。（基通5－1－1）

　　（一）　買入事務、検収、整理、選別、手入れ等に要した費用の額
　　（二）　販売所等から販売所等へ移管するために要した運賃、荷造費等の費用の額
　　（三）　特別の時期に販売するなどのため、長期にわたって保管するために要した費用の額

　　注1　（一）から（三）までに掲げる費用の額の合計額が少額かどうかについては、事業年度ごとに、かつ、種類等（種類、品質及び型の別をいう。）を同じくする棚卸資産（事業所別に異なる評価方法を選定している場合には、事業所ごとの種類等を同じくする棚卸資産とする。）ごとに判定することができる。

　　注2　棚卸資産を保管するために要した費用（保険料を含む。）のうち（三）に掲げるもの以外のものの額は、その取得価額に算入しないことができる。

　　（棚卸資産の取得価額に算入しないことができる費用）

（4）　次に掲げるような費用の額は、たとえ棚卸資産の取得又は保有に関連して支出するものであっても、その取得価額に算入しないことができる。（基通5－1－1の2）

（一）　不動産取得税の額
　　（二）　地価税の額
　　（三）　固定資産税及び都市計画税の額
　　（四）　特別土地保有税の額
　　（五）　登録免許税その他登記又は登録のために要する費用の額
　　（六）　借入金の利子の額

　　（取得後の事業年度において購入代価が確定した場合の調整）
（５）　棚卸資産を取得した日の属する事業年度においてその購入の代価が確定していないため見積価額で棚卸資産の取得価額を計算している場合において、その後の事業年度において購入の代価が確定したときは、その確定した金額と見積価額との差額に相当する金額は、その確定した日の属する事業年度の益金の額又は損金の額に算入する。ただし、その差額が多額である場合には、その差額については、原価差額の調整方法に準じて調整する。（基通５－１－２）

　　（製造等に係る棚卸資産の取得価額）
（６）　自己の製造等に係る棚卸資産の取得価額には、その製造等のために要した原材料費、労務費及び経費の額の合計額のほか、これを消費し又は販売の用に供するために直接要した費用の額が含まれるのであるが、次に掲げる費用については、これらの費用の額の合計額が少額（当該棚卸資産の製造原価のおおむね３％以内の金額）である場合には、その取得価額に算入しないことができるものとする。（基通５－１－３）
　　（一）　製造等の後において要した検査、検定、整理、選別、手入れ等の費用の額
　　（二）　製造場等から販売所等へ移管するために要した運賃、荷造費等の費用の額
　　（三）　特別の時期に販売するなどのため、長期にわたって保管するために要した費用の額
　　　注１　（一）から（三）までに掲げる費用の額の合計額が少額かどうかについては、事業年度ごとに、かつ、種類等を同じくする棚卸資産（工場別に原価計算を行っている場合には、工場ごとの種類等を同じくする棚卸資産とする。）ごとに判定することができる。
　　　注２　棚卸資産を保管するために要した費用（保険料を含む。）のうち（三）に掲げるもの以外のものの額は、その取得価額に算入しないことができる。

　　（製造原価に算入しないことができる費用）
（７）　次に掲げるような費用の額は、製造原価に算入しないことができる。（基通５－１－４）
　　（一）　使用人等に支給した賞与のうち、例えば創立何周年記念賞与のように特別に支給される賞与であることの明らかなものの額（通常賞与として支給される金額に相当する金額を除く。）
　　（二）　試験研究費のうち、基礎研究及び応用研究の費用の額並びに工業化研究に該当することが明らかでないものの費用の額
　　（三）　租税特別措置法に定める特別償却の適用を受ける資産の償却費の額のうち特別償却限度額に係る部分の金額
　　（四）　工業所有権等について支払う使用料の額が売上高等に基づいている場合における当該使用料の額及び当該工業所有権等に係る頭金の償却費の額
　　（五）　工業所有権等について支払う使用料の額が生産数量等を基礎として定められており、かつ、最低使用料の定めがある場合において支払われる使用料の額のうち生産数量等により計算される使用料の額を超える部分の金額
　　（六）　複写して販売するための原本となるソフトウエアの償却費の額
　　（七）　事業税及び特別法人事業税の額
　　（八）　事業の閉鎖、事業規模の縮小等のため大量に整理した使用人に対し支給する退職給与の額
　　（九）　生産を相当期間にわたり休止した場合のその休止期間に対応する費用の額
　　（十）　償却超過額その他税務計算上の否認金の額
　　（十一）　障害者の雇用の促進等に関する法律第53条第１項《障害者雇用納付金の徴収及び納付義務》に規定する障害者雇用納付金の額
　　（十二）　工場等が支出した寄附金の額
　　（十三）　借入金の利子の額

　　（製造間接費の製造原価への配賦）
（８）　法人の事業の規模が小規模である等のため製造間接費を製品、半製品又は仕掛品に配賦することが困難である場合には、その製造間接費を半製品及び仕掛品の製造原価に配賦しないで製品の製造原価だけに配賦することができる。

(基通5−1−5)

(法令に基づき交付を受ける給付金等の額の製造原価からの控除)
（9） 法人が、その支出する休業手当、賃金、職業訓練費等の経費を補塡するために雇用保険法、労働施策の総合的な推進並びに労働者の雇用の安定及び職業生活の充実等に関する法律、障害者の雇用の促進等に関する法律等の法令の規定等に基づき給付される給付金等の交付を受けた場合（第一款の四の11の（7）《法令に基づき交付を受ける給付金等の帰属の時期》の適用がある場合を含む。）において、その給付の対象となった事実に係る休業手当、賃金、職業訓練費等の経費の額を製造原価に算入しているときは、その交付を受けた金額のうちその製造原価に算入した休業手当、賃金、職業訓練費等の経費の額に対応する金額を当該製造原価の額から控除することができる。(基通5−1−6)

(副産物、作業くず又は仕損じ品の評価)
（10） 製品の製造工程から副産物、作業くず又は仕損じ品（以下「副産物等」という。）が生じた場合には、総製造費用の額から副産物等の評価額の合計額を控除したところにより製品の製造原価の額を計算するのであるが、この場合の副産物等の評価額は、継続して当該副産物等に係る実際原価として合理的に見積った価額又は通常成立する市場価額によるものとする。ただし、当該副産物等の価額が著しく少額である場合には、備忘価額で評価することができる。（基通5−1−7)

(社団法人全日本コーヒー協会の会員がコーヒーの消費振興を図るために支出する消費振興資金の取扱い)
（11） コーヒー豆輸入業者、コーヒー豆流通業者、レギュラーコーヒー製造業者及びインスタントコーヒー製造業者がコーヒー消費振興事業に要する費用に充てるため、原料コーヒー豆の取扱数量に応じて社団法人全日本コーヒー協会へ拠出する振興資金の負担金の額は、買い受けた原料コーヒー豆の取得価額に算入する。(昭55直審4−91)

2　適正な原価計算に基づく原価差額の原価外処理

内国法人が自己の製造等に係る棚卸資産につき算定した製造等の原価の額が1の表の②のイ及びロに掲げる金額の合計額《税法上の取得価額》と異なる場合において、その原価の額が適正な原価計算に基づいて算定されているときは、その原価の額に相当する金額をもって当該資産の取得価額とみなす。(令32②)

(規定の趣旨)
2の適正な原価計算に基づく原価差額の原価外処理は、次のことを定めたものである。(編者)
（一） 法人の計算に係る原価の額が税法上の取得価額を超える場合――原価差益が生じた場合――に、その原価の額が適正な原価計算に基づいて算定されているときは、その原価の額を税法上の取得価額とする。したがって、この場合の原価差益については、評価益《益金不算入》には当たらないことから益金の額に算入することとなる。
（二） 法人の計算に係る原価の額が税法上の取得価額に満たない場合――原価差損が生じた場合――に、その原価の額が適正な原価計算に基づいて算定されているときは、その原価の額を税法上の取得価額とする。したがって、この場合の原価差損については、原価外処理したものとして損金の額に算入することができる。

3　棚卸資産の取得価額の特例

①　会社更生等評価換えが行われた場合の特例

内国法人がその有する棚卸資産につき次の表の左欄に掲げる評価換えをした場合には、当該評価換えをした日の属する事業年度以後の各事業年度における三の1《棚卸資産の評価の方法》又は三の3《棚卸資産の特別な評価の方法》による当該資産の評価額の計算については、その内国法人が当該資産を同日においてそれぞれ同表の右欄に掲げる金額に相当する金額により取得したものとみなす。(令33①)

イ	第九款の一の2《会社更生等による評価換えを行った場合の資産の評価益の益金算入》に掲げる評価換え	その評価換えをした棚卸資産の取得価額に、その評価換えにより各事業年度の所得の金額の計算上益金の額に算入された金額を加算した金額
ロ	第九款の二の2《評価換えを行った場合の資産の評価損の損金算入》又は二の3《会社更生等による評価換えを行った場合の資産の評価損の損金算入》	その評価換えをした棚卸資産の取得価額からその評価換えにより各事業年度の所得の金額の計算上損金の額に算入された金額を控除した金額

| 算入》の適用を受ける評価換え | |

注　非適格株式交換等時価評価が行われた場合の棚卸資産の取得価額については、③を参照。（編者）

（規定の趣旨）
　3の棚卸資産の取得価額の特例は、評価換えをした棚卸資産については評価換え後の帳簿価額を取得価額とみなし、翌事業年度以後においてその評価損益を洗い替えることはしない趣旨であるが、次の諸点に留意する。（編者）
(一)　棚卸資産を含め、資産の評価換えは特定の場合以外は認められないこと。
(二)　低価法を選定している棚卸資産について期末時価が取得価額に満たないため時価をもって評価額とすることは、評価換えには該当しないこと。

② **民事再生等評価換えが行われた場合の特例**
　内国法人が第九款の一の**3**《民事再生等による特定の事実が生じた場合の資産の評価益の益金算入》又は同款の二の**4**《民事再生等による特定の事実が生じた場合の資産の評価損の損金算入》によりその有する同款の一の**3**又は同款の二の**4**に掲げる資産（棚卸資産に該当するものに限る。以下②において同じ。）の評価益の額（同款の一の**3**に掲げる評価益の額として同**3**の(5)に掲げる金額をいう。）又は評価損の額（同款の二の**4**に掲げる評価損の額として同**4**の(5)に掲げる金額をいう。）を同款の一の**3**又は同款の二の**4**に掲げる事実が生じた日の属する事業年度の所得の金額の計算上益金の額又は損金の額に算入した場合には、当該事業年度以後の各事業年度における**三**の**1**《棚卸資産の評価の方法》又は**三**の**3**《棚卸資産の特別な評価の方法》による当該資産の評価額の計算については、その内国法人がこれらの事実が生じた日において当該資産の取得価額に当該評価益の額を加算し、又は当該資産の取得価額から当該評価損の額を減算した金額により当該資産を取得したものとみなす。（令33②）

③ **棚卸資産の取得価額の特例**
　内国法人が第三十四款の二の**1**《非適格株式交換等に係る株式交換完全子法人等の有する資産の時価評価損益》により同**1**に掲げる非適格株式交換等の直前において有する同**1**に掲げる時価評価資産（棚卸資産に該当するものに限る。以下「時価評価資産」という。）の評価益（同**1**に掲げる評価益をいう。）又は評価損（同**1**に掲げる評価損をいう。）を当該非適格株式交換等の日の属する事業年度の所得の金額の計算上益金の額又は損金の額に算入した場合には、当該事業年度以後の各事業年度における**三**の**1**《棚卸資産の評価の方法》又は**三**の**3**《棚卸資産の特別な評価の方法》に掲げる当該時価評価資産の評価額の計算については、その内国法人が当該非適格株式交換等の時において当該時価評価資産の取得価額に当該評価益に相当する金額を加算し、又は当該時価評価資産の取得価額から当該評価損に相当する金額を減算した金額により当該時価評価資産を取得したものとみなす。（令33③）

④ **通算制度に係る棚卸資産の取得価額の特例**
　内国法人が第三十五款の**三**の**1**《通算制度の開始に伴う資産の時価評価損益》、同**三**の**2**《通算制度への加入に伴う資産の時価評価損益》又は同**三**の**3**《通算制度からの離脱等に伴う資産の時価評価損益》によりこれらに掲げる通算開始直前事業年度、通算加入直前事業年度又は通算終了直前事業年度（以下④において「時価評価事業年度」という。）終了の時に有するこれらに掲げる時価評価資産（棚卸資産に該当するものに限る。以下④において「時価評価資産」という。）のこれらに掲げる評価益の額又は評価損の額を当該時価評価事業年度の所得の金額の計算上益金の額又は損金の額に算入した場合には、当該時価評価事業年度以後の各事業年度における**三**の**1**《棚卸資産の評価の方法》又は**三**の**3**《棚卸資産の特別な評価の方法》による当該時価評価資産の評価額の計算については、その内国法人が当該時価評価事業年度終了の時において当該時価評価資産の取得価額に当該評価益の額を加算し、又は当該時価評価資産の取得価額から当該評価損の額を減算した金額により当該時価評価資産を取得したものとみなす。（令33④）

六　原価差額の調整
　法人の各事業年度において原価差額が生じた場合には、その原価差額の調整については次による。

（原価差額の調整）
(1)　法人が各事業年度において製造等をした棚卸資産につき算定した取得価額が、**五**の**1**《棚卸資産の取得価額》に掲げる取得価額に満たない場合には、その差額（以下**六**において「**原価差額**」という。）のうち期末棚卸資産に対応する部分の金額は、当該期末棚卸資産の評価額に加算する。（基通5－3－1）

第三章　第一節　第五款《棚卸資産の評価》

　　　（原価差額の範囲）
（２）　原価差額には、材料費差額、労務費差額、経費差額等のほか、内部振替差額を含むことに留意する。（基通５－３－２）

　　　（原価差額の調整期間）
（３）　事業年度が１年である法人の原価差額の調整は、継続適用を条件に、各事業年度を当該事業年度開始の日から中間期間終了の日までの期間（以下「上期」という。）と中間期間終了の日の翌日から確定事業年度（当該中間期間を含む事業年度をいう。以下同じ。）終了の日までの期間（以下「下期」という。）とに区分し、それぞれの期間について行うことができる。この場合、（４）及び（５）の適用に当たっては、上期及び下期のそれぞれの期間ごとに、その期間に発生した原価差額によりその調整の要否を判定することに留意する。（基通５－３－２の２）

　　　（原価差額の調整を要しない場合）
（４）　原価差額が少額（総製造費用のおおむね１％相当額以内の金額）である場合において、法人がその計算を明らかにした明細書を確定申告書に添付したときは、原価差額の調整を行わないことができるものとする。この場合において、総製造費用の計算が困難であるときは、法人の計算による製品受入高合計に仕掛品及び半製品の期末棚卸高を加算し、仕掛品及び半製品の期首棚卸高を控除して計算することができる。（基通５－３－３）
　　注　原価差額が少額かどうかについては、事業の種類ごとに判定するものとするが、法人が製品の種類別に原価計算を行っている場合には、継続して製品の種類の異なるごとにその判定を行うことができる。

　　　（原価差額の調整を工場ごとに行っている場合の調整の省略）
（５）　原価差額が事業の種類ごと又は製品の種類の異なるごとの総製造費用のおおむね１％相当額を超える場合においても、法人が原価差額の調整単位を更に工場ごとに細分しているときは、各工場における当該調整単位ごとの原価差額のうちそれぞれの総製造費用の１％相当額以内のものについては、（４）に準じて調整を行わないことができるものとする。（基通５－３－４）

　　　（原価差額の簡便調整方法）
（６）　法人が各事業年度において生じた原価差額を仕掛品、半製品及び製品の順に調整することをしないで、その原価差額を一括し、次に掲げる算式により計算した金額を期末棚卸資産に配賦したときは、これを認める。（基通５－３－５）
（算式）

$$原価差額 \times \frac{期末の製品、半製品、仕掛品の合計額}{売上原価＋期末の製品、半製品、仕掛品の合計額}$$

　注１　算式中の分母及び分子の金額は、法人の計算額による。
　注２　この算式は、事業の種類ごと（法人が原価差額が少額かどうかの判定を製品の種類の異なるごとに行うこととしている場合には、製品の種類の異なるごと）に適用する。
　注３　法人が直接原価計算制度を採用している場合には、この調整方法の適用はない。ただし、この調整方法を適用することについて、合理性があると認めて所轄税務署長（国税局の調査部〔課〕所管法人にあっては、所轄国税局長）が承認をした場合には、この限りではない。

　　　（原価差額の簡便調整方法の特例）
（７）　（３）の適用を受けた法人が、下期に繰り越された個々の棚卸資産に原価差額を配賦しないで一括して処理している場合において、下期における原価差額の調整を（６）の方法により行うときは、（６）の算式中「原価差額」とあるのは「下期に生じた原価差額に上期末の棚卸資産に一括配賦した原価差額を加算した金額」と、「売上原価」とあるのは「下期に係る売上原価」と、それぞれ読み替えて適用するものとする。（基通５－３－５の２）

$$\left(\begin{array}{c}下期に生じた\\原価差額\end{array} + \begin{array}{c}上期末の棚卸資産に\\一括配賦した原価差額\end{array}\right) \times \frac{期末の製品、半製品、仕掛品の合計額}{下期に係る売上原価＋期末の製品、半製品、仕掛品の合計額}$$

　　　（内部振替差額の調整）
（８）　法人が内部振替差額の調整を他の原価差額と区分して、その内部振替差額に適合した合理的な調整方法により行ったときは、これを認める。（基通５－３－６）

(原価差額を一括調整した場合の翌期の処理)
（９）　法人が原価差額を個々の棚卸資産に配賦しないで一括して処理している場合には、その一括して処理している金額は、翌事業年度の損金の額に算入することができる。（基通５－３－７）

(原材料受入差額の処理の簡便計算方式)
(10)　法人が原材料の受入れについて見積原価等を採用している場合に生ずる原材料受入差額について、当期原材料払出高と期末原材料棚卸高とに適正に配賦し、期末原材料棚卸高に対応する部分の金額を個々の資産に配賦しないで一括して処理しているときは、これを認める。（基通５－３－８）
　　　注　当期原材料払出高に対応する原材料受入差額は当期の原価差額に、期末原材料棚卸高に対応する原材料受入差額は翌期の製造原価に含めることに留意する。

(外貨建てで購入した原材料の受入差額)
(11)　法人が、外貨建てで購入した原材料についての仕入金額の換算を社内レートによって行う等第二十六款の二の（１）《外貨建取引及び発生時換算法の円換算》及び同二の（４）《先物外国為替契約等がある場合の収益、費用の換算等》に掲げる方法によって行っていない場合には、同二の（１）又は同二の（４）に掲げる方法によって換算した金額と当該法人が計上した金額との差額は、原材料受入差額に該当する。（基通13の２－１－10）
　　　注　当該差額については(10)を適用することができる。

(申告調整できる貸方原価差額)
(12)　法人が棚卸資産につき算定した取得価額が**五の１**《棚卸資産の取得価額》に掲げる取得価額を超える場合のその差額のうち、法人税法又は租税特別措置法の規定により損金の額に算入されないため確定申告に際して自己否認した金額から成る部分の金額については、当該申告に係る申告書においてその調整を行うことができるものとする。（基通５－３－９）

(棚卸資産の取得価額に算入された交際費等の調整)
(13)　法人が適用年度において支出した交際費等の金額のうちに棚卸資産の取得価額に含めたため直接当該適用年度の損金の額に算入されていない部分の金額（以下「原価算入額」という。）がある場合において、当該交際費等の金額のうちに第十三款の**一**《交際費等の損金不算入》により損金の額に算入されないこととなった金額（以下「損金不算入額」という。）があるときは、当該適用年度の確定申告書において、当該原価算入額のうち損金不算入額から成る部分の金額を限度として、当該適用年度終了の時における棚卸資産の取得価額を減額することができるものとする。この場合において、当該原価算入額のうち損金不算入額から成る部分の金額は、当該損金不算入額に、当該適用年度において支出した交際費等の金額のうちに当該棚卸資産の取得価額に含まれている交際費等の金額の占める割合を乗じた金額とすることができる。（措通61の４（２）－７参照）
　　　注　この取扱いの適用を受けた場合には、その減額した金額につき当該適用年度の翌事業年度において決算上調整するものとする。

(固定資産の原価差額の調整)
(14)　法人が棚卸資産に係る原価差額の調整を要する場合において、原材料等の棚卸資産を固定資産の製作又は建設（改良を含む。）のために供したとき又は自己生産に係る製品を固定資産として使用したときは、当該固定資産に係る原価差額は、その取得価額に配賦するものとする。（基通７－３－17）

第六款　減価償却資産の償却額の計算

一　減価償却資産の範囲

1　固定資産の範囲

　固定資産とは、棚卸資産、有価証券、資金決済に関する法律（平成21年法律第59号）第2条第5項《定義》に規定する暗号資産及び繰延資産以外の資産のうち次の表に掲げるものをいう。（法2 XXII、令12）

①	土地（土地の上に存する権利を含む。）
②	**2の表の①から⑨までに掲げる資産** 注　2の表の①から⑨までに掲げる資産のうち事業の用に供していないもの及び時の経過によりその価値の減少しないものは、減価償却資産からは除かれるが、固定資産には含まれる。（編者）
③	電話加入権
④	①から③までに掲げる資産に準ずるもの

2　減価償却資産の範囲

　減価償却資産とは、棚卸資産、有価証券及び繰延資産以外の資産のうち償却をすべきものとして次の表に掲げるもの（事業の用に供していないもの及び時の経過によりその価値の減少しないものを除く。）をいう。（法2 XXIII、令13）

①	建物及びその附属設備（暖冷房設備、照明設備、通風設備、昇降機その他建物に附属する設備をいう。）	
②	構築物（ドック、橋、岸壁、桟橋、軌道、貯水池、坑道、煙突その他土地に定着する土木設備又は工作物をいう。）	
③	機械及び装置	
④	船舶	
⑤	航空機	
⑥	車両及び運搬具	
⑦	工具、器具及び備品（観賞用、興行用その他これらに準ずる用に供する生物を含む。）	
⑧	次に掲げる無形固定資産	
	イ	鉱業権（租鉱権及び採石権その他土石を採掘し又は採取する権利を含む。）
	ロ	漁業権（入漁権を含む。）
	ハ	ダム使用権
	ニ	水利権
	ホ	特許権
	ヘ	実用新案権
	ト	意匠権
	チ	商標権
	リ	ソフトウエア
	ヌ	育成者権
	ル	公共施設等運営権
	ヲ	樹木採取権
	ワ	漁港水面施設運営権
	カ	営業権
	ヨ	専用側線利用権（鉄道事業法第2条第1項《定義》に規定する鉄道事業又は軌道法第1条第1項《軌道法の適用対象》に規定する軌道を敷設して行う運輸事業を営む者〔以下⑧において「鉄道事業者等」という。〕に対して鉄道又は軌道の敷設に要する費用を負担し、その鉄道又は軌道を専用する権利をいう。）
	タ	鉄道軌道連絡通行施設利用権（鉄道事業者等が、他の鉄道事業者等、独立行政法人鉄道建設・運輸施設整備支

	援機構、独立行政法人日本高速道路保有・債務返済機構又は国若しくは地方公共団体に対して当該他の鉄道事業者等、独立行政法人鉄道建設・運輸施設整備支援機構若しくは独立行政法人日本高速道路保有・債務返済機構の鉄道若しくは軌道との連絡に必要な橋、地下道その他の施設又は鉄道若しくは軌道の敷設に必要な施設を設けるために要する費用を負担し、これらの施設を利用する権利をいう。） レ　電気ガス供給施設利用権（電気事業法第2条第1項第8号《定義》に規定する一般送配電事業、同項第10号に規定する送電事業、同項第11号の2に規定する配電事業若しくは同項第14号に規定する発電事業又はガス事業法第2条第5項《定義》に規定する一般ガス導管事業を営む者に対して電気又はガスの供給施設〔同条第7項に規定する特定ガス導管事業の用に供するものを除く。〕を設けるために要する費用を負担し、その施設を利用して電気又はガスの供給を受ける権利をいう。） ソ　水道施設利用権（水道法第3条第5項《用語の定義》に規定する水道事業者に対して水道施設を設けるために要する費用を負担し、その施設を利用して水の供給を受ける権利をいう。） ツ　工業用水道施設利用権（工業用水道事業法第2条第5項《定義》に規定する工業用水道事業者に対して工業用水道施設を設けるために要する費用を負担し、その施設を利用して工業用水の供給を受ける権利をいう。） ネ　電気通信施設利用権（電気通信事業法第9条第1号《電気通信事業の登録》に規定する電気通信回線設備を設置する同法第2条第5号《定義》に規定する電気通信事業者に対して同条第4号に規定する電気通信事業の用に供する同条第2号に規定する電気通信設備の設置に要する費用を負担し、その設備を利用して同条第3号に規定する電気通信役務の提供を受ける権利〔電話加入権及びこれに準ずる権利を除く。〕をいう。）
⑨	次に掲げる生物（⑦に掲げるものに該当するものを除く。） イ　牛、馬、豚、綿羊及びやぎ ロ　かんきつ樹、りんご樹、ぶどう樹、梨樹、桃樹、桜桃樹、びわ樹、くり樹、梅樹、柿樹、あんず樹、すもも樹、いちじく樹、キウイフルーツ樹、ブルーベリー樹及びパイナップル ハ　茶樹、オリーブ樹、つばき樹、桑樹、こりやなぎ、みつまた、こうぞ、もう宗竹、アスパラガス、ラミー、まおらん及びホップ

注1　特別小売供給を行う事業を営むみなし登録特定送配電事業者に対して当該事業に係る電気の供給施設を設けるために要する費用を負担し、その施設を利用して電気の供給を受ける権利（令和3年3月31日までに取得されたものに限る。）は、上表の⑧のレの電気ガス供給施設利用権とみなす。（電気事業法等の一部を改正する法律の施行に伴う関係政令の整備及び経過措置に関する政令（平成28年政令第43号）附3②）

注2　──線部分（注1に係る部分に限る。）は、令和6年度改正により改正された部分で、改正規定は、令和6年4月1日から適用され、令和6年3月31日以前の適用については、「レ」とあるのは「タ」とする。（令6改令附12、1）

注3　電気事業法等の一部を改正する等の法律（平成27法律第47号）附則第50条《みなし熱供給事業者の供給義務等》第1項に規定する指定旧供給区域熱供給を行う事業を営む同項に規定するみなし熱供給事業者に対して当該事業に係る熱供給事業法第2条第4項に規定する熱供給施設を設けるために要する費用を負担し、その施設を利用して同条第1項に規定する熱供給を受ける権利は、2の適用については、上表の⑧に掲げる無形固定資産とみなす。（電気事業法等の一部を改正する等の法律の一部の施行に伴う関係政令の整備に関する政令（平成28年政令第48号）附3②）

注4　注2に掲げる権利（国外における当該権利に相当するものを含む。）は、第二節第二款の二1の②のイの(3)《内部取引に含まれないもの》の適用については、同(3)の表の(一)の(ハ)に掲げる無形固定資産とみなす。（同政令附3③）

注5　──線部分（2の表の⑧のワに係る部分に限る。）は、令和6年度改正により追加された部分で、改正規定は、令和6年4月1日から適用される。（令6改令附1）

　　（美術品等についての減価償却資産の判定）
（1）「時の経過によりその価値の減少しない資産」は減価償却資産に該当しないこととされているが、次に掲げる美術品等は「時の経過によりその価値の減少しない資産」と取り扱う。（基通7−1−1）
　（一）　古美術品、古文書、出土品、遺物等のように歴史的価値又は希少価値を有し、代替性のないもの
　（二）　（一）以外の美術品等で、取得価額が1点100万円以上であるもの（時の経過によりその価値が減少することが明らかなものを除く。）
　　注1　時の経過によりその価値が減少することが明らかなものには、例えば、会館のロビーや葬祭場のホールのような不特定多数の者が利用する場所の装飾用や展示用（有料で公開するものを除く。）として法人が取得するもののうち、移設することが困難で当該用途にのみ使用されることが明らかなものであり、かつ、他の用途に転用すると仮定した場合にその設置状況や使用状況から見て美術品等としての市場価値が見込まれないものが含まれる。
　　注2　取得価額が1点100万円未満であるもの（時の経過によりその価値が減少しないことが明らかなものを除く。）は減価償却資産と取り扱う。
　　注3　（二）、注1及び注2は、平成26年12月19日付課法2−12により改正されたもので、平成27年1月1日以後に取得をする美術品等について適用され、平成26年12月31日以前に取得をした美術品等については、（1）は次による。ただし、法人が、平成26年12月31日以前に取得をした美術品等（（1）により減価償却資産とされるもので、かつ、平成27年1月1日以後最初に開始する事業年度（以下「適用初年度」

第三章　第一節　第六款　一《減価償却資産の範囲》

という。）において事業の用に供しているものに限る。）について、適用初年度から減価償却資産に該当するものとしている場合には、これを認める。（旧基通7－1－1、平26課法2－12　経過的取扱い）

> 書画骨とう（複製のようなもので、単に装飾的目的にのみ使用されるものを除く。以下（1）において同じ。）のように、時の経過によりその価値が減少しない資産は減価償却資産に該当しないのであるが、次に掲げるようなものは原則として書画骨とうに該当する。
> 　（一）　古美術品、古文書、出土品、遺物等のように歴史的価値又は希少価値を有し、代替性のないもの
> 　（二）　美術関係の年鑑等に登載されている作者の制作に係る書画、彫刻、工芸品等
> 　注　書画骨とうに該当するかどうかが明らかでない美術品等でその取得価額が1点20万円（絵画にあっては、号2万円）未満であるものについては、減価償却資産として取り扱うことができるものとする。

　注4　注3のただし書の取扱いにより減価償却資産に該当するものとしている場合における減価償却に関する規定（二の**3**《中小企業者等の少額減価償却資産の取得価額の損金算入の特例》を含む。）の適用に当たっては、当該減価償却資産を適用初年度開始の日において取得をし、かつ、事業の用に供したものとすることができる。

　　（貴金属の素材の価額が大部分を占める固定資産）
（2）　ガラス繊維製造用の白金製溶解炉、光学ガラス製造用の白金製るつぼ、か性カリ製造用の銀製なべのように、素材となる貴金属の価額が取得価額の大部分を占め、かつ、一定期間使用後は素材に還元のうえ鋳直して再使用することを常態としているものは、減価償却資産には該当しない。この場合において、これらの資産の鋳直しに要する費用（地金の補給のために要する費用を含む。）の額は、その鋳直しをした日の属する事業年度の損金の額に算入する。（基通7－1－2）
　　注　白金ノズルは減価償却資産に該当するのであるが、これに類する工具で貴金属を主体とするものについても、白金ノズルに準じて減価償却をすることができるものとする。

　　（稼働休止資産）
（3）　稼働を休止している資産であっても、その休止期間中必要な維持補修が行われており、いつでも稼働し得る状態にあるものについては、減価償却資産に該当するものとする。（基通7－1－3）
　　注1　他の場所において使用するために移設中の固定資産については、その移設期間がその移設のために通常要する期間であると認められる限り、減価償却を継続することができる。
　　注2　稼働休止資産とは、いったん事業の用に供していた資産のうち、稼働を休止している資産をいうのであるから、取得はしたが未使用の状態で保管中の資産は、いまだ事業の用に供されていない資産であることに留意する。（編者）

　　（建設中の資産）
（4）　建設中の建物、機械及び装置等の資産は減価償却資産に該当しないのであるが、建設仮勘定として表示されている場合であっても、その完成した部分が事業の用に供されているときは、その部分は減価償却資産に該当するものとする。（基通7－1－4）

　　（常備する専用部品の償却）
（5）　例えば航空機の予備エンジン、電気自動車の予備バッテリー等のように減価償却資産を事業の用に供するために必要不可欠なものとして常備され、繰り返して使用される専用の部品（通常他に転用できないものに限る。）は、当該減価償却資産と一体のものとして減価償却をすることができる。（基通7－1－4の2）

　　（工業所有権の実施権等）
（6）　法人が他の者の有する**工業所有権**（特許権、実用新案権、意匠権及び商標権をいう。以下同じ。）について実施権又は使用権を取得した場合におけるその取得のために要した金額については、当該工業所有権に準じて取り扱う。この場合において、その実施権又は使用権のその取得後における存続期間が当該工業所有権の耐用年数に満たないときは、当該存続期間の年数（1年未満の端数は切り捨てる。）をその耐用年数とすることができる。（基通7－1－4の3）

　　（織機の登録権利等）
（7）　繊維工業における織機の登録権利、許可漁業の出漁権、タクシー業のいわゆるナンバー権のように法令の規定、行政官庁の指導等による規制に基づく登録、認可、許可、割当て等の権利を取得するために支出する費用は、営業権に該当するものとする。（基通7－1－5）
　　注1　例えば当該権利に係る事業を廃止する者に対して残存業者が負担する補償金のように当該権利の維持又は保全のために支出する費用についても、営業権として減価償却をすることができる。
　　注2　これらの権利について、事業の用に供した時期とは、これらの権利に基づいて業務の活動を開始した日となるが、例えば、織機の登録権を取得した場合において、その取得により業務の拡大が可能となりそのために織機を新たに取得することとなるときは、その織機を発注するなどその業務の拡大に具体的に着手した日から事業の用に供したものとすることに取り扱われている。（所基通2－19参照）

(無形減価償却資産の事業の用に供した時期)
（８） ２の表の⑧に掲げる無形減価償却資産のうち、漁業権、工業所有権及び樹木採取権については、その存続期間の経過により償却すべきものであるから、その取得の日から事業の用に供したものとして取り扱う。（基通７－１－６）

(温泉利用権)
（９） 法人が温泉を湧出する土地を取得した場合におけるその取得に要した金額から当該土地に隣接する温泉を湧出しない土地の価額に比準して計算した土地の価額を控除した金額又は温泉を利用する権利を取得するために要した金額については、水利権に準じて取り扱う。ただし、温泉を利用する権利だけを取得した場合において、その利用につき契約期間の定めがあるもの（契約期間を延長しない旨の明らかな定めのあるものに限る。）については、その契約期間を耐用年数として償却することができる。（基通７－１－７）

(公共下水道施設の使用のための負担金)
（10） 法人が、下水道法第２条第３号《公共下水道の定義》に規定する公共下水道を使用する排水設備を新設し、又は拡張する場合において、公共下水道管理者に対してその新設又は拡張により必要となる公共下水道の改築に要する費用を負担するときは、その負担金の額については、水道施設利用権に準じて取り扱う。（基通７－１－８）
　　注　地方公共団体の公共下水道設置により、著しく利益を受ける土地所有者の都市計画法その他の法令に基づく受益者負担金の取扱いは第八款の**四**の（７）《公共下水道に係る受益者負担金の償却期間の特例》による。（編者）

(研究開発のためのソフトウエア)
（11） 法人が、特定の研究開発にのみ使用するため取得又は製作をしたソフトウエア（研究開発のためのいわば材料となるものであることが明らかなものを除く。）であっても、当該ソフトウエアは減価償却資産に該当することに留意する。（基通７－１－８の２）
　　注　当該ソフトウエアが**八**の１の③の表の（ロ）に掲げる開発研究の用に供されている場合には、耐用年数省令別表第六に掲げる耐用年数が適用されることに留意する。

(電気通信施設利用権の範囲)
（12） ２の表の⑧のネに掲げる電気通信施設利用権とは、電気通信事業法施行規則第２条第２項第１号から第３号まで《用語》に規定する電気通信役務の提供を受ける権利のうち電話加入権（加入電話契約に基づき加入電話の提供を受ける権利をいう。）及びこれに準ずる権利を除く全ての権利をいうのであるから、例えば「電信役務」、「専用役務」、「データ通信役務」、「デジタルデータ伝送役務」、「無線呼出し役務」等の提供を受ける権利は、これに該当する。（基通７－１－９）
　　注１　平成８年12月１日から携帯・自動車電話に加入する際の費用は契約事務手数料のみとなったことから、この自動車電話、携帯電話等の役務の提供を受ける権利については、減価償却資産である電気通信施設利用権として取り扱うこととされ、**二**《少額の減価償却資産の取得価額の損金算入等》が適用できることに留意する。（編者）
　　注２　ＰＨＳ（簡易型携帯電話）についても、電気通信施設利用権として取り扱われるのであるから留意する。（編者）

(社歌、コマーシャルソング等)
（13） 社歌、コマーシャルソング等の制作のために要した費用の額は、その支出をした日の属する事業年度の損金の額に算入することができる。（基通７－１－10）

二　少額の減価償却資産の取得価額の損金算入等

１　少額の減価償却資産の取得価額の損金算入

　内国法人がその事業の用に供した減価償却資産（**四**の１の①《平成19年３月31日以前に取得した減価償却資産の償却の方法》の表のヘに掲げる国外リース資産及び同②《平成19年４月１日以後に取得した減価償却資産の償却の方法》の表のヘに掲げるリース資産を除く。）で、その取得価額（**六**の１の減価償却資産の取得価額により計算した価額をいう。２において同じ。）が10万円未満であるもの（貸付け〔主要な事業として行われるものを除く。〕の用に供したものを除く。）又はその使用可能期間（当該資産の取得の時において当該資産につき通常の管理又は修理をするものとした場合に予測される当該資産の使用可能期間をいう。）が１年未満であるものを有する場合において、その内国法人が当該資産の当該取得価額に相当する金額につきその事業の用に供した日の属する事業年度において損金経理をしたときは、その損金経理をした金額は、当該事業年度の所得の金額の計算上、損金の額に算入する。（令133①）

(少額の減価償却資産の主要な事業として行う貸付けの判定)
(1) 次表に掲げる貸付け（資産の貸付け後に譲渡人〔当該内国法人に対して当該資産を譲渡した者をいう。〕その他の者が当該資産を買い取り、又は当該資産を第三者に買い取らせることをあっせんする旨の契約が締結されている場合〔当該貸付けの対価の額及び当該資産の買取りの対価の額〈当該対価の額が確定していない場合には、当該対価の額として見込まれる金額〉の合計額が当該内国法人の当該資産の取得価額のおおむね$\frac{90}{100}$に相当する金額を超える場合に限る。〕における当該貸付けを除く。）は、1に掲げる主要な事業として行われる貸付けに該当するものとする。（令133②、規27の17①②）

(一)	当該内国法人が当該内国法人との間に特定関係（一の者が法人の事業の経営に参加し、事業を実質的に支配し、又は株式若しくは出資を有する場合における当該一の者と法人との間の関係〔以下(一)において「当事者間の関係」という。〕、一の者との間に当事者間の関係がある法人相互の関係その他これらに準ずる関係をいう。）がある法人の事業の管理及び運営を行う場合における当該法人に対する資産の貸付け
(二)	当該内国法人に対して資産の譲渡又は役務の提供を行う者の当該資産の譲渡又は役務の提供の事業の用に専ら供する資産の貸付け
(三)	継続的に当該内国法人の経営資源（事業の用に供される設備〔その貸付けの用に供する資産を除く。〕、事業に関する従業者の有する技能又は知識〔租税に関するものを除く。〕その他これらに準ずるものをいう。）を活用して行い、又は行うことが見込まれる事業としての資産の貸付け
(四)	当該内国法人が行う主要な事業に付随して行う資産の貸付け

(少額の減価償却資産の取得価額の判定)
(2) 1を適用する場合において、取得価額が10万円未満であるかどうかは、通常一単位として取引されるその単位、例えば、機械及び装置については一台又は一基ごとに、工具、器具及び備品については一個、一組又は一そろいごとに判定し、構築物のうち例えば枕木、電柱等単体では機能を発揮できないものについては一の工事等ごとに判定する。（基通7－1－11・編者補正）

    注　この場合、第一款の七の2の(9)《少額の減価償却資産等の取得価額等の判定》により、法人が消費税等の経理処理について税抜経理方式又は税込経理方式いずれの方式を採っているかに応じ、その適用している方式により算定した取得価額が10万円未満であるかどうかにより判定するものとする。（平元直法2－1「9」参照）

(一時的に貸付けの用に供した減価償却資産)
(3) 1の適用上、法人が減価償却資産を貸付けの用に供したかどうかはその減価償却資産の使用目的、使用状況等を総合勘案して判定されるものであるから、例えば、一時的に貸付けの用に供したような場合において、その貸付けの用に供した事実のみをもって、その減価償却資産が1に掲げる貸付けの用に供したものに該当するとはいえないことに留意する。（基通7－1－11の2）

(主要な事業として行われる貸付けの例示)
(4) (1)の適用上、次の表の左欄に掲げる貸付けには、例えば、それぞれ次の表の右欄に掲げるような行為が該当する。（基通7－1－11の3）

(一)	(1)の表の(一)に掲げる貸付け	企業グループ内の各法人の営む事業の管理運営を行っている法人が当該各法人で事業の用に供する減価償却資産の調達を一括して行い、当該企業グループ内の他の法人に対してその調達した減価償却資産を貸し付ける行為
(二)	同表の(二)に掲げる貸付け	法人が自己の下請業者に対して、当該下請業者の専ら当該法人のためにする製品の加工等の用に供される減価償却資産を貸し付ける行為
(三)	同表の(三)に掲げる貸付け	小売業を営む法人がその小売店の駐車場の遊休スペースを活用して自転車その他の減価償却資産を貸し付ける行為
(四)	同表の(四)に掲げる貸付け	不動産貸付業を営む法人がその貸し付ける建物の賃借人に対して、家具、電気機器その他の減価償却資産を貸し付ける行為

    注　(一)から(四)までに定める行為であっても、(1)に掲げる場合に該当するものは、(1)に掲げる主要な事業として行われる貸付けに該当しないことに留意する。

(使用可能期間が1年未満の減価償却資産の範囲)
（５）　１に掲げる使用可能期間が１年未満である減価償却資産とは、法人の属する業種（例えば、紡績業、鉄鋼業、建設業等の業種）において種類等を同じくする減価償却資産の使用状況、補充状況等を勘案して一般的に消耗性のものとして認識されている減価償却資産で、その法人の平均的な使用状況、補充状況等からみてその使用可能期間が１年未満であるものをいう。この場合において、種類等を同じくする減価償却資産のうちに、材質、型式、性能等が著しく異なるため、その使用状況、補充状況等も著しく異なるものがあるときは、当該材質、型式、性能等の異なるものごとに判定することができる。（基通７－１－12）
　　　注　平均的な使用状況、補充状況等は、おおむね過去３年間の平均値を基準として判定する。

２　一括償却資産の損金算入

①　一括償却資産の損金算入

　内国法人が各事業年度において減価償却資産で取得価額が20万円未満であるもの（**四**の１の①《平成19年３月31日以前に取得した減価償却資産の償却の方法》の表の**へ**に掲げる国外リース資産及び同②《平成19年４月１日以後に取得した減価償却資産の償却の方法》の表の**へ**に掲げるリース資産並びに１《少額の減価償却資産の取得価額の損金算入》の適用を受けるものを除く。（以下①において「対象資産」という。）を事業の用に供した場合において、その内国法人が当該対象資産（貸付け〔主要な事業として行われるものを除く。〕の用に供したものを除く。）の全部又は特定の一部を一括したもの（適格合併、適格分割、適格現物出資又は適格現物分配〔以下２において「**適格組織再編成**」という。〕により被合併法人、分割法人、現物出資法人又は現物分配法人〔以下①において「**被合併法人等**」という。〕から引継ぎを受けた当該被合併法人等の各事業年度において生じた当該一括したものを含むものとし、適格分割、適格現物出資又は適格現物分配〔適格現物分配にあっては、残余財産の全部の分配を除く。以下２において「**適格分割等**」という。〕により分割承継法人、被現物出資法人又は被現物分配法人〔以下２において「**分割承継法人等**」という。〕に引き継いだ当該一括したものを除く。以下２において「**一括償却資産**」という。）の取得価額（適格組織再編成により被合併法人等から引継ぎを受けた一括償却資産にあっては、当該被合併法人等におけるその取得価額）の合計額（以下①において「**一括償却対象額**」という。）を当該事業年度以後の各事業年度の費用の額又は損失の額とする方法を選定したときは、当該一括償却資産につき当該事業年度以後の各事業年度の所得の金額の計算上損金の額に算入する金額は、その内国法人が当該一括償却資産の全部又は一部につき損金経理をした金額（以下２において「**損金経理額**」という。）のうち、当該一括償却資産に係る一括償却対象額を36で除しこれに当該事業年度の月数を乗じて計算した金額（適格組織再編成により被合併法人等から引継ぎを受けた当該被合併法人等の各事業年度において生じた一括償却資産につき当該適格組織再編成の日の属する事業年度において当該金額を計算する場合にあっては、当該一括償却資産に係る一括償却対象額を36で除し、これにその日から当該事業年度終了の日までの期間の月数を乗じて計算した金額。②において「**損金算入限度額**」という。）に達するまでの金額とする。（令133の２①）

$$一括償却対象額 \times \frac{当該事業年度の月数}{36}$$

(一括償却資産の主要な事業として行う貸付けの判定)
（１）　次表に掲げる貸付け（資産の貸付け後に譲渡人〔当該内国法人に対して当該資産を譲渡した者をいう。〕その他の者が当該資産を買い取り、又は当該資産を第三者に買い取らせることをあっせんする旨の契約が締結されている場合〔当該貸付けの対価の額及び当該資産の買取りの対価の額〈当該対価の額が確定していない場合には、当該対価の額として見込まれる金額〉の合計額が当該内国法人の当該資産の取得価額のおおむね$\frac{90}{100}$に相当する金額を超える場合に限る。〕における当該貸付けを除く。）は、①に掲げる主要な事業として行われる貸付けに該当するものとする。（令133の２⑬、規27の17の２、27の17①②）

(一)	当該内国法人が当該内国法人との間に特定関係（一の者が法人の事業の経営に参加し、事業を実質的に支配し、又は株式若しくは出資を有する場合における当該一の者と法人との間の関係〔以下(一)において「当事者間の関係」という。〕、一の者との間に当事者間の関係がある法人相互の関係その他これらに準ずる関係をいう。）がある法人の事業の管理及び運営を行う場合における当該法人に対する資産の貸付け
(二)	当該内国法人に対して資産の譲渡又は役務の提供を行う者の当該資産の譲渡又は役務の提供の事業の用に専ら供する資産の貸付け
(三)	継続的に当該内国法人の経営資源（事業の用に供される設備〔その貸付けの用に供する資産を除く。〕、事業に関する従業者の有する技能又は知識〔租税に関するものを除く。〕その他これらに準ずるものをいう。）を活用

	して行い、又は行うことが見込まれる事業としての資産の貸付け
(四)	当該内国法人が行う主要な事業に付随して行う資産の貸付け

(一括償却資産の取得価額の判定)
(2) **2**を適用する場合において、取得価額が20万円未満であるかどうかは、通常一単位として取引されるその単位、例えば、機械及び装置については一台又は一基ごとに、工具、器具及び備品については一個、一組又は一そろいごとに判定し、構築物のうち例えば枕木、電柱等単体では機能を発揮できないものについては一の工事等ごとに判定する。(基通7-1-11・編者補正)
  注 この場合、第一款の**七**の**2**の(9)《少額の減価償却資産等の取得価額等の判定》により、法人が消費税等の経理処理について税抜経理方式又は税込経理方式いずれの方式を採っているかに応じ、その適用している方式により算定した取得価額が20万円未満であるかどうかにより判定するものとする。(平元直法2-1「9」参照)

(一時的に貸付けの用に供した減価償却資産)
(3) ①の適用上、法人が減価償却資産を貸付けの用に供したかどうかはその減価償却資産の使用目的、使用状況等を総合勘案して判定されるものであるから、例えば、一時的に貸付けの用に供したような場合において、その貸付けの用に供した事実のみをもって、その減価償却資産が①に掲げる貸付けの用に供したものに該当するとはいえないことに留意する。(基通7-1-11の2)

(主要な事業として行われる貸付けの例示)
(4) (1)の適用上、次の表の左欄に掲げる貸付けには、例えば、それぞれ次の表の右欄に掲げるような行為が該当する。(基通7-1-11の3)

(一)	(1)の表の(一)に掲げる貸付け	企業グループ内の各法人の営む事業の管理運営を行っている法人が当該各法人で事業の用に供する減価償却資産の調達を一括して行い、当該企業グループ内の他の法人に対してその調達した減価償却資産を貸し付ける行為
(二)	同表の(二)に掲げる貸付け	法人が自己の下請業者に対して、当該下請業者の専ら当該法人のためにする製品の加工等の用に供される減価償却資産を貸し付ける行為
(三)	同表の(三)に掲げる貸付け	小売業を営む法人がその小売店の駐車場の遊休スペースを活用して自転車その他の減価償却資産を貸し付ける行為
(四)	同表の(四)に掲げる貸付け	不動産貸付業を営む法人がその貸し付ける建物の賃借人に対して、家具、電気機器その他の減価償却資産を貸し付ける行為

  注 (一)から(四)までに定める行為であっても、(1)に掲げる場合に該当するものは、(1)に掲げる主要な事業として行われる貸付けに該当しないことに留意する。

(繰越損金算入限度超過額の処理)
(5) 損金経理額には、一括償却資産につき**2**に掲げる内国法人が損金経理をした事業年度(以下(5)において「**損金経理事業年度**」という。)前の各事業年度における当該一括償却資産に係る損金経理額(当該一括償却資産が適格合併又は適格現物分配〔残余財産の全部の分配に限る。〕により被合併法人又は現物分配法人〔以下(5)において「被合併法人等」という。〕から引継ぎを受けたものである場合にあっては当該被合併法人等の当該適格合併の日の前日又は当該残余財産の確定の日の属する事業年度以前の各事業年度の損金経理額のうち当該各事業年度の所得の金額の計算上損金の額に算入されなかった金額を、当該一括償却資産が適格分割等により分割法人、現物出資法人又は現物分配法人〔以下(5)において「分割法人等」という。〕から引継ぎを受けたものである場合にあっては当該分割法人等の分割等事業年度の期中損金経理額として帳簿に記載した金額及び分割等事業年度前の各事業年度の損金経理額のうち分割等事業年度以前の各事業年度の所得の金額の計算上損金の額に算入されなかった金額を含む。以下(5)において同じ。)のうち当該損金経理事業年度前の各事業年度の所得の金額の計算上損金の額に算入されなかった金額を含むものとし、期中損金経理額には、②に掲げる内国法人の分割等事業年度前の各事業年度における②に掲げる一括償却資産に係る損金経理額のうち当該各事業年度の所得の金額の計算上損金の額に算入されなかった金額を含むものとする。(令133の2⑨)

(月数の計算)
（６）　２に掲げる月数は、暦に従って計算し、１か月に満たない端数を生じたときは、これを１か月とする。(令133の２⑥)

(一括償却資産につき滅失等があった場合の取扱い)
（７）　法人が一括償却資産につき①の適用を受けている場合には、その一括償却資産を事業の用に供した事業年度後の各事業年度においてその全部又は一部につき滅失、除却等の事実が生じたときであっても、当該各事業年度においてその一括償却資産につき損金の額に算入される金額は、①に従い計算される損金算入限度額に達するまでの金額となることに留意する。(基通７－１－13)
　　注　一括償却資産の全部又は一部を譲渡した場合についても、同様とする。

(仮決算をした場合の中間申告における月数の計算)
（８）　第二節第三款の一の３《仮決算をした場合の中間申告書の記載事項等》に掲げる期間に係る課税標準である所得の金額又は欠損金額については、①中「当該事業年度の月数」とあるのは「当該事業年度の月数（一括償却資産を事業の用に供した日の属する第二節第三款の一の３に掲げる期間にあっては、当該期間を１事業年度とみなさない場合の当該事業年度の月数）」とする。(令150の２①)
　　注　一括償却資産をその事業の用に供した日の属する事業年度の翌事業年度の中間申告書を提出する場合における①の適用については、その中間期間の月数（通常「６」）が当該事業年度の月数となる。(編者)

(一括償却対象額の申告記載等)
（９）　①は、一括償却資産を事業の用に供した日の属する事業年度の確定申告書に当該一括償却資産に係る一括償却対象額の記載があり、かつ、その計算に関する書類を保存している場合に限り、適用する。(令133の２⑪)
　　注　第二節第三款の一の３《仮決算をした場合の中間申告書の記載事項等》に掲げる期間に係る課税標準である所得の金額又は欠損金額及び同３の表の②に掲げる法人税の額の計算については、（９）中「確定申告書」とあるのは「中間申告書」とする。(令150の２①)

(一括償却資産の損金算入の申告)
（10）　内国法人は、各事業年度において一括償却資産につき損金経理をした金額がある場合には、①により損金の額に算入される金額の計算に関する明細書《別表十六(八)》を当該事業年度の確定申告書に添付しなければならない。(令133の２⑫)
　　注　第二節第三款の一の３《仮決算をした場合の中間申告書の記載事項等》に掲げる期間に係る課税標準である所得の金額又は欠損金額及び同３の表の②に掲げる法人税の額の計算については、（10）中「確定申告書」とあるのは「中間申告書」とする。(令150の２①)

②　適格分割等により引き継ぐ一括償却資産に係る期中損金経理額の損金算入

　内国法人が、適格分割等により分割承継法人等に**一括償却資産**（次の表に掲げる要件に該当するものに限る。）を引き継ぐ場合において、当該一括償却資産について損金経理額に相当する金額を費用の額としたときは、当該費用の額とした金額（以下《適格分割等により引き継ぐ一括償却資産に係る期中損金経理額の損金算入に関する届出》及び⑥において「**期中損金経理額**」という。）のうち、当該一括償却資産につき当該適格分割等の日の前日を事業年度終了の日とした場合に①により計算される損金算入限度額に相当する金額に達するまでの金額は、当該適格分割等の日の属する事業年度（以下⑥において「**分割等事業年度**」という。）の所得の金額の計算上、損金の額に算入する。(令133の２②、規27の17の３)

イ	当該一括償却資産が当該適格分割等により当該分割承継法人等に移転する事業の用に供するために取得した減価償却資産又は当該適格分割等により当該分割承継法人等に移転する資産に係るものであること。
ロ	イの要件を満たすことを明らかにする書類を保存していること。

(適格分割等により引き継ぐ一括償却資産に係る期中損金経理額の損金算入に関する届出)
　②は、当該内国法人が適格分割等の日以後２か月以内に次に掲げる事項を記載した書類を納税地の所轄税務署長に提出した場合に限り、適用する。(令133の２③、規27の18)

(一)	②の適用を受けようとする内国法人の名称、納税地及び法人番号並びに代表者（人格のない社団等で代表者の定めがなく、管理人の定めがあるものについては、管理人。以下この款において同じ。）の氏名
(二)	②に掲げる適格分割等に係る分割承継法人等の名称及び納税地並びに代表者の氏名
(三)	適格分割等の日

(四)	②に掲げる期中損金経理額及び損金算入限度額に相当する金額並びにこれらの金額の計算に関する明細
(五)	その他参考となるべき事項

注 (四)に掲げる事項の記載については、別表十六(八)の書式によらなければならない。(規27の14)

③ 適格組織再編成における一括償却資産の簿価引継ぎ

内国法人が**適格組織再編成**を行った場合には、次の表の左欄に掲げる適格組織再編成の区分に応じ同表の右欄に掲げる一括償却資産は、当該適格組織再編成の**直前の帳簿価額**により当該適格組織再編成に係る合併法人、分割承継法人、被現物出資法人又は被現物分配法人に引き継ぐものとする。(令133の2⑦、規27の17の3)

イ	適格合併又は適格現物分配(残余財産の全部の分配に限る。)	当該適格合併の直前又は当該適格現物分配に係る残余財産の確定の時の一括償却資産	
ロ	適 格 分 割 等	次に掲げる一括償却資産	
		(イ)	当該適格分割等の直前の一括償却資産のうち②の適用を受けたもの
		(ロ)	当該適格分割等の直前の一括償却資産のうち次のA及びBに掲げる要件に該当するもの((イ)に掲げるものを除く。) A 当該適格分割等により分割承継法人等に移転する事業の用に供するために取得した減価償却資産又は当該適格分割等により分割承継法人等に移転する資産に係るものであること B Aの要件を満たすことを明らかにする書類を保存していること

(適格分割等による一括償却資産の引継ぎに関する届出)

③(ロの(ロ)に係る部分に限る。)は、当該内国法人が適格分割等の日以後2か月以内に次に掲げる事項を記載した書類を納税地の所轄税務署長に提出した場合に限り、適用する。(令133の2⑧、規27の19)

(一)	③の表のロの(ロ)の適用を受けようとする内国法人の名称、納税地及び法人番号並びに代表者の氏名
(二)	③の表のロの(ロ)に掲げる適格分割等に係る分割承継法人等の名称及び納税地並びに代表者の氏名
(三)	適格分割等の日
(四)	適格分割等により分割承継法人等に引き継ぐ③の表のロの(ロ)に掲げる一括償却資産の帳簿価額及び当該一括償却資産に係る一括償却対象額
(五)	一括償却資産が生じた事業年度開始の日及び終了の日
(六)	その他参考となるべき事項

④ 非適格合併の場合の被合併法人における一括償却資産の金額の損金算入

内国法人が適格合併に該当しない合併により解散した場合又は内国法人の残余財産が確定した場合(当該残余財産の分配が適格現物分配に該当する場合を除く。)には、当該合併の日の前日又は当該残余財産の確定の日の属する事業年度終了の時における一括償却資産の金額(①及び②により損金の額に算入された金額を除く。)は、当該事業年度の所得の金額の計算上、損金の額に算入する。(令133の2④)

注 非適格分割、非適格現物出資又は非適格現物分配の場合には、一括償却資産を引き継ぐことはできないことから、分割法人等において従来どおり損金算入することに留意する。(編者)

⑤ 普通法人又は協同組合等が公益法人等に該当する場合の一括償却資産の金額の損金算入

普通法人又は協同組合等が公益法人等に該当することとなる場合には、その該当することとなる日の前日の属する事業年度終了の時における一括償却資産の金額(①及び②により損金の額に算入された金額を除く。)は、当該事業年度の所得の金額の計算上、損金の額に算入する。(令133の2⑤)

⑥ **適格組織再編成により引継ぎを受けた一括償却資産に係る繰越損金算入限度超過額の引継ぎ**《損金経理額・期中損金経理額に含まれる金額》

　損金経理額には、一括償却資産につき①の内国法人が損金経理をした事業年度（以下⑥において「**損金経理事業年度**」という。）前の各事業年度における当該一括償却資産に係る損金経理額(当該一括償却資産が適格合併又は適格現物分配〔残余財産の全部の分配に限る。〕により被合併法人又は現物分配法人〔以下⑥において「**被合併法人等**」という。〕から引継ぎを受けたものである場合にあっては当該被合併法人等の当該適格合併の日の前日又は当該残余財産の確定の日の属する事業年度以前の各事業年度の損金経理額のうち当該各事業年度の所得の金額の計算上損金の額に算入されなかった金額を、当該一括償却資産が適格分割等により分割法人、現物出資法人又は現物分配法人〔以下⑥において「**分割法人等**」という。〕から引継ぎを受けたものである場合にあっては当該分割法人等の分割等事業年度の期中損金経理額として帳簿に記載した金額及び分割等事業年度前の各事業年度の損金経理額のうち分割等事業年度以前の各事業年度の所得の金額の計算上損金の額に算入されなかった金額を含む。以下⑥において同じ。)のうち当該損金経理事業年度前の各事業年度の所得の金額の計算上損金の額に算入されなかった金額を含むものとし、**期中損金経理額**には、②の内国法人の分割等事業年度前の各事業年度における②に掲げる一括償却資産に係る損金経理額のうち当該各事業年度の所得の金額の計算上損金の額に算入されなかった金額を含むものとする。（令133の2⑨）

　　（適格組織再編成により引継ぎを受けた一括償却資産に係る簿価下げ額のみなし損金経理額）
　　⑥の場合において、内国法人が適格組織再編成により被合併法人、分割法人、現物出資法人又は現物分配法人（以下「被合併法人等」という。）から引継ぎを受けた一括償却資産につきその価額として帳簿に記載した金額が当該被合併法人等が当該一括償却資産の価額として当該適格組織再編成の直前に帳簿に記載していた金額に満たない場合には、当該満たない部分の金額は、当該一括償却資産の当該適格組織再編成の日の属する事業年度前の各事業年度の損金経理額とみなす。（令133の2⑩）

3　中小企業者等の少額減価償却資産の取得価額の損金算入の特例（適用期限の延長等）

　中小企業者等（第二節第二款の**五**の3の(2)《中小企業者の意義》に掲げる中小企業者〔同3の(7)《適用除外事業者の意義》に掲げる適用除外事業者に該当するものを除く。〕又は同3の(12)《農業協同組合等の意義》に掲げる農業協同組合等で、青色申告書を提出するもの（通算法人を除く。）のうち、事務負担に配慮する必要があるもので<u>次の表に掲げる法人</u>をいう。以下3において同じ。）が、平成18年4月1日から<u>令和8年3月31日</u>までの間に取得し、又は製作し、若しくは建設し、かつ、当該中小企業者等の事業の用に供した減価償却資産で、その取得価額が30万円未満であるもの（その取得価額が10万円未満であるもの及び(1)《少額減価償却資産の取得価額の損金算入の特例の適用除外》に掲げるものを除く。以下3において「**少額減価償却資産**」という。）を有する場合において、当該少額減価償却資産の取得価額に相当する金額につき当該中小企業者等の事業の用に供した日を含む事業年度において損金経理をしたときは、その損金経理をした金額は、当該事業年度の所得の金額の計算上、損金の額に算入する。この場合において、当該中小企業者等の当該事業年度における少額減価償却資産の取得価額の合計額が300万円（当該事業年度が1年に満たない場合には、300万円を12で除し、これに当該事業年度の月数を乗じて計算した金額。以下3において同じ。）を超えるときは、その取得価額の合計額のうち300万円に達するまでの少額減価償却資産の取得価額の合計額を限度とする。（措法67の5①、措令39の28①）

①	常時使用する従業員の数が500人以下の法人（特定法人〔第三章第二節第三款の**五**の1の(1)《特定法人の意義》に掲げる特定法人をいう。②において同じ。〕を除く。）
②	常時使用する従業員の数が300人以下の特定法人

　注　──線部分（適用期限に係る部分を除く。）は、令和6年度改正により改正された部分で、改正規定は、**3**に掲げる中小企業者等が令和6年4月1日以後に取得又は製作若しくは建設をする少額減価償却資産について適用され、中小企業者等が令和6年3月31日以前に取得又は製作若しくは建設をした少額減価償却資産については、「次の表に掲げる」とあるのは「常時使用する従業員の数が500人以下の」とする。（令6改措令附19、1）

　　（少額減価償却資産の取得価額の損金算入の特例の適用除外）
（1）**3**に掲げる減価償却資産のうち、次の表に掲げる規定の適用を受けるもの及び貸付け（主要な事業として行われるものを除く。）の用に供したものについては、**3**は適用しない。（措法67の5①⑤、53①、措令39の28②）

(一)	第七款の**二十五**《特別償却等に関する複数の規定の不適用》の表に掲げる規定
(二)	**1**《少額の減価償却資産の取得価額の損金算入》又は**2**《一括償却資産の損金算入》

	第十五款の六《農用地等を取得した場合の課税の特例》
	第十五款の七《特定の資産の買換えの場合等の課税の特例》
(三)	第十五款の十一の2《転廃業助成金による圧縮記帳》
	第十六款の一《収用等に伴い代替資産を取得した場合の課税の特例》
	第十六款の二の3《交換取得資産とともに取得した補償金等に対する特例》

（中小企業者等の少額減価償却資産の主要な事業として行う貸付けの判定）

（2）　次表に掲げる貸付け（資産の貸付け後に譲渡人〔当該中小企業者等に対して当該資産を譲渡した者をいう。〕その他の者が当該資産を買い取り、又は当該資産を第三者に買い取らせることをあっせんする旨の契約が締結されている場合〔当該貸付けの対価の額及び当該資産の買取りの対価の額〈当該対価の額が確定していない場合には、当該対価の額として見込まれる金額〉の合計額が当該中小企業者等の当該資産の取得価額のおおむね$\frac{90}{100}$に相当する金額を超える場合に限る。〕における当該貸付けを除く。）は、**1**に掲げる主要な事業として行われる貸付けに該当するものとする。（措令39の28③、措規22の18、規27の17①②）

(一)	当該中小企業者等が当該中小企業者等との間に特定関係（一の者が法人の事業の経営に参加し、事業を実質的に支配し、又は株式若しくは出資を有する場合における当該一の者と法人との間の関係〔以下(一)において「当事者間の関係」という。〕、一の者との間に当事者間の関係がある法人相互の関係その他これらに準ずる関係をいう。）がある法人の事業の管理及び運営を行う場合における当該法人に対する資産の貸付け
(二)	当該中小企業者等に対して資産の譲渡又は役務の提供を行う者の当該資産の譲渡又は役務の提供の事業の用に専ら供する資産の貸付け
(三)	継続的に当該中小企業者等の経営資源（事業の用に供される設備〔その貸付けの用に供する資産を除く。〕、事業に関する従業者の有する技能又は知識〔租税に関するものを除く。〕その他これらに準ずるものをいう。）を活用して行い、又は行うことが見込まれる事業としての資産の貸付け
(四)	当該中小企業者等が行う主要な事業に付随して行う資産の貸付け

（事務負担に配慮する必要があるものであるかどうかの判定）

（3）　**3**の適用上、法人が中小企業者等（**3**に掲げる中小企業者等をいう。以下同じ。）に該当するかどうかの判定（第二節第二款の**五**の3の(7)《適用除外事業者の意義》に掲げる適用除外事業者に該当するかどうかの判定を除く。）は、原則として、**3**に掲げる少額減価償却資産の取得等（取得又は製作若しくは建設をいう。以下同じ。）をした日及び当該少額減価償却資産を事業の用に供した日の現況によるものとする。ただし、当該事業年度終了の日において**3**に掲げる「事務負担に配慮する必要があるもので常時使用する従業員の数が500人以下」に該当する法人が、当該事業年度の**3**に掲げる中小企業者又は農業協同組合等に該当する期間において取得等をして事業の用に供した**3**に掲げる少額減価償却資産を対象として**3**の適用を受けている場合には、これを認める。（措通67の5－1・編者補正）

（常時使用する従業員の範囲）

（4）　**3**の表に掲げる「常時使用する従業員の数」は、常用であると日々雇い入れるものであるとを問わず、事務所又は事業所に常時就労している職員、工員等（役員を除く。）の総数によって判定することに留意する。この場合において、法人が酒造最盛期、野菜缶詰・瓶詰製造最盛期等に数か月程度の期間その労務に従事する者を使用するときは、当該従事する者の数を「常時使用する従業員の数」に含めるものとする。（措通67の5－1の2）

（少額減価償却資産の取得価額の判定単位）

（5）　**3**を適用する場合において、取得価額が30万円未満であるかどうかは、通常1単位として取引されるその単位、例えば機械及び装置については1台又は1基ごとに、工具、器具及び備品については1個、1組又は1そろいごとに判定し、構築物のうち例えば枕木、電柱等単体では機能を発揮できないものについては一の工事等ごとに判定する。（措通67の5－2）

（一時的に貸付けの用に供した減価償却資産）

（6）　（1）の適用上、中小企業者等が減価償却資産を貸付けの用に供したかどうかはその減価償却資産の使用目的、使

用状況等を総合勘案して判定されるものであるから、例えば、一時的に貸付けの用に供したような場合において、その貸付けの用に供した事実のみをもって、その減価償却資産が(1)に掲げる貸付けの用に供したものに該当するとはいえないことに留意する。(措通67の5－2の2)

(主要な事業として行われる貸付けの例示)
(7) (2)の適用上、次に掲げる貸付けには、例えば、それぞれ次に定めるような行為が該当する。(措通67の5－2の3)

(一)	(2)の表の(一)に掲げる貸付け	企業グループ内の各法人の営む事業の管理運営を行っている中小企業者等が当該各法人で事業の用に供する減価償却資産の調達を一括して行い、当該企業グループ内の他の法人に対してその調達した減価償却資産を貸し付ける行為
(二)	同表の(二)に掲げる貸付け	中小企業者等が自己の下請業者に対して、当該下請業者の専ら当該中小企業者等のためにする製品の加工等の用に供される減価償却資産を貸し付ける行為
(三)	同表の(三)に掲げる貸付け	小売業を営む中小企業者等がその小売店の駐車場の遊休スペースを活用して自転車その他の減価償却資産を貸し付ける行為
(四)	同表の(四)に掲げる貸付け	不動産貸付業を営む中小企業者等がその貸し付ける建物の賃借人に対して、家具、電気機器その他の減価償却資産を貸し付ける行為

注 本文の(一)から(四)までに掲げる行為であっても、(2)に掲げる場合に該当するものは、(1)に掲げる主要な事業として行われる貸付けに該当しないことに留意する。

(少額減価償却資産の取得等とされない資本的支出)
(8) 法人が行った資本的支出については、取得価額を区分する特例である六の7の①の(1)《資本的支出がある場合の減価償却資産の取得価額》の適用を受けて新たに取得したものとされるものであっても、法人の既に有する減価償却資産につき改良、改造等のために行った支出であることから、原則として、**3**に掲げる「取得し、又は製作し、若しくは建設し、かつ、当該中小企業者等の事業の用に供した減価償却資産」に当たらないのであるが、当該資本的支出の内容が、例えば、規模の拡張である場合や単独資産としての機能の付加である場合など、実質的に新たな資産を取得したと認められる場合には、当該資本的支出について、**3**を適用することができるものとする。(措通67の5－3)

(少額減価償却資産の取得価額)
(9) **3**の適用を受けた少額減価償却資産について法人税に関する法令の規定を適用する場合には、**3**により各事業年度の所得の金額の計算上損金の額に算入された金額は、当該少額減価償却資産の取得価額に算入しない。(措法67の5④)

(損金算入の申告)
(10) **3**は、確定申告書等に少額減価償却資産の取得価額に関する明細書《別表十六(七)》の添付がある場合に限り、適用する。(措法67の5③)

三　減価償却資産の償却費等の損金算入

1　償却費等の損金算入

内国法人の各事業年度終了の時において有する減価償却資産につきその償却費として第一款の**三**の2《損金の額に算入すべき金額》により当該事業年度の所得の金額の計算上損金の額に算入する金額は、その内国法人が当該事業年度においてその償却費として損金経理をした金額（以下**三**において「**損金経理額**」という。）のうち、その取得をした日及びその種類の区分に応じ、**四**の1《減価償却資産の償却の方法》に掲げる償却の方法の中からその内国法人が当該資産について選定した償却の方法（償却の方法を選定しなかった場合には、**五**の3《法定償却方法》に掲げる法定償却方法）に基づき**十**《減価償却資産の償却限度額》により計算した金額（**2**において「**償却限度額**」という。）に達するまでの金額とする。(法31①)

(償却費として損金経理をした金額の意義)
(1) **1**に掲げる「償却費として損金経理をした金額」には、法人が償却費の科目をもって経理した金額のほか、損金

経理をした次に掲げるような金額も含まれるものとする。(基通7－5－1)
- (一) **六**の**1**《減価償却資産の取得価額》により減価償却資産の取得価額に算入すべき付随費用の額のうち原価外処理をした金額
- (二) 減価償却資産について法人税法又は租税特別措置法の規定による圧縮限度額を超えてその帳簿価額を減額した場合のその超える部分の金額
- (三) 減価償却資産について支出した金額で修繕費として経理した金額のうち**七**《資本的支出と修繕費》により損金の額に算入されなかった金額
- (四) 無償又は低い価額で取得した減価償却資産につきその取得価額として法人の経理した金額が**六**の**1**に掲げる取得価額に満たない場合のその満たない金額
- (五) 減価償却資産について計上した除却損又は評価損の金額のうち損金の額に算入されなかった金額
  注　評価損の金額には、法人が計上した減損損失の金額も含まれることに留意する。
- (六) 少額な減価償却資産（おおむね60万円以下）又は耐用年数が3年以下の減価償却資産の取得価額を消耗品費等として損金経理をした場合のその損金経理をした金額
- (七) **六**の**1**によりソフトウエアの取得価額に算入すべき金額を研究開発費として損金経理をした場合のその損金経理をした金額

　　　（償却費として損金経理をした金額に含まれるリース取引に係る賃借料）
(2)　第一款の**六**《リース取引に係る所得の金額の計算》により売買があったものとされたリース資産につき同款の**六**の賃借人が賃借料として損金経理をした金額又は同款の**六**の(1)《金銭の貸借とされるリース取引》により金銭の貸付けがあったものとされた場合の同(1)に掲げる賃貸に係る資産につき同(1)の譲渡人が賃借料として損金経理をした金額は、償却費として損金経理をした金額に含まれるものとする。(法64の2④、令131の2③)

　　　（償却費として損金経理をしたものとするリース投資資産の帳簿価額の減額）
(3)　改正前リース取引に係る賃貸人である法人が、当該改正前リース取引の目的とされている資産について、平成19年4月1日以後に終了する各事業年度においてリース投資資産としてその帳簿に記載された金額を減額した場合には、その減額した金額は、償却費として損金経理をした金額に含まれるものとする。(平19改令附11⑤)
　　注　改正前リース取引については、本書平成20年版の1269ページ以下を参照（同書第三章第一節第二十七款の**二**の**1**《売買とされるリース取引》に掲げるリース取引で同**二**の**1**又は同**二**の**2**《金銭の貸借とされるリース取引》により資産の賃貸借取引以外の取引とされるものを除くものをいう。）。(編者)

　　　（申告調整による償却費の損金算入）
(4)　法人が減価償却資産の取得価額の全部又は一部を資産に計上しないで損金経理をした場合（(1)により償却費として損金経理をしたものと認められる場合を除く。）又は贈与により取得した減価償却資産の取得価額の全部を資産に計上しなかった場合において、これらの資産を事業の用に供した事業年度の確定申告書又は修正申告書（更正又は決定があるべきことを予知して提出された期限後申告書及び修正申告書を除く。）に添付した**十一**《減価償却に関する明細書の添付》の**1**に掲げる明細書にその計上しなかった金額を記載して申告調整をしているときは、その記載した金額は、償却費として損金経理をした金額に該当するものとして取り扱う。(基通7－5－2)
　　注　贈与により取得した減価償却資産が**二**の**1**《少額の減価償却資産の取得価額の損金算入》によりその取得価額の全部を損金の額に算入することができるものである場合には、損金経理をしたものとする。

2　適格分割等により移転する減価償却資産に係る期中損金経理額の損金算入

　内国法人が、適格分割、適格現物出資又は適格現物分配（適格現物分配にあっては、残余財産の全部の分配を除く。以下**3**までにおいて「**適格分割等**」という。）により分割承継法人、被現物出資法人又は被現物分配法人（以下**2**において「**分割承継法人等**」という。）に減価償却資産を移転する場合において、当該減価償却資産について損金経理額に相当する金額を費用の額としたときは、当該費用の額とした金額（以下**3**までにおいて「**期中損金経理額**」という。）のうち、当該減価償却資産につき当該適格分割等の日の前日を事業年度終了の日とした場合に**1**《償却費等の損金算入》により計算される償却限度額に相当する金額に達するまでの金額は、当該適格分割等の日の属する事業年度（**3**において「**分割等事業年度**」という。）の所得の金額の計算上、損金の額に算入する。(法31②)

　　　（適格分割等により移転する減価償却資産に係る期中損金経理額の損金算入に関する届出）
　2は、**2**に掲げる内国法人が適格分割等の日以後2か月以内に次に掲げる事項を記載した書類を納税地の所轄税務

署長に提出した場合に限り、適用する。(法31③、規21の2)

(一)	**2**の適用を受けようとする内国法人の名称、納税地及び法人番号並びに代表者の氏名
(二)	**2**に掲げる適格分割等に係る分割承継法人等の名称及び納税地並びに代表者の氏名
(三)	適格分割等の日
(四)	適格分割等により分割承継法人等に移転をする減価償却資産に係る**2**に掲げる期中損金経理額及び償却限度額に相当する金額並びにこれらの金額の計算に関する明細
(五)	その他参考となるべき事項

注　(四)に掲げる事項の記載については、別表十六(一)から十六(五)までの書式によらなければならない。ただし、これらの書式に代え、当該書式と異なる書式（これらの別表の書式に定める項目を記載しているものに限る。）によることができるものとする。(規27の14)

3　繰越償却超過額の処理

損金経理額には、**1**《償却費等の損金算入》の減価償却資産につき**1**に掲げる内国法人が償却費として損金経理をした事業年度（以下**3**において「**償却事業年度**」という。）前の各事業年度における当該減価償却資産に係る損金経理額（当該減価償却資産が適格合併又は適格現物分配〔残余財産の全部の分配に限る。〕により被合併法人又は現物分配法人〔以下**3**において「**被合併法人等**」という。〕から移転を受けたものである場合にあっては当該被合併法人等の当該適格合併の日の前日又は当該残余財産の確定の日の属する事業年度以前の各事業年度の損金経理額のうち当該各事業年度の所得の金額の計算上損金の額に算入されなかった金額を、当該減価償却資産が適格分割等により分割法人、現物出資法人又は現物分配法人〔以下**3**において「**分割法人等**」という。〕から移転を受けたものである場合にあっては当該分割法人等の分割等事業年度の期中損金経理額として帳簿に記載した金額及び分割等事業年度前の各事業年度の損金経理額のうち分割等事業年度以前の各事業年度の所得の金額の計算上損金の額に算入されなかった金額を含む。以下**3**において同じ。）のうち当該償却事業年度前の各事業年度の所得の金額の計算上損金の額に算入されなかった金額を含むものとし、**期中損金経理額**には、**2**の内国法人の分割等事業年度前の各事業年度における**2**に掲げる減価償却資産に係る損金経理額のうち当該各事業年度の所得の金額の計算上損金の額に算入されなかった金額を含むものとする。(法31④)

注　償却費として損金の額に算入する金額は、法人が償却費として損金経理をした金額のうち償却限度額に達するまでの金額とするのであるが、例えば繰越償却超過額100万円、当期償却費300万円、当期償却限度額370万円の場合には、繰越償却超過額100万円が**3**の繰越償却超過額の処理により当期における「償却費として損金経理をした金額」に含められ、当期償却費として損金の額に算入される金額は400万円のうち370万円ということになる。したがって、繰越償却超過額100万円のうち70万円が当期において認容されることになる。(編者)

（償却超過額の処理）

（1）内国法人がその有する減価償却資産についてした償却の額のうち各事業年度の所得の金額の計算上損金の額に算入されなかった金額がある場合には、当該資産については、その償却をした日の属する事業年度以後の各事業年度の所得の金額の計算上、当該資産の帳簿価額は、当該損金の額に算入されなかった金額に相当する金額の減額がされなかったものとみなす。(法31⑥、令62)

注　償却超過額がある資産については、法人計算の帳簿価額に償却超過額を加算した金額が税務上の帳簿価額となることに留意する。(編者)

（組織再編成により移転を受けた減価償却資産のみなし損金経理額）

（2）**3**の場合において、内国法人の有する減価償却資産（次の表の「資産」欄に掲げる減価償却資産に限る。）につき同表の「帳簿価額」欄に掲げる金額が同表の「資産価額」欄に掲げる金額に満たない場合には、当該満たない部分の金額は、同表の「事業年度」欄に掲げる事業年度前の各事業年度の損金経理額とみなす。(法31⑤、令61の3)

	資　　産	帳簿価額	資産価額	事業年度
(一)	適格合併、適格分割、適格現物出資又は適格現物分配（以下(一)において「適格組織再編成」という。）により被合併法人、分割法人、現物出資法人又は現物分配法人（以下(一)において「被合併法人等」という。）から移転を受けた減価償却資産（当該被合併法人	当該資産の移転を受けた内国法人により当該資産の価額としてその帳簿に記載された金額	当該被合併法人等により当該資産の価額として当該適格組織再編成の直前にその帳簿に記載されていた金額	当該適格組織再編成の日の属する事業年度

	等である公益法人等又は人格のない社団等の収益事業以外の事業に属していたものを除く。)			
(二)	合併、分割、現物出資又は第二章第一節の**二**の表の**12の5の2**《現物分配法人》に掲げる現物分配(適格合併、適格分割、適格現物出資又は適格現物分配を除く。以下(二)において「合併等」という。)により被合併法人、分割法人、現物出資法人又は現物分配法人から移転を受けた減価償却資産	当該資産の移転を受けた内国法人により当該資産の価額としてその帳簿に記載された金額	当該合併等の直後における当該資産の償却限度額の計算の基礎となる取得価額	当該合併等の日の属する事業年度
(三)	**四**の1の①の(12)《評価換え等及び期中評価換え等の意義》の表の(一)のロに掲げる民事再生等評価換えが行われたことによりその帳簿価額が増額された減価償却資産	当該資産を有する内国法人により当該民事再生等評価換えに係る第九款の一の3《民事再生等による特定の事実が生じた場合の資産の評価益の益金算入》に掲げる事実が生じた時の直前の当該資産の価額としてその帳簿に記載された金額(当該資産につき当該事実が生じた日の属する事業年度前の各事業年度の1に掲げる損金経理額のうち当該各事業年度の所得の金額の計算上損金の額に算入されなかった金額がある場合には、当該金額を加算した金額)	当該事実が次の表の左欄に掲げる事実の区分のいずれに該当するかに応じそれぞれ同表の右欄に掲げる金額 | | 第九款の一の3の(5)の表の(一)の左欄に掲げる事実 | 同欄に掲げる事実が生じた時の当該資産の価額 | |---|---|---| | (イ) | | | | (ロ) | 同款の一の3の(5)の表の(二)の左欄に掲げる事実 | 同3の(1)の表の(二)の貸借対照表に計上されている当該資産の価額 |	同款の一の3の適用を受けた事業年度
(四)	**四**の1の①の(12)《評価換え等及び期中評価換え等の意義》の表の(一)のハに掲げる非適格株式交換等時価評価が行われたことによりその帳簿価額が増額された減価償却資産	当該資産を有する内国法人により第三十四款の二の1《非適格株式交換等に係る株式交換完全子法人等の有する資産の時価評価損益》に掲げる非適格株式交換等の直前の当該資産の価額としてその帳簿に記載された金額(当該資産につき当該非適格株式交換等の日の属する事業年度前の各事業年度の1に掲げる損金経理額のうち当該各事業年度の所得の金額の計算上損金の額に算入されなかった金額がある場合に	当該資産の当該非適格株式交換等の直後の帳簿価額	同款の二の1の適用を受けた事業年度

		は、当該金額を加算した金額）		
（五）	四の1の①の(12)《評価換え等及び期中評価換え等の意義》の表の（一）のニに掲げる通算時価評価が行われたことによりその帳簿価額が増額された減価償却資産	当該資産を有する内国法人により当該通算時価評価が行われた事業年度（以下（五）において「時価評価年度」という。）終了の時の当該資産の価額としてその帳簿に記載された金額（当該資産につき当該時価評価年度以前の各事業年度の1に掲げる損金経理額のうち当該各事業年度の所得の金額の計算上損金の額に算入されなかった金額がある場合には、当該金額を加算した金額）	当該資産の当該通算時価評価の直後の帳簿価額	当該時価評価年度の翌事業年度

（積立金の任意取崩しの場合の償却超過額の処理）

（３）　圧縮記帳による圧縮額を積立金として経理している法人が当該積立金の額の全部又は一部を取り崩して益金の額に算入した場合において、その取り崩した積立金の設定の基礎となった資産に係る償却超過額（当該事業年度において生じた償却超過額を含む。）があるときは、その償却超過額のうち益金の額に算入した積立金の額に達するまでの金額は、当該事業年度の損金の額に算入する。（基通10－1－3・編者補正）

　　注　積立金の設定の基礎となった資産に償却超過額がある場合には、当該積立金の額の取崩しを償却超過額の戻入れとみなして調整するという趣旨である。（編者）

四　減価償却資産の償却の方法

1　減価償却資産の償却の方法

①　**平成19年3月31日以前に取得した減価償却資産の償却の方法**

　平成19年3月31日以前に取得をされた減価償却資産（次の表のへに掲げる減価償却資産にあっては、当該減価償却資産についての同表へに掲げる改正前リース取引に係る契約が平成20年3月31日までに締結されたもの）の**償却限度額**（三の1《償却費等の損金算入》による減価償却資産の償却費として損金の額に算入する金額の限度額をいう。以下この款において同じ。）の計算上選定をすることができる同1に掲げる償却の方法は、次の表の左欄に掲げる資産の区分に応じそれぞれ同表の右欄に掲げる方法とする。（法31⑥、令48①）

イ	（イ）　平成10年3月31日以前に取得をされた建物（ハに掲げるものを除く。）	A　旧定額法 B　旧定率法
	（ロ）　（イ）に掲げる建物以外の建物（ハに掲げるものを除く。）	旧定額法
ロ	一の2《減価償却資産の範囲》の表の①に掲げる建物の附属設備及び同表の②から⑦までに掲げる減価償却資産（ハ及びへに掲げるものを除く。）	A　旧定額法 B　旧定率法
ハ	鉱業用減価償却資産（ホ及びへに掲げるものを除く。）	A　旧定額法 B　旧定率法 C　旧生産高比例法
ニ	同表の⑧に掲げる無形固定資産（ホに掲げる鉱業権を除く。）及び同表の⑨に掲げる生物（器具及び備品に含まれるものを除く。）	旧定額法
ホ	同表の⑧のイに掲げる鉱業権	A　旧定額法 B　旧生産高比例法

(ヘ)		国外リース資産（法人税法施行令の一部を改正する政令〔平成19年政令第83号〕による改正前の法人税法施行令第136条の3第1項《リース取引に係る所得の計算》に規定するリース取引〔同項又は同条第2項の規定により資産の賃貸借取引以外の取引とされるものを除く。以下「改正前リース取引」という。〕の目的とされている減価償却資産で所得税法第2条第1項第5号《定義》に規定する非居住者又は外国法人に対して賃貸されているもの〔これらの者の専ら国内において行う事業の用に供されるものを除く。〕をいう。以下①において同じ。）	旧国外リース期間定額法

注　改正前リース取引については、本書平成20年版の1269ページ以下を参照（同書第三章第一節第二十七款の二の1《売買とされるリース取引》に掲げるリース取引で同二の1又は同二の2《金銭の賃借とされるリース取引》により資産の賃貸借取引以外の取引とされるものを除くものをいう。）。（編者）

（旧定額法、旧定率法、旧生産高比例法及び旧国外リース期間定額法の意義）
（1）　①に掲げる旧定額法、旧定率法、旧生産高比例法又は旧国外リース期間定額法とは、それぞれ次の表に掲げる方法をいう。（法31⑥、令48①）

（一）	旧定額法	当該減価償却資産の取得価額からその残存価額を控除した金額にその償却費が毎年同一となるように当該資産の耐用年数に応じた償却率を乗じて計算した金額を各事業年度の償却限度額として償却する方法
（二）	旧定率法	当該減価償却資産の取得価額（既にした償却の額で各事業年度の所得の金額の計算上損金の額に算入された金額がある場合には、当該金額を控除した金額）にその償却費が毎年一定の割合で逓減するように当該資産の耐用年数に応じた償却率を乗じて計算した金額を各事業年度の償却限度額として償却する方法
（三）	旧生産高比例法	当該鉱業用減価償却資産の取得価額からその残存価額を控除した金額を当該資産の耐用年数（当該資産の属する鉱区の採掘予定年数がその耐用年数より短い場合には、当該鉱区の採掘予定年数）の期間内における当該資産の属する鉱区の採掘予定数量で除して計算した一定単位当たりの金額に各事業年度における当該鉱区の採掘数量を乗じて計算した金額を当該事業年度の償却限度額として償却する方法
（四）	旧国外リース期間定額法	改正前リース取引に係る国外リース資産の取得価額から**見積残存価額**を控除した残額を、当該改正前リース取引に係る契約において定められている当該国外リース資産の賃貸借の期間の月数で除して計算した金額に当該事業年度における当該国外リース資産の賃貸借の期間の月数を乗じて計算した金額を各事業年度の償却限度額として償却する方法 注　上記の月数は、暦に従って計算し、1か月に満たない端数を生じたときは、これを1か月とする。（法31⑪、令48⑥）

（鉱業用減価償却資産の範囲）
（2）　鉱業用減価償却資産とは、鉱業経営上直接必要な減価償却資産で鉱業の廃止により著しくその価値を減ずるものをいう。（法31⑥、令48⑤Ⅰ）

（旧定率法を採用している建物、建物附属設備及び構築物にした資本的支出に係る償却方法）
（3）　旧定率法を採用している建物、建物附属設備及び構築物に資本的支出をした場合において、当該資本的支出につき、六の7の②の（1）《平成19年3月31日以前に取得した減価償却資産の取得価額への合算の特例》を適用せずに、同7の①の（1）《資本的支出がある場合の減価償却資産の取得価額》を適用するときには、当該資本的支出に係る償却方法は、次に掲げる資本的支出の区分に応じ、それぞれ次の表に掲げる方法によることに留意する。（基通7－2－1の2）

（一）	①の表のハに掲げる鉱業用減価償却資産に該当しない建物、建物附属設備及び構築物にした資本的支出	②の（1）の表の（一）に掲げる定額法

(二)	(一)以外のもの	②の（1）の表の（一）に掲げる定額法又は同表の（三）に掲げる生産高比例法（これらの償却の方法に代えて納税地の所轄税務署長の承認を受けた特別な償却の方法を含む。）のうち選定している方法

　（土石採取業の採石用坑道）
（4）　土石採取業における採石用の坑道は、①の表のハに掲げる鉱業用減価償却資産に該当することに留意する。（基通7－6－1・編者補正）

　（鉱業用土地の償却）
（5）　石炭鉱業におけるぼた山の用に供する土地のように鉱業経営上直接必要な土地で鉱業の廃止により著しくその価値が減少するものについて、法人が、その取得価額から鉱業を廃止した場合において残存すると認められる価額を控除した金額につき当該土地に係る鉱業権について選定している償却の方法に準じて計算される金額以内の金額を損金の額に算入したときは、これを認める。（基通7－6－2）

　（土石採取用土地等の償却）
（6）　土石又は砂利を採取する目的で取得した土地については、法人がその取得価額のうち土石又は砂利に係る部分につき旧生産高比例法に準ずる方法により計算される金額以内の金額を損金の額に算入したときは、これを認める。（基通7－6－3・編者補正）

　（旧国外リース期間定額法における見積残存価額）
（7）　（1）の表の（四）《旧国外リース期間定額法》に掲げる見積残存価額とは、国外リース資産をその賃貸借の終了の時において譲渡するとした場合に見込まれるその譲渡対価の額に相当する金額をいう。（法31①、令48⑤Ⅱ）

　（国外リース資産に係る見積残存価額）
（8）　賃貸人が、（7）に掲げる見積残存価額について、リース料の算定に当たって国外リース資産の取得価額及びその取引に係る付随費用（国外リース資産の取得に要する資金の利子、固定資産税、保険料等その取引に関連して賃貸人が支出する費用をいう。）の額の合計額からリース料として回収することとしている金額の合計額を控除した残額としている場合は、これを認める。（基通7－6の2－14）

　（賃貸借期間等に含まれる再リース期間）
（9）　（1）の表の（四）《旧国外リース期間定額法》に掲げる「賃貸借の期間」には、改正前リース取引のうち再リースすることが明らかなものにおける当該再リースに係る賃貸借期間を含むものとする。（基通7－6の2－13・編者補正）

　（国外リース資産に係る転貸リースの意義）
（10）　賃貸人が旧リース資産（改正前リース取引の目的とされている減価償却資産をいう。以下同じ。）を居住者又は内国法人に対して賃貸した後、更に当該居住者又は内国法人が非居住者又は外国法人（以下(10)において「非居住者等」という。）に対して当該旧リース資産を賃貸した場合（非居住者等の専ら国内において行う事業の用に供されている場合を除く。）において、当該旧リース資産の使用状況及び当該賃貸に至るまでの事情その他の状況に照らし、これら一連の取引が実質的に賃貸人から非居住者等に対して直接賃貸したと認められるときは、当該賃貸人の所有する当該旧リース資産は国外リース資産に該当することに留意する。（基通7－6の2－15）

　（評価換え等が行われた場合の旧定率法の適用）
（11）　①の表のイからハまでに掲げる減価償却資産につき評価換え等が行われたことによりその帳簿価額が減額された場合には、当該評価換え等が行われた事業年度後の各事業年度（当該評価換え等が期中評価換え等である場合には、当該期中評価換え等が行われた事業年度以後の各事業年度）における当該資産に係る（1）の表の（二）《旧定率法》に掲げる損金の額に算入された金額には、当該帳簿価額が減額された金額を含むものとする。（法31⑥、令48②）

(評価換え等及び期中評価換え等の意義)
(12) ①における評価換え等及び期中評価換え等の意義は、それぞれ次に掲げるところによる。(令48⑤Ⅲ、Ⅳ)

(一)	評価換え等		次に掲げるものをいう。
		イ	第九款の一の2《会社更生等による評価換えを行った場合の資産の評価益の益金算入》に掲げる評価換え及び同二の2《評価換えを行った場合の資産の評価損の損金算入》又は同二の3《会社更生等による評価換えを行った場合の資産の評価損の損金算入》の適用を受ける評価換え
		ロ	民事再生等評価換え(第九款の一の3《民事再生等による特定の事実が生じた場合の資産の評価益の益金算入》又は同二の4《民事再生等による特定の事実が生じた場合の資産の評価損の損金算入》に掲げる事実が生じた日の属する事業年度において、同一の3に掲げる資産の同3の(5)《評価益の額》に掲げる評価益の額又は同二の4に掲げる資産の同4の(5)《評価損の額》に掲げる評価損の額を同一の3又は同二の4により当該事業年度の所得の金額の計算上益金の額又は損金の額に算入することをいう。)
		ハ	非適格株式交換等時価評価(第三十四款の二の1《非適格株式交換等に係る株式交換完全子法人等の有する資産の時価評価損益》に掲げる非適格株式交換等の日の属する事業年度において、同1に掲げる時価評価資産の同1に掲げる評価益の額又は評価損の額を同1により当該事業年度の所得の金額の計算上益金の額又は損金の額に算入することをいう。)
		ニ	通算時価評価(時価評価事業年度(第三十五款の三の1《通算制度の開始に伴う資産の時価評価損益》に掲げる通算開始直前事業年度、同三の2《通算制度への加入に伴う資産の時価評価損益》に掲げる通算加入直前事業年度又は同三の3《通算制度からの離脱等に伴う資産の時価評価損益》に掲げる通算終了直前事業年度をいう。ニにおいて同じ。)において、これらに掲げる時価評価資産のこれらに掲げる評価益の額又は評価損の額をこれらにより当該時価評価事業年度の所得の金額の計算上益金の額又は損金の額に算入することをいう。)
(二)	期中評価換え等		第九款の一の2《会社更生等による評価換えを行った場合の資産の評価益の益金算入》に掲げる評価換え若しくは同二の3《会社更生等による評価換えを行った場合の資産の評価損の損金算入》の適用を受ける評価換え若しくは(一)のロに掲げる民事再生等評価換え又は(一)のハに掲げる非適格株式交換等時価評価

(評価換え等が行われた場合の旧生産高比例法の適用)
(13) 鉱業用減価償却資産又は①の表のホに掲げる鉱業権につき評価換え等が行われたことによりその帳簿価額が増額され、又は減額された場合には、当該評価換え等が行われた事業年度後の各事業年度(当該評価換え等が期中評価換え等である場合には、当該期中評価換え等が行われた事業年度以後の各事業年度)におけるこれらの資産に係る(1)の表の(三)《旧生産高比例法》に掲げる一定単位当たりの金額は、これらの資産の当該評価換え等の直後の帳簿価額からその残存価額を控除し、これを残存採掘予定数量(同表の(三)に掲げる採掘予定数量から同(三)に掲げる耐用年数の期間内で当該評価換え等が行われた事業年度終了の日以前の期間〔当該評価換え等が期中評価換え等である場合には、当該期中評価換え等が行われた事業年度開始の日前の期間〕内における採掘数量を控除した数量をいう。)で除して計算した金額とする。(法31⑥、令48③)

(評価換え等が行われた場合の旧国外リース期間定額法の適用)
(14) 国外リース資産につき評価換え等が行われたことによりその帳簿価額が増額され、又は減額された場合には、当該評価換え等が行われた事業年度後の各事業年度(当該評価換え等が期中評価換え等である場合には、当該期中評価換え等が行われた事業年度以後の各事業年度)における当該国外リース資産に係る(1)の表の(四)に掲げる除して計算した金額は、当該国外リース資産の当該評価換え等の直後の帳簿価額から見積残存価額を控除し、これを当該国外リース資産の賃貸借の期間のうち当該評価換え等が行われた事業年度終了の日後の期間(当該評価換え等が期中評価

換え等である場合には、当該期中評価換え等が行われた事業年度開始の日〔当該事業年度が当該国外リース資産を賃貸の用に供した日の属する事業年度である場合には、同日〕以後の期間）の月数で除して計算した金額とする。（法31⑥、令48④）
 注 (14)の月数は、暦に従って計算し、1か月に満たない端数を生じたときは、これを1か月とする。（令48⑥）

② 平成19年4月1日以後に取得した減価償却資産の償却の方法

平成19年4月1日以後に取得をされた減価償却資産（次の表のヘに掲げる減価償却資産にあっては、当該減価償却資産についての所有権移転外リース取引に係る契約が平成20年4月1日以後に締結されたもの）の償却限度額の計算上選定をすることができる三の1《償却費等の損金算入》に掲げる償却の方法は、次の表の左欄に掲げる資産の区分に応じそれぞれ同表の右欄に掲げる方法とする。（法31⑥、令48の2①）

イ	一の2《減価償却資産の範囲》の表の①及び②に掲げる減価償却資産（ハ及びヘに掲げるものを除く。）は、次の表の左欄に掲げる資産の区分に応じ、それぞれ同表の右欄に掲げる方法とする。		
	(イ)	平成28年3月31日以前に取得をされた減価償却資産（建物を除く。）	A 定額法 B 定率法
	(ロ)	(イ)に掲げる減価償却資産以外の減価償却資産	定額法
ロ	同表の③から⑦までに掲げる減価償却資産（ハ及びヘに掲げるものを除く。）		A 定額法 B 定率法
ハ	鉱業用減価償却資産（ホ及びヘに掲げるものを除く。）		
	(イ)	平成28年4月1日以後に取得をされた同表の①及び②に掲げる減価償却資産	A 定額法 B 生産高比例法
	(ロ)	(イ)に掲げる減価償却資産以外の減価償却資産	A 定額法 B 定率法 C 生産高比例法
ニ	同表の⑧に掲げる無形固定資産（ホ及びヘに掲げるものを除く。）及び同表の⑨に掲げる生物		定額法
ホ	同表の⑧のイに掲げる鉱業権		(イ) 定額法 (ロ) 生産高比例法
ヘ	リース資産		リース期間定額法

注1 法人の平成28年3月31日以前に終了した事業年度の償却限度額の計算については、上表のイ、ロ及びハは、次による。（平28改令附6①、1）

旧イ	建物（旧ハ及びヘに掲げるものを除く。）	定額法
旧ロ	一の2《減価償却資産の範囲》の表の①に掲げる建物附属設備及び同表の②から⑦までに掲げる減価償却資産（旧ハ及びヘに掲げるものを除く。）	(イ) 定額法 (ロ) 定率法
旧ハ	鉱業用減価償却資産（ホ及びヘに掲げるものを除く。）	(イ) 定額法 (ロ) 定率法 (ハ) 生産高比例法

注2 法人が、平成24年3月31日以前に開始し、かつ、平成24年4月1日以後に終了する事業年度（以下「**改正事業年度**」という。）においてその有する減価償却資産（注1の表の旧ロ及び旧ハに掲げる減価償却資産に限る。以下注2において同じ。）につきそのよるべき償却の方法として(1)の注1の表の旧(二)に掲げる定率法を選定している場合（その償却の方法を届け出なかったことに基因して五の3《法定償却方法》によりその有する減価償却資産につき定率法により償却限度額の計算をすべきこととされている場合を含む。）において、当該改正事業年度（(3)《250％定率法を適用している減価償却資産の200％定率法の選択適用》の適用を受ける事業年度を除く。）の平成24年4月1日以後の期間内に減価償却資産の取得をするときは、当該減価償却資産を平成24年3月31日以前に取得をされた資産とみなして、②（②の表のイからハまでに係る部分に限る。）を適用することができる。（平23.12改令附3②）

注3 法人が平成24年3月31日の属する事業年度の同日以前の期間内に減価償却資産について支出した金額（当該事業年度が改正事業年度である場合には、経過旧資本的支出額を含み、経過新資本的支出額を除く。）について六の7の②の(2)《定率法を採用している場合の資本的支出額と取得価額との合算の特例》の注4の旧(2)又は同②の(3)《同一事業年度内に行われた複数の資本的支出の特例》により当該事業年度の翌事業年度開始の時において新たに取得したものとされる減価償却資産（当該法人が当該資産につき当該翌事業年度において(3)《250％定率法を適用している減価償却資産の200％定率法の選択適用》の適用を受ける場合における当該資産を除く。以下注3において同じ。）に係る②（②

第三章　第一節　第六款　四《減価償却資産の償却の方法》

の表の**イ**から**ハ**までに係る部分に限る。）の適用については、当該減価償却資産は同日以前に取得をされた資産に該当するものとする。（平23.12改令附3⑤）

注4　注3に掲げる経過旧資本的支出額とは、改正事業年度の平成24年4月1日以後の期間内に減価償却資産（注1の表の旧**ロ**及び旧**ハ**に掲げる減価償却資産に限る。以下注4において同じ。）について支出する金額につき**六の7**の①の（1）《資本的支出がある場合の減価償却資産の取得価額》により新たに取得したものとされる減価償却資産について同**7**の②の（2）《定率法を採用している場合の資本的支出額と取得価額との合算の特例》の注2の適用を受ける場合のその支出する金額をいい、経過新資本的支出とは、改正事業年度の平成24年3月31日以前の期間内に減価償却資産について支出した金額につき同**7**の①の（1）により新たに取得したものとされる減価償却資産について（3）《250％定率法を適用している減価償却資産の200％定率法の選択適用》の適用を受ける場合のその支出した金額をいう。（平23.12改令附3④）

（定額法、定率法、生産高比例法及びリース期間定額法の意義）

（1）　②に掲げる定額法、定率法、生産高比例法及びリース期間定額法とは、それぞれ次の表に掲げる方法をいう。（法31⑥、令48の2①）

(一)	定額法	当該減価償却資産の取得価額にその償却費が毎年同一となるように当該資産の耐用年数に応じた償却率（（二）において「**定額法償却率**」という。）を乗じて計算した金額を各事業年度の償却限度額として償却する方法をいう。	
(二)	定率法	当該減価償却資産の取得価額（既にした償却の額で各事業年度の所得の金額の計算上損金の額に算入された金額がある場合には、当該金額を控除した金額）にその償却費が毎年次の表の左欄に掲げる資産の区分に応じそれぞれ同表の右欄に掲げる割合で逓減するように当該資産の耐用年数に応じた償却率を乗じて計算した金額（当該計算した金額が**償却保証額**に満たない場合には、**改定取得価額**にその償却費がその後毎年同一となるように当該資産の耐用年数に応じた**改定償却率**を乗じて計算した金額）を各事業年度の償却限度額として償却する方法をいう。	
		イ　平成24年3月31日以前に取得をされた減価償却資産	1から**定額法償却率**に2.5を乗じて計算した割合を控除した割合
		ロ　平成24年4月1日以後に取得をされた減価償却資産	1から**定額法償却率**に2を乗じて計算した割合を控除した割合
(三)	生産高比例法	当該鉱業用減価償却資産の取得価額を当該資産の耐用年数（当該資産の属する鉱区の採掘予定年数がその耐用年数より短い場合には、当該鉱区の採掘予定年数）の期間内における当該資産の属する鉱区の採掘予定数量で除して計算した一定単位当たりの金額に当該事業年度における当該鉱区の採掘数量を乗じて計算した金額を各事業年度の償却限度額として償却する方法をいう。	
(四)	リース期間定額法	当該リース資産の取得価額（当該取得価額に残価保証額に相当する金額が含まれている場合には、当該取得価額から当該残価保証額を控除した金額）を当該リース資産のリース期間（当該リース資産がリース期間の中途において適格合併、適格分割又は適格現物出資以外の事由により移転を受けたものである場合には、当該移転の日以後の期間に限る。）の月数で除して計算した金額に当該事業年度における当該リース期間の月数を乗じて計算した金額を各事業年度の償却限度額として償却する方法をいう。	

　　　　注　上記の月数は、暦に従って計算し、1か月に満たない端数を生じたときは、これを1か月とする。（法31①、令48の2⑥）

注1　上表の(一)及び(二)は、平成28年度改正により改正されており、法人の平成28年4月1日以後に終了する事業年度の償却限度額の計算について適用し、法人の平成28年3月31日以前に終了した事業年度の償却限度額の計算については、次による。（平28改令附6①、1）

旧(一)	定額法	当該減価償却資産の取得価額にその償却費が毎年同一となるように当該資産の耐用年数に応じた償却率を乗じて計算した金額を各事業年度の償却限度額として償却する方法をいう。	
旧(二)	定率法	当該減価償却資産の取得価額（既にした償却の額で各事業年度の所得の金額の計算上損金の額に算入された金額がある場合には、当該金額を控除した金額）にその償却費が毎年次の表の左欄に掲げる資産の区分に応じそれぞれ同表の右欄に掲げる割合で逓減するように当該資産の耐用年数に応じた償却率を乗じて計算した金額（当該計算した金額が償却保証額に満たない場合には、改定取得価額にその償却費がその後毎年同一となるように当該資産の耐用年数に応じた改定償却率を乗じて計算した金額）を各事業年度の償却限度額として償却する方法をいう。	
		イ　平成24年3月31日以前に取得をされた減価償却資産	1から旧(一)《定額法》に掲げる償却率に2.5を乗じて計算した割合を控除した割合
		ロ　平成24年4月1日以後に取得をされた減価償却資産	1から旧(一)に掲げる償却率に2を乗じて計算した割合を控除した割合

第三章　第一節　第六款　四《減価償却資産の償却の方法》

注２　注１の旧（二）は、平成23年12月改正により改正されており、法人の平成24年４月１日以後に終了する事業年度の償却限度額の計算について適用し、法人の平成24年３月31日以前に終了した事業年度の適用については、（二）の定率法は次による。（平23.12改令附３①）

旧（二）	定率法	当該減価償却資産の取得価額（既にした償却の額で各事業年度の所得の金額の計算上損金の額に算入された金額がある場合には、当該金額を控除した金額）にその償却費が毎年一定の割合で逓減するように当該資産の耐用年数に応じた償却率を乗じて計算した金額（当該計算した金額が償却保証額に満たない場合には、**改定取得価額**にその償却費がその後毎年同一となるように当該資産の耐用年数に応じた**改定償却率**を乗じて計算した金額）を各事業年度の償却限度額として償却する方法をいう。

（用語の意義）
（２）　②における用語の意義は、それぞれ次に掲げるところによる。（法31⑥、令48の２⑤Ⅰ～Ⅶ）

（一）	**償却保証額**		減価償却資産の取得価額に当該資産の耐用年数に応じた保証率を乗じて計算した金額をいう。
（二）	**改定取得価額**		次の表の左欄に掲げる場合の区分に応じそれぞれ同表の右欄に掲げる金額をいう。
		イ　減価償却資産の(1)の表の(二)に掲げる取得価額に同(二)に掲げる耐用年数に応じた償却率を乗じて計算した金額（以下(二)において「調整前償却額」という。）が償却保証額に満たない場合（当該事業年度の前事業年度における調整前償却額が償却保証額以上である場合に限る。）	当該減価償却資産の当該取得価額
		ロ　連続する２以上の事業年度において減価償却資産の調整前償却額がいずれも償却保証額に満たない場合	当該連続する２以上の事業年度のうち最も古い事業年度における(1)の表の(二)に掲げる取得価額（当該連続する２以上の事業年度のうちいずれかの事業年度において評価換え等が行われたことによりその帳簿価額が増額された場合には、当該評価換え等が行われた事業年度後の各事業年度〔当該評価換え等が期中評価換え等である場合には、当該期中評価換え等が行われた事業年度以後の各事業年度〕においては、当該取得価額に当該帳簿価額が増額された金額を加算した金額）
（三）	**鉱業用減価償却資産**		鉱業経営上直接必要な減価償却資産で鉱業の廃止により著しくその価値を減ずるものをいう。
（四）	**リース資産**		この款において所有権移転外リース取引に係る賃借人が取得したものとされる減価償却資産をいう。
（五）	**所有権移転外リース取引**		第一款の**六**の（２）《リース取引の意義》に掲げるリース取引（以下(五)及び(七)において「リース取引」という。）のうち、次のいずれかに該当するもの（これらに準ずるものを含む。）以外のものをいう。 イ　リース期間終了の時又はリース期間の中途において、当該リース取引に係る契約において定められている当該リース取引の目的とされている資産（以下(五)において「目的資産」という。）が無償又は名目的な対価の額で当該リース取引に係る賃借人に譲渡されるものであること。 ロ　当該リース取引に係る賃借人に対し、リース期間終了の時又はリース期間の中途において目的資産を著しく有利な価額で買い取る権利が与えられているものであること。 ハ　目的資産の種類、用途、設置の状況等に照らし、当該目的資産がその使用可能期間中当該リース取引に係る賃借人によってのみ使用されると見込まれるものであること又は当該目的資産の識別が困難であると認められるものであること。 ニ　リース期間が目的資産の**八**の１《法定耐用年数》に掲げる耐用年数に比して相当短いもの（当

		該リース取引に係る賃借人の法人税の負担を著しく軽減することになると認められるものに限る。）であること。
(六)	残価保証額	リース期間終了の時にリース資産の処分価額が所有権移転外リース取引に係る契約において定められている保証額に満たない場合にその満たない部分の金額を当該所有権移転外リース取引に係る賃借人がその賃貸人に支払うこととされている場合における当該保証額をいう。
(七)	リース期間	リース取引に係る契約において定められているリース資産の賃貸借の期間をいう。

（250％定率法を適用している減価償却資産の200％定率法の選択適用《平23.12改正経過措置》）

（3）　法人が平成24年4月1日の属する事業年度においてその有する減価償却資産（②の注1の表の旧ロ及び旧ハに掲げる減価償却資産に限る。以下（3）において同じ。）につきそのよるべき償却の方法として定率法を選定している場合（その償却の方法を届け出なかったことに基因して五の3《法定償却方法》によりその有する減価償却資産につき定率法により償却限度額の計算をすべきこととされている場合を含む。）において、当該事業年度の第二節第三款の二《確定申告》による申告書の提出期限（同日の属する同款の一の3《仮決算をした場合の中間申告書の記載事項等》に掲げる期間について同3の表の①から③までに掲げる事項を記載した中間申告書を提出する場合には、その中間申告書の提出期限）までに、次の表に掲げる事項を記載した届出書を納税地の所轄税務署長に提出したときは、その届出書に記載された同表の（三）に掲げる事業年度以後の各事業年度における②《平成19年4月1日以後に取得した減価償却資産の償却の方法》（②の表のイからハまでに掲げる減価償却資産に限る。）、③《適格分社型分割等があった場合又は特別の法律に基づく承継を受けた場合の減価償却資産の償却の方法》及び六の7の②の(2)《定率法を採用している場合の資本的支出額と取得価額との合算の特例》の適用については、その減価償却資産（(1)の注1の表の旧(二)《定率法》の右欄の表のロ《平成24年4月1日以後に取得をされた減価償却資産》に掲げる資産及びその届出書に記載された次の表の（三）に掲げる事業年度において(2)の表の（二）《改定取得価額》の右欄のイに掲げる調整前償却額が償却保証額に満たない資産を除く。）は同日以後に取得をされた資産とみなす。（平23.12改令附3③、平23.12改規附3①）

(一)	(3)の届出をする法人の名称及び納税地並びに代表者の氏名
(二)	(3)の適用を受ける旨
(三)	(3)の適用を受けようとする最初の事業年度（改正事業年度〔平成24年3月31日以前に開始し、かつ、平成24年4月1日以後に終了する事業年度をいう。以下（3）において同じ。〕又は平成24年4月1日以後最初に開始する事業年度に限る。）開始の日及び終了の日
(四)	その他参考となるべき事項

　　注　法人が、平成24年3月31日以前に開始し、かつ、平成24年4月1日以後に終了する事業年度（以下「**改正事業年度**」という。）改正事業年度においてその有する減価償却資産につきそのよるべき償却の方法として(1)の注1の表の旧(二)に掲げる定率法を選定している場合（その償却の方法を届け出なかったことに基因して五の3《法定償却方法》によりその有する減価償却資産につき定率法により償却限度額の計算をすべきこととされている場合を含む。）において、当該改正事業年度（(3)の適用を受ける事業年度を除く。）の平成24年4月1日以後の期間内に減価償却資産の取得をするときは、当該減価償却資産を平成24年3月31日以前に取得をされた資産とみなして、(3)を適用することができる。（平23.12改令附3②）

（土石採取業の採石用坑道）

（4）　土石採取業における採石用の坑道は、②の表のハに掲げる鉱業用減価償却資産に該当することに留意する。（基通7-6-1・編者補正）

（鉱業用土地の償却）

（5）　石炭鉱業におけるぼた山の用に供する土地のように鉱業経営上直接必要な土地で鉱業の廃止により著しくその価値が減少するものについて、法人が、その取得価額から鉱業を廃止した場合において残存すると認められる価額を控除した金額につき当該土地に係る鉱業権について選定している償却の方法に準じて計算される金額以内の金額を損金の額に算入したときは、これを認める。（基通7-6-2）

（土石採取用土地等の償却）

（6）　土石又は砂利を採取する目的で取得した土地については、法人がその取得価額のうち土石又は砂利に係る部分に

つき生産高比例法に準ずる方法により計算される金額以内の金額を損金の額に算入したときは、これを認める。（基通７－６－３・編者補正）

　　　（賃貸借期間等に含まれる再リース期間）
（７）　（１）の表の（四）の《リース期間定額法》に掲げる「リース期間」には、再リースをすることが明らかなものにおける当該再リースに係る賃貸借期間を含むものとする。（基通７－６の２－13・編者補正）

　　　（所有権移転外リース取引に該当しないリース取引に準ずるものの意義）
（８）　（２）の表の（五）《所有権移転外リース取引》に掲げる「これらに準ずるもの」として所有権移転外リース取引に該当しないものとは、例えば、次に掲げるものをいう。（基通７－６の２－１）
　（一）　リース期間（第一款の**六**の（２）《リース取引の意義》に掲げるリース取引〔以下②において「リース取引」という。〕に係る契約において定められたリース資産〔同款の**六**に掲げるリース資産をいう。以下(15)までにおいて同じ。〕の賃貸借期間をいう。以下②において同じ。）の終了後、無償と変わらない名目的な再リース料によって再リースをすることがリース契約（リース取引に係る契約をいう。以下②において同じ。）において定められているリース取引（リース契約書上そのことが明示されていないリース取引であって、事実上、当事者間においてそのことが予定されていると認められるものを含む。）
　（二）　賃貸人に対してそのリース取引に係るリース資産の取得資金の全部又は一部を貸し付けている金融機関等が、賃借人から資金を受け入れ、当該資金をして当該賃借人のリース料等の債務のうち当該賃貸人の借入金の元利に対応する部分の引受けをする構造になっているリース取引

　　　（著しく有利な価額）
（９）　リース期間終了の時又はリース期間の中途においてリース資産を買い取る権利が与えられているリース取引について、賃借人がそのリース資産を買い取る権利に基づき当該リース資産を購入する場合の対価の額が、賃貸人において当該リース資産につき**九**の１の②《定額法の償却率、定率法の償却率、改定償却率及び保証率》に掲げる耐用年数（以下②において「耐用年数」という。）を基礎として定率法により計算するものとした場合におけるその購入時の未償却残額に相当する金額（当該未償却残額が当該リース資産の取得価額の５％相当額を下回る場合には、当該５％相当額）以上の金額とされている場合は、当該対価の額が当該権利行使時の公正な市場価額に比し著しく下回るものでない限り、当該対価の額は（２）の表の（五）《所有権移転外リース取引》のロに掲げる「著しく有利な価額」に該当しないものとする。（基通７－６の２－２）

　　　（専属使用のリース資産）
(10)　次に掲げるリース取引は、（２）の表の（五）《所有権移転外リース取引》のハに掲げる「その使用可能期間中当該リース取引に係る賃借人によってのみ使用されると見込まれるもの」に該当することに留意する。（基通７－６の２－３）
　（一）　建物、建物附属設備又は構築物（建設工事等の用に供する簡易建物、広告用の構築物等で移設が比較的容易に行い得るもの又は賃借人におけるそのリース資産と同一種類のリース資産に係る既往のリース取引の状況、当該リース資産の性質その他の状況からみて、リース期間の終了後に当該リース資産が賃貸人に返還されることが明らかなものを除く。）を対象とするリース取引
　（二）　機械装置等で、その主要部分が賃借人における用途、その設置場所の状況等に合わせて特別な仕様により製作されたものであるため、当該賃貸人が当該リース資産の返還を受けて再び他に賃貸又は譲渡することが困難であって、その使用可能期間を通じて当該賃借人においてのみ使用されると認められるものを対象とするリース取引

　　　（専用機械装置等に該当しないもの）
(11)　次に掲げる機械装置等を対象とするリース取引は、(10)の（二）に掲げるリース取引には該当しないものとする。（基通７－６の２－４）
　（一）　一般に配付されているカタログに示された仕様に基づき製作された機械装置等
　（二）　その主要部分が一般に配付されているカタログに示された仕様に基づき製作された機械装置等で、その附属部分が特別の仕様を有するもの
　（三）　（一）及び（二）に掲げる機械装置等以外の機械装置等で、改造を要しないで、又は一部改造の上、容易に同業者等において実際に使用することができると認められるもの

(形式基準による専用機械装置等の判定)
(12)　機械装置等を対象とするリース取引が、当該リース取引に係るリース資産の耐用年数の$\frac{80}{100}$に相当する年数（1年未満の端数がある場合には、その端数を切り捨てる。）以上の年数をリース期間とするものである場合は、当該リース取引は(2)の表の(五)《所有権移転外リース取引》のハに掲げる「その使用可能期間中当該リース取引に係る賃借人によってのみ使用されると見込まれるもの」には該当しないものとして取り扱うことができる。（基通7－6の2－5）

(識別困難なリース資産)
(13)　(2)の表の(五)《所有権移転外リース取引》のハに掲げる「当該目的資産の識別が困難であると認められるもの」かどうかは、賃貸人及び賃借人において、そのリース資産の性質及び使用条件等に適合した合理的な管理方法によりリース資産が特定できるように管理されているかどうかにより判定するものとする。（基通7－6の2－6）

(相当短いものの意義)
(14)　(2)の表の(五)《所有権移転外リース取引》のニに掲げる「相当短いもの」とは、リース期間がリース資産の耐用年数の$\frac{70}{100}$（耐用年数が10年以上のリース資産については、$\frac{60}{100}$）に相当する年数（1年未満の端数がある場合には、その端数を切り捨てる。）を下回る期間であるものをいう。（基通7－6の2－7）
　　注1　一のリース取引において耐用年数の異なる数種の資産を取引の対象としている場合（当該数種の資産について、同一のリース期間を設定している場合に限る。）において、それぞれの資産につき耐用年数を加重平均した年数（賃借人における取得価額をそれぞれの資産ごとに区分した上で、その金額ウエイトを計算の基礎として算定した年数をいう。）により判定を行っているときは、これを認めるものとする。
　　注2　再リースをすることが明らかな場合には、リース期間に再リースの期間を含めて判定する。

(税負担を著しく軽減することになると認められないもの)
(15)　賃借人におけるそのリース資産と同一種類のリース資産に係る既往のリース取引の状況、当該リース資産の性質その他の状況からみて、リース期間の終了後に当該リース資産が賃貸人に返還されることが明らかなリース取引については、(2)の表の(五)《所有権移転外リース取引》のニに掲げる「賃借人の法人税の負担を著しく軽減することになると認められるもの」には該当しないことに留意する。（基通7－6の2－8）

(評価換え等が行われた場合の定率法の適用)
(16)　②の表のイからハに掲げる減価償却資産につき評価換え等が行われたことによりその帳簿価額が減額された場合には、当該評価換え等が行われた事業年度後の各事業年度（当該評価換え等が期中評価換え等である場合には、当該期中評価換え等が行われた事業年度以後の各事業年度）における当該資産に係る(1)の表の(二)《定率法》に掲げる損金の額に算入された金額には、当該帳簿価額が減額された金額を含むものとする。（法31⑥、令48の2②）
　　注　(16)は、平成28年度改正により改正されており、法人の平成28年4月1日以後に終了する事業年度の償却限度額の計算について適用され、法人の平成28年3月31日以前に終了した事業年度の償却限度額の計算については、次による。（平28改令附6①、1）

> ②の注1の表の旧ロ又は旧ハに掲げる減価償却資産につき評価換え等が行われたことによりその帳簿価額が減額された場合には、当該評価換え等が行われた事業年度後の各事業年度（当該評価換え等が期中評価換え等である場合には、当該期中評価換え等が行われた事業年度以後の各事業年度）における当該資産に係る(1)の注1の表の旧(二)《定率法》に掲げる損金の額に算入された金額には、当該帳簿価額が減額された金額を含むものとする。（法31⑥、旧令48の2②）

(評価換え等及び期中評価換え等の意義)
(17)　②における評価換え等及び期中評価換え等の意義は、それぞれ次に掲げるところによる。（令48の2⑤Ⅷ、Ⅸ、令48⑤Ⅲ、Ⅳ）

(一)	評価換え等		次に掲げるものをいう。
		イ	第九款の一の2《会社更生等による評価換えを行った場合の資産の評価益の益金算入》に掲げる評価換え及び同二の2《評価換えを行った場合の資産の評価損の損金算入》又は同二の3《会社更生等による評価換えを行った場合の資産の評価損の損金算入》の適用を受ける評価換え
		ロ	民事再生等評価換え（第九款の一の3《民事再生等による特定の事実が生じた場合の資産の評価益の益金算入》又は同二の4《民事再生等による特定の事実

第三章　第一節　第六款　四《減価償却資産の償却の方法》

		が生じた場合の資産の評価損の損金算入》に掲げる事実が生じた日の属する事業年度において、同一の**3**に掲げる資産の同**3**の（5）《評価益の額》に掲げる評価益の額又は同二の**4**に掲げる資産の同**4**の（5）《評価損の額》に掲げる評価損の額を同一の**3**又は同二の**4**により当該事業年度の所得の金額の計算上益金の額又は損金の額に算入することをいう。）
	ハ	非適格株式交換等時価評価（第三十四款の二の**1**《非適格株式交換等に係る株式交換完全子法人等の有する資産の時価評価損益》に掲げる非適格株式交換等の日の属する事業年度において同**1**に掲げる時価評価資産の同**1**に掲げる評価益又は評価損を同**1**により当該事業年度の所得の金額の計算上益金の額又は損金の額に算入することをいう。）
(二)	**期中評価換え等**	第九款の一の**2**《会社更生等による評価換えを行った場合の資産の評価益の益金算入》に掲げる評価換え若しくは同二の**3**《会社更生等による評価換えを行った場合の資産の評価損の損金算入》の適用を受ける評価換え若しくは（一）のロに掲げる民事再生等評価換え又は（一）のハに掲げる非適格株式交換等時価評価

（評価換え等が行われた場合の生産高比例法の適用）
(18)　②の表の**ハ**又は**ホ**に掲げる減価償却資産につき評価換え等が行われたことによりその帳簿価額が増額され、又は減額された場合には、当該評価換え等が行われた事業年度後の各事業年度（当該評価換え等が期中評価換え等である場合には、当該期中評価換え等が行われた事業年度以後の各事業年度）における当該資産に係る(1)の表の(三)《生産高比例法》に掲げる一定単位当たりの金額は、当該資産の当該評価換え等の直後の帳簿価額を残存採掘予定数量（同(三)に掲げる採掘予定数量から同(三)に掲げる耐用年数の期間内で当該評価換え等が行われた事業年度終了の日以前の期間〔当該評価換え等が期中評価換え等である場合には、当該期中評価換え等が行われた事業年度開始の日前の期間〕内における採掘数量を控除した数量をいう。）で除して計算した金額とする。（法31⑥、令48の2③）

（評価換え等が行われた場合のリース期間定額法の適用）
(19)　リース資産につき評価換え等が行われたことによりその帳簿価額が増額され、又は減額された場合には、当該評価換え等が行われた事業年度後の各事業年度（当該評価換え等が期中評価換え等である場合には、当該期中評価換え等が行われた事業年度以後の各事業年度）における当該リース資産に係る(1)の表の(四)に掲げる除して計算した金額は、当該リース資産の当該評価換え等の直後の帳簿価額（当該リース資産の取得価額に残価保証額に相当する金額が含まれている場合には、当該帳簿価額から当該残価保証額を控除した金額）を当該リース資産のリース期間のうち当該評価換え等が行われた事業年度終了の日後の期間（当該評価換え等が期中評価換え等である場合には、当該期中評価換え等が行われた事業年度開始の日〔当該事業年度が当該リース資産を事業の用に供した日の属する事業年度である場合には、同日〕以後の期間）の月数で除して計算した金額とする。（法31⑥、令48の2④）
　　注　(19)の月数は、暦に従って計算し、1か月に満たない端数を生じたときは、これを1か月とする。（法31⑪、令48の2⑥）

③　**適格分社型分割等があった場合又は特別の法律に基づく承継を受けた場合の減価償却資産の償却の方法**
　①《平成19年3月31日以前に取得した減価償却資産の償却の方法》の表の**イ**から**ヘ**まで及び②《平成19年4月1日以後に取得した減価償却資産の償却の方法》の表の**イ**から**ヘ**までに掲げる減価償却資産が適格分社型分割、適格現物出資若しくは適格現物分配により分割法人、現物出資法人若しくは現物分配法人（以下③において「分割法人等」という。）から移転を受けたもの又は他の者から特別の法律に基づく承継を受けたものである場合には、当該減価償却資産は、当該分割法人等又は他の者が当該減価償却資産の取得をした日において当該移転又は承継を受けた内国法人により取得をされたものとみなして、①又は②を適用する。（法31⑥、令48の3）
　　注1　法人が、平成24年3月31日以前に開始し、かつ、平成24年4月1日以後に終了する事業年度（以下「**改正事業年度**」という。）においてその有する減価償却資産（②の注1の表の旧**ロ**及び旧**ハ**に掲げる減価償却資産に限る。以下注1において同じ。）につきそのよるべき償却の方法として②の(1)の注1の表の旧(二)に掲げる定率法を選定している場合（その償却の方法を届け出なかったことに基因して**五**の**3**《法定償却方法》によりその有する減価償却資産につき定率法により償却限度額の計算をすべきこととされている場合を含む。）において、当該改正事業年度（②の(3)《250％定率法を適用している減価償却資産の200％定率法の選択適用》の適用を受ける事業年度を除く。）の平成24年4月1日以後の期間内に減価償却資産の取得をするときは、当該減価償却資産を平成24年3月31日以前に取得をされた資産とみなして、③を適用することができる。（平23.12改令附3②）
　　注2　法人が平成24年3月31日の属する事業年度の同日以前の期間内に減価償却資産について支出した金額（当該事業年度が改正事業年度である

場合には、経過旧資本的支出額を含み、経過新資本的支出額を除く。）について六の**7**の②の（2）《定率法を採用している場合の資本的支出額と取得価額との合算の特例》の注4の旧（2）又は同②の（3）《同一事業年度内に行われた複数の資本的支出の特例》により当該事業年度の翌事業年度開始の時において新たに取得したものとされる減価償却資産（当該法人が当該資産につき当該翌事業年度において②の（3）《250％定率法を適用している減価償却資産の200％定率法の選択適用》の適用を受ける場合における当該資産を除く。以下注3において同じ。）に係る③の適用については、当該減価償却資産は同日以前に取得をされた資産に該当するものとする。（平23.12改令附3⑤）

注3　注2に掲げる**経過旧資本的支出額**とは、**改正事業年度**の平成24年4月1日以後の期間内に減価償却資産（②の注1の表の旧**ロ**及び旧**ハ**に掲げる減価償却資産に限る。以下注3において同じ。）について支出する金額につき六の**7**の①の（1）《資本的支出がある場合の減価償却資産の取得価額》により新たに取得したものとされる減価償却資産について同**7**の②の（2）《定率法を採用している場合の資本的支出額と取得価額との合算の特例》の注2の適用を受ける場合のその支出する金額をいい、**経過新資本的支出**とは、改正事業年度の平成24年3月31日以前の期間内に減価償却資産について支出した金額につき同**7**の①の（1）により新たに取得したものとされる減価償却資産について②の（3）《250％定率法を適用している減価償却資産の200％定率法の選択適用》の適用を受ける場合のその支出した金額をいう。（平23.12改令附3④）

2　減価償却資産の特別な償却の方法

内国法人は、その有する**一**の**2**《減価償却資産の範囲》の表の①から⑧までに掲げる減価償却資産（**3**《取替資産に係る償却の方法の特例》又は**5**《特別な償却率による償却の方法》の適用を受けるもの並びに**1**の①《平成19年3月31日以前に取得した減価償却資産の償却の方法》の表の**イ**の(ロ)に掲げる建物及び同表の**ヘ**に掲げる国外リース資産並びに同②《平成19年4月1日以後に取得した減価償却資産の償却の方法》の表の**イ**の(ロ)に掲げる減価償却資産及び同表の**ヘ**に掲げるリース資産を除く。）の償却限度額を当該資産の区分に応じて定められている**1**の①の表の**イ**から**ホ**まで又は同②の表の**イ**から**ホ**までに掲げる償却の方法に代え当該償却の方法以外の償却の方法（同表の**ハ**の(イ)に掲げる減価償却資産（（2）において「鉱業用建築物」という。）にあっては、定率法その他これに準ずる方法を除く。以下**2**において同じ。）により計算することについて納税地の所轄税務署長の承認を受けた場合には、当該資産のその承認を受けた日の属する事業年度以後の各事業年度の償却限度額の計算については、その承認を受けた償却の方法を選定することができる。（法31⑥、令48の4①）

　　　　（申請書の提出）
（1）　**2**に掲げる承認を受けようとする内国法人は、次に掲げる事項を記載した申請書を納税地の所轄税務署長に提出しなければならない。（法31⑥、令48の4②、規9の3）
　（一）　申請をする内国法人の名称、納税地及び法人番号並びに代表者の氏名
　（二）　その採用しようとする償却の方法の内容
　（三）　その方法を採用しようとする理由
　（四）　その方法により償却限度額の計算をしようとする資産の種類（償却の方法の選定の単位を設備の種類とされているものについては、設備の種類とし、2以上の事業所又は船舶を有する内国法人で事業所又は船舶ごとに償却の方法を選定しようとする場合にあっては、事業所又は船舶ごとのこれらの種類とする。（2）において同じ。）
　（五）　その採用しようとする償却の方法が**十**の**2**《事業年度の中途で事業の用に供した減価償却資産の償却限度額の特例》の表に掲げる①又は②のいずれに類するかの別
　（六）　その他参考となるべき事項

　　　　（申請に対する承認又は却下）
（2）　税務署長は、（1）に掲げる申請書の提出があった場合には、遅滞なく、これを審査し、その申請に係る償却の方法及び資産の種類を承認し、又はその申請に係る償却の方法によってはその内国法人の各事業年度の所得の金額の計算が適正に行われ難いと認めるとき（その申請に係る資産の種類が鉱業用建築物である場合に当該償却の方法が定率法その他これに準ずる方法であると認めるときを含む。）は、その申請を却下する。（法31⑥、令48の4③）

　　　　（承認の取消し）
（3）　税務署長は、**2**に掲げる承認をした後、その承認に係る償却の方法によりその承認に係る減価償却資産の償却限度額の計算をすることを不適当とする特別の事由が生じたと認める場合には、その承認を取り消すことができる。（法31⑥、令48の4④）

　　　　（処分の通知）
（4）　税務署長は、（2）又は（3）の処分をするときは、その処分に係る内国法人に対し、書面によりその旨を通知する。（法31⑥、令48の4⑤）

　　　　（取消処分の効果）
（5）　（3）の取消処分があった場合には、その処分のあった日の属する事業年度以後の各事業年度の所得の金額を計算する場合のその処分に係る減価償却資産の償却限度額の計算についてその処分の効果が生ずるものとする。（法31⑥、令48の4⑥）

　　　　（特別な償却方法の選定単位）
（6）　**2**による特別な償却方法の選定は、**五の1**《償却の方法の選定》に掲げる区分ごとに行うべきものであるが、法人が減価償却資産の種類ごとに、かつ、耐用年数の異なるものごとに選定した場合には、これを認める。この場合において、機械及び装置以外の減価償却資産の種類は、耐用年数省令に規定する減価償却資産の種類（その種類につき構造若しくは用途又は細目の区分が定められているものについては、その構造若しくは用途又は細目の区分）とし、機械及び装置の種類は、減価償却資産の耐用年数等に関する省令の一部を改正する省令（平成20年財務省令第32号）による改正前の耐用年数省令（以下この款において「**旧耐用年数省令**」という。）に定める設備の種類（その設備の種類につき細目の区分が定められているものについては、その細目の区分）とする。（基通7－2－2）

　　　　（特別な償却の方法の承認が取り消された場合の償却の方法の届出）
（7）　内国法人は、（3）の取消処分を受けた場合には、その処分を受けた日の属する事業年度に係る第二節第三款の**二の1**《確定申告》による申告書の提出期限（同日の属する第二節第三款の**一の3**《仮決算をした場合の中間申告書の記載事項等》に掲げる期間〔当該内国法人が通算子法人である場合には、同**3**の(8)《通算法人である場合の適用》の表の(一)に掲げる期間〕について同**3**の表に掲げる事項を記載した中間申告書を提出する場合には、その中間申告書の提出期限）までに、その処分に係る減価償却資産につき、**五の1**《償却の方法の選定》に掲げる減価償却資産の償却の方法の選定区分（2以上の事務所又は船舶を有する内国法人で事業所又は船舶ごとに償却の方法を選定しようとする場合にあっては、事業所又は船舶ごとの当該区分）ごとに、**1**の①《平成19年3月31日以前に取得した減価償却資産の償却の方法》又は同②《平成19年4月1日以後に取得した減価償却資産の償却の方法》に掲げる減価償却資産の償却の方法のうちそのよるべき方法を書面により納税地の所轄税務署長に届け出なければならない。ただし、**1**の①の表の**二**及び同②の表の**二**に掲げる無形固定資産については、この限りでない。（法31⑥、令48の4⑦）

　　　　（特別な償却の方法の承認）
（8）　法人の申請に係る特別な償却の方法について申請書の提出があった場合には、その申請に係る償却の方法が、申請に係る減価償却資産の種類、構造、属性、使用状況等からみてその減価償却資産の償却につき適合するものであるかどうか、償却限度額の計算の基礎となる償却率、生産高、残存価額等が合理的に算定されているかどうか等を勘案して承認の適否を判定する。この場合において、その方法が次に掲げる条件に該当するものであるときは、これを承認する。（基通7－2－3）
（一）　その方法が算術級数法のように旧定額法、旧定率法、定額法又は定率法に類するものであるときは、その償却年数が法定耐用年数より短くないこと。
　　　なお、平成19年3月31日以前に取得した減価償却資産については、その残存価額が取得価額の10％相当額以上であること。
（二）　その方法が生産高、使用時間、使用量等を基礎とするものであるときは、その方法がその減価償却資産の償却につき旧定額法、旧定率法、定額法又は定率法より合理的なものであり、かつ、その減価償却資産に係る総生産高、総使用時間、総使用量等が合理的に計算されるものであること。
　　　なお、平成19年3月31日以前に取得した減価償却資産については、その残存価額が取得価額の10％相当額以上であること。
（三）　その方法が取替法に類するものであるときは、申請に係る減価償却資産の属性、取替状況等が取替法の対象となる減価償却資産に類するものであり、その取得価額の50％相当額に達するまで定率法等により償却することとされていること。
　　　注　特別な償却の方法の承認を受けている減価償却資産について資本的支出をした場合には、当該資本的支出は当該承認を受けている特別な償却の方法により償却を行うことができることに留意する。

　　　　（船舶の特別な償却方法による減価償却の取扱い）
（9）　昭51.11.1付海監第380号運輸省通達《新しい減価償却方法の導入について》（以下「運輸省通達」という。）に定める償却方法（以下「運航距離比例法」という。）は船舶の償却方法として合理的なものと認められるので、運航距離

比例法を採用しようとする法人から**2**に掲げる承認申請があった場合には、その方法によっては当該法人の各事業年度の所得の金額の計算が適正に行われ難いと認められるときを除き、原則としてその申請を承認することに取り扱う。
(昭51直法2－40)

3　取替資産に係る償却の方法の特例

取替資産の償却限度額の計算については、納税地の所轄税務署長の承認を受けた場合には、その採用している**1**の①の表の**ロ**《旧定額法又は旧定率法》又は同②の表の**イ**若しくは**ロ**《定額法又は定率法》に代えて、**取替法**を選定することができる。(法31⑥、令49①)

注　**3**は、平成28年度改正により改正されており、法人の平成28年4月1日以後に終了する事業年度の償却限度額の計算について適用され、法人の平成28年3月31日以前に終了した事業年度の償却限度額の計算については、次による。(平28改令附6①、1)

> 取替資産の償却限度額の計算については、納税地の所轄税務署長の承認を受けた場合には、その採用している**1**の①の表の**ロ**《旧定額法又は旧定率法》又は同②の注1の表の旧**ロ**《定額法又は定率法》に代えて、取替法を選定することができる。(法31⑥、旧令49①)

(取替法の意義)
（1）　取替法とは、次の表の(一)及び(二)に掲げる金額の合計額を各事業年度の償却限度額として償却する方法をいう。(法31⑥、令49②)

(一)	当該取替資産につきその取得価額（当該事業年度以前の各事業年度に係る(二)に掲げる新たな資産の取得価額に相当する金額を除くものとし、当該資産が昭和27年12月31日以前に取得された資産である場合には、当該資産の取得価額にその取得の時期に応じて定められた資産再評価法〔昭和25年法律第110号〕別表第三の倍数を乗じて計算した金額とする。）の $\frac{50}{100}$ に達するまで旧定額法、旧定率法、定額法又は定率法のうちその採用している方法により計算した金額
(二)	当該取替資産が使用に耐えなくなったため当該事業年度において種類及び品質を同じくするこれに代わる新たな資産と取り替えた場合におけるその新たな資産の取得価額で当該事業年度において損金経理をしたもの

(取替資産の意義)
（2）　取替資産とは、軌条、枕木その他多量に同一の目的のために使用される減価償却資産で、毎事業年度使用に耐えなくなったこれらの資産の一部がほぼ同数量ずつ取り替えられるもののうち次に掲げるものとする。(法31⑥、令49③、規10)
（一）　鉄道設備又は軌道設備に属する構築物のうち、軌条及びその附属品、枕木、分岐器、ボンド、信号機、通信線、信号線、電灯電力線、送配電線、き電線、電車線、第三軌条並びに電線支持物（鉄柱、鉄塔、コンクリート柱及びコンクリート塔を除く。）
（二）　送電設備に属する構築物のうち、木柱、がい子、送電線、地線及び添架電話線
（三）　配電設備に属する構築物のうち、木柱、配電線、引込線及び添架電話線
（四）　電気事業用配電設備に属する機械及び装置のうち、計器、柱上変圧器、保安開閉装置、電力用蓄電器及び屋内配線
（五）　ガス又はコークスの製造設備及びガスの供給設備に属する機械及び装置のうち、鋳鉄ガス導管（口径20.32センチメートル以下のものに限る。）、鋼鉄ガス導管及び需要者用ガス計量器

(取替法における取替え)
（3）　（1）の表の(二)に掲げる取替えとは、取替資産が通常使用に耐えなくなったため取り替える場合のその取替えをいうのであるから、規模の拡張若しくは増強のための取替え又は災害その他の事由により滅失したものの復旧のための取替えは、これに該当しないことに留意する。(基通7－6－8)

(残存価額となった取替資産)
（4）　取替資産の償却限度額の計算につき取替法を採用している場合において、当該資産に係る（1）の表の(一)に掲げる金額の累計額がその資産の取得価額の50％相当額に達したかどうかは、（2）の(一)から(五)までに掲げる資産の区分ごと（その規模の拡張があった場合には、更にその拡張ごと）に判定する。(基通7－6－9)

　　　　（撤去資産に付ける帳簿価額）
（5）　取替資産が使用に耐えなくなったため取り替えられた場合には、その取替えによる撤去資産については帳簿価額を付けないことができる。この場合において、例えば、取り替えられた軌条をこ線橋、乗降場及び積卸場の上屋等の材料として使用したときのように新たに資産価値を認められる用に供したときは、当該撤去資産のその用に供した時の時価を新たな資産の取得価額に算入するのであるが、法人が備忘価額として１円を下らない金額を当該新たな資産の取得価額に算入しているときは、これを認める。（基通７－６－10）

　　　　（取替法採用の承認申請）
（6）　3に掲げる承認を受けようとする内国法人は、取替法を採用しようとする事業年度開始の日の前日までに、次に掲げる事項を記載した申請書を納税地の所轄税務署長に提出しなければならない。（法31⑥、令49④、規11）
　（一）　申請をする内国法人の名称、納税地及び法人番号並びに代表者の氏名
　（二）　取替法の適用を受けようとする減価償却資産の種類及び名称並びにその所在する場所
　（三）　取替法を採用しようとする事業年度開始の時において見込まれるその適用を受けようとする減価償却資産の種類ごとの数量並びにその取得価額の合計額及び帳簿価額の合計額
　（四）　その他参考となるべき事項

　　　　（申請の却下）
（7）　税務署長は、（6）に掲げる申請書の提出があった場合において、その申請に係る減価償却資産の償却費の計算を取替法によって行う場合にはその内国法人の各事業年度の所得の金額の計算が適正に行われ難いと認めるときは、その申請を却下することができる。（法31⑥、令49⑤）

　　　　（承認又は却下の処分の通知）
（8）　税務署長は、（6）に掲げる申請書の提出があった場合において、その申請につき承認又は却下の処分をするときは、その申請をした内国法人に対し、書面によりその旨を通知する。（法31⑥、令49⑥）

　　　　（みなし承認）
（9）　（6）に掲げる申請書の提出があった場合において、その申請に係る取替法を採用しようとする事業年度終了の日（当該事業年度について中間申告書を提出すべき内国法人については、当該事業年度〔当該内国法人が通算子法人である場合には、当該事業年度開始の日の属する当該内国法人に係る通算親法人の事業年度〕開始の日以後６か月を経過した日の前日）までにその申請につき承認又は却下の処分がなかったときは、その日においてその承認があったものとみなす。（法31⑥、令49⑦）

　　　　（取替法の承認基準）
（10）　税務署長は、次に掲げる取替資産について（6）による申請書の提出があった場合には、原則としてこれを承認する。（耐通５－１－３）
　（一）　鉄道事業者又は鉄道事業者以外の法人でおおむね５キロメートル以上の単路線（仮設路線を除く。）を有するものの有する（2）《取替資産の意義》の（一）に掲げる取替資産
　（二）　電気事業者又は電気事業者以外の法人でおおむね回線延長10キロメートル以上の送電線を有するものの有する（2）の（二）及び同（三）に掲げる取替資産
　（三）　電気事業者の有する（2）の（四）に掲げる取替資産
　（四）　ガス事業者又はガス事業者以外の法人でおおむね延長10キロメートル以上のガス導管を有するものの有する（2）の（五）に掲げる取替資産

4　リース賃貸資産の償却の方法の特例

　リース賃貸資産（1の①《平成19年３月31日以前に取得した減価償却資産の償却の方法》の表のヘに掲げる改正前リース取引の目的とされている減価償却資産〔同ヘに掲げる国外リース資産を除く。〕をいう。以下4において同じ。）については、その採用している同①又は同②《平成19年４月１日以後に取得した減価償却資産の償却の方法》に掲げる償却の方法に代えて、旧リース期間定額法（当該リース賃貸資産の改定取得価額を改定リース期間の月数で除して計算した金額に当該事業年度における当該改定リース期間の月数を乗じて計算した金額を各事業年度の償却限度額として償却する方法をいう。）を選定することができる。（法31⑥、令49の２①）

注　上記の月数は、暦に従って計算し、1か月に満たない端数を生じたときは、これを1か月とする。(法31⑥、令49の2⑤)

(改定取得価額及び改定リース期間の意義)
(1)　4における改定取得価額及び改定リース期間とは、次に掲げるものをいう。(法31⑥、令49の2③)

(一)	改定取得価額	4の適用を受けるリース賃貸資産の当該適用を受ける最初の事業年度開始の時（当該リース賃貸資産が当該最初の事業年度開始の時後に賃貸の用に供したものである場合には、当該賃貸の用に供した時）における取得価額（当該最初の事業年度の前事業年度までの各事業年度においてした償却の額〔当該前事業年度までの各事業年度において1の①の(12)《評価換え等及び期中評価換え等の意義》の表の(一)に掲げる評価換え等が行われたことによりその帳簿価額が減額された場合には、当該帳簿価額が減額された金額を含む。〕で当該各事業年度の所得の金額の計算上損金の額に算入された金額がある場合には、当該金額を控除した金額）から残価保証額（当該リース賃貸資産の4に掲げる改正前リース取引に係る契約において定められている当該リース賃貸資産の賃貸借の期間〔以下(1)において「リース期間」という。〕の終了の時に当該リース賃貸資産の処分価額が当該改正前リース取引に係る契約において定められている保証額に満たない場合にその満たない部分の金額を当該改正前リース取引に係る賃借人その他の者がその賃貸人に支払うこととされている場合における当該保証額をいい、当該保証額の定めがない場合には零とする。）を控除した金額をいう。
(二)	改定リース期間	4の適用を受けるリース賃貸資産のリース期間（当該リース賃貸資産が他の者から移転〔適格合併、適格分割又は適格現物出資による移転を除く。〕を受けたものである場合には、当該移転の日以後の期間に限る。）のうち4の適用を受ける最初の事業年度開始の日以後の期間（当該リース賃貸資産が同日以後に賃貸の用に供したものである場合には、当該リース期間）をいう。

(賃貸借期間等に含まれる再リース期間)
(2)　4に掲げる「改定リース期間」には、改正前リース取引のうち再リースをすることが明らかなものにおける当該再リースに係る賃貸借期間を含むものとする。(基通7-6の2-13・編者補正)

(評価換えが行われた場合のリース賃貸資産の償却の方法の特例の適用)
(3)　4の適用を受けているリース賃貸資産につき1の①の(12)《評価換え等及び期中評価換え等の意義》の表の(一)に掲げる評価換え等が行われたことによりその帳簿価額が増額され、又は減額された場合には、当該評価換え等が行われた事業年度後の各事業年度（当該評価換え等が同(12)の(二)に掲げる期中評価換え等〔以下(3)において「期中評価換え等」という。〕である場合には、当該期中評価換え等が行われた事業年度以後の各事業年度）における当該リース賃貸資産に係る4に掲げる除して計算した金額は、当該リース賃貸資産の当該評価換え等の直後の帳簿価額から(1)の表の(一)《改定取得価額》に掲げる残価保証額を控除し、これを当該リース賃貸資産の改定リース期間のうち当該評価換え等が行われた事業年度終了の日後の期間（当該評価換え等が期中評価換え等である場合には、当該期中評価換え等が行われた事業年度開始の日〔当該事業年度が当該リース賃貸資産を賃貸の用に供した日の属する事業年度である場合には、同日〕以後の期間）の月数で除して計算した金額とする。(法31⑥、令49の2④)
　　注　(3)の月数は、暦に従って計算し、1か月に満たない端数を生じたときは、これを1か月とする。(法31⑥、令49の2⑤)

(旧リース期間定額法を採用する場合の届出)
(4)　4の適用を受けようとする内国法人は、4に掲げる旧リース期間定額法を採用しようとする事業年度（平成20年4月1日以後に終了する事業年度に限る。）に係る第二節第三款の二の1《確定申告》による申告書の提出期限（当該採用しようとする事業年度に係る同款の一の3《仮決算をした場合の中間申告書の記載事項等》に掲げる期間〔当該内国法人が通算子法人である場合には同3の(8)《通算法人である場合の適用》の表の(一)に掲げる期間とし、同日以後に終了するものに限る。〕について同3の①から③までに掲げる事項を記載した中間申告書を提出する場合には、その中間申告書の提出期限）までに、次の表に掲げる事項を記載した届出書を納税地の所轄税務署長に提出しなければならない。(法31⑥、令49の2②、規11の2)

(一)	4の適用を受けようとするリース賃貸資産の2の(1)《申請書の提出》の(四)に掲げる資産の種類
(二)	届出をする内国法人の名称、納税地及び法人番号並びに代表者の氏名

(三)	4に掲げる旧リース期間定額法を採用しようとする資産の種類（（一）に掲げる資産の種類をいう。）ごとの改定取得価額の合計額
(四)	その他参考となるべき事項

5　特別な償却率による償却の方法

　減価償却資産（1の②の表のへに掲げるリース資産を除く。）のうち、次の表に掲げるものの償却限度額の計算については、その採用している同①又は②に掲げる償却の方法に代えて、当該資産の取得価額に当該資産につき納税地の所轄国税局長の認定を受けた償却率を乗じて計算した金額を各事業年度の償却限度額として償却する方法を選定することができる。（法31⑥、令50①、規12）

①	漁網、活字に常用されている金属
②	なつ染用銅ロール
③	映画用フィルム（2以上の常設館において順次上映されるものに限る。）
④	非鉄金属圧延用ロール（電線圧延用ロールを除く。）
⑤	短期間にその型等が変更される製品でその生産期間があらかじめ生産計画に基づき定められているものの生産のために使用する金型その他の工具で、当該製品以外の製品の生産のために使用することが著しく困難であるもの
⑥	①から⑤までに掲げる資産に類するもの

　　　（償却限度額の計算）
（1）　特別な償却率による償却限度額は、その償却率の異なるものごとに計算する。（基通7－6－11）

　　　（漁網の範囲）
（2）　漁網には、網地、浮子（あば）、沈子（いわ）及び綱並びに延縄を含むものとする。（耐通4－1－1）

　　　（鉛板地金）
（3）　活字地金には、鉛板地金を含むものとする。（耐通4－1－2）

　　　（映画用フィルムの取得価額）
（4）　映画用フィルムの取得価額には、ネガティブフィルム（サウンドフィルム及びデュープネガを含む。）及びポジティブフィルム（デュープポジを含む。）の取得に直接、間接に要した一切の費用が含まれるが、自己の所有に係るネガティブフィルムからポジティブフィルムを作成する場合には、当該ポジティブフィルムの複製費用は、映画フィルムの取得価額に算入しないことができる。（耐通4－1－3）

　　　（映画フィルムの範囲と上映権）
（5）　法人が他人の有するネガティブフィルムから作成される16ミリ版ポジティブフィルム（公民館、学校等を巡回上映するもの又はこれらに貸与することを常態とするものに限る。）を取得した場合の当該フィルム又は上映権を取得した場合の当該上映権は、**5**の表の⑥に掲げる資産に該当するものとして取り扱う。（耐通4－1－4）

　　　（非鉄金属圧延用ロール）
（6）　非鉄金属圧延用ロールには、作動ロール（ワーキングロール）のほか、押えロール（バックアップロール）を含むものとする。（耐通4－1－5）

　　　（譲渡、滅失資産の除却価額）
（7）　特別な償却率により償却費の額を計算している一の資産の一部につき、除却、廃棄、滅失又は譲渡（以下「除却等」という。）をした場合における当該資産の除却等による損益の計算の基礎となる帳簿価額は、次による。（耐通4－1－6）
（一）　活字地金については、除却等の直前の帳簿価額を除却等の直前の保有量で除して算出した価額を当該活字地金の1単位当たりの価額とする。

(二) なつ染用銅ロール、非鉄金属圧延用ロール及び**5**の表の⑤に掲げる金型その他の工具（以下「専用金型等」という。）については、個々の資産につき償却費の額を配賦しているものはその帳簿価額とし、個々の資産につき償却費の額を配賦していないものは（9）に掲げる残存価額とする。
(三) 漁網につき、その一部を修繕等により取り替えた場合におけるその取り替えた部分については、ないものとする。

（修繕費と資本的支出の区分）
（8） 特別な償却率により償却費を計算する資産に係る次の費用についての修繕費と資本的支出の区分は、次による。（耐通4－1－7）
(一) 漁網については、各事業年度において漁網の修繕等（災害等により漁網の一部が滅失又は損傷した場合におけるその修繕等を含む。）のために支出した金額のうち、次の算式により計算される金額は、資本的支出とする。この場合における計算は、原則として、法人の有する漁網について一統ごとに行うのであるが、その計算が著しく困難であると認められるときは、特別な償却率の異なるごとに、かつ、事業場の異なるごとに行うことができる。

$$算式 = \frac{A}{B}\{B-(C\times 一定割合)\}$$

A……当該事業年度において修繕等のために当該漁網に支出した金額をいう。
B……当該事業年度において修繕等のために当該漁網に使用した網地等の合計量をいう。
C……当該事業年度開始の日における当該漁網の全構成量をいう。
一定割合……30％（法人の事業年度が1年に満たない場合には、当該事業年度の月数を12で除し、これに30％を乗じて得た割合）とする。

(二) 活字地金については、鋳造に要した費用及び地金かすから地金を抽出するために要した費用は修繕費とし、地金の補給のために要した費用は資本的支出とする。
(三) なつ染用銅ロールの彫刻に要した費用は彫刻したときの修繕費とし、銅板のまき替えに要した費用は資本的支出とする。
(四) 非鉄金属圧延用ロールについては、ロールの研磨又は切削に要した費用は研磨又は切削したときの修繕費とする。

（残存価額）
（9） 特別な償却率による償却費の額を計算する資産の残存価額は、次による。（耐通4－1－8）

(一)	漁網	零
(二)	活字地金	零
(三)	なつ染用銅ロール	取得価額の$\frac{15}{100}$
(四)	映画用フィルム	零
(五)	非鉄金属圧延用ロール	取得価額の$\frac{3}{100}$
(六)	専用金型等	処分可能価額

（残存価額となった資産）
（10） 特別な償却率は、その認定を受けた資産の償却累積額が当該資産の取得価額から（9）に掲げる残存価額を控除した金額に相当する額に達するまで償却を認めることとして認定する建前としているから、特別な償却率により償却費の額を計算している資産で、特別な償却率が同一であるため、一括して償却しているものについて、その償却費が個々の資産に配賦されている場合において、当該個々の資産の帳簿価額が残存価額に達したときは、その後においては、償却限度額の計算の基礎となる取得価額から当該資産の取得価額を除くことに留意する。（耐通4－1－9）

（特別な償却率等の算定式）
（11） **5**の特別な償却率は、次の区分に応じ、次により算定する。（耐通4－2－1）

(一)	漁網	原則として一統ごとに、当該漁網の種類に応じて、次により算定される月数（法人の事業年度が1年に満たない場合には、当該月数を12倍し、これを当該事業年度の

月数で除して得た月数）に応じた次表に掲げる割合とする。
　イ　一時に廃棄されることがなく修繕等により継続してほぼ恒久的に漁ろうの用に供することができる漁網については、当該漁網が新たに漁ろうの用に供された日からその法人の操業状態において修繕等のために付加される網地等の合計量（反数その他適正な量的単位により計算した量）が当該漁網の全構成量に達すると予想される日までの経過月数
　ロ　イ以外の漁網については、当該漁網が新たに漁ろうの用に供された日から、その法人の操業状態において当該漁網が一時に廃棄されると予想される日までの経過月数

月　　　　　　数	割合	月　　　　　　数	割合
12　以　上　　15　未　満	90%	47　以　上　　54　未　満	45%
15　〃　　　　18　〃	85	54　〃　　　　65　〃	40
18　〃　　　　20　〃	80	65　〃　　　　77　〃	35
20　〃　　　　23　〃	75	77　〃　　　　96　〃	30
23　〃　　　　27　〃	70	96　〃　　　　124　〃	25
27　〃　　　　31　〃	65	124　〃　　　170　〃	20
31　〃　　　　35　〃	60	170　〃　　　262　〃	15
35　〃　　　　40　〃	55	262　〃　　　540　〃	10
40　〃　　　　47　〃	50	540　〃	5

注1　イ及びロに掲げる月数は、法人が当該漁網と種類、品質、修繕等の状況及び使用状態等がほぼ同一であるものを有していた場合にはその実績を、当該法人にその実績がない場合には当該法人と事業内容か操業状態等が類似するものが有する漁網の実績を考慮して算定する。
注2　注1の場合において、その月数は法人が予備網を有し、交互に使用しているようなときは、当該漁網と予備網を通常交互に使用した状態に基づいて算定することに留意する。

(二)	活　字　地　金	活字地金が活字の鋳造等によって1年間に減量する率とする。
(三)	なつ染用銅ロール	各事業年度におけるロールの実際彫刻回数の彫刻可能回数のうちに占める割合とする。
(四)	映画用フィルム	ポジティブフィルムの封切館における上映日から経過した月数ごとに、その月までの収入累計額の全収入予定額のうちに占める割合とする。
(五)	非鉄金属圧延用ロール	各事業年度におけるロールの直径の減少値の使用可能直径（事業の用に供したときのロールの直径からロールとして使用し得る最小の直径を控除した値をいう。）のうちに占める割合とする。
(六)	専　用　金　型　等	各事業年度における専用金型等による実際生産数量の当該専用金型等に係る総生産計画数量のうちに占める割合とする。

（特別な償却率の認定申請）
(12)　5の認定を受けようとする内国法人は、次に掲げる事項を記載した申請書に当該認定に係る償却率の算定の基礎となるべき事項を記載した書類を添付し、納税地の所轄税務署長を経由して、これを納税地の所轄国税局長に提出しなければならない。（法31⑥、令50②、規13）
(一)　申請をする内国法人の名称、納税地及び法人番号並びに代表者の氏名
(二)　特別な償却率の適用を受けようとする減価償却資産の種類及び名称、その所在する場所
(三)　申請書を提出する日の属する事業年度開始の日におけるその適用を受けようとする減価償却資産の種類ごとの数量並びにその取得価額の合計額及び帳簿価額の合計額
(四)　認定を受けようとする償却率
(五)　その他参考となるべき事項

第三章　第一節　第六款　四《減価償却資産の償却の方法》

　　　（申請書の提出があった場合の国税局長の認定）
(13)　国税局長は、(12)の申請書の提出があった場合には、遅滞なく、これを審査し、その申請に係る減価償却資産の償却率を認定するものとする。(法31⑥、令50③)

　　　（認定に係る償却率の変更処分）
(14)　国税局長は、**5**の償却率の認定をした後、その認定に係る償却率により**5**の減価償却資産の償却限度額の計算をすることを不適当とする特別の事由が生じたと認める場合には、その償却率を変更することができる。(法31⑥、令50④)

　　　（償却率の認定又は変更の処分の通知）
(15)　国税局長は、(13)又は(14)の処分をするときは、その認定に係る内国法人に対し、書面によりその旨を通知する。(法31⑥、令50⑤)

　　　（償却率の認定又は変更の処分の効果）
(16)　(13)又は(14)の処分があった場合には、その処分のあった日の属する事業年度以後の各事業年度の所得の金額を計算する場合のその処分に係る減価償却資産の償却限度額の計算についてその処分の効果が生ずるものとする。(法31⑥、令50⑥)

　　　（特別な償却率の認定）
(17)　特別な償却率の認定は、申請資産の実情により認定するのであるが、当該資産が漁網、活字地金及び専用金型等以外の資産である場合において、申請に係る率又は回数若しくは直径が巻末付録二の付表６《漁網、活字地金及び専用金型等以外の資産の基準率、基準回数及び基準直径表》に掲げる基準率以下のもの又は基準回数若しくは基準直径以上であるときは、その申請どおり認定する。(耐通４－３－１)

　　　（中古資産の特別な償却率）
(18)　特別な償却率の認定を受けている法人が、当該認定を受けた資産と同様の中古資産を取得した場合には、当該中古資産については、その取得後の状況に応じて特別な償却率を見積もることができる。(耐通４－３－２)

　　　（特別な償却率による償却限度額）
(19)　特別な償却率による各事業年度の償却限度額は、次の表の左欄の区分に応じ、同表の右欄により算定する。(耐通４－３－３)

(一)	漁　網	認定を受けた特別な償却率の異なるごとに当該事業年度開始の日における漁網の帳簿価額に特別な償却率を乗じて計算した金額とする。この場合において、事業年度の中途に事業の用に供した漁網については、その取得価額に特別な償却率を乗じて計算した金額に次の割合を乗じて計算した金額とする。	
		イ　当該漁網による漁獲について漁期の定めがある場合	$\dfrac{\text{当該漁網を当該事業年度において漁ろうの用に供した期間の月数}}{\text{当該漁期の期間（当該事業年度に２以上の漁期を含むときは、各漁期の期間の合計の期間）の月数}}$
		ロ　イ以外の場合	$\dfrac{\text{当該漁網を事業の用に供した日から当該事業年度終了の日までの期間の月数}}{\text{当該事業年度の月数}}$
(二)	活字地金	各事業年度開始の日における帳簿価額に特別な償却率（事業年度が１年未満の場合には、特別な償却率に当該事業年度の月数を乗じ、これを12で除した率。以下(二)において同じ。）を乗じて計算した金額とする。この場合において、当該事業年度の中途に事業の用に供した活字地金については、その取得価額に特別な償却率を乗じて計算した金額に、その供した日から当該事業年度終了の日までの期間の月数を乗じてこれを当該事業年度の月数で除して計算した金額とする。	
(三)	なつ染用銅ロール	ロールの取得価額から残存価額を控除した金額に当該事業年度の特別な償却率を乗じて計算した金額とする。	

－375－

		注　なつ染用銅ロールが2以上ある場合における特別な償却率は、ロールの種類ごとに、各事業年度における実際の彫刻回数（当該事業年度において譲渡又は廃棄したロールの彫刻回数を除き、基準模様以外の模様を彫刻した場合の彫刻回数は、実際彫刻回数に換算率を乗じた回数とする。）の合計数の当該事業年度終了の日において有するロールの彫刻可能回数の合計数のうちに占める割合による。
(四)	映画用フィルム	取得価額に当該フィルムの上映日から当該事業年度終了の日までに経過した期間の月数に応ずる特別な償却率（当該事業年度前の事業年度において上映したフィルムについては、当該特別な償却率から当該事業年度直前の事業年度終了の日における特別な償却率を控除した率）を乗じて計算した金額とする。 ただし、巻末付録二の付表6《漁網、活字地金及び専用金型等以外の資産の基準率、基準回数及び基準直径表》の（2）のただし書の適用を受ける場合には、各事業年度ごとに封切上映したものの取得価額の総額に同ただし書の割合を乗じて計算した金額の合計額とする。
(五)	非鉄金属圧延用ロール	使用可能の直径の異なるごとに、当該ロールの取得価額から残存価額を控除した金額に当該事業年度の特別な償却率を乗じて計算した金額とする。 注　非鉄金属圧延用ロールが2以上ある場合における特別な償却率は、使用可能の直径の異なるごとに、各事業年度におけるロールの直径の減少値（当該事業年度において譲渡又は廃棄したロールに係る減少値を除く。）の合計数の当該事業年度終了の日において有するロールの使用可能直径の合計数のうちに占める割合による。
(六)	専用金型等	その種類及び形状を同じくするものごとに、当該専用金型等の取得価額から残存価額を控除した金額に当該事業年度の特別な償却率を乗じて計算した金額とする。

（特別な償却率の認定を受けている資産に資本的支出をした場合の取扱い）

(20)　特別な償却率の認定を受けている減価償却資産について資本的支出をした場合には、当該資本的支出は当該認定を受けている特別な償却率により償却を行うことができることに留意する。（耐通4－3－4）

五　減価償却資産の償却の方法の選定、変更等

1　償却の方法の選定

　減価償却資産の償却の方法は、**四**の**1**の①《平成19年3月31日以前に取得した減価償却資産の償却の方法》の表の**イ**から**ヘ**まで又は同**1**の②《平成19年4月1日以後に取得した減価償却資産の償却の方法》の表の**イ**から**ヘ**までに掲げる減価償却資産ごとに、かつ、同①の表の**イ**の(イ)、**ロ**、**ハ**及び**ホ**並びに同②の表の**イ**の(イ)、**ロ**、**ハ**及び**ホ**に掲げる減価償却資産については次の表の左欄に掲げる減価償却資産の区分に応じそれぞれ同表の右欄に掲げる区分ごとに選定しなければならない。この場合において、2以上の事業所又は船舶を有する内国法人は、事業所又は船舶ごとに償却の方法を選定することができる。（法31⑥、令51①、規14）

①	機械及び装置以外の減価償却資産のうち耐用年数省令別表第一《機械及び装置以外の有形減価償却資産の耐用年数表》の適用を受けるもの	耐用年数省令別表第一に掲げる種類
②	機械及び装置のうち耐用年数省令別表第二《機械及び装置の耐用年数表》の適用を受けるもの	耐用年数省令別表第二に掲げる設備の種類
③	汚水処理又はばい煙処理の用に供されている減価償却資産のうち耐用年数省令別表第五《公害防止用減価償却資産の耐用年数表》の適用を受けるもの	耐用年数省令別表第五に掲げる種類
④	開発研究の用に供されている減価償却資産のうち耐用年数省令別表第六《開発研究用減価償却資産の耐用年数表》の適用を受けるもの	耐用年数省令別表第六に掲げる種類
⑤	坑道及び**一**の**2**の表の⑧のイに掲げる鉱業権（試掘権を除く。）	当該坑道及び鉱業権に係る耐用年数省令別表第二に掲げる設備の種類
⑥	試掘権	当該試掘権に係る耐用年数省令別表第二に掲げる設備の種類

　注　**1**は、平成28年度改正により改正されており、法人の平成28年4月1日以後に終了する事業年度の償却限度額の計算について適用され、平成28年3月31日以前に終了した事業年度の償却限度額の計算については、**1**の本文は次による。（平28改令附6①、1）

> 　減価償却資産の償却の方法は、**四**の**1**の①《平成19年3月31日以前に取得した減価償却資産の償却の方法》の表の**イ**から**ヘ**まで又は同**1**の②《平成19年4月1日以後に取得した減価償却資産の償却の方法》の表の**イ**から**ヘ**までに掲げる減価償却資産ごとに、かつ、同①の表の**イ**の(イ)、**ロ**、**ハ**及び**ホ**並びに同②の注1の表の旧**ロ**、旧**ハ**及び同②の表の**ホ**に掲げる減価償却資産については次の表の左欄に掲げる減価償却資産の区分に応じそれぞれ右欄に掲げる区分ごとに選定しなければならない。この場合において、2以上の事業所又は船舶を有する内国法人は、事業所又は船舶ごとに償却の方法を選定することができる。（法31⑥、旧令51①、規14）

（部分的に用途を異にする建物の償却）
　一の建物が部分的にその用途を異にしている場合において、その用途を異にする部分がそれぞれ相当の規模のものであり、かつ、その用途の別に応じて償却することが合理的であると認められる事情があるときは、当該建物につきそれぞれその用途を異にする部分ごとに異なる償却の方法を選定することができるものとする。（基通7-2-1）

2　償却の方法の選定の届出

　内国法人は、次の表の左欄に掲げる法人（②に掲げる法人又は④に掲げる法人のうち収益事業を行っていない公益法人等に該当していた普通法人若しくは協同組合等にあっては、その有する減価償却資産と同一の資産区分〔**1**に掲げる区分をいい、2以上の事業所又は船舶を有する内国法人で事業所又は船舶ごとに償却の方法を選定しようとする場合にあっては、事業所又は船舶ごとの当該区分をいう。以下**2**において同じ。〕に属する減価償却資産につきそれぞれ右欄に掲げる日の属する事業年度前の事業年度においてこの**2**による届出をすべきものを除く。）の区分に応じそれぞれ右欄に掲げる日の属する事業年度に係る第二節第三款の**二**の**1**《確定申告》による申告書の提出期限（①又は⑤から⑦までに掲げる日の属する同款の**一**の**3**《仮決算をした場合の中間申告書の記載事項等》に掲げる期間〔当該内国法人が通算子法人である場合には、同**3**の(8)《通算法人である場合の適用》の表の(一)に掲げる期間〕について同**3**の表の①から③に掲げる事項を記載した中間申告書を提出する場合には、その中間申告書の提出期限）までに、その有する減価償却資産と同一の資産区分に属する減価償却資産につき、当該資産区分ごとに、**四**の**1**の①又は同②に掲げる償却の方法のうちそのよるべき方法

を書面により納税地の所轄税務署長に届け出なければならない。ただし、（１）《建物等の償却方法の選定のみなし規定》の表の左欄に掲げる減価償却資産については、この限りでない。（法31⑥、令51②）

①	新たに設立した内国法人（公益法人等及び人格のない社団等を除く。）	設立の日
②	新たに収益事業を開始した内国法人である公益法人等及び人格のない社団等	その開始した日
③	公共法人に該当していた収益事業を行う公益法人等	当該公益法人等に該当することとなった日
④	公共法人又は収益事業を行っていない公益法人等に該当していた普通法人又は協同組合等	当該普通法人又は協同組合等に該当することとなった日
⑤	設立後（②に掲げる内国法人については新たに収益事業を開始した後とし、③に掲げる内国法人については収益事業を行う公益法人等に該当することとなった後とし、④に掲げる内国法人については普通法人又は協同組合等に該当することとなった後とする。）既にそのよるべき償却の方法を選定している減価償却資産（その償却の方法を届け出なかったことにより法定償却方法によるべきこととされているものを含む。）以外の減価償却資産の取得（適格合併又は適格分割型分割による被合併法人又は分割法人からの引継ぎを含む。以下⑤及び⑦において同じ。）をした内国法人	当該資産の取得をした日
⑥	新たに事業所を設けた内国法人で、当該事業所に属する減価償却資産につき当該減価償却資産と同一の区分（１の表の①から⑥までの区分をいう。）に属する資産について既に選定している償却の方法と異なる償却の方法を選定しようとするもの又は既に事業所ごとに異なる償却の方法を選定しているもの	新たに事業所を設けた日
⑦	新たに船舶の取得をした内国法人で、当該船舶につき当該船舶以外の船舶について既に選定している償却の方法と異なる償却の方法を選定しようとするもの又は既に船舶ごとに異なる償却の方法を選定しているもの	新たに船舶の取得をした日

（建物等の償却方法の選定のみなし規定）
（１） 次の表の左欄に掲げる減価償却資産については、内国法人が当該資産を取得した日において同表の右欄に掲げる償却の方法を選定したものとみなす。（法31⑥、令51②⑤、48①、48の２①）

(一)	**四**の１の①の表の**イ**の(ロ)に掲げる建物	旧定額法
(二)	同表の**ニ**に掲げる無形固定資産及び生物	旧定額法
(三)	同表の**ヘ**に掲げる国外リース資産	旧国外リース期間定額法
(四)	同②の表の**イ**の(ロ)に掲げる減価償却資産	定額法
(五)	同表の**ニ**に掲げる無形固定資産及び生物	定額法
(六)	同表の**ヘ**に掲げるリース資産	リース期間定額法

（新償却方法適用資産を取得した場合の償却方法の選定のみなし規定）
（２） 平成19年３月31日以前に取得をされた減価償却資産（以下（２）において「旧償却方法適用資産」という。）につき既にそのよるべき償却の方法として旧定額法、旧定率法又は旧生産高比例法を選定している場合（その償却の方法を届け出なかったことにより**３**《法定償却方法》に掲げる償却の方法によるべきこととされている場合を含み、２以上の事業所又は船舶を有する場合で既に事業所又は船舶ごとに異なる償却の方法を選定している場合を除く。）において、同年４月１日以後に取得をされた減価償却資産（以下（２）において「新償却方法適用資産」という。）で、同年３月31日以前に取得をされるとしたならば当該旧償却方法適用資産と同一の区分（**１**《償却の方法の選定》に掲げる区分をいう。）に属するものにつき**２**《償却の方法の選定の届出》による届出をしていないときは、当該新償却方法適用資産については、当該旧償却方法適用資産につき選定した次の表の左欄に掲げる償却の方法の区分に応じそれぞれ同表の右欄に掲げる償却の方法（**四**の１の②の表の**ハ**の(イ)に掲げる減価償却資産に該当する新償却方法適用資産にあっては、当該旧償却方法適用資産につき選定した次の表の(一)又は(三)に掲げる償却の方法の区分に応じそれぞれ(一)又

は（三）に掲げる償却の方法）を選定したものとみなす。ただし、当該新償却方法適用資産と同一の区分（**1**《償却の方法の選定》に掲げる区分をいう。）に属する他の新償却方法適用資産について、**4**《償却の方法の変更手続》の承認を受けている場合は、この限りでない。（法31⑥、令51③）

（一）	旧定額法	定額法
（二）	旧定率法	定率法
（三）	旧生産高比例法	生産高比例法

　　　（鉱業用減価償却資産を取得した場合の償却方法の選定のみなし規定）
（３）　**四**の**１**の②の表の**ハ**に掲げる鉱業用減価償却資産のうち平成28年３月31日以前に取得されたもの（以下（３）において「旧選定対象資産」という。）につき既にそのよるべき償却の方法として定額法を選定している場合（２以上の事業所又は船舶を有する場合で既に事業所又は船舶ごとに異なる償却の方法を選定している場合を除く。）において、同**ハ**の（イ）に掲げる減価償却資産（以下（３）において新選定対象資産）という。）で、同日以前に取得をされるとしたならば当該旧選定対象資産と同一の区分に属するものにつき**２**《償却の方法の選定の届出》に掲げる届出をしていないときは、当該新選定対象資産については、定額法を選定したものとみなす。ただし、当該新選定対象資産と同一の区分に属する他の新選定対象資産について、**4**《償却の方法の変更手続》の承認を受けている場合には、この限りではない。（法31⑥、令51④）

3　法定償却方法

　内国法人が減価償却資産につき償却の方法を選定しなかった場合における法定償却方法は、次の表の左欄に掲げる資産の区分に応じそれぞれ右欄に掲げる方法とする。（法31⑥、令53）

①	平成19年３月31日以前に取得をされた減価償却資産	次の表の左欄に掲げる資産の区分に応じそれぞれ同表の右欄に掲げる方法		
		イ	**四**の**１**の①の表の**イ**の（イ）に掲げる平成10年３月31日以前に取得をされた建物及び同表の**ロ**に掲げる建物附属設備及び建物以外の有形減価償却資産	旧定率法
		ロ	同表の**ハ**に掲げる鉱業用減価償却資産及び同表の**ホ**に掲げる鉱業権	旧生産高比例法
②	平成19年４月１日以後に取得をされた減価償却資産	次の表の左欄に掲げる資産の区分に応じそれぞれ同表の右欄に掲げる方法		
		イ	**四**の**１**の②の表の**イ**の（イ）及び**ロ**に掲げる減価償却資産	定率法
		ロ	同表の**ハ**に掲げる鉱業用減価償却資産及び同表の**ホ**に掲げる鉱業権	生産高比例法

　注　**3**の表の②のイは、平成28年度改正により改正されており、法人の平成28年４月１日以後に終了する事業年度の償却限度額の計算について適用され、法人の平成28年３月31日以前に終了した事業年度の償却限度額の計算については、**3**の表の②は、次による。（平28改令附６①、１）

②	平成19年４月１日以後に取得をされた減価償却資産	次の表の左欄に掲げる資産の区分に応じそれぞれ同表の右欄に掲げる方法		
		旧イ	**四**の**１**の②の注１の表の旧**ロ**に掲げる建物附属設備及び建物以外の有形減価償却資産	定率法
		ロ	同表の**ハ**に掲げる鉱業用減価償却資産及び同表の**ホ**に掲げる鉱業権	生産高比例法

4　償却の方法の変更手続

　内国法人は、減価償却資産につき選定した償却の方法（その償却の方法を届け出なかった内国法人がよるべきこととされている法定償却方法を含む。（６）において同じ。）を変更しようとするとき（２以上の事業所又は船舶を有する内国法人で事業所又は船舶ごとに償却の方法を選定していないものが事業所又は船舶ごとに償却の方法を選定しようとするときを含む。）は、納税地の所轄税務署長の承認を受けなければならない。（法31⑥、令52①）

　　　（償却方法の変更の承認申請）
（１）　**4**に掲げる承認を受けようとする内国法人は、その新たな償却の方法を採用しようとする事業年度開始の日の前

日までに、次に掲げる事項を記載した申請書を納税地の所轄税務署長に提出しなければならない。（法31⑥、令52②、規15）
- （一） 申請をする内国法人の名称、納税地及び法人番号並びに代表者の氏名
- （二） 選定した償却の方法を変更しようとする旨
- （三） その償却の方法を変更しようとする理由
- （四） その償却の方法を変更しようとする減価償却資産の種類及び構造若しくは用途、細目又は設備の種類の区分（2以上の事業所又は船舶を有する内国法人で事業所又は船舶ごとに償却の方法を選定していないものが事業所又は船舶ごとに償却の方法を選定しようとする場合にあっては、事業所又は船舶ごとのこれらの区分）
- （五） 現によっている償却の方法及びその償却の方法を採用した日
- （六） 採用しようとする新たな償却の方法
- （七） その他参考となるべき事項

　　　（申請の却下）
（2）　税務署長は、（1）に掲げる申請書の提出があった場合において、その申請書を提出した内国法人が現によっている償却の方法を採用してから相当期間を経過していないとき、又は変更しようとする償却の方法によってはその内国法人の各事業年度の所得の金額の計算が適正に行われ難いと認めるときは、その申請を却下することができる。（法31⑥、令52③）

　　　（償却方法の変更申請があった場合の「相当期間」）
（3）　一旦採用した減価償却資産の償却の方法は特別の事情がない限り継続して適用すべきものであるから、法人が現によっている償却の方法を変更するために（1）に掲げる変更承認申請書を提出した場合において、その現によっている償却の方法を採用してから3年を経過していないときは、その変更が合併や分割に伴うものである等その変更することについて特別な理由があるときを除き、（2）に掲げる相当期間を経過していないときに該当するものとする。（基通7－2－4）
　　注　その変更承認申請書の提出がその現によっている償却の方法を採用してから3年を経過した後になされた場合であっても、その変更することについて合理的な理由がないと認められるときは、その変更を承認しないことができる。

　　　（承認又は却下の通知）
（4）　税務署長は、（1）に掲げる申請書の提出があった場合において、その申請につき承認又は却下の処分をするときは、その申請をした内国法人に対し、書面によりその旨を通知する。（法31⑥、令52④）

　　　（みなし承認）
（5）　（1）に掲げる申請書の提出があった場合において、その新たな償却の方法を採用しようとする事業年度終了の日（当該事業年度について中間申告書を提出すべき内国法人については、当該事業年度〔当該内国法人が通算子法人である場合には、当該事業年度開始の日の属する当該内国法人に係る通算親法人の事業年度〕開始の日以後6か月を経過した日の前日）までにその申請につき承認又は却下の処分がなかったときは、その日においてその承認があったものとみなす。（法31⑥、令52⑤）

　　　（公益法人等のみなし承認）
（6）　2《償却の方法の選定の届出》の表の②の左欄に掲げる内国法人又は同表の④の左欄に掲げる内国法人のうち収益事業を行っていない公益法人等に該当していた普通法人若しくは協同組合等がそれぞれ右欄に掲げる日の属する事業年度において、減価償却資産につき選定した償却の方法を変更しようとする場合（2以上の事業所又は船舶を有する内国法人で事業所又は船舶ごとに償却の方法を選定していないものが事業所又は船舶ごとに償却の方法を選定しようとする場合を含む。）において、当該事業年度に係る第二節第三款の二の1《確定申告》による申告書の提出期限までに、その旨及び（1）に掲げる事項を記載した届出書を納税地の所轄税務署長に提出したときは、当該届出書をもって（1）の申請書とみなし、当該届出書の提出をもって4《償却の方法の変更手続》の承認があったものとみなす。この場合において（4）は、適用しない。（法31⑥、令52⑥）

　　　（評価方法の変更に関する届出書の提出）
（7）　（6）に掲げる届出書は、公益法人等又は人格のない社団等が収益事業の廃止等の事情により法人税の納税義務を

有しなくなった後に、次に掲げる事情により再び法人税の納税義務が生じた場合において、既に選定していた評価方法を変更しようとするときに提出することに留意する。(基通5-2-14・編者補正)
(一) 公益法人等又は人格のない社団等が収益事業を開始したこと
(二) 公益法人等(収益事業を行っていないものに限る。)が普通法人又は協同組合等に該当することとなったこと

　　(平成28年4月1日以後最初に終了する事業年度における償却の方法の変更手続《平28改正経過措置》)
(8) 平成28年4月1日以後最初に終了する事業年度において、**四**の**1**の②の表の**イ**及び**ロ**に掲げる減価償却資産につき選定した償却の方法(その償却の方法を届け出なかった法人がよるべきこととされている**3**《法定償却方法》に掲げる償却の方法を含む。)を変更しようとする場合(2以上の事業所を有する法人で事業所ごとに償却の方法を選定していないものが事業所ごとに償却の方法を選定しようとする場合を含む。)において、第二節第三款の**二**の**1**《確定申告》に掲げる申告書の提出期限(同日の属する同款の**一**の**3**《仮決算をした場合の中間申告書の記載事項等》に掲げる期間について同**3**の表の①から③に掲げる事項を記載した中間申告書を提出する場合には、その中間申告書の提出期限)までに、次の表に掲げる事項を記載した届出書を納税地の所轄税務署長に提出したときは、当該届出書をもって(1)《償却方法の変更の承認申請》の申請書とみなし、当該届出書の提出をもって**4**《償却の方法の変更手続》の承認があったものとみなす。(平28改令附6②、1、平28改規附2)

(一)	届出をする法人の名称、納税地及び法人番号並びに代表者の氏名
(二)	新たな償却の方法
(三)	変更しようとする理由
(四)	その償却の方法を変更しようとする減価償却資産の種類及び構造若しくは用途又は細目の区分(2以上の事業所を有する法人で事業所ごとに償却の方法を選定していないものが事業所ごとに償却の方法を選定しようとする場合にあっては、事業所ごとのこれらの区分)
(五)	現によっている償却の方法及びその償却の方法を採用した日
(六)	その他参考となるべき事項

六　減価償却資産の取得価額

1　減価償却資産の取得価額

　減価償却資産の取得価額は、次の表の左欄に掲げる資産の区分に応じそれぞれ同表の右欄に掲げる金額とする。（法31⑥、令54①）

①	購入した減価償却資産	次に掲げる金額の合計額 イ　当該資産の購入の代価（引取運賃、荷役費、運送保険料、購入手数料、関税〔関税法第2条第1項第4号の2《定義》に規定する附帯税を除く。〕その他当該資産の購入のために要した費用がある場合には、その費用の額を加算した金額） ロ　当該資産を事業の用に供するために直接要した費用の額
②	自己の建設、製作又は製造（以下「**建設等**」という。）に係る減価償却資産	次に掲げる金額の合計額 イ　当該資産の建設等のために要した原材料費、労務費及び経費の額 ロ　当該資産を事業の用に供するために直接要した費用の額
③	自己が成育させた一の2の表の⑨のイに掲げる生物（以下③において「牛馬等」という。）	次に掲げる金額の合計額 イ　成育させるために取得（適格合併又は適格分割型分割による被合併法人又は分割法人からの引継ぎを含む。④のイにおいて同じ。）をした牛馬等に係る①のイ、⑤のイの(イ)若しくは⑤のロの(イ)若しくは⑥のイに掲げる金額又は種付費及び出産費の額並びに当該取得をした牛馬等の成育のために要した飼料費、労務費及び経費の額 ロ　成育させた牛馬等を事業の用に供するために直接要した費用の額
④	自己が成熟させた一の2の表の⑨のロ及びハに掲げる生物（以下④において「果樹等」という。）	次に掲げる金額の合計額 イ　成熟させるために取得をした果樹等に係る①のイ、⑤のイの(イ)若しくは⑤のロの(イ)若しくは⑥のイに掲げる金額又は種苗費の額並びに当該取得をした果樹等の成熟のために要した肥料費、労務費及び経費の額 ロ　成熟させた果樹等を事業の用に供するために直接要した費用の額
⑤	適格合併、適格分割、適格現物出資又は適格現物分配により移転を受けた減価償却資産	次の表の左欄に掲げる区分に応じそれぞれ同表の右欄に掲げる金額 イ　適格合併又は適格現物分配（適格現物分配にあっては、残余財産の全部の分配に限る。以下⑤において「適格合併等」という。）により移転を受けた減価償却資産 　　次に掲げる金額の合計額 　　(イ)　当該適格合併等に係る被合併法人又は現物分配法人が当該適格合併の日の前日又は当該残余財産の確定の日の属する事業年度において当該資産の償却限度額の計算の基礎とすべき取得価額 　　(ロ)　当該適格合併等に係る合併法人又は被現物分配法人が当該資産を事業の用に供するために直接要した費用の額 ロ　適格分割、適格現物出資又は適格現物分配（適格現物分配にあっては、残余財産の全部の分配を除く。以下⑤において「適格分割等」という。）により移転を受けた減価償却資産 　　次に掲げる金額の合計額 　　(イ)　当該適格分割等に係る分割法人、現物出資法人又は現物分配法人が当該適格分割等の日の前日を事業年度終了の日とした場合に当該事業年度において当該資産の償却限度額の計算の基礎とすべき取得価額 　　(ロ)　当該適格分割等に係る分割承継法人、被現物出資法人又は被現物分配法人が当該資産を事業の用に供するために直接要した費用の額
⑥	①から⑤までに掲げる方法以外の方法により取得をした減価償却資産	次に掲げる金額の合計額 イ　その取得の時における当該資産の取得のために通常要する価額 ロ　当該資産を事業の用に供するために直接要した費用の額

第三章　第一節　第六款　六《減価償却資産の取得価額》

（高価買入資産の取得価額）
（1）　法人が不当に高価で買い入れた固定資産について、その買入価額のうち実質的に贈与をしたものと認められた金額がある場合には、買入価額から当該金額を控除した金額を取得価額とすることに留意する。（基通7－3－1）

（借入金の利子）
（2）　固定資産を取得するために借り入れた借入金の利子の額は、たとえ当該固定資産の使用開始前の期間に係るものであっても、これを当該固定資産の取得価額に算入しないことができるものとする。（基通7－3－1の2）
　　注　借入金の利子の額を建設中の固定資産に係る建設仮勘定に含めたときは、当該利子の額は固定資産の取得価額に算入されたことになる。

（割賦購入資産等の取得価額に算入しないことができる利息相当部分）
（3）　割賦販売契約（延払条件付譲渡契約を含む。）によって購入した固定資産の取得価額には、契約において購入代価と割賦期間分の利息及び売手側の代金回収のための費用等に相当する金額とが明らかに区分されている場合のその利息及び費用相当額を含めないことができる。（基通7－3－2）

（固定資産の取得に関連して支出する地方公共団体に対する寄附等）
（4）　法人が都道府県又は市町村からその工場誘致等により土地その他の固定資産を取得し、購入の代価のほかに、その取得に関連して都道府県若しくは市町村又はこれらの指定する公共団体等に寄附金又は負担金の名義で金銭を支出した場合においても、その支出した金額が実質的にみてその資産の代価を構成すべきものと認められるときは、その支出した金額はその資産の取得価額に算入する。（基通7－3－3）

（固定資産の取得価額に算入しないことができる費用の例示）
（5）　次に掲げるような費用の額は、たとえ固定資産の取得に関連して支出するものであっても、これを固定資産の取得価額に算入しないことができる。（基通7－3－3の2）
（一）　次に掲げるような租税公課等の額
　　イ　不動産取得税又は自動車取得税
　　ロ　特別土地保有税のうち土地の取得に対して課されるもの
　　ハ　新増設に係る事業所税
　　ニ　登録免許税その他登記又は登録のために要する費用
（二）　建物の建設等のために行った調査、測量、設計、基礎工事等でその建設計画を変更したことにより不要となったものに係る費用の額
（三）　一旦締結した固定資産の取得に関する契約を解除して他の固定資産を取得することとした場合に支出する違約金の額

（土地についてした防壁、石垣積み等の費用）
（6）　埋立て、地盛り、地ならし、切土、防壁工事その他土地の造成又は改良のために要した費用の額はその土地の取得価額に算入するのであるが、土地についてした防壁、石垣積み等であっても、その規模、構造等からみて土地と区分して構築物とすることが適当と認められるものの費用の額は、土地の取得価額に算入しないで、構築物の取得価額とすることができる。
　　上水道又は下水道の工事に要した費用の額についても、同様とする。（基通7－3－4）
　　注　専ら建物、構築物等の建設のために行う地質調査、地盤強化、地盛り、特殊な切土等土地の改良のためのものでない工事に要した費用の額は、当該建物、構築物等の取得価額に算入する。

（土地、建物等の取得に際して支払う立退料等）
（7）　法人が土地、建物等の取得に際し、当該土地、建物等の使用者等に支払う立退料その他立退きのために要した金額は、当該土地、建物等の取得価額に算入する。（基通7－3－5）

（土地とともに取得した建物等の取壊し費等）
（8）　法人が建物等の存する土地（借地権を含む。以下（8）において同じ。）を建物等とともに取得した場合又は自己の有する土地の上に存する借地人の建物等を取得した場合において、その取得後おおむね1年以内に当該建物等の取壊しに着手する等、当初からその建物等を取り壊して土地を利用する目的であることが明らかであると認められるとき

は、当該建物等の取壊しの時における帳簿価額及び取壊し費用の合計額（廃材等の処分によって得た金額がある場合は、当該金額を控除した金額）は、当該土地の取得価額に算入する。（基通7－3－6）

　　　（事後的に支出する費用）
(9)　新工場の落成、操業開始等に伴って支出する記念費用等のように減価償却資産の取得後に生ずる付随費用の額は、当該減価償却資産の取得価額に算入しないことができるものとするが、工場、ビル、マンション等の建設に伴って支出する住民対策費、公害補償費等の費用（(14)《宅地開発等に際して支出する開発負担金等》の(二)及び(三)に該当するものを除く。）の額で当初からその支出が予定されているもの（毎年支出することとなる補償金を除く。）については、たとえその支出が建設後に行われるものであっても、当該減価償却資産の取得価額に算入する。（基通7－3－7）
　　　注　住民運動により建設工事が遅延し資材の保管のために特別に借地料、倉庫料等を要した場合は、当該費用は異常原因に基づいて支出するものであるから、固定資産の取得価額に算入しないで、その支出の都度損金として差し支えない。（編者）

　　　（借地権の取得価額）
(10)　借地権の取得価額には、土地の賃貸借契約又は転貸借契約（これらの契約の更新及び更改を含む。以下(10)において「借地契約」という。）に当たり借地権の対価として土地所有者又は借地権者に支払った金額のほか、次に掲げるような金額を含むものとする。ただし、(一)に掲げる金額が建物等の購入代価のおおむね10％以下の金額であるときは、強いてこれを区分しないで建物等の取得価額に含めることができる。（基通7－3－8）
　(一)　土地の上に存する建物等を取得した場合におけるその建物等の購入代価のうち借地権の対価と認められる部分の金額
　(二)　賃借した土地の改良のためにした地盛り、地ならし、埋立て等の整地に要した費用の額
　(三)　借地契約に当たり支出した手数料その他の費用の額
　(四)　建物等を増改築するに当たりその土地の所有者等に対して支出した費用の額

　　　（治山工事等の費用）
(11)　天然林を人工林に転換するために必要な地ごしらえ又は治山の工事のために支出した金額（構築物の取得価額に算入されるものを除く。）は、林地の取得価額に算入する。（基通7－3－9）

　　　（公有水面を埋め立てて造成した土地の取得価額）
(12)　法人が公有水面を埋め立てて取得した土地の取得価額には、当該埋立てに要した費用の額のほか、公有水面埋立法第12条《免許料》の規定により徴収された免許料及び同法第6条《権利者に対する補償、損害防止施設》の規定による損害の補償に要する金額その他公有水面の埋立てをする権利の取得のために要した費用（以下(13)においてこれらの費用を「埋立免許料等」という。）の額が含まれることに留意する。（基通7－3－10）

　　　（残し等により埋め立てた土地の取得価額）
(13)　法人がその事業から生ずる残し（滓）等によって造成した埋立地の取得価額は、その残し等の処理のために要した運搬費、築石費、捨石工事費等（埋立免許料等を含む。以下(13)において「埋立費」という。）の額の合計額（当該合計額が埋立工事が完了した日の埋立地の価額を超える場合には、その超える金額を控除した金額）による。ただし、法人が次のいずれかの方法によっているときは、これを認める。（基通7－3－11）
　(一)　埋立工事中の各事業年度において支出した埋立費を埋立地の原価の額に算入し、その事業年度終了の日における原価の合計が、その埋立地が同日に完成したものとした場合におけるその埋立地の価額を超えるに至った場合において、その事業年度において支出した埋立費の額のうち、その超える金額を損金の額に算入して計算した原価の額をその取得価額とする方法
　(二)　埋立費のうち埋立免許料等並びに残し等の処理のための築石費及び捨石工事費の額を埋立地の原価の額に算入し、その残し等の処理のために要した運搬費のような築石費及び捨石工事費以外の費用の額をその支出の都度損金の額に算入するとともに、法人がその埋立地の所有権を取得した時（所有権を取得する前にその埋立地に工作物を設置する等埋立地を使用するに至ったときのその使用部分については、使用の時）においてその取得時の埋立地の価額（当該価額が埋立費の合計額を超えるときは、当該合計額）をその取得価額として修正する方法

　　　（宅地開発等に際して支出する開発負担金等）
(14)　法人が固定資産として使用する土地、建物等の造成又は建築等（以下(14)において「宅地開発等」という。）の許可を受けるために地方公共団体に対してその宅地開発等に関連して行われる公共的施設等の設置又は改良の費用に充てるもの

として支出する負担金等（これに代えて提供する土地又は施設を含み、純然たる寄附金の性質を有するものを除く。以下(14)において同じ。）の額については、その負担金等の性質に応じそれぞれ次により取り扱うものとする。（基通7－3－11の2）
　（一）　例えば団地内の道路、公園又は緑地、公道との取付道路、雨水調整池（流下水路を含む。）等のように直接土地の効用を形成すると認められる施設に係る負担金等の額は、その土地の取得価額に算入する。
　（二）　例えば上水道、下水道、工業用水道、汚水処理場、団地近辺の道路（取付道路を除く。）等のように土地又は建物等の効用を超えて独立した効用を形成すると認められる施設で当該法人の便益に直接寄与すると認められるものに係る負担金等の額は、それぞれその施設の性質に応じて無形減価償却資産の取得価額又は繰延資産とする。
　（三）　例えば団地の周辺又は後背地に設置されるいわゆる緩衝緑地、文教福祉施設、環境衛生施設、消防施設等のように主として団地外の住民の便益に寄与すると認められる公共的施設に係る負担金等の額は、繰延資産とし、その償却期間は8年とする。

　　（土地の取得に当たり支出する負担金等）
(15)　法人が地方公共団体等が造成した土地を取得するに当たり土地の購入の代価のほかに(14)《宅地開発等に際して支出する開発負担金等》に掲げる負担金等の性質を有する金額でその内容が具体的に明らかにされているものを支出した場合には、(14)に準じて取り扱うことができるものとする。（基通7－3－11の3）

　　（埋蔵文化財の発掘費用）
(16)　法人が工場用地等の造成に伴い埋蔵文化財の発掘調査等をするために要した費用の額は、土地の取得価額に算入しないで、その支出をした日の属する事業年度の損金の額に算入することができる。ただし、文化財の埋蔵されている土地をその事情を考慮して通常の価額より低い価額で取得したと認められる場合における当該発掘調査等のために要した費用の額については、この限りでない。（基通7－3－11の4）

　　（私道を地方公共団体に寄附した場合）
(17)　法人が専らその有する土地の利用のために設置されている私道を地方公共団体に寄附した場合には、当該私道の帳簿価額を当該土地の帳簿価額に振り替えるものとし、その寄附をしたことによる損失はないものとする。（基通7－3－11の5）
　　　注　第八款の一の(5)《公共的施設の設置又は改良のために支出する費用》の(一)の取扱いとの相違に留意する。（編者）

　　（山林立木の取得価額）
(18)　植栽のための地ごしらえ費、種苗費、植栽費（通常の補植に要する費用を含む。）、ぶ育費、間伐費及び管理費等植栽のための地ごしらえから成林に至るまでの造林に要する一切の費用の金額は、山林立木の取得価額に算入する。ただし、おおむね毎年（将来にわたる場合を含む。）輪伐を行うことを通例とする法人の造林に要する費用のうち、ぶ育費、間伐費及び管理費については、その支出の日の属する事業年度の損金の額に算入することができる。（基通7－3－13）
　　　注　この取扱いによると、原則としては間伐費は山林立木の取得価額に算入されるので、間伐材を譲渡した場合には譲渡原価はなく、その収益の全額が益金の額に算入されることになるが、法人がその譲渡による収益を益金の額に算入するとともに、間伐費及びその間伐に係る山林立木の帳簿価額のうち間伐材に対応する金額の合計額（当該収益の額を限度とする。）を譲渡原価として損金の額に算入しているときは、これを認める。

　　（出願権を取得するための費用）
(19)　法人が他から出願権（工業所有権に関し特許又は登録を受ける権利をいう。）を取得した場合のその取得の対価については、無形固定資産に準じて当該出願権の目的たる工業所有権の耐用年数により償却することができるが、その出願により工業所有権の登録があったときは、当該出願権の未償却残額（工業所有権を取得するために要した費用があるときは、その費用の額を加算した金額）に相当する金額を当該工業所有権の取得価額とする。（基通7－3－15）

　　（自己の製作に係るソフトウエアの取得価額等）
(20)　自己の製作に係るソフトウエアの取得価額については、1の表の②に基づき、当該ソフトウエアの製作のために要した原材料費、労務費及び経費の額並びに当該ソフトウエアを事業の用に供するために直接要した費用の額の合計額となることに留意する。
　　この場合、その取得価額については適正な原価計算に基づき算定することとなるのであるが、法人が、原価の集計、配賦等につき、合理的であると認められる方法により継続して計算している場合には、これを認めるものとする。（基通7－3－15の2）

第三章　第一節　第六款　六《減価償却資産の取得価額》

- 注1　他の者から購入したソフトウエアについて、そのソフトウエアの導入に当たって必要とされる設定作業及び自社の仕様に合わせるために行う付随的な修正作業等の費用の額は、当該ソフトウエアの取得価額に算入することに留意する。
- 注2　既に有しているソフトウエア又は購入したパッケージソフトウエア等（以下(20)において「既存ソフトウエア等」という。）の仕様を大幅に変更して、新たなソフトウエアを製作するための費用の額は、当該新たなソフトウエアの取得価額になるのであるが、その場合（新たなソフトウエアを製作することに伴い、その製作後既存ソフトウエア等を利用することが見込まれない場合に限る。）におけるその既存ソフトウエア等の残存簿価は、当該新たなソフトウエアの製作のために要した原材料費となることに留意する。
- 注3　市場販売目的のソフトウエアにつき、完成品となるまでの間に製品マスターに要した改良又は強化に係る費用の額は、当該ソフトウエアの取得価額に算入することに留意する。

（ソフトウエアの取得価額に算入しないことができる費用）

(21)　次に掲げるような費用の額は、ソフトウエアの取得価額に算入しないことができる。（基通7－3－15の3）
　（一）　自己の製作に係るソフトウエアの製作計画の変更等により、いわゆる仕損じがあったため不要となったことが明らかなものに係る費用の額
　（二）　研究開発費の額（自社利用のソフトウエアに係る研究開発費の額については、その自社利用のソフトウエアの利用により将来の収益獲得又は費用削減にならないことが明らかな場合における当該研究開発費の額に限る。）
　（三）　製作等のために要した間接費、付随費用等で、その費用の額の合計額が少額（その製作原価のおおむね3％以内の金額）であるもの

（電話加入権の取得価額）

(22)　電話加入権の取得価額には、電気通信事業者との加入電話契約に基づいて支出する工事負担金のほか、屋内配線工事に要した費用等電話機を設置するために支出する費用（当該費用の支出の目的となった資産を自己の所有とする場合のその設置のために支出するものを除く。）が含まれることに留意する。（基通7－3－16）
　注　自動車電話、携帯電話等に加入する際の費用については、一の2の(12)《電気通信施設利用権の範囲》を参照。（編者）

（採掘権の取得価額）

(23)　法人がその有する試掘権の目的となっている鉱物に係る鉱区につき採掘権を取得した場合には、当該試掘権の未償却残額に相当する金額と当該採掘権の出願料、登録免許税その他その取得のために直接要した費用の額の合計額を当該採掘権の取得価額とする。（基通7－6－1の2）

（金属造りの移動性仮設建物の取得価額の特例）

(24)　建設業者等が建設工事等の用に供する金属造りの移動性仮設建物については、その償却費を工事原価に算入するのであるが、この場合における当該建物の償却計算の基礎となる取得価額は、当該建物の構成部分のうちその移設に伴い反復して組み立てて使用されるものの取得のために要した費用の額によることができる。（基通2－2－8）
　注　当該建物の組立て、撤去に要する費用及び電気配線等の附属設備で他に転用することができないと認められるものの費用は、当該建物を利用して行う工事の工事原価に算入する。

（賃借人におけるリース資産の取得価額）

(25)　賃借人におけるリース資産（第一款の六に掲げるリース資産をいう。以下(27)までにおいて同じ。）の取得価額は、原則としてそのリース期間（同款の六の(2)《リース取引の意義》に掲げるリース取引〔以下(27)までにおいて「リース取引」という。〕に係る契約において定められたリース資産の賃貸借期間をいう。以下(27)までにおいて同じ。）中に支払うべきリース料の額の合計額による。ただし、リース料の額の合計額のうち利息相当額から成る部分の金額を合理的に区分することができる場合には、当該リース料の額の合計額から当該利息相当額を控除した金額を当該リース資産の取得価額とすることができる。（基通7－6の2－9）
　注1　再リース料の額は、原則として、リース資産の取得価額に算入しない。ただし、再リースをすることが明らかな場合には、当該再リース料の額は、リース資産の取得価額に含まれる。
　注2　リース資産を事業の用に供するために賃借人が支出する付随費用の額は、リース資産の取得価額に含まれる。
　注3　本文ただし書の適用を受ける場合には、当該利息相当額はリース期間の経過に応じて利息法又は定額法により損金の額に算入する。

（リース期間終了の時に賃借人がリース資産を購入した場合の取得価額）

(26)　賃借人がリース期間終了の時にそのリース取引の目的物であった資産を購入した場合（そのリース取引が四の1の②の(2)の表の(五)《所有権移転外リース取引》のイ若しくはロに掲げるもの又はこれらに準ずるものに該当する場合を除く。）には、その購入の直前における当該資産の取得価額にその購入代価の額を加算した金額を取得価額とす

る。(基通7-6の2-10前段)

　　　(リース期間の終了に伴い返還を受けた資産の取得価額)
(27)　リース期間の終了に伴い賃貸人が賃借人からそのリース取引の目的物であった資産の返還を受けた場合には、賃貸人は当該リース期間終了の時に当該資産を取得したものとする。この場合における当該資産の取得価額は、原則として、返還の時の価額による。ただし、当該資産に係るリース契約に残価保証額の定めがある場合における当該資産の取得価額は、当該残価保証額とする。リース期間の終了に伴い再リースをする場合についても同様とする。(基通7-6の2-11)
　　　注　残価保証額とは、リース期間終了の時にリース資産の処分価額がリース取引に係る契約において定められている保証額に満たない場合にその満たない部分の金額を当該リース取引に係る賃借人その他の者がその賃貸人に支払うこととされている場合における当該保証額をいう。

　　　(スキー場のゲレンデ整備費用)
(28)　自己の土地をスキー場として整備するための土工工事(他の者の所有に係る土地を有料のスキー場として整備するための土工工事を含む。)に要する費用の額は、構築物の取得価額に算入する。(基通8-1-9(注)2)

　　　(固定資産について値引き等があった場合)
(29)　法人の有する固定資産について値引き、割戻し又は割引(以下(29)において「値引き等」という。)があった場合には、その値引き等のあった日の属する事業年度の確定した決算において次の算式により計算した金額の範囲内で当該固定資産の帳簿価額を減額することができるものとする。(基通7-3-17の2)
(算式)

$$\text{値引き等の額} \times \frac{\text{値引き等の直前における当該固定資産の帳簿価額}}{\text{値引き等の直前における当該固定資産の取得価額}}$$

　　　注1　当該固定資産が法人税法又は租税特別措置法の規定による圧縮記帳の適用を受けたものであるときは、算式の分母及び分子の金額はその圧縮記帳後の金額によることに留意する。
　　　注2　当該固定資産についてその値引き等のあった日の属する事業年度の直前の事業年度から繰り越された特別償却不足額(特別償却準備金の積立不足額を含む。以下(29)において同じ。)があるときは、当該特別償却不足額の生じた事業年度においてその値引き等があったものとした場合に計算される特別償却限度額を基礎として当該繰り越された特別償却不足額を修正するものとする。

　　　(被災者用仮設住宅の設置費用)
(30)　法人が、災害により被災した役員又は従業員(以下(30)において「従業員等」という。)の住居として一時的に使用する建物(以下(30)において「仮設住宅」という。)の用に供する資材(以下(30)において「仮設住宅用資材」という。)の取得又は賃借をして仮設住宅を設置した場合において、当該仮設住宅の組立て、設置のために要した金額につきその居住の用に供した日の属する事業年度において費用として経理したときには、これを認める。
　　　法人が取得をした仮設住宅用資材について、これを反復して使用する場合には、通常の例により償却するものとするが、仮設住宅のためにのみ使用することとしている場合には、その見積使用期間を基礎として償却することを認める。この場合において、当該見積使用期間を基礎として償却を行うときは、その取得価額から当該見積使用期間に基づき算定した処分見込価額を控除した金額を基礎として償却額を計算するものとする。(基通7-3-17の3)
　　　注　法人が、仮設住宅の一部を自己の従業員等以外の被災者の居住の用に供した場合においても、同様とする。

2　自己の建設等に係る減価償却資産の取得価額の特例

　内国法人が自己の建設等に係る減価償却資産につき算定した建設等の原価の額が**1**の表の②《自己の建設等に係る減価償却資産》のイ及びロに掲げる金額の合計額と異なる場合において、その原価の額が適正な原価計算に基づいて算定されているときは、その原価の額に相当する金額をもって当該資産の取得価額とみなす。(法31⑥、令54②)

　　　(固定資産の原価差額の調整)
(1)　法人が棚卸資産に係る原価差額の調整を要する場合において、原材料等の棚卸資産を固定資産の製作又は建設(改良を含む。)のために供したとき又は自己生産に係る製品を固定資産として使用したときは、当該固定資産に係る原価差額は、その取得価額に配賦するものとする。(基通7-3-17)
　　　注　原価差額の調整を要するかどうかは、第五款の**六**《原価差額の調整》に掲げるところによる。(編者)

(固定資産の取得価額に算入された交際費等の調整)
（２）　法人が適用年度において支出した交際費等の金額のうちに固定資産の取得価額に含めたため直接当該適用年度の損金の額に算入されていない部分の金額（以下「原価算入額」という。）がある場合において、当該交際費等の金額のうちに第十三款の一《交際費等の損金不算入》により損金の額に算入されないこととなった金額（以下「損金不算入額」という。）があるときは、当該適用年度の確定申告書において、当該原価算入額のうち損金不算入額から成る部分の金額を限度として、当該適用年度終了の時における固定資産の取得価額を減額することができるものとする。この場合において、当該原価算入額のうち損金不算入額から成る部分の金額は、当該損金不算入額に、当該適用年度において支出した交際費等の金額のうちに当該固定資産の取得価額に含まれている交際費等の金額の占める割合を乗じた金額とすることができる。（措通61の４（２）－７参照）
　　　注　この取扱いの適用を受けた場合には、その減額した金額につき当該適用年度の翌事業年度において決算上調整するものとする。

3　圧縮記帳資産の取得価額の特例

　1　《減価償却資産の取得価額》の表の①から⑥までの左欄に掲げる減価償却資産につき法人税法上の圧縮記帳《第十五款》により各事業年度の所得の金額の計算上損金の額に算入された金額がある場合には、同表の①から⑥までの右欄に掲げる金額から圧縮記帳により損金の額に算入された金額（次の表の左欄に掲げる規定の適用があった減価償却資産につき既にその償却費として各事業年度の所得の金額の計算上損金の額に算入された金額がある場合には、当該金額の累積額に、同表の右欄に掲げる割合を乗じて計算した金額を加算した金額）を控除した金額に相当する金額をもって当該資産の償却限度額の計算の基礎となる取得価額とみなす。（法31⑥、令54③）

①	第十五款の一の１《国庫補助金等で取得した固定資産の圧縮額の損金算入》	同１の（２）《国庫補助金等の交付前に取得した固定資産等の圧縮限度額》に掲げる割合
②	第十五款の一の７《特別勘定を設けた場合の国庫補助金等で取得した固定資産の圧縮額の損金算入》	同７の①《特別勘定を設けた場合の国庫補助金等で取得した固定資産の圧縮額の損金算入》に掲げる割合
③	第十五款の二の１《工事負担金で取得した固定資産の圧縮額の損金算入》	同１の（１）《工事負担金の交付前に取得した固定資産の圧縮限度額》に掲げる割合
④	第十五款の三の１《非出資組合が賦課金で取得した固定資産の圧縮額の損金算入》	同１の（１）《賦課金の納付前に取得した固定資産等の圧縮限度額》に掲げる割合
⑤	第十五款の四の１《保険金等で取得した固定資産の圧縮額の損金算入》	同四の３の①《代替資産の圧縮限度額》の表のハに掲げる金額のうちに同３の②《保険差益金の額》に掲げる保険差益金の額に同①に掲げる圧縮基礎割合を乗じて計算した金額の占める割合

（租税特別措置法の規定による圧縮記帳資産の取得価額の特例）
　　租税特別措置法に定める農用地等を取得した場合の課税の特例、収用等の場合の課税の特例、換地処分等に伴い資産を取得した場合の課税の特例、特定の資産の買換えの場合等の課税の特例、特定普通財産とその隣接する土地等の交換の場合の課税の特例、技術研究組合の所得計算の特例若しくは転廃業助成金等に係る課税の特例《第十五款及び第十六款》により圧縮記帳をした代替資産等について法人税に関する法令の規定を適用する場合には、圧縮記帳により各事業年度の所得の金額の計算上損金の額に算入された金額又は益金の額に算入されなかった金額は、当該資産の取得価額に算入しない。（措法61の３⑤、64⑧、64の２⑭、65⑫、65の７⑧、65の８⑯、66③、66の10③、67の４⑬、措令37の３⑤）

4　累積所得金額から控除する金額等の特例

　1の表の①、②及び⑥に掲げる減価償却資産につき第五章第二節の二の３の(10)《救急医療等確保事業用資産の意義》の適用を受けた場合には、当該資産に係る同(10)により取得価額とされた金額をもって当該資産の１による取得価額とみなす。（法31⑥、令54④）

5　非適格合併により移転を受けた譲渡損益調整資産の取得価額

　1の表の⑥の左欄に掲げる減価償却資産が適格合併に該当しない合併で第三十三款の一《譲渡損益調整資産に係る譲渡利益額又は譲渡損失額の繰延べ》の適用があるものにより移転を受けた同一に掲げる譲渡損益調整資産である場合には、

同表の⑥の右欄に掲げる金額から当該資産に係る同款の**四**の**3**の①《非適格合併により譲渡損益調整資産の移転があった場合》に掲げる譲渡利益額に相当する金額を減算し、又は同欄に掲げる金額に当該資産に係る同①に掲げる譲渡損失額に相当する金額を加算した金額をもって、当該資産の**1**による取得価額とみなす。（法31⑥、令54⑤）

6　評価換え等により帳簿価額が増額された場合の取得価額

1の表の①から⑥までの左欄に掲げる減価償却資産につき評価換え等（**四**の**1**の①の(12)《評価換え等及び期中評価換え等の意義》に掲げる評価換え等をいう。）が行われたことによりその帳簿価額が増額された場合には、当該評価換え等が行われた事業年度後の各事業年度（当該評価換え等が同(12)に掲げる期中評価換え等である場合には、当該期中評価換え等が行われた事業年度以後の各事業年度）においては、**1**の表の①から⑥までの右欄に掲げる金額に当該帳簿価額が増額された金額を加算した金額に相当する金額をもって当該資産の**1**による取得価額とみなす。（法31⑥、令54⑥）

7　資本的支出の取得価額の特例

①　原　則

（資本的支出がある場合の減価償却資産の取得価額）

（1）　内国法人が有する減価償却資産について支出する金額のうちに**七**《資本的支出と修繕費》によりその支出する日の属する事業年度の所得の金額の計算上損金の額に算入されなかった金額がある場合には、当該金額を**1**《減価償却資産の取得価額》による取得価額として、その有する減価償却資産と種類及び耐用年数を同じくする減価償却資産を新たに取得したものとする。（法31⑥、令55①）

（リース資産に係る資本的支出額の取得価額の特例）

（2）　（1）に掲げる場合において、当該内国法人が有する減価償却資産がリース資産（**四**の**1**の②の（2）《用語の意義》の表の（四）に掲げるリース資産をいう。以下（2）において同じ。）であるときは、（1）により新たに取得したものとされる減価償却資産は、リース資産に該当するものとする。この場合においては、当該取得したものとされる減価償却資産の同表の（七）に掲げるリース期間は、（1）の支出した金額を支出した日から当該内国法人が有する減価償却資産に係る同（七）に掲げるリース期間の終了の日までの期間として、**7**を適用する。（法31⑥、令55③）

（漁港水面施設運営権に係る資本的支出の取得価額の特例）

（3）　（1）に掲げる場合において、支出する金額が漁港及び漁場の整備等に関する法律（昭和25年法律第137号）第57条第3項《漁港水面施設運営権の存続期間》の規定による更新に伴い支出するものであるときは、（1）中「種類及び耐用年数」とあるのは、「種類」とする。（法31⑥、令55④）

注　（3）は令和6年度改正により追加された部分で、改正規定は、令和6年4月1日から適用される。（令6改令附1）

②　合算の特例

（平成19年3月31日以前に取得した減価償却資産の取得価額への合算の特例）

（1）　①の（1）に掲げる場合において、当該内国法人が有する減価償却資産についてそのよるべき償却の方法として**四**の**1**の①《平成19年3月31日以前に取得した減価償却資産の償却の方法》に掲げる償却の方法を採用しているときは、同（1）にかかわらず、同（1）の支出した金額を当該減価償却資産の**1**による取得価額に加算することができる。（法31⑥、令55②）

（定率法を採用している場合の資本的支出額と取得価額との合算の特例）

（2）　内国法人の当該事業年度の前事業年度において①の（1）に掲げる損金の額に算入されなかった金額がある場合において、当該内国法人が有する減価償却資産（平成24年3月31日以前に取得をされた減価償却資産を除く。以下（2）において「旧減価償却資産」という。）及び同（1）により新たに取得したものとされた減価償却資産（以下②において「追加償却資産」という。）についてそのよるべき償却の方法として定率法を採用しているときは、同（1）にかかわらず、当該事業年度開始の時において、その時における旧減価償却資産の帳簿価額と追加償却資産の帳簿価額との合計額を**1**による取得価額とする一の減価償却資産を、新たに取得したものとすることができる。（法31⑥、令55⑤）

注1　平成28年3月31日の属する事業年度の同日以前の期間内に減価償却資産について支出した金額について（2）により当該事業年度の翌

第三章　第一節　第六款　六《減価償却資産の取得価額》

事業年度開始の時において新たに取得したものとされる減価償却資産に係る四の1の②《平成19年4月1日以後に取得した減価償却資産の償却の方法》の表（イ及びハに係る部分に限る。）、同1の③《適格分社型分割等があった場合又は特別の法律に基づく承継を受けた場合の減価償却資産の償却の方法》の適用については、当該減価償却資産は平成28年3月31日以前に取得をされた資産に該当するものとする。（平28改令附6③、1）

注2　法人が、平成24年3月31日以前に開始し、かつ、平成24年4月1日以後に終了する事業年度（以下「**改正事業年度**」という。）においてその有する減価償却資産（四の1の②の注1の表の旧**ロ**及び旧**ハ**に掲げる減価償却資産に限る。以下注3において同じ。）につきそのよるべき償却の方法として四の1の②の（1）の注1の表の旧（二）に掲げる定率法を選定している場合（その償却の方法を届け出なかったことに基因して五の3《法定償却方法》によりその有する減価償却資産につき定率法により償却限度額の計算をすべきこととされている場合を含む。）において、当該改正事業年度（四の1の②の（3）《250％定率法を適用している減価償却資産の200％定率法の選択適用》の適用を受ける事業年度を除く。）の平成24年4月1日以後の期間内に減価償却資産の取得をするときは、当該減価償却資産を平成24年3月31日以前に取得をされた資産とみなして、（2）を適用することができる。（平23.12改令附3②）

注3　法人が平成24年3月31日の属する事業年度の同日以前の期間内に減価償却資産について支出した金額（当事業年度が改正事業年度である場合には、経過旧資本的支出額を含み、経過新資本的支出額を除く。）について六の7の②の（2）《定率法を採用している場合の資本的支出額と取得価額との合算の特例》の注4の旧（2）により当該事業年度の翌事業年度開始の時において新たに取得したものとされる減価償却資産（当該法人が当該資産につき当該翌事業年度において四の1の②の（3）《250％定率法を適用している減価償却資産の200％定率法の選択適用》の適用を受ける場合における当該資産を除く。以下注3において同じ。）に係る（2）の適用については、当該減価償却資産は同日以前に取得をされた資産に該当するものとする。（平23.12改令附3⑤）

注4　法人が平成24年4月1日以後に減価償却資産について支出する金額（平成24年3月31日以前に開始し、かつ、平成24年4月1日以後に終了する事業年度〔以下「**改正事業年度**」という。〕の同日以後の期間内に減価償却資産〔四の1の②の注1の表の旧**ロ**及び旧**ハ**に掲げる減価償却資産に限る。以下同じ。〕について支出する金額につき①の（1）《資本的支出がある場合の減価償却資産の取得価額》により新たに取得したものとされる減価償却資産についてその支出する金額〔以下「**経過旧資本的支出額**」という。〕を除き、改正事業年度の平成24年3月31日以前の期間内に減価償却資産について支出した金額につき①の（1）により新たに取得したものとされる減価償却資産について四の1の②の（3）《250％定率法を適用している減価償却資産の200％定率法の選択適用》の適用を受ける場合のその支出した金額〔以下「**経過新資本的支出額**」という。〕を含む。）について適用し、法人が平成24年3月31日以前に減価償却資産について支出した金額（経過旧資本的支出額を含み、経過新資本的支出額を除く。）については、注3に掲げる場合を除き、次による。（平23.12改令附3④）

> 旧（2）　内国法人の当該事業年度の前事業年度において①の（1）に掲げる損金の額に算入されなかった金額がある場合において、当該内国法人が有する減価償却資産（以下旧（2）において「**旧減価償却資産**」という。）及び同（1）により新たに取得したものとされた減価償却資産（以下②において「**追加償却資産**」という。）についてそのよるべき償却の方法として定率法を採用しているときは、同（1）にかかわらず、当該事業年度開始の時において、その時における旧減価償却資産の帳簿価額と追加償却資産の帳簿価額との合計額を1による取得価額とする一の減価償却資産を、新たに取得したものとすることができる。（旧法31⑥、旧令55④）

注5　四の1の②の（3）《250％定率法を適用している減価償却資産の200％定率法の選択適用》の適用を受ける場合の（2）の適用については、四の1の②の（3）を参照。（編者）

（同一事業年度内に行われた複数の資本的支出の特例）
（3）　内国法人の当該事業年度の前事業年度において①の（1）に掲げる損金の額に算入されなかった金額がある場合において、当該金額に係る追加償却資産について、そのよるべき償却の方法として定率法を採用し、かつ、（2）の適用を受けないときは、①の（1）及び（2）にかかわらず、当該事業年度開始の時において、当該適用を受けない追加償却資産のうち種類及び耐用年数を同じくするものの当該開始の時における帳簿価額の合計額を1による取得価額とする一の減価償却資産を、新たに取得したものとすることができる。（法31⑥、令55⑥）

注1　平成28年3月31日の属する事業年度の同日以前の期間内に減価償却資産について支出した金額について（3）により当該事業年度の翌事業年度開始の時において新たに取得したものとされる減価償却資産に係る四の1の②《平成19年4月1日以後に取得した減価償却資産の償却の方法》の表（イ及びハに係る部分に限る。）、同③《適格分社型分割等があった場合又は特別の法律に基づく承継を受けた場合の減価償却資産の償却の方法》及び（2）の適用については、当該減価償却資産は平成28年3月31日以前に取得をされた資産に該当するものとする。（平28改令附6③、1）

注2　法人が平成24年3月31日の属する事業年度の同日以前の期間内に減価償却資産について支出した金額（当事業年度が改正事業年度である場合には、経過旧資本的支出額を含み、経過新資本的支出額を除く。）について（3）により当該事業年度の翌事業年度開始の時において新たに取得したものとされる減価償却資産（当該法人が当該資産につき当該翌事業年度において四の1の②の（3）《250％定率法を適用している減価償却資産の200％定率法の選択適用》の適用を受ける場合における当該資産を除く。以下注1において同じ。）に係る（2）の適用については、当該減価償却資産は同日以前に取得をされた資産に該当するものとする。（平23.12改令附3⑤）

注3　法人の改正事業年度の翌事業年度における（3）の適用については、平成24年3月31日以前に減価償却資産について支出した金額（経過旧資本的支出額を含み、経過新資本的支出額を除く。）に係る（2）の注4の旧（2）に掲げる追加償却資産（以下注3において「旧追加償却資産」という。）と平成24年4月1日以後に減価償却資産について支出する金額（経過旧資本的支出額を除き、経過新資本的支出額を含む。）に係る（2）の注1に掲げる追加償却資産で旧追加償却資産と種類及び耐用年数を同じくするものとは、異なる種類及び耐用年数の資産とみなす。（平23.12改令附3⑥）

(資本的支出の取得価額の特例の適用関係)
（４） 法人のした資本的支出につき、（１）から（３）までを適用し、取得価額及び償却限度額の計算をした場合には、その後において、（６）《転用した追加償却資産に係る償却限度額等》による場合などを除き、これらの資本的支出を分離して別々に償却することはできないことに留意する。（基通７－３－１５の４）

(３以上の追加償却資産がある場合の新規取得とされる減価償却資産)
（５） 法人が、追加償却資産について（３）を適用する場合において、当該追加償却資産のうち種類及び耐用年数を同じくするものが３以上あるときは、各追加償却資産の帳簿価額をいずれかの組み合わせにより合計するかは、当該法人の選択によることに留意する。（基通７－３－１５の５）

(転用した追加償却資産に係る償却限度額等)
（６） （３）の適用を受けた一の減価償却資産を構成する各追加償却資産のうち従来使用されていた用途から他の用途に転用したものがある場合には、当該転用に係る追加償却資産を一の資産として、転用後の耐用年数により償却限度額を計算することに留意する。この場合において、当該追加償却資産の取得価額は、（３）の適用を受けた事業年度開始の時における当該追加償却資産の帳簿価額とし、かつ、当該転用した日の属する事業年度開始の時における当該追加償却資産の帳簿価額は、次の表の左欄に掲げる場合に応じ、それぞれ同表の右欄に掲げる価額とする。（基通７－４－２の２）

(一)	償却費の額が個々の追加償却資産に合理的に配賦されている場合	転用した追加償却資産の当該転用した日の属する事業年度開始の時の帳簿価額
(二)	償却費の額が個々の追加償却資産に配賦されていない場合	転用した日の属する事業年度開始の時の当該一の減価償却資産の帳簿価額に当該一の減価償却資産の取得価額のうちに当該追加償却資産の（３）の適用を受けた事業年度開始の時における帳簿価額の占める割合を乗じて計算した金額

注　当該転用が事業年度の中途で行われた場合における当該追加償却資産の償却限度額の計算については、十の１の（４）《転用資産の償却限度額》による。

8　減価償却資産以外の固定資産の取得価額

減価償却資産以外の固定資産の取得価額については、別に定めるもののほか、１《減価償却資産の取得価額》及びこれに関する取扱いの例による。

なお、資本的支出に相当する金額は当該固定資産の取得価額に加算する。（基通７－３－１６の２）

注　土地等、絵画その他の非減価償却資産の取得価額についても、引取運賃、運送保険料、購入手数料その他その資産を取得するための費用及び事業の用に供するために直接要した費用の額が含まれることに留意する。（編者）

七　資本的支出と修繕費

　内国法人が、修理、改良その他いずれの名義をもってするかを問わず、その有する固定資産について支出する金額で次の表に掲げる金額に該当するもの（そのいずれにも該当する場合には、いずれか多い金額）は、その内国法人のその支出する日の属する事業年度の所得の金額の計算上、損金の額に算入しない。（令132）

1	当該支出する金額のうち、その支出により、当該資産の取得の時において当該資産につき通常の管理又は修理をするものとした場合に予測される当該資産の使用可能期間を延長させる部分に対応する金額
2	当該支出する金額のうち、その支出により、当該資産の取得の時において当該資産につき通常の管理又は修理をするものとした場合に予測されるその支出の時における当該資産の価額を増加させる部分に対応する金額

（資本的支出の例示）
（1）　法人がその有する固定資産の修理、改良等のために支出した金額のうち当該固定資産の価値を高め、又はその耐久性を増すこととなると認められる部分に対応する金額が資本的支出となるのであるから、例えば次に掲げるような金額は、原則として資本的支出に該当する。（基通7－8－1）
　（一）　建物の避難階段の取付等物理的に付加した部分に係る費用の額
　（二）　用途変更のための模様替え等改造又は改装に直接要した費用の額
　（三）　機械の部分品を特に品質又は性能の高いものに取り替えた場合のその取替えに要した費用の額のうち通常の取替えの場合にその取替えに要すると認められる費用の額を超える部分の金額
　　注　建物の増築、構築物の拡張、延長等は建物等の取得に当たる。

（修繕費に含まれる費用）
（2）　法人がその有する固定資産の修理、改良等のために支出した金額のうち当該固定資産の通常の維持管理のため、又はき損した固定資産につきその原状を回復するために要したと認められる部分の金額が修繕費となるのであるが、次に掲げるような金額は、修繕費に該当する。（基通7－8－2）
　（一）　建物の移えい又は解体移築をした場合（移えい又は解体移築を予定して取得した建物についてした場合を除く。）におけるその移えい又は移築に要した費用の額。ただし、解体移築にあっては、旧資材の70％以上がその性質上再使用できる場合であって、当該旧資材をそのまま利用して従前の建物と同一の規模及び構造の建物を再建築するものに限る。
　（二）　機械装置の移設（(10)《集中生産を行う等のための機械装置の移設費》の本文の適用のある移設を除く。）に要した費用（解体費を含む。）の額
　（三）　地盤沈下した土地を沈下前の状態に回復するために行う地盛りに要した費用の額。ただし、次に掲げる場合のその地盛りに要した費用の額を除く。
　　イ　土地の取得後直ちに地盛りを行った場合
　　ロ　土地の利用目的の変更その他土地の効用を著しく増加するための地盛りを行った場合
　　ハ　地盤沈下により評価損を計上した土地について地盛りを行った場合
　（四）　建物、機械装置等が地盤沈下により海水等の浸害を受けることとなったために行う床上げ、地上げ又は移設に要した費用の額。ただし、その床上工事等が従来の床面の構造、材質等を改良するものである等明らかに改良工事であると認められる場合のその改良部分に対応する金額を除く。
　（五）　現に使用している土地の水はけを良くする等のために行う砂利、砕石等の敷設に要した費用の額及び砂利道又は砂利路面に砂利、砕石等を補充するために要した費用の額

（少額又は周期の短い費用の損金算入）
（3）　一の計画に基づき同一の固定資産について行う修理、改良等（以下(5)までにおいて「一の修理、改良等」という。）が次のいずれかに該当する場合には、その修理、改良等のために要した費用の額については、(1)にかかわらず、修繕費として損金経理をすることができるものとする。（基通7－8－3）
　（一）　その一の修理、改良等のために要した費用の額（その一の修理、改良等が2以上の事業年度にわたって行われるときは、各事業年度ごとに要した金額。以下(5)までにおいて同じ。）が20万円に満たない場合
　（二）　その修理、改良等がおおむね3年以内の期間を周期として行われることが既往の実績その他の事情からみて明らかである場合
　　注1　本文に掲げる「同一の固定資産」は、一の設備が2以上の資産によって構成されている場合には当該一の設備を構成する個々の資産と

し、送配管、送配電線、伝導装置等のように一定規模でなければその機能を発揮できないものについては、その最小規模として合理的に区分した区分ごととする。以下(5)までにおいて同じ。

　注2　一の修理、改良等のために要した費用の額が20万円未満であるかどうかは、法人が消費税の経理処理について適用している税抜経理方式又は税込経理方式に応じ、その適用している方式により算定した金額により判定する。(編者)

（形式基準による修繕費の判定）
(4)　一の修理、改良等のために要した費用の額のうちに資本的支出であるか修繕費であるかが明らかでない金額がある場合において、その金額が次のいずれかに該当するときは、修繕費として損金経理をすることができるものとする。(基通7－8－4)
(一)　その金額が60万円に満たない場合
(二)　その金額がその修理、改良等に係る固定資産の前期末における取得価額のおおむね10％相当額以下である場合

　注1　前事業年度前の各事業年度において、六の7の②の(2)《定率法を採用している場合の資本的支出額と取得価額との合算の特例》の適用を受けた場合における当該固定資産の取得価額とは、同(2)に掲げる一の減価償却資産の取得価額をいうのではなく、同(2)に掲げる旧減価償却資産の取得価額と同(2)に掲げる追加償却資産（以下「追加償却資産」という。）の取得価額との合計額をいうことに留意する。
　注2　固定資産には、当該固定資産についてした資本的支出が含まれるのであるから、当該資本的支出が六の7の②の(3)《同一事業年度内に行われた複数の資本的支出の特例》の適用を受けた場合であっても、当該固定資産に係る追加償却資産の取得価額は当該固定資産の取得価額に含まれることに留意する。
　注3　一の修理、改良等のために要した費用の額が60万円未満であるかどうかは、法人が消費税の経理処理について適用している税抜経理方式又は税込経理方式に応じ、その適用している方式により算定した金額により判定する。(編者)

（資本的支出と修繕費の区分の特例）
(5)　一の修理、改良等のために要した費用の額のうちに資本的支出であるか修繕費であるかが明らかでない金額（(3)又は(4)の適用を受けるものを除く。）がある場合において、法人が、継続してその金額の30％相当額とその修理、改良等をした固定資産の前期末における取得価額の10％相当額とのいずれか少ない金額を修繕費とし、残額を資本的支出とする経理をしているときは、これを認める。(基通7－8－5)

　注　当該固定資産の前期末における取得価額については、(4)の(二)の注1及び注2による。

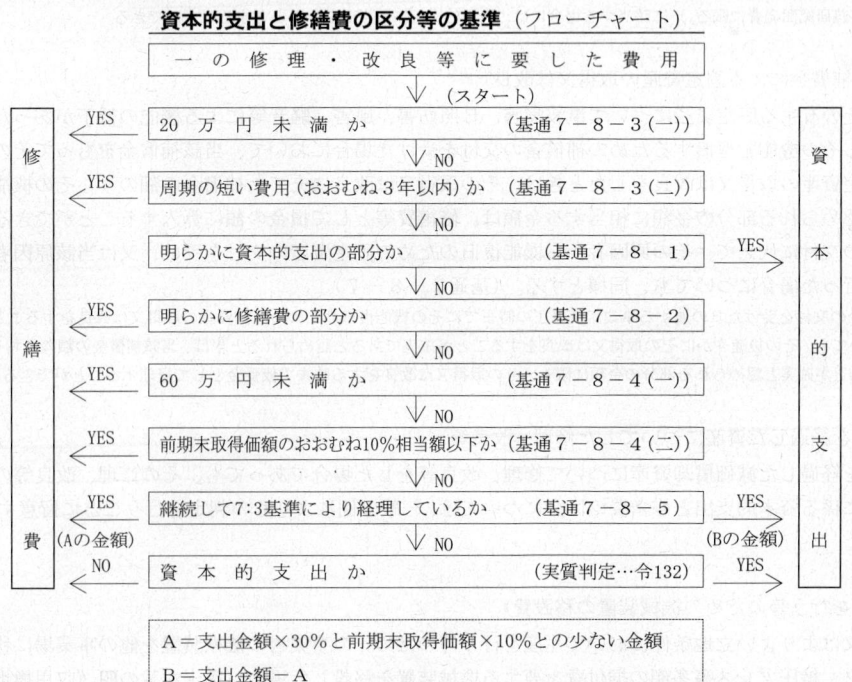

　注　災害の場合の資本的支出と修繕費の区分については、この表にかかわらず(6)によることとなる。

第三章　第一節　第六款　七《資本的支出と修繕費》

　　　　（災害の場合の資本的支出と修繕費の区分の特例）
（６）　災害により被害を受けた固定資産（当該被害に基づき第九款の二の2《評価換えを行った場合の資産の評価損の損金算入》に掲げる評価損を計上したものを除く。以下（６）において「被災資産」という。）について支出した次に掲げる費用に係る資本的支出と修繕費の区分については、（１）から（５）までの取扱いにかかわらず、それぞれ次による。（基通７－８－６）
　（一）　被災資産につきその原状を回復するために支出した費用は、修繕費に該当する。
　（二）　被災資産の被災前の効用を維持するために行う補強工事、排水又は土砂崩れの防止等のために支出した費用について、法人が、修繕費とする経理をしているときは、これを認める。
　（三）　被災資産について支出した費用（上記（一）又は（二）に該当する費用を除く。）の額のうちに資本的支出であるか修繕費であるかが明らかでないものがある場合において、法人が、その金額の30％相当額を修繕費とし、残額を資本的支出とする経理をしているときは、これを認める。
　　　注１　法人が、被災資産の復旧に代えて資産の取得をし、又は特別の施設（被災資産の被災前の効用を維持するためのものを除く。）を設置する場合の当該資産又は特別の施設は新たな資産の取得に該当し、その取得のために支出した金額は、これらの資産の取得価額に含めることに留意する。
　　　注２　上記の固定資産に係る災害の場合の資本的支出と修繕費の区分の特例は、固定資産に準ずる繰延資産（第八款の一《繰延資産の意義》の表の６に掲げる繰延資産のうち他の者の有する固定資産を利用するために支出されたものをいう。）に係る他の者の有する固定資産につき、災害により損壊等の被害があった場合について準用する。

　　　　（ソフトウエアに係る資本的支出と修繕費）
（７）　法人が、その有するソフトウエアにつきプログラムの修正等を行った場合において、当該修正等が、プログラムの機能上の障害の除去、現状の効用の維持等に該当するときはその修正等に要した費用は修繕費に該当し、新たな機能の追加、機能の向上等に該当するときはその修正等に要した費用は資本的支出に該当することに留意する。（基通７－８－６の２）
　　　注１　既に有しているソフトウエア又は購入したパッケージソフトウエア等の仕様を大幅に変更するための費用のうち、六の1の(20)《自己の製作に係るソフトウエアの取得価額等》の注２により取得価額になったもの（六の1の(21)《ソフトウエアの取得価額に算入しないことができる費用》により取得価額に算入しないこととしたものを含む。）以外のものは、資本的支出に該当することに留意する。
　　　注２　本文の修正等に要した費用（修繕費に該当するものを除く。）又は注１の費用が研究開発費（自社利用のソフトウエアについてした支出に係る研究開発費については、その自社利用のソフトウエアの利用により将来の収益獲得又は費用削減にならないことが明らかな場合における当該研究開発費に限る。）に該当する場合には、資本的支出に該当しないこととすることができる。

　　　　（機能復旧補償金による固定資産の取得又は改良）
（８）　法人が、その有する固定資産について電波障害、日照妨害、風害、騒音等による機能の低下があったことによりその原因者からその機能を復旧するための補償金の交付を受けた場合において、当該補償金をもってその交付の目的に適合した固定資産の取得又は改良をしたときは、その取得又は改良に充てた補償金の額のうちその機能復旧のために支出したと認められる部分の金額に相当する金額は、修繕費等として損金の額に算入することができる。
　　当該補償金の交付に代えて、その原因者から機能復旧のための固定資産の交付を受け、又は当該原因者が当該固定資産の改良を行った場合についても、同様とする。（基通７－８－７）
　　　注　当該補償金の交付を受けた日の属する事業年度終了の時までにその機能復旧のための固定資産の取得又は改良をすることができなかった場合においても、その後速やかにその取得又は改良をすることが確実であると認められるときは、当該補償金の額のうちその取得又は改良に充てることが確実と認められる部分の金額に限り、その取得又は改良をする時まで仮受金として経理することができる。

　　　　（耐用年数を経過した資産についてした修理、改良等）
（９）　耐用年数を経過した減価償却資産について修理、改良等をした場合であっても、その修理、改良等のために支出した費用の額に係る資本的支出と修繕費の区分については、一般の例によりその判定を行うことに留意する。（基通７－８－９）

　　　　（集中生産を行う等のための機械装置の移設費）
（10）　集中生産又はよりよい立地条件において生産を行う等のため一の事業場の機械装置を他の事業場に移設した場合又はガスタンク、鍛圧プレス等多額の据付費を要する機械装置を移設した場合（第十六款の四《収用換地等の場合の所得の特別控除》に掲げる収用換地等に伴い移設した場合を除く。）には、運賃、据付費等その移設に要した費用（解体費を除く。以下(10)において「移設費」という。）の額はその機械装置（当該機械装置に係る資本的支出を含む。以下(10)において同じ。）の取得価額に算入し、当該機械装置の移設直前の帳簿価額のうちに含まれている据付費（以下(10)において「旧据付費」という。）に相当する金額は、損金の額に算入する。この場合において、その移設費の額の

合計額が当該機械装置の移設直前の帳簿価額の10％に相当する金額以下であるときは、旧据付費に相当する金額を損金の額に算入しないで、当該移設費の額をその移設をした日の属する事業年度の損金の額に算入することができる。
(基通7－3－12)
> 注　主として新規の生産設備の導入に伴って行う既存の生産設備の配置換えのためにする移設は、原則として集中生産又はよりよい立地条件において生産を行う等のための移設には当たらない。

(特別な償却率により償却費を計算する資産に係る修繕費と資本的支出の区分)
(11) 特別な償却率により償却費を計算する資産に係る次の費用についての修繕費と資本的支出の区分は、次による。(耐通4－1－7)
(一) 漁網については、各事業年度において漁網の修繕等（災害等により漁網の一部が滅失又は損傷した場合におけるその修繕等を含む。）のために支出した金額のうち、次の算式により計算される金額は、資本的支出とする。この場合における計算は、原則として、法人の有する漁網について一統ごとに行うのであるが、その計算が著しく困難であると認められるときは、特別な償却率の異なるごとに、かつ、事業場の異なるごとに行うことができる。
(算式)
$$\text{資本的支出の額} = \frac{A}{B}\{B-(C\times\text{一定割合})\}$$

A……当該事業年度において修繕等のために当該漁網に支出した金額をいう。
B……当該事業年度において修繕等のために当該漁網に使用した網地等の合計量をいう。
C……当該事業年度開始の日における当該漁網の全構成量をいう。
一定割合……30％（法人の事業年度が1年に満たない場合には、当該事業年度の月数を12で除し、これに30％を乗じて得た割合）とする。

(二) 活字地金については、鋳造に要した費用及び地金かすから地金を抽出するために要した費用は修繕費とし、地金の補給のために要した費用は資本的支出とする。
(三) なつ染用銅ロールの彫刻に要した費用は彫刻したときの修繕費とし、銅板のまき替えに要した費用は資本的支出とする。
(四) 非鉄金属圧延用ロールについては、ロールの研磨又は切削に要した費用は研磨又は切削したときの修繕費とする。

(電力会社の行う昇圧工事に伴い配電設備について改造又は取替えを受けた場合の取扱い)
(12) 電力の需要者たる法人が電力会社の行う昇圧工事（電力会社が需要者の配電設備の受電能力を3キロボルトから6キロボルトに昇圧する工事をいう。）に関連して自己の配電設備について改造又は取替えを受けた場合には、次により取り扱う。(昭35直法1－6「2」)
(一) 配電設備について改造を受けた場合には、その改造に要した費用の額は益金の額に算入するとともにその金額を修繕費として損金の額に算入すること。したがって、これにより課税関係は生じないから留意すること。
(二) 配電設備について取替えを受けた場合には、その取替えにより取得した配電設備（以下「取得資産」という。）につき、その取替えにより譲渡した配電設備（以下「譲渡資産」という。）の譲渡直前の帳簿価額を下らない金額をその取得資産の帳簿価額とすることができること。
(三) 配電設備について取替えを受けた場合において、需要者が取替えによる譲渡資産の価額と取得資産の価額との差額に相当する金額を支出しているとき又は配電設備の受電能力の増加等があるために支出した金額があるときは、その取得資産の帳簿価額は、(二)により付すべき帳簿価額にその支出した金額を加算したものによること。
(四) 配電設備について取替えを受けた場合において、取替えによる取得資産の受電能力が減少したことにより需要者が電力会社から補償金を取得したときは、その取得資産の帳簿価額は、(二)により付すべき帳簿価額に次の割合を乗じて計算した金額を下らない金額とし、その補償金の額は、益金の額に算入すること。

$$\frac{(\text{取得資産の価額})}{(\text{取得資産の価額})＋(\text{補償金の額})}$$

(昇圧工事に伴い需要者が取得した価格差補償金の取扱い)
(13) 電力の需要者たる法人が電力会社の行う昇圧工事に関連して交付を受けた価格差補償金については、次により取り扱う。(昭35直法1－6「2の2」)
(一) 価格差補償金は、その交付が確定した日を含む事業年度の益金の額に算入するとともに、当該事業年度におい

第三章　第一節　第六款　**七**《資本的支出と修繕費》

て、当該価格差補償金の交付の対象となった受電設備の帳簿価額につき、価格差補償金に相当する金額以下の金額を減額して損金の額に算入することができるものとすること。この場合において、当該事業年度の前事業年度までに受電設備を取得して減価償却を行っているときは、帳簿価額を減額することができる金額は、次の算式によって計算した金額以下の金額とすること。

$$\text{価格差補償金の金額} \times \frac{\text{帳簿価額を減額する時の直前の受電設備の帳簿価額}}{\text{受電設備の取得価額}}$$

(二)　(一)によって帳簿価額の減額をした受電設備を昇圧工事の完了前に撤去し、又は3キロボルト用受電設備に取り替えたため、先に交付を受けた価格差補償金を電力会社に返還したときは、その返還した日を含む事業年度において、次の算式により計算した金額を下らない金額を、当該撤去し、又は取替えのため取りはずした受電設備の帳簿価額に加算すること。したがって、返還した価格差補償金の金額と当該帳簿価額に加算すべき金額との差額に相当する金額は、その返還した日を含む事業年度の損金の額に算入されること。

$$\text{返還した価格差補償金の金額} \times \frac{\text{返還又は取替えの時の直前の受電設備の帳簿価額}}{\text{(一)による圧縮記帳直後の受電設備の帳簿価額}}$$

　　　　（地盤沈下による防潮堤、防波堤等の積上げ費）
(14)　法人が地盤沈下に起因して防潮堤、防波堤、防水堤等の積上げ工事を行った場合において、数年内に再び積上げ工事を行わなければならないものであると認められるときは、その積上げ工事に要した費用を一の減価償却資産として償却することができる。（基通7-8-8）

　　注1　(14)の場合において、その積上げ工事の償却の基礎とする耐用年数は、積上げ工事により積み上げた高さをその工事の完成前5年間における地盤沈下の1年当たり平均沈下高で除して計算した年数（1年未満の端数は、切り捨てる。）による。（耐通2-3-23）
　　注2　地盤沈下による浸水の防止又は排水のために必要な防水塀、排水溝、排水ポンプ及びモーター等の地盤沈下対策設備の耐用年数は、それぞれ次の年数によることができる。ただし、ハに掲げる排水ポンプ、モーター等の機械装置及び排水溝その他これに類する構築物で簡易なものについては、これらの資産を一括して耐用年数10年を適用することができる。（耐通2-3-24）
　　　イ　防水塀については、注1に準じて計算した年数
　　　ロ　通常機械及び装置と一体となって使用される排水ポンプ及びモーター等については、当該機械及び装置に含めて当該機械及び装置に適用すべき耐用年数
　　　ハ　ロ以外の排水ポンプ及びモーター等については、耐用年数省令別表第二「55　前掲の機械及び装置以外のもの並びに前掲の区分によらないもの」の耐用年数
　　　ニ　コンクリート造等のような恒久的な排水溝その他これに類する構築物については、それぞれの構造に係る「下水道」の耐用年数

　　　　（地域外の既存設備の付替え等に要する経費の補償金）
(15)　法人の有する土地等又は当該土地等の隣接地について収用等があったことに伴い、当該法人の有する建物、構築物、機械及び装置その他の工作物で収用等に係る土地以外の土地の上に存するもの（以下「地域外の既存設備」という。）を従来どおり事業の用に供することが著しく困難となったため、これに代えて資産の取得をし、又は資産の改良を行うための経費に充てるものとして交付を受ける補償金は対価補償金には該当しないのであるが、当該法人が当該補償金の全部又は一部をもって補償の目的に適合した同種の資産の取得又は資産の改良を行った場合には、次の表の左欄に掲げる場合に応じ、それぞれ右欄により取り扱うことができるものとする。
　起業者から金銭以外の資産の交付を受け、又は起業者によって当該法人の有する資産について改良が行われた場合も同様とする。（措通64(2)-12の2）

(一)	当該地域外の既存設備について修理又は改良を行った場合	当該修理又は改良に要した金額が資本的支出と認められるものであっても、法人が当該要した金額のうち当該補償金の額に相当する金額以下の金額を修繕費として損金経理したときは、その計算を認める。
(二)	当該地域外の既存設備に代えて同種の資産を取得した場合	法人が当該補償金の額のうち当該資産の取得に充てた部分の金額に次の算式の割合を乗じて計算した金額以下の金額をその取得価額に算入しないで損金経理したときは、これを認める。 （算式） $$\frac{\text{当該地域外の既存設備（転用したものを含む。）の帳簿価額がその処分価額又は処分見込価額を超える場合のその超える部分の金額}}{\text{当該補償金の額}}\times\text{当該補償金の額}$$

	注　当該地域外の既存設備の取壊し等に要する費用の額が、当該費用に充てるために交付を受ける金額を超える場合には、上記の算式中の「当該補償金の額」は、その「当該補償金の額」からその超える部分の金額を控除したところによる。

　（損壊した賃借資産等に係る補修費）
(16)　法人が賃借資産（賃借をしている土地、建物、機械装置等をいう。）につき修繕等の補修義務がない場合においても、当該賃借資産が災害により被害を受けたため、当該法人が、当該賃借資産の原状回復のための補修を行い、その補修のために要した費用を修繕費として経理したときは、これを認める。
　　法人が、修繕等の補修義務がない販売をした又は賃貸をしている資産につき補修のための費用を支出した場合においても、同様とする。（基通7－8－10）
　　注1　この取扱いにより修繕費として取り扱う費用は、第二十一款の**二**の**2**の(5)《災害損失特別勘定の設定》の災害損失特別勘定への繰入れの対象とはならないことに留意する。
　　注2　当該法人が、その修繕費として経理した金額に相当する金額につき賃貸人等から支払を受けた場合には、その支払を受けた日の属する事業年度の益金の額に算入する。
　　注3　法人が賃借している第一款の**六**《リース取引に係る所得の金額の計算》に掲げるリース資産が災害により被害を受けたため、契約に基づき支払うこととなる規定損害金（免除される金額及び災害のあった日の属する事業年度において支払った金額を除く。）については、災害のあった日の属する事業年度において、未払金として計上することができることに留意する。

八　減価償却資産の耐用年数

1　法定耐用年数

①　一般の減価償却資産の耐用年数

　減価償却資産のうち鉱業権（租鉱権及び採石権その他土石を採掘し又は採取する権利を含む。以下同じ。）、坑道、公共施設等運営権、樹木採取権及び漁港水面施設運営権以外のものの耐用年数は、次の表の左欄に掲げる資産の区分に応じそれぞれ同表の右欄に掲げるところによる。（耐用年数省令1①）

（一）	建物及びその附属設備、構築物、船舶、航空機、車両及び運搬具並びに工具、器具及び備品	耐用年数省令別表（以下この款において「**別表**」という。）第一《機械及び装置以外の有形減価償却資産の耐用年数表》
（二）	機械及び装置	別表第二《機械及び装置の耐用年数表》
（三）	無形固定資産（鉱業権、公共施設等運営権、樹木採取権及び漁港水面施設運営権を除く。）	別表第三《無形減価償却資産の耐用年数表》
（四）	生物（工具、器具及び備品に該当するものを除く。）	別表第四《生物の耐用年数表》

　注1　──線部分は、令和6年度改正により改正された部分で、改正規定は、令和6年4月1日から適用され、令和6年3月31日以前の適用については、「、樹木採取権及び漁港水面施設運営権」とあるのは「及び樹木採取権」とする。（令6改耐用年数省令附1）
　注2　別表第一～別表第四は、巻末付録一を参照。（編者）

イ　共通事項

（2以上の用途に共用されている資産の耐用年数）
（1）　同一の減価償却資産について、その用途により異なる耐用年数が定められている場合において、減価償却資産が2以上の用途に共通して使用されているときは、その減価償却資産の用途については、その使用目的、使用の状況等より勘案して合理的に判定するものとする。この場合、その判定した用途に係る耐用年数は、その判定の基礎となった事実が著しく異ならない限り、継続して適用する。（耐通1－1－1）

（資本的支出後の耐用年数）
（2）　耐用年数省令に定める耐用年数を適用している減価償却資産について資本的支出をした場合（**六**の**7**の①の（3）《漁港水面施設運営権に係る資本的支出の取得価額の特例》の適用がある場合を除く。）には、その資本的支出に係る部分の減価償却資産についても、現に適用している耐用年数により償却限度額を計算することに留意する。
　　六の**7**の②の（2）《定率法を採用している場合の資本的支出額と取得価額との合算の特例》及び同②の（3）《同一事業年度内に行われた複数の資本的支出の特例》により新たに取得したものとされる一の減価償却資産については、同②の（2）に掲げる旧減価償却資産に現に適用している耐用年数により償却限度額を計算することに留意する。（耐通1－1－2）

（賃借資産についての改良費の耐用年数）
（3）　法人が使用する他人の減価償却資産（**ロ**の**(イ)**の（4）《他人の建物に対する造作の耐用年数》に掲げるものを除く。）につき支出した資本的支出の金額は、当該減価償却資産の耐用年数により償却する。ただし、当該減価償却資産について賃借期間の定めがあるもの（賃借期間の更新のできないものに限る。）で、かつ、有益費の請求又は買取請求をすることができないものについては、当該賃借期間を耐用年数として償却することができる。（耐通1－1－4、1－1－3参照）

（貸与資産の耐用年数）
（4）　貸与している減価償却資産の耐用年数は、耐用年数省令別表において貸付業用として特掲されているものを除き、原則として、貸与を受けている者のその資産の用途等に応じて判定する。（耐通1－1－5）

（前掲の区分によらない資産の意義等）
（5）　別表第一又は別表第二に掲げる「前掲の区分によらないもの」とは、法人が別表第一に掲げる一の種類に属する

第三章　第一節　第六款　八《減価償却資産の耐用年数》

減価償却資産又は別表第二の機械及び装置について「構造又は用途」、「細目」又は「設備の種類」ごとに区分しないで、当該一の種類に属する減価償却資産又は機械及び装置の全部を一括して償却する場合のこれらの資産をいい、別表第一に掲げる一の種類に属する減価償却資産又は別表第二の機械及び装置のうち、その一部の資産については区分されて定められた耐用年数を適用し、その他のものについては「前掲の区分によらないもの」の耐用年数を適用することはできないことに留意する。

　ただし、当該その他のものに係る「構造又は用途」、「細目」又は「設備の種類」による区分ごとの耐用年数の全てが、「前掲の区分によらないもの」の耐用年数より短いものである場合には、この限りでない。（耐通1－1－6）

　　（耐用年数の選択適用ができる資産を法人が資産に計上しなかった場合に適用する耐用年数）
（6）　法人が減価償却資産として計上すべきものを資産に計上しなかった場合において、三の1の(1)《償却費として損金経理をした金額の意義》によりその取得価額に相当する金額を償却費として損金経理をしたものとして取り扱うときにおける当該計上しなかった資産（（5）のただし書又はロの(ト)の(2)《器具及び備品の耐用年数の選択適用》の適用がある場合に限る。）の耐用年数は、次の表の左欄の区分に応じ、それぞれ右欄に掲げる耐用年数による。（耐通1－1－8）

(一)	法人が当該計上しなかった資産と品目を一にするものを有している場合	その品目について法人が適用している耐用年数
(二)	法人が当該計上しなかった資産と品目を一にするものを有していない場合	それぞれ区分された耐用年数によるか、「前掲の区分によらないもの」の耐用年数によるかは、法人の申出によるものとし、その申出のないときは、「前掲の区分によらないもの」の耐用年数

　　（「構築物」又は「器具及び備品」で特掲されていないものの耐用年数）
（7）　「構築物」又は「器具及び備品」（以下(7)において「構築物等」という。）で細目が特掲されていないもののうちに、当該構築物等と「構造又は用途」及び使用状況が類似している別表第一に特掲されている構築物等がある場合には、別に定めるものを除き、税務署長（調査部〔課〕所管法人にあっては、国税局長）の確認を受けて、当該特掲されている構築物等の耐用年数を適用することができる。（耐通1－1－9）

ロ　別表第一　機械及び装置以外の有形減価償却資産の耐用年数

（イ）　建物の耐用年数の適用関係

　　（建物の構造の判定）
（1）　建物を構造により区分する場合において、どの構造に属するかは、その主要柱、耐力壁又ははり等その建物の主要部分により判定する。（耐通1－2－1）
　　　注　超高層ビルのように、建物の下部の一部が鉄骨鉄筋コンクリート造、その他の部分が鉄骨造であって、全体として鉄骨造に該当すると認められる場合において、その一部の所有権を取得したときは、当該部分が鉄骨鉄筋コンクリート造部分であっても、耐用年数を適用する場合の構造の判定に当たっては、（2）の適用がある場合を除き、その建物全体の構造により判定することになる。（編者）

　　（2以上の構造から成る建物）
（2）　一の建物が別表第一の「建物」に掲げる2以上の構造により構成されている場合において、構造別に区分することができ、かつ、それぞれが社会通念上別の建物とみられるもの（例えば、鉄筋コンクリート造3階建ての建物の上に更に木造建物を建築して4階建てとしたようなもの）であるときは、その建物については、それぞれの構造の異なるごとに区分して、その構造について定められた耐用年数を適用する。（耐通1－2－2）

　　（建物の内部造作物）
（3）　建物の内部に施設された造作については、その造作が建物附属設備に該当する場合を除き、その造作の構造が当該建物の骨格の構造と異なっている場合においても、それを区分しないで当該建物に含めて当該建物の耐用年数を適用する。したがって、例えば、旅館等の鉄筋コンクリート造の建物について、その内部を和風の様式とするため特に木造の内部造作を施設した場合においても、当該内部造作物を建物から分離して、木造建物の耐用年数を適用することはできず、また、工場建物について、温湿度の調整制御、無菌又は無じん空気の汚濁防止、防音、遮光、放射線防

御等のために特に内部造作物を施設した場合には、当該内部造作物が機械装置とその効用を一にするとみられるときであっても、当該内部造作物は建物に含めることに留意する。(耐通1－2－3)

　　　(他人の建物に対する造作の耐用年数)
(4)　法人が建物を賃借し自己の用に供するため造作した場合(現に使用している用途を他の用途に変えるために造作した場合を含む。)の造作に要した金額は、当該造作が、建物についてされたときは、当該建物の耐用年数、その造作の種類、用途、使用材質等を勘案して、合理的に見積もった耐用年数により、建物附属設備についてされたときは、建物附属設備の耐用年数により償却する。ただし、当該建物について賃借期間の定めがあるもの(賃借期間の更新のできないものに限る。)で、かつ、有益費の請求又は買取請求をすることができないものについては、当該賃借期間を耐用年数として償却することができる。(耐通1－1－3)
　　注　同一の建物(一の区画ごとに用途を異にしている場合には、同一の用途に属する部分)についてした造作は、その全てを一の資産として償却をするのであるから、その耐用年数はその造作全部を総合して見積もることに留意する。

　　　(2以上の用途に使用される建物に適用する耐用年数の特例)
(5)　一の建物を2以上の用途に使用するため、当該建物の一部について特別な内部造作その他の施設をしている場合、例えば、鉄筋コンクリート造の6階建てのビルディングのうち1階から5階までを事務所に使用し、6階を劇場に使用するため、6階について特別な内部造作をしている場合には、イの(1)《2以上の用途に共用されている資産の耐用年数》にかかわらず、当該建物について別表第一の「建物」の「細目」に掲げる2以上の用途ごとに区分して、その用途について定められている耐用年数をそれぞれ適用することができる。ただし、鉄筋コンクリート造の事務所用ビルディングの地階等に附属して設けられている電気室、機械室、車庫又は駐車場等のようにその建物の機能を果たすに必要な補助的部分(専ら区分した用途に供されている部分を除く。)については、これを用途ごとに区分しないで、当該建物の主たる用途について定められている耐用年数を適用する。(耐通1－2－4)

　　　(下記以外のもの)
(6)　別表第一の「建物」に掲げる「事務所用……及び下記以外のもの」の「下記以外のもの」には、社寺、教会、図書館、博物館の用に供する建物のほか、工場の食堂((15)《工場構内の附属建物》に該当するものを除く。)、講堂(学校用のものを除く。)、研究所、設計所、ゴルフ場のクラブハウス等の用に供する建物が該当する。(耐通2－1－1)

　　　(内部造作を行わずに賃貸する建物)
(7)　一の建物のうち、その階の全部又は適宜に区分された場所を間仕切り等をしないで賃貸することとされているもので間仕切り等の内部造作については賃借人が施設するものとされている建物のその賃貸の用に供している部分の用途の判定については、イの(4)《貸与資産の耐用年数》にかかわらず、「下記以外のもの」に該当するものとする。(耐通2－1－2)

　　　(店舗)
(8)　別表第一の「建物」に掲げる「店舗用」の建物には、いわゆる小売店舗の建物のほか、次の建物(建物の細目欄に特掲されているものを除く。)が該当する。(耐通2－1－3)
　(一)　サンプル、モデル等を店頭に陳列し、顧客の求めに応じて当該サンプル等に基づいて製造、修理、加工その他のサービスを行うための建物、例えば、洋装店、写真業、理容業、美容業等の用に供される建物
　(二)　商品等又はポスター類を陳列してP・Rをするいわゆるショールーム又はサービスセンターの用に供する建物
　(三)　遊戯場用又は浴場業用の建物
　(四)　金融機関、保険会社又は証券会社がその用に供する営業所用の建物で、常時多数の顧客が出入りし、その顧客と取引を行うための建物

　　　(保育所用、託児所用の建物)
(9)　保育所用及び託児所用の建物は、別表第一の「建物」に掲げる「学校用」のものに含まれるものとする。(耐通2－1－4)

　　　(ボーリング場用の建物)
(10)　ボーリング場用の建物は、別表第一の「建物」に掲げる「体育館用」のものに含まれるものとする。(耐通2－1－5)

(診療所用、助産所用の建物)
(11) 診療所用及び助産所用の建物は、別表第一の「建物」に掲げる「病院用」のものに含めることができる。(耐通2－1－6)

(木造内装部分が3割を超えるかどうかの判定)
(12) 旅館用、ホテル用、飲食店用又は貸席用の鉄骨鉄筋コンクリート造又は鉄筋コンクリート造の建物について、その木造内装部分の面積が延べ面積の3割を超えるかどうかを判定する場合には、その木造内装部分の面積は、客室、ホール、食堂、廊下等一般に顧客の直接利用の用に供される部分の面積により、延べ面積は、従業員控室、事務室その他顧客の利用の用に供されない部分の面積を含めた総延べ面積による。この場合における木造内装部分とは、通常の建物について一般的に施設されている程度の木造内装でなく客室等として顧客の直接利用の用に供するために相当の費用をかけて施設されている場合のその内装部分をいう。(耐通2－1－7)

(飼育用の建物)
(13) 家畜、家きん、毛皮獣等の育成、肥育、採卵、採乳等の用に供する建物については、別表第一の「建物」に掲げる「と畜場用のもの」に含めることができる。(耐通2－1－8)

(公衆浴場用の建物)
(14) 別表第一の「建物」に掲げる「公衆浴場用のもの」の「公衆浴場」とは、その営業につき公衆浴場法第2条《経営の許可、配置基準》の規定により都道府県知事の許可を受けた者が、公衆浴場入浴料金の統制額の指定等に関する省令に基づき公衆浴場入浴料金として当該知事の指定した料金を収受して不特定多数の者を入浴させるための浴場をいう。したがって、特殊浴場、スーパー銭湯、旅館、ホテルの浴場又は浴室については、当該「公衆浴場用」に該当しないことに留意する。(耐通2－1－9)

(工場構内の附属建物)
(15) 工場の構内にある守衛所、詰所、監視所、タイムカード置場、自転車置場、消火器具置場、更衣所、仮眠所、食堂（簡易なものに限る。）、浴場、洗面所、便所その他これらに類する建物は、工場用の建物としてその耐用年数を適用することができる。(耐通2－1－10)

(給食加工場の建物)
(16) 給食加工場の建物は、別表第一の「建物」に掲げる「工場（作業場を含む。）」に含まれるものとする。(耐通2－1－11)

(立体駐車場)
(17) いわゆる立体駐車場については、構造体、外壁、屋根その他建物を構成している部分は、別表第一の「建物」に掲げる「車庫用のもの」の耐用年数を適用する。(耐通2－1－12)

(塩素等を直接全面的に受けるものの意義)
(18) 別表第一の「建物」に掲げる「塩素、塩酸、硫酸、硝酸その他の著しい腐食性を有する液体又は気体の影響を直接全面的に受けるもの」とは、これらの液体又は気体を当該建物の内部で製造、処理、使用又は蔵置（以下「製造等」という。）し、当該建物の一棟の全部にわたりこれらの液体又は気体の腐食の影響を受けるものをいうのであるが、当該法人が有する次に掲げる建物についても当該腐食の影響を受ける建物としての耐用年数を適用することができる。(耐通2－1－13)
(一) 腐食性薬品の製造等をする建物が上屋式（建物の内部と外部との間に隔壁がなく機械装置を被覆するための屋根のみがあるものをいう。）であるため、又は上屋式に準ずる構造であるため、その建物に直接隣接する建物（腐食性薬品の製造等をする建物からおおむね50メートル以内に存するものに限る。）についても腐食性薬品の製造等をする建物とほぼ同様の腐食が進行すると認められる場合におけるその隣接する建物
(二) 2階以上の建物のうち特定の階で腐食性薬品の製造等が行われ、その階については全面的に腐食性薬品の影響がある場合に、当該建物の帳簿価額を当該特定の階とその他の階の部分とに区分経理をしたときにおける当該特定の階に係る部分
(三) 建物の同一の階のうち隔壁その他により画然と区分された特定の区画については全面的に腐食性薬品の影響が

（塩素等を直接全面的に受けるものの例示）
(19)　別表第一の「建物」に掲げる「塩素、塩酸、硫酸、硝酸その他の著しい腐食性を有する液体又は気体の影響を直接全面的に受けるもの」に通常該当すると思われる建物を例示すると、巻末付録二の付表1《塩素、塩酸、硫酸、硝酸その他の著しい腐食性を有する液体又は気体の影響を直接全面的に受ける建物の例示》のとおりである。（耐通2－1－14）

　　　（冷蔵倉庫）
(20)　別表第一の「建物」に掲げる「冷蔵倉庫用のもの」には、冷凍倉庫、低温倉庫及び氷の貯蔵庫の用に供される建物も含まれる。（耐通2－1－15）

　　　（放射線を直接受けるもの）
(21)　別表第一の「建物」に掲げる「放射性同位元素の放射線を直接受けるもの」とは、放射性同位元素の使用等に当たり、放射性同位元素等の規制に関する法律に定める使用許可等を受けた者が有する放射性同位元素の使用等のされる建物のうち、同法第3条《使用の許可》又は第4条の2《廃棄の業の許可》に定める使用施設、貯蔵施設、廃棄施設、廃棄物詰替施設又は廃棄物貯蔵施設として同法に基づく命令の規定により特に設けた作業室、貯蔵室、廃棄作業室等の部分をいう。（耐通2－1－16）

　　　（放射線発生装置使用建物）
(22)　サイクロトロン、シンクロトロン等の放射線発生装置の使用により放射線を直接受ける工場用の建物についても、「放射性同位元素の放射線を直接受けるもの」の耐用年数を適用することができる。（耐通2－1－17）

　　　（著しい蒸気の影響を直接全面的に受けるもの）
(23)　別表第一の「建物」に掲げる「著しい蒸気の影響を直接全面的に受けるもの」とは、操業時間中常時建物の室内の湿度が95％以上であって、当該建物の一棟の全部にわたり蒸気の影響を著しく受けるものをいう。（耐通2－1－18）

　　　（塩、チリ硝石等を常置する建物及び蒸気の影響を受ける建物の区分適用）
(24)　塩、チリ硝石その他の著しい潮解性を有する固体を一の建物のうちの特定の階等に常時蔵置している場合若しくは蒸気の影響が一の建物のうちの特定の階等について直接全面的である場合には、(18)《塩素等を直接全面的に受けるものの意義》の(二)及び(三)の取扱いを準用する。（耐通2－1－19）

　　　（塩、チリ硝石等を常置する建物及び著しい蒸気の影響を受ける建物の例示）
(25)　別表第一の「建物」に掲げる「塩、チリ硝石その他の著しい潮解性……及び著しい蒸気の影響を直接全面的に受けるもの」に通常該当すると思われる建物を例示すると、巻末付録二の付表2《塩、チリ硝石……の影響を直接全面的に受ける建物の例示》のとおりである。（耐通2－1－20）

　　　（バナナの熟成用むろ）
(26)　鉄筋コンクリート造のバナナ熟成用むろについては、別表第一の「建物」の「鉄筋コンクリート造」に掲げる「著しい蒸気の影響を直接全面的に受けるもの」に該当するものとして取り扱う。（耐通2－1－21）

　　　（ビルの屋上の特殊施設）
(27)　ビルディングの屋上にゴルフ練習所又は花壇その他通常のビルディングとしては設けることがない特殊施設を設けた場合には、その練習所又は花壇等の特殊施設は、当該ビルディングと区分し、構築物としてその定められている耐用年数を適用することができる。（耐通2－1－22）

　　　（仮設の建物）
(28)　別表第一の「建物」の「簡易建物」の「仮設のもの」とは、建設業における移動性仮設建物（建設工事現場において、その工事期間中建物として使用するためのもので、工事現場の移動に伴って移設することを常態とする建物を

いう。）のように解体、組立てを繰り返して使用することを常態とするものをいう。（耐通2－1－23）

注　展示用建物（モデルハウス）は、「仮設のもの」に該当する。（昭54直法2－4）

（ロ）　建物附属設備の耐用年数の適用関係

（木造建物の特例）
（1）　建物の附属設備は、原則として建物本体と区分して耐用年数を適用するのであるが、木造、合成樹脂又は木骨モルタル造の建物の附属設備については、建物と一括して建物の耐用年数を適用することができる。（耐通2－2－1）

（電気設備）
（2）　別表第一の「建物附属設備」に掲げる「電気設備」の範囲については、それぞれ次による。（耐通2－2－2）
　（一）　「蓄電池電源設備」とは、停電時に照明用に使用する等のためあらかじめ蓄電池に充電し、これを利用するための設備をいい、蓄電池、充電器及び整流器（回転変流機を含む。）並びにこれらに附属する配線、分電盤等が含まれる。
　（二）　「その他のもの」とは、建物に附属する電気設備で（一）以外のものをいい、例えば、次に掲げるものがこれに該当する。
　　イ　工場以外の建物については、受配電盤、変圧器、蓄電器、配電施設等の電気施設、電灯用配線施設及び照明設備（器具及び備品並びに機械装置に該当するものを除く。以下（2）において同じ。）並びにホテル、劇場等が停電時等のために有する内燃力発電設備
　　ロ　工場用建物については、電灯用配線施設及び照明設備

（給水設備に直結する井戸等）
（3）　建物に附属する給水用タンク及び給水設備に直結する井戸又は衛生設備に附属する浄化水槽等でその取得価額等からみて強いて構築物として区分する必要がないと認められるものについては、それぞれ、別表第一の「建物附属設備」に掲げる「給排水設備」又は「衛生設備」に含めることができる。（耐通2－2－3）

（冷房、暖房、通風又はボイラー設備）
（4）　別表第一の「建物附属設備」に掲げる「冷房、暖房、通風又はボイラー設備」の範囲については、次による。（耐通2－2－4）
　（一）　冷却装置、冷風装置等が一つのキャビネットに組み合わされたパッケージドタイプのエアーコンディショナーであっても、ダクトを通じて相当広範囲にわたって冷房するものは、「器具及び備品」に掲げる「冷房用機器」に該当せず、「建物附属設備」の冷房設備に該当することに留意する。
　（二）　「冷暖房設備（冷凍機の出力が22キロワット以下のもの）」には、冷暖房共用のもののほか、冷房専用のものも含まれる。
　　注　冷暖房共用のものには、冷凍機及びボイラーのほか、これらの機器に附属する全ての機器を含めることができる。
　（三）　「冷暖房設備」の「冷凍機の出力」とは、冷凍機に直結する電動機の出力をいう。
　（四）　浴場業用の浴場ボイラー、飲食店業用のちゅう房ボイラー並びにホテル又は旅館のちゅう房ボイラー及び浴場ボイラーは、建物附属設備に該当しない。
　　注1　これらのボイラーには、その浴場設備又はちゅう房設備の該当する業用設備の耐用年数を適用する。
　　注2　「公衆浴場」とは、その営業につき公衆浴場法第2条《経営の許可、配置基準》の規定により都道府県知事の許可を受けた者が、公衆浴場入浴料金の統制額の指定等に関する省令に基づき公衆浴場入浴料金として当該知事の指定した料金を収受して不特定多数の者を入浴させるための浴場をいう。（編者）

（格納式避難設備）
（5）　別表第一の「建物附属設備」に掲げる「格納式避難設備」とは、火災、地震等の緊急時に機械により作動して避難階段又は避難通路となるもので、所定の場所にその避難階段又は避難通路となるべき部分を収納しているものをいう。（耐通2－2－4の2）
　注　折りたたみ式縄ばしご、救助袋のようなものは、器具及び備品に該当することに留意する。

(エヤーカーテン又はドアー自動開閉設備)
（６）　別表第一の「建物附属設備」に掲げる「エヤーカーテン又はドアー自動開閉設備」とは、電動機、圧縮機、駆動装置その他これらの附属機器をいうのであって、ドアー自動開閉機に直結するドアーは、これに含まれず、建物に含まれることに留意する。(耐通２－２－５)

(店用簡易装備)
（７）　別表第一の「建物附属設備」に掲げる「店用簡易装備」とは、主として小売店舗等に取り付けられる装飾を兼ねた造作（例えば、ルーバー、壁板等）、陳列棚（器具及び備品に該当するものを除く。）及びカウンター（比較的容易に取替えのできるものに限り、単に床の上においたものを除く。）等で短期間（おおむね別表第一の「店用簡易装備」に係る法定耐用年数の期間）内に取替えが見込まれるものをいう。(耐通２－２－６)

(可動間仕切り)
（８）　別表第一の「建物附属設備」に掲げる「可動間仕切り」とは、一の事務室等を適宜仕切って使用するために間仕切りとして建物の内部空間に取り付ける資材のうち、取り外して他の場所で再使用することが可能なパネル式若しくはスタッド式又はこれらに類するものをいい、その「簡易なもの」とは、可動間仕切りのうち、その材質及び構造が簡易で、容易に撤去することができるものをいう。(耐通２－２－６の２)
　　　注　会議室等に設置されているアコーディオンドア、スライディングドア等で他の場所に移設して再使用する構造になっていないものは、「可動間仕切り」に該当しない。

(前掲のもの以外のものの例示)
（９）　別表第一の「建物附属設備」の「前掲のもの以外のもの」には、例えば、次のようなものが含まれる。(耐通２－２－７)
　（一）　雪害対策のため建物に設置された融雪装置で、電気設備に該当するもの以外のもの（当該建物への出入りを容易にするため設置するものを含む。）
　　　注　構築物に設置する融雪装置は、構築物に含め、公共的施設又は共同的施設に設置する融雪装置の負担金は、第八款の一の（５）《公共的施設の設置又は改良のために支出する費用》又は同一の（６）《共同的施設の設置又は改良のために支出する費用》に掲げる繰延資産に該当する。
　（二）　危険物倉庫等の屋根の過熱防止のために設置された散水装置
　（三）　建物の外窓清掃のために設置された屋上のレール、ゴンドラ支持装置及びこれに係るゴンドラ
　（四）　建物に取り付けられた避雷針その他の避雷装置
　（五）　建物に組み込まれた書類搬送装置（簡易なものを除く。）

（ハ）　構築物の耐用年数の適用関係

(構築物の耐用年数の適用)
（１）　構築物については、まず、その用途により判定し、用途の特掲されていない構築物については、その構造の異なるごとに判定する。(耐通１－３－１)

(構築物と機械及び装置の区分)
（２）　次に掲げるもののように生産工程の一部としての機能を有しているものは、構築物に該当せず、機械及び装置に該当するものとする。(耐通１－３－２)
　（一）　醸成、焼成等の用に直接使用される貯蔵そう、仕込そう、窯等
　（二）　ガス貯そう、薬品貯そう又は水そう及び油そうのうち、製造工程中にある中間受そう及びこれに準ずる貯そうで、容量、規模等からみて機械及び装置の一部であると認められるもの
　（三）　工業薬品、ガス、水又は油の配管施設のうち、製造工程に属するもの
　　　注　タンカーから石油精製工場内の貯蔵タンクまで原油を陸揚げするために施設されたパイプライン等は、構築物に該当する。

(構築物の附属装置)
（３）　構築物である石油タンクに固着する消火設備、塔の昇降設備等構築物の附属装置については、法人が継続して機械及び装置としての耐用年数を適用している場合には、これを認める。(耐通１－３－３)

第三章　第一節　第六款　八《減価償却資産の耐用年数》

（鉄道用の土工設備）
（４）　別表第一の「構築物」の「鉄道業用又は軌道業用のもの」及び「その他の鉄道用又は軌道用のもの」に掲げる「土工設備」とは、鉄道軌道施設のため構築した線路切取り、線路築堤、川道付替え、土留め等の土工施設をいう。（耐通２－３－１）

（高架鉄道の高架構造物のく体）
（５）　高架鉄道の高架構造物のく（躯）体は「高架道路」に該当せず、「構築物」に掲げる「鉄道業用又は軌道業用のもの」又は「その他の鉄道用又は軌道用のもの」の「橋りょう」に含まれる。（耐通２－３－２）

（配電線、引込線及び地中電線路）
（６）　別表第一の「構築物」に掲げる「発電用又は送配電用のもの」の「配電用のもの」の「配電線」、「引込線」及び「地中電線路」とは、電気事業者が需要者に電気を供給するための配電施設に含まれるこれらのものをいう。（耐通２－３－３）
　　注　電気事業以外の事業を営む者の有するこれらの資産のうち、建物の配線施設は別表第一の「建物附属設備」の「電気設備」に該当し、機械装置に係る配電設備は当該機械装置に含まれる。

（有線放送電話線）
（７）　いわゆる有線放送電話用の木柱は、別表第一の「構築物」の「放送用又は無線通信用のもの」に掲げる「木塔及び木柱」に該当する。（耐通２－３－４）

（広告用のもの）
（８）　別表第一の「構築物」に掲げる「広告用のもの」とは、いわゆる野立看板、広告塔等のように広告のために構築された工作物（建物の屋上又は他の構築物に特別に施設されたものを含む。）をいう。（耐通２－３－５）
　　注　広告用のネオンサインは、「器具及び備品」の「看板及び広告器具」に該当する。

（野球場、陸上競技場、ゴルフコース等の土工施設）
（９）　別表第一の「構築物」の「競技場用、運動場用、遊園地用又は学校用のもの」に掲げる「野球場、陸上競技場、ゴルフコースその他のスポーツ場の排水その他の土工施設」とは、野球場、庭球場等の暗きょ、アンツーカー等の土工施設をいう。（耐通２－３－６）
　　注　ゴルフコースのフェアウェイ、グリーン、築山、池その他これらに類するもので、一体となって当該ゴルフコースを構成するものは土地に該当する。

（「構築物」の「学校用」の意義）
（10）　保育所用及び託児所用の構築物は、別表第一の「構築物」に掲げる「学校用のもの」に含まれるものとする。（耐通２－３－７、２－１－４参照）

（幼稚園等の水飲場等）
（11）　幼稚園、保育所等が屋外に設けた水飲場、足洗場及び砂場は、別表第一の「構築物」の「競技場用、運動場用、遊園地用又は学校用のもの」の「その他のもの」の「児童用のもの」の「その他のもの」に該当する。（耐通２－３－８）

（緑化施設）
（12）　別表第一の「構築物」に掲げる「緑化施設」とは、植栽された樹木、芝生等が一体となって緑化の用に供されている場合の当該植栽された樹木、芝生等をいい、いわゆる庭園と称されるもののうち、花壇、植樹等植物を主体として構成されているものはこれに含まれるが、ゴルフ場、運動競技場の芝生等のように緑化以外の本来の機能を果たすために植栽されたものは、これに含まれない。（耐通２－３－８の２）
　　注１　緑化施設には、並木、生垣等はもとより、緑化の用に供する散水用配管、排水溝等の土工施設も含まれる。
　　注２　緑化のための土堤等であっても、その規模、構造等からみて緑化施設以外の独立した構築物と認められるものは、当該構築物につき定められている耐用年数を適用する。

(緑化施設の区分)
(13) 緑化施設が別表第一の「構築物」に掲げる「緑化施設」のうち、工場緑化施設に該当するかどうかは、一の構内と認められる区域ごとに判定するものとし、その区域内に施設される建物等が主として工場用のものである場合のその区域内の緑化施設は、工場緑化施設に該当するものとする。(耐通2－3－8の3)
注 工場緑化施設には、工場の構外に施設された緑化施設であっても、工場の緑化を目的とすることが明らかなものを含む。

(工場緑化施設を判定する場合の工場用の建物の判定)
(14) (13)において工場用の建物には、作業場及び(イ)の(15)《工場構内の附属建物》に掲げる附属建物のほか、発電所又は変電所の用に供する建物を含むものとする。(耐通2－3－8の4)
注 倉庫用の建物は、工場用の建物に該当しない。

(緑化施設を事業の用に供した日)
(15) 緑化施設を事業の用に供した日の判定は、一の構内と認められる区域に施設される緑化施設の全体の工事が完了した日によるものとするが、その緑化施設が2以上の計画により施工される場合には、その計画ごとの工事の完了の日によることができるものとする。(耐通2－3－8の5)

(庭園)
(16) 別表第一の「構築物」に掲げる「庭園(工場緑化施設に含まれるものを除く。)」とは、泉水、池、灯ろう、築山、あずまや、花壇、植樹等により構成されているもののうち、緑化施設に該当しないものをいう。(耐通2－3－9)

(舗装道路)
(17) 別表第一の「構築物」に掲げる「舗装道路」とは、道路の舗装部分をいうのであるが、法人が舗装のための路盤部分を含めて償却している場合には、これを認める。(耐通2－3－10)

(舗装路面)
(18) 別表第一の「構築物」に掲げる「舗装路面」とは、道路以外の地面の舗装の部分をいう。したがって、工場の構内、作業広場、飛行場の滑走路(オーバーラン及びショルダーを含む。)、誘導路、エプロン等の舗装部分が、これに該当する。この場合、(17)の取扱いは、「舗装路面」の償却についても準用する。(耐通2－3－11)

(ビチューマルス敷のもの)
(19) 別表第一の「構築物」に掲げる「舗装道路及び舗装路面」の「ビチューマルス敷のもの」とは、道路又は地面を舗装する場合に基礎工事を全く行わないで、砕石とアスファルト乳剤類とを材料としてこれを地面に直接舗装したものをいう。(耐通2－3－12)

(砂利道)
(20) 表面に砂利、砕石等を敷設した砂利道又は砂利路面については、別表第一の「構築物」の「舗装道路及び舗装路面」に掲げる「石敷のもの」の耐用年数を適用する。(耐通2－3－13)

(高架道路)
(21) 別表第一の「構築物」に掲げる「高架道路」とは、高架道路の高架構造物のく(躯)体をいい、道路の舗装部分については、「舗装道路」の耐用年数を適用する。(耐通2－3－14)

(飼育場)
(22) 別表第一の「構築物」に掲げる「飼育場」とは、家きん、毛皮獣等の育成、肥育のための飼育小屋、さくその他の工作物をいうのであるが、これに附帯する養鶏用のケージ等の一切の施設もこれに含めてその耐用年数を適用することができる。(耐通2－3－15)

(爆発物用防壁)
(23) 別表第一の「構築物」に掲げる「爆発物用防壁」とは、火薬類取締法、高圧ガス保安法等火薬類の製造、蔵置又は販売等の規制に関する法令に基づいて構築される爆発物用の防壁をいうのであるから、単なる延焼防止用の防火壁

等については「防壁（爆発物用のものを除く。）」の耐用年数を適用することに留意する。（耐通2－3－16）

（防油堤）
(24) 別表第一の「構築物」の「防油堤」とは、危険物貯蔵タンクに貯蔵されている危険物の流出防止のため設けられた危険物の規制に関する政令第11条第1項第15号《屋外タンク貯蔵所の基準》に規定する防油堤をいう。（耐通2－3－17）

（放射性同位元素の放射線を直接受けるもの）
(25) 別表第一の「構築物」に掲げる「鉄骨鉄筋コンクリート造又は鉄筋コンクリート造のもの」の「放射性同位元素の放射線を直接受けるもの」とは、放射性同位元素等の規制に関する法律第3条《使用の許可》又は第4条の2《廃棄の業の許可》に定める使用施設、貯蔵施設、廃棄施設、廃棄物詰替施設又は廃棄物貯蔵施設の設置のため必要な遮へい壁等をいう。（耐通2－3－18）

（放射線発生装置の遮へい壁等）
(26) サイクロトロン、シンクロトロン等の放射線発生装置の使用により放射線を直接受ける鉄骨鉄筋コンクリート造又は鉄筋コンクリート造の構築物についても、「放射性同位元素の放射線を直接受けるもの」の耐用年数を適用することができる。（耐通2－3－19、2－1－17参照）

（塩素等著しい腐食性を有するガスの影響を受けるもの）
(27) （イ）の(18)《塩素等を直接全面的に受けるものの意義》の(一)の取扱いは、別表第一の「構築物」に掲げる「れんが造のもの」の「塩素、クロールスルホン酸その他の著しい腐食性を有するガスの影響を受けるもの」について準用する。（耐通2－3－20）

（自動車道）
(28) 別表第一の「構築物」の「土造のもの」に掲げる「自動車道」とは、道路運送法第47条《免許》の規定により国土交通大臣の免許を受けた自動車道事業者がその用に供する一般自動車道（自動車道事業者以外の者が専ら自動車の交通の用に供する道路で一般自動車道に類するものを含む。）で、原野、山林等を切り開いて構築した切土、盛土、路床、路盤、土留め等の土工施設をいう。（耐通2－3－21）

（打込み井戸）
(29) 別表第一の「構築物」の「金属造のもの」に掲げる「打込み井戸」には、いわゆるさく井（垂直に掘削した円孔に鉄管等の井戸側を装置した井戸をいう。）を含むものとする。（耐通2－3－22）
　　注　いわゆる掘り井戸については、井戸側の構造に応じ、別表第一の構築物について定められている耐用年数を適用することに留意する。

（地盤沈下による防潮堤、防波堤等の積上げ費）
(30) 地盤沈下のため、防潮堤、防波堤等の積上げ工事を行った場合におけるその積上げ工事の償却の基礎とする耐用年数は、積上げ工事により積み上げた高さをその工事の完成前5年間における地盤沈下の1年当たり平均沈下高で除して計算した年数（1年未満の端数は、切り捨てる。）による。（耐通2－3－23）

$$\frac{積上げ工事により積み上げた高さ}{積上げ工事完成前5年間の1年当たり平均地盤沈下高}$$

　　注　法人が地盤沈下に起因して、防潮堤、防波堤、防水堤等の積上げ工事を行った場合において、数年内に再び積上げ工事を行わなければならないものであると認められるときは、七の(14)《地盤沈下による防潮堤、防波堤等の積上げ費》によりその積上げ工事に要した費用を一の減価償却資産として償却することができる。

（地盤沈下対策設備）
(31) 地盤沈下による浸水の防止又は排水のために必要な防水塀、排水溝、排水ポンプ及びモーター等の地盤沈下対策設備の耐用年数は、それぞれ次の年数によることができる。ただし、(三)に掲げる排水ポンプ、モーター等の機械装置及び排水溝その他これに類する構築物で簡易なものについては、これらの資産を一括して耐用年数10年を適用することができる。（耐通2－3－24）
(一)　防水塀については、(30)に準じて計算した年数

(二)　通常機械及び装置と一体となって使用される排水ポンプ及びモーター等については、当該機械及び装置に含めて当該機械及び装置に適用すべき耐用年数
　　(三)　(二)以外の排水ポンプ及びモーター等については、別表第二「55　前掲の機械及び装置以外のもの並びに前掲の区分によらないもの」の耐用年数
　　(四)　コンクリート造等のような恒久的な排水溝その他これに類する構築物については、それぞれの構造に係る「下水道」の耐用年数

(ニ)　船舶の耐用年数の適用関係

　　(船舶搭載機器)
(1)　船舶に搭載する機器等についての耐用年数の適用は、次による。(耐通2−4−1)
　　(一)　船舶安全法及びその関係法規により施設することを規定されている電信機器、救命ボートその他の法定備品については、船舶と一括してその耐用年数を適用する。
　　(二)　(一)以外の工具、器具及び備品並びに機械及び装置で船舶に常時搭載するものについても船舶と一括してその耐用年数を適用すべきであるが、法人が、これらの資産を船舶と区分して別表第一又は別表第二に定める耐用年数を適用しているときは、それが特に不合理と認められる場合を除き、これを認める。
　　　　注　別表第一の「船舶」に掲げる「しゅんせつ船」、「砂利採取船」及び「発電船」に搭載されている掘削機、砂利採取用機械等の作業用機器及び発電機のようにその船舶の細目の区分に関係する機器について、これらを搭載している船舶本体と分離して別個の耐用年数を適用することは、不合理と認められる場合に該当する。

　　(L・P・Gタンカー)
(2)　L・P・G(液化石油ガス)タンカーについては、油そう船の耐用年数を適用する。(耐通2−4−2)

　　(しゅんせつ船及び砂利採取船)
(3)　別表第一の「船舶」に掲げる「しゅんせつ船及び砂利採取船」とは、しゅんせつ又は砂利採取(地表上にある砂、砂利及び岩石の採取を含む。以下(3)において同じ。)用の機器を搭載しているなど、主としてしゅんせつ又は砂利採取に使用される構造を有する船舶をいうのであるが、しゅんせつ又は砂利採取を行うとともに、その採取した砂、砂利、岩石等を運搬することができる構造となっている船舶も含めることができる。(耐通2−4−3)

　　(サルベージ船等の作業船、かき船等)
(4)　サルベージ船、工作船、起重機船その他の作業船は、自力で水上を航行しないものであっても船舶に該当するが、いわゆるかき船、海上ホテル等のようにその形状及び構造が船舶に類似していても、主として建物又は構築物として用いることを目的として建造(改造を含む。)されたものは、船舶に該当しないことに留意する。(耐通2−4−4)

(ホ)　車両及び運搬具の耐用年数の適用関係

　　(車両に搭載する機器)
(1)　車両に常時搭載する機器(例えば、ラジオ、メーター、無線通信機器、クーラー、工具、スペアータイヤ等をいう。)については、車両と一括してその耐用年数を適用する。(耐通2−5−1)

　　(高圧ボンベ車及び高圧タンク車)
(2)　別表第一の「車両及び運搬具」の「鉄道用又は軌道用車両」に掲げる「高圧ボンベ車及び高圧タンク車」とは、車体と一体となってその用に供される高圧ボンベ又は高圧タンクで、高圧ガス保安法第44条《容器検査》の規定により搭載タンクの耐圧試験又は気密試験を必要とするものを架装した貨車をいう。(耐通2−5−2)

　　(薬品タンク車)
(3)　別表第一の「車両及び運搬具」の「鉄道用又は軌道用車両」に掲げる「薬品タンク車」とは、液体薬品を専ら輸送するタンク車をいう。(耐通2−5−3)

第三章　第一節　第六款　八《減価償却資産の耐用年数》

　　　　（架空索道用搬器）
（４）　別表第一の「車両及び運搬具」に掲げる「架空索道用搬器」とは、架空索条に搬器をつるして人又は物を運送する設備の当該搬器をいい、ロープウェイ、観光リフト、スキーリフト、貨物索道等の搬器がこれに該当する。（耐通２－５－４）

　　　　（特殊自動車に該当しない建設車両等）
（５）　トラッククレーン、ブルドーザー、ショベルローダー、ロードローラー、コンクリートポンプ車等のように人又は物の運搬を目的とせず、作業場において作業することを目的とするものは、「特殊自動車」に該当せず、機械及び装置に該当する。この場合において、当該建設車両等の耐用年数の判定は、ハの（２）《いずれの「設備の種類」に該当するかの判定》によることに留意する。（耐通２－５－５）

　　　　（運送事業用の車両及び運搬具）
（６）　別表第一の「車両及び運搬具」に掲げる「運送事業用の車両及び運搬具」とは、道路運送法第４条《一般旅客自動車運送事業の許可》の規定により国土交通大臣の許可を受けた者及び貨物自動車運送事業法第３条《一般貨物自動車運送事業の許可》の規定により国土交通大臣の許可を受けた者が自動車運送事業の用に供するものとして登録された車両及び運搬具をいう。（耐通２－５－６）

　　　　（貸自動車業用）
（７）　別表第一の「車両及び運搬具」に掲げる「貸自動車業用の車両」とは、不特定多数の者に一時的に自動車を賃貸することを業とする者がその用に供する自動車をいい、いわゆるレンタカーがこれに該当する。なお、特定者に長期にわたって貸与するいわゆるリース事業を行う者がその用に供する自動車は、貸自動車業用の耐用年数を適用せず、その貸与先の実際の用途に応じた耐用年数を適用することに留意する。（耐通２－５－７）

　　　　（貨物自動車と乗用自動車との区分）
（８）　貨客兼用の自動車が貨物自動車であるかどうかの区分は、自動車登録規則第13条《自動車登録番号》の規定による自動車登録番号により判定する。（耐通２－５－８）

　　　　（乗合自動車）
（９）　別表第一の「車両及び運搬具」の「運送事業用」に掲げる「乗合自動車」とは、道路交通法第３条《自動車の種類》に定める大型自動車又は中型自動車で、専ら人の運搬を行う構造のものをいう。（耐通２－５－９）

　　　　（報道通信用のもの）
（10）　別表第一の「車両及び運搬具」の「前掲のもの以外のもの」に掲げる「報道通信用のもの」とは、日刊新聞の発行、ラジオ放送若しくはテレビ放送を業とする者又は主として日刊新聞、ラジオ放送等に対するニュースを提供することを業とする者が、報道通信用として使用する自動車をいう。したがって、週刊誌、旬刊誌等の発行事業用のものは、これに該当しないことに留意する。（耐通２－５－10）

　　　　（電気自動車に適用する耐用年数）
（11）　電気自動車のうち道路運送車両法第３条《自動車の種別》に規定する軽自動車に該当するものは、「車両及び運搬具」の「前掲のもの以外のもの」の「自動車（２輪又は３輪自動車を除く。）」の「小型車」に該当することに取り扱う。（耐通２－５－11）

（ヘ）　**工具の耐用年数の適用関係**

　　　　（測定工具及び検査工具）
（１）　別表第一の「工具」に掲げる「測定工具及び検査工具」とは、ブロックゲージ、基準巻尺、ダイヤルゲージ、粗さ測定器、硬度計、マイクロメーター、限界ゲージ、温度計、圧力計、回転計、ノギス、水準器、小型トランシット、スコヤー、Ｖ型ブロック、オシロスコープ、電圧計、電力計、信号発生器、周波数測定器、抵抗測定器、インピーダンス測定器その他測定又は検査に使用するもので、主として生産工程（製品の検査等を含む。）で使用する可搬式のものをいう。（耐通２－６－１）

　　　　　(ロ　ー　ル)
(2)　別表第一の「工具」に掲げる「ロール」とは、鉄鋼圧延ロール、非鉄金属圧延ロール、なつ染ロール、製粉ロール、製麦ロール、火薬製造ロール、塗料製造ロール、ゴム製品製造ロール、菓子製造ロール、製紙ロール等の各種ロールで被加工物の混練、圧延、成型、調質、つや出し等の作業を行うものをいう。したがって、その形状がロール状のものであっても、例えば、移送用ロールのようにこれらの作業を行わないものは、機械又は装置の部品としてその機械又は装置に含まれることに留意する。(耐通2－6－2)

　　　　　(金属製柱及びカッペ)
(3)　別表第一の「工具」に掲げる「金属製柱及びカッペ」とは、鉱業の坑道において使用する金属製の支柱及び横はり（梁）で鉱物の採掘等の作業に使用するものをいう。(耐通2－6－3)

　　　　　(建設用の足場材料)
(4)　建設業者等が使用する建設用の金属製の足場材料は、別表第一の「工具」に掲げる「金属製柱及びカッペ」の耐用年数を適用する。(耐通2－6－4)
　　　　注　道路工事用の道路覆工板も同様として差し支えない。(編者)

(ト)　器具及び備品の耐用年数の適用関係

　　　　　(前掲する資産のうち当該資産について定められている前掲の耐用年数によるもの以外のもの及び前掲の区分によらないもの)
(1)　「12　前掲する資産のうち、当該資産について定められている前掲の耐用年数によるもの以外のもの」とは、器具及び備品について「1　家具、電気機器、ガス機器及び家庭用品」から「11　前掲のもの以外のもの」までに掲げる細目のうち、そのいずれか一についてはその区分に特掲されている耐用年数により、その他のものについては一括して償却する場合のその一括して償却するものをいい、「前掲の区分によらないもの」とは、「1」から「11」までの区分によらず、一括して償却する場合のそのよらないものをいう。(耐通2－7－1)
　　　　注　(2)を参照。

　　　　　(器具及び備品の耐用年数の選択適用)
(2)　器具及び備品の耐用年数については、**イ**の(5)《前掲の区分によらない資産の意義等》にかかわらず、別表第一に掲げる「器具及び備品」の「1」から「11」までに掲げる品目のうちそのいずれか一についてその区分について定められている耐用年数により、その他のものについて一括して「12　前掲する資産のうち、当該資産について定められている前掲の耐用年数によるもの以外のもの及び前掲の区分によらないもの」の耐用年数によることができることに留意する。(耐通1－1－7)

　　　　　(主として金属製のもの)
(3)　器具及び備品が別表第一の「器具及び備品」の「細目」欄に掲げる「主として金属製のもの」又は「その他のもの」のいずれに該当するかの判定は、耐用年数に最も影響があると認められるフレームその他の主要構造部分の材質が金属製であるかどうかにより行う。(耐通2－7－2)

　　　　　(接客業用のもの)
(4)　別表第一の「器具及び備品」の「1　家具、電気機器、ガス機器及び家庭用品」に掲げる「接客業用のもの」とは、飲食店、旅館等においてその用に直接供するものをいう。(耐通2－7－3)

　　　　　(冷房用又は暖房用機器)
(5)　別表第一の「器具及び備品」の「1　家具、電気機器、ガス機器及び家庭用品」に掲げる「冷房用又は暖房用機器」には、いわゆるウインドータイプのルームクーラー又はエアーコンディショナー、電気ストーブ等が該当する。(耐通2－7－4)
　　　　注　パッケージドタイプのエアーコンディショナーで、ダクトを通じて相当広範囲にわたって冷房するものは、「器具及び備品」に該当せず、「建物附属設備」の「冷房、暖房、通風又はボイラー設備」に該当する。

第三章　第一節　第六款　八《減価償却資産の耐用年数》

(謄写機器)
(6)　別表第一の「器具及び備品」の「2　事務機器及び通信機器」に掲げる「謄写機器」とは、いわゆる謄写印刷又はタイプ印刷の用に供する手刷機、輪転謄写機等をいい、フォトオフセット、タイプオフセット、フォトタイプオフセット等の印刷機器は、別表第二の「7　印刷業又は印刷関連業用設備」に該当することに留意する。(耐通2－7－5)

(電子計算機)
(7)　別表第一の「器具及び備品」の「2　事務機器及び通信機器」に掲げる「電子計算機」とは、電子管式又は半導体式のもので、記憶装置、演算装置、制御装置及び入出力装置からなる計算機をいう。(耐通2－7－6)
　　注　電子計算機のうち記憶容量（検査ビットを除く。）が12万ビット未満の主記憶装置（プログラム及びデータが記憶され、中央処理装置から直接アクセスできる記憶装置をいう。）を有するもの（附属の制御装置を含む。）は、計算機として取り扱うことができる。

(旅館、ホテル業における客室冷蔵庫自動管理機器)
(8)　旅館業又はホテル業における客室冷蔵庫自動管理機器（客室の冷蔵庫における物品の出し入れを自動的に記録するため、フロント等に設置された機器並びにこれと冷蔵庫を連結する配線及び附属の機器をいう。）は、別表第一の「器具及び備品」の耐用年数を適用する。(耐通2－7－6の2)
　　注　冷蔵庫については、「電気冷蔵庫、……ガス機器」の耐用年数を適用する。

(オンラインシステムの端末機器等)
(9)　いわゆるオンラインシステムにおける端末機器又は電子計算機に附属するせん孔機、検査機、カーボンセパレーター、カッター等は、別表第一の「器具及び備品」の「2　事務機器及び通信機器」の「その他の事務機器」に該当する。(耐通2－7－7)

(書類搬送機器)
(10)　建物附属設備に該当しない簡易な書類搬送機器は、別表第一の「器具及び備品」の「2　事務機器及び通信機器」の「その他の事務機器」に該当する。(耐通2－7－8)

(テレビジョン共同聴視用装置)
(11)　テレビジョン共同聴視用装置のうち、構築物に該当するもの以外のものについては、別表第一の「器具及び備品」の「2　事務機器及び通信機器」に掲げる「電話設備その他の通信機器」の耐用年数を、当該装置のうち構築物に該当するものについては、別表第一の「構築物」に掲げる「放送用又は無線通信用のもの」の耐用年数をそれぞれ適用する。(耐通2－7－9)

(ネオンサイン)
(12)　別表第一の「器具及び備品」の「5　看板及び広告器具」に掲げる「ネオンサイン」とは、ネオン放電管及びこれに附属する変圧器等の電気施設をいうのであるから、ネオン放電管が取り付けられている鉄塔、木塔等は、構築物の「広告用のもの」の耐用年数を適用することに留意する。(耐通2－7－10)

(染色見本)
(13)　染色見本は、別表第一の「器具及び備品」の「5　看板及び広告器具」に掲げる「模型」の耐用年数を適用する。(耐通2－7－11)

(金庫)
(14)　金融機関等の建物にみられる「金庫室」は、別表第一の「器具及び備品」の「6　容器及び金庫」に掲げる「金庫」に該当せず、その全部が建物に含まれることに留意する。(耐通2－7－12)

(医療機器)
(15)　病院、診療所等における診療用又は治療用の器具及び備品は、全て別表第一の「器具及び備品」の「8　医療機器」に含まれるが、法人が別表第一の「器具及び備品」の他の区分に特掲されているものについて当該特掲されているものの耐用年数によっているときは、これを認める。

この場合「8　医療機器」に含まれるものについての当該「8　医療機器」の区分の判定については、次に掲げるものは、それぞれ次による。(耐通2－7－13)
(一)　例えば、ポータブル式のように携帯することができる構造の診断用（歯科用のものを含む。）のレントゲン装置は、「その他のもの」の「レントゲンその他の電子装置を使用する機器」の「移動式のもの」に該当する。
　　　注　レントゲン車に積載しているレントゲンは、レントゲン車に含めてその耐用年数を適用する。
(二)　治療用、断層撮影用等のレントゲン装置に附属する電圧調整装置、寝台等は、「その他のもの」の「レントゲンその他の電子装置を使用する機器」の「その他のもの」に含まれる。
(三)　歯科診療用椅子は、「歯科診療用ユニット」に含まれるものとする。
(四)　医療用蒸留水製造器、太陽灯及びレントゲンフィルムの現像装置は、「その他のもの」に含まれる。

　　（自動遊具等）
(16)　遊園地、遊技場、百貨店、旅館等に施設されている自動遊具（硬貨又はメダルを投入することにより自動的に一定時間遊具自体が駆動する機構又は遊具の操作をすることができる機構となっているもの、例えば、馬、ステレオトーキー、ミニドライブ、レットガン、クレーンピック、スロットマシン、マスゲームマシン〔球戯用具に該当するものを除く。〕、テレビゲームマシン等の遊具をいう。）、モデルカーレーシング用具及び遊園地内において一定のコースを走行するいわゆるゴーカート、ミニカー等は、別表第一の「器具及び備品」の「9　娯楽又はスポーツ器具及び興行又は演劇用具」に掲げる「スポーツ具」の耐用年数を適用することができる。(耐通2－7－14)

　　（貸　衣　裳）
(17)　婚礼用衣裳等の貸衣装業者がその用に供する衣装及びかつらについては、別表第一の「器具及び備品」の「9　娯楽又はスポーツ器具及び興行又は演劇用具」に掲げる「衣しょう」の耐用年数を適用することができる。(耐通2－7－15)

　　（生　物）
(18)　別表第一の「器具及び備品」に掲げる「10　生物」には、動物園、水族館等の生物並びに備品として有する盆栽及び熱帯魚等の生物が含まれるのであるが、次のものについても生物について定められている耐用年数を適用することができる。(耐通2－7－16)
(一)　医療用の生物
(二)　熱帯魚、カナリヤ、番犬その他の生物を入れる容器（器具及び備品に該当するものに限る。）

　　（天　幕　等）
(19)　天幕、組立式プール等器具及び備品に該当するもので、通常、その支柱と本体とが材質的に異なるため、その耐久性に著しい差異がある場合には、その支柱と本体とをそれぞれ区分し、その区分ごとに耐用年数を適用することができる。(耐通2－7－17)

　　（自動販売機）
(20)　別表第一の「器具及び備品」の「11　前掲のもの以外のもの」に掲げる「自動販売機」には、自動両替機、自動理容具等を含み、コインロッカーは含まれない。(耐通2－7－18)
　　　注　コインロッカーは、「11　前掲のもの以外のもの」の「主として金属製のもの」に該当する。

　　（無人駐車管理装置）
(21)　別表第一の「器具及び備品」の「11　前掲のもの以外のもの」に掲げる「無人駐車管理装置」には、バイク又は自転車用の駐輪装置は含まれないことに留意する。(耐通2－7－19)
　　　注　バイク又は自転車用の駐輪装置は、「11　前掲のもの以外のもの」の「主として金属製のもの」に該当する。

ハ　別表第二　機械及び装置の耐用年数

　　（機械及び装置の耐用年数）
(1)　機械及び装置の耐用年数の適用については、機械及び装置を別表第二、別表第五又は別表第六に属するもの（別表第二に属する機械及び装置については、更に設備の種類ごと）に区分し、その耐用年数を適用する。(耐通1－4－

1）
　　注　「前掲の区分によらないもの」の意義については、イの（5）《前掲の区分によらない資産の意義等》を参照。

　（いずれの「設備の種類」に該当するかの判定）
（2）　機械及び装置が一の設備を構成する場合には、当該機械及び装置の全部について一の耐用年数を適用するのであるが、当該設備が別表第二の「設備の種類」に掲げる設備（以下「業用設備」という。）のいずれに該当するかは、原則として、法人の当該設備の使用状況等からいずれの業種用の設備として通常使用しているかにより判定することに留意する。（耐通1－4－2）

　（最終製品に基づく判定）
（3）　（2）の場合において、法人が当該設備をいずれの業種用の設備として通常使用しているかは、当該設備に係る製品（役務の提供を含む。以下「製品」という。）のうち最終的な製品（製品のうち中間の工程において生ずる製品以外のものをいう。以下「最終製品」という。）に基づき判定する。なお、最終製品に係る設備が業用設備のいずれに該当するかの判定は、原則として、日本標準産業分類の分類によることに留意する。（耐通1－4－3）
　　注　別表第二に掲げる「設備の種類」と日本標準産業分類との対比は、巻末付録二の付表8《「設備の種類」と日本標準産業分類の分類との対比表》に示されている。（編者）

　（中間製品に係る設備に適用する耐用年数）
（4）　（3）の場合において、最終製品に係る一連の設備を構成する中間製品（最終製品以外の製品をいう。以下同じ。）に係る設備の規模が当該一連の設備の規模に占める割合が相当程度であるときは、当該中間製品に係る設備については、最終製品に係る業用設備の耐用年数を適用せず、当該中間製品に係る業用設備の耐用年数を適用する。この場合において、次のいずれかに該当すると認められるときは、当該割合が相当程度であると判定して差し支えない。（耐通1－4－4）
　（一）　法人が中間製品を他に販売するとともに、自己の最終製品の材料、部品等として使用している場合において、他に販売している数量等の当該中間製品の総生産量等に占める割合がおおむね50％を超えるとき
　（二）　法人が工程の一部をもって、他から役務の提供を請け負う場合において、当該工程における稼働状況に照らし、その請負に係る役務の提供の当該工程に占める割合がおおむね50％を超えるとき

　（自家用設備に適用する耐用年数）
（5）　次に掲げる設備のように、その設備から生ずる最終製品を専ら用いて他の最終製品が生産等される場合の当該設備については、当該最終製品に係る設備ではなく、当該他の最終製品に係る設備として、その使用状況等から（2）の判定を行うものとする。（耐通1－4－5）
　（一）　製造業を営むために有する発電設備及び送電設備
　（二）　製造業を営むために有する金型製造設備
　（三）　製造業を営むために有するエレベーター、スタッカー等の倉庫用設備
　（四）　道路旅客運送業を営むために有する修理工場設備、洗車設備及び給油設備

　（複合的なサービス業に係る設備に適用する耐用年数）
（6）　それぞれの設備から生ずる役務の提供が複合して一の役務の提供を構成する場合の当該設備については、それぞれの設備から生ずる役務の提供に係る業種用の設備の耐用年数を適用せず、当該一の役務の提供に係る業種用の設備の耐用年数を適用する。したがって、例えば、ホテルにおいて宿泊業の業種用の設備の一部として通常使用しているクリーニング設備や浴場設備については、「47　宿泊業用設備」の耐用年数を適用することとなる。（耐通1－4－6）

　（プレス及びクレーンの基礎）
（7）　プレス及びクレーンの基礎は、原則として機械装置に含めるのであるが、次の表の左欄に掲げるものは、それぞれ右欄による。（耐通1－4－7）

| （一） | プレス | 自動車ボデーのタンデムプレスラインで多量生産方式に即するため、ピットを構築してプレスを装架する等の方式（例えば「総地下式」、「連続ピット型」、「連続基礎型」等と呼ばれているものをいう。）の場合における当該ピットの部分は、建物に含める。 |

（二）	クレーン	造船所の大型ドック等において、地上組立用、船台取付用、ドック用又はぎ装用等のために有する走行クレーン（門型、ジブ型、塔形等）でその走行区間が長く、構築物と一体となっていると認められる場合には、その基礎に係る部分についてはその施設されている構築物に含め、そのレールに係る部分についてはその施設されている構築物以外の構築物に該当するものとする。

　　　（鉱業用の軌条、まくら木等）
（8）　坑内の軌条、まくら木及び坑内動力線で、鉱業の業種用のものとして通常使用しているものは、別表第二の「29　鉱業、採石業又は砂利採取業用設備」に含まれるものとする。
　　　また、建設作業現場の軌条及びまくら木で、総合工事業の業種用のものとして通常使用しているものは、同表の「30　総合工事業用設備」に含まれるものとする。（耐通2－8－1）

　　　（総合工事業以外の工事業用設備）
（9）　機械及び装置で、職別工事業又は設備工事業の業種用の設備として通常使用しているものは、別表第二の「30　総合工事業用設備」に含まれるものとする。（耐通2－8－2）

　　　（鉄道業以外の自動改札装置）
（10）　自動改札装置で、鉄道業以外の業種用の設備として通常使用しているものについても、別表第二の「38　鉄道業用設備」の「自動改札装置」の耐用年数を適用して差し支えないものとする。（耐通2－8－3）

　　　（その他の小売業用設備）
（11）　別表第二の「45　その他の小売業用設備」には、機械及び装置で、日本標準産業分類の中分類「60　その他の小売業」の業種用の設備として通常使用しているものが該当することに留意する。（耐通2－8－4）

　　　（ホテル内のレストラン等のちゅう房設備）
（12）　ホテル内にある宿泊客以外も利用可能なレストラン等のちゅう房用の機械及び装置は、別表第二の「48　飲食店業用設備」に含まれることに留意する。（耐通2－8－5）

　　　（持ち帰り・配達飲食サービス業用のちゅう房設備）
（13）　ちゅう房用の機械及び装置で、持ち帰り・配達飲食サービス業の業種用の設備として通常使用しているものは、別表第二の「48　飲食店業用設備」に含まれるものとする。（耐通2－8－6）

　　　（その他のサービス業用設備）
（14）　別表第二の「54　その他のサービス業用設備」には、機械及び装置で、日本標準産業分類の中分類「95　その他のサービス業」の業種用の設備として通常使用しているものが該当することに留意する。（耐通2－8－7）

　　　（道路旅客運送業用設備）
（15）　機械及び装置で、道路旅客運送業の業種用の設備として通常使用しているものは、別表第二の「55　前掲の機械及び装置以外のもの並びに前掲の区分によらないもの」に含まれることに留意する。（耐通2－8－8）

　　　（電光文字設備等）
（16）　電光文字設備は、例えば、総合工事業の業種用の設備として通常使用しているものであっても、別表第二の「55　前掲の機械及び装置以外のもの並びに前掲の区分によらないもの」に含まれるものとする。
　　　蓄電池電源設備及びフライアッシュ採取設備についても同様とする。（耐通2－8－9）

　　　（新旧資産区分の対照表）
（17）　平成20年3月31日以前に開始する事業年度において取得をされた機械及び装置が、平成20年4月1日以後に開始する事業年度において別表第二《機械及び装置の耐用年数表》における機械及び装置のいずれに該当するかの判定は、巻末付録二の付表9《機械及び装置の耐用年数表（別表第二）における新旧資産区分の対照表》を参考として行う。（平20課法2－14　第5　三十一　経過的取扱い）

ニ 別表第三 無形減価償却資産の耐用年数

無形減価償却資産（鉱業権、公共施設等運営権、樹木採取権及び漁港水面施設運営権を除く。）については、別表第三《無形減価償却資産の耐用年数表》に掲げる耐用年数を適用する。（耐用年数省令1①Ⅲ）

注1 ──線部分は、令和6年度改正により改正された部分で、改正規定は、令和6年4月1日から適用され、令和6年3月31日以前の適用については、「、樹木採取権及び漁港水面施設運営権」とあるのは「及び樹木採取権」とする。（令6改耐用年数省令附1）

注2 鉱業権、公共施設等運営権、樹木採取権及び漁港水面施設運営権については、②《鉱業権、坑道、公共施設等運営権、樹木採取権及び漁港水面施設運営権の耐用年数》を参照。

ホ 別表第四 生物の耐用年数

（生物の耐用年数）

（1） 牛馬等及び果樹等については、別表第四《生物の耐用年数表》に掲げる耐用年数を適用する。（耐用年数省令1①Ⅳ）

注 観賞用、興行用その他これらに準ずる用に供する生物については、別表第一の「器具及び備品」の「10 生物」の耐用年数を適用する。
（編者）

（成熟の年齢又は樹齢）

（2） 法人の有する一の2《減価償却資産の範囲》の表の⑨に掲げる生物の減価償却は、当該生物がその成熟の年齢又は樹齢に達した月（成熟の年齢又は樹齢に達した後に取得したものについては、取得の月）から行うことができる。この場合におけるその成熟の年齢又は樹齢は次によるものとするが、次表に掲げる生物についてその判定が困難な場合には、次表に掲げる年齢又は樹齢によることができる。（基通7－6－12）

（一） 牛馬等については、通常事業の用に供する年齢とする。ただし、現に事業の用に供するに至った年齢がその年齢後であるときは、現に事業の用に供するに至った年齢とする。

（二） 果樹等については、当該果樹等の償却額を含めて通常の場合におおむね収支相償うに至ると認められる樹齢とする。

種類	用途	細目	成熟の年齢又は樹齢	種類	用途	細目	成熟の年齢又は樹齢
牛	農業使役用		満2歳	ぶどう樹			満6年
	小運搬使役用		〃2	梨樹			〃8
	繁殖用	役肉用牛	〃2	桃樹			〃5
		乳用牛	〃2	桜桃樹			〃8
	種付用	役肉用牛	〃2	びわ樹			〃8
		乳用牛	〃2	くり樹			〃8
	その他用			梅樹			〃7
馬	農業使役用		満2歳	柿樹			〃10
	小運搬使役用		〃4	あんず樹			〃7
	繁殖用		〃3	すもも樹			〃7
	種付用		〃4	いちじく樹			〃5
	競走用		〃2	茶樹			〃8
	その他用		〃2	オリーブ樹			〃8
綿羊	種付用		満2歳	桑樹		根刈、中刈及び高刈	〃3
	一般用		〃2			立通	〃7
豚	種付用		満2歳	こりやなぎ			〃3
	繁殖用		〃1	みつまた			〃4
かんきつ樹	温州		満15年	こうぞ			〃3
	その他		〃15	ラミー			〃3
りんご樹			満10年	ホップ			〃3

② 鉱業権、坑道、公共施設等運営権、樹木採取権及び漁港水面施設運営権の耐用年数

鉱業権、坑道、公共施設等運営権、樹木採取権及び漁港水面施設運営権の耐用年数は、次の表の左欄に掲げる資産の区分に応じそれぞれ右欄に掲げる年数とする。（耐用年数省令1②）

第三章　第一節　第六款　八《減価償却資産の耐用年数》

イ	採掘権	当該採掘権に係る鉱区の採掘予定数量を、当該鉱区の最近における年間採掘数量その他当該鉱区に属する設備の採掘能力、当該鉱区において採掘に従事する人員の数等に照らし適正に推計される年間採掘数量で除して計算した数を基礎として納税地の所轄税務署長の認定した年数	
ロ	試掘権	次に掲げる試掘権の区分に応じそれぞれ次に掲げる年数	
		(イ) 石油又は可燃性天然ガスに係る試掘権	6年
		(ロ) (イ)に掲げる試掘権以外の試掘権	5年
ハ	租鉱権及び採石権その他土石を採掘し又は採取する権利	採掘権に準じて計算した数を基礎として納税地の所轄税務署長の認定した年数	
ニ	坑道	採掘権に準じて計算した数を基礎として納税地の所轄税務署長の認定した年数	
ホ	公共施設等運営権	民間資金等の活用による公共施設等の整備等の促進に関する法律第19条第3項《公共施設等運営権の設定の時期等》の規定により公表された当該公共施設等運営権の同法第17条第3号《公共施設等運営権に関する実施方針における記載事項の追加》に掲げる存続期間の年数 　注　上記に掲げる年数は、暦に従って計算し、1年に満たない端数を生じたときは、これを切り捨てる。（耐用年数省令1③）	
ヘ	樹木採取権	国有林野の管理経営に関する法律第8条の12第1項《樹木採取権の設定を受ける者の決定等》の設定をする旨の通知において明らかにされた当該樹木採取権の同法第8条の7第2号《公募》に掲げる存続期間の年数 　注　上記に掲げる年数は、暦に従って計算し、1年に満たない端数を生じたときは、これを切り捨てる。（耐用年数省令1③）	
ト	漁港水面施設運営権	漁港及び漁場の整備等に関する法律施行規則第42条《漁港水面施設運営権の設定に係る通知》の規定により通知された当該漁港水面施設運営権の漁港及び漁場の整備等に関する法律第52条第2項第3号《漁港水面施設運営権の設定の時期等》に掲げる存続期間（漁港水面施設運営権について同法第57条第3項《漁港水面施設運営権の存続期間》の規定による更新に伴い支出する金額につき六の7の①の（3）《漁港水面施設運営権に係る資本的支出額の取得価額の特例》により読み替えられた同①の（1）により新たに取得したものとされる漁港水面施設運営権にあっては、当該更新がされたときに同令第47条《漁港水面施設運営権の存続期間の更新に係る通知》の規定により通知された当該漁港水面施設運営権の同条の存続期間）の年数 　注　上記に掲げる年数は、暦に従って計算し、1年に満たない端数を生じたときは、これを切り捨てる。（耐用年数省令1③）	

注1　──線部分（本文に係る部分及び上表の**ホ**の部分に限る。）は、令和6年度改正により改正された部分で、改正規定は、令和6年4月1日から適用され、令和6年3月31日以前の適用については、「、樹木採取権及び漁港水面施設運営権」とあるのは「及び樹木採取権」と、「民間資金等の活用による公共施設等の整備等の促進に関する法律」とあるのは「当該公共施設等運営権に係る民間資金等の活用による公共施設等の整備等の促進に関する法律」と、「公表された当該公共施設等運営権の」とあるのは「公表された」とする。（令6改耐用年数省令附1）

注2　──線部分（上表の**ロ**の(イ)の部分に限る。）は、令和6年度改正により改正された部分で、改正規定は、令和6年4月1日以後に開始する事業年度について適用され、令和6年3月31日以前に開始した事業年度については、「又は」とあるのは「、アスファルト又は」と、「6」とあるのは「8」とする。（令6改耐用年数省令附2、1）

注3　──線部分（上表の**ト**の部分に限る。）は、令和6年度改正により追加された部分で、改正規定は、令和6年4月1日から適用される。（令6改耐用年数省令附1）

　　（採掘権等の耐用年数の認定申請）
(1)　②の表の**イ**、**ハ**又は**ニ**に掲げる認定を受けようとする法人（人格のない社団等を含む。以下2《中古資産の耐用年数》において同じ。）は、次に掲げる事項を記載した申請書を納税地の所轄税務署長に提出しなければならない。(耐用年数省令1④)
　(一)　申請をする法人の名称及び代表者の氏名、納税地並びに法人番号
　(二)　申請に係る採掘権、租鉱権等又は坑道（以下「採掘権等」という。）に係る鉱区その他これに準ずる区域（以下

「鉱区等」という。)の所在地
　(三)　申請に係る採掘権等の鉱区等の採掘予定数量、最近における年間採掘数量、当該鉱区等に属する設備の採掘能力及び当該鉱区等において採掘に従事する人員の数
　(四)　認定を受けようとする年数
　(五)　その他参考となるべき事項

　　(耐用年数の認定)
(2)　税務署長は、(1)に掲げる申請書の提出があった場合には、遅滞なく、これを審査し、その申請に係る年数を認定するものとする。(耐用年数省令1⑤)

　　(認定した耐用年数の変更)
(3)　税務署長は、②の表の**イ**、**ハ**又は**ニ**に掲げる認定をした後、その認定に係る年数により、その認定に係る採掘権等の償却費として損金の額に算入する金額の限度額の計算をすることを不適当とする特別の事由が生じたと認める場合には、その年数を変更することができる。(耐用年数省令1⑥)

　　(認定又は変更の処分の通知)
(4)　税務署長は、(2)又は(3)の処分をするときは、その認定に係る法人に対し、書面によりその旨を通知する。(耐用年数省令1⑦)

　　(耐用年数の変更処分の効果)
(5)　(3)の変更処分があった場合には、その処分のあった日の属する事業年度以後の各事業年度の所得の金額を計算する場合のその処分に係る採掘権等の償却費の額又は償却限度額の計算についてその処分の効果が生ずるものとする。(耐用年数省令1⑧)

③　公害防止用又は開発研究用の減価償却資産の耐用年数

次の表に掲げる減価償却資産の耐用年数は、①《一般の減価償却資産の耐用年数》にかかわらず、それぞれ次の表に掲げるところによる。(耐用年数省令2)

(イ)	汚水処理(汚水、坑水、廃水又は廃液の沈殿、ろ過、中和、生物化学的方法、混合、冷却又は乾燥その他これらに類する方法による処理をいう。)又はばい煙処理(大気汚染防止法第2条第1項若しくは第7項《定義等》に規定するばい煙若しくは粉じん又は同法第17条第1項《事故時の措置》に規定する特定物質〔ばい煙を除く。〕の重力沈降、慣性分離、遠心分離、ろ過、洗浄、電気捕集、音波凝集、吸収、中和、吸着又は拡散の方法その他これらに類する方法による処理をいう。)の用に供されている減価償却資産で別表第五《公害防止用減価償却資産の耐用年数表》に掲げるもの	別表第五
(ロ)	開発研究(新たな製品の製造若しくは新たな技術の発明又は現に企業化されている技術の著しい改善を目的として特別に行われる試験研究をいう。)の用に供されている減価償却資産で別表第六《開発研究用減価償却資産の耐用年数表》に掲げるもの	別表第六

注　耐用年数省令別表第五及び別表第六は巻末付録一を参照。(編者)

　　(特殊の減価償却資産の耐用年数の適用の特例)
(1)　法人が別表第五又は別表第六に掲げられている減価償却資産について、別表第一又は別表第二の耐用年数を適用している場合には、継続して適用することを要件としてこれを認める。(耐通1－1－10)

　　(汚水処理用減価償却資産の範囲)
(2)　別表第五の公害防止用減価償却資産のうち③の表の(イ)の汚水処理の用に供される減価償却資産(以下「汚水処理用減価償却資産」という。)とは、工場等内で生じた汚水等(同表の(イ)に掲げる汚水、坑水、廃水及び廃液をいい、温水を含む。以下同じ。)でそのまま排出すれば公害が生ずると認められるものを公害の生じない水液(水その他の液体をいう。以下(2)において同じ。)にして排出するために特に施設された汚水処理の用に直接供される減価償却資産(専ら当該汚水等を当該汚水処理の用に直接供される減価償却資産に導入するための送配管等及び処理後の水液を排

出口に誘導するための送配管等を含む。）をいうのであるが、次に掲げる減価償却資産についても、汚水処理用減価償却資産に含めることができることに取り扱う。（耐通2－9－1）
(一) 汚水等の処理後の水液（当該処理によって抽出した有用成分を含む。）を工場等外に排出しないで製造工程等において再使用する場合における汚水処理の用に直接供される減価償却資産（専ら当該汚水等を当該汚水処理の用に直接供される減価償却資産へ導入するための送配管等を含む。）
　　注　事務所ビル、大型店舗、ホテル、住宅団地等内で生じた生活又は都市活動による汚水を処理し、その処理後の水を当該事務所ビル、大型店舗、ホテル、住宅団地等外に排出しないで再使用する場合における汚水処理の用に直接供される減価償却資産も含まれる。（昭54直法2－10参照）
(二) 汚水等の処理の過程において得た有用成分を自己の主製品の原材料等として使用する場合（当該有用成分がそのまま原材料等として使用できる場合を除く。）において、次のいずれにも該当するときにおける当該有用成分を原材料等として使用するための加工等の用に供される減価償却資産
　イ　当該有用成分を廃棄することにより公害を生ずるおそれがあると認められる事情があること。
　ロ　当該有用成分を原材料等として使用するための加工等を行うことにより、その原材料等を他から購入することに比べ、明らかに継続して損失が生ずると認められること。
(三) 汚水等の処理の過程において得た有用成分を製品化する場合（当該有用成分を他から受け入れて製品化する場合を除く。）において、次のいずれにも該当するときにおける当該製品化工程の用に供される減価償却資産
　イ　当該有用成分を廃棄することにより公害を生ずるおそれがあると認められる事情があること。
　ロ　当該有用成分を製品化して販売することにより、その有用成分をそのまま廃棄することに比べ、明らかに継続して損失が生ずると認められること。
　　注　汚水処理用減価償却資産を図示すれば、それぞれ次の区分に応じ、斜線の部分が汚水処理用減価償却資産に該当することとなる。

（建物に係る浄化槽等）
（3）ビル、寄宿舎等から排出される汚水を浄化するために施設した浄化槽等で、構築物に該当するものは、汚水処理用減価償却資産に含まれるものとする。（耐通2－9－2）

（家畜し尿処理設備）
（4）牛、馬、豚等のし尿処理をする場合における地中蒸散による処理方法は、③の表の(イ)に掲げるろ過に準じ、汚水処理の方法に該当するものとして取り扱う。（耐通2－9－3）

（汚水処理用減価償却資産に該当する機械及び装置）
（5）汚水処理用減価償却資産には、例えば、沈殿又は浮上装置、油水分離装置、汚泥処理装置、ろ過装置、濃縮装置、ばっ気装置、洗浄又は冷却装置、中和又は還元装置、燃焼装置、凝縮沈殿装置、生物化学的処理装置、輸送装置、貯留装置等及びこれらに附属する計測用機器、調整用機器、電動機、ポンプ等が含まれる。（耐通2－9－4）

（ばい煙処理用減価償却資産の範囲）
（6）別表第五の公害防止用減価償却資産のうち③の表の(イ)のばい煙処理の用に供される減価償却資産（以下「ばい煙処理用減価償却資産」という。）とは、工場等内で生じたばい煙等（同③の表の(イ)に掲げるばい煙、粉じん又は特定物質をいう。以下同じ。）を公害の生ずるおそれのない状態で排出（大気中に飛散しないよう防止して公害のおそれのない状態を維持することを含む。）をするため、特に施設されたばい煙処理の用に直接供される減価償却資産をいう

のであるが、次に掲げる減価償却資産についても、ばい煙処理用減価償却資産に含めることができることに取り扱う。（耐通2－9－5）
(一) ばい煙等の処理の過程において得た物質を自己の主製品の原材料等として使用する場合（当該物質がそのまま原材料等として使用できる場合を除く。）において、次のいずれにも該当するときにおける当該物質を原材料等として使用するための加工等の用に供される減価償却資産
　イ　当該物質を廃棄することにより公害を生ずるおそれがあると認められる事情があること。
　ロ　当該物質を原材料等として使用するための加工等を行うことにより、その原材料等を他から購入することに比べ、明らかに継続して損失が生ずると認められること。
(二) ばい煙等の処理の過程において得た物質を製品化する場合（当該物質を他から受け入れて製品化する場合を除く。）において、次のいずれにも該当するときにおける当該製品化工程の用に供される減価償却資産
　イ　当該物質を廃棄することにより公害を生ずるおそれがあると認められる事情があること。
　ロ　当該物質を製品化して販売することにより、その物質をそのまま廃棄することに比べ、明らかに継続して損失が生ずると認められること。
　　注1　ばい煙等の処理によって得られる余熱等を利用するために施設された減価償却資産は、ばい煙処理用減価償却資産に該当しない。
　　注2　ばい煙処理用減価償却資産を図示すれば、それぞれ次の区分に応じ、斜線の部分がばい煙処理用減価償却資産に該当することとなる。

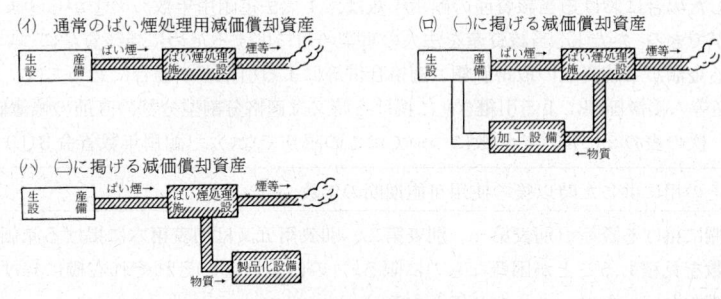

（建物附属設備に該当するばい煙処理用の機械及び装置）
（7）　ビル等の建物から排出されるばい煙を処理するために施設した機械及び装置は、原則として建物附属設備に該当するのであるが、当該機械及び装置が③の表の(イ)に掲げるばい煙処理のために施設されたものであり、かつ、その処理の用に直接供されるものであるときは、別表第五に掲げる機械及び装置の耐用年数を適用することができる。（耐通2－9－6）

（ばい煙処理用減価償却資産に該当する機械及び装置）
（8）　ばい煙処理用減価償却資産には、集じん装置及び処理装置の本体（電気捕集式のものにあっては、本体に直結している変圧器及び整流器を含む。）のほか、これらに附属するガス導管、水管、ガス冷却器、通風機、ダスト搬送器、ダスト貯留器、ミスト除却機等が含まれる。（耐通2－9－7）

（開発研究の意義）
（9）　③の表の(ロ)に掲げる「開発研究」とは、次に掲げる試験研究をいう。（耐通2－10－1）
(一) 新規原理の発見又は新規製品の発明のための研究
(二) 新規製品の製造、製造工程の創設又は未利用資源の活用方法の研究
(三) (一)又は(二)に掲げる研究を基礎とし、これらの研究の成果を企業化するためのデータの収集
(四) 現に企業化されている製造方法その他の生産技術の著しい改善のための研究

（開発研究用減価償却資産の意義）
（10）　別表第六の開発研究用減価償却資産とは、主として開発研究のために使用されている減価償却資産をいうのであるから、他の目的のために使用されている減価償却資産で必要に応じ開発研究の用に供されるものは、含まれないことに留意する。（耐通2－10－2）

(研究開発のためのソフトウエア)
(11) 法人が、特定の研究開発にのみ使用するため取得又は製作をしたソフトウエア（研究開発のためのいわば材料となるものであることが明らかなものを除く。）であっても、当該ソフトウエアは減価償却資産に該当することに留意する。（基通7－1－8の2）
　　注　当該ソフトウエアが③の表の(ロ)に掲げる開発研究の用に供されている場合には、別表第六に掲げる耐用年数が適用されることに留意する。

(開発研究用減価償却資産の範囲)
(12) 開発研究用減価償却資産には、開発研究の用に供するため新たに取得された減価償却資産のほか、従来から有していた減価償却資産で他の用途から開発研究の用に転用されたものも該当する。（耐通2－10－3）

2　中古資産の耐用年数

　法人（人格のない社団等を含む。）において事業の用に供された一の2の表に掲げる減価償却資産（これらの資産のうち試掘権以外の鉱業権及び坑道を除く。以下2において同じ。）の取得（第二章第一節の二の12の8に掲げる適格合併又は同二の12の12に掲げる適格分割型分割〔以下2において「適格分割型分割」という。〕による同二の11に掲げる被合併法人又は同二の12の2に掲げる分割法人からの引継ぎ〔以下2において「適格合併等による引継ぎ」という。〕を含む。）をしてこれを法人の事業の用に供した場合における当該資産の耐用年数は、1《法定耐用年数》の①から③までにかかわらず、次に掲げる年数によることができる。ただし、当該資産を法人の事業の用に供するために当該資産について支出した七《資本的支出と修繕費》に掲げる金額が当該資産の取得価額（適格合併等による引継ぎの場合にあっては、第三十四款の一の2の①《適格合併による資産等の帳簿価額による引継ぎ》に掲げる時又は適格分割型分割の直前の帳簿価額）の$\frac{50}{100}$に相当する金額を超える場合には、次の表の②に掲げる年数についてはこの限りでない。（耐用年数省令3①）

①	見積法	当該資産をその用に供した時以後の使用可能期間の年数	
②	簡便法	次の表の左欄に掲げる資産（別表第一、別表第二、別表第五又は別表第六に掲げる減価償却資産であって、①の年数を見積もることが困難なものに限る。）の区分に応じそれぞれ右欄に掲げる年数（その年数が2年に満たないときは、これを2年とする。）	
		イ　法定耐用年数の全部を経過した資産	当該資産の法定耐用年数の$\frac{20}{100}$に相当する年数 法定耐用年数×$\frac{20}{100}$
		ロ　法定耐用年数の一部を経過した資産	当該資産の法定耐用年数から経過年数を控除した年数に経過年数の$\frac{20}{100}$に相当する年数を加算した年数 法定耐用年数－経過年数＋経過年数×$\frac{20}{100}$

注1　上記の年数は、暦に従って計算し、1年に満たない端数を生じたときは、これを切り捨てる。（耐用年数省令3⑤）
注2　別表第一、別表第二、別表第五又は別表第六は巻末付録一を参照。（編者）

(中古資産の耐用年数の見積法及び簡便法)
(1) 中古資産についての2の表の①に掲げる方法（以下「**見積法**」という。）又は同表の②に掲げる方法（以下「**簡便法**」という。）による耐用年数の算定は、その事業の用に供した事業年度においてすることができるのであるから当該事業年度においてその算定をしなかったときは、その後の事業年度においてはその算定をすることができないことに留意する。（耐通1－5－1）
　　注　法人が、第二節第三款の一の3《仮決算をした場合の中間申告書の記載事項等》の期間（以下「中間期間」という。）において取得した中古の減価償却資産につき法定耐用年数を適用した場合であっても、当該中間期間を含む事業年度においては当該資産につき見積法又は簡便法により算定した耐用年数を適用することができることに留意する。

(見積法及び簡便法を適用することができない中古資産)
(2) 法人が中古資産を取得した場合において、当該減価償却資産を事業の用に供するに当たって支出した資本的支出の金額が当該減価償却資産の再取得価額の$\frac{50}{100}$に相当する金額を超えるときは、当該減価償却資産については、別表第一、別表第二、別表第五又は別表第六に掲げる耐用年数によるものとする。（耐通1－5－2）

(中古資産に資本的支出をした後の耐用年数)
(3) (2)は、法人が見積法又は簡便法により算定した耐用年数により減価償却を行っている中古資産につき、各事業

年度において資本的支出を行った場合において、一の計画に基づいて支出した資本的支出の金額の合計額又は当該各事業年度中に支出した資本的支出の金額の合計額が、当該減価償却資産の再取得価額の$\frac{50}{100}$に相当する金額を超えるときにおける当該減価償却資産及びこれらの資本的支出の当該事業年度における資本的支出をした後の減価償却について準用する。(耐通1-5-3)

(資本的支出の額を区分して計算した場合の耐用年数の簡便計算)
(4) 法人がその有する中古資産に適用する耐用年数について、**2のただし書**により簡便法によることができない場合であっても、法人が次の算式により計算した年数(1年未満の端数があるときは、これを切り捨てた年数とする。)を当該中古資産に係る耐用年数として計算したときには、当該中古資産を事業の用に供するに当たって支出した資本的支出の金額が当該減価償却資産の再取得価額の$\frac{50}{100}$に相当する金額を超えるときを除き、これを認める。(耐通1-5-6)

(算式)

$$\text{当該中古資産の取得価額(資本的支出の額を含む。)} \div \left(\frac{\text{当該中古資産の取得価額(資本的支出の額を含まない。)}}{\text{当該中古資産につき簡便法により算定した耐用年数}} + \frac{\text{当該中古資産の資本的支出の額}}{\text{当該中古資産に係る法定耐用年数}} \right)$$

(中古資産の耐用年数の見積りが困難な場合)
(5) **2**の表の②に掲げる「①の年数を見積もることが困難なもの」とは、その見積りのために必要な資料がないため技術者等が積極的に特別の調査をしなければならないこと又は耐用年数の見積りに多額の費用を要すると認められることにより使用可能期間の年数を見積もることが困難な減価償却資産をいう。(耐通1-5-4)

(経過年数が不明な場合の経過年数の見積り)
(6) 法人がその有する中古資産に適用する耐用年数を簡便法により計算する場合において、その資産の経過年数が不明なときは、その構造、形式、表示されている製作の時期等を勘案してその経過年数を適正に見積もるものとする。(耐通1-5-5)

(見積法を適用していた中古資産の耐用年数)
(7) 見積法により算定した耐用年数を適用している中古資産について、法定耐用年数の改正があったときは、その改正後の法定耐用年数を基礎として当該中古資産の使用可能期間の見積り替えをすることはできないのであるが、改正後の法定耐用年数が従来適用していた見積法により算定した耐用年数より短いときは、改正後の法定耐用年数を適用することができる。(耐通1-7-2)

(中古資産の耐用年数を簡便法により算定している場合において法定耐用年数が短縮されたときの取扱い)
(8) 法人が、中古資産を取得し、その耐用年数を簡便法により算定している場合において、その取得の日の属する事業年度後の事業年度においてその資産に係る法定耐用年数が短縮されたときには、改正後の耐用年数省令の規定が適用される最初の事業年度において改正後の法定耐用年数を基礎にその資産の耐用年数を簡便法により再計算することを認める。(耐通1-5-7)
　注　この場合の再計算において用いられる経過年数はその中古資産を取得したときにおける経過年数によることに留意する。

(中古の総合償却資産を取得した場合の総合耐用年数の見積り)
(9) 総合償却資産(機械及び装置並びに構築物で、当該資産に属する個々の資産の全部につき、その償却の基礎となる価額を個々の資産の全部を総合して定められた耐用年数により償却することとされているものをいう。以下同じ。)については、法人が工場を一括して取得する場合等別表第一、別表第二、別表第五又は別表第六に掲げる一の「設備の種類」又は「種類」に属する資産の相当部分につき中古資産を一時に取得した場合に限り、次により当該資産の総合耐用年数を見積って当該中古資産以外の資産と区別して償却することができる。(耐通1-5-8)
(一) 中古資産の総合耐用年数は、同時に取得した中古資産のうち、別表第一、別表第二、別表第五又は別表第六に掲げる一の「設備の種類」又は「種類」に属するものの全てについて次の算式により計算した年数(その年数に1年未満の端数があるときは、その端数を切り捨て、その年数が2年に満たない場合には、2年とする。)による。

第三章　第一節　第六款　八《減価償却資産の耐用年数》

(算式)

$$\text{当該中古資産の取得価額の合計額} \div \text{当該中古資産を構成する個々の資産の全部につき、それぞれ個々の資産の取得価額を当該個々の資産について使用可能と見積もられる耐用年数で除して得た金額の合計額}$$

(二)　(一)の算式において、個々の中古資産の耐用年数の見積りが困難な場合には、当該資産の種類又は設備の種類について定められた旧別表第二の法定耐用年数の算定の基礎となった当該個々の資産の個別耐用年数を基礎として **2** の表の②の例によりその耐用年数を算定することができる。この場合において、当該資産が **2** のただし書の場合に該当するときは(4)《資本的支出の額を区分して計算した場合の耐用年数の簡便計算》を準用する。

> 注　個々の資産の個別耐用年数とは、「機械装置の個別年数と使用時間表」(昭和40年6月国税庁発表)の「機械及び装置の細目と個別年数」の「同上算定基礎年数」をいい、構築物については、巻末付録二の付表3《鉄道業及び軌道業の構築物(総合償却資産であるものに限る)の細目と個別耐用年数》又は同付表4《電気業の構築物(総合償却資産であるものに限る)の細目と個別耐用年数》に掲げる算定基礎年数をいう。
> ただし、個々の資産の個別耐用年数がこれらの表に掲げられていない場合には、当該資産と種類等を同じくする資産又は当該資産に類似する資産の個別耐用年数を基準として見積もられる耐用年数とする。

(取得した中古機械装置等が設備の相当部分を占めるかどうかの判定)

(10)　(9)の場合において、取得した中古資産がその設備の相当部分であるかどうかは、当該取得した資産の再取得価額の合計額が、当該資産を含めた当該資産の属する設備全体の再取得価額の合計額のおおむね $\frac{30}{100}$ 以上であるかどうかにより判定するものとする。

この場合において、当該法人が2以上の工場を有するときは、工場別に判定する。(耐通1－5－9)

(総合償却資産の総合残存耐用年数の見積りの特例)

(11)　法人が工場を一括して取得する場合のように中古資産である一の設備の種類に属する総合償却資産の全部を一時に取得したときは、(9)にかかわらず、当該総合償却資産について定められている法定耐用年数から経過年数(当該資産の譲渡者が譲渡した日において付していた当該資産の帳簿価額を当該資産のその譲渡者に係る取得価額をもって除して得た割合に応ずる当該法定耐用年数に係る未償却残額割合に対応する譲渡者が採用していた償却の方法に応じた経過年数による。)を控除した年数に、経過年数の $\frac{20}{100}$ に相当する年数を加算した年数(その年数に1年未満の端数があるときは、その端数を切り捨て、その年数が2年に満たない場合には、2年とする。)を当該中古資産の耐用年数とすることができる。(耐通1－5－10)

(算式)

$$\text{当該中古資産の耐用年数} = \left(\text{当該総合償却資産について定められている法定耐用年数} - \text{経過年数}\right) + \text{経過年数} \times \frac{20}{100}$$

> 注1　償却の方法を旧定率法又は定率法によっている場合にあっては、未償却残額割合に対応する経過年数は、それぞれ付録の付表7(1)《旧定率法未償却残額表》又は付表7(2)《定率法未償却残額表》若しくは付表7(3)《定率法未償却残額表》によることができる。
> 注2　租税特別措置法に規定する特別償却をした資産(当該特別償却を準備金方式によったものを除く。)については、未償却残額割合を計算する場合の当該譲渡者が付していた帳簿価額は、合理的な方法により調整した金額によるものとする。

(見積法及び簡便法によることができない中古の総合償却資産)

(12)　法人が総合償却資産に属する中古資産を取得した場合において、当該減価償却資産を事業の用に供するに当たって支出した資本的支出の金額が当該減価償却資産の再取得価額の $\frac{50}{100}$ に相当する金額を超えるときは、当該減価償却資産については、別表第一、別表第二、別表第五又は別表第六に掲げる耐用年数によるものとする。(耐通1－5－11、1－5－2参照)

(取り替えた資産の耐用年数)

(13)　総合耐用年数を見積もった中古資産の全部又は一部を新たな資産と取り替えた場合(その全部又は一部について資本的支出を行い、(3)《中古資産に資本的支出をした後の耐用年数》に該当することとなった場合を含む。)のその資産については、別表第一、別表第二、別表第五又は別表第六に掲げる耐用年数による。(耐通1－5－12)

(転用した生物の耐用年数)

(14)　別表第四《生物の耐用年数表》の「細目」欄に掲げる一の用途から同欄に掲げる他の用途に転用された牛、馬、綿羊及びやぎの耐用年数は、**1**《法定耐用年数》の①の表の(四)の生物の耐用年数並びに **2** 及び(19)《適格組織再編

第三章　第一節　第六款　八《減価償却資産の耐用年数》

成により移転を受けた減価償却資産の耐用年数》にかかわらず、その転用の時以後の使用可能期間の年数による。(耐用年数省令3④)
　　注　上記の年数は、暦に従って計算し、1年に満たない端数を生じたときは、これを切り捨てる。(耐用年数省令3⑤)

　　(転用後の残存使用可能期間)
(15)　牛、馬、綿羊及びやぎを別表第四《生物の耐用年数表》に掲げる一の用途から他の用途に転用した場合の転用後のその残存使用可能期間が明らかでないときは、牛については8年、馬については10年、綿羊及びやぎについては6年からそれぞれの転用の時までの満年齢（1年未満の端数は切り捨てる。）を控除した年数をその残存使用可能期間とするものとする。(基通7－6－13後段)

　　(共有持分を有する法人が共有持分の追加取得をした場合の取扱い)
(16)　法人が、共有持分を有する減価償却資産について更に共有持分の追加取得をした場合において、その追加取得をした日の属する事業年度以後の各事業年度における当該減価償却資産の償却限度額の計算上次の算式により算定した年数を当該減価償却資産の耐用年数としたときは、これを認めるものとする。ただし、当該追加取得をした日の属する事業年度においてその算定をしなかった場合又はその算定した年数が当該減価償却資産につき現に適用している耐用年数の$\frac{90}{100}$に相当する年数（1年未満の端数があるときは、その端数を切り捨てる。）以上である場合には、この限りでない。(昭54直法2－17)

　(算式)

$$\text{共有持分の追加取得をした後における当該減価償却資産の取得価額} \div \left(\frac{\text{共有持分の追加取得をする前における当該減価償却資産の取得価額}}{\text{当該減価償却資産につき現に適用している耐用年数}} + \frac{\text{追加取得をした共有持分の取得に要した金額}}{\text{追加取得をした共有持分を別個の減価償却資産とみなして算定した耐用年数}} \right)$$

　　注1　算出した年数に1年未満の端数があるときは、その端数を切り捨て、その年数が2年に満たない場合には、2年とする。
　　注2　算式の適用上、追加取得をした共有持分について耐用年数を算定する場合には、**2**の表の②を準用することができる。

　　(解散した法人から受け入れた減価償却資産の耐用年数の見積り)
(17)　更生計画の定めるところにより設立された新法人が更生計画の定めるところにより減価償却資産を受け入れた場合には、その資産につき**2**を適用することができることに留意する。(基通14－3－4参照)

　　(リース期間の終了に伴い取得した資産の耐用年数の見積り等)
(18)　リース期間（第一款の**六**の(2)《リース取引の意義》に掲げるリース取引〔以下「リース取引」という。〕に係る契約において定められたリース資産〔同款の**六**に掲げるリース資産をいう。〕の賃貸借期間をいう。）の終了に伴い賃貸人が賃借人からそのリース取引の目的物であった資産を取得した場合における当該資産の耐用年数は、次のいずれかの年数によることができる。(基通7－6の2－12)
(一)　当該資産につき適正に見積ったその取得後の使用可能期間の年数
(二)　次の表の左欄に掲げる場合の区分に応じそれぞれ右欄に掲げる年数（その年数に1年未満の端数がある場合は、その端数を切り捨て、その年数が2年に満たない場合には、2年とする。）

イ　当該資産に係るリース期間が当該資産について定められている耐用年数以上である場合	当該耐用年数の20％に相当する年数
ロ　当該資産に係るリース期間が当該資産について定められている耐用年数に満たない場合	当該耐用年数からリース期間を控除した年数に、当該リース期間の20％に相当する年数を加算した年数

　　(適格組織再編成により移転を受けた減価償却資産の耐用年数)
(19)　法人が、適格合併、適格分割、適格現物出資又は適格現物分配（(20)において「適格組織再編成」という。）により被合併法人、分割法人、現物出資法人又は現物分配法人（以下(19)及び(20)において「被合併法人等」という。）から**2**に掲げる中古資産の移転を受けた場合（当該法人が当該資産について**2**の適用を受ける場合を除く。）において、当該被合併法人等が当該資産につき**2**又は(14)《転用した生物の耐用年数》の適用を受けていたときは、当該法人の当該資産の耐用年数については、**1**《法定耐用年数》の①から③までにかかわらず、当該被合併法人等において当該資産の耐用年数とされていた年数によることができる。(耐用年数省令3②)

－423－

(適格組織再編成により移転を受けた場合の定額法又は生産高比例法の計算の基礎となる取得価額)
(20) 法人が、適格組織再編成により被合併法人等から**2**に掲げる中古資産の移転を受けた場合において、当該資産について**2**の適用を受けるときは、当該資産の**四**の**1**の①の(1)の表の(一)若しくは同表の(三)又は同②の(1)の表の(一)若しくは同表の(三)若しくは同②の(2)の表の(一)《償却保証額》に掲げる取得価額には、当該被合併法人等がした償却の額（当該資産につき**四**の**1**の①の(12)《評価換え等及び期中評価換え等の意義》の表の(一)に掲げる評価換え等が行われたことによりその帳簿価額が減額された場合には、当該帳簿価額が減額された金額を含む。）で当該被合併法人等の各事業年度の所得の金額の計算上損金の額に算入された金額を含まないものとする。（耐用年数省令3③）

3　耐用年数の短縮

内国法人は、その有する減価償却資産が次に掲げる事由のいずれかに該当する場合において、その該当する減価償却資産の使用可能期間のうちいまだ経過していない期間（以下**3**において「**未経過使用可能期間**」という。）を基礎としてその償却限度額を計算することについて納税地の所轄国税局長の承認を受けたときは、当該資産のその承認を受けた日の属する事業年度以後の各事業年度の償却限度額の計算については、その承認に係る未経過使用可能期間をもって耐用年数省令で定める耐用年数《**法定耐用年数**》とみなす。（法31⑥、令57①、規16）

①	当該資産の材質又は製作方法がこれと種類及び構造を同じくする他の減価償却資産の通常の材質又は製作方法と著しく異なることにより、その使用可能期間が法定耐用年数に比して著しく短いこと。
②	当該資産の存する地盤が隆起し、又は沈下したことにより、その使用可能期間が法定耐用年数に比して著しく短いこととなったこと。
③	当該資産が陳腐化したことにより、その使用可能期間が法定耐用年数に比して著しく短いこととなったこと。
④	当該資産がその使用される場所の状況に基因して著しく腐食したことにより、その使用可能期間が法定耐用年数に比して著しく短いこととなったこと。
⑤	当該資産が通常の修理又は手入れをしなかったことに基因して著しく損耗したことにより、その使用可能期間が法定耐用年数に比して著しく短いこととなったこと。
⑥	①から⑤までに掲げる事由以外の事由で、次に掲げる事由により、当該資産の使用可能期間が法定耐用年数に比して著しく短いこと又は短いこととなったこと。
	イ　減価償却資産の耐用年数等に関する省令の一部を改正する省令（平成20年財務省令第32号）による改正前の耐用年数省令（以下「旧耐用年数省令」という。）を用いて償却限度額（**四**の**1**の①《平成19年3月31日以前に取得した減価償却資産の償却の方法》に掲げる減価償却資産の償却限度額をいう。以下同じ。）を計算することとした場合に、旧耐用年数省令に定める一の耐用年数を用いて償却限度額を計算すべきこととなる減価償却資産の構成が当該耐用年数を用いて償却限度額を計算すべきこととなる同一種類の他の減価償却資産の通常の構成と著しく異なること。
	ロ　当該資産が機械及び装置である場合において、当該資産の属する設備が旧耐用年数省令別表第二《機械及び装置の耐用年数表》に特掲された設備以外のものであること。
	ハ　①から⑤まで及び上記イ又はロに掲げる事由に準ずる事由
	注　旧耐用年数省令別表第二は、巻末付録**二**の付表10《機械及び装置の耐用年数表（旧別表第二）》を参照。

(耐用年数短縮の承認申請)
(1) **3**に掲げる承認を受けようとする内国法人は、次に掲げる事項を記載した申請書に当該資産が**3**の表の①から⑥までに掲げる事由のいずれかに該当することを証する書類を添付し、納税地の所轄税務署長を経由して、これを納税地の所轄国税局長に提出しなければならない。（法31⑥、令57②、規17）
(一) 申請をする内国法人の名称、納税地及び法人番号並びに代表者の氏名
(二) 耐用年数短縮の承認を受けようとする減価償却資産の種類及び名称、その所在する場所、その使用可能期間、その未経過使用可能期間
(三) 耐用年数短縮の承認を受けようとする減価償却資産に係る耐用年数省令に定める耐用年数
(四) 承認を受けようとする償却限度額の計算の基礎となる未経過使用可能期間の算定の基礎

（五）　耐用年数短縮が認められる事由のいずれに該当するかの別
　（六）　当該減価償却資産の使用可能期間が耐用年数省令に定める耐用年数に比して著しく短い事由及びその事実
　（七）　その他参考となるべき事項

　　（申請の承認又は却下）
（2）　国税局長は、（1）に掲げる申請書の提出があった場合には、遅滞なく、これを審査し、その申請に係る減価償却資産の使用可能期間及び未経過使用可能期間を認め、若しくはその使用可能期間及び未経過使用可能期間を定めて承認をし、又はその申請を却下する。（法31⑥、令57③）

　　（承認の取消し又は使用可能期間の伸長）
（3）　国税局長は、**3**に掲げる承認をした後、その承認に係る未経過使用可能期間により減価償却資産の償却限度額の計算をすることを不適当とする特別の事由が生じたと認める場合には、その承認を取り消し、又はその承認に係る使用可能期間及び未経過使用可能期間を伸長することができる。（法31⑥、令57④）

　　（処分の通知）
（4）　国税局長は、（2）又は（3）の処分をするときは、その処分に係る内国法人に対し、書面によりその旨を通知する。（法31⑥、令57⑤）

　　（処分の効果）
（5）　（2）の承認の処分又は（3）の処分があった場合には、その処分のあった日の属する事業年度以後の各事業年度の所得の金額を計算する場合のその処分に係る減価償却資産の償却限度額の計算についてその処分の効果が生ずるものとする。（法31⑥、令57⑥）

　　（耐用年数の短縮の承認を受けた資産の一部を更新等した場合のみなし承認）
（6）　内国法人が、次の表に掲げる場合において、その有する**3**の承認に係る減価償却資産の一部についてこれに代わる新たな資産（以下「更新資産」という。）の取得をした日の属する事業年度に係る第二節第三款の**二**の**1**《確定申告》による申告書の提出期限（同款の**一**の**3**《仮決算をした場合の中間申告書の記載事項等》に掲げる期間〔当該内国法人が通算子法人である場合には、同**3**の（8）《通算法人である場合の適用》の表の（一）に掲げる期間。以下（6）において同じ。〕について同**3**の表の①から③までに掲げる事項を記載した中間申告書を提出する場合〔以下「中間申告書を提出する場合」という。〕には、その中間申告書の提出期限。（8）において「申告書の提出期限」という。）までに、（7）に掲げる事項を記載した届出書を納税地の所轄税務署長を経由して納税地の所轄国税局長に提出したときは、当該届出書をもって（1）の申請書とみなし、当該届出書の提出をもって当該事業年度終了の日（中間申告書を提出する場合には、同**3**に掲げる期間の末日。（8）において「事業年度終了の日等」という。）において**3**の承認があったものとみなす。この場合においては、（4）は、適用しない。（法31⑥、令57⑦、規18①）

（一）	**3**の承認に係る減価償却資産（以下**3**において「短縮特例承認資産」という。）の一部の資産について、種類及び品質を同じくするこれに代わる新たな資産と取り替えた場合
（二）	短縮特例承認資産の一部の資産について、これに代わる新たな資産（当該資産の購入の代価〔**六**の**1**《減価償却資産の取得価額》の表の①に掲げる購入の代価をいう。〕又は当該資産の建設等〔同表の②に掲げる建設等をいう。〕のために要した原材料費、労務費及び経費の額並びに当該資産を事業の用に供するために直接要した費用の額の合計額が当該短縮特例承認資産の取得価額の$\frac{10}{100}$相当額を超えるものを除く。）と取り替えた場合であって、その取り替えた後の使用可能期間の年数と当該短縮特例承認資産の**3**の承認に係る使用可能期間の年数とに差異が生じない場合

　　（届出書の記載事項）
（7）　（6）に掲げる届出書には、次の表に掲げる事項を記載する。（法31⑥、令57⑦、規18②）

（一）	届出をする内国法人の名称、納税地及び法人番号並びに代表者の氏名
（二）	更新資産の名称

(三)	その所在する場所
(四)	短縮特例承認資産の**3**の承認に係る使用可能期間の算定の基礎
(五)	更新資産に取り替えた後の使用可能期間の算定の基礎
(六)	(6)の表に掲げる事由のいずれに該当するかの別
(七)	その他参考となるべき事項

(耐用年数の短縮の承認を受けた資産と同様の資産を取得した場合のみなし承認)

(8) 内国法人が、その有する**3**の承認（**3**の表の①に掲げる事由による承認その他次の表の左欄に掲げる事由による承認に限る。）に係る減価償却資産と材質又は製作方法を同じくする減価償却資産（同表の左欄に掲げる事由による承認の場合には、それぞれ同表の右欄に掲げる減価償却資産）の取得をした場合において、その取得をした日の属する事業年度に係る申告書の提出期限までに、(9)に掲げる事項を記載した届出書を納税地の所轄税務署長を経由して納税地の所轄国税局長に提出したときは、当該届出書をもって(1)の申請書とみなし、当該届出書の提出をもって当該事業年度終了の日等において**3**の承認があったものとみなす。この場合においては、(4)は、適用しない。（法31⑥、令57⑧、規18③）

(一)	**3**の表の⑥のイに掲げる事由	当該事由による**3**の承認に係る減価償却資産と構成を同じくする減価償却資産
(二)	**3**の表の⑥のハ（同表の①及び⑥のイに掲げる部分に限る。）に掲げる事由	当該事由による**3**の承認に係る減価償却資産と材質若しくは製作方法又は構成に準ずるものを同じくする減価償却資産

(届出書の記載事項)

(9) (8)に掲げる届出書には、次の表に掲げる事項を記載する。（法31⑥、令57⑧、規18④）

(一)	届出をする内国法人の名称、納税地及び法人番号並びに代表者の氏名
(二)	取得をした減価償却資産の名称
(三)	その所在する場所
(四)	(8)に掲げる承認に係る減価償却資産及びその取得した減価償却資産の材質若しくは製作方法若しくは構成又はこれらに準ずるもの
(五)	**3**の表の①及び(8)の表に掲げる事由のいずれに該当するかの別
(六)	その他参考となるべき事項

(耐用年数短縮の承認を受けた場合の取得価額)

(10) 内国法人が、その有する減価償却資産につき**3**の承認を受けた場合には、当該資産の**四**の1の①の(1)の表の(一)《旧定額法》若しくは同表の(三)《旧生産高比例法》又は同1の②の(1)の表の(一)《定額法》若しくは同表の(三)《生産高比例法》若しくは同②の(2)の表の(一)《償却保証額》に掲げる取得価額には、当該資産につきその承認を受けた日の属する事業年度の前事業年度までの各事業年度においてした償却の額（当該前事業年度までの各事業年度において同1の①の(12)の表の(一)《評価換え等》に掲げる評価換え等が行われたことによりその帳簿価額が減額された場合にはその帳簿価額が減額された金額を含むものとし、各事業年度の所得の金額の計算上損金の額に算入されたものに限る。）の累積額（その承認を受けた日の属する事業年度において同表の(二)《期中評価換え等》に掲げる期中評価換え等が行われたことによりその帳簿価額が減額された場合には、その帳簿価額が減額された金額を含む。）を含まないものとする。（令57⑨）

(定率法を採用している場合の償却保証額に満たない場合の取得価額)

(11) **十**の4の①の(1)《償却可能限度額に達した後の償却限度額》は、**3**の承認に係る減価償却資産（そのよるべき償却の方法として定率法を採用しているものに限る。）につきその承認を受けた日の属する事業年度において**3**を適用しないで計算した**四**の1の②の(2)の表の(二)《改定取得価額》のイに掲げる調整前償却額が(10)を適用しないで計算した同表の(一)《償却保証額》に掲げる償却保証額に満たない場合について準用する。この場合において、**十**の4

第三章　第一節　第六款　八《減価償却資産の耐用年数》

の①の(1)中「同(イ)又は(ハ)に掲げる金額及び」とあるのは「承認前償却累積額((10)により取得価額に含まないものとされる金額をいう。)及び」と、「60」とあるのは「3に掲げる未経過使用可能期間の月数」と、「当該事業年度以後」とあるのは「その承認を受けた日の属する事業年度以後」と読み替えるものとする。(令57⑩)

　　(耐用年数短縮の承認事由の判定)
(12)　法人の有する減価償却資産が3の表の①から⑥までに掲げる事由に該当するかどうかを判定する場合において、それぞれ同表の①から⑥までに掲げる「その使用可能期間が法定耐用年数に比して著しく短いこと」とは、当該減価償却資産の使用可能期間がその法定耐用年数に比しておおむね10％以上短い年数となったことをいうものとする。(基通7－3－18)

　　(耐用年数の短縮の対象となる資産の単位)
(13)　3については、減価償却資産の種類ごとに、かつ、耐用年数の異なるものごとに適用する。この場合において、機械及び装置以外の減価償却資産の種類は、耐用年数省令に規定する減価償却資産の種類(その種類につき構造若しくは用途又は細目の区分が定められているものについては、その構造若しくは用途又は細目の区分)とし、機械及び装置の種類は、旧耐用年数省令に定める設備の種類(その設備の種類につき細目の区分が定められているものについては、その細目の区分)とする。
　　ただし、次の表の左欄に掲げる減価償却資産については、同表の右欄によることができる。(基通7－3－19)

(一)	機械及び装置	2以上の工場に同一の設備の種類に属する設備を有するときは、工場ごと
(二)	建物、建物附属設備、構築物、船舶、航空機又は無形減価償却資産	個々の資産ごと
(三)	他に貸与している減価償却資産	その貸与している個々の資産(当該個々の資産が借主における一の設備を構成する機械及び装置の中に2以上含まれているときは、当該2以上の資産)ごと

注1　(一)に掲げる「2以上の工場に同一の設備の種類に属する設備を有するとき」には、2以上の工場にそれぞれ一の設備の種類を構成する機械及び装置が独立して存在するときが該当し、2以上の工場の機械及び装置を合わせて一の設備の種類が構成されているときは、これに該当しない。
注2　一の設備を構成する機械及び装置の中に他から貸与を受けている資産があるときは、当該資産を含めないところにより3を適用する。

　　(機械及び装置以外の減価償却資産の使用可能期間の算定)
(14)　機械及び装置以外の減価償却資産に係る3に掲げる「使用可能期間」は、3の表の①から⑥までに掲げる事由に該当することとなった減価償却資産の取得後の経過年数とこれらの事由に該当することとなった後の見積年数との合計年数(1年未満の端数は切り捨てる。)とする。この場合における見積年数は、当該減価償却資産につき使用可能期間を算定しようとする時から通常の維持補修を加え、通常の使用条件で使用するものとした場合において、通常予定される効果をあげることができなくなり更新又は廃棄されると見込まれる時期までの年数による。(基通7－3－20)

　　(機械及び装置以外の減価償却資産の未経過使用可能期間の算定)
(15)　機械及び装置以外の減価償却資産に係る「未経過使用可能期間」は、当該減価償却資産につき使用可能期間を算定しようとする時から通常の維持補修を加え、通常の使用条件で使用するものとした場合において、通常予定される効果をあげることができなくなり更新又は廃棄されると見込まれる時期までの見積年数(1年未満の端数は切り捨てる。)による。(基通7－3－20の2)

　　(機械及び装置の使用可能期間の算定)
(16)　機械及び装置に係る3に掲げる「使用可能期間」は、旧耐用年数省令に定められている設備の種類を同じくする機械及び装置に属する個々の資産の取得価額(再評価を行った資産については、その再評価額とする。ただし、申請の事由が3の表の⑥のロ《特掲されていない設備の耐用年数の短縮》に掲げる事由又はこれに準ずる事由に該当するものである場合には、その再取得価額とする。(17)において同じ。)を償却基礎価額とし、(14)に準じて算定した年数(当該機械及び装置に属する個々の資産のうち同表の①から⑥までに掲げる事由に該当しないものについては、当該機械及び装置の旧耐用年数省令に定められている耐用年数の算定の基礎となった個別年数とする。(17)において同じ。)を使用可能期間として、(18)《総合償却資産の使用可能期間の算定》に従いその機械及び装置の全部を総合して算定

第三章　第一節　第六款　八《減価償却資産の耐用年数》

した年数（１年未満の端数は切り捨てる。）による。
　（６）《耐用年数の短縮の承認を受けた資産の一部を更新等した場合のみなし承認》の(二)に掲げる「その取り替えた後の使用可能期間」についても、同様とする。（基通７－３－21）

　　（機械及び装置の未経過使用可能期間の算定）
(17)　機械及び装置に係る「未経過使用可能期間」は、個々の資産の取得価額を償却基礎価額とし、(14)《機械及び装置以外の減価償却資産の使用可能期間の算定》に準じて算定した年数を使用可能期間として、(19)《総合償却資産の未経過使用可能期間の算定》に従って算定した年数による。（基通７－３－21の２）

　　（総合償却資産の使用可能期間の算定）
(18)　総合償却資産の使用可能期間は、総合償却資産に属する個々の資産の償却基礎価額の合計額を個々の資産の年要償却額（償却基礎価額を個々の資産の使用可能期間で除した額をいう。(19)において同じ。）の合計額で除して得た年数（１年未満の端数がある場合には、その端数を切り捨てて、その年数が２年に満たない場合には、２年とする。）とする。（耐通１－６－１）

　　（総合償却資産の未経過使用可能期間の算定）
(19)　総合償却資産の未経過使用可能期間は、総合償却資産の未経過期間対応償却基礎価額を個々の資産の年要償却額の合計額で除して得た年数（その年数に１年未満の端数がある場合には、その端数を切り捨て、その年数が２年に満たない場合には、２年とする。）とする。（耐通１－６－１の２）
　　注１　未経過期間対応償却基礎価額とは、個々の資産の年要償却額に経過期間（資産の取得の時から使用可能期間を算定しようとする時までの期間をいう。）の月数を乗じてこれを12で除して計算した金額の合計額を個々の資産の償却基礎価額の合計額から控除した残額をいう。
　　注２　月数は暦に従って計算し、１か月に満たない端数を生じたときは、これを１か月とする。

　　（陳腐化による耐用年数の短縮）
(20)　製造工程の一部の工程に属する機械及び装置が陳腐化したため耐用年数の短縮を承認した場合において、陳腐化した当該機械及び装置の全部を新たな機械及び装置と取り替えたときは、(３)に掲げる「不適当とする」特別の事由が生じた場合に該当することに留意する。（耐通１－６－２）

　　（耐用年数短縮の承認があった後に取得した資産の耐用年数）
(21)　耐用年数の短縮の承認に係る減価償却資産が**３**の表の⑥のロ《特掲されていない設備の耐用年数の短縮》に掲げる事由又はこれに準ずる事由に該当するものである場合において、その後その承認の対象となった資産と種類を同じくする資産を取得したときは、その取得した資産についても承認に係る耐用年数を適用する。（基通７－３－22）

　　（耐用年数短縮の承認を受けている資産に資本的支出をした場合）
(22)　耐用年数の短縮の承認を受けている減価償却資産（**３**の表の⑥のロ《特掲されていない設備の耐用年数の短縮》に掲げる事由又はこれに準ずる事由に該当するものを除く。）に資本的支出をした場合において、当該減価償却資産及び当該資本的支出につき、短縮した耐用年数により償却を行うときは、(６)に該当する場合を除き、改めて**３**による国税局長の承認を受けることに留意する。（基通７－３－23）

　　（耐用年数短縮が届出により認められる資産の更新に含まれる資産の取得等）
(23)　(６)の(二)に掲げる「これに代わる新たな資産（……）と取り替えた場合」には、**３**の表の⑥のイ《構成が著しく異なる場合の耐用年数の短縮》に掲げる事由又はこれに準ずる事由により承認を受けた短縮特例承認資産について、次に掲げる事実が生じた場合が含まれるものとする。（基通７－３－24）
　（一）　当該短縮特例承認資産の一部の資産を除却することなく、当該短縮特例承認資産に属することとなる資産（その購入の代価又はその建設等のために要した原材料費、労務費及び経費の額並びにその資産を事業の用に供するために直接要した費用の額の合計額が当該短縮特例承認資産の取得価額の10％相当額を超えるものを除く。）を新たに取得したこと。
　（二）　当該短縮特例承認資産に属することとなる資産を新たに取得することなく、当該短縮特例承認資産の一部を除却したこと。
　　注　(23)の取扱いの適用を受ける資産についての(６)に掲げる届出書の提出は、当該資産を新たに取得した日又は当該一部の資産を除却した日の属する事業年度に係る申告書の提出期限までに行うこととなる。

第三章 第一節 第六款 八《減価償却資産の耐用年数》

（耐用年数の短縮承認を受けていた減価償却資産の耐用年数）
(24) **3**により耐用年数短縮の承認を受けている減価償却資産について、耐用年数の改正があった場合において、改正後の耐用年数が当該承認を受けた耐用年数より短いときは、当該減価償却資産については、改正後の耐用年数によるのであるから留意する。（耐通1－7－3）

4 特定の登録ホテル等の減価償却資産の耐用年数の特例（平9．4 改正により廃止）

特定の登録ホテル等の減価償却資産の耐用年数の特例制度は、平成9年度改正により廃止された。（旧措法52の4 削除）
ただし、法人が平成9年3月31日以前に取得又は製作若しくは建設をした特定の登録ホテル等に含まれる減価償却資産については、なお平成9年度改正前の租税特別措置法第52条の4の規定の適用がある。（平9改措法附13⑨）
注　特定の登録ホテル等に含まれる減価償却資産の詳細については、本書平成9年版532ページ以下を参照。

九　償却率及び残存価額

1　償却率

① **旧定額法及び旧定率法の償却率**

　平成19年３月31日以前に取得をされた減価償却資産の耐用年数に応じた償却率は、**四**の**1**の①の（1）に掲げる旧定額法（以下「旧定額法」という。）又は同（1）に掲げる旧定率法（以下「旧定率法」という。）の区分に応じそれぞれ別表第七《平成19年３月31日以前に取得をされた減価償却資産の償却率表》に掲げるところによる。（法31⑥、令56、耐用年数省令４①）

　　注　別表第七は巻末付録━を参照。（編者）

（事業年度が１年に満たない場合の償却率）

（1）　法人の事業年度が１年に満たない場合においては、①にかかわらず、減価償却資産の旧定額法の償却率は、当該減価償却資産の耐用年数に対応する別表第七に掲げる旧定額法の償却率に当該事業年度の月数を乗じてこれを12で除したものにより、減価償却資産の旧定率法の償却率は、当該減価償却資産の耐用年数に12を乗じてこれを当該事業年度の月数で除して得た耐用年数に対応する同表に掲げる旧定率法の償却率による。（法31⑥、令56、耐用年数省令４②）

$$\text{旧定額法の償却率} = \text{当該減価償却資産の耐用年数に応ずる別表第七の旧定額法の償却率} \times \frac{\text{当該事業年度の月数}}{12}$$

$$\text{旧定率法の償却率} = \left(\text{当該減価償却資産の耐用年数} \times \frac{12}{\text{当該事業年度の月数}}\right) \text{に応ずる別表第七の旧定率法の償却率}$$

（月数の計算）

（2）　（1）の月数は、暦に従って計算し、１か月に満たない端数を生じたときは、これを１か月とする。（法31⑥、令56、耐用年数省令４③）

（改定耐用年数が100年を超える場合の旧定率法の償却限度額）

（3）　（1）により計算した改定耐用年数が100年を超える場合の減価償却資産の償却限度額は、当該減価償却資産について定められている耐用年数省令別表の耐用年数に応じ、その帳簿価額に別表第七に掲げる旧定率法の償却率を乗じて算出した金額に当該事業年度の月数（事業年度の中途で事業の用に供した減価償却資産については、当該事業年度の月数のうち事業の用に供した後の月数）を乗じ、これを12で除して計算した金額による。（基通７－４－１）

（事業年度が１年に満たない場合の償却率等）

（4）　減価償却資産の償却の方法につき旧定額法又は旧定率法を選定している法人の事業年度が１年に満たないため、（1）《事業年度が１年に満たない場合の償却率》を適用する場合の端数計算については、次によるものとする。（耐通５－１－１・編者補正）

（一）	旧定額法を選定している場合	当該減価償却資産の旧定額法の償却率に当該事業年度の月数を乗じてこれを12で除した数に小数点以下３位未満の端数があるときは、その端数は切り上げる。
（二）	旧定率法を選定している場合	当該減価償却資産の耐用年数に12を乗じてこれを当該事業年度の月数で除して得た年数に１年未満の端数があるときは、その端数は切り捨てる。

（中間期間における償却率等）

（5）　１年決算法人で旧定額法又は旧定率法を採用しているものが、その事業年度を６か月ごとに区分してそれぞれの期間につき償却限度額を計算し、その合計額をもって当該事業年度の償却限度額としている場合において、当該各期間に適用する償却率を、それぞれ別表第七の償却率に$\frac{1}{2}$を乗じて得た率（小数点以下第４位まで求めた率）とし、当該事業年度の期首における帳簿価額（旧定額法を採用している場合は、取得価額）を基礎として当該償却限度額を計算しているときは、これを認める。（耐通５－１－２・編者補正）

② **定額法の償却率、定率法の償却率、改定償却率及び保証率**

　平成19年４月１日以後に取得をされた減価償却資産の耐用年数に応じた償却率、改定償却率及び保証率は、次の表の左

欄に掲げる区分に応じそれぞれ同表の右欄に掲げる表に掲げるところによる。（法31⑥、令56、耐用年数省令5①）

イ	定額法の償却率		別表第八《平成19年4月1日以後に取得をされた減価償却資産の定額法の償却率表》
ロ	定率法の償却率、改定償却率及び保証率	次の表の左欄に掲げる資産の区分に応じそれぞれ同表の右欄に掲げる表	
		(イ) 平成24年3月31日以前に取得をされた減価償却資産	別表第九《平成19年4月1日から平成24年3月31日までの間に取得をされた減価償却資産の定率法の償却率、改定償却率及び保証率の表》
		(ロ) 平成24年4月1日以後に取得をされた減価償却資産	別表第十《平成24年4月1日以後に取得をされた減価償却資産の定率法の償却率、改定償却率及び保証率の表》

注　別表第八、別表第九及び別表第十は、巻末付録一を参照。（編者）

（事業年度が1年に満たない場合の償却率）
（1）　法人の事業年度が1年に満たない場合においては、②にかかわらず、減価償却資産の定額法の償却率又は定率法の償却率は、当該減価償却資産の耐用年数に対応する別表第八に掲げる定額法の償却率又は別表第九若しくは別表第十に掲げる定率法の償却率に当該事業年度の月数を乗じてこれを12で除したものによる。（法31⑥、令56、耐用年数省令5②）

（月数の計算）
（2）　（1）の月数は暦に従って計算し、1か月に満たない端数を生じたときは、これを1か月とする。（法31⑥、令56、耐用年数省令5⑤）

（定率法を適用する場合の取得価額の特例）
（3）　法人の（1）の事業年度（この（3）の適用を受けた事業年度を除く。以下（3）において「適用年度」という。）終了の日以後1年以内に開始する各事業年度（当該適用年度開始の日から各事業年度終了の日までの期間が1年を超えない各事業年度に限る。）における四の1の②の（1）の表の（二）《定率法》に掲げる取得価額は、当該適用年度の同（二）に掲げる取得価額とすることができる。（法31⑥、令56、耐用年数省令5③）

（償却保証額に満たない場合で事業年度が1年に満たない場合の償却率）
（4）　減価償却資産の四の1の②の（1）の表の（二）《定率法》に掲げる取得価額（（3）の適用を受ける場合には、（3）による取得価額）に当該減価償却資産の耐用年数に対応する別表第九又は別表第十に掲げる定率法の償却率を乗じて計算した金額が同②の（2）《用語の意義》の表の（一）《償却保証額》に掲げる償却保証額に満たない場合で、かつ、法人の事業年度が1年に満たない場合における（1）《事業年度が1年に満たない場合の償却率》の適用については、（1）中「定率法の償却率」とあるのは「改定償却率」とする。（法31⑥、令56、耐用年数省令5④）

（事業年度が1年に満たない場合の償却率等）
（5）　減価償却資産の償却の方法につき定額法又は定率法を選定している法人の事業年度が1年に満たないため、（1）又は（4）を適用する場合の端数計算については、当該減価償却資産の定額法又は定率法に係る償却率又は改定償却率に当該事業年度の月数を乗じてこれを12で除した数に小数点以下3位未満の端数があるときは、その端数を切り上げる。（耐通5－1－1・編者補正）

注　四の1の②の（1）《定額法、定率法、生産高比例法及びリース期間定額法の意義》の表の（二）に掲げる償却保証額の計算は、法人の事業年度が1年に満たない場合においても、別表第九又は別表第十に掲げる保証率により計算することに留意する。なお、当該償却保証額に満たない場合に該当するかどうかの判定に当たっては、同（二）に掲げる取得価額に乗ずることとなる定率法の償却率は、上記の月数による按分前の償却率によることに留意する。

（中間事業年度における償却率等）
（6）　1年決算法人で定額法又は定率法を採用しているものが、その事業年度を6か月ごとに区分してそれぞれの期間につき償却限度額を計算し、その合計額をもって当該事業年度の償却限度額としている場合において、当該各期間に適用する償却率又は改定償却率を、それぞれ別表第八、別表第九又は別表第十の償却率又は改定償却率に$\frac{1}{2}$を乗じて得た率（小数点以下第4位まで求めた率）とし、当該事業年度の期首における帳簿価額（定額法を採用している場合は、取得価額）又は当該減価償却資産の改定取得価額を基礎として当該償却限度額を計算しているときは、これを認

める。(耐通5－1－2・編者補正)

注　四の1の②の(1)《定額法、定率法、生産高比例法及びリース期間定額法の意義》の表の(二)に掲げる償却保証額に満たない場合に該当するかどうかの判定に当たっては、同(二)に掲げる取得価額に乗ずることとなる定率法の償却率は、$\frac{1}{2}$を乗ずる前の償却率によることに留意する。

2　残存価額

　平成19年3月31日以前に取得をされた減価償却資産の残存価額は、別表第十一《平成19年3月31日以前に取得をされた減価償却資産の残存割合表》の「種類」及び「細目」欄の区分に応じ、同表に掲げる残存割合を当該減価償却資産の**六の1**《減価償却資産の取得価額》による取得価額に乗じて計算した金額とする。(法31⑥、令56、耐用年数省令6①)

注1　牛及び馬の残存価額は、**2**残存価額にかかわらず、**2**の残存価額により計算した金額と10万円とのいずれか少ない金額とする。(法31⑥、令56、耐用年数省令6②)

注2　別表第十一は巻末付録一を参照。(編者)

十　減価償却資産の償却限度額

1　各事業年度の償却限度額

　内国法人の有する減価償却資産(各事業年度終了の時における確定した決算に基づく貸借対照表に計上されているもの及びその他の資産につきその償却費として損金経理をした金額があるものに限る。以下同じ。)の各事業年度の償却限度額は、当該資産につきその内国法人が採用している償却の方法に基づいて計算した金額とする。(法31①、令58)

　　　(種類等を同じくする減価償却資産の償却限度額)

（1）　内国法人の有する減価償却資産で耐用年数省令に規定する耐用年数(**八の3**《耐用年数の短縮》により耐用年数とみなされるものを含む。以下(1)において同じ。)を適用するものについての各事業年度の償却限度額は、当該耐用年数に応じ、耐用年数省令に規定する減価償却資産の種類の区分(その種類につき構造若しくは用途、細目又は設備の種類の区分が定められているものについては、その構造若しくは用途、細目又は設備の種類の区分とし、2以上の事業所又は船舶を有する内国法人で事業所又は船舶ごとに償却の方法を選定している場合にあっては、事業所又は船舶ごとのこれらの区分とする。)ごとに、かつ、当該耐用年数及びその内国法人が採用している償却の方法の異なるものについては、その異なるごとに、当該償却の方法により計算した金額とするものとする。(規19①)

　　　(旧耐用年数省令の区分によっている場合の特例)

（2）　(1)の場合において、内国法人がその有する機械及び装置の種類の区分について旧耐用年数省令に掲げられている設備の種類の区分によっているときは、(1)に掲げる減価償却資産の種類の区分は、旧耐用年数省令に掲げられている設備の種類の区分とすることができる。(規19②)

　　　(200％定率法と250％定率法の適用する減価償却資産の両方がある場合の償却限度額の適用)

（3）　内国法人がそのよるべき償却の方法として**四の1**の②の(1)《定額法、定率法、生産高比例法及びリース期間定額法の意義》の表の(二)に掲げる定率法を採用している減価償却資産のうちに平成24年3月31日以前に取得をされた資産と同年4月1日以後に取得をされた資産とがある場合には、これらの資産は、それぞれ償却の方法が異なるものとして、(1)《種類等を同じくする減価償却資産の償却限度額》を適用する。(規19③)

注1　法人が、その有する減価償却資産について**四の1**の②の表の注2、同②の(3)《250％定率法を適用している減価償却資産の200％定率法の選択適用》の注、同1の③《適格分社型分割等があった場合又は特別の法律に基づく継承を受けた場合の減価償却資産の償却の方法》の注1及び**六の7**の②の(2)《定率法を採用している場合の資本的支出額と取得価額との合算の特例》の注2の適用を受ける場合には、当該減価償却資産は、平成24年3月31日以前に取得をされた資産とみなして、(3)を適用する。(平23.12改令附3⑦、平23.12改規附3③)

注2　法人が、その有する減価償却資産について**四の1**の②の(3)《250％定率法を適用している減価償却資産の200％定率法の選択適用》の適用を受ける場合には、当該減価償却資産は、平成24年4月1日以後に取得をされた資産とみなして、(3)を適用する。(平23.12改令附3⑦、平23.12改規附3④)

注3　**四の1**の②の表の注4、同1の③の注3及び**六の7**の②の(2)の注3に掲げる新たに取得したものとされる減価償却資産に係る(3)の適用については、当該減価償却資産は、平成24年3月31日以前に取得をされた資産に該当するものとする。(平23.12改令附3⑦、平23.12改規附3⑤)

　　　(転用資産の償却限度額)

（4）　減価償却資産を事業年度の中途において従来使用されていた用途から他の用途に転用した場合において、法人が

転用した資産の全部について転用した日の属する事業年度開始の日から転用後の耐用年数により償却限度額を計算したときは、これを認める。（基通７－４－２）
　　注　償却方法として定率法を採用している減価償却資産の転用前の耐用年数よりも転用後の耐用年数が短くなった場合において、転用初年度に、転用後の耐用年数による償却限度額が、転用前の耐用年数による償却限度額に満たないときには、転用前の耐用年数により償却限度額を計算することができることに留意する。

　（転用した追加償却資産に係る償却限度額等）
（５）　六の７の②の（３）《同一事業年度内に行われた複数の資本的支出の特例》の適用を受けた一の減価償却資産を構成する各追加償却資産（同②の（２）に掲げる追加償却資産をいう。以下同じ。）のうち従来使用されていた用途から他の用途に転用したものがある場合には、当該転用に係る追加償却資産を一の資産として、転用後の耐用年数により償却限度額を計算することに留意する。（基通７－４－２の２前段）
　　注　当該転用が事業年度の中途で行われた場合における当該追加償却資産の償却限度額の計算については、（４）による。

　（定額法を定率法に変更した場合等の償却限度額の計算）
（６）　減価償却資産の償却方法について、旧定額法を旧定率法に変更した場合又は定額法を定率法に変更した場合には、その後の償却限度額（４の①の（１）《償却可能限度額に達した後の償却限度額》による償却限度額を除く。）は、その変更した事業年度開始の日における帳簿価額、当該減価償却資産に係る改定取得価額又は当該減価償却資産に係る取得価額を基礎とし、当該減価償却資産について定められている耐用年数に応ずる償却率、改定償却率又は保証率により計算するものとする。（基通７－４－３）
　　注　当該減価償却資産について繰越控除される償却不足額があるときは、その償却不足額は、変更をした事業年度開始の日における帳簿価額から控除する。

　（定率法を定額法に変更した場合等の償却限度額の計算）
（７）　減価償却資産の償却方法について、旧定率法を旧定額法に変更した場合又は定率法を定額法に変更した場合には、その後の償却限度額（４の①の（１）《償却可能限度額に達した後の償却限度額》による償却限度額を除く。）は、次の（一）に掲げる取得価額又は残存価額を基礎とし、次の（二）に掲げる年数に応ずるそれぞれの償却方法に係る償却率により計算するものとする。（基通７－４－４）
（一）　取得価額又は残存価額は、次の表の左欄に掲げる当該減価償却資産の取得の時期に応じて、それぞれ同表の右欄に掲げる価額による。

イ	平成19年３月31日以前に取得した減価償却資産	その変更した事業年度開始の日における帳簿価額を取得価額とみなし、実際の取得価額の10％相当額を残存価額とする。
ロ	平成19年４月１日以後に取得した減価償却資産	その変更した事業年度開始の日における帳簿価額を取得価額とみなす。

（二）　耐用年数は、減価償却資産の種類の異なるごとに、法人の選択により、次のイ又はロに掲げる年数による。
　イ　当該減価償却資産について定められている耐用年数
　ロ　当該減価償却資産について定められている耐用年数から採用していた償却方法に応じた経過年数（その変更をした事業年度開始の日における帳簿価額を実際の取得価額をもって除して得た割合に応ずる当該耐用年数に係る未償却残額割合に対応する経過年数）を控除した年数（その年数が２年に満たない場合には、２年）
　　注１　（二）のロに掲げる経過年数の計算は、（１）及び（２）により一の償却計算単位として償却限度額を計算する減価償却資産ごとに行う。
　　注２　当該減価償却資産について償却不足額があるときは、（６）の注による。

　（旧定率法を旧定額法に変更した後に資本的支出をした場合等）
（８）　償却方法について、旧定率法を旧定額法に変更した後の償却限度額の計算の基礎となる耐用年数につき（７）の（二）のロによっている減価償却資産について資本的支出をした場合（六の７の②の（１）《平成19年３月31日以前に取得した減価償却資産の取得価額への合算の特例》の適用を受ける場合に限る。）には、その後における当該減価償却資産の償却限度額の計算の基礎となる耐用年数は、次の表の左欄に掲げる場合の区分に応じそれぞれ右欄に掲げる年数によるものとする。（基通７－４－４の２）

（一）	その資本的支出の金額が当該減価償却資産の再取得価額の50％に相当する金額以下の場合	当該減価償却資産につき現に適用している耐用年数

| (二) | (一)以外の場合 | 当該減価償却資産について定められている耐用年数 |

(定率法を定額法に変更した資産の耐用年数改正後の適用年数)
(9) 法人が減価償却資産の償却方法について、旧定率法から旧定額法に又は定率法から定額法に変更し、その償却限度額の計算につき(7)の(二)のロに掲げる年数によっている場合において、耐用年数が改正されたときは、次の算式により計算した年数(その年数に1年未満の端数があるときは、その端数を切り捨て、その年数が2年に満たない場合には、2年とする。)により償却限度額を計算することができる。(耐通1-7-1)
(算式)

$$耐用年数改正前において適用していた年数 \times \frac{改正後の耐用年数}{改正前の耐用年数} = 新たに適用する年数$$

(鉱業用減価償却資産の償却限度額の計算単位)
(10) 鉱業用減価償却資産に係る旧生産高比例法又は生産高比例法による償却限度額は、鉱業権については1鉱区ごと、坑道についてはその坑道ごと、その他の鉱業用減価償却資産については1鉱業所ごとに計算する。(基通7-6-4)

(生産高比例法を定額法に変更した場合等の償却限度額の計算)
(11) 鉱業用減価償却資産の償却方法について、旧生産高比例法を旧定額法に変更した場合又は生産高比例法を定額法に変更した場合には、その後の償却限度額(4の①の(1)《償却可能限度額に達した後の償却限度額》による償却限度額を除く。)は、次の(一)に掲げる取得価額又は残存価額を基礎とし、次の(二)に掲げる年数に応ずるそれぞれの償却方法に係る償却率により計算するものとする。(基通7-6-5)
(一) 取得価額又は残存価額は、次の表の左欄に掲げる当該減価償却資産の取得の時期に応じ、それぞれ同表の右欄に掲げる価額による。

| イ | 平成19年3月31日以前に取得した減価償却資産 | その変更をした事業年度開始の日における帳簿価額を取得価額とみなし、実際の取得価額の10%相当額(鉱業権及び坑道については、零)を残存価額とする。 |
| ロ | 平成19年4月1日以後に取得した減価償却資産 | その変更をした事業年度開始の日における帳簿価額を取得価額とみなす。 |

(二) 耐用年数は、次の表の左欄に掲げる資産の区分に応じ、それぞれ右欄に掲げる年数による。

| イ | 鉱業権(試掘権を除く。)及び坑道 | その変更をした事業年度開始の日以後における採掘予定数量を基礎として八の1の②の表のイ、ハ又はニ《鉱業権及び坑道の耐用年数》により税務署長が認定した年数 |
| ロ | イ以外の鉱業用減価償却資産 | その資産について定められている耐用年数又は次の算式により計算した年数(その年数が2年に満たない場合には、2年)
$$法定耐用年数 \times \frac{その変更をした事業年度開始の日における当該資産の帳簿価額}{当該資産の実際の取得価額}$$ |

(生産高比例法を定率法に変更した場合等の償却限度額の計算)
(12) 鉱業用減価償却資産(四の1の②の表の八の(イ)に掲げる減価償却資産を除く。)の償却方法について、旧生産高比例法を旧定率法に変更した場合又は生産高比例法を定率法に変更した場合には、その後の償却限度額(4の①の(1)《償却可能限度額に達した後の償却限度額》による償却限度額を除く。)は、(6)《定額法を定率法に変更した場合等の償却限度額の計算》に準じて計算する。(基通7-6-6)

(定額法又は定率法を生産高比例法に変更した場合等の償却限度額の計算)
(13) 鉱業用減価償却資産の償却方法について、旧定額法若しくは旧定率法を旧生産高比例法に変更した場合又は定額法若しくは定率法を生産高比例法に変更した場合には、その後の償却限度額(4の①の(1)《償却可能限度額に達した後の償却限度額》による償却限度額を除く。)は、次の表の左欄に掲げる当該減価償却資産の取得の時期に応じ、それぞれ同表の右欄に掲げる取得価額、残存価額又は残存耐用年数を基礎として計算する。(基通7-6-7)

(一)	平成19年3月31日以前に取得した減価償却資産	その変更をした事業年度開始の日における帳簿価額を取得価額とみなし、実際の取得価額の10％相当額（鉱業権及び坑道については、零）を残存価額として当該減価償却資産の残存耐用年数（当該減価償却資産の属する鉱区の当該変更をした事業年度開始の日以後における採掘予定年数がその残存耐用年数より短い場合には、当該鉱区の当該採掘予定年数。以下(13)において同じ。）を基礎とする。
(二)	平成19年4月1日以後に取得した減価償却資産	その変更をした事業年度開始の日における帳簿価額を取得価額とみなし、当該減価償却資産の残存耐用年数を基礎とする。

注　当該減価償却資産の残存耐用年数は、(7)《定率法を定額法に変更した場合等の償却限度額の計算》の(二)のロ及び(8)《旧定率法を旧定額法に変更した後に資本的支出をした場合等》の例による。

（転用後の生物の償却限度額の計算）

(14)　牛、馬、綿羊及びやぎを別表第四《生物の耐用年数表》に掲げる一の用途から他の用途に転用した場合の転用後の償却限度額は、その転用した日の属する事業年度の翌事業年度開始の日の帳簿価額を取得価額とし、転用後の残存使用可能期間に応ずる償却率により計算する。この場合において、その残存使用可能期間が明らかでないときは、牛については8年、馬については10年、綿羊及びやぎについては6年からそれぞれの転用の時までの満年齢（1年未満の端数は切り捨てる。）を控除した年数をその残存使用可能期間とするものとする。（基通7－6－13）

（リース期間終了の時に賃借人がリース資産を購入した場合の取得価額等）

(15)　賃借人がリース期間（第一款の六の(2)《リース取引の意義》に掲げるリース取引〔以下「リース取引」という。〕に係る契約において定められたリース資産〔同款の六に掲げるリース資産をいう。以下同じ。〕の賃貸借期間をいう。）終了の時にそのリース取引の目的物であった資産を購入した場合（そのリース取引が四の1の②の(2)の表の(五)《所有権移転外リース取引》のイ若しくはロに掲げるもの又はこれらに準ずるものに該当する場合を除く。）には、その購入の直前における当該資産の取得価額にその購入代価の額を加算した金額を取得価額とし、当該資産に係るその後の償却限度額は、次の表の左欄に掲げる区分に応じ、それぞれ同表の右欄により計算する。（基通7－6の2－10）

(一)	当該資産に係るリース取引が所有権移転リース取引（所有権移転外リース取引に該当しないリース取引をいう。）であった場合	引き続き当該資産について採用している償却の方法により計算する。		
(二)	当該資産に係るリース取引が所有権移転外リース取引であった場合	法人が当該資産と同じ資産の区分である他の減価償却資産（リース資産に該当するものを除く。以下同じ。）について採用している償却の方法に応じ、それぞれ次により計算する。		
			イ　その採用している償却の方法が定率法である場合	当該資産と同じ資産の区分である他の減価償却資産に適用される耐用年数に応ずる償却率、改定償却率及び保証率により計算する。
			ロ　その採用している償却の方法が定額法である場合	その購入の直前における当該資産の帳簿価額にその購入代価の額を加算した金額を取得価額とみなし、当該資産と同じ資産の区分である他の減価償却資産に適用される耐用年数から当該資産に係るリース期間を控除した年数（その年数に1年未満の端数がある場合には、その端数を切り捨て、その年数が2年に満たない場合には、2年とする。）に応ずる償却率により計算する。

注　事業年度の中途にリース期間が終了する場合の当該事業年度の償却限度額は、リース期間終了の日以前の期間につきリース期間定額法により計算した金額とリース期間終了の日後の期間につき(二)により計算した金額の合計額による。

2　事業年度の中途で事業の用に供した減価償却資産の償却限度額の特例

　内国法人が事業年度の中途においてその事業の用に供したそれぞれ次の左欄に掲げる減価償却資産については、当該資産の当該事業年度の償却限度額は、1《各事業年度の償却限度額》にかかわらず、それぞれ同表の右欄に掲げる金額とする。（法31⑥、令59①）

①	そのよるべき償却の方法として旧定額法、旧定率法、定額法、定率法又は取替法を採用している減価償却資産（取替法を採用しているものについては、**四の3の（1）の（二）《取替法の意義》**に掲げる新たな資産に該当するものでその取得価額につき当該事業年度において損金経理をしたものを除く。）	当該資産につきこれらの方法により計算した1による当該事業年度の償却限度額に相当する金額を当該事業年度の月数で除し、これにその事業の用に供した日から当該事業年度終了の日までの期間の月数を乗じて計算した金額 （月数の計算） 　月数は暦に従って計算し、1か月に満たない端数を生じたときは、これを1か月とする。（令59②）
②	そのよるべき償却の方法として旧生産高比例法又は生産高比例法を採用している減価償却資産	当該資産につきこれらの方法により計算した1による当該事業年度の償却限度額に相当する金額を当該事業年度における当該資産の属する鉱区の採掘数量で除し、これにその事業の用に供した日から当該事業年度終了の日までの期間における当該鉱区の採掘数量を乗じて計算した金額
③	そのよるべき償却の方法として**四の2《減価償却資産の特別な償却の方法》**に掲げる納税地の所轄税務署長の承認を受けた特別な償却の方法を採用している減価償却資産	当該承認を受けた償却の方法が①又は②に掲げる償却の方法のいずれに類するかに応じ①又は②に準じて計算した金額

（事業の用に供した日の判定）

　事業の用に供した日とは、資産を物理的に使用し始めた日のみをいうのではなく、例えば、工具の場合には、使用するために用品倉庫から工場（現場）へ払い出したときに、また、貸アパートの場合には、建物が完成し、入居募集を始めたときに事業の用に供したものとされる。（編者）

3　増加償却の特例

①　通常の使用時間を超えて使用される機械及び装置の償却限度額の特例

　内国法人が、その有する機械及び装置（そのよるべき償却の方法として旧定額法、旧定率法、定額法又は定率法を採用しているものに限る。）の使用時間がその内国法人の営む事業の通常の経済事情における当該機械及び装置の平均的な使用時間を超える場合において、当該機械及び装置の当該事業年度の償却限度額と当該償却限度額に当該機械及び装置の当該平均的な使用時間を超えて使用することによる損耗の程度に応ずるものとして②《増加償却割合の計算》に掲げるところにより計算した**増加償却割合**を乗じて計算した金額との合計額をもって当該機械及び装置の当該事業年度の償却限度額としようとする旨及び次に掲げる事項を記載した書類を、当該事業年度に係る第二節第三款の**二の1《確定申告》**による申告書の提出期限（**三の2《適格分割等により移転する減価償却資産に係る期中損金経理額の損金算入》**に掲げる適格分割等により移転する当該機械及び装置で同2の適用を受けるものについて①の適用を受けようとする場合には同2の《適格分割等により移転する減価償却資産に係る期中損金経理額の損金算入に関する届出》に掲げる書類の提出期限）までに納税地の所轄税務署長に提出し、かつ、当該平均的な使用時間を超えて使用したことを証する書類を保存しているときは、当該機械及び装置の当該事業年度の償却限度額は、1及び2にかかわらず、当該合計額とする。ただし、当該増加償却割合が$\frac{10}{100}$に満たない場合は、この限りでない。（法31⑥、令60、規20の2）

$$償却限度額＝\frac{当該事業年度}{の償却限度額}＋\frac{当該事業年度}{の償却限度額}×増加償却割合$$

イ	届出をする内国法人の名称、納税地及び法人番号並びに代表者の氏名
ロ	増加償却の適用を受けようとする機械及び装置の設備の種類及び名称並びに所在する場所
ハ	届出をする内国法人の営む事業の通常の経済事情における当該機械及び装置の1日当たりの平均的な使用時間

第三章　第一節　第六款　十《減価償却資産の償却限度額》

ニ	当該事業年度における当該機械及び装置を通常使用すべき日数
ホ	当該事業年度における当該機械及び装置の**ハ**に掲げる平均的な使用時間を超えて使用した時間の合計時間
ヘ	当該機械及び装置の②に掲げる１日当たりの超過使用時間
ト	当該事業年度における当該機械及び装置の増加償却割合
チ	当該機械及び装置を**ハ**に掲げる平均的な使用時間を超えて使用したことを証する書類として保存するものの名称
リ	その他参考となるべき事項

注１　上記算式に掲げる「当該事業年度の償却限度額」には特別償却限度額を含まない。（編者）
注２　「増加償却の届出書」は、増加償却の適用を受けようとする事業年度ごとに提出しなければならないことに留意する。（編者）

（仮決算をした場合の中間申告書における提出期限）
　　第二節第三款の**一**の**3**《仮決算をした場合の中間申告書の記載事項等》に掲げる期間に係る課税標準である所得の金額又は欠損金額及び同**3**の表の②に掲げる法人税額の計算については、①中「第二節第三款の**二**の**1**《確定申告》による申告書」とあるのは「第二節第三款の**一**の**3**に掲げる中間申告書」とする。（令150の２①）

② **増加償却割合の計算**
　①に掲げる増加償却割合は、平均的な使用時間を超えて使用する機械及び装置につき、$\frac{35}{1,000}$に当該事業年度における当該機械及び装置の**１日当たりの超過使用時間**の数を乗じて計算した割合（当該割合に小数点以下２位未満の端数があるときは、これを切り上げる。）とする。（規20①）
（算式）

$$増加償却割合 = \frac{35}{1,000} \times 当該事業年度における当該機械及び装置の１日当たりの超過使用時間の数$$

（小数点以下２位未満の端数は切上げ）

　なお、機械及び装置の**１日当たりの超過使用時間**とは、次の**イ**及び**ロ**に掲げる時間のうちその法人の選択したいずれかの時間をいう。（規20②）

イ	当該機械及び装置に属する個々の機械及び装置ごとに(イ)に掲げる時間に(ロ)に掲げる割合を乗じて計算した時間の合計時間 （イ）　当該個々の機械及び装置の当該事業年度における平均超過使用時間（当該個々の機械及び装置が当該機械及び装置の通常の経済事情における１日当たりの平均的な使用時間を超えて当該事業年度において使用された場合におけるその超えて使用された時間の合計時間を当該個々の機械及び装置の当該事業年度において通常使用されるべき日数で除して計算した時間をいう。**ロ**において同じ。） （ロ）　当該機械及び装置の取得価額（減価償却資産の償却限度額の計算の基礎となる取得価額をいい、**ハ**の**3**の(10)《耐用年数短縮の承認を受けた場合の取得価額》の適用がある場合には同(10)の適用がないものとした場合に減価償却資産の償却限度額の計算の基礎となる取得価額となる金額とする。以下(ロ)において同じ。）のうちに当該個々の機械及び装置の取得価額の占める割合
ロ	当該機械及び装置に属する個々の機械及び装置の当該事業年度における平均超過使用時間の合計時間を当該事業年度終了の日における当該個々の機械及び装置の総数で除して計算した時間

（**参考**）１日当たりの超過使用時間の簡単な計算例を示すと次のとおりである。
（一）　②の表の**イ**の計算例

個々の機械及び装置名	取得価額 (A)	当期中における個々の機械及び装置の超過使用時間の合計 (B)	当期中において通常使用されるべき日数 (C)	個々の機械及び装置の平均超過使用時間 $\frac{(B)}{(C)}$ (D)	１日当たりの超過使用時間 $(D) \times \frac{(A)}{(F)}$ (E)
a	10,000千円	2,400時間	300日	8.0時間	6.66時間
b	1,000	1,800	〃	6.0	0.50

第三章　第一節　第六款　十《減価償却資産の償却限度額》

c	500千円	1,200時間	300日	4.0時間	0.16時間
d	300	0	〃	0	0
e	200	900	〃	3.0	0.05
計	12,000(F)				7.37

注　dについては当期中の超過使用時間はないが、当該機械及び装置を構成する個々の機械及び装置に含まれるから、1日当たりの超過使用時間の計算に含めることに留意する。(二)において同じ。(編者)

$\frac{35}{1,000} \times 7.37 = 0.25795 \rightarrow 26\%$ ……増加償却割合

(二)　②の表の□の計算例

個々の機械及び装置名	当期中における個々の機械及び装置の超過使用時間					当期中において通常使用されるべき日数	個々の機械及び装置の平均超過使用時間	個々の機械及び装置の総数	1日当たりの超過使用時間
	4/1	4/2	4/3	…	合計				
a	8	8	8	…	2,400時間	300日	8.0時間	1台	
b	6	6	5	…	1,800	〃	6.0	1	
c	4	0	2	…	1,200	〃	4.0	1	
d	0	0	0	…	0	〃	0	1	
e	0	0	6	…	900	〃	3.0	1	
計							21.0(A)	5(B)	4.2時間 $\frac{(A)}{(B)}$

$\frac{35}{1,000} \times 4.2 = 0.147 \rightarrow 15\%$ ……増加償却割合

(増加償却の適用単位)
（１）　増加償却は、法人の有する機械及び装置につき旧耐用年数省令に定める設備の種類（細目の定めのあるものは、細目）ごとに適用する。ただし、2以上の工場に同一の設備の種類に属する設備を有する場合には、工場ごとに適用することができる。（基通7－4－5）

　　注　ただし書の「2以上の工場に同一の設備の種類に属する設備を有する場合」の意義は、八の3の(13)《耐用年数の短縮の対象となる資産の単位》の注1による。

(増加償却の適用単位)
（２）　法人が同一工場構内に2以上の棟を有している場合において、一の設備の種類を構成する機械装置が独立して存在する棟があるときは、当該棟ごとに増加償却を適用することができる。（耐通3－1－1）

(中古機械等の増加償却割合)
（３）　同一用途に供される中古機械と新規取得機械のように、別表第二《機械及び装置の耐用年数表》に掲げる設備の種類を同じくするが、償却限度額の計算をそれぞれ別個に行う機械装置についても、増加償却の適用単位を同一にするものにあっては、増加償却割合の計算に当たっては、当該設備に含まれる機械装置の全てを通算して一つの割合をそれぞれ適用することに留意する。（耐通3－1－2）

(平均超過使用時間の意義)
（４）　増加償却割合の計算の基礎となる平均超過使用時間とは、当該法人の属する業種に係る設備の標準稼働時間（通常の経済事情における機械及び装置の平均的な使用時間をいう。）を超えて使用される個々の機械装置の1日当たりのその超える部分の当該事業年度における平均時間をいう。この場合において、法人が週5日制（機械装置の稼働を休止する日が1週間に2日あることを常態とする操業体制をいう。）を採用している場合における機械装置の標準稼働時間は、当該法人の属する業種における週6日制の場合の機械装置の標準稼働時間に、当該標準稼働時間を5で除した数を加算した時間とする。（耐通3－1－3）

$$\text{週5日制の標準稼働時間} = \text{週6日制の標準稼働時間} + \frac{\text{週6日制の標準稼働時間}}{5}$$

第三章 第一節 第六款 十《減価償却資産の償却限度額》

注　各業種に係る設備の標準稼働時間は、巻末付録二の付表5《通常の使用時間が8時間又は16時間の機械装置》を参照。(編者)

(機械装置の単位)
(5)　平均超過使用時間の算定は、通常取引される個々の機械装置の単位ごとに行う。(耐通3－1－4)

(貸与を受けている機械及び装置がある場合の増加償却)
(6)　法人の有する機械及び装置につき1日当たりの超過使用時間を計算する場合において、一の設備を構成する機械及び装置の中に他から貸与を受けている資産が含まれているときは、当該資産の使用時間を除いたところによりその計算を行う。(基通7－4－7)

(標準稼働時間内における休止時間)
(7)　個々の機械装置の日々の超過使用時間の計算に当たっては、標準稼働時間内における個々の機械装置の稼働状況は、超過使用時間の計算に関係のないことに留意する。(耐通3－1－5)

(日曜日等の超過使用時間)
(8)　日曜、祭日等通常休日とされている日(週5日制による日曜日以外の休日とする日を含む。)における機械装置の稼働時間は、その全てを超過使用時間とする。(耐通3－1－6)
　　注1　この取扱いは、機械装置の標準稼働時間が24時間であるものについては適用がない。
　　注2　週5日制による日曜日以外の休日とする日は、通常使用されるべき日数に含めることとされているので留意する。((14)参照)

(日々の超過使用時間の算定方法)
(9)　個々の機械装置の日々の超過使用時間は、法人の企業規模、事業種目、機械装置の種類等に応じて、次に掲げる方法のうち適当と認められる方法により求めた稼働時間を基礎として算定するものとするが、この場合に個々の機械装置の稼働時間が不明のときは、これらの方法に準じて推計した時間によるものとする。(耐通3－1－7)
(一)　個々の機械装置の従事員について労務管理のため記録された勤務時間を基として算定する方法
(二)　個々の機械装置の従事員が報告した機械装置の使用時間を基として算定する方法
(三)　生産1単位当たりの標準所要時間を生産数量に乗じ、又は単位時間当たり標準生産能力で生産数量を除して得た時間を基として算定する方法
(四)　常時機械装置に運転計の付してあるもの又は「作業時間調」(就業時間中の機械装置の稼働状況を個別に時間集計しているもの)等のあるものについては、それらに記録され、又は記載された時間を基として算定する方法
(五)　当該法人の企業規模等に応じ適当と認められる(一)から(四)までに掲げられている方法に準ずる方法

(日々の超過使用時間の簡便計算)
(10)　機械装置の日々の超過使用時間は、個々の機械装置ごとに算定することを原則とするが、その算定が困難である場合には、一の製造設備を製造単位(同一の機能を果たす機械装置を組織的に、かつ、場所的に集約した単位をいう。)ごとに分割して、その分割された製造単位の超過使用時間をもって当該製造単位に含まれる個々の機械装置の超過使用時間とすることができる。(耐通3－1－8)

(月ごとの計算)
(11)　機械装置の平均超過使用時間は、月ごとに計算することができる。この場合における当該事業年度の機械装置の平均超過使用時間は、月ごとの機械装置の平均超過使用時間の合計時間を当該事業年度の月数で除して得た時間とする。(耐通3－1－9)

(超過使用時間の算定の基礎から除外すべき機械装置)
(12)　次のいずれかに該当する機械装置及びその稼働時間は、日々の超過使用時間の算定の基礎には含めないものとする。(耐通3－1－10)
(一)　受電盤、変圧器、配電盤、配線、配管、貯槽、架台、定盤その他これらに準ずるもので、その構造等からみて常時使用の状態にあることを通常の態様とする機械装置
(二)　熱処理装置、冷蔵装置、発酵装置、熟成装置その他これらに準ずるもので、その用法等からみて長時間の仕掛りを通常の態様とする機械装置

注　この取扱いによって除外した機械装置であっても、増加償却の対象となることに留意する。

（超過使用時間の算定の基礎から除外することができる機械装置）
(13)　次に掲げる機械装置（(12)に該当するものを除く。）及びその稼働時間は、法人の選択によりその全部について継続して除外することを条件として日々の超過使用時間の算定の基礎には含めないことができる。（耐通3－1－11）
　（一）　電気、蒸気、空気、ガス、水等の供給用機械装置
　（二）　試験研究用機械装置
　（三）　倉庫用機械装置
　（四）　空気調整用機械装置
　（五）　汚水、ばい煙等の処理用機械装置
　（六）　教育訓練用機械等の生産に直接関連のない機械装置
　　注　この取扱いによって除外した機械装置であっても、増加償却の対象となることに留意する。

（通常使用されるべき日数の意義）
(14)　増加償却割合の算定の基礎となる機械装置の通常使用されるべき日数は、当該事業年度の日数から、日曜、祭日等当該法人の営む事業の属する業界において通常休日とされている日数を控除した日数をいう。この場合において、週5日制による日曜日以外の休日とする日は、通常使用されるべき日数に含むものとする。（耐通3－1－12）

（中間期間で増加償却を行った場合）
(15)　法人が、中間期間において①《通常の使用時間を超えて使用される機械及び装置の償却限度額の特例》により増加償却の適用を受けている場合であっても、確定事業年度においては、改めて当該事業年度を通じて増加償却割合を計算し、同①を適用することに留意する。（基通7－4－6）

4　減価償却資産の償却累積額による償却限度額の特例

①　減価償却資産の償却累積額による償却限度額の特例

　内国法人がその有する次の表の左欄に掲げる減価償却資産につき当該事業年度の前事業年度までの各事業年度においてした償却の額（当該前事業年度までの各事業年度において四の1の①の(12)に掲げる評価換え等が行われたことによりその帳簿価額が減額された場合には当該帳簿価額が減額された金額を含むものとし、各事業年度の所得の金額の計算上損金の額に算入されたものに限る。以下（1）及び②において同じ。）の累積額（当該事業年度において同(12)に掲げる期中評価換え等が行われたことによりその帳簿価額が減額された場合には、当該帳簿価額が減額された金額を含む。以下（1）及び②において同じ。）と当該減価償却資産につき同表の左欄に掲げる償却の方法により計算した当該事業年度の償却限度額に相当する金額との合計額が同表の右欄に掲げる表の左欄に掲げる減価償却資産の区分に応じそれぞれ同表の右欄に掲げる金額を超える場合には、当該減価償却資産については、**1**《各事業年度の償却限度額》及び**3**《増加償却の特例》にかかわらず、当該償却限度額に相当する金額からその超える部分の金額を控除した金額をもって当該事業年度の償却限度額とする。（法31⑥、令61①）

	次の表の左欄に掲げる資産の区分に応じそれぞれ同表の右欄に掲げる金額	
イ　平成19年3月31日以前に取得をされたもの（右欄の（ニ）及び（ホ）に掲げる減価償却資産にあっては、当該減価償却資産についての**四**の1の①の表の**ヘ**に掲げる改正前リース取引に係る契約が平成20年3月31日までに締結されたもの）で、そのよるべき償却の方法として旧定額法、旧定率法、旧生産高比例法、旧国外リース期間定額法、**四**の2《減価償却資産の特別な償却の方法》に掲げる償却の方法又は**四**の4《リース賃貸資産の償却の方法の特例》に掲げる旧リース期間定額法を採用しているもの	（イ）　**一**の2《減価償却資産の範囲》の表の①から⑦までに掲げる減価償却資産（坑道並びに（ニ）に掲げる国外リース資産及び（ホ）に掲げるリース賃貸資産を除く。）	その取得価額（減価償却資産の償却限度額の計算の基礎となる取得価額をいい、**八**の3の(10)《耐用年数短縮の承認を受けた場合の取得価額》の適用がある場合には同(10)の適用がないものとした場合に減価償却資産の償却限度額の計算の基礎となる取得価額となる金額とする。以下**4**において同じ。）の$\frac{95}{100}$に相当する金額
	（ロ）　坑道及び**一**の2の表の⑧に	その取得価額に相当する金額

		掲げる無形固定資産（（ホ）に掲げるリース賃貸資産を除く。）	
	(ハ)	一の2の表の⑨に掲げる生物（（ホ）に掲げるリース賃貸資産を除く。）	その取得価額から当該生物に係る**九**の2《残存価額》に掲げる残存価額を控除した金額に相当する金額
	(ニ)	**四**の1の①の表のへに掲げる国外リース資産	その取得価額から当該減価償却資産に係る同①の(1)の表の(四)に掲げる見積残存価額を控除した金額に相当する金額
	(ホ)	**四**の4《リース賃貸資産の償却の方法の特例》の適用を受けているリース賃貸資産	その取得価額から当該リース賃貸資産に係る同4の(1)《改定取得価額及び改定リース期間の意義》の表の(一)に掲げる残価保証額（当該残価保証額が零である場合には、1円）を控除した金額に相当する金額
ロ	平成19年4月1日以後に取得をされたもの（右欄の(ハ)に掲げる減価償却資産にあっては、当該減価償却資産についての**四**の1の②の(2)《用語の意義》の表の(五)に掲げる所有権移転外リース取引に係る契約が平成20年4月1日以後に締結されたもの）で、そのよるべき償却の方法として定額法、定率法、生産高比例法、リース期間定額法又は**四**の2《減価償却資産の特別な償却の方法》に掲げる償却の方法を採用しているもの	次の表の左欄に掲げる資産の区分に応じそれぞれ同表の右欄に掲げる金額	
		(イ) 一の2の表の①から⑦まで及び⑨に掲げる減価償却資産（坑道及び(ハ)に掲げるリース資産を除く。）	その取得価額から1円を控除した金額に相当する金額
		(ロ) 坑道及び一の2の表の⑧に掲げる無形固定資産	その取得価額に相当する金額
		(ハ) **四**の1の②の表のへに掲げるリース資産	その取得価額から当該リース資産に係る同②の(2)《用語の意義》の表の(六)に掲げる残価保証額を控除した金額に相当する金額

（償却可能限度額に達した後の償却限度額）
（1） 内国法人がその有する①の表の**イ**の右欄の(イ)又は(ハ)に掲げる減価償却資産（そのよるべき償却の方法として同**イ**の表の左欄に掲げる償却の方法を採用しているものに限る。）につき当該事業年度の前事業年度までの各事業年度においてした償却の額の累積額が当該資産の同(イ)又は(ハ)に掲げる金額に達している場合には、当該資産については、**1**《各事業年度の償却限度額》、**3**《増加償却の特例》及び①にかかわらず、当該資産の取得価額から①の表の**イ**の右欄の(イ)又は(ハ)に掲げる金額及び1円を控除した金額を60で除し、これに当該事業年度以後の各事業年度の月数を乗じて計算した金額（当該計算した金額と当該各事業年度の前事業年度までにした償却の額の累積額との合計額が当該資産の取得価額から1円を控除した金額を超える場合には、その超える部分の金額を控除した金額）をもって当該各事業年度の償却限度額とみなす。（法31⑥、令61②）

（月数の計算）
（2） （1）の月数は、暦に従って計算し、1か月に満たない端数を生じたときは、これを1か月とする。（法31⑥、令61③）

（償却累積額による償却限度額の特例の適用を受ける資産に資本的支出をした場合）
（3） 法人が（1）の適用を受けた減価償却資産について資本的支出をし、**六**の7の②の(1)《平成19年3月31日以前に取得した減価償却資産の取得価額への合算の特例》を適用した場合において、当該資本的支出の金額を加算した後の帳簿価額が、当該資本的支出の金額を加算した後の取得価額の5％相当額を超えるときは、（1）の適用はなく、当該減価償却資産について採用している償却方法により減価償却を行うことに留意する。（基通7－4－8）

注 （1）を適用する場合には、当該資本的支出の金額を加算した後の取得価額の５％相当額が基礎となる。

　　　（適格合併等により引継ぎを受けた減価償却資産の償却）
（４）　（１）の適用において、合併法人等（合併法人、分割承継法人、被現物出資法人又は被現物分配法人をいう。以下（４）において同じ。）の当該事業年度の前事業年度までの各事業年度においてした償却の額の累積額が取得価額の95％相当額に達している減価償却資産には、適格合併等（適格合併、適格分割、適格現物出資又は適格現物分配をいう。以下（４）において同じ。）により当該事業年度に移転を受けた減価償却資産のうち被合併法人等（被合併法人、分割法人、現物出資法人又は現物分配法人をいう。）においてした償却の額の累積額が取得価額の95％相当額に達しているものが含まれるものとする。（基通７－４－９）
注　適格合併等の日の属する事業年度の償却限度額の計算において乗ずることとなる月数は、合併法人等が適格合併等により移転を受けた減価償却資産を事業の用に供した日から当該事業年度終了の日までの期間の月数によることに留意する。

② **堅固な建物等の償却限度額の特例**
　内国法人がその有する次の表に掲げる減価償却資産（①の表の**イ**の適用を受けるものに限る。）につき当該事業年度の前事業年度までの各事業年度においてした償却の額の累積額が当該資産の取得価額（減価償却資産の償却限度額の計算の基礎となる取得価額をいう。以下②において同じ。）の$\frac{95}{100}$に相当する金額に達している場合において、その内国法人が当該事業年度開始の日から当該資産が使用不能となるものと認められる日までの期間（以下②において「残存使用可能期間」という。）につき納税地の所轄税務署長の認定を受けたときは、当該資産については、**1**《各事業年度の償却限度額》、**3**《増加償却の特例》及び①による償却限度額の特例にかかわらず、当該資産の取得価額の$\frac{5}{100}$に相当する金額から１円を控除した金額をその認定を受けた残存使用可能期間の月数で除し、これに当該事業年度以後の各事業年度に属する当該残存使用可能期間の月数を乗じて計算した金額をもって当該各事業年度の償却限度額とみなす。（令61の２①）

（イ）	鉄骨鉄筋コンクリート造、鉄筋コンクリート造、れんが造、石造又はブロック造の建物
（ロ）	鉄骨鉄筋コンクリート造、鉄筋コンクリート造、コンクリート造、れんが造、石造又は土造の構築物又は装置

　　　（月数の計算）
（１）　②の月数は、暦に従って計算し、１か月に満たない端数を生じたときは、これを１か月とする。（令61の２②）

　　　（残存使用可能期間の認定申請書の提出）
（２）　②の認定を受けようとする内国法人は、②の適用を受けようとする事業年度開始の日の前日までに、次に掲げる事項を記載した申請書に当該認定に係る残存使用可能期間の算定の基礎となるべき事項を記載した書類を添付し、これを納税地の所轄税務署長に提出しなければならない。（令61の２③、規21）

（一）	申請をする内国法人の名称、納税地及び法人番号並びに代表者の氏名
（二）	特例の適用を受けようとする減価償却資産の種類及び名称、その所在する場所
（三）	特例の適用を受けようとする減価償却資産を取得した日及びその取得価額（減価償却資産の償却限度額の計算の基礎となる取得価額をいう。以下（２）において同じ。）
（四）	当該減価償却資産の①に掲げる償却の額の①に掲げる累積額がその資産の取得価額の$\frac{95}{100}$に相当する金額に達することとなった日の属する事業年度終了の日及び同日におけるその資産の帳簿価額
（五）	認定を受けようとする②に掲げる残存使用可能期間
（六）	その他参考となるべき事項

　　　（残存使用可能期間の認定）
（３）　税務署長は、（２）の申請書の提出があった場合には、遅滞なく、これを審査し、その申請に係る減価償却資産の残存使用可能期間を認定するものとする。（令61の２④）

　　　（残存使用可能期間の変更）
（４）　税務署長は、②の認定をした後、その認定に係る残存使用可能期間によりその減価償却資産の償却限度額の計算をすることを不適当とする特別の事由が生じたと認める場合には、その残存使用可能期間を変更することができる。

(令61の2⑤)

　　　(残存使用可能期間の認定又は変更の通知)
（5）　税務署長は、（3）又は（4）の処分をするときは、その認定に係る内国法人に対し、書面によりその旨を通知する。（令61の2⑥）

　　　(残存使用可能期間の変更による処分の効力)
（6）　（4）の処分があった場合には、その処分のあった日の属する事業年度以後の各事業年度の所得の金額を計算する場合のその処分に係る減価償却資産の償却限度額の計算についてその処分の効果が生ずるものとする。（令61の2⑦）

　　　(堅固な建物等の改良後の減価償却)
（7）　法人が②による償却をしている減価償却資産について資本的支出をし、六の7の②の（1）《平成19年3月31日以前に取得した減価償却資産の取得価額への合算の特例》を適用した場合には、その後の償却限度額の計算は、次による。（基通7－4－10）
　　（一）　当該資本的支出の金額を加算した後の帳簿価額が当該資本的支出の金額を加算した後の取得価額の5％相当額以下となるときは、当該帳簿価額を基礎とし、新たにその時から使用不能となると認められる日までの期間を基礎とし適正に見積もった月数により計算する。
　　（二）　当該資本的支出の金額を加算した後の帳簿価額が当該資本的支出の金額を加算した後の取得価額の5％相当額を超えるときは、5％相当額に達するまでは法定耐用年数によりその償却限度額を計算し、5％相当額に達したときは、改めて②により税務署長の認定を受け、当該認定を受けた月数により計算することができる。

十一　減価償却に関する明細書の添付

1　償却明細書

　　内国法人は、各事業年度終了の時においてその有する減価償却資産につき償却費として損金経理をした金額（三の1の（2）《償却費として損金経理をした金額に含まれるリース取引に係る賃借料》により償却費として損金経理をした金額に含まれるものとされる金額を除く。）がある場合には、当該資産の当該事業年度の償却限度額その他償却費の計算に関する明細書を当該事業年度の確定申告書に添付しなければならない。（法31⑥、令63①）

　　　(償却明細書の書式)
（1）　1に掲げる償却明細書の書式は、申告書別表十六（一）から同別表十六（五）までによらなければならない。（規34②本文）
　　　なお、各償却明細書の書式の用途は、次のとおりである。（規別表十六）

申告書別表十六（一）	旧定額法又は定額法による減価償却資産の償却額の計算に関する明細書
申告書別表十六（二）	旧定率法又は定率法による減価償却資産の償却額の計算に関する明細書
申告書別表十六（三）	旧生産高比例法又は生産高比例法による鉱業用減価償却資産の償却額の計算に関する明細書
申告書別表十六（四）	旧国外リース期間定額法若しくは旧リース期間定額法又はリース期間定額法による償却額の計算に関する明細書
申告書別表十六（五）	取替法による取替資産の償却額の計算に関する明細書

　　　(減価償却に関する明細書)
（2）　1の適用において、1に掲げる「三の1の（2）により償却費として損金経理をした金額に含まれるものとされる金額」に該当するものであっても、例えば、リース期間におけるリース料の額が均等でないため、当該事業年度において償却費として損金経理をした金額とされた賃借料の額と当該事業年度のリース資産に係る償却限度額とが異なることとなるものについては、減価償却に関する明細書を用いるなどして償却超過額又は償却不足額の計算をすることに留意する。（基通7－6の2－16）

2　償却明細書に代わる合計表

　内国法人は、**1**に掲げる償却明細書に記載された金額を**一の2**《減価償却資産の範囲》の表の①から⑨までに掲げる資産の種類ごとに、かつ、償却の方法の異なるごとに区分し、その区分ごとの合計額を記載した書類《合計表》を当該事業年度の確定申告書等に添付したときは、**1**に掲げる償却明細書を保存している場合に限り、その償却明細書の添付を要しないものとする。（法31⑥、令63②）

　　（保存する償却明細書の書式）
　　　内国法人が**2**に掲げる合計表を添付する場合には、保存する償却明細書については、申告書別表十六（一）から同別表十六（五）までに定める書式に代え、当該書式と異なる書式（同表の書式に定める項目を記載しているものに限る。）によることができるものとする。（規34②ただし書）

十二　除却損失等

1　除却損失等の損金算入

①　取り壊した建物等の帳簿価額の損金算入

　法人がその有する建物、構築物等でまだ使用に耐え得るものを取り壊し新たにこれに代わる建物、構築物等を取得した場合（**六の1の(8)**《土地とともに取得した建物等の取壊し費等》に該当する場合を除く。）には、その取り壊した資産の取壊し直前の帳簿価額（取り壊した時における廃材等の見積額を除く。）は、その取り壊した日の属する事業年度の損金の額に算入する。（基通7－7－1）

　　（資産につき除却等があった場合の積立金の取崩し）
　　　圧縮記帳による圧縮額を積立金として経理している資産につき除却、廃棄、滅失又は譲渡（以下「除却等」という。）があった場合には、当該積立金の額（当該資産の一部につき除却等があった場合には、その除却等があった部分に係る金額）を取り崩してその除却等のあった日の属する事業年度の益金の額に算入するのであるから留意する。（基通10－1－2）
　　　　注　当該譲渡には、適格分社型分割、適格現物出資又は適格現物分配による資産の移転は含まれないのであるから留意する。

②　有姿除却

　　（有姿除却）
（1）　次に掲げるような固定資産については、たとえ当該資産につき解撤、破砕、廃棄等（以下「解撤等」という。）をしていない場合であっても、当該資産の帳簿価額からその処分見込価額を控除した金額を除却損として損金の額に算入することができるものとする。（基通7－7－2）
　　（一）　その使用を廃止し、今後通常の方法により事業の用に供する可能性がないと認められる固定資産
　　（二）　特定の製品の生産のために専用されていた金型等で、当該製品の生産を中止したことにより将来使用される可能性のほとんどないことがその後の状況等からみて明らかなもの
　　　注　除却損として損金算入することができる金額は、その除却の対象となった資産の帳簿価額からその処分見込価額を控除した金額に相当する金額に限られるのであるから、既に解撤等に着手している場合を除き、その解撤等に要する費用の額をあらかじめ見積もり、これを当該処分見込価額から控除して除却損の額を計算することはできない。（編者）

　　（ソフトウエアの除却）
（2）　ソフトウエアにつき物理的な除却、廃棄、消滅等がない場合であっても、次に掲げるように当該ソフトウエアを今後事業の用に供しないことが明らかな事実があるときは、当該ソフトウエアの帳簿価額（処分見込価額がある場合には、これを控除した残額）を当該事実が生じた日の属する事業年度の損金の額に算入することができる。（基通7－7－2の2）
　　（一）　自社利用のソフトウエアについて、そのソフトウエアによるデータ処理の対象となる業務が廃止され、当該ソフトウエアを利用しなくなったことが明らかな場合、又はハードウエアやオペレーティングシステムの変更等によって他のソフトウエアを利用することになり、従来のソフトウエアを利用しなくなったことが明らかな場合
　　（二）　複写して販売するための原本となるソフトウエアについて、新製品の出現、バージョンアップ等により、今後、

販売を行わないことが社内りん議書、販売流通業者への通知文書等で明らかな場合

2 総合償却資産の除却価額等

法人の有する総合償却資産の一部について除却、廃棄、滅失又は譲渡（以下2において「除却等」という。）があった場合における当該除却等による損益の計算の基礎となる帳簿価額に関する取扱いは、次による。

（総合償却資産の除却価額）

（1） 法人の有する総合償却資産の一部について除却等があった場合における当該除却等による損益の計算の基礎となる帳簿価額は、その除却等に係る個々の資産が含まれていた総合償却資産の総合耐用年数を基礎として計算される除却等の時における未償却残額に相当する金額によるものとする。（基通7－7－3）

注　その除却等に係る個々の資産が特別償却、割増償却又は増加償却の規定の適用を受けたものであるときは、当該資産のこれらの償却に係る償却限度額に相当する金額についても、償却があったものとして未償却残額を計算することに留意する。

（償却額の配賦がされていない場合の除却価額の計算の特例）

（2） 法人の有する総合償却資産の一部について除却等があった場合における当該除却等による損益の計算の基礎となる帳簿価額につき、法人が継続してその除却等に係る個々の資産の個別耐用年数を基礎として計算される除却等の時における未償却残額に相当する金額によっている場合には、これを認める。（基通7－7－4）

注1　その除却等に係る個々の資産が特別償却、割増償却又は増加償却の適用を受けたものであるときは、当該資産のこれらの償却に係る償却限度額に相当する金額についても、償却があったものとして未償却残額を計算することに留意する。

注2　個々の資産の個別耐用年数は、機械及び装置については「機械装置の個別年数と使用時間表」の「機械及び装置の細目と個別年数」の「同上算定基礎年数」を基礎として見積もられる耐用年数により、構築物については巻末付録二の付表3《鉄道業及び軌道業の構築物（総合償却資産であるものに限る）の細目と個別耐用年数》又は同付表4《電気業の構築物（総合償却資産であるものに限る）の細目と個別耐用年数》に掲げる個別耐用年数による。ただし、その除却等に係る個々の資産がこれらの表に掲げられていない場合には、当該資産と種類を同じくする資産又は当該資産に類似する資産の個別耐用年数を基礎として見積もられる耐用年数とする。

なお、個々の資産の属する総合償却資産について耐用年数の短縮の承認を受けているものがある場合には、その承認を受けた耐用年数の算定の基礎となった個々の資産の耐用年数とする。

（償却額の配賦がされている場合等の除却価額の計算の特例）

（3） 法人が各事業年度において計上した総合償却資産の償却費の額を、それに含まれる個々の資産に合理的基準に基づいて配賦している場合（（1）又は（2）の取扱いによっていた法人が当該事業年度において個々の資産に合理的基準に基づいて配賦した場合を含む。）に、その帳簿価額を基礎として当該個々の資産の除却等による損益の計算をしているときには、これを認める。（基通7－7－5）

注　総合償却資産の償却費の額を個々の資産につき総合耐用年数を基礎として計算される償却限度額に応じて配賦することは、合理的基準に基づく配賦に該当する。

3 個別償却資産の除却価額等

法人の有する個別減価償却資産の一部について除却、廃棄、滅失又は譲渡（以下3において「除却等」という。）があった場合における当該除却等による損益の計算の基礎となる帳簿価額に関する取扱いは、次による。

（個別償却資産の除却価額）

（1） 減価償却資産の種類、構造若しくは用途、細目又は耐用年数が同一であるため十の1の（1）《種類等を同じくする減価償却資産の償却限度額》により一の償却計算単位として償却限度額を計算している2以上の減価償却資産について、その一部の資産の除却等があった場合におけるその除却等による損益の計算の基礎となる帳簿価額は、次の左欄に掲げる場合に応じ、それぞれ右欄による。（基通7－7－6）

（一）	償却費の額が個々の資産に合理的に配賦されている場合	除却等があった資産の除却等の時の帳簿価額
（二）	償却費の額が個々の資産に配賦されていない場合	除却等があった資産につきその法定耐用年数を基礎として計算される除却等の時の未償却残額

注　個別償却資産については、その償却額を個々の資産に合理的に配賦すべきものであるが、工具、器具及び備品のようにその配賦が困難なものもあり、これらについて（二）の適用がある。

(取得価額等が明らかでない少額の減価償却資産等の除却価額)
（2）　法人の有する少額の減価償却資産等（取得価額が20万円未満の減価償却資産で二の**1**《少額の減価償却資産の取得価額の損金算入》及び二の**2**《一括償却資産の損金算入》の適用を受けなかったものをいう。以下（3）において同じ。）の一部について除却等があった場合において、その除却等をした資産の取得時期及び取得価額が明らかでないため（1）の（二）によることができないときは、その除却等による損益の計算の基礎となる帳簿価額は、1円による。（基通7－7－7）

　　注　当該少額の減価償却資産等のうちその除却等をした資産と種類、構造又は用途及び細目を同じくするもの（以下（2）において「少額多量保有資産」という。）の前事業年度終了の時（以下（2）において「基準時」という。）における帳簿価額からその除却等に係る少額多量保有資産の（2）の取扱いによった帳簿価額を控除した残額が、次に掲げる算式により計算した金額を超える場合には、その超える部分の金額を当該事業年度の損金の額に算入しているときは、これを認める。

　　　（算式）
　　　$\dfrac{\text{当該前事業年度中に取得した少額多量保有資産の取得価額の合計額}}{\text{当該前事業年度中に取得した少額多量保有資産の数量}} \times \text{基準時における少額多量保有資産の数量のうち除却等の対象とならなかった数量}$

(除却数量が明らかでない貸与資産の除却価額)
（3）　法人の有する少額の減価償却資産等が著しく多量であり、かつ、その相当部分が貸与されており、その貸与されているものの実在、除却等の状況を個別的に管理することができないため各事業年度において除却等をしたものの全部を確認することができない場合において、法人がその除却等の数量を過去における実績を基礎とする等合理的な方法により推定し、その数量につき、（2）により除却等による損益を計算しているときは、これを認める。（基通7－7－8）

(個別管理が困難な少額資産の除却処理等の簡便計算)
（4）　法人が、その取得価額が少額（おおむね40万円未満）で個別管理が困難な工具又は器具及び備品について、例えば、種類、構造又は用途及び細目、事業年度並びに償却方法の区分（以下（4）において「種類等の区分」という。）ごとの計算が可能で、その除却数量が明らかにされているものについて、その種類等の区分を同じくするものごとに一括して減価償却費の額の計算をするとともに、その取得の時期の古いものから順次除却するものとして計算した場合の未償却残額によりその除却価額を計算する方法により継続してその減価償却費の額及び除却価額の計算を行っている場合には、これを認める。（基通7－7－9）

(追加償却資産に係る除却価額)
（5）　六の**7**の②の（3）《同一事業年度内に行われた複数の資本的支出の特例》の適用を受けた一の減価償却資産を構成する各追加償却資産の一部に除却等があった場合には、当該除却等に係る追加償却資産を一の資産として、その除却等による損益を計算することに留意する。この場合において、その除却等による損益の計算の基礎となる帳簿価額は、同②の（6）《転用した追加償却資産に係る償却限度額等》の表の（一）又は（二）の取扱いに準じて計算した金額による。（基通7－7－10）

十三　劣化資産の経理

1　劣化資産

①　劣化資産の意義

　劣化資産とは、生産設備の本体の一部を構成するものではないが、それと一体となって繰り返し使用される資産で、数量的に減耗し、又は質的に劣化するものをいう。（基通7－9－1）

　　注　次のものは、劣化資産に該当する。
　　　（1）　冷媒
　　　（2）　触媒
　　　（3）　熱媒
　　　（4）　吸着材及び脱着材
　　　（5）　溶剤及び電解液
　　　（6）　か性ソーダ製造における水銀
　　　（7）　鋳物製造における砂
　　　（8）　亜鉛鉄板製造における溶融鉛
　　　（9）　アルミニューム電解用の陽極カーボン及び氷晶石
　　　（10）　発電用原子炉用の重水及び核燃料棒

②　少額な劣化資産の損金算入

　一の設備に通常使用される劣化資産でその取得価額が少額（おおむね60万円未満）なものは、事業の用に供した都度損

金の額に算入することができる。(基通7－9－5)

③ 棚卸資産とする劣化資産
　劣化資産のうち製造工程において生産の流れに参加し、かつ、中間生産物の物理的又は化学的組成となるものについては、法人がこれを棚卸資産として経理している場合には、これを認める。(基通7－9－2)
　　注　①《劣化資産の意義》の注の(5)又は(6)に掲げるものがこれに該当する。

2　劣化資産の減耗額の計算

① 劣化等により全量を一時に取り替える劣化資産
　劣化資産（1の③《棚卸資産とする劣化資産》の棚卸資産とする劣化資産により棚卸資産として経理したものを除く。以下同じ。）のうち、主として質的に劣化する等のため、一の設備に使用されている数量の全部を一時に取り替えるものについては、次による。(基通7－9－3)

イ	事業の開始又は拡張のために取得したもの	その取得価額を資産に計上し、その取得価額から取替えの時における処分見込価額を控除した金額を、その投入の時から取替えの時までの期間を基礎として定額法又は生産高比例法に準じて償却する。
ロ	一の設備に使用されている数量の全部を取り替えた場合	その取り替えたものの取得価額を資産に計上して、イにより償却し、その取り除いたものの帳簿価額からその取替えの時における処分見込価額を控除した金額を損金の額に算入する。
ハ	劣化等による減耗分の補充をした場合	その補充のために要した金額を支出の都度損金の額に算入する。

② 全量を一時に取り替えないで随時補充する劣化資産
　劣化資産のうち、主として数量的に減耗し、その減耗分を補充することにより長期間にわたりおおむね同様な状態において事業の用に供することができるものについて、法人が次の表のイからニまでのいずれかの方法により継続して経理しているときは、これを認める。(基通7－9－4)

イ	事業の開始又は拡張のために取得したものの取得価額を資産に計上し、その資産の減耗分の補充のために要した金額をその支出の都度損金の額に算入する方法
ロ	事業の開始又は拡張のために取得したものの取得価額を資産に計上し、その取得価額の50％相当額に達するまで減耗率により計算した償却額を各事業年度の損金の額に算入するとともに、その資産の減耗分の補充のために要した金額をその支出の都度損金の額に算入する方法
ハ	事業の開始又は拡張のために取得したものの取得価額を資産に計上し、その資産の減耗分の補充をしたときは、その補充のために要した金額を資産に計上するとともに、その資産の帳簿価額のうち減耗分に対応する金額を損金の額に算入する方法
ニ	各事業年度終了の時において有する劣化資産を棚卸資産の評価方法に準じて評価する方法

第七款　租税特別措置法による特別償却

租税特別措置法に定める減価償却資産の償却の特例《**特別償却**》の概要は、次の表のとおりである。
　注　この表は、令和6年度改正後の特別償却の概要を示すとともに特別償却の索引を目的として作成したものであるから、適用に当たっては必ず本文を参照のこと。（編者）

区　　分	該当条文(措置法)		本書該当ページ	適　　用		
				建物及びその附属設備	機械及び装置	その他の資産
中小企業者等の特定機械装置等	42の6		452		○	工具、ソフトウエア、車両及び運搬具、船舶
国家戦略特別区域における特定機械装置等	42の10		458	○	○	構築物、器具及び備品
国際戦略総合特別区域における特定機械装置等	42の11		462	○	○	構築物、器具及び備品
地域経済牽引事業の促進区域内における特定事業用機械等	42の11の2		466	○	○	構築物、器具及び備品
地方活力向上地域等における特定建物等	42の11の3		469	○		構築物
特定経営力向上設備等	42の12の4		473	建物附属設備	○	工具、器具及び備品、ソフトウエア
認定特定高度情報通信技術活用設備	42の12の6		481	建物附属設備	○	構築物、器具及び備品
情報技術事業適応設備	42の12の7①		483		○	ソフトウエア、器具及び備品
事業適応繰延資産	42の12の7②		484			繰延資産
生産工程効率化等設備	42の12の7③		485	建物附属設備	○	構築物、器具及び備品
特定船舶	43		488			船舶
被災代替資産等	43の2		492	○	○	構築物
関西文化学術研究都市の文化学術研究施設	44		496	研究所用	○	
特定事業継続力強化設備等	44の2		499	建物附属設備	○	器具及び備品
共同利用施設	44の3		501	共同利用施設	○	その他の共同利用施設
環境負荷低減事業活動用資産	44の4	①	503		○	○
基盤確立事業用資産		②	504		○	○
生産方式革新事業活動用資産等	44の5		506	○	○	構築物、器具及び備品
特定地域における工業用機械等	45	①	507	工場用等	○	構築物、器具及び備品
旅館業用建物等		②	515	○		
産業振興機械等		③	517	○	○	構築物

対　　　象　　　資　　　産	
取得価額基準等（1台又は1基当たり等）	指　定　告　示
機械及び装置160万円以上、工具120万円以上、ソフトウエア70万円以上	
機械及び装置2,000万円以上、器具及び備品1,000万円以上、建物及びその附属設備並びに構築物1億円以上	
機械及び装置2,000万円以上、器具及び備品1,000万円以上、建物及びその附属設備並びに構築物1億円以上	
2,000万円以上	平成31年経済産業省告示第84号
3,500万円（中小企業者は1,000万円）以上	
機械及び装置160万円以上、工具、器具及び備品30万円以上、建物附属設備60万円以上、ソフトウエア70万円以上	
	平成27年国土交通省告示第473号
総額4億円以上、機械及び装置400万円以上	
機械及び装置100万円以上、器具及び備品30万円以上、建物附属設備60万円以上	
建物600万円以上、建物以外の資産400万円以上	
100万円以上	
50万円、100万円、500万円、1,000万円を超えるもの	
500万円、1,000万円、2,000万円以上	
500万円、1,000万円、2,000万円以上	

区　　分		該当条文（措置法）	本書該当ページ	適　　　　　用		
				建物及びその附属設備	機械及び装置	その他の資産
医療用機器等	医療用機器	45の2 ①	553		○	器具及び備品
	勤務時間短縮用設備等	45の2 ②	557		○	器具及び備品、ソフトウエア
	構想適合病院用建物等	45の2 ③	559	○		
輸出事業用資産		46	561	○	○	構　築　物
特定都市再生建築物		47	563	○		
倉庫用建物等		48	570	倉　庫　用		構　築　物

対象資産	
取得価額基準等（1台又は1基当たり等）	指　定　告　示
500万円以上	平成21年厚生労働省告示第248号、平成31年厚生労働省告示第151号
器具及び備品30万円以上、ソフトウエア30万円以上	平成31年厚生労働省告示第153号
	平成28年国土交通省告示第1108号

一　中小企業者等が機械等を取得した場合の特別償却

1　中小企業者等が特定機械装置等を取得した場合の初年度特別償却

　第二節第二款の**五**の3の(2)《中小企業者の意義》に掲げる中小企業者（同3の(7)《適用除外事業者の意義》に掲げる適用除外事業者又は同3の(8)《通算適用除外事業者の意義》に掲げる通算適用除外事業者に該当するものを除く。）又は同3の(12)《農業協同組合等の意義》に掲げる農業協同組合等若しくは商店街振興組合で、青色申告書を提出するもの（以下**一**において「**中小企業者等**」という。）が、平成10年6月1日から令和7年3月31日までの期間（以下**一**において「**指定期間**」という。）内に、次の表に掲げる減価償却資産（①から③に掲げる減価償却資産にあっては(4)《特別償却の対象となる特定機械装置等の規模》に掲げる規模のものに限るものとし、匿名組合契約その他これに類する契約として(8)に掲げる契約の目的である事業の用に供するものを除く。以下**一**において「**特定機械装置等**」という。）でその製作の後事業の用に供されたことのないものを取得し、又は特定機械装置等を製作して、これを国内にある当該中小企業者等の営む(10)《指定事業の範囲》に掲げる事業の用（⑤に掲げる事業を営む法人で内航海運業法第2条第2項第2号《定義》に掲げる事業を営む法人以外の法人の貸付けの用を除く。以下**一**において「**指定事業の用**」という。）に供した場合には、その指定事業の用に供した日を含む事業年度（解散〔合併による解散を除く。〕の日を含む事業年度及び清算中の各事業年度を除く。以下1において「**供用年度**」という。）の当該特定機械装置等に係る償却費として損金の額に算入する金額の限度額（以下第七款において「**償却限度額**」という。）は、第六款の**三**の1《償却費等の損金算入》又は同**三**の2《適格分割等により移転する減価償却資産に係る期中損金経理額の損金算入》に掲げる普通償却限度額の計算の規定にかかわらず、当該特定機械装置等の普通償却限度額（同**三**の1に掲げる償却限度額又は同**三**の2に掲げる償却限度額に相当する金額をいう。）と**特別償却限度額**（当該特定機械装置等の取得価額〔⑤に掲げる減価償却資産にあっては、当該取得価額に$\frac{75}{100}$を乗じて計算した金額〕の$\frac{30}{100}$に相当する金額をいう。）との合計額とする。

　なお、1は、法人が所有権移転外リース取引（第六款の**四**の1の②の(2)の表の(五)《所有権移転外リース取引》に掲げるものをいう。）により取得した特定機械装置等については、適用しない。（措法42の6①⑤、措令27の6①②③⑦⑨⑪、措規20の3①②③④⑥）

$$\text{特定機械装置等}\atop\text{の償却限度額}=\text{特定機械装置等の}\atop\text{普通償却限度額}+\overbrace{\text{特定機械装置等の取得価額}\left(\text{又は取得価額}\times\frac{75}{100}\right)\times\frac{30}{100}}^{\text{特別償却限度額}}$$

	機械及び装置（次に掲げる要件に該当するものを除く。）		
①	(一)		その管理のおおむね全部を他の者に委託するものであること。
	(二)		要する人件費が少額なサービス業として洗濯機、乾燥機その他の洗濯に必要な設備（共同洗濯設備として病院、寄宿舎その他の施設内に設置されているものを除く。）を設け、これを公衆に利用させる事業（中小企業者等の主要な事業として次に掲げるものを除く。）の用に供するものであること。
		イ	継続的に中小企業者等の経営資源（事業の用に供される不動産、事業に関する従業者の有する技能又は知識〔租税に関するものを除く。〕その他これらに準ずるものをいう。）を活用して行い、又は行うことが見込まれる事業
		ロ	中小企業者等が行う主要な事業に付随して行う事業
②	工具（製品の品質管理の向上等に資するものとして測定工具及び検査工具〔電気又は電子を利用するものを含む。〕に限る。）		
③	ソフトウエア（電子計算機に対する指令であって一の結果を得ることができるように組み合わされたもの〔これに関連するシステム仕様書その他の書類を含むものとし、(7)《特別償却の対象から除かれるソフトウエアの範囲》に掲げるものを除く。〕に限る。）		
④	車両及び運搬具（貨物の運送の用に供される自動車で輸送の効率化等に資するものとして、道路運送車両法施行規則別表第一に規定する普通自動車で貨物の運送の用に供されるもののうち車両総重量〔道路運送車両法40条第3号《自動車の構造》に規定する車両総重量をいう。〕が3.5トン以上のものに限る。）		
⑤	内航海運業法第2条第2項《定義》第1号及び第2号に掲げる事業の用に供される船舶（輸送の効率化等に資するものとして総トン数が500トン以上の船舶にあっては、その船舶に用いられた指定装置等〔環境への負荷の低減に資するものとして国土交通大臣が指定する装置〈機器及び構造を含む。〉をいう。〕の内容その他の(9)《環境への		

負荷の低減に資するものとして国土交通大臣が指定する装置》に掲げる事項を国土交通大臣に届け出たものであることにつき(9)に掲げるところにより明らかにされた船舶)

注1　1に掲げる所有権移転外リース取引により取得した特定機械装置等については、1の特別償却は適用されないが、第二節第二款の**六**《中小企業者等が機械等を取得した場合の法人税額の特別控除》の1は適用されるのであるから留意する。(編者)
注2　国土交通大臣は、⑤に掲げる装置を指定したときは、これを告示する。(措令27の6⑩)
注3　⑤に掲げる国土交通大臣が指定する装置は、令和5年国土交通省告示第264号により指定されている。(編者)

(事業年度の中途において中小企業者等に該当しなくなった場合の適用)
(1)　法人が各事業年度の中途において1に掲げる中小企業者等に該当しないこととなった場合においても、その該当しないこととなった日前に取得又は製作(以下一において「取得等」という。)をして指定事業の用に供した特定機械装置等については、1に掲げる適用除外事業者に該当しない限り、1の特別償却の適用があることに留意する。この場合において、(4)《特別償却の対象となる特定機械装置等の規模》の表の(二)に掲げる工具に係る取得価額の合計額が120万円以上であるかどうか、同表の(三)に掲げるソフトウエアに係る取得価額の合計額が70万円以上であるかどうかは、その中小企業者等に該当していた期間内に取得等をして指定事業の用に供していたものの取得価額の合計額によって判定することに留意する。(措通42の6-1・編者補正)

(通算法人に係る中小企業者であるかどうか等の判定の時期)
(2)　1の適用上、当該通算法人が第二節第二款の**五**の3の(2)《中小企業者の意義》に掲げる中小企業者に該当するかどうかの判定(以下「中小判定」という。)は、当該通算法人及び他の通算法人(次の(一)又は(二)の日及び次の(三)の日のいずれにおいても当該通算法人との間に通算完全支配関係がある法人に限る。)の当該(一)及び(二)の日の現況によるものとする。(措通42の6-1の2)

(一)	当該通算法人が特定機械装置等の取得等をした日
(二)	当該通算法人が当該特定機械装置等を指定事業の用に供した日
(三)	当該通算法人の1の適用を受けようとする事業年度終了の日

　通算親法人の事業年度の中途において通算承認の効力を失った通算法人のその効力を失った日の前日に終了する事業年度における中小判定についても、同様とする。

注　本文の取扱いは、当該通算法人が第二節第二款の**六**の1に掲げる「中小企業者等…のうち資本金の額又は出資金の額が3,000万円を超える法人〔……〕以外の法人」に該当するかどうかの判定(第二節第二款の**五**の3の(7)《適用除外事業者の意義》に掲げる適用除外事業者又は同3の(8)《通算適用除外事業者の意義》に掲げる通算適用除外事業者に該当するかどうかの判定を除く。)について準用する。

(主要な事業であるものの例示)
(3)　1の表の①の(二)の適用上、次に掲げる事業には、例えば、それぞれ次に掲げるような行為が該当する。(措通42の6-1の3)

(一)	1の表の①の(二)のイに掲げる事業	中小企業者等がその所有する店舗、事務所等の一画を活用して、いわゆるコインランドリーを利用させる役務を提供する行為
(二)	1の表の①の(二)のロに掲げる事業	公衆浴場を営む中小企業者等がその利用客に対して、いわゆるコインランドリーを利用させる役務を提供する行為

(特別償却の対象となる特定機械装置等の規模)
(4)　1の表の①又は②に掲げる特定機械装置等のうち特別償却の対象となるものは、次の表の左欄に掲げる減価償却資産の区分に応じ、それぞれ同表の右欄に掲げる規模のものとする。(措令27の6④)

(一)	機械及び装置	一台又は一基(通常一組又は一式をもって取引の単位とされるものにあっては、一組又は一式。(二)において同じ。)の**取得価額**(第六款の**六**の1《減価償却資産の取得価額》により計算した取得価額をいう。以下(4)において同じ。)が160万円以上のもの
(二)	工具	イ　一台又は一基の取得価額が120万円以上のもの
		ロ　当該中小企業者等(1に掲げる中小企業者等をいう。以下(4)において同じ。)が当該事業年度(1に掲げる指定期間の末日以前に開始し、かつ、当該末日後に終了する事業年度にあ

第三章　第一節　第七款　一《中小企業者等の特定機械装置等の特別償却》

			っては、当該事業年度開始の日から当該末日までの期間に限る。）において、取得（その製作の後事業の用に供されたことのないものの取得に限る。以下（三）において同じ。）又は製作をして国内にある当該中小企業者等の営む指定事業の用に供した**1**の表の②に掲げる工具（一台又は一基の取得価額が30万円以上のものに限る。）の取得価額の合計額が120万円以上である場合の当該工具を含む。
（三）	ソフトウエア	イ	一のソフトウエアの取得価額が70万円以上のもの
		ロ	当該中小企業者等が当該事業年度（**1**に掲げる指定期間の末日以前に開始し、かつ、当該末日後に終了する事業年度にあっては、当該事業年度開始の日から当該末日までの期間に限る。）において、取得又は製作をして国内にある当該中小企業者等の営む**1**に掲げる指定事業の用に供した**1**の表の③に掲げるソフトウエア（第六款の**二**の**1**《少額の減価償却資産の取得価額の損金算入》又は同**二**の**2**《一括償却資産の損金算入》の適用を受けるものを除く。）の取得価額の合計額が70万円以上のもの

　注　上記の金額基準を満たしているかどうかは、第一款の**七**の**2**の(9)《少額の減価償却資産等の取得価額等の判定》により、法人が消費税等の経理処理について適用している税抜経理方式又は税込経理方式に応じ、その適用している方式により算定した価額により判定する。（平元直法2－1「9」参照）

（取得価額の判定単位）
（5）（4）《特別償却の対象となる特定機械装置等の規模》の表の（一）及び同表の（二）に掲げる機械及び装置又は工具の一台又は一基の取得価額が160万円以上又は120万円以上であるかどうかについては、通常一単位として取引される単位ごとに判定するのであるが、個々の機械及び装置の本体と同時に設置する自動調整装置又は原動機のような附属機器で当該本体と一体になって使用するものがある場合には、これらの附属機器を含めたところによりその判定を行うことができるものとする。（措通42の6－2・編者補正）
　注　**1**の表の②に掲げる工具の取得価額の合計額が120万円以上であるかどうかについては、同②の括弧書に掲げる測定工具及び検査工具の取得価額の合計額により判定することに留意する。

（圧縮記帳の適用を受けた場合の特定機械装置等の取得価額要件の判定）
（6）（4）の表に掲げる機械及び装置、工具又はソフトウエアの取得価額が160万円以上、120万円以上又は70万円以上であるかどうかを判定する場合において、その機械及び装置、工具又はソフトウエアが第十五款の**一**《国庫補助金等による圧縮記帳》、同款の**二**《工事負担金による圧縮記帳》、同款の**三**《非出資組合の賦課金による圧縮記帳》及び同款の**四**《保険金等による圧縮記帳》による圧縮記帳の適用を受けたものであるとき（法人が取得等をした（4）の表の（一）から（三）に掲げる機械及び装置、工具並びにソフトウエアにつき、供用年度後の事業年度において同款の**一**から**四**の適用を受けることが予定されている場合を含む。）は、その圧縮記帳後の金額（法人が取得等をした（4）の表の（一）から（三）に掲げる機械及び装置、工具並びにソフトウエアにつき、供用年度後の事業年度において同款の**一**から**四**の適用を受けることが予定されている場合にあっては、第六款の**六**の**1**《減価償却資産の取得価額》に掲げる額から当該供用年度後の事業年度において第十五款の**一**から**四**の適用を受けるとしたならば、第六款の**六**の**3**《圧縮記帳資産の取得価額の特例》に掲げる「損金の額に算入された金額（……金額を加算した金額）」となることが見込まれる金額を控除した金額）に基づいてその判定を行うものとする。（措通42の6－3、42の5～48（共）－3の2・編者補正）

（特別償却の対象から除かれるソフトウエアの範囲）
（7）**1**の表の③のソフトウエアから除かれるものは、次の（一）から（三）までに掲げるものとする。（措令27の6②、措規20の3⑤）

（一）	複写して販売するための原本
（二）	開発研究（新たな製品の製造若しくは新たな技術の発明又は現に企業化されている技術の著しい改善を目的として特別に行われる試験研究をいう。）の用に供されるもの
（三）	次のイからホまでに掲げるもの
	イ　サーバー用オペレーティングシステム（ソフトウエア〔電子計算機に対する指令であって一の結果を得ることができるように組み合わされたものをいう。以下（三）において同じ。〕の実行をするために電子計算機の動作を直接制御する機能を有するサーバー用のソフトウエアをいう。ロにおいて同じ。）のう

	ち、国際標準化機構及び国際電気標準会議の規格15408に基づき評価及び認証をされたもの（ロにおいて「認証サーバー用オペレーティングシステム」という。）以外のもの
ロ	サーバー用仮想化ソフトウエア（2以上のサーバー用オペレーティングシステムによる一のサーバー用の電子計算機〔当該電子計算機の記憶装置に当該2以上のサーバー用オペレーティングシステムが書き込まれたものに限る。〕に対する指令を制御し、当該指令を同時に行うことを可能とする機能を有するサーバー用のソフトウエアをいう。以下ロにおいて同じ。）のうち、認証サーバー用仮想化ソフトウエア（電子計算機の記憶装置に書き込まれた2以上の認証サーバー用オペレーティングシステムによる当該電子計算機に対する指令を制御するサーバー用仮想化ソフトウエアで、国際標準化機構及び国際電気標準会議の規格15408に基づき評価及び認証をされたものをいう。）以外のもの
ハ	データベース管理ソフトウエア（データベース〔数値、図形その他の情報の集合物であって、それらの情報を電子計算機を用いて検索することができるように体系的に構成するものをいう。以下ハにおいて同じ。〕の生成、操作、制御及び管理をする機能を有するソフトウエアであって、他のソフトウエアに対して当該機能を提供するものをいう。）のうち、国際標準化機構及び国際電気標準会議の規格15408に基づき評価及び認証をされたもの以外のもの（以下ハにおいて「非認証データベース管理ソフトウエア」という。）又は当該非認証データベース管理ソフトウエアに係るデータベースを構成する情報を加工する機能を有するソフトウエア
ニ	連携ソフトウエア（情報処理システム〔情報処理の促進に関する法律第2条第3項《定義》に規定する情報処理システムをいう。以下ニにおいて同じ。〕から指令を受けて、当該情報処理システム以外の情報処理システムに指令を行うソフトウエアで、次の(イ)から(ハ)までに掲げる機能を有するものをいう。）のうち、(イ)の指令を日本産業規格（産業標準化法第20条第1項《日本産業規格》に規定する日本産業規格をいう。(イ)において同じ。）X5731-8に基づき認証をする機能及び(イ)の指令を受けた旨を記録する機能を有し、かつ、国際標準化機構及び国際電気標準会議の規格15408に基づき評価及び認証をされたもの以外のもの
	<table><tr><td>(イ)</td><td>日本産業規格X0027に定めるメッセージの形式に基づき日本工業規格X4159に適合する言語を使用して記述された指令を受ける機能</td></tr><tr><td>(ロ)</td><td>指令を行うべき情報処理システムを特定する機能</td></tr><tr><td>(ハ)</td><td>その特定した情報処理システムに対する指令を行うに当たり、当該情報処理システムが実行することができる内容及び形式に指令の付加及び変換を行い、最適な経路を選択する機能</td></tr></table>
ホ	不正アクセス防御ソフトウエア（不正アクセスを防御するために、あらかじめ設定された次の表の左欄に掲げる通信プロトコルの区分に応じそれぞれ同表の右欄に掲げる機能を有するソフトウエアであって、インターネットに対応するものをいう。）のうち、国際標準化機構及び国際電気標準会議の規格15408に基づき評価及び認証をされたもの以外のもの
	<table><tr><td>(イ)</td><td>通信路を設定するための通信プロトコル</td><td>ファイアウォール機能（当該通信プロトコルに基づき、電気通信信号を検知し、通過させる機能をいう。）</td></tr><tr><td>(ロ)</td><td>通信方法を定めるための通信プロトコル</td><td>システム侵入検知機能（当該通信プロトコルに基づき、電気通信信号を検知し、又は通過させる機能をいう。）</td></tr><tr><td>(ハ)</td><td>アプリケーションサービスを提供するための通信プロトコル</td><td>アプリケーション侵入検知機能（当該通信プロトコルに基づき、電気通信信号を検知し、通過させる機能をいう。）</td></tr></table>

（匿名組合契約に類する契約）

(8) 1で掲げる匿名組合契約に類する契約は、次に掲げる契約とする。（措令27の6⑤）

(一)	当事者の一方が相手方の事業のために出資をし、相手方がその事業から生ずる利益を分配することを約する契約
(二)	外国における匿名組合契約又は(一)に掲げる契約に類する契約

(環境への負荷の低減に資するものとして国土交通大臣が指定する装置)
(9) 1の表の⑤に掲げる事項は、次表に掲げる事項とし、同⑤に掲げる国土交通大臣に届け出たものであることを明らかにされた船舶は、1の適用を受けようとする事業年度の確定申告書等に国土交通大臣の当該事項の届出があった旨を証する書類の写しを添付することにより明らかにされた船舶とする。(措規20の3⑦)

(一)	その船舶に用いられた指定装置等の内容
(二)	指定装置等(その船舶に用いることができないものを除く。)のうちその船舶に用いられていないものがある場合には、その理由及び当該指定装置等に代わり用いられた装置(機器及び構造を含む。)の内容

(指定事業の範囲)
(10) 1の特別償却の対象となる指定事業は、次の(一)から(二十四)までに掲げる事業とする。(措法42の6①、措令27の6⑥、措規20の3⑧)

(一)	製造業	(十四)	料理店業その他の飲食店業(料亭、バー、キャバレー、ナイトクラブその他これらに類する事業にあっては、生活衛生同業組合の組合員が行うものに限る。)
(二)	建設業		
(三)	農業		
(四)	林業	(十五)	一般旅客自動車運送業
(五)	漁業	(十六)	海洋運輸業及び沿海運輸業
(六)	水産養殖業	(十七)	内航船舶貸渡業
(七)	鉱業	(十八)	旅行業
(八)	卸売業	(十九)	こん包業
(九)	道路貨物運送業	(二十)	郵便業
(十)	倉庫業	(二十一)	通信業
(十一)	港湾運送業	(二十二)	損害保険代理業
(十二)	ガス業	(二十三)	不動産業
(十三)	小売業	(二十四)	サービス業(娯楽業〔映画業を除く。〕を除く。)

注 (十三)から(二十四)までに掲げる事業については、風俗営業等の規制及び業務の適正化等に関する法律第2条第5項《用語の意義》に規定する性風俗関連特殊営業に該当するものを除く。(措規20の3⑧括弧書)

(主たる事業でない場合の適用)
(11) 法人の営む事業が指定事業の用に係る事業(以下「指定事業」という。)に該当するかどうかは、当該法人が主たる事業としてその事業を営んでいるかどうかを問わないことに留意する。(措通42の6-4)

(事業の判定)
(12) 法人の営む事業が指定事業に該当するかどうかは、おおむね日本標準産業分類(総務省)の分類を基準として判定する。(措通42の6-5)

注1 (10)《指定事業の範囲》の(七)の「鉱業」については、日本標準産業分類の「大分類C鉱業,採石業,砂利採取業」に分類する事業が該当する。

注2 (10)《指定事業の範囲》の(二十四)に掲げる「サービス業」については、日本標準産業分類の「大分類G情報通信業」(通信業を除く。)、「小分類693駐車場業」、「中分類70物品賃貸業」、「大分類L学術研究,専門・技術サービス業」、「中分類75宿泊業」、「中分類78洗濯・理容・美容・浴場業」、「中分類79その他の生活関連サービス業」(旅行業を除く。)、「大分類O教育,学習支援業」、「大分類P医療,福祉」、「中分類87協同組合(他に分類されないもの)」及び「大分類Rサービス業(他に分類されないもの)」に分類する事業が該当する。

(その他これらに類する事業に含まれないもの)
(13) (10)の(十四)の括弧書に掲げる料亭、バー、キャバレー、ナイトクラブに類する事業には、例えば大衆酒場及びビヤホールのように一般大衆が日常利用する飲食店は含まないものとする。(措通42の6-6・編者補正)

(指定事業とその他の事業とに共通して使用される特定機械装置等)
(14) 指定事業とその他の事業とを営む法人が、その取得等をした特定機械装置等をそれぞれの事業に共通して使用している場合には、その全部を指定事業の用に供したものとして1の特別償却を適用する。(措通42の6-7)

(貸付けの用に供したものに該当しない資産の貸与)
(15) 法人が、その取得等をした特定機械装置等を自己の下請業者に貸与した場合において、当該特定機械装置等が専ら当該法人のためにする製品の加工等の用に供されるものであるときは、当該特定機械装置等は当該法人の営む事業の用に供したものとして取り扱う。(措通42の6－8)

(特定機械装置等の特別償却の計算)
(16) 1の特別償却は、当該特別償却の対象となる機械設備等について認められているのであるから、機械設備等で特別償却の対象とならないものがあるときはもちろん、当該特別償却の対象となる機械設備等と種類及び耐用年数を同じくする他の機械設備等があっても、それぞれ各別に償却限度額を計算することに留意する。(措通42の5～48(共)－1・編者補正)

(適格合併等があった場合の特別償却等の適用)
(17) 1の特別償却は、減価償却資産を事業の用に供した場合に適用があるのであるから、適格合併等（適格合併、適格分割、適格現物出資又は適格現物分配をいう。）による移転に係る減価償却資産について1の適用があるかどうかは、当該減価償却資産を事業の用に供した日の現況において、1に掲げる適用要件（適用対象法人、適用期間、適用対象事業等に関する要件をいう。以下(17)において同じ。）を満たすかどうかにより判定することに留意する。(措通42の5～48(共)－3・編者補正)

注　例えば、中小企業者等（1《中小企業者等が特定機械装置等を取得した場合の初年度特別償却》に掲げる中小企業者等をいう。以下注において同じ。）に該当する被合併法人が減価償却資産を適格合併により中小企業者等に該当しない合併法人に移転する場合の1の適用については、次の(一)及び(二)のようになる。

(一)	被合併法人が当該減価償却資産を事業の用に供した場合は、他の適用要件を満たせば、被合併法人において1の適用を受けることができる。
(二)	被合併法人が当該減価償却資産を事業の用に供しないで合併法人が事業の用に供した場合は、被合併法人又は合併法人のいずれの法人においても、1の適用を受けることができない。

2　特別償却の明細書等の添付

1《中小企業者等が特定機械装置等を取得した場合の初年度特別償却》の特別償却は、確定申告書等に特定機械装置等の償却限度額の計算に関する明細書《別表十六》の添付がある場合に限り、適用する。(措法42の6⑥)
1の明細書には、「特別償却等の償却限度額の計算に関する付表」を添付する。(規別表十六)

二　国家戦略特別区域において機械等を取得した場合の特別償却（適用期限の延長）

1　国家戦略特別区域において機械等を取得した場合の初年度特別償却

　青色申告書を提出する法人で**特定事業**（国家戦略特別区域法第27条の2《課税の特例》に規定する特定事業をいう。以下**1**において同じ。）の同法第8条第2項第2号《区域計画の認定》に規定する実施主体として同法第11条第1項《認定の取消し》に規定する認定区域計画（以下**1**において「**認定区域計画**」という。）に定められたもの（以下**1**において「**実施法人**」という。）が、同法附則第1条第1号に定める日（平成26年4月1日）から令和8年3月31日までの期間内に、当該認定区域計画に係る同法第2条第1項に規定する国家戦略特別区域（以下**1**において「**国家戦略特別区域**」という。）内において、当該認定区域計画に係る同法第2条第1項に規定する国家戦略特別区域（以下**1**において「**国家戦略特別区域**」という。）内において、当該国家戦略特別区域に係る当該実施法人の事業実施計画（認定区域計画に定められた特定事業の実施に関する計画として(1)《認定区域計画に定められた特定事業の実施に関する計画》に掲げる計画をいう。以下**1**において同じ。）に記載された機械及び装置、器具及び備品（専ら開発研究〔新たな製品の製造若しくは新たな技術の発明又は現に企業化されている技術の著しい改善を目的として特別に行われる試験研究をいう。〕の用に供される耐用年数省令別表第六《開発研究用減価償却資産の耐用年数》の上欄に掲げる器具及び備品〔同表の中欄に掲げる固定資産に限る。〕に限る。）、建物及びその附属設備並びに構築物（(2)《特別償却の対象となる特定機械装置等の規模》に掲げる規模のものに限る。以下**1**において「**特定機械装置等**」という。）でその製作若しくは建設の後事業の用に供されたことのないものを取得し、又は当該事業実施計画に記載された特定機械装置等を製作し、若しくは建設して、これを当該実施法人の特定事業の用に供した場合（継続的に実施されることが確保される特定事業として国家戦略特別区域法施行規則第1条第1号ロ(5)《法第2条第2項第2号の内閣府令で定める事業》に掲げる事業の用に供する建物及びその附属設備以外のものを貸付けの用に供した場合を除く。）には、その特定事業の用に供した日を含む事業年度（解散〔合併による解散を除く。〕の日を含む事業年度及び清算中の各事業年度を除く。）の当該特定機械装置等の償却限度額は、第六款の**三**の**1**《償却費等の損金算入》又は同**三**の**2**《適格分割等により移転する減価償却資産に係る期中損金経理額の損金算入》にかかわらず、当該特定機械装置等の普通償却限度額（同**三**の**1**に掲げる普通償却限度額又は同**三**の**2**に掲げる償却限度額に相当する金額をいう。）と**特別償却限度額**（次の表の左欄に掲げる減価償却資産の区分に応じそれぞれ同表の右欄に掲げる金額をいう。）との合計額とする。

　なお、**1**は、実施法人が所有権移転外リース取引（第六款の**四**の**1**の②の(2)の表の(五)《所有権移転外リース取引》に掲げるものをいう。）により取得した特定機械装置等については、適用しない。（措法42の10①③、措令27の10①、措規20の5②③④）

$$\text{特定機械装置等の償却限度額} = \text{特定機械装置等の普通償却限度額} + \overbrace{\left(\text{特定機械装置等の取得価額} \times \frac{45}{100} \text{又は} \frac{23}{100}\right)}^{\text{特別償却限度額}}$$

　※　平成31年4月1日から令和8年3月31日までの間に取得又は製作若しくは建設をした特定機械装置等（平成31年3月31日以前に受けた特定事業の適切かつ確実な実施に関する確認として国家戦略特別区域法施行規則第3条第4項〔同条第5項において準用する場合を含む。〕の規定による国家戦略特別区域担当大臣の確認に係る事業実施計画に同日において記載されている特定機械装置等を除く。）以外の特定機械装置等については、次による。

$$\text{特定機械装置等の償却限度額} = \text{特定機械装置等の普通償却限度額} + \overbrace{\left(\text{特定機械装置等の取得価額} \times \frac{50}{100} \text{又は} \frac{25}{100}\right)}^{\text{特別償却限度額}}$$

①	平成31年4月1日から令和8年3月31日までの間に取得又は製作若しくは建設をした特定機械装置等（平成31年3月31日以前に受けた特定事業の適切かつ確実な実施に関する確認〔国家戦略特別区域法施行規則第3条第4項〈同条第5項において準用する場合を含む。〉の規定による国家戦略特別区域法第7条第1項第1号に規定する国家戦略特別区域担当大臣の確認〕に係る事業実施計画に同日において記載されている特定機械装置等を除く。）	その取得価額の$\frac{45}{100}$に相当する金額（建物及びその附属設備並びに構築物については$\frac{23}{100}$に相当する金額）
②	①に掲げる特定機械装置等以外の特定機械装置等	その取得価額の$\frac{50}{100}$に相当する金額（建物及びその附属設備並びに構築物については$\frac{25}{100}$に

第三章　第一節　第七款　二《国家戦略特別区域において機械等を取得した場合の特別償却》

		相当する金額）

注1　1に掲げる所有権移転外リース取引により取得した特定機械装置等については、1の特別償却は適用されないが、第二節第二款の八《国家戦略特別区域において機械等を取得した場合の法人税額の特別控除》の1は適用されるのであるから留意する。（編者）

注2　令和6年7月1日現在における国家戦略特別区域は、次のとおりであり、内閣府告示により詳細は公示されている。（編者）

	区域	指定政令
（一）	北海道の区域	平成26年政令第178号 （最終改正令和6年6月26日政令第224号）
（二）	宮城県及び熊本県の区域	
（三）	宮城県仙台市の区域	
（四）	秋田県仙北市の区域	
（五）	福島県及び長崎県の区域	
（六）	茨城県つくば市の区域	
（七）	千葉県千葉市及び成田市、東京都並びに神奈川県の区域	
（八）	新潟県新潟市の区域	
（九）	石川県加賀市、長野県茅野市及び岡山県加賀郡吉備中央町の区域	
（十）	愛知県の区域	
（十一）	京都府、大阪府及び兵庫県の区域	
（十二）	大阪府大阪市の区域	
（十三）	兵庫県養父市の区域	
（十四）	広島県及び愛媛県今治市の区域	
（十五）	福岡県北九州市及び福岡市の区域	
（十六）	沖縄県の区域	

注3　耐用年数省令別表第六《開発研究用減価償却資産の耐用年数表》の「器具及び備品」欄は、次による。

種類	細目
器具及び備品	試験又は測定機器、計算機器、撮影機及び顕微鏡

注4　1の表の金額基準を満たしているかどうかは、第一款の七の2の（9）《少額の減価償却資産等の取得価額等の判定》により、法人が消費税等の経理処理について適用している税抜経理方式又は税込経理方式に応じ、その適用している方式により算定した価額により判定する。（平元直法2－1「9」参照）

　　　（認定区域計画に定められた特定事業の実施に関する計画）
（1）　1に掲げる計画は、1に掲げる実施法人の国家戦略特別区域法施行規則第3条第4項《事業実施計画の提出》の規定による国家戦略特別区域担当大臣（国家戦略特別区域法第7条第1項第1号に規定する国家戦略特別区域担当大臣をいう。）の確認を受けた同令第3条第1項の事業実施計画（同令第10条に規定する事業に係るものに限るものとし、同令第3条第5項において準用する同条第4項の規定による変更の確認があった場合には、その変更後のものとする。）とする。（措規20の5①）

　　　（特別償却の対象となる特定機械装置等の規模）
（2）　1に掲げる特定機械装置等のうち特別償却の対象となるものは、次の表の左欄に掲げる減価償却資産の区分に応じ、それぞれ同表の右欄に掲げる規模のものとする。（措令27の10②）

（一）	機械及び装置	一台又は一基（通常一組又は一式をもって取引の単位とされるものにあっては、一組又は一式。以下1において同じ。）の取得価額（第六款の六の1《減価償却資産の取得価額》により計算した取得価額をいう。以下1において同じ。）が2,000万円以上のもの
（二）	器具及び備品	一台又は一基の取得価額が1,000万円以上のもの
（三）	建物及びその附属設備並びに構築物	一の建物及びその附属設備並びに構築物の取得価額の合計額が1億円以上のもの

　　注　上表の金額基準を満たしているかどうかは、第一款の七の2の（9）《少額の減価償却資産等の取得価額等の判定》により、法人が消費税

第三章　第一節　第七款　二《国家戦略特別区域において機械等を取得した場合の特別償却》

等の経理処理について適用している税抜経理方式又は税込経理方式に応じ、その適用している方式により算定した価額により判定する。（平元直法2-1「9」参照）

（取得価額の判定単位）
（3）　（2）に掲げる機械及び装置又は器具及び備品の一台又は一基の取得価額が2,000万円以上又は1,000万円以上であるかどうかについては、通常1単位として取引される単位ごとに判定するのであるが、個々の機械及び装置の本体と同時に設置する自動調整装置又は原動機のような附属機器で当該本体と一体になって使用するものがある場合には、これらの附属機器を含めたところによりその判定を行うことができるものとする。（措通42の10-1、編者補正）

（圧縮記帳の適用を受けた場合の特定機械装置等の取得価額要件の判定）
（4）　（2）に掲げる機械及び装置又は器具及び備品の取得価額が2,000万円以上又は1,000万円以上であるかどうかを判定する場合において、その機械及び装置又は器具及び備品が第十五款の一《国庫補助金等による圧縮記帳》、同款の二《工事負担金による圧縮記帳》、同款の三《非出資組合の賦課金による圧縮記帳》及び同款の四《保険金等による圧縮記帳》による圧縮記帳の適用を受けたものであるとき（法人が取得等をした（2）に掲げる機械及び装置並びに器具及び備品につき、供用年度後の事業年度において第十五款の一から四の適用を受けることが予定されている場合を含む。）は、その圧縮記帳後の金額（法人が取得等をした（2）に掲げる機械及び装置並びに器具及び備品につき、供用年度後の事業年度において第十五款の一から四の適用を受けることが予定されている場合にあっては、第六款の六の1《減価償却資産の取得価額》に掲げる金額から当該供用年度後の事業年度において第十五款の一から四の適用を受けるとしたならば、第六款の六の3《圧縮記帳資産の取得価額の特例》に掲げる「損金の額に算入された金額（……金額を加算した金額）」となることが見込まれる金額を控除した金額）に基づいてその判定を行うものとする。
　　　（2）に掲げる建物及びその附属設備並びに構築物の取得価額の合計額が1億円以上であるかどうかを判定する場合においても、同様とする。（措通42の10-2、42の5～48（共）-3の2・編者補正）

（特別償却等の対象となる建物の附属設備）
（5）　1の表に掲げる建物の附属設備は、当該建物とともに取得又は建設をする場合における建物附属設備に限られることに留意する。（措通42の10-3）

（特定事業の用に供したものとされる資産の貸与）
（6）　1に掲げる実施法人が、その取得又は製作若しくは建設をした同1に掲げる特定機械装置等を自己の下請業者に貸与した場合において、当該特定機械装置等が同1に掲げる国家戦略特別区域内において専ら当該実施法人の同1に掲げる特定事業のためにする製品の加工等の用に供されるものであるときは、当該特定機械装置等は当該実施法人の営む特定事業の用に供したものとして二を適用する。（措通42の10-4）

（開発研究の意義）
（7）　1に掲げる開発研究（以下「開発研究」という。）とは、次に掲げる試験研究をいう。（措通42の10-5）

（一）	新規原理の発見又は新規製品の発明のための研究
（二）	新規製品の製造、製造工程の創設又は未利用資源の活用方法の研究
（三）	（一）又は（二）の研究を基礎とし、これらの研究の成果を企業化するためのデータの収集
（四）	現に企業化されている製造方法その他の生産技術の著しい改善のための研究

（専ら開発研究の用に供される器具及び備品）
（8）　1に掲げる「専ら開発研究（……）の用に供されるもの」とは、耐用年数省令別表第六に掲げる器具及び備品のうち専ら開発研究の用に供されるものをいうのであるから、開発研究を行う施設において供用されるものであっても、他の目的のために使用されている減価償却資産で必要に応じ開発研究の用に供されるものは、これに該当しないことに留意する。（措通42の10-6）

（委託研究先への資産の貸与）
（9）　実施法人が、その取得又は製作をした1に掲げる機械及び装置並びに器具及び備品を自己の開発研究の委託先に貸与した場合において、当該委託先において当該機械及び装置並びに器具及び備品が専ら当該実施法人のためにする

開発研究の用に供されるものであるときは、当該機械及び装置並びに器具及び備品は当該実施法人の行う開発研究の用に供したものとして取り扱う。（措通42の10－7）

（機械等の特別償却の計算）
(10) 1の特別償却は、当該特別償却の対象となる機械設備等について認められているのであるから、機械設備等で特別償却の対象とならないものがあるときはもちろん、当該特別償却の対象となる機械設備等と種類及び耐用年数を同じくする他の機械設備等があっても、それぞれ各別に償却限度額を計算することに留意する。（措通42の5～48（共）－1・編者補正）

（適格合併等があった場合の特別償却等の適用）
(11) 1の特別償却は、減価償却資産を事業の用に供した場合に適用があるのであるから、適格合併等（適格合併、適格分割、適格現物出資又は適格現物分配をいう。）による移転に係る減価償却資産について1の適用があるかどうかは、当該減価償却資産を事業の用に供した日の現況において、1に掲げる適用要件（適用対象法人、適用期間、適用対象事業等に関する要件をいう。以下(11)において同じ。）を満たすかどうかにより判定することに留意する。（措通42の5～48（共）－3・編者補正）

注　例えば、中小企業者等（一の1《中小企業者等が特定機械装置等を取得した場合の初年度特別償却》に掲げる中小企業者等をいう。以下注において同じ。）に該当する被合併法人が減価償却資産を適格合併により中小企業者等に該当しない合併法人に移転する場合の一の1の適用については、次の(一)及び(二)のようになる。

(一)	被合併法人が当該減価償却資産を事業の用に供した場合は、他の適用要件を満たせば、被合併法人において一の1の適用を受けることができる。
(二)	被合併法人が当該減価償却資産を事業の用に供しないで合併法人が事業の用に供した場合は、被合併法人又は合併法人のいずれの法人においても、一の1の適用を受けることができない。

2　特別償却の明細書の添付

　1《国家戦略特別区域において機械等を取得した場合の初年度特別償却》の特別償却は、確定申告書等に特定機械装置等の償却限度額の計算に関する明細書の添付がある場合に限り、適用する。（措法42の10④）
　明細書には、「特別償却等の償却限度額の計算に関する付表」を添付する。（規別表十六）

三　国際戦略総合特別区域において機械等を取得した場合の特別償却（適用期限の延長等）

1　国際戦略総合特別区域において機械等を取得した場合の初年度特別償却

　青色申告書を提出する法人で総合特別区域法第26条第1項《課税の特例》に規定する指定法人に該当するもの（以下**三**において「**指定法人**」という。）が、同法の施行の日（平成23年8月1日）から令和8年3月31日までの期間内に、同法第2条第1項《定義》に規定する国際戦略総合特別区域（以下**三**において「**国際戦略総合特別区域**」という。）内において、当該国際戦略総合特別区域に係る当該指定法人の同法第15条第1項《報告の徴収》に規定する認定国際戦略総合特別区域計画に適合する指定法人の総合特別区域法施行規則第15条第2号《法第26条第1項の指定法人の要件》に規定する指定法人事業実施計画（以下**1**において「**指定法人事業実施計画**」という。）に記載された機械及び装置、器具及び備品（専ら開発研究〔新たな製品の製造若しくは新たな技術の発明又は現に企業化されている技術の著しい改善を目的として特別に行われる試験研究をいう。〕の用に供されるものとして耐用年数省令別表六《開発研究用減価償却資産の耐用年数表》の上欄に定める器具及び備品〔同表の中欄に掲げる固定資産に限る。〕）、建物及びその附属設備並びに構築物（（1）《特別償却の対象となる特定機械装置等の規模》に掲げる規模のものに限る。以下**三**において「**特定機械装置等**」という。）でその製作若しくは建設の後事業の用に供されたことのないものを取得し、又は当該指定法人事業実施計画に記載された特定機械装置等を製作し、若しくは建設して、これを当該指定法人の総合特別区域法第2条第2項第2号イ又はロに掲げる事業（以下**三**において「**特定国際戦略事業**」という。）の用に供した場合（貸付けの用に供した場合を除く。）には、その特定国際戦略事業の用に供した日を含む事業年度（解散〔合併による解散を除く。〕の日を含む事業年度及び清算中の各事業年度を除く。）の当該特定機械装置等の償却限度額は、第六款の**三**の**1**《償却費等の損金算入》又は同**三**の**2**《適格分割等により移転する減価償却資産に係る期中損金経理額の損金算入》に掲げる普通償却限度額の計算の規定にかかわらず、当該特定機械装置等の普通償却限度額（同**三**の**1**に掲げる償却限度額又は同**三**の**2**に掲げる償却限度額に相当する金額をいう。）と**特別償却限度額**（次の表の左欄に掲げる減価償却資産の区分に応じそれぞれ同表の右欄に掲げる金額をいう。）との合計額とする。

　なお、**1**は、指定法人が所有権移転外リース取引（第六款の**四**の**1**の②の（2）の表の（五）《所有権移転外リース取引》に掲げるものをいう。）により取得した特定機械装置等については、適用しない。（措法42の11①③、措令27の11①、措規20の6①②）

①	令和6年4月1日から令和8年3月31日までの間に取得又は製作若しくは建設をした特定機械装置等（令和6年3月31日以前に受けた総合特別区域法第26条第1項の規定による指定に係る指定法人事業実施計画に同日において記載されている特定機械装置等を除く。）	その取得価額の$\frac{30}{100}$に相当する金額（建物及びその附属設備並びに構築物については$\frac{15}{100}$に相当する金額）
②	①に掲げる特定機械装置等以外の特定機械装置等	その取得価額の$\frac{34}{100}$に相当する金額（建物及びその附属設備並びに構築物については$\frac{17}{100}$に相当する金額）

$$\substack{\text{特定機械装置等} \\ \text{の償却限度額}} = \substack{\text{特定機械装置等の} \\ \text{普通償却限度額}} + \overbrace{\left(\substack{\text{特定機械装置} \\ \text{等の取得価額}} \times \frac{30}{100} \text{又は} \frac{15}{100}\right)}^{\text{特別償却限度額}}$$

　※　令和6年4月1日から令和8年3月31日までの間に取得又は製作若しくは建設をした特定機械装置等（令和6年3月31日以前に受けた総合特別区域法第26条第1項の規定による指定に係る指定法人事業実施計画に同日において記載されている特定機械装置等を除く。）以外の特定機械装置等については、次による。

$$\substack{\text{特定機械装置等} \\ \text{の償却限度額}} = \substack{\text{特定機械装置等の} \\ \text{普通償却限度額}} + \overbrace{\left(\substack{\text{特定機械装置} \\ \text{等の取得価額}} \times \frac{34}{100} \text{又は} \frac{17}{100}\right)}^{\text{特別償却限度額}}$$

注1　――線部分（適用期限に係る部分を除く。）は、令和6年度改正により改正された部分で、改正規定は、令和6年4月1日以後に取得又は製作若しくは建設をする特定機械装置等について適用され、令和6年3月31日以前に取得又は製作若しくは建設をする特定機械装置等の適用については、上表は次による。（令6改法附40、1）

旧①	平成31年4月1日から令和6年3月31日までの間に取得又は製作若しくは建設をした特定機械装置等（平成31年3月31日以前に受けた総合特別区域法第26条第1項の規定による指定に係	その取得価額の$\frac{34}{100}$に相当する金額（建物及びその附属設備並びに構築物につ

第三章　第一節　第七款　三《国際戦略総合特別区域において機械等を取得した場合の特別償却》

	る指定法人事業実施計画に同日において記載されている特定機械装置等を除く。）	いては$\frac{17}{100}$に相当する金額）
旧②	旧①に掲げる特定機械装置等以外の特定機械装置等	その取得価額の$\frac{40}{100}$に相当する金額（建物及びその附属設備並びに構築物については$\frac{20}{100}$に相当する金額）

注2　耐用年数省令別表第六《開発研究用減価償却資産の耐用年数表》の「器具及び備品」欄は、次による。

種類	細目
器具及び備品	試験又は測定機器、計算機器、撮影機及び顕微鏡

注3　令和6年7月1日現在において国際戦略総合特別区域計画（国際戦略事業に国際戦略総合特区設備等投資促進税制があるものに限る。）に指定されている区域の名称は、次のとおり。（編者）

	国際戦略総合特別区域の名称	指定告示
(一)	つくば国際戦略総合特区	平成24年内閣府告示第48号（最終改正令和3年第40号）
(二)	京浜臨海部ライフイノベーション国際戦略総合特区	平成24年内閣府告示第49号（最終改正令和4年第77号）
(三)	アジアNo.1航空宇宙産業クラスター形成特区	平成24年内閣府告示第50号（最終改正令和6年第3号）
(四)	関西イノベーション国際戦略総合特区	平成24年内閣府告示第51号（最終改正令和4年第45号）
(五)	グリーンアジア国際戦略総合特区	平成24年内閣府告示第52号（最終改正令和3年第44号）
(六)	アジアヘッドクォーター特区	平成24年内閣府告示第248号（最終改正令和6年第84号）

注4　1に掲げる所有権移転外リース取引により取得した特定機械装置等については、1の特別償却は適用されないが、第二節第二款の**九**《国際戦略総合特別区域において機械等を取得した場合の法人税額の特別控除》の1は適用されるのであるから留意する。（編者）

（特別償却の対象となる特定機械装置等の規模）

（1）　1に掲げる特定機械装置等のうち特別償却の対象となるものは、次の表の左欄に掲げる減価償却資産の区分に応じ、それぞれ同表の右欄に掲げる規模のものとする。（措令27の11②）

(一)	機械及び装置	一台又は一基（通常一組又は一式をもって取引の単位とされるものにあっては、一組又は一式。以下（1）において同じ。）の取得価額（第六款の**六**の1《減価償却資産の取得価額》により計算した取得価額をいう。（1）において同じ。）が2,000万円以上のもの
(二)	器具及び備品	一台又は一基の取得価額が1,000万円以上のもの
(三)	建物及びその附属設備並びに構築物	一の建物及びその附属設備並びに構築物の取得価額の合計額が1億円以上のもの

　　注　上記の金額基準を満たしているかどうかは、第一款の**七**の2の(9)《少額の減価償却資産等の取得価額等の判定》により、法人が消費税等の経理処理について適用している税抜経理方式又は税込経理方式に応じ、その適用している方式により算定した価額により判定する。（平元直法2－1「9」参照）

（国家戦略特別区域において機械等を取得した場合の特別償却等の適用を受ける場合の不適用）

（2）　1は、次の(一)から(三)の適用を受ける事業年度については、適用しない。（措法42の11④）

(一)	**二**の1《国家戦略特別区域において機械等を取得した場合の初年度特別償却》又は第二節第二款の**八**の1《法人税額の特別控除》
(二)	**二**の1に係る**二十三**の1《特別償却不足額がある場合の償却限度額の計算》又は同**二十三**の2《合併等特別償却不足額がある場合の償却限度額の計算》
(三)	**二**の1に係る**二十四**の1の①《特別償却準備金積立額の損金算入》、同1の②《特別償却準備金積立不足額の1年間繰越し》、同1の③《適格合併等の場合の移転特別償却資産に係る合併等特別償却準備金積立不足額の引継ぎ》、同1の⑤の**イ**《適格分割等により特別償却対象資産を移転する場合の分割法人等における特別償却準備金の期中

－463－

積立て》又は同⑤の**ロ**《適格分割等により特別償却対象資産を移転する場合の分割法人等における特別償却準備金の積立不足額の期中積立て》

(取得価額の判定単位)
(3) (1)《特別償却の対象となる特定機械装置等の規模》の表の(一)又は(二)に掲げる機械及び装置又は器具及び備品の一台又は一基の取得価額が2,000万円以上又は1,000万円以上であるかどうかについては、通常一単位として取引される単位ごとに判定するのであるが、個々の機械及び装置の本体と同時に設置する自動調整装置又は原動機のような附属機器で当該本体と一体になって使用するものがある場合には、これらの附属機器を含めたところによりその判定を行うことができるものとする。(措通42の11－1)

(圧縮記帳の適用を受けた場合の特定機械装置等の取得価額要件の判定)
(4) (1)の表に掲げる機械及び装置又は器具及び備品の取得価額が2,000万円以上又は1,000万円以上であるかどうかを判定する場合において、その機械及び装置又は器具及び備品が第十五款の**一**《国庫補助金等による圧縮記帳》、同款の**二**《工事負担金による圧縮記帳》、同款の**三**《非出資組合の賦課金による圧縮記帳》及び同款の**四**《保険金等による圧縮記帳》による圧縮記帳の適用を受けたものであるとき（法人が取得等をした(1)に掲げる機械及び装置並びに器具及び備品につき、供用年度後の事業年度において第十五款の**一**から**四**の適用を受けることが予定されている場合を含む。）は、その圧縮記帳後の金額（法人が取得等をした(1)に掲げる機械及び装置並びに器具及び備品につき、供用年度後の事業年度において第十五款の**一**から**四**の適用を受けることが予定されている場合にあっては、第六款の**六**の**1**《減価償却資産の取得価額》に掲げる金額から当該供用年度後の事業年度において第十五款の**一**から**四**の適用を受けるとしたならば、第六款の**六**の**3**《圧縮記帳資産の取得価額の特例》に掲げる「損金の額に算入された金額（……金額を加算した金額）」となることが見込まれる金額を控除した金額）に基づいてその判定を行うものとする。
 (1)の表に掲げる建物及びその附属設備並びに構築物の取得価額の合計額が1億円以上であるかどうかを判定する場合においても、同様とする。(措通42の11－2、42の5～48（共）－3の2・編者補正)

(特別償却等の対象となる建物の附属設備)
(5) **1**に掲げる建物の附属設備は、当該建物とともに取得又は建設をする場合における建物附属設備に限られることに留意する。(措通42の11－3)

(特定国際戦略事業の用に供したものとされる資産の貸与)
(6) 指定法人が、その取得又は製作若しくは建設をした特定機械装置等を自己の下請業者に貸与した場合において、当該特定機械装置等が国際戦略総合特別区域内において専ら当該指定法人の特定国際戦略事業のためにする製品の加工等の用に供されるものであるときは、当該特定機械装置等は当該指定法人の営む特定国際戦略事業の用に供したものとして**1**の特別償却を適用する。(措通42の11－4)

(開発研究の意義)
(7) **1**に掲げる開発研究とは、次に掲げる試験研究をいう。(措通42の11－5)

(一)	新規原理の発見又は新規製品の発明のための研究
(二)	新規製品の製造、製造工程の創設又は未利用資源の活用方法の研究
(三)	(一)又は(二)の研究を基礎とし、これらの研究の成果を企業化するためのデータの収集
(四)	現に企業化されている製造方法その他の生産技術の著しい改善のための研究

(専ら開発研究の用に供される器具及び備品)
(8) **1**に掲げる「専ら開発研究（……）の用に供されるもの」とは、耐用年数省令別表第六《開発研究用減価償却資産の耐用年数表》に掲げる器具及び備品のうち専ら開発研究の用に供されるものをいうのであるから、開発研究を行う施設において供用されるものであっても、他の目的のために使用されている減価償却資産で必要に応じ開発研究の用に供されるものは、これに該当しないことに留意する。(措通42の11－6)
　　注　耐用年数省令別表第六《開発研究用減価償却資産の耐用年数表》の「器具及び備品」欄は、次による。

第三章　第一節　第七款　三《国際戦略総合特別区域において機械等を取得した場合の特別償却》

種類	細目
器具及び備品	試験又は測定機器、計算機器、撮影機及び顕微鏡

　　　（委託研究先への資産の貸与）
（9）　指定法人が、その取得又は製作をした1に掲げる器具及び備品を自己の開発研究の委託先に貸与した場合において、当該委託先において当該器具及び備品が専ら当該指定法人のためにする開発研究の用に供されるものであるときは、当該器具及び備品は当該指定法人の行う開発研究の用に供したものとして取り扱う。（措通42の11－7）

　　　（特定機械装置等の特別償却の計算）
（10）　1の特別償却は、当該特別償却の対象となる機械設備等について認められているのであるから、機械設備等で特別償却の対象とならないものがあるときはもちろん、当該特別償却の対象となる機械設備等と種類及び耐用年数を同じくする他の機械設備等があっても、それぞれ各別に償却限度額を計算することに留意する。（措通42の5～48（共）－1・編者補正）

　　　（適格合併等があった場合の特別償却等の適用）
（11）　1の特別償却は、減価償却資産を事業の用に供した場合に適用があるのであるから、適格合併等（適格合併、適格分割、適格現物出資又は適格現物分配をいう。）による移転に係る減価償却資産について1の適用があるかどうかは、当該減価償却資産を事業の用に供した日の現況において、1に掲げる適用要件（適用対象法人、適用期間、適用対象事業等に関する要件をいう。以下(11)において同じ。）を満たすかどうかにより判定することに留意する。（措通42の5～48（共）－3・編者補正）
　　注　例えば、中小企業者等（一の1《中小企業者等が特定機械装置等を取得した場合の初年度特別償却》に掲げる中小企業者等をいう。以下注において同じ。）に該当する被合併法人が減価償却資産を適格合併により中小企業者等に該当しない合併法人に移転する場合の一の1の適用については、次の(一)及び(二)のようになる。

(一)	被合併法人が当該減価償却資産を事業の用に供した場合は、他の適用要件を満たせば、被合併法人において一の1の適用を受けることができる。
(二)	被合併法人が当該減価償却資産を事業の用に供しないで合併法人が事業の用に供した場合は、被合併法人又は合併法人のいずれの法人においても、一の1の適用を受けることができない。

2　特別償却の明細書の添付

　1《国際戦略総合特別区域において機械等を取得した場合の初年度特別償却》の特別償却は、確定申告書等に当該特定機械装置等の償却限度額の計算に関する明細書《別表十六》の添付がある場合に限り、適用する。（措法42の11⑤）
　明細書には、「特別償却等の償却限度額の計算に関する付表」を添付する。（規別表十六）

四　地域経済牽引事業の促進区域内において特定事業用機械等を取得した場合の特別償却

1　特定事業用機械等を取得した場合の初年度特別償却

　青色申告書を提出する法人で地域経済牽引事業の促進による地域の成長発展の基盤強化に関する法律第25条《課税の特例》に規定する承認地域経済牽引事業者であるものが、企業立地の促進等による地域における産業集積の形成及び活性化に関する法律の一部を改正する法律（平成29年法律第47号）の施行の日（平成29年7月31日）から令和7年3月31日までの期間（**四**において「**指定期間**」という。）内に、当該法人の行う同条に規定する承認地域経済牽引事業（以下**四**において「**承認地域経済牽引事業**」という。）に係る地域経済牽引事業の促進による地域の成長発展の基盤強化に関する法律第4条第2項第1号《基本方針》に規定する促進区域（**四**において「**促進区域**」という。）内において当該承認地域経済牽引事業に係る承認地域経済牽引事業計画（同法第14条第2項《地域経済牽引事業計画の変更等》に規定する承認地域経済牽引事業計画をいう。以下**四**において同じ。）に従って**特定地域経済牽引事業施設等**（承認地域経済牽引事業計画に定められた施設又は設備で、(1)《特定地域経済牽引事業施設等の規模》に掲げる規模のものをいう。以下**四**において同じ。）の新設又は増設をする場合において、当該新設若しくは増設に係る特定地域経済牽引事業施設等を構成する機械及び装置、器具及び備品、建物及びその附属設備並びに構築物（以下**四**において「**特定事業用機械等**」という。）でその製作若しくは建設の後事業の用に供されたことのないものを取得し、又は当該新設若しくは増設に係る特定事業用機械等を製作し、若しくは建設して、これを当該承認地域経済牽引事業の用に供したとき（貸付けの用に供した場合を除く。）は、その承認地域経済牽引事業の用に供した日を含む事業年度（解散〔合併による解散を除く。〕の日を含む事業年度及び清算中の各事業年度を除く。**四**において「**供用年度**」という。）の当該特定事業用機械等の償却限度額は、第六款の**三**の**1**《償却費等の損金算入》又は同**三**の**2**《適格分割等により移転する減価償却資産に係る期中損金経理額の損金算入》に掲げる普通償却限度額の計算の規定にかかわらず、当該特定事業用機械等の普通償却限度額と**特別償却限度額**（当該特定事業用機械等の取得価額〔その特定事業用機械等に係る一の特定地域経済牽引事業施設等を構成する機械及び装置、器具及び備品、建物及びその附属設備並びに構築物の取得価額の合計額が80億円を超える場合には、80億円にその特定事業用機械等の取得価額が当該合計額のうちに占める割合を乗じて計算した金額。〕に次の表の左欄に掲げる減価償却資産の区分に応じそれぞれ同表の右欄に定める割合を乗じて計算した金額をいう。）との合計額とする。

　なお、**1**は、法人が所有権移転外リース取引（第六款の**四**の**1**の②の(2)の表の(五)《所有権移転外リース取引》に掲げるものをいう。）により取得した特定事業用機械等については、適用しない。（措法42の11の2①③）

①	機械及び装置並びに器具及び備品	$\frac{40}{100}$（平成31年4月1日以後に地域経済牽引事業の促進による地域の成長発展の基盤強化に関する法律第13条第4項又は第7項の規定による承認を受けた法人がその承認地域経済牽引事業〔地域の成長発展の基盤強化に著しく資するものとして(3)《地域の成長発展の基盤強化に著しく資するもの》に掲げるものに限る。〕の用に供したものについては、$\frac{50}{100}$）
②	建物及びその附属設備並びに構築物	$\frac{20}{100}$

$$\text{特定事業用機械}\atop\text{等の償却限度額} = \text{特定事業用機械等}\atop\text{の普通償却限度額} + \overbrace{\text{特定事業用機械}\atop\text{等の取得価額} \times \frac{40}{100}、\frac{50}{100} \text{又は} \frac{20}{100}}^{\text{特別償却限度額}}$$

　ただし、一の特定地域経済牽引事業施設等を構成する機械及び装置、器具及び備品、建物及びその附属設備並びに構築物の取得価額の合計額が80億円を越える場合には、算式の「取得価額」は、特定事業用機械等ごとに次により計算した金額とする。

$$80億円 \times \frac{\text{特定事業用機械等の取得価額}}{\text{特定事業用機械等の取得価額の合計額}}$$

　（特定地域経済牽引事業施設等の規模）

（1）　**1**に掲げる規模のものは、一の承認地域経済牽引事業計画（**1**に掲げる承認地域経済牽引事業計画をいう。）に定められた施設又は設備を構成する第六款の**一**の**2**《減価償却資産の範囲》に掲げる資産の取得価額（同款の**六**の**1**《減価償却資産の取得価額》により計算した取得価額をいう。）の合計額が2,000万円以上のものとする。（措令27の11の2①）

第三章　第一節　第七款　四《地域経済牽引事業の促進区域内において特定事業用機械等を取得した場合の特別償却》

注　上記の金額基準を満たしているかどうかは、第一款の七の2の(9)《少額の減価償却資産等の取得価額等の判定》により、法人が消費税等の経理処理について適用している税抜経理方式又は税込経理方式に応じ、その適用している方式により算定した価額により判定する。（平元直法2-1「9」参照）

（圧縮記帳の適用を受けた場合の特定地域経済牽引事業施設等の取得価額要件の判定）

（2）　（1）の一の承認地域経済牽引事業計画に定められた施設又は設備を構成する第六款の一の2《減価償却資産の範囲》に掲げる資産の取得価額の合計額が2,000万円以上であるかどうかを判定する場合において、その一の承認地域経済牽引事業計画に定められた施設又は設備を構成する同2に掲げる資産のうちに法又は措置法の規定による圧縮記帳の適用を受けたものがあるとき（法人が取得等をした（1）に掲げる一の承認地域経済牽引事業計画に定められた施設又は設備を構成する同2に掲げる資産のうちに、供用年度後の事業年度において第十五款の一から四の適用を受けることが予定されているものがある場合を含む。）は、その圧縮記帳後の金額（法人が取得等をした（1）に掲げる一の承認地域経済牽引事業計画に定められた施設又は設備を構成する同2に掲げる資産のうちに、供用年度後の事業年度において第十五款の一から四の適用を受けることが予定されているものがある場合にあっては、第六款の六の1《減価償却資産の取得価額》に掲げる金額から当該供用年度後の事業年度において第十五款の一から四の適用を受けるとしたならば、第六款の六の3《圧縮記帳資産の取得価額の特例》に掲げる「損金の額に算入された金額（……金額を加算した金額）」となることが見込まれる金額を控除した金額）に基づいてその判定を行うものとする。（措通42の11の2-1、42の5～48（共）-3の2・編者補正）

（地域の成長発展の基盤強化に著しく資するもの）

（3）　1の表の①に掲げるものは、地域の成長発展の基盤強化に著しく資するものとして経済産業大臣が財務大臣と協議して定める基準に適合することについて主務大臣（地域経済牽引事業の促進による地域の成長発展の基盤強化に関する法律第43条第2項《主務大臣及び主務省令》に規定する主務大臣をいう。）の確認を受けたものとする。（措令27の11の2②）

注　経済産業大臣は、（3）により基準を定めたときは、これを告示する。（措令27の11の2④）

なお、（3）により定められた基準は、地域経済牽引事業の促進による地域の成長発展の基盤強化に関する法律第25条の規定に基づく地域の成長発展の基盤強化に特に資するものとして主務大臣が定める基準等に関する告示（平成29年総務省、財務省、厚生労働省、農林水産省、経済産業省、国土交通省、環境省　告示第1号）第1項第5号に該当することとする。（平成31年経済産業省告示第84号〔最終改正令和2年第190号〕）

（新増設の範囲）

（4）　1の適用上、次に掲げる特定地域経済牽引事業施設等の取得又は製作若しくは建設（以下「取得等」という。）についても特定地域経済牽引事業施設等の新設又は増設に該当するものとする。（措通42の11の2-2）

（一）　既存設備が災害により滅失又は損壊したため、その代替設備として取得等をした特定地域経済牽引事業施設等

（二）　既存設備の取替え又は更新のために特定地域経済牽引事業施設等の取得等をした場合で、その取得等により生産能力、処理能力等が従前に比して相当程度（おおむね30％）以上増加したときにおける当該特定地域経済牽引事業施設等のうちその生産能力、処理能力等が増加した部分に係るもの

（特別償却等の対象となる建物の附属設備）

（5）　1に掲げる建物の附属設備は、当該建物とともに取得又は建設をする場合における建物附属設備に限られることに留意する。（措通42の11の2-3）

（承認地域経済牽引事業の用に供したものとされる資産の貸与）

（6）　1に掲げる承認地域経済牽引事業者（以下「承認地域経済牽引事業者」という。）が、その取得等をした1に掲げる特定事業用機械等を自己の下請業者に貸与した場合において、当該特定事業用機械等が1に掲げる促進区域内において専ら当該承認地域経済牽引事業者の1に掲げる承認地域経済牽引事業のためにする製品の加工等の用に供されるものであるときは、当該特定事業用機械等は当該承認地域経済牽引事業者の営む承認地域経済牽引事業の用に供したものとして1を適用する。（措通42の11の2-4・編者補正）

（取得価額の合計額が80億円を超えるかどうか等の判定）

（7）　1の適用上、一の特定地域経済牽引事業施設等を構成する機械及び装置、器具及び備品、建物及びその附属設備並びに構築物の取得価額の合計額が80億円を超えるかどうかは、その新設又は増設に係る承認地域経済牽引事業計画

（1に掲げる承認地域経済牽引事業計画をいう。以下同じ。）ごとに判定することに留意する。（1）の一の承認地域経済牽引事業計画に定められた施設又は設備を構成する第六款の一の2《減価償却資産の範囲》に掲げる資産の取得価額の合計額が2,000万円以上であるかどうかの判定についても、同様とする。（措通42の11の2－5）

（2以上の事業年度において事業の用に供した場合の取得価額の計算）
（8）　特定事業用機械等に係る一の特定地域経済牽引事業施設等を構成する機械及び装置、器具及び備品、建物及びその附属設備並びに構築物でその取得価額の合計額が80億円を超えるものを2以上の事業年度において事業の用に供した場合には、その取得価額の合計額が初めて80億円を超えることとなる事業年度（以下「超過事業年度」という。）における1による特別償却限度額の計算の基礎となる個々の特定事業用機械等の取得価額は、次の算式による。（措通42の11の2－6・編者補正）

（算式）

$$\left[80億円 - \begin{array}{l}超過事業年度前の各事業年度におい\\て事業の用に供した工業用機械等の\\取得価額の合計額（注1）\end{array}\right] \times \frac{超過事業年度において事業の用に供した個々の特定事業用機械等の取得価額}{超過事業年度において事業の用に供した特定事業用機械等の取得価額の合計額}$$

注1　超過事業年度前の各事業年度において事業の用に供した個々の特定事業用機械等については、その取得価額の調整は行わないことに留意する。

注2　承認地域経済牽引事業計画が、地域経済牽引事業の促進による地域の成長発展の基盤強化に関する法律第13条第1項の規定により、同法第2条第1項に規定する地域経済牽引事業を行おうとする者が共同して作成した同法第13条第1項に規定する地域経済牽引事業計画に係るものである場合には、本文及び算式中「80億円」とあるのは「80億円を承認地域経済牽引事業計画の共同作成者の間で合理的にあん分した金額」とする。

（特定事業用機械等の特別償却の計算）
（9）　1の特別償却は、当該特別償却の対象となる機械設備等について認められているのであるから、機械設備等で特別償却の対象とならないものがあるときはもちろん、当該特別償却の対象となる特定事業用機械等と種類及び耐用年数を同じくする他の機械設備等があっても、それぞれ各別に償却限度額を計算することに留意する。（措通42の5～48（共）－1・編者補正）

（適格合併等があった場合の特別償却等の適用）
（10）　1の特別償却は、減価償却資産を事業の用に供した場合に適用があるのであるから、適格合併等（適格合併、適格分割、適格現物出資又は適格現物分配をいう。）による移転に係る減価償却資産について1の適用があるかどうかは、当該減価償却資産を事業の用に供した日の現況において、1に掲げる適用要件（適用対象法人、適用期間、適用対象事業等に関する要件をいう。以下(10)において同じ。）を満たすかどうかにより判定することに留意する。（措通42の5～48（共）－3・編者補正）

注　例えば、中小企業者等（一の1《中小企業者等が特定機械装置等を取得した場合の初年度特別償却》に掲げる中小企業者等をいう。以下注において同じ。）に該当する被合併法人が減価償却資産を適格合併により中小企業者等に該当しない合併法人に移転する場合の一の1の適用については、次の(一)及び(二)のようになる。

(一)	被合併法人が当該減価償却資産を事業の用に供した場合は、他の適用要件を満たせば、被合併法人において一の1の適用を受けることができる。
(二)	被合併法人が当該減価償却資産を事業の用に供しないで合併法人が事業の用に供した場合は、被合併法人又は合併法人のいずれの法人においても、一の1の適用を受けることができない。

2　特別償却の明細書等の添付

　1の特別償却は、確定申告書等に特定事業用機械等の償却限度額の計算に関する明細書《別表十六》の添付がある場合に限り、適用する。（措法42の11の2④）

　明細書については、「特別償却等の償却限度額の計算に関する付表」を添付する。（規別表十六）

五 地方活力向上地域等において特定建物等を取得した場合の特別償却（適用期限の延長等）

1 特定建物等を取得した場合の特別償却

　青色申告書を提出する法人で地域再生法の一部を改正する法律（平成27年法律第49号）の施行の日（平成27年8月10日）から令和8年3月31日までの期間（以下1において「**指定期間**」という。）内に地域再生法第17条の2第1項《地方活力向上地域等特定業務施設整備計画の認定等》に規定する地方活力向上地域等特定業務施設整備計画（以下1において「**地方活力向上地域等特定業務施設整備計画**」という。）について同条第3項の認定を受けたものが、当該認定を受けた日から同日の翌日以後3年を経過する日まで（同日までに同条第6項の規定により当該認定を取り消されたときは、その取り消された日の前日まで）の間に、当該認定をした同条第1項に規定する認定都道府県知事（以下1において「**認定都道府県知事**」という。）が作成した同法第8条第1項《報告の徴収》に規定する認定地域再生計画（以下1において「**認定地域再生計画**」という。）に記載されている同法第5条第4項第5号《地域再生計画の認定》イ又はロに掲げる地域（当該認定を受けた地方活力向上地域等特定業務施設整備計画〔同法第17条の2第4項の規定による変更の認定があったときは、その変更後のもの。以下1において「**認定地方活力向上地域等特定業務施設整備計画**」という。〕が同法第17条の2第1項第2号に掲げる事業に関する地方活力向上地域等特定業務施設整備計画〔以下1において「**拡充型計画**」という。〕である場合には、同号に規定する地方活力向上地域）内において、当該認定地方活力向上地域等特定業務施設整備計画に記載された同法第5条第4項第5号に規定する特定業務施設（<u>同号に規定する特定業務児童福祉施設のうち当該特定業務施設の新設に併せて整備されるものを含む。以下1において</u>「**特定業務施設**」という。）に該当する建物及びその附属設備並びに構築物（（2）《特定建物等の規模》に掲げる規模のものに限る。以下五において「**特定建物等**」という。）でその建設の後事業の用に供されたことのないものを取得し、又は当該認定地方活力向上地域等特定業務施設整備計画に記載された特定建物等を建設して、これを当該法人の営む事業の用に供した場合（貸付けの用に供した場合を除く。）には、その事業の用に供した日を含む事業年度（解散〔合併による解散を除く。〕の日を含む事業年度及び清算中の各事業年度を除く。）の当該特定建物等の償却限度額は、第六款の三の1《償却費等の損金算入》又は同三の2《適格分割等により移転する減価償却資産に係る期中損金経理額の損金算入》にかかわらず、当該特定建物等の普通償却限度額と特別償却限度額（当該特定建物等の取得価額〔<u>その特定建物等に係る一の特定業務施設を構成する建物及びその附属設備並びに構築物の取得価額の合計額が80億円を超える場合には、80億円にその特定建物等の取得価額が当該合計額のうちに占める割合を乗じて計算した金額。</u>〕の$\frac{15}{100}$〔当該認定地方活力向上地域等特定業務施設整備計画が地域再生法第17条の2第1項第1号に掲げる事業に関するものである場合には、$\frac{25}{100}$〕に相当する金額をいう。）との合計額とする。

　なお、**1**は、法人が所有権移転外リース取引（第六款の**四**の1の②の（2）の表の（五）《所有権移転外リース》に掲げるものをいう。以下**五**について同じ。）により取得した特定建物等については、適用しない。（措法42の11の3①③）

$$\underset{償却限度額}{特定建物等の} = \underset{通償却限度額}{特定建物等の普} + \overset{\overbrace{}}{\underset{取得価額}{特定建物等の} \times \frac{15}{100} 又は \frac{25}{100}}$$

注1　──線部分（「（同号に規定する…「特定業務施設」という。）」に係る部分に限る。）は、令和6年度改正により追加された部分で、改正規定は、地域再生法の一部を改正する法律（令和6年法律第17号）附則第1条ただし書に規定する規定の施行の日（令和6年4月19日）以後に地方活力向上地域等特定業務施設整備計画について1に掲げる認定を受ける法人が取得又は建設をする当該認定に係る認定地方活力向上地域等特定業務施設整備計画に記載された特定建物等について適用される。（令6改法附42②、1Ⅻ）

注2　──線部分（「〔その特定建物等に係る…計算した金額。〕」に係る部分に限る。）は、令和6年度改正により追加された部分で、改正規定は、令和6年4月1日以後に地方活力向上地域等特定業務施設整備計画について1に掲げる認定を受ける法人が取得又は建設をする当該認定に係る認定地方活力向上地域等特定業務施設整備計画に記載された特定建物等について適用される。（令6改法附42①、1）

注3　令和6年4月1日から地域再生法の一部を改正する法律附則第1条ただし書に規定する規定の施行の日（令和6年4月19日）の前日までの間における1の適用については、1中「一の特定業務施設」とあるのは、「一の同号に規定する特定業務施設」とする。（令6改法附42③）

注4　1に掲げる所有権移転外リース取引により取得した特定建物等については、1の特別償却は適用されないが、第二節第二款の**十一**《地方活力向上地域等において特定建物等を取得した場合の法人税額の特別控除》の1は適用されるのであるから留意する。（編者）

　　（特定業務施設の意義）
（1）　地域再生法において、「特定業務施設」とは、本店又は主たる事務所その他の地域における就業の機会の創出又は経済基盤の強化に資するものとして次の表に掲げる業務施設のいずれかに該当するもののうち工場を除くものをいう。（地域再生法5④Ⅴ、地域再生法施行規則8）

（一）	事務所であって、地方活力向上地域特定業務施設整備事業を行う事業者の次に掲げるいずれかの部門のために使用されるもの

第三章　第一節　第七款　**五**《地方活力向上地域等において特定建物等を取得した場合の特別償却》

	イ	調査及び企画部門
	ロ	情報処理部門
	ハ	研究開発部門
	ニ	国際事業部門
	ホ	その他管理業務部門
	ヘ	<u>商業事業部門（専ら業務施設において情報通信技術の活用により対面以外の方法による業務を行うものに限る。）</u>
	ト	情報サービス事業部門
	チ	サービス事業部門（イからホまでに掲げる部門の業務の受託に関する業務を行うものに限る。）
(二)		研究所であって、地方活力向上地域特定業務施設整備事業を行う事業者による研究開発において重要な役割を担うもの
(三)		研修所であって、地方活力向上地域特定業務施設整備事業を行う事業者による人材育成において重要な役割を担うもの

　注　──線部分は、地域再生法施行規則の一部を改正する内閣府令（令和6年内閣府令第43号）により追加された部分で、改正規定は、令和6年4月1日から適用される。（同府令附）

（特定建物等の規模）

（2）　1に掲げる規模のものは、一の建物及びその附属設備並びに構築物の取得価額（第六款の**六**の1《減価償却資産の取得価額》により計算した取得価額をいう。以下**五**において同じ。）の合計額が次の表の左欄に掲げる法人の区分に応じ同表の右欄に掲げる金額以上のものとする。（措令27の11の3）

(一)	(二)に掲げる法人以外の法人	3,500万円
(二)	第二節第二款の**五**の3の(2)《中小企業者の意義》に掲げる中小企業者（同3の(7)《適用除外事業者の意義》に掲げる適用除外事業者又は同3の(8)《通算適用除外事業者の意義》に掲げる通算適用除外事業者に該当するものを除く。）	1,000万円

　注1　──線部分は、令和6年度改正により改正された部分で、改正規定は、令和6年4月1日以後に地方活力向上地域等特定業務施設整備計画について1に掲げる認定を受ける法人（租税特別措置法第2条第2項第2号に規定する人格のない社団等を含む。）が取得又は建設をする当該認定に係る認定地方活力向上地域等特定業務施設整備計画に記載された特定建物等について適用され、令和6年3月31日以前に地方活力向上地域等特定業務施設整備計画について1に掲げる認定を受けた法人が取得又は建設をする当該認定に係る認定地方活力向上地域等特定業務施設整備計画に記載された特定建物等については、「3,500万円」とあるのは「2,500万円」とする。（令6改措令附11、1）
　注2　(2)の金額基準を満たしているかどうかは、第一款の**七**の2の(9)《少額の減価償却資産等の取得価額等の判定》により、法人が消費税等の経理処理について適用している税抜経理方式又は税込経理方式に応じ、その適用している方式により算定した価額により判定する。（平元直法2－1「9」参照）

（中小企業者であるかどうかの判定の時期）

（3）　1の適用上、法人が第二節第二款の**五**の3の(2)《中小企業者の意義》に掲げる中小企業者に該当するかどうかの判定（以下「中小判定」という。）は、次の表の左欄に掲げる法人の区分に応じそれぞれ同表の右欄に掲げる取扱いによるものとする。（措通42の11の3－2）

(一)	通算法人以外の法人		当該法人の1に掲げる建物及びその附属設備並びに構築物の取得等をした日並びに当該建物及びその附属設備並びに構築物を事業の用に供した日の現況による。
(二)	通算法人		当該通算法人及び他の通算法人（次のイ又はロの日及び次のハの日のいずれにおいても当該通算法人との間に通算完全支配関係がある法人に限る。）の当該イ及びロの日の現況による。
		イ	当該通算法人が1に掲げる建物及びその附属設備並びに構築物の取得等をした日
		ロ	当該通算法人が当該建物及びその附属設備並びに構築物を事業の用に供した日
		ハ	当該通算法人の1の適用を受けようとする事業年度終了の日

第三章 第一節 第七款 五《地方活力向上地域等において特定建物等を取得した場合の特別償却》

注 通算親法人の事業年度の中途において通算承認の効力を失った通算法人のその効力を失った日の前日に終了する事業年度における中小判定についても、同様とする。

(特定建物等の特別償却の計算)
(4) 1の特別償却は、当該特別償却の対象となる建物及びその附属設備等について認められているのであるから、建物及びその附属設備等で特別償却の対象とならないものがあるときはもちろん、当該特別償却の対象となる建物及びその附属設備等と種類及び耐用年数を同じくする他の建物及びその附属設備等があっても、それぞれ各別に償却限度額を計算することに留意する。(措通42の5〜48(共)－1・編者補正)

(適格合併等があった場合の特別償却等の適用)
(5) 1の特別償却は、減価償却資産を事業の用に供した場合に適用があるのであるから、適格合併等(適格合併、適格分割、適格現物出資又は適格現物分配をいう。)による移転に係る減価償却資産について1の適用があるかどうかは、当該減価償却資産を事業の用に供した日の現況において、1に掲げる適用要件(適用対象法人、適用期間、適用対象事業等に関する要件をいう。以下(5)において同じ。)を満たすかどうかにより判定することに留意する。(措通42の5〜48(共)－3・編者補正)

注 例えば、中小企業者等(一の1《中小企業者等が特定機械装置等を取得した場合の初年度特別償却》に掲げる中小企業者等をいう。以下注において同じ。)に該当する被合併法人が減価償却資産を適格合併により中小企業者等に該当しない合併法人に移転する場合の一の1の適用については、次の(一)及び(二)のようになる。

(一)	被合併法人が当該減価償却資産を事業の用に供した場合は、他の適用要件を満たせば、被合併法人において一の1の適用を受けることができる。
(二)	被合併法人が当該減価償却資産を事業の用に供しないで合併法人が事業の用に供した場合は、被合併法人又は合併法人のいずれの法人においても、一の1の適用を受けることができない。

(特別償却等の対象となる建物の附属設備)
(6) 1に掲げる建物の附属設備は、当該建物とともに取得又は建設(以下「取得等」という。)をする場合における建物附属設備に限られることに留意する。(措通42の11の3－1)

(圧縮記帳の適用を受けた場合の特定建物等の取得価額要件の判定)
(7) (2)に掲げる一の建物及びその附属設備並びに構築物の取得価額の合計額が3,500万円以上((2)に掲げる中小企業者にあっては1,000万円以上)であるかどうかを判定する場合において、その一の建物及びその附属設備並びに構築物が第十五款の一《国庫補助金等による圧縮記帳》、同款の二《工事負担金による圧縮記帳》、同款の三《非出資組合の賦課金による圧縮記帳》及び同款の四《保険金等による圧縮記帳》による圧縮記帳の適用を受けたものであるとき(法人が取得等をした(2)に掲げる一の建物及びその附属設備並びに構築物につき、供用年度後の事業年度において第十五款の一から四の適用を受けることが予定されている場合を含む。)は、その圧縮記帳後の金額(法人が取得等をした(2)に掲げる一の建物及びその附属設備並びに構築物につき、供用年度後の事業年度において第十五款の一から四の適用を受けることが予定されている場合にあっては、第六款の六の1《減価償却資産の取得価額》に掲げる金額から当該供用年度後の事業年度において第十五款の一から四の適用を受けるとしたならば、第六款の六の3《圧縮記帳資産の取得価額の特例》に掲げる「損金の額に算入された金額(……金額を加算した金額)」となることが見込まれる金額を控除した金額)に基づいてその判定を行うものとする。(措通42の11の3－3、42の5〜48(共)－3の2・編者補正)

(取得価額の合計額が80億円を超えるかどうかの判定)
(8) 1の適用上、一の特定業務施設を構成する建物及びその附属設備並びに構築物の取得価額の合計額が80億円を超えるかどうかは、その特定業務施設が記載された認定地方活力向上地域等特定業務施設整備計画ごとに判定することに留意する。(措通42の11の3－4)

(2以上の事業年度において事業の用に供した場合の取得価額の計算)
(9) 特定建物等に係る一の特定業務施設を構成する建物及びその附属設備並びに構築物でその取得価額の合計額が80億円を超えるものを2以上の事業年度において事業の用に供した場合には、その取得価額の合計額が初めて80億円を超えることとなる事業年度(以下「超過事業年度」という。)における1に掲げる特別償却限度額の計算の基礎となる

個々の特定建物等の取得価額は、次の算式による。(措通42の11の3-5・編者補正)

(算式)

$$\left[80億円 - \begin{array}{c}\text{超過事業年度前の各事業年度に}\\\text{おいて事業の用に供した特定建}\\\text{物等の取得価額の合計額(注)}\end{array}\right] \times \frac{\text{超過事業年度において事業の用に供した個々の特定建物等の取得価額}}{\text{超過事業年度において事業の用に供した特定建物等の取得価額の合計額}}$$

注　超過事業年度前の各事業年度において事業の用に供した個々の特定建物等については、その取得価額の調整は行わないことに留意する。

2　特別償却の明細書等の添付

1の特別償却等は、確定申告書等に特定建物等の償却限度額の計算に関する明細書の添付がある場合に限り、適用する。(措法42の11の3④)

明細書には、「特別償却等の償却限度額の計算に関する付表」を添付する。(規別表十六)

六　中小企業者等が特定経営力向上設備等を取得した場合の特別償却

1　特定経営力向上設備等を取得した場合の初年度即時償却

　中小企業者等（第二節第二款の**五**の３の（２）《中小企業者の意義》に掲げる中小企業者〔同３の（７）《適用除外事業者の意義》に掲げる適用除外事業者又は同３の（８）《通算適用除外事業者の意義》に掲げる通算適用除外事業者に該当するものを除く。〕又は同３の（12）《農業協同組合等の意義》に掲げる農業協同組合等若しくは商店街振興組合で、青色申告書を提出するもののうち、中小企業等経営強化法第17条第１項《経営力向上計画の認定》の認定（以下**１**において「**認定**」という。）を受けた同法第２条第６項《定義》に規定する特定事業者等に該当するものをいう。以下**六**において同じ。）が、平成29年４月１日から令和７年３月31日までの期間内に、生産等設備を構成する機械及び装置、工具、器具及び備品、建物附属設備並びに（３）《生産等設備を構成するソフトウエア》に掲げるソフトウエアで、同法第17条第３項に規定する経営力向上設備等（経営の向上に著しく資するものとして（５）《経営の向上に著しく資するものの範囲》に掲げるもので、その中小企業者等のその認定に係る同条第１項に規定する経営力向上計画〔同法第18条第１項《経営力向上計画の変更等》の規定による変更の認定があったときは、その変更後のもの〕に記載されたものに限る。）に該当するもののうち（６）《特定経営力向上設備等の規模》に掲げる規模のもの（以下**六**において「**特定経営力向上設備等**」という。）でその製作若しくは建設の後事業の用に供されたことのないものを取得し、又は特定経営力向上設備等を製作し、若しくは建設して、これを国内にある当該中小企業者等の営む事業の用（（９）《中小企業者等が特定機械装置等を取得した場合の特別償却等における指定事業の用》に掲げる指定事業の用に限る。以下**六**において「**指定事業の用**」という。）に供した場合には、その指定事業の用に供した日を含む事業年度（解散〔合併による解散を除く。〕の日を含む事業年度及び清算中の各事業年度を除く。**六**において「**供用年度**」という。）の当該特定経営力向上設備等の償却限度額は、第六款の**三**の１《償却費等の損金算入》又は同**三**の２《適格分割等により移転する減価償却資産に係る期中損金経理額の損金算入》に掲げる普通償却限度額の計算の規定にかかわらず、当該特定経営力向上設備等の普通償却限度額と**特別償却限度額**（当該特定経営力向上設備等の取得価額から普通償却限度額を控除した金額に相当する金額をいう。）との合計額とする。

　なお、**１**は、中小企業者等が所有権移転外リース取引（第六款の**四**の１の②の（２）の表の（五）《所有権移転外リース取引》に掲げるものをいう。）により取得した特定経営力向上設備等については、適用しない。（措法42の12の４①⑤）

　　　　（中小企業者であるかどうかの判定の時期）
（１）　**１**の適用上、法人が第二節第二款の**五**の３の（２）《中小企業者の意義》に掲げる中小企業者に該当するかどうかの判定（以下「中小判定」という。）は、次の表の左欄に掲げる法人の区分に応じそれぞれ次の表の右欄に掲げる取扱いによるものとする。（措通42の12の４－１）

（一）	通算法人以外の法人	当該法人の**１**に掲げる特定経営力向上設備等の取得又は製作若しくは建設をした日及び当該特定経営力向上設備等を事業の用に供した日の現況による。	
（二）	通算法人	当該通算法人及び他の通算法人（次のイ又はロの日及び次のハの日のいずれにおいても当該通算法人との間に通算完全支配関係がある法人に限る。）の当該イ及びロの日の現況による。	
		イ	当該通算法人が特定経営力向上設備等の取得又は製作若しくは建設をした日
		ロ	当該通算法人が当該特定経営力向上設備等を事業の用に供した日
		ハ	当該通算法人の**１**の適用を受けようとする事業年度終了の日

　　注１　通算親法人の事業年度の中途において通算承認の効力を失った通算法人のその効力を失った日の前日に終了する事業年度における中小判定についても、同様とする。
　　注２　本文及び注１の取扱いは、当該法人が第二節第二款の**十四**の１に掲げる「中小企業者等のうち資本金の額又は出資金の額が3,000万円を超える法人〔…〕以外の法人」に該当するかどうかの判定（第二節第二款の**五**の３の（７）《適用除外事業者の意義》に掲げる適用除外事業者又は第二節第二款の**五**の３の（８）《通算適用除外事業者の意義》に掲げる通算適用除外事業者に該当するかどうかの判定を除く。）について準用する。

　　　　（生産等設備の範囲）
（２）　**１**に掲げる生産等設備（以下「生産等設備」という。）とは、例えば、製造業を営む法人の工場、小売業を営む法人の店舗又は自動車整備業を営む法人の作業場のように、その法人が行う生産活動、販売活動、役務提供活動その他収益を稼得するために行う活動（以下これらを「生産等活動」という。）の用に直接供される減価償却資産で構成されているものをいう。したがって、例えば、本店、寄宿舎等の建物、事務用器具備品、乗用自動車、福利厚生施設のよ

うなものは、これに該当しない。(措通42の12の4－2)
　注　一棟の建物が本店用と店舗用に供されている場合など、減価償却資産の一部が法人の生産等活動の用に直接供されているものについては、その全てが生産等設備となることに留意する。

　(生産等設備を構成するソフトウエア)
(3)　1に掲げるソフトウエアは、電子計算機に対する指令であって一の結果を得ることができるように組み合わされたもの(これに関するシステム仕様書その他の書類を含むものとし、次に掲げるものを除く。)とする。(措令27の12の4①、27の6②、措規20の3④⑤)

(一)		複写して販売するための原本
(二)		開発研究(新たな製品の製造若しくは新たな技術の発明又は現に企業化されている技術の著しい改善を目的として特別に行われる試験研究をいう。)の用に供されるもの
(三)		次のイからホまでに掲げるもの
	イ	サーバー用オペレーティングシステム(ソフトウエア〔電子計算機に対する指令であって一の結果を得ることができるように組み合わされたものをいう。以下(三)において同じ。〕の実行をするために電子計算機の動作を直接制御する機能を有するサーバー用のソフトウエアをいう。ロにおいて同じ。)のうち、国際標準化機構及び国際電気標準会議の規格15408に基づき評価及び認証をされたもの(ロにおいて「認証サーバー用オペレーティングシステム」という。)以外のもの
	ロ	サーバー用仮想化ソフトウエア(2以上のサーバー用オペレーティングシステムによる一のサーバー用の電子計算機〔当該電子計算機の記憶装置に当該2以上のサーバー用オペレーティングシステムが書き込まれたものに限る。〕に対する指令を制御し、当該指令を同時に行うことを可能とする機能を有するサーバー用のソフトウエアをいう。以下ロにおいて同じ。)のうち、認証サーバー用仮想化ソフトウエア(電子計算機の記憶装置に書き込まれた2以上の認証サーバー用オペレーティングシステムによる当該電子計算機に対する指令を制御するサーバー用仮想化ソフトウエアで、国際標準化機構及び国際電気標準会議の規格15408に基づき評価及び認証をされたものをいう。)以外のもの
	ハ	データベース管理ソフトウエア(データベース〔数値、図形その他の情報の集合物であって、それらの情報を電子計算機を用いて検索することができるように体系的に構成するものをいう。以下ハにおいて同じ。〕の生成、操作、制御及び管理をする機能を有するソフトウエアであって、他のソフトウエアに対して当該機能を提供するものをいう。)のうち、国際標準化機構及び国際電気標準会議の規格15408に基づき評価及び認証をされたもの以外のもの(以下ハにおいて「非認証データベース管理ソフトウエア」という。)又は当該非認証データベース管理ソフトウエアに係るデータベースを構成する情報を加工する機能を有するソフトウエア
	ニ	連携ソフトウエア(情報処理システム〔情報処理の促進に関する法律第2条第3項《定義》に規定する情報処理システムをいう。以下ニにおいて同じ。〕から指令を受けて、当該情報処理システム以外の情報処理システムに指令を行うソフトウエアで、次の(イ)から(ハ)までに掲げる機能を有するものをいう。)のうち、(イ)の指令を日本産業規格(産業標準化法第20条第1項《日本産業規格》に規定する日本産業規格をいう。(イ)において同じ。)X5731－8に基づき認証をする機能及び(イ)の指令を受けた旨を記録する機能を有し、かつ、国際標準化機構及び国際電気標準会議の規格15408に基づき評価及び認証をされたもの以外のもの
		(イ) 日本産業規格X0027に定めるメッセージの形式に基づき日本産業規格X4159に適合する言語を使用して記述された指令を受ける機能
		(ロ) 指令を行うべき情報処理システムを特定する機能
		(ハ) その特定した情報処理システムに対する指令を行うに当たり、当該情報処理システムが実行することができる内容及び形式に指令の付加及び変換を行い、最適な経路を選択する機能
	ホ	不正アクセス防御ソフトウエア(不正アクセスを防御するために、あらかじめ設定された次の表の左欄に掲げる通信プロトコルの区分に応じそれぞれ同表の右欄に掲げる機能を有するソフトウエアであって、インターネットに対応するものをいう。)のうち、国際標準化機構及び国際電気標準会議の規格15408

第三章　第一節　第七款　六《中小企業者等が特定経営力向上設備等を取得した場合の特別償却》

		に基づき評価及び認証をされたもの以外のもの	
	(イ)	通信路を設定するための通信プロトコル	ファイアウォール機能（当該通信プロトコルに基づき、電気通信信号を検知し、通過させる機能をいう。）
	(ロ)	通信方法を定めるための通信プロトコル	システム侵入検知機能（当該通信プロトコルに基づき、電気通信信号を検知し、又は通過させる機能をいう。）
	(ハ)	アプリケーションサービスを提供するための通信プロトコル	アプリケーション侵入検知機能（当該通信プロトコルに基づき、電気通信信号を検知し、通過させる機能をいう。）

（経営力向上設備等の意義）
（4）　中小企業等経営強化法において、「経営力向上設備等」とは、商品の生産若しくは販売又は役務の提供の用に供する施設、設備、機器、装置又はプログラム（情報処理の促進に関する法律〔昭和45年法律第90号〕第2条第2項《定義》に規定するプログラムをいう。）であって、経営力向上に特に資するものとして経済産業省令で定めるものをいう。
（中小企業等経営強化法17③）
　注1　（4）に掲げる経済産業省令は、次のとおり。（中小企業等経営強化法施行規則16①）
　　（経営力向上設備等の要件）
　　　法第17条第3項の経営力向上に特に資するものとして経済産業省令で定める設備等は、次の各号のいずれかに該当するものとする。
　一　次の表の「指定設備」欄に掲げる指定設備であって、次に掲げるいずれの要件（当該指定設備がソフトウエア〔電子計算機に対する指令であって、一の結果を得ることができるように組み合わされたものをいう。以下この号及び次号において同じ。〕である場合及びロの比較の対象となる設備が販売されていない場合にあっては、イに掲げる要件に限る。）にも該当するもの
　　イ　当該指定設備の区分ごとに同表の「販売が開始された時期に係る要件」欄に掲げる販売が開始された時期に係る要件に該当するものであること。
　　ロ　当該指定設備が、その属する型式区分（同一の製造業者が製造した同一の種別に属する設備を型式その他の事項により区分した場合の各区分をいう。以下この号において同じ。）に係る販売開始日に次いで新しい販売開始日の型式区分（当該指定設備の製造業者が製造した当該指定設備と同一の種別に属する設備の型式区分に限る。）に属する設備と比較して、生産効率、エネルギー効率、精度その他の経営力の向上に資するものの指標が年平均1パーセント以上向上しているものであること。

指定設備		販売が開始された時期に係る要件
減価償却資産の種類	対象となるものの用途又は細目	
機械及び装置	全ての指定設備	当該設備の属する型式区分に係る販売開始日が、事業者が当該設備を導入した日の10年前の日の属する年度（その年の1月1日から12月31日までの期間をいう。以下この表において同じ。）開始の日以後の日であること。
器具及び備品	全ての指定設備	当該設備の属する型式区分に係る販売開始日が、事業者が当該設備を導入した日の6年前の日の属する年度開始の日以後の日であること。
工具	測定工具及び検査工具（電気又は電子を利用するものを含む。）	当該設備の属する型式区分に係る販売開始日が、事業者が当該設備を導入した日の5年前の日の属する年度開始の日以後の日であること。
建物附属設備	全ての指定設備	当該設備の属する型式区分に係る販売開始日が、事業者が当該設備を導入した日の14年前の日の属する年度開始の日以後の日であること。
建物	断熱材	当該設備の属する型式区分に係る販売開始日が、事業者が当該設備を導入した日の14年前の日の属する年度開始の日以後の日であること。
	断熱窓	
ソフトウエア	設備の稼働状況等に係る情報収集機能及び分析・指示機能を有するもの	当該設備の属する型式区分に係る販売開始日が、事業者が当該設備を導入した日の5年前の日の属する年度開始の日以後の日であること。

　二　機械及び装置、工具、器具及び備品、建物、建物附属設備、構築物並びにソフトウエアのうち、事業者が策定した投資計画（次の算式により算定した当該投資計画における年平均の投資利益率が5パーセント以上となることが見込まれるものであることにつき経済産業大臣の確認を受けたものに限る。）に記載された投資の目的を達成するために必要不可欠な設備

　　各年度において増加する営業利益と減価償却費の合計額（設備の取得等をする年度の翌年度以降3箇年度におけるものに限る。）を平均した額÷設備の取得等をする年度におけるその取得等をする設備の取得価額の合計額

　三　機械及び装置、工具、器具及び備品、建物附属設備並びにソフトウエアのうち、事業者が策定した投資計画（次のイからハまでのいずれかに該当することにつき経済産業大臣の確認を受けたものに限る。）に記載された投資の目的を達成するために必要不可欠な設備
　　イ　情報処理技術を用いた遠隔操作を通じて、事業を対面以外の方法により行うこと又は事業に従事する者が現に常時労務を提供している場所以外の場所において常時労務を提供することができるようにすること。

ロ 現に実施している事業に関するデータ（電磁的記録に記録された情報をいう。(5)において同じ。）の集約及び分析を情報処理技術を用いて行うことにより、当該事業の工程に関する最新の状況の把握及び経営資源（中小企業経営強化法第2条第11項に規定する経営資源をいう。）等の最適化を行うことができるようにすること。
ハ 情報処理技術を用いて、現に実施している事業の工程に関する経営資源等の最適化のための指令を状況に応じて自動的に行うことができるようにすること。

四 機械及び装置、工具、器具及び備品、建物、建物附属設備、構築物並びにソフトウエアのうち、事業者が策定した投資計画（次に掲げるいずれかの要件を満たすことが見込まれるものであることにつき経済産業大臣の確認を受けたものに限る。）に記載された投資の目的を達成するために必要不可欠な設備

イ 当該事業者が行う認定経営力向上計画の実施期間の終了の日を含む事業年度（ロにおいて「計画終了年度」という。）において減価償却費及び研究開発費を控除する前の営業利益の額を総資産の額で除した値を百分率で表した値が、当該認定経営力向上計画の開始の直前の事業年度（ロにおいて「基準事業年度」という。）における当該値より、次の表の上欄に掲げる当該認定経営力向上計画の計画期間（ロにおいて「計画期間」という。）に応じ、同表の下欄に掲げる水準以上上回ること。

計画期間	水準
3年間	0.3
4年間	0.4
5年間	0.5

ロ 計画終了年度の売上高を有形固定資産の帳簿価額で除した値を百分率で表した値が、基準事業年度における当該値より、次の表の上欄に掲げる計画期間に応じ、同表の下欄に掲げる水準以上上回ること。

計画期間	水準
3年間	2%
4年間	2.5%
5年間	3%

注2 ──線部分は、中小企業等経営強化法施行規則の一部を改正する省令（令和6年経済産業省令第28号）により改正された部分で、改正規定は、令和6年4月1日から適用され、令和6年3月31日以前の適用については、「電磁的記録」とあるのは「電磁的記録〔電子的方式、磁気的方式その他人の知覚によっては認識することができない方式で作られる記録をいう。〕」とする。（同省令附1）

（経営の向上に著しく資するものの範囲）

(5) 1に掲げるものは、中小企業等経営強化法施行規則第16条第2項に規定する経営力向上に著しく資する設備等とする。（措規20の9①）
注 (5)に掲げる経済産業省令は、次のとおり。（中小企業等経営強化法施行規則16②）
（経営力向上設備等の要件）
(4)の注の設備等のうち、経営力向上に著しく資する設備等は、コインランドリー業（洗濯機、乾燥機その他の洗濯に必要な設備（共同洗濯設備として病院、寄宿舎その他の施設内に設置されているものを除く。）を設け、これを公衆に利用させる事業をいう。）又は暗号資産マイニング業（主要な事業であるものを除く。）の用に供する設備等でその管理のおおむね全部を他の者に委託するもの以外の設備等で、次の各号のいずれかに該当するものとする。
一 次の表の「指定設備」欄に掲げる指定設備であって、次に掲げるいずれの要件（当該指定設備がソフトウエア〔電子計算機に対する指令であって、一の結果を得ることができるように組み合わされたものをいう。以下一及び二において同じ。〕である場合及びロの比較の対象となる設備が販売されていない場合にあっては、イに掲げる要件に限る。）にも該当するもの
イ 当該指定設備の区分ごとに同表の「販売が開始された時期に係る要件」欄に掲げる販売が開始された時期に係る要件に該当するものであること。
ロ 当該指定設備が、その属する型式区分（同一の製造業者が製造した同一の種別に属する設備を型式その他の事項により区分した場合の各区分をいう。以下一において同じ。）に係る販売開始日に次いで新しい販売開始日の型式区分（当該指定設備の製造業者が製造した当該指定設備と同一の種別に属する設備の型式区分に限る。）に属する設備と比較して、生産効率、エネルギー効率、精度その他の経営力の向上に資するものの指標が年平均1パーセント以上向上しているものであること。

指定設備		販売が開始された時期に係る要件
減価償却資産の種類	対象となるものの用途又は細目	
機械及び装置	全ての指定設備（発電の用に供する設備にあっては、主として電気の販売を行うために取得又は製作をするものとして経済産業大臣が定めるものを除く。）	当該設備の属する型式区分に係る販売開始日が、事業者が当該設備を導入した日の10年前の日の属する年度（その年の1月1日から12月31日までの期間をいう。以下この表において同じ。）開始の日以後の日であること。
器具及び備品	全ての指定設備（医療機器にあっては、	当該設備の属する型式区分に係る販売開始日が、事業者が当該設備を導入し

第三章　第一節　第七款　六《中小企業者等が特定経営力向上設備等を取得した場合の特別償却》

	医療保健業を行う事業者が取得又は製作をするものを除く。)	た日の６年前の日の属する年度開始の日以後の日であること。
工具	測定工具及び検査工具(電気又は電子を利用するものを含む。)	当該設備の属する型式区分に係る販売開始日が、事業者が当該設備を導入した日の５年前の日の属する年度開始の日以後の日であること。
建物附属設備	全ての指定設備(医療保健業を行う事業者が取得又は建設をするものを除くものとし、発電の用に供する設備にあっては主として電気の販売を行うために取得又は製作をするものとして経済産業大臣が定めるものを除く。)	当該設備の属する型式区分に係る販売開始日が、事業者が当該設備を導入した日の14年前の日の属する年度開始の日以後の日であること。
ソフトウエア	設備の稼働状況等に係る情報収集機能及び分析・指示機能を有するもの	当該設備の属する型式区分に係る販売開始日が、事業者が当該設備を導入した日の５年前の日の属する年度開始の日以後の日であること。

二　機械及び装置（発電の用に供する設備にあっては、主として電気の販売を行うために取得又は製作をするものとして経済産業大臣が定めるものを除く。）、工具、器具及び備品（医療機器にあっては、医療保健業を行う事業者が取得又は製作をするものを除く。）、建物附属設備（医療保健業を行う事業者が取得又は建設をするものを除くものとし、発電の用に供する設備にあっては主として電気の販売を行うために取得又は建設をするものとして経済産業大臣が定めるものを除く。）並びにソフトウエアのうち、事業者が策定した投資計画（次の算式により算定した当該投資計画における年平均の投資利益率が５パーセント以上となることが見込まれるものであることにつき経済産業大臣の確認を受けたものに限る。）に記載された投資の目的を達成するために必要不可欠な設備

各年度において増加する営業利益と減価償却費の合計額（設備の取得等をする年度の翌年度以降３箇年度におけるものに限る。）を平均した額÷設備の取得等をする年度におけるその取得等をする設備の取得価額の合計額

三　機械及び装置（発電の用に供する設備にあっては、主として電気の販売を行うために取得又は製作をするものとして経済産業大臣が定めるものを除く。）、工具、器具及び備品（医療機器にあっては、医療保健業を行う事業者が取得又は製作をするものを除く。）、建物附属設備（医療保健業を行う事業者が取得又は建設をするものを除くものとし、発電の用に供する設備にあっては主として電気の販売を行うために取得又は建設をするものとして経済産業大臣が定めるものを除く。）並びにソフトウエアのうち、事業者が策定した投資計画（次のイからハまでのいずれかに該当することにつき経済産業大臣の確認を受けたものに限る。）に記載された投資の目的を達成するために必要不可欠な設備
　イ　情報処理技術を用いた遠隔操作を通じて、事業を対面以外の方法により行うこと又は事業に従事する者が現に常時労務を提供している場所以外の場所において常時労務を提供することができるようにすること。
　ロ　現に実施している事業に関するデータの集約及び分析を情報処理技術を用いて行うことにより、当該事業の工程に関する最新の状況の把握及び経営資源等の最適化を行うことができるようにすること。
　ハ　情報処理技術を用いて、現に実施している事業の工程に関する経営資源等の最適化のための指令を状況に応じて自動的に行うことができるようにすること。

四　機械及び装置（発電の用に供する設備にあっては、主として電気の販売を行うために取得又は製作をするものとして経済産業大臣が定めるものを除く。）、工具、器具及び備品（医療機器にあっては、医療保健業を行う事業者が取得又は製作をするものを除く。）、建物附属設備（医療保健業を行う事業者が取得又は建設をするものを除くものとし、発電の用に供する設備にあっては主として電気の販売を行うために取得又は建設をするものとして経済産業大臣が定めるものを除く。）並びにソフトウエアのうち、事業者が策定した投資計画（次に掲げるいずれかの要件を満たすことが見込まれるものであることにつき経済産業大臣の確認を受けたものに限る。）に記載された投資の目的を達成するために必要不可欠な設備（当該事業者が行う認定経営力向上計画（法第17条第４項第２号に掲げる事項の記載があるものに限る。）に記載された設備であって、当該認定経営力向上計画に従って事業承継等を行った後に取得又は製作若しくは建設をするものに限る。）
　イ　当該事業者が行う認定経営力向上計画（法第17条第４項第２号に掲げる事項の記載があるものに限る。）の実施期間の終了の日を含む事業年度（ロにおいて「計画終了年度」という。）において減価償却費及び研究開発費を控除する前の営業利益の額を総資産の額で除した値を百分率で表した値が、当該認定経営力向上計画の開始の直前の事業年度（ロにおいて「基準事業年度」という。）における当該値より、次の表の上欄に掲げる当該認定経営力向上計画の計画期間（ロにおいて「計画期間」という。）に応じ、同表の下欄に掲げる水準以上上回ること。

計画期間	水準
３年間	0.3
４年間	0.4
５年間	0.5

　ロ　計画終了年度の売上高を有形固定資産の帳簿価額で除した値を百分率で表した値が、基準事業年度における当該値より、次の表の上欄に掲げる計画期間に応じ、同表の下欄に掲げる水準以上上回ること。

計画期間	水準
３年間	2%

第三章　第一節　第七款　六《中小企業者等が特定経営力向上設備等を取得した場合の特別償却》

4年間	2.5%
5年間	3%

（特定経営力向上設備等の規模）
（6）　1に掲げる特定経営力向上設備等のうち特別償却の対象となるものは、次の表の左欄に掲げる減価償却資産の区分に応じ、それぞれ同表の右欄に掲げる規模のものとする。（措令27の12の4②）

(一)	機械及び装置	一台又は一基（通常一組又は一式をもって取引の単位とされるものにあっては、一組又は一式。以下(6)において同じ。）の取得価額（第六款の**六**の1《減価償却資産の取得価額》により計算した取得価額をいう。以下(6)において同じ。）が160万円以上のもの
(二)	工具、器具及び備品	一台又は一基の取得価額が30万円以上のもの
(三)	建物附属設備	一の建物附属設備の取得価額が60万円以上のもの
(四)	ソフトウェア	一のソフトフェアの取得価額が70万円以上

　　注　上表の金額基準を満たしているかどうかは、第一款の**七**の2の(9)《少額の減価償却資産等の取得価額等の判定》により、法人が消費税等の経理処理について適用している税抜経理方式又は税込経理方式に応じ、その適用している方式により算定した価額により判定する。
（平元直法2－1「9」参照）

（取得価額の判定単位）
（7）　(6)に掲げる機械及び装置又は工具、器具及び備品の一台又は一基の取得価額が160万円以上又は30万円以上であるかどうかについては、通常一単位として取引される単位ごとに判定するのであるが、個々の機械及び装置の本体と同時に設置する自動調整装置又は原動機のような附属機器で当該本体と一体になって使用するものがある場合には、これらの附属機器を含めたところによりその判定を行うことができるものとする。（措通42の12の4－4）

（圧縮記帳の適用を受けた場合の特定経営力向上設備等の取得価額要件の判定）
（8）　(6)に掲げる機械及び装置、工具、器具及び備品、建物附属設備又はソフトウエアの取得価額が160万円以上、30万円以上、60万円以上又は70万円以上であるかどうかを判定する場合において、その機械及び装置、工具、器具及び備品、建物附属設備又はソフトウエアが第十五款の**一**《国庫補助金等による圧縮記帳》、同款の**二**《工事負担金による圧縮記帳》、同款の**三**《非出資組合の賦課金による圧縮記帳》及び同款の**四**《保険金等による圧縮記帳》による圧縮記帳の適用を受けたものであるとき（法人が取得等をした(6)に掲げる機械及び装置、工具、器具及び備品、建物附属設備並びにソフトウェアにつき、供用年度後の事業年度において第十五款の**一**から**四**の適用を受けることが予定されている場合を含む。）は、その圧縮記帳後の金額（法人が取得等をした(6)に掲げる機械及び装置、工具、器具及び備品、建物附属設備並びにソフトウェアにつき、供用年度後の事業年度において第十五款の**一**から**四**の適用を受けることが予定されている場合にあっては、第六款の**六**の1《減価償却資産の取得価額》に掲げる金額から当該供用年度後の事業年度において第十五款の**一**から**四**の適用を受けるとしたならば、第六款の**六**の3《圧縮記帳資産の取得価額の特例》に掲げる「損金の額に算入された金額（……金額を加算した金額）」となることが見込まれる金額を控除した金額）に基づいてその判定を行うものとする。（措通42の12の4－5、42の5～48（共）－3の2・編者補正）

（中小企業者等が特定機械装置等を取得した場合の特別償却等における指定事業の用）
（9）　1に掲げる指定事業の用とは、次の(一)から(二十四)までに掲げる事業の用（内航海運業法第2条第2項《定義》に規定する内航海運業を営む法人で同項に規定する内航運送の用に供される船舶の貸渡しをする事業を営む法人以外の法人の貸付けの用を除く。）のことをいう。（措法42の6①、措令27の6⑥、措規20の3⑧）

(一)　製造業	(八)　卸売業
(二)　建設業	(九)　道路貨物運送業
(三)　農業	(十)　倉庫業
(四)　林業	(十一)　港湾運送業
(五)　漁業	(十二)　ガス業
(六)　水産養殖業	(十三)　小売業
(七)　鉱業	

(十四)	料理店業その他の飲食店業（料亭、バー、キャバレー、ナイトクラブその他これらに類する事業にあっては、生活衛生同業組合の組合員が行うものに限る。）	(十八)	旅行業
		(十九)	こん包業
		(二十)	郵便業
		(二十一)	通信業
(十五)	一般旅客自動車運送業	(二十二)	損害保険代理業
(十六)	海洋運輸業及び沿海運輸業	(二十三)	不動産業
(十七)	内航船舶貸渡業	(二十四)	サービス業（娯楽業〔映画業を除く。〕を除く。）

　　注　（十三）から（二十四）までに掲げる事業については、風俗営業等の規制及び業務の適正化等に関する法律第２条第５項《用語の意義》に規定する性風俗関連特殊営業に該当するものを除く。（措規20の３⑧括弧書）

　　（主たる事業でない場合の適用）
(10)　法人の営む事業が１に掲げる指定事業の用に係る事業に該当するかどうかは、当該法人が主たる事業としてその事業を営んでいるかどうかを問わないことに留意する。（措通42の12の４－６）

　　（指定事業とその他の事業とに共通して使用される特定経営力向上設備等）
(11)　指定事業とその他の事業とを営む法人が、その取得又は制作若しくは建設をした特定経営力向上設備等をそれぞれの事業に共通して使用している場合には、その全部を指定事業の用に供したものとして１の特別償却を適用する。（措通42の12の４－７）

　　（貸付けの用に供したものに該当しない資産の貸与）
(12)　法人が、その取得又は制作若しくは建設をした特定経営力向上設備等を自己の下請業者に貸与した場合において、当該特定経営力向上設備等が専ら当該法人のためにする製品の加工等の用に供されるものであるときは、当該特定経営力向上設備等は当該法人の営む事業の用に供したものとして取り扱う。（措通42の12の４－８）

　　（経営改善設備の特別償却の計算）
(13)　１の特別償却は、当該特別償却の対象となる器具及び備品等について認められているのであるから、器具及び備品等で特別償却の対象とならないものがあるときはもちろん、当該特別償却の対象となる器具及び備品等と種類及び耐用年数を同じくする他の器具及び備品等があっても、それぞれ各別に償却限度額を計算することに留意する。（措通42の５～48（共）－１・編者補正）

　　（適格合併等があった場合の特別償却等の適用）
(14)　１の特別償却は、減価償却資産を事業の用に供した場合に適用があるのであるから、適格合併等（適格合併、適格分割、適格現物出資又は適格現物分配をいう。）による移転に係る減価償却資産について１の適用があるかどうかは、当該減価償却資産を事業の用に供した日の現況において、１に掲げる適用要件（適用対象法人、適用期間、適用対象事業等に関する要件をいう。以下(14)において同じ。）を満たすかどうかにより判定することに留意する。（措通42の５～48（共）－３・編者補正）

　　注　例えば、中小企業者等（一の１《中小企業者等が特定機械装置等を取得した場合の初年度特別償却》に掲げる中小企業者等をいう。以下注において同じ。）に該当する被合併法人が減価償却資産を適格合併により中小企業者等に該当しない合併法人に移転する場合の一の１の適用については、次の(一)及び(二)のようになる。

(一)	被合併法人が当該減価償却資産を事業の用に供した場合は、他の適用要件を満たせば、被合併法人において一の１の適用を受けることができる。
(二)	被合併法人が当該減価償却資産を事業の用に供しないで合併法人が事業の用に供した場合は、被合併法人又は合併法人のいずれの法人においても、一の１の適用を受けることができない。

2　特別償却の明細書等の添付

　１の特別償却は、確定申告書等に特定経営力向上設備等の償却限度額の計算に関する明細書《別表十六》の添付がある場合に限り、適用する。（措法42の12の４⑥）
　明細書については、「特別償却等の償却限度額の計算に関する付表」を添付する。（規別表十六）

第三章　第一節　第七款　六《中小企業者等が特定経営力向上設備等を取得した場合の特別償却》

（特定経営力向上設備等に係る証明書等の添付）
　法人が、その取得し、又は製作し、若しくは建設した機械及び装置、工具、器具及び備品、建物附属設備並びにソフトウエア（以下「機械装置等」という。）につき**1**の特別償却の適用を受ける場合には、当該機械装置等につき**1**の特別償却の適用を受ける事業年度の確定申告書等に当該機械装置等が**1**に掲げる特定経営力向上設備等に該当するものであることを証する当該法人が受けた中小企業等経営強化法第17条第１項の認定に係る経営力向上に関する命令第２条<u>第１項</u>の申請書（当該申請書に係る同法13条第１項に規定する経営力向上計画につき同法第18条第１項の規定による変更の認定があったときは、当該変更の認定に係る同令第３条<u>第１項</u>の申請書を含む。以下「認定申請書」という。）の写し及び当該認定申請書に係る認定書（当該変更の認定があったときは、当該変更の認定に係る認定書を含む。）の写しを添付しなければならない。（措法42の12の４⑩、措令27の12の４④、措規20の９②）

　注１　──線部分は、令和６年度改正により改正された部分で、改正規定は、令和６年４月１日から適用され、令和６年３月31日以前の適用については、「第１項」とあるのは「第１項又は第２項」とする。（令６改措規附１）
　注２　**2**の《特定経営力向上設備等に係る証明書等の添付》の適用については、同《特定経営力向上設備等に係る証明書等の添付》に掲げる認定申請書には、旧経営力向上命令第２条第２項又は第３条第２項の申請書を含むものとする。（令６改措規附14）

七　認定特定高度情報通信技術活用設備を取得した場合の特別償却

1　認定特定高度情報通信技術活用設備を取得した場合の初年度特別償却

　青色申告書を提出する法人で特定高度情報通信技術活用システムの開発供給及び導入の促進に関する法律（令和２年法律第37号）第28条《課税の特例》に規定する認定導入事業者であるものが、同法の施行の日（令和２年８月31日）から令和７年３月31日までの期間内に、当該法人の同法第10条第２項《特定高度情報通信技術活用システム導入計画の変更等》に規定する認定導入計画（以下**七**において「**認定導入計画**」という。）に記載された機械その他の減価償却資産（同法第28条に規定する認定導入計画に従って実施される特定高度情報通信技術活用システムの導入の用に供するためのものであることその他の要件を満たすものとして（１）《認定特定高度情報通信技術活用設備の範囲》に掲げるものに限る。以下**七**において「**認定特定高度情報通信技術活用設備**」という。）でその製作若しくは建設の後事業の用に供されたことのないものを取得し、又は当該認定導入計画に記載された認定特定高度情報通信技術活用設備を製作し、若しくは建設して、これを国内にある当該法人の事業の用に供した場合（貸付けの用に供した場合を除く。）には、その事業の用に供した日を含む事業年度（解散〔合併による解散を除く。〕の日を含む事業年度及び清算中の各事業年度を除く。）の当該認定特定高度情報通信技術活用設備の償却限度額は、第六款の**三**の**1**《償却費等の損金算入》又は同**三**の**2**《適格分割等により移転する減価償却資産に係る期中損金経理額の損金算入》の規定にかかわらず、当該認定特定高度情報通信技術活用設備の普通償却限度額と特別償却限度額（当該認定特定高度情報通信技術活用設備の取得価額の$\frac{30}{100}$に相当する金額をいう。）との合計額とする。

　なお、**1**は、法人が所有権移転外リース取引（第六款の**四**の**1**の②の（２）の表の（五）《所有権移転外リース取引》に掲げるものをいう。）により取得した認定特定高度情報通信技術活用設備については、適用しない。（措法42の12の６①③）

$$\text{認定特定高度情報通信技術活用設備の償却限度額} = \text{認定特定高度情報通信技術活用設備の普通償却限度額} + \overbrace{\text{認定特定高度情報通信技術活用設備の取得価額} \times \frac{30}{100}}^{\text{特別償却限度額}}$$

（認定特定高度情報通信技術活用設備の範囲）
（１）　**1**に掲げる認定特定高度情報通信技術活用設備は、機械及び装置、器具及び備品、建物附属設備並びに構築物のうち、次に掲げる要件を満たすものであることについて特定高度情報通信技術活用システムの開発供給及び導入の促進に関する法律第34条第１項第６号《主務大臣等》に定める主務大臣の確認を受けたものとする。（措令27の12の６）

（一）	特定高度情報通信技術活用システムの開発供給及び導入の促進に関する法律第28条に規定する認定導入計画に従って実施される特定高度情報通信技術活用システムの導入の用に供するために取得又は製作若しくは建設をしたものであること。
（二）	特定高度情報通信技術活用システムの開発供給及び導入の促進に関する法律第２条第１項第１号に掲げる特定高度情報通信技術活用システムを構成する上で重要な役割を果たすものとして（２）に掲げるものに該当するものであること。

（特定高度情報通信技術活用システムを構成する上で重要な役割を果たすもの）
（２）　（１）に掲げる特定高度情報通信技術活用システムを構成する上で重要な役割を果たすものは、次に掲げる減価償却資産とする。（措規20の10の２①）

（一）		３・６ギガヘルツを超え４・１ギガヘルツ以下又は４・５ギガヘルツを超え４・６ギガヘルツ以下の周波数の電波を使用する無線設備（次のいずれにも該当するものに限る。）
	イ	令和６年３月31日以前に第二節第二款の**十六**《認定特定高度情報通信技術活用設備を取得した場合の法人税額の特別控除》の**1**の表の（一）に掲げる条件不利地域以外の地域内において事業の用に供する無線設備にあっては、16以上の空中線、位相器及び増幅器を用いて一又は複数の指向性を持つビームパターンを形成し制御する技術を有する無線装置を用いて無線通信を行うために用いられるものであること。
	ロ	総務省・経済産業省関係特定高度情報通信技術活用システムの開発供給及び導入の促進に関する法律施行規則第２条第１号に規定する全国５Ｇシステム（同号イに掲げる設備を製造する事業者と同号ロ又はハに掲げる設備を製造する事業者とが異なる場合に限る。）を構成するものであること。

ハ	主として第五世代移動通信アクセスサービス（電気通信事業報告規則第１条第２項第13号に規定する第五世代移動通信アクセスサービスをいう。）の用に供することを目的として設置された交換設備と一体として運用されるものであること。
(二)	27ギガヘルツを超え28・２ギガヘルツ以下又は29・１ギガヘルツを超え29・５ギガヘルツ以下の周波数の電波を使用する無線設備（(一)のロ及びハに該当するものに限る。）
(三)	総務省・経済産業省関係特定高度情報通信技術活用システムの開発供給及び導入の促進に関する法律施行規則第２条第２号に規定するローカル５Ｇシステムの無線設備（陸上移動局〔電波法施行規則第４条第１項第12号に規定する陸上移動局をいう。(四)において同じ。〕の無線設備にあっては、通信モジュールに限る。）
(四)	専ら(三)に掲げる無線設備（陸上移動局の無線設備を除く。）を用いて行う無線通信の業務の用に供され、当該無線設備と一体として運用される交換設備及び当該無線設備と当該交換設備との間の通信を行うために用いられる伝送路設備（光ファイバを用いたものに限る。）

（貸付けの用に供したものに該当しない資産の貸与）
（３）　１に掲げる認定導入事業者が、その取得又は製作若しくは建設をした１に掲げる認定特定高度情報通信技術活用設備を自己の下請業者に貸与した場合において、当該認定特定高度情報通信技術活用設備が専ら当該認定導入事業者のためにする製品の加工等の用に供されるものであるときは、当該認定特定高度情報通信技術活用設備は当該認定導入事業者の営む事業の用に供したものとして取り扱う。（措通42の12の６－１）

（認定特定高度情報通信技術活用設備の特別償却の計算）
（４）　１の特別償却は、当該特別償却の対象となる機械設備等について認められているのであるから、機械設備等で特別償却の対象とならないものがあるときはもちろん、当該特別償却の対象となる機械設備等と種類及び耐用年数を同じくする他の機械設備等があっても、それぞれ各別に償却限度額を計算することに留意する。（措通42の５～48（共）－１・編者補正）

（適格合併等があった場合の特別償却等の適用）
（５）　１の税額控除は、減価償却資産を事業の用に供した場合に適用があるのであるから、適格合併等（適格合併、適格分割、適格現物出資又は適格現物分配をいう。）による移転に係る減価償却資産について１の適用があるかどうかは、当該減価償却資産を事業の用に供した日の現況において、１に掲げる適用要件（適用対象法人、適用期間、適用対象事業等に関する要件をいう。以下（５）において同じ。）を満たすかどうかにより判定することに留意する。（措通42の５～48（共）－３・編者補正）

　　注　例えば、中小企業者等（一《中小企業者等が機械等を取得した場合の特別償却》の１に掲げる中小企業者等をいう。以下注において同じ。）に該当する被合併法人が減価償却資産を適格合併により中小企業者等に該当しない合併法人に移転する場合の一の１の適用については、次の(一)及び(二)のようになる。

(一)	被合併法人が当該減価償却資産を事業の用に供した場合は、他の適用要件を満たせば、被合併法人において一の１の適用を受けることができる。
(二)	被合併法人が当該減価償却資産を事業の用に供しないで合併法人が事業の用に供した場合は、被合併法人又は合併法人のいずれの法人においても、一の１の適用を受けることができない。

2　特別償却の明細書等の添付

　１《認定特定高度情報通信技術活用設備を取得した場合の初年度特別償却》は、確定申告書等に認定特定高度情報通信技術活用設備の償却限度額の計算に関する明細書《別表十六》特定高度情報通信技術活用システムの開発供給及び導入の促進に関する法律第34条第１項第６号に定める主務大臣の同法第28条の確認をしたことを証する書類の写しの添付がある場合に限り、適用する。（措法42の12の６④、措規20の10の２②）
　明細書については、「特別償却等の償却限度額の計算に関する付表」を添付する。（規別表十六）

八　事業適応設備を取得した場合等の特別償却

1　情報技術事業適応設備を取得した場合の初年度特別償却

　青色申告書を提出する法人で産業競争力強化法第21条の35第１項に規定する認定事業適応事業者（**3**を除き、以下**八**において「**認定事業適応事業者**」という。）であるものが、産業競争力強化法等の一部を改正する等の法律（令和３年法律第70号）の施行の日（令和３年８月２日）から令和７年３月31日までの期間（以下**八**において「**指定期間**」という。）内に、産業競争力強化法第21条の23第２項に規定する認定事業適応計画に従って実施される同法第21条の35第１項に規定する情報技術事業適応（以下**八**において「**情報技術事業適応**」という。）の用に供するために特定ソフトウエア（（１）に掲げるソフトウエアをいう。以下**1**において同じ。）の新設若しくは増設をし、又は情報技術事業適応を実施するために利用するソフトウエアのその利用に係る費用（繰延資産となるものに限る。以下**八**において同じ。）を支出する場合において、当該新設若しくは増設に係る特定ソフトウエア並びに当該特定ソフトウエア若しくはその利用するソフトウエアとともに情報技術事業適応の用に供する機械及び装置並びに器具及び備品（主として産業試験研究〔第二節第二款の**五**の１の表の①《**試験研究費の額**》の（一）のイに掲げる試験研究又は同（一）のロに掲げる試験研究をいう。〕の用に供される耐用年数省令別表第六の上欄に掲げるソフトウエア、機械及び装置並びに器具及び備品（機械及び装置並びに器具及び備品にあっては、同表の中欄に掲げる固定資産に限る。）を除く。以下**1**において「**情報技術事業適応設備**」という。）でその製作の後事業の用に供されたことのないものを取得し、又は情報技術事業適応設備を製作して、これを国内にある当該法人の事業の用に供したとき（貸付けの用に供した場合を除く。**3**において同じ。）は、その事業の用に供した日を含む事業年度（解散〔合併による解散を除く。〕の日を含む事業年度及び清算中の各事業年度を除く。以下**八**において「**供用年度**」という。）の当該情報技術事業適応設備の償却限度額は、第六款の**三**の１《償却費等の損金算入》又は同**三**の２《適格分割等により移転する減価償却資産に係る期中損金経理額の損金算入》にかかわらず、当該情報技術事業適応設備の普通償却限度額と特別償却限度額（当該情報技術事業適応設備の取得価額〔情報技術事業適応の用に供するために取得又は製作をする特定ソフトウエア並びに当該特定ソフトウエア又は情報技術事業適応を実施するために利用してその利用に係る費用を支出するソフトウエアとともに情報技術事業適応の用に供する機械及び装置並びに器具及び備品の取得価額並びに情報技術事業適応を実施するために利用するソフトウエアのその利用に係る費用の額の合計額〈以下**八**において「**対象資産合計額**」という。〉が300億円を超える場合には、300億円に当該情報技術事業適応設備の取得価額が当該対象資産合計額のうちに占める割合を乗じて計算した金額〕の$\frac{30}{100}$に相当する金額をいう。）との合計額とする。（措法42の12の７①、措規20の10の３②）

　なお、**1**は、法人が所有権移転外リース取引（第六款の**四**の１の②の（２）の表の（五）《所有権移転外リース取引》に掲げるものをいう。）により取得した情報技術事業適応設備については、適用しない。（措法42の12の７⑬）

　　注　──線部分は、令和６年度改正により改正された部分で、改正規定は、新たな事業の創出及び産業への投資を促進するための産業競争力強化法等の一部を改正する法律（令和６年法律第45号）の施行の日以後に適用され、同日前の適用については、「第21条の35第１項」とあるのは「第21条の28」と、「第21条の23第２項」とあるのは「第21条の16第２項」とする。（令６改正附１ⅩⅢイ）

　　なお、同法の施行期日を定める政令は、令和６年７月１日現在制定されていない。（編者）

$$\begin{array}{l}情報技術事業適応設備の\\償却限度額\end{array} = \begin{array}{l}情報技術事業適応設備の\\普通償却限度額\end{array} + \overbrace{情報技術事業適応設備の取得価額 \times \frac{30}{100}}^{特別償却限度額}$$

　ただし、対象資産合計額が300億円を超える場合には、算式の「取得価額」は、300億円に当該情報技術事業適応設備の取得価額が当該対象資産合計額のうちに占める割合を乗じて計算した金額とする。

　　　（特定ソフトウエアの意義）
（１）　**1**に掲げるソフトウエアは、電子計算機に対する指令であって一の結果を得ることができるように組み合わされたもの（これに関連するシステム仕様書その他の書類を含むものとし、複写して販売するための原本を除く。）とする。（措令27の12の７①、措規20の10の３①）

　　　（令和５年４月１日前の申請による情報技術事業適応設備の取扱い）
（２）　令和５年４月１日前に産業競争力強化法第21条の22第１項の認定の申請がされた同法第21条の23第２項に規定する認定事業適応計画（同日以後に同条第１項の規定による変更の認定の申請がされた場合において、その変更の認定があったときは、その変更後のものを除く。）に従って実施される同法第21条の35第１項に規定する情報技術事業適応の用に供する情報技術事業適応設備で同日以後に取得又は製作をされた資産については、**1**は適用しない。（措法42の12の７⑮Ⅰ）

　　注　──線部分は、令和６年度改正により改正された部分で、改正規定は、新たな事業の創出及び産業への投資を促進するための産業競争力強化

第三章　第一節　第七款　八《事業適応設備を取得した場合等の特別償却》

強化法等の一部を改正する法律（令和6年法律第45号）の施行の日以後に適用され、同日前の適用については、「第21条の22第1項」とあるのは「第21条の15第1項」と、「第21条の23第2項」とあるのは「第21条の16第2項」と、「第21条の35第1項」とあるのは「第21条の28」とする。（令6改法附1ⅩⅢイ）
なお、同法の施行期日を定める政令は、令和6年7月1日現在制定されていない。（編者）

（貸付けの用に供したものに該当しない資産の貸与）
（3）　1に掲げる認定事業適応事業者が、その取得又は製作をした情報技術事業適応設備を自己の下請業者に貸与した場合において、当該情報技術事業適応設備が専ら当該認定事業適応事業者のためにする製品の加工等の用に供されるものであるときは、当該情報技術事業適応設備は当該認定事業適応事業者の営む事業の用に供したものとして取り扱う。（措通42の12の7－2）

（情報技術事業適応設備の特別償却の計算）
（4）　1の特別償却は、当該特別償却の対象となる機械設備等について認められているのであるから、機械設備等で特別償却の対象とならないものがあるときはもちろん、当該特別償却の対象となる機械設備等と種類及び耐用年数を同じくする他の機械設備等があっても、それぞれ各別に償却限度額を計算することに留意する。（措通42の5～48（共）－1・編者補正）

（適格合併等があった場合の特別償却等の適用）
（5）　1の特別償却は、減価償却資産を事業の用に供した場合に適用があるのであるから、適格合併等（適格合併、適格分割、適格現物出資又は適格現物分配をいう。）による移転に係る減価償却資産について1の適用があるかどうかは、当該減価償却資産を事業の用に供した日の現況において、1に掲げる適用要件（適用対象法人、適用期間、適用対象事業等に関する要件をいう。以下（5）において同じ。）を満たすかどうかにより判定することに留意する。（措通42の5～48（共）－3・編者補正）

　注　例えば、中小企業者等（一の1《中小企業者等が特定機械装置等を取得した場合の初年度特別償却》に掲げる中小企業者等をいう。以下注において同じ。）に該当する被合併法人が減価償却資産を適格合併により中小企業者等に該当しない合併法人に移転する場合の一の1の適用については、次の（一）及び（二）のようになる。

（一）	被合併法人が当該減価償却資産を事業の用に供した場合は、他の適用要件を満たせば、被合併法人において一の1の適用を受けることができる。
（二）	被合併法人が当該減価償却資産を事業の用に供しないで合併法人が事業の用に供した場合は、被合併法人又は合併法人のいずれの法人においても、一の1の適用を受けることができない。

2　事業適応繰延資産を取得した場合の初年度特別償却

　青色申告書を提出する法人で認定事業適応事業者であるものが、指定期間内に、情報技術事業適応を実施するために利用するソフトウエアのその利用に係る費用を支出した場合には、その支出した日を含む事業年度（解散〔合併による解散を除く。〕の日を含む事業年度及び清算中の各事業年度を除く。）のその支出した費用に係る繰延資産（以下2において「事業適応繰延資産」という。）の償却限度額は、第八款の三の1《償却費等の損金算入》又は同三の2《適格分割等により引き継ぐ繰延資産に係る期中損金経理額の損金算入》にかかわらず、当該事業適応繰延資産の繰延資産普通償却限度額（同1に掲げる償却限度額又は同2に掲げる償却限度額に相当する金額をいう。）と特別償却限度額（当該事業適応繰延資産の額〔対象資産合計額が300億円を超える場合には、300億円に当該事業適応繰延資産の額が当該対象資産合計額のうちに占める割合を乗じて計算した金額〕の$\frac{30}{100}$に相当する金額をいう。）との合計額とする。（措法42の12の7②）

$$\text{事業適応繰延資産の償却限度額} = \text{事業適応繰延資産の繰延資産普通償却限度額} + \overbrace{\text{事業適応繰延資産の額} \times \frac{30}{100}}^{\text{特別償却限度額}}$$

ただし、対象資産合計額が300億円を超える場合には、算式の「事業適応繰延資産の額」は、300億円に当該事業適応繰延資産の額が当該対象資産合計額のうちに占める割合を乗じて計算した金額とする。

（令和5年4月1日前の申請による情報技術事業適応設備の取扱い）
（1）　令和5年4月1日前に産業競争力強化法第21条の22第1項の認定の申請がされた同法第21条の23第2項に規定する認定事業適応計画（同日以後に同条第1項の規定による変更の認定の申請がされた場合において、その変更の認定

があったときは、その変更後のものを除く。）に従って実施される同法第21条の35第1項に規定する情報技術事業適応を実施するために利用するソフトウエアのその利用に係る費用で同日以後に支出されたものに係る繰延資産については、**2**は適用しない。（措法42の12の7⑮Ⅱ）

　　注　──線部分は、令和6年度改正により改正された部分で、改正規定は、新たな事業の創出及び産業への投資を促進するための産業競争力強化法等の一部を改正する法律（令和6年法律第45号）の施行の日以後に適用され、同日前の適用については、「第21条の22第1項」とあるのは「第21条の15第1項」と、「第21条の23第2項」とあるのは「第21条の16第2項」と、「第21条の35第1項」とあるのは「第21条の28」とする。（令6改法附1ⅩⅢイ）

　　　なお、同法の施行期日を定める政令は、令和6年7月1日現在制定されていない。（編者）

　　（事業適応繰延資産に該当するもの）
（2）　情報技術事業適応を実施するために利用するソフトウエアのその利用に係る費用のうち繰延資産となるものには、**1**の情報技術事業適応を実施するためにクラウドを通じて利用するソフトウエアの初期費用で第二章第一節の**二**の表の**24**の⑥のロに掲げるもの（資産の取得に要した金額とされるべき費用及び同表の**24**に掲げる前払費用を除き、支出の効果がその支出の日以後1年以上に及ぶものに限る。）が該当する。（措通42の12の7－1）

　　（分割払の事業適応繰延資産）
（3）　法人が事業適応繰延資産となる費用を分割して支払うこととしている場合には、たとえその総額が確定しているときであっても、**2**の特別償却限度額は当該費用を支出した日の属する事業年度において支出した金額を基礎として計算することとなり、当該金額に未払金の額を含めることはできないのであるが、分割して支払う期間が短期間（おおむね3年以内）である場合において、当該金額に未払金の額を含めることとしているときは、これを認める。（措通42の12の7－3）

3　生産工程効率化等設備を取得した場合の初年度特別償却

　　青色申告書を提出する法人で産業競争力強化法等の一部を改正する等の法律（令和3年法律第70号）の施行の日から令和8年3月31日までの間にされた産業競争力強化法第21条の22第1項の認定に係る同法第21条の23第1項に規定する認定事業適応事業者（その同条第2項に規定する認定事業適応計画〔同法第21条の20第2項第2号に規定するエネルギー利用環境負荷低減事業適応に関するものに限る。以下**八**において「認定エネルギー利用環境負荷低減事業適応計画」という。〕に当該認定エネルギー利用環境負荷低減事業適応計画に従って行う同法第21条の20第2項第2号に規定するエネルギー利用環境負荷低減事業適応〔以下**3**において「エネルギー利用環境負荷低減事業適応」という。〕のための措置として同法第2条第13項に規定する生産工程効率化等設備〔以下**八**において「生産工程効率化等設備」という。〕を導入する旨の記載があるものに限る。）であるものが、当該認定の日から同日以後3年を経過する日までの間に、その認定エネルギー利用環境負荷低減事業適応計画に記載された生産工程効率化等設備でその製作若しくは建設の後事業の用に供されたことのないものを取得し、又はその認定エネルギー利用環境負荷低減事業適応計画に記載された生産工程効率化等設備を製作し、若しくは建設して、これを国内にある当該法人の事業の用に供した場合において、当該生産工程効率化等設備につき**1**の適用を受けないときは、供用年度の当該生産工程効率化等設備の償却限度額は、第六款の**三**の**1**《償却費等の損金算入》又は同**三**の**2**《適格分割等により移転する減価償却資産に係る期中損金経理額の損金算入》にかかわらず、当該生産工程効率化等設備の普通償却限度額と特別償却限度額（当該生産工程効率化等設備の取得価額〔その認定エネルギー利用環境負荷低減事業適応計画に従って行うエネルギー利用環境負荷低減事業適応のための措置として取得又は製作若しくは建設をする生産工程効率化等設備の取得価額の合計額が500億円を超える場合には、500億円にその事業の用に供した生産工程効率化等設備の取得価額が当該合計額のうちに占める割合を乗じて計算した金額〕の$\frac{50}{100}$に相当する金額をいう。）との合計額とする。（措法42の12の7③）

　　なお、**3**は、法人が所有権移転外リース取引（第六款の**四**の**1**の②の（2）の表の（五）《所有権移転外リース取引》に掲げるものをいう。）により取得した生産工程効率化等設備については、適用しない。（措法42の12の7⑬）

$$\text{生産工程効率化等設備の償却限度額} = \text{生産工程効率化等設備の普通償却限度額} + \overbrace{\text{生産工程効率化等設備の取得価額} \times \frac{50}{100}}^{\text{特別償却限度額}}$$

　　ただし、認定エネルギー利用環境負荷低減事業適応計画に従って行うエネルギー利用環境負荷低減事業適応のための措置として取得又は製作若しくは建設をする生産工程効率化等設備の取得価額の合計額が500億円を超える場合には、算式の「取得価額」は、500億円にその事業の用に供した生産工程効率化等設備の取得価額が当該合計額のうちに占める割合を乗じて計算した金額とする。

第三章　第一節　第七款　八《事業適応設備を取得した場合等の特別償却》

注1　──線部分（「第21条の20第2項第2号」に係る部分に限る。）は、令和6年度改正により改正された部分で、改正規定は、新たな事業の創出及び産業への投資を促進するための産業競争力強化法等の一部を改正する法律（令和6年法律第45号）の施行の日以後に適用され、同日前の適用については、「第21条の20第2項第2号」とあるのは「第21条の13第2項第3号」とする。（令6改法附1 XIIIイ）

　　なお、同法の施行期日を定める政令は、令和6年7月1日現在制定されていない。（編者）

注2　──線部分（「第21条の22第1項」、「第21条の23第1項」、及び「第21条の20第2項第2号」に係る部分に限る。）は、令和6年度改正により改正された部分で、令和6年4月1日から新たな事業の創出及び産業への投資を促進するための産業競争力強化法等の一部を改正する法律（令和6年法律第45号）の施行の日の前日までの間における適用については、「第21条の22第1項」とあるのは「第21条の15第1項」と、「第21条の23第1項」とあるのは「第21条の16第1項」と、「第21条の20第2項第2号」とあるのは「第21条の13第2項第3号」とする。（令6改法附45④）

　　なお、同法の施行期日を定める政令は、令和6年7月1日現在制定されていない。（編者）

注3　──線部分（注1に係る部分を除く。）は、令和6年度改正により改正された部分で、改正規定は、令和6年4月1日以後に取得又は製作若しくは建設をする生産工程効率化等設備について適用され、令和6年3月31日以前に取得又は製作若しくは建設をした生産工程効率化等設備等については、次による。（令6改法附45①、1）

> 　青色申告書を提出する法人で産業競争力強化法第21条の16第1項に規定する認定事業適応事業者（その同条第2項に規定する認定事業適応計画〔同法第21条の13第2項第3号に規定するエネルギー利用環境負荷低減事業適応に関するものに限る。以下3において「認定エネルギー利用環境負荷低減事業適応計画」という。〕に当該認定エネルギー利用環境負荷低減事業適応計画に従って行う同号に規定するエネルギー利用環境負荷低減事業適応〔以下3において「エネルギー利用環境負荷低減事業適応」という。〕のための措置として同法第2条第13項に規定する生産工程効率化等設備又は同条第14項に規定する需要開拓商品生産設備〔以下八において「生産工程効率化等設備等」という。〕を導入する旨の記載があるものに限る。）であるものが、産業競争力強化法等の一部を改正する等の法律（令和3年法律第70号）の施行の日（令和3年8月2日）から令和6年3月31日までの間に、その認定エネルギー利用環境負荷低減事業適応計画に記載された生産工程効率化等設備等でその製作若しくは建設の後事業の用に供されたことのないものを取得し、又はその認定エネルギー利用環境負荷低減事業適応計画に記載された生産工程効率化等設備等を製作し、若しくは建設して、これを国内にある当該法人の事業の用に供した場合において、当該生産工程効率化等設備等につき1の適用を受けないときは、供用年度の当該生産工程効率化等設備等の償却限度額は、第六款の三の1《償却費等の損金算入》又は同三の2《適格分割等により移転する減価償却資産に係る期中損金経理額の損金算入》にかかわらず、当該生産工程効率化等設備等の普通償却限度額と特別償却限度額〔当該生産工程効率化等設備等の取得価額〔その認定エネルギー利用環境負荷低減事業適応計画に従って行うエネルギー利用環境負荷低減事業適応のための措置として取得又は製作若しくは建設をする生産工程効率化等設備等の取得価額の合計額が500億円を超える場合には、500億円にその事業の用に供した生産工程効率化等設備等の取得価額が当該合計額のうちに占める割合を乗じて計算した金額〕の$\frac{50}{100}$に相当する金額をいう。〕との合計額とする。（措法42の12の7旧③）
>
> 　なお、3は、法人が所有権移転外リース取引（第六款の四の1の②の(2)の表の(五)《所有権移転外リース取引》に掲げるものをいう。）により取得した生産工程効率化等設備等については、適用しない。（措法42の12の7旧⑦）

　（令和6年4月1日前の申請による生産工程効率化等設備の取扱い）

（1）　令和6年4月1日前に産業競争力強化法第21条の22第1項の認定の申請がされた認定エネルギー利用環境負荷低減事業適応計画（同日以後に同法第21条の23第1項の規定による変更の認定の申請がされた場合において、その変更の認定があったときは、その変更後のものを除く。）に記載された生産工程効率化等設備で同日以後に取得又は製作若しくは建設をされたものについては、3は適用しない。（措法42の12の7⑮Ⅲ）

　注　（1）は、令和6年度改正により追加されたもので、改正規定は、令和6年4月1日以後に終了する事業年度から適用される。（令6改法附45③、1）

　　なお、令和6年4月1日から新たな事業の創出及び産業への投資を促進するための産業競争力強化法等の一部を改正する法律（令和6年法律第45号）の施行の日の前日までの間における（1）の適用については、次による。（令6改法附45④）

　　なお、同法の施行期日を定める政令は、令和6年7月1日現在制定されていない。（編者）

> 　令和6年4月1日前に産業競争力強化法第21条の15第1項の認定の申請がされた認定エネルギー利用環境負荷低減事業適応計画（同日以後に同法第21条の16第1項の規定による変更の認定の申請がされた場合において、その変更の認定があったときは、その変更後のものを除く。）に記載された生産工程効率化等設備で同日以後に取得又は製作若しくは建設をされたものについては、3は適用しない。

　（貸付けの用に供したものに該当しない資産の貸与）

（2）　3に掲げる認定エネルギー利用環境負荷低減事業適応事業者が、その取得又は製作若しくは建設をした生産工程効率化等設備を自己の下請業者に貸与した場合において、当該生産工程効率化等設備が専ら当該認定エネルギー利用環境負荷低減事業適応事業者のためにする製品の加工等の用に供されるものであるときは、当該生産工程効率化等設備は当該認定エネルギー利用環境負荷低減事業適応事業者の営む事業の用に供したものとして取り扱う。（措通42の12の7-2）

　（生産工程効率化等設備の特別償却の計算）

（3）　3の特別償却は、当該特別償却の対象となる機械設備等について認められているのであるから、機械設備等で特

別償却の対象とならないものがあるときはもちろん、当該特別償却の対象となる機械設備等と種類及び耐用年数を同じくする他の機械設備等があっても、それぞれ各別に償却限度額を計算することに留意する。(措通42の5～48(共)－1・編者補正)

（適格合併等があった場合の特別償却等の適用）
（4） **3**の特別償却は、減価償却資産を事業の用に供した場合に適用があるのであるから、適格合併等（適格合併、適格分割、適格現物出資又は適格現物分配をいう。）による移転に係る減価償却資産について**3**の適用があるかどうかは、当該減価償却資産を事業の用に供した日の現況において、**3**に掲げる適用要件（適用対象法人、適用期間、適用対象事業等に関する要件をいう。以下（4）において同じ。）を満たすかどうかにより判定することに留意する。(措通42の5～48(共)－3・編者補正)

注　例えば、中小企業者等（**一**の**1**《中小企業者等が特定機械装置等を取得した場合の初年度特別償却》に掲げる中小企業者等をいう。以下注において同じ。）に該当する被合併法人が減価償却資産を適格合併により中小企業者等に該当しない合併法人に移転する場合の**一**の**1**の適用については、次の（一）及び（二）のようになる。

(一)	被合併法人が当該減価償却資産を事業の用に供した場合は、他の適用要件を満たせば、被合併法人において**一**の**1**の適用を受けることができる。
(二)	被合併法人が当該減価償却資産を事業の用に供しないで合併法人が事業の用に供した場合は、被合併法人又は合併法人のいずれの法人においても、**一**の**1**の適用を受けることができない。

4　特別償却の明細書の添付

1《情報技術事業適応設備を取得した場合の初年度特別償却》から**3**《生産工程効率化等設備を取得した場合の初年度特別償却》までの特別償却は、確定申告書等に**1**に掲げる情報技術事業適応設備、**2**に掲げる事業適応繰延資産又は<u>生産工程効率化等設備</u>の償却限度額の計算に関する明細書その他次の表の左欄に掲げる区分に応じ、それぞれ右欄に掲げる書類の添付がある場合に限り、適用する。(措法42の12の7⑭、措規20の10の3③)

(一)	**1**又は**2**の適用を受ける場合	その適用に係る**1**に掲げる情報技術事業適応設備又は**2**に掲げる事業適応繰延資産が記載された産業競争力強化法施行規則第11条の2第1項に規定する認定申請書（当該認定申請書に係る産業競争力強化法第21条の15第1項に規定する事業適応計画につき同法第21条の16第1項の規定による変更の認定があったときは、当該変更の認定に係る同令第11条の4第1項に規定する変更認定申請書を含む。以下（一）及び（二）において「認定申請書等」という。）の写し及び当該認定申請書等に係る同令第11条の3第1項の認定書（当該変更の認定があったときは、当該変更の認定に係る同令第11条の4第4項の変更の認定書を含む。（二）において「認定書等」という。）の写し並びに当該認定申請書等に係る産業競争力強化法第21条の16第2項に規定する認定事業適応計画に従って実施される同法第21条の13第2項第2号に規定する情報技術事業適応に係る同令第11条の19第3項の確認書の写し
(二)	**3**の適用を受ける場合	その適用に係る**3**に掲げる<u>生産工程効率化等設備</u>が記載された認定申請書等の写し及び当該認定申請書等に係る認定書等の写し

注　──線部分は、令和6年度改正により改正された部分で、改正規定は、令和6年4月1日から適用され、令和6年3月31日以前の適用については、「生産工程効率化等設備」とあるのは「生産工程効率化等設備等」とする。(令6改法附1、令6改規附1)

九　特定船舶の特別償却

1　特定船舶の初年度特別償却

　青色申告書を提出する法人で(1)《特定海上運送業の範囲》に掲げる海上運送業（以下１において「**特定海上運送業**」という。）を営むものが、令和３年４月１日から令和８年３月31日までの間に、特定海上運送業の経営の合理化及び環境への負荷の低減に資するものとして、(2)《船舶の範囲》に掲げる船舶のうち次の表の左欄に掲げるもの（以下**九**において「**特定船舶**」という。）でその製作の後事業の用に供されたことのないものを取得し、又は特定船舶を製作して、これを当該法人の特定海上運送業の用に供した場合（所有権移転外リース取引〔第六款の**四**の１の②の(2)の表の(五)《所有権移転外リース取引》に掲げるものをいう。〕により取得した当該特定船舶をその用に供した場合又は船舶貸渡業を営む法人以外のものが貸付けの用に供した場合を除く。）には、その用に供した日を含む事業年度の当該特定船舶の償却限度額は、第六款の**三**の１《償却費等の損金算入》又は同**三**の２《適格分割等により移転する減価償却資産に係る期中損金経理額の損金算入》に掲げる普通償却限度額の計算の規定にかかわらず、当該特定船舶の普通償却限度額（同**三**の１に掲げる償却限度額又は同**三**の２に掲げる償却限度額に相当する金額をいう。）と**特別償却限度額**（次の表の左欄及び中欄に掲げる船舶の区分に応じ当該特定船舶の取得価額にそれぞれ右欄に掲げる割合を乗じて計算した金額をいう。）との合計額とする。（措法43①、措令28③）

$$\text{特定船舶の償却限度額} = \text{特定船舶の普通償却限度額} + \overbrace{\text{特定船舶の取得価額} \times \text{特別償却割合}}^{\text{特別償却限度額}}$$

①	その法人の海上運送法第39条の５に規定する認定外航船舶確保等計画（以下①及び②において「認定外航船舶確保等計画」という。）に記載された同法第39条の２第２項第２号に規定する特定外航船舶（以下①及び②において「特定外航船舶」という。）のうち当該認定外航船舶確保等計画に従って取得し、又は製作された本邦対外船舶運航事業用船舶（同法第39条第２項第３号に規定する本邦対外船舶運航事業者等の営む同法第35条第３項第５号に規定する対外船舶運航事業の用に供するための特定外航船舶をいう。）であることにつき(3)に掲げるところにより証明されたものに該当する外航船舶（本邦と外国との間又は外国と外国との間を往来する船舶をいう。以下１において同じ。）（措法43①Ⅰ）	イ	その法人の海上運送法第39条の14に規定する認定先進船舶導入等計画（先進船舶〔同法第39条の10第１項に規定する先進船舶をいう。以下イにおいて同じ。〕の導入に関するものに限る。）に記載された先進船舶（海洋運輸業の用に供される船舶のうち環境への負荷の低減に著しく資するものとして国土交通大臣が財務大臣と協議して指定する船舶に限る。（②のイ及び③のイにおいて「特定先進船舶」という。）（措令28④） 注　上記の船舶は、平成27年国土交通省告示第473号（最終改正令和５年第625号）により指定されている。	$\dfrac{30}{100}$ $\left(\text{日本船舶（船舶法第１条に規定する日本船舶をいう。以下１において同じ。）に該当するものについては、}\dfrac{32}{100}\right)$
		ロ	イに掲げる船舶以外の船舶	$\dfrac{27}{100}$ $\left(\text{日本船舶に該当するものについては、}\dfrac{29}{100}\right)$
②	特定外航船舶のうちその特定外航船舶に係る認定外航船舶確保等計画に従って取得し、又は製作されたものであることにつき(4)に掲げるところにより証明がされたも	イ	特定先進船舶 注　上記の船舶は、平成27年国土交通省告示第473号（最終改正令和５年第625号）により指定されている。	$\dfrac{28}{100}$ $\left(\text{日本船舶に該当するものについては、}\dfrac{30}{100}\right)$

第三章　第一節　第七款　九《特定船舶の特別償却》

	のに該当する外航船舶（①に掲げる船舶を除く。）（措43①Ⅱ）	ロ　イに掲げる船舶以外の船舶	$\frac{25}{100}$　（日本船舶に該当するものについては、$\frac{27}{100}$）
③	①及び②に掲げる船舶以外の外航船舶（措法43①Ⅲ）	イ　特定先進船舶 　　注　上記の船舶は、平成27年国土交通省告示第473号（最終改正令和5年第625号）により指定されている。	$\frac{18}{100}$　（日本船舶に該当するものについては、$\frac{20}{100}$）
		ロ　イに掲げる船舶以外の船舶	$\frac{15}{100}$　（日本船舶に該当するものについては、$\frac{17}{100}$）
④	外航船舶以外の船舶（措法43①Ⅳ） 　注　右欄の船舶は、平成27年国土交通省告示第473号（最終改正令和5年第625号）により指定されている。		$\frac{16}{100}$　（沿海運輸業の用に供される船舶のうち環境への負荷の低減に著しく資するものとして国土交通大臣が財務大臣と協議して指定するものについては、$\frac{18}{100}$）（措令28⑤）

注1　国土交通大臣は、上表の①のイ、②のイ、③のイ又は④の右欄に掲げる船舶を指定したときは、これを告示する。（措令28⑥）

注2　――線部分（適用期限に係る部分を除く。）は、令和5年度改正により改正された部分で、海上運送法等の一部を改正する法律（令和5年法律第24号）附則第1条第3号に掲げる規定の施行日（令和5年7月1日）以降に取得又は製作をする特定船舶（同日前に締結した契約に基づき取得するもの〔以下「経過特定船舶」という。〕を除く。）について適用し、同日前に取得又は製作をした次の表の左欄に掲げるもの（経過特定船舶を含む。）については、「(2)《船舶の範囲》に掲げる船舶」とあるのは「鋼船（船舶法第20条の規定に該当するものを除く。）のうち、海洋運輸業（本邦の港と本邦以外の地域の港との間又は本邦以外の地域の各港間において船舶により人又は物の運送をする事業をいう。以下1において同じ。）の用に供されるもの（船舶のトン数の測度に関する法律第4条第1項に規定する国際総トン数が1万トン以上のものに限る。）又は沿海運輸業（本邦の各港間において船舶により人又は物の運送をする事業をいう。以下1において同じ。）の用に供されるもの（匿名組合契約〔当事者の一方が相手方の事業のために出資をし、相手方がその事業から生ずる利益を分配することを約する契約を含む。〕又は外国におけるこれに類する契約の目的である船舶貸渡業〔海上運送法第2条第7項に規定する船舶貸渡業をいう。以下1において同じ。〕の用に供されるもので、その貸付けを受けた者の沿海運輸業の用に供されるものを除く。）で、国土交通大臣が財務大臣と協議して指定するもの」とし、「左欄及び中欄」とあるのは「左欄」とし、「上表の①のイ、②のイ、③のイ又は④の右欄」とあるのは、「注2の表の旧①又は旧③」とし、上表は次による。（令5改法附42①、1ⅩⅡ、令5改措附1Ⅵ）

旧①	その法人の海上運送法第39条の14に規定する認定先進船舶導入等計画（先進船舶〔同法第39条の10第1項に規定する先進船舶をいう。以下旧①において同じ。〕の導入に関するものに限る。）に記載された先進船舶（海洋運輸業の用に供される船舶のうち環境への負荷の低減に著しく資するものとして国土交通大臣が財務大臣と協議して指定する船舶に限る。旧②において「特定先進船舶」という。）に該当する外航船舶（本邦と外国との間又は外国と外国との間を往来する船舶をいう。旧②及び旧③において同じ。）（旧措法43①Ⅰ、旧措令28③） 　　注　上記の船舶は、平成27年国土交通省告示第473号（最終改正令和3年第315号）により指定されている。	$\frac{18}{100}$　（日本船舶〔船舶法第1条に規定する日本船舶をいう。旧②において同じ。〕に該当するものについては、$\frac{20}{100}$）
旧②	特定先進船舶に該当する外航船舶以外の外航船舶（旧措法43①Ⅱ）	$\frac{15}{100}$　（日本船舶に該当するものについては、$\frac{17}{100}$）

旧③	外航船舶以外の船舶（旧措法43①Ⅲ） 注　右欄の船舶は、平成27年国土交通省告示第473号（最終改正令和３年第315号）により指定されている。	$\frac{16}{100}$ （沿海運輸業の用に供される船舶のうち環境への負荷の低減に著しく資するものとして国土交通大臣が財務大臣と協議して指定するものについては、$\frac{18}{100}$（旧措令28⑤）

（特定海上運送業の範囲）
(1)　1に掲げる海上運送業は、海洋運輸業（本邦の港と本邦以外の地域の港との間又は本邦以外の地域の各港間において船舶により人又は物の運送をする事業をいう。）、沿海運輸業（本邦の各港間において船舶により人又は物の運送をする事業をいう。）及び船舶貸渡業（海上運送法第２条第７項に規定する船舶貸渡業をいう。）とする。（措令28①）

（船舶の範囲）
(2)　1に掲げる船舶は、次に掲げる船舶に該当する鋼船（船舶法第20条の規定に該当するものを除く。）のうち国土交通大臣が財務大臣と協議して指定するものとする。（措令28②）
　なお、国土交通大臣は、(2)により船舶を指定したときは、これを告示する。（措令28⑥）

(一)	海洋運輸業の用に供される船舶（船舶のトン数の測度に関する法律第４条第１項に規定する国際総トン数が１万トン以上のものに限るものとし、匿名組合契約〔当事者の一方が相手方の事業のために出資をし、相手方がその事業から生ずる利益を分配することを約する契約を含む。〕又は外国におけるこれに類する契約（(二)において「匿名組合契約等」という。）の目的である船舶貸渡業の用に供されるもの（その船舶貸渡業を営む法人の1の表の①のイに掲げる認定先進船舶導入等計画に記載された海上運送法第39条の10第１項に規定する先進船舶に該当するものを除く。）で、その貸付けを受けた者の海洋運輸業の用に供されるものを除く。）
(二)	沿海運輸業の用に供される船舶（総トン数が500トン以上のものに限るものとし、匿名組合契約等の目的である船舶貸渡業の用に供されるもので、その貸付けを受けた者の沿海運輸業の用に供されるものを除く。）

　　注１　上記船舶は、平成27年国土交通省告示第473号（最終改正令和５年第625号）により指定されている。（編者）
　　注２　令和５年４月１日から海上運送法等の一部を改正する法律（令和５年法律第24号）附則第１条第３号に掲げる規定の施行日（令和５年７月１日）の前日までの間における(2)の表(一)の適用については、「1の表の①のイ」とあるのは、「1の注２の表の旧①」とする。（令５改措令附８②）

（本邦対外船舶運航事業用船舶の証明がされたもの）
(3)　九の表の①に掲げる証明がされたものは、当該法人の同①に掲げる認定外航船舶確保等計画に従って取得し、又は製作された同①に掲げる本邦対外船舶運航事業用船舶に該当する船舶で、その該当することにつき、九の適用を受けようとする事業年度の確定申告書等に海上運送法施行規則第42条の７の９第４項の規定により国土交通大臣が当該法人に対して交付する当該船舶に係る同項に規定する確認証の写しを添付することにより証明がされたものとする。（措規20の11①）
　　注　(3)は、租税特別措置法施行規則の一部を改正する省令（令和５年財務省令第46号）により追加された部分で、改正規定は、令和５年７月１日から適用される。（同省令附）

（特定外航船舶の証明がされたもの）
(4)　九の表の②に掲げる証明がされたものは、当該法人の同②に掲げる認定外航船舶確保等計画に従って取得し、又は製作された同②に掲げる特定外航船舶に該当する船舶で、その該当することにつき、九の適用を受けようとする事業年度の確定申告書等に海上運送法施行規則第42条の７の９第４項の規定により国土交通大臣が当該法人に対して交付する当該船舶に係る同項に規定する確認証の写しを添付することにより証明がされたものとする。（措規20の11②）
　　注　(4)は、租税特別措置法施行規則の一部を改正する省令（令和５年財務省令第46号）により追加された部分で、改正規定は、令和５年７月１日から適用される。（同省令附）

（海洋運輸業又は沿海運輸業の意義）
(5)　1に掲げる海洋運輸業又は沿海運輸業を営む法人は、海洋又は沿海において運送営業を営む法人に限られるから、

たとえ法人が海上運送法の規定により船舶運航事業を営もうとする旨の届出をしていても、専ら自家貨物の運送を行う場合には、その法人の営む運送は、海洋運輸業又は沿海運輸業に該当しないことに留意する。（措通43－1）
　注　海洋運輸業又は沿海運輸業については、日本標準産業分類（総務省）の「小分類451外航海運業」又は「小分類452沿海海運業」に分類する事業が該当する。

（特定設備等の特別償却の計算）
（6）　1の特別償却は、当該特別償却の対象となる機械設備等について認められているのであるから、機械設備等で特別償却の対象とならないものがあるときはもちろん、当該特別償却の対象となる機械設備等と種類及び耐用年数を同じくする他の機械設備等があっても、それぞれ各別に償却限度額を計算することに留意する。（措通42の5〜48（共）－1・編者補正）

（適格合併等があった場合の特別償却等の適用）
（7）　1の特別償却は、減価償却資産を事業の用に供した場合に適用があるのであるから、適格合併等（適格合併、適格分割、適格現物出資又は適格現物分配をいう。）による移転に係る減価償却資産について1の適用があるかどうかは、当該減価償却資産を事業の用に供した日の現況において、1に掲げる適用要件（適用対象法人、適用期間、適用対象事業等に関する要件をいう。以下（7）において同じ。）を満たすかどうかにより判定することに留意する。（措通42の5〜48（共）－3・編者補正）
　注　例えば、中小企業者等（一の1《中小企業者等が特定機械装置等を取得した場合の初年度特別償却》に掲げる中小企業者等をいう。以下注において同じ。）に該当する被合併法人が減価償却資産を適格合併により中小企業者等に該当しない合併法人に移転する場合の一の1の適用については、次の（一）及び（二）のようになる。

（一）	被合併法人が当該減価償却資産を事業の用に供した場合は、他の適用要件を満たせば、被合併法人において**一の1**の適用を受けることができる。
（二）	被合併法人が当該減価償却資産を事業の用に供しないで合併法人が事業の用に供した場合は、被合併法人又は合併法人のいずれの法人においても、**一の1**の適用を受けることができない。

2　特別償却の明細書の添付

　1《特定船舶の初年度特別償却》の特別償却は、確定申告書等に特定船舶の償却限度額の計算に関する明細書《別表十六》の添付がない場合には、適用しない。（措法43②）
　明細書には、「特別償却等の償却限度額の計算に関する付表」を添付する。（規別表十六）

十　被災代替資産等の特別償却

1　被災代替資産等の初年度特別償却

　法人が、特定非常災害の被害者の権利利益の保全等を図るための特別措置に関する法律第２条第１項《特定非常災害及びこれに対し適用すべき措置の指定》の規定により特定非常災害として指定された非常災害（以下１において「**特定非常災害**」という。）に係る同条第１項の特定非常災害発生日（以下１において「**特定非常災害発生日**」という。）から当該特定非常災害発生日の翌日以後５年を経過する日までの間に、それぞれ次の表の左欄に掲げる減価償却資産で当該特定非常災害に基因して当該法人の事業の用に供することができなくなった建物（その附属設備を含む。以下１において同じ。）、構築物若しくは機械及び装置に代わるものとして（1）《適用対象となる減価償却資産の範囲》に掲げるものに該当するものの取得等（取得又は製作若しくは建設をいう。以下１において同じ。）をして、これを当該法人の事業の用（機械及び装置にあっては、貸付けの用を除く。）に供した場合（所有権移転外リース取引〔第六款の**四**の１の②の（2）の表の（五）《所有権移転外リース取引》に掲げるものをいう。〕により取得した同表の左欄に掲げる減価償却資産をその事業の用に供した場合を除く。）又は同表の左欄に掲げる減価償却資産の取得等をして、これを被災区域（当該特定非常災害に基因して事業又は居住の用に供することができなくなった建物又は構築物の敷地及び当該建物又は構築物と一体的に事業の用に供される附属施設の用に供されていた土地の区域をいう。）及び当該被災区域である土地に付随して一体的に使用される土地の区域内において当該法人の事業の用（機械及び装置にあっては、貸付けの用を除く。）に供した場合（所有権移転外リース取引〔第六款の**四**の１の②の（2）の表の（五）《所有権移転外リース取引》に掲げるものをいう。〕により取得した同表の左欄に掲げる減価償却資産をその事業の用に供した場合を除く。）には、その用に供した日を含む事業年度のこれらの減価償却資産（以下**十**において「**被災代替資産等**」という。）の償却限度額は、第六款の**三**の１《償却費等の損金算入》又は同**三**の２《適格分割等により移転する減価償却資産に係る期中損金経理額の損金算入》に掲げる普通償却限度額の計算の規定にかかわらず、当該被災代替資産等の普通償却限度額（同**三**の１に掲げる償却限度額又は同**三**の２に掲げる償却限度額に相当する金額をいう。）と**特別償却限度額**（当該被災代替資産等の取得価額に同表のそれぞれ左欄に掲げる減価償却資産の区分に応じそれぞれ中欄に掲げる割合〔当該法人が第二節第二款の**五**の３の（2）《中小企業者の意義》に掲げる中小企業者〈同３の（7）《適用除外事業者の意義》に掲げる適用除外事業者［以下１において、「適用除外事業者」という。〕に該当するもの［通算法人である法人の各事業年度終了の日において当該通算法人である法人との間に通算完全支配関係がある他の通算法人のいずれかの法人が適用除外事業者に該当する場合には、当該通算法人である法人を含む。］を除く。〉又は同３の（12）《農業協同組合等の意義》に掲げる農業協同組合等である場合には、それぞれ右欄に掲げる割合〕を乗じて計算した金額をいう。）との合計額とする。（措法43の２①②）

	資　産	割　合	割　合
①	建物又は構築物（増築された建物又は構築物のその増築部分を含む。）で、その建設の後事業の用に供されたことのないもの	$\frac{15}{100}$（当該特定非常災害発生日の翌日から起算して３年を経過した日〔以下この表において「**発災後３年経過日**」という。〕以後に取得又は建設をしたものについては、$\frac{10}{100}$）	$\frac{18}{100}$（発災後３年経過日以後に取得又は建設をしたものについては、$\frac{12}{100}$）
②	機械及び装置でその製作の後事業の用に供されたことのないもの	$\frac{30}{100}$（発災後３年経過日以後に取得又は製作をしたものについては、$\frac{20}{100}$）	$\frac{36}{100}$（発災後３年経過日以後に取得又は製作をしたものについては$\frac{24}{100}$）

（適用対象となる減価償却資産の範囲）
（1）　１に掲げる減価償却資産は、次の表のそれぞれ左欄に掲げる減価償却資産の区分に応じそれぞれ同表の右欄に掲げるものとする。（措令28の３）

（一）	建物（その附属設備を含む。以下（一）において同じ。）	当該法人が有する建物で特定非常災害に基因して当該法人の事業の用に供することができなくなったもの（以下（一）において「**被災建物**」という。）のその用に供することができなくなった時の直前の用途と同一の用途に供される建物（当該建物の床面積が当該被災建物の床面積の1.5倍を超える場合には、当該被災建物の床面積の1.5倍に相当する部分に限る。）
（二）	構築物	当該法人が有する構築物で特定非常災害に基因して当該法人の事業の用に供することができなくなったもの（以下（二）において「**被災構築物**」という。）のその用に供する

		ことができなくなった時の直前の用途と同一の用途に供される構築物（当該構築物の規模が当該被災構築物とおおむね同程度以下のものに限る。）
（三）	機械及び装置	当該法人が有する機械及び装置で特定非常災害に基因して当該法人の事業の用に供することができなくなったもの（以下(三)において「**被災機械装置**」という。）のその用に供することができなくなった時の直前の用途と同一の用途に供される機械及び装置（当該被災機械装置に比して著しく高額なもの、当該被災機械装置に比して著しく性能が優れているものその他当該被災機械装置に比して著しく仕様が異なるものを除く。）

　　（同一の用途の判定）
（２）　（１）の表に掲げる「その用に供することができなくなった時の直前の用途と同一の用途に供される」ものであるかどうかは、その資産の種類に応じ、おおむね次に掲げる区分により判定する。（措通43の２－１）
　（一）　建物（その附属設備を含む。以下同じ。）にあっては、住宅の用、店舗又は事務所の用、工場の用、倉庫の用、その他の用の区分
　（二）　構築物にあっては、鉄道業用又は軌道業用、その他の鉄道用又は軌道用、発電用又は送配電用、電気通信事業用、放送用又は無線通信用、農林業用、広告用、競技場用、運動場用、遊園地用又は学校用、緑化施設及び庭園、舗装道路及び舗装路面、その他の区分
　（三）　機械及び装置にあっては、耐用年数通達付表10《機械及び装置の耐用年数表（旧別表第２）》に掲げる設備の種類の区分
　　　注　（１）の表の(一)に掲げる被災建物（以下「被災建物」という。）又は当該被災建物に代わるものとして取得等（取得又は製作若しくは建設をいう。以下同じ。）をした建物（以下「被災代替建物」という。）が２以上の用途に併用されている場合において、被災代替建物が被災建物と同一の用途に供されるものであるかどうかは、各々の用途に区分して判定するのであるが、法人が主たる用途により判定しているときは、これを認めて差し支えない。
　　　　　被災建物が用途の異なる２以上の建物である場合において、一の被災代替建物が２以上の用途に併用される建物であるとき、又は一の被災建物が２以上の用途に併用されている場合において、被災代替建物が用途の異なる２以上の建物であるときも、同様とする。

　　（床面積の意義）
（３）　（１）の表の(一)に掲げる床面積は、建築基準法施行令第２条第１項第３号《面積、高さ等の算定方法》に規定する床面積によるものとする。（措通43の２－２）

　　（２以上の被災代替建物を取得した場合の適用）
（４）　法人が、一の被災建物に代わるものとして事業の用に供することができなくなった時の直前の用途と同一の用途に供される２以上の被災代替建物の取得等をして事業の用に供する場合において、当該２以上の被災代替建物の床面積の合計面積が当該被災建物の床面積の1.5倍を超えるときは、当該２以上の被災代替建物の床面積のうちいずれを当該被災建物の床面積の1.5倍に相当する部分とするかは、法人の計算によるものとする。（措通43の２－３）
　　　注　法人が、２以上の事業年度にわたって被災代替建物の取得等をして事業の用に供する場合において、最初に１の適用を受ける事業年度の１の規定の適用を受ける当該被災代替建物の床面積が被災建物の床面積の1.5倍に満たないときは、その満たない床面積に相当する部分は、翌事業年度以後に取得等をして事業の用に供する被災代替建物に充てることができることに留意する。

　　（おおむね同程度以下の構築物の意義）
（５）　（１）の表の(二)に掲げる「おおむね同程度以下のもの」とは、法人が取得等をした構築物の規模が同(二)に掲げる被災構築物の規模のおおむね1.3倍程度以下のものをいうものとする。（措通43の２－４）

　　（貸付けの用に供したものに該当しない資産の貸与）
（６）　法人が、その取得等をした機械及び装置を自己の下請業者に貸与した場合において、当該機械及び装置が専ら当該法人のためにする製品の加工等の用に供されるものであるときは、当該機械及び装置は当該法人の営む事業の用に供したものとして１を適用する。（措通43の２－５）

　　（建物等と一体的に事業の用に供される附属施設）
（７）　１に掲げる「建物又は構築物と一体的に事業の用に供される附属施設」とは、特定非常災害（１に掲げる特定非常災害をいう。）に基因して事業又は居住の用に供することができなくなった建物又は構築物と機能的及び地理的な一

体性を有して事業の用に供される施設をいうのであるから、例えば、滅失をした工場の構内にある守衛所、詰所、自転車置場、浴場その他これらに類する施設又は滅失をした建物に隣接する駐車場等の施設がこれに該当する。(措通43の2-6)
> 注　1に掲げる附属施設は、当該特定非常災害に基因して事業又は居住の用に供することができなくなったものであるかどうかは問わないことに留意する。

(付随区域)
(8)　1に掲げる「被災区域である土地に付随して一体的に使用される土地」とは、当該被災区域である土地と一団をなす土地で当該被災区域である土地の使用に伴って一体的に使用されるものをいうのであるから、例えば、建物を建築する場合において、当該被災区域である土地とともにその建物の敷地の用に供される土地がこれに該当する。(措通43の2-7)

(中小企業者であるかどうかの判定の時期)
(9)　1の規定の適用上、法人が第二節第二款の**五**の**3**の(2)《中小企業者の意義》に掲げる中小企業者に該当するかどうかの判定(以下「中小判定」という。)は、次の表の左欄に掲げる法人の区分に応じそれぞれ同表の右欄に掲げる取扱いによるものとする。(措通43の2-8)

(一)	通算法人以外の法人	当該法人の**1**に掲げる被災代替資産等の取得等をした日及び当該被災代替資産等を事業の用に供した日の現況による。	
(二)	通算法人	当該通算法人及び他の通算法人(次のイ又はロの日及び次のハの日のいずれにおいても当該通算法人との間に通算完全支配関係がある法人に限る。)の当該イ及びロの日の現況による。	
		イ	当該通算法人が**1**に掲げる被災代替資産等の取得等をした日
		ロ	当該通算法人が当該被災代替資産等を事業の用に供した日
		ハ	当該通算法人の**1**の適用を受けようとする事業年度終了の日

> 注　通算親法人の事業年度の中途において通算承認の効力を失った通算法人のその効力を失った日の前日に終了する事業年度における中小判定についても、同様とする。

(被災代替資産等の特別償却の計算)
(10)　1の特別償却は、当該特別償却の対象となる機械設備等について認められているのであるから、特別償却の対象とならないものがあるときはもちろん、当該特別償却の対象となる機械設備等と種類及び耐用年数を同じくする他の機械設備等があっても、それぞれ各別に償却限度額を計算することに留意する。(措通42の5～48(共)-1・編者補正)

(適格合併等があった場合の特別償却等の適用)
(11)　1の特別償却は、減価償却資産を事業の用に供した場合に適用があるのであるから、適格合併等(適格合併、適格分割、適格現物出資又は適格現物分配をいう。)による移転に係る減価償却資産について1の適用があるかどうかは、当該減価償却資産を事業の用に供した日の現況において、1に掲げる適用要件(適用対象法人、適用期間、適用対象事業等に関する要件をいう。以下(11)において同じ。)を満たすかどうかにより判定することに留意する。(措通42の5～48(共)-3・編者補正)
> 注　例えば、中小企業者等(**一**の**1**《中小企業者等が特定機械装置等を取得した場合の初年度特別償却》に掲げる中小企業者等をいう。以下注において同じ。)に該当する被合併法人が減価償却資産を適格合併により中小企業者等に該当しない合併法人に移転する場合の**一**の**1**の適用については、次の(一)及び(二)のようになる。
>
> | (一) | 被合併法人が当該減価償却資産を事業の用に供した場合は、他の適用要件を満たせば、被合併法人において**一**の**1**の適用を受けることができる。 |
> |---|---|
> | (二) | 被合併法人が当該減価償却資産を事業の用に供しないで合併法人が事業の用に供した場合は、被合併法人又は合併法人のいずれの法人においても、**一**の**1**の適用を受けることができない。 |

2　特別償却の明細書の添付

1の特別償却は、確定申告書等に被災代替資産等の償却限度額の計算に関する明細書《別表十六》の添付がない場合に

第三章　第一節　第七款　十《被災代替資産等の特別償却》

は、適用しない。ただし、当該添付がない確定申告書等の提出があった場合においても、その添付がなかったことにつき税務署長がやむを得ない事情があると認める場合において、当該明細書の提出があったときは、この限りでない。（措法43の２③）

　１の明細書には、「特別償却等の償却限度額の計算に関する付表」を添付する。（規別表十六）

十一　関西文化学術研究都市の文化学術研究地区における文化学術研究施設の特別償却

1　文化学術研究施設の初年度特別償却

　青色申告書を提出する法人が、関西文化学術研究都市建設促進法第5条第2項《建設計画の作成等》に規定する建設計画の同意の日から令和7年3月31日までの間に、同法第2条第4項《定義》に規定する文化学術研究施設のうち(1)《研究所用の施設の要件》に掲げる要件を満たす研究所用の施設の新設又は増設をする場合において、当該新設若しくは増設に係る研究所用の建物及びその附属設備並びに機械及び装置（(2)《機械及び装置の規模》に掲げる規模のものに限る。以下**十一**において「**研究施設**」という。）でその製作若しくは建設の後事業の用に供されたことのないものを取得し、又は研究施設を製作し、若しくは建設して、これを当該法人の事業の用に供したとき（所有権移転外リース取引〔第六款の**四**の**1**の②の(2)の表の(五)《所有権移転外リース取引》に掲げるものをいう。〕により取得した当該研究施設をその用に供した場合を除く。）は、その用に供した日を含む事業年度の当該研究施設の償却限度額は、第六款の**三**の**1**《償却費等の損金算入》又は同**三**の**2**《適格分割等により移転する減価償却資産に係る期中損金経理額の損金算入》に掲げる普通償却限度額の計算の規定にかかわらず、当該研究施設の普通償却限度額（同**三**の**1**に掲げる償却限度額又は同**三**の**2**に掲げる償却限度額に相当する金額をいう。）と**特別償却限度額**（当該研究施設の取得価額の$\frac{12}{100}$〔建物及びその附属設備については、$\frac{6}{100}$〕に相当する金額をいう。）との合計額とする。（措法44①）

$$\text{研究施設の償却限度額} = \text{研究施設の普通償却限度額} + \underbrace{\text{研究施設の取得価額} \times \frac{12}{100} \text{又は} \frac{6}{100}}_{\text{特別償却限度額}}$$

　　　（研究所用の施設の要件）
(1)　**1**《文化学術研究施設の初年度特別償却》の特別償却の適用の対象となる研究所用の施設の要件は、次の(一)及び(二)に掲げる要件とする。（措令28の4①）

(一)	技術に関する研究開発の用に供される研究所用の施設で、その取得又は製作若しくは建設に必要な資金の額（当該研究所用の施設に係る土地又は土地の上に存する権利の取得に必要な資金の額及び借入金の利子の額を除く。）が4億円以上のものであること。
(二)	当該研究所用の施設を設置することが関西文化学術研究都市建設促進法第5条第1項《建設計画の作成等》に規定する建設計画の達成に資することにつき国土交通大臣の証明がされたものであること。

　　注1　(二)に掲げる国土交通大臣の証明に関する手続については、昭和63年国土庁告示第1号（最終改正令和6年国土交通省告示第292号）により定められている。（編者）
　　注2　上記の金額基準を満たしているかどうかは、第一款の**七**の**2**の(9)《少額の減価償却資産等の取得価額等の判定》により、法人が消費税等の経理処理について適用している税抜経理方式又は税込経理方式に応じ、その適用している方式により算定した価額により判定する。（平元直法2－1「9」参照）

　　　（機械及び装置の規模）
(2)　**1**の特別償却の適用の対象となる機械及び装置の規模は、一台又は一基（通常一組又は一式をもって取引の単位とされるものにあっては、一組又は一式）の取得価額（第六款の**六**の**1**《減価償却資産の取得価額》により計算した取得価額をいう。）が400万円以上のものとする。（措令28の4②）

　　注　上記の金額基準を満たしているかどうかは、第一款の**七**の**2**の(9)《少額の減価償却資産等の取得価額等の判定》により、法人が消費税等の経理処理について適用している税抜経理方式又は税込経理方式に応じ、その適用している方式により算定した価額により判定する。（平元直法2－1「9」参照）

　　　（研究施設の範囲）
(3)　**1**の特別償却の適用の対象となる研究施設は、(1)《研究所用の施設の要件》の(一)に掲げる技術に関する研究開発のために直接使用されているものに限られるから、製品の生産工程の一部において使用されているなど当該技術に関する研究開発のために使用されていない資産については、**1**の特別償却の適用がないことに留意する。（措通44－1）

　　　（研究所用の施設の規模基準等の判定）
(4)　(1)の(一)に掲げる研究所用の施設（以下「研究所用の施設」という。）の取得又は製作若しくは建設（以下「取得等」という。）に必要な資金の額が4億円以上であるかどうかは、一の計画に基づき取得する研究所用の施設ごとに

判定するものとする。(措通44−2・編者補正)
　　注　研究所用の施設の取得等に必要な資金の額が4億円以上であるかどうかは、その研究所用の施設につき第十五款の一《国庫補助金等による圧縮記帳》、同款の二《工事負担金による圧縮記帳》、同款の三《非出資組合の賦課金による圧縮記帳》及び同款の四《保険金等による圧縮記帳》による圧縮記帳の適用を受けるものであってもこれらの適用を受ける前の金額により判定するが、研究所用の施設に含まれる個々の資産の特別償却額は、これらによる圧縮記帳後の金額を基礎として計算することに留意する。

(研究所用の建物及びその附属設備の意義)
(5)　**1**に掲げる研究所用の建物及びその附属設備には、次の(一)及び(二)に掲げる建物及びその附属設備が含まれるものとする。(措通44−3)

(一)	研究所の構内にある守衛所、詰所、自転車置場、浴場その他これらに類するもので研究所用の建物としての耐用年数を適用するもの及びこれらの建物の附属設備
(二)	研究所において使用する電力に係る発電所又は変電所の用に供する建物及びこれらの建物の附属設備

　　注　倉庫用の建物は、研究所用の建物に該当しない。

(特別償却の対象となる研究所用の建物の附属設備)
(6)　**1**に掲げる研究所用の建物の附属設備は、当該建物とともに取得又は建設をする場合における建物附属設備に限られることに留意する。(措通44−4)

(研究所用とその他の用に共用されている建物の判定)
(7)　一の建物が研究所用とその他の用に共用されている場合には、原則としてその用途の異なるごとに区分し、研究所用に供されている部分について**1**の特別償却を適用するのであるが、研究所用とその他の用に供されている部分を区分することが困難であるときは、当該建物が主としていずれの用に供されているかにより判定する。(措通44−5)
　　注　その他の用に供されている部分が極めて小部分であるときは、その全部が研究所用に供されているものとすることができる。

(機械及び装置の取得価額の判定単位)
(8)　研究施設のうちの機械及び装置の一台又は一基の取得価額が400万円以上であるかどうかについては、通常一単位として取引される単位ごとに判定するのであるが、個々の機械及び装置の本体と同時に設置する自動調整装置又は原動機のような附属機器で当該本体と一体となって使用するものがある場合には、これらの附属機器を含めたところによりその判定を行うことができるものとする。(措通44−6)

(圧縮記帳の適用を受けた場合の研究施設の取得価額要件の判定)
(9)　研究施設のうちの機械及び装置の取得価額が400万円以上であるかどうかを判定する場合において、その機械及び装置が第十五款の**一**《国庫補助金等による圧縮記帳》、同款の**二**《工事負担金による圧縮記帳》、同款の**三**《非出資組合の賦課金による圧縮記帳》及び同款の**四**《保険金等による圧縮記帳》による圧縮記帳の適用を受けたものであるとき(法人が取得等をした機械及び装置につき、供用年度後の事業年度において第十五款の**一**から**四**の適用を受けることが予定されている場合を含む。)は、その圧縮記帳後の金額(法人が取得等をした機械及び装置につき、供用年度後の事業年度において第十五款の**一**から**四**の適用を受けることが予定されている場合にあっては、第六款の**六**の**1**《減価償却資産の取得価額》に掲げる額から当該供用年度後の事業年度において第十五款の**一**から**四**の適用を受けるとしたならば、第六款の**六**の**3**《圧縮記帳資産の取得価額の特例》に掲げる「損金の額に算入された金額(……金額を加算した金額)」となることが見込まれる金額を控除した金額)に基づいてその判定を行うものとする。(措通44−7、42の5〜48(共)−3の2・編者補正)

(新増設の範囲)
(10)　**1**の適用上、次の表に掲げる研究所用の施設については、新設又は増設により取得等をした研究所用の施設に該当するものとする。(措通44−8)

(一)	既存設備が災害により滅失又は損壊したため、その代替設備として取得等をした研究所用の施設
(二)	既存設備の取替え又は更新のために研究所用の施設の取得等をした場合で、その取得等により処理能力等が従前に比して相当程度(おおむね30%)以上増加したときにおける当該研究所用の施設のうちその処理能力等が増加した部分に係るもの

（文化学術研究施設の特別償却の計算）

(11) 1の特別償却は、当該特別償却の対象となる機械設備等について認められているのであるから、機械設備等で特別償却の対象とならないものがあるときはもちろん、当該特別償却の対象となる機械設備等と種類及び耐用年数を同じくする他の機械設備等があっても、それぞれ各別に償却限度額を計算することに留意する。（措通42の5〜48（共）－1・編者補正）

（適格合併等があった場合の特別償却等の適用）

(12) 1の特別償却は、減価償却資産を事業の用に供した場合に適用があるのであるから、適格合併等（適格合併、適格分割、適格現物出資又は適格現物分配をいう。）による移転に係る減価償却資産について1の適用があるかどうかは、当該減価償却資産を事業の用に供した日の現況において、1に掲げる適用要件（適用対象法人、適用期間、適用対象事業等に関する要件をいう。以下(12)において同じ。）を満たすかどうかにより判定することに留意する。（措通42の5〜48（共）－3・編者補正）

注　例えば、中小企業者等（一の1《中小企業者等が特定機械装置等を取得した場合の初年度特別償却》に掲げる中小企業者等をいう。以下注において同じ。）に該当する被合併法人が減価償却資産を適格合併により中小企業者等に該当しない合併法人に移転する場合の一の1の適用については、次の(一)及び(二)のようになる。

(一)	被合併法人が当該減価償却資産を事業の用に供した場合は、他の適用要件を満たせば、被合併法人において一の1の適用を受けることができる。
(二)	被合併法人が当該減価償却資産を事業の用に供しないで合併法人が事業の用に供した場合は、被合併法人又は合併法人のいずれの法人においても、一の1の適用を受けることができない。

2　特別償却の明細書の添付

1《文化学術研究施設の初年度特別償却》の特別償却は、確定申告書等に当該減価償却資産の償却限度額の計算に関する明細書《別表十六》の添付がない場合には、適用しない。（措法44②、43②）

明細書には、「特別償却等の償却限度額の計算に関する付表」を添付する。（規別表十六）

十二　特定事業継続力強化設備等の特別償却

1　特定事業継続力強化設備等の初年度特別償却

　青色申告書を提出する法人で第二節第二款の**五**の**3**の(2)《中小企業者の意義》に掲げる中小企業者（同**3**の(7)《適用除外事業者の意義》に掲げる適用除外事業者又は同**3**の(8)《通算適用除外事業者の意義》に掲げる通算適用除外事業者に該当するものを除く。）又はこれに準ずるものとして(2)《中小企業者に準ずる法人の範囲》に掲げる法人であるもののうち中小企業の事業活動の継続に資するための中小企業等経営強化法等の一部を改正する法律（令和元年法律第21号）の施行の日（令和元年7月16日）から令和7年3月31日までの間に中小企業等経営強化法第56条第1項《事業継続力強化計画の認定》又は第58条第1項《連携事業継続力強化計画の認定》の認定（以下**1**において「認定」という。）を受けた同法第2条第1項に規定する中小企業者に該当するもの（以下**1**において「**特定中小企業者等**」という。）が、その認定を受けた日から同日以後1年を経過する日までの間に、その認定に係る同法第56条第1項に規定する事業継続力強化計画若しくは同法第58条第1項に規定する連携事業継続力強化計画（同法第57条第1項《事業継続力強化計画の変更等》の規定による変更の認定又は同法第59条第1項《連携事業継続力強化計画の変更等》の規定による変更の認定があったときは、その変更後のもの。以下**1**において「**認定事業継続力強化計画等**」という。）に係る事業継続力強化設備等（同法第56条第2項第2号ロに規定する事業継続力強化設備等をいう。）として当該認定事業継続力強化計画等に記載された機械及び装置、器具及び備品並びに建物附属設備（機械及び装置並びに器具及び備品の部分について行う改良又は機械及び装置並びに器具及び備品の移転のための工事の施行に伴って取得し、又は製作するものを含み、(3)《特定事業継続力強化設備等の規模》に掲げる規模のものに限る。以下**1**において「**特定事業継続力強化設備等**」という。）でその製作若しくは建設の後事業の用に供されたことのないものを取得し、又は特定事業継続力強化設備等を製作し、若しくは建設して、これを当該特定中小企業者等の事業の用に供した場合（所有権移転外リース取引〔第六款の**四**の**1**の②の(2)の表の(五)《所有権移転外リース取引》に掲げるものをいう。〕により取得した当該特定事業継続力強化設備等をその用に供した場合を除く。）には、その用に供した日を含む事業年度の当該特定事業継続力強化設備等の償却限度額は、第六款の**三**の**1**《償却費等の損金算入》又は同**三**の**2**《適格分割等により移転する減価償却資産に係る期中損金経理額の損金算入》にかかわらず、当該特定事業継続力強化設備等の普通償却限度額と特別償却限度額（当該特定事業継続力強化設備等の取得価額の$\frac{18}{100}$〔令和7年4月1日以後に取得又は製作若しくは建設をした当該特定事業継続力強化設備等については、$\frac{16}{100}$〕に相当する金額をいう。）との合計額とする。

　なお、**1**は、特定事業継続力強化設備等の取得又は製作若しくは建設に充てるための国又は地方公共団体の補助金又は給付金その他これらに準ずるもの（以下**1**において「**補助金等**」という。）の交付を受けた法人が、当該補助金等をもって取得し、又は製作し、若しくは建設した当該補助金等の交付の目的に適合した特定事業継続力強化設備等については、適用しない。（措法44の2①②）

$$\text{特定事業継続力強化設備等の償却限度額} = \text{特定事業継続力強化設備等の普通償却限度額} + \overbrace{\text{特定事業継続力強化設備等の取得価額} \times \frac{18}{100} \text{又は} \frac{16}{100}}^{\text{特別償却限度額}}$$

（中小企業者であるかどうかの判定の時期）

(1)　**1**の適用上、法人が第二節第二款の**五**の**3**の(2)《中小企業者の意義》に掲げる中小企業者に該当するかどうかの判定（以下「中小判定」という。）は、次の表の左欄に掲げる法人の区分に応じそれぞれ同表の右欄に掲げる取扱いによるものとする。（措通44の2－1）

(一)	通算法人以外の法人		当該法人の**1**に掲げる特定事業継続力強化設備等の取得又は製作若しくは建設をした日及び当該特定事業継続力強化設備等を事業の用に供した日の現況による。
(二)	通算法人		当該通算法人及び他の通算法人（次のイ又はロの日及び次のハの日のいずれにおいても当該通算法人との間に通算完全支配関係がある法人に限る。）の当該イ及びロの日の現況による。
		イ	当該通算法人が**1**に掲げる特定事業継続力強化設備等の取得又は製作若しくは建設をした日
		ロ	当該通算法人が当該特定事業継続力強化設備等を事業の用に供した日
		ハ	当該通算法人の同項の規定の適用を受けようとする事業年度終了の日

第三章　第一節　第七款　**十二**《特定事業継続力強化設備等の特別償却》

注　通算親法人の事業年度の中途において通算承認の効力を失った通算法人のその効力を失った日の前日に終了する事業年度における中小判定についても、同様とする。

　　（中小企業者に準ずる法人の範囲）
（2）　1に掲げる法人は、事業協同組合、協同組合連合会、水産加工業協同組合、水産加工業協同組合連合会及び商店街振興組合とする。（措令28の5①）

　　（特定事業継続力強化設備等の規模）
（3）　1に掲げる特定事業継続力強化設備等のうち特別償却の対象となるものは、次の表の左欄に掲げる減価償却資産の区分に応じ、それぞれ同表の右欄に掲げる規模のものとする。（措令28の5②）

(一)	機械及び装置	一台又は一基（通常一組又は一式をもって取引の単位とされるものにあっては、一組又は一式。以下（3）において同じ。）の取得価額（第六款の**六**の**1**《減価償却資産の取得価額》により計算した取得価額をいう。以下（3）において同じ。）が100万円以上のもの
(二)	器具及び備品	一台又は一基の取得価額が30万円以上のもの
(三)	建物附属設備	一の建物附属設備の取得価額が60万円以上のもの

注　上記の金額基準を満たしているかどうかは、第一款の**七**の**2**の（9）《少額の減価償却資産等の取得価額等の判定》により、法人が消費税等の経理処理について適用している税抜経理方式又は税込経理方式に応じ、その適用している方式により算定した価額により判定する。（平元直法2－1「9」参照）

　　（取得価額の判定単位）
（4）　（3）に掲げる機械及び装置又は器具及び備品の一台又は一基の取得価額が100万円以上又は30万円以上であるかどうかについては、通常一単位として取引される単位ごとに判定するのであるが、個々の機械及び装置の本体と同時に設置する自動調整装置又は原動機のような附属機器で当該本体と一体になって使用するものがある場合には、これらの附属機器を含めたところによりその判定を行うことができるものとする。（措通44の2－3）

　　（圧縮記帳の適用を受けた場合の特定事業継続力強化設備等の取得価額要件の判定）
（5）　（3）に掲げる機械及び装置、器具及び備品又は建物附属設備の取得価額が100万円以上、30万円以上又は60万円以上であるかどうかを判定する場合において、その機械及び装置、器具及び備品又は建物附属設備が第十五款の**一**《国庫補助金等による圧縮記帳》、同款の**二**《工事負担金による圧縮記帳》、同款の**三**《非出資組合の賦課金による圧縮記帳》及び同款の**四**《保険金等による圧縮記帳》による圧縮記帳の適用を受けたものであるとき（法人が取得等をした（3）に掲げる機械及び装置、器具及び備品並びに建物附属設備につき、供用年度後の事業年度において第十五款の**一**から**四**の適用を受けることが予定されている場合を含む。）は、その圧縮記帳後の金額（法人が取得等をした（3）に掲げる機械及び装置、器具及び備品並びに建物附属設備につき、供用年度後の事業年度において第十五款の**一**から**四**の適用を受けることが予定されている場合にあっては、第六款の**六**の**1**《減価償却資産の取得価額》に掲げる額から当該供用年度後の事業年度において第十五款の**一**から**四**の適用を受けるとしたならば、第六款の**六**の**3**《圧縮記帳資産の取得価額の特例》に掲げる「損金の額に算入された金額（……金額を加算した金額）」となることが見込まれる金額を控除した金額）に基づいてその判定を行うものとする。（措通44の2－4、42の5～48（共）－3の2・編者補正）

2　特別償却の明細書の添付

　1《特定事業継続力強化設備等の初年度特別償却》の特別償却は、確定申告書等に当該特定事業継続力強化設備等の償却限度額の計算に関する明細書《別表十六》の添付がない場合には、適用しない。（措法44の2③、43②）
　明細書には、「特別償却等の償却限度額の計算に関する付表」を添付する。（規別表十六）

十三　共同利用施設の特別償却

1　共同利用施設の初年度特別償却

　青色申告書を提出する法人で、生活衛生同業組合（出資組合であるものに限る。）又は生活衛生同業小組合であるものが、平成３年４月１日から令和７年３月31日までの間に、生活衛生関係営業の運営の適正化及び振興に関する法律第56条の３第１項《振興計画の認定》の認定を受けた同項に規定する振興計画に係る共同利用施設（（1）《共同利用施設の規模》に掲げる規模のものに限る。以下**十三**において「**共同利用施設**」という。）でその製作若しくは建設の後事業の用に供されたことのないものを取得し、又は共同利用施設を製作し、若しくは建設して、これを当該法人の事業の用に供した場合（所有権移転外リース取引〔第六款の**四**の１の②の（2）の表の（五）《所有権移転外リース取引》に掲げるものをいう。〕により取得した当該共同利用施設をその用に供した場合を除く。）には、その用に供した日を含む事業年度の当該共同利用施設の償却限度額は、第六款の**三**の１《償却費等の損金算入》又は同**三**の２《適格分割等により移転する減価償却資産に係る期中損金経理額の損金算入》に掲げる普通償却限度額の計算の規定にかかわらず、当該共同利用施設の普通償却限度額（同**三**の１に掲げる償却限度額又は同**三**の２に掲げる償却限度額に相当する金額をいう。）と**特別償却限度額**（当該共同利用施設の取得価額の $\frac{6}{100}$ に相当する金額をいう。）との合計額とする。（措法44の３①）

$$\text{共同利用施設の償却限度額} = \text{共同利用施設の普通償却限度額} + \overbrace{\text{共同利用施設の取得価額} \times \frac{6}{100}}^{\text{特別償却限度額}}$$

　　　（共同利用施設の規模）
（1）　１《共同利用施設の初年度特別償却》の適用の対象となる共同利用施設の規模は、一の共同利用施設の取得価額（第六款の**六**の１《減価償却資産の取得価額》により計算した取得価額をいう。）が400万円（建物にあっては、600万円）以上のものとする。（措令28の６）

　　　（共同利用施設の特別償却の計算）
（2）　１の特別償却は、当該特別償却の対象となる機械設備等について認められているのであるから、機械設備等で特別償却の対象とならないものがあるときはもちろん、当該特別償却の対象となる機械設備等と種類及び耐用年数を同じくする他の機械設備等があっても、それぞれ各別に償却限度額を計算することに留意する。（措通42の５～48（共）－１・編者補正）

　　　（適格合併等があった場合の特別償却等の適用）
（3）　１の特別償却は、減価償却資産を事業の用に供した場合に適用があるのであるから、適格合併等（適格合併、適格分割、適格現物出資又は適格現物分配をいう。）による移転に係る減価償却資産について１の適用があるかどうかは、当該減価償却資産を事業の用に供した日の現況において、１に掲げる適用要件（適用対象法人、適用期間、適用対象事業等に関する要件をいう。以下（3）において同じ。）を満たすかどうかにより判定することに留意する。（措通42の５～48（共）－３・編者補正）

　　　注　例えば、中小企業者等（**一**の１《中小企業者等が特定機械装置等を取得した場合の初年度特別償却》に掲げる中小企業者等をいう。以下注において同じ。）に該当する被合併法人が減価償却資産を適格合併により中小企業者等に該当しない合併法人に移転する場合の**一**の１の適用については、次の（一）及び（二）のようになる。

（一）	被合併法人が当該減価償却資産を事業の用に供した場合は、他の適用要件を満たせば、被合併法人において**一**の１の適用を受けることができる。
（二）	被合併法人が当該減価償却資産を事業の用に供しないで合併法人が事業の用に供した場合は、被合併法人又は合併法人のいずれの法人においても、**一**の１の適用を受けることができない。

　　　（圧縮記帳の適用を受けた場合の共同利用施設の取得価額要件の判定）
（4）　（1）の「一の共同利用施設の取得価額（……）が400万円（建物にあっては、600万円）以上」であるかどうかを判定する場合において、その共同利用施設が第十五款の**一**《国庫補助金等による圧縮記帳》、同款の**二**《工事負担金による圧縮記帳》及び同款の**四**《保険金等による圧縮記帳》による圧縮記帳の適用を受けたものであるとき（法人が取得等をした（1）の一の共同利用施設につき、供用年度後の事業年度において第十五款の**一**から**四**の適用を受けることが予定されている場合を含む。）は、その圧縮記帳後の金額（法人が取得等をした（1）の一の共同利用施設につき、供

用年度後の事業年度において第十五款の**一**から**四**の適用を受けることが予定されている場合にあっては、第六款の**六**の**1**《減価償却資産の取得価額》に掲げる額から当該供用年度後の事業年度において第十五款の**一**から**四**の適用を受けるとしたならば、第六款の**六**の**3**《圧縮記帳資産の取得価額の特例》に掲げる「損金の額に算入された金額（……金額を加算した金額）」となることが見込まれる金額を控除した金額）に基づいてその判定を行うものとする。（措通44の3－1、42の5～48（共）－3の2・編者補正）

2　特別償却の明細書の添付

1　《共同利用施設の初年度特別償却》の特別償却は、確定申告書等に当該共同利用施設の償却限度額の計算に関する明細書《別表十六》の添付がない場合には、適用しない。（措法44の3②、43②）

明細書には、「特別償却等の償却限度額の計算に関する付表」を添付する。（規別表十六）

十四　環境負荷低減事業活動用資産等の特別償却（適用期限の延長）

1　環境負荷低減事業活動用資産を取得した場合の初年度特別償却

　青色申告書を提出する法人で環境と調和のとれた食料システムの確立のための環境負荷低減事業活動の促進等に関する法律第19条第1項又は第21条第1項の認定を受けた同法第2条第3項に規定する農林漁業者（当該農林漁業者が団体である場合におけるその構成員等〔同項に規定する構成員等をいう。〕を含む。）であるものが、令和4年7月1日から令和8年3月31日までの間に、当該認定に係る次に掲げる機械その他の減価償却資産のうち同条第4項に規定する環境負荷の低減に著しく資するものとして農林水産大臣が定める基準に適合するもの（一の設備等〔次の表に掲げる設備等をいう。〕を構成する機械その他の減価償却資産の取得価額〔第六款の**六**の1《減価償却資産の取得価額》により計算した取得価額をいう。〕の合計額が100万円以上のものに限る。以下1において「**環境負荷低減事業活動用資産**」という。）でその製作若しくは建設の後事業の用に供されたことのないものを取得し、又は環境負荷低減事業活動用資産を製作し、若しくは建設して、これを当該法人の同条第4項に規定する環境負荷低減事業活動又は同法第15条第2項第3号に規定する特定環境負荷低減事業活動の用に供した場合（所有権移転外リース取引〔第六款の**四**の1の②の(2)の表(五)《所有権移転外リース取引》に掲げるものをいう。〕により取得した当該環境負荷低減事業活動用資産をその用に供した場合を除く。）には、その用に供した日を含む事業年度の当該環境負荷低減事業活動用資産の償却限度額は、第六款の**三**の1《償却費等の損金算入》又は同**三**の2《適格分割等により移転する減価償却資産に係る期中損金経理額の損金算入》にかかわらず、当該環境負荷低減事業活動用資産の普通償却限度額と特別償却限度額（当該環境負荷低減事業活動用資産の取得価額の$\frac{32}{100}$〔建物及びその附属設備並びに構築物については、$\frac{16}{100}$〕に相当する金額をいう。）との合計額とする。（措法44の4①、措令28の7①②）

(一)	環境と調和のとれた食料システムの確立のための環境負荷低減事業活動の促進等に関する法律第20条第3項に規定する認定環境負荷低減事業活動実施計画に記載された同法19条第4項に規定する設備等を構成する機械その他の減価償却資産
(二)	環境と調和のとれた食料システムの確立のための環境負荷低減事業活動の促進等に関する法律第22条第3項に規定する認定特定環境負荷低減事業活動実施計画に記載された同法第21条第4項第1号に規定する設備等を構成する機械その他の減価償却資産

注1　農林水産大臣は、1により基準を定めたときは、これを告示する。（措令28の7⑤）
注2　1に掲げる農林水産大臣が定める基準は、令和4年農林水産省告示第1415号（最終改正令和6年第679号）により定められている。（編者）

　　　（圧縮記帳の適用を受けた場合の環境負荷低減事業活動用資産の取得価額要件の判定）
（1）　1の一の設備等を構成する機械その他の減価償却資産の取得価額の合計額が100万円以上であるかどうかを判定する場合において、当該一の設備等を構成する機械その他の減価償却資産のうちに第十五款の**一**《国庫補助金等による圧縮記帳》、同款の**二**《工事負担金による圧縮記帳》、同款の**三**《非出資組合の賦課金による圧縮記帳》及び同款の**四**《保険金等による圧縮記帳》による圧縮記帳の適用を受けたものがあるとき（法人が取得等をした1の一の設備等を構成する機械その他の減価償却資産のうちに、供用年度後の事業年度において第十五款の**一**から**四**の適用を受けることが予定されているものがある場合を含む。）は、その圧縮記帳後の金額（法人が取得等をした1の一の設備等を構成する機械その他の減価償却資産のうちに、供用年度後の事業年度において第十五款の**一**から**四**の適用を受けることが予定されているものがある場合にあっては、第六款の**六**の1《減価償却資産の取得価額》に掲げる額から当該供用年度後の事業年度において第十五款の**一**から**四**の適用を受けるとしたならば、第六款の**六**の3《圧縮記帳資産の取得価額の特例》に掲げる「損金の額に算入された金額（……金額を加算した金額）」となることが見込まれる金額を控除した金額）に基づいてその判定を行うものとする。（措通44の4－1、42の5～48（共）－3の2・編者補正）

　　　（環境負荷低減事業活用資産の特別償却の計算）
（2）　1の特別償却は、当該特別償却の対象となる機械設備等について認められているのであるから、機械設備等で特別償却の対象とならないものがあるときはもちろん、当該特別償却の対象となる機械設備等と種類及び耐用年数を同じくする他の機械設備等があっても、それぞれ各別に償却限度額を計算することに留意する。（措通42の5～48（共）－1・編者補正）

　　　（適格合併等があった場合の特別償却等の適用）
（3）　1の税額控除は、減価償却資産を事業の用に供した場合に適用があるのであるから、適格合併等（適格合併、適格分割、適格現物出資又は適格現物分配をいう。）による移転に係る減価償却資産について1の適用があるかどうかは、

当該減価償却資産を事業の用に供した日の現況において、**1**に掲げる適用要件（適用対象法人、適用期間、適用対象事業等に関する要件をいう。以下(3)において同じ。）を満たすかどうかにより判定することに留意する。（措通42の5～48(共)－3・編者補正）

注　例えば、中小企業者等（一の**1**《中小企業者等が特定機械装置等を取得した場合の初年度特別償却》に掲げる中小企業者等をいう。以下注において同じ。）に該当する被合併法人が減価償却資産を適格合併により中小企業者等に該当しない合併法人に移転する場合の一の**1**の適用については、次の(一)及び(二)のようになる。

(一)	被合併法人が当該減価償却資産を事業の用に供した場合は、他の適用要件を満たせば、被合併法人において一の**1**の適用を受けることができる。
(二)	被合併法人が当該減価償却資産を事業の用に供しないで合併法人が事業の用に供した場合は、被合併法人又は合併法人のいずれの法人においても、一の**1**の適用を受けることができない。

2　基盤確立事業用資産を取得した場合の初年度特別償却

　青色申告書を提出する法人で環境と調和のとれた食料システムの確立のための環境負荷低減事業活動の促進等に関する法律第39条第1項の認定を受けたものが、令和4年7月1日から令和8年3月31日までの間に、当該認定に係る同法第40条第3項に規定する認定基盤確立事業実施計画に記載された同法第39条第3項第1号に規定する設備等を構成する機械その他の減価償却資産のうち同法第2条第4項に規定する環境負荷の低減を図るために行う取組の効果を著しく高めるものとして農林水産大臣が定める基準に適合するもの（以下**2**において「**基盤確立事業用資産**」という。）でその製作若しくは建設の後事業の用に供されたことのないものを取得し、又は基盤確立事業用資産を製作し、若しくは建設をして、これを当該法人の同条第5項に規定する基盤確立事業（同項第3号に掲げるものに限る。）の用に供した場合（所有権移転外リース取引〔第六款の**四**の**1**の②の(2)の表(五)《所有権移転外リース取引》に掲げるものをいう。〕により取得した当該基盤確立事業用資産をその用に供した場合を除く。）には、その用に供した日を含む事業年度の当該基盤確立事業用資産の償却限度額は、第六款の**三**の**1**《償却費等の損金算入》又は同**三**の**2**《適格分割等により移転する減価償却資産に係る期中損金経理額の損金算入》にかかわらず、当該基盤確立事業用資産の普通償却限度額と特別償却限度額（当該基盤確立事業用資産の取得価額の$\frac{32}{100}$〔建物及びその附属設備並びに構築物については、$\frac{16}{100}$〕に相当する金額をいう。）との合計額とする。（措法44の4②、措令28の7③）

注1　農林水産大臣は、**2**により基準を定めたときは、これを告示する。（措令28の7⑤）
注2　**2**に掲げる農林水産大臣が定める基準は、令和4年農林水産省告示第1415号（最終改正令和6年第679号）により定められている。（編者）

　（基盤確立事業用資産に該当するものであることを証する書類の添付）
(1)　法人が、その取得し、又は製作し、若しくは建設した機械その他の減価償却資産（以下(1)において「機械等」という。）につき**2**の適用を受ける場合には、当該機械等につき**2**の適用を受ける事業年度の確定申告書等に当該機械等が**2**に掲げる基盤確立事業用資産に該当するものであることを証する(2)に掲げる書類を添付しなければならない。（措令28の7④）

注　(1)は、令和6年度改正により追加されたもので、改正規定は、令和6年4月1日以後に取得又は製作若しくは建設をする(1)に掲げる機械等について適用される。（令6改措令附14、1）

　（基盤確立事業用資産に該当するものであることを証する書類）
(2)　(1)の書類は、当該法人が受けた環境と調和のとれた食料システムの確立のための環境負荷低減事業活動の促進等に関する法律（(一)において「促進法」という。）第39条第1項の認定に係る次に掲げる書類とする。（措規20の15）

(一)	環境と調和のとれた食料システムの確立のための環境負荷低減事業活動の促進等に関する法律に基づく基盤確立事業実施計画の認定等に関する省令（以下(2)において「認定等省令」という。）第1条第1項の申請書に添付された促進法第39条第1項に規定する基盤確立事業実施計画（(1)に掲げる機械等が記載されたものに限るものとし、当該基盤確立事業実施計画につき促進法第40条第1項の規定による変更の認定があったときは当該変更の認定に係る認定等省令第3条第1項の申請書に添付された変更後の促進法第39条第1項に規定する基盤確立事業実施計画を含む。）の写し
(二)	認定等省令第1条第1項の申請に係る認定通知書（(一)の変更の認定があったときは、当該変更の認定に係る認定通知書を含む。）の写し

注　(2)は、令和6年度改正により追加されたもので、改正規定は、令和6年4月1日から適用される。（令6改措規附1）

(基盤確立事業用資産の特別償却の計算)
（３）　**２**の特別償却は、当該特別償却の対象となる機械設備等について認められているのであるから、機械設備等で特別償却の対象とならないものがあるときはもちろん、当該特別償却の対象となる機械設備等と種類及び耐用年数を同じくする他の機械設備等があっても、それぞれ各別に償却限度額を計算することに留意する。（措通42の５〜48（共）－１・編者補正）

(適格合併等があった場合の特別償却等の適用)
（４）　**２**の税額控除は、減価償却資産を事業の用に供した場合に適用があるのであるから、適格合併等（適格合併、適格分割、適格現物出資又は適格現物分配をいう。）による移転に係る減価償却資産について**２**の適用があるかどうかは、当該減価償却資産を事業の用に供した日の現況において、**２**に掲げる適用要件（適用対象法人、適用期間、適用対象事業等に関する要件をいう。以下（４）において同じ。）を満たすかどうかにより判定することに留意する。（措通42の５〜48（共）－３・編者補正）

注　例えば、中小企業者等（**一**の**１**に掲げる中小企業者等をいう。以下注において同じ。）に該当する被合併法人が減価償却資産を適格合併により中小企業者等に該当しない合併法人に移転する場合の**一**の**１**の適用については、次の（一）及び（二）のようになる。

(一)	被合併法人が当該減価償却資産を事業の用に供した場合は、他の適用要件を満たせば、被合併法人において**一**の**１**の適用を受けることができる。
(二)	被合併法人が当該減価償却資産を事業の用に供しないで合併法人が事業の用に供した場合は、被合併法人又は合併法人のいずれの法人においても、**一**の**１**の適用を受けることができない。

3　特別償却の明細書の添付

１《環境負荷低減事業活動用資産を取得した場合の初年度特別償却》及び**２**《基盤確立事業用資産を取得した場合の初年度特別償却》の特別償却は、確定申告書等に環境負荷低減事業活動用資産又は基盤確立事業用資産の償却限度額の計算に関する明細書《別表十六》の添付がない場合には、適用しない。（措法44の４③、43②）

明細書には、「特別償却等の償却限度額の計算に関する付表」を添付する。（規別表十六）

十五　生産方式革新事業活動用資産等の特別償却（創設）

　　注　**十五**は、令和6年度改正により創設されたもので、農業の生産性の向上のためのスマート農業技術の活用の促進に関する法律（令和6年法律第63号）の施行の日から適用される。（令6改法附1 XIV、令6改措令附1 V）
　　　　なお、同法の施行期日を定める政令は、令和6年7月1日現在制定されていない。（編者）

1　生産方式革新事業活動用資産等を取得した場合の初年度特別償却

　青色申告書を提出する法人で農業の生産性の向上のためのスマート農業技術の活用の促進に関する法律第8条第3項に規定する認定生産方式革新事業者であるものが、同法の施行の日から令和9年3月31日までの間に、当該認定生産方式革新事業者として行う同法第2条第3項に規定する生産方式革新事業活動（同法第7条第3項に規定する措置を含む。）の用に供するための次に掲げる機械その他の減価償却資産（以下**十五**において「**生産方式革新事業活動用資産等**」という。）でその製作若しくは建設の後事業の用に供されたことのないものを取得し、又は生産方式革新事業活動用資産等を製作し、若しくは建設して、これを当該法人の当該生産方式革新事業活動の用に供した場合（所有権移転外リース〔第六款の**四**の1の②の(2)の表の(五)《所有権移転外リース取引》に掲げるものをいう。〕により取得した当該生産方式革新事業活動用資産等をその用に供した場合を除く。）には、その用に供した日を含む事業年度の当該生産方式革新事業活動用資産等の償却限度額は、第六款の**三**の1《償却費等の損金算入》又は同**三**の2《適格分割等により移転する減価償却資産に係る期中損金経理額の損金算入》に掲げる普通償却限度額の計算の規定にかかわらず、当該生産方式革新事業活動用資産等の普通償却限度額と特別償却限度額（次の表の左欄に掲げる生産方式革新事業活動用資産等の区分に応じそれぞれ同表の右欄に掲げる金額をいう。）との合計額とする。（措法44の5①、措令28の8①②）

(一)	農業の生産性の向上のためのスマート農業技術の活用の促進に関する法律第8条第3項に規定する認定生産方式革新実施計画に記載された同法第7条第4項第1号に規定する設備等を構成する機械及び装置、器具及び備品、建物及びその附属設備並びに構築物のうち、同法第2条第1項に規定する農作業の効率化等を通じた農業の生産性の向上に著しく資するものとして農林水産大臣が定める基準に適合するもの	その取得価額の$\frac{32}{100}$（建物及びその附属設備並びに構築物については、$\frac{16}{100}$）に相当する金額
(二)	農業の生産性の向上のためのスマート農業技術の活用の促進に関する法律第8条第3項に規定する認定生産方式革新実施計画に記載された同法第7条第4項第2号に規定する設備等を構成する機械及び装置のうち、当該認定生産方式革新実施計画に係る同法第2条第3項に規定する農業者等が行う同項に規定する生産方式革新事業活動の促進に特に資するものとして農林水産大臣が定める基準に適合するもの	その取得価額の$\frac{25}{100}$に相当する金額

　　注　農林水産大臣は、1により基準を定めたときは、これを告示する。（措令28の8③）

2　特別償却の明細書の添付

　1《生産方式革新事業活動用資産等を取得した場合の初年度特別償却》の特別償却は、確定申告書等に当該生産方式革新事業活動用資産等の償却限度額の計算に関する明細書《別表十六》の添付がない場合には、適用しない。（措法44の5②、43②）

　明細書には、「特別償却等の償却限度額の計算に関する付表」を添付する。（規別表十六）

十六　特定地域における工業用機械等の特別償却

1　特定地域における工業用機械等の初年度特別償却

　青色申告書を提出する法人で次の表の「事業者」欄に掲げる事業者に該当するものが、令和4年4月1日から令和7年3月31日までの期間のうち(1)《工業用機械等の特別償却の適用期間》に掲げる期間内に、次の表の「区域」欄に掲げる区域内においてそれぞれ同表の「事業」欄に掲げる事業の用に供する設備で(2)《特別償却の対象となる生産等設備の規模》に掲げる規模のものの新設又は増設をする場合において、当該新設又は増設に係るそれぞれ同表の「資産」欄に掲げる減価償却資産のうち(3)《区域の振興に資する減価償却資産》に掲げるもの（同表①から③までの「資産」欄に掲げる減価償却資産のうち特定高度情報通信技術活用システムの開発供給及び導入の促進に関する法律第2条第1項《定義》に掲げる高度情報通信技術活用システム〔同項第1号に掲げるものに限る。〕にあっては当該法人の**七**の1《認定特定高度情報通信技術活用設備を取得した場合の初年度特別償却》に掲げる認定導入計画に記載された同1に掲げる認定導入計画に記載された同1に掲げる認定特定高度情報通信技術活用設備に限るものとし、同表の他のものの適用を受けるものを除く。以下**十六**において「**工業用機械等**」という。）を取得し、又は製作し、若しくは建設して、これを当該区域内において当該法人の当該事業の用に供したとき（所有権移転外リース取引〔第六款の**四**の1の②の(2)の表の(五)《所有権移転外リース取引》に掲げるものをいう。〕により取得した当該工業用機械等をその用に供した場合を除く。）は、その用に供した日を含む事業年度の当該工業用機械等の償却限度額は、第六款の**三**の1《償却費等の損金算入》又は同**三**の2《適格分割等により移転する減価償却資産に係る期中損金経理額の損金算入》に掲げる普通償却限度額の計算の規定にかかわらず、当該工業用機械等の普通償却限度額（同**三**の1に掲げる償却限度額又は同**三**の2に掲げる償却限度額に相当する金額をいう。）と特別償却限度額（当該工業用機械等の取得価額〔一の生産等設備を構成するものの取得価額の合計額が20億円を超える場合には、20億円に当該工業用機械等の取得価額が当該一の生産等設備を構成する工業用機械等の取得価額の合計額のうちに占める割合を乗じて計算した金額〕にそれぞれ次の表の「割合」欄に掲げる割合を乗じて計算した金額をいう。）との合計額とする。（措法45①、措令28の9④～⑦、措規20の16①～④）

$$\text{工業用機械等}\atop\text{の償却限度額} = \text{工業用機械等の}\atop\text{普通償却限度額} + \overbrace{\text{工業用機械等}\atop\text{の取得価額} \times \text{特別償却割合}}^{\text{特別償却限度額}}$$

　ただし、一の生産等設備を構成する工業用機械等の取得価額の合計額が20億円を超える場合には、上記算式の「取得価額」は工業用機械等ごとに次により計算した金額とする。

$$20億円 \times \frac{\text{工業用機械等の取得価額}}{\text{工業用機械等の取得価額の合計額}}$$

	事業者	区域		事業	資産		割合
①	沖縄振興特別措置法第36条に規定する認定事業者	同法第35条の2第1項に規定する提出産業イノベーション促進計画に定められた同法第35条第2項第2号に規定する産業イノベーション促進地域の区域	イ	製造業	機械及び装置		$\frac{34}{100}$
					構築物（液化したガスを貯蔵し、又は利用するためのものでガス貯槽〔沖縄振興特別措置法施行令第4条第9号に規定する液化ガス貯蔵設備〈チにおいて「液化ガス貯蔵設備」という。〉に該当するものに限る。〕及び液化天然ガスを利用するために当該ガス貯槽と一体として設置される送配管に限る。）（措規20の16②）		$\frac{20}{100}$
					次に掲げる器具及び備品		
						(イ) 専ら開発研究（新たな製品の製造若しくは新たな技術の発明又は現に企業化されている技術の著しい改善を目的として特別に行われる試験研究をいう。）の用に供される耐用年数省令別表第六《研究開発用減価償却資産の耐用年数表》の上欄に掲げるもの（同表の中欄に掲げる	$\frac{34}{100}$

第三章　第一節　第七款　**十六**《特定地域における工業用機械等の特別償却》

					固定資産に限る。）（措規20の16③）	
				(ロ)	第二節第二款の**七**の**1**の(7)《税額控除の対象となる特定の器具及び備品の範囲》に掲げる器具及び備品（措規20の16④）	
					工場用の建物及びその附属設備	$\frac{20}{100}$
			ロ	道路貨物運送業	機械及び装置	$\frac{34}{100}$
					器具及び備品（イ(ロ)に掲げるものに限る。）	$\frac{34}{100}$
					工場用の建物及びその附属設備並びに車庫用、作業場用又は倉庫用の建物及びその附属設備	$\frac{20}{100}$
			ハ	倉庫業	機械及び装置	$\frac{34}{100}$
					器具及び備品（イ(ロ)に掲げるものに限る。）	$\frac{34}{100}$
					工場用の建物及びその附属設備並びに作業場用又は倉庫用の建物及びその附属設備	$\frac{20}{100}$
			ニ	卸売業	機械及び装置	$\frac{34}{100}$
					器具及び備品（イ(ロ)に掲げるものに限る。）	$\frac{34}{100}$
					工場用の建物及びその附属設備並びに作業場用、倉庫用又は展示場用の建物及びその附属設備	$\frac{20}{100}$
			ホ	デザイン業	機械及び装置	$\frac{34}{100}$
					器具及び備品（イ(ロ)に掲げるものに限る。）	$\frac{34}{100}$
					工場用の建物及びその附属設備並びに事務所用又は作業場用の建物及びその附属設備	$\frac{20}{100}$
			ヘ	自然科学研究所に属する事業	機械及び装置	$\frac{34}{100}$
					器具及び備品（イ(イ)及び(ロ)に掲げるものに限る。）	$\frac{34}{100}$
					工場用の建物及びその附属設備並びに研究所用の建物及びその附属設備	$\frac{20}{100}$
			ト	沖縄振興特別措置法施行令第4条第8号に掲げる電気業（以下「電気業」という。）	機械及び装置	$\frac{34}{100}$
					器具及び備品（イ(イ)及び(ロ)に掲げるものに限る。）	$\frac{34}{100}$
					工場用の建物及びその附属設備	$\frac{20}{100}$
			チ	沖縄振興特別措置法施行令第4条第9号に掲げるガス供給業（以下「ガス供給業」という。）	機械及び装置（ガス業用設備に属するもののうち、液化ガス貯蔵設備及びこれと一体として設置されるものに限る。）（措規20の16①）	$\frac{34}{100}$
					構築物（イに掲げるものに限る。）	$\frac{20}{100}$
②	沖縄振興特別措置法第	同法第42条第1項に規	イ	製造業	機械及び装置	$\frac{50}{100}$
					工場用の建物及びその附属設備	$\frac{25}{100}$

	50条第1項に規定する認定事業者	定する提出国際物流拠点産業集積計画に定められた同法第41条第2項第2号に規定する国際物流拠点産業集積地域の区域	ロ	道路貨物運送業	機械及び装置	$\frac{50}{100}$
					工場用、車庫用、作業場用又は倉庫用の建物及びその附属設備	$\frac{25}{100}$
			ハ	倉庫業	機械及び装置	$\frac{50}{100}$
					工場用、作業場用又は倉庫用の建物及びその附属設備	$\frac{25}{100}$
			ニ	卸売業	機械及び装置	$\frac{50}{100}$
					工場用、作業場用、倉庫用又は展示場用の建物及びその附属設備	$\frac{25}{100}$
			ホ	沖縄振興特別措置法施行令第4条の2第5号に掲げる無店舗小売業	機械及び装置	$\frac{50}{100}$
					工場用、事務所用、作業場用又は倉庫用の建物及びその附属設備	$\frac{25}{100}$
			ヘ	沖縄振興特別措置法施行令第4条の2第6号に掲げる機械等修理業	機械及び装置	$\frac{50}{100}$
					工場用、作業場用又は倉庫用の建物及びその附属設備	$\frac{25}{100}$
			ト	沖縄振興特別措置法施行令第4条の2第7号に掲げる不動産賃貸業	機械及び装置	$\frac{50}{100}$
					工場用又は倉庫用の建物及びその附属設備	$\frac{25}{100}$
			チ	沖縄振興特別措置法施行令第4条の2第9号に掲げる航空機整備業	機械及び装置	$\frac{50}{100}$
					工場用、事務所用、作業場用、格納庫用又は倉庫用の建物及びその附属設備	$\frac{25}{100}$
③	沖縄振興特別措置法第57条第1項に規定する認定事業者	同法第55条第1項の規定により経済金融活性化特別地区として指定された地区(同条第4項又は第5項の規定により変更があったときは、その変更後の地区)の区域	同法第55条の2第9項に規定する認定経済金融活性化計画に定められた同条第2項第2号に規定する特定経済金融活性化産業に属する事業		機械及び装置	$\frac{50}{100}$
					第二節第二款の**七**の1の(7)《税額控除の対象となる特定の器具及び備品の範囲》に掲げる器具及び備品(措規20の16④)	$\frac{50}{100}$
					建物及びその附属設備	$\frac{25}{100}$

注　上記の金額基準を満たしているかどうかは、第一款の**七**の2の(9)《少額の減価償却資産等の取得価額等の判定》により、法人が消費税等の経理処理について適用している税抜経理方式又は税込経理方式に応じ、その適用している方式により算定した価額により判定する。(平元直法2－1「9」参照)

第三章　第一節　第七款　**十六**《特定地域における工業用機械等の特別償却》

(工業用機械等の特別償却の適用期間)

（１）　**1**《特定地域における工業用機械等の初年度特別償却》の特別償却の適用を受けることができる期間は、次の表の左欄に掲げる場合の区分に応じそれぞれ同表の右欄に掲げる期間とする。(措令28の９①)

（一）	**1**の表の①の「区域」欄に掲げる区域内において同①の「事業」欄に掲げる事業の用に供する設備の新設又は増設（以下（１）において「新増設」という。）をする場合	沖縄振興特別措置法第35条第４項の規定による提出の日（同条第７項の変更により新たに**1**の表の①の「区域」欄に掲げる区域に該当することとなった区域については、当該変更に係る同項において準用する同条第４項の規定による提出の日）から令和７年３月31日までの期間（当該期間内に同条第７項の変更により同①の「区域」欄に掲げる区域に該当しないこととなった区域については、当該期間の初日から当該変更に係る同項において準用する同条第４項の規定による提出の日までの期間）
（二）	**1**の表の②の「区域」欄に掲げる区域内において同②の「事業」欄に掲げる事業の用に供する設備の新増設をする場合	沖縄振興特別措置法第41条第４項の規定による提出の日（同条第７項の変更により新たに**1**の表の②の「区域」欄に掲げる区域に該当することとなった区域については、当該変更に係る同項において準用する同条第４項の規定による提出の日）から令和７年３月31日までの期間（当該期間内に同条第７項の変更により同②の「区域」欄に掲げる区域に該当しないこととなった区域については、当該期間の初日から当該変更に係る同項において準用する同条第４項の規定による提出の日までの期間）
（三）	**1**の表の③の「区域」欄に掲げる区域内において同③の「事業」欄に掲げる事業の用に供する設備の新増設をする場合	沖縄振興特別措置法第55条の２第４項の認定の日（同法第55条第４項の変更により新たに**1**の表の③の「区域」欄に掲げる区域に該当することとなった区域についてはその新たに該当することとなった日とし、同法第55条の２第７項の変更により新たに同③の「事業」欄に掲げる事業に該当することとなった事業については当該変更に係る同条第８項において準用する同条第４項の認定の日とする。）から令和７年３月31日までの期間（当該期間〔以下（三）において「指定期間」という。〕内に同法第55条第４項又は第５項の解除又は変更により同③の「区域」欄に掲げる区域に該当しないこととなった区域については指定期間の初日からその該当しないこととなった日までの期間とし、指定期間内に同法第55条の２第７項の変更により同③の「事業」欄に掲げる事業に該当しないこととなった事業については当該初日から当該変更に係る同条第８項において準用する同条第４項の認定の日までの期間とし、指定期間内に同条第10項の規定により同条第９項に規定する認定経済金融活性化計画の認定を取り消された場合には当該初日からその取り消された日までの期間とする。）

(特別償却の対象となる生産等設備の規模)

（２）　**1**の特別償却の適用を受けることができる設備の規模は、次の表の左欄に掲げる区分に応じそれぞれ同表の右欄に掲げる規模のものとする。(措令28の９②)

（一）	**1**の表の①及び②の「事業」欄に掲げる事業	次に掲げるいずれかの規模のもの
		イ　一の生産等設備（ガスの製造又は発電に係る設備を含む。（一）及び（二）において同じ。）で、これを構成する減価償却資産（第六款の**一**の**2**《減価償却資産の範囲》の表の①から⑦までに掲げるものに限る。以下**1**において同じ。）の取得価額（第六款の**六**の**1**《減価償却資産の取得価額》の表の各欄により計算した取得価額をいう。以下**十六**において同じ。）の合計額が1,000万円を超えるもの
		ロ　機械及び装置並びに器具及び備品（**1**の表の②の「事業」欄に掲げる事業にあっては、機械及び装置）で、一の生産等設備を構成するものの取得価額の合計額が100万円を超えるもの

(二)	1の表の③の「事業」欄に掲げる事業	次に掲げるいずれかの規模のもの	
		イ	一の生産等設備で、これを構成する減価償却資産の取得価額の合計額が500万円を超えるもの
		ロ	機械及び装置並びに器具及び備品で、一の生産等設備を構成するものの取得価額の合計額が50万円を超えるもの

注　上記の金額基準を満たしているかどうかは、第一款の**七2**の(9)《少額の減価償却資産等の取得価額等の判定》により、法人が消費税等の経理処理について適用している税抜経理方式又は税込経理方式に応じ、その適用している方式により算定した価額により判定する。(平元直法2－1「9」参照)

(区域の振興に資する減価償却資産)

（3）　1の適用を受けることができる区域の振興に資する減価償却資産は、次の表の左欄に掲げる法人の区分に応じ右欄に掲げる減価償却資産とする。(措令28の9③)

(一)	1の表の①の「事業者」欄に掲げる事業者に該当する法人	当該法人の沖縄振興特別措置法第35条の3第8項に規定する認定産業高度化・事業革新措置実施計画に記載された減価償却資産
(二)	1の表の②の「事業者」欄に掲げる事業者に該当する法人	当該法人の沖縄振興特別措置法第42条の2第8項に規定する認定国際物流拠点産業集積措置実施計画に記載された減価償却資産
(三)	1の表の③の「事業者」欄に掲げる事業者に該当する法人	当該法人の沖縄振興特別措置法第55条の4第8項に規定する認定経済金融活性化措置実施計画に記載された減価償却資産

(沖縄の離島の地域)

（4）　沖縄振興特別措置法第3条第3号《定義》に規定する離島の地域とは、宮古島、石垣島、その他同法施行令第1条《離島の範囲》の規定により内閣総理大臣が指定した離島の地域をいう。

注　(4)に掲げる内閣総理大臣が指定した離島は、次の表のとおりである。

(平成14年内閣府告示第10号〔最終改正平成17年告示第28号〕)

所在郡市町村名	指定離島名	所在郡市町村名	指定離島名
島尻郡伊平屋村	伊平屋島、野甫島	島尻郡久米島町	久米島、奥武島、オーハ島、硫黄鳥島
島尻郡伊是名村	伊是名島、具志川島、屋那覇島	島尻郡北大東村	北大東島
国頭郡伊江村	伊江島	島尻郡南大東村	南大東島
国頭郡本部町	水納島	平良市	池間島、大神島
中頭郡勝連町	津堅島	宮古郡下地町	来間島
島尻郡知念村	久高島	宮古郡伊良部町	伊良部島、下地島
島尻郡粟国村	粟国島	宮古郡多良間村	多良間島、水納島
島尻郡渡名喜村	渡名喜島	石垣市	小島
島尻郡座間味村	座間味島、嘉比島、安慶名敷島、阿嘉島、慶留間島、外地島、安室島、屋嘉比島、久場島	八重山郡竹富町	竹富島、西表島、鳩間島、由布島、小浜島、黒島、新城島（上地）、新城島（下地）、波照間島、嘉弥真島、外離島、内離島
島尻郡渡嘉敷村	渡嘉敷島、前島、黒島、儀志布島、離島	八重山郡与那国町	与那国島

(生産等設備の範囲)

（5）　(2)《特別償却の対象となる生産等設備の規模》の表に掲げる生産等設備は、1の表の①から③までの「事業」欄に掲げる製造業又は特定経済金融活性化産業に属する事業の用に直接供される減価償却資産で構成されているものをいう。したがって、例えば、本店、寄宿舎等の建物、事務用器具備品、乗用自動車、福利厚生施設のようなものは、これに該当しない。(措通45－1・編者補正)

第三章　第一節　第七款　**十六**《特定地域における工業用機械等の特別償却》

　　　　（一の生産等設備等の取得価額基準の判定）
（６）　（２）の表の（一）又は（二）に掲げる一の生産等設備を構成する減価償却資産の取得価額の合計額が（２）に掲げる規模に該当するかどうかについては、当該一の生産等設備を構成する減価償却資産のうちに他の特別償却等の規定（当該他の特別償却等に係る**二十四**《準備金方式による特別償却》を含む。）の適用を受けるものがある場合であっても、当該他の特別償却等の規定の適用を受けるものの取得価額を含めたところにより判定することに留意する。（措通45－２・編者補正）

　　　　（圧縮記帳の適用を受けた場合の減価償却資産の取得価額要件の判定）
（７）　（２）の表の（一）のイ又は同表の（二）のイの一の生産等設備で、これを構成する減価償却資産の取得価額の合計額が1,000万円又は500万円を超えるかどうかを判定する場合において、当該一の生産等設備を構成する減価償却資産のうちに法又は措置法による圧縮記帳の適用を受けたものがあるとき（法人が取得等をした（２）の表の（一）のイ又は同表の（二）のイの一の生産等設備でこれを構成する減価償却資産のうちに、供用年度後の事業年度において第十五款の**一**から**四**の適用を受けることが予定されているものがある場合を含む。）は、その圧縮記帳後の金額（法人が取得等をした（２）の表の（一）のイ又は同表の（二）のイの一の生産等設備でこれを構成する減価償却資産のうちに、供用年度後の事業年度において第十五款の**一**から**四**の適用を受けることが予定されているものがある場合にあっては、第六款の**六の１**《減価償却資産の取得価額》に掲げる額から当該供用年度後の事業年度において第十五款の**一**から**四**の適用を受けるとしたならば、第六款の**六の３**《圧縮記帳資産の取得価額の特例》に掲げる「損金の額に算入された金額（……金額を加算した金額）」となることが見込まれる金額を控除した金額）に基づいてその判定を行うものとする。
　　（２）の表の（一）のロ若しくは同表の（二）のロの機械及び装置並びに器具及び備品で一の生産等設備を構成するものの取得価額の合計額が100万円若しくは50万円を超えるかどうかを判定する場合においても、同様とする。（措通45－３、42の５～48（共）－３の２・編者補正）

　　　　（特別償却の対象となる新設又は増設に伴い取得等をした資産）
（８）　**１**の特別償却の対象となる工業用機械等は、工業生産設備等の新設又は増設に伴って取得（製作又は建設を含む。以下同じ）をした工業用機械等をいうのであるから、当該新設又は増設に伴って取得をしたものであれば、いわゆる新品であることを要しないのであるが、当該法人の他の工場、作業場等から転用したものは含まれないことに留意する。（措通45－４・編者補正）

　　　　（新増設の範囲）
（９）　**１**の特別償却の適用上、次の（一）から（三）までに掲げる工業用機械等の取得についても**１**に掲げる新設又は増設に係る工業用機械等の取得に該当するものとする。（措通45－５・編者補正）

（一）	既存設備が災害により滅失又は損壊したため、その代替設備として取得をした工業用機械等
（二）	既存設備の取替え又は更新のために工業用機械等の取得をした場合で、その取得により生産能力、処理能力等が従前に比して相当程度（おおむね30%）以上増加したときにおける当該工業用機械等のうちその生産能力、処理能力等が増加した部分に係るもの
（三）	**１**の表の①から③までの「区域」欄に掲げる区域又は地域において他の者が同表の①から③までの「事業」欄に掲げる事業の用に供していた工業用機械等の取得をした場合における当該工業用機械等

　　　　（工場用等の建物及びその附属設備の意義）
（10）　**１**の表の①及び②までの「資産」欄に掲げる工場用の建物及びその附属設備には、次の（一）及び（二）に掲げる建物及びその附属設備が含まれるものとする。
　　１の表の①及び②の「資産」欄に掲げる作業場用等の建物及びその附属設備についても、同様とする。（措通45－６・編者補正）

（一）	工場の構内にある守衛所、詰所、自転車置場、浴場その他これらに類するもので工場用の建物としての耐用年数を適用するもの及びこれらの建物の附属設備
（二）	発電所又は変電所の用に供する建物及びこれらの建物の附属設備

　　注　倉庫用の建物は、工場用又は作業場用の建物に該当しない。

(工場用、作業場用等とその他の用に共用されている建物の判定)
(11) 一の建物が工場用、作業場用等とその他の用に共用されている場合には、原則としてその用途の異なるごとに区分し、工場用、作業場用等に供されている部分について**1**を適用するのであるが、次の(一)又は(二)の場合には、それぞれ(一)又は(二)によることとする。(措通45－7)

(一)	工場用、作業場用等とその他の用に供されている部分を区分することが困難であるときは、当該建物が主としていずれの用に供されているかにより判定する。
(二)	その他の用に供されている部分が極めて小部分であるときは、その全部が工場用、作業場用等に供されているものとすることができる。

(開発研究の意義)
(12) **1**の表の①の「資産」欄に掲げる開発研究(以下「開発研究」という。)とは、次に掲げる試験研究をいう。(措通45－7の2)

(一)	新規原理の発見又は新規製品の発明のための研究
(二)	新規製品の製造、製造工程の創設又は未利用資源の活用方法の研究
(三)	(一)又は(二)の研究を基礎とし、これらの研究の成果を企業化するためのデータの収集
(四)	現に企業化されている製造方法その他の生産技術の著しい改善のための研究

(専ら開発研究の用に供される器具及び備品)
(13) **1**の表の①の「資産」欄に掲げる「専ら開発研究(……)の用に供される器具及び備品」とは、耐用年数省令別表第六に掲げる器具及び備品のうち専ら開発研究の用に供されるものをいうのであるから、開発研究を行う施設において供用されるものであっても、他の目的のために使用されている減価償却資産で必要に応じ開発研究の用に供されるものは、これに該当しないことに留意する。(措通45－7の3)

(委託研究先への資産の貸与)
(14) 法人が、その取得をした器具及び備品を自己の開発研究の委託先に貸与した場合において、当該委託先において当該器具及び備品が専ら当該法人のためにする開発研究の用に供されるものであるときは、当該器具及び備品は当該法人の行う開発研究の用に供したものとして取り扱う。(措通45－7の4)

(特別償却の対象となる工場用建物等の附属設備)
(15) **1**の表の①から③までの「資産」欄に掲げる建物の附属設備は当該建物とともに取得をする場合における建物附属設備に限られることに留意する。(措通45－8・編者補正)

(取得価額の合計額が20億円等を超えるかどうかの判定)
(16) **1**の適用上、一の生産等設備を構成する工業用機械等の取得価額の合計額が20億円を超えるかどうかは、その新設又は増設に係る事業計画ごとに判定することに留意する。
　(2)《特別償却の対象となる生産等設備の規模》の表の(一)のイ若しくは同表の(二)のイの一の生産等設備でこれを構成する減価償却資産の取得価額の合計額が1,000万円若しくは500万円を超えるかどうか又は同表の(一)のロ若しくは同表の(二)のロの機械及び装置並びに器具及び備品で一の生産等設備を構成するものの取得価額の合計額が100万円若しくは50万円を超えるかどうかの判定についても同様とする。(措通45－9・編者補正)

(2以上の事業年度において事業の用に供した場合の取得価額の計算)
(17) 一の生産等設備を構成する工業用機械等でその取得価額の合計額が20億円を超えるものを2以上の事業年度において事業の用に供した場合には、その取得価額の合計額が初めて20億円を超えることとなる事業年度(以下「超過事業年度」という。)における**1**に掲げる特別償却限度額の計算の基礎となる個々の工業用機械等の取得価額は、次の算式による。(措通45－10)

（算式）

$$\left[20億円 - 超過事業年度前の各事業年度において事業の用に供した工業用機械等の取得価額の合計額（注）\right] \times \frac{超過事業年度において事業の用に供した個々の工業用機械等の取得価額}{超過事業年度において事業の用に供した工業用機械等の取得価額の合計額}$$

注　超過事業年度前の各事業年度において事業の用に供した個々の工業用機械等については、その取得価額の調整は行わないことに留意する。

　　（指定事業の範囲）
(18)　法人（1を適用する場合にあっては、1の表の①から③の「事業者」欄に掲げる事業者〔以下「認定事業者」という。〕であるものに限る。）が同表の①から③の「区域」欄に掲げる区域（以下「特定地域内」という。）において行う事業が同表の①から③までの「事業」欄に掲げる事業（以下「指定事業」という。）に該当するかどうかは、当該特定地域内にある事業所ごとに判定する。この場合において、協同組合等（1を適用する場合にあっては、認定事業者であるものに限る。）が1の表の「区域」欄に掲げる区域において1の表の①から③までの「事業」欄に掲げる事業（以下「製造業等」という。）を営むその組合員の共同的施設として工業用機械等の取得をしたときは、当該工業用機械等は製造業等の用に供されているものとする。（措通45－11・編者補正）
　　注1　例えば建設業を営む法人が当該特定地域内に建設資材を製造する事業所を有している場合には、当該法人が当該建設資材をその建設業に係る原材料等として消費しているときであっても、当該事業所における事業は指定事業に係る製造業に該当する。
　　注2　指定事業かどうかの判定は、おおむね日本標準産業分類（総務省）の分類を基準として行う。

　　（製造業等の用に供したものとされる資産の貸与）
(19)　法人（1を適用する場合にあっては、認定事業者であるものに限る。）が、自己の下請業者で1の表の①から③までの「区域」欄に掲げる区域において製造業等を営む者に対し、その製造業等の用に供する1に掲げる工業用機械等を貸し付けている場合において、当該工業用機械等が専ら当該法人のためにする製品の加工等の用に供されるものであるときは、当該法人が下請業者の当該区域において営む製造業等と同種の事業を営むものである場合に限り、その貸し付けている工業用機械等は当該法人の営む製造業等の用に供したものとして取り扱う。（措通45－12・編者補正）
　　注　自己の計算において原材料等を購入し、これをあらかじめ指示した条件に従って下請加工させて完成品とするいわゆる製造問屋の事業は、1の表の①若しくは②の「事業」欄に掲げる製造の事業に該当しない。

　　（特定地域における工業用機械等の特別償却の計算）
(20)　1の特別償却は、当該特別償却の対象となる機械設備等について認められているのであるから、機械設備等で特別償却の対象とならないものがあるときはもちろん、当該特別償却の対象となる機械設備等と種類及び耐用年数を同じくする他の機械設備等があっても、それぞれ各別に償却限度額を計算することに留意する。（措通42の5～48（共）－1・編者補正）

　　（適格合併等があった場合の特別償却等の適用）
(21)　1の特別償却は、減価償却資産を事業の用に供した場合に適用があるのであるから、適格合併等（適格合併、適格分割、適格現物出資又は適格現物分配をいう。）による移転に係る減価償却資産について1の適用があるかどうかは、当該減価償却資産を事業の用に供した日の現況において、1に掲げる適用要件（適用対象法人、適用期間、適用対象事業等に関する要件をいう。以下(21)において同じ。）を満たすかどうかにより判定することに留意する。（措通42の5～48（共）－3・編者補正）
　　注　例えば、中小企業者等（一の1《中小企業者等が特定機械装置等を取得した場合の初年度特別償却》に掲げる中小企業者等をいう。以下注において同じ。）に該当する被合併法人が減価償却資産を適格合併により中小企業者等に該当しない合併法人に移転する場合の一の1の適用については、次の(一)及び(二)のようになる。

(一)	被合併法人が当該減価償却資産を事業の用に供した場合は、他の適用要件を満たせば、被合併法人において一の1の適用を受けることができる。
(二)	被合併法人が当該減価償却資産を事業の用に供しないで合併法人が事業の用に供した場合は、被合併法人又は合併法人のいずれの法人においても、一の1の適用を受けることができない。

2　旅館業用建物等の初年度特別償却

　青色申告書を提出する法人が、令和4年4月1日（同日後に沖縄振興特別措置法第3条第3号に規定する離島〔以下**1**において「離島」という。〕に該当することとなった地域については、その該当することとなった日）から令和7年3月31日までの期間内（当該期間内に離島に該当しないこととなった地域については、当該期間の初日からその該当しないこととなった日までの期間）に離島の地域内において旅館業のうち旅館業法第2条第2項に規定する旅館・ホテル営業及び同条第3項に規定する簡易宿所営業（風俗営業等の規制及び業務の適正化等に関する法律第2条第6項に規定する店舗型性風俗特殊営業に該当する事業を除く。）（以下**2**において「**旅館業**」という。）の用に供する設備で（1）《特別償却の対象となる設備の規模》に掲げる規模のものの**取得等**（取得又は製作若しくは建設をいい、建物及びその附属設備にあっては改修〔増築、改築、修繕又は模様替をいう。〕のための工事による取得又は建設を含む。以下**2**及び**3**において同じ。）をする場合（（2）《中小規模法人の意義》に掲げる中小規模法人〔第二節第二款の**五**の3の(7)《適用除外事業者の意義》に掲げる適用除外事業者〈以下**2**において「適用除外事業者」という。〉又は同3の(8)《通算適用除外事業者の意義》に掲げる通算適用除外事業者〈以下**2**において「通算適用除外事業者」という。〉に該当するものを除く。以下**3**において「**中小規模法人**」という。〕以外の法人にあっては、新設又は増設に係る当該設備の取得等をする場合に限る。）において、その取得等をした設備を当該地域内において当該法人の旅館業の用に供したとき（その法人が離島の地域内において旅館業の用に供した設備について、沖縄振興特別措置法第4条第1項に規定する沖縄振興計画に定められた同条第2項第9号に掲げる事項その他の事項に適合するものである旨の沖縄県知事の確認がある場合に限る。）は、その用に供した日を含む事業年度の当該設備を構成するもののうちその構造設備が旅館業法第3条第2項に規定する基準に適合する建物及びその附属設備（**1**の適用を受けるもの及び所有権移転外リース取引〔第六款の**四**の1の②の(2)の表の(五)《所有権移転外リース取引》に掲げるものをいう。〕により取得したものを除く。以下**2**において「**旅館業用建物等**」という。）の償却限度額は、第六款の**三**の1《償却費等の損金算入》又は同**三**の2《適格分割等により移転する減価償却資産に係る期中損金経理額の損金算入》に掲げる普通償却限度額の計算の規定にかかわらず、当該旅館業用建物等の普通償却限度額と特別償却限度額（当該旅館業用建物等の取得価額〔一の生産等設備を構成するものの取得価額の合計額が10億円を超える場合には、10億円に当該旅館業用建物等の取得価額が当該一の生産等設備を構成する旅館業用建物等の取得価額の合計額のうちに占める割合を乗じて計算した金額〕の$\frac{8}{100}$に相当する金額をいう。）との合計額とする。（措法45②、措令28の9⑧⑨⑫⑬、措規20の16⑤）

　　（特別償却の対象となる設備の規模）
（1）　**2**の適用を受けることができる旅館業の用に供する設備の規模は、一の生産等設備で、これを構成する減価償却資産の取得価額の合計額が次の表の左欄に掲げる法人の区分に応じ右欄に掲げる金額（適用除外事業者又は通算適用除外事業者に該当する法人にあっては、(三)に掲げる金額）以上のものとする。（措令28の9⑩）

(一)	資本金の額若しくは出資金の額（以下**2**において「**資本金の額等**」という。）が1,000万円以下の法人又は資本若しくは出資を有しない法人（これらの法人が通算法人である場合には、他の通算法人のうちいずれかの法人が資本金の額等が1,000万円を超える法人に該当するものを除く。）	500万円
(二)	(一)又は(三)に掲げる法人以外の法人	500万円 （当該一の生産等設備が新設又は増設による取得等に係るものである場合には、1,000万円）
(三)	資本金の額等が5,000万円を超える法人（他の通算法人のうちいずれかの法人が資本金の額等が5,000万円を超える法人に該当する場合における通算法人を含む。）	2,000万円

　　（中小規模法人の意義）
（2）　**2**に掲げる中小規模法人とは次に掲げる法人（他の通算法人のうちいずれかの法人が資本金の額等が5,000万円を超える法人に該当する場合における通算法人を除く。）とする。（措令28の9⑪）

(一)	資本金の額等が5,000万円以下の法人

(二)	資本又は出資を有しない法人

　　　　(生産等設備の範囲)
（３）　（１）《特別償却の対象となる設備の規模》の表に掲げる生産等設備は、特定経済金融活性化産業に属する事業の用に直接供される減価償却資産で構成されているものをいう。したがって、例えば、本店、寄宿舎等の建物、事務用器具備品、乗用自動車、福利厚生施設のようなものは、これに該当しない。（措通45－１・編者補正）

　　　　(一の生産等設備等の取得価額基準の判定)
（４）　（１）に掲げる一の生産等設備を構成する減価償却資産の取得価額の合計額が（１）に掲げる規模に該当するかどうかについては、当該一の生産等設備を構成する減価償却資産のうちに他の特別償却等の規定（当該他の特別償却等に係る**二十四**《準備金方式による特別償却》を含む。以下（４）において同じ。）の適用を受けるものがある場合であっても、当該他の特別償却等の規定の適用を受けるものの取得価額を含めたところにより判定することに留意する。（措通45－２・編者補正）

　　　　(圧縮記帳の適用を受けた場合の減価償却資産の取得価額要件の判定)
（５）　（１）の一の生産等設備で、これを構成する減価償却資産の取得価額の合計額が500万円、1,000万円、2,000万円以上であるかどうかを判定する場合において、当該一の生産等設備を構成する減価償却資産のうちに法又は措置法による圧縮記帳の適用を受けたものがあるとき（法人が取得等をした（１）の一の設備でこれを構成する減価償却資産のうちに、供用年度後の事業年度において第十五款の**一**から**四**の適用を受けることが予定されているものがある場合を含む。）は、その圧縮記帳後の金額（法人が取得等をした（１）の一の設備でこれを構成する減価償却資産のうちに、供用年度後の事業年度において第十五款の**一**から**四**の適用を受けることが予定されているものがある場合にあっては、第六款の**六**の１《減価償却資産の取得価額》に掲げる額から当該供用年度後の事業年度において第十五款の**一**から**四**の適用を受けるとしたならば、第六款の**六**の３《圧縮記帳資産の取得価額の特例》に掲げる「損金の額に算入された金額（……金額を加算した金額）」となることが見込まれる金額を控除した金額）に基づいてその判定を行うものとする。（措通45－３、42の５～48（共）－３の２・編者補正）

　　　　(特別償却の対象となる新設又は増設に伴い取得等をした資産)
（６）　２に掲げる中小規模法人以外の法人が２に掲げる取得等（２に掲げる取得等をいう。以下同じ。）をした２の特別償却の対象となる旅館業用建物等は、旅館業用建物等の新設又は増設に伴って取得をした旅館業用建物等をいうのであるから、当該新設又は増設に伴って取得等をしたものであれば、いわゆる新品であることを要しないのであるが、当該法人の他の工場、作業場等から転用したものは含まれないことに留意する。（措通45－４・編者補正）

　　　　(新増設の範囲)
（７）　２の適用上、次の(一)及び(二)に掲げる旅館業用建物等の取得についても２に掲げる新設又は増設に係る２の設備を構成する旅館業用建物等の取得に該当するものとする。（措通45－５・編者補正）

(一)	既存設備が災害により滅失又は損壊したため、その代替設備として取得をした旅館業用建物等
(二)	既存設備の取替え又は更新のために旅館業用建物等の取得をした場合で、その取得により生産能力、処理能力等が従前に比して相当程度（おおむね30％）以上増加したときにおける当該旅館業用建物等のうちその生産能力、処理能力等が増加した部分に係るもの

　　　　(特別償却の対象となる建物の附属設備)
（８）　２に掲げる建物の附属設備は、当該建物とともに取得をする場合における建物附属設備に限られることに留意する。（措通45－８・編者補正）

　　　　(取得価額の合計額が10億円等以上であるかどうか等の判定)
（９）　２の適用上、２に掲げる一の生産等設備を構成する旅館業用建物等の取得価額の合計額が10億円を超えるかどうか又は（１）の一の生産等設備でこれを構成する減価償却資産の取得価額の合計額が500万円、1,000万円若しくは2,000万円以上であるかどうかは、その新設又は増設に係る事業計画ごとに判定することに留意する。（措通45－９・編者補正）

(2以上の事業年度において事業の用に供した場合の取得価額の計算)
(10)　一の生産等設備を構成する工業用機械等でその取得価額の合計額が10億円を超えるものを2以上の事業年度において事業の用に供した場合には、その取得価額の合計額が初めて10億円を超えることとなる事業年度(以下「超過事業年度」という。)における**1**に掲げる特別償却限度額の計算の基礎となる個々の工業用機械等の取得価額は、次の算式による。(措通45－10)

（算式）

$$\left[10億円 - \begin{array}{l}超過事業年度前の各事業年度におい\\て事業の用に供した工業用機械等の\\取得価額の合計額(注)\end{array}\right] \times \dfrac{超過事業年度において事業の用に供した個々の工業用機械等の取得価額}{超過事業年度において事業の用に供した工業用機械等の取得価額の合計額}$$

注　超過事業年度前の各事業年度において事業の用に供した個々の工業用機械等については、その取得価額の調整は行わないことに留意する。

(指定事業の範囲)
(11)　法人が**2**に掲げる離島の地域において行う事業が**2**に掲げる旅館業に該当するかどうかは、当該特定地域内にある事業ごとに判定する。(措通45－11・編者補正)

(中小規模法人であるかどうか等の判定の時期)
(12)　**2**の適用上、法人が中小規模法人に該当するかどうかの判定((一)に掲げる法人にあっては適用除外事業者に該当するかどうかの判定を、(二)に掲げる法人にあっては適用除外事業者又は通算適用除外事業者に該当するかどうかの判定を、それぞれ除く。以下「中小判定」という。)は、次の表の左欄に掲げる法人の区分に応じそれぞれ同表の右欄に掲げる取扱いによるものとする。(措通45－13・編者補正)

(一)	通算法人以外の法人	当該法人の旅館業用建物等の取得等をした日及び当該旅館業用建物等を**2**に掲げる旅館業の用に供した日の現況による。	
(二)	通算法人	当該通算法人及び他の通算法人(次のイ又はロの日及び次のハの日のいずれにおいても当該通算法人との間に通算完全支配関係がある法人に限る。)の当該イ及びロの日の現況による。	
		イ	当該通算法人が旅館業用建物等の取得等をした日
		ロ	当該通算法人が当該旅館業用建物等を旅館業等の用に供した日
		ハ	当該通算法人の**2**を受けようとする事業年度終了の日

注1　通算親法人の事業年度の中途において通算承認の効力を失った通算法人のその効力を失った日の前日に終了する事業年度における中小判定についても、同様とする。
注2　本文及び注1の取扱いは、当該法人が(1)の表の(一)及び(三)に掲げる法人に該当するかどうかの判定について準用する。

3　産業振興機械等の割増償却

　青色申告書を提出する法人が、平成25年4月1日から令和7年3月31日まで(次の表の①の左欄に掲げる地区にあっては、令和3年4月1日から令和9年3月31日まで)の期間のうち(1)《産業振興機械等の割増償却の適用期間》に掲げる期間内に、同表の「地区」欄に掲げる地区内においてそれぞれ同表の「事業」欄に掲げる事業の用に供するそれぞれ同表の「設備」欄に掲げる設備の取得等をする場合(中小規模法人以外の法人にあっては、新設又は増設に係る当該設備の取得等をする場合に限る。)において、その取得等をした設備(**1**、**2**又は同表の他の区分の適用を受けるものを除く。)を当該地区内において当該法人のそれぞれ同表の「事業」欄に掲げる事業の用に供したとき(当該地区の産業の振興に資する場合として(3)《当該地区の産業の振興に資する場合》に掲げる場合に限る。)は、その用に供した日(以下**3**において「**供用日**」という。)以後5年以内の日を含む各事業年度の当該設備を構成するもののうち機械及び装置、建物及びその附属設備並びに構築物(所有権移転外リース取引〔第六款の**四**の**1**の②の(2)の表の(五)《所有権移転外リース取引》に掲げるものをいう。〕により取得したものを除く。以下**十六**において「**産業振興機械等**」という。)の償却限度額は、供用日以後5年以内(**3**において「**供用期間**」という。)でその用に供している期間に限り、第六款の**三**の**1**《償却費等の損金算入》又は同**三**の**2**《適格分割等により移転する減価償却資産に係る期中損金経理額の損金算入》(**二十三**《特別償却不足額がある場合の償却限度額の計算の特例》の適用を受ける場合には、**二十三**の適用を含む。)にかかわらず、当該産業振興機械等の普通償却限度額(第六款の**三**の**1**に掲げる償却限度額又は同**三**の**2**に掲げる償却限度額に相当する金額〔**二十三**の

第三章　第一節　第七款　**十六**《特定地域における工業用機械等の特別償却》

1の(2)《特別償却不足額の意義》に掲げる特別償却不足額〈以下**3**において「特別償却不足額」という。〉又は**二十三**の**2**の(1)《合併等特別償却不足額の意義》に掲げる合併等特別償却不足額〈以下**3**において「合併等特別償却不足額」という。〉がある場合には、**二十三**の**1**《特別償却不足額がある場合の償却限度額の計算》の表の①から③まで又は**二十三**の**2**《合併等特別償却不足額がある場合の償却限度額の計算》の表の①から③までにそれぞれ掲げる普通償却限度額に相当する金額〕をいう。）と**特別償却限度額**（同表の「割合」欄掲げる割合をいう。）との合計額（特別償却不足額又は合併等特別償却不足額がある場合には、これを加算した金額）とする。(措法45③、過疎地域の持続的発展の支援に関する特別措置法附則13)

$$\begin{array}{c}\text{産業振興機械等}\\\text{の償却限度額}\end{array} = \begin{array}{c}\text{産業振興機械等の}\\\text{普通償却限度額}\end{array} + \overbrace{\begin{array}{c}\text{産業振興機械等の}\\\text{普通償却限度額}\end{array} \times \text{特別償却割合}}^{\text{特別償却限度額}} + \begin{array}{c}\text{産業振興機械等の特別償却不足額}\\\text{又は合併等特別償却不足額}\end{array}$$

	地　区	事　業	設　備			割　合
①	過疎地域の持続的発展の支援に関する特別措置法第2条第1項《過疎地域》に規定する過疎地域のうち(4)《過疎地域として定められた地域》に掲げる地域及びこれに準ずる地域として(5)《過疎地域に準ずる地域として定められた地域》に掲げる地域のうち、産業の振興のための取組が積極的に促進されるものとして(6)《産業振興のための取組が積極的に促進されるものとして定められた地区》に掲げる地区	製造業又は旅館業（旅館業法第2条《定義》に規定する旅館・ホテル営業及び簡易宿所営業〔これらの事業のうち風俗営業等の規制及び業務の適正化等に関する法律第2条第6項《用語の意義》に規定する店舗型性風俗特殊営業に該当する事業を除く。〕をいう。以下**3**において同じ。）のうち、①の「地区」欄に掲げる地区に係る特定過疎地域持続的発展市町村計画に振興すべき業種として定められた事業	当該地区内において営む当該事業の用に供される設備で一の設備を構成する減価償却資産（第六款の**一**の**2**《減価償却資産の範囲》の表の①から⑦までに掲げるものに限る。以下**3**において同じ。）の取得価額の合計額が次の表の左欄に掲げる法人の区分に応じそれぞれ右欄に掲げる金額（第二節第二款の**五**の**3**の(7)《適用除外事業者の意義》に掲げる適用除外事業者（以下**3**において「適用除外事業者」という。）又は同**3**の(8)《通算適用除外事業者の意義》に掲げる通算適用除外事業者（以下**3**において「通算適用除外事業者」という。）に該当する法人にあっては、(三)に掲げる金額）以上である場合の当該一の設備（措令28の9⑳Ⅰ）			$\dfrac{32}{100}$（建物及びその附属設備並びに構築物については、$\dfrac{48}{100}$）
				(一)	資本金の額等が5,000万円以下の法人又は資本若しくは出資を有しない法人（これらの法人が通算法人である場合には、他の通算法人のうちいずれかの法人が資本金の額等が5,000万円を超える法人に該当するものを除く。）	500万円
				(二)	(一)又は(三)に掲げる法人以外の法人	1,000万円
				(三)	資本金の額等が1億円を超える法人（他の通算法人のうちいずれかの法人が資本金の額等が1億円を超える法人に該当する場合における通算法	2,000万円

				人を含む。）	
		農林水産物等販売業（①の「地区」欄に掲げる地区において生産された農林水産物又は当該農林水産物を原料若しくは材料として製造、加工若しくは調理をしたものを店舗において主に当該地区以外の地域の者に販売することを目的とする事業をいう。）又は**情報サービス業等**（（7）《情報サービス業等》に掲げる事業をいう。以下**3**において同じ。）のうち、①の「地区」欄に掲げる地区に係る特定過疎地域持続的発展市町村計画に振興すべき業種として定められた事業	当該地区内において営む当該事業の用に供される設備で一の設備を構成する減価償却資産の取得価額の合計額が500万円以上である場合の当該一の設備（措令28の9⑳Ⅱ）		$\frac{32}{100}$（建物及びその附属設備並びに構築物については、$\frac{48}{100}$）
②	半島振興法第2条第1項《指定》の規定により半島振興対策実施地域として指定された地区のうち、産業の振興のための取組が積極的に促進されるものとして（6）《産業振興のための取組が積極的に促進されるものとして定められた地区》に掲げる地区（①の「地区」欄に掲げる地区に該当する地区を除く。）	製造業又は旅館業のうち、②の「地区」欄に掲げる地区に係る認定半島産業振興促進計画に記載された事業	当該地区内において営む当該事業の用に供される設備で一の設備を構成する減価償却資産の取得価額の合計額が次の表の左欄に掲げる法人の区分に応じそれぞれ右欄に掲げる金額（適用除外事業者又は通算適用除外事業者に該当する法人にあっては、（三）に掲げる金額）以上である場合の当該一の設備（措令28の9㉒Ⅰ）		$\frac{32}{100}$（建物及びその附属設備並びに構築物については、$\frac{48}{100}$）
			(一)	資本金の額等が1,000万円以下の法人又は資本若しくは出資を有しない法人（これらの法人が通算法人である場合には、他の通算法人のうちいずれかの法人が資本金の額等が1,000万円を超える法人に該当するものを除く。）	500万円	
			(二)	(一)又は(三)に掲げる法人以外の法人	1,000万円	
			(三)	資本金の額等が5,000万円を超える法人（他の通算法人のうちいずれかの法人が資本金の額等が5,000万円を超える法人に該当する場合における通算法人を含む。）	2,000万円	
		農林水産物等販売業（②の「地区」欄に掲げる地区において生産された農林水産物又は当該農林水産物を原料若しくは材料として製造、加	当該地区内において営む当該事業の用に供される設備で一の設備を構成する減価償却資産の取得価額の合計額が500万円		$\frac{32}{100}$（建物及びその附属設備

		工若しくは調理をしたものを店舗において主に当該地区以外の地域の者に販売することを目的とする事業をいう。）又は情報サービス業等のうち、②の「地区」欄に掲げる地区に係る認定半島産業振興促進計画に記載された事業	以上である場合の当該一の設備（措令28の9㉒Ⅱ）		並びに構築物については、$\frac{48}{100}$）
③	離島振興法第２条第１項《指定》の規定により離島振興対策実施地域として指定された地区のうち、産業の振興のための取組が積極的に促進されるものとして(6)《産業振興のための取組が積極的に促進されるものとして定められた地区》に掲げる地区（①の「地区」欄に掲げる地区に該当する地区を除く。）	製造業又は旅館業のうち、③の「地区」欄に掲げる地区に係る<u>特定離島振興計画に振興すべき業種として定められた事業</u>	当該地区内において営む当該事業の用に供される設備で一の設備を構成する減価償却資産の取得価額の合計額が次の表の左欄に掲げる法人の区分に応じそれぞれ右欄に掲げる金額（適用除外事業者又は通算適用除外事業者に該当する法人にあっては、(三)に掲げる金額）以上である場合の当該一の設備（措令28の9㉔Ⅰ）		$\frac{32}{100}$（建物及びその附属設備並びに構築物については、$\frac{48}{100}$）
			(一)	資本金の額等が5,000万円以下の法人又は資本若しくは出資を有しない法人（これらの法人が通算法人である場合には、他の通算法人のうちいずれかの法人が資本金の額等が5,000万円を超える法人に該当するものを除く。）	500万円	
			(二)	(一)又は(三)に掲げる法人以外の法人	1,000万円	
			(三)	資本金の額等が１億円を超える法人（他の通算法人のうちいずれかの法人が資本金の額等が１億円を超える法人に該当する場合における通算法人を含む。）	2,000万円	
		農林水産物等販売業（③の「地区」欄に掲げる地区において生産された農林水産物又は当該農林水産物を原料若しくは材料として製造、加工若しくは調理をしたものを店舗において主に当該地区以外の地域の者に販売することを目的とする事業をいう。）又は情報サービス業等のうち、③の「地区」欄に掲げる地区に係る<u>特定離島振興計画に振興すべき業種として定められた事業</u>	当該地区内において営む当該事業の用に供される設備で一の設備を構成する減価償却資産の取得価額の合計額が500万円以上である場合の当該一の設備（措令28の9㉔Ⅱ）		$\frac{32}{100}$（建物及びその附属設備並びに構築物については、$\frac{48}{100}$）

第三章　第一節　第七款　十六《特定地域における工業用機械等の特別償却》

注1 ──線部分（本文に係る部分に限る。）は、令和6年度改正により改正された部分で、改正規定は、令和6年4月1日以後に開始する事業年度から適用され、令和6年3月31日以前に開始した事業年度については、「平成25年4月1日から令和7年3月31日まで（次の表の①の左欄に掲げる地区にあっては、令和3年4月1日から令和9年3月31日まで）」とあるのは「平成25年4月1日（次の表の①の左欄に掲げる地区にあっては、令和3年4月1日）から令和7年3月31日（同欄に掲げる地区及び注2の表の旧④の左欄に掲げる地区にあっては、令和6年3月31日）まで」とする。（令6改法附38、1）

注2 令和6年度改正により、上表から次のものが除かれているが、令和6年3月31日以前に2に掲げる取得等をした旧④の産業振興機械等については、なおその適用がある。（令6改法附48①、1）

旧④	奄美群島振興開発特別措置法第1条《目的》に規定する奄美群島のうち、産業の振興のための取組が積極的に促進されるものとして(6)《産業振興のための取組が積極的に促進されるものとして定められた地区》に掲げる地区（①の「地区」欄に掲げる地区に該当する地区を除く。）	製造業又は旅館業のうち、旧④の「地区」欄に掲げる地区に係る認定奄美産業振興促進計画に記載された事業	当該地区内において営む当該事業の用に供される設備で一の設備を構成する減価償却資産の取得価額の合計額が次の表の左欄に掲げる法人の区分に応じそれぞれ右欄に掲げる金額（適用除外事業者又は通算適用除外事業者に該当する法人にあっては、(三)に掲げる金額）以上である場合の当該一の設備（旧措令28の9㉖Ⅰ）			$\frac{32}{100}$（建物及びその附属設備並びに構築物については、$\frac{48}{100}$）
			(一)	資本金の額等が5,000万円以下の法人又は資本若しくは出資を有しない法人（これらの法人が通算法人である場合には、他の通算法人のうちいずれかの法人が資本金の額等が5,000万円を超える法人に該当するものを除く。）	500万円	
			(二)	(一)又は(三)に掲げる法人以外の法人	1,000万円	
			(三)	資本金の額等が1億円を超える法人（他の通算法人のうちいずれかの法人が資本金の額等が1億円を超える法人に該当する場合における通算法人を含む。）	2,000万円	
		農林水産物等販売業（旧④の「地区」欄に掲げる地区において生産された農林水産物又は当該農林水産物を原料若しくは材料として製造、加工若しくは調理をしたものを店舗において主に当該地区以外の地域の者に販売することを目的とする事業をいう。）又は情報サービス業等のうち、旧④の「地区」欄に掲げる地区に係る認定奄美産業振興促進計画に記載された事業	当該地区内において営む当該事業の用に供される設備で一の設備を構成する減価償却資産の取得価額の合計額が500万円以上である場合の当該一の設備（旧措令28の9㉖Ⅱ）			$\frac{32}{100}$（建物及びその附属設備並びに構築物については、$\frac{48}{100}$）

注3 ──線部（注1及び上表の③の「事業」欄の部分に限る。）は、令和5年度改正により改正された部分で、改正規定は、令和5年4月1日から適用され、令和5年3月31日以前の適用については、「平成25年4月1日（次の表の①の「地区」欄に掲げる地区にあっては、令和3年4月1日）から令和7年3月31日（同欄に掲げる地区及び注2の表の旧④の「地区」欄に掲げる地区にあっては、令和6年3月31日）まで」とあるのは「平成25年4月1日から令和5年3月31日まで（次の表の①の「地区」欄に掲げる地区にあっては、令和3年4月1日から令和6年3月31日まで）」とし、「特定離島振興計画に振興すべき業種として定められた」とあるのは「(3)に掲げる産業投資促進計画に記載された」とする。（令5改法附1、令5改措令附1）

注4 注5の表の旧③の「地区」欄に掲げる離島振興対策実施地域として指定された地区内の市町村の長が策定した(3)の注2の旧(三)に掲げる産業投資促進計画で令和5年3月31日以前にその計画期間が開始したもの（以下注4において「旧産業投資促進計画」という。）については、令和5年4月1日から令和5年6月30日（同日までに、当該市町村を包括する都道府県が定めた離島振興法第4条第1項の離島振興計画につき当該都道府県が同条第14項の規定による通知〔当該離島振興計画が同条第15項において準用する同条第11項の規定により同項の主務大臣に提出があったものである場合には、同条第15項において準用する同条第14項の規定による通知〕を受けた場合には、当該離島振興計画に係るこれらの通知を受けた日の前日）までの間は、当該計画期間の初日を(1)の表の(三)の右欄に掲げるいずれか遅い日と、当該旧産業投資促進計画を当該市町村を包括する都道府県が定めた同欄に掲げる特定離島振興計画と、当該旧産業投資促進計画に係る(6)の注2の旧(三)の右欄の規定により関係大臣が指定した地区を(6)の表の(三)の右欄に掲げる地区と、当該指定した地区に係る旧産業投資促進計画に記載された事業を3の表の③の「事業」欄に掲げる振興すべき業種として定められた事業と、それぞれみなして、上表の③の「設備」欄を適用する。（令5改措令附8⑥、1）

第三章　第一節　第七款　十六《特定地域における工業用機械等の特別償却》

注5　上表の────線部分（注1及び注3に係る部分を除く。）は、令和5年度改正により改正されており、改正規定は、令和5年4月1日以後に取得等（**2**に規定する取得等をいう。以下注5において同じ。）をする産業振興機械等について適用され、令和5年3月31日以前に取得等をした産業振興機械等については、次表による。（令5改法附42④、1）

地　区	事　業	設　備		割　合
旧① 過疎地域の持続的発展の支援に関する特別措置法第2条第1項《過疎地域》に規定する過疎地域のうち（4）《過疎地域として定められた地域》に掲げる地域及びこれに準ずる地域として（5）《過疎地域に準ずる地域として定められた地域》に掲げる地域のうち、産業の振興のための取組が積極的に促進されるものとして（6）《産業振興のための取組が積極的に促進されるものとして定められた地区》に掲げる地区	製造業又は旅館業（旅館業法第2条《定義》に規定する旅館・ホテル営業及び簡易宿所営業〔これらの事業のうち風俗営業等の規制及び業務の適正化等に関する法律第2条第6項《用語の意義》に規定する店舗型性風俗特殊営業に該当する事業を除く。〕をいう。以下**3**において同じ。）のうち、旧①の「地区」欄に掲げる地区に係る特定過疎地域持続的発展市町村計画に振興すべき業種として定められた事業	当該地区内において営む当該事業の用に供される設備で一の設備を構成する減価償却資産（第六款の**一の2**《減価償却資産の範囲》の表の①から⑦までに掲げるものに限る。以下**3**において同じ。）の取得価額の合計額が次の左欄に掲げる法人の区分に応じそれぞれ次の右欄に掲げる金額（第二節第二款の**五の3**の（7）《適用除外事業者の意義》に掲げる適用除外事業者（以下**3**において「適用除外事業者」という。）又は同3の（8）《通算適用除外事業者の意義》に掲げる通算適用除外事業者（以下**3**において「通算適用除外事業者」という。）に該当する法人にあっては、（三）に掲げる金額）以上である場合の当該一の設備（旧措令28の9⑳Ⅰ）		$\frac{32}{100}$（建物及びその附属設備並びに構築物については、$\frac{48}{100}$）
		（一）	資本金の額等が5,000万円以下の法人又は資本若しくは出資を有しない法人（これらの法人が通算法人である場合には、他の通算法人のうちいずれかの法人が資本金の額等が5,000万円を超える法人に該当するものを除く。）	500万円	
		（二）	（一）又は（三）に掲げる法人以外の法人	1,000万円	
		（三）	資本金の額等が1億円を超える法人（他の通算法人のうちいずれかの法人が資本金の額等が1億円を超える法人に該当する場合における通算法人を含む。）	2,000万円	
	農林水産物等販売業（旧①の「地区」欄に掲げる地区において生産された農林水産物又は当該農林水産物を原料若しくは材料として製造、加工若しくは調理をしたものを店舗において主に当該地区以外の地域の者に販売することを目的とする事業をいう。）又は**情報サービス業等**（（7）《情報サービス業等》に掲げる事業をいう。以下**3**において同じ。）のうち、旧①の「地区」欄に掲げる地区に係る特定過疎地域持続的発展市町村計画に振興すべき業種として定められた事業	当該地区内において営む当該事業の用に供される設備で一の設備を構成する減価償却資産の取得価額の合計額が500万円以上である場合の当該一の設備（旧措令28の9⑳Ⅱ）		$\frac{32}{100}$（建物及びその附属設備並びに構築物については、$\frac{48}{100}$）
旧② 半島振興法第2条第1項《指定》の規定により半島振興対策実施地域として指定された地区のうち、産業の振興のための取組が積極的に促進されるものとして（6）《産	製造業又は旅館業のうち、旧②の「地区」欄に掲げる地区に係る認定半島産業振興促進計画に記載された事業	当該地区内において営む当該事業の用に供される設備で一の設備を構成する減価償却資産の取得価額の合計額が次の表の左欄に掲げる法人の区分に応じそれぞれ右欄に掲げる金額（適用除外事業者又は通算適用除外事業者に該当する法人にあっては、（三）に掲げる金額）（旧措令28の9㉒Ⅰ）		$\frac{32}{100}$（建物及びその附属設備並びに構築物については、$\frac{48}{100}$）
		（一）	資本金の額等が1,000万円以下の法人又は資本若しくは	500万円	

	業振興のための取組が積極的に促進されるものとして定められた地区》に掲げる地区				出資を有しない法人（これらの法人が通算法人である場合には、他の通算法人のうちいずれかの法人が資本金の額等が1,000万円を超える法人に該当するものを除く。）	
			(二)	(一)又は(三)に掲げる法人以外の法人	1,000万円	
			(三)	資本金の額等が5,000万円を超える法人(他の通算法人のうちいずれかの法人が資本金の額等が5,000万円を超える法人に該当する場合における通算法人を含む。)	2,000万円	
		農林水産物等販売業（旧②の「地区」欄に掲げる地区において生産された農林水産物又は当該農林水産物を原料若しくは材料として製造、加工若しくは調理をしたものを店舗において主に当該地区以外の地域の者に販売することを目的とする事業をいう。）及び情報サービス業等のうち、旧②の「地区」欄に掲げる地区に係る認定半島産業振興促進計画に記載された事業		当該地区内において営む当該事業の用に供される設備で一の設備を構成する減価償却資産の取得価額の合計額が500万円以上である場合の当該一の設備（旧措令28の9㉒Ⅱ）		$\frac{32}{100}$（建物及びその附属設備並びに構築物については、$\frac{48}{100}$）
旧③	離島振興法第2条第1項《指定》の規定により離島振興対策実施地域として指定された地区のうち、産業の振興のための取組が積極的に推進されるものとして(6)《産業振興のための取組が積極的に促進されるものとして定められた地区》に掲げる地区	製造業又は旅館業のうち、旧③の「地区」欄に掲げる地区に係る産業投資促進計画に記載された事業		当該地区内において営む当該事業の用に供される設備で一の設備を構成する減価償却資産の取得価額の合計額が次の表の左欄に掲げる法人の区分に応じそれぞれ右欄に掲げる金額（適用除外事業者又は通算適用除外事業者に該当する法人にあっては、(三)に掲げる金額）（旧措令28の9㉔Ⅰ）		$\frac{32}{100}$（建物及びその附属設備並びに構築物については、$\frac{48}{100}$）
			(一)	資本金の額等が5,000万円以下の法人又は資本若しくは出資を有しない法人（これらの法人が通算法人である場合には、他の通算法人のうちいずれかの法人が資本金の額等が5,000万円を超える法人に該当するものを除く。）	500万円	
			(二)	(一)又は(三)に掲げる法人以外の法人	1,000万円	
			(三)	資本金の額等が1億円を超える法人(他の通算法人のうちいずれかの法人が資本金の額等が1億円を超える法人に該当する場合における通算法人を含む。)	2,000万円	
		農林水産物等販売業（旧③の「地区」欄に掲げる地区において生産された農林水産物又は当該農林水産物を原料若しくは材料として製造、加工若しくは調理をしたものを店舗において主に当該地区以外の地域の者に販売することを目的とする事業をいう。）又は情報サービス業等のうち、旧③の「地区」欄に掲げる地区に係る産業投資促進計画		当該地区内において営む当該事業の用に供される設備で一の設備を構成する減価償却資産の取得価額の合計額が500万円以上である場合の当該一の設備（旧措令28の9㉔Ⅱ）		$\frac{32}{100}$（建物及びその附属設備並びに構築物については、$\frac{48}{100}$）

		に記載された事業			
旧④	奄美群島振興開発特別措置法第1条《目的》に規定する奄美群島のうち、産業の振興のための取組が積極的に推進されるものとして(6)《産業振興のための取組が積極的に促進されるものとして定められた地区》に掲げる地区	製造業又は旅館業のうち、旧④の「地区」欄に掲げる地区に係る認定奄美産業振興促進計画に記載された事業	当該地区内において営む当該事業の用に供される設備で一の設備を構成する減価償却資産の取得価額の合計額が次の表の左欄に掲げる法人の区分に応じそれぞれ右欄に掲げる金額（適用除外事業者又は通算適用除外事業者に該当する法人にあっては、（三）に掲げる金額）（旧措令28の9㉖Ⅰ）		$\frac{32}{100}$（建物及びその附属設備並びに構築物については、$\frac{48}{100}$）
			(一)	資本金の額等が5,000万円以下の法人又は資本若しくは出資を有しない法人（これらの法人が通算法人である場合には、他の通算法人のうちいずれかの法人が資本金の額等が5,000万円を超える法人に該当するものを除く。）	500万円
			(二)	(一)又は(三)に掲げる法人以外の法人	1,000万円
			(三)	資本金の額等が1億円を超える法人（他の通算法人のうちいずれかの法人が資本金の額等が1億円を超える法人に該当する場合における通算法人を含む。）	2,000万円
		農林水産物等販売業（旧④の「地区」欄に掲げる地区において生産された農林水産物又は当該農林水産物を原料若しくは材料として製造、加工若しくは調理をしたものを店舗において主に当該地区以外の地域の者に販売することを目的とする事業をいう。）又は情報サービス業等のうち、旧④の「地区」欄に掲げる地区に係る認定奄美産業振興促進計画に記載された事業	当該地区内において営む当該事業の用に供される設備で一の設備を構成する減価償却資産の取得価額の合計額が500万円以上である場合の当該一の設備（旧措令28の9㉖Ⅱ）		$\frac{32}{100}$（建物及びその附属設備並びに構築物については、$\frac{48}{100}$）

注6　上表の金額基準を満たしているかどうかは、第一款の**七の2**の(9)《少額の減価償却資産等の取得価額等の判定》により、法人が消費税等の経理処理について適用している税抜経理方式又は税込経理方式に応じ、その適用している方式により算定した価額により判定する。（平元直法2-1「9」参照）

（産業振興機械等の割増償却の適用期間）

(1)　**3**《産業振興機械等の割増償却》の割増償却の適用を受けることができる期間は、次の表の左欄に掲げる場合の区分に応じそれぞれ同表の右欄に掲げる期間とする。（措令28の9⑮、措規20の16⑦）

(一)	**3**の表の①の「地区」欄に掲げる地区において同①の「事業」欄に掲げる事業の用に供する同①の「設備」欄に掲げる設備の取得等をする場合	当該地区に係る過疎地域の持続的発展の支援に関する特別措置法第8条第1項《過疎地域持続的発展市町村計画》（過疎地域の持続的発展の支援に関する特別措置法施行令附則第3条第2項（同令附則第4条第2項の規定によりみなして適用する場合を含む。）又は第3項（同令附則第4条第3項の規定によりみなして適用する場合を含む。）においてその例による場合を含む。）の規定により定められた同法第8条第1項に規定する市町村計画（同条第2項第3号及び第4号ロ並びに第4項各号に掲げる事項並びに同条第2項第4号ロに掲げる事項に係る同条第5項の他の市町村との連携に関する事項が記載されたものに限る。以下**3**において「**特定過疎地域持続的発展市町村計画**」という。）に記載された同法第8条第2項第3号に掲げる計画期間の初日又は当該特定過疎地域持続的発展市町村計画が定められた日のいずれか遅い日から<u>令和9年3月31日</u>までの期間（当該計画期間の末日が同月31日前である場合には、当該いずれか遅い日から当該計画期間の末日までの期間）

第三章　第一節　第七款　十六《特定地域における工業用機械等の特別償却》

(二)	3の表の②の「地区」欄に掲げる地区において同②の「事業」欄に掲げる事業の用に供する同②の「設備」欄に掲げる設備の取得等をする場合	当該地区に係る半島振興法第9条の5第1項《報告の徴収》に規定する認定産業振興促進計画（同法第9条の2第3項各号《産業振興促進計画の認定》に掲げる事項〔同項第2号に掲げる事項にあっては、半島振興法施行規則第2条第3号及び第4号《産業振興促進計画の記載事項》に掲げる事項〕が記載されたものに限る。以下3において「**認定半島産業振興促進計画**」という。）に記載された同法第9条の2第2項第4号に掲げる計画期間の初日から令和7年3月31日までの期間（当該計画期間の末日が同月31日前である場合には当該計画期間とし、同日前に3の表の②の「地区」欄に掲げる半島振興対策実施地域に該当しないこととなった地区については当該初日からその該当しないこととなった日までの期間とし、同月31日前に同法第9条の7第1項《認定の取消》の規定により当該認定半島産業振興促進計画に係る同法第9条の5第1項に規定する認定を取り消された場合には当該初日からその取り消された日までの期間）
(三)	3の表の③の「地区」欄に掲げる地区において同③の「事業」欄に掲げる事業の用に供する同③の「設備」欄に掲げる設備の取得等をする場合	当該地区に係る離島振興法第4条第1項《離島振興計画》の離島振興計画（同条第2項第3号に掲げる事項並びに当該地区に係る同項第5号及び第12号並びに同条第4項各号に掲げる事項が記載されたものに限る。）のうち当該離島振興計画につき当該離島振興計画を定めた都道府県が同条第14項の規定による通知（当該離島振興計画が同条第15項において準用する同条第11項の規定により同項の主務大臣に提出があったものである場合には、同条第15項において準用する同条第14項の規定による通知）を受けたもの（3において「**特定離島振興計画**」という。）に記載された同法第4条第2項第3号に掲げる計画期間の初日又は当該特定離島振興計画に係るこれらの通知を受けた日のいずれか遅い日から令和7年3月31日までの期間（当該計画期間の末日が同月31日前である場合には当該いずれか遅い日から当該計画期間の末日までの期間とし、同月31日前に3の表の③の「地区」欄に掲げる離島振興対策実施地域に該当しないこととなった地区については当該いずれか遅い日からその該当しないこととなった日までの期間とする。）

注1　令和6年度改正により、上表から次のものが除かれているが、令和6年3月31日以前については、なおその適用がある。（令6改措令附1、令6改措規附1）

旧(四)	3の注2の旧④の「地区」欄に掲げる地区において同④の「事業」欄に掲げる事業の用に供する同④の「設備」欄に掲げる設備の取得等をする場合	当該地区に係る奄美群島振興開発特別措置法第14条第1項《報告の徴収》に規定する認定産業振興促進計画（同法第11条第3項各号《産業振興促進計画の認定》に掲げる事項〔同項第2号に掲げる事項にあっては、奄美群島振興開発特別措置法施行規則第3条第3号及び第4号《産業振興促進計画の記載事項》に掲げる事項〕が記載されたものに限る。以下3において「**認定奄美産業振興促進計画**」という。）に記載された同法第11条第2項第4号に掲げる計画期間の初日から令和6年3月31日までの期間（当該計画期間の末日が同月31日前である場合には当該計画期間とし、同日前に同法第16条第1項《認定の取消し》の規定により当該認定奄美産業振興促進計画に係る同法第14条第1項に規定する認定を取り消された場合には当該初日からその取り消された日までの期間）

注2　────線部は（上表の(三)に係る部分に限る。）令和5年度改正により改正された部分で、改正規定は、令和5年4月1日から適用され、令和5年3月31日以前の適用については、上表の(三)は次による。（令5改措令附1）

旧(三)	3の注5の表の旧③の「地区」欄に掲げる地区において同③の「事業」欄に掲げる事業の用に供する同③の「設備」欄に掲げる設備の取得等をする場合	平成25年4月1日から令和5年3月31日までの期間（当該期間内に3の注5の表の旧③の「地区」欄に掲げる離島振興対策実施地域に該当しないこととなった地区については、当該期間の初日からその該当しないこととなった日までの期間）

注3　3の注5の表の旧③の「地区」欄に掲げる離島振興対策実施地域として指定された地区内の市町村の長が策定した(3)の注2の旧(三)に掲げる産業投資促進計画で令和5年3月31日以前にその計画期間が開始したもの（注3において「旧産業投資促進計画」という。）については、令和5年4月1日から令和5年6月30日（同日までに、当該市町村を包括する都道府県が定めた離島振興法第4条第1項の離島振興計画につき当該都道府県が同条第14項の規定による通知〔当該離島振興計画が同条第15項において準用する同条第11項の規定により同項の主務大臣に提出があったものである場合には、同条第15項において準用する同条第14項の規定による通知〕を受けた場合には、当該離島振興計画に係るこれらの通知を受けた日の前日）までの間は、当該計画期間の初日を(1)の表の(三)の右欄に掲げるいずれか遅い日と、当該旧産業投資促進計画を当該市町村を包括する都道府県が定めた同欄に掲げる特定離島振興計画と、当該旧産業投資促進計画に係る(6)の注2の旧(三)の右欄の規定により関係大臣が指定した地区を(6)の表の(三)の右欄に掲げる地区と、当該指定した地区に係

る旧産業投資促進計画に記載された事業を**3**の表の③の「事業」欄に掲げる振興すべき業種として定められた事業と、それぞれみなして、（1）（（三）に係る部分に限る。）を適用する。（令5改措令附8⑥、1）

（中小規模法人であるかどうか等の判定の時期）
（2） **3**の適用上、法人が中小規模法人に該当するかどうかの判定（（一）に掲げる法人にあっては適用除外事業者に該当するかどうかの判定を、（二）に掲げる法人にあっては適用除外事業者又は通算適用除外事業者に該当するかどうかの判定を、それぞれ除く。以下（2）において「中小判定」という。）は、次の表の左欄に掲げる法人の区分に応じそれぞれ同表の右欄に掲げる取扱いによるものとする。（措通45－13・編者補正）

（一）	通算法人以外の法人	当該法人の産業振興機械等の取得等をした日及び産業振興機械等を**3**の表に掲げる事業（以下「製造業等」という。）の用に供した日の現況による。	
（二）	通算法人	当該通算法人及び他の通算法人（次のイ又はロの日及び次のハの日のいずれにおいても当該通算法人との間に通算完全支配関係がある法人に限る。）の当該イ及びロの日の現況による。	
		イ	当該通算法人が産業振興機械等の取得等をした日
		ロ	当該通算法人が産業振興機械等を製造業等の用に供した日
		ハ	当該通算法人の**3**の適用を受けようとする事業年度終了の日

注1　通算親法人の事業年度の中途において通算承認の効力を失った通算法人のその効力を失った日の前日に終了する事業年度における中小判定についても、同様とする。

注2　本文及び注1の取扱いは、**3**の表の①、②及び③の「設備」欄の表（一）及び（三）に掲げる法人に該当するかどうかの判定について準用する。

（当該地区の産業の振興に資する場合）
（3） **3**に掲げる当該地区の産業の振興に資する場合は、その法人が**3**の表の①から③までの「地区」欄に掲げる地区においてそれぞれ同表の「事業」欄に掲げる事業の用に供したそれぞれ同表の「資産」欄に掲げる設備について、当該地区に係る**産業投資促進計画**（次の表の左欄に掲げる地区の区分に応じそれぞれ同表の右欄に掲げるものをいう。）に記載された振興の対象となる事業その他の事項に適合するものである旨の当該地区内の市町村の長の確認がある場合とする。（措令28の9⑯）

（一）	**3**の表の①の「地区」欄に掲げる地区	当該地区内の市町村が定める特定過疎地域持続的発展市町村計画
（二）	**3**の表の②の「地区」欄に掲げる地区	当該地区の市町村が作成する認定半島産業振興促進計画
（三）	**3**の表の③の「地区」欄に掲げる地区	当該地区内の都道府県が定める特定離島振興計画

注1　令和6年度改正により、上表から次のものが除かれているが、令和6年3月31日以前については、なおその適用がある。（令6改措令附1）

旧（四）	**3**の注2の旧④の「地区」欄に掲げる地区	当該地区内の市町村が作成する認定奄美産業振興促進計画

注2　──線部は、令和5年度改正により改正された部分で、改正規定は、令和5年4月1日から適用され、令和5年3月31日以前の適用については、上表の（三）は次による。（令5改措令附1）

旧（三）	**3**の注5の表の旧③の「地区」欄に掲げる地区	当該地区に係る同欄に掲げる指定された地区内の市町村の長が策定する産業の振興に関する計画で産業の振興に資する計画の基準として関係大臣（総務大臣、農林水産大臣及び国土交通大臣をいう。**3**において同じ。）が定める基準を満たすもの

注　関係大臣は、旧（三）に掲げる基準を定めたときは、これを告示する。（旧措令28の9㉘）
上記基準は、平成25年4月10日総務大臣、農林水産大臣、国土交通大臣告示第2号により定められており、上記指定は(10)のとおり。

注3　**3**の注5の表の旧③の「地区」欄に掲げる離島振興対策実施地域として指定された地区内の市町村の長が策定した次の旧（三）に掲げる産業投資促進計画で令和5年3月31日以前にその計画期間が開始したもの（以下注3において「旧産業投資促進計画」という。）については、令和5年4月1日から令和5年6月30日（同日までに、当該市町村を包括する都道府県が定めた離島振興法第4条第1項の離島振

興計画につき当該都道府県が同条第14項の規定による通知〔当該離島振興計画が同条第15項において準用する同条第11項の規定により同項の主務大臣に提出があったものである場合には、同条第15項において準用する同条第14項の規定による通知〕を受けた場合には、当該離島振興計画に係るこれらの通知を受けた日の前日）までの間は、当該計画期間の初日を（1）の表の（三）の右欄に掲げるいずれか遅い日と、当該旧産業投資促進計画を当該市町村を包括する都道府県が定めた同欄に掲げる特定離島振興計画と、当該旧産業投資促進計画に係る（6）の注2の旧（三）の右欄の規定により関係大臣が指定した地区を（6）の表の（三）の右欄に掲げる地区と、当該指定した地区に係る旧産業投資促進計画に記載された事業を3の表の③の「事業」欄に掲げる振興すべき業種として定められた事業と、それぞれみなして、（3）（（三）に係る部分に限る。）を適用する。（令5改措令附8⑥、1）

(過疎地域として定められた地域)
（4）　3の表の①の「地区」欄に掲げる過疎地域として定められた地域は、次に掲げる区域とする。（措令28の9⑰）

（一）	3の表の①の「地区」欄に掲げる過疎地域のうち特定過疎地域（過疎地域の持続的発展の支援に関する特別措置法第42条の規定の適用を受ける区域のうち令和3年3月31日において旧過疎地域自立促進特別措置法第33条第1項《市町村の廃置分合等があった場合の特例》の規定の適用を受けていた区域をいう。（二）において同じ。）以外の区域
（二）	特定過疎地域のうち過疎地域の持続的発展の支援に関する特別措置法第42条の規定の適用を受けないものとしたならば同法第3条第1項若しくは第2項《特定期間合併市町村に係る一部過疎》（これらの規定を同法第43条《過疎地域の市町村以外の市町村の区域に対する適用》の規定により読み替えて適用する場合を含む。）又は第41条第2項《旧過疎自立促進地域の市町村に係る特例》の規定の適用を受ける区域

(過疎地域に準ずる地域として定められた地域)
（5）　3の表の①の「地区」欄に掲げる過疎地域に準ずる地域として定められた地域は、過疎地域の持続的発展の支援に関する特別措置法附則第5条《特定市町村等に対するこの法律の準用》に規定する特定市町村（以下（5）において「特定市町村」という。）の区域（同法附則第6条第1項、第7条第1項又は第8条第1項の規定により特定市町村の区域とみなされる区域を含む。）とする。（措令28の9⑱）

(産業振興のための取組が積極的に促進されるものとして定められた地区)
（6）　3の表の「地区」欄に掲げる産業振興のための取組が積極的に促進されるものとして定められた地区は、次の表の左欄に掲げる地区に応じ、それぞれ同表の右欄に掲げる地区とする。（措令28の9⑲㉑㉓）

（一）	3の表の①の「地区」	特定過疎地域持続的発展市町村計画に記載された過疎地域の持続的発展の支援に関する特別措置法第8条第4項第1号《過疎地域持続的発展市町村計画》に規定する産業振興促進区域内の地区とする
（二）	3の表の②の「地区」	認定半島産業振興促進計画に記載された半島振興法第9条の2第2項第1号《産業振興促進計画の認定》に規定する計画区域内
（三）	3の表の③の「地区」	特定離島振興計画に記載された離島振興法第4条第4項第1号《離島振興計画》に掲げる区域内の地区

　注1　令和6年度改正により、上表から次のものが除かれているが、令和6年3月31日以前については、なおその適用がある。（令6改措令附1）

旧（四）	3の注2の旧④の「地区」	認定奄美産業振興促進計画に記載された奄美群島振興開発特別措置法第11条第2項第1号《産業振興促進計画の認定》に規定する計画区域内の地域

　注2　──線部は、令和5年度改正により改正された部分で、改正規定は、令和5年4月1日から適用され、令和5年3月31日以前の適用については、上表の（三）は次による。（令5改措令附1）

旧（三）	3の注5の表の旧③の「地区」	3の注5の表の旧③の「地区」欄に掲げる指定された地区内の市町村の長が策定する産業の振興に関する計画のうち（3）の注2の旧（三）に掲げる基準を満たすものに係る地区として関係大臣が指定する地区

　　　注　関係大臣は、旧（三）により地区を指定したときは、これを告示する。（旧措令28の9㉘）
　　　　上記基準は、平成25年4月10日総務大臣、農林水産大臣、国土交通大臣告示第2号により定められており、上記指定は（10）のとおり。

　注3　3の注5の表の旧③の「地区」欄に掲げる離島振興対策実施地域として指定された地区内の市町村の長が策定した（3）の注2の旧（三）に掲げる産業投資促進計画で令和5年3月31日以前にその計画期間が開始したもの（注3において「旧産業投資促進計画」という。）については、令和5年4月1日から令和5年6月30日（同日までに、当該市町村を包括する都道府県が定めた離島振興法第4条第1項の離

島振興計画につき当該都道府県が同条第14項の規定による通知〔当該離島振興計画が同条第15項において準用する同条第11項の規定により同項の主務大臣に提出があったものである場合には、同条第15項において準用する同条第14項の規定による通知〕を受けた場合には、当該離島振興計画に係るこれらの通知を受けた日の前日）までの間は、当該計画期間の初日を（1）の表の（三）の右欄に掲げるいずれか遅い日と、当該旧産業投資促進計画を当該市町村を包括する都道府県が定めた同欄に掲げる特定離島振興計画と、当該旧産業投資促進計画に係る注2の旧（三）の右欄の規定により関係大臣が指定した地区を（6）の表の（三）の右欄に掲げる地区と、当該指定した地区に係る旧産業投資促進計画に記載された事業を3の表の②の「事業」欄に掲げる振興すべき業種として定められた事業と、それぞれみなして、（6）（（三）に係る部分に限る。）を適用する。（令5改措令附8⑥、1）

(情報サービス業等)

（7） 3の表の②の「事業」欄に掲げる情報サービス業等は、次の表に掲げる事業とする。（措規20の16⑧）

(一)	情報サービス業	
(二)	有線放送業	
(三)	インターネット付随サービス業	
(四)	次の表のイ又はロに掲げる業務（情報通信の技術を利用する方法により行うものに限るものとし、(一)から(三)までに掲げる事業に係るものを除く。）及び当該業務により得られた情報の整理又は分析の業務に係る事業	
	イ	商品、権利若しくは役務に関する説明若しくは相談又は商品若しくは権利の売買契約若しくは役務を有償で提供する契約についての申込み、申込みの受付若しくは締結若しくはこれらの契約の申込み若しくは締結の勧誘の業務
	ロ	新商品の開発、販売計画の作成等に必要な基礎資料を得るためにする市場等に関する調査の業務

(割増償却の残存適用期間の引継ぎ)

（8） 青色申告書を提出する法人が、適格合併、適格分割、適格現物出資又は適格現物分配（以下（8）において「**適格合併等**」という。）により3《産業振興機械等の割増償却》の適用を受けている産業振興機械等の移転を受け、これを当該法人の3の表の①から③の「事業」欄に掲げる事業（当該適格合併等に係る被合併法人、分割法人、現物出資法人又は現物分配法人が当該産業振興機械等をその用に供していた事業と同一の事業に限る。）の用に供した場合には、当該移転を受けた法人が3の供用日に当該産業振興機械等の取得等をして、これを当該供用日に当該法人の同表の①から③の「事業」欄に掲げる事業の用に供したものとみなして、3を適用する。この場合において、3に掲げるその用に供している期間は、当該移転の日から供用期間の末日までの期間内で当該法人自らがその用に供している期間とする。（措法45④）

(産業振興促進計画の認定を受けた区域)

（9） 半島振興対策実施地域のうち、産業の振興のための取組が積極的に促進されるものとして認定された半島産業促進計画に掲げられた区域は、次の表のとおりである。

半島振興対策実施地域の名称	産業振興促進計画の区域	産業振興促進計画の作成主体の名称	産業振興促進計画の名称	産業振興促進計画を認定した日	告示	
渡島	北海道北斗市の全域	北斗市	北斗市産業振興促進計画	平成27年6月5日（最終令和2年4月1日）	平成27年（最終令和2年）	総務省 農林水産省 国土交通省 告示第4号　総務省 農林水産省 国土交通省 告示第3号
	北海道松前郡松前町の全域	松前町	松前町産業振興促進計画	平成27年6月5日（最終令和2年4月1日）	平成27年（最終令和2年）	総務省 農林水産省 国土交通省 告示第4号　総務省 農林水産省 国土交通省 告示第3号
	北海道亀田郡七飯町の全域	七飯町	七飯町産業振興促進計画	平成27年6月5日（最終令和2年4月1日）	平成27年（最終令和2年）	総務省 農林水産省 国土交通省 告示第4号　総務省 農林水産省 国土交通省 告示第3号

第三章　第一節　第七款　**十六**《特定地域における工業用機械等の特別償却》

	北海道茅部郡森町の全域	森町	森町産業振興促進計画	平成27年6月5日（最終令和2年4月1日）	平成27年 （最終令和2年	総務省 農林水産省 国土交通省 総務省 農林水産省 国土交通省	告示第4号 告示第3号）
	北海道二海郡八雲町の全域	八雲町	八雲町産業振興促進計画	平成27年6月5日（最終令和2年4月1日）	平成27年 （最終令和2年	総務省 農林水産省 国土交通省 総務省 農林水産省 国土交通省	告示第4号 告示第3号）
	北海道檜山郡江差町の全域	江差町	江差町産業振興促進計画	平成27年6月5日（最終令和2年4月1日）	平成27年 （最終令和2年	総務省 農林水産省 国土交通省 総務省 農林水産省 国土交通省	告示第4号 告示第3号）
	北海道鹿部町の全域	鹿部町	鹿部町産業振興促進計画	平成27年6月26日	平成27年	総務省 農林水産省 国土交通省	告示第5号
	北海道茅部郡鹿部町の全域	鹿部町	鹿部町産業振興促進計画	令和2年4月1日	令和2年	総務省 農林水産省 国土交通省	告示第3号
	北海道上磯郡木古内町の全域	木古内町	木古内町産業振興促進計画	平成28年1月22日（最終令和2年4月1日）	平成28年 （最終令和2年	総務省 農林水産省 国土交通省 総務省 農林水産省 国土交通省	告示第1号 告示第3号）
	北海道久遠郡せたな町の全域	せたな町	せたな町産業振興促進計画	平成28年10月21日	平成28年	総務省 農林水産省 国土交通省	告示第20号
	北海道上磯郡知内町の全域	知内町	知内町産業振興促進計画	平成30年12月19日	平成31年	総務省 農林水産省 国土交通省	告示第1号
	北海道檜山郡上ノ国町の全域	上ノ国町	上ノ国町産業振興促進計画	平成30年12月19日	平成31年	総務省 農林水産省 国土交通省	告示第1号
	北海道爾志郡乙部町の全域	乙部町	乙部町産業振興促進計画	平成30年12月19日	平成31年	総務省 農林水産省 国土交通省	告示第1号
	北海道松前郡福島町の全域	福島町	福島町産業振興促進計画	平成31年2月28日	平成31年	総務省 農林水産省 国土交通省	告示第4号
	北海道函館市の区域の一部（旧戸井町、旧恵山町、旧椴法華村及び旧南茅部町）	函館市	函館市産業振興促進計画	平成31年3月20日	平成31年	総務省 農林水産省 国土交通省	告示第6号
	北海道山越郡長万部町の全域	長万部町	長万部町産業振興促進計画	平成31年3月20日	平成31年	総務省 農林水産省 国土交通省	告示第6号
	北海道瀬棚郡今金町の全域	今金町	今金町産業振興促進計画	平成31年3月20日	平成31年	総務省 農林水産省 国土交通省	告示第6号
	北海道檜山郡厚沢部町の全域	厚沢部町	厚沢部町産業振興促進計画	令和元年5月31日	令和元年	総務省 農林水産省 国土交通省	告示第2号
積丹							
	北海道余市郡余市町の全域	余市町	余市町産業振興促進計画	平成27年6月5日（最終令和2年4月1日）	平成27年 （最終令和2年	総務省 農林水産省 国土交通省 総務省 農林水産省 国土交通省	告示第4号 告示第3号）
	北海道岩内郡岩内町の全域	岩内町	岩内町産業振興促進計画	平成31年3月20日	平成31年	総務省 農林水産省 国土交通省	告示第6号
	北海道古宇郡泊村の全域	泊村	泊村産業振興促進計画	平成31年3月20日（最終令和6年3月29日）	平成31年 （最終令和6年	総務省 農林水産省 国土交通省 総務省 農林水産省 国土交通省	告示第6号 告示第2号）
	北海道積丹郡積丹町の全域	積丹町	積丹町産業振興促進計画	平成31年3月20日	平成31年	総務省 農林水産省 国土交通省	告示第6号

	北海道岩内郡共和町の全域	共和町	共和町産業振興促進計画	令和元年5月31日	令和元年	総務省 農林水産省　告示第2号 国土交通省
	北海道古宇郡神恵内村の全域	神恵内村	神恵内村産業振興促進計画	令和元年5月31日	令和元年	総務省 農林水産省　告示第2号 国土交通省
	北海道古平郡古平町の全域	古平町	古平町産業振興促進計画	令和元年5月31日	令和元年	総務省 農林水産省　告示第2号 国土交通省
	北海道余市郡仁木町の全域	仁木町	仁木町産業振興促進計画	令和元年5月31日	令和元年	総務省 農林水産省　告示第2号 国土交通省
津軽	青森県五所川原市の全域	五所川原市	五所川原市産業振興促進計画	平成27年6月5日 （最終令和2年4月1日）	平成27年 （最終令和2年）	総務省 農林水産省　告示第4号 国土交通省 総務省 農林水産省　告示第3号 国土交通省
	青森県つがる市の全域	つがる市	つがる市産業振興促進計画	平成30年5月16日	平成30年	総務省 農林水産省　告示第3号 国土交通省
	青森県東津軽郡今別町の全域	今別町	今別町産業振興促進計画	平成31年3月20日	平成31年	総務省 農林水産省　告示第6号 国土交通省
	青森県東津軽郡蓬田村の全域	蓬田村	蓬田村産業振興促進計画	平成31年3月20日	平成31年	総務省 農林水産省　告示第6号 国土交通省
	青森県東津軽郡外ヶ浜町の全域	外ヶ浜町	外ヶ浜町産業振興促進計画	平成31年3月20日	平成31年	総務省 農林水産省　告示第6号 国土交通省
	青森県北津軽郡中泊町の全域	中泊町	中泊町産業振興促進計画	平成31年3月20日	平成31年	総務省 農林水産省　告示第6号 国土交通省
	青森県北津軽郡板柳町の全域	板柳町	板柳町産業振興促進計画	令和元年5月31日	令和元年	総務省 農林水産省　告示第2号 国土交通省
	青森県北津軽郡鶴田町の全域	鶴田町	鶴田町産業振興促進計画	令和元年5月31日	令和元年	総務省 農林水産省　告示第2号 国土交通省
下北	青森県むつ市の全域	むつ市	むつ市産業振興促進計画	平成27年6月5日 （最終令和2年4月1日）	平成27年 （最終令和元年）	総務省 農林水産省　告示第4号 国土交通省 総務省 農林水産省　告示第3号 国土交通省
	青森県上北郡横浜町の全域	横浜町	横浜町産業振興促進計画	平成27年6月5日 （最終令和2年4月1日）	平成27年 （最終令和2年）	総務省 農林水産省　告示第4号 国土交通省 総務省 農林水産省　告示第3号 国土交通省
	青森県上北郡東北町の区域の一部（旧東北町）	東北町	東北町産業振興促進計画	平成27年6月5日 （最終令和2年4月1日）	平成27年 （最終令和2年）	総務省 農林水産省　告示第4号 国土交通省 総務省 農林水産省　告示第3号 国土交通省
	青森県上北郡野辺地町の全域	野辺地町	野辺地町産業振興促進計画	平成31年3月20日	平成31年	総務省 農林水産省　告示第6号 国土交通省
	青森県上北郡六ヶ所村の全域	六ヶ所村	六ヶ所村産業振興促進計画	平成31年3月20日 （最終令和6年3月29日）	平成31年 （最終令和6年）	総務省 農林水産省　告示第6号 国土交通省 総務省 農林水産省　告示第2号 国土交通省
	青森県下北郡大間町の全域	大間町	大間町産業振興促進計画	平成31年3月20日	平成31年	総務省 農林水産省　告示第6号 国土交通省
	青森県下北郡東通村の全域	東通村	東通村産業振興促進計画	平成31年3月20日	平成31年	総務省 農林水産省　告示第6号 国土交通省

第三章　第一節　第七款　**十六**《特定地域における工業用機械等の特別償却》

	青森県下北郡風間浦村の全域	風間浦村	風間浦村産業振興促進計画	平成31年3月20日	平成31年	総務省 農林水産省　告示第6号 国土交通省
	青森県下北郡佐井村の全域	佐井村	佐井村産業振興促進計画	平成31年3月20日	平成31年	総務省 農林水産省　告示第6号 国土交通省
男鹿	秋田県男鹿市の全域	男鹿市	男鹿市産業振興促進計画	平成27年6月5日 (最終令和2年4月1日)	平成27年 (最終 令和2年	総務省 農林水産省　告示第4号 国土交通省 総務省 農林水産省　告示第3号 国土交通省)
	秋田県潟上市の区域の一部（旧天王町）	潟上市	潟上市産業振興促進計画	平成27年6月5日 (最終令和2年4月1日)	平成27年 (最終 令和2年	総務省 農林水産省　告示第4号 国土交通省 総務省 農林水産省　告示第3号 国土交通省)
	秋田県山本郡三種町の区域の一部（旧八竜町）	三種町	三種町産業振興促進計画	平成27年6月5日 (最終令和2年4月1日)	平成27年 (最終 令和2年	総務省 農林水産省　告示第4号 国土交通省 総務省 農林水産省　告示第3号 国土交通省)
	秋田県南秋田郡大潟村の全域	大潟村	大潟村産業振興促進計画	令和元年5月31日 (最終令和6年3月29日)	令和元年 (最終 令和6年	総務省 農林水産省　告示第2号 国土交通省 総務省 農林水産省　告示第3号 国土交通省)
南房総	千葉県館山市の全域	館山市	館山市産業振興促進計画	平成27年6月5日 (最終令和2年4月1日)	平成27年 (最終 令和2年	総務省 農林水産省　告示第4号 国土交通省 総務省 農林水産省　告示第3号 国土交通省)
	千葉県勝浦市の全域	勝浦市	勝浦市産業振興促進計画	平成27年6月5日 (最終令和2年4月1日)	平成27年 (最終 令和2年	総務省 農林水産省　告示第4号 国土交通省 総務省 農林水産省　告示第3号 国土交通省)
	千葉県鴨川市の全域	鴨川市	鴨川市産業振興促進計画	平成27年6月5日 (最終令和2年4月1日)	平成27年 (最終 令和2年	総務省 農林水産省　告示第4号 国土交通省 総務省 農林水産省　告示第3号 国土交通省)
	千葉県富津市の全域	富津市	富津市産業振興促進計画	平成27年6月5日 (最終令和2年4月1日)	平成27年 (最終 令和2年	総務省 農林水産省　告示第4号 国土交通省 総務省 農林水産省　告示第3号 国土交通省)
	千葉県南房総市の全域	南房総市	南房総市産業振興促進計画	平成27年6月5日 (最終令和2年4月1日)	平成27年 (最終 令和2年	総務省 農林水産省　告示第4号 国土交通省 総務省 農林水産省　告示第3号 国土交通省)
	千葉県いすみ市の全域	いすみ市	いすみ市産業振興促進計画	平成27年6月5日 (最終令和2年4月1日)	平成27年 (最終 令和2年	総務省 農林水産省　告示第4号 国土交通省 総務省 農林水産省　告示第3号 国土交通省)
	千葉県夷隅郡御宿町の全域	御宿町	御宿町産業振興促進計画	平成27年6月5日 (最終令和2年4月1日)	平成27年 (最終 令和2年	総務省 農林水産省　告示第4号 国土交通省 総務省 農林水産省　告示第3号 国土交通省)
	千葉県安房郡鋸南町の全域	鋸南町	鋸南町産業振興促進計画	平成27年6月5日 (最終令和2年4月1日)	平成27年 (最終 令和2年	総務省 農林水産省　告示第4号 国土交通省 総務省 農林水産省　告示第3号 国土交通省)

第三章　第一節　第七款　**十六**《特定地域における工業用機械等の特別償却》

	千葉県夷隅郡大多喜町の全域	大多喜町	大多喜町産業振興促進計画	平成31年2月13日	平成31年	総務省 農林水産省 国土交通省	告示第3号
能登	富山県氷見市の全域	氷見市	氷見市産業振興促進計画	平成27年6月5日 (最終令和2年4月1日)	平成27年 (最終令和2年)	総務省 農林水産省 国土交通省 総務省 農林水産省 国土交通省	告示第4号 告示第3号
	石川県七尾市の全域	七尾市	七尾市産業振興促進計画	平成27年6月5日 (最終令和2年4月1日)	平成27年 (最終令和2年)	総務省 農林水産省 国土交通省 総務省 農林水産省 国土交通省	告示第4号 告示第3号
	石川県輪島市の全域	輪島市	輪島市産業振興促進計画	平成27年6月5日 (最終令和2年4月1日)	平成27年 (最終令和2年)	総務省 農林水産省 国土交通省 総務省 農林水産省 国土交通省	告示第4号 告示第3号
	石川県珠洲市の全域	珠洲市	珠洲市産業振興促進計画	平成27年6月5日 (最終令和2年4月1日)	平成27年 (最終令和2年)	総務省 農林水産省 国土交通省 総務省 農林水産省 国土交通省	告示第4号 告示第3号
	石川県羽咋市の全域	羽咋市	羽咋市産業振興促進計画	平成27年6月5日 (最終令和2年4月1日)	平成27年 (最終令和2年)	総務省 農林水産省 国土交通省 総務省 農林水産省 国土交通省	告示第4号 告示第3号
	石川県かほく市の全域	かほく市	かほく市産業振興促進計画	平成27年6月5日 (最終令和2年4月1日)	平成27年 (最終令和2年)	総務省 農林水産省 国土交通省 総務省 農林水産省 国土交通省	告示第4号 告示第3号
	石川県河北郡津幡町の全域	津幡町	津幡町産業振興促進計画	平成27年6月5日 (最終令和2年4月1日)	平成27年 (最終令和2年)	総務省 農林水産省 国土交通省 総務省 農林水産省 国土交通省	告示第4号 告示第3号
	石川県河北郡内灘町の全域	内灘町	内灘町産業振興促進計画	平成27年6月5日 (最終令和2年4月1日)	平成27年 (最終令和2年)	総務省 農林水産省 国土交通省 総務省 農林水産省 国土交通省	告示第4号 告示第3号
	石川県羽咋郡志賀町の全域	志賀町	志賀町産業振興促進計画	平成27年6月5日 (最終令和2年4月1日)	平成27年 (最終令和2年)	総務省 農林水産省 国土交通省 総務省 農林水産省 国土交通省	告示第4号 告示第3号
	石川県羽咋郡宝達志水町の全域	宝達志水町	宝達志水町産業振興促進計画	平成27年6月5日 (最終令和2年4月1日)	平成27年 (最終令和2年)	総務省 農林水産省 国土交通省 総務省 農林水産省 国土交通省	告示第4号 告示第3号
	石川県鹿島郡中能登町の全域	中能登町	中能登町産業振興促進計画	平成27年6月5日 (最終令和2年4月1日)	平成27年 (最終令和2年)	総務省 農林水産省 国土交通省 総務省 農林水産省 国土交通省	告示第4号 告示第3号
	石川県鳳珠郡穴水町の全域	穴水町	穴水町産業振興促進計画	平成27年6月5日 (最終令和2年4月1日)	平成27年 (最終令和2年)	総務省 農林水産省 国土交通省 総務省 農林水産省 国土交通省	告示第4号 告示第3号

第三章　第一節　第七款　**十六**《特定地域における工業用機械等の特別償却》

	石川県鳳珠郡能登町の全域	能登町	能登町産業振興促進計画	平成27年6月5日 (最終令和2年4月1日)	平成27年 最終 令和2年	総務省 農林水産省　告示第4号 国土交通省 総務省 農林水産省　告示第3号 国土交通省
紀伊	三重県伊勢市の全域	伊勢市	伊勢市産業振興促進計画	平成27年6月5日 (最終令和2年4月1日)	平成27年 最終 令和2年	総務省 農林水産省　告示第4号 国土交通省 総務省 農林水産省　告示第3号 国土交通省
	三重県松阪市の区域の一部 (旧松阪市、旧飯南町及び旧飯高町)	松阪市	松阪市産業振興促進計画	平成27年6月5日 (最終令和2年4月1日)	平成27年 最終 令和2年	総務省 農林水産省　告示第4号 国土交通省 総務省 農林水産省　告示第3号 国土交通省
	三重県尾鷲市の全域	尾鷲市	尾鷲市産業振興促進計画	平成27年6月5日 (最終令和2年4月1日)	平成27年 最終 令和2年	総務省 農林水産省　告示第4号 国土交通省 総務省 農林水産省　告示第3号 国土交通省
	三重県鳥羽市の全域	鳥羽市	鳥羽市産業振興促進計画	平成27年6月5日 (最終令和2年4月1日)	平成27年 最終 令和2年	総務省 農林水産省　告示第4号 国土交通省 総務省 農林水産省　告示第3号 国土交通省
	三重県熊野市の全域	熊野市	熊野市産業振興促進計画	平成27年6月5日 (最終令和2年4月1日)	平成27年 最終 令和2年	総務省 農林水産省　告示第4号 国土交通省 総務省 農林水産省　告示第3号 国土交通省
	三重県志摩市の全域	志摩市	志摩市産業振興促進計画	平成27年6月5日 (最終令和2年4月1日)	平成27年 最終 令和2年	総務省 農林水産省　告示第4号 国土交通省 総務省 農林水産省　告示第3号 国土交通省
	三重県多気郡多気町の全域	多気町	多気町産業振興促進計画	平成27年6月5日 (最終令和2年4月1日)	平成27年 最終 令和2年	総務省 農林水産省　告示第4号 国土交通省 総務省 農林水産省　告示第3号 国土交通省
	三重県多気郡明和町の全域	明和町	明和町産業振興促進計画	平成27年6月5日 (最終令和2年4月1日)	平成27年 最終 令和2年	総務省 農林水産省　告示第4号 国土交通省 総務省 農林水産省　告示第3号 国土交通省
	三重県多気郡大台町の全域	大台町	大台町産業振興促進計画	平成27年6月5日 (最終令和2年4月1日)	平成27年 最終 令和2年	総務省 農林水産省　告示第4号 国土交通省 総務省 農林水産省　告示第3号 国土交通省
	三重県度会郡玉城町の全域	玉城町	玉城町産業振興促進計画	平成27年6月5日 (最終令和2年4月1日)	平成27年 最終 令和2年	総務省 農林水産省　告示第4号 国土交通省 総務省 農林水産省　告示第3号 国土交通省
	三重県度会郡度会町の全域	度会町	度会町産業振興促進計画	平成27年6月5日 (最終令和2年4月1日)	平成27年 最終 令和2年	総務省 農林水産省　告示第4号 国土交通省 総務省 農林水産省　告示第3号 国土交通省
	三重県度会郡大紀町の全域	大紀町	大紀町産業振興促進計画	平成27年6月5日 (最終令和2年4月1日)	平成27年 最終 令和2年	総務省 農林水産省　告示第4号 国土交通省 総務省 農林水産省　告示第3号 国土交通省

地域	市町村	計画名	計画年月日	最終	告示
三重県度会郡南伊勢町の全域	南伊勢町	南伊勢町産業振興促進計画	平成27年6月5日 (最終令和2年4月1日)	平成27年 (最終 令和2年)	総務省 農林水産省　告示第4号 国土交通省 総務省 農林水産省　告示第3号 国土交通省
三重県北牟婁郡紀北町の全域	紀北町	紀北町産業振興促進計画	平成27年6月5日 (最終令和2年4月1日)	平成27年 (最終 令和2年)	総務省 農林水産省　告示第4号 国土交通省 総務省 農林水産省　告示第3号 国土交通省
三重県南牟婁郡御浜町の全域	御浜町	御浜町産業振興促進計画	平成27年6月5日 (最終令和2年4月1日)	平成27年 (最終 令和2年)	総務省 農林水産省　告示第4号 国土交通省 総務省 農林水産省　告示第3号 国土交通省
三重県南牟婁郡紀宝町の全域	紀宝町	紀宝町産業振興促進計画	平成27年6月5日 (最終令和2年4月1日)	平成27年 (最終 令和2年)	総務省 農林水産省　告示第4号 国土交通省 総務省 農林水産省　告示第3号 国土交通省
奈良県五條市の全域	五條市	五條市産業振興促進計画	平成27年6月5日 (最終令和2年4月1日)	平成27年 (最終 令和2年)	総務省 農林水産省　告示第4号 国土交通省 総務省 農林水産省　告示第3号 国土交通省
奈良県吉野郡吉野町の全域	吉野町	吉野町産業振興促進計画	平成27年6月5日 (最終令和2年4月1日)	平成27年 (最終 令和2年)	総務省 農林水産省　告示第4号 国土交通省 総務省 農林水産省　告示第3号 国土交通省
奈良県吉野郡大淀町の全域	大淀町	大淀町産業振興促進計画	平成27年6月5日 (最終令和2年4月1日)	平成27年 (最終 令和2年)	総務省 農林水産省　告示第4号 国土交通省 総務省 農林水産省　告示第3号 国土交通省
奈良県吉野郡下市町の全域	下市町	下市町産業振興促進計画	平成27年6月5日 (最終令和2年4月1日)	平成27年 (最終 令和2年)	総務省 農林水産省　告示第4号 国土交通省 総務省 農林水産省　告示第3号 国土交通省
奈良県吉野郡十津川村の全域	十津川村	十津川村産業振興促進計画	平成28年4月20日 (最終令和2年4月1日)	平成28年 (最終 令和2年)	総務省 農林水産省　告示第17号 国土交通省 総務省 農林水産省　告示第3号 国土交通省
和歌山県海南市の全域	海南市	海南市産業振興促進計画	平成27年6月5日 (最終令和2年4月1日)	平成27年 (最終 令和2年)	総務省 農林水産省　告示第4号 国土交通省 総務省 農林水産省　告示第3号 国土交通省
和歌山県橋本市の全域	橋本市	橋本市産業振興促進計画	平成27年6月5日 (最終令和2年4月1日)	平成27年 (最終 令和2年)	総務省 農林水産省　告示第4号 国土交通省 総務省 農林水産省　告示第3号 国土交通省
和歌山県有田市の全域	有田市	有田市産業振興促進計画	平成27年6月5日 (最終令和2年4月1日)	平成27年 (最終 令和2年)	総務省 農林水産省　告示第4号 国土交通省 総務省 農林水産省　告示第3号 国土交通省
和歌山県御坊市の全域	御坊市	御坊市産業振興促進計画	平成27年6月5日 (最終令和2年4月1日)	平成27年 (最終 令和2年)	総務省 農林水産省　告示第4号 国土交通省 総務省 農林水産省　告示第3号 国土交通省

第三章　第一節　第七款　**十六**《特定地域における工業用機械等の特別償却》

和歌山県田辺市の全域	田辺市	田辺市産業振興促進計画	平成27年6月5日（最終令和2年4月1日）	平成27年 （最終令和2年	総務省 農林水産省　告示第4号 国土交通省 総務省 農林水産省　告示第3号） 国土交通省
和歌山県新宮市の全域	新宮市	新宮市産業振興促進計画	平成27年6月5日（最終令和2年4月1日）	平成27年 （最終令和2年	総務省 農林水産省　告示第4号 国土交通省 総務省 農林水産省　告示第3号） 国土交通省
和歌山県紀の川市の全域	紀の川市	紀の川市産業振興促進計画	平成27年6月5日（最終令和2年4月1日）	平成27年 （最終令和2年	総務省 農林水産省　告示第4号 国土交通省 総務省 農林水産省　告示第3号） 国土交通省
和歌山県岩出市の全域	岩出市	岩出市産業振興促進計画	平成27年6月5日（最終令和2年4月1日）	平成27年 （最終令和2年	総務省 農林水産省　告示第4号 国土交通省 総務省 農林水産省　告示第3号） 国土交通省
和歌山県伊都郡九度山町の全域	九度山町	九度山町産業振興促進計画	平成27年6月5日（最終令和2年4月1日）	平成27年 （最終令和2年	総務省 農林水産省　告示第4号 国土交通省 総務省 農林水産省　告示第3号） 国土交通省
和歌山県有田郡湯浅町の全域	湯浅町	湯浅町産業振興促進計画	平成27年6月5日（最終令和2年4月1日）	平成27年 （最終令和2年	総務省 農林水産省　告示第4号 国土交通省 総務省 農林水産省　告示第3号） 国土交通省
和歌山県有田郡広川町の全域	広川町	広川町産業振興促進計画	平成27年6月5日（最終令和2年4月1日）	平成27年 （最終令和2年	総務省 農林水産省　告示第4号 国土交通省 総務省 農林水産省　告示第3号） 国土交通省
和歌山県有田郡有田川町の全域	有田川町	有田川町産業振興促進計画	平成27年6月5日（最終令和2年4月1日）	平成27年 （最終令和2年	総務省 農林水産省　告示第4号 国土交通省 総務省 農林水産省　告示第3号） 国土交通省
和歌山県日高郡美浜町の全域	美浜町	美浜町産業振興促進計画	平成27年6月5日（最終令和2年4月1日）	平成27年 （最終令和2年	総務省 農林水産省　告示第4号 国土交通省 総務省 農林水産省　告示第3号） 国土交通省
和歌山県日高郡日高町の全域	日高町	日高町産業振興促進計画	平成27年6月5日（最終令和2年4月1日）	平成27年 （最終令和2年	総務省 農林水産省　告示第4号 国土交通省 総務省 農林水産省　告示第3号） 国土交通省
和歌山県日高郡印南町の全域	印南町	印南町産業振興促進計画	平成27年6月5日（最終令和2年4月1日）	平成27年 （最終令和2年	総務省 農林水産省　告示第4号 国土交通省 総務省 農林水産省　告示第3号） 国土交通省
和歌山県日高郡みなべ町の全域	みなべ町	みなべ町産業振興促進計画	平成27年6月5日（最終令和2年4月1日）	平成27年 （最終令和2年	総務省 農林水産省　告示第4号 国土交通省 総務省 農林水産省　告示第3号） 国土交通省
和歌山県日高郡日高川町の全域	日高川町	日高川町産業振興促進計画	平成27年6月5日（最終令和2年4月1日）	平成27年 （最終令和2年	総務省 農林水産省　告示第4号 国土交通省 総務省 農林水産省　告示第3号） 国土交通省

和歌山県西牟婁郡白浜町の全域	白浜町	白浜町産業振興促進計画	平成27年6月5日 (最終令和2年4月1日)	平成27年 (最終 令和2年	総務省 農林水産省　告示第4号 国土交通省 総務省 農林水産省　告示第3号 国土交通省)
和歌山県西牟婁郡上富田町の全域	上富田町	上富田町産業振興促進計画	平成27年6月5日 (最終令和2年4月1日)	平成27年 (最終 令和2年	総務省 農林水産省　告示第4号 国土交通省 総務省 農林水産省　告示第3号 国土交通省)
和歌山県東牟婁郡那智勝浦町の全域	那智勝浦町	那智勝浦町産業振興促進計画	平成27年6月5日 (最終令和2年4月1日)	平成27年 (最終 令和2年	総務省 農林水産省　告示第4号 国土交通省 総務省 農林水産省　告示第3号 国土交通省)
和歌山県東牟婁郡太地町の全域	太地町	太地町産業振興促進計画	平成27年6月5日 (最終令和2年4月1日)	平成27年 (最終 令和2年	総務省 農林水産省　告示第4号 国土交通省 総務省 農林水産省　告示第3号 国土交通省)
和歌山県東牟婁郡古座川町の全域	古座川町	古座川町産業振興促進計画	平成27年6月5日 (最終令和2年4月1日)	平成27年 (最終 令和2年	総務省 農林水産省　告示第4号 国土交通省 総務省 農林水産省　告示第3号 国土交通省)
和歌山県東牟婁郡北山村の全域	北山村	北山村産業振興促進計画	平成27年6月5日 (最終令和2年4月1日)	平成27年 (最終 令和2年	総務省 農林水産省　告示第4号 国土交通省 総務省 農林水産省　告示第3号 国土交通省)
和歌山県東牟婁郡串本町の全域	串本町	半島振興を促進するための串本町における産業の振興に関する計画	平成27年6月5日 (最終令和2年4月1日)	平成27年 (最終 令和2年	総務省 農林水産省　告示第4号 国土交通省 総務省 農林水産省　告示第3号 国土交通省)
和歌山県伊都郡かつらぎ町の全域	かつらぎ町	かつらぎ町産業振興促進計画	平成29年1月20日	平成29年	総務省 農林水産省　告示第1号 国土交通省
和歌山県西牟婁郡すさみ町の全域	すさみ町	すさみ町産業振興促進計画	平成29年1月20日	平成29年	総務省 農林水産省　告示第1号 国土交通省
和歌山県伊都郡高野町の全域	高野町	高野町産業振興促進計画	平成29年4月24日	平成29年	総務省 農林水産省　告示第3号 国土交通省
和歌山県海草郡紀美野町の全域	紀美野町	紀美野町産業振興促進計画	平成29年10月27日 (最終令和4年4月1日)	平成29年 (最終 令和4年	総務省 農林水産省　告示第22号 国土交通省 総務省 農林水産省　告示第5号 国土交通省)
和歌山県日高郡由良町の全域	由良町	由良町産業振興促進計画	平成30年4月24日 (最終令和4年4月1日)	平成30年 (最終 令和4年	総務省 農林水産省　告示第2号 国土交通省 総務省 農林水産省　告示第5号 国土交通省)
奈良県吉野郡川上村の全域	川上村	川上村産業振興促進計画	平成31年2月28日	平成31年	総務省 農林水産省　告示第4号 国土交通省
奈良県吉野郡黒滝村の全域	黒滝村	黒滝村産業振興促進計画	平成31年3月20日	平成31年	総務省 農林水産省　告示第6号 国土交通省
奈良県吉野郡野迫川村の全域	野迫川村	野迫川村産業振興促進計画	平成31年3月20日	平成31年	総務省 農林水産省　告示第6号 国土交通省
奈良県吉野郡天川村の全域	天川村	天川村産業振興促進計画	令和元年5月31日	令和元年	総務省 農林水産省　告示第2号 国土交通省

	奈良県吉野郡下北山村の全域	下北山村	下北山村産業振興促進計画	令和元年5月31日	令和元年	総務省 農林水産省　告示第2号 国土交通省
	奈良県吉野郡上北山村の全域	上北山村	上北山村産業振興促進計画	令和元年5月31日	令和元年	総務省 農林水産省　告示第2号 国土交通省
	奈良県吉野郡東吉野村の全域	東吉野村	東吉野村産業振興促進計画	令和元年5月31日	令和元年	総務省 農林水産省　告示第2号 国土交通省
丹後	京都府宮津市の全域	宮津市	宮津市産業振興促進計画	平成27年6月5日 (最終令和2年4月1日)	平成27年 最終 令和2年	(総務省 農林水産省　告示第4号 国土交通省 総務省 農林水産省　告示第3号 国土交通省)
	京都府京丹後市の全域	京丹後市	京丹後市産業振興促進計画	平成27年6月5日 (最終令和2年4月1日)	平成27年 最終 令和2年	(総務省 農林水産省　告示第4号 国土交通省 総務省 農林水産省　告示第3号 国土交通省)
	京都府与謝郡与謝野町の全域	与謝野町	与謝野町産業振興促進計画	平成27年6月5日 (最終令和2年4月1日)	平成27年 最終 令和2年	(総務省 農林水産省　告示第4号 国土交通省 総務省 農林水産省　告示第3号 国土交通省)
	京都府与謝郡伊根町の全域	伊根町	伊根町産業振興促進計画	平成27年11月6日 (最終令和2年4月1日)	平成27年 最終 令和2年	(総務省 農林水産省　告示第8号 国土交通省 総務省 農林水産省　告示第3号 国土交通省)
島根	島根県松江市の区域の一部 (旧鹿島町、旧島根町、旧美保関町及び旧八束町)	松江市	松江市産業振興促進計画	平成27年6月5日 (最終令和2年4月1日)	平成27年 最終 令和2年	(総務省 農林水産省　告示第4号 国土交通省 総務省 農林水産省　告示第3号 国土交通省)
	島根県出雲市の区域の一部 (旧平田市及び旧大社町)	出雲市	出雲市産業振興促進計画	平成27年6月5日 (最終令和2年4月1日)	平成27年 最終 令和2年	(総務省 農林水産省　告示第4号 国土交通省 総務省 農林水産省　告示第3号 国土交通省)
江能倉橋島	広島県呉市の区域の一部 (旧音戸町及び旧倉橋町)	呉市	呉市半島地域産業振興促進計画	平成27年6月5日 (最終令和2年4月1日)	平成27年 最終 令和2年	(総務省 農林水産省　告示第4号 国土交通省 総務省 農林水産省　告示第3号 国土交通省)
	広島県江田島市の全域	江田島市	江田島市産業振興促進計画	平成27年6月5日 (最終令和2年4月1日)	平成27年 最終 令和2年	(総務省 農林水産省　告示第4号 国土交通省 総務省 農林水産省　告示第3号 国土交通省)
室津大島	山口県柳井市の全域	柳井市	柳井市産業振興促進計画	平成27年6月5日 (最終令和2年4月1日)	平成27年 最終 令和2年	(総務省 農林水産省　告示第4号 国土交通省 総務省 農林水産省　告示第3号 国土交通省)
	山口県熊毛郡平生町の全域	平生町	平生町産業振興促進計画	平成27年6月5日 (最終令和2年4月1日)	平成27年 最終 令和2年	(総務省 農林水産省　告示第4号 国土交通省 総務省 農林水産省　告示第3号 国土交通省)
	山口県熊毛郡上関町の全域	上関町	上関町産業振興促進計画	平成31年3月20日	平成31年	総務省 農林水産省　告示第6号 国土交通省
	山口県大島郡周防大島町の全域	周防大島町	周防大島町産業振興促進計画	令和元年5月31日	令和元年	総務省 農林水産省　告示第2号 国土交通省

第三章　第一節　第七款　**十六**《特定地域における工業用機械等の特別償却》

幡多	高知県宿毛市の全域	宿毛市	宿毛市産業振興促進計画	平成27年6月5日 (最終令和2年4月1日)	平成27年 (最終 令和2年	総務省 農林水産省　告示第4号 国土交通省 総務省 農林水産省　告示第3号) 国土交通省
	高知県土佐清水市の全域	土佐清水市	土佐清水市産業振興促進計画	平成27年6月5日 (最終令和2年4月1日)	平成27年 (最終 令和2年	総務省 農林水産省　告示第4号 国土交通省 総務省 農林水産省　告示第3号) 国土交通省
	高知県四万十市の区域の一部（旧中村市）	四万十市	四万十市産業振興促進計画	平成27年6月5日 (最終令和2年4月1日)	平成27年 (最終 令和2年	総務省 農林水産省　告示第4号 国土交通省 総務省 農林水産省　告示第3号) 国土交通省
	高知県幡多郡大月町の全域	大月町	大月町産業振興促進計画	平成30年4月24日 (最終令和2年4月1日)	平成30年 (最終 令和2年	総務省 農林水産省　告示第2号 国土交通省 総務省 農林水産省　告示第3号) 国土交通省
	高知県幡多郡三原村の全域	三原村	三原村産業振興促進計画	平成30年4月24日 (最終令和2年4月1日)	平成30年 (最終 令和2年	総務省 農林水産省　告示第2号 国土交通省 総務省 農林水産省　告示第3号) 国土交通省
	高知県幡多郡黒潮町の区域の一部（旧大方町）	黒潮町	黒潮町産業振興促進計画	平成30年4月24日 (最終令和2年4月1日)	平成30年 (最終 令和2年	総務省 農林水産省　告示第2号 国土交通省 総務省 農林水産省　告示第3号) 国土交通省
東松浦	佐賀県唐津市の区域の一部（浜玉町、厳木町、相知町、北波多及び七山を除く地域）	唐津市	唐津市産業振興促進計画	平成27年6月5日	平成27年	総務省 農林水産省　告示第4号 国土交通省
	佐賀県唐津市の区域の一部（旧唐津市、旧肥前町、旧鎮西町及び旧呼子町）	唐津市	唐津市産業振興促進計画	令和2年4月1日	令和2年	総務省 農林水産省　告示第3号 国土交通省
	佐賀県東松浦郡玄海町の全域	玄海町	玄海町産業振興促進計画	平成27年6月5日 (最終令和2年4月1日)	平成27年 (最終 令和2年	総務省 農林水産省　告示第4号 国土交通省 総務省 農林水産省　告示第3号) 国土交通省
	長崎県松浦市の区域の一部（鷹島町）	松浦市	松浦市産業振興促進計画	平成27年6月5日 (最終令和2年4月1日)	平成27年 (最終 令和2年	総務省 農林水産省　告示第4号 国土交通省 総務省 農林水産省　告示第3号) 国土交通省
北松浦	長崎県松浦市の区域の一部（旧松浦市及び旧福島町）	松浦市	松浦市産業振興促進計画	平成27年6月5日 (最終令和2年4月1日)	平成27年 (最終 令和2年	総務省 農林水産省　告示第4号 国土交通省 総務省 農林水産省　告示第3号) 国土交通省
	佐賀県伊万里市の全域	伊万里市	伊万里市産業振興促進計画	平成27年6月5日 (最終令和2年4月1日)	平成27年 (最終 令和2年	総務省 農林水産省　告示第4号 国土交通省 総務省 農林水産省　告示第3号) 国土交通省
	長崎県平戸市の区域の一部（旧平戸市、旧生月町及び旧田平町）	平戸市	平戸市産業振興促進計画	平成27年6月5日 (最終令和2年4月1日)	平成27年 (最終 令和2年	総務省 農林水産省　告示第4号 国土交通省 総務省 農林水産省　告示第3号) 国土交通省
	長崎県北松浦郡佐々町の全域	佐々町	佐々町産業振興促進計画	平成27年6月5日 (最終令和2年4月1日)	平成27年 (最終 令和2年	総務省 農林水産省　告示第4号 国土交通省 総務省 農林水産省　告示第3号) 国土交通省

第三章　第一節　第七款　**十六**《特定地域における工業用機械等の特別償却》

	長崎県佐世保市の区域の一部（旧吉井町、旧世知原町、旧小佐々町、旧江迎町、旧鹿町町及び浅子地区）	佐世保市	佐世保市産業振興促進計画	平成28年1月22日（最終令和2年4月1日）	平成28年 最終 令和2年	総務省 農林水産省　告示第1号 国土交通省 総務省 農林水産省　告示第3号 国土交通省
西彼杵	長崎県長崎市の区域の一部（旧野母崎町、旧三和町、旧外海町及び旧琴海町）	長崎市	長崎市産業振興促進計画	平成27年6月5日（最終令和2年4月1日）	平成27年 最終 令和2年	総務省 農林水産省　告示第4号 国土交通省 総務省 農林水産省　告示第3号 国土交通省
	長崎県西海市の全域	西海市	西海市産業振興促進計画	平成27年6月5日（最終令和2年4月1日）	平成27年 最終 令和2年	総務省 農林水産省　告示第4号 国土交通省 総務省 農林水産省　告示第3号 国土交通省
島原	長崎市雲仙市の全域	雲仙市	雲仙市産業振興促進計画	平成27年6月5日（最終令和2年4月1日）	平成27年 最終 令和2年	総務省 農林水産省　告示第4号 国土交通省 総務省 農林水産省　告示第3号 国土交通省
	長崎県南島原市の全域	南島原市	南島原市産業振興促進計画	平成27年6月5日（最終令和2年4月1日）	平成27年 最終 令和2年	総務省 農林水産省　告示第4号 国土交通省 総務省 農林水産省　告示第3号 国土交通省
	長崎県島原市の全域	島原市	島原市産業振興促進計画	令和元年5月31日	令和元年	総務省 農林水産省　告示第2号 国土交通省
	長崎県諫早市の区域の一部（旧森山町）	諫早市	諫早市産業振興促進計画	令和元年5月31日（最終令和6年3月29日）	令和元年 最終 令和6年	総務省 農林水産省　告示第2号 国土交通省 総務省 農林水産省　告示第3号 国土交通省
宇土天草	熊本県宇土市の全域	宇土市	宇土市産業振興促進計画	平成27年6月5日（最終令和2年4月1日）	平成27年 最終 令和2年	総務省 農林水産省　告示第4号 国土交通省 総務省 農林水産省　告示第3号 国土交通省
	熊本県上天草市の全域	上天草市	上天草市産業振興促進計画	平成27年6月5日（最終令和2年4月1日）	平成27年 最終 令和2年	総務省 農林水産省　告示第4号 国土交通省 総務省 農林水産省　告示第3号 国土交通省
	熊本県宇城市の区域の一部（旧三角町及び旧不知火町）	宇城市	宇城市産業振興促進計画	平成27年6月5日（最終令和2年4月1日）	平成27年 最終 令和2年	総務省 農林水産省　告示第4号 国土交通省 総務省 農林水産省　告示第3号 国土交通省
	熊本県天草郡苓北町の全域	苓北町	苓北町産業振興促進計画	平成27年6月5日（最終令和2年4月1日）	平成27年 最終 令和2年	総務省 農林水産省　告示第4号 国土交通省 総務省 農林水産省　告示第3号 国土交通省
	熊本県天草市の区域の一部（旧本渡市、旧牛深市並びに旧天草郡有明町、倉岳町、栖本町、新和町、五和町、天草町及び河浦町）	天草市	天草市産業振興促進計画	平成29年10月27日	平成29年	総務省 農林水産省　告示第22号 国土交通省
	熊本県天草市の区域の一部（旧本渡市、旧牛深市、旧有明町、旧倉岳町、旧栖本町、旧新和町、旧五和町、旧天草町及び旧河浦町）	天草市	天草市産業振興促進計画	令和4年4月1日	令和4年	総務省 農林水産省　告示第5号 国土交通省
国東	大分県豊後高田市の全域	豊後高田市	豊後高田市産業振興促進計画	平成27年6月5日（最終令和2年4月1日）	平成27年 最終 令和2年	総務省 農林水産省　告示第4号 国土交通省 総務省 農林水産省　告示第3号 国土交通省

第三章　第一節　第七款　**十六**《特定地域における工業用機械等の特別償却》

	大分県杵築市の全域	杵築市	杵築市産業振興促進計画	平成27年6月5日 (最終令和2年4月1日)	平成27年 (最終 令和2年)	総務省 農林水産省　告示第4号 国土交通省 総務省 農林水産省　告示第3号 国土交通省
	大分県国東市の全域	国東市	国東市産業振興促進計画	平成27年6月5日 (最終令和2年4月1日)	平成27年 (最終 令和2年)	総務省 農林水産省　告示第4号 国土交通省 総務省 農林水産省　告示第3号 国土交通省
	大分県速見郡日出町の全域	日出町	日出町産業振興促進計画	平成27年6月5日 (最終令和2年4月1日)	平成27年 (最終 令和2年)	総務省 農林水産省　告示第4号 国土交通省 総務省 農林水産省　告示第3号 国土交通省
大隅	鹿児島県鹿児島市の区域の一部（旧鹿児島市（野尻町、持木町、東桜島町、古里町、有村町、黒神町及び高免町）及び旧桜島町）	鹿児島市	鹿児島市産業振興促進計画	平成27年6月5日 (最終令和2年4月1日)	平成27年 (最終 令和2年)	総務省 農林水産省　告示第4号 国土交通省 総務省 農林水産省　告示第3号 国土交通省
	鹿児島県鹿屋市の全域	鹿屋市	鹿屋市産業振興促進計画	平成27年6月5日 (最終令和2年4月1日)	平成27年 (最終 令和2年)	総務省 農林水産省　告示第4号 国土交通省 総務省 農林水産省　告示第3号 国土交通省
	鹿児島県志布志市の全域	志布志市	志布志市産業振興促進計画	平成27年6月5日 (最終令和2年4月1日)	平成27年 (最終 令和2年)	総務省 農林水産省　告示第4号 国土交通省 総務省 農林水産省　告示第3号 国土交通省
	鹿児島県曽於郡大崎町の全域	大崎町	大崎町産業振興促進計画	平成27年6月5日 (最終令和2年4月1日)	平成27年 (最終 令和2年)	総務省 農林水産省　告示第4号 国土交通省 総務省 農林水産省　告示第3号 国土交通省
	鹿児島県肝属郡錦江町の全域	錦江町	錦江町産業振興促進計画	平成27年6月5日 (最終令和2年4月1日)	平成27年 (最終 令和2年)	総務省 農林水産省　告示第4号 国土交通省 総務省 農林水産省　告示第3号 国土交通省
	鹿児島県肝属郡南大隅町の全域	南大隅町	南大隅町産業振興促進計画	平成27年6月5日 (最終令和2年4月1日)	平成27年 (最終 令和2年)	総務省 農林水産省　告示第4号 国土交通省 総務省 農林水産省　告示第3号 国土交通省
	鹿児島県肝属郡肝付町の全域	肝付町	肝付町産業振興促進計画	平成29年9月8日 (最終令和4年4月1日)	平成29年 (最終 令和4年)	総務省 農林水産省　告示第18号 国土交通省 総務省 農林水産省　告示第5号 国土交通省
	宮崎県日南市の区域の一部（旧南郷町）	日南市	日南市産業振興促進計画	令和元年5月31日	令和元年	総務省 農林水産省　告示第2号 国土交通省
	宮崎県串間市の全域	串間市	串間市産業振興促進計画	令和元年5月31日	令和元年	総務省 農林水産省　告示第2号 国土交通省
	鹿児島県垂水市の全域	垂水市	垂水市産業振興促進計画	令和元年5月31日	令和元年	総務省 農林水産省　告示第2号 国土交通省
	鹿児島県曽於市の全域	曽於市	曽於市産業振興促進計画	令和元年5月31日	令和元年	総務省 農林水産省　告示第2号 国土交通省
	鹿児島県肝属郡東串良町の全域	東串良町	東串良町産業振興促進計画	令和元年5月31日	令和元年	総務省 農林水産省　告示第2号 国土交通省

第三章　第一節　第七款　**十六**《特定地域における工業用機械等の特別償却》

薩摩	鹿児島県鹿児島市の区域の一部（旧喜入町、旧松元町及び旧郡山町）	鹿児島市	鹿児島市産業振興促進計画	平成27年6月5日（最終令和2年4月1日）	平成27年 最終 令和2年	総務省 農林水産省　告示第4号 国土交通省 総務省 農林水産省　告示第3号 国土交通省
	鹿児島県枕崎市の全域	枕崎市	枕崎市産業振興促進計画	平成27年6月5日（最終令和2年4月1日）	平成27年 最終 令和2年	総務省 農林水産省　告示第4号 国土交通省 総務省 農林水産省　告示第3号 国土交通省
	鹿児島県指宿市の全域	指宿市	指宿市産業振興促進計画	平成27年6月5日（最終令和2年4月1日）	平成27年 最終 令和2年	総務省 農林水産省　告示第4号 国土交通省 総務省 農林水産省　告示第3号 国土交通省
	鹿児島県日置市の全域	日置市	日置市産業振興促進計画	平成27年6月5日（最終令和2年4月1日）	平成27年 最終 令和2年	総務省 農林水産省　告示第4号 国土交通省 総務省 農林水産省　告示第3号 国土交通省
	鹿児島県いちき串木野市の全域	いちき串木野市	いちき串木野市産業振興促進計画	平成27年6月5日（最終令和2年4月1日）	平成27年 最終 令和2年	総務省 農林水産省　告示第4号 国土交通省 総務省 農林水産省　告示第3号 国土交通省
	鹿児島県南さつま市の全域	南さつま市	南さつま市産業振興促進計画	平成27年6月5日（最終令和2年4月1日）	平成27年 最終 令和2年	総務省 農林水産省　告示第4号 国土交通省 総務省 農林水産省　告示第3号 国土交通省
	鹿児島県南九州市の全域	南九州市	南九州市産業振興促進計画	平成30年4月24日	平成30年	総務省 農林水産省　告示第2号 国土交通省
伊豆中南部	静岡県下田市の全域	下田市	下田市産業振興促進計画	平成29年4月24日（最終令和4年4月1日）	平成29年 最終 令和4年	総務省 農林水産省　告示第3号 国土交通省 総務省 農林水産省　告示第5号 国土交通省
	静岡県沼津市戸田地区（旧戸田村の区域に限る。）	沼津市	沼津市産業振興促進計画	平成29年4月24日	平成29年	総務省 農林水産省　告示第3号 国土交通省
	静岡県沼津市の区域の一部（旧戸田村）	沼津市	沼津市産業振興促進計画	令和4年4月1日	令和4年	総務省 農林水産省　告示第5号 国土交通省
	静岡県伊豆市の全域	伊豆市	伊豆市産業振興促進計画	平成29年4月24日（最終令和4年4月1日）	平成29年 最終 令和4年	総務省 農林水産省　告示第3号 国土交通省 総務省 農林水産省　告示第5号 国土交通省
	静岡県加茂郡東伊豆町の全域	東伊豆町	東伊豆町産業振興促進計画	平成29年4月24日（最終令和4年4月1日）	平成29年 最終 令和4年	総務省 農林水産省　告示第3号 国土交通省 総務省 農林水産省　告示第5号 国土交通省
	静岡県加茂郡河津町の全域	河津町	河津町産業振興促進計画	平成29年4月24日（最終令和4年4月1日）	平成29年 最終 令和4年	総務省 農林水産省　告示第3号 国土交通省 総務省 農林水産省　告示第5号 国土交通省
	静岡県加茂郡南伊豆町の全域	南伊豆町	南伊豆町産業振興促進計画	平成29年4月24日（最終令和4年4月1日）	平成29年 最終 令和4年	総務省 農林水産省　告示第3号 国土交通省 総務省 農林水産省　告示第5号 国土交通省

第三章　第一節　第七款　**十六**《特定地域における工業用機械等の特別償却》

	静岡県加茂郡松崎町の全域	松崎町	松崎町産業振興促進計画	平成29年4月24日 (最終令和4年4月1日)	平成29年 (最終令和4年)	総務省 農林水産省　告示第3号 国土交通省 総務省 農林水産省　告示第5号 国土交通省
	静岡県加茂郡西伊豆町の全域	西伊豆町	西伊豆町産業振興促進計画	平成29年4月24日 (最終令和4年4月1日)	平成29年 (最終令和4年)	総務省 農林水産省　告示第3号 国土交通省 総務省 農林水産省　告示第5号 国土交通省
佐田岬	愛媛県西宇和郡伊方町の全域	伊方町	伊方町産業振興促進計画	平成31年2月28日	平成31年	総務省 農林水産省　告示第4号 国土交通省
	愛媛県八幡浜市の全域	八幡浜市	八幡浜市産業振興促進計画	令和元年5月31日	令和元年	総務省 農林水産省　告示第2号 国土交通省
	愛媛県西予市の区域の一部（旧三瓶町）	西予市	西予市産業振興促進計画	令和元年10月3日	令和元年	総務省 農林水産省　告示第19号 国土交通省

（離島振興対策実施地域及びこれに類する地区のうち産業振興の計画基準を満たす地区として指定された地域）
(10) 　離島振興法第2条第1項《指定》の規定により指定された地区及びこれに類する地区のうち、産業の振興に関する計画のうち計画基準を満たすものに係る地区として指定された地区は、次の表のとおりである。

名称	地区	計画を策定した者	計画の期間	告示	
志摩諸島	三重県志摩市　渡鹿野島、間崎島	志摩市長	平成25年4月1日から 平成30年3月31日まで	平成25年	総務省 農林水産省告示第4号 国土交通省
	三重県志摩市　渡鹿野島、間崎島	志摩市長	平成30年4月1日から 令和5年3月31日まで	平成30年	総務省 農林水産省告示第1号 国土交通省
	三重県鳥羽市　神島、答志島、菅島、坂手島	鳥羽市長	平成25年4月1日から 平成30年3月31日まで	平成25年	総務省 農林水産省告示第7号 国土交通省
	三重県鳥羽市　神島、答志島、菅島、坂手島	鳥羽市長	平成30年4月1日から 令和5年3月31日まで	平成30年	総務省 農林水産省告示第1号 国土交通省
種子島	鹿児島県西之表市　種子島、馬毛島	西之表市長	平成25年4月1日から 平成30年3月31日まで	平成25年	総務省 農林水産省告示第4号 国土交通省
	鹿児島県西之表市　種子島	西之表市長	平成30年4月1日から 令和5年3月31日まで	平成30年	総務省 農林水産省告示第1号 国土交通省
	鹿児島県熊毛郡中種子町　種子島	中種子町長	平成25年4月1日から 平成30年3月31日まで	平成25年	総務省 農林水産省告示第4号 国土交通省
	鹿児島県熊毛郡中種子町　種子島	中種子町長	平成30年4月1日から 令和5年3月31日まで	平成30年	総務省 農林水産省告示第1号 国土交通省
	鹿児島県熊毛郡南種子町　種子島	南種子町長	平成25年4月1日から 平成30年3月31日まで	平成25年	総務省 農林水産省告示第4号 国土交通省
	鹿児島県熊毛郡南種子町　種子島	南種子町長	平成30年4月1日から 令和5年3月31日まで	平成30年	総務省 農林水産省告示第1号 国土交通省
舳倉島	石川県輪島市　舳倉島	輪島市長	平成25年4月1日から 平成30年3月31日まで	平成25年	総務省 農林水産省告示第7号 国土交通省
	石川県輪島市　舳倉島	輪島市長	平成30年4月1日から 令和5年3月31日まで	平成30年	総務省 農林水産省告示第1号 国土交通省
愛知三島	愛知県知多郡南知多町　日間賀島、篠島	南知多町長	平成25年4月1日から 平成30年3月31日まで	平成25年	総務省 農林水産省告示第7号 国土交通省
	愛知県知多郡南知多町　日間賀島、篠島	南知多町長	平成30年4月1日から 令和5年3月31日まで	平成30年	総務省 農林水産省告示第1号 国土交通省

	愛知県西尾市　佐久島	西尾市長	平成31年4月1日から 令和6年3月31日まで	令和元年	総務省 農林水産省告示第3号 国土交通省
上大崎群島	広島県豊田郡大崎上島町 生野島、大略上島、長島	大崎上島町長	平成25年4月1日から 平成30年3月31日まで	平成25年	総務省 農林水産省告示第7号 国土交通省
	広島県豊田郡大崎上島町 生野島、大崎上島、長島	大崎上島町長	平成30年4月1日から 令和5年3月31日まで	平成30年	総務省 農林水産省告示第1号 国土交通省
平郡島	山口県柳井市　平郡島	柳井市長	平成25年4月1日から 平成30年3月31日まで	平成25年	総務省 農林水産省告示第7号 国土交通省
	山口県柳井市　平郡島	柳井市長	平成30年4月1日から 令和5年3月31日まで	平成30年	総務省 農林水産省告示第1号 国土交通省
熊毛群島	山口県熊毛郡平生町　佐合島	平生町長	平成25年4月1日から 平成30年3月31日まで	平成25年	総務省 農林水産省告示第7号 国土交通省
	山口県熊毛郡平生町　佐合島	平生町長	平成30年4月1日から 令和5年3月31日まで	平成30年	総務省 農林水産省告示第1号 国土交通省
	山口県熊毛郡田布施町　馬島	田布施町長	平成31年1月1日から 令和5年3月31日まで	平成31年	総務省 農林水産省告示第5号 国土交通省
	山口県熊毛郡上関町　祝島及び八島	上関町長	平成31年4月1日から 令和6年3月31日まで	令和元年	総務省 農林水産省告示第3号 国土交通省
直島諸島	香川県小豆郡土庄町 小豊島、豊島	土庄町長	平成25年4月1日から 平成30年3月31日まで	平成25年	総務省 農林水産省告示第7号 国土交通省
	香川県香川郡直島町　直島、向島、屏風島	直島町長	令和2年2月29日から 令和6年3月31日まで	令和2年	総務省 農林水産省告示第5号 国土交通省
	香川県高松市　男木島及び女木島	高松市長	平成31年4月1日から 令和5年3月31日まで	令和元年	総務省 農林水産省告示第3号 国土交通省
伊吹島	香川県観音寺市　伊吹島	観音寺市長	平成25年4月1日から 平成30年3月31日まで	平成25年	総務省 農林水産省告示第7号 国土交通省
	香川県観音寺市　伊吹島	観音寺市長	平成30年4月1日から 令和5年3月31日まで	平成30年	総務省 農林水産省告示第1号 国土交通省
沖の島	高知県宿毛市　沖の島、鵜来島	宿毛市長	平成25年4月1日から 平成30年3月31日まで	平成25年	総務省 農林水産省告示第7号 国土交通省
	高知県宿毛市　沖の島、鵜来島	宿毛市長	平成30年4月1日から 令和5年3月31日まで	平成30年	総務省 農林水産省告示第1号 国土交通省
玄海諸島	佐賀県唐津市　高島、神集島、小川島、加唐島、松島、馬渡島、向島	唐津市長	平成25年4月1日から 平成30年3月31日まで	平成25年	総務省 農林水産省告示第7号 国土交通省
	佐賀県唐津市　高島、神集島、小川島、加唐島、松島、馬渡島、向島	唐津市長	平成30年4月1日から 令和5年3月31日まで	平成30年	総務省 農林水産省告示第1号 国土交通省
甑島	鹿児島県薩摩川内市　上甑島、中甑島、下甑島	薩摩川内市長	平成25年4月1日から 平成30年3月31日まで	平成25年	総務省 農林水産省告示第7号 国土交通省
	鹿児島県薩摩川内市　上甑島、中甑島、下甑島	薩摩川内市長	平成30年4月1日から 令和5年3月31日まで	平成30年	総務省 農林水産省告示第1号 国土交通省
佐渡島	新潟県佐渡市　佐渡島	佐渡市長	平成25年8月1日から 平成30年3月31日まで	平成25年	総務省 農林水産省告示第10号 国土交通省
	新潟県佐渡市　佐渡島	佐渡市長	平成30年4月1日から 令和5年3月31日まで	平成30年	総務省 農林水産省告示第1号 国土交通省
蠣ノ浦大島	長崎県西海市　江島、平島	西海市長	平成25年6月1日から 平成30年3月31日まで	平成25年	総務省 農林水産省告示第10号 国土交通省

第三章　第一節　第七款　**十六**《特定地域における工業用機械等の特別償却》

	長崎県西海市　江島、平島	西海市長	平成30年4月1日から 令和5年3月31日まで	平成30年	総務省 農林水産省告示第1号 国土交通省
松島	長崎県西海市　松島	西海市長	平成25年6月1日から 平成30年3月31日まで	平成25年	総務省 農林水産省告示第10号 国土交通省
	長崎県西海市　松島	西海市長	平成30年4月1日から 令和5年3月31日まで	平成30年	総務省 農林水産省告示第1号 国土交通省
	長崎県長崎市　池島	長崎市長	平成25年12月1日から 平成30年3月31日まで	平成26年	総務省 農林水産省告示第2号 国土交通省
	長崎県長崎市　池島	長崎市長	平成30年4月1日から 令和5年3月31日まで	平成30年	総務省 農林水産省告示第1号 国土交通省
天草諸島	熊本県上天草市　湯島、中島	上天草市長	平成25年8月1日から 平成30年3月31日まで	平成25年	総務省 農林水産省告示第10号 国土交通省
	熊本県上天草市　湯島、中島	上天草市長	平成30年4月1日から 令和5年3月31日まで	平成30年	総務省 農林水産省告示第1号 国土交通省
	熊本県天草市　横浦島、牧島、御所浦島及び横島	天草市長	令和4年4月1日から 令和5年3月31日まで	令和4年	総務省 農林水産省告示第6号 国土交通省
下大崎群島	広島県呉市　三角島、斎島	呉市長	平成25年9月1日から 平成30年3月31日まで	平成25年	総務省 農林水産省告示第13号 国土交通省
	広島県呉市　三角島、斎島	呉市長	平成30年4月1日から 令和5年3月31日まで	平成30年	総務省 農林水産省告示第1号 国土交通省
安芸群島	広島県呉市　情島	呉市長	平成25年9月1日から 平成30年3月31日まで	平成25年	総務省 農林水産省告示第13号 国土交通省
	広島県呉市　情島	呉市長	平成30年4月1日から 令和5年3月31日まで	平成30年	総務省 農林水産省告示第1号 国土交通省
	広島県大竹市　阿多田島	大竹市長	平成31年4月1日から 令和6年3月31日まで	令和元年	総務省 農林水産省告示第3号 国土交通省
平戸諸島	長崎県平戸市　大島、度島、高島	平戸市長	平成25年9月1日から 平成30年3月31日まで	平成25年	総務省 農林水産省告示第13号 国土交通省
	長崎県平戸市　大島、度島、高島	平戸市長	平成30年4月1日から 令和5年3月31日まで	平成30年	総務省 農林水産省告示第1号 国土交通省
	長崎県佐世保市　宇久島、寺島、黒島、高島	佐世保市長	令和2年4月1日から 令和7年3月31日まで	令和2年	総務省 農林水産省告示第5号 国土交通省
	長崎県松浦市　黒島、青島、飛島	松浦市長	令和4年4月1日から 令和5年3月31日まで	令和4年	総務省 農林水産省告示第6号 国土交通省
	長崎県北松浦郡小値賀町　六島、野崎島、納島、小値賀島、黒島、大島、斑島	小値賀町長	平成30年4月1日から 令和5年3月31日まで	平成30年	総務省 農林水産省告示第1号 国土交通省
宇和海諸島	愛媛県宇和島市　丸島、戸島、嘉島、日振島、竹ヶ島	宇和島市長	平成26年1月1日から 平成30年3月31日まで	平成26年	総務省 農林水産省告示第2号 国土交通省
	愛媛県宇和島市　九島、嘉島、戸島、日振島、竹ヶ島	宇和島市長	平成30年4月1日から 令和5年3月31日まで	平成30年	総務省 農林水産省告示第1号 国土交通省
	愛媛県八幡浜市　大島	八幡浜市長	平成31年4月1日から 令和6年3月31日まで	令和元年	総務省 農林水産省告示第3号 国土交通省
高島	長崎県長崎市　高島	長崎市長	平成25年12月1日から 平成30年3月31日まで	平成26年	総務省 農林水産省告示第2号 国土交通省
	長崎県長崎市　高島	長崎市長	平成30年4月1日から 令和5年3月31日まで	平成30年	総務省 農林水産省告示第1号 国土交通省

第三章　第一節　第七款　**十六**《特定地域における工業用機械等の特別償却》

小豆島	香川県小豆郡土庄町　小豆島、沖之島	土庄町長	平成26年4月1日から平成31年3月31日まで	平成26年	総務省農林水産省告示第6号国土交通省
	香川県小豆郡小豆島町　小豆島	小豆島町長	平成26年4月1日から平成31年3月31日まで	平成26年	総務省農林水産省告示第22号国土交通省
	香川県小豆郡土庄町　小豊島、豊島	土庄町長	平成30年4月1日から令和5年3月31日まで	平成30年	総務省農林水産省告示第1号国土交通省
	香川県小豆郡小豆島町　小豆島	小豆島町長	平成31年4月1日から令和6年3月31日まで	令和元年	総務省農林水産省告示第3号国土交通省
	香川県小豆郡土庄町　小豆島及び沖之島	土庄町長	平成31年4月1日から令和6年3月31日まで	令和元年	総務省農林水産省告示第3号国土交通省
屋久島	鹿児島県熊毛郡屋久島町　屋久島、口永良部島	屋久島町長	平成26年4月1日から平成31年3月31日まで	平成26年	総務省農林水産省告示第6号国土交通省
	鹿児島県熊毛郡屋久島町　屋久島及び口永良部島	屋久島町長	平成31年4月1日から令和6年3月31日まで	令和元年	総務省農林水産省告示第3号国土交通省
魚島群島	愛媛県越智郡上島町　高井神島、魚島	上島町長	平成26年7月1日から平成31年3月31日まで	平成26年	総務省農林水産省告示第22号国土交通省
	愛媛県越智郡上島町　高井神島及び魚島	上島町長	平成31年4月1日から令和6年3月31日まで	令和元年	総務省農林水産省告示第3号国土交通省
上島群島	愛媛県越智郡上島町　弓削島、佐島、生名島、岩城島、赤穂根島	上島町長	平成26年7月1日から平成31年3月31日まで	平成26年	総務省農林水産省告示第22号国土交通省
	愛媛県越智郡上島町　弓削島、佐島、生名島、岩城島及び赤穂根島	上島町長	平成31年4月1日から令和6年3月31日まで	令和元年	総務省農林水産省告示第3号国土交通省
忽那諸島	愛媛県松山市　野忽那島、睦月島、中島、怒和島、津和地島、二神島、釣島、安居島、興居島	松山市長	平成26年7月1日から平成31年3月31日まで	平成26年	総務省農林水産省告示第22号国土交通省
	愛媛県松山市　安居島、興居島、野忽那島、睦月島、中島、怒和島、津和地島、二神島及び釣島	松山市長	平成31年4月1日から令和6年3月31日まで	令和元年	総務省農林水産省告示第3号国土交通省
対馬島	長崎県対馬市　対馬島、海栗島、泊島、赤島、沖ノ島、島山島	対馬市長	平成26年6月1日から平成31年3月31日まで	平成26年	総務省農林水産省告示第22号国土交通省
	長崎県対馬市　対馬島、海栗島、泊島、赤島、沖ノ島及び島山島	対馬市長	平成31年4月1日から令和6年3月31日まで	令和元年	総務省農林水産省告示第3号国土交通省
五島列島	長崎県南松浦郡新上五島町　中通島、頭ヶ島、桐ノ小島、若松島、日ノ島、有福島、漁生浦島	新上五島町長	平成26年6月1日から平成31年3月31日まで	平成26年	総務省農林水産省告示第22号国土交通省
	長崎県五島市　福江島、奈留島、久賀島、椛島、前島、黄島、赤島、黒島、嵯峨島、蕨小島、島山島	五島市長	令和2年4月1日から令和7年3月31日まで	令和2年	総務省農林水産省告示第5号国土交通省
	長崎県南松浦郡新上五島町　中通島、頭ヶ島、桐ノ小島、若松島、日ノ島、有福島及び漁生浦島	新上五島町長	平成31年4月1日から令和6年3月31日まで	令和元年	総務省農林水産省告示第3号国土交通省
沼島	兵庫県南あわじ市　沼島	南あわじ市長	令和2年4月1日から令和7年3月31日まで	令和2年	総務省農林水産省告示第5号国土交通省
隠岐島	島根県隠岐郡隠岐の島町　島後	隠岐の島町長	令和2年4月1日から令和6年3月31日まで	令和2年	総務省農林水産省告示第5号国土交通省
	島根県隠岐郡海士町　中ノ島	海士町長	平成31年1月1日から令和5年3月31日まで	平成31年	総務省農林水産省告示第5号国土交通省
	島根県隠岐郡西ノ島町　西ノ島	西ノ島町長	平成31年1月1日から令和5年3月31日まで	平成31年	総務省農林水産省告示第5号国土交通省

第三章　第一節　第七款　十六《特定地域における工業用機械等の特別償却》

	島根県隠岐郡知夫村　知夫里島	知夫村長	平成31年1月1日から令和5年3月31日まで	平成31年	総務省 農林水産省告示第5号 国土交通省
壱岐島	長崎県壱岐市　壱岐島、若宮島、原島、長島、大島	壱岐市長	平成30年4月1日から令和5年3月31日まで	平成30年	総務省 農林水産省告示第1号 国土交通省
笠岡諸島	岡山県笠岡市　高島、白石島、北木島、真鍋島、小飛島、大飛島、六島	笠岡市長	平成28年4月1日から令和3年3月31日まで	平成28年	総務省 農林水産省告示第16号 国土交通省
伊豆諸島	東京都新島村　新島、式根島	新島村長	令和4年4月1日から令和5年3月31日まで	令和4年	総務省 農林水産省告示第6号 国土交通省
	東京都神津島村　神津島	神津島村長	平成30年4月1日から令和5年3月31日まで	平成30年	総務省 農林水産省告示第1号 国土交通省
	東京都八丈町　八丈島	八丈町長	平成30年4月1日から令和5年3月31日まで	平成30年	総務省 農林水産省告示第1号 国土交通省
	東京都大島町　大島	大島町長	平成30年10月1日から令和5年3月31日まで	平成31年	総務省 農林水産省告示第2号 国土交通省
	東京都利島村　利島	利島村長	平成30年11月1日から令和5年3月31日まで	平成31年	総務省 農林水産省告示第2号 国土交通省
	東京都御蔵島村　御蔵島	御蔵島村長	平成31年1月1日から令和5年3月31日まで	平成31年	総務省 農林水産省告示第5号 国土交通省
	東京都三宅村　三宅島	三宅村長	平成31年4月1日から令和6年3月31日まで	令和元年	総務省 農林水産省告示第3号 国土交通省
	東京都青ヶ島村　青ヶ島	青ヶ島村長	平成31年4月1日から令和6年3月31日まで	令和元年	総務省 農林水産省告示第3号 国土交通省
礼文島	北海道礼文郡礼文町　礼文島	礼文町長	令和4年4月1日から令和5年3月31日まで	令和4年	総務省 農林水産省告示第6号 国土交通省
利尻島	北海道利尻郡利尻町　利尻島	利尻町長	平成30年4月1日から令和5年3月31日まで	平成30年	総務省 農林水産省告示第1号 国土交通省
	北海道利尻郡利尻富士町　利尻島	利尻富士町長	平成30年4月1日から令和5年3月31日まで	平成30年	総務省 農林水産省告示第1号 国土交通省
家島群島	兵庫県姫路市　男鹿島、家島、坊勢島及び西島	姫路市長	平成30年6月1日から令和5年3月31日まで	平成30年	総務省 農林水産省告示第4号 国土交通省
筑前諸島	福岡県宗像市　地島及び大島	宗像市長	平成30年6月1日から令和5年3月31日まで	平成30年	総務省 農林水産省告示第4号 国土交通省
	福岡県北九州市　馬島及び藍島	北九州市長	平成31年4月1日から令和5年3月31日まで	令和元年	総務省 農林水産省告示第3号 国土交通省
	福岡県糟屋郡新宮町　相島	新宮町長	平成31年4月1日から令和5年3月31日まで	令和元年	総務省 農林水産省告示第3号 国土交通省
	福岡県福岡市　玄海島及び小呂島	福岡市長	平成31年4月1日から令和5年3月31日まで	令和元年	総務省 農林水産省告示第3号 国土交通省
	福岡県糸島市　姫島	糸島市長	平成31年4月1日から令和5年3月31日まで	令和元年	総務省 農林水産省告示第3号 国土交通省
姫島	大分県東国東郡姫島村　姫島	姫島村長	平成30年6月1日から令和5年3月31日まで	平成30年	総務省 農林水産省告示第4号 国土交通省
塩飽諸島	香川県坂出市　櫃石原、岩黒島、与島及び小与島	坂出市長	平成30年11月1日から令和5年3月31日まで	平成31年	総務省 農林水産省告示第2号 国土交通省
	香川県丸亀市　本島、牛島、広島、手島及び小手島	丸亀市長	平成31年4月1日から令和5年3月31日まで	令和元年	総務省 農林水産省告示第3号 国土交通省

第三章　第一節　第七款　**十六**《特定地域における工業用機械等の特別償却》

	香川県仲多度郡多度津町　佐柳島及び高見島	多度津町長	平成31年4月1日から令和6年3月31日まで	令和元年	総務省 農林水産省告示第3号 国土交通省
	香川県三豊市　粟島及び志々島	三豊市長	平成31年4月1日から令和6年3月31日まで	令和元年	総務省 農林水産省告示第3号 国土交通省
天売・焼尻	北海道苫前郡羽幌町　焼尻島及び天売島	羽幌町長	平成31年2月1日から令和5年3月31日まで	平成31年	総務省 農林水産省告示第5号 国土交通省
新居大島	愛媛県新居浜市　大島	新居浜市長	平成31年2月1日から令和5年3月31日まで	平成31年	総務省 農林水産省告示第5号 国土交通省
南西諸島	鹿児島県鹿児島郡十島村　口之島、中之島、諏訪之瀬島、平島、悪石島、小宝島及び宝島	十島村長	平成31年1月1日から令和5年3月31日まで	平成31年	総務省 農林水産省告示第5号 国土交通省
	鹿児島県鹿児島郡三島村　竹島、硫黄島及び黒島	三島村長	平成31年4月1日から令和6年3月31日まで	令和元年	総務省 農林水産省告示第3号 国土交通省
奥尻島	北海道奥尻郡奥尻町　奥尻島	奥尻町長	平成31年4月1日から令和6年3月31日まで	令和元年	総務省 農林水産省告示第3号 国土交通省
小島	北海道厚岸郡厚岸町　小島	厚岸町長	平成31年4月1日から令和6年3月31日まで	令和元年	総務省 農林水産省告示第3号 国土交通省
大島	宮城県気仙沼市　大島	気仙沼市長	平成31年4月1日から令和3年3月31日まで	令和元年	総務省 農林水産省告示第3号 国土交通省
牡鹿諸島	宮城県牡鹿郡女川町　出島及び江島	女川町長	平成31年4月1日から令和6年3月31日まで	令和元年	総務省 農林水産省告示第3号 国土交通省
	宮城県石巻市　網地島及び田代島	石巻市長	平成31年4月1日から令和5年3月31日まで	令和元年	総務省 農林水産省告示第3号 国土交通省
浦戸諸島	宮城県塩竈市　寒風沢島、野々島、桂島及び朴島	塩竈市長	平成31年4月1日から令和5年3月31日まで	令和元年	総務省 農林水産省告示第3号 国土交通省
飛島	山形県酒田市　飛島	酒田市長	平成31年4月1日から令和6年3月31日まで	令和元年	総務省 農林水産省告示第3号 国土交通省
粟島	新潟県岩船郡粟島浦村　粟島	粟島浦村長	平成31年4月1日から令和6年3月31日まで	令和元年	総務省 農林水産省告示第3号 国土交通省
初島	静岡県熱海市　初島	熱海市長	平成31年4月1日から令和6年3月31日まで	令和元年	総務省 農林水産省告示第3号 国土交通省
沖島	滋賀県近江八幡市　沖島	近江八幡市長	平成31年4月1日から令和5年3月31日まで	令和元年	総務省 農林水産省告示第3号 国土交通省
日生諸島	岡山県備前市　大多府島及び鴻島	備前市長	平成31年4月1日から令和6年3月31日まで	令和元年	総務省 農林水産省告示第3号 国土交通省
前島	岡山県瀬戸内市　前島	瀬戸内市長	平成31年4月1日から令和6年3月31日まで	令和元年	総務省 農林水産省告示第3号 国土交通省
犬島	岡山県岡山市　犬島	岡山市長	平成31年4月1日から令和6年3月31日まで	令和元年	総務省 農林水産省告示第3号 国土交通省
石島	岡山県玉野市　石島	玉野市長	平成31年4月1日から令和5年3月31日まで	令和元年	総務省 農林水産省告示第3号 国土交通省
走島群島	広島県福山市　走島	福山市長	平成31年4月1日から令和6年3月31日まで	令和元年	総務省 農林水産省告示第3号 国土交通省
備後群島	広島県尾道市　百島	尾道市長	平成31年4月1日から令和6年3月31日まで	令和元年	総務省 農林水産省告示第3号 国土交通省
芸備群島	広島県尾道市　細島	尾道市長	平成31年4月1日から令和6年3月31日まで	令和元年	総務省 農林水産省告示第3号 国土交通省

第三章　第一節　第七款　十六《特定地域における工業用機械等の特別償却》

	広島県三原市　佐木島及び小佐木島	三原市長	平成31年4月1日から令和6年3月31日まで	令和元年	総務省農林水産省告示第3号国土交通省
似島	広島県広島市　似島	広島市長	平成31年4月1日から令和6年3月31日まで	令和元年	総務省農林水産省告示第3号国土交通省
桂島群島	山口県岩国市　端島、桂島及び黒島	岩国市長	平成31年4月1日から令和6年3月31日まで	令和元年	総務省農林水産省告示第3号国土交通省
周防大島群島	山口県大島郡周防大島町　情島、浮島、前島及び笠佐島	周防大島町長	平成31年4月1日から令和6年3月31日まで	令和元年	総務省農林水産省告示第3号国土交通省
周南諸島	山口県光市　牛島	光市長	令和4年4月1日から令和5年3月31日まで	令和4年	総務省農林水産省告示第6号国土交通省
	山口県周南市　大津島	周南市長	平成31年4月1日から令和6年3月31日まで	令和元年	総務省農林水産省告示第3号国土交通省
	山口県防府市　野島	防府市長	平成31年4月1日から令和6年3月31日まで	令和元年	総務省農林水産省告示第3号国土交通省
響灘諸島	山口県下関市　蓋井島及び六連島	下関市長	平成31年4月1日から令和6年3月31日まで	令和元年	総務省農林水産省告示第3号国土交通省
萩諸島	山口県萩市　見島、大島、櫃島及び相島	萩市長	平成31年4月1日から令和6年3月31日まで	令和元年	総務省農林水産省告示第3号国土交通省
伊島	徳島県阿南市　伊島	阿南市長	平成31年4月1日から令和6年3月31日まで	令和元年	総務省農林水産省告示第3号国土交通省
出羽島	徳島県海部郡牟岐町　出羽島	牟岐町長	平成31年4月1日から令和6年3月31日まで	令和元年	総務省農林水産省告示第3号国土交通省
大島	香川県高松市　大島	高松市長	平成31年4月1日から令和5年3月31日まで	令和元年	総務省農林水産省告示第3号国土交通省
越智諸島	愛媛県今治市　鵜島及び津島	今治市長	平成31年4月1日から令和6年3月31日まで	令和元年	総務省農林水産省告示第3号国土交通省
関前諸島	愛媛県今治市　大下島及び小大下島	今治市長	平成31年4月1日から令和6年3月31日まで	令和元年	総務省農林水産省告示第3号国土交通省
来島群島	愛媛県今治市　小島、来島、馬島及び比岐島	今治市長	平成31年4月1日から令和6年3月31日まで	令和元年	総務省農林水産省告示第3号国土交通省
青島	愛媛県大洲市　青島	大洲市長	平成31年4月1日から令和6年3月31日まで	令和元年	総務省農林水産省告示第3号国土交通省
豊後諸島	大分県津久見市　地無垢島及び保戸島	津久見市長	平成31年4月1日から令和6年3月31日まで	令和元年	総務省農林水産省告示第3号国土交通省
	大分県佐伯市　大入島、大島、屋形島及び深島	佐伯市長	平成31年4月1日から令和6年3月31日まで	令和元年	総務省農林水産省告示第3号国土交通省
島野浦島	宮崎県延岡市　島野浦島	延岡市長	平成31年4月1日から令和6年3月31日まで	令和元年	総務省農林水産省告示第3号国土交通省
南那珂郡島	宮崎県日南市　大島	日南市長	平成31年4月1日から令和6年3月31日まで	令和元年	総務省農林水産省告示第3号国土交通省
	宮崎県串間市　築島	串間市長	平成31年4月1日から令和6年3月31日まで	令和元年	総務省農林水産省告示第3号国土交通省
長島	鹿児島県出水郡長島町　獅子島	長島町長	平成31年4月1日から令和6年3月31日まで	令和元年	総務省農林水産省告示第3号国土交通省
桂島	鹿児島県出水市　桂島	出水市長	平成31年4月1日から令和6年3月31日まで	令和元年	総務省農林水産省告示第3号国土交通省

第三章　第一節　第七款　**十六**《特定地域における工業用機械等の特別償却》

| 笠岡諸島 | 岡山県笠岡市　高島、白石島、北木島、真鍋島、小飛島、大飛島、六島 | 笠岡市長 | 令和3年4月1日から令和5年3月31日まで | 令和3年 | 総務省　農林水産省告示第17号　国土交通省 |

（奄美群島振興開発特別措置法に規定する奄美群島内の市町村の長が策定する産業振興計画の基準を満たす地域等）

(11)　離島振興法第2条第1項の規定により離島振興対策実施地域として指定された地区内及び奄美群島振興開発特別措置法第1条に規定する奄美群島内の市町村の長が策定する産業の振興に関する計画（以下(11)において「計画」という。）のうち計画基準を満たすものに係る地区は、次のとおり。

離島振興対策実施地域及びこれに類する地区の名称	地区	計画を策定した者	計画の期間		告示
奄美群島	鹿児島県奄美市	奄美市長	平成25年6月1日から平成30年3月31日まで	平成25年	総務省　農林水産省　告示第9号　国土交通省
	鹿児島県大島郡徳之島町	徳之島町長	平成25年7月1日から平成30年3月31日まで	平成25年	総務省　農林水産省　告示第9号　国土交通省
	鹿児島県大島郡伊仙町	伊仙町長	平成25年7月1日から平成30年3月31日まで	平成25年	総務省　農林水産省　告示第9号　国土交通省
	鹿児島県大島郡和泊町	和泊町長	平成25年7月1日から平成30年3月31日まで	平成25年	総務省　農林水産省　告示第9号　国土交通省
	鹿児島県大島郡与論町	与論町長	平成25年7月1日から平成30年3月31日まで	平成25年	総務省　農林水産省　告示第9号　国土交通省
	鹿児島県大島郡大和村	大和村長	平成25年10月1日から平成30年3月31日まで	平成25年	総務省　農林水産省　告示第14号　国土交通省
	鹿児島県大島郡宇検村	宇検村長	平成25年11月1日から平成30年3月31日まで	平成25年	総務省　農林水産省　告示第14号　国土交通省
	鹿児島県大島郡瀬戸内町	瀬戸内町長	平成25年10月1日から平成30年3月31日まで	平成25年	総務省　農林水産省　告示第14号　国土交通省
	鹿児島県大島郡龍郷町	龍郷町長	平成25年11月1日から平成30年3月31日まで	平成25年	総務省　農林水産省　告示第14号　国土交通省
	鹿児島県大島郡喜界町	喜界町長	平成25年10月1日から平成30年3月31日まで	平成25年	総務省　農林水産省　告示第14号　国土交通省
	鹿児島県大島郡天城町	天城町長	平成25年10月1日から平成30年3月31日まで	平成25年	総務省　農林水産省　告示第14号　国土交通省
	鹿児島県大島郡知名町	知名町長	平成25年11月1日から平成30年3月31日まで	平成25年	総務省　農林水産省　告示第14号　国土交通省

（対象となる設備の範囲）

(12)　3の表の「資産」欄に掲げる設備は、製造業又は同表の「事業」欄に掲げる事業の用に直接供される減価償却資産で構成されているものをいう。したがって、例えば、本店、寄宿舎等の建物、福利厚生施設のようなものは、これに該当しない。（措通45−1・編者補正）

（一の設備の取得価額基準の判定）

(13)　3の表の「資産」欄に掲げる一の設備で、これを構成する減価償却資産の取得価額の合計額が3の表に掲げる規模に該当するかどうかについては、当該一の設備を構成する減価償却資産のうちに他の特別償却等の規定（当該他の特別償却等に係る**二十四**《準備金方式による特別償却》を含む。以下同じ。）の適用を受けるものがある場合であっても、当該他の特別償却等の規定の適用を受けるものの取得価額を含めたところにより判定することに留意する。（措通45−2・編者補正）

(圧縮記帳の適用を受けた場合の減価償却資産の取得価額要件の判定)

(14) **3**の表の「資産」欄に掲げる一の設備を構成する減価償却資産の取得価額の合計額が500万円、1,000万円、2,000万円以上であるかどうかを判定する場合において、当該一の設備を構成する減価償却資産のうちに法又は措置法による圧縮記帳の適用を受けたものがあるとき（法人が取得等をした**3**の表の「資産」欄に掲げる一の設備でこれを構成する減価償却資産のうちに、供用年度後の事業年度において第十五款の**一**から**四**の適用を受けることが予定されているものがある場合を含む。）は、その圧縮記帳後の金額（法人が取得等をした**3**の表の「資産」欄に掲げる一の設備でこれを構成する減価償却資産のうちに、供用年度後の事業年度において第十五款の**一**から**四**の適用を受けることが予定されているものがある場合にあっては、第六款の**六**の1《減価償却資産の取得価額》に掲げる額から当該供用年度後の事業年度において第十五款の**一**から**四**の適用を受けるとしたならば、第六款の**六**の3《圧縮記帳資産の取得価額の特例》に掲げる「損金の額に算入された金額（……金額を加算した金額）」となることが見込まれる金額を控除した金額）に基づいてその判定を行うものとする。（措通45－3、42の5～48（共）－3の2・編者補正）

 注 法人税法の規定による圧縮記帳の適用を受けた減価償却資産が**3**に掲げる産業振興機械等に該当する場合には、**3**に掲げる特別償却限度額の計算の基礎となる取得価額は、圧縮記帳後の取得価額によることに留意する。

(割増償却の対象となる新設又は増設に伴い取得等をした資産)

(15) **3**に掲げる中小規模法人以外の法人が**3**に掲げる取得等をした**3**の割増償却の対象となる産業振興機械等は、産業振興機械等の新設又は増設に伴って取得をした産業振興機械等をいうのであるから、当該新設又は増設に伴って取得等をしたものであれば、いわゆる新品であることを要しないのであるが、当該法人の他の工場、作業場等から転用したものは含まれないことに留意する。（措通45－4・編者補正）

(新増設の範囲)

(16) **3**の割増償却の適用上、次の(一)から(三)までに掲げる産業振興機械等の取得についても**3**に掲げる新設又は増設に係る産業振興機械等の取得に該当するものとする。（措通45－5・編者補正）

(一)	既存設備が災害により減失又は損壊したため、その代替設備として取得をした産業振興機械等
(二)	既存設備の取替え又は更新のために産業振興機械等の取得をした場合で、その取得により生産能力、処理能力等が従前に比して相当程度（おおむね30％）以上増加したときにおける当該産業振興機械等のうちその生産能力、処理能力等が増加した部分に係るもの
(三)	**3**の表の「区域」欄に掲げる区域において他の者が同表の「事業」欄に掲げる事業の用に供していた産業振興機械等の取得をした場合における当該産業振興機械等

(割増償却の対象となる建物の附属設備)

(17) **3**に掲げる建物の附属設備は、当該建物とともに取得をする場合における建物附属設備に限られることに留意する。（措通45－8・編者補正）

(取得価額の合計額が500万円等以上であるかどうか等の判定)

(18) **3**の適用上、**3**の表の「資産」欄の一の設備を構成する減価償却資産の取得価額の合計額が500万円、1,000万円若しくは2,000万円以上であるかどうかは、その新設又は増設に係る事業計画ごとに判定することに留意する。（措通45－9・編者補正）

(指定事業の範囲)

(19) 法人が**3**の表の「地区」欄に掲げる地区内（以下「特定地域内」という。）において行う事業が同表の「事業」欄に掲げる事業（以下において「指定事業」という。）に該当するかどうかは、当該特定地域内にある事業所ごとに判定する。この場合において、協同組合等が当該特定地域内において**3**の表の①から③の「事業」欄に掲げる事業（以下「製造業等」という。）を営むその組合員の共同的施設として産業振興機械等の取得等をしたときは、産業振興機械等は製造業等の用に供されているものとする。（措通45－11・編者補正）

 注1 例えば建設業を営む法人が当該特定地域内に建設資材を製造する事業所を有している場合には、当該法人が当該建設資材をその建設業に係る原材料等として消費しているときであっても、当該事業所における事業は指定事業に係る製造業に該当する。
 注2 指定事業かどうかの判定は、おおむね日本標準産業分類（総務省）の分類を基準として行う。

(製造業等の用に供したものとされる資産の貸与)
(20) 法人が、自己の下請業者で**3**の表の①から③までの「地区」欄に掲げる地区内において製造業等を営む者に対し、その製造業等の用に供する産業振興機械等を貸し付けている場合において、当該産業振興機械等が専ら当該法人のためにする製品の加工等の用に供されるものであるときは、当該法人が下請業者の当該地区内において営む製造業等と同種の事業を営むものである場合に限り、その貸し付けている産業振興機械等は当該法人の営む製造業等の用に供したものとして取り扱う。(措通45-12・編者補正)

注 自己の計算において原材料等を購入し、これをあらかじめ指示した条件に従って下請加工させて完成品とするいわゆる製造問屋の事業は、**3**の表の「事業」欄に掲げる製造業に該当しない。

(産業振興機械等の割増償却の計算)
(21) **3**の割増償却は、当該割増償却の対象となる機械設備等について認められているのであるから、機械設備等で割増償却の対象とならないものがあるときはもちろん、当該割増償却の対象となる機械設備等と種類及び耐用年数を同じくする他の機械設備等があっても、それぞれ各別に償却限度額を計算することに留意する。(措通42の5〜48(共)-1・編者補正)

(適格合併等があった場合の特別償却等の適用)
(22) **3**の割増償却は、減価償却資産を事業の用に供した場合に適用があるのであるから、適格合併等(適格合併、適格分割、適格現物出資又は適格現物分配をいう。)による移転に係る減価償却資産について**3**の適用があるかどうかは、当該減価償却資産を事業の用に供した日の現況において、**3**に掲げる適用要件(適用対象法人、適用期間、適用対象事業等に関する要件をいう。以下(22)において同じ。)を満たすかどうかにより判定することに留意する。(措通42の5〜48(共)-3・編者補正)

注 例えば、中小企業者等(**一**の**1**《中小企業者等が特定機械装置等を取得した場合の初年度特別償却》に掲げる中小企業者等をいう。以下注において同じ。)に該当する被合併法人が減価償却資産を適格合併により中小企業者等に該当しない合併法人に移転する場合の**一**の**1**の適用については、次の(一)及び(二)のようになる。

(一)	被合併法人が当該減価償却資産を事業の用に供した場合は、他の適用要件を満たせば、被合併法人において**一**の**1**の適用を受けることができる。
(二)	被合併法人が当該減価償却資産を事業の用に供しないで合併法人が事業の用に供した場合は、被合併法人又は合併法人のいずれの法人においても、**一**の**1**の適用を受けることができない。

(解散した法人から受け入れた減価償却資産の割増償却に係る残存適用時期の引継ぎ)
(23) 更生計画の定めるところにより設立された新法人(以下(23)において「新法人」という。)が更生計画の定めるところにより減価償却資産を受け入れた場合には、解散した法人においてその資産につき適用を受けていた**3**の割増償却については、たとえ適用期間が経過していないものであっても、新法人ではその適用がないことに留意する。(基通14-3-4参照)

4 特別償却等の明細書の添付

1《特定地域における工業用機械等の初年度特別償却》の特別償却、**2**《旅館業用建物等の初年度特別償却》又は**3**《産業振興機械等の割増償却》の割増償却は、確定申告書等に当該工業用機械等又は産業振興機械等の償却限度額の計算に関する明細書《別表十六》の添付がない場合には、適用しない。(措法45⑤、43②)

明細書には、「特別償却等の償却限度額の計算に関する付表」を添付する。(規別表十六)

(旅館業用建物等に係る証明書の添付)
(1) 法人が、その取得等をした減価償却資産につき**2**の特別償却の適用を受ける場合には、当該減価償却資産につき**2**の特別償却の適用を受ける事業年度の確定申告書等に、その設備について、沖縄振興特別措置法第4条第1項に規定する沖縄振興計画に定められた同条第2項第9号に掲げる事項その他の事項に適合するものである旨の確認を沖縄県知事がした旨を証する書類を添付しなければならない。(措法45⑥、措令28の9⑭、措規20の16⑥)

(産業振興機械等に係る証明書の添付)
(2) 法人が、その取得等をした減価償却資産につき**3**の割増償却の適用を受ける場合には、当該減価償却資産につき**3**の割増償却の適用を受ける最初の事業年度の確定申告書等に**3**に掲げる産業振興機械等に係る**3**の表の「資産」欄に掲げる設備が当該設備をその事業の用に供した**3**の表の「地区」欄に掲げる地区に係る**3**の(3)《当該地区の産業

の振興に資する場合》に掲げる産業投資促進計画に記載された事項に適合するものであることにつき、当該地区内の市町村の長が確認した旨を証する書類を添付しなければならない。(措法45⑥、措令28の9㉕、措規20の16⑨)

 注 ──線部分は、令和5年度改正により改正された部分で、改正規定は、令和5年4月1日から適用され、令和5年3月31日以前の適用については、「設備が当該設備をその事業の用に供した**3**の表の「地区」欄に掲げる地区に係る」とあるのは「設備」と、「地区内に」とあるのは「産業投資促進計画を定め、作成し、又は策定した」とする。(令5改措規附1)

十七　医療用機器等の特別償却

1　医療用機器の初年度特別償却

青色申告書を提出する法人で医療保健業を営むものが、昭和54年4月1日から令和7年3月31日までの間に、医療用の機械及び装置並びに器具及び備品（一台又は一基〔通常一組又は一式をもって取引の単位とされるものにあっては、一組又は一式。以下同じ。〕の取得価額〔第六款の**六の1**《減価償却資産の取得価額》により計算した取得価額をいう。以下同じ。〕が500万円以上のものに限る。）のうち、高度な医療の提供に資するもの若しくは先進的なものとして（1）《高度先進医療用機器の範囲》に掲げるもの（以下1において「**医療用機器**」という。）でその製作の後事業の用に供されたことのないものを取得し、又は医療用機器を製作して、これを当該法人の営む医療保健業の用に供した場合（所有権移転外リース取引〔第六款の**四の1**の②の（2）の表の（五）《所有権移転外リース取引》に掲げるものをいう。〕により取得した当該医療用機器をその事業の用に供した場合を除く。）には、その用に供した日を含む事業年度の当該医療用機器の償却限度額は、第六款の**三の1**《償却費等の損金算入》又は同**三の2**《適格分割等により移転する減価償却資産に係る期中損金経理額の損金算入》に掲げる普通償却限度額の計算の規定にかかわらず、当該医療用機器の普通償却限度額（同**三の1**に掲げる償却限度額又は同**三の2**に掲げる償却限度額に相当する金額をいう。）と**特別償却限度額**（当該医療用機器の取得価額の$\frac{12}{100}$に相当する金額をいう。）との合計額とする。（措法45の2①、措令28の10①）

$$\text{医療用機器の償却限度額} = \text{医療用機器の普通償却限度額} + \underbrace{\text{医療用機器の取得価額} \times \frac{12}{100}}_{\text{特別償却限度額}}$$

注　上表の金額基準を満たしているかどうかは、第一款の**七の2**の（9）《少額の減価償却資産等の取得価額等の判定》により、法人が消費税等の経理処理について適用している税抜経理方式又は税込経理方式に応じ、その適用している方式により算定した価額により判定する。（平元直法2－1「9」参照）

（高度先進医療用機器の範囲）

（1）　**1**に掲げるものは、次の（一）及び（二）に掲げる医療用の機械及び装置並びに器具及び備品とする。（措令28の10②）

（一）	医療用の機械及び装置並びに器具及び備品のうち、高度な医療の提供に資するものとして厚生労働大臣が財務大臣と協議して指定するもの（医療法第30条の14第1項に規定する構想区域等内の病院又は診療所における効率的な活用を図る必要があるものとして厚生労働大臣が財務大臣と協議して指定するものにあっては、厚生労働大臣が定める要件を満たすものに限る。）
（二）	医薬品、医療機器等の品質、有効性及び安全性の確保等に関する法律第2条第5項《定義》に規定する高度管理医療機器、同条第6項に規定する管理医療機器又は同条第7項に規定する一般医療機器で、これらの規定により厚生労働大臣が指定した日の翌日から2年を経過していないもの（（一）に掲げるものを除く。）

注1　厚生労働大臣は、（一）により高度先進医療用機器を指定したときは、告示する。（措令28の10⑦）

なお、（一）により指定された高度先進医療用機器は、次のとおりである。

（平成21年厚生労働省告示第248号〔最終改正令和5年第166号〕の別表）

（一）	主にがんの検査、治療、療養のために用いられる機械等のうち次に掲げるもの				
	1	核医学診断用検出器回転型SPECT装置	13	ポジトロンCT組合せ型SPECT装置	25	MR装置用高周波コイル
	2	核医学診断用リング型SPECT装置	14	診断用核医学装置及び関連装置吸収補正向け密封線源	26	MR装置ワークステーション
	3	核医学診断用ポジトロンCT装置	15	肺換気機能検査用テクネガス発生装置	27	移動型超音波画像診断装置
	4	骨放射線吸収測定装置			28	汎用超音波画像診断装置
	5	骨放射線吸収測定装置用放射線源	16	X線CT組合せ型SPECT装置	29	超音波装置用コンピュータ
	6	RI動態機能検査装置	17	超電導磁石式乳房用MR装置	30	超音波装置オペレータ用コンソール
	7	放射性医薬品合成設備	18	超電導磁石式全身用MR装置	31	超音波頭部用画像診断装置
	8	核医学診断用直線型スキャナ	19	超電導磁石式頭部・四肢用MR装置	32	産婦人科用超音波画像診断装置
	9	核医学装置用手持型検出器	20	超電導磁石式循環器用MR装置	33	乳房用超音波画像診断装置
	10	甲状腺摂取率測定用核医学装置	21	永久磁石式頭部・四肢用MR装置	34	循環器用超音波画像診断装置
	11	核医学装置ワークステーション	22	永久磁石式全身用MR装置	35	膀胱用超音波画像診断装置
	12	X線CT組合せ型ポジトロンCT装置	23	永久磁石式乳房用MR装置	36	超音波増幅器
			24	永久磁石式循環器用MR装置	37	超音波プローブポジショニングユニット
					38	内視鏡用テレスコープ

第三章　第一節　第七款　**十七**《医療用機器等の特別償却》

	39 ビデオ軟性気管支鏡	57 ビデオ軟性胸腔鏡	73 非中心循環系アフターローディング式ブラキセラピー装置
	40 ビデオ軟性胃内視鏡	58 ビデオ軟性子宮鏡	
	41 ビデオ軟性Ｓ字結腸鏡	59 ビデオ軟性神経内視鏡	74 定位放射線治療用放射核種システム
	42 ビデオ軟性膀胱尿道鏡	60 内視鏡ビデオ画像プロセッサ	
	43 ビデオ軟性喉頭鏡	61 内視鏡用光源・プロセッサ装置	75 定位放射線治療用加速器システム
	44 内視鏡ビデオ画像システム	62 内視鏡用ビデオカメラ	76 線形加速器システム
	45 ビデオ軟性十二指腸鏡	63 送気送水機能付内視鏡用光源・プロセッサ装置	77 粒子線治療装置
	46 ビデオ軟性大腸鏡		78 放射線治療シミュレータ
	47 ビデオ軟性腹腔鏡	64 超音波内視鏡観測システム	79 ＰＤＴ半導体レーザ
	48 ビデオ硬性腹腔鏡	65 超音波軟性胃十二指腸鏡	80 放射線治療装置用シンクロナイザ
	49 ビデオ軟性小腸鏡	66 超音波軟性十二指腸鏡	81 高周波式ハイパーサーミアシステム
	50 ビデオ軟性胆道鏡	67 超音波軟性気管支鏡	82 自動細胞診装置
	51 ビデオ軟性腎盂鏡	68 内視鏡用電気手術器	83 クリオスタットミクロトーム
	52 ビデオ軟性尿管腎盂鏡	69 内視鏡用モニタ・シールド付電気手術器	84 滑走式ミクロトーム
	53 ビデオ軟性胃十二指腸鏡		85 自動染色装置
	54 ビデオ軟性口腔鏡	70 硬性腹腔鏡	86 検体前処理装置
	55 ビデオ軟性耳内視鏡	71 バルーン小腸内視鏡システム	
	56 ビデオ軟性鼻咽喉鏡	72 腹腔鏡用ガス気腹装置	
(二)	主に心臓疾患の検査、治療、療養のために用いられる機械等のうち次に掲げるもの		
	1 人工心肺用システム	6 循環補助用心内留置型ポンプカテーテル用制御装置	12 ホルタ解析装置
	2 体外循環装置用遠心ポンプ駆動装置		13 心臓運動負荷モニタリングシステム
	3 エキシマレーザ血管形成器	7 補助循環用バルーンポンプ駆動装置	14 運動負荷試験用コンピュータ
	4 経皮心筋焼灼術用電気手術ユニット	8 補助人工心臓駆動装置	15 体外循環用血液学的パラメータモニタ
	5 アテローム切除アブレーション式血管形成術用カテーテル駆動装置	9 心臓カテーテル用検査装置	
		10 ＯＣＴ画像診断装置	16 心臓マッピングシステムワークステーション
		11 多相電動式造影剤注入装置	
(三)	主に糖尿病等の生活習慣病の検査、治療、療養のために用いられる機械等のうち次に掲げるもの		
	1 眼科用レーザ光凝固装置	7 眼底カメラ(補償光学技術を用いるものに限る。)	11 房水・フレアセルアナライザ
	2 眼科用パルスレーザ手術装置		12 光学式眼内寸法測定装置
	3 眼科用ＰＤＴレーザ装置	8 眼撮影装置	13 眼科用電気手術器
	4 眼科用レーザ光凝固・パルスレーザ手術装置	9 瞳孔計機能付き角膜トポグラフィーシステム	14 白内障・硝子体手術装置
			15 可搬型手術用顕微鏡(眼科医療又は歯科医療の用に供するものに限る。)
	5 眼科用レーザ角膜手術装置	10 眼軸長計測機能付リフラクト・ケラトメータ	
	6 視覚誘発反応刺激装置		16 顕微鏡付属品
(四)	主に脳血管疾患又は精神疾患の検査、治療、療養のために用いられる機械等のうち次に掲げるもの		
	1 患者モニタシステム	4 不整脈モニタリングシステム	7 マップ脳波計
	2 セントラルモニタ	5 誘発反応測定装置	8 長時間脳波解析装置
	3 解析機能付きセントラルモニタ	6 脳波計	9 機能検査オキシメータ
(五)	主に歯科疾患の検査、治療、療養のために用いられる機械等のうち次に掲げるもの		
	1 歯科用ユニット	7 デジタル式歯科用パノラマＸ線診断装置	10 デジタル印象採得装置
	2 歯科用オプション追加型ユニット		11 アーム型Ｘ線ＣＴ診断装置
	3 炭酸ガスレーザ	8 デジタル式歯科用パノラマ・断層診断Ｘ線診断装置	12 歯科技工室設置型コンピュータ支援設計・製造ユニット
	4 エルビウム・ヤグレーザ		
	5 ネオジミウム・ヤグレーザ	9 チェアサイド型歯科用コンピュータ支援設計・製造ユニット	
	6 ネオジミウム・ヤグ倍周波数レーザ		
(六)	異常分娩における母胎の救急救命、新生児医療、救急医療、難病、感染症疾患その他高度な医療における検査、治療、療養のために用いられる機械等のうち次に掲げるもの		
	1 全身用Ｘ線ＣＴ診断装置(4列未満を除く。)	7 透析用監視装置	14 ポータブルアナログ式汎用一体型Ｘ線診断装置
		8 多用途透析装置	
	2 部位限定Ｘ線ＣＴ診断装置(4列未満を除く。)	9 多用途血液処理用装置	15 据置型アナログ式汎用Ｘ線診断装置
		10 超音波手術器	16 据置型アナログ式汎用一体型Ｘ線診断装置
	3 人体回転型全身用Ｘ線ＣＴ診断装置(4列未満を除く。)	11 据置型デジタル式汎用Ｘ線診断装置	
		12 移動型アナログ式汎用Ｘ線診断装置	17 移動型デジタル式汎用Ｘ線診断装置
	4 人工腎臓装置	13 移動型アナログ式汎用一体型Ｘ線診断装置	18 移動型デジタル式汎用一体型Ｘ線診断装置
	5 個人用透析装置		
	6 多人数用透析液供給装置		

第三章　第一節　第七款　十七《医療用機器等の特別償却》

19　移動型アナログ式汎用一体型X線透視診断装置	36　X線平面検出器	60　体内式結石破砕治療用単回使用超音波トランスデューサアセンブリ
20　移動型デジタル式汎用一体型X線透視診断装置	37　麻酔システム	61　腎臓ウォータージェットカテーテルシステム
21　据置型デジタル式汎用X線透視診断装置	38　閉鎖循環式麻酔システム	
22　据置型デジタル式循環器用X線透視診断装置	39　汎用血液ガス分析装置	62　体内挿入式結石穿(せん)孔破砕装置
	40　レーザー処置用能動器具	63　X線透視型体内挿入式結石機械破砕装置
23　据置型アナログ式乳房用X線診断装置	41　前立腺組織用水蒸気デリバリーシステム	
24　据置型デジタル式乳房用X線診断装置	42　パルスホルミウム・ヤグレーザ	64　体外式結石破砕装置
	43　血球計数装置	65　手術用ロボット手術ユニット
25　腹部集団検診用X線診断装置	44　血液凝固分析装置	66　汎用画像診断装置ワークステーション
26　胸部集団検診用X線診断装置	45　ディスクリート方式臨床化学自動分析装置	67　対外衝撃波疼痛治療装置
27　胸・腹部集団検診用X線診断装置	46　酵素免疫測定装置	68　中心静脈留置型経皮的体温調節装置システム
28　歯科集団検診用パノラマX線撮影装置	47　免疫発光測定装置	
	48　質量分析装置	69　能動型上肢用他動運動訓練装置
29　単一エネルギー骨X線吸収測定装置	49　尿沈渣(さ)分析装置	70　気管支サーモプラスティ用カテーテルシステム
30　単一エネルギー骨X線吸収測定一体型装置	50　血液培養自動分析装置	
	51　微生物分類同定分析装置	71　血液照射装置
31　二重エネルギー骨X線吸収測定装置	52　微生物感受性分析装置	72　睡眠評価装置
32　二重エネルギー骨X線吸収測定一体型装置	53　微生物培養装置	73　新生児モニタ
	54　体内式衝撃波結石破砕装置	74　胎児心臓モニタ
33　X線CT組合せ型循環器X線診断装置	55　体内挿入式レーザ結石破砕装置	75　汎用人工呼吸器
	56　体内挿入式超音波結石破砕装置	76　陰圧人工呼吸器
34　コンピューテッドラジオグラフ	57　体内挿入式電気水圧衝撃波結石破砕装置	77　成人用人工呼吸器
35　X線平面検出器出力読取式デジタルラジオグラフ	58　圧縮波結石破砕装置	78　新生児・小児用人工呼吸器
	59　微小火薬挿入式結石破砕装置	

注2　厚生労働大臣は、(一)により構想区域等内の病院又は診療所における効率的な活用を図る必要があるものを指定したときは、告示する。(措令28の10⑦)

　なお、(一)により指定したものは、次に掲げるものであって病院又は診療所において医療保健業の用に供されるものとする。

（平成31年厚生労働省告示第151号第1条〔最終改正令和3年第160号〕）

(一)	超電導磁石式全身用MR装置
(二)	永久磁石式全身用MR装置
(三)	全身用X線CT診断装置（4列未満を除く。）
(四)	人体回転型全身用X線CT診断装置（4列未満を除く。）

注3　厚生労働大臣は、(一)により要件を定めたときは、告示する。(措令28の10⑦)

　なお、(一)により定められた要件は、次の表の左欄に掲げる対象機器の区分に応じそれぞれ右欄に掲げる要件を満たすことについて当該対象機器を医療保健業の用に供する病院又は診療所の所在する構想区域等（医療法（昭和23年法律第205号）第30条の14第1項に規定する構想区域等をいう。以下同じ。）に係る都道府県知事により確認がされたこととする。

（平成31年厚生労働省告示第151号第2条〔最終改正令和3年第160号〕）

		次の左欄に掲げる場合の区分に応じそれぞれ次の右欄に掲げる要件	
(一)	注2の表の(一)又は(二)に掲げる対象機器（以下(一)において「全身用MR装置」という。）	イ	当該全身用MR装置が既に医療保健業の用に供されている全身用MR装置（イにおいて「既存全身用MR装置」という。）に替えて新たに医療保健業の用に供される場合	当該既存全身用MR装置を医療保健業の用に供した病院又は診療所における当該既存全身用MR装置の利用された回数がその新たに医療保健業の用に供される日の属する年の前年の1月から12月までの各月において40を上回っていること。
		ロ	当該全身用MR装置が新設又は増設により医療保健業の用に供される場合	その用に供する病院又は診療所（ロにおいて「全身用MR装置新増設医療機関」という。）と連携している他の病院又は診療所（全身用MR装置を医療保健業の用に供していないものに限る。ロにおいて「全身用MR装置連携先医療機関」という。）で診療を受けた者のために当該全身用MR装置新増設医療機関と当該全身用MR装置連携先医療機関との間で連携して当該全身用MR装置が利用される予定であること（当該全身用MR装置連携先医療機関から紹介された患者のために利用される予定である場合を含む。）。

		ハ	当該全身用ＭＲ装置がイ及びロに定める要件に該当しない場合	構想区域等に係る医療法第30条の14第１項の協議の場における協議の内容を踏まえ、当該構想区域等における医療提供体制の確保に必要であると認められること。
（二）	注２の表の（三）又は（四）に掲げる対象機器（以下（二）において「全身用ＣＴ装置」という。）		次に掲げる場合の区分に応じそれぞれ次に定める要件	
		イ	当該全身用ＣＴ装置が既に医療保健業の用に供されている全身用ＣＴ装置（イにおいて「既存全身用ＣＴ装置」という。）に替えて新たに医療保健業の用に供される場合	当該既存全身用ＣＴ装置を医療保健業の用に供した病院又は診療所における当該既存全身用ＣＴ装置の利用された回数がその新たに医療保健業の用に供される日の属する年の前年の１月から12月までの各月において20を上回っていること。
		ロ	当該全身用ＣＴ装置が新設又は増設により医療保健業の用に供される場合	その用に供する病院又は診療所（ロにおいて「全身用ＣＴ装置新増設医療機関」という。）と連携している他の病院又は診療所（全身用ＣＴ装置を医療保健業の用に供していないものに限る。ロにおいて「全身用ＣＴ装置連携先医療機関」という。）で診療を受けた者のために当該全身用ＣＴ装置新増設医療機関と当該全身用ＣＴ装置連携先医療機関との間で連携して当該全身用ＣＴ装置が利用される予定であること（当該全身用ＣＴ装置連携先医療機関から紹介された患者のために利用される予定である場合を含む。）。
		ハ	当該全身用ＣＴ装置がイ及びロに定める要件に該当しない場合	構想区域等に係る医療法第30条の14第１項の協議の場における協議の内容を踏まえ、当該構想区域等における医療提供体制の確保に必要であると認められること。

（取得価額の判定単位）

（２）　１に掲げる機械及び装置並びに器具及び備品の一台又は一基の取得価額が500万円以上であるかどうかについては、通常一単位として取引される単位ごとに判定するのであるが、個々の機械及び装置の本体と同時に設置する附属機器で当該本体と一体となって使用するものがある場合には、これらの附属機器を含めたところによりその判定を行うことができるものとする。（措通45の２－１・編者補正）

（圧縮記帳の適用を受けた場合の減価償却資産の取得価額要件の判定）

（３）　１に掲げる機械及び装置並びに器具及び備品の取得価額が500万円以上であるかどうかを判定する場合において、当該機械及び装置並びに器具及び備品が第十五款の**一**《国庫補助金等による圧縮記帳》、同款の**二**《工事負担金による圧縮記帳》、同款の**三**《非出資組合の賦課金による圧縮記帳》及び同款の**四**《保険金等による圧縮記帳》による圧縮記帳の適用を受けたものであるとき（法人が取得等をした１に掲げる機械及び装置並びに器具及び備品につき、供用年度後の事業年度において第十五款の**一**から**四**の適用を受けることが予定されている場合を含む。）は、その圧縮記帳後の金額（法人が取得等をした１に掲げる機械及び装置並びに器具及び備品につき、供用年度後の事業年度において第十五款の**一**から**四**の適用を受けることが予定されている場合にあっては、第六款の**六**の１《減価償却資産の取得価額》に掲げる額から当該供用年度後の事業年度において第十五款の**一**から**四**の適用を受けるとしたならば、第六款の**六**の３《圧縮記帳資産の取得価額の特例》に掲げる「損金の額に算入された金額（……金額を加算した金額）」となることが見込まれる金額を控除した金額）に基づいてその判定を行うものとする。（措通45の２－２、42の５～48（共）－３の２・編者補正）

（主たる事業でない場合の適用）

（４）　１の特別償却の適用上、法人が主たる事業として医療保健業を営んでいるかどうかを問わないことに留意する。（措通45の２－３）

（事業の判定）

（５）　法人の営む事業が１の医療保健業に該当するかどうかは、おおむね日本標準産業分類（総務省）の分類を基準として判定する。（措通45の２－４）

（医療用機器等の特別償却の計算）

（６）　１の特別償却は、当該特別償却の対象となる機械装置等について認められているのであるから、機械設備等で特

別償却の対象とならないものがあるときはもちろん、当該特別償却の対象となる機械設備等と種類及び耐用年数を同じくする他の機械設備等があっても、それぞれ各別に償却限度額を計算することに留意する。(措通42の5～48(共)－1・編者補正)

(適格合併等があった場合の特別償却等の適用)
(7)　1の特別償却は、減価償却資産を事業の用に供した場合に適用があるのであるから、適格合併等(適格合併、適格分割、適格現物出資又は適格現物分配をいう。)による移転に係る減価償却資産について1の適用があるかどうかは、当該減価償却資産を事業の用に供した日の現況において、1に掲げる適用要件(適用対象法人、適用期間、適用対象事業等に関する要件をいう。以下(7)において同じ。)を満たすかどうかにより判定することに留意する。(措通42の5～48(共)－3・編者補正)

注　例えば、中小企業者等(一の1《中小企業者等が特定機械装置等を取得した場合の初年度特別償却》に掲げる中小企業者等をいう。以下注において同じ。)に該当する被合併法人が減価償却資産を適格合併により中小企業者等に該当しない合併法人に移転する場合の一の1の適用については、次の(一)及び(二)のようになる。

(一)	被合併法人が当該減価償却資産を事業の用に供した場合は、他の適用要件を満たせば、被合併法人において一の1の適用を受けることができる。
(二)	被合併法人が当該減価償却資産を事業の用に供しないで合併法人が事業の用に供した場合は、被合併法人又は合併法人のいずれの法人においても、一の1の適用を受けることができない。

2　勤務時間短縮用設備等の初年度特別償却

青色申告書を提出する法人で医療保健業を営むものが、平成31年4月1日から令和7年3月31日までの間に、器具及び備品(医療用の機械及び装置を含む。以下2において同じ。)並びにソフトウエア((1)《特別償却の対象となる器具及び備品並びにソフトウエアの規模》に掲げるものに限る。)のうち、医療法第30条の3第1項に規定する医療提供体制の確保に必要な医師その他の医療従事者の勤務時間の短縮その他の医療従事者の確保に資する措置を講ずるために必要なものとして(2)《医療従事者の確保に資する措置を講ずるために必要なものの範囲》に掲げるもの(1の適用を受けるものを除く。以下2において「**勤務時間短縮用設備等**」という。)でその製作の後事業の用に供されたことのないものを取得し、又は勤務時間短縮用設備等を製作して、これを当該法人の営む医療保健業の用に供した場合(所有権移転外リース取引〔第六款の四の1の②の(2)の表の(五)《所有権移転外リース取引》に掲げるものをいう。〕により取得した当該勤務時間短縮用設備等をその用に供した場合を除く。)には、その用に供した日を含む事業年度の当該勤務時間短縮用設備等の償却限度額は、第六款の三の1《償却費等の損金算入》又は同三の2《適格分割等により移転する減価償却資産に係る期中損金経理額の損金算入》に掲げる普通償却限度額の計算の規定にかかわらず、当該勤務時間短縮用設備等の普通償却限度額と特別償却限度額(当該勤務時間短縮用設備等の取得価額の$\frac{15}{100}$に相当する金額をいう。)との合計額とする。(措法45の2②)

$$\text{勤務時間短縮用設備等の償却限度額} = \text{勤務時間短縮用設備の普通償却限度額} + \overbrace{\text{勤務時間短縮用設備の取得価額} \times \frac{15}{100}}^{\text{特別償却限度額}}$$

(特別償却の対象となる器具及び備品並びにソフトウエアの規模)
(1)　2に掲げる規模のものは、器具及び備品にあっては一台又は一基の取得価額が30万円以上のものとし、ソフトウエアにあっては一のソフトウエアの取得価額が30万円以上のものとする。(措令28の10③)

(医療従事者の確保に資する措置を講ずるために必要なものの範囲)
(2)　2に掲げる医療従事者の確保に資する措置を講ずるために必要なものは、器具及び備品並びに特定ソフトウエアのうち、医療法第30条の21第1項第1号に掲げる事務を実施する都道府県の機関(同条第2項の規定による委託に係る事務〔同号に掲げる事務に係るものに限る。〕を実施する者を含む。以下(2)において「相談機関」という。)の助言を受けて作成される医師その他の医療従事者の勤務時間を短縮するための計画として医療従事者の勤務時間の実態、勤務時間の短縮のための対策、その対策に有用な設備の機能その他の厚生労働大臣が定める事項が記載された計画(当該相談機関の長〔当該相談機関が同条第2項の規定による委託を受けた者である場合には、当該相談機関の長及びその委託をした都道府県知事〕による医師の勤務時間の短縮に特に資するものである旨の確認があるもの〔記載された当該事項につき変更がある場合には、その変更後の計画に係る当該確認があるもの〕に限る。以下2において「**医師等勤務時間短縮計画**」という。)に基づき当該法人が取得し、又は製作するもの((一)において「計画設備等」

という。）として当該医師等勤務時間短縮計画に記載されたもの（次に掲げる要件の全てを満たす場合における当該記載されたものに限る。）とする。（措令28の10④）

(一)	当該医師等勤務時間短縮計画に当該計画設備等が医療従事者の勤務時間の短縮に資する機能別の機器の種類として厚生労働大臣が指定するものに該当する旨の記載があること。
(二)	当該医師等勤務時間短縮計画の写しを**2**の適用を受ける事業年度の確定申告書等に添付すること。

注1　厚生労働大臣は、（2）により事項を定めたときは、告示する。（措令28の10⑦）
　　　なお、（2）に規定する厚生労働大臣が定める事項は、次に掲げるものとする。

（平成31年厚生労働省告示第153号第1条）

(一)	医師その他の医療従事者の勤務時間を短縮するための計画（（五）において「計画」という。）の対象となる医療機関（病院又は診療所に限る。以下注1において「対象医療機関」という。）の名称及び所在地
(二)	対象医療機関における医師その他の医療従事者の勤務時間の実態及び当該実態に対する分析
(三)	対象医療機関における医師その他の医療従事者の勤務時間の短縮に関する目標
(四)	対象医療機関における医師その他の医療従事者の勤務時間の短縮に関する基本方針
(五)	計画の実施期間
(六)	対象医療機関における医師その他の医療従事者の勤務時間の短縮のための対策の概要
(七)	（六）の対策を進めるために有用な機器等及び当該機器等の機能

注2　厚生労働大臣は、（2）の（一）により機能別の機器の種類を指定したときは、告示する。（措令28の10⑦）
　　　なお、（2）の（一）に規定する医療従事者の勤務時間の短縮に資する機能別の機器の種類として厚生労働大臣が指定するものは、次に掲げるものとする。

（平成31年厚生労働省告示第153号第2条）

(一)	労働時間管理の省力化又は充実に資する器具及び備品（（1）に掲げる器具及び備品をいう。以下注2において同じ。）並びに特定ソフトウエア（（3）に掲げる特定ソフトウエアをいう。以下注2において同じ。）
(二)	医師の行う作業の省力化に資する器具及び備品並びに特定ソフトウエア
(三)	医師の診療行為を補助し、又は代行する器具及び備品並びに特定ソフトウエア
(四)	遠隔医療を可能とする器具及び備品並びに特定ソフトウエア
(五)	チーム医療の推進等に資する器具及び備品並びに特定ソフトウエア

　（特定ソフトウエアの意義）
（3）（2）に掲げる特定ソフトウエアとは、電子計算機に対する指令であって一の結果を得ることができるように組み合わされたもの（システム仕様書その他の書類を含む。）をいう。（措令28の10⑤、措規20の17）

　（取得価額の判定単位）
（4）（1）に掲げる器具及び備品の一台又は一基の取得価額が30万円以上であるかどうかについては、通常一単位として取引される単位ごとに判定するのであるが、個々の機械及び装置の本体と同時に設置する附属機器で当該本体と一体となって使用するものがある場合には、これらの附属機器を含めたところによりその判定を行うことができるものとする。（措通45の2－1・編者補正）

　（圧縮記帳の適用を受けた場合の減価償却資産の取得価額要件の判定）
（5）（1）に掲げる器具及び備品並びにソフトウエアの取得価額が30万円以上であるかどうかを判定する場合において、当該器具及び備品並びにソフトウエアが第十五款の**一**《国庫補助金等による圧縮記帳》、同款の**二**《工事負担金による圧縮記帳》、同款の**三**《非出資組合の賦課金による圧縮記帳》及び同款の**四**《保険金等による圧縮記帳》による圧縮記帳の適用を受けたものであるとき（法人が取得等をした（1）に掲げる器具及び備品並びにソフトウエアにつき、供用年度後の事業年度において第十五款の**一**から**四**の適用を受けることが予定されている場合を含む。）は、その圧縮記帳後の金額（法人が取得等をした（1）に掲げる器具及び備品並びにソフトウエアにつき、供用年度後の事業年度において第十五款の**一**から**四**の適用を受けることが予定されている場合にあっては、第六款の**六**の**1**《減価償却資産の取得価額》に掲げる額から当該供用年度後の事業年度において第十五款の**一**から**四**の適用を受けるとしたならば、第六款の**六**の**3**《圧縮記帳資産の取得価額の特例》に掲げる「損金の額に算入された金額（……金額を加算した金額）」となることが見込まれる金額を控除した金額）に基づいてその判定を行うものとする。（措通45の2－2、42の5〜48

(共)－3の2・編者補正)

　　　(主たる事業でない場合の適用)
(6)　2の特別償却の適用上、法人が主たる事業として医療保健業を営んでいるかどうかを問わないことに留意する。(措通45の2－3)

　　　(事業の判定)
(7)　法人の営む事業が2の医療保健業に該当するかどうかは、おおむね日本標準産業分類（総務省）の分類を基準として判定する。(措通45の2－4)

　　　(特定地域における工業用機械等の特別償却の計算)
(8)　2の特別償却は、当該特別償却の対象となる機械設備等について認められているのであるから、機械設備等で特別償却の対象とならないものがあるときはもちろん、当該特別償却の対象となる機械設備等と種類及び耐用年数を同じくする他の機械設備等があっても、それぞれ各別に償却限度額を計算することに留意する。(措通42の5～48(共)－1・編者補正)

　　　(適格合併等があった場合の特別償却等の適用)
(9)　2の特別償却は、減価償却資産を事業の用に供した場合に適用があるのであるから、適格合併等（適格合併、適格分割、適格現物出資又は適格現物分配をいう。）による移転に係る減価償却資産について2の適用があるかどうかは、当該減価償却資産を事業の用に供した日の現況において、2に掲げる適用要件（適用対象法人、適用期間、適用対象事業等に関する要件をいう。以下(9)において同じ。）を満たすかどうかにより判定することに留意する。(措通42の5～48(共)－3・編者補正)
　　注　例えば、中小企業者等（一の1《中小企業者等が特定機械装置等を取得した場合の初年度特別償却》に掲げる中小企業者等をいう。以下注において同じ。）に該当する被合併法人が減価償却資産を適格合併により中小企業者等に該当しない合併法人に移転する場合の一の1の適用については、次の(一)及び(二)のようになる。

(一)	被合併法人が当該減価償却資産を事業の用に供した場合は、他の適用要件を満たせば、被合併法人において一の1の適用を受けることができる。
(二)	被合併法人が当該減価償却資産を事業の用に供しないで合併法人が事業の用に供した場合は、被合併法人又は合併法人のいずれの法人においても、一の1の適用を受けることができない。

3　構想適合病院用建物等の初年度特別償却

　青色申告書を提出する法人で医療保健業を営むものが、平成31年4月1日から令和7年3月31日までの間に、医療法第30条の4第1項に規定する医療計画に係る同法第30条の14第1項に規定する構想区域等（以下3において「**構想区域等**」という。）内において、病院用又は診療所用の建物及びその附属設備のうち当該構想区域等に係る同条第1項の協議の場における協議に基づく病床の機能（同法第30条の3第2項第6号に規定する病床の機能をいう。）の分化及び連携の推進に係るものとして(1)《病床の機能の分化及び連携の推進に係るものの範囲》に掲げるもの（以下3において「**構想適合病院用建物等**」という。）の取得等（取得又は建設をいい、改修〔増築、改築、修繕又は模様替をいう。〕のための工事による取得又は建設を含む。）をして、これを当該法人の営む医療保健業の用に供した場合（所有権移転外リース取引〔第六款の**四**の1の②の(2)の表の(五)《所有権移転外リース取引》に掲げるものをいう。〕により取得した当該構想適合病院用建物等をその用に供した場合を除く。）には、その用に供した日を含む事業年度の当該構想適合病院用建物等の償却限度額は、第六款の**三**の1《償却費等の損金算入》又は同**三**の2《適格分割等により移転する減価償却資産に係る期中損金経理額の損金算入》に掲げる普通償却限度額の計算の規定にかかわらず、当該構想適合病院用建物等の普通償却限度額と特別償却限度額（当該構想適合病院用建物等の取得価額の$\frac{8}{100}$に相当する金額をいう。）との合計額とする。(措法45の2③)

$$\text{構想適合病院用建物等の償却限度額} = \text{構想適合病院用建物等の普通償却限度額} + \overbrace{\text{構想適合病院用建物等の取得価額} \times \frac{8}{100}}^{\text{特別償却限度額}}$$

　　　(病床の機能の分化及び連携の推進に係るものの範囲)
(1)　3の病床の機能の分化及び連携の推進に係るものは、構想区域等内において医療保健業の用に供される病院用又

は診療所用の建物及びその附属設備のうち次に掲げる要件のいずれかに該当するもので、当該構想区域等に係る同**3**の協議の場における協議に基づく病床の機能区分（医療法第30条の13第１項に規定する病床の機能区分をいう。（二）において同じ。）に応じた病床数の増加に資するものであることについて当該構想区域に係る都道府県知事のその旨を確認した書類を**3**の適用を受ける事業年度の確定申告書等に添付することにより証明がされたものとする。（措令28の10⑥）

（一）	医療保健業の用に供されていた病院用又は診療所用の建物及びその附属設備（（二）において「既存病院用建物等」という。）についてその用途を廃止し、これに代わるものとして新たに建設されるものであること。
（二）	その改修（**3**に掲げる改修をいう。）により既存病院用建物等において病床の機能区分のうちいずれかのものに応じた病床数が増加する場合の当該改修のための工事により取得又は建設をされるものであること。

　　　　（主たる事業でない場合の適用）
（２）　**3**の特別償却の適用上、法人が主たる事業として医療保健業を営んでいるかどうかを問わないことに留意する。（措通45の２－３）

　　　　（事業の判定）
（３）　法人の営む事業が**3**の医療保健業に該当するかどうかは、おおむね日本標準産業分類（総務省）の分類を基準として判定する。（措通45の２－４）

　　　　（特別償却の対象となる建物の附属設備）
（４）　**3**に掲げる建物の附属設備は、当該建物とともに取得等（**3**に掲げる「取得等」をいう。）をする場合における建物附属設備に限られることに留意する。（措通45の２－５）

　　　　（特定地域における工業用機械等の特別償却の計算）
（５）　**3**の特別償却は、当該特別償却の対象となる機械設備等について認められているのであるから、機械設備等で特別償却の対象とならないものがあるときはもちろん、当該特別償却の対象となる機械設備等と種類及び耐用年数を同じくする他の機械設備等があっても、それぞれ各別に償却限度額を計算することに留意する。（措通42の５～48（共）－１・編者補正）

　　　　（適格合併等があった場合の特別償却等の適用）
（６）　**3**の特別償却は、減価償却資産を事業の用に供した場合に適用があるのであるから、適格合併等（適格合併、適格分割、適格現物出資又は適格現物分配をいう。）による移転に係る減価償却資産について**3**の適用があるかどうかは、当該減価償却資産を事業の用に供した日の現況において、**3**に掲げる適用要件（適用対象法人、適用期間、適用対象事業等に関する要件をいう。以下（６）において同じ。）を満たすかどうかにより判定することに留意する。（措通42の５～48（共）－３・編者補正）
　　　注　例えば、中小企業者等（**一**の**1**《中小企業者等が特定機械装置等を取得した場合の初年度特別償却》に掲げる中小企業者等をいう。以下注において同じ。）に該当する被合併法人が減価償却資産を適格合併により中小企業者等に該当しない合併法人に移転する場合の**一**の**1**の適用については、次の（一）及び（二）のようになる。

（一）	被合併法人が当該減価償却資産を事業の用に供した場合は、他の適用要件を満たせば、被合併法人において**一**の**1**の適用を受けることができる。
（二）	被合併法人が当該減価償却資産を事業の用に供しないで合併法人が事業の用に供した場合は、被合併法人又は合併法人のいずれの法人においても、**一**の**1**の適用を受けることができない。

４　特別償却の明細書の添付

　1《医療用機器の初年度特別償却》、**2**《勤務時間短縮用設備等の初年度特別償却》及び**3**《構想適合病院用建物等の初年度特別償却》の特別償却は、確定申告書等に当該機器の償却限度額の計算に関する明細書《別表十六》の添付がない場合には、適用しない。（措法45の２④、43②）
　明細書には、「特別償却等の償却限度額の計算に関する付表」を添付する。（規別表十六）

十八　輸出事業用資産の割増償却（適用期限の延長等）

1　輸出事業用資産の割増償却

　青色申告書を提出する法人で農林水産物及び食品の輸出の促進に関する法律第38条第1項に規定する認定輸出事業者であるものが、農林水産物及び食品の輸出の促進に関する法律等の一部を改正する法律（令和4年法律第49号）の施行の日（令和4年10月1日）から令和8年3月31日までの間に、当該法人の認定輸出事業計画（同条第2項に規定する認定輸出事業計画をいう。）に記載された農林水産物及び食品の輸出の促進に関する法律第37条第3項に規定する施設に該当する機械及び装置、建物及びその附属設備並びに構築物のうち、同法第2条第1項に規定する農林水産物若しくは同条第2項に規定する食品の生産、製造、加工若しくは流通の合理化、高度化その他の改善に資するものとして農林水産大臣が定める要件を満たすもの（開発研究〔新たな製品の製造又は新たな技術の発明に係る試験研究として(1)に掲げるものをいう。〕の用に供されるものを除く。以下**十八**において「**輸出事業用資産**」という。）でその製作若しくは建設の後事業の用に供されたことのないものを取得し、又は輸出事業用資産を製作し、若しくは建設して、これを当該法人の輸出事業（同法第37条第1項に規定する輸出事業をいう。以下**十八**において同じ。）の用に供した場合（所有権移転外リース〔第六款の**四の1**の②の(2)の表の(五)《所有権移転外リース取引》に掲げるものをいう。〕により取得した当該輸出事業用資産をその用に供した場合を除く。）には、その用に供した日（以下**十八**において「**供用日**」という。）以後5年以内の日を含む各事業年度（当該輸出事業用資産を輸出事業の用に供していることにつき輸出事業用資産につき**1**の適用を受けようとする事業年度の当該輸出事業用資産に係る農林水産省関係農林水産物及び食品の輸出の促進に関する法律施行規則（令和2年農林水産省第22号）第8条第1項の証明書の写しを当該事業年度の確定申告書等に添付することにより証明がされた当該事業年度に限る。）の当該輸出事業用資産の償却限度額は、供用日以後5年以内（当該認定輸出事業計画について同法第38条第2項の規定による認定の取消しがあった場合には、供用日からその認定の取消しがあった日までの期間。以下**十八**において「**供用期間**」という。）でその用に供している期間に限り、第六款の**三の1**《償却費等の損金算入》又は同**三の2**《適格分割等により移転する減価償却資産に係る期中損金経理額の損金算入》に掲げる普通償却限度額の計算の規定（**二十三**《特別償却不足額がある場合の償却限度額の計算の特例》の適用を受ける場合には、これを含む。）にかかわらず、当該輸出事業用資産の普通償却限度額（第六款の**三の1**に掲げる償却限度額又は同**三の2**に掲げる償却限度額に相当する金額〔**二十三の1**の(2)《特別償却不足額の意義》に掲げる特別償却不足額〈以下**1**において「**特別償却不足額**」という。〉又は**二十三の2**の(1)《合併等特別償却不足額の意義》に掲げる合併等特別償却不足額〈以下**1**において「**合併等特別償却不足額**」という。〉がある場合には、**二十三の1**《特別償却不足額がある場合の償却限度額の計算》の表の①から③まで又は**二十三の2**《合併等特別償却不足額がある場合の償却限度額の計算》の表の①から③までにそれぞれ掲げる普通償却限度額に相当する金額〕をいう。）と特別償却限度額（当該普通償却限度額の$\frac{30}{100}$〔建物及びその附属設備並びに構築物については、$\frac{35}{100}$〕に相当する金額をいう。）との合計額（特別償却不足額又は合併等特別償却不足額がある場合には、これを加算した金額）とする。（措法46①、措令29①、措規20の20）

注1　──線部分（適用期限に係る部分を除く。）は、令和6年度改正により追加された部分で、改正規定は、令和6年4月1日以後に取得又は製作若しくは建設をする輸出事業用資産について適用される。（令6改法附48③、1）
注2　農林水産大臣は、**1**により要件を定めた時はこれを告示する。（措令29③）
注3　**1**に掲げる農林水産大臣が定める要件は、令和4年農林水産省告示第1476号（最終改正令和6年第680号）により定められている。（編者）

（新たな製品の製造又は新たな技術の発明に係る試験研究）
(1)　**1**に掲げる試験研究は、次に掲げる試験研究とする。（措令29②）

(一)	新たな製品のうち当該法人の既存の製品と構造、品種その他の特性が著しく異なるものの製造を目的として行う試験研究
(二)	新たな製品を製造するために行う新たな資源の利用方法の研究
(三)	新たな製品を製造するために現に企業化されている製造方法その他の生産技術を改善することを目的として行う試験研究
(四)	新たな技術のうち当該法人の既存の技術と原理又は方法が異なるものの発明を目的として行う試験研究

注　(1)は、令和6年度改正により追加された部分で、改正規定は、令和6年4月1日から適用される。（令6改措令附1）

（割増償却の残存適用期間の引継ぎ）
(2)　青色申告書を提出する法人が、適格合併（法人を設立するものを除く。）により**1**の適用を受けている輸出事業用

資産の移転を受け、これを当該法人の輸出事業の用に供した場合には、当該移転を受けた法人が**1**の供用日に当該輸出事業用資産を取得し、又は製作し、若しくは建設して、これを当該供用日に当該法人の輸出事業の用に供したものとみなして、**1**を適用する。この場合において、**1**に掲げるその用に供している期間は、当該移転の日から供用期間の末日までの期間内で当該法人自らがその用に供している期間とする。(措法46②)

　　　(特別償却の対象となる建物の附属設備)
(3)　**1**に掲げる建物の附属設備は、当該建物とともに取得又は建設をする場合における建物附属設備に限られることに留意する。(措通46－1)

　　　(開発研究の意義)
(4)　**1**に掲げる開発研究とは、(1)の表に掲げる試験研究をいうのであるが、次に掲げるような試験研究を基礎とし、これらの試験研究の成果を企業化するためのデータの収集も含まれることに留意する。(措通46－2)

(一)	新たな製品のうち当該法人の既存の製品と構造、品種その他の特性が著しく異なるものの製造を目的として行う試験研究
(二)	新たな製品を製造するために行う新たな資源の利用方法の研究
(三)	新たな技術のうち当該法人の既存の技術と原理又は方法が異なるものの発明を目的として行う試験研究

　　　(解散した法人から受け入れた減価償却資産の割増償却に係る残存適用時期の引継ぎ)
(5)　更生計画の定めるところにより設立された新法人(以下(5)において「新法人」という。)が更生計画の定めるところにより減価償却資産を受け入れた場合には、解散した法人においてその資産につき適用を受けていた**1**の割増償却については、たとえ適用期間が経過していないものであっても、新法人ではその適用がないことに留意する。(基通14－3－4参照)

　　　(輸出事業用資産の割増償却の計算)
(6)　**1**の割増償却は、当該割増償却の対象となる建物等について認められているのであるから、機械設備等で割増償却の対象とならないものがあるときはもちろん、当該割増償却の対象となる建物等と種類及び耐用年数を同じくする他の機械設備等があっても、それぞれ各別に償却限度額を計算することに留意する。(措通42の5～48(共)－1・編者補正)

　　　(適格合併等があった場合の特別償却等の適用)
(7)　**1**の税額控除は、減価償却資産を事業の用に供した場合に適用があるのであるから、適格合併等(適格合併、適格分割、適格現物出資又は適格現物分配をいう。)による移転に係る減価償却資産について**1**の適用があるかどうかは、当該減価償却資産を事業の用に供した日の現況において、**1**に掲げる適用要件(適用対象法人、適用期間、適用対象事業等に関する要件をいう。以下(7)において同じ。)を満たすかどうかにより判定することに留意する。(措通42の5～48(共)－3・編者補正)
　　　注　例えば、中小企業者等(**一の1**《中小企業者等が特定機械装置等を取得した場合の初年度特別償却》に掲げる中小企業者等をいう。以下注において同じ。)に該当する被合併法人が減価償却資産を適格合併により中小企業者等に該当しない合併法人に移転する場合の**一の1**の適用については、次の(一)及び(二)のようになる。

(一)	被合併法人が当該減価償却資産を事業の用に供した場合は、他の適用要件を満たせば、被合併法人において**一の1**の適用を受けることができる。
(二)	被合併法人が当該減価償却資産を事業の用に供しないで合併法人が事業の用に供した場合は、被合併法人又は合併法人のいずれの法人においても、**一の1**の適用を受けることができない。

2　割増償却の明細書の添付

　1《輸出事業用資産の割増償却》の特別償却は、確定申告書等に輸出事業用資産の償却限度額の計算に関する明細《別表十六》の添付がない場合には、適用しない。(措法46③、43②)

　明細書には、「特別償却等の償却限度額の計算に関する付表」を添付する。(規別表十六)

十九　特定都市再生建築物の割増償却

1　特定都市再生建築物の割増償却

　青色申告書を提出する法人が、昭和60年4月1日から令和8年3月31日までの間に、**特定都市再生建築物**（次の表に掲げる建物及び**その附属設備**をいう。）で新築されたものを取得し、又は特定都市再生建築物を新築して、これを当該法人の事業の用に供した場合（所有権移転外リース取引〔第六款の**四**の**1**の**②**の（2）の表の（五）《所有権移転外リース取引》に掲げるものをいう。〕により取得した当該特定都市再生建築物をその用に供した場合を除く。）には、その用に供した日（以下**十九**において「**供用日**」という。）以後5年以内の日を含む各事業年度の当該特定都市再生建築物の償却限度額は、供用日以後5年以内（以下**十九**において「**供用期間**」という。）でその用に供している期間に限り、第六款の**三**の**1**《償却費等の損金算入》又は同**三**の**2**《適格分割等により移転する減価償却資産に係る期中損金経理額の損金算入》に掲げる普通償却限度額の計算の規定（**二十三**《特別償却不足額がある場合の償却限度額の計算の特例》の適用を受ける場合には、これを含む。）にかかわらず、当該特定都市再生建築物の普通償却限度額（第六款の**三**の**1**に掲げる償却限度額又は同**三**の**2**に掲げる償却限度額に相当する金額〔**二十三**の**1**の（2）《特別償却不足額の意義》に掲げる特別償却不足額〈以下**1**において「特別償却不足額」という。〉又は**二十三**の**2**の（1）《合併等特別償却不足額の意義》に掲げる合併等特別償却不足額〈以下**1**において「合併等特別償却不足額」という。〉がある場合には、**二十三**の**1**《特別償却不足額がある場合の償却限度額の計算》の表の①から③まで又は**二十三**の**2**《合併等特別償却不足額がある場合の償却限度額の計算》の表の①から③までにそれぞれ掲げる普通償却限度額に相当する金額〕をいう。）と**特別償却限度額**（当該普通償却限度額の$\frac{25}{100}$〔次の表のイに掲げる地域内において整備される建築物に係るものについては、$\frac{50}{100}$〕に相当する金額をいう。）との合計額（特別償却不足額又は合併等特別償却不足額がある場合には、これを加算した金額）とする。（措法47①③）

$$\begin{array}{c}\text{特定都市再生}\\\text{建築物の償却}\\\text{限度額}\end{array}=\begin{array}{c}\text{特定都市再生建}\\\text{築物の普通償却}\\\text{限度額}\end{array}+\overbrace{\begin{array}{c}\text{特定都市再生}\\\text{建築物の普通}\\\text{償却限度額}\end{array}\times\frac{25}{100}\text{又は}\frac{50}{100}}^{\text{特別償却限度額}}+\begin{array}{c}\text{特定都市再生建築物の特別償却不}\\\text{足額又は合併等特別償却不足額}\end{array}$$

特定都市再生建築物	次の表のイ又はロに掲げる地域内において、都市再生特別措置法第25条《報告の徴収》に規定する認定計画（同表のイに掲げる地域については同法第19条の2第11項《整備計画》の規定により公表された同法第19条の10第2項《民間都市再生事業計画の認定の特例》に規定する整備計画及び国家戦略特別区域法第25条第1項《都市再生特別措置法の特例》の認定を受けた同項に規定する国家戦略民間都市再生事業を定めた同項の区域計画を、次の表のロに掲げる地域については当該区域計画を、それぞれ含む。）に基づいて行われる都市再生特別措置法第20条第1項《民間都市再生事業計画の認定》に規定する都市再生事業（（1）《都市再生事業の要件》に掲げる要件を満たすものに限る。）により整備される建築基準法第2条第9号の2《用語の定義》に規定する耐火建築物で当該都市再生事業に係る都市再生特別措置法第23条《計画の認定の通知》に規定する認定事業者、同法第19条の10第2項の規定により同法第20条第1項の認定があったものとみなされた同法第19条の10第2項の実施主体又は国家戦略特別区域法第25条第1項の規定により都市再生特別措置法第21条第1項《民間都市再生事業計画の認定基準等》の計画の認定があったものとみなされた国家戦略特別区域法第25条第1項の実施主体に該当する法人が取得するものであることにつき（2）《国土交通大臣の証明》により証明がされたものに係る建物及びその附属設備（措法47③、措令29の2②）	
	イ	都市再生特別措置法第2条第5項《定義》に規定する特定都市再生緊急整備地域
	ロ	都市再生特別措置法第2条第3項に規定する都市再生緊急整備地域（イに掲げる地域に該当するものを除く。）

　　　　（都市再生事業の要件）
（1）　上記の都市再生事業の要件は、次の表の（一）及び（二）又は（一）及び（三）に掲げる要件とする。（措令29の2①）

（一）	都市再生特別措置法第20条第1項《民間都市再生事業計画の認定》に規定する都市再生事業の施行される土地の区域（（二）において「事業区域」という。）内に地上階数10以上又は延べ面積が75,000平方メートル以上の建築物が整備されること。
（二）	事業区域内において整備される公共施設（都市再生特別措置法第2条第2項《定義》に

第三章　第一節　第七款　十九《特定都市再生建築物の割増償却》

		規定する公共施設をいう。）の用に供される土地の面積の当該事業区域の面積のうちに占める割合が$\frac{30}{100}$以上であること。
	(三)	都市再生特別措置法第29条第1項第1号《民間都市機構の行う都市再生事業支援業務》に規定する都市の居住者等の利便の増進に寄与する施設の整備に要する費用の額（当該施設に係る土地等〔土地又は土地の上に存する権利をいう。〕の取得に必要な費用の額及び借入金の利子の額を除く。）が10億円以上であること。

注　上表の――線部分は、令和5年度改正により改正された部分で、令和5年4月1日以後に取得又は新築をする特定都市再生建築物について適用し、令和5年3月31日以前に取得又は新築をした特定都市再生建築物については、「区域（」とあるのは「区域（（一）及び」とし、「以上」とあるのは「以上（当該事業区域がイに掲げる地域にある場合には、50,000平方メートル以上）」とする。（令5改措令附8⑦、1）

（国土交通大臣の証明）

（2）　上記の証明がなされたものは、国土交通大臣の当該建築物が都市再生事業により整備される耐火建築物で上記の法人が取得するものである旨を証する書類により証明されたものとする。（措規20の21①）

注1　――線部分（上表の(1)の表に係る部分を除く。）は、令和元年度改正により改正された部分で、改正規定は、平成31年4月1日以後に取得又は新築をする特定都市再生構築物について適用され、平成31年3月31日以前に取得又は新築をした特定都市再生構築物等の1の適用については、次による。（平31改法附52④⑤、1、平31改措令附20③）

青色申告書を提出する法人が、昭和60年4月1日から平成31年3月31日までの間に、**特定都市再生建築物等**（次の表の旧①に掲げる建築物に係る建物及びその附属設備並びに同表の旧②に掲げる構築物をいう。）で新築されたものを取得し、又は特定都市再生建築物等を新築して、これを当該法人の事業の用に供した場合（所有権移転外リース取引〔第六款の四の1の②の(2)の表の(五)《所有権移転外リース取引》に掲げるものをいう。〕により取得した当該特定都市再生建築物等をその用に供した場合を除く。）には、その用に供した日（以下**十九**において「**供用日**」という。）以後5年以内の日を含む各事業年度の当該特定都市再生建築物等の償却限度額は、供用日以後5年以内（以下**十九**において「**供用期間**」という。）でその用に供している期間に限り、第六款の三の1《償却費等の損金算入》又は同三の2《適格分割等により移転する減価償却資産に係る期中損金経理額の損金算入》に掲げる普通償却限度額の計算の規定（**二十三**《特別償却不足額がある場合の償却限度額の計算の特例》の適用を受ける場合には、これを含む。）にかかわらず、当該特定都市再生建築物等の普通償却限度額（第六款の三の1に掲げる償却限度額又は同三の2に掲げる償却限度額に相当する金額〔**二十三**の1の(2)《特別償却不足額の意義》に掲げる特別償却不足額〈以下1において「特別償却不足額」という。〉又は**二十三**の2の(1)《合併等特別償却不足額の意義》に掲げる合併等特別償却不足額〈以下1において「合併等特別償却不足額」という。〉がある場合には、**二十三**の1《特別償却不足額がある場合の償却限度額の計算》の表の①から③まで又は**二十三**の2《合併等特別償却不足額がある場合の償却限度額の計算》の表の①から③までにそれぞれ掲げる普通償却限度額に相当する金額をいう。）と**特別償却限度額**（当該特定都市再生建築物等が、次の表の旧①に掲げる建築物のうち同旧①のイに掲げる地域内において整備されるものである場合には当該普通償却限度額の$\frac{50}{100}$に相当する金額をいい、同旧①に掲げる建築物のうち同旧①のロに掲げる地域内において整備されるものである場合には当該普通償却限度額の$\frac{30}{100}$に相当する金額をいい、同表の旧②に掲げる構築物である場合には当該普通償却限度額の$\frac{10}{100}$に相当する金額をいう。）との合計額（特別償却不足額又は合併等特別償却不足額がある場合には、これを加算した金額）とする。（旧措法47の2①③）

$$\text{特定都市再生建築物等の償却限度額} = \text{特定都市再生建築物等の普通償却限度額} + \overbrace{\text{特定都市再生建築物等の普通償却限度額} \times \frac{10}{100}、\frac{50}{100}又は\frac{30}{100}}^{\text{特別償却限度額}} + \text{特定都市再生建築物等の特別償却不足額又は合併等特別償却不足額}$$

旧①	**都市再生建築物**	次の表のイ又はロに掲げる地域内において、都市再生特別措置法第25条《報告の徴収》に規定する認定計画（同表のイに掲げる地域については同法第19条の2第11項《整備計画》の規定により公表された同法第19条の10第2項《民間都市再生事業計画の認定の特例》に規定する整備計画及び国家戦略特別区域法第25条第1項《都市再生特別措置法の特例》の認定を受けた同項に規定する国家戦略民間都市再生事業を定めた同項の区域計画を、次の表のロに掲げる地域については当該区域計画を、それぞれ含む。）に基づいて行われる都市再生特別措置法第20条第1項《民間都市再生事業計画の認定》に規定する都市再生事業（(1)《都市再生事業の要件》に掲げる要件を満たすものに限る。）により整備される建築基準法第2条第9号の2《用語の定義》に規定する耐火建築物で当該都市再生事業に係る都市再生特別措置法第23条《計画の認定の通知》に規定する認定事業者、同法第19条の10第2項の規定により同法第20条第1項の認定があったものとみなされた同法第19条の10第2項の実施主体又は国家戦略特別区域法第25条第1項の規定により都市再生特別措置法第21条第1項《民間都市再生事業計画の認定基準等》の計画の認定があったものとみなされた国家戦略特別区域法第25条第1項の実施主体に該当する法人が取得するものであることにつき、(2)《国土交通大臣の証明》により証明がされたもの（旧措法47の2③Ⅰ、旧措令29の5②）
	イ	都市再生特別措置法第2条第5項《定義》に規定する特定都市再生緊急整備地域
	ロ	都市再生特別措置法第2条第3項に規定する都市再生緊急整備地域（イに掲げる地域に該当するものを除く。）

第三章　第一節　第七款　**十九**《特定都市再生建築物の割増償却》

		(都市再生事業の要件) （１）①に掲げる都市再生事業の要件は、次の表の(一)及び(二)又は(一)及び(三)に掲げる要件とする。（旧措令29の5①）	
		(一)	都市再生特別措置法第20条第１項《民間都市再生事業計画の認定》に規定する都市再生事業の施行される土地の区域（(一)及び(二)において「事業区域」という。）内に地上階数10以上又は延べ面積が<u>75,000平方メートル以上（当該事業区域が①のイに掲げる地域にある場合には、50,000平方メートル以上）</u>の建築物が整備されること。
		(二)	事業区域内において整備される公共施設（都市再生特別措置法第２条第２項《定義》に規定する公共施設をいう。）の用に供される土地の面積の当該事業区域の面積のうちに占める割合が$\frac{30}{100}$以上であること。
		(三)	都市再生特別措置法第29条第１項第１号《民間都市機構の行う都市再生事業支援業務》に規定する都市の居住者等の利便の増進に寄与する施設の整備に要する費用の額（当該施設に係る土地等〔土地又は土地の上に存する権利をいう。〕の取得に必要な費用の額及び借入金の利子の額を除く。）が10億円以上であること。
		(国土交通大臣の証明) （２）①に掲げる証明がなされたものは、国土交通大臣の当該建築物が都市再生事業により整備される耐火建築物で①に掲げる法人が取得するものである旨を証する書類により証明されたものとする。（措法20の21①）	
旧②	雨水貯留施設	下水道法第25条の２《排水設備の技術上の基準に関する特例》に規定する浸水被害対策区域内に建築し、又は設置される雨水の有効利用を図るための雨水を貯留する構築物で雨水を貯留する容量が300立方メートル以上の規模のもの<u>（次に掲げるものを除く。）</u>（旧措法47の２③Ⅱ、旧措令29の５③）	
		(一)	特定都市河川浸水被害対策法第９条《雨水浸透阻害行為の許可》に規定する雨水浸透阻害行為に係る同法第10条第１項第３号《申請の手続》に規定する対策工事により建築し、又は設置される構築物
		(二)	その建築又は設置に充てるための国又は地方公共団体の補助金又は給付金その他これらに準ずるもの（以下③において「補助金等」という。）をもって建築し、又は設置される当該補助金等の交付の目的に適合した構築物

注２　―――線部分（注１に係る部分に限る。）は、平成29年度改正により改正された部分で、改正規定は、平成29年４月１日以後に取得又は新築をする特定都市再生構築物等について適用され、平成29年３月31日以前に取得又は新築をした特定都市再生構築物等の適用については、**１**は次による。（平28改法附67⑧⑨、平29改措令附19⑦⑧、平29改措規附９）

　青色申告書を提出する法人が、昭和60年４月１日から平成29年３月31日までの間に、特定都市再生建築物等（次の表の旧①に掲げる建築物に係る建物及びその附属設備、同表の旧②に掲げる建築物に係る建物及びその附属設備並びに同表の旧③に掲げるものをいう。）で新築されたものを取得し、又は特定都市再生建築物等を新築して、これを当該法人の事業の用に供した場合（所有権移転外リース取引〔第六款の**四**の１の②の（２）の表の(五)《所有権移転外リース取引》に掲げるものをいう。〕により取得した当該特定都市再生建築物等をその用に供した場合を除く。）には、その用に供した日（以下**十九**において「**供用日**」という。）以後５年以内の日を含む各事業年度の当該特定都市再生建築物等の償却限度額は、供用日以後５年以内（以下**十九**において「**供用期間**」という。）でその用に供している期間に限り、第六款の**三**の１《償却費等の損金算入》又は同**三**の２《適格分割等により移転する減価償却資産に係る期中損金経理額の損金算入》に掲げる普通償却限度額の計算の規定（**二十三**《特別償却不足額がある場合の償却限度額の計算の特例》の適用を受ける場合には、これを含む。）にかかわらず、当該特定都市再生建築物等の普通償却限度額（第六款の**三**の１に掲げる償却限度額又は同**三**の２に掲げる償却限度額に相当する金額〔**二十三**の１の（２）《特別償却不足額の意義》に掲げる特別償却不足額（以下**十九**において「**特別償却不足額**」という。）又は**二十三**の２の（１）《合併等特別償却不足額の意義》に掲げる合併等特別償却不足額（以下**十九**において「**合併等特別償却不足額**」という。）がある場合には、**二十三**の１《特別償却不足額がある場合の償却限度額の計算》の表の①から③まで又は**二十三**の２《合併等特別償却不足額がある場合の償却限度額の計算》の表の①から③までにそれぞれ掲げる普通償却限度額に相当する金額〕をいう。）と特別償却限度額（当該特定都市再生建築物等が、次の表の旧①に掲げる建築物のうち同旧①のイに掲げる地域内において整備されるものである場合には当該普通償却限度額の$\frac{50}{100}$に相当する金額をいい、同旧①に掲げる建築物のうち同旧①のロに掲げる地域内において整備されるもの又は同表の旧②に掲げる建築物及び構築物である場合には当該普通償却限度額の$\frac{30}{100}$に相当する金額をいい、同表の旧③に掲げるものである場合には当該普通償却限度額の$\frac{10}{100}$に相当する金額をいう。）との合計額（特別償却不足額又は合併等特別償却不足額がある場合には、これを加算した金額）とする。（旧措法47の２①③）

旧①	都市再生建築物	次の表のイ又はロに掲げる地域内において、都市再生特別措置法第25条《報告の徴収》に規定する認定計画（同表のイに掲げる地域については同法第19条の２<u>第11項</u>《整備計画》の規定により公表された同法第19条の10第２項《民間都市再生事業計画の認定の特例》に規定する整備計画及び国家戦略特別区域法第25条第１項《都市再生特別措置法の特例》の認定を受けた同項に規定する国家戦略民間都市再生事業を定めた同項の区域計画を、次の表のロに掲げる地域については当該区域計画を、それぞれ含む。）に基づいて行われる都市再生特別措置法第20条第１項《民間都市再生事業計画の認定》に規定する都市再生事業（（１）《都市再生事業の要件》に掲げる要件を満たすものに限る。）により整備される建築基準法第２条第９号の２《用語の定義》に規定する耐火建築物で当該都市再生事業に係

第三章　第一節　第七款　十九《特定都市再生建築物の割増償却》

る都市再生特別措置法第23条《計画の認定の通知》に規定する認定事業者、同法第19条の10第2項の規定により同法第20条第1項の認定があったものとみなされた同法第19条の10第2項の実施主体又は国家戦略特別区域法第25条第1項の規定により都市再生特別措置法第21条第1項《民間都市再生事業計画の認定基準等》の計画の認定があったものとみなされた国家戦略特別区域法第25条第1項の実施主体に該当する法人が取得するものであることにつき（2）《国土交通大臣の証明》により証明がされたもの（旧措法47の2③Ⅰ、措令29の5②）

イ	都市再生特別措置法第2条第5項《定義》に規定する特定都市再生緊急整備地域
ロ	都市再生特別措置法第2条第3項に規定する都市再生緊急整備地域（イに掲げる地域に該当するものを除く。）

　　　　　　　　（都市再生事業の要件）
　　　　　　（1）　①に掲げる都市再生事業の要件は、次の表の(一)及び(二)又は(一)及び(三)に掲げる要件とする。（旧措令29の5①）

(一)	都市再生特別措置法第20条第1項《民間都市再生事業計画の認定》に規定する都市再生事業の施行される土地の区域（(二)において「事業区域」という。）内に地上階数10以上又は延べ面積が50,000平方メートル以上の建築物が整備されること。
(二)	事業区域内において整備される公共施設（都市再生特別措置法第2条第2項《定義》に規定する公共施設をいう。）の用に供される土地の面積の当該事業区域の面積のうちに占める割合が$\frac{30}{100}$以上であること。
(三)	都市再生特別措置法第29条第1項第1号《民間都市機構の行う都市再生事業支援業務》に規定する都市の居住者等の利便の増進に寄与する施設の整備に要する費用の額（当該施設に係る土地等〔土地又は土地の上に存する権利をいう。〕の取得に必要な費用の額及び借入金の利子の額を除く。）が10億円以上であること。

　　　　　　　　（国土交通大臣の証明）
　　　　　　（2）　旧①に掲げる証明がなされたものは、国土交通大臣の当該建築物が都市再生事業により整備される耐火建築物で旧①に掲げる法人が取得するものである旨を証する書類により証明されたものとする。（旧措規20の21①）

旧②	特定民間中心市街地経済活力向上事業により整備される建築物及び構築物	中心市街地の活性化に関する法律第51条第2項《認定特定民間中心市街地経済活力向上事業計画の変更等》に規定する認定特定民間中心市街地経済活力向上事業計画に基づいて行われる同法第50条第1項《特定民間中心市街地経済活力向上事業計画の認定》に規定する特定民間中心市街地経済活力向上事業により整備される建築物及び構築物で、当該特定民間中心市街地経済活力向上事業に係る同法第51条第1項に規定する認定特定民間中心市街地経済活力向上事業者に該当する法人が取得するものであることにつき《経済産業大臣の証明》により証明がされたもの（旧措法47の2③Ⅱ、旧措令29の5③） （経済産業大臣の証明） 　旧②に掲げる証明がされたものは、経済産業大臣の当該建築物又は構築物が旧②に掲げる特定民間中心市街地経済活力向上事業により整備されるもので旧②に掲げる法人が取得するものである旨を証する書類により証明がされたものとする。（旧措規20の21②）
旧③	雨水貯留施設	下水道法第25条の2《管理》に規定する浸水被害対策区域内に建築し、又は設置される雨水の有効利用を図るための雨水を貯留する構築物で雨水を貯留する容量が300立方メートル以上の規模のもの（これと併せて設置される滅菌装置及びろ過装置を含み、次に掲げるものを除く。）（旧措法47の2③Ⅲ、旧措令29の5④、旧措規20の21③）
		(一) 特定都市河川浸水被害対策法第9条《雨水浸透阻害行為の許可》に規定する雨水浸透阻害行為に係る同法第10条第1項第3号《申請の手続》に規定する対策工事により建築し、又は設置される構築物
		(二) その建築又は設置に充てるための国又は地方公共団体の補助金又は給付金その他これらに準ずるもの（以下旧③において「補助金等」という。）をもって建築し、又は設置される当該補助金等の交付の目的に適合した構築物

（併せて設置されるものの意義）
(1)　注2の表の旧③により特定都市再生建築物等に含まれることとなる機械及び装置は、一の計画に基づき構築物と併せて設置されるものに限られるのであるから、当該構築物を取得してから相当期間を経過した後に設置したものはこれに含まれないことに留意する。（旧措通47の2-3）

（施設建築物及び都市再生建築物のいずれにも該当する場合の適用）
(2)　1の割増償却を適用する場合において、当該建築物が1の注2の表の旧①及び同表の旧②に掲げる建築物のいずれにも該当するものであるとき、又は当該構築物が同表の旧②及び同表の旧③に掲げる構築物のいずれにも該当するものであるときは、当該法人の選択によ

第三章　第一節　第七款　十九《特定都市再生建築物の割増償却》

り、これらの建築物又は構築物のうちいずれかの建築物又は建築物にのみ該当するものとして、1の割増償却を適用する。(旧措法47の2⑤、旧措令29の5⑤)

　注1　――線部分は、平成27年度改正により改正されており、改正規定は、平成27年4月1日から適用され、平成27年3月31日以前の適用については、次による。(平27改措令附32⑤、1)

> 1の割増償却を適用する場合において、当該建築物又は構築物が1の注4及び注5の表の2以上の旧①から旧④までに掲げる建築物又は構築物に該当するものであるときは、当該法人の選択により、当該2以上の旧①から旧④までのいずれかに掲げる建築物又は構築物にのみ該当するものとして、1の割増償却を適用する。(旧措法47の2⑤、旧措令29の5⑤)

　注2　――線部分(注1に係る部分に限る。)は、平成26年度改正により改正された部分で、改正規定は、中心市街地の活性化に関する法律の一部を改正する法律(平成26年法律第30号)の施行の日(平成26年7月3日)から適用され、平成26年7月2日以前の適用については、次による。(平26改措令附1Ⅸ、平成26年政令第240号)

> 1の割増償却を適用する場合において、当該構築物が平成25年度改正前の1の表の旧①及び同表の旧②に掲げる建築物のいずれにも該当するものであるときは、当該法人の選択により、これらの建築物のうちいずれかの建築物にのみ該当するものとして、1の割増償却を適用する。(旧措法47の2⑤、旧措令29の5⑦)

(特定都市再生建築物の範囲)

(1)　1の割増償却の適用を受けることができる特定都市再生建築物(以下**十九**において「特定都市再生建築物」という。)は、1に掲げる期間内に新築されたもので、かつ、新築後使用されたことのないものに限られるのであるから、当該期間内に新築されたものであっても、新築後他の用に使用されていたもの又は他から取得した中古建築物については適用がないことに留意する。(措通47-1・編者補正)

(特定都市再生建築物に該当する建物附属設備の範囲)

(2)　1に掲げる建物附属設備は、その特定都市再生建築物に係る事業計画に基づいて設置される建物附属設備に限られる。(措通47-2・編者補正)

(用途変更等があった場合の適用)

(3)　1の割増償却の適用を受けた建築物につき用途変更等があった場合には、その用途変更等があった都度当該建築物が1の表のそれぞれに掲げる要件に該当するかどうかを判定することに留意する。(措通47-3・編者補正)

　注　用途変更等があったことにより1の割増償却の適用がないこととなるのは、その用途変更等があった月以後となることに留意する。

(資本的支出)

(4)　1の割増償却の適用を受けている特定都市再生建築物について資本的支出がされた場合には、当該特定都市再生建築物について1の割増償却の適用がある期間内に限り、当該資本的支出に係る金額についても1の割増償却の適用があるものとする。(措通47-4・編者補正)

(解散した法人から受け入れた減価償却資産の割増償却に係る残存適用期間の引継ぎ)

(5)　更生計画の定めるところにより設立された新法人(以下(5)において「新法人」という。)が更生計画の定めるところにより減価償却資産を受け入れた場合には、解散した法人においてその資産につき適用を受けていた1の割増償却については、たとえ適用期間が経過していないものであっても、新法人ではその適用がないことに留意する。(基通14-3-4参照)

(特定再開発建築物等の割増償却の計算)

(6)　1の割増償却は、当該割増償却の対象となる建物等について認められているのであるから、建物等で割増償却の対象とならないものがあるときはもちろん、当該割増償却の対象となる建物等と種類及び耐用年数を同じくする他の建物等があっても、それぞれ各別に償却限度額を計算することに留意する。(措通42の5～48(共)-1・編者補正)

(適格合併等があった場合の特別償却等の適用)

(7)　1の割増償却は、減価償却資産を事業の用に供した場合に適用があるのであるから、適格合併等(適格合併、適格分割、適格現物出資又は適格現物分配をいう。)による移転に係る減価償却資産について1の適用があるかどうかは、当該減価償却資産を事業の用に供した日の現況において、1に掲げる適用要件(適用対象法人、適用期間、適用対象事業等に関する要件をいう。以下(7)において同じ。)を満たすかどうかにより判定することに留意する。(措通42の

第三章　第一節　第七款　**十九**《特定都市再生建築物の割増償却》

5～48(共)－3・編者補正)

注　例えば、中小企業者等（一の1《中小企業者等が特定機械装置等を取得した場合の初年度特別償却》に掲げる中小企業者等をいう。以下注において同じ。）に該当する被合併法人が減価償却資産を適格合併により中小企業者等に該当しない合併法人に移転する場合の一の1の適用については、次の(一)及び(二)のようになる。

(一)	被合併法人が当該減価償却資産を事業の用に供した場合は、他の適用要件を満たせば、被合併法人において一の1の適用を受けることができる。
(二)	被合併法人が当該減価償却資産を事業の用に供しないで合併法人が事業の用に供した場合は、被合併法人又は合併法人のいずれの法人においても、一の1の適用を受けることができない。

（割増償却の残存適用期間の引継ぎ）

(8)　青色申告書を提出する法人が、適格合併、適格分割、適格現物出資又は適格現物分配（以下(8)において「適格合併等」という。）により、1の適用を受けている特定都市再生建築物の移転を受け、これを当該法人の事業（当該適格合併等に係る被合併法人、分割法人、現物出資法人又は現物分配法人が当該特定都市再生建築物をその用に供していた事業と同一の事業に限る。）の用に供した場合には、当該移転を受けた法人が1の**供用日**に当該特定都市再生建築物を取得し、又は新築して、これを当該供用日に当該法人の事業の用に供したものとみなして、1を適用する。この場合において、1に掲げるその用に供している期間は、当該移転の日から供用期間の末日までの期間内で当該法人自らがその用に供している期間とする。(措法47②)

　　注　──線部分は、令和元年度改正により改正された部分で、改正規定は、平成31年4月1日以後に取得又は新築をする特定都市再生建築物について適用され、平成31年3月31日以前に取得又は新築をした特定都市再生建築物等の適用については、(8)中「特定都市再生建築物」とあるのは「特定都市再生建築物等」とする。（平31改法附52④⑤、1）

2　割増償却の明細書の添付

1　《特定都市再生建築物の割増償却》の割増償却は、確定申告書等に特定都市再生建築物の償却限度額の計算に関する明細書《別表十六》の添付がない場合には、適用しない。(措法47④、43②)

明細書には、「特別償却等の償却限度額の計算に関する付表」を添付する。（規別表十六）

　　注　──線部分は、令和元年度改正により改正された部分で、改正規定は、平成31年4月1日以後に取得又は新築をする特定都市再生建築物について適用され、平成31年3月31日以前に取得又は新築した特定都市再生建築物等の適用については、「特定都市再生建築物」とあるのは「特定都市再生建築物等」とする。（平31改法附52④⑤、1）

（特定都市再生建築物に係る証明書等の添付）

法人が、その取得し、又は新築した建築物につき1の割増償却の適用を受ける場合には、当該建築物につき1の割増償却の適用を受ける最初の事業年度の確定申告書に次の表に掲げる書類を添付しなければならない。(措法47⑤、措令29の2③、措規20の21②)

(一)	当該建築物に係る建築基準法第6条第1項《建築物の建築等に関する申請及び確認》に規定する確認済証の写し及び同法第7条第5項《建築物に関する完了検査》に規定する検査済証の写し
(二)	1の表の(2)《国土交通大臣の証明》に掲げる国土交通大臣の証する書類

　　注1　──線部分は、令和元年度改正により改正された部分で、改正規定は、平成31年4月1日以後に取得又は新築をする特定都市再生建築物について適用され、平成31年3月31日以前に取得又は新築をした特定都市再生建築物等の適用については、次による。（平31改措令附20③、平31改措規附10、1）

法人が、その取得し、又は新築した建築物又は構築物につき1の注1の割増償却の適用を受ける場合には、当該建築物又は構築物につき1の注1の割増償却の適用を受ける最初の事業年度の確定申告書に次の表の左欄に掲げる建築物又は構築物の区分に応じそれぞれ同表の右欄に掲げる書類を添付しなければならない。（旧措法47の2⑤、旧措令29の5④、旧措規20の21②）

旧(一)	都市再生建築物	次のイ及びロに掲げる書類	
		イ	当該建築物に係る建築基準法第6条第1項《建築物の建築等に関する申請及び確認》に規定する確認済証（以下(二)のイにおいて「確認済証」という。）の写し及び同法第7条第5項《建築物に関する完了検査》に規定する検査済証（以下(二)のイにおいて「検査済証」という。）の写し
		ロ	1の注1の表の旧①の(2)《国土交通大臣の証明》に掲げる国土交通大臣の証する書類
旧(二)	雨水貯留施設	次のイ及びロに掲げる書類	
		(一)	当該構築物に係る確認済証の写し及び検査済証の写し

第三章　第一節　第七款　**十九**《特定都市再生建築物の割増償却》

	(二)	当該構築物の建築基準法第2条第12号《用語の定義》に規定する設計図書の写し

注2　────線部分（注1に係る部分に限る。）は、平成29年度改正により改正された部分で、改正規定は、平成29年4月1日から適用され、平成29年3月31日以前の適用については、上表は次による。（平29改措規附9、1）

旧(一)	都市再生建築物	次のイ及びロに掲げる書類	
		イ	当該建築物に係る建築基準法第6条第1項《建築物の建築等に関する申請及び確認》に規定する確認済証（以下**2**において「確認済証」という。）の写し及び同法第7条第5項《建築物に関する完了検査》に規定する検査済証（以下**2**において「検査済証」という。）の写し
		ロ	**1**の注2の表の旧①の(2)《国土交通大臣の証明》に掲げる国土交通大臣の証する書類
旧(三)	雨水貯留施設	次のイ及びロに掲げる書類	
		イ	当該構築物に係る確認済証の写し及び検査済証の写し
		ロ	当該構築物の建築基準法第2条第12号《用語の定義》に規定する設計図書の写し

注3　平成29年度改正により、上表から次のものが除かれているが、平成29年3月31日以前に取得又は新築をした**1**の注1の表の旧②に掲げる特定都市再生建築物等については、なおその適用がある。（平29改措規附9、1）

特定民間中心市街地経済活力向上事業により整備される建築物及び構築物	次のイ及びロに掲げる書類（建築基準法第88条第1項又は第2項《工作物への準用》の政令で指定する工作物に該当しない構築物にあっては、ロに掲げる書類）	
	イ	当該建築物又は構築物に係る確認済証の写し及び検査済証の写し
	ロ	**1**の注2の表の旧②の《経済産業大臣の証明》に掲げる経済産業大臣の証する書類

二十　倉庫用建物等の割増償却（適用期限の延長等）

1　倉庫用建物等の割増償却

　青色申告書を提出する法人で特定総合効率化計画（<u>物資の流通の効率化に関する法律第6条第1項</u>《総合効率化の計画の認定》に規定する総合効率化計画のうち同条第3項各号に掲げる事項が記載されたものをいう。以下**二十**において同じ。）について同条第1項の認定を受けたものが、昭和49年4月1日から<u>令和8年3月31日</u>までの間に、物資の流通の拠点区域として（1）《物資流通拠点区域》に掲げる区域（以下**二十**において「**物資流通拠点区域**」という。）内において、倉庫用の建物（その附属設備を含む。以下**二十**において同じ。）及び構築物のうち、物資の輸送の合理化に著しく資するものとして国土交通省が財務大臣と協議して指定するもの（貯蔵槽倉庫にあっては、特定臨港地区内にあるものに限る。）で、建築基準法第2条第9号の2《用語の定義》に規定する耐火建築物（以下**二十**において「**耐火建築物**」という。）又は同条第9号の3に規定する準耐火建築物に該当するもの（冷蔵倉庫又は貯蔵槽倉庫以外の倉庫で階数が2以上のものにあっては、耐火建築物に該当するものに限る。）（その認定に係る特定総合効率化計画〔<u>物資の流通の効率化に関する法律第7条第1項</u>《総合効率化計画の変更等》の規定による変更の認定があった場合には、その変更後のもの〕に記載された同法<u>第4条第3号</u>《定義》に規定する特定流通業務施設（以下**1**において「**特定流通業務施設**」という。）であるものに限る。以下**二十**において「**倉庫用建物等**」という。）でその建設の後使用されたことのないものを取得し、又は倉庫用建物等を建設して、これを当該法人の倉庫業法第2条第2項《定義》に規定する倉庫業（以下（8）において「**倉庫業**」という。）の用に供した場合（所有権移転外リース取引〔第六款の**四**の1の②の（2）の表の（五）《所有権移転外リース取引》に掲げるものをいう。〕により取得した当該倉庫用建物等をその用に供した場合を除く。）には、その用に供した日（以下**二十**において「**供用日**」という。）以後5年以内の日を含む各事業年度（当該倉庫用建物等が物資の流通の効率化に関する法律第4条第2号に規定する流通業務の省力化に特に資するものとして（2）《流通業務の省力化に特に資するもの》に掲げる要件を満たす特定流通業務施設であることにつき（3）《証明がされた事業年度》に掲げるところにより証明がされた事業年度に限る。）の当該倉庫用建物等の償却限度額は、供用日以後5年以内（以下**二十**において「**供用期間**」という。）でその用に供している期間に限り、第六款の**三**の1《償却費等の損金算入》又は同**三**の2《適格分割等により移転する減価償却資産に係る期中損金経理額の損金算入》に掲げる普通償却限度額の計算の規定（**二十三**《特別償却不足額がある場合の償却限度額の計算の特例》の適用を受ける場合には、これを含む。）にかかわらず、当該倉庫用建物等の普通償却限度額（第六款の**三**の1に掲げる償却限度額又は同**三**の2に掲げる償却限度額に相当する金額〔**二十三**の1の（2）《特別償却不足額の意義》に掲げる特別償却不足額〈以下**1**において「特別償却不足額」という。〉又は**二十三**の2の（1）《合併等特別償却不足額の意義》に掲げる合併等特別償却不足額〈以下**1**において「合併等特別償却不足額」という。〉がある場合には、**二十三**の1《特別償却不足額がある場合の償却限度額の計算》の表の①から③まで又は**二十三**の2《合併等特別償却不足額がある場合の償却限度額の計算》の表の①から③までにそれぞれ掲げる普通償却限度額に相当する金額〕をいう。）と**特別償却限度額**（当該普通償却限度額の$\frac{8}{100}$に相当する金額をいう。）との合計額（特別償却不足額又は合併等特別償却不足額がある場合には、これを加算した金額）とする。（措法48①、措令29の3②）

$$\begin{array}{c}\text{倉庫用建物等}\\\text{の償却限度額}\end{array}=\begin{array}{c}\text{倉庫用建物等の}\\\text{普通償却限度額}\end{array}+\overbrace{\begin{array}{c}\text{倉庫用建物等の}\\\text{普通償却限度額}\end{array}\times\frac{8}{100}}^{\text{特別償却限度額}}+\begin{array}{c}\text{倉庫用建物等の特別償却不足額}\\\text{又は合併等特別償却不足額}\end{array}$$

注1　──線部分（「物資の流通の効率化に関する法律第6条第1項」、「第7条第1項」及び「第4条第3号」に係る部分に限る。）は、令和6年度改正により改正された部分で、改正規定は、流通業務の総合化及び効率化の促進に関する法律及び貨物自動車運送事業法の一部を改正する法律（令和6年法律第23号）の施行の日以後に取得又は建設をする倉庫用建物等について適用され、同日前に取得又は建設をした倉庫用建物等については、「物資の流通の効率化に関する法律第6条第1項」とあるのは「流通業務の総合化及び効率化の促進に関する法律第4条第1項」と、「第7条第1項」とあるのは「第5条第1項」と、「第4条第3号」とあるのは「第2条第3号」とする。（令6改法附48④、1 XV）
　なお、流通業務の総合化及び効率化の促進に関する法律及び貨物自動車運送事業法の一部を改正する法律の施行期日を定める政令は、令和6年7月1日現在制定されていない。（編者）

注2　令和6年4月1日から流通業務の総合化及び効率化の促進に関する法律及び貨物自動車運送事業法の一部を改正する法律の施行の日の前日までの間における**1**の適用については、**1**中「物資の流通の効率化に関する法律第4条第2号」とあるのは、「流通業務の総合化及び効率化の促進に関する法律第2条第2号」とする。（令6改法附48⑤）

注3　──線部分（注1及び適用期限に係る部分を除く。）は、令和6年度改正により改正された部分で、改正規定は、令和6年4月1日以後に取得又は建設をする倉庫用建物等について適用され、令和6年3月31日以前に取得又は建設をした倉庫用建物等については、**1**は次による。（令6改法附48④、1）

　　青色申告書を提出する<u>法人で特定総合効率化計画</u>（流通業務の総合化及び効率化の促進に関する法律第4条第1項《総合効率化の計画の認定》に規定する総合効率化計画のうち同条第3項各号に掲げる事項が記載されたものをいう。以下**二十**において同じ。）について同条第1項の認定を受けたものが、昭和49年4月1日から令和6年3月31日までの間に、物資の流通の拠点区域として（1）《物資流通拠点区域》に

第三章　第一節　第七款　二十《倉庫用建物等の割増償却》

掲げる区域（以下**二十**において「物資流通拠点区域」という。）内において、**倉庫用の建物**（その附属設備を含む。以下**二十**において同じ。）及び構築物のうち、物資の輸送の合理化に著しく資するものとして国土交通省が財務大臣と協議して指定するもの（貯蔵槽倉庫にあっては、特定臨港地区内にあるものに限る。）で、建築基準法第2条第9号の2《用語の定義》に規定する耐火建築物（以下**二十**において「耐火建築物」という。）又は同条第9号の3に規定する準耐火建築物に該当するもの（冷蔵倉庫又は貯蔵槽倉庫以外の倉庫で階数が2以上のものにあっては、耐火建築物に該当するものに限る。）（その認定に係る特定総合効率化計画〔流通業務の総合化及び効率化の促進に関する法律第5条第1項《総合効率化計画の変更等》の規定による変更の認定があった場合には、その変更後のもの〕に記載された同法第2条第3号《定義》に規定する特定流通業務施設であるものに限る。以下**二十**において「倉庫用建物等」という。）でその建設の後使用されたことのないものを取得し、又は倉庫用建物等を建設して、これを当該法人の倉庫業法第2条第2項《定義》に規定する倉庫業（以下(8)において「倉庫業」という。）の用に供した場合（所有権移転外リース取引〔第六款の**四**の1の②の(2)の表の(五)《所有権移転外リース取引》に掲げるものをいう。〕により取得した当該倉庫用建物等をその用に供した場合を除く。）には、その用に供した日（以下**二十**において「供用日」という。）以後5年以内の日を含む各事業年度の当該倉庫用建物等の償却限度額は、供用日以後5年以内（以下**二十**において「供用期間」という。）でその用に供している期間に限り、第六款の**三**の1《償却費等の損金算入》又は同**三**の2《適格分割等により移転する減価償却資産に係る期中損金経理額の損金算入》に掲げる普通償却限度額の計算の規定（**二十三**《特別償却不足額がある場合の償却限度額の計算の特例》の適用を受ける場合には、これを含む。）にかかわらず、当該倉庫用建物等の普通償却限度額（第六款の**三**の1に掲げる償却限度額又は同**三**の2に掲げる償却限度額に相当する金額〔**二十三**の1の(2)《特別償却不足額の意義》に掲げる特別償却不足額〈以下1において「特別償却不足額」という。〉又は**二十三**の2の(1)《合併等特別償却不足額の意義》に掲げる合併等特別償却不足額〈以下1において「合併等特別償却不足額」という。〉がある場合には、**二十三**の1《特別償却不足額がある場合の償却限度額の計算》の表の①から③まで又は**二十三**の2《合併等特別償却不足額がある場合の償却限度額の計算》の表の①から③までにそれぞれ掲げる普通償却限度額に相当する金額）をいう。）と特別償却限度額（当該普通償却限度額の$\frac{8}{100}$に相当する金額をいう。）との合計額（特別償却不足額又は合併等特別償却不足額がある場合には、これを加算した金額）とする。（旧措法48①、旧措令29の6②）

$$\text{倉庫用建物等の償却限度額} = \text{倉庫用建物等の普通償却限度額} + \underbrace{\text{倉庫用建物等の普通償却限度額} \times \frac{8}{100}}_{\text{特別償却限度額}} + \text{倉庫用建物等の特別償却不足額又は合併等特別償却不足額}$$

注4　──線部分（注3の「$\frac{8}{100}$」に係る部分に限る。）は、令和4年度改正により改正された部分で、改正規定は、令和4年4月1日以後に取得又は建設をする倉庫用建物等について適用され、令和4年3月31日以前に取得又は建設をした倉庫用建物等については、「$\frac{8}{100}$」とあるのは「$\frac{10}{100}$」とする。（令4改法附43⑤、1）

注5　国土交通大臣は、1により倉庫用の建物及び構築物を指定したときは、これを告示する。（措令29の3⑤）

なお、1に掲げる物資の輸送の合理化に著しく資するものとして指定されたものは、流通業務の総合化及び効率化の促進に関する法律施行規則（平成17年農林水産省・経済産業省・国土交通省令第1号）第2条第1項第4号ロに規定する到着時刻表示装置（貨物自動車運送事業法〔平成元年法律第83号〕第39条第1項に規定する貨物自動車運送業者から同項第4号ロに規定するシステムを通じて提供された貨物の搬入及び搬出をする数量に関する情報その他の情報を表示できるものに限る。）を有する倉庫用の建物及び構築物とする。

（平成28年国土交通省告示第1108号〔最終改正令和6年第300号〕）

注6　──線部分（注3〔注4に係る部分を除く。〕に係る部分に限る。）は、平成28年度改正により改正された部分で、改正規定は、流通業務の総合化及び効率化の促進に関する法律の一部を改正する法律（平成28年法律第36号）の施行の日（平成28年10月1日）以後に取得又は建設をする倉庫用建物等について適用され、平成28年9月30日以前に取得又は建設をした倉庫用建物等の適用については、注3は次による。（平28改法附92⑨、1 XV、平28改措令附1 VI、平成28年政令第295号）

青色申告書を提出する法人で、流通業務の総合化及び効率化の促進に関する法律第4条第1項《総合効率化の計画の認定》に規定する認定を受けたもの又は同法第7条第1項《特定流通業務施設の確認》に規定する確認を受けたものが、昭和49年4月1日から平成29年3月31日までの間に、物資の流通の拠点区域として(1)《物資流通拠点区域》に掲げる区域（以下**二十**において「**物資流通拠点区域**」という。）内において、倉庫業法第2条第2項《定義》に規定する倉庫業の用に供する倉庫用の建物（その附属設備を含む。以下**二十**において同じ。）又は構築物のうち次の表の左欄の区分に応じてそれぞれ右欄に掲げるもの（流通業務の総合化及び効率化の促進に関する法律第5条第2項《総合効率化計画の変更等》に規定する認定総合効率化計画に記載された同法第2条第3号《定義》に規定する特定流通業務施設であるものに限る。）であって、建築基準法第2条第9号の2《用語の定義》に規定する耐火建築物又は同条第9号の3に規定する準耐火建築物に該当するもの（同表の旧①に掲げるものにあっては耐火建築物に該当するものに限る。以下**二十**において「**倉庫用建物等**」という。）でその建設の後使用されたことのないものを取得し、又は倉庫用建物等を建設して、これを当該法人の事業の用に供した場合（所有権移転外リース取引〔第六款の**四**の1の②の(2)の表の(五)《所有権移転外リース取引》に掲げるものをいう。〕により取得した当該倉庫用建物等をその用に供した場合を除く。）には、その用に供した日（以下**二十**において「**供用日**」という。）以後5年以内の日を含む各事業年度の当該倉庫用建物等の償却限度額は、供用日以後5年以内（以下**二十**において「**供用期間**」という。）でその用に供している期間に限り、第六款の**三**の1《償却費等の損金算入》又は同**三**の2《適格分割等により移転する減価償却資産に係る期中損金経理額の損金算入》に掲げる普通償却限度額の計算の規定（**二十三**《特別償却不足額がある場合の償却限度額の計算の特例》の適用を受ける場合には、これを含む。）にかかわらず、当該倉庫用建物等の普通償却限度額（第六款の**三**の1に掲げる償却限度額又は同**三**の2に掲げる償却限度額に相当する金額〔**二十三**の1の(2)《特別償却不足額の意義》に掲げる特別償却不足額〈以下注6において「特別償却不足額」という。〉又は**二十三**の2の(1)《合併等特別償却不足額の意義》に掲げる合併等特別償却不足額〈以下注6において「合併等特別償却不足額」という。〉がある場合には、**二十三**の1《特別償却不足額がある場合の償却限度額の計算》の表の①から③まで又は**二十三**の2《合併等特別償却不足額がある場合の償却限度額の計算》の表の①から③までにそれぞれ掲げる普通償却限度額に相当する金額）をいう。）と**特別償却限度額**（当該普通償却限度額の$\frac{10}{100}$に相当する金額をいう。）との合計額（特別償却不足額又は合併等特別償却不足額がある場合には、これを加算した金額）とする。（旧措法48①、旧措令29の6②、旧措規20の22）

第三章　第一節　第七款　二十《倉庫用建物等の割増償却》

資　産				要　件		
旧①	床面積が6,000平方メートル以上で階数が2以上の普通倉庫であって国土交通大臣が財務大臣と協議して定める右の「要件」欄に掲げる要件に該当するもの 注　国土交通大臣は、右欄に掲げる要件を定めたときは、これを告示する。(旧措令29の6⑤)			旧①の国土交通大臣が財務大臣と協議して定める要件は、次のイからニまでのとおりである。(平成21年国土交通省告示第375号〔最終改正平成25年第329号〕)		
		イ		当該普通倉庫が次の(イ)及び(ロ)に掲げる設備(当該普通倉庫がランプウェイ構造を有するものである場合には、(ロ)に掲げる設備)を有するものであること。		
			(イ)	エレベーター(最大積載荷重が2トン以上のものに限る。)		
			(ロ)	次のAからDまでに掲げるいずれかの設備		
					A	垂直型連続運搬装置(四隅のチェーン又はワイヤーロープにより駆動するもののうち、最大積載荷重が1パレット当たり0.5トン以上のもの又は3以上の階に貨物を運搬するものに限る。旧③において同じ。)
					B	電動式密集棚装置(遠隔集中制御により保管棚の移動を行うもののうち、当該保管棚が三段組以上で、かつ、その設置床面積が165平方メートル以上であるものに限る。旧②及び旧③において同じ。)
					C	自動化保管装置(遠隔集中制御により貨物の出し入れを行うもののうち、走行速度が毎分60メートル以上、昇降速度が毎分10メートル以上で、かつ、フォーク速度が毎分20メートル以上であるスタッカークレーン〔インバーター方式の制御装置を有するものに限る。〕を有するものに限る。旧②及び旧③において同じ。)
					D	搬出貨物表示装置(遠隔集中制御により搬出すべき貨物の保管場所及び数量を表示するもののうち、表示器の設置数が30以上であるものに限る。以下旧②及び旧③において同じ。)
		ロ		当該普通倉庫が次の(イ)から(ホ)までに掲げる機能を有するものであること。		
			(イ)	情報交換機能(荷主その他の関係者との間で貨物の入庫、出庫、在庫その他の貨物に関する情報を電子的に交換する機能をいう。以下旧④までにおいて同じ。)		
			(ロ)	貨物保管場所管理機能(貨物の保管場所に関する情報を電子的に管理し、帳票、電灯表示ランプその他の方法により当該保管場所に関する情報を表示する機能をいう。以下旧④までにおいて同じ。)		
			(ハ)	非常用データ保存機能((イ)及び(ロ)の情報を当該倉庫の敷地外の適当な場所に保存する機能をいう。以下同じ。)		
			(ニ)	非常用通信機能((ハ)により保存された情報を非常時において活用するために必要な通信を行うものであって、無線通信による通信を行う機能をいう。以下同じ。)		
			(ホ)	非常用電源機能((ハ)により保存された情報を非常時において活用するために必要な電力を供給する機能をいう。以下同じ。)		
		ハ		当該普通倉庫の貨物の搬出入場所の前面に奥行15メートル以上の空地が確保されていること。		
		ニ		当該普通倉庫用の建物内に流通加工の用に供する空間が設けられているものであること。		
旧②	床面積が3,000平方メートル以上で階数が1の普通倉庫(柱及びはりが鉄骨造であるものに限る。)であって国土交通大臣が財務大臣と協議して定める右の「要件」欄に掲げる要件に該当するもの 注　国土交通大臣は、右欄に掲げる要件を定めたときは、これを告示する。(旧措令29の6⑤)			旧②の国土交通大臣が財務大臣と協議して定める要件は、次のイからニまでのとおりである。(平成21年国土交通省告示第375号〔最終改正平成25年第329号〕)		
		イ		当該普通倉庫が電動式密集棚装置、自動化保管装置又は搬出貨物表示装置を有するものであること。		
		ロ		当該普通倉庫が情報交換機能、貨物保管場所管理機能、非常用データ保存機能、非常用通信機能及び非常用電源機能を有するものであること。		
		ハ		当該普通倉庫の貨物の搬出入場所の前面に奥行15メートル以上の空地が確保されていること。		
		ニ		当該普通倉庫用の建物内に流通加工の用に供する空間が設けられているものであること。		

第三章　第一節　第七款　二十《倉庫用建物等の割増償却》

旧③	容積が6,000立方メートル以上の冷蔵倉庫であって国土交通大臣が財務大臣と協議して定める右の「要件」欄に掲げる要件に該当するもの 注　国土交通大臣は、右欄に掲げる要件を定めたときは、これを告示する。(旧措令29の6⑤)	\multicolumn{2}{l	}{旧③の国土交通大臣が財務大臣と協議して定める要件は、次のイからニまでのとおりである。(平成21年国土交通省告示第375号〔最終改正平成25年第329号〕)}

		イ	当該冷蔵倉庫が次の(イ)及び(ロ)に掲げる設備を有するものであること。
			(イ)　強制送風式冷蔵装置(圧縮機を駆動する電動機の定格出力が3.7キロワット以上のものに限る。)
			(ロ)　垂直型連続運搬装置、電動式密集棚装置、自動化保管装置又は搬出貨物表示装置
		ロ	当該冷蔵倉庫が情報交換機能、貨物保管場所管理機能、非常用データ保存機能、非常用通信機能及び非常用電源機能を有するものであること。
		ハ	当該冷蔵倉庫の貨物の搬出入場所の前面に奥行15メートル以上の空地が確保されていること。
		ニ	当該冷蔵倉庫用の建物内に流通加工の用に供する空間が設けられているものであること。

旧④	容積が6,000立方メートル以上の貯蔵槽倉庫((1)の表の(二)に掲げる特定臨港地区内において倉庫業の用に供するものに限る。)であって国土交通大臣が財務大臣と協議して定める右の「要件」欄に掲げる要件に該当するもの 注　国土交通大臣は、右欄に掲げる要件を定めたときは、これを告示する。(旧措令29の6⑤)	\multicolumn{2}{l	}{旧④の国土交通大臣が財務大臣と協議して定める要件は、次のイからニまでのとおりである。(平成21年国土交通省告示第375号〔最終改正平成25年第329号〕)}
		イ	当該貯蔵槽倉庫が次の(イ)から(ハ)までに掲げる設備を有するものであること。
			(イ)　貨物搬入用自動運搬機(荷揚げ能力が毎時300トン以上のもののうち、自動検量機構を有するものに限る。)
			(ロ)　貨物搬出用自動運搬機(自動検量機構を有するものに限る。)
			(ハ)　くん蒸ガス循環装置(臭化メチルの投薬後2時間以内に当該臭化メチルを均一化するものに限る。)
		ロ	当該貯蔵槽倉庫のくん蒸ガス保有力(貯蔵槽倉庫の容積の1立方メートルにつき臭化メチルを10グラム使用した場合の48時間後における当該臭化メチルの残存率をいう。)が55%以上であること。
		ハ	当該貯蔵槽倉庫が情報交換機能、貨物保管場所管理機能、非常用データ保存機能、非常用通信機能及び非常用電源機能を有するものであること。
		ニ	当該貯蔵槽倉庫の貨物の搬出場所の前面に奥行15メートル以上の空地が確保されていること。

(倉庫用建物等を貸し付けた場合)
(1)　法人が倉庫用建物等を取得し、又は建設して、これを他に貸し付けた場合においても、その貸付けを受けた者が倉庫業の用に供したときは、当該倉庫用建物等については、注6の割増償却の適用があるものとする。(旧措通48-1)

(公共上屋の上に建設した倉庫業用倉庫)
(2)　法人が公共上屋の上に倉庫を建設した場合には、その建設した倉庫について注6の表の旧①若しくは旧②に掲げる階数に係る条件に該当するかどうかを判定することに留意する。(旧措通48-2・編者補正)
　　注　公共上屋の上に1階の倉庫を建設した場合には、階数が2以上の倉庫には該当しない。

(貯蔵槽倉庫)
(3)　注4の表の旧④に掲げる貯蔵槽倉庫に該当するかどうかについては、次の(一)及び(二)のことに留意する。(旧措通48-3・編者補正)

(一)	貯蔵槽倉庫とは、倉庫業法施行規則第3条の9《貯蔵槽倉庫》に規定する貯蔵槽倉庫をいうのであるから、容器に入れていない粉状若しくは液状又はばらの物品を保管する倉庫であっても、床式の倉庫は、これに該当しない。
(二)	貯蔵槽倉庫の容積が6,000立方メートル以上であるかどうかは、一基の貯蔵槽倉庫(連続した周壁によって外周を囲まれたもの又は同一の荷役設備により搬入若しくは搬出を行う貯蔵槽倉庫の集合体をいう。)ごとに判定する。

注7　流通業務の総合化及び効率化の促進に関する法律の一部を改正する法律(平成28年法律第36号)の施行の日(平成28年10月1日)前に同法による改正前の流通業務の総合化及び効率化の促進に関する法律(以下注7において「旧効率化法」という。)第4条第1項の認定を受けた法人又は同日前に旧効率化法第7条第1項に規定する認定を受けた法人が平成29年3月31日以前に取得又は建設をした注6に掲げる倉庫用の建物及びその附属設備又は構築物については、なおその適用がある。
　　この場合において、注6中「、流通業務の総合化及び効率化の促進に関する法律」とあるのは「、流通業務の総合化及び効率化の促進に関する法律の一部を改正する法律(平成28年法律第36号。以下注6において「効率化法改正法」という。)による改正前の流通業務の総合化及び効率化の促進に関する法律(以下注6において「旧効率化法」という。)と、「又は同法」とあるのは「又は旧効率化法」と、「流通業務の総合化及び効率化の促進に関する法律第5条第2項に規定する認定総合効率化計画に記載された同法」とあるのは「効率化法改正法附則第2条に規定する総合効率化計画に記載された旧効率化法」とする。(平28改法附92⑩、1ⅩⅤ、平成28年政令第295号)

第三章　第一節　第七款　**二十**《倉庫用建物等の割増償却》

(物資流通拠点区域)
（1）　**1**《倉庫用建物等の割増償却》に掲げる物資流通拠点区域は、次に掲げる区域又は地区とする。（措法48④、措令29の3①、措規20の22①）

(一)	道路法第3条第1号《道路の種類》に掲げる高速自動車国道及びこれに類する道路の周辺の地域のうち物資の流通の拠点となる区域として<u>流通業務の総合化及び効率化の促進に関する法律施行規則第2条第1項第1号イ《特定流通業務施設の基準》に掲げる高速自動車国道のインターチェンジ等の周辺5キロメートルの区域</u>
(二)	**特定臨港地区**（関税法第2条第1項第11号《定義》に規定する開港の区域を地先水面とする地域において定められた港湾法第2条第4項《定義》に規定する臨港地区のうち輸出入に係る貨物の流通の拠点となる地区として国土交通大臣が財務大臣と協議して指定する地区をいう。）

注1　——線部分は、平成28年度改正により改正され、かつ、租税特別措置法施行規則の一部を改正する省令（平成28年財務省令第71号）により追加された部分で、改正規定は、平成28年10月1日から適用され、平成28年9月30日以前の適用については、上表の(一)は次による。（平28改措令附1Ⅵ、平成28年政令第295号、同省令附1）

旧(一)	道路法第3条第1号《道路の種類》に掲げる高速自動車国道及びこれに類する道路の周辺の地域のうち物資の流通の拠点となる区域として国土交通大臣が財務大臣と協議して指定する区域

注2　(1)は、平成28年度改正により改正されており、流通業務の総合化及び効率化の促進に関する法律の一部を改正する法律（平成28年法律第36号）の施行の日（平成28年10月1日）前に同法による改正前の流通業務の総合化及び効率化の促進に関する法律（以下注2において「旧効率化法」という。）第4条第1項の認定を受けた法人又は平成28年9月30日以前に旧効率化法第7条第1項に規定する確認を受けた法人が平成29年3月31日以前に取得又は建設をした倉庫用の建物及びその附属設備又は構築物については、なおその適用がある。この場合において上表の(一)は、次による。（平28改措附17③、1Ⅵ、平28改規附9②⑩、1ⅩⅤ、平成28年政令第295号）

(一)	道路法第3条第1号《道路の種類》に掲げる高速自動車国道及びこれに類する道路の周辺の地域のうち物資の流通の拠点となる区域として(1)の表の(一)に掲げる流通業務の総合化及び効率化の促進に関する法律施行規則第2条第1項第1号イ《特定流通業務施設の基準》に掲げる高速自動車国道のインターチェンジ等の周辺5キロメートルの区域

注3　国土交通大臣は、(二)により地区を指定したときは、これを告示する。（措令29の3⑤）
　　なお、(二)により指定された物資流通拠点区域は、次のとおりである。
　　　　　　　　　　　　　　　　　　　　　　　　　（平成28年国土交通省告示1107号〔最終改正令和6年第301号〕）

次の(一)から(二十八)までに掲げる開港の区域を地先水面とする地域において定められた港湾法第2条第4項《定義》に規定する臨港地区	
番号	開　　　港
(一)	釧路（北海道）
(二)	苫小牧（同上）
(三)	八戸（青森県）
(四)	仙台塩釜（宮城県）
(五)	鹿島（茨城県）
(六)	木更津（千葉県）
(七)	千葉（同上）
(八)	京浜（東京都神奈川県）
(九)	新潟（新潟県）
(十)	伏木富山（富山県）
(十一)	清水（静岡県）
(十二)	三河（愛知県）
(十三)	衣浦（同上）
(十四)	名古屋（同上）
(十五)	四日市（三重県）
(十六)	阪神（大阪府兵庫県）

第三章　第一節　第七款　二十《倉庫用建物等の割増償却》

(十七)	東播磨（兵庫県）	
(十八)	姫路（同上）	
(十九)	和歌山下津（和歌山県）	
(二十)	水島（岡山県）	
(二十一)	福山（広島県）	
(二十二)	広島（同上）	
(二十三)	徳山下松（山口県）	
(二十四)	三田尻中関（同上）	
(二十五)	関門（山口県福岡県）	
(二十六)	博多（福岡県）	
(二十七)	苅田（同上）	
(二十八)	大分（大分県）	

注4　──部分（注3に係る部分に限る。）は、平成28年度改正により改正された部分で、改正規定は、流通業務の総合化及び効率化の促進に関する法律の一部を改正する法律（平成28年法律第36号）の施行の日（平成28年10月1日）から適用され、平成28年9月30日以前の適用ついては、注3中「(二)」とあるのは「(二)又は注1に掲げる旧(一)」と、「地区」とあるのは「区域若しくは地区」とする。（平28改措令附1Ⅵ、平成28年政令第295号）

　また、旧(一)により指定された物資流通拠点区域は、次のとおりである。

（平成21年国土交通省告示第374号〔最終改正平成28年第602号〕の別表一）

	次の(一)及び(二)に掲げる道路（道路法第2条第1項《用語の定義》に規定する道路をいう。以下注2において同じ。）とそれ以外の道路とを連結する施設からの距離が5キロメートル以内である区域		
(一)	道路法第3条第1号《道路の種類》に規定する高速自動車国道（供用の開始がないものを除く。）		
(二)	次の1から115までに掲げる道路のうち道路法第48条の4《自動車専用道路との連結の制限》に規定する自動車専用道路に該当するもの		
	番号	道　　　　　路	
	1	旭川紋別自動車道（一般国道450号のうち北海道上川郡比布町蘭留北八線から同道紋別郡遠軽町丸瀬布南丸までの区間の道路をいう。）	
	2	深川留萌自動車道（一般国道233号のうち深川市音江町字向陽から留萌市大字留萌村字留萌までの区間の道路をいう。）	
	3	帯広広尾自動車道（一般国道236号のうち北海道河西郡芽室町北明西七線から同道中川郡幕別町忠類共栄までの区間の道路をいう。）	
	4	日高自動車道（一般国道235号のうち苫小牧市植苗から北海道沙流郡日高町字緑町までの区間の道路をいう。）	
	5	黒松内新道（一般国道5号のうち北海道寿都郡黒松内町字東川から同町字白井川までの区間の道路をいう。）	
	6	北見道路（一般国道39号のうち北見市北上から同市端野町川向までの区間の道路をいう。）	
	7	上北道路（一般国道45号のうち青森県上北郡六戸町大字犬落瀬字堀切沢から同県東北町大字大浦字南平までの区間の道路をいう。）	
	8	第二みちのく有料道路（青森県道八戸野辺地線のうち青森県上北郡下田町から同県同郡六戸町大字犬落瀬までの区間の道路をいう。）	
	9	百石道路（一般国道45号のうち八戸市大字市川町から青森県上北郡下田町までの区間の道路をいう。）	
	10	八戸久慈自動車道（一般国道45号のうち八戸市大字櫛引字長平から青森県三戸郡階上町大字道仏字鹿糠までの区間の道路をいう。）	
	11	琴丘能代道路（一般国道7号のうち秋田県山本郡三種町鹿渡字室ヶ沢から能代市二ツ井町切石字烏坂までの区間の道路をいう。）	
	12	本荘大曲道路（一般国道105号のうち大仙市内小友字中伊岡から同市和合字田中までの区間の道路及び由利本荘市大谷字鍋倉から同市米坂字大平沢までの区間の道路をいう。）	
	13	大館西道路（一般国道7号のうち大館市釈迦内字釈迦内から同市出川字上野までの区間の道路をいう。）	

	14	仁賀保本荘道路（一般国道7号のうちにかほ市両前寺字家ノ浦から由利本荘市二十六木字根木田までの区間の道路をいう。）
	15	象潟仁賀保道路（一般国道7号のうちにかほ市象潟町小滝字梨ノ木台から同市両前寺字家ノ浦までの区間の道路をいう。）
	16	余目酒田道路（一般国道47号のうち山形県東田川郡庄内町跡字殿腰から酒田市東町2丁目までの区間の道路をいう。）
	17	仙台北部道路（一般国道47号のうち宮城県宮城郡利府町加瀬から黒川郡富谷町富谷字源内までの区間の道路をいう。）
	18	仙台南部道路（宮城県道仙台南インター線のうち仙台市若林区今泉から同市太白区茂庭までの区間の道路をいう。）
	19	仙台東部道路（一般国道6号のうち宮城県亘理郡亘理町から仙台市宮城野区中野までの区間の道路をいう。）
	20	三陸縦貫自動車道（一般国道45号のうち仙台市宮城野区中野から宮城県宮城郡利府町春日までの区間の道路及び宮城県宮城郡松島町根廻字音無から登米市東和町米谷字越路までの区間の道路並びに宮城県道仙台松島線のうち宮城県宮城郡利府町春日から同郡松島町根廻までの区間の道路をいう。）
	21	秋田外環状道路（一般国道7号のうち秋田市上新城道川から同市金足岩瀬までの区間の道路をいう。）
	22	湯沢横手道路（一般国道13号のうち湯沢市相川字座又から横手市新藤柳田までの区間の道路をいう。）
	23	福島空港・あぶくま南道路（福島県道矢吹小野線のうち福島県西白河郡矢吹町赤沢から同県石川郡平田村大字下蓬出までの区間の道路及び福島県石川郡平田村大字上蓬田から福島県田村郡小野町大字小野新町までの区間の道路をいう。）
	24	新潟西バイパス（一般国道116号のうち新潟市曽和字澤田から新潟県西蒲原郡黒埼町大字山田字堤付までの区間の道路をいう。）
	25	日光宇都宮道路（一般国道119号及び120号のうち宇都宮市徳次郎町から日光市清滝桜ヶ丘町までの区間の道路をいう。）
	26	東水戸道路・常陸那珂有料道路（一般国道6号のうち水戸市元石川町からひたちなか市部田野までの区間の道路及び茨城県道常陸那珂港南線のうちひたちなか市部田野から同市阿字ヶ浦までの区間の道路をいう。）
	27	横浜横須賀道路（一般国道16号のうち横須賀市馬堀海岸から横浜市保土ヶ谷区権太坂までの区間の道路及び同市金沢区釜利谷町から同市磯子区氷取沢町までの区間の道路をいう。）
	28	横浜新道（一般国道16号のうち横浜市保土ヶ谷区権太坂から同市同区藤塚町までの区間の道路をいう。）
	29	保土ヶ谷バイパス（一般国道16号のうち横浜市保土ヶ谷区藤塚町から同市旭区上川井町までの区間の道路をいう。）
	30	東京湾横断道路（一般国道409号のうち川崎市川崎区浮島町から木更津市中島字日之宮までの区間の道路をいう。）
	31	東京湾横断道路連絡道（一般国道409号のうち木更津市菅生から木更津市中島字日之宮までの区間の道路をいう。）
	32	京葉道路（一般国道14号及び16号のうち東京都江戸川区谷河内から千葉市中央区浜野町までの区間の道路をいう。）
	33	千葉東金道路（一般国道126号のうち山武市松尾町谷津字平台から千葉市中央区星久喜町までの区間の道路をいう。）
	34	銚子連絡道路（一般国道126号のうち山武市松尾町谷津字平台から千葉県山武郡横芝光町芝崎南までの区間の道路をいう。）
	35	第三京浜道路（一般国道466号のうち東京都世田谷区上野毛から横浜市保土ヶ谷区岡沢までの区間の道路をいう。）
	36	首都圏中央連絡自動車道（一般国道468号のうち茅ヶ崎市西久保字上ノ川から茨城県猿島郡境町大字西泉田字上野原までの区間の道路、つくば市柳橋字谷津から成田市吉岡字来光台までの区間の道路及び東金市小野字羽戸から木更津市中尾字柳町までの区間の道路をいう。）
	37	新湘南バイパス（一般国道1号のうち藤沢市城南5丁目から茅ヶ崎市柳島字向川原までの区間の道路をいう。
	38	小田原厚木道路（一般国道271号のうち平塚市飯島から厚木市酒井までの区間の道路をいう。）
	39	東富士五湖道路（一般国道138号のうち富士吉田市上吉田から静岡県駿東郡小山町須走までの区間の道路をいう。）
	40	長泉沼津インターチェンジ連結道路（静岡県道大岡元長窪線のうち静岡県駿東郡長泉町上長窪字上野から同町元長窪字野台までの区間の道路をいう。）
	41	新富士インターチェンジ連結道路（静岡県道一色久沢線のうち富士市大淵字市十窪から同市厚原字八笠までの区間の道路をいう。）
	42	藤枝岡部インターチェンジ連結道路（静岡県道静岡朝比奈藤枝線のうち藤枝市高田字角田から同市岡部町入野字南山までの区間の道路をいう。）

	43	島田金谷インターチェンジ連結道路（一般国道473号のうち島田市竹下字宮前から同市横岡新田字沖ノ広切までの区間の道路をいう。）
	44	森掛川インターチェンジ連結道路（静岡県道掛川天竜線のうち掛川市幡鎌字坂ヶ谷から静岡県周智郡森町睦実字杭瀬ヶ谷までの区間の道路をいう。）
	45	西富士道路（一般国道139号のうち富士市伝法から富士宮市小泉までの区間の道路をいう。）
	46	藤枝バイパス（一般国道１号のうち静岡県志太郡岡部町大字内谷字橋下から島田市野田字甚田海道までの区間の道路をいう。）
	47	中部縦貫自動車道（一般国道158号のうち大野市東市布から郡上市白鳥町為真までの区間の道路、高山市清見町夏厩から同市上切町までの区間の道路及び福井市重立町三十字上沖田から福井県吉田郡永平寺町谷口までの区間の道路をいう。）
	48	能越自動車道（一般国道470号のうち七尾市千野町から小矢部市水島までの区間の道路をいう。）
	49	三遠南信自動車道（一般国道474号のうち飯田市山本から同市川路までの区間の道路及び新城市名号字大六から浜松市北区引佐町東黒田字桑田までの区間の道路をいう。）
	50	伊豆縦貫自動車道（一般国道１号のうち沼津市岡宮字上松沢から三島市塚原新田字舟ヶ久保までの区間の道路をいう。）
	51	東海環状自動車道（一般国道475号のうち豊田市琴平町から関市広見字昭和新田までの区間の道路及び大垣市桧町字宮町から岐阜県養老郡養老町直江字野割までの区間の道路をいう。）
	52	知多半島道路（愛知県道名古屋半田線のうち名古屋市緑区大高町から半田市彦洲町までの区間の道路をいう。）
	53	知多横断道路・中部国際空港連絡道路（愛知県道碧南半田常滑線のうち半田市滑楚町から常滑市字小森までの区間の道路及び愛知県道中部国際空港線のうち常滑市セントレアから同市多屋字孫ヤラクまでの区間の道路をいう。）
	54	名古屋瀬戸道路（愛知県道日進瀬戸線のうち日進市北新町八幡西から愛知県愛知郡長久手町大字岩作までの区間の道路をいう。）
	55	伊勢湾岸道路（一般国道302号のうち東海市新宝町から愛知県海部郡飛島村までの区間の道路をいう。）
	56	鳥取豊岡宮津自動車道（一般国道312号のうち宮津市宇喜多から同市字須津までの区間の道路をいう。）
	57	名阪国道（一般国道25号のうち亀山市大岡寺町から天理市櫟本町までの区間の道路をいう。）
	58	京都縦貫自動車道（一般国道478号のうち宮津市字宮村から京都府乙訓郡大山崎町字円明寺小字までの区間の道路をいう。）
	59	京滋バイパス（一般国道１号のうち大津市瀬田神領町から京都府久世郡久御山町大字森までの区間の道路及び一般国道478号のうち八幡市八幡長町から京都府久世郡久御山町大字森までの区間の道路をいう。）
	60	第二京阪道路（一般国道１号のうち京都市伏見区向島黒坊から門真市大字三ツ島までの区間の道路をいう。）
	61	南阪奈道路（大阪府道美原太子線のうち大阪府南河内郡美原町丹上から羽曳野市蔵之内までの区間の道路、一般国道165号のうち羽曳野市蔵之内から大阪府南河内郡太子町大字春日までの区間の道路及び一般国道166号のうち大阪府南河内郡太子町大字春日から葛城市弁之庄までの区間の道路をいう。）
	62	関西国際空港連絡橋（一般国道481号のうち泉佐野市泉州空港北から同市りんくう往来北までの区間の道路をいう。）
	63	北近畿豊岡自動車道（一般国道483号のうち養父市八鹿町国木字桑カセから丹波市春日町七日市までの区間の道路をいう。）
	64	第二神明道路・加古川バイパス（一般国道２号のうち神戸市須磨区月見山町から高砂市阿弥陀町までの区間の道路をいう。）
	65	姫路バイパス（一般国道２号のうち高砂市阿弥陀町から兵庫県揖保郡太子町山田までの区間の道路をいう。）
	66	播但連絡道路（一般国道312号のうち兵庫県朝来郡生野町円山から姫路市的形町までの区間の道路をいう。）
	67	姫路北バイパス（一般国道29号のうち姫路市相野字細矢から同市石倉字見坂までの区間の道路をいう。）
	68	姫路西バイパス（一般国道29号のうち姫路市太市中字境ノ谷から同市相野字細矢までの区間の道路をいう。）
	69	太子竜野バイパス（一般国道２号のうち兵庫県揖保郡太子町山田から同県同郡同町松尾までの区間の道路をいう。）
	70	東播磨南北道路（兵庫県道加古川小野線のうち加古川市野口町坂元字一ツ松から同市八幡町上西条字天王山までの区間の道路をいう。）
	71	湯浅御坊道路（一般国道42号のうち御坊市野口から和歌山県有田郡吉備町大字明王子までの区間の道路をいう。）

第三章　第一節　第七款　二十《倉庫用建物等の割増償却》

72	志戸坂峠道路（一般国道373号のうち鳥取県八頭郡智頭町市瀬から岡山県英田郡西粟倉村大字影石字裏滝までの区間の道路をいう。）	
73	鳥取西道路（一般国道9号のうち鳥取市本高字白木から同市嶋字四反田までの区間の道路をいう。）	
74	尾道福山自動車道（一般国道2号のうち福山市今津町字安毛から尾道市高須町字挽地山までの区間の道路をいう。）	
75	安芸府中道路（広島県道広島東インター線のうち広島市東区福田から同市東区温品までの区間の道路をいう。）	
76	府中仁保道路（広島県道府中仁保線のうち広島市東区温品町字礒合から同市南区仁保沖町までの区間の道路をいう。）	
77	広島南道路（市道広島南道路のうち広島市南区仁保沖町から同市西区扇一丁目までの区間の道路をいう。）	
78	安来道路（一般国道9号のうち米子市陰田町から島根県八束郡東出雲町大字出雲郷までの区間の道路をいう。）	
79	境港出雲道路（一般国道485号のうち松江市下東川津町から同市矢田町までの区間の道路をいう。）	
80	松江道路（一般国道9号のうち島根県八束郡東出雲町大字出雲郷から同県同郡玉湯町大字布志名までの区間の道路をいう。）	
81	江津道路（一般国道9号のうち江津市嘉久志町から浜田市後野町までの区間の道路をいう。）	
82	浜田道路（一般国道9号のうち浜田市下府町から同市笠柄町までの区間の道路をいう。）	
83	浜田三隅道路（一般国道9号のうち浜田市原井町から同市西村町までの区間の道路をいう。）	
84	東広島高田道路（一般国道375号のうち東広島市高屋町溝口から同市同町郷までの区間の道路をいう。）	
85	東広島呉自動車道（一般国道375号のうち呉市阿賀中央四丁目から東広島市高屋町溝口までの区間の道路をいう。）	
86	西広島バイパス（一般国道2号のうち廿日市市串戸から同市地御前までの区間の道路をいう。）	
87	広島岩国道路（一般国道2号のうち廿日市市串戸から大竹市小方町までの区間の道路をいう。）	
88	小郡萩道路（一般国道490号のうち美祢市美東町小野字田ノ口から同市同町絵堂字北山までの区間の道路をいう。）	
89	山口宇部小野田連絡道路（山口県道山口宇部線のうち山口市朝田字上山手から同市江崎字一ノ法司郷までの区間の道路をいう。）	
90	山口宇部有料道路（山口県道山口宇部線のうち山口市大字江崎から宇部市大字東岐波までの区間の道路をいう。）	
91	今治小松自動車道（一般国道196号のうち今治市長沢字宮ノ前甲から愛媛県周桑郡小松町大字妙口までの区間の道路をいう。）	
92	宇和島道路（一般国道56号のうち宇和島市津島町岩松甲から同市下高串字屋敷田までの区間の道路をいう。）	
93	須崎道路（一般国道56号のうち須崎市神田字神母ノ内から同市下分字馬越甲までの区間の道路をいう。）	
94	松山外環状道路（一般国道33号のうち松山市北井門二丁目から同市井門町までの区間の道路をいう。）	
95	大洲道路（一般国道56号のうち大洲市東大洲から同市北只までの区間の道路をいう。）	
96	新若戸道路（北九州市道安瀬戸畑1号線のうち北九州市若松区北浜から同市戸畑区大字戸畑までの区間の道路をいう。）	
97	黒崎バイパス（一般国道3号のうち北九州市八幡東区西本町から同市八幡西区穴生までの区間の道路をいう。）	
98	西九州自動車道（一般国道497号のうち福岡市西区福重から糸島市東までの区間の道路及び長崎県北松浦郡佐々町沖田免から武雄市東川登町までの区間の道路をいう。）	
99	長崎バイパス（一般国道34号のうち、長崎県西彼杵郡多良見町市布名から長崎市昭和までの区間の道路及び同市川平町から同市西山までの区間の道路をいう。）	
100	ながさき出島道路（一般国道324号のうち長崎市新地町から同市早坂町までの区間の道路をいう。）	
101	日出バイパス（一般国道10号のうち大分県速見郡山香町大字南畑から同県同郡日出町大字藤原までの区間の道路をいう。）	
102	大分空港道路（一般国道213号のうち大分県速見郡日出町大字大神から杵築市大字馬場尾までの区間の道路、大分県速見郡日出町大字藤原内の区間の道路及び大分県道糸原杵築線のうち杵築市大字馬場尾から大分県東国東郡安岐町大字塩屋までの区間の道路をいう。）	
103	宇佐別府道路（一般国道10号のうち宇佐市大字山本から大分県速見郡日出町大字南畑までの区間の道路をいう。）	
104	南九州西回り自動車道（一般国道3号のうち八代市上片町から熊本県葦北郡芦北町大字花岡までの区間の道路及び薩摩川内市水引町字草道から鹿児島市田上八丁目までの区間の道路をいう。）	

105	延岡道路	（一般国道10号のうち延岡市北川町長井字本村から同市伊形町までの区間の道路をいう。）
106	隼人道路	（一般国道10号のうち鹿児島県姶良郡隼人町大字住吉から同県同郡加治木町大字反土までの区間の道路をいう。）
107	大隅縦貫道路	（鹿児島県道鹿屋串良インター線及び鹿屋環状線のうち鹿屋市笠之原町から同市串良町細山田字山之上までの区間の道路をいう。）
108	那覇空港自動車道	（一般国道506号のうち豊見城市字田頭田原から沖縄県中頭郡西原町字池田までの区間の道路をいう。）
109	首都高速道路	（独立行政法人日本高速道路保有・債務返済機構法（平成16年法律第100号）第12条第1項第4号に規定する首都高速道路をいう。）
110	名古屋都市高速道路	（名古屋高速道路公社が管理する道路整備特別措置法（昭和31年法律第7号）第12条第1項に規定する指定都市高速道路をいう。）
111	阪神高速道路	（独立行政法人日本高速道路保有・債務返済機構法第12条第1項第4号に規定する阪神高速道路をいう。）
112	北九州都市高速道路・福岡都市高速道路	（福岡北九州高速道路公社が管理する道路整備特別措置法第12条第1項に規定する指定都市高速道路をいう。）
113	本州四国（神戸・鳴門）連絡道路	（一般国道28号のうち神戸市西区見津ヶ丘から鳴門市撫養町までの区間の道路をいう。）
114	本州四国（児島・坂出）連絡道路	（一般国道30号のうち岡山県都窪郡早島町大字早島から坂出市川津町までの区間の道路をいう。）
115	本州四国（尾道・今治）連絡道路	（一般国道317号のうち尾道市高須町字挽地山から今治市山路字木ノ谷までの区間の道路をいう。）

（流通業務の省力化に特に資するもの）

（２） **1**に掲げる物資の流通の効率化に関する法律第４条第２号に規定する流通業務の省力化に特に資するものの要件は、貨物の運送の用に供する自動車の運転者の荷待ち及び荷役の時間の短縮その他の**1**に掲げる流通業務の省力化に特に資するものとして国土交通大臣が定める基準に該当することとする。（措令29の3③）

 注１ （２）は、令和６年度改正により追加されたもので、改正規定は、令和６年４月１日から適用される。（令６改措附１）
 注２ 国土交通大臣は、（２）により基準を定めたときは、これを告示する。（措令29の3⑤）
 なお、（２）により定められた基準は、次のとおりである。

(令和６年国土交通省告示第299号)

	（２）に掲げる流通業務の省力化に特に資するものとして国土交通大臣が定める基準は、次のとおりとする。
（一）	当該年又は事業年度において生じたその特定流通業務施設（流通業務の総合化及び効率化の促進に関する法律（平成17年法律第85号）第２条第３号に規定する特定流通業務施設をいう。以下同じ。）に係る荷待ち時間（貨物自動車〔貨物の運送の用に供する自動車をいう。以下同じ。〕の運転者が貨物自動車の運転の業務に従事した時間のうち、流通業務施設〔同号に規定する流通業務施設をいう。以下同じ。〕又はその周辺の場所において、その流通業務施設の管理者の都合により貨物の受渡しのために待機した時間の合計をいう。）を当該荷待ち時間の算定の基礎となった貨物自動車の数で除して得た時間が、20分以下であること。
（二）	当該年又は事業年度において生じたその特定流通業務施設に係る荷役時間（流通業務施設において貨物自動車の運転者が荷役その他貨物自動車の運転以外の業務に従事した時間の合計をいう。）を当該荷役時間の算定の基礎となった貨物自動車の数で除して得た時間（以下「平均荷役時間」という。）が、当該特定流通業務施設に係る特定総合効率化計画（流通業務の総合化及び効率化の促進に関する法律第４条第１項に規定する総合効率化計画のうち同条第３項各号に掲げる事項が記載されたものをいう。以下同じ。）に記載された次に掲げる時間（ロに規定する場合に該当しない場合には、イに掲げる時間）をいずれも下回ること。
	イ 当該特定流通業務施設に係る平均荷役時間の目標
	ロ 当該特定総合効率化計画について流通業務の総合化及び効率化の促進に関する法律第４条第１項の認定を受けた同項に規定する総合効率化事業者が基準年（当該認定の申請の日を含む年の前年又は同日を含む事業年度の前事業年度をいう。）において他の流通業務施設を有する場合における当該基準年において生じた当該他の流通業務施設に係る平均荷役時間

第三章　第一節　第七款　二十《倉庫用建物等の割増償却》

（証明がされた事業年度）
（３）　１に掲げる証明がされた事業年度は、国土交通大臣又は１に掲げる倉庫用建物等の所在地を管轄する地方運輸局長（運輸監理部長を含む。２において同じ。）の当該倉庫用建物等が１の適用を受けようとする事業年度において（２）の要件を満たす特定流通業務施設に該当するものであることを証する書類を当該事業年度の確定申告書等に添付することにより証明がされた当該事業年度とする。（措規20の22②）
　　注　（３）は、令和６年度改正により追加されたもので、改正規定は、令和６年４月１日から適用される。（令６改措規附１）

（公共上屋の上に建設した倉庫業用倉庫）
（４）　法人が公共上屋の上に倉庫を建設した場合には、その建設した倉庫について１の括弧書（冷蔵倉庫又は貯蔵槽倉庫以外の倉庫で階数が２以上のものにあっては、耐火建築物に該当するものに限る。）に掲げる階数が２以上のものに該当するかどうかを判定することに留意する。（措通48－１・編者補正）
　　注　公共上屋の上に１階の倉庫を建設した場合には、階数が２以上の倉庫には該当しない。

（解散した法人から受け入れた減価償却資産の割増償却に係る残存適用期間の引継ぎ）
（５）　更生計画の定めるところにより設立された新法人（以下（５）において「新法人」という。）が更生計画の定めるところにより減価償却資産を受け入れた場合には、解散した法人においてその資産につき適用を受けていた１の割増償却については、たとえ適用期間が経過していないものであっても、当該新法人ではその適用がないことに留意する。（基通14－３－４参照）

（倉庫用建物等の割増償却の計算）
（６）　１の割増償却は、当該割増償却の対象となる建物等について認められているのであるから、建物等で割増償却の対象とならないものがあるときはもちろん、当該割増償却の対象となる建物等と種類及び耐用年数を同じくする他の建物等があっても、それぞれ各別に償却限度額を計算することに留意する。（措通42の５～48(共)－１・編者補正）

（適格合併等があった場合の特別償却等の適用）
（７）　１の割増償却は、減価償却資産を事業の用に供した場合に適用があるのであるから、適格合併等（適格合併、適格分割、適格現物出資又は適格現物分配をいう。）による移転に係る減価償却資産について１の適用があるかどうかは、当該減価償却資産を事業の用に供した日の現況において、１に掲げる適用要件（適用対象法人、適用期間、適用対象事業等に関する要件をいう。以下（７）において同じ。）を満たすかどうかにより判定することに留意する。（措通42の５～48(共)－３・編者補正）
　　注　例えば、中小企業者等（一の１《中小企業者等が特定機械装置等を取得した場合の初年度特別償却》に掲げる中小企業者等をいう。以下注において同じ。）に該当する被合併法人が減価償却資産を適格合併により中小企業者等に該当しない合併法人に移転する場合の一の１の適用については、次の(一)及び(二)のようになる。

(一)	被合併法人が当該減価償却資産を事業の用に供した場合は、他の適用要件を満たせば、被合併法人において一の１の適用を受けることができる。
(二)	被合併法人が当該減価償却資産を事業の用に供しないで合併法人が事業の用に供した場合は、被合併法人又は合併法人のいずれの法人においても、一の１の適用を受けることができない。

（割増償却の残存適用期間の引継ぎ）
（８）　青色申告書を提出する法人が、適格合併、適格分割、適格現物出資又は適格現物分配により、１の適用を受けている倉庫用建物等の移転を受け、これを当該法人の倉庫業の用に供した場合には、当該移転を受けた法人が１の供用日に当該倉庫用建物等を取得し、又は建設して、これを当該供用日に当該法人の倉庫業の用に供したものとみなして、１を適用する。この場合において、１に掲げるその用に供している期間は、当該移転の日から供用期間の末日までの期間内で当該法人自らがその用に供している期間とする。（措法48②）
　　注　──線部分は、平成28年度改正により改正された部分で、改正規定は、流通業務の総合化及び効率化の促進に関する法律の一部を改正する法律（平成28年法律第36号）の施行の日（平成28年10月１日）以後に取得又は建設をする倉庫用建物等について適用され、平成28年９月30日以前に取得又は建設をする倉庫用建物等の適用については、「倉庫業の用に供した場合」とあるのは「事業（当該適格合併等に係る被合併法人等が当該倉庫用建物等をその用に供していた事業と同一の事業に限る。）の用に供した場合」と、「倉庫業の用に供したもの」とあるのは「事業の用に供したもの」とする。（平28改法附92⑨、１ⅩⅤ、平成28年政令第295号）

2 割増償却の明細書の添付

1《倉庫用建物等の割増償却》の割増償却は、確定申告書等に当該倉庫用建物等の償却限度額の計算に関する明細書《別表十六》の添付がない場合には、適用しない。(措法48③、43②)

明細書には、「特別償却等の償却限度額の計算に関する付表」を添付する。(規別表十六)

(証明書の添付)

法人が、その取得し、又は建設した建物及び構築物につき1《倉庫用建物等の割増償却》の割増償却の適用を受ける場合には、当該建物及び構築物につき1の割増償却の適用を受ける最初の事業年度の確定申告書等に国土交通大臣又は当該建物及び構築物の所在地を管轄する地方運輸局長の当該所在地が1に掲げる物資流通拠点区域内であること並びに当該建物及び構築物が倉庫用建物等に該当するものであることを証する書類を添付しなければならない。(措法48④、措令29の3④、措規20の22③)

注1 ──線部分(「及び構築物」、「並びに」、「及び構築物が」に係る部分に限る。)は、租税特別措置法施行規則の一部を改正する省令(平成28年財務省令第71号)により改正された部分で、改正規定は、平成28年10月1日から適用され、平成28年9月30日以前の適用については、「及び構築物」とあるのは「若しくは構築物」と、「並びに」とあるのは「及び」と、「及び構築物が」とあるのは「又は構築物が」とする。(同省令附1)

注2 ──線部分(注1に係る部分を除く。)は、平成28年度改正により改正された部分で、改正規定は、流通業務の総合化及び効率化の促進に関する法律の一部を改正する法律(平成28年法律第36号)の施行の日(平成28年10月1日)から適用され、平成28年9月30日以前の適用については、「建物及び」とあるのは「建物又は」と、「確定申告書等」とあるのは「確定申告書」とする。(平28改措令附1Ⅵ、平成28年政令第295号)

二十一　事業再編計画の認定を受けた場合の事業再編促進機械等の割増償却（令和6年度改正により廃止）

　注　二十一《事業再編計画の認定を受けた場合の事業再編促進機械等の割増償却》は、令和6年度改正により廃止されているが、取得又は製作若しくは建設（以下「取得等」という。）をした令和6年度改正前の租税特別措置法第46条第1項に規定する事業再編促進機械等で令和6年3月31日以前に受けた農業競争力強化支援法第18条第1項の認定に係る同法第19条第2項に規定する認定事業再編計画に記載されたもの（令和6年4月1日以後に取得等をする令和6年度改正前の租税特別措置法第46条第1項に規定する事業再編促進機械等にあっては、令和6年4月1日の前日において記載されているものに限る。）については、なお令和6年度改正前の租税特別措置法第46条の適用がある。（令6改法附48②、1、令6改措令附1、令6改措規附1）

1　事業再編促進機械等の割増償却

　青色申告書を提出する法人で農業競争力強化支援法第19条第1項《事業再編計画の変更等》に規定する認定事業再編事業者（同法の施行の日〔平成29年8月1日〕から令和7年3月31日までの間に同法第18条第1項《事業再編計画の認定》の認定を受けた法人又は当該認定に係る事業再編計画〔同項に規定する事業再編計画をいう。以下1において同じ。〕に従って設立された法人に限る。）であるものが、当該認定に係る事業再編計画（同法第19条第1項の規定による変更の認定があったときはその変更後のものとし、その事業再編計画に係る同法第2条第5項《定義》に規定する事業再編が同項第1号の措置のうち良質かつ低廉な農業資材の供給又は同条第2項に規定する農産物流通等の合理化に特に資するものとして、同条第5項第1号の合併、分割及び農業生産関連事業の譲渡又は譲受け並びに農業競争力強化支援法施行規則第1条第1項《法第2条第5項第1号の主務省令で定める措置》第1号から第10号までに掲げる措置を行うものである場合における当該事業再編計画に限る。以下1において「**認定事業再編計画**」という。）に係る同法第18条第3項第2号の実施期間内において、当該認定事業再編計画に記載された同条第5項に規定する事業再編促進設備等を構成する機械及び装置、建物及びその附属設備並びに構築物（以下二十一において「**事業再編促進機械等**」という。）でその製作若しくは建設の後事業の用に供されたことのないものを取得し、又は事業再編促進機械等を製作し、若しくは建設して、これを当該法人の事業再編促進対象事業（同法第2条第7項《定義》に規定する事業再編促進対象事業をいう。(4)において同じ。）の用に供した場合（所有権移転外リース取引〔第六款の四の1の②の(2)の表の(五)《所有権移転外リース取引》に掲げるものをいう。〕により取得した当該事業再編促進機械等をその用に供した場合を除く。）には、その用に供した日（以下二十一において「**供用日**」という。）以後5年以内の日を含む各事業年度の当該事業再編促進機械等の償却限度額は、供用日以後5年以内（当該認定事業再編計画について同法第19条第2項又は第3項の規定による認定の取消しがあった場合には、供用日からその認定の取消しがあった日までの期間。(4)において「**供用期間**」という。）でその用に供している期間に限り、第六款の三の1《償却費の損金算入》又は同三の2《適格分割等により移転する減価償却資産に係る期中損金経理額の損金算入》（二十三《特別償却不足額がある場合の償却限度額の計算の特例》の適用を受ける場合には、同二十三の規定を含む。）にかかわらず、当該事業再編促進機械等の普通償却限度額（第六款の三の1に掲げる償却限度額又は同三の2に掲げる償却限度額に相当する金額〔二十三の1の(2)《特別償却不足額の意義》に掲げる特別償却不足額〈以下1において「特別償却不足額」という。〉又は二十三の2の(1)《合併等特別償却不足額の意義》に掲げる合併等特別償却不足額〈以下1において「合併等特別償却不足額」という。〉がある場合には、二十三の1《特別償却不足額がある場合の償却限度額の計算》の表の①から③まで又は二十三の2《合併等特別償却不足額がある場合の償却限度額の計算》の表の①から③までにそれぞれ掲げる普通償却限度額に相当する金額〕をいう。）と特別償却限度額（当該普通償却限度額の$\frac{35}{100}$〔建物及びその附属設備並びに構築物については、$\frac{40}{100}$に相当する金額をいう。〕との合計額（特別償却不足額又は合併等特別償却不足額がある場合には、これを加算した金額）とする。（旧措法46①、旧措規20の19①）

$$\text{事業再編促進機械等の償却限度額} = \text{事業再編促進機械等の普通償却限度額} + \overbrace{\text{事業再編促進機械等の普通償却限度額} \times \frac{35}{100}\text{又は}\frac{40}{100}}^{\text{特別償却限度額}} + \text{事業再編促進機械等の特別償却不足額又は合併等特別償却不足額}$$

　（特別償却の対象となる建物の附属設備の範囲）
(1)　1に掲げる建物の附属設備は、当該建物とともに取得又は建設をする場合における建物附属設備に限られることに留意する。（旧措通46-1）

　（事業再編促進機械等の割増償却の計算）
(2)　1の割増償却は、当該割増償却の対象となる建物等について認められているのであるから、建物等で割増償却の対象とならないものがあるときはもちろん、当該割増償却の対象となる建物等と種類及び耐用年数を同じくする他の建物等があっても、それぞれ各別に償却限度額を計算することに留意する。（旧措通42の5～48（共）-1・編者補正）

(適格合併等があった場合の特別償却等の適用)
(3) 1の割増償却は、減価償却資産を事業の用に供した場合に適用があるのであるから、適格合併等（適格合併、適格分割、適格現物出資又は適格現物分配をいう。）による移転に係る減価償却資産について1の適用があるかどうかは、当該減価償却資産を事業の用に供した日の現況において、1に掲げる適用要件（適用対象法人、適用期間、適用対象事業等に関する要件をいう。以下(3)において同じ。）を満たすかどうかにより判定することに留意する。（旧措通42の5～48(共)－3・編者補正）

注　例えば、中小企業者等（一の1《中小企業者等が特定機械装置等を取得した場合の初年度特別償却》に掲げる中小企業者等をいう。以下注において同じ。）に該当する被合併法人が減価償却資産を適格合併により中小企業者等に該当しない合併法人に移転する場合の一の1の適用については、次の(一)及び(二)のようになる。

(一)	被合併法人が当該減価償却資産を事業の用に供した場合は、他の適用要件を満たせば、被合併法人において一の1の適用を受けることができる。
(二)	被合併法人が当該減価償却資産を事業の用に供しないで合併法人が事業の用に供した場合は、被合併法人又は合併法人のいずれの法人においても、一の1の適用を受けることができない。

(割増償却の残存適用期間の引継ぎ)
(4) 青色申告書を提出する法人が、適格合併、適格分割、適格現物出資又は適格現物分配により1の適用を受けている事業再編促進機械等の移転を受け、これを当該法人の事業再編促進対象事業の用に供した場合には、当該移転を受けた法人が供用日に当該事業再編促進機械等を取得し、又は製作し、若しくは建設して、これを当該供用日に当該法人の事業再編促進対象事業の用に供したものとみなして、1を適用する。この場合において、1に掲げるその用に供している期間は、当該移転の日から供用期間の末日までの期間内で当該法人自らがその用に供している期間とする。（旧措法46②）

(解散した法人から受け入れた減価償却資産の割増償却に係る残存適用時期の引継ぎ)
(5) 更生計画の定めるところにより設立された新法人（以下(5)において「新法人」という。）が更生計画の定めるところにより減価償却資産を受け入れた場合には、解散した法人においてその資産につき適用を受けていた1の割増償却については、たとえ適用期間が経過していないものであっても、新法人ではその適用がないことに留意する。（旧基通14－3－4参照）

2　割増償却の明細

1《事業再編促進機械等の割増償却》の割増償却は、確定申告書等に事業再編促進機械等の償却限度額の計算に関する明細書《別表十六》の添付がない場合には、適用しない。（旧措法46③、43②）

明細書には、「特別償却等の償却限度額の計算に関する付表」を添付する。（規別表十六）

(事業再編促進機械等に係る証明書等の添付)
法人が、その取得し、又は製作し、若しくは建設した機械及び装置、建物及びその附属設備並びに構築物（以下「**機械等**」という。）につき、1の割増償却の適用を受ける場合には、当該機械等につきその規定の適用を受ける最初の事業年度の確定申告書等に次の表で掲げる書類を添付しなければならない。（旧措法46④、旧措令29の3、旧措規20の19②）

(一)	機械等が記載された農業競争力強化支援法第18条第1項の認定に係る1に掲げる事業再編計画（農業競争力強化支援法第19条第1項の規定による変更の認定があったときは、その変更後のもの）のその認定に係る農業競争力強化支援法施行規則第4条第1項《事業再編計画の認定の申請》の申請書（当該事業再編計画が当該変更後のものである場合には、同令第7条第1項《認定事業再編計画の変更に係る認定の申請及び認定》の申請書を含む。）の写し
(二)	当該事業再編計画に係る農業競争力強化支援法施行規則第6条第1項《事業再編計画の認定》の認定書（当該事業再編計画が当該変更後のものである場合には、同令第7条第4項の認定書を含む。）の写し

二十二　港湾隣接地域における技術基準適合施設の特別償却（令和5年度改正により廃止）

　二十二は、令和5年度改正により廃止されているが、令和5年4月1日以後に終了する各事業年度の所得の金額の計算については、なお令和5年度改正前の租税特別措置法第43条の2の適用がある。この場合**1**の適用については「3年を経過する日」とあるのは、「3年を経過する日（災害その他やむを得ない事情により同日までにその特定技術基準対象施設の部分について行う改良のための工事を完了することが困難となった特定技術基準対象施設として財務省令で定めるものについては、当該報告を行った日以後5年を経過する日）」とする。（令5改法附42②、**1**、令5改措令附8③）

　なお、上記に掲げる省令は、令和6年7月1日現在制定されていない。（編者）

1　特定技術基準対象施設の初年度特別償却

　青色申告書を提出する法人で、港湾法第37条第1項《港湾区域内の工事等の許可》に規定する港湾隣接地域内において有する同法第56条の2の21第1項《特定技術基準対象施設を管理する者に対する勧告等》に規定する**特定技術基準対象施設**（非常災害により損壊した場合において船舶の交通に著しい支障を及ぼすおそれのある護岸、岸壁及び桟橋に限る。以下**1**において同じ。）につき平成30年4月1日から令和2年3月31日までの間に同法第56条の5第3項《報告の徴収等》の規定による同法第2条第1項《定義》に規定する港湾管理者からの求めに対し同法第56条の5第3項の規定による報告（同法第56条の2の2第1項《港湾の施設に関する技術上の基準等》に規定する技術基準のうち地震に対する安全性に係るものに適合するかどうかの点検の結果についての報告に限る。）を行ったもの（当該特定技術基準対象施設につき同法第56条の2の21第1項の規定による勧告を受けたものを除く。）が、当該報告を行った日から同日以後3年を経過する日までの間に、当該特定技術基準対象施設の部分について行う改良のための工事の施行に伴って取得し、若しくは建設する当該特定技術基準対象施設（同法第56条の2の2第1項に規定する技術基準に適合するものとして（1）《技術基準に適合する証明》に掲げるところにより証明がされたものに限る。）の部分（以下①において「**技術基準適合施設**」という。）のうちその建設の後事業の用に供されたことのないものを取得し、又は技術基準適合施設を建設して、これを当該法人の事業の用に供した場合には、その用に供した日を含む事業年度の当該技術基準適合施設の償却限度額は、第六款の**三**の**1**《償却費等の損金算入》又は同**三**の**2**《適格分割等により移転する減価償却資産に係る期中損金経理額の損金算入》にかかわらず、当該技術基準適合施設の普通償却限度額と**特別償却限度額**（当該技術基準適合施設の取得価額の$\frac{18}{100}$〔港湾法第37条第1項に規定する港湾隣接地域のうち同法第55条の3の5第1項《緊急確保航路内の禁止行為等》に規定する緊急確保航路に隣接する同法第2条第3項に規定する港湾区域に隣接する地域内において取得又は建設をした当該技術基準適合施設については、$\frac{22}{100}$〕に相当する金額をいう。）との合計額とする。（旧措法43の2①、旧措令28の2）

$$\begin{array}{l}\text{技術基準適合施設の}\\\text{償却限度額}\end{array} = \begin{array}{l}\text{技術基準適合施設の}\\\text{普通償却限度額}\end{array} + \overbrace{\begin{array}{l}\text{技術基準適合施}\\\text{設の取得価額}\end{array} \times \frac{18}{100} \text{（又は} \frac{22}{100}\text{）}}^{\text{特別償却限度額}}$$

（技術基準に適合する証明）

（1）　**1**に掲げる技術基準に適合するものとして証明がされたものは、港湾法第2条第1項《定義》に規定する港湾管理者の当該特定技術基準対象施設がその部分について行う改良のための工事により同法第56条の2の2第1項《港湾の施設に関する技術上の基準等》に規定する技術基準に適合することとなるものである旨を証する書類により証明がされた当該特定技術基準対象施設とする。（旧措規20の11）

（特定技術基準対象施設の特別償却の計算）

（2）　**1**の特別償却は、当該特別償却の対象となる機械設備等について認められているのであるから、機械設備等で特別償却の対象とならないものがあるときはもちろん、当該特別償却の対象となる機械設備等と種類及び耐用年数を同じくする他の機械設備等があっても、それぞれ各別に償却限度額を計算することに留意する。（旧措通42の5～48（共）－1・編者補正）

（適格合併等があった場合の特別償却等の適用）

（3）　**1**の特別償却は、減価償却資産を事業の用に供した場合に適用があるのであるから、適格合併等（適格合併、適格分割、適格現物出資又は適格現物分配をいう。）による移転に係る減価償却資産について**1**の適用があるかどうかは、当該減価償却資産を事業の用に供した日の現況において、**1**に掲げる適用要件（適用対象法人、適用期間、適用対象事業等に関する要件をいう。以下（3）において同じ。）を満たすかどうかにより判定することに留意する。（旧措通42の5～48（共）－3・編者補正）

第三章　第一節　第七款　二十二《港湾隣接地域における技術基準適合施設の特別償却》

注　例えば、中小企業者等（一の1《中小企業者等が特定機械装置等を取得した場合の初年度特別償却》に掲げる中小企業者等をいう。以下注において同じ。）に該当する被合併法人が減価償却資産を適格合併により中小企業者等に該当しない合併法人に移転する場合の一の1の適用については、次の(一)及び(二)のようになる。

(一)	被合併法人が当該減価償却資産を事業の用に供した場合は、他の適用要件を満たせば、被合併法人において一の1の適用を受けることができる。
(二)	被合併法人が当該減価償却資産を事業の用に供しないで合併法人が事業の用に供した場合は、被合併法人又は合併法人のいずれの法人においても、一の1の適用を受けることができない。

2　特別償却の明細書の添付

　1《特定技術基準対象施設の初年度特別償却》の特別償却は、確定申告書等に港湾隣接地域における技術基準適合施設の償却限度額の計算に関する明細書の添付がない場合には、適用しない。（旧措法43の2②、43②）

　明細書には、「特別償却等の償却限度額の計算に関する付表」を添付する。（規別表十六）

—585—

二十三　特別償却不足額がある場合の償却限度額の計算の特例

1　特別償却不足額がある場合の償却限度額の計算

　法人の有する減価償却資産又は繰延資産で、一から二十又は(1)《減価償却資産に関する特例を定めている規定》に掲げる規定((2)において「**特別償却に関する規定**」という。)の適用を受けたものにつき当該事業年度において**特別償却不足額**がある場合には、当該資産に係る当該事業年度の償却限度額は、第六款の三の1《償却費等の損金算入》若しくは同三の2《適格分割等により移転する減価償却資産に係る期中損金経理額の損金算入》又は第八款の三の1《償却費等の損金算入》若しくは同三の2《適格分割等により引き継ぐ繰延資産に係る期中損金経理額の損金算入》に掲げる普通償却限度額の計算の規定にかかわらず、当該資産の普通償却限度額(次の表の左欄に掲げる資産の区分に応じそれぞれ同表の右欄に掲げる金額をいう。)に当該資産に係る特別償却不足額を加算した金額とする。(措法52の2①、措令30②)

①	旧定率法又は定率法を採用している減価償却資産	当該資産に係る特別償却不足額が既に償却されたものとみなして当該資産につき旧定率法又は定率法により計算した場合の当該事業年度の普通償却限度額(第六款の三の1又は同三の2に掲げる償却限度額に相当する金額をいう。以下1において同じ。)に相当する金額 　　普通償却限度額に相当する金額＝(帳簿価額－特別償却不足額)×償却率
②	旧定率法又は定率法に基づく取替法を採用している減価償却資産	当該資産に係る旧定率法又は定率法による償却額についての特別償却不足額が既に償却されたものとみなして当該資産につき当該取替法により計算した場合の当該事業年度の普通償却限度額に相当する金額 　　普通償却限度額に相当する金額＝(帳簿価額－特別償却不足額)×償却率＋取替費
③	①及び②に掲げる方法以外の償却方法を採用している減価償却資産	当該資産につき当該償却方法により計算した当該事業年度の普通償却限度額に相当する金額
④	繰延資産	当該資産につき第八款の四《繰延資産の償却限度額》により計算した当該事業年度の繰延資産普通償却限度額(第八款の三の1に掲げる償却限度額又は同三の2に掲げる償却限度額に相当する金額をいう。)に相当する金額

　注　1の表において、次の表の左欄に掲げる用語の意義は、それぞれ同表の右欄に掲げるところによる。(措令30②)

(一)	旧定率法	第六款の四の1の①の(1)《旧定額法、旧定率法、旧生産高比例法及び旧国外リース期間定額法の意義》の表の(二)に掲げる旧定率法をいう。
(二)	定率法	第六款の四の1の②の(1)《定額法、定率法、生産高比例法及びリース期間定額法の意義》の表の(二)に掲げる定率法をいう。
(三)	取替法	第六款の四の3《取替資産に係る償却の方法の特例》に掲げる取替法をいう。

(減価償却資産に関する特例を定めている規定)
(1)　1《特別償却不足額がある場合の償却限度額の計算》に掲げる減価償却資産に関する特例を定めている規定は、次の(一)から(四)までに掲げる規定とする。(措令30①)

(一)	所得税法等の一部を改正する法律(平成31年法律第6号)附則第52条第5項の規定によりなおその効力を有するものとされる同法第11条の規定による改正前の租税特別措置法第47条の2《特定都市再生建築物等の割増償却》の規定
(二)	所得税法等の一部を改正する法律(令和2年法律第8号)附則第86条第4項の規定によりなおその効力を有するものとされる同法第15条の規定による改正前の租税特別措置法第47条《企業主導型保育施設用資産の割増償却》の規定
(三)	所得税法等の一部を改正する法律(令和3年法律第11号)附則第50条第8項の規定によりなおその効力を有するものとされる同法第7条の規定による改正前の租税特別措置法第45条第2項の規定
(四)	所得税法等の一部を改正する法律(令和5年法律第3号)附則第42条第2項の規定によりなおその効力を有するものとされる同法第10条の規定による改正前の租税特別措置法第43条の2《港湾隣接地域における技術基準適合施設の特別償却》の規定

第三章　第一節　第七款　二十三《特別償却不足額がある場合の償却限度額計算の特例》

注1　──線部分は、令和6年度改正により改正された部分で、改正規定は、令和6年4月1日から適用され、令和6年3月31日以前の適用については、「附則第50条第8項」とあるのは「附則第50条第5項又は第8項」と、「第45条第2項」とあるのは「第45条第1項又は第2項」とする。（令6改措令附1）

注2　令和6年度改正により、上表から次のものが除かれているが、令和6年3月31日以前の適用については、なおその適用がある。（令6改措令附1）

旧(一)	所得税法等の一部を改正する法律（平成28年法律第15号）附則第92条第10項の規定によりなおその効力を有するものとされる同法第10条の規定による改正前の租税特別措置法第48条《倉庫用建物等の割増償却》の規定
旧(二)	所得税法等の一部を改正する等の法律（平成29年法律第4号）附則第67条第7項又は第9項の規定によりなおその効力を有するものとされる同法第12条の規定による改正前の租税特別措置法第47条《サービス付き高齢者向け賃貸住宅の割増償却》又は第47条の2《特定都市再生建築物等の割増償却》の規定

（特別償却不足額の意義）

（2）　1に掲げる特別償却不足額とは、当該事業年度開始の日前1年以内に開始した各事業年度（当該事業年度まで連続して青色申告書の提出をしている場合の各事業年度に限る。）において生じた特別償却に関する規定に規定する減価償却資産又は繰延資産（以下1において「**特別償却対象資産**」という。）の**特別償却限度額**に係る不足額（当該法人の当該各事業年度における当該特別償却対象資産の償却費として損金の額に算入された金額が当該特別償却対象資産の特別償却に関する規定により計算される償却限度額〔次の表の(一)から(四)までに掲げる割増償却の適用を受ける場合には、当該割増償却に関する規定に規定する普通償却限度額と特別償却限度額との合計額〕に満たない場合のその差額のうち、当該特別償却限度額に達するまでの金額をいう。（3）において同じ。）のうち、当該事業年度前の当該各事業年度の所得の金額の計算上損金の額に算入された金額以外の金額をいう。この場合において、特別償却対象資産が**十**《被災代替資産等の特別償却》の適用を受けた減価償却資産であるときは、青色申告書以外の第二章第一節の**二**の表の**31**《確定申告書》に掲げる確定申告書は、青色申告書とみなす。（措法52の2②、措令30③）

	次のイからニまでに掲げる規定	
(一)	イ	**十六の3**《産業振興機械等の割増償却》
	ロ	**十八**《輸出事業用資産の割増償却》
	ハ	**十九**《特定都市再生建築物の割増償却》
	ニ	**二十**《倉庫用建物等の割増償却》
(二)	所得税法等の一部を改正する法律（平成31年法律第6号）附則第52条第5項の規定によりなおその効力を有するものとされる平成31年改正法第11条の規定による改正前の租税特別措置法第47条の2《特定都市再生建築物等の割増償却》の規定	
(三)	所得税法等の一部を改正する法律（令和2年法律第8号）附則第86条第4項の規定によりなおその効力を有するものとされる令和2年改正法第15条の規定による改正前の租税特別措置法第47条《企業主導型保育施設用資産の割増償却》の規定	
(四)	所得税法等の一部を改正する法律（令和3年法律第11号）附則第50条第8項の規定によりなおその効力を有するものとされる令和3年改正法第7条の規定による改正前の租税特別措置法第45条第2項《産業振興機械等の割増償却》の規定	

注1　令和6年度改正により、上表の(一)から次のものが除かれているが、令和6年3月31日以前の適用については、なおその適用がある。（令6改措令附1）

二十一《事業再編計画の認定を受けた場合の事業再編促進機械等の割増償却》

注2　令和6年度改正により、上表から次のものが除かれているが、令和6年3月31日以前の適用については、なおその適用がある。（令6改措令附1）

旧(二)	所得税法等の一部を改正する法律（平成28年法律第15号）附則第92条第10項の規定によりなおその効力を有するものとされる同法第10条の規定による改正前の租税特別措置法第48条《倉庫用建物等の割増償却》の規定
旧(三)	所得税法等の一部を改正する法律（平成29年法律第4号）附則第67条第7項又は第9項の規定によりなおその効力を有するものとされる同法第12条の規定による改正前の租税特別措置法第47条《サービス付き高齢者向け賃貸住宅の割増償却》又は第47条の2《特定都市再生建築物等の割増償却》の規定

注3　特別償却不足額とは、当該事業年度の償却限度額に加算することができる繰越特別償却不足額のことである。（編者）

第三章　第一節　第七款　二十三《特別償却不足額がある場合の償却限度額計算の特例》

注4　（2）の本文の特別償却限度額に係る不足額の〔　〕書により、特別償却不足額がある（2）の表に掲げる割増償却制度の適用資産に係る償却費として損金の額に算入された金額の充当の順位は、普通償却限度額、当期発生特別償却限度額、繰越特別不足額の順となる。
（編者）

（圧縮記帳規定の適用を受けた場合の特別償却不足額）

（3）　1の場合において、（2）に掲げる特別償却対象資産につき当該事業年度以前の各事業年度において圧縮記帳規定（第十五款の一の1《国庫補助金等で取得した固定資産の圧縮額の損金算入》、同一の7の①《特別勘定を設けた場合の国庫補助金等で取得した固定資産の圧縮額の損金算入》、同款の二の1《工事負担金で取得した固定資産の圧縮額の損金算入》、同款の三の1《非出資組合が賦課金で取得した固定資産の圧縮額の損金算入》又は同款の四の1《保険金等で取得した固定資産の圧縮額の損金算入》に掲げるものをいう。以下（3）において同じ。）の適用を受けたときは、当該事業年度の当該特別償却対象資産に係る特別償却不足額（当該特別償却不足額の基因となる（2）に掲げる特別償却限度額に係る不足額が生じた事業年度が当該圧縮記帳規定の適用を受けた事業年度前の事業年度である場合における当該特別償却不足額に限る。）は、当該特別償却不足額から当該特別償却不足額に係る（2）の特別償却限度額に次の（一）に掲げる金額のうちに次の（二）に掲げる金額の占める割合を乗じて計算した金額を控除した金額とする。(措令30④)

（一）	当該特別償却対象資産に係る第十五款の一の1《国庫補助金等で取得した固定資産の圧縮額の損金算入》の（2）の（一）、同1の7の①《特別勘定を設けた場合の国庫補助金等で取得した固定資産の圧縮額の損金算入》のイ、第十五款の二の1の（1）《工事負担金の交付前に取得した固定資産の圧縮限度額》の（一）、同款の三の1の（1）《賦課金の納付前に取得した固定資産等の圧縮限度額》の（一）又は同款の四の3の①《代替資産の圧縮限度額》のハに掲げる金額
（二）	当該特別償却対象資産につき第六款の六の3《圧縮記帳資産の取得価額の特例》により同款の六の1《減価償却資産の取得価額》の表の各欄に掲げる金額から控除した金額

（償却明細書の添付）

（4）　1は、特別償却対象資産の特別償却限度額に係る不足額が生じた事業年度から当該事業年度の直前の事業年度までの各事業年度の確定申告書及び1の適用を受けようとする事業年度の確定申告書等に当該減価償却資産又は繰延資産の償却限度額の計算に関する明細書《別表十六》の添付がない場合には、適用しない。(措法52の2③)

2　合併等特別償却不足額がある場合の償却限度額の計算

法人が適格合併、適格分割、適格現物出資又は適格現物分配（（1）において「**適格合併等**」という。）により特別償却対象資産（1の（2）《特別償却不足額の意義》に掲げる特別償却対象資産をいう。以下2において同じ。）の移転を受けた場合において、当該特別償却対象資産につき当該移転を受けた日を含む事業年度において**合併等特別償却不足額**があるときは、当該特別償却対象資産に係る当該事業年度の償却限度額は、第六款の三の1《償却費等の損金算入》若しくは同三の2《適格分割等により移転する減価償却資産に係る期中損金経理額の損金算入》又は第八款の三の1《償却費等の損金算入》若しくは同三の2《適格分割等により引き継ぐ繰延資産に係る期中損金経理額の損金算入》にかかわらず、当該特別償却対象資産の普通償却限度額（次の表の左欄に掲げる資産の区分に応じそれぞれ同表の右欄に掲げる金額をいう。）に当該特別償却対象資産に係る合併等特別償却不足額を加算した金額とする。(措法52の2④、措令30②)

①	旧定率法又は定率法を採用している減価償却資産	当該資産に係る合併等特別償却不足額が既に償却されたものとみなして当該資産につき旧定率法又は定率法により計算した場合の当該事業年度の普通償却限度額（1《特別償却不足額がある場合の償却限度額の計算》に掲げる普通償却限度額をいう。以下2において同じ。）に相当する金額
②	旧定率法又は定率法に基づく取替法を採用している減価償却資産	当該資産に係る旧定率法又は定率法による償却額についての合併等特別償却不足額が既に償却されたものとみなして当該資産につき当該取替法により計算した場合の当該事業年度の普通償却限度額に相当する金額
③	①及び②に掲げる方法以外の償却方法を採用している減価償却資産	当該資産につき当該償却方法により計算した当該事業年度の普通償却限度額に相当する金額
④	繰延資産	当該資産につき第八款の四《繰延資産の償却限度額》により計算した当該事業年度の繰

第三章　第一節　第七款　二十三《特別償却不足額がある場合の償却限度額計算の特例》

	延資産普通償却限度額（同款の三の**1**に掲げる償却限度額又は同三の**2**に掲げる償却限度額に相当する金額をいう。）に相当する金額

注　**2**の表に掲げる旧定率法、定率法及び取替法の意義は、**1**の注１の表に掲げるところによる。（措令30②）

（合併等特別償却不足額の意義）

(1)　**2**《合併等特別償却不足額がある場合の償却限度額の計算》に掲げる**合併等特別償却不足額**とは、適格合併等に係る被合併法人、分割法人、現物出資法人又は現物分配法人の当該適格合併等の日（適格合併にあっては当該適格合併の日の前日とし、残余財産の全部の分配に該当する適格現物分配にあっては当該適格現物分配に係る残余財産の確定の日とする。）を含む事業年度における特別償却対象資産の償却費として損金の額に算入された金額（当該特別償却対象資産が適格分割、適格現物出資又は適格現物分配〔適格現物分配にあっては、残余財産の全部の分配を除く。〕により移転を受けたものである場合には、第六款の三の**2**《適格分割等により移転する減価償却資産に係る期中損金経理額の損金算入》又は第八款の三の**2**《適格分割等により引き継ぐ繰延資産に係る期中損金経理額の損金算入》に掲げる期中損金経理額のうち損金の額に算入された金額とする。）が当該特別償却対象資産の**1**《特別償却不足額がある場合の償却限度額の計算》に掲げる特別償却に関する規定により計算される償却限度額（次の表の（一）から（四）までに掲げる割増償却の適用を受ける場合には、当該割増償却に関する規定に規定する普通償却限度額と特別償却限度額との合計額）に満たない場合のその差額のうち、当該特別償却対象資産の特別償却に関する規定に規定する特別償却限度額に達するまでの金額をいう。（措法52の２⑤、措令30③）

	次のイからニまでに掲げる規定	
（一）	イ	**十六の３**《産業振興機械等の割増償却》
	ロ	**十八**《輸出事業用資産の割増償却》
	ハ	**十九**《特定都市再生建築物の割増償却》
	ニ	**二十**《倉庫用建物等の割増償却》
（二）	所得税法等の一部を改正する法律（平成31年法律第６号）附則第52条第５項の規定によりなおその効力を有するものとされる平成31年改正法第11条の規定による改正前の租税特別措置法第47条の２《特定都市再生建築物等の割増償却》の規定	
（三）	所得税法等の一部を改正する法律（令和２年法律第８号）附則第86条第４項の規定によりなおその効力を有するものとされる令和２年改正法第15条の規定による改正前の租税特別措置法第47条《企業主導型保育施設用資産の割増償却》の規定	
（四）	所得税法等の一部を改正する法律（令和３年法律第11号）附則第50条第８項の規定によりなおその効力を有するものとされる令和３年改正法第７条の規定による改正前の租税特別措置法第45条第２項《産業振興機械等の割増償却》の規定	

注１　令和６年度改正により、上表の（一）から次のものが除かれているが、令和６年３月31日以前の適用については、なおその適用がある。（令６改措令附１）

	二十一《事業再編計画の認定を受けた場合の事業再編促進機械等の割増償却》

注２　令和６年度改正により、上表から次のものが除かれているが、令和６年３月31日以前の適用については、なおその適用がある。（令６改措令附１）

旧（二）	所得税法等の一部を改正する法律（平成28年法律第15号）附則第92条第10項の規定によりなおその効力を有するものとされる同法第10条の規定による改正前の租税特別措置法第48条《倉庫用建物等の割増償却》の規定
旧（三）	所得税法等の一部を改正する法律（平成29年法律第４号）附則第67条第７項又は第９項の規定によりなおその効力を有するものとされる同法第12条の規定による改正前の租税特別措置法第47条《サービス付き高齢者向け賃貸住宅の割増償却》又は第47条の２《特定都市再生建築物等の割増償却》の規定

（圧縮記帳規定の適用を受けた場合の合併等特別償却不足額）

(2)　**2**の場合において、(1)に掲げる特別償却対象資産につき当該事業年度以前の各事業年度において圧縮記帳規定（第十五款の**一**の**３**の①《適格分割等を行った場合の分割法人等における固定資産の圧縮額の損金算入《期中圧縮記帳》》、同**一**の**７**の②《特別勘定を設けた場合の適格分割等に係る国庫補助金等で取得した固定資産の圧縮額の損金算

-589-

入《期中圧縮記帳》》、同款の二の3の①《適格分割等を行った場合の分割法人等における固定資産の圧縮額の損金算入《期中圧縮記帳》》、同款の四の5の①《適格分割等を行った場合の分割法人等における固定資産の圧縮額の損金算入《期中圧縮記帳》》に掲げるものをいう。以下(2)において同じ。)の適用を受けたときは、当該事業年度の当該特別償却対象資産に係る合併等特別償却不足額は、当該合併等特別償却不足額から当該合併等特別償却不足額に係る(1)の特別償却限度額に次の(一)に掲げる金額のうちに次の(二)に掲げる金額の占める割合を乗じて計算した金額を控除した金額とする。(措令30④)

(一)	当該特別償却対象資産に係る第十五款の**一**の**1**《国庫補助金等で取得した固定資産の圧縮額の損金算入》の(2)の(一)、同**1**の**7**の①《特別勘定を設けた場合の国庫補助金等で取得した固定資産の圧縮額の損金算入》のイ、第十五款の**二**の**1**の(1)《工事負担金の交付前に取得した固定資産の圧縮限度額》の(一)、同款の**三**の**1**の(1)《賦課金の納付前に取得した固定資産等の圧縮限度額》の(一)又は同款の**四**の**3**の①《代替資産の圧縮限度額》の**ハ**に掲げる金額
(二)	当該特別償却対象資産につき第六款の**六**の**3**《圧縮記帳資産の取得価額の特例》により同款の**六**の**1**《減価償却資産の取得価額》の表の各欄に掲げる金額から控除した金額

(適格合併等があった場合の特別償却等の適用)
(3) 特別償却に関する規定は、減価償却資産を事業の用に供した場合に適用があるのであるから、適格合併等(適格合併、適格分割、適格現物出資又は適格現物分配をいう。)による移転に係る減価償却資産についてこれらの規定の適用があるかどうかは、当該減価償却資産を事業の用に供した日の現況において、これらの規定に規定する適用要件(適用対象法人、適用期間、適用対象事業等に関する要件をいう。以下(3)において同じ。)を満たすかどうかにより判定することに留意する。(措通42の5～48(共)－3・編者補正)

注　合併法人等(合併法人、分割承継法人、被現物出資法人又は被合併後設立法人をいう。以下注において同じ。)が適格合併等により移転を受けた減価償却資産につき当該移転を受けた日を含む事業年度において合併等特別償却不足額((1)《合併等特別償却不足額の意義》に掲げる合併等特別償却不足額をいう。)がある場合には、当該合併法人等については、**1**に掲げる特別償却に関する規定に掲げる適用要件を満たすかどうかにかかわらず、**2**の適用を受けることができることに留意する。

(償却明細書の添付)
(4) 合併等償却不足額がある場合の償却限度額の計算は、**2**の適用を受けようとする事業年度の確定申告書等に特別償却対象資産の償却限度額及び合併等特別償却不足額の計算に関する明細書《別表十六》の添付がない場合には、適用しない。(措法52の2⑥)

二十四　準備金方式による特別償却

1　特別償却準備金方式による特別償却

①　特別償却準備金積立額の損金算入

　法人で二十三の1《特別償却不足額がある場合の償却限度額の計算》に掲げる特別償却に関する規定（以下①及び⑤において「**特別償却に関する規定**」という。）の適用を受けることができるものが、その適用を受けようとする事業年度において、特別償却に関する規定の適用を受けることに代えて、各特別償却対象資産別に各特別償却に関する規定に規定する特別償却限度額以下の金額を損金経理の方法により**特別償却準備金**として積み立てたとき（当該事業年度の決算の確定の日までに剰余金の処分により積立金として積み立てる方法により特別償却準備金として積み立てたときを含む。）は、その積み立てた金額は、当該事業年度の所得の金額の計算上、損金の額に算入する。（措法52の3①）

> 注　税効果会計を適用する場合には、剰余金の処分による特別償却準備金の積立額は、税効果相当額を控除した純額になるが、この場合でも確定申告書等に税務上の特別償却準備金積立額を明らかにするための明細書を添付しているときは、税務上は、剰余金の処分による積立額とこれに対応する税効果相当額との合計額を特別償却準備金として積み立てたものとして取り扱われる。（編者）

　　　　　（特別償却準備金積立額の損金算入の申告）
（1）　①《特別償却準備金積立額の損金算入》は、①の適用を受けようとする事業年度の確定申告書等に特別償却準備金として積み立てた金額の損金算入に関する申告の記載があり、かつ、当該確定申告書等にその積み立てた金額の計算に関する明細書《別表十六(九)》の添付がある場合に限り、適用する。（措法52の3⑧）

　　　　　（圧縮記帳規定に規定する圧縮限度額の計算）
（2）　①《特別償却準備金積立額の損金算入》の特別償却準備金を積み立てている法人が当該特別償却準備金に係る特別償却対象資産（第二十四款の1の(2)に掲げる特別償却対象資産をいう。以下1において同じ。）について当該事業年度において圧縮記帳規定の適用を受ける場合における当該特別償却対象資産に係る圧縮記帳規定（第十五款の一の1《国庫補助金等で取得した固定資産の圧縮額の損金算入》、同一の7の①《特別勘定を設けた場合の国庫補助金等で取得した固定資産の圧縮額の損金算入》、同款の二の1《工事負担金で取得した固定資産の圧縮額の損金算入》、同款の三の1《非出資組合が賦課金で取得した固定資産の圧縮額の損金算入》又は同款の四の1《保険金等で取得した固定資産の圧縮額の損金算入》に掲げるものをいう。以下1において同じ。）に規定する圧縮限度額の計算については、第十五款の一の1《国庫補助金等で取得した固定資産の圧縮額の損金算入》の(2)、同一の7の①《特別勘定を設けた場合の国庫補助金等で取得した固定資産の圧縮額の損金算入》、同款の二の1の(1)《工事負担金の交付前に取得した固定資産の圧縮限度額》、同款の三の1の(1)《賦課金の納付前に取得した固定資産等の圧縮限度額》又は同款の四の3の①《代替資産の圧縮限度額》の二に掲げる帳簿価額には、これらに掲げる日における当該特別償却対象資産に係る2の①《均等取崩しによる益金算入》に掲げる特別償却準備金の金額に相当する金額を含まないものとする。（措令31③）

　　　　　（適格合併等があった場合の特別償却等の適用）
（3）　①は、減価償却資産を事業の用に供した場合に適用があるのであるから、適格合併等（適格合併、適格分割、適格現物出資又は適格現物分配をいう。）による移転に係る減価償却資産について①の適用があるかどうかは、当該減価償却資産を事業の用に供した日の現況において、①に掲げる適用要件（適用対象法人、適用期間、適用対象事業等に関する要件をいう。以下(3)において同じ。）を満たすかどうかにより判定することに留意する。（措通42の5～48（共）－3・編者補正）

> 注　例えば、中小企業者等（一の1《中小企業者等が特定機械装置等を取得した場合の初年度特別償却》に掲げる中小企業者等をいう。以下注において同じ。）に該当する被合併法人が減価償却資産を適格合併により中小企業者等に該当しない合併法人に移転する場合の一の1の適用については、次の(一)及び(二)のようになる。

(一)	被合併法人が当該減価償却資産を事業の用に供した場合は、他の適用要件を満たせば、被合併法人において一の1の適用を受けることができる。
(二)	被合併法人が当該減価償却資産を事業の用に供しないで合併法人が事業の用に供した場合は、被合併法人又は合併法人のいずれの法人においても、一の1の適用を受けることができない。

② 特別償却準備金積立不足額の１年間繰越し

①《特別償却準備金積立額の損金算入》により損金の額に算入された金額が特別償却限度額に満たない場合において、法人が、①の適用を受けた事業年度終了の日の翌日以後１年以内に終了する各事業年度（当該各事業年度まで連続して青色申告書を提出している場合に限る。以下②及び⑤の**ロ**において「**積立適用後年度**」という。）において、各特別償却対象資産別にその満たない金額（その満たない金額のうち②により既に損金の額に算入された金額〔以下②において「算入済金額」という。〕があるときは、当該算入済金額を控除した金額）以下の金額を損金経理の方法により特別償却準備金として積み立てたとき（当該積立適用後年度の決算の確定の日までに剰余金の処分により積立金として積み立てる方法により特別償却準備金として積み立てた場合を含む。）は、その積み立てた金額は、当該積立適用後年度の所得の金額の計算上、損金の額に算入する。（措法52の３②）

（圧縮記帳規定の適用を受けた場合の特別償却準備金積立不足額）

（１）②《特別償却準備金積立不足額の１年間繰越し》の場合において、特別償却対象資産につき当該事業年度以前の各事業年度において圧縮記帳規定の適用を受けたときは、当該事業年度の当該特別償却対象資産に係る特別償却準備金積立不足額（②に掲げる満たない金額が生じた事業年度が当該圧縮記帳規定の適用を受けた事業年度前の事業年度である場合における当該満たない金額をいう。）は、当該特別償却準備金積立不足額から、当該特別償却準備金積立不足額に係る②の特別償却限度額に次の（一）に掲げる金額のうちに次の（二）に掲げる金額の占める割合を乗じて計算した金額を控除した金額とする。（措令31②）

（一）	当該特別償却対象資産に係る第十五款の**一**の１《国庫補助金等で取得した固定資産の圧縮額の損金算入》の（２）の（一）、同**一**の７の①《特別勘定を設けた場合の国庫補助金等で取得した固定資産の圧縮額の損金算入》のイ、第十五款の**二**の１の（１）《工事負担金の交付前に取得した固定資産の圧縮限度額》の（一）、同款の**三**の１の（１）《賦課金の納付前に取得した固定資産等の圧縮限度額》の（一）又は同款の**四**の３の①《代替資産の圧縮限度額》のハに掲げる金額
（二）	当該特別償却対象資産につき第六款の**六**の３《圧縮記帳資産の取得価額の特例》により同款の**六**の１《減価償却資産の取得価額》の表の各欄に掲げる金額から控除した金額

（圧縮記帳規定に規定する圧縮限度額の計算）

（２）②《特別償却準備金積立不足額の１年間繰越し》の特別償却準備金を積み立てている法人が当該特別償却準備金に係る特別償却対象資産について当該事業年度において圧縮記帳規定の適用を受ける場合における当該特別償却対象資産に係る圧縮記帳規定に規定する圧縮限度額の計算については、第十五款の**一**の１《国庫補助金等で取得した固定資産の圧縮額の損金算入》の（２）、同**一**の７の①《特別勘定を設けた場合の国庫補助金等で取得した固定資産の圧縮額の損金算入》、同款の**二**の１の（１）《工事負担金の交付前に取得した固定資産の圧縮限度額》、同款の**三**の１の（１）《賦課金の納付前に取得した固定資産等の圧縮限度額》又は同款の**四**の３の①《代替資産の圧縮限度額》の二に掲げる帳簿価額には、これらに掲げる日における当該特別償却対象資産に係る２の①《均等取崩しによる益金算入》に掲げる特別償却準備金の金額に相当する金額を含まないものとする。（措令31③）

（特別償却準備金積立不足額がある場合の積立額の損金算入の申告）

（３）②《特別償却準備金積立不足額の１年間繰越し》は、①《特別償却準備金積立額の損金算入》の適用を受けた事業年度以後の各事業年度の確定申告書等に②に掲げる満たない金額の明細書の添付があり、かつ、②の適用を受けようとする事業年度の確定申告書等に特別償却準備金として積み立てた金額の損金算入に関する申告の記載及びその積み立てた金額の計算に関する明細書の添付がある場合に限り、適用する。（措法52の３⑨）

③ 適格合併等の場合の移転特別償却資産に係る合併等特別償却準備金積立不足額の引継ぎ

法人が、適格合併、適格分割、適格現物出資又は適格現物分配（以下③において「**適格合併等**」という。）により移転を受けた特別償却対象資産について、当該移転を受けた日を含む事業年度において**合併等特別償却準備金積立不足額**（当該適格合併等に係る被合併法人、分割法人、現物出資法人又は現物分配法人が当該適格合併等の日〔適格合併にあっては当該適格合併の日の前日とし、残余財産の全部の分配に該当する適格現物分配にあっては当該適格現物分配に係る残余財産の確定の日とする。〕を含む事業年度において①又は⑤の**イ**《適格分割等により特別償却対象資産を移転する場合の分割法人等における特別償却準備金の期中積立て》により損金の額に算入された金額が特別償却限度額に満たない場合のその満たない金額をいう。）がある場合において、各特別償却対象資産別に当該合併等特別償却準備金積立不足額以下の金額を損

金経理の方法により特別償却準備金として積み立てたとき（当該事業年度の決算の確定の日までに剰余金の処分により積立金として積み立てる方法により特別償却準備金として積み立てた場合を含む。）は、その積み立てた金額は、当該事業年度の所得の金額の計算上、損金の額に算入する。（措法52の3③）

　　　　（圧縮記帳規定の適用を受けた場合の合併等特別償却準備金積立不足額の引継ぎ）
（１）　③《適格合併等の場合の移転特別償却資産に係る合併等特別償却準備金積立不足額の引継ぎ》の場合において、特別償却対象資産につき当該事業年度以前の各事業年度において圧縮記帳規定の適用を受けたときは、当該事業年度の当該特別償却対象資産に係る合併等特別償却準備金積立不足額（③に掲げる合併等特別償却準備金積立不足額をいう。）は、当該合併等特別償却準備金積立不足額から、当該合併等特別償却準備金積立不足額に係る③の特別償却限度額に次の（一）に掲げる金額のうちに次の（二）に掲げる金額の占める割合を乗じて計算した金額を控除した金額とする。（措令31②）

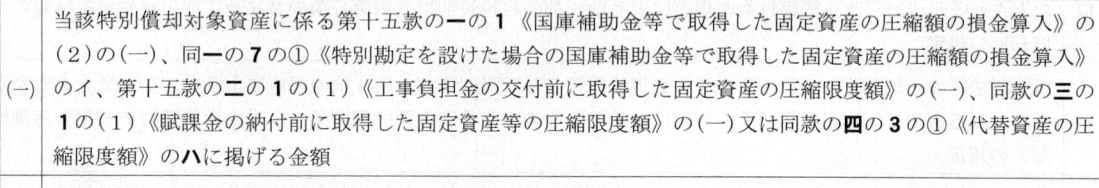

（一）	当該特別償却対象資産に係る第十五款の**一**の1《国庫補助金等で取得した固定資産の圧縮額の損金算入》の（2）の（一）、同**一**の7の①《特別勘定を設けた場合の国庫補助金等で取得した固定資産の圧縮額の損金算入》のイ、第十五款の**二**の1の（1）《工事負担金の交付前に取得した固定資産の圧縮限度額》の（一）、同款の**三**の1の（1）《賦課金の納付前に取得した固定資産等の圧縮限度額》の（一）又は同款の**四**の3の①《代替資産の圧縮限度額》のハに掲げる金額
（二）	当該特別償却対象資産につき第六款の**六**の3《圧縮記帳資産の取得価額の特例》により同款の**六**の1《減価償却資産の取得価額》の表の各欄に掲げる金額から控除した金額

　　　　（圧縮記帳規定に規定する圧縮限度額の計算）
（２）　③《適格合併等の場合の移転特別償却資産に係る合併等特別償却準備金積立不足額の引継ぎ》の特別償却準備金を積み立てている法人が当該特別償却準備金に係る特別償却対象資産について当該事業年度において圧縮記帳規定の適用を受ける場合における当該特別償却対象資産に係る圧縮記帳規定に規定する圧縮限度額の計算については、第十五款の**一**の1《国庫補助金等で取得した固定資産の圧縮額の損金算入》の（2）、同**一**の7の①《特別勘定を設けた場合の国庫補助金等で取得した固定資産の圧縮額の損金算入》、同款の**二**の1の（1）《工事負担金の交付前に取得した固定資産の圧縮限度額》、同款の**三**の1の（1）《賦課金の納付前に取得した固定資産等の圧縮限度額》又は同款の**四**の3の①《代替資産の圧縮限度額》の二に掲げる帳簿価額には、これらに掲げる日における当該特別償却対象資産に係る2の①《均等取崩しによる益金算入》に掲げる特別償却準備金の金額に相当する金額を含まないものとする。（措令31③）

　　　　（合併等特別償却準備金積立不足額がある場合の積立額の損金算入の申告）
（３）　③《適格合併等の場合の移転特別償却資産に係る合併等特別償却準備金積立不足額の引継ぎ》は、その適用を受けようとする事業年度の確定申告書等に特別償却準備金として積み立てた金額の損金算入に関する申告の記載があり、かつ、当該確定申告書等にその積み立てた金額の計算に関する明細書及び合併等特別償却準備金積立不足額の計算に関する明細書の添付がある場合に限り、適用する。（措法52の3⑩）

　　　　（適格合併等があった場合の特別償却等の適用）
（４）　特別償却に関する規定は、減価償却資産を事業の用に供した場合に適用があるのであるから、適格合併等（適格合併、適格分割、適格現物出資又は適格現物分配をいう。）による移転に係る減価償却資産についてこれらの規定の適用があるかどうかは、当該減価償却資産を事業の用に供した日の現況において、これらの規定に規定する適用要件（適用対象法人、適用期間、適用対象事業等に関する要件をいう。以下（4）において同じ。）を満たすかどうかにより判定することに留意する。（措通42の5～48（共）－3・編者補正）
　　　　注　合併法人等（合併法人、分割承継法人、被現物出資法人又は被現物分配法人をいう。以下注において同じ。）が適格合併等により移転を受けた減価償却資産につき当該移転を受けた日を含む事業年度において合併等特別償却準備金積立不足額がある場合には、当該合併法人等については、特別償却に関する規定に掲げる適用要件を満たすかどうかにかかわらず、③の適用を受けることができることに留意する。

④　**特別償却準備金の積立ての順序**
　法人が①《特別償却準備金積立額の損金算入》及び②《特別償却準備金積立不足額の１年間繰越し》又は①及び③《適格合併等の場合の移転特別償却資産に係る合併等特別償却準備金積立不足額の引継ぎ》の適用を受ける事業年度において、

第三章　第一節　第七款　二十四《準備金方式による特別償却》

これらの規定に規定する方法により特別償却準備金として積み立てた金額が次の**イ**から**ニ**までに掲げる割増償却に係るものであるときは、当該積み立てた金額のうちこれらに掲げる特別償却限度額に達するまでの金額は、まず①による積立てがあったものとみなす。（措法52の3④、措令31①、30③）

	次の(イ)から(ニ)までに掲げる規定	
イ	(イ)	**十六の3**《産業振興機械等の割増償却》
	(ロ)	**十八**《輸出事業用資産の割増償却》
	(ハ)	**十九**《特定都市再生建築物の割増償却》
	(ニ)	**二十**《倉庫用建物等の割増償却》
ロ	所得税法等の一部を改正する法律（平成31年法律第6号）附則第52条第5項の規定によりなおその効力を有するものとされる平成31年改正法第11条の規定による改正前の租税特別措置法第47条の2《特定都市再生建築物等の割増償却》の規定	
ハ	所得税法等の一部を改正する法律（令和2年法律第8号）附則第86条第4項の規定によりなおその効力を有するものとされる令和2年改正法第15条の規定による改正前の租税特別措置法第47条《企業主導型保育施設用資産割増償却》の規定	
ニ	所得税法等の一部を改正する法律（令和3年法律第11号）附則第50条第8項の規定によりなおその効力を有するものとされる令和3年改正法第7条の規定による改正前の租税特別措置法第45条第2項《産業振興機械等の割増償却》の規定	

注1　令和6年度改正により、上表の**イ**から次のものが除かれているが、令和6年3月31日以前の適用については、なおその適用がある。（令6改措令附1）

二十一《事業再編計画の認定を受けた場合の事業再編促進機械等の割増償却》

注2　令和6年度改正により、上表から次のものが除かれているが、令和6年3月31日以前の適用については、なおその適用がある。（令6改措令附1）

旧**ロ**	所得税法等の一部を改正する法律（平成28年法律第15号）附則第92条第10項の規定によりなおその効力を有するものとされる同法第10条の規定による改正前の租税特別措置法第48条《倉庫用建物等の割増償却》の規定
旧**ハ**	所得税法等の一部を改正する法律（平成29年法律第4号）附則第67条第7項又は第9項の規定によりなおその効力を有するものとされる同法第12条の規定による改正前の租税特別措置法第47条《サービス付き高齢者向け賃貸住宅の割増償却》又は第47条の2《特定都市再生建築物等の割増償却》の規定

（初年度特別償却に代える特別償却準備金の積立て）

　法人が①から③までの適用を受ける事業年度において特別償却準備金として積み立てた金額（当該事業年度の決算の確定の日までに剰余金の処分により積立金として積み立てる方法により特別償却準備金として積み立てた金額を含む。）が、**一の1**《中小企業者等が特定機械装置等を取得した場合の初年度特別償却》等初年度特別償却に係るものであるときは、当該積み立てた金額につき、①《特別償却準備金積立額の損金算入》に掲げる積立限度額又は②《特別償却準備金積立不足額の1年間繰越し》若しくは③《適格合併等の場合の移転特別償却資産に係る合併等特別償却準備金積立不足額の引継ぎ》に掲げる積立不足額のいずれを積み立てたものとするかは、法人の計算によることに留意する。（措通52の3－2・編者補正）

⑤　**適格分割等により特別償却対象資産を移転する場合の分割法人等における特別償却準備金の期中積立て等**

イ　適格分割等により特別償却対象資産を移転する場合の分割法人等における特別償却準備金の期中積立て

　法人で**特別償却に関する規定**の適用を受けることができるものが、適格分割、適格現物出資又は適格現物分配（適格現物分配にあっては、残余財産の全部の分配を除く。以下二十四において「**適格分割等**」という。）により分割承継法人、被現物出資法人又は被現物分配法人（ロにおいて「**分割承継法人等**」という。）に特別償却対象資産を移転する場合において、当該特別償却に関する規定の適用を受けることに代えて、当該適格分割等の直前の時を当該事業年度終了の時として各特別償却対象資産別に当該特別償却に関する規定に掲げる特別償却限度額以下の金額を特別償却準備金として積み立てたときは、その積み立てた金額は、当該事業年度の所得の金額の計算上、損金の額に算入する。（措法52の3⑪）

第三章　第一節　第七款　二十四《準備金方式による特別償却》

ロ　適格分割等により特別償却対象資産を移転する場合の分割法人等における特別償却準備金の積立不足額の期中積立て
　①《特別償却準備金積立額の損金算入》により損金の額に算入された金額が特別償却限度額に満たない場合で、かつ、法人が、積立適用後年度において、適格分割等により分割承継法人等に**特別償却対象資産**（二十三の1の(2)《特別償却不足額の意義》に掲げる特別償却対象資産をいう。以下⑤及び⑥において同じ。）を移転する場合には、当該適格分割等の直前の時を当該積立適用後年度終了の時として各特別償却対象資産別にその満たない金額（その満たない金額のうち②《特別償却準備金積立不足額の1年間繰越し》により既に損金の額に算入された金額〔以下「算入済金額」という。〕があるときは、当該算入済金額を控除した金額）以下の金額を特別償却準備金として積み立てたときは、その積み立てた金額は、当該積立適用後年度の所得の金額の計算上、損金の額に算入する。（措法52の3⑫）

（圧縮記帳規定の適用を受けた場合の特別償却準備金の積立不足額の期中積立て）
　①《適格分割等により特別償却対象資産を移転する場合の分割法人等における特別償却準備金の積立不足額の期中積立て》の場合において、特別償却対象資産につき当該事業年度以前の各事業年度において圧縮記帳規定の適用を受けたときは、当該事業年度の当該特別償却対象資産に係る特別償却準備金積立不足額（①に掲げる満たない金額が生じた事業年度が当該圧縮記帳規定の適用を受けた事業年度前の事業年度である場合における当該満たない金額をいう。）は、当該特別償却準備金積立不足額から、当該特別償却準備金積立不足額に係る①の特別償却限度額に次の（一）に掲げる金額のうちに次の（二）に掲げる金額の占める割合を乗じて計算した金額を控除した金額とする。（措令31②）

（一）	当該特別償却対象資産に係る第十五款の**一**の1《国庫補助金等で取得した固定資産の圧縮額の損金算入》の(2)の(一)、同**一**の7の①《特別勘定を設けた場合の国庫補助金等で取得した固定資産の圧縮額の損金算入》のイ、同款の**二**の1の(1)《工事負担金の交付前に取得した固定資産の圧縮限度額》の(一)、同款の**三**の1の(1)《賦課金の納付前に取得した固定資産等の圧縮限度額》の(一)又は同款の**四**の3の①《代替資産の圧縮限度額》の**ハ**に掲げる金額
（二）	当該特別償却対象資産につき第六款の**六**の3《圧縮記帳資産の取得価額の特例》により同款の**六**の1《減価償却資産の取得価額》の表の各欄に掲げる金額から控除した金額

ハ　特別償却準備金の期中積立ての順序
　法人が**イ**《適格分割等により特別償却対象資産を移転する場合の分割法人等における特別償却準備金の期中積立て》及び**ロ**《適格分割等により特別償却対象資産を移転する場合の分割法人等における特別償却準備金の積立不足額の期中積立て》の適用を受ける事業年度において、特別償却準備金として積み立てた金額が次の(イ)から(ニ)までに掲げる割増償却に関する規定に係るものであるときは、当該積み立てた金額のうち当該割増償却に関する規定に規定する特別償却限度額に達するまでの金額は、まず**イ**による積立てがあったものとみなす。（措法52の3⑬、措令31①、30③）

(イ)		次のAからDまでに掲げる規定
	A	**十六**の3《産業振興機械等の割増償却》
	B	**十八**《輸出事業用資産の割増償却》
	C	**十九**《特定都市再生建築物の割増償却》
	D	**二十**《倉庫用建物等の割増償却》
(ロ)		所得税法等の一部を改正する法律（平成31年法律第6号）附則第52条第5項の規定によりなおその効力を有するものとされる平成31年改正法第11条の規定による改正前の租税特別措置法第47条の2《特定都市再生建築物等の割増償却》の規定
(ハ)		所得税法等の一部を改正する法律（令和2年法律第8号）附則第86条第4項の規定によりなおその効力を有するものとされる令和2年改正法第15条の規定による改正前の租税特別措置法第47条《企業主導型保育施設用資産の割増償却》の規定
(ニ)		所得税法等の一部を改正する法律（令和3年法律第11号）附則第50条第8項の規定によりなおその効力を有するものとされる令和3年改正法第7条の規定による改正前の租税特別措置法第45条第2項《産業振興機械等の割増償却》の規定

注1　令和6年度改正により、上表の(イ)から次のものが除かれているが、令和6年3月31日以前の適用については、なおその適用がある。（令6改措令附1）

	二十一《事業再編計画の認定を受けた場合の事業再編促進機械等の割増償却》

注2　令和6年度改正により、上表から次のものが除かれているが、令和6年3月31日以前の適用については、なおその適用がある。（令6改措令附1）

旧（ロ）	所得税法等の一部を改正する法律（平成28年法律第15号）附則第92条第10項の規定によりなおその効力を有するものとされる同法第10条の規定による改正前の租税特別措置法第48条《倉庫用建物等の割増償却》の規定
旧（ハ）	所得税法等の一部を改正する法律（平成29年法律第4号）附則第67条第7項又は第9項の規定によりなおその効力を有するものとされる同法第12条の規定による改正前の租税特別措置法第47条《サービス付き高齢者向け賃貸住宅の割増償却》又は第47条の2《特定都市再生建築物等の割増償却》の規定

ニ　特別償却準備金の期中積立ての届出

　イ《適格分割等により特別償却対象資産を移転する場合の分割法人等における特別償却準備金の期中積立て》及びロ《適格分割等により特別償却対象資産を移転する場合の分割法人等における特別償却準備金の積立不足額の期中積立て》は、これらに掲げる法人が適格分割等の日以後2か月以内に次に掲げる事項を記載した書類を納税地の所轄税務署長に提出した場合に限り、適用する。（措法52の3⑭、措規20の23）

（イ）	イ又はロの適用を受けようとする法人の名称、納税地及び法人番号（行政手続における特定の個人を識別するための番号の利用等に関する法律第2条第15項《定義》に規定する法人番号をいう。）並びに代表者の氏名
（ロ）	イ又はロに掲げる分割承継法人等の名称及び納税地並びに代表者の氏名
（ハ）	適格分割等の年月日
（ニ）	特別償却対象資産の種類及び構造若しくは用途、細目又は設備の種類の区分
（ホ）	特別償却対象資産のイ又はロの適用に係る特別償却に関する規定の区分
（ヘ）	特別償却対象資産の減価償却資産の2の①に掲げる耐用年数等
（ト）	特別償却準備金として積み立てた金額及びその積み立てた金額の計算に関する明細
（チ）	その他参考となるべき金額

　　注　上表の（ト）に掲げる事項の記載については、別表十六（九）の書式によらなければならない。（規27の14）

⑥　適格合併等により特別償却対象資産を移転した場合の特別償却準備金の引継ぎ

イ　適格合併により特別償却対象資産を移転した場合の特別償却準備金の引継ぎ

　①から③までの特別償却準備金を積み立てている法人が適格合併により合併法人に特別償却対象資産を移転した場合には、その適格合併直前における特別償却準備金の金額は、当該合併法人に引き継ぐものとする。この場合において、その合併法人が引継ぎを受けた特別償却準備金の金額は、当該合併法人がその適格合併の日において有する①《特別償却準備金積立額の損金算入》の特別償却準備金の金額とみなす。（措法52の3⑮）

ロ　適格分割により特別償却対象資産を移転した場合の特別償却準備金の引継ぎ

　①から③まで、⑤のイ《適格分割等により特別償却対象資産を移転する場合の分割法人等における特別償却準備金の期中積立て》又は⑤のロ《適格分割等により特別償却対象資産を移転する場合の分割法人等における特別償却準備金の積立不足額の期中積立て》の特別償却準備金を積み立てている法人が適格分割により分割承継法人に当該特別償却準備金に係る特別償却対象資産を移転した場合には、当該特別償却対象資産に係る特別償却準備金の金額は、当該分割承継法人に引き継ぐものとする。この場合において、その分割承継法人が引継ぎを受けた特別償却準備金の金額は、当該分割承継法人がその適格分割の日において有する特別償却準備金の金額とみなす。（措法52の3⑰）

ハ　適格現物出資により特別償却対象資産を移転した場合の特別償却準備金の引継ぎ

　①から③まで、⑤のイ《適格分割等により特別償却対象資産を移転する場合の分割法人等における特別償却準備金の期中積立て》又は⑤のロ《適格分割等により特別償却対象資産を移転する場合の分割法人等における特別償却準備金の積立不足額の期中積立て》の特別償却準備金を積み立てている法人が適格現物出資により被現物出資法人に当該特別償却準備金に係る特別償却対象資産を移転した場合には、当該特別償却対象資産に係る特別償却準備金の金額は、当該被現物出資法人に引き継ぐものとする。この場合において、その被現物出資法人が引継ぎを受けた特別償却準備金の金額は、当該被

現物出資法人がその適格現物出資の日において有する①の特別償却準備金の金額とみなす。(措法52の3⑳)

ニ 適格現物分配により特別償却対象資産を移転した場合の特別償却準備金の引継ぎ

①から③まで、⑤の**イ**《適格分割等により特別償却対象資産を移転する場合の分割法人等における特別償却準備金の期中積立て》又は⑤の**ロ**《適格分割等により特別償却対象資産を移転する場合の分割法人等における特別償却準備金の積立不足額の期中積立て》の特別償却準備金を積み立てている法人が適格現物分配により被現物分配法人に当該特別償却準備金に係る特別償却対象資産を移転した場合には、当該特別償却対象資産に係る特別償却準備金の金額は、当該被現物分配法人に引き継ぐものとする。この場合において、その被現物分配法人が引継ぎを受けた特別償却準備金の金額は、当該被現物分配法人がその適格現物分配の日において有する特別償却準備金の金額とみなす。(措法52の3㉓)

2 特別償却準備金の益金算入

① 均等取崩しによる益金算入

1《特別償却準備金方式による特別償却》の①から③までの適用を受けた法人の各事業年度終了の日において、前事業年度から繰り越された特別償却準備金の金額(その日までに次の②《特別償却対象資産を有しないこととなった場合》により益金の額に算入された、若しくは算入されるべきこととなった金額又は前事業年度終了の日までにこの①により益金の額に算入された金額がある場合には、これらの金額を控除した金額。以下**2**において同じ。)がある場合には、当該特別償却準備金の金額については、その積み立てられた事業年度(以下①及び②において「積立事業年度」という。)別及び当該特別償却対象資産別に区分した各金額ごとに、当該区分した金額の積み立てられた積立事業年度の所得の金額の計算上**1**の①から③までにより損金の額に算入された金額に当該各事業年度の月数を乗じてこれを84(特別償却対象資産の法人税法の規定により定められている耐用年数(繰延資産にあっては、その繰延資産に係る支出の効果の及ぶ期間の月数を12で除した数。以下①において「耐用年数等」という。)が10年未満である場合には、60と当該耐用年数等に12を乗じて得た数とのいずれか少ない数)で除して計算した金額(当該計算した金額が当該区分した金額を超える場合には、当該区分した金額)に相当する金額を、それぞれ、当該事業年度の所得の金額の計算上、益金の額に算入する。(措法52の3⑤)

注 ①の月数は、暦に従って計算し、1か月に満たない端数を生じたときは、これを1か月とする。(措法52の3⑦)

(適格合併により引継ぎを受けた特別償却準備金の益金算入)

(1) **1**の⑥の**イ**《適格合併により特別償却対象資産を移転した場合の特別償却準備金の引継ぎ》の合併法人のその適格合併の日を含む事業年度に係る①《均等取崩しによる益金算入》の適用については、前事業年度から繰り越された特別償却準備金の金額は、同**イ**により当該合併法人が有するものとみなされた特別償却準備金の金額を含むものとする。この場合において、当該合併法人が合併後存続する法人であるときは、その有するものとみなされた特別償却準備金の金額については、①中「当該各事業年度の月数」とあるのは、「当該適格合併の日から同日を含む事業年度終了の日までの期間の月数」とする。(措法52の3⑯)

(適格分割における分割法人の特別償却準備金の益金算入)

(2) **1**の⑥の**ロ**《適格分割により特別償却対象資産を移転した場合の特別償却準備金の引継ぎ》の場合において、**1**《特別償却準備金方式による特別償却》の①から③までの特別償却準備金を積み立てている法人のその適格分割の日を含む事業年度(同日が当該法人の事業年度開始の日である場合の当該事業年度を除く。)については、当該適格分割の日の前日を当該事業年度終了の日とみなして、①を適用する。この場合において、①中「当該各事業年度の月数」とあるのは、「当該適格分割の日を含む事業年度開始の日から当該適格分割の日の前日までの期間の月数」とする。(措法52の3⑱)

(適格分割により引継ぎを受けた特別償却準備金の益金算入)

(3) **1**の⑥の**ロ**の分割承継法人のその適格分割の日を含む事業年度に係る①の適用については、前事業年度から繰り越された特別償却準備金の金額は、同**ロ**により当該分割承継法人が有するものとみなされた特別償却準備金の金額を含むものとする。この場合において、当該分割承継法人が当該適格分割により設立された法人でないときは、当該分割承継法人の有するものとみなされた特別償却準備金の金額については、①中「当該各事業年度の月数」とあるのは、「当該適格分割の日から同日を含む事業年度終了の日までの期間の月数」とする。(措法52の3⑲)

第三章　第一節　第七款　二十四《準備金方式による特別償却》

(適格現物出資における現物出資法人の特別償却準備金の益金算入)
（４）　１の⑥のハ《適格現物出資により特別償却対象資産を移転した場合の特別償却準備金の引継ぎ》の場合において、１の①から③までの特別償却準備金を積み立てている法人のその適格現物出資の日を含む事業年度（同日が当該法人の事業年度開始の日である場合の当該事業年度を除く。）については、当該適格現物出資の日の前日を当該事業年度終了の日とみなして、①を適用する。この場合において、①中「当該各事業年度の月数」とあるのは、「当該適格現物出資の日を含む事業年度開始の日から当該適格現物出資の日の前日までの期間の月数」とする。（措法52の3㉑）

(適格現物出資により引継ぎを受けた特別償却準備金の益金算入)
（５）　１の⑥のハの被現物出資法人のその適格現物出資の日を含む事業年度に係る①の適用については、前事業年度から繰り越された特別償却準備金の金額は、同ハにより当該被現物出資法人が有するものとみなされた特別償却準備金の金額を含むものとする。この場合において、当該被現物出資法人が当該適格現物出資により設立された法人でないときは、当該被現物出資法人の有するものとみなされた特別償却準備金の金額については、①中「当該各事業年度の月数」とあるのは、「当該適格現物出資の日から同日を含む事業年度終了の日までの期間の月数」とする。（措法52の3㉒）

(適格現物分配における現物分配法人の特別償却準備金の益金算入)
（６）　１の⑥のニ《適格現物分配により特別償却対象資産を移転した場合の特別償却準備金の引継ぎ》の場合において、１の①から③までの特別償却準備金を積み立てている法人のその適格現物分配の日を含む事業年度（同日が当該法人の事業年度開始の日である場合の当該事業年度を除く。）については、当該適格現物分配の日の前日を当該事業年度終了の日とみなして、①を適用する。この場合において、①中「当該各事業年度の月数」とあるのは、「当該適格現物分配の日を含む事業年度開始の日から当該適格現物分配の日の前日までの期間の月数」とする。（措法52の3㉔）

(適格現物分配により引継ぎを受けた特別償却準備金の益金算入)
（７）　１の⑥のニの被現物分配法人のその適格現物分配の日を含む事業年度に係る①の適用については、前事業年度から繰り越された特別償却準備金の金額は、同ニにより当該被現物分配法人が有するものとみなされた特別償却準備金の金額を含むものとする。この場合において、当該被現物分配法人の有するものとみなされた特別償却準備金の金額については、①中「当該各事業年度の月数」とあるのは、「当該適格現物分配の日から同日を含む事業年度終了の日までの期間の月数」とする。（措法52の3㉕）

(被災代替資産等の特別償却の適用を受ける場合の確定申告書)
（８）　特別償却対象資産がその事業の用に供した事業年度において十《被災代替資産等の特別償却》の適用を受けることができる減価償却資産である場合において、１の①《特別償却準備金積立額の損金算入》の適用を受けたときは、当該特別償却対象資産に係る１の②《特別償却準備金積立不足額の１年間繰越し》及び１の⑤のロ《適格分割等により特別償却対象資産を移転する場合の分割法人等における特別償却準備金の積立不足額の期中積立て》の適用については、青色申告書以外の第二章第一節のニの表の31《確定申告書》に掲げる確定申告書は、青色申告書とみなす。（措法52の3㉖）

(積立限度超過額の認容)
（９）　法人が、**特別償却対象資産**（二十三の１の(２)《特別償却不足額の意義》に掲げる特別償却対象資産をいう。以下同じ。）に係る特別償却準備金の金額を取り崩して収益として計上した場合において、その収益として計上した金額が①又は②の表のイ若しくはロにより当該特別償却対象資産について益金の額に算入すべき金額を超えるときは、その超える金額は同表のハの任意の取崩額に該当することに留意する。この場合において、当該特別償却対象資産に係る特別償却準備金として計上していた金額のうちに積立限度超過額があり、法人がその超える金額のうち既往の積立限度超過額に達するまでの金額について、既往の積立限度超過額の取崩しとして確定申告書等において損失として計上したときは、その計算を認めるものとする。（措通52の3－1）

(適格合併等により引継ぎを受けた特別償却準備金の均分取崩し)
（10）　合併法人等（合併法人、分割承継法人、被現物出資法人又は被現物分配法人をいう。以下(10)において同じ。）が１の⑥《適格合併等により特別償却対象資産を移転した場合の特別償却準備金の引継ぎ》のイからニまでにより特別償却準備金の金額の引継ぎを受けた場合において、当該合併法人等の適格合併等の日を含む事業年度以後の各事業年

度における当該特別償却準備金に係る①の適用については、当該適格合併等に係る被合併法人等（被合併法人、分割法人、現物出資法人又は現物分配法人をいう。以下(10)において同じ。）において当該特別償却準備金が積み立てられた事業年度と当該合併法人等の事業年度とは区分して、かつ、当該被合併法人等において積み立てられた事業年度に当該合併法人等が自ら積立てをしたものとみなして取り扱うものとする。（措通52の3－3）

　　　　（耐用年数等の改正が行われた場合の特別償却準備金の均分取崩し）
(11)　法人が前事業年度から繰り越された特別償却準備金の金額について①により益金の額に算入する場合において、特別償却対象資産に係る法定耐用年数（繰延資産にあっては、その繰延資産に係る支出の効果の及ぶ期間。以下「法定耐用年数等」という。）が当該特別償却準備金を積み立てた事業年度後に改正されたときには、改正後の法定耐用年数等が適用される事業年度における①の適用に当たっては、①に掲げる耐用年数等は改正後の法定耐用年数等によることに留意する。（措通52の3－4）

②　特別償却対象資産を有しないこととなった場合

　1　《特別償却準備金方式による特別償却》の①から③までの適用を受けた法人が次の表の左欄に掲げる場合（適格合併等により特別償却対象資産を移転した場合を除く。）に該当することとなった場合には、それぞれ同表の右欄に掲げる金額に相当する金額は、その該当することとなった日を含む事業年度（ロに掲げる場合にあっては、合併の日の前日又は第二章第一節の二の表の**12の5の2**《現物分配法人》に掲げる現物分配〔残余財産の全部の分配に限る。ロにおいて「現物分配」という。〕に係る当該残余財産の確定の日を含む事業年度）の所得の金額の計算上、益金の額に算入する。この場合において、ハに掲げる場合にあっては、ハに掲げる特別償却準備金の金額をその積み立てられた積立事業年度別に区分した各金額のうち、その積み立てられた積立事業年度が最も古いものから順次益金の額に算入されるものとする。（措法52の3⑥）

イ	当該特別償却準備金に係る特別償却対象資産を有しないこととなった場合（ロに該当する場合を除く。）	その有しなくなった日における当該特別償却対象資産に係る特別償却準備金の金額
ロ	合併又は現物分配により合併法人又は被現物分配法人に特別償却対象資産を移転した場合	その合併の直前又は当該現物分配に係る残余財産の確定の時における当該特別償却対象資産に係る特別償却準備金の金額
ハ	①《均等取崩しによる益金算入》並びにイ及びロに掲げる場合以外の場合において特別償却対象資産に係る特別償却準備金の金額を取り崩した場合	その取り崩した日における当該特別償却対象資産に係る特別償却準備金の金額のうちその取り崩した金額に相当する金額

二十五　特別償却等に関する複数の規定の不適用

　法人の有する減価償却資産が当該事業年度において次の①から④までに掲げる規定のうち二以上の規定の適用を受けることができるものである場合には、当該減価償却資産については、これらの規定のうちいずれか一の規定のみを適用する。
（措法53①、措令32①）

①	第二節第二款の**六**《中小企業者等が機械等を取得した場合の法人税額の特別控除》 同款の**七**《沖縄の特定地域において工業用機械等を取得した場合の法人税額の特別控除》 同款の**八**《国家戦略特別区域において機械等を取得した場合の法人税額の特別控除》 同款の**九**《国際戦略総合特別区域において機械等を取得した場合の法人税額の特別控除》 同款の**十**《地域経済牽引事業の促進区域内において特定事業用機械等を取得した場合の法人税額の特別控除》 同款の**十一**《地方活力向上地域等において特定建物等を取得した場合の法人税額の特別控除》 同款の**十四**《中小企業者等が特定経営力向上設備等を取得した場合の法人税額の特別控除》 同款の**十六**《認定特定高度情報通信技術活用設備を取得した場合の法人税額の特別控除》 同款の**十七**《事業適応設備を取得した場合等の法人税額の特別控除》
②	**一**《中小企業者等が機械等を取得した場合の特別償却》 **二**《国家戦略特別区域において機械等を取得した場合の特別償却》 **三**《国際戦略総合特別区域において機械等を取得した場合の特別償却》 **四**《地域経済牽引事業の促進区域内において特定事業用機械等を取得した場合の特別償却》 **五**《地方活力向上地域等において特定建物等を取得した場合の特別償却》 **六**《中小企業者等が特定経営力向上設備等を取得した場合の特別償却》 **七**《認定特定高度情報通信技術活用設備を取得した場合の特別償却》 **八**《事業適応設備を取得した場合等の特別償却》 **九**《特定船舶の特別償却》 **十**《被災代替資産等の特別償却》 **十一**《関西文化学術研究都市の文化学術研究地区における文化学術研究施設の特別償却》 **十二**《特定事業継続力強化設備等の特別償却》 **十三**《共同利用施設の特別償却》 **十四**《環境負荷低減事業活動用資産等の特別償却》 <u>**十五**《生産方式革新事業活動用資産等の特別償却》</u> **十六**《特定地域における工業用機械等の特別償却》 **十七**《医療用機器等の特別償却》 **十八**《輸出事業用資産の割増償却》 **十九**《特定都市再生建築物の割増償却》 **二十**《倉庫用建物等の割増償却》
③	②に掲げる規定に係る**二十四**《準備金方式による特別償却》の規定
④	①から③までに掲げるもののほか、減価償却資産に関する特例を定めている規定として次のイからホまでに掲げる規定 イ　所得税法等の一部を改正する法律（平成31年法律第6号）附則第52条第5項の規定によりなおその効力を有するものとされる同法第11条の規定による改正前の租税特別措置法47条の2《特定都市再生建築物等の割増償却》の規定 ロ　所得税法等の一部を改正する法律（令和2年法律第8号）附則第86条第4項の規定によりなおその効力を有するものとされる同法第15条の規定による改正前の租税特別措置法47条《企業主導型保育施設用資産の割増償却》の規定 ハ　所得税法等の一部を改正する法律（令和3年法律第11号）<u>附則第50条第8項</u>の規定によりなおその効力を有するものとされる同法第7条の規定による改正前の租税特別措置法45条の規定 ニ　所得税法等の一部を改正する法律（令和5年法律第3号）附則第42条第2項の規定によりなおその効力を有するものとされる同法第10条の規定による改正前の租税特別措置法第43条の2《港湾隣接地域における技術

		適合施設の特別償却》の規定
	ホ	イからニまでに掲げる規定に係る**二十四**《準備金方式による特別償却》の規定

注1　――線部分（上表の②の**十五**に係る部分に限る。）は、令和6年度改正により追加された部分で、改正規定は、農業の生産性の向上のためのスマート農業技術の活用の促進に関する法律（令和6年法律第63号）の施行の日から適用される。（令6改法附1 XIV）
　　　なお、同法の施行期日を定める政令は、令和6年7月1日現在制定されていない。（編者）

注2　令和6年度改正により、上表の②から次のものが除かれているが、令和6年3月31日以前の適用については、なおその適用がある。（令6改法附1）

二十一《事業再編計画の認定を受けた場合の事業再編促進機械等の割増償却》

注3　――線部分（上表の④のハに係る部分に限る。）は、令和6年度改正により改正された部分で、改正規定は、令和6年4月1日から適用され、令和6年3月31日以前の適用については、「附則第50条第8項」とあるのは「附則第50条第5項又は第8項」とする。（令6改措令附1）

注4　令和6年度改正により、上表の④から次のものが除かれているが、令和6年3月31日以前の適用については、なおその適用がある。（令6改措令附1）

旧イ	所得税法等の一部を改正する法律（平成28年法律第15号）附則第92条第10項の規定によりなおその効力を有するものとされる同法第10条の規定による改正前の租税特別措置法第48条《倉庫用建物等の割増償却》の規定
旧ロ	所得税法等の一部を改正する等の法律（平成29年法律第4号）附則第67条第7項又は第9項の規定によりなおその効力を有するものとされる同法第12条の規定による改正前の租税特別措置法第47条《サービス付き高齢者向け賃貸住宅の割増償却》又は第47条の2《特定都市再生建築物等の割増償却》の規定

　　　（試験研究費の額がある場合の不適用）
（1）　法人の有する減価償却資産の取得価額又は繰延資産の額のうちに第二節第二款の**五**《試験研究を行った場合の法人税額の特別控除》の1の表の①に規定する試験研究費の額が含まれる場合において、その試験研究費の額につき同**五**の**2**、**3**又は**4**の規定の適用を受けたときは、当該減価償却資産又は繰延資産については、**二十五**の表の①から④に掲げる規定は、適用しない。（措法53②）

　　　（その事業年度前の各事業年度に特別償却等の適用を受けていた場合の不適用）
（2）　法人の有する減価償却資産につき当該事業年度前の各事業年度において**二十五**の表の①から④に掲げる規定のうちいずれか一の規定の適用を受けた場合には、当該減価償却資産については、当該いずれか一の規定以外の同表の①から④に掲げる規定は、適用しない。（措法53③）
　　　注　（2）は、令和6年度改正により追加されたもので、改正規定は、令和6年4月1日から適用される。（令6改措令附1）

　　　（適格合併等により移転を受けた減価償却資産の取扱い）
（3）　法人が適格合併、適格分割、適格現物出資又は適格現物分配により被合併法人、分割法人、現物出資法人又は現物分配法人において**二十五**の表の①から④に掲げる規定のうちいずれか一の規定の適用を受けた減価償却資産の移転を受けた場合には、当該減価償却資産については、当該法人が当該事業年度前の各事業年度において当該いずれか一の規定の適用を受けたものとみなして、（2）を適用する。（措法53④）
　　　注　（3）は、令和6年度改正により追加されたもので、改正規定は、令和6年4月1日から適用される。（令6改措令附1）

　　　（減価償却資産が二以上の特別償却の規定の適用要件を満たす場合）
（4）　法人の有する減価償却資産が当該事業年度において**二十五**の表の②に掲げる規定（同表の④のイからニまでに掲げる規定を含む。（5）において「特別償却に関する規定」という。）のうち二以上の規定の適用を受けることができるものである場合には、当該二以上の規定のうちいずれか一の規定に係る**二十四**《準備金方式による特別償却》の規定と当該いずれか一の規定以外の規定に係る**二十四**の規定とは、それぞれ一の規定として**二十五**を適用する。（措令32②）

　　　（特別償却等の不適用と準備金方式による特別償却との関係）
（5）　（2）の適用については、特別償却に関する規定のうちいずれか一の規定と当該いずれかの一の規定に係る**二十四**《準備金方式による特別償却》の規定とは、あわせて一の規定とみなす。（措令32③）
　　　注　（5）は、令和6年度改正により追加されたもので、改正規定は、令和6年4月1日から適用される。（令6改措令1）

第三章　第一節　第七款　**二十五**《特別償却等に関する複数の規定の不適用》

(特別償却等の適用を受けたものの意義)
（6）　法人が、その有する減価償却資産又は繰延資産について、**一**から**二十**までに掲げる特別償却等に係る償却を実施していない場合においても、当該特別償却等に関する明細書においてその特別償却限度額の計算を行い、**二十三**の**1**《特別償却不足額がある場合の償却限度額の計算》に掲げる特別償却不足額若しくは**二十三**の**2**《合併等特別償却不足額がある場合の償却限度額の計算》に掲げる合併等特別償却不足額として記載しているとき又はこれらの特別償却等に係る**二十四**による特別償却準備金の積立不足額若しくは合併等特別償却準備金積立不足額として処理したときは、当該減価償却資産又は繰延資産は、当該特別償却限度額に係る特別償却等の適用を受けたものに該当することに留意する。（措通42の5～48(共)-2・編者補正）

二十六　圧縮記帳の適用を受けた資産に対する特別償却等の不適用

　次の①から⑤までに掲げる資産については、**二十五**《特別償却等に関する複数の規定の不適用》の表に掲げる特別償却等の規定は適用しない。（措法61の3④、64⑦、64の2⑭、65⑫、65の7⑦、65の8⑯、67の4⑫）

①	第十五款の**六**《農用地等を取得した場合の課税の特例》の適用を受けた特定農業用機械等
②	同款の**七**《特定の資産の買換えの場合等の課税の特例》の適用を受けた買換資産
③	同款の**十一の2**《転廃業助成金による圧縮記帳》の適用を受けた資産
④	第十六款の**一**《収用等に伴い代替資産を取得した場合の課税の特例》の適用を受けた資産
⑤	同款の**二**《換地処分等に伴い資産を取得した場合の課税の特例》の適用を受けた資産

二十七　廃止された特別償却制度のうち経過的に適用があるもの

廃止された特別償却制度の中でなお経過的に適用があるものには、次のものがある。

制度区分	対象法人	適用資産	償却額の計算 償却限度額＝D 普通償却限度額＝N	適用期間
企業主導型保育施設用資産の割増償却（令2改正前措法47①） 注　本書令和2年版の712ページ以下を参照。	青色申告書を提出する法人	企業主導型保育施設用資産	①　建物及びその附属設備並びに構築物 $D=N+N\times\dfrac{15}{100}$ ②　①以外のもの $D=N+N\times\dfrac{12}{100}$	供用日以後3年以内でその用に供している期間（当該企業主導型保育施設用資産に係る事業所内保育施設につき当該助成を行う事業に係る助成金の交付を受ける期間に限る。）

第八款　繰延資産の償却

一　繰延資産の意義

　繰延資産とは、法人が支出する費用（資産の取得に要した金額とされるべき費用及び前払費用を除く。）のうち支出の効果がその支出の日以後1年以上に及ぶもので次の表に掲げるものをいう。（法2 XXIV、令14①）

　なお、前払費用とは、法人が一定の契約に基づき継続的に役務の提供を受けるために支出する費用のうち、その支出する日の属する事業年度終了の日においてまだ提供を受けていない役務に対応するものをいう。（令14②）

1	**創立費**（発起人に支払う報酬、設立登記のために支出する登録免許税その他法人の設立のために支出する費用で、当該法人の負担に帰すべきものをいう。）
2	**開業費**（法人の設立後事業を開始するまでの間に開業準備のために特別に支出する費用をいう。）
3	**開発費**（新たな技術若しくは新たな経営組織の採用、資源の開発又は市場の開拓のために特別に支出する費用をいう。）
4	**株式交付費**（株券等の印刷費、資本金の増加の登記についての登録免許税その他自己の株式〔出資を含む。〕の交付のために支出する費用をいう。）
5	**社債等発行費**（社債券等の印刷費その他債券〔新株予約権を含む。〕の発行のために支出する費用をいう。）
6	1から5までに掲げるもののほか、次に掲げる費用で支出の効果がその支出の日以後1年以上に及ぶもの 　イ　自己が便益を受ける公共的施設又は共同的施設の設置又は改良のために支出する費用 　ロ　資産を賃借し又は使用するために支出する権利金、立退料その他の費用 　　　・注　土地を賃借し又は使用するために支出するものは、借地権《非減価償却資産》になることに留意する。（編者） 　ハ　役務の提供を受けるために支出する権利金その他の費用 　ニ　製品等の広告宣伝の用に供する資産を贈与したことにより生ずる費用 　ホ　イからニまでに掲げる費用のほか、自己が便益を受けるために支出する費用

　　（定款記載を欠く設立費用）
（1）　法人がその設立のために通常必要と認められる費用を支出した場合において、当該費用を当該法人の負担とすべきことがその定款等で定められていないときであっても、当該費用は一の表の1に掲げる「法人の設立のために支出する費用で、当該法人の負担に帰すべきもの」に該当するものとする。（基通8－1－1）

　　（資源の開発のために特別に支出する費用）
（2）　一の表の3に掲げる「資源の開発のために特別に支出する費用」には、例えば新鉱床の探鉱のための地質調査、ボーリング又は坑道の掘さく等に要する費用のように資源の開発のために直接要した費用のほか、その開発に要する資金に充てるために特別に借り入れた借入金の利子が含まれるものとする。（基通8－1－2）
　　注　固定資産を取得するために借り入れた借入金の利子は、たとえ当該固定資産の使用開始前の期間に係るものであっても、一《繰延資産の意義》に掲げる繰延資産に該当しないことに留意する。

　　（募集株式の買取引受けに係る株式払込剰余金）
（3）　法人が募集株式を証券会社に買取引受けさせた場合におけるその払い込まれた金銭の額及び給付を受けた金銭以外の資産の価額からその募集株式の発行により増加した資本金の額を減算した金額は第二章第一節の二《定義》の表の16《資本金等の額》に掲げる金額に該当するのであるが、この場合に証券会社に支払う引受手数料の額は、たとえその買取引受けに係る募集株式の全部又は一部を最終的に当該証券会社が取得したときであっても、一の表の4に掲げる株式交付費に該当する。（基通1－5－6）

　　（債務者たる法人の負担する抵当証券の発行に伴う費用）
（4）　抵当証券の発行に伴い、その債務者である法人が支出する抵当権設定登録税、不動産鑑定評価報酬その他の発行費用、発行引受手数料等の費用は、その支出時の損金とすべきであるが、その性質上、一の表の5に準じて取り扱う

第三章　第一節　第八款《繰延資産の償却》

ことができるものとする。(昭59直審4-30・編者補正)

　　(公共的施設の設置又は改良のために支出する費用)
(5)　一の表の**6**のイに掲げる「自己が便益を受ける公共的施設の設置又は改良のために支出する費用」とは、次に掲げる費用をいう。(基通8-1-3)
　(一)　法人が自己の必要に基づいて行う道路、堤防、護岸、その他の施設又は工作物（以下(5)において「公共的施設」という。）の設置又は改良（以下(5)において「設置等」という。）のために要する費用（自己の利用する公共的施設につきその設置等を国又は地方公共団体〔以下(5)において「国等」という。〕が行う場合におけるその設置等に要する費用の一部の負担金を含む。）又は法人が自己の有する道路その他の施設又は工作物を国等に提供した場合における当該施設又は工作物の価額に相当する金額
　(二)　法人が国等の行う公共的施設の設置等により著しく利益を受ける場合におけるその設置等に要する費用の一部の負担金（土地所有者又は借地権を有する法人が土地の価格の上昇に基因して納付するものを除く。）
　(三)　法人（鉄道業又は軌道業を営む法人を除く。）が、鉄道業を営む法人の行う鉄道の建設に当たり支出するその施設に連絡する地下道等の建設に要する費用の一部の負担金
　　注　上記の(一)については、第六款の**六**の**1**の(17)《私道を地方公共団体に寄附した場合》の取扱いとの相違に留意する。(編者)

　　(共同的施設の設置又は改良のために支出する費用)
(6)　一の表の**6**のイに掲げる「自己が便益を受ける共同的施設の設置又は改良のために支出する費用」とは、法人がその所属する協会、組合、商店街等の行う共同的施設の建設又は改良に要する費用の負担金をいう。この場合において、共同的施設の相当部分が貸室に供される等協会等の本来の用以外の用に供されているときは、その部分に係る負担金は、協会等に対する寄附金となることに留意する。(基通8-1-4)

　　(公共的施設又は共同的施設に設置する融雪装置の負担金)
(7)　公共的施設又は共同的施設に設置する融雪装置の負担金は、(5)又は(6)に掲げる繰延資産に該当する。(耐通2-2-7(1)注・編者補正)

　　(資産を賃借するための権利金等)
(8)　次のような費用は、一の表の**6**のロに掲げる繰延資産に該当する。(基通8-1-5)
　(一)　建物を賃借するために支出する権利金、立退料その他の費用
　(二)　電子計算機その他の機器の賃借に伴って支出する引取運賃、関税、据付費その他の費用
　　注　建物の賃借に際して支払った仲介手数料の額は、その支払った日の属する事業年度の損金の額に算入することができる。

　　(ノウハウの頭金等)
(9)　ノウハウの設定契約に際して支出する一時金又は頭金の費用は、一の表の**6**のハに掲げる繰延資産に該当する。ただし、ノウハウの設定契約において、頭金の全部又は一部を使用料に充当する旨の定めがある場合又は頭金の支払いにより一定期間は使用料を支払わない旨の定めがある場合には、当該頭金の額のうちその使用料に充当される部分の金額又はその支払わないこととなる使用料の額に相当する部分の金額は、これを繰延資産としないで前払費用として処理することができる。(基通8-1-6)
　　注　前払費用として処理した頭金の額についてその使用料に充当すべき期間又は使用料を支払わない期間を経過してなお残額があるときは、その残額は当該期間を経過した日の属する事業年度の損金の額に算入することができる。

　　(広告宣伝の用に供する資産を贈与したことにより生ずる費用)
(10)　一の表の**6**のニに掲げる「製品等の広告宣伝の用に供する資産を贈与したことにより生ずる費用」とは、法人がその特約店等に対し自己の製品等の広告宣伝のため、広告宣伝用の看板、ネオンサイン、どん帳、陳列棚、自動車のような資産（展示用モデルハウスのように見本としての性格を併せ有するものを含む。以下(10)において同じ。）を贈与した場合（その資産を取得することを条件として金銭を贈与した場合又はその贈与した資産の改良等に充てるために金銭等を贈与した場合を含む。）又は著しく低い対価で譲渡した場合における当該資産の取得価額又は当該資産の取得価額からその譲渡価額を控除した金額に相当する費用をいう。(基通8-1-8)

(スキー場のゲレンデ整備費用)
(11) 積雪地帯におけるスキー場（その土地が主として他の者の所有に係るものに限る。）においてリフト、ロープウェイ等の索道事業を営む法人が当該スキー場に係る土地をゲレンデとして整備するために立木の除去、地ならし、沢の埋立て、芝付け等の工事を行った場合には、その工事に要した費用の額は、**一**の表の**6**のホに掲げる繰延資産に該当するものとする。
　当該スキー場において旅館、食堂、土産物店等を経営する法人が当該費用の額の全部又は一部を負担した場合のその負担した額についても、同様とする。（基通8－1－9）

　　注1　既存のゲレンデについて支出する次のような費用の額は、その支出をした日の属する事業年度の損金の額に算入することができる。
　　　イ　おおむねシーズンごとに行う傾斜角度の変更その他これに類する工事のために要する費用
　　　ロ　崩落地の修復、補強等の工事のために要する費用
　　　ハ　シーズンごとに行うブッシュの除去、芝の補植その他これらに類する作業のために要する費用
　　注2　自己の土地をスキー場として整備するための土工工事（他の者の所有に係る土地を有料のスキー場として整備するための土工工事を含む。）に要する費用の額は、構築物の取得価額に算入する。

(出版権の設定の対価)
(12) 著作権法第79条第1項《出版権の設定》に規定する出版権の設定の対価として支出した金額は、**一**の表の**6**のホに掲げる繰延資産に該当するものとする。（基通8－1－10）

　　注　例えば漫画の主人公を商品のマーク等として使用する等他人の著作物を利用することについて著作権者等の許諾を得るために支出する一時金の費用は、出版権の設定の対価に準じて取り扱う。

(同業者団体等の加入金)
(13) 法人が同業者団体等（社交団体を除く。）に対して支出した加入金（その構成員としての地位を他に譲渡することができることとなっている場合における加入金及び出資の性質を有する加入金を除く。）は、**一**の表の**6**のホに掲げる繰延資産に該当するものとする。（基通8－1－11）

　　注　構成員としての地位を他に譲渡することができることとなっている場合における加入金及び出資の性質を有する加入金については、その地位を他に譲渡し、又は当該同業者団体等を脱退するまで損金の額に算入しないものとする。

(職業運動選手等の契約金等)
(14) 法人が職業運動選手等との専属契約をするために支出する契約金等は、**一**の表の**6**のホに掲げる繰延資産に該当するものとする。（基通8－1－12）

　　注　セールスマン、ホステス等の引抜料、仕度金等の額は、その支出をした日の属する事業年度の損金の額に算入することができる。

(宅地開発等に際して支出する開発負担金等)
(15) 法人が固定資産として使用する土地、建物等の造成又は建築等（以下(15)において「宅地開発等」という。）の許可を受けるために地方公共団体に対してその宅地開発等に関連して行われる公共的施設等の設置又は改良の費用に充てるものとして支出する負担金等（これに代えて提供する土地又は施設を含み、純然たる寄附金の性質を有するものを除く。以下(15)において同じ。）の額については、その負担金等の性質に応じそれぞれ次により取り扱うものとする。（基通7－3－11の2）
　（一）　例えば団地内の道路、公園又は緑地、公道との取付道路、雨水調整池（流下水路を含む。）等のように直接土地の効用を形成すると認められる施設に係る負担金等の額は、その土地の取得価額に算入する。
　（二）　例えば上水道、下水道、工業用水道、汚水処理場、団地近辺の道路（取付道路を除く。）等のように土地又は建物等の効用を超えて独立した効用を形成すると認められる施設で当該法人の便益に直接寄与すると認められるものに係る負担金等の額は、それぞれその施設の性質に応じて無形減価償却資産の取得価額又は繰延資産とする。
　（三）　例えば団地の周辺又は後背地に設置されるいわゆる緩衝緑地、文教福祉施設、環境衛生施設、消防設備等のように主として団地外の住民の便益に寄与すると認められる公共的施設に係る負担金等の額は、繰延資産とし、その償却期間は8年とする。

(土地の取得に当たり支出する負担金等)
(16) 法人が地方公共団体等が造成した土地を取得するに当たり土地の購入の代価のほかに(15)に掲げる負担金等の性質を有する金額でその内容が具体的に明らかにされているものを支出した場合には、(15)に準じて取り扱うことができるものとする。（基通7－3－11の3）

(簡易な施設の負担金の損金算入)
(17) 国、地方公共団体、商店街等の行う街路の簡易舗装、街灯、がんぎ等の簡易な施設で主として一般公衆の便益に供されるもののために充てられる負担金は、これを繰延資産としないでその負担金を支出する日の属する事業年度の損金の額に算入することができる。(基通8－1－13)

(レジャークラブの入会金)
(18) 法人がレジャークラブ(宿泊施設、体育施設、遊技施設その他のレジャー施設を会員に利用させることを目的とするクラブでゴルフクラブ以外のものをいう。)に対して支出した入会金で、その会員としての有効期間が定められており、かつ、その脱退に際して入会金相当額の返還を受けることができないものとされているレジャークラブに対して支出する入会金(役員又は使用人に対する給与とされるものを除く。)については、繰延資産として償却することができるものとする。(基通9－7－13の2・編者補正)
　注　年会費その他の費用は、その使途に応じて交際費等又は福利厚生費若しくは給与となることに留意する。

(繰延資産に該当する費用の具体的例示)
(19) 次に掲げる費用は、一の表の6に掲げる費用に該当するものとする。
　(一)　電力会社が昇圧工事に伴い需要者の配電設備の改造又は取替えを行うために支出した費用 (昭35直法1－6)
　(二)　証券投資信託の受益証券の募集取扱い、売出し等の業務を行う証券会社が証券投資信託販売会社に対して支払う募集手数料 (昭35直法1－218「5」)
　(三)　証券投資信託の受益証券の発行費用 (昭35直法1－218「6」)
　(四)　電気事業を営む法人又は電源開発株式会社が支払う下流増負担金 (昭38直審(法)14)
　　注　上記の繰延資産の償却期間については、四の(11)《その他の繰延資産の償却期間》を参照。(編者)

二　繰延資産となる費用のうち少額のものの損金算入

　内国法人が、四《繰延資産の償却限度額》の表の②に掲げる費用を支出する場合において、当該費用のうちその支出する金額が20万円未満であるものにつき、その支出する日の属する事業年度において損金経理をしたときは、その損金経理をした金額は、当該事業年度の所得の金額の計算上、損金の額に算入する。(法65、令134)
　注　二の繰延資産となる費用のうち少額のものの損金算入を適用する場合において支出する金額が20万円未満であるかどうかは、第一款の七の2の(9)《少額の減価償却資産等の取得価額等の判定》により、法人が消費税等の経理処理について適用している税抜経理方式又は税込経理方式に応じ、その適用している方式により算定した支出金額により判定する。(平元直法2－1「9」参照)

(支出する費用の額が20万円未満であるかどうかの判定)
　　二を適用する場合において、支出する金額が20万円未満であるかどうかは、一《繰延資産の意義》の表の6のイに掲げる費用については一の設置計画又は改良計画につき支出する金額(2回以上に分割して支出する場合には、その支出する時において見積もられる支出金額の合計額)、同6のロ及びハに掲げる費用については契約ごとに支出する金額、同6のニに掲げる費用についてはその支出の対象となる資産の一個又は一組ごとに支出する金額により判定する。(基通8－3－8)

三　繰延資産の償却費等

1　償却費等の損金算入

　内国法人の各事業年度終了の時の繰延資産につきその償却費として当該事業年度の所得の金額の計算上損金の額に算入する金額は、その内国法人が当該事業年度においてその償却費として損金経理をした金額(以下「**損金経理額**」という。)のうち、その繰延資産に係る支出の効果の及ぶ期間《**償却期間**》を基礎として四《繰延資産の償却限度額》により計算した金額(以下「**償却限度額**」という。)に達するまでの金額とする。(法32①)

(固定資産を公共的施設として提供した場合の計算)
(1) 法人がその有する固定資産を自己が便益を受ける公共的施設として提供した場合におけるその提供に係る繰延資産の額は、当該固定資産のその提供の直前における帳簿価額に相当する金額によることができる。(基通8－3－1)
　注　例えば、他に公共施設の負担金を支出すべき義務があるため、その負担金の支出に代えて、いわば代物弁済的に法人がその有する固定資産を公共的施設として提供した場合などは、当該固定資産の時価をもってその提供に係る支出金額を計算することに留意する。(編者)

(償却費として損金経理をした金額)
（２）　法人が、繰延資産となるべき費用を支出した場合において、その全部又は一部を償却費以外の科目をもって損金経理をしているときにおいても、その損金経理をした金額は、**１**に掲げる「償却費として損金経理をした金額」に含まれるものとする。（基通８－３－２）

(繰延資産の支出の対象となった資産が滅失した場合等の未償却残額の損金算入)
（３）　繰延資産とされた費用の支出の対象となった固定資産又は契約について滅失又は解約等があった場合には、その滅失又は解約等があった日の属する事業年度において当該繰延資産の未償却残額を損金の額に算入する。（基通８－３－６）

(繰延資産の償却額の計算単位)
（４）　繰延資産の償却限度額は、費目の異なるごとに、かつ、その償却期間の異なるごとに計算する。（基通８－３－７）
　　注　法人が継続して**四**の（５）《繰延資産の償却期間》の表に掲げる種類及び細目欄の区分ごとに、かつ、その償却期間の異なるごとに繰延資産を区分してその償却限度額を計算している場合には、これを認める。

(繰延資産の金額に算入された交際費等の調整)
（５）　法人が適用年度において支出した交際費等の金額のうちに繰延資産の金額に含めたため直接当該適用年度の損金の額に算入されていない部分の金額（以下「原価算入額」という。）がある場合において、当該交際費等の金額のうちに第十三款の**一**《交際費等の損金不算入》により損金の額に算入されないこととなった金額（以下「損金不算入額」という。）があるときは、当該適用年度の確定申告書において、当該原価算入額のうち損金不算入額から成る部分の金額を限度として、当該適用年度終了の時における繰延資産の金額を減額することができるものとする。この場合において、当該原価算入額のうち損金不算入額から成る部分の金額は、当該損金不算入額に、当該適用年度において支出した交際費等の金額のうちに当該繰延資産の金額に含まれている交際費等の金額の占める割合を乗じた金額とすることができる。（措通61の４（２）－７・編者補正）
　　注　この取扱いの適用を受けた場合には、その減額した金額につき当該適用年度の翌事業年度において決算上調整するものとする。

２　適格分割等により引き継ぐ繰延資産に係る期中損金経理額の損金算入

　内国法人が、適格分割、適格現物出資又は適格現物分配（適格現物分配にあっては、残余財産の全部の分配を除く。以下**三**において「**適格分割等**」という。）により分割承継法人、被現物出資法人又は被現物分配法人（以下**三**において「**分割承継法人等**」という。）に繰延資産（当該適格分割等により当該分割承継法人等に移転する資産、負債又は契約〔以下**４**において「**資産等**」という。〕と関連を有するものに限る。）を引き継ぐ場合において、当該繰延資産について損金経理額に相当する金額を費用の額としたときは、当該費用の額とした金額（以下**３**までにおいて「**期中損金経理額**」という。）のうち、当該繰延資産につき当該適格分割等の日の前日を事業年度終了の日とした場合に**１**《償却費等の損金算入》により計算される償却限度額に相当する金額に達するまでの金額は、当該適格分割等の日の属する事業年度（**３**において「**分割等事業年度**」という。）の所得の金額の計算上、損金の額に算入する。（法32②）

(適格分割等により引き継ぐ繰延資産に係る期中損金経理額の損金算入に関する届出)
　２は、**２**の内国法人が適格分割等の日以後２か月以内に次に掲げる事項を記載した書類を納税地の所轄税務署長に提出した場合に限り、適用する。（法32③、規21の３）

(一)	**２**の適用を受けようとする内国法人の名称、納税地及び法人番号並びに代表者の氏名
(二)	適格分割等に係る分割承継法人等の名称及び納税地並びに代表者の氏名
(三)	適格分割等の日
(四)	適格分割等により分割承継法人等に引継ぎをする繰延資産に係る期中損金経理額及び**２**に掲げる償却限度額に相当する金額並びにこれらの金額の計算に関する明細
(五)	(四)の繰延資産が関連を有する資産等（適格分割等により分割承継法人等に移転する**２**に掲げる資産等をいう。）の種類及び名称並びに当該繰延資産と当該資産等との間に関連があると認められる説明
(六)	その他参考となるべき事項

　　注　(四)に掲げる事項の記載については、別表十六(六)の書式によらなければならない。ただし、これらの書式に代え、当該書式と異なる

3　繰越償却超過額の処理

損金経理額には、繰延資産につき内国法人が償却費として損金経理をした事業年度（以下3において「**償却事業年度**」という。）前の各事業年度における当該繰延資産に係る損金経理額（当該繰延資産が適格合併又は適格現物分配〔残余財産の全部の分配に限る。〕により被合併法人又は現物分配法人〔以下3において「**被合併法人等**」という。〕から引継ぎを受けたものである場合にあっては当該被合併法人等の当該適格合併の日の前日又は当該残余財産の確定の日の属する事業年度以前の各事業年度の損金経理額のうち当該各事業年度の所得の金額の計算上損金の額に算入されなかった金額を、当該繰延資産が**適格分割等**により分割法人、現物出資法人又は現物分配法人〔以下3において「**分割法人等**」という。〕から引継ぎを受けたものである場合にあっては当該分割法人等の分割等事業年度の期中損金経理額として帳簿に記載した金額及び分割等事業年度前の各事業年度の損金経理額のうち分割等事業年度以前の各事業年度の所得の金額の計算上損金の額に算入されなかった金額を含む。以下3において同じ。）のうち当該償却事業年度前の各事業年度の所得の金額の計算上損金の額に算入されなかった金額を含むものとし、**期中損金経理額**には、2《適格分割等により引き継ぐ繰延資産に係る期中損金経理額の損金算入》に掲げる内国法人の分割等事業年度前の各事業年度における2に掲げる繰延資産に係る損金経理額のうち当該各事業年度の所得の金額の計算上損金の額に算入されなかった金額を含むものとする。（法32⑥）

　　　　（償却超過額の処理）
（１）　内国法人の各事業年度終了の時の**四**《繰延資産の償却限度額》の表の②に掲げる繰延資産についてした償却の額のうち各事業年度の所得の金額の計算上損金の額に算入されなかった金額がある場合には、その繰延資産については、その償却をした日の属する事業年度以後の各事業年度の所得の金額の計算上、その繰延資産の帳簿価額は、当該損金の額に算入されなかった金額に相当する金額の減額がされなかったものとみなす。（法32⑧、令65）

　　　　（適格組織再編成により引継ぎ等を受けた繰延資産に係る簿価下げ額のみなし損金経理額）
（２）　3の場合において、内国法人の繰延資産（次の表の「資産」欄に掲げる繰延資産に限る。）につき同表の「帳簿価額」欄に掲げる金額が当該引継ぎの直前に同表の「資産価額」欄に掲げる金額に満たない場合には、当該満たない部分の金額は、同表の「事業年度」欄に掲げる事業年度前の各事業年度の損金経理額とみなす。（法32⑦、令66の2）

	資　　産	帳簿価額	資産価額	事業年度
（一）	適格合併、適格分割、適格現物出資又は適格現物分配（以下**四**までにおいて「**適格組織再編成**」という。）により被合併法人、分割法人、現物出資法人又は現物分配法人（以下（一）において「被合併法人等」という。）から引継ぎを受けた繰延資産（当該被合併法人等である公益法人等又は人格のない社団等の収益事業以外の事業に属していたものを除く。）	当該繰延資産の引継ぎを受けた内国法人により当該繰延資産の価額としてその帳簿に記載された金額	当該被合併法人等により当該繰延資産の価額として当該適格組織再編成の直前にその帳簿に記載されていた金額	当該適格組織再編成の日の属する事業年度
（二）	合併、分割、現物出資又は現物分配（適格合併、適格分割、適格現物出資又は適格現物分配を除く。以下（二）において「合併等」という。）により被合併法人、分割法人、現物出資法人又は現物分配法人から移転を受けた繰延資産	当該繰延資産の移転を受けた内国法人により当該繰延資産の価額としてその帳簿に記載された金額	当該移転を受けた時の当該繰延資産の額	当該合併等の日の属する事業年度

(三)	第六款の四の1の①の(12)《評価換え等及び期中評価換え等の意義》の表の(一)のロに掲げる民事再生等評価換えが行われたことによりその帳簿価額が増額された繰延資産	内国法人の当該繰延資産につき当該内国法人により当該民事再生等評価換えに係る第九款の一の3《民事再生等による特定の事実が生じた場合の資産の評価益の益金算入》に掲げる事実が生じた時の直前の当該繰延資産の価額としてその帳簿に記載された金額（当該繰延資産につき当該事実が生じた日の属する事業年度前の各事業年度の1《償却費等の損金算入》に掲げる**損金経理額**のうち当該各事業年度の所得の金額の計算上損金の額に算入されなかった金額がある場合には、当該金額を加算した金額）	当該事実が次の表の左欄に掲げる事実の区分のいずれに該当するかに応じそれぞれ同表の右欄に掲げる金額<table><tr><td>イ</td><td>第九款の一の3の(5)の表の(一)の左欄に掲げる事実</td><td>同欄に掲げる事実が生じた時の当該繰延資産の価額</td></tr><tr><td>ロ</td><td>同款の一の3の(5)の表の(二)の左欄に掲げる事実</td><td>同3の(1)の表の(二)の貸借対照表に計上されている当該繰延資産の価額</td></tr></table>	第九款の一の3の規定の適用を受けた事業年度
(四)	第六款の四の1の①の(12)《評価換え等及び期中評価換え等の意義》の表の(一)のハに掲げる非適格株式交換等時価評価が行われたことによりその帳簿価額が増額された繰延資産	内国法人の当該繰延資産につき当該内国法人により第三十四款の二の1《非適格株式交換等に係る株式交換完全子法人等の有する資産の時価評価損益》に掲げる非適格株式交換等の直前の当該繰延資産の価額としてその帳簿に記載された金額（当該繰延資産につき当該非適格株式交換等の日の属する事業年度前の各事業年度の1《償却費等の損金算入》に掲げる**損金経理額**のうち当該各事業年度の所得の金額の計算上損金の額に算入されなかった金額がある場合には、当該金額を加算した金額）	当該繰延資産の当該非適格株式交換等の直後の帳簿価額	第三十四款の二の1の適用を受けた事業年度
(五)	第六款の四の1の①の(12)《評価換え等及び期中評価換え等の意義》の表の(一)のニに掲げる通算時価評価が行われたことによりその帳簿価額が増額された繰延資産	内国法人の当該繰延資産につき当該内国法人により当該通算時価評価が行われた事業年度（以下(五)において「時価評価年度」という。）終了の時の価額としてその帳簿に記載された金額（当該繰延資産につき当該時価評価年度以前の各事業年度の1に掲げる損金経理額のうち当該各事業年度の所得の金額の計算上損金の額に算入されなかった金額がある場合には、当該金額を加算した金額）	当該繰延資産の当該通算時価評価の直後の帳簿価額	当該時価評価年度の翌事業年度

4　適格組織再編成における繰延資産の簿価引継ぎ

　内国法人が適格組織再編成を行った場合には、次の表の左欄に掲げる適格組織再編成の区分に応じそれぞれ右欄に掲げる繰延資産は、当該適格組織再編成の直前の帳簿価額により当該適格組織再編成に係る合併法人、分割承継法人、被現物出資法人又は被現物分配法人に引き継ぐものとする。（法32④、令66）

①	適格合併又は適格現物分配（残余財産の全部の分配に限る。）	当該適格合併の直前又は適格現物分配に係る残余財産の確定の時の繰延資産		
②	適格分割等	次に掲げる繰延資産		
		イ　当該適格分割等により分割承継法人等に移転する資産等と密接な関連を有する繰延資産として次に掲げるもの		
			(イ)	当該内国法人の発行した社債が当該適格分割等により分割承継法人等に引き継がれる場合における当該社債に係る一《繰延資産の意義》の表の**5**に掲げる社債等発行費
			(ロ)	適格分割等により分割承継法人等のみが便益を受けることとなる公共的施設又は共同的施設に係る一の表の**6**のイに掲げる費用
			(ハ)	適格分割等により分割承継法人等が引き続き賃借をする資産に係る同表の**6**のロに掲げる費用
			(ニ)	その他これらに類するもの
		ロ　当該適格分割等により分割承継法人等に移転する資産等と関連を有する繰延資産のうち**2**《適格分割等により引き継ぐ繰延資産に係る期中損金経理額の損金算入》の適用を受けたもの（**イ**に掲げるものを除く。）		
		ハ　当該適格分割等により分割承継法人等に移転する資産等と関連を有する繰延資産（**イ**及び**ロ**に掲げるものを除く。）		

（移転資産等と密接な関連を有する繰延資産）
（1）　**4**の表の②の**イ**の(ニ)に掲げる「その他これらに類するもの」とは、例えば、次の繰延資産をいう。（基通8－1－14）
　(一)　適格分割又は適格現物出資によりノウハウの設定契約が移転した場合における一の(9)《ノウハウの頭金等》に掲げるノウハウの頭金等
　(二)　スキー場においてリフト、ロープウエイ等の索道事業を営む法人が適格分割、適格現物出資又は適格現物分配により当該事業に係る資産等を移転した場合における一の(11)《スキー場のゲレンデ整備費用》に掲げるスキー場のゲレンデ整備費用
　(三)　適格分割又は適格現物出資により職業運動選手等との専属契約を移転した場合における一の(14)《職業運動選手等の契約金等》に掲げる契約金等

（双方に関連を有する繰延資産の引継ぎ）
（2）　適格分割又は適格現物出資により移転する資産等と移転しない資産等の双方に関連を有する繰延資産については、当該繰延資産の金額を合理的にあん分した金額を引き継ぐことができるものとする。（基通8－1－15）

（移転する資産等と関連を有する繰延資産の簿価引継ぎに関する届出）
（3）　**4**（**4**の表の②の**ハ**に係る部分に限る。）は、**4**に掲げる内国法人が適格分割等の日以後2か月以内に次に掲げる事項を記載した書類を納税地の所轄税務署長に提出した場合に限り、適用する。（法32⑤、規22）

(一)	**4**の表の②の**ハ**の適用を受けようとする内国法人の名称、納税地及び法人番号並びに代表者の氏名
(二)	**4**の表の②の**ハ**に掲げる適格分割等に係る分割承継法人等の名称及び納税地並びに代表者の氏名
(三)	適格分割等の日

(四)	適格分割等により分割承継法人等に引き継ぐ**4**の表の②の**ハ**に掲げる繰延資産の種類、その額、繰延資産となった費用の支出年月及び帳簿価額
(五)	(四)の繰延資産が関連を有する資産等（適格分割等により分割承継法人等に移転する**4**の表の②の**ハ**に掲げる資産等をいう。）の種類及び名称並びに当該繰延資産と当該資産等との間の関連があると認められる説明
(六)	その他参考となるべき事項

四　繰延資産の償却限度額

　各事業年度の繰延資産の償却限度額は、次の表の左欄に掲げる繰延資産の区分に応じ、それぞれ同表の右欄に掲げる金額とする。（法32①、令64①）

①	一《繰延資産の意義》の表の**1**から**5**までに掲げる繰延資産	その繰延資産の額（既にした償却の額で各事業年度の所得の金額の計算上損金の額に算入されたもの〔当該繰延資産が適格組織再編成により被合併法人、分割法人、現物出資法人又は現物分配法人〈以下**四**において「**被合併法人等**」という。〉から引継ぎを受けたものである場合にあっては、これらの法人の各事業年度の所得の計算上損金の額に算入されたものを含む。〕がある場合には、当該金額を控除した金額） 　　注　償却前帳簿価額に相当する金額がその事業年度の償却限度額となる。したがって、当該事業年度において法人の償却した金額がそのまま損金の額に算入されることになる。（編者）
②	一の表の**6**に掲げる繰延資産	その繰延資産の額（当該繰延資産が適格組織再編成により、被合併法人等から引継ぎを受けたものである場合にあっては、当該被合併法人等における繰延資産の額）をその繰延資産となる費用の支出の効果の及ぶ期間の月数で除して計算した金額に当該事業年度の月数（当該事業年度がその繰延資産となる費用の支出をする日の属する事業年度である場合にあっては同日から当該事業年度終了の日までの期間の月数とし、適格組織再編成により被合併法人等から引継ぎを受けた日の属する事業年度である場合にあっては当該適格組織再編成の日から当該事業年度終了の日までの期間の月数とする。）を乗じて計算した金額 　償却限度額 ＝ 繰延資産の額 × $\dfrac{\text{当該事業年度の月数（支出事業年度にあっては、支出日以後の月数であり、適格組織再編成により被合併法人等から引継ぎを受けた事業年度にあっては、当該適格組織再編成の日以後の月数）}}{\text{支出の効果の及ぶ期間の月数}}$ （月数の計算） 　上記に掲げる月数は、暦に従って計算し、1か月に満たない端数を生じたときは、これを1か月とする。（令64④）

（任意償却される繰延資産の評価換え等が行われた場合の償却限度額の計算）

（1）　**四**の表の①の左欄に掲げる繰延資産につき評価換え等（第六款の**四**の1の①の(12)《評価換え等及び期中評価換え等の意義》に掲げる評価換え等をいう。以下（1）及び（2）において同じ。）が行われたことによりその帳簿価額が減額された場合には、当該評価換え等が行われた事業年度後の各事業年度（当該評価換え等が期中評価換え等〔同(12)

に掲げる期中評価換え等をいう。以下（1）及び（2）において同じ。〕である場合には、当該期中評価換え等が行われた事業年度以後の各事業年度）における当該繰延資産に係る**四**の表の①の右欄に掲げる損金の額に算入されたものには、当該帳簿価額が減額された金額を含むものとする。（令64②）

　　（その他の繰延資産の評価換え等が行われた場合の償却限度額の計算）
（2）　**四**の表の②の左欄に掲げる繰延資産につき評価換え等が行われたことによりその帳簿価額が増額され、又は減額された場合には、当該評価換え等が行われた事業年度後の各事業年度（当該評価換え等が期中評価換え等である場合には、当該期中評価換え等が行われた事業年度以後の各事業年度）における当該繰延資産に係る**四**の表の②の右欄に掲げる除して計算した金額は、当該評価換え等の直後の帳簿価額を同②に掲げる支出の効果の及ぶ期間のうち当該評価換え等が行われた事業年度終了の日後の期間（評価換え等が期中評価換え等である場合には、当該期中評価換え等が行われた事業年度開始の日〔当該事業年度がその繰延資産となる費用の支出をする日の属する事業年度である場合にあっては同日とし、適格組織再編成により被合併法人から引継ぎを受けた日の属する事業年度である場合にあっては当該適格組織再編成の日とする。〕以後の期間）の月数で除して計算した金額とする。（令64③）
　　注　（2）に掲げる月数は、暦に従って計算し、1か月に満たない端数を生じたときは、これを1か月とする。（令64④）

　　（効果の及ぶ期間の測定）
（3）　**四**の表の②に掲げる「繰延資産となる費用の支出の効果の及ぶ期間」は、別段の定めのあるもののほか、固定資産を利用するために支出した繰延資産については当該固定資産の耐用年数、一定の契約をするに当たり支出した繰延資産についてはその契約期間をそれぞれ基礎として適正に見積もった期間による。（基通8－2－1）

　　（繰延資産の償却期間の改訂）
（4）　固定資産を利用するために支出した繰延資産で当該固定資産の耐用年数を基礎として支出の効果の及ぶ期間（以下**「償却期間」**という。）を算定しているものにつき、その後当該固定資産の耐用年数が改正されたときは、その改正された事業年度以後の当該繰延資産の償却期間は、改正後の耐用年数を基礎として算定した年数による。（基通8－2－2）

　　（繰延資産の償却期間）
（5）　**一**の表の**6**に掲げる繰延資産のうち、次の表に掲げるものの償却期間は、次による。（基通8－2－3）

該当費用	種　　類	細　　　　目	償　却　期　間
一の表の**6**のイ《公共的施設等の負担金》に掲げる費用	公共的施設の設置又は改良のために支出する費用《**一**の(5)》	（一）　その施設又は工作物がその負担した者に専ら使用されるものである場合	その施設又は工作物の耐用年数の$\frac{7}{10}$に相当する年数
		（二）　（一）以外の施設又は工作物の設置又は改良の場合	その施設又は工作物の耐用年数の$\frac{4}{10}$に相当する年数
	共同的施設の設置又は改良のために支出する費用《**一**の(6)》	（一）　その施設がその負担者又は構成員の共同の用に供されるものである場合又は協会等の本来の用に供されるものである場合	イ　施設の建設又は改良に充てられる部分の負担金については、その施設の耐用年数の$\frac{7}{10}$に相当する年数 ロ　土地の取得に充てられる部分の負担金については、45年
		（二）　商店街等における共同のアーケード、日よけ、アーチ、すずらん灯等負担者の共同の用に供されるとともに併せて一般公衆の用にも供されるものである場合	5年（その施設について定められている耐用年数が5年未満である場合には、その耐用年数）
一の表の**6**のロ《資産を賃借するための権利金等》に掲げる費用	建物を賃借するために支出する権利金等《**一**の(8)の(一)》	（一）　建物の新築に際しその所有者に対して支払った権利金等で当該権利金等の額が当該建物の賃借部分の建設費の大部分に相当し、かつ、実際上その建物の存続期間中賃借できる状況にある	その建物の耐用年数の$\frac{7}{10}$に相当する年数

		と認められるものである場合	
		(二) 建物の賃借に際して支払った(一)以外の権利金等で、契約、慣習等によってその明渡しに際して借家権として転売できることになっているものである場合	その建物の賃借後の見積残存耐用年数の $\frac{7}{10}$ に相当する年数
		(三) (一)及び(二)以外の権利金等の場合	5年(契約による賃借期間が5年未満である場合において、契約の更新に際して再び権利金等の支払を要することが明らかであるときは、その賃借期間)
	電子計算機その他の機器の賃借に伴って支出する費用《一の(8)の(二)》		その機器の耐用年数の $\frac{7}{10}$ に相当する年数(その年数が契約による賃借期間を超えるときは、その賃借期間)
一の表の6のハ《役務の提供を受けるための権利金等》に掲げる費用	ノウハウの頭金等《一の(9)》		5年(設定契約の有効期間が5年未満である場合において、契約の更新に際して再び一時金又は頭金の支払を要することが明らかであるときは、その有効期間の年数)
一の表の6のニ《広告宣伝用資産を贈与した費用》に掲げる費用	広告宣伝の用に供する資産を贈与したことにより生ずる費用《一の(10)》		その資産の耐用年数の $\frac{7}{10}$ に相当する年数(その年数が5年を超えるときは、5年)
一の表の6のホ《その他自己が便益を受けるための費用》に掲げる費用	スキー場のゲレンデ整備費用《一の(11)》		12年
	出版権の設定の対価《一の(12)》		設定契約に定める存続期間(設定契約に存続期間の定めがない場合には、3年)
	同業者団体等の加入金《一の(13)》		5年
	職業運動選手等の契約金等《一の(14)》		契約期間(契約期間の定めがない場合には、3年)

注1 法人が道路用地をそのまま、又は道路として舗装の上国又は地方公共団体に提供した場合において、その提供した土地の価額(舗装費を含む。)が繰延資産となる公共施設の設置又は改良のために支出する費用に該当するときは、その償却期間の基礎となる「その施設又は工作物の耐用年数」は15年としてこの表を適用する。

注2 償却期間に1年未満の端数があるときは、その端数を切り捨てる。

(港湾しゅんせつ負担金等の償却期間の特例)

(6) 公共的施設の設置又は改良のために支出する費用のうち、企業合理化促進法第8条《産業関連施設の整備》の規定に基づき負担する港湾しゅんせつに伴う受益者負担金及び共同的施設の設置又は改良のために支出する費用のうち負担者又は構成員の属する協会等の本来の用に供される会館等の建設又は改良のために負担する負担金については、(5)に掲げる償却期間が10年を超える場合には、当分の間、(5)にかかわらず、その償却期間を10年とするものとする。(基通8-2-4)

(公共下水道に係る受益者負担金の償却期間の特例)
（7）　地方公共団体が都市計画事業その他これに準ずる事業として公共下水道を設置する場合において、その設置により著しく利益を受ける土地所有者が都市計画法その他の法令の規定に基づき負担する受益者負担金については、（5）にかかわらずその償却期間を6年とする。（基通8－2－5）
　　注　法人が下水道法第19条《工事負担金》の規定により負担する負担金の取扱いは、第六款の一の2の(10)《公共下水道施設の使用のための負担金》によることに留意する。

(分割払の繰延資産)
（8）　法人が一の表の6に掲げる繰延資産となるべき費用の額を分割して支払うこととしている場合には、たとえその総額が確定しているときであっても、その総額を未払金に計上して償却することはできないものとする。ただし、その分割して支払う期間が短期間（おおむね3年以内）である場合には、この限りでない。（基通8－3－3）

(長期分割払の負担金の損金算入)
（9）　法人が公共的施設又は共同的施設の設置又は改良に係る負担金で繰延資産となるべきものを支出した場合において、当該負担金が次のいずれにも該当するものであるときは、その負担金として支出した金額は、その支出をした日の属する事業年度の損金の額に算入することができるものとする。（基通8－3－4）
　(一)　その負担金の額が、その負担金に係る繰延資産の償却期間に相当する期間以上の期間にわたり分割して徴収されるものであること。
　(二)　その分割して徴収される負担金の額がおおむね均等額であること。
　(三)　その負担金の徴収がおおむねその支出に係る施設の工事の着工後に開始されること。

(固定資産を利用するための繰延資産の償却の開始の時期)
（10）　法人が繰延資産となるべき費用を支出した場合において、当該費用が固定資産を利用するためのものであり、かつ、当該固定資産の建設等に着手されていないときは、その固定資産の建設等に着手した時から償却する。（基通8－3－5）

(その他の繰延資産の償却期間)
（11）　一の(19)《繰延資産に該当する費用の具体的例示》に掲げる費用の償却期間は、それぞれ次に掲げる年数とする。
　(一)　電力会社が支出する昇圧工事費　　　15年
　(二)　証券会社が支払う証券投資信託の募集手数料　　　3年
　(三)　証券投資信託の受益証券の発行費用　　　5年
　(四)　電力会社又は電源開発株式会社が支払う下流増負担金　　　40年

五　繰延資産の償却に関する明細書の添付

1　償却明細書
　内国法人は、各事業年度終了の時の繰延資産につき償却費として損金経理をした金額がある場合には、その繰延資産の当該事業年度の償却限度額その他償却費の計算に関する明細書《別表十六（六）》を当該事業年度の確定申告書に添付しなければならない。（法32⑧、令67①）

　　(償却明細書の書式)
　　　1に掲げる償却明細書の書式は、申告書別表十六（六）によらなければならない。（規34②本文）

2　償却明細書に代わる合計表
　内国法人は、1に掲げる償却明細書に記載された金額を一《繰延資産の意義》の表の1から6までに掲げる繰延資産の種類ごとに区分し、その区分ごとの合計額を記載した書類（申告書別表十六（六）を合計表として使用）を当該事業年度の確定申告書に添付したときは、1に掲げる償却明細書を保存している場合に限り、その償却明細書の添付を要しないものとする。（法32⑧、令67②）

（保存する償却明細書の書式）

　内国法人が２の償却明細書に代わる合計表により合計表を添付する場合には、保存する償却明細書については、申告書別表十六(六)に定める書式と異なる書式（同表の書式に定める項目を記載しているものに限る。）によることができるものとする。（規34②ただし書）

第九款　資産の評価損益

一　資産の評価益の益金不算入等

1　資産の評価益の益金不算入

内国法人がその有する資産の評価換えをしてその帳簿価額を増額した場合には、その増額した部分の金額は、その内国法人の各事業年度の所得の金額の計算上、益金の額に算入しない。（法25①）

注　非適格株式交換等の日の属する事業年度における1の適用については、第三十四款の二の1の（3）《非適格株式交換等の日の属する事業年度における資産の評価益の益金不算入等の不適用》を参照。（編者）

（評価益を否認された資産の帳簿価額）
（1）　1の適用があった場合において、評価換えにより増額された金額を益金の額に算入されなかった資産については、その評価換えをした日の属する事業年度以後の各事業年度の所得の金額の計算上、当該資産の帳簿価額は、その増額がされなかったものとみなす。（法25⑤）

（取得価額の修正等と評価益の計上との関係）
（2）　次に掲げる事実に基づき生じた益金は、1の資産の評価益には該当しないことに留意する。（基通4-1-1）
　（一）　減価償却資産として計上すべき費用の額を修繕費等として損金経理をした法人が減価償却資産として受け入れるに当たり、当該費用の額をもって減価償却資産の帳簿価額として計上したため、既往の償却費に相当する金額だけその増額が行われたこと。
　（二）　圧縮記帳による圧縮額を積立金として経理している法人が、その積立金を取り崩したこと。

2　会社更生等による評価換えを行った場合の資産の評価益の益金算入

内国法人がその有する資産につき次に掲げる評価換えをしてその帳簿価額を増額した場合には、その増額した部分の金額は、1にかかわらず、これらの評価換えをした日の属する事業年度の所得の金額の計算上、益金の額に算入する。（法25②、令24）

①	更生計画認可の決定があったことにより会社更生法又は金融機関等の更生手続の特例等に関する法律の規定に従って行う評価換え
②	保険会社が保険業法第112条《株式の評価の特例》の規定に基づいて行う株式の評価換え

（時価を超える評価益の益金不算入）
　　法人がその有する資産の評価換えをしてその帳簿価額を増額した場合において、その評価換えが2に掲げる評価換えに該当するときにおいても、その評価換え後の資産の帳簿価額が評価換えをした時における当該資産の価額を超えるときは、その超える金額に相当する金額は益金の額に算入しないのであるから、当該資産の帳簿価額は、その超える部分の金額の増額がなされなかったことに留意する。（基通4-1-2）

3　民事再生等による特定の事実が生じた場合の資産の評価益の益金算入

内国法人について次の表に掲げる事実が生じた場合において、その内国法人がその有する資産の価額につき（3）に掲げる評定を行っているときは、その資産（評価益の計上に適しないものとして（4）に掲げるものを除く。）の評価益の額として（5）に掲げる金額は、1にかかわらず、これらの事実が生じた日の属する事業年度の所得の金額の計算上、益金の額に算入する。（法25③、令24の2①）

①	再生計画認可の決定があったこと。
②	再生計画認可の決定があったことに準ずる事実（その債務処理に関する計画が（1）に掲げる要件に該当するものに限る。）

(債務処理に関する計画の要件)
(1) **3**の表の②に掲げる再生計画認可の決定があったことに準ずる事実は、その債務処理に関する計画が次の表の(一)から(三)まで及び(四)又は(五)に掲げる要件に該当するものに限る。(法25⑧、令24の2①、規8の6①②)

(一)	一般に公表された債務処理を行うための手続についての準則(公正かつ適正なものと認められるものであって、次に掲げる事項が定められているもの〔当該事項が当該準則と一体的に定められている場合を含む。〕に限るものとし、特定の者〔政府関係金融機関、株式会社地域経済活性化支援機構及び協定銀行を除く。〕が専ら利用するためのものを除く。)に従って策定されていること。		
	イ	債務者の有する資産及び負債の価額の評定(以下(1)において「資産評定」という。)に関する事項(公正な価額による旨の定めがあるものに限る。)	
	ロ	当該計画が当該準則に従って策定されたものであること並びに(二)及び(三)に掲げる要件に該当することにつき確認をする手続並びに当該確認をする者(当該計画に係る当事者以外の者又は当該計画に従って債務免除等をする者で、次の表に掲げる者に限る。)に関する事項	
		(イ)	**3**の表の②に掲げる債務処理に関する計画(以下「再建計画」という。)に係る債務者である内国法人、その役員及び株主等(株主等となると見込まれる者を含む。)並びに債権者以外の者で、当該再建計画に係る債務処理について利害関係を有しないもののうち、債務処理に関する専門的な知識経験を有すると認められる者(当該者が3人以上〔当該内国法人の借入金その他の債務で利子の支払の基因となるものの額が10億円に満たない場合には、2人以上〕選任される場合((ロ)において「3人以上選任される場合」という。)の当該者に限る。)
		(ロ)	再建計画に係る債務者である内国法人に対し株式会社地域経済活性化支援機構法第24条第1項《支援基準》に規定する再生支援(当該再生支援に係る同法第25条第4項前段《再生支援決定》の再生支援をするかどうかの決定を同法第16条第1項《権限》の規定により同項の委員会が行うものに限る。以下(ロ)において「再生支援」という。)をする株式会社地域経済活性化支援機構(当該再生支援につき同法第31条第1項《出資決定》に規定する債権買取り等をしない旨の決定が行われる場合には、当該再建計画に係る債務処理について利害関係を有しない者として株式会社地域経済活性化支援機構により選任される債務処理に関する専門的な知識経験を有すると認められる者(当該者が3人以上選任される場合の当該者に限る。)とする。)
		(ハ)	再建計画に従って(2)の(三)に掲げる債務免除等(信託の受託者として行う同(三)に掲げる債務免除等を含む。)をする(2)の(二)に掲げる協定銀行
(二)	債務者の有する資産及び負債につき(一)の表のイに掲げる事項に従って資産評定が行われ、当該資産評定による価額を基礎とした当該債務者の貸借対照表が作成されていること。		
(三)	(二)の貸借対照表における資産及び負債の価額、当該計画における損益の見込み等に基づいて債務者に対して債務免除等をする金額が定められていること。		
(四)	2以上の金融機関等(次に掲げる者をいい、当該計画に係る債務者に対する債権が投資事業有限責任組合契約等に係る組合財産である場合における当該投資事業有限責任組合契約等を締結している者を除く。)が債務免除等をすることが定められていること。		
	イ	預金保険法第2条第1項各号《定義》に掲げる金融機関(協定銀行を除く。)	
	ロ	農水産業協同組合貯金保険法第2条第1項《定義》に規定する農水産業協同組合	
	ハ	保険業法第2条第2項《定義》に規定する保険会社及び同条第7項に規定する外国保険会社等	
	ニ	株式会社日本政策投資銀行	
	ホ	信用保証協会	
	ヘ	地方公共団体(イからホまでに掲げる者のうちいずれかの者とともに債務免除等をするものに限る。)	
(五)	政府関係金融機関、株式会社地域経済活性化支援機構又は協定銀行(これらのうち当該計画に係る債務者に対する債権が投資事業有限責任組合契約等に係る組合財産である場合における当該投資事業有限責任組合契約		

等を締結しているものを除く。）が有する債権、株式会社地域経済活性化支援機構が信託の受託者として有する債権又は協定銀行が信託の受託者として有する債権につき債務免除等をすることが定められていること。

(用語の意義)
（２）（１）の表において、次に掲げる用語の意義は、それぞれ次に掲げるところによる。（法25⑧、令24の２②）

(一)	政府関係金融機関	株式会社日本政策金融公庫、株式会社国際協力銀行及び沖縄振興開発金融公庫をいう。
(二)	協定銀行	預金保険法附則第７条第１項第１号《協定銀行に係る業務の特例》に規定する協定銀行をいう。
(三)	債務免除等	債務の免除又は債権のその債務者に対する現物出資による移転（当該債務者においてその債務の消滅に係る利益の額が生ずることが見込まれる場合の当該現物出資による移転に限る。）をいう。
(四)	投資事業有限責任組合契約等	投資事業有限責任組合契約に関する法律第３条第１項《投資事業有限責任組合契約》に規定する投資事業有限責任組合契約及び有限責任事業組合契約に関する法律第３条第１項《有限責任事業組合契約》に規定する有限責任事業組合契約をいう。

(評定)
（３）**３**に掲げる評定は、次の表の左欄に掲げる事実の区分に応じそれぞれ同表の右欄に掲げる評定とする。（法25⑧、令24の２③）

(一)	再生計画認可の決定があったこと	内国法人がその有する**３**に掲げる資産の価額につき当該再生計画認可の決定があった時の価額により行う評定
(二)	**３**の表の②に掲げる事実	内国法人が（１）の表の(一)のイに掲げる事項に従って行う同表の(二)の資産評定

(適用除外資産)
（４）評価益の計上に適しないものとして**３**の適用対象から除かれる資産は、次に掲げる資産とする。（法25⑧、令24の２④）

(一)		**３**の表に掲げる決定があった日又は事実が生じた日の属する事業年度開始の日前５年以内に開始した各事業年度（以下(一)において「前５年内事業年度」という。）において次に掲げる規定の適用を受けた減価償却資産（当該減価償却資産が適格合併、適格分割、適格現物出資又は適格現物分配により被合併法人、分割法人、現物出資法人又は現物分配法人〔以下(一)において「被合併法人等」という。〕から移転を受けたものである場合には、当該被合併法人等の当該前５年内事業年度において次に掲げる規定の適用を受けたものを含む。）
	イ	第十五款の**一**《国庫補助金等による圧縮記帳》の１、同**一**の２、同**一**の３の①、同**３**の②
	ロ	同**一**の**７**《特別勘定を設けた場合の国庫補助金等で取得した固定資産の圧縮額の損金算入》の①又は同**７**の②
	ハ	同款の**二**《工事負担金による圧縮記帳》の１、同**二**の２、同**二**の３の①、同**３**の②
	ニ	同款の**三**《非出資組合の賦課金による圧縮記帳》の１
	ホ	同款の**四**《保険金等による圧縮記帳》の１、同**四**の４、同**四**の５の①、同**５**の②
	ヘ	同**四**の**８**《特別勘定を設けた場合の保険金等で取得した代替資産の圧縮額の損金算入等》の①又は同**８**の②
	ト	同款の**十一**《転廃業助成金等に係る課税の特例》の１若しくは同**十一**の２の①（同**２**の⑥で準用する場合を含む。）又は同**２**の②（同**２**の⑦で準用する場合を含む。）
(二)		第二十二款の**二**の**２**《短期売買商品等の時価評価損益の益金又は損金算入》に掲げる短期売買商品等
(三)		第二十三款の**一**の１の表の②《売買目的有価証券》に掲げる売買目的有価証券

(四)	同款の三の1の表の②《売買目的外有価証券》に掲げる償還有価証券
(五)	第六款の二の1《少額の減価償却資産の取得価額の損金算入》又は同二の2の①《一括償却資産の損金算入》の適用を受けた減価償却資産その他これに類する減価償却資産

 注 ――部分は、令和6年度改正により改正された部分で、改正規定は、令和6年4月1日から適用され、令和6年3月31日以前の適用については、「**2**《短期売買商品等の時価評価損益の益金又は損金算入》」とあるのは「**1**《短期売買商品等の期末評価額》」とする。(令6改令附1)

(評価益の額)
(5) **3**に掲げる資産の評価益の額は、次の表の左欄に掲げる事実の区分に応じそれぞれ同表の右欄に掲げる金額とする。(法25⑧、令24の2⑤)

(一)	再生計画認可の決定があったこと	**3**に掲げる資産の当該再生計画認可の決定があった時の価額が当該再生計画認可の決定があった時の直前のその帳簿価額を超える場合のその超える部分の金額
(二)	**3**の表の②に掲げる事実	**3**に掲げる資産の(1)の表の(二)の貸借対照表に計上されている価額が当該事実が生じた時の直前のその帳簿価額を超える場合のその超える部分の金額

(資産の評価換えに係る帳簿価額の修正時期)
(6) **3**の適用を受けた場合において、**3**に掲げる評価益の額として(5)に掲げる金額を益金の額に算入された資産については、**3**の適用を受けた事業年度以後の各事業年度の所得の金額の計算上、当該資産の帳簿価額は、別段の定めがあるものを除き、当該適用に係る**3**に掲げる事実が生じた日において、当該益金の額に算入された金額に相当する金額の増額がされたものとする。(法25⑧、令24の2⑥)

(時価)
(7) 法人の有する資産について**3**を適用する場合における(5)《評価益の額》の表の(一)の右欄に掲げる「当該再生計画認可の決定があった時の価額」は、当該資産が使用収益されるものとしてその時において譲渡される場合に通常付される価額による。(基通4-1-3)

(市場有価証券等の価額)
(8) 法人の有する市場有価証券等(第二十三款の三の1の表の①の(1)《売買目的有価証券の時価評価金額》のイからニまでに掲げる有価証券をいう。以下(10)までにおいて同じ。)について**3**を適用する場合において、再生計画認可の決定があった時の当該市場有価証券等の価額は、(11)《企業支配株式等の時価》の適用を受けるものを除き、同①のイからニまで及びこれらの規定に係る取扱いである同1の(5)《取引所売買有価証券の気配相場》から(7)《合理的な方法による価額の計算》までに掲げられている価額による。(基通4-1-4)

(市場有価証券等以外の株式の価額)
(9) 市場有価証券等以外の株式について**3**を適用する場合において、再生計画認可の決定があった時の当該株式の価額は、次の表の左欄の区分に応じ、それぞれ右欄による。(基通4-1-5)

(一)	売買実例のあるもの	当該再生計画認可の決定があった日前6か月間において売買の行われたもののうち適正と認められるものの価額
(二)	公開途上にある株式(金融商品取引所が内閣総理大臣に対して株式の上場の届出を行うことを明らかにした日から上場の日の前日までのその株式)で、当該株式の上場に際して株式の公募又は売出し(以下(9)において「公募等」という。)が行われるもの((一)に該当するものを除く。)	金融商品取引所の内規によって行われる入札により決定される入札後の公募等の価格等を参酌して通常取引されると認められる価額
(三)	売買実例のないものでその株式を発行する法人と事業の種類、規模、収益の状況等が類似する	当該価額に比準して推定した価額

	他の法人の株式の価額があるもの（（二）に該当するものを除く。）	
（四）	（一）から（三）までに該当しないもの	当該再生計画認可の決定があった日又は同日に最も近い日におけるその株式の発行法人の事業年度終了の時における1株当たりの純資産価額等を参酌して通常取引されると認められる価額

　　（市場有価証券等以外の株式の価額の特例）
(10)　法人が、市場有価証券等以外の株式（(9)の（一）及び（二）に該当するものを除く。）について**3**を適用する場合において、再生計画認可の決定があった時における当該株式の価額につき昭和39年4月25日付直資56・直審(資)17「財産評価基本通達」（以下(10)において「財産評価基本通達」という。）の178から189－7まで《取引相場のない株式の評価》の例によって算定した価額によっているときは、課税上弊害がない限り、次によることを条件としてこれを認める。（基通4－1－6）
　（一）　当該株式の価額につき財産評価基本通達179の例により算定する場合（同通達189－3の(1)において同通達179に準じて算定する場合を含む。）において、当該法人が当該株式の発行会社にとって同通達188の(2)に定める「中心的な同族株主」に該当するときは、当該発行会社は常に同通達178に定める「小会社」に該当するものとしてその例によること。
　（二）　当該株式の発行会社が土地（土地の上に存する権利を含む。）又は金融商品取引所に上場されている有価証券を有しているときは、財産評価基本通達185の本文に定める「1株当たりの純資産価額（相続税評価額によって計算した金額）」の計算に当たり、これらの資産については当該再生計画認可の決定があった時における価額によること。
　（三）　財産評価基本通達185の本文に定める「1株当たりの純資産価額（相続税評価額によって計算した金額）」の計算に当たり、同通達186－2により計算した評価差額に対する法人税額等に相当する金額は控除しないこと。

　　（企業支配株式等の時価）
(11)　法人の有する企業支配株式等（第二十三款の**一**の**1**の表の⑤《企業支配株式等》に掲げる株式又は出資をいう。以下(11)において同じ。）の取得がその企業支配株式等の発行法人の企業支配をするためにされたものと認められるときは、当該企業支配株式等の価額は、当該株式等の通常の価額に企業支配に係る対価の額を加算した金額とする。（基通4－1－7）

　　（減価償却資産の時価）
(12)　法人が、第二章第一節の**二**の表の23の①から⑦まで《有形減価償却資産》に掲げる減価償却資産について**3**を適用する場合において、再生計画認可の決定があった時における当該資産の価額につき当該資産の再取得価額を基礎としてその取得の時から当該再生計画認可の決定があった時まで旧定率法により償却を行ったものとした場合に計算される未償却残額に相当する金額によっているときは、これを認める。（基通4－1－8）
　　注　定率法による未償却残額の方が旧定率法による未償却残額よりも適切に時価を反映するものである場合には、定率法によって差し支えない。

　　（その他これに類する減価償却資産）
(13)　(4)の表の（五）に掲げる「その他これに類する減価償却資産」には、例えば、第六款の**二**の**3**《中小企業者等の少額減価償却資産の取得価額の損金算入の特例》の適用を受けた減価償却資産が該当する。（基通4－1－9）

4　通算法人である場合の不適用

　2《会社更生等による評価換えを行った場合の資産の評価益の益金算入》及び**3**《民事再生等による特定の事実が生じた場合の資産の評価益の益金算入》の内国法人が通算法人である場合におけるこれらの内国法人が有する他の通算法人（第三十五款の**一**の**1**の①《所得事業年度の通算対象欠損金額の損金算入》の適用を受けない法人として初年度離脱通算子法人〔通算子法人で通算親法人との間に通算完全支配関係を有することとなった日の属する当該通算親法人の事業年度終了の日までに当該通算完全支配関係を有しなくなるもの〈当該通算完全支配関係を有することとなった日以後2か月以内に同款の**二**の**2**の(8)《通算承認の効力を失う日》の表の（五）又は（六）に掲げる事実が生ずることにより当該通算完全支配関係を有しなくなるものに限るものとし、他の通算法人を合併法人とする合併又は残余財産の確定により当該通算完全支配関係を有しなくなるものを除く。〉をいう。〕及び通算親法人を除く。）の株式又は出資については、**2**及び**3**は適用しない。（法25④、令24の3）

5　民事再生等による特定の事実が生じた場合の資産の評価益の益金算入の申告

　3は、確定申告書にその評価益の額として3の(5)に掲げる金額の益金算入に関する明細（(2)において「**評価益明細**」という。）の記載があり、かつ、(1)に掲げる書類（(2)において「**評価益関係書類**」という。）の添付がある場合（二の4《民事再生等による特定の事実が生じた場合の資産の評価損の損金算入》に掲げる資産につきその評価損の額として同4の(5)《評価損の額》に掲げる金額がある場合〔(2)において「**評価損がある場合**」という。〕には、二の6《民事再生等による特定の事実が生じた場合の資産の評価損の損金算入の申告》に掲げる評価損明細〔(2)において「**評価損明細**」という。〕の記載及び同6に掲げる評価損関係書類〔(2)において「**評価損関係書類**」という。〕の添付がある場合に限る。）に限り、適用する。（法25⑥）

　　　（評価益関係書類）
（1）　評価益関係書類は、次の表の左欄に掲げる事実の区分に応じそれぞれ同表の右欄に掲げる書類とする。（規8の6③）

(一)	内国法人について再生計画認可の決定があったこと	当該決定があった旨を証する書類及び3の(5)の表の(一)に掲げる価額の算定の根拠を明らかにする事項を記載した書類
(二)	3の表の②に掲げる事実	次に掲げる書類 イ　3の(1)の表の(一)のロに掲げる手続に従い同(一)のロに掲げる者が同(一)のロに掲げる確認をしたことを明らかにする書類 ロ　再建計画に係る計画書（3の(1)の表の(二)の貸借対照表の添付並びに同表の(三)の債務免除等をする者の氏名又は名称、当該債務免除等をする者ごとの当該債務免除等をする金額及び当該金額の算定の根拠を明らかにする事項の記載があるものに限る。）の写し

　　　（書類の添付がない場合のゆうじょ規定）
（2）　税務署長は、評価益明細（評価損がある場合には、評価益明細又は評価損明細）の記載又は評価益関係書類（評価損がある場合には、評価益関係書類又は評価損関係書類）の添付がない確定申告書の提出があった場合においても、当該記載又は当該添付がなかったことについてやむを得ない事情があると認めるときは、3を適用することができる。（法25⑦）

二　資産の評価損の損金不算入等

1　資産の評価損の損金不算入

　内国法人がその有する資産の評価換えをしてその帳簿価額を減額した場合には、その減額した部分の金額は、その内国法人の各事業年度の所得の金額の計算上、損金の額に算入しない。（法33①）
　　注　非適格株式交換等の日の属する事業年度における1の適用については、第三十四款の二の1の(3)《非適格株式交換等の日の属する事業年度における資産の評価益の益金不算入等の不適用》を参照。（編者）

　　　（評価損の損金不算入の適用資産）
（1）　資産の評価損の損金不算入の規定は、法人の有する資産について、一般的な価額の低落により評価損を計上しても、その評価損は所得の金額の計算上損金の額に算入しないことを定めたもので、災害による著しい損傷その他の特定の事実が生じたものについては、3《会社更生等による評価換えを行った場合の資産の評価損の損金算入》により評価損を計上することができる。（編者）

　　　（評価損を否認された資産の帳簿価額）
（2）　1の適用があった場合において、評価換えにより減額された金額を損金の額に算入されなかった資産については、その評価換えをした日の属する事業年度以後の各事業年度の所得の金額の計算上、当該資産の帳簿価額は、その減額がされなかったものとみなす。（法33⑥）

（積立金の任意取崩しの場合の評価損の否認金の処理）
（３）　圧縮記帳による圧縮額を積立金として経理している法人が当該積立金の額の全部又は一部を取り崩して益金の額に算入した場合において、その取り崩した積立金の設定の基礎となった資産に係る評価損の否認金（当該事業年度において生じた評価損の否認金を含む。）があるときは、その評価損の否認金の額のうち益金の額に算入した積立金の額に達するまでの金額は、当該事業年度の損金の額に算入する。（基通10－１－３参照）

２　評価換えを行った場合の資産の評価損の損金算入

　内国法人の有する資産につき、次の表に掲げる事実が生じた場合において、その内国法人が当該資産の評価換えをして損金経理によりその帳簿価額を減額したときは、その減額した部分の金額のうち、その評価換えの直前の当該資産の帳簿価額とその評価換えをした日の属する事業年度終了の時における当該資産の価額との差額に達するまでの金額は、**１**にかかわらず、その評価換えをした日の属する事業年度の所得の金額の計算上、損金の額に算入する。（法33②、令68①）

①	災害による著しい損傷により当該資産の価額がその帳簿価額を下回ることとなったこと		
②	物損等の事実（次の表の左欄に掲げる資産の区分に応じ、それぞれ同表の右欄に掲げる事実であって、当該事実が生じたことにより当該資産の価額がその帳簿価額を下回ることとなったものをいう。）		
	（一）	**棚卸資産**	次に掲げる事実 イ　当該資産が災害により著しく損傷したこと。 ロ　当該資産が著しく陳腐化したこと。 ハ　イ又はロに準ずる特別の事実
	（二）	**有価証券**	次に掲げる事実（第二十三款の**一**の１の表の②《売買目的有価証券》に掲げる売買目的有価証券にあっては、**ロ**又は**ハ**に掲げる事実） イ　第二十三款の**三**の１の表の①の（１）《売買目的有価証券の時価評価金額》の表の**イ**から**ニ**までに掲げる有価証券（同款の**一**の１の表の⑤《企業支配株式等》に掲げる株式又は出資に該当するものを除く。）の価額が著しく低下したこと。 ロ　イに掲げる有価証券以外の有価証券について、その有価証券を発行する法人の資産状態が著しく悪化したため、その価額が著しく低下したこと。 ハ　ロに準ずる特別の事実
	（三）	**固定資産**	次に掲げる事実 イ　当該資産が災害により著しく損傷したこと。 ロ　当該資産が１年以上にわたり遊休状態にあること。 ハ　当該資産がその本来の用途に使用することができないため他の用途に使用されたこと。 ニ　当該資産の所在する場所の状況が著しく変化したこと。 ホ　イからニまでに準ずる特別の事実
	（四）	**繰延資産**（第八款の**一**《繰延資産の意義》の表の**６**に掲げる繰延資産のうち他の者の有する固定資産を利用するために支出されたものに限る。）	次に掲げる事実 イ　その繰延資産となる費用の支出の対象となった固定資産につき（三）《固定資産》のイからニまでに掲げる事実が生じたこと。 ロ　イに準ずる特別の事実
③	法的整理の事実（更生手続における評定が行われることに準ずる特別の事実をいう。）		

　（民事再生等による特定の事実が生じた場合の重複適用の排除）
（１）　内国法人の有する資産について**２**の表の②又は③に掲げる事実が生じ、かつ、当該内国法人が当該資産の評価換えをして損金経理によりその帳簿価額を減額する場合において、当該内国法人が当該評価換えをする事業年度につき**４**《民事再生等による特定の事実が生じた場合の資産の評価損の損金算入》の適用を受けるとき（当該事実が生じた日以後に当該適用に係る**４**の（３）に掲げる評定が行われるときに限る。）は、当該評価換えについては、**２**は、適用し

ない。この場合において、当該資産（**4**に掲げる資産に該当しないものに限る。）は、**4**に掲げる資産とみなす。（令68②）

　　　（評価損の判定の単位）
（２）　法人がその有する資産について**2**による評価損を計上した場合において、その評価損の額の是否認の額を計算する単位は、次に掲げる資産についてはおおむね次の区分によるものとし、その他の資産についてはこれらに準ずる合理的な基準によるものとする。（基通９−１−１）
　（一）　土地（土地の上に存する権利を含む。）　　１筆（一体として事業の用に供される一団の土地等にあっては、その一団の土地等）ごと
　（二）　建物　　１棟（建物の区分所有等に関する法律第１条の規定に該当する建物にあっては、同法第２条第１項に規定する建物の部分）ごと
　（三）　電話加入権（特殊な番号に係る電話加入権を除く。）　　電話局の異なるものごと
　（四）　棚卸資産　　種類等の異なるものごと、かつ、**2**の表の②に掲げる事実の異なるものごと
　（五）　有価証券　　銘柄ごと

　　　（評価損否認金等のある資産について評価損を計上した場合の処理）
（３）　法人が評価損否認金又は償却超過額のある資産につき**2**に掲げる事実が生じたため当該評価損否認金又は償却超過額の全部又は一部を申告調整により損金の額に算入した場合には、その損金の額に算入した金額は、評価損として損金経理をしたものとして取り扱う。（基通９−１−２）

　　　（時価）
（４）　**2**を適用する場合における「評価換えをした日の属する事業年度終了の時における当該資産の価額」は、当該資産が使用収益されるものとしてその時において譲渡される場合に通常付される価額による。（基通９−１−３・編者補正）
　　　注　通常付される価額の算定に当たっては第一款の**七**の**2**の(10)《資産の評価損益等に係る時価》により、当該資産につき法人が消費税等の経理処理として税抜経理方式、税込経理方式いずれを採っているかに応じて、その適用している方式により算定するものとする。（平元直法２−１「10」参照）

　　　（評価換えの対象となる資産の範囲）
（５）　法人の有する金銭債権は、**2**の評価換えの対象とならないことに留意する。（基通９−１−３の２）
　　　注　**2**の表の③に掲げる「法的整理の事実」が生じた場合において、法人の有する金銭債権の帳簿価額を損金経理により減額したときは、その減額した金額に相当する金額については、第十七款の**一**《貸倒引当金》の貸倒引当金勘定に繰り入れた金額として取り扱う。

　　　（資産について評価損の計上ができる「法的整理の事実」の例示）
（６）　**2**の表の③に掲げる「法定整理の事実」には、例えば、民事再生法の規定による再生手続開始の決定があったことにより、同法第124条第１項《財産の価額の評定等》の評定が行われることが該当する。（基通９−１−３の３）

　　　（棚卸資産の著しい陳腐化の例示）
（７）　**2**の表の②の(一)のロに掲げる「当該資産が著しく陳腐化したこと」とは、棚卸資産そのものには物質的な欠陥がないにもかかわらず経済的な環境の変化に伴ってその価値が著しく減少し、その価額が今後回復しないと認められる状態にあることをいうのであるから、例えば、商品について次のような事実が生じた場合がこれに該当する。（基通９−１−４）
　（一）　いわゆる季節商品で売れ残ったものについて、今後通常の価額では販売することができないことが既往の実績その他の事情に照らして明らかであること。
　　　注　いわゆる季節商品で売れ残ったものについて、期末ではシーズン外れのため客観的に陳腐化《流行遅れ》の程度を判断する取引事例がない場合に、同種商品の既往の販売実績（例えば既往年度において１シーズン持ち越したことによりどの程度値下げせざるを得なかったか等の事実）に照らして陳腐化の程度を見通す趣旨である。（編者）
　（二）　当該商品と用途の面ではおおむね同様のものであるが、型式、性能、品質等が著しく異なる新製品が発売されたことにより、当該商品につき今後通常の方法により販売することができないようになったこと。
　　　注　単にモデルチェンジがあっただけでは旧型について著しい陳腐化が生じたとはいえない。（編者）

第三章　第一節　第九款《資産の評価損益》

（棚卸資産について評価損の計上ができる「準ずる特別の事実」の例示）
（8）　**2**の表の②の（一）のハに掲げる「イ又はロに準ずる特別の事実」には、例えば、破損、型崩れ、たなざらし、品質変化等により通常の方法によって販売することができないようになったことが含まれる。（基通９－１－５）

（棚卸資産について評価損の計上ができない場合）
（9）　棚卸資産の時価が単に物価変動、過剰生産、建値の変更等の事情によって低下しただけでは、**2**の表の②の（一）に掲げる事実に該当しないことに留意する。（基通９－１－６）

（補修用部品在庫調整勘定の設定）
（10）　法人が法令の規定、行政官庁の指導、業界の申合せ等に基づき製品の製造を中止した後一定期間保有することが必要と認められる当該製品に係る補修用の部品を相当数量一時に取得して保有する場合には、保有開始年度（その製品の製造を中止した事業年度の翌事業年度をいう。以下(10)において同じ。）以後の各事業年度において、当該事業年度終了の時における補修用の部品の帳簿価額の合計額が次の算式により計算した金額を超えるときにおけるその超える部分の金額に相当する金額以下の金額を損金経理により補修用部品在庫調整勘定に繰り入れることができるものとする。（基通９－１－６の２）

（算式）

保有開始年度開始の時における補修用の部品の帳簿価額の合計額 × 次の表の保有期間の年数及び経過年数に応じた率

経過年数＼保有期間の年数	2年	3	4	5	6	7	8	9	10
1年	0.784	0.885	0.922	0.942	0.953	0.961	0.967	0.971	0.974
2	0.100	0.636	0.784	0.849	0.885	0.907	0.922	0.933	0.942
3		0.100	0.538	0.702	0.784	0.832	0.863	0.885	0.900
4			0.100	0.469	0.636	0.727	0.784	0.822	0.849
5				0.100	0.419	0.582	0.678	0.741	0.784
6					0.100	0.380	0.538	0.636	0.702
7						0.100	0.350	0.501	0.599
8							0.100	0.326	0.469
9								0.100	0.306
10									0.100

（備考）
1　この表の率は、次によって求めたものである。
$$1-\sum_{t=1}^{n} r(1-r)^{n-t}$$
n＝保有期間の年数　t＝経過年数　$r = 1-\sqrt[n]{\frac{1}{10}}$

2　事業年度の期間が１年に満たない場合その他経過年数に１年未満の端数がある場合の求める率は、次の例による。
　（例）　保有期間の年数８年：事業年度の期間６か月：経過年数２年６か月
　　　　経過年数２年６か月に応ずる率は経過年数２年に応ずる率（0.922）と経過年数３年に応ずる率（0.863）との間にあるから、その率は、
　　　　$0.922-(0.922-0.863) \times \frac{6}{12} = 0.893$（小数点以下３位未満の端数切上げ）とする。

注１　算式に掲げる「保有開始年度開始の時における補修用の部品の帳簿価額の合計額」は、保有開始年度以後の事業年度において取得した当該製品に係る補修用の部品がある場合には、その取得価額の合計額を加算した金額とする。
注２　算式及び表に掲げる「保有期間の年数」は、当該補修用の部品が、法令の規定又は行政官庁の指導に基づき保有されているものである場合には当該法令の規定又は行政官庁の指導により保有すべきこととされている年数とし、業界の申合せその他の事由に基づき保有されているものである場合には、その保有すべき年数としてあらかじめ所轄税務

第三章　第一節　第九款《資産の評価損益》

　　　　署長（国税局の調査部〔課〕所管法人にあっては、所轄国税局長）の確認を受けた年数とする。
　　注3　算式及び表に掲げる「経過年数」は、保有開始年度開始の日以後当該事業年度終了の日までの期間に係る年数とし、
　　　　1か月未満の端数は1か月とする。

　　（補修用部品在庫調整勘定の金額の益金算入）
（一）　補修用部品在庫調整勘定の金額は、その繰入れをした事業年度の翌事業年度の益金の額に算入する。（基通9－1－6の3）

　　（補修用部品在庫調整勘定の明細書の添付）
（二）　補修用部品在庫調整勘定への繰入れを行う場合には、その繰入れを行う事業年度の確定申告書に補修用部品在庫調整勘定の繰入額の計算に関する明細を記載した書類を添付しなければならないものとする。（基通9－1－6の4）

　　（適格分割等に係る期中補修用部品在庫調整勘定の設定等）
（三）　法人が**適格分割等**（適格分割、適格現物出資又は適格現物分配をいう。以下**2**において同じ。）により**分割承継法人等**（分割承継法人、被現物出資法人又は被現物分配法人をいう。以下**2**において同じ。）に補修用部品在庫調整勘定の設定の対象となる補修用部品を移転する場合において、当該移転をする補修用部品について当該適格分割等の直前の時を事業年度終了の時とした場合に(10)により繰り入れることができる金額につき補修用部品在庫調整勘定に相当するもの（以下(10)において「**期中補修用部品在庫調整勘定**」という。）へ繰り入れたときは、当該繰り入れた金額は当該適格分割等の日の属する事業年度の損金の額に算入する。
　　なお、この取扱いは、当該法人が、当該適格分割等の日以後2か月以内に期中補修用部品在庫調整勘定の繰入額の計算に関する明細を記載した書類を所轄税務署長へ提出した場合に限り、適用するものとする。（基通9－1－6の5）

　　（適格組織再編成に係る補修用部品在庫調整勘定の引継ぎ）
（四）　法人が適格組織再編成（適格合併、適格分割、適格現物出資又は適格現物分配をいう。以下同じ。）を行った場合には、次の表の左欄に掲げる適格組織再編成の区分に応じ、それぞれ同表の右欄に定める補修用部品在庫調整勘定の金額又は期中補修用部品在庫調整勘定の金額は、当該適格組織再編成に係る合併法人、分割承継法人、被現物出資法人又は被現物分配法人（以下(10)において「**合併法人等**」という。）に引き継ぐものとする。（基通9－1－6の6）

イ	適格合併	(10)《補修用部品在庫調整勘定の設定》により当該適格合併の日の前日の属する事業年度において繰り入れをした補修用部品在庫調整勘定の金額
ロ	適格分割等	（三）により当該適格分割等の日の属する事業年度において繰り入れをした期中補修用部品在庫調整勘定の金額

　　（適格組織再編成により引継ぎを受けた補修用部品在庫調整勘定等の益金算入）
（五）　（四）により合併法人等が引継ぎを受けた補修用部品在庫調整勘定の金額又は期中補修用部品在庫調整勘定の金額は、当該合併法人等の適格組織再編成の日の属する事業年度の益金の額に算入する。（基通9－1－6の7）

　　（単行本在庫調整勘定の設定）
(11)　出版業を営む法人が各事業年度終了の時において有する単行本のうちにその最終刷後6か月以上を経過したもの（取次業者又は販売業者に寄託しているものを除く。以下(11)において「売れ残り単行本」という。）がある場合には、次の算式により計算した金額に相当する金額以下の金額を当該事業年度において損金経理により単行本在庫調整勘定に繰り入れることができるものとする。（基通9－1－6の8）
　　（算式）
　　　　当該事業年度終了の時における売　　　次の表の売上比率及び発行部数の各欄
　　　　れ残り単行本の帳簿価額の合計額　　×　の区分に応じた繰入率

第三章　第一節　第九款《資産の評価損益》

売上比率		発行部数		
		2,000部未満	2,000部以上 5,000部未満	5,000部以上
以上	未満	繰	入	率
％	％	％	％	％
20％以上		0	0	0
15	20	50	0	0
10	15	60	50	0
8	10	70	60	50
7	8	80	60	60
5	7	80	70	60
4	5	90	70	70
2	4	90	80	70
1	2	100	90	80
0.5	1	100	100	90
0.5％未満		100	100	100

(備考)
1　「売上比率」とは、発行部数に対する当該事業年度終了の日以前6か月間に販売された部数から当該期間において返品された部数を控除した部数の割合をいう。
2　「発行部数」とは、当該事業年度終了の日前6か月以前における最終刷の部数をいう。

注　繰入率100％を適用する場合には、算式により計算した金額は、当該金額から当該売れ残り単行本の当該事業年度終了の時における処分見込価額を控除した金額とする。

(単行本在庫調整勘定の金額の益金算入)
(一)　単行本在庫調整勘定の金額は、その繰入れをした事業年度の翌事業年度の益金の額に算入する。(基通9－1－6の9)

(単行本在庫調整勘定の明細書の添付)
(二)　単行本在庫調整勘定への繰入れを行う場合には、その繰入れを行う事業年度の確定申告書に単行本在庫調整勘定の繰入額の計算に関する明細を記載した書類を添付しなければならないものとする。(基通9－1－6の10)

(適格組織再編成に係る単行本在庫調整勘定の設定等)
(三)　(10)の(三)から(五)までの取扱いは、法人が適格分割等により分割承継法人等に売れ残り単行本を移転する場合及び適格組織再編成により合併法人等に単行本在庫調整勘定を引き継ぐ場合についてそれぞれ準用する。(基通9－1－6の11)

(市場有価証券等の価額)
(12)　**2**に掲げる物損等の事実が生じた場合の**2**の適用に当たり、**2**の表の②の(二)のイに掲げる有価証券(同②の(二)のイの括弧書に掲げる株式又は出資を含む。以下「**市場有価証券等**」という。)に係る**2**に掲げる資産の価額は、(15)《企業支配株式等の時価》の適用を受けるものを除き、第二十三款の三の**1**の表の①の(1)《売買目的有価証券の時価評価金額》の表のイからニまで及びこれらに係る取扱いである同**1**の(5)《取引所売買有価証券の気配相場》から(7)《合理的な方法による価額の計算》までに掲げられている価額による。(基通9－1－8)
注　**2**の表の②の(二)のイの括弧書《企業支配株式等》に掲げる株式又は出資である市場有価証券等及び同(二)に掲げる売買目的有価証券は、同表②の(二)のロ又はハに掲げる事実が生じた場合に限り、**2**に掲げる物損等の事実が生じた場合の**2**の適用があることに留意する。

(市場有価証券等以外の株式の価額)
(13)　市場有価証券等以外の株式につき**2**を適用する場合の当該株式の価額は、次の表の左欄に掲げる区分に応じ、そ

－628－

れぞれ同表の右欄による。(基通9－1－13)

(一)	売買実例のあるもの	当該事業年度終了の日前6か月間において売買の行われたもののうち適正と認められるものの価額
(二)	公開途上にある株式(金融商品取引所が内閣総理大臣に対して株式の上場の届出を行うことを明らかにした日から上場の日の前日までのその株式)で、当該株式の上場に際して株式の公募又は売出し(以下(13)において「公募等」という。)が行われるもの((一)に該当するものを除く。)	金融商品取引所の内規によって行われる入札により決定される入札後の公募等の価格等を参酌して通常取引されると認められる価額
(三)	売買実例のないものでその株式を発行する法人と事業の種類、規模、収益の状況等が類似する他の法人の株式の価額があるもの((二)に該当するものを除く。)	当該価額に比準して推定した価額
(四)	(一)から(三)までに該当しないもの	当該事業年度終了の日又は同日に最も近い日におけるその株式の発行法人の事業年度終了の時における1株当たりの純資産価額等を参酌して通常取引されると認められる価額

(市場有価証券等以外の株式の価額の特例)
(14) 法人が、市場有価証券等以外の株式((13)の表の(一)及び(二)に該当するものを除く。)について2を適用する場合において、事業年度終了の時における当該株式の価額につき昭和39年4月25日付直資56直審(資)17「財産評価基本通達」(以下(14)において「財産評価基本通達」という。)の178から189－7まで《取引相場のない株式の評価》の例によって算定した価額によっているときは、課税上弊害がない限り、次によることを条件としてこれを認める。(基通9－1－14)
(一) 当該株式の価額につき財産評価基本通達179《取引相場のない株式の評価の原則》の例により算定する場合(同通達189－3の(1)《株式保有特定会社の株式の評価》において同通達179に準じて算定する場合を含む。)において、当該法人が当該株式の発行会社にとって同通達188の(2)《同族株主以外の株主等が取得した株式》に掲げる「中心的な同族株主」に該当するときは、当該発行会社は常に同通達178《取引相場のない株式の評価上の区分》に掲げる「小会社」に該当するものとしてその例によること。
(二) 当該株式の発行会社が土地(土地の上に存する権利を含む。)又は金融商品取引所に上場されている有価証券を有しているときは、財産評価基本通達185《純資産価額》の本文に掲げる「1株当たりの純資産価額(相続税評価額によって計算した金額)」の計算に当たり、これらの資産については当該事業年度終了の時における価額によること。
(三) 財産評価基本通達185の本文に掲げる「1株当たりの純資産価額(相続税評価額によって計算した金額)」の計算に当たり、同通達186－2《評価差額に対する法人税額等に相当する金額》により計算した評価差額に対する法人税額等に相当する金額は控除しないこと。

(企業支配株式等の時価)
(15) 法人の有する企業支配株式等(第二十三款の一の1の表の⑤《企業支配株式等》に掲げる株式又は出資をいう。以下同じ。)の取得がその企業支配株式等の発行法人の企業支配をするためにされたものと認められるときは、当該企業支配株式等の価額は、当該株式等の通常の価額に企業支配に係る対価の額を加算した金額とする。(基通9－1－15)

(市場有価証券等の著しい価額の低下の判定)
(16) 2の表の②の(二)のイに掲げる「有価証券の価額が著しく低下したこと」とは、当該有価証券の当該事業年度終了の時における価額がその時の帳簿価額のおおむね50％相当額を下回ることとなり、かつ、近い将来その価額の回復が見込まれないことをいうものとする。(基通9－1－7)
注1 本文の50％相当額を下回るかどうかの判定に当たっては、当該有価証券(第二十三款の一の1の表の④に掲げる「その他有価証券」に限る。)の当該事業年度終了の日以前1か月間の市場価格の平均額によることも差し支えない。
注2 本文の回復可能性の判断は、過去の市場価格の推移、発行法人の業況等も踏まえ、当該事業年度終了の時に行うのであるから留意する。

第三章　第一節　第九款《資産の評価損益》

(市場有価証券等以外の有価証券の発行法人の資産状態の判定)
(17)　**2**の表の②の(二)のロに掲げる「有価証券を発行する法人の資産状態が著しく悪化したこと」には、次に掲げる事実がこれに該当する。(基通9－1－9)
　(一)　当該有価証券を取得して相当の期間を経過した後に当該発行法人について次に掲げる事実が生じたこと。
　　イ　特別清算開始の命令があったこと。
　　ロ　破産手続開始の決定があったこと。
　　ハ　再生手続開始の決定があったこと。
　　ニ　更生手続開始の決定があったこと。
　(二)　当該事業年度終了の日における当該有価証券の発行法人の1株又は1口当たりの純資産価額が当該有価証券を取得した時の当該発行法人の1株又は1口当たりの純資産価額に比しておおむね50％以上下回ることとなったこと。
　　　注　(二)の場合においては、次のことに留意する。
　　　　(イ)　当該有価証券の取得が2回以上にわたって行われている場合又は当該発行法人が募集株式の発行等若しくは株式の併合等を行っている場合には、その取得又は募集株式の発行等若しくは株式の併合等があった都度、その増加又は減少した当該有価証券の数及びその取得又は募集株式の発行等若しくは株式の併合等の直前における1株又は1口当たりの純資産価額を加味して当該有価証券を取得した時の1株又は1口当たりの純資産価額を修正し、これに基づいてその比較を行う。
　　　　(ロ)　当該発行法人が債務超過の状態にあるため1株又は1口当たりの純資産価額が負(マイナス)であるときは、当該負の金額を基礎としてその比較を行う。

(外国有価証券の発行法人の資産状態の判定)
(18)　外国法人の発行する有価証券につき(17)の(二)により当該有価証券の発行法人の資産状態が著しく悪化したかどうかを判定する場合には、原則として、当該有価証券を取得した日における当該発行法人の1株又は1口当たりの純資産価額(当該発行法人がその会計帳簿の作成に当たり使用する外国通貨表示の金額により計算した金額とする。以下同じ。)と当該事業年度終了の日における当該発行法人の1株又は1口当たりの純資産価額(以下これらを「比較純資産額」という。)の金額に基づいてその比較を行う。
　　ただし、当該発行法人が物価の変動が著しいと認められる国に本店又は主たる事務所を有するものであるときは、当該有価証券を取得した時と当該事業年度終了の日との間における当該国及び我が国の物価変動率を合理的に勘案したところによりその比較を行うことができるものとする。この場合において、当該物価変動率を勘案した比較が困難であるときは、課税上弊害がない限り、比較純資産額を当該有価証券を取得した日及び当該事業年度終了の日における第二十六款の二の(1)《外貨建取引及び発生時換算法の円換算》に掲げる電信売買相場の仲値により円換算した金額に基づいてその比較を行って差し支えない。(基通9－1－10)
　　　注　本文の「純資産価額」は、当該発行法人が資産再評価を行っている場合であっても、その再評価価額が通常の市場価額を表わしていると認められない限り、当該再評価価額にはよらないことに留意する。

(市場有価証券等以外の有価証券の著しい価額の低下の判定)
(19)　(16)《市場有価証券等の著しい価額の低下の判定》は、**2**の表の②の(二)のロに掲げる有価証券の価額が著しく低下したことの判定について準用する。(基通9－1－11)

(増資払込み後における株式の評価損)
(20)　株式(出資を含む。以下(20)において同じ。)を有している法人が当該株式の発行法人の増資に係る新株を引き受けて払込みをした場合には、仮に当該発行法人が増資の直前において債務超過の状態にあり、かつ、その増資後においてなお債務超過の状態が解消していないとしても、その増資後における当該発行法人の株式については**2**の表の②の(二)のロに掲げる事実はないものとする。ただし、その増資から相当の期間を経過した後において改めて当該事実が生じたと認められる場合には、この限りでない。(基通9－1－12)

(帳簿価額が減額された場合における評価換えの直前の帳簿価額の意義)
(21)　法人が受ける第二十三款の**一**の3の②の(5)《移動平均法――特定支配関係がある他の法人の株式等の対象配当等の額に係る基準時における一単位当たりの帳簿価額の算出の特例》に掲げる対象配当等の額に係る同②の(8)《移動平均法――用語の意義》の表の(三)の基準時の属する日が当該事業年度終了の日である場合において、当該対象配当等の額について同②の(5)の適用を受けたときは、**2**に掲げる「評価換えの直前の当該資産の帳簿価額」は同②の(5)を適用した後の帳簿価額となることに留意する。(基通9－1－12の2・編者補正)

注　本文の取扱いは、同②の（４）《移動平均法——子法人株式について寄附修正事由が生じた場合の一単位当たりの帳簿価額の算出の特例》及び同②の(15)から(24)までの適用を受けた場合の帳簿価額についても、同様とする。

　　　（固定資産について評価損の計上ができる「準ずる特別の事実」の例示）
(22)　**2**の表の②の(三)のホに掲げる「イからニまでに準ずる特別の事実」には、例えば、法人の有する固定資産がやむを得ない事情によりその取得の時から１年以上事業の用に供されないため、当該固定資産の価額が低下したと認められることが含まれる。（基通９－１－16）

　　　（固定資産について評価損の計上ができない場合の例示）
(23)　**2**により固定資産の評価損が損金の額に算入されるのは、当該固定資産について**2**の表の②に掲げる事実がある場合に限られるのであるから、当該固定資産の価額の低下が次のような事実に基づく場合には、**2**の適用がないことに留意する。（基通９－１－17）
　（一）　過度の使用又は修理の不十分等により当該固定資産が著しく損耗していること。
　（二）　当該固定資産について償却を行わなかったため償却不足額が生じていること。
　（三）　当該固定資産の取得価額がその取得の時における事情等により同種の資産の価額に比して高いこと。
　（四）　機械及び装置が製造方法の急速な進歩等により旧式化していること。

　　　（土地の賃貸をした場合の評価損）
(24)　法人がその有する土地の賃貸に際して賃借人から権利金その他の一時金（賃借人に返還する旨の特約のあるものを除く。）を収受するとともに長期間にわたって当該土地を使用させることとしたため、当該賃貸後の価額がその帳簿価額に満たないこととなった場合には、第二十七款の**五**の**2**《借地権の設定等により地価が著しく低下する場合の土地等の帳簿価額の一部の損金算入》の適用がないときであっても、その満たない部分に相当する金額をその賃貸をした日の属する事業年度においてその帳簿価額から減額することができる。（基通９－１－18）
　　注　賃貸後の価額が賃貸前の価額に比して50％以下となる場合には、第二十七款の**五**の**2**により、土地の帳簿価額のうち借地権対応部分の金額をいわば借地権の譲渡原価として損金の額に算入するのであるが、50％以下とならない場合であっても、土地の帳簿価額が当該土地の賃貸後の価額（いわゆる底地の時価）を超えるときのその超える部分の金額を帳簿価額から減額することができることに留意する。（編者）

　　　（減価償却資産の時価）
(25)　法人が、第二章第一節の**二**の表の23の①から⑦まで《有形減価償却資産》に掲げる減価償却資産について**2**を適用する場合において、当該資産の価額につき当該資産の再取得価額を基礎としてその取得の時から当該事業年度終了の時まで旧定率法により償却を行ったものとした場合に計算される未償却残額に相当する金額によっているときは、これを認める。（基通９－１－19・編者補正）
　　注　定率法による未償却残額の方が旧定率法による未償却残額よりも適切に時価を反映するものである場合には、定率法によって差し支えない。

3　会社更生等による評価換えを行った場合の資産の評価損の損金算入

　内国法人がその有する資産につき更生計画認可の決定があったことにより会社更生法又は金融機関等の更生手続の特例等に関する法律の規定に従って行う評価換えをしてその帳簿価額を減額した場合には、その減額した部分の金額は、**1**にかかわらず、その評価換えをした日の属する事業年度の所得の金額の計算上、損金の額に算入する。（法33③）

4　民事再生等による特定の事実が生じた場合の資産の評価損の損金算入

　内国法人について次の表に掲げる事実が生じた場合において、その内国法人がその有する資産の価額につき（３）に掲げる評定を行っているときは、その資産（評価損の計上に適しないものとして（４）に掲げる資産を除く。）の評価損の額として（５）に掲げる金額は、**1**にかかわらず、これらの事実が生じた日の属する事業年度の所得の金額の計算上、損金の額に算入する。（法33④、令68の２①、24の２①）

①	再生計画認可の決定があったこと。
②	再生計画認可の決定があったことに準ずる事実（その債務処理に関する計画が（１）に掲げる要件に該当するものに限る。）

(債務処理に関する計画の要件)
(1)　4の表の②に掲げる再生計画認可の決定があったことに準ずる事実は、その債務処理に関する計画が次の表の(一)から(三)まで及び(四)又は(五)に掲げる要件に該当するものに限る。(法33⑨、令68の2①、24の2①、規8の6①②)

(一)	一般に公表された債務処理を行うための手続についての準則(公正かつ適正なものと認められるものであって、次に掲げる事項が定められているもの〔当該事項が当該準則と一体的に定められている場合を含む。〕に限るものとし、特定の者〔政府関係金融機関、株式会社地域経済活性化支援機構及び協定銀行を除く。〕が専ら利用するためのものを除く。)に従って策定されていること。		
	イ	債務者の有する資産及び負債の価額の評定(以下(1)において「資産評定」という。)に関する事項(公正な価額による旨の定めがあるものに限る。)	
	ロ	当該計画が当該準則に従って策定されたものであること並びに(二)及び(三)に掲げる要件に該当することにつき確認をする手続並びに当該確認をする者(当該計画に係る当事者以外の者又は当該計画に従って債務免除等をする者で、次の表に掲げる者に限る。)に関する事項	
		(イ)	4の表の②に掲げる債務処理に関する計画(以下「再建計画」という。)に係る債務者である内国法人、その役員及び株主等(株主等となると見込まれる者を含む。)並びに債権者以外の者で、当該再建計画に係る債務処理について利害関係を有しないもののうち、債務処理に関する専門的な知識経験を有すると認められる者(当該者が3人以上〔当該内国法人の借入金その他の債務で利子の支払の基因となるものの額が10億円に満たない場合には、2人以上〕選任される場合((ロ)において「3人以上選任される場合」という。)の当該者に限る。)
		(ロ)	再建計画に係る債務者である内国法人に対し株式会社地域経済活性化支援機構法第24条第1項《支援基準》に規定する再生支援(当該再生支援に係る同法第25条第4項前段《再生支援決定》の再生支援をするかどうかの決定を同法第16条第1項《権限》の規定により同項の委員会が行うものに限る。以下(ロ)において「再生支援」という。)をする株式会社地域経済活性化支援機構(当該再生支援につき同法第31条第1項《出資決定》に規定する債権買取り等をしない旨の決定が行われる場合には、当該再建計画に係る債務処理について利害関係を有しない者として株式会社地域経済活性化支援機構により選任される債務処理に関する専門的な知識経験を有すると認められる者(当該者が3人以上選任される場合の当該者に限る。)とする。)
		(ハ)	再建計画に従って(2)の(三)に掲げる債務免除等(信託の受託者として行う同(三)に掲げる債務免除等を含む。)をする(2)の(二)に掲げる協定銀行
(二)	債務者の有する資産及び負債につき(一)の表のイに掲げる事項に従って資産評定が行われ、当該資産評定による価額を基礎とした当該債務者の貸借対照表が作成されていること。		
(三)	(二)の貸借対照表における資産及び負債の価額、当該計画における損益の見込み等に基づいて債務者に対して債務免除等をする金額が定められていること。		
(四)	2以上の金融機関等(次に掲げる者をいい、当該計画に係る債務者に対する債権が投資事業有限責任組合契約等に係る組合財産である場合における当該投資事業有限責任組合契約等を締結している者を除く。)が債務免除等をすることが定められていること。		
	イ	預金保険法第2条第1項各号《定義》に掲げる金融機関(協定銀行を除く。)	
	ロ	農水産業協同組合貯金保険法第2条第1項《定義》に規定する農水産業協同組合	
	ハ	保険業法第2条第2項《定義》に規定する保険会社及び同条第7項に規定する外国保険会社等	
	ニ	株式会社日本政策投資銀行	
	ホ	信用保証協会	
	ヘ	地方公共団体(イからホまでに掲げる者のうちいずれかの者とともに債務免除等をするものに限る。)	
(五)	政府関係金融機関、株式会社地域経済活性化支援機構又は協定銀行(これらのうち当該計画に係る債務者に対する債権が投資事業有限責任組合契約等に係る組合財産である場合における当該投資事業有限責任組合契約		

等を締結しているものを除く。）が有する債権、株式会社地域経済活性化支援機構が信託の受託者として有する債権又は協定銀行が信託の受託者として有する債権につき債務免除等をすることが定められていること。

（用語の意義）
（２）（１）の表において、次に掲げる用語の意義は、それぞれ次に掲げるところによる。（法33⑨、令68の２①、24の2②）

（一）	政府関係金融機関	株式会社日本政策金融公庫、株式会社国際協力銀行及び沖縄振興開発金融公庫をいう。
（二）	協定銀行	預金保険法附則第７条第１項第１号《協定銀行に係る業務の特例》に規定する協定銀行をいう。
（三）	債務免除等	債務の免除又は債権のその債務者に対する現物出資による移転（当該債務者においてその債務の消滅に係る利益の額が生ずることが見込まれる場合の当該現物出資による移転に限る。）をいう。
（四）	投資事業有限責任組合契約等	投資事業有限責任組合契約に関する法律第３条第１項《投資事業有限責任組合契約》に規定する投資事業有限責任組合契約及び有限責任事業組合契約に関する法律第３条第１項《有限責任事業組合契約》に規定する有限責任事業組合契約をいう。

（評定）
（３）４に掲げる評定は、次の表の左欄に掲げる事実の区分に応じそれぞれ同表の右欄に掲げる評定とする。（法33⑨、令68の２②、24の2③）

（一）	再生計画認可の決定があったこと	内国法人がその有する４に掲げる資産の価額につき当該再生計画認可の決定があった時の価額により行う評定
（二）	４の表の②に掲げる事実	内国法人が（１）の表の（一）のイに掲げる事項に従って行う同表の（二）の資産評定

（適用除外資産）
（４）評価損の計上に適しないものとして４の適用対象から除かれる資産は、次に掲げる資産とする。（法33⑨、令68の２③、24の2④）

（一）		４の表に掲げる決定があった日又は事実が生じた日の属する事業年度開始の日前５年以内に開始した各事業年度（以下（一）において「前５年内事業年度」という。）において次に掲げる規定の適用を受けた減価償却資産（当該減価償却資産が適格合併、適格分割、適格現物出資又は適格現物分配により被合併法人、分割法人、現物出資法人又は現物分配法人〔以下（一）において「被合併法人等」という。〕から移転を受けたものである場合には、当該被合併法人等の当該前５年内事業年度において次に掲げる規定の適用を受けたものを含む。）
	イ	第十五款の**一**《国庫補助金等による圧縮記帳》の**1**、同**一**の**2**、同**一**の**3**の①又は同**3**の②
	ロ	同款の**一**の**7**《特別勘定を設けた場合の国庫補助金等で取得した固定資産の圧縮額の損金算入》の①又は同**7**の②
	ハ	同款の**二**《工事負担金による圧縮記帳》の**1**、同**二**の**2**、同**二**の**3**の①又は同**3**の②
	ニ	同款の**三**《非出資組合の賦課金による圧縮記帳》の**1**
	ホ	同款の**四**《保険金等による圧縮記帳》の**1**、同**四**の**4**、同**四**の**5**の①又は同**5**の②
	ヘ	同**四**の**8**《特別勘定を設けた場合の保険金等で取得した代替資産の圧縮額の損金算入等》の①又は同**8**の②
	ト	同款の**十一**《転廃業助成金等に係る課税の特例》の**1**若しくは同**十一**の**2**の①（同**2**の⑥で準用する場合を含む。）又は同**2**の②（同**2**の⑦で準用する場合を含む。）
（二）		第二十二款の**二**の**2**《短期売買商品等の時価評価損益の益金又は損金算入》に掲げる短期売買商品等

(三)	第二十三款の一の1の表の②《売買目的有価証券》に掲げる売買目的有価証券
(四)	同款の三の1の表の②《売買目的外有価証券》に掲げる償還有価証券
(五)	第六款の二の1《少額の減価償却資産の取得価額の損金算入》又は同二の2の①《一括償却資産の損金算入》の適用を受けた減価償却資産その他これに類する減価償却資産

 注 ――部分は、令和6年度改正により改正された部分で、改正規定は、令和6年4月1日から適用され、令和6年3月31日以前の適用については、「2《短期売買商品等の時価評価損益の益金又は損金算入》」とあるのは「1《短期売買商品等の期末評価額》」とする。(令6改令附1)

(評価損の額)

(5) 4に掲げる資産の評価損の額は、次の表の左欄に掲げる事実の区分に応じそれぞれ同表の右欄に掲げる金額とする。(法33⑨、令68の2④)

(一)	再生計画認可の決定があったこと	4に掲げる資産の当該再生計画認可の決定があった時の直前の帳簿価額が当該再生計画認可の決定があった時の価額を超える場合のその超える部分の金額
(二)	4の表の②に掲げる事実	4に掲げる資産の当該事実が生じた時の直前のその帳簿価額が(1)の表の(二)の貸借対照表に計上されている価額を超える場合のその超える部分の金額

(資産の評価換えに係る帳簿価額の修正時期)

(6) 4の適用を受けた場合において、4に掲げる評価損の額として(5)に掲げる金額を損金の額に算入された資産については、4の適用を受けた事業年度以後の各事業年度の所得の金額の計算上、当該資産の帳簿価額は、別段の定めがあるものを除き、当該適用に係る4に掲げる事実が生じた日において、当該損金の額に算入された金額に相当する金額の減額がされたものとする。(法33⑨、令68の2⑤)

(時価)

(7) 4を適用する場合における(5)《評価損の額》の表の(一)の右欄に掲げる「当該再生計画認可の決定があった時の価額」は、当該資産が使用収益されるものとしてその時において譲渡される場合に通常付される価額による。(基通9-1-3・編者補正)

(資産評定に係る有価証券の価額)

(8) 法人が有する有価証券について4を適用する場合における(5)《評価損の額》の表の(一)に掲げる「当該再生計画認可の決定があった時の価額」については、一の3の(8)《市場有価証券等の価額》、同3の(9)《市場有価証券等以外の株式の価額》及び同3の(10)《市場有価証券等以外の株式の価額の特例》並びに同3の(11)《企業支配株式等の時価》の取扱いを準用する。(基通9-1-15の2)

 注 法人が第二十三款の三の1の(7)《合理的な方法による価額の計算》の取扱いの例により計算した価額によっているときは、これを認める。

(減価償却資産の時価)

(9) 法人が、第二章第一節の二の表の23の①から⑦まで《有形減価償却資産》に掲げる減価償却資産について4を適用する場合において、当該資産の価額につき当該資産の再取得価額を基礎としてその取得の時から(5)《評価損の額》の表の(一)に掲げる当該再生計画認可の決定があった時まで旧定率法により償却を行ったものとした場合に計算される未償却残額に相当する金額によっているときは、これを認める。(基通9-1-19・編者補正)

 注 定率法による未償却残額の方が旧定率法による未償却残額よりも適切に時価を反映するものである場合には、定率法によって差し支えない。

(その他これに類する減価償却資産)

(10) (4)の表の(五)に掲げる「その他これに類する減価償却資産」には、例えば、第六款の二の3《中小企業者等の少額減価償却資産の取得価額の損金算入の特例》の適用を受けた減価償却資産が該当する。(基通4-1-9)

5 完全支配関係がある場合の不適用

2《評価換えを行った場合の資産の評価損の損金算入》、3《会社更生等による評価換えを行った場合の資産の評価損の

損金算入》又は**4**《民事再生等による特定の事実が生じた場合の資産の評価損の損金算入》の内国法人がこれらの内国法人との間に完全支配関係がある他の内国法人で次に掲げる法人の株式又は出資を有する場合における当該株式又は出資及びこれらの内国法人が通算法人である場合におけるこれらの内国法人が有する他の通算法人(第三十五款の一の**1**の①《所得事業年度の通算対象欠損金額の損金算入》の適用を受けない法人として一の**4**《通算法人である場合の不適用》に掲げる初年度離脱通算子法人及び通算親法人を除く。)の株式又は出資については、**2**、**3**又は**4**は、適用しない。(法33⑤、令68の3)

①	清算中の内国法人
②	解散(合併による解散を除く。)をすることが見込まれる内国法人
③	内国法人で当該内国法人との間に完全支配関係がある他の内国法人との間で適格合併を行うことが見込まれるもの

6　民事再生等による特定の事実が生じた場合の資産の評価損の損金算入の申告

4は、確定申告書にその評価損の額として**4**の(5)に掲げる金額の損金算入に関する明細((2)において「評価損明細」という。)の記載があり、かつ、(1)に掲げる書類(以下**6**において「評価損関係書類」という。)の添付がある場合(一の**3**《民事再生等による特定の事実が生じた場合の資産の評価益の益金算入》に掲げる資産につきその評価益の額として同**3**の(5)《評価益の額》に掲げる金額がある場合〔(2)において「評価益がある場合」という。〕には、一の**5**《民事再生等による特定の事実が生じた場合の資産の評価益の益金算入の申告》に掲げる評価益明細〔(2)において「評価益明細」という。〕の記載及び一の**5**に掲げる評価益関係書類〔(2)において「評価益関係書類」という。〕の添付がある場合に限る。)に限り、適用する。(法33⑦)

　　(評価損関係書類)
(1)　評価損関係書類は、次の表の左欄に掲げる事実の区分に応じそれぞれ同表の右欄に掲げる書類とする。(規22の2、8の6③)

(一)	内国法人について再生計画認可の決定があったこと	当該決定があった旨を証する書類及び**4**の(5)の表の(一)に掲げる価額の算定の根拠を明らかにする事項を記載した書類	
(二)	**4**の表の②に掲げる事実	次に掲げる書類	
		イ	**4**の(1)の表の(一)のロに掲げる手続に従い同(一)のロに掲げる者が同(一)のロに掲げる確認をしたことを明らかにする書類
		ロ	再建計画に係る計画書(**4**の(1)の表の(二)の貸借対照表の添付並びに同表の(三)の債務免除等をする者の氏名又は名称、当該債務免除等をする者ごとの当該債務免除等をする金額及び当該金額の算定の根拠を明らかにする事項の記載があるものに限る。)の写し

　　(書類の添付がない場合のゆうじょ規定)
(2)　税務署長は、評価損明細(評価益がある場合には、評価損明細又は評価益明細)の記載又は評価損関係書類(評価益がある場合には、評価損関係書類又は評価益関係書類)の添付がない確定申告書の提出があった場合においても、当該記載又は当該添付がなかったことについてやむを得ない事情があると認められるときは、**4**を適用することができる。(法33⑧)

第十款　役員の給与等

一　役員給与の損金不算入等

1　役員給与の損金不算入

　内国法人がその役員に対して支給する給与（退職給与で業績連動給与に該当しないもの、使用人としての職務を有する役員に対して支給する当該職務に対するもの及び**3**《仮装経理等により支給した役員給与の損金不算入》の適用があるものを除き、債務の免除による利益その他の経済的な利益を含む。以下**1**において同じ。）のうち次の表に掲げる給与のいずれにも該当しないものの額は、その内国法人の各事業年度の所得の金額の計算上、損金の額に算入しない。（法34①④、令69⑲）

(一)	**定期同額給与**	その支給時期が1か月以下の一定の期間ごとである給与（**1**において「**定期給与**」という。）で当該事業年度の各支給時期における支給額が同額であるものその他これに準ずるものとして①の（1）《定期同額給与の範囲》に掲げる給与		
(二)	**事前確定届出給与**	その役員の職務につき所定の時期に、確定した額の金銭又は確定した数の株式（出資を含む。以下**1**において同じ。）若しくは新株予約権若しくは確定した額の金銭債権に係る特定譲渡制限付株式（第十九款の**一**の**1**《給与等課税額が生じたときの役務の提供に係る費用》に掲げる特定譲渡制限付株式をいう。以下**1**において同じ。）若しくは特定新株予約権（同款の**二**の**1**《給与等課税事由が生じたときの役務の提供に係る費用》に掲げる特定新株予約権をいう。以下**1**において同じ。）を交付する旨の定めに基づいて支給する給与で、定期同額給与及び業績連動給与のいずれにも該当しないもの（当該株式若しくは当該特定譲渡制限付株式に係る承継譲渡制限付株式〔同**一**の**1**に掲げる承継譲渡制限付株式をいう。以下**1**において同じ。〕又は当該新株予約権若しくは当該特定新株予約権に係る承継新株予約権〔同**二**の**1**に掲げる承継新株予約権をいう。以下**1**において同じ。〕による給与を含むものとし、次の表の左欄に掲げる場合に該当する場合にはそれぞれ同表の右欄に掲げる要件を満たすものに限る。）		
		イ	その給与が定期給与を支給しない役員に対して支給する給与（同族会社に該当しない内国法人が支給する給与で金銭によるものに限る。）以外の給与（株式又は新株予約権による給与で、将来の役務の提供に係るものとして②の（1）《一定の株式又は新株予約権による給与》に掲げるものを除く。）である場合	②の（2）《事前確定届出給与の届出》に掲げるところにより納税地の所轄税務署長にその定めの内容に関する届出をしていること。
		ロ	株式を交付する場合	当該株式が市場価格のある株式又は市場価格のある株式と交換される株式（当該内国法人又は関係法人が発行したものに限る。(三)において「**適格株式**」という。）であること。
		ハ	新株予約権を交付する場合	当該新株予約権がその行使により市場価格のある株式が交付される新株予約権（当該内国法人又は関係法人が発行したものに限る。(三)において「**適格新株予約権**」という。）であること。
(三)	**業績連動給与**	内国法人（同族会社にあっては、同族会社以外の法人との間に当該法人による完全支配関係があるものに限る。）がその**業務執行役員**（業務を執行する役員として③の（2）《業務執行役員の範囲》に掲げるものをいう。以下**1**において同じ。）に対して支給する業績連動給与（金銭以外の資産が交付されるものにあっては、適格株式又は適格新株予約権が交付されるものに限る。）で、次に掲げる要件を満たすもの（他の業務執行役員の全てに対して次に掲げる要件を満たす業績連動給与を支給す		

る場合に限る。）

		交付される金銭の額若しくは株式若しくは新株予約権の数又は交付される新株予約権の数のうち無償で取得され、若しくは消滅する数の算定方法が、その給与に係る職務を執行する期間の開始の日（イにおいて「**職務執行期間開始日**」という。）以後に終了する事業年度の利益の状況を示す指標（③の（３）《利益の状況を示す指標》に掲げるもので、有価証券報告書〔金融商品取引法第24条第１項《有価証券報告書の提出》に規定する有価証券報告書をいう。１において同じ。〕に記載されるものに限る。イにおいて同じ。）、職務執行期間開始日の属する事業年度開始の日以後の所定の期間若しくは職務執行期間開始日以後の所定の日における株式の市場価格の状況を示す指標（③の（４）《株式の市場価格の状況を示す指標》に掲げるものに限る。イにおいて同じ。）又は職務執行期間開始日以後に終了する事業年度の売上高の状況を示す指標（③の（５）《売上高の状況を示す指標》に掲げるもののうち、利益の状況を示す指標又は株式の市場価格の状況を示す指標と同時に用いられるもので、有価証券報告書に記載されるものに限る。）を基礎とした客観的なもの（③の（６）《利益の状況を示す指標、株式の市場価格の状況を示す指標及び売上高の状況を示す指標を基礎とした客観的な算定方法の要件》に掲げる要件を満たすものに限る。）であること。		
イ			
ロ	次の表の左欄に掲げる給与の区分に応じそれぞれ同表の右欄に掲げる要件		
		次の表の左欄に掲げる給与の区分に応じそれぞれ同表の右欄に掲げる日（同表の左欄に掲げる給与で２以上のもの〔その給与に係る職務を執行する期間が同一であるものに限る。〕が合わせて支給される場合には、それぞれの給与に係る同表の右欄に掲げる日のうち最も遅い日）までに交付され、又は交付される見込みであること。		
	（イ）	（ロ）に掲げる給与以外の給与	A 金銭による給与	当該金銭の額の算定の基礎としたイに掲げる利益の状況を示す指標、株式の市場価格の状況を示す指標又は売上高の状況を示す指標（Bにおいて「業績連動指標」という。）の数値が確定した日の翌日から１か月を経過する日
			B 株式又は新株予約権による給与	当該株式又は新株予約権の数の算定の基礎とした業績連動指標の数値が確定した日の翌日から２か月を経過する日
	（ロ）	特定新株予約権又は承継新株予約権による給与で、無償で取得され、又は消滅する新株予約権の数が役務の提供期間以外の事由により変動するもの	当該特定新株予約権又は当該承継新株予約権に係る特定新株予約権が③の（７）《内国法人が同族会社でない場合における適正な手続》の表の（一）から（四）まで又は③の（８）《内国法人が同族会社である場合の適正な手続》の表の（一）から（三）までに掲げる手続の終了の日の翌日から１か月を経過する日までに交付されること。	
ハ	損金経理をしていること（（三）の給与の見込額として損金経理により引当金勘定に繰り入れた金額を取り崩す方法により経理していることを含む。）			

① 定期同額給与

（定期同額給与の範囲）

（１） １の表の（一）に掲げる定期同額給与は、次に掲げる給与とする。（法34①、令69①）

(一)	定期給与で、次のイからハまでに掲げる改定（以下(一)において「給与改定」という。）がされた場合における当該事業年度開始の日又は給与改定前の最後の支給時期の翌日から給与改定後の最初の支給時期の前日又は当該事業年度終了の日までの間の各支給時期における支給額が同額であるもの		
	イ	当該事業年度開始の日の属する会計期間（第二章第一節の**七**の**1**《事業年度の意義》に掲げる会計期間をいう。以下**1**において同じ。）開始の日から3か月（次の表の左欄に掲げる法人にあっては、それぞれ右欄に掲げる月数）を経過する日（**1**において「3か月経過日等」という。）まで（定期給与の額の改定〔継続して毎年所定の時期にされるものに限る。〕が3か月経過日等後にされることについて特別の事情があると認められる場合にあっては、当該改定の時期）にされた定期給与の額の改定	
		(イ) 第二節第三款の**二**の**3**《確定申告書の提出期限の延長の特例》の適用を受けている通算法人（(ロ)に掲げる法人を除く。）のうち同**3**に掲げる定款等の定めにより各事業年度終了の日の翌日から3か月以内に当該通算法人（会計監査人を置いているものに限る。）の当該各事業年度の決算についての定時総会が招集されない常況にあると認められる場合その他の(2)に掲げる場合に該当するもの	4か月
		(ロ) 同**二**の**3**の表の指定を受けている内国法人	その指定に係る月数に2を加えた月数
	ロ	当該事業年度において当該内国法人の役員の職制上の地位の変更、その役員の職務の内容の重大な変更その他これらに類するやむを得ない事情（以下**1**において「**臨時改定事由**」という。）によりされたこれらの役員に係る定期給与の額の改定（イに掲げる改定を除く。）	
	ハ	当該事業年度において当該内国法人の経営の状況が著しく悪化したことその他これに類する理由（以下**1**において「**業績悪化改定事由**」という。）によりされた定期給与の額の改定（その定期給与の額を減額した改定に限り、イ及びロに掲げる改定を除く。）	
(二)	継続的に供与される経済的な利益のうち、その供与される利益の額が毎月おおむね一定であるもの		

　（その他の場合）
（2）　（1）の表の(一)のイの(イ)の左欄に掲げるその他の場合は、次に掲げる場合とする。（規22の3①）

(一)	第二節第三款の**二**の**3**《確定申告書の提出期限の延長の特例》に掲げる定款等の定めにより各事業年度終了の日の翌日から3か月以内に当該通算法人（会計監査人を置いているものに限る。）の当該各事業年度の決算についての定時総会が招集されない常況にあると認められる場合
(二)	当該通算法人に特別の事情があることにより各事業年度終了の日の翌日から3か月以内に当該通算法人の当該各事業年度の決算についての定時総会が招集されない常況にあることその他やむを得ない事情があると認められる場合

　（支給額から源泉税等の額を控除した金額が同額である場合）
（3）　**1**の表の(一)及び（1）の表の(一)の適用については、定期給与の各支給時期における支給額から源泉税等の額（当該定期給与について所得税法第2条第1項第45号《定義》に規定する源泉徴収をされる所得税の額、当該定期給与について地方税法第1条第1項第9号《用語》に規定する特別徴収をされる同項第4号に規定する地方税の額、健康保険法第167条第1項《保険料の源泉控除》その他の法令の規定により当該定期給与の額から控除される社会保険料〔所得税法第74条第2項《社会保険料控除》に規定する社会保険料をいう。〕の額その他これらに類するものの額の合計額をいう。）を控除した金額が同額である場合には、当該定期給与の当該各支給時期における支給額は、同額であるものとみなす。（令69②）

　（定期同額給与の意義）
（4）　**1**の表の(一)の「その支給時期が1か月以下の一定の期間ごと」である給与とは、あらかじめ定められた支給基準（慣習によるものを含む。）に基づいて、毎日、毎週、毎月のように月以下の期間を単位として規則的に反復又は継

続して支給されるものをいうのであるから、例えば、非常勤役員に対し年俸又は事業年度の期間俸を年1回又は年2回所定の時期に支給するようなものは、たとえその支給額が各月ごとの一定の金額を基礎として算定されているものであっても、同表の(一)に掲げる定期同額給与には該当しないことに留意する。(基通9－2－12・編者補正)
> 注　非常勤役員に対し所定の時期に確定した額の金銭を交付する旨の定めに基づいて支給する年俸又は期間俸等の給与のうち、次に掲げるものは、1の表の(二)《事前確定届出給与》に掲げる給与に該当する。
> (一)　同族会社に該当しない法人が支給する給与
> (二)　同族会社が支給する給与で②の(2)《事前確定届出給与の届出》に掲げるところに従って納税地の所轄税務署長に届出をしているもの

（特別の事情があると認められる場合）
(5)　(1)の表の(一)のイに掲げる「3か月経過日等後にされることについて特別の事情があると認められる場合」とは、例えば、法人の役員給与の額がその親会社の役員給与の額を参酌して決定されるなどの常況にあるため、当該親会社の定時株主総会の終了後でなければ当該法人の役員の定期給与の額の改定に係る決議ができない等の事情により定期給与の額の改定が3か月経過日等後にされる場合をいう。(基通9－2－12の2)

（職制上の地位の変更等）
(6)　(1)の表の(一)のロに掲げる「役員の職制上の地位の変更、その役員の職務の内容の重大な変更その他これらに類するやむを得ない事情」とは、例えば、定時株主総会後、次の定時株主総会までの間において社長が退任したことに伴い臨時株主総会の決議により副社長が社長に就任する場合や、合併に伴いその役員の職務の内容が大幅に変更される場合をいう。(基通9－2－12の3)
> 注　役員の職制上の地位とは、定款等の規定又は総会若しくは取締役会の決議等により付与されたものをいう。

（経営の状況の著しい悪化に類する理由）
(7)　(1)の表の(一)のハに掲げる「経営の状況が著しく悪化したことその他これに類する理由」とは、経営状況が著しく悪化したことなどやむを得ず役員給与を減額せざるを得ない事情があることをいうのであるから、法人の一時的な資金繰りの都合や単に業績目標値に達しなかったことなどはこれに含まれないことに留意する。(基通9－2－13)

（継続的に供与される経済的利益の意義）
(8)　(1)の表の(二)に掲げる「継続的に供与される経済的な利益のうち、その供与される利益の額が毎月おおむね一定であるもの」とは、その役員が受ける経済的な利益の額が毎月おおむね一定であるものをいうのであるから、例えば、次に掲げるものはこれに該当することに留意する。(基通9－2－11)
(一)　三の1の(1)《債務の免除による利益その他の経済的な利益》の(一)、(二)又は(八)に掲げる金額でその額が毎月おおむね一定しているもの
(二)　同(1)の(六)又は(七)に掲げる金額（その額が毎月著しく変動するものを除く。）
(三)　同(1)の(九)に掲げる金額で毎月定額により支給される渡切交際費に係るもの
(四)　同(1)の(十)に掲げる金額で毎月負担する住宅の光熱費、家事使用人給料等（その額が毎月著しく変動するものを除く。）
(五)　同(1)の(十一)及び(十二)に掲げる金額で経常的に負担するもの

② 事前確定届出給与

（一定の株式又は新株予約権による給与）
(1)　1の表の(二)のイに掲げる一定の株式又は新株予約権による給与は、次に掲げるものとする。(令69③)

(一)	1の表の(二)の役員の職務につき株主総会、社員総会その他これらに準ずるもの（(2)の表の(一)及び(8)の表の(二)において「**株主総会等**」という。）の決議（当該職務の執行の開始の日から1か月を経過する日までにされるものに限る。）により1の表の(二)の定め（当該決議の日から1か月を経過する日までに、特定譲渡制限付株式又は特定新株予約権を交付する旨の定めに限る。）をした場合における当該定めに基づいて交付される特定譲渡制限付株式又は特定新株予約権による給与
(二)	特定譲渡制限付株式による給与が(一)に掲げる給与又は1の表の(二)のイに掲げる要件を満たす給与に該当する場合における当該特定譲渡制限付株式に係る承継譲渡制限付株式による給与
(三)	特定新株予約権による給与が(一)に掲げる給与又は1の表の(二)のイに掲げる要件を満たす給与に該当する場

合における当該特定新株予約権に係る承継新株予約権による給与

(事前確定届出給与の届出)
(2) 1の表の(二)のイに掲げる届出は、次の表の(一)に掲げる日（同表の(二)に掲げる臨時改定事由が生じた場合における同(二)の役員の職務についてした同(二)の定めの内容に関する届出については、次に掲げる日のうちいずれか遅い日。(10)において「**届出期限**」という。）までに、(3)に掲げる事項を記載した書類をもってしなければならない。(法34①、令69④)

(一)	株主総会等の決議により1の表の(二)の役員の職務につき同(二)の定めをした場合における当該決議をした日（同日がその職務の執行の開始の日後である場合にあっては、当該開始の日）から1か月を経過する日（同日が当該開始の日の属する会計期間開始の日から4か月〔①の(1)《定期同額給与の範囲》の表の(一)のイの(イ)に掲げる法人にあっては5か月とし、同イの(ロ)に掲げる法人にあってはその指定に係る月数に3を加えた月数とする。〕を経過する日〔以下(一)において「4か月経過日等」という。〕後である場合には当該4か月経過日等とし、新たに設立した内国法人がその役員のその設立の時に開始する職務につき1の表の(二)の定めをした場合にはその設立の日以後2か月を経過する日とする。）
(二)	臨時改定事由（当該臨時改定事由により当該臨時改定事由に係る役員の職務につき1の表の(二)の定めをした場合〔当該役員の当該臨時改定事由が生ずる直前の職務につき同(二)の定めがあった場合を除く。〕における当該臨時改定事由に限る。）が生じた日から1か月を経過する日

(事前確定届出給与の届出事項)
(3) (2)に掲げる事前確定届出給与の届出事項は、次に掲げる事項とする。(規22の3②)

(一)	届出をする内国法人の名称、納税地及び法人番号並びに代表者の氏名
(二)	1の表の(二)に掲げる定めに基づいて支給する給与で1の表の(一)に掲げる定期同額給与及び③の(1)《業績連動給与の意義》に掲げる業績連動給与のいずれにも該当しないもの（同表の(二)のイに掲げる定期給与を支給しない役員に対して支給する給与及び(1)の表の(一)から(三)までに掲げる給与を除く。以下(3)において「事前確定届出給与」という。）の支給の対象となる者（(八)において「事前確定届出給与対象者」という。）の氏名及び役職名
(三)	事前確定届出給与の支給時期並びに各支給時期における支給額又は交付する株式若しくは新株予約権の銘柄、次の表の左欄に掲げる場合の区分に応じそれぞれ同表の右欄に掲げる事項及び条件その他の内容

イ	(15)《確定した数の株式を交付する旨の定めに基づいて支給する給与に係る費用の額》に掲げる確定数給与に該当する場合	その交付する数及び(15)に掲げる交付決議時価額
ロ	内国法人の役員の職務につき、所定の時期に、確定した額の金銭債権に係る特定譲渡制限付株式又は特定新株予約権を交付する旨の定めに基づいて支給する給与に該当する場合	当該金銭債権の額

(四)	(2)の表の(一)の決議をした日及び当該決議をした機関等
(五)	事前確定届出給与に係る職務の執行の開始の日（(2)の表の(二)に掲げる臨時改定事由が生じた場合における同(二)の役員の職務についてした同(二)の定めの内容に関する届出で同表の(一)に掲げる日の翌日から同表の(二)に掲げる日までの間にするものについては、当該臨時改定事由の概要及び当該臨時改定事由が生じた日）
(六)	(一)の内国法人が①の(1)《定期同額給与の範囲》の(一)のイの(イ)に掲げる法人である場合には、①の(2)《その他の場合》の表の(一)に掲げる定款等の定め又は同表の(二)の特別の事情若しくはやむを得ない事情の内容
(七)	事前確定届出給与につき1の表の(一)に掲げる定期同額給与による支給としない理由及び当該事前確定届出給与の支給時期を(三)の支給時期とした理由
(八)	事前確定届出給与に係る職務を執行する期間内の日の属する会計期間において事前確定届出給与対象者に対して事前確定届出給与と事前確定届出給与以外の給与（1に掲げる役員に対して支給する給与をいい、(1)の表

	の(一)から(三)までに掲げる給与を除く。以下(八)及び(9)において同じ。）とを支給する場合における当該事前確定届出給与以外の給与の支給時期及び各支給時期における支給額（③の(1)に掲げる業績連動給与又は金銭以外の資産による給与にあっては、その概要）
(九)	その他参考となるべき事項

　　　（事前確定届出給与の意義）
（4）　1の表の(二)に掲げる給与は、所定の時期に確定した額の金銭等（確定した額の金銭又は確定した数の株式若しくは新株予約権若しくは確定した額の金銭債権に係る第十九款の一《譲渡制限付株式を対価とする費用等》に掲げる特定譲渡制限付株式若しくは同款の二《新株予約権を対価とする費用等》に掲げる特定新株予約権をいう。）を交付する旨の定めに基づいて支給される給与をいうのであるから、例えば、同(二)に基づき納税地の所轄税務署長へ届け出た支給額と実際の支給額が異なる場合にはこれに該当しないこととなり、原則として、その支給額の全額が損金不算入となることに留意する。（基通9－2－14）

　　　（事前確定届出給与の要件）
（5）　法人がその役員に対して支給する給与が1の表の(二)《事前確定届出給与》に掲げる給与に該当するかどうかの判定に当たっては、同(二)のイに掲げる場合及び同(二)のロに掲げる場合のいずれにも該当する場合には、該当するそれぞれに定める要件のいずれも満たす必要があることに留意する。
　　同(二)のイに掲げる場合及び同(二)のハに掲げる場合のいずれにも該当する場合の判定についても、同様とする。（基通9－2－15の4）

　　　（過去の役務提供に係るもの）
（6）　役員の過去の役務提供の対価として譲渡制限付株式（第十九款の一《譲渡制限付株式を対価とする費用等》に掲げる譲渡制限付株式をいう。以下③の(16)《業績指標に応じて無償で取得する株式の数が変動する給与》及び2の(5)《退職給与に該当しない役員給与》において同じ。）又は譲渡制限付新株予約権（同款の二《新株予約権を対価とする費用等》に掲げる譲渡制限付新株予約権をいう。以下2の(5)において同じ。）が交付される給与（1の退職給与で業績連動給与に該当しないものを除く。）は、（1）の表の(一)に掲げる給与に該当しないため、当該譲渡制限付株式又は譲渡制限付新株予約権による給与の額は、1の表の(二)に掲げる給与として損金の額に算入されないことに留意する。（基通9－2－15の2）

　　　（職務の執行の開始の日）
（7）　（1）の表の(一)及び（2）の表の(一)の「職務の執行の開始の日」とは、その役員がいつから就任するかなど個々の事情によるのであるが、例えば、定時株主総会において役員に選任された者で、その日に就任した者及び役員に再任された者にあっては、当該定時株主総会の開催日となる。（基通9－2－16・編者補正）

　　　（事前確定届出給与の変更届出）
（8）　1の表の(二)に掲げる定めに基づいて支給する給与につき既に（2）又は（8）による届出（以下（9）までにおいて「**直前届出**」という。）をしている内国法人が当該直前届出に係る定めの内容を変更する場合において、その変更が次の表の左欄に掲げる事由に基因するものであるとき（次の表の(二)に掲げる事由に基因する変更にあっては、当該定めに基づく給与の支給額を減額し、又は交付する株式若しくは新株予約権の数を減少させるものであるときに限る。）は、当該変更後の1の表の(二)のイに掲げる定めの内容に関する届出は、（2）にかかわらず、次の表の左欄に掲げる事由の区分に応じそれぞれ同表の右欄に掲げる日（(10)において「**変更届出期限**」という。）までに、（9）に掲げる事項を記載した書類をもってしなければならない。（法34⑧、令69⑤）

(一)	臨時改定事由	当該臨時改定事由が生じた日から1か月を経過する日
(二)	業績悪化改定事由	当該業績悪化改定事由によりその定めの内容の変更に関する株主総会等の決議をした日から1か月を経過する日（当該変更前の当該直前届出に係る定めに基づく給与の支給の日〔当該決議をした日後最初に到来するものに限る。〕が当該1か月を経過する日前にある場合には、当該支給の日の前日）

(事前確定届出給与の変更届出事項)
(9) (8)に掲げる事前確定届出給与の変更届出事項は、次の表の(一)に掲げる事項及び(8)の表の(一)又は(二)に掲げる事由に基因してその内容の変更がされた1の表の(二)に掲げる定めに基づく給与(同表の(一)に掲げる定期同額給与を除く。)の支給の対象となる者(直前届出に係る者に限る。)ごとの次の表の(二)から(八)までに掲げる事項とする。(規22の3③)

(一)	届出をする内国法人の名称、納税地及び法人番号並びに代表者の氏名	
(二)	その氏名及び役職名(当該事由に基因してその役職が変更された場合には、当該変更後の役職名)	
(三)	当該変更後の当該給与の支給時期並びに各支給時期における支給額又は交付する株式若しくは新株予約権の銘柄、(3)の表の(三)のイ若しくはロに掲げる場合の区分に応じそれぞれ同(三)のイ若しくはロに掲げる事項及び条件その他の内容	
(四)	次の表の左欄に掲げる場合の区分に応じそれぞれ同表の右欄に掲げる事項	
	イ 当該変更が臨時改定事由に基因するものである場合	当該臨時改定事由の概要及び当該臨時改定事由が生じた日
	ロ 当該変更が業績悪化改定事由に基因するものである場合	(8)の表の(二)の決議をした日及び同(二)に掲げる支給の日
(五)	当該変更を行った機関等	
(六)	当該変更前の当該給与の支給時期が当該変更後の当該給与の支給時期と異なる場合には、当該変更後の当該給与の支給時期を(三)の支給時期とした理由	
(七)	当該直前届出に係る届出書の提出をした日	
(八)	その他参考となるべき事項	

(届出がない場合のゆうじょ規定)
(10) 税務署長は、届出期限又は変更届出期限までに1の表の(二)のイの届出がなかった場合においても、その届出がなかったことについてやむを得ない事情があると認めるときは、当該届出期限又は変更届出期限までにその届出があったものとして同表の(二)を適用することができる。(法34⑧、令69⑦)

(同族会社の判定)
(11) 1の表の(二)のイの場合において、内国法人が同族会社に該当するかどうかの判定は、当該内国法人が定期給与を支給しない役員の職務につき同表の(二)の定めをした日((2)の表の(一)の新たに設立した内国法人が同(一)に掲げる設立の時に開始する職務についてした同(一)の定めにあっては、その設立の日)の現況による。(法34⑧、令69⑥)

(確定した額に相当する適格株式又は適格新株予約権を交付する旨の定めに基づいて支給する給与)
(12) 内国法人の役員の職務につき、確定した額に相当する1の表の(二)のロに掲げる適格株式又は同(二)のハに掲げる適格新株予約権を交付する旨の定めに基づいて支給する給与(確定した額の金銭債権に係る特定譲渡制限付株式又は特定新株予約権を交付する旨の定めに基づいて支給する給与を除く。)は、確定した額の金銭を交付する旨の定めに基づいて支給する給与に該当するものとして、同(二)を適用する。(令69⑧)

(確定した額に相当する適格株式等の交付)
(13) (12)の確定した額に相当する適格株式(1の表の(二)《事前確定届出給与》のロに掲げる適格株式をいう。以下②において同じ。)又は適格新株予約権(同(二)のハに掲げる適格新株予約権をいう。以下②において同じ。)を交付する旨の定めに基づいて支給する給与は、確定した額を支給する給与をいうのであるから、適格株式又は適格新株予約権の交付する数の算定に際して一に満たない端数が生じた場合において、適格株式又は適格新株予約権と当該一に満たない端数の適格株式又は適格新株予約権の価額に相当する金銭を交付しないこととしたときは、当該確定した額を支給する給与には該当しないことに留意する。(基通9−2−15の3)

(関係法人の範囲)

(14) 1の表の(二)のロ及びハに掲げる関係法人とは、1の内国法人の役員の職務につき支給する給与(株式又は新株予約権によるものに限る。)に係る(1)の表の(一)に掲げる株主総会等の決議をする日(③の(7)《内国法人が同族会社でない場合における適正な手続》の表の(一)から(四)まで又は③の(8)《内国法人が同族会社である場合における適正な手続》の表の(一)から(三)までに掲げる手続が行われる場合には、当該手続の終了の日。以下(14)において「決議日」という。)において、当該決議日から当該株式又は新株予約権を交付する日(特定譲渡制限付株式にあっては当該特定譲渡制限付株式に係る譲渡についての制限が解除される日とし、特定新株予約権にあっては当該特定新株予約権の行使が可能となる日とする。)までの間、当該内国法人と当該内国法人以外の法人との間に当該法人による支配関係が継続することが見込まれている場合の当該法人をいう。(法34⑦、令71の2)

(確定した数の株式を交付する旨の定めに基づいて支給する給与に係る費用の額)

(15) 内国法人の役員の職務につき、所定の時期に、確定した数の株式又は新株予約権を交付する旨の定めに基づいて支給する給与(1の表の(一)に掲げる定期同額給与、③の(1)《業績連動給与の意義》に掲げる業績連動給与及び(1)の表の(一)から(三)までに掲げる給与を除く。以下(15)及び(16)において「**確定数給与**」という。)の支給として行う株式又は新株予約権の交付が正常な取引条件で行われた場合には、当該確定数給与に係る費用の額は、特定譲渡制限付株式若しくは承継譲渡制限付株式又は特定新株予約権若しくは承継新株予約権による給与を除き、その交付した株式又は新株予約権と銘柄を同じくする株式又は新株予約権の当該定めをした日における一単位当たりの価額にその交付した数を乗じて計算した金額(その交付に際してその役員から払い込まれる金銭の額及び給付を受ける金銭以外の資産〔その職務につきその役員に生ずる債権を除く。〕の価額を除く。(16)において「**交付決議時価額**」という。)に相当する金額とする。(令71の3①)

(増加資本金又は株式等の譲渡損益)

(16) 確定数給与の支給として行う株式又は新株予約権の交付(正常な取引条件で行われたものに限る。)に係る第二十三款の二の1《有価証券の譲渡益又は譲渡損の益金又は損金算入》又は第二章第一節の二の表の16《資本金等の額》については、第二十三款の二の1の表の①に掲げる金額又は第二章第一節の二の表の16の加算欄の①に掲げる対価の額若しくは同表の16の加算欄の①の2に掲げる費用の額は、交付決議時価額に相当する金額とする。(令71の3②)

③ **業績連動給与**

(業績連動給与の意義)

(1) 1に掲げる業績連動給与とは、利益の状況を示す指標、株式の市場価格の状況を示す指標その他の1の内国法人又は当該内国法人との間に支配関係がある法人の業績を示す指標を基礎として算定される額又は数の金銭又は株式若しくは新株予約権による給与及び特定譲渡制限付株式若しくは承継譲渡制限付株式又は特定新株予約権若しくは承継新株予約権による給与で無償で取得され、又は消滅する株式又は新株予約権の数が役務の提供期間以外の事由により変動するものをいう。(法34⑤)

(業務執行役員の範囲)

(2) 1の表の(三)に掲げる役員は、(6)《利益の状況を示す指標、株式の市場価格の状況を示す指標及び売上高の状況を示す指標を基礎とした客観的な算定方法の要件》に掲げる算定方法についての(7)の表の(一)から(四)まで及び(8)の表の(一)から(三)までに掲げる手続の終了の日において次に掲げる役員に該当する者とする。(令69⑨)

(一)	会社法第363条第1項各号《取締役会設置会社の取締役の権限》に掲げる取締役
(二)	会社法第418条《執行役の権限》の執行役
(三)	(一)及び(二)に掲げる役員に準ずる役員

(利益の状況を示す指標)

(3) 1の表の(三)のイに掲げる利益の状況を示す指標は、次の表に掲げる指標((二)から(五)までに掲げる指標にあっては、利益に関するものに限る。)とする。(法34①Ⅲ、令69⑩)

(一)	1の表の(三)のイに掲げる職務執行期間開始日以後に終了する事業年度((3)及び(5)において「**対象事業年**

	度」という。）における有価証券報告書に記載されるべき利益の額	
(二)	(一)に掲げる指標の数値に対象事業年度における減価償却費の額、支払利息の額その他の有価証券報告書に記載されるべき費用の額を加算し、又は当該指標の数値から対象事業年度における受取利息の額その他の有価証券報告書に記載されるべき収益の額を減算して得た額	
(三)	(一)及び(二)に掲げる指標の数値の次の表に掲げる金額のうちに占める割合又は当該指標の数値を対象事業年度における有価証券報告書に記載されるべき発行済株式（自己が有する自己の株式を除く。(4)において同じ。）の総数で除して得た額	
	イ	対象事業年度における売上高の額その他の有価証券報告書に記載されるべき収益の額又は対象事業年度における支払利息の額その他の有価証券報告書に記載されるべき費用の額
	ロ	貸借対照表に計上されている総資産の帳簿価額
	ハ	ロに掲げる金額から貸借対照表に計上されている総負債（新株予約権及び株式引受権に係る義務を含む。）の帳簿価額を控除した金額
(四)	(一)から(三)までに掲げる指標の数値が対象事業年度前の事業年度の当該指標に相当する指標の数値その他の対象事業年度において目標とする指標の数値であって既に確定しているもの（以下(四)において「確定値」という。）を上回る数値又は(一)から(三)までに掲げる指標の数値の確定値に対する比率	
(五)	(一)から(四)までに掲げる指標に準ずる指標	

（株式の市場価格の状況を示す指標）
（4）1の表の(三)のイに掲げる株式の市場価格の状況を示す指標は、次に掲げる指標とする。（法34①Ⅲ、令69⑪）

(一)	1の表の(三)のイに掲げる所定の期間又は所定の日における株式（同(三)に掲げる内国法人又は当該内国法人との間に完全支配関係がある法人の株式に限る。(四)において同じ。）の市場価格又はその平均値	
(二)	(一)に掲げる指標の数値が確定値（(一)に掲げる所定の期間以前の期間又は(一)に掲げる所定の日以前の日における次に掲げる指標の数値その他の目標とする指標の数値であって既に確定しているものをいう。以下(二)において同じ。）を上回る数値又は(一)に掲げる指標の数値の確定値に対する比率	
	イ	(一)に掲げる指標に相当する指標の数値
	ロ	金融商品取引法第2条第16項《定義》に規定する金融商品取引所に上場されている株式について多数の銘柄の価格の水準を総合的に表した指標の数値
(三)	(一)に掲げる指標の数値に(一)に掲げる所定の期間又は所定の日の属する事業年度における有価証券報告書に記載されるべき発行済株式の総数を乗じて得た額	
(四)	1の表の(三)のイに掲げる所定の期間又は所定の日における株式の市場価格又はその平均値が確定値（当該所定の期間以前の期間又は当該所定の日以前の日における当該株式の市場価格の数値で既に確定しているものをいう。以下(四)において同じ。）を上回る数値と当該所定の期間開始の日又は当該所定の日以後に終了する事業年度の有価証券報告書に記載されるべき支払配当の額を発行済株式の総数で除して得た数値とを合計した数値の当該確定値に対する比率	
(五)	(一)から(四)までに掲げる指標に準ずる指標	

（売上高の状況を示す指標）
（5）1の表の(三)のイに掲げる売上高の状況を示す指標は、次に掲げる指標とする。（法34①Ⅲ、令69⑫）

(一)	対象事業年度における有価証券報告書に記載されるべき売上高の額
(二)	(一)に掲げる指標の数値から対象事業年度における有価証券報告書に記載されるべき費用の額を減算して得た額
(三)	(一)及び(二)に掲げる指標の数値が対象事業年度前の事業年度の当該指標に相当する指標の数値その他の対象事業年度において目標とする指標の数値であって既に確定しているもの（以下(三)において「確定値」という。）

(利益の状況を示す指標、株式の市場価格の状況を示す指標及び売上高の状況を示す指標を基礎とした客観的な算定方法の要件)
(6) 1の表の(三)のイに掲げる利益の状況を示す指標、株式の市場価格の状況を示す指標及び売上高の状況を示す指標を基礎とした客観的なものとは、次に掲げる要件を満たすものに限られる。(法34①Ⅲ、令69⑬)

(一)	金銭による給与にあっては確定した額を、株式又は新株予約権による給与にあっては確定した数を、それぞれ限度としているものであり、かつ、他の業務執行役員に対して支給する業績連動給与に係る算定方法と同様のものであること。
(二)	1の表の(三)のイに掲げる職務執行期間開始日の属する会計期間開始の日から3か月（①の(1)《定期同額給与の範囲》の表の(一)のイの(イ)に掲げる法人にあっては4か月とし、同イの(ロ)に掲げる法人にあってはその指定に係る月数に2を加えた月数とする。）を経過する日までに、(7)及び(8)に掲げるに掲げる適正な手続を経ていること。
(三)	その内容が、(7)及び(8)に掲げる適正な手続の終了の日以後遅滞なく、(11)に掲げる方法により開示されていること。

(内国法人が同族会社でない場合における適正な手続)
(7) 1の表の(三)に掲げる内国法人が同族会社でない場合における(6)の表の(二)に掲げる適正な手続は、次に掲げるものとする。(法34①Ⅲ、令69⑭⑯)

(一)		当該内国法人の会社法第404条第3項《指名委員会等の権限等》の報酬委員会（以下(10)までにおいて「**報酬委員会**」という。）の決定であって次に掲げる要件の全てを満たすもの
	イ	当該報酬委員会の委員の過半数が当該内国法人の独立社外取締役（会社法第2条第15号《定義》に規定する社外取締役である独立職務執行者をいう。以下(7)及び(8)において同じ。）であること。
	ロ	当該内国法人の業務執行役員に係る(9)に掲げる特殊の関係のある者（(三)のロ及び(8)において「**特殊関係者**」という。）が当該報酬委員会の委員でないこと。
	ハ	当該報酬委員会の委員である独立社外取締役の全員が当該決定に係る当該報酬委員会の決議に賛成していること。
(二)		当該内国法人（指名委員会等設置会社を除く。）の株主総会の決議による決定
(三)		当該内国法人（指名委員会等設置会社を除く。）の報酬諮問委員会（取締役会の諮問に応じ、当該内国法人の業務執行役員の個人別の給与の内容を調査審議し、及びこれに関し必要と認める意見を取締役会に述べることができる3以上の委員から構成される合議体をいう。以下(三)において同じ。）に対する諮問その他の手続を経た取締役会の決議による決定であって次に掲げる要件の全てを満たすもの
	イ	当該報酬諮問委員会の委員の過半数が当該内国法人の独立社外取締役（当該内国法人の会社法第2条第16号に規定する社外監査役〔(8)の(二)のイにおいて「**社外監査役**」という。〕である独立職務執行者を含む。ハにおいて「独立社外取締役等」という。）であること。
	ロ	当該内国法人の業務執行役員に係る特殊関係者が当該報酬諮問委員会の委員でないこと。
	ハ	当該報酬諮問委員会の委員である独立社外取締役等の全員が当該諮問に対する当該報酬諮問委員会の意見に係る決議に賛成していること。
	ニ	当該決定に係る給与の支給を受ける業務執行役員がハの決議に参加していないこと。
(四)		(一)から(三)までに掲げる手続に準ずる手続

(内国法人が同族会社である場合における適正な手続)
(8) １の表の(三)に掲げる内国法人が同族会社である場合における(6)の表の(二)に掲げる適正な手続は、次に掲げるものとする。(令69⑰)

(一)	当該内国法人との間に完全支配関係がある法人（同族会社を除く。以下(一)及び(二)において「完全支配関係法人」という。）の報酬委員会の決定（次に掲げる要件の全てを満たす場合における当該決定に限る。）に従ってする当該内国法人の株主総会又は取締役会の決議による決定		
	イ	当該報酬委員会の委員の過半数が当該完全支配関係法人の独立社外取締役であること。	
	ロ	次に掲げる者（当該完全支配関係法人の業務執行役員を除く。）が当該報酬委員会の委員でないこと。	
		(イ)	当該内国法人の業務執行役員
		(ロ)	当該内国法人又は当該完全支配関係法人の業務執行役員に係る特殊関係者
	ハ	当該報酬委員会の委員である当該完全支配関係法人の独立社外取締役の全員が当該報酬委員会の決定に係る決議に賛成していること。	
(二)	完全支配関係法人（指名委員会等設置会社を除く。）の報酬諮問委員会（取締役会の諮問に応じ、当該完全支配関係法人及び当該内国法人の業務執行役員の個人別の給与の内容を調査審議し、並びにこれに関し必要と認める意見を取締役会に述べることができる３以上の委員から構成される合議体をいう。以下(二)において同じ。）に対する諮問その他の手続を経た当該完全支配関係法人の取締役会の決議による決定（次に掲げる要件の全てを満たす場合における当該決定に限る。）に従ってする当該内国法人の株主総会又は取締役会の決議による決定		
	イ	当該報酬諮問委員会の委員の過半数が当該完全支配関係法人の独立社外取締役（当該完全支配関係法人の社外監査役である独立職務執行者を含む。ハにおいて「独立社外取締役等」という。）であること。	
	ロ	次に掲げる者（当該完全支配関係法人の業務執行役員を除く。）が当該報酬諮問委員会の委員でないこと。	
		(イ)	当該内国法人の業務執行役員
		(ロ)	当該内国法人又は当該完全支配関係法人の業務執行役員に係る特殊関係者
	ハ	当該報酬諮問委員会の委員である当該完全支配関係法人の独立社外取締役等の全員が当該諮問に対する当該報酬諮問委員会の意見に係る決議に賛成していること。	
	ニ	当該完全支配関係法人の取締役会の決議による決定に係る給与の支給を受ける業務執行役員がハの決議に参加していないこと。	
(三)	(一)及び(二)に掲げる手続に準ずる手続		

(業務執行役員と特殊の関係のある者)
(9) (7)及び(8)に掲げる特殊の関係のある者は、次に掲げる者とする。(法34①Ⅲ、令69⑮)

(一)	１の表の(三)に掲げる業務執行役員の親族
(二)	業務執行役員と婚姻の届出をしていないが事実上婚姻関係と同様の事情にある者
(三)	業務執行役員（個人である業務執行役員に限る。(四)において同じ。）の使用人
(四)	(一)から(三)までに掲げる者以外の者で業務執行役員から受ける金銭その他の資産によって生計を維持しているもの
(五)	(二)から(四)までに掲げる者と生計を一にするこれらの者の親族

(独立職務執行者の意義)
(10) (7)の表の(一)、同表の(三)のイ及び(8)の表の(二)のイに掲げる独立職務執行者とは、報酬委員会又は(7)の(三)若しくは(8)の(二)に掲げる報酬諮問委員会を置く法人（以下(10)において「設置法人」という。）の取締役又は監査役のうち、次に掲げる者のいずれにも該当しないものをいう。(令69⑱、規22の３④⑤)

第三章　第一節　第十款《役員の給与等》

（一）	1の表の（三）のイの算定方法についての（7）の表の（一）から（四）まで又は（8）の表の（一）から（三）までに掲げる手続の終了の日の属する1の表の（三）に掲げる内国法人の会計期間開始の日の1年前の日から当該手続の終了の日までの期間内のいずれかの時において次に掲げる者に該当する者	
	イ	当該設置法人の主要な取引先である者又はその者の業務執行者（会社法施行規則（平成18年法務省令第12号）第2条第3項第6号《定義》に規定する業務執行者をいう。以下(10)において同じ。）
	ロ	当該設置法人を主要な取引先とする者又はその者の業務執行者
（二）	（一）に掲げる期間内のいずれかの時において次に掲げる者に該当する者の配偶者又は2親等以内の親族（ハ又はホに掲げる者に該当する者の配偶者又は2親等以内の親族にあっては、（一）に掲げる終了の日において当該設置法人の監査役であるものに限る。）	
	イ	（一）のイ又はロに掲げる者（業務執行者にあっては、会社法施行規則第2条第3項第6号ハに掲げる者のうち重要な使用人でないものを除く。）
	ロ	当該設置法人の業務執行者（会社法施行規則第2条第3項第6号ハに掲げる者のうち重要な使用人でないものを除く。ニにおいて同じ。）
	ハ	当該設置法人の業務執行者以外の取締役又は会計参与（会計参与が法人である場合には、その職務を行うべき社員。ホにおいて同じ。）
	ニ	当該設置法人による支配関係がある法人の業務執行者
	ホ	当該設置法人による支配関係がある法人の業務執行者以外の取締役又は会計参与
（三）	1の表の（三）のイの算定方法についての（7）の表の（一）から（四）まで又は（8）の表の（一）から（三）までに掲げる手続の終了の日の属する1の表の（三）に掲げる内国法人の会計期間開始の日の10年前の日から当該手続の終了の日までの期間内のいずれかの時において次に掲げる者に該当する者（ロに掲げる者に該当する者にあっては、同日において当該設置法人の監査役であるものに限る。）	
	イ	当該設置法人と当該設置法人以外の法人との間に当該法人による支配関係がある場合の当該法人（ロ及びハにおいて「親法人」という。）の業務執行者又は業務執行者以外の取締役
	ロ	親法人の監査役
	ハ	当該設置法人との間に支配関係がある法人（親法人及び当該設置法人による支配関係がある法人を除く。）の業務執行者
（四）	（三）に掲げる期間内のいずれかの時において次に掲げる者に該当する者の配偶者又は2親等以内の親族（ロに掲げる者に該当する者の配偶者又は2親等以内の親族にあっては、（三）に掲げる終了の日において当該設置法人の監査役であるものに限る。）	
	イ	（三）のイ又はハに掲げる者（業務執行者にあっては、（二）のイの括弧書に掲げるものを除く。）
	ロ	（三）のロに掲げる者

（業績連動給与の開示方法）
(11)　（6）の表の（三）に掲げる方法は、次に掲げる方法とする。（法34①Ⅲ、規22の3⑥）

（一）	有価証券報告書に記載する方法
（二）	金融商品取引法第24条の5第1項《半期報告書及び臨時報告書の提出》に規定する半期報告書に記載する方法
（三）	金融商品取引法第24条の5第4項に規定する臨時報告書に記載する方法
（四）	金融商品取引所等に関する内閣府令第63条第2項第3号《認可を要する業務規程に係る事項》に掲げる事項を定めた金融商品取引法第2条第16項《定義》に規定する金融商品取引所の業務規程又はその細則を委ねた規則に規定する方法に基づいて行う当該事項に係る開示による方法

　　注1　令和6年度改正により、上表から次のものが除かれているが、令和6年3月31日以前に行った旧（二）の方法による（6）の表の（三）の開示については、なおその適用がある。（令6改規附2①、1）

第三章　第一節　第十款《役員の給与等》

旧(二)	金融商品取引法第24条の4の7第1項《四半期報告書の提出》に規定する四半期報告書に記載する方法

　注2　(11)の適用については、(二)に掲げる半期報告書には、金融商品取引法等の一部を改正する法律（令和5年法律第79号）附則第2条第1項の規定によりなお従前の例により提出される同項に規定する四半期報告書を含むものとする。（令6改規附2②）

　　　（内国法人が同族会社である場合における適正な手続）
(12)　1の表の(三)に掲げる内国法人が同族会社である場合における(6)の表の(三)の適用については、1の表の(三)のイに掲げる有価証券報告書又は(11)の表の(二)若しくは(三)に掲げる報告書は当該内国法人との間に完全支配関係がある法人（同族会社を除く。以下(12)において「完全支配関係法人」という。）が提出するこれらの報告書とし、(11)の表の(四)に掲げる開示は完全支配関係法人が行う開示とする。（法34①Ⅲ、規22の3⑦）
　　　注──線部分は、令和6年度改正により改正された部分で、改正規定は、令和6年4月1日から適用され、令和6年3月31日以前の適用については、「若しくは(三)」とあるのは「から(四)まで」と、「(四)」とあるのは「(五)」とする。（令6改規附1）

　　　（完全支配関係があるもの、独立社外取締役及び独立社外取締役等に該当するかの判定）
(13)　1の表の(三)の場合において、内国法人が同(三)の同族会社以外の法人との間に当該法人による完全支配関係があるものに該当するかどうかの判定及び(7)の表の(一)のイに掲げる独立社外取締役、(8)の表の(一)のイに掲げる独立社外取締役、(7)の表の(三)のイに掲げる独立社外取締役等又は(8)の表の(二)のイに掲げる独立社外取締役等に該当するかどうかの判定は、(7)の表の(一)から(四)まで又は(8)の表の(一)から(三)までに掲げる手続の終了の日の現況による。（令69⑳）

　　　（特定新株予約権に係る承継新株予約権による給与に係る算定方法の要件）
(14)　1の表の(三)の給与（特定新株予約権によるものに限る。）に係る算定方法が(6)の表の(二)及び(三)に掲げる要件を満たす場合には、当該特定新株予約権に係る承継新株予約権による給与に係る算定方法は、当該要件を満たすものとする。（令69㉑）

　　　（業績指標その他の条件により全てが支給されない給与）
(15)　法人がその役員に対して支給する給与について、業績指標（(1)に掲げる内国法人又は当該内国法人との間に支配関係がある法人の業績を示す指標をいう。以下(16)において同じ。）その他の条件により、その全てを支給するか、又はその全てを支給しないかのいずれかとすることを定めた場合における当該定めに従って支給する給与は、(1)に掲げる業績連動給与に該当せず、1の表の(二)《事前確定届出給与》に掲げる給与の対象となることに留意する。（基通9-2-15の5）

　　　（業績指標に応じて無償で取得する株式の数が変動する給与）
(16)　譲渡制限付株式による給与で、第十九款の一の1《給与等課税額が生じたときの役務の提供に係る費用》の表の(二)の無償で取得する株式の数が業績指標に応じて変動するものは、1の表に掲げる給与のいずれにも該当しない。（基通9-2-16の2）

　　　（業務執行役員の意義）
(17)　業務執行役員とは、法人の業務を執行する役員をいうのであるから、例えば、法人の役員であっても、取締役会設置会社における代表取締役以外の取締役のうち業務を執行する取締役として選定されていない者、社外取締役、監査役及び会計参与は、これに含まれないことに留意する。（基通9-2-17）

　　　（利益の状況を示す指標等の意義）
(18)　(3)の表の(二)から(五)まで、(4)の表の(二)から(五)まで及び(5)の表の(二)から(四)までに掲げる指標は、利益若しくは株式の市場価格に関するもの又はこれらと同時に用いられる売上高に関するものに限られるのであるから、例えば、配当（(4)の表の(四)に掲げる指標に用いられるものを除く。）及びキャッシュ・フローは、(3)の表の(二)から(五)まで、(4)の表の(二)から(五)まで及び(5)の表の(二)から(四)までに掲げる指標に該当しないことに留意する。（基通9-2-17の2・編者補正）

第三章　第一節　第十款《役員の給与等》

(有価証券報告書に記載されるべき金額等から算定される指標の範囲)
(19)　1の表の(三)のイの利益の状況を示す指標、株式の市場価格の状況を示す指標又は売上高の状況を示す指標には、有価証券報告書(同イに掲げる「**有価証券報告書**」をいう。以下(20)までにおいて同じ。)に記載される連結財務諸表(連結財務諸表の用語、様式及び作成方法に関する規則第1条第1項《適用の一般原則》に規定する連結財務諸表をいう。以下(19)において同じ。)に記載されるべき金額等から算定される指標が含まれることに留意する。(基通9－2－17の3・編者補正)
　　注　1の表の(三)に掲げる同族会社が支給する業績連動給与に係る指標については、(12)に掲げる完全支配関係法人の有価証券報告書に記載される連結財務諸表に記載されるべき金額等から算定される指標が含まれる。

(利益の状況を示す指標等に含まれるもの)
(20)　次に掲げる指標は、(3)の表の(五)に掲げる「(一)から(四)までに掲げる指標に準ずる指標」に含まれる。(基通9－2－17の4・編者補正)
(一)　同表の(一)から(三)までの有価証券報告書に記載されるべき事項を財務諸表等の用語、様式及び作成方法に関する規則の規定により有価証券報告書に記載することができることとされている事項(以下(20)において「任意的記載事項」という。)とした場合における同表の(一)から(四)までに掲げる指標
(二)　有価証券報告書に記載されるべき利益(任意的記載事項を含む。)の額に有価証券報告書に記載されるべき費用(任意的記載事項を含む。)の額を加算し、かつ、有価証券報告書に記載されるべき収益(任意的記載事項を含む。)の額を減算して得た額
　　注　(4)の表の(三)又は(四)の有価証券報告書に記載されるべき事項を任意的記載事項とした場合における同(三)及び同(四)に掲げる指標は同表の(五)に掲げる「(一)から(四)に掲げる指標に準ずる指標」に、(5)の表の(一)又は(二)の有価証券報告書に記載されるべき事項を任意的記載事項とした場合における同表の(一)から(三)までに掲げる指標は同表の(四)に掲げる「(一)から(三)に掲げる指標に準ずる指標」に、それぞれ含まれる。

(職務を執行する期間の開始の日)
(21)　1の表の(三)のイの「職務を執行する期間の開始の日」とは、その役員がいつから就任するかなど個々の事情によるのであるが、例えば、定時株主総会において役員に選任された者で、その日に就任した者及び役員に再任された者にあっては、当該定時株主総会の開催日となる。(基通9－2－17の5・編者補正)

(確定した額等を限度としている算定方法の意義)
(22)　(6)の表の(一)の「金銭による給与にあっては確定した額を、株式又は新株予約権による給与にあっては確定した数をそれぞれ限度としているもの」とは、その支給する金銭の額又は適格株式若しくは適格新株予約権の数の上限が具体的な金額又は数をもって定められていることをいうのであるから、例えば、「経常利益の○○％に相当する金額を限度として支給する。」という定め方は、これに当たらない。(基通9－2－18・編者補正)

(算定方法の内容の開示)
(23)　(6)の表の(三)の客観的な算定方法の内容の開示とは、業務執行役員の全てについて、当該業務執行役員ごとに次に掲げる事項を開示することをいうのであるから、留意する。(基通9－2－19)
(一)　業績連動給与の算定の基礎となる業績連動指標(1の表の(三)のロの(イ)のAに掲げる業績連動指標をいう。)
(二)　支給の限度としている確定した額(適格株式又は適格新株予約権による給与にあっては、確定した数)
(三)　客観的な算定方法の内容
　　注　算定方法の内容の開示に当たっては、個々の業務執行役員ごとに算定方法の内容が明らかになるものであれば、同様の算定方法を採る業績連動給与について包括的に開示することとしていても差し支えない。

(一に満たない端数の適格株式等の価額に相当する金銭を交付する場合の算定方法の内容の開示)
(24)　適格株式と一に満たない端数の適格株式の価額に相当する金銭を併せて交付することを定めている業績連動給与については、(6)の開示は、交付する適格株式の数の算定方法の内容のみの開示で差し支えない。(基通9－2－19の2)
　　注　適格新株予約権を交付する場合の開示についても、同様とする。

(業績連動指標の数値が確定した日)
(25)　1の表の(三)のロの適用上、1の表の(三)のロの(イ)のAに掲げる業績連動指標(1の表の(三)のイに掲げる株

式の市場価格の状況を示す指標を除く。以下(25)において「業績連動指標」という。)の数値が確定した日とは、例えば、株式会社である法人にあっては、当該法人が会社法第438条第2項《計算書類等の定時株主総会への提出等》の規定により定時株主総会において計算書類の承認を受けた日をいう。(基通9－2－20・編者補正)

- 注1　当該法人が同法第439条《会計監査人設置会社の特則》の規定の適用を受ける場合には、取締役が計算書類の内容を定時株主総会へ報告した日となる。
- 注2　業績連動指標の数値が連結計算書類のものである場合には、取締役が同法第444条第7項《連結計算書類》の規定により連結計算書類の内容を定時株主総会へ報告した日となる。

(引当金勘定に繰り入れた場合の損金算入額)

(26)　法人が業績連動給与として適格株式を交付する場合において、1の表の(三)のハに掲げる方法により経理しているときの損金算入の対象となる給与の額は、給与の見込額として計上した金額にかかわらず、当該適格株式の交付時の市場価格を基礎として算定される金額となることに留意する。(基通9－2－20の2)

④　特定投資運用業者の役員に対する業績連動給与の損金算入の特例

青色申告書を提出する法人で特定投資運用業者に該当するものが、令和3年4月1日から令和8年3月31日までの間に開始する各事業年度(新型コロナウイルス感染症等の影響による社会経済情勢の変化に対応して金融の機能の強化及び安定の確保を図るための銀行法等の一部を改正する法律〔令和3年法律第46号〕の施行の日以後に終了する事業年度に限る。)においてその業務執行役員(1の表の(三)に掲げる業務執行役員をいう。)に対して③の(1)《業績連動給与の意義》に掲げる業績連動給与(その同(三)のイ〔③の(6)の表の(一)を除く。〕に掲げる算定方法がその運用財産〔当該法人が金融商品取引法第42条第1項に規定する権利者のために運用を行う金銭その他の財産をいう。以下④において同じ。〕の運用として行った取引により生ずる利益〔当該業績連動給与を支給する旨及び当該算定方法を当該運用財産に係る金融商品取引法第42条第1項に規定する権利者に対して事前に示している場合として(2)に該当する場合における当該運用財産に係る利益に限る。〕に関する指標を基礎とした客観的なものに限る。以下④において「特定業績連動給与」という。)を支給する場合には、当該特定業績連動給与に係る1の表の(三)のイ(③の(6)の表の(三)に係る部分を除く。)の適用については、当該法人が金融商品取引法第46条の3第1項、第47条の2、第48条の2第1項、第63条の4第2項(同法第63条の3第2項において準用する場合を含む。以下④において同じ。)又は第63条の12第2項(同法第63条の11第2項において準用する場合及び同法附則第3条の3第4項〔同条第7項において準用する場合を含む。以下④において同じ。〕の規定により適用する場合を含む。以下④において同じ。)の規定により提出するこれらの規定の事業報告書(インターネットを利用する方法により金融庁長官が公表するものに限る。以下④において「公表事業報告書」という。)は、1の表の(三)のイに掲げる有価証券報告書とみなす。この場合において、当該法人が、当該算定方法の内容を、③の(7)又は(8)に掲げる適正な手続の終了の日以後遅滞なく、公表事業報告書に記載して同法第46条の3第1項、第47条の2、第48条の2第1項、第63条の4第2項又は第63条の12第2項の規定により提出し、かつ、同法第46条の4、第47条の3、第63条の4第3項(同法第63条の3第2項において準用する場合を含む。)又は第63条の12第3項(同法第63条の11第2項において準用する場合及び同法附則第3条の3第4項の規定により適用する場合を含む。)の規定その他(3)に掲げる規定の説明書類に記載してこれらの規定により公衆の縦覧に供し、又は公表したときは、当該算定方法は、③の(6)の表の(三)に掲げる要件を満たすものとする。(措法66の11の2①)

(特定投資運用業者の意義)

(1)　④に掲げる特定投資運用業者とは、次に掲げる要件の全てを満たす法人をいう。(措法66の11の2②)

	その事業年度の収益の額の合計額のうちに次に掲げる業務に係る収益の額の合計額の占める割合が$\frac{75}{100}$以上であること。	
(一)	イ	金融商品取引法第34条に規定する金融商品取引業者等の同法第28条第4項に規定する投資運用業
	ロ	金融商品取引法第63条第5項に規定する特例業務届出者の同条第2項に規定する適格機関投資家等特例業務
	ハ	金融商品取引法第63条の9第4項に規定する海外投資家等特例業務届出者の同法第63条の8第1項に規定する海外投資家等特例業務
	ニ	移行期間特例業務届出者(金融商品取引法附則第3条の3第1項〔同条第7項において準用する場合を含む。〕の規定による届出をした者をいい、同条第1項ただし書〔同条第7項において準用する場合を含む。〕の規定の適用がある者を除く。)の同条第5項に規定する移行期間特例業務(同条第7項に規定す

		る行為に係る業務を含む。)
(二)		次に掲げる要件のいずれにも該当しないこと。
	イ	金融商品取引法第24条第１項に規定する有価証券報告書の同項の規定による提出の義務があること。
	ロ	その法人と他の法人との間に当該他の法人による第二章第一節の二の表の**12の7の6**《完全支配関係》に掲げる完全支配関係があり、かつ、当該他の法人が金融商品取引法第24条第１項に規定する有価証券報告書の同項の規定による提出の義務があること。

（権利者に対して事前に示している場合）

（２）　④の権利者に対して事前に示している場合は、④に掲げる業績連動給与の④に掲げる算定方法の基礎となる④に掲げる運用財産に係る金融商品取引法第42条第１項に規定する権利者について、次に掲げる要件のいずれかを満たしている場合とする。（措令39の22の２①）

(一)	当該業績連動給与に係る④に掲げる手続の終了の日までに、当該運用財産に係る金融商品取引法第42条の３第１項第１号若しくは第２号に掲げる契約又は同項第３号に規定する契約に係る契約書（これに添付する書類を含む。）に当該業績連動給与を支給する旨及び当該算定方法が記載されていること。
(二)	当該業績連動給与に係る④に掲げる手続の終了の日又は当該業績連動給与を支給する事業年度開始の日の前日のうちいずれか早い日までに当該運用財産に係る金融商品取引法第42条第１項第３号に定める者が組合員となっている投資事業有限責任組合契約に関する法律第２条第２項に規定する投資事業有限責任組合の組合員集会（当該投資事業有限責任組合の運営及び組合財産の運用の状況その他の事項について報告が行われ、並びに当該事項について当該投資事業有限責任組合の組合員が意見を述べることができる当該投資事業有限責任組合の組合員から構成される合議体をいう。）その他これに類するものにおいて当該業績連動給与を支給する旨及び当該算定方法について報告が行われ、かつ、その議事録に当該支給する旨又は当該算定方法について当該投資事業有限責任組合の組合員その他これに類するものから異議があった旨の記載又は記録がないこと。

（その他の規定の説明書類）

（３）　④に掲げるその他の規定は、銀行法第21条第１項及び第２項の規定並びに金融商品取引法施行令第18条の４各号に掲げる規定とする。（措令39の22の２②）

（特定業績連動給与に関する明細書の添付）

（４）　④は、確定申告書等に④に掲げる特定業績連動給与に関する明細書の添付がない場合には、適用しない。（措法66の11の２③）

（組合員集会等に類するものの範囲）

（５）　（２）の表の(二)の投資事業有限責任組合の組合員集会その他これに類するものには、例えば外国の法令に基づき組成された当該投資事業有限責任組合に類する事業体の投資家から構成される合議体が該当し、同(二)の投資事業有限責任組合の組合員その他これに類するものには、例えば当該投資家が該当する。（措通66の11の２－１）

２　過大な役員給与の損金不算入

内国法人がその役員に対して支給する給与（**１**《役員給与の損金不算入》又は**３**《仮装経理等により支給した役員給与の損金不算入》の適用があるものを除き、債務の免除による利益その他の経済的な利益を含む。以下**２**において同じ。）の額のうち不相当に高額な部分の金額（次の表に掲げる金額の合計額）は、その内国法人の各事業年度の所得の金額の計算上、損金の額に算入しない。（法34②④、令70）

	次に掲げる金額のうちいずれか多い金額	
①	イ	内国法人が各事業年度においてその役員に対して支給した給与（**２**に掲げる給与のうち、退職給与以外のものをいう。以下①において同じ。）の額（③に掲げる金額に相当する金額を除く。）が、当該役員の職務の内容、その内国法人の収益及びその使用人に対する給与の支給の状況、その内国法人と同種の事業を営む法人でその事業規模が類似するものの役員に対する給与の支給の状況等に照らし、当該役員の職務に対する対価

		として相当であると認められる金額を超える場合におけるその超える部分の金額（その役員の数が２以上である場合には、これらの役員に係る当該超える部分の金額の合計額）
	ロ	定款の規定又は株主総会、社員総会若しくはこれらに準ずるものの決議により、役員に対する給与として支給することができる金銭その他の資産について、金銭の額の限度額若しくは算定方法、その内国法人の株式若しくは新株予約権の数の上限又は金銭以外の資産（ロにおいて「支給対象資産」という。）の内容（ロにおいて「限度額等」という。）を定めている内国法人が、各事業年度においてその役員（当該限度額等が定められた給与の支給の対象となるものに限る。ロにおいて同じ。）に対して支給した給与の額（**4**《使用人兼務役員の意義》に掲げる使用人としての職務を有する役員〔③において「使用人兼務役員」という。〕に対して支給する給与のうちその使用人としての職務に対するものを含めないで当該限度額等を定めている内国法人については、当該事業年度において当該職務に対する給与として支給した金額〔③に掲げる金額に相当する金額を除く。〕のうち、その内国法人の他の使用人に対する給与の支給の状況等に照らし、当該職務に対する給与として相当であると認められる金額を除く。）の合計額が当該事業年度に係る当該限度額及び当該算定方法により算定された金額、当該株式又は新株予約権（当該事業年度に支給されたものに限る。）の当該上限及びその支給の時（**1**の②の(15)《確定した数の株式を交付する旨の定めに基づいて支給する給与に係る費用の額》に掲げる確定数給与（ロにおいて「確定数給与」という。）にあっては、同(15)の定めをした日）における一単位当たりの価額により算定された金額並びに当該支給対象資産（当該事業年度に支給されたものに限る。）の支給の時における価額（確定数給与にあっては、同(15)に掲げる交付決議時価額）に相当する金額の合計額を超える場合におけるその超える部分の金額（③に掲げる金額がある場合には、当該超える部分の金額から③に掲げる金額に相当する金額を控除した金額）
②		内国法人が各事業年度においてその退職した役員に対して支給した退職給与（**1**の表の(一)又は(三)の適用があるものを除く。以下②において同じ。）の額が、当該役員のその内国法人の業務に従事した期間、その退職の事情、その内国法人と同種の事業を営む法人でその事業規模が類似するものの役員に対する退職給与の支給の状況等に照らし、その退職した役員に対する退職給与として相当であると認められる金額を超える場合におけるその超える部分の金額
③		使用人兼務役員の使用人としての職務に対する賞与で、他の使用人に対する賞与の支給時期と異なる時期に支給したものの額

　（役員に対して支給した給与の額の範囲）
（１）　**2**の表の①のイに掲げる「その役員に対して支給した給与の額」には、いわゆる役員報酬のほか、当該役員が使用人兼務役員である場合に当該役員に対して支給するいわゆる使用人分の給料、手当等を含むことに留意する。（基通９－２－21）

　（使用人としての職務に対するものを含めないで役員給与の限度額等を定めている法人）
（２）　**2**の表の①のロに掲げる「使用人としての職務に対するものを含めないで当該限度額等を定めている法人」とは、定款又は株主総会、社員総会若しくはこれらに準ずるものにおいて役員給与の限度額等に使用人兼務役員の使用人分の給与を含めない旨を定め又は決議している法人をいう。（基通９－２－22）

　（使用人分の給与の適正額）
（３）　使用人兼務役員に対する使用人分の給与を**2**の表の①のロに掲げる役員給与の限度額等に含めていない法人が、使用人兼務役員に対して使用人分の給与を支給した場合には、その使用人分の給与の額のうち当該使用人兼務役員が現に従事している使用人の職務とおおむね類似する職務に従事する使用人に対して支給した給与の額（その給与の額が特別の事情により他の使用人に比して著しく多額なものである場合には、その特別の事情がないものと仮定したときにおいて通常支給される額）に相当する金額は、原則として、これを使用人分の給与として相当な金額とする。この場合において、当該使用人兼務役員が現に従事している使用人の職務の内容等からみて比準すべき使用人として適当とする者がいないときは、当該使用人兼務役員が役員となる直前に受けていた給与の額、その後のベースアップ等の状況、使用人のうち最上位にある者に対して支給した給与の額等を参酌して適正に見積った金額によることができる。（基通９－２－23）

第三章　第一節　第十款《役員の給与等》

　　　　（使用人が役員となった直後に支給される賞与等）
（4）　使用人であった者が役員となった場合又は使用人兼務役員であった者が**4**《使用人兼務役員の意義》の表の①から⑤までに掲げる役員となった場合において、その直後にその者に対して支給した賞与の額のうちその使用人又は使用人兼務役員であった期間に係る賞与の額として相当であると認められる部分の金額は、使用人又は使用人兼務役員に対して支給した賞与の額として認める。（基通9－2－27）

　　　　（退職給与に該当しない役員給与）
（5）　役員の将来の所定の期間における役務提供の対価として譲渡制限付株式又は譲渡制限付新株予約権が交付される給与（1の③の（1）《業績連動給与の意義》に掲げる業績連動給与に該当するものを除く。）であって、その役務提供を受ける法人においてその期間の報酬費用として損金経理（退職給付引当金その他これに類するものの繰入れに係るものを除く。）が行われるようなものは、例えばその譲渡制限付株式に係る譲渡制限期間の満了又はその譲渡制限付新株予約権を行使することができる期間の開始日がその役員の退任日であることによりその役員において所得税法第30条第1項《退職所得》に規定する退職手当等に該当するものであっても、1の退職給与で業績連動給与に該当しないものには該当しない。（基通9－2－27の2）

　　　　（業績連動給与に該当しない退職給与）
（6）　いわゆる功績倍率法に基づいて支給する退職給与は、1の③の（1）に掲げる業績連動給与に該当しないのであるから、1の適用はないことに留意する。（基通9－2－27の3）
　　注　本文の功績倍率法とは、役員の退職の直前に支給した給与の額を基礎として、役員の法人の業務に従事した期間及び役員の職責に応じた倍率を乗ずる方法により支給する金額が算定される方法をいう。

　　　　（役員に対する退職給与の損金算入の時期）
（7）　退職した役員に対する退職給与の額の損金算入の時期は、株主総会の決議等によりその額が具体的に確定した日の属する事業年度とする。ただし、法人がその退職給与の額を支払った日の属する事業年度においてその支払った額につき損金経理をした場合には、これを認める。（基通9－2－28）

　　　　（退職年金の損金算入の時期）
（8）　法人が退職した役員又は使用人に対して支給する退職年金は、当該年金を支給すべき時の損金の額に算入すべきものであるから、当該退職した役員又は使用人に係る年金の総額を計算して未払金等に計上した場合においても、当該未払金等に相当する金額を損金の額に算入することはできないことに留意する。（基通9－2－29）

　　　　（使用人兼務役員に支給した退職給与）
（9）　法人が退職した使用人兼務役員に対して支給すべき退職給与を役員分と使用人分とに区分して支給した場合においても、**2**の表の②の過大な役員退職給与の損金不算入の適用については、その合計額によりその支給額が不相当に高額であるかどうかを判定する。（基通9－2－30）

　　　　（厚生年金基金からの給付等がある場合）
(10)　退職した役員が、その退職した法人から退職給与の支給を受けるほか、既往における使用人兼務役員としての勤務に応ずる厚生年金基金からの給付、確定給付企業年金法第3条第1項《確定給付企業年金の実施》に規定する確定給付企業年金に係る規約に基づく給付、確定拠出年金法第4条第3項《承認の基準等》に規定する企業型年金規約に基づく給付又は適格退職年金契約に基づく給付を受ける場合には、当該給付を受ける金額（厚生年金基金からの給付額については、公的年金制度の健全性及び信頼性の確保のための厚生年金保険法等の一部を改正する法律（平成25年法律第63号）附則第5条第1項《存続厚生年金基金に係る改正前厚生年金保険法等の効力等》の規定によりなおその効力を有するものとされる同法第1条《厚生年金保険法の一部改正》の規定による改正前の厚生年金保険法（以下この款において「旧効力厚生年金保険法」という。）第132条第2項《年金給付の基準》に掲げる額を超える部分の金額に限る。）をも勘案してその退職給与の額が不相当に高額であるかどうかの判定を行うものとする。（基通9－2－31）

　　　　（役員の分掌変更等の場合の退職給与）
(11)　法人が役員の分掌変更又は改選による再任等に際しその役員に対し退職給与として支給した給与については、その支給が、例えば次に掲げるような事実があったことによるものであるなど、その分掌変更等によりその役員として

の地位又は職務の内容が激変し、実質的に退職したと同様の事情にあると認められることによるものである場合には、これを退職給与として取り扱うことができる。（基通9－2－32）
- （一）　常勤役員が非常勤役員（常時勤務していないものであっても代表権を有する者及び代表権は有しないが実質的にその法人の経営上主要な地位を占めていると認められる者を除く。）になったこと。
- （二）　取締役が監査役（監査役でありながら実質的にその法人の経営上主要な地位を占めていると認められる者及びその法人の株主等で**4**《使用人兼務役員の意義》の表の⑤に掲げる要件の全てを満たしている者を除く。）になったこと。
- （三）　分掌変更等の後におけるその役員（その分掌変更等の後においてもその法人の経営上主要な地位を占めていると認められる者を除く。）の給与が激減（おおむね50％以上の減少）したこと。
  　注　本文の「退職給与として支給した給与」には、原則として、法人が未払金等に計上した場合の当該未払金等の額は含まれない。

（被合併法人の役員に対する退職給与の損金算入）
(12)　合併に際し退職した当該合併に係る被合併法人の役員に支給する退職給与の額が合併承認総会等において確定されない場合において、被合併法人が退職給与として支給すべき金額を合理的に計算し、合併の日の前日の属する事業年度において未払金として損金経理したときは、これを認める。（基通9－2－33）

（合併法人の役員となった被合併法人の役員等に対する退職給与）
(13)　(12)は、被合併法人の役員であると同時に合併法人の役員を兼ねている者又は被合併法人の役員から合併法人の役員となった者に対し、合併により支給する退職給与について準用する。（基通9－2－34）

（役員が使用人兼務役員に該当しなくなった場合の退職給与）
(14)　使用人兼務役員であった役員が、**1**《役員給与の損金不算入》に掲げる使用人としての職務を有する役員に該当しないこととなった場合において、その使用人兼務役員であった期間に係る退職給与として支給した金額があるときは、たとえその額がその使用人としての職務に対する退職給与の額として計算されているときであっても、その支給した金額は、当該役員に対する給与（退職給与を除く。）とする。
　ただし、その退職給与として支給した給与が次の全てに該当するときは、その支給した金額は使用人としての退職給与として取り扱うものとする。（基通9－2－37）
- （一）　当該給与の支給の対象となった者が既往に使用人から使用人兼務役員に昇格した者（その使用人であった期間が相当の期間であるものに限る。）であり、かつ、当該者に対しその昇格をした時にその使用人であった期間に係る退職給与の支給をしていないこと。
- （二）　当該給与の額が、使用人としての退職給与規程に基づき、その使用人であった期間及び使用人兼務役員であった期間を通算してその使用人としての職務に対する退職給与として計算されており、かつ、当該退職給与として相当であると認められる金額であること。

（使用人兼務役員に対する経済的な利益）
(15)　法人が使用人兼務役員に対して供与した経済的な利益（住宅等の貸与をした場合の経済的な利益を除く。）が他の使用人に対して供与されている程度のものである場合には、その経済的な利益は使用人としての職務に係るものとする。（基通9－2－24）

（海外在勤役員に対する滞在手当等）
(16)　法人が海外にある支店、出張所等に勤務する役員に対して支給する滞在手当等の金額を**2**の表の①のロに掲げる役員給与の限度額等に含めていない場合には、**2**の適用については、当該滞在手当等の金額のうち相当と認められる金額は、これを当該役員に対する給与の額に含めないものとする。（基通9－2－25）

（他の使用人に対する賞与の支給時期と異なる時期に支給したものの意義）
(17)　法人が、使用人兼務役員の使用人としての職務に対する賞与を、他の使用人に対する賞与の支給時期に未払金として経理し、他の役員への給与の支給時期に支払ったような場合には、当該賞与は、**2**の表の③に掲げる「他の使用人に対する賞与の支給時期と異なる時期に支給したもの」に該当することに留意する。（基通9－2－26）

3 仮装経理等により支給した役員給与の損金不算入

　内国法人が、事実を隠蔽し、又は仮装して経理をすることによりその役員に対して支給する給与（債務の免除による利益その他の経済的な利益を含む。）の額は、その内国法人の各事業年度の所得の金額の計算上、損金の額に算入しない。（法34③④）

4 使用人兼務役員の意義

　1 《役員給与の損金不算入》に掲げる使用人としての職務を有する役員とは、役員（次に掲げるものを除く。）のうち、部長、課長その他法人の使用人としての職制上の地位を有し、かつ、常時使用人としての職務に従事するものをいう。（法34⑥、令71①）

①	社長、理事長、代表取締役、代表執行役、代表理事及び清算人		
②	副社長、専務、常務その他これらに準ずる職制上の地位を有する役員		
③	合名会社、合資会社及び合同会社の業務を執行する社員		
④	取締役（指名委員会等設置会社の取締役及び監査等委員である取締役に限る。）、会計参与及び監査役並びに監事		
⑤	①から④までに掲げるもののほか、同族会社の役員のうち次に掲げる要件の全てを満たしている者		
	イ	当該会社の株主グループにつきその所有割合が最も大きいものから順次その順位を付し、その第1順位の株主グループ（同順位の株主グループが2以上ある場合には、その全ての株主グループ。イにおいて同じ。）の所有割合を算定し、又はこれに順次第2順位及び第3順位の株主グループの所有割合を加算した場合において、当該役員が次に掲げる株主グループのいずれかに属していること。	
		(イ)	第1順位の株主グループの所有割合が$\frac{50}{100}$を超える場合における当該株主グループ
		(ロ)	第1順位及び第2順位の株主グループの所有割合を合計した場合にその所有割合がはじめて$\frac{50}{100}$を超えるときにおけるこれらの株主グループ
		(ハ)	第1順位から第3順位までの株主グループの所有割合を合計した場合にその所有割合がはじめて$\frac{50}{100}$を超えるときにおけるこれらの株主グループ
	ロ	当該役員の属する株主グループの当該会社に係る所有割合が$\frac{10}{100}$を超えていること。	
	ハ	当該役員（その配偶者及びこれらの者の所有割合が$\frac{50}{100}$を超える場合における他の会社を含む。）の当該会社に係る所有割合が$\frac{5}{100}$を超えていること。	

　（株主グループの意義）
（1）　4の表の⑤に掲げる「株主グループ」とは、その会社の一の株主等（その会社が自己の株式又は出資を有する場合のその会社を除く。）並びに当該株主等と第二章第一節の二の表の10《同族会社》に掲げる特殊の関係のある個人及び法人をいう。（法34⑧、令71②）

　（所有割合の意義）
（2）　4の表の⑤に掲げる「所有割合」とは、次の表の左欄に掲げる場合の区分に応じ、それぞれ右欄に掲げる割合をいう。（法34⑧、令71③）

(一)	その会社がその株主等の有する株式又は出資の数又は金額による判定により同族会社に該当する場合	その株主グループ（(1)に掲げる株主グループをいう。以下(2)において同じ。）の有する株式の数又は出資の金額の合計額がその会社の発行済株式又は出資（その会社が有する自己の株式又は出資を除く。）の総数又は総額のうちに占める割合
(二)	その会社が第二章第一節の二の表の10《同族会社》の（2）の（二）のイからニまでに掲げる議決権による判定により同族会社に該当することとなる場合	その株主グループの有する当該議決権の数がその会社の当該議決権の総数（当該議決権を行使することができない株主等が有する当該議決権の数を除く。）のうちに占める割合
(三)	その会社が社員又は業務を執行する社員	その株主グループに属する社員又は業務を執行する社員の数がその

	の数による判定により同族会社に該当する場合	会社の社員又は業務を執行する社員の総数のうちに占める割合

　　　　（同一内容の議決権の行使について同意がある場合の所有割合）
（３）　個人又は法人との間で当該個人又は法人の意思と同一の内容の議決権を行使することに同意している者がある場合には、当該者が有する議決権は当該個人又は法人が有するものとみなし、かつ、当該個人又は法人（当該議決権に係る会社の株主等であるものを除く。）は当該議決権に係る会社の株主等であるものとみなして、**4**を適用する。（法34⑧、令71④、**4**⑥）

　　　　（使用人としての職制上の地位）
（４）　**4**に掲げる「その他法人の使用人としての職制上の地位」とは、支店長、工場長、営業所長、支配人、主任等法人の機構上定められている使用人たる職務上の地位をいう。したがって、取締役等で総務担当、経理担当というように使用人としての職制上の地位でなく、法人の特定の部門の職務を統括しているものは、使用人兼務役員には該当しない。（基通９－２－５・編者補正）

　　　　（機構上職制の定められていない法人の特例）
（５）　事業内容が単純で使用人が少数である等の事情により、法人がその使用人について特に機構としてその職務上の地位を定めていない場合には、当該法人の役員（**4**の表の①から⑤まで《使用人兼務役員とされない役員》に掲げる役員を除く。）で、常時従事している職務が他の使用人の職務の内容と同質であると認められるものについては、（４）にかかわらず、使用人兼務役員として取り扱うことができるものとする。（基通９－２－６・編者補正）

　　　　（代表権を有しない取締役）
（６）　会社法第２条第７号《定義》に規定する取締役会設置会社以外の株式会社の取締役が定款、定款の定めに基づく取締役の互選又は株主総会の決議によって、取締役の中から代表取締役を定めたことにより代表権を有しないこととされている場合には、当該取締役は、**4**の表の①から⑤までに掲げる役員のうち同表の①に掲げる者には該当しないことに留意する。
　　　株式会社以外の法人の理事等で同様の事情にある者についても、同様とする。（基通９－２－３）

　　　　（職制上の地位を有する役員の意義）
（７）　**4**の表の②に掲げる「副社長、専務、常務その他これらに準ずる職制上の地位を有する役員」とは、定款等の規定又は総会若しくは取締役会の決議等によりその職制上の地位が付与された役員をいう。（基通９－２－４）

　　　　（使用人兼務役員とされない同族会社の役員）
（８）　**4**の表の⑤の同族会社の役員には、次に掲げる役員が含まれることに留意する。（基通９－２－７）
　（一）　自らは当該会社の株式又は出資を有しないが、その役員と第二章第一節の二の表の**10**《同族会社》に掲げる特殊の関係のある個人又は法人（以下（８）において「同族関係者」という。）が当該会社の株式又は出資を有している場合における当該役員
　（二）　自らは当該会社の同**10**の（２）《他の会社を支配している場合》の表の（二）のイからニまでに掲げる議決権を有しないが、その役員の同族関係者が当該会社の当該議決権を有している場合における当該役員
　（三）　自らは当該会社の社員又は業務を執行する社員ではないが、その役員の同族関係者が当該会社の社員又は業務を執行する社員である場合における当該役員
　　　注　**4**の表の⑤に掲げる株主グループの所有割合の計算については、第二章第一節の二の表の**10**の（４）《同族会社の判定》から同**10**の（11）《同一の内容の議決権を行使することに同意している者がある場合の同族会社の判定》までの取扱いを準用する。

　　　　（同順位の株主グループ）
（９）　**4**の表の⑤を適用する場合において、第１順位の株主グループと同順位の株主グループがあるときは当該同順位の株主グループを含めたものが第１順位の株主グループに該当し、これに続く株主グループが第２順位の株主グループに該当することに留意する。（基通９－２－８）
　　　注　例えば、Ａ株主グループ及びＢ株主グループの株式の所有割合がそれぞれ20％、Ｃ株主グループ及びＤ株主グループの株式の所有割合がそれぞれ15％の場合には、Ａ株主グループ及びＢ株主グループが第１順位の株主グループに該当しその株式の所有割合は40％となり、Ｃ株

主グループ及びD株主グループが第2順位の株主グループに該当しその株式の所有割合は30%となる。

二　使用人給与の損金不算入等

1　過大な使用人給与の損金不算入

内国法人がその役員と(1)《特殊関係使用人の範囲》に掲げる特殊の関係のある使用人（以下「特殊関係使用人」という。）に対して支給する給与（債務の免除による利益その他の経済的な利益を含む。）の額のうち不相当に高額な部分の金額として(4)《過大な使用人給与の額》に掲げる金額は、その内国法人の各事業年度の所得の金額の計算上、損金の額に算入しない。（法36）

　　　　（特殊関係使用人の範囲）
（1）　1に掲げる役員と特殊の関係のある使用人は、次に掲げる者とする。（法36、令72）

(一)	役員の親族
(二)	役員と事実上婚姻関係と同様の関係にある者
(三)	(一)及び(二)に掲げる者以外の者で役員から生計の支援を受けているもの
(四)	(二)及び(三)に掲げる者と生計を一にするこれらの者の親族

　　　　（生計の支援を受けているもの）
（2）　(1)の表の(三)に掲げる「役員から生計の支援を受けているもの」とは、当該役員から給付を受ける金銭その他の財産又は給付を受けた金銭その他の財産の運用によって生ずる収入を生活費に充てている者をいう。（基通9－2－40）

　　　　（生計を一にすること）
（3）　(1)の表の(四)に掲げる「生計を一にする」こととは、有無相助けて日常生活の資を共通にしていることをいうのであるから、必ずしも同居していることを必要としない。（基通9－2－41、1－3－4参照）

　　　　（過大な使用人給与の額）
（4）　1に掲げる不相当に高額な部分の金額は、内国法人が各事業年度においてその使用人に対して支給した給与の額が、当該使用人の職務の内容、その内国法人の収益及び他の使用人に対する給与の支給の状況、その内国法人と同種の事業を営む法人でその事業規模が類似するものの使用人に対する給与の支給の状況等に照らし、当該使用人の職務に対する対価として相当であると認められる金額（退職給与にあっては、当該使用人のその内国法人の業務に従事した期間、その退職の事情、その内国法人と同種の事業を営む法人でその事業規模が類似するものの使用人に対する退職給与の支給の状況等に照らし、その退職した使用人に対する退職給与として相当であると認められる金額）を超える場合におけるその超える部分の金額とする。（法36、令72の2）

　　　　（厚生年金基金からの給付等がある場合の不相当に高額な部分の判定）
（5）　法人が1により特殊関係使用人に対して支給する退職給与の額のうち不相当に高額な部分の金額を判定する場合において、退職した特殊関係使用人が、その退職した法人から退職給与の支給を受けるほか、厚生年金基金からの給付、確定給付企業年金法第3条第1項《確定給付企業年金の実施》に規定する確定給付企業年金に係る規約に基づく給付、確定拠出年金法第4条第3項《承認の基準等》に規定する企業型年金規約に基づく給付若しくは適格退職年金契約に基づく給付又は独立行政法人勤労者退職金共済機構若しくは所得税法施行令第74条第5項《特定退職金共済団体》に規定する特定退職金共済団体が行う退職金共済契約に基づく給付等を受ける場合には、当該給付を受ける金額（厚生年金基金からの給付額については、旧効力厚生年金保険法第132条第2項《年金給付の基準》に掲げる額を超える部分の金額に限る。）をも勘案して不相当に高額な部分の金額であるかどうかの判定を行うものとする。（基通9－2－42・編者補正）

2　使用人賞与の損金算入時期

内国法人がその使用人に対して賞与（給与〔債務の免除による利益その他の経済的な利益を含む。〕のうち臨時的なもの

〔退職給与、他に定期の給与を受けていない者に対し継続して毎年所定の時期に定額を支給する旨の定めに基づいて支給されるもの、第十九款の一の**1**《給与等課税額が生じたときの役務の提供に係る費用》に掲げる特定譲渡制限付株式又は承継譲渡制限付株式によるもの及び第十九款の二の**1**《給与等課税事由が生じたときの役務の提供に係る費用》に掲げる特定新株予約権又は承継新株予約権によるものを除く。〕をいう。以下**2**において同じ。）を支給する場合（一の**4**《使用人兼務役員の意義》に掲げる使用人としての職務を有する役員に対して当該職務に対する賞与を支給する場合を含む。）には、これらの賞与の額について、次の表の左欄に掲げる賞与の区分に応じ、それぞれ同表の右欄に掲げる事業年度において支給されたものとして、その内国法人の各事業年度の所得の金額を計算する。（令72の3）

①	労働協約又は就業規則により定められる支給予定日が到来している賞与（使用人にその支給額の通知がされているもので、かつ、当該支給予定日又は当該通知をした日の属する事業年度においてその支給額につき損金経理をしているものに限る。）		当該支給予定日又は当該通知をした日のいずれか遅い日の属する事業年度
②	次に掲げる要件の全てを満たす賞与		使用人にその支給額の通知をした日の属する事業年度
	イ	その支給額を、各人別に、かつ、同時期に支給を受ける全ての使用人に対して通知をしていること。	
	ロ	イの通知をした金額を当該通知をした全ての使用人に対し当該通知をした日の属する事業年度終了の日の翌日から1か月以内に支払っていること。	
	ハ	その支給額につきイの通知をした日の属する事業年度において損金経理をしていること。	
③	①及び②に掲げる賞与以外の賞与		当該賞与が支払われた日の属する事業年度

（支給額の通知）
（1）　法人が支給日に在職する使用人のみに賞与を支給することとしている場合のその支給額の通知は、**2**の表の②のイの支給額の通知には該当しないことに留意する。（基通9－2－43）

（同時期に支給を受ける全ての使用人）
（2）　法人が、その使用人に対する賞与の支給について、いわゆるパートタイマー又は臨時雇い等の身分で雇用している者（雇用関係が継続的なものであって、他の使用人と同様に賞与の支給の対象としている者を除く。）とその他の使用人を区分している場合には、その区分ごとに、**2**の表の②のイの支給額の通知を行ったかどうかを判定することができるものとする。（基通9－2－44）

3　使用人の退職給与の取扱い

法人がその使用人に対して支給する退職給与の取扱いは、次による。

（退職給与の打切支給）
（1）　法人が、中小企業退職金共済制度又は確定拠出年金制度への移行、定年の延長等に伴い退職給与規程を制定又は改正し、使用人（定年延長の場合にあっては、旧定年に到達した使用人をいう。）に対して退職給与を打切支給した場合において、その支給をしたことにつき相当の理由があり、かつ、その後は既往の在職年数を加味しないこととしているときは、その支給した退職給与の額は、その支給した日の属する事業年度の損金の額に算入する。（基通9－2－35）
　　注　この場合の打切支給には、法人が退職給与を打切支給したこととしてこれを未払金等に計上した場合は含まれない。

（使用人が役員となった場合の退職給与）
（2）　法人の使用人がその法人の役員となった場合において、当該法人がその定める退職給与規程に基づき当該役員に対してその役員となった時に使用人であった期間に係る退職給与として計算される金額を支給したときは、その支給した金額は、退職給与としてその支給をした日の属する事業年度の損金の額に算入する。（基通9－2－36）
　　注　（1）《退職給与の打切支給》の注は、この取扱いを適用する場合について準用する。

　　　　　（使用人から役員となった者に対する退職給与の特例）
（3）　法人が、新たに退職給与規程を制定し又は従来の退職給与規程を改正して使用人から役員となった者に対して退職給与を支給することとした場合において、その制定等の時に既に使用人から役員になっている者の全員に対してそれぞれの使用人であった期間に係る退職給与として計算される金額をその制定等の時に支給し、これを損金の額に算入したときは、その支給が次のいずれにも該当するものについては、これを認める。（基通9－2－38）
　（一）　既往において、これらの者に対し使用人であった期間に係る退職給与の支給（（1）に該当するものを除く。）をしたことがないこと。
　（二）　支給した退職給与の額が、その役員が役員となった直前に受けていた給与の額を基礎とし、その後のベースアップの状況等を参酌して計算されるその退職給与の額として相当な額であること。

　　　　　（個人事業当時の在職期間に対応する退職給与の損金算入）
（4）　個人事業を引き継いで設立された法人が個人事業当時から引き続き在職する使用人の退職により退職給与を支給した場合において、その退職が設立後相当期間経過後に行われたものであるときは、その支給した退職給与の額を損金の額に算入する。（基通9－2－39）

　　　　　（解散後引き続き清算事務に従事する者に支給する退職給与）
（5）　法人が解散した場合において、引き続き役員又は使用人として清算事務に従事する者に対し、その解散前の勤続期間に係る退職手当等として支払われる給与は、所得税法上退職手当等として取り扱っているので（所基通30－2（6）《引き続き勤務する者に支払われる給与で退職手当等とするもの》）、法人税法上も退職給与として取り扱われることになる。（編者）

三　その他給与に関する取扱い

1　経済的利益の供与
　法人の役員又は使用人が当該法人から受ける経済的利益の取扱いは、次による。

　　　　　（債務の免除による利益その他の経済的な利益）
（1）　一の1から3まで及び二の1に掲げる「債務の免除による利益その他の経済的な利益」とは、次に掲げるもののように、法人がこれらの行為をしたことにより実質的にその役員等（役員及び二の1に掲げる特殊の関係のある使用人をいう。以下（2）までにおいて同じ。）に対して給与を支給したと同様の経済的効果をもたらすもの（明らかに株主等の地位に基づいて取得したと認められるもの及び病気見舞、災害見舞等のような純然たる贈与と認められるものを除く。）をいう。（基通9－2－9）
　（一）　役員等に対して物品その他の資産を贈与した場合におけるその資産の価額に相当する金額
　（二）　役員等に対して所有資産を低い価額で譲渡した場合におけるその資産の価額と譲渡価額との差額に相当する金額
　（三）　役員等から高い価額で資産を買い入れた場合におけるその資産の価額と買入価額との差額に相当する金額
　（四）　役員等に対して有する債権を放棄し又は免除した場合（貸倒れに該当する場合を除く。）におけるその放棄し又は免除した債権の額に相当する金額
　（五）　役員等から債務を無償で引き受けた場合におけるその引き受けた債務の額に相当する金額
　（六）　役員等に対してその居住の用に供する土地又は家屋を無償又は低い価額で提供した場合における通常取得すべき賃貸料の額と実際徴収した賃貸料の額との差額に相当する金額
　（七）　役員等に対して金銭を無償又は通常の利率よりも低い利率で貸し付けた場合における通常取得すべき利率により計算した利息の額と実際徴収した利息の額との差額に相当する金額
　（八）　役員等に対して無償又は低い対価で（六）及び（七）に掲げるもの以外の用役の提供をした場合における通常その用役の対価として収入すべき金額と実際に収入した対価の額との差額に相当する金額
　（九）　役員等に対して機密費、接待費、交際費、旅費等の名義で支給したもののうち、その法人の業務のために使用したことが明らかでないもの
　（十）　役員等のために個人的費用を負担した場合におけるその費用の額に相当する金額
　（十一）　役員等が社交団体等の会員となるため又は会員となっているために要する当該社交団体の入会金、経常会費その他当該社交団体の運営のために要する費用で当該役員等の負担すべきものを法人が負担した場合におけるその

負担した費用の額に相当する金額
　（十二）　法人が役員等を被保険者及び保険金受取人とする生命保険契約を締結してその保険料の額の全部又は一部を負担した場合におけるその負担した保険料の額に相当する金額

　　（給与としない経済的な利益）
（2）　法人が役員等に対し（1）に掲げる経済的な利益の供与をした場合において、それが所得税法上経済的な利益として課税されないものであり、かつ、当該法人がその役員等に対する給与として経理しなかったものであるときは、給与として取り扱わないものとする。（基通9－2－10）

2　転籍・出向者に対する給与等

　法人が転籍者（他の法人に転籍した使用人をいう。以下同じ。）及び出向者（他の法人に出向した使用人をいう。以下同じ。）に対して給与を支給した場合等における取扱いは、次による。

　　（出向先法人が支出する給与負担金）
（1）　法人の使用人が他の法人に出向した場合において、その出向者に対する給与を出向元法人（出向者を出向させている法人をいう。以下同じ。）が支給することとしているため、出向先法人（出向元法人から出向者の出向を受けている法人をいう。以下同じ。）が自己の負担すべき給与（退職給与を除く。）に相当する金額（以下「**給与負担金**」という。）を出向元法人に支出したときは、当該給与負担金の額は、出向先法人におけるその出向者に対する給与（退職給与を除く。）として取り扱うものとする。（基通9－2－45）
　　注1　この取扱いは、出向先法人が実質的に給与負担金の性質を有する金額を経営指導料等の名義で支出する場合にも適用がある。
　　注2　出向者が出向先法人において役員となっている場合の給与負担金の取扱いについては、（2）による。

　　（出向先法人が支出する給与負担金に係る役員給与の取扱い）
（2）　出向者が出向先法人において役員となっている場合において、次のいずれにも該当するときは、出向先法人が支出する当該役員に係る給与負担金の支出を出向先法人における当該役員に対する給与の支給として、一の**1**《役員給与の損金不算入》から同一の**4**《使用人兼務役員の意義》までが適用される。（基通9－2－46）
　（一）　当該役員に係る給与負担金の額につき当該役員に対する給与として出向先法人の株主総会、社員総会又はこれらに準ずるものの決議がされていること。
　（二）　出向契約等において当該出向者に係る出向期間及び給与負担金の額があらかじめ定められていること。
　　注1　本文の取扱いの適用を受ける給与負担金についての一の1の表の（二）《事前確定届出給与》に掲げる届出は、出向先法人がその納税地の所轄税務署長にその出向契約等に基づき支出する給与負担金に係る定めの内容について行うこととなる。
　　注2　出向先法人が給与負担金として支出した金額が出向元法人が当該出向者に支給する給与の額を超える場合のその超える部分の金額については、出向先法人にとって給与負担金としての性格はないことに留意する。

　　（出向者に対する給与の較差補塡）
（3）　出向元法人が出向先法人との給与条件の較差を補塡するため出向者に対して支給した給与の額（出向先法人を経て支給した金額を含む。）は、当該出向元法人の損金の額に算入する。（基通9－2－47）
　　注　出向元法人が出向者に対して支給する次の金額は、いずれも給与条件の較差を補塡するために支給したものとする。
　　　イ　出向先法人が経営不振等で出向者に賞与を支給することができないため出向元法人が当該出向者に対して支給する賞与の額
　　　ロ　出向先法人が海外にあるため出向元法人が支給するいわゆる留守宅手当の額

　　（出向先法人が支出する退職給与の負担金）
（4）　出向先法人が、出向者に対して出向元法人が支給すべき退職給与の額に充てるため、あらかじめ定めた負担区分に基づき、当該出向者の出向期間に対応する退職給与の額として合理的に計算された金額を定期的に出向元法人に支出している場合には、その支出する金額は、たとえ当該出向者が出向先法人において役員となっているときであっても、その支出をする日の属する事業年度の損金の額に算入する。（基通9－2－48）

　　（出向者が出向元法人を退職した場合の退職給与の負担金）
（5）　出向者が出向元法人を退職した場合において、出向先法人がその退職した出向者に対して出向元法人が支給する退職給与の額のうちその出向期間に係る部分の金額を出向元法人に支出したときは、その支出した金額は、たとえ当該出向者が出向先法人において引き続き役員又は使用人として勤務するときであっても、その支出をした日の属する

事業年度の損金の額に算入する。（基通9－2－49）

　　　　（出向先法人が出向者の退職給与を負担しない場合）
（6）　出向先法人が出向者に対して出向元法人が支給すべき退職給与の額のうちその出向期間に係る部分の金額の全部又は一部を負担しない場合においても、その負担しないことにつき相当な理由があるときは、これを認める。（基通9－2－50）

　　　　（出向者に係る適格退職年金契約の掛金等）
（7）　出向元法人が適格退職年金契約を締結している場合において、出向先法人があらかじめ定めた負担区分に基づきその出向者に係る掛金又は保険料（過去勤務債務等に係る掛金又は保険料を含む。）の額を出向元法人に支出したときは、その支出した金額は、その支出をした日の属する事業年度の損金の額に算入する。（基通9－2－51）

　　　　（転籍者に対する退職給与）
（8）　転籍者に係る退職給与につき転籍前の法人における在職年数を通算して支給することとしている場合において、転籍前の法人及び転籍後の法人がその転籍者に対して支給した退職給与の額（相手方である法人を経て支給した金額を含む。）については、それぞれの法人における退職給与とする。ただし、転籍前の法人及び転籍後の法人が支給した退職給与の額のうちにこれらの法人の他の使用人に対する退職給与の支給状況、それぞれの法人における在職期間等からみて明らかに相手方である法人の支給すべき退職給与の額の全部又は一部を負担したと認められるものがあるときは、その負担したと認められる部分の金額は、相手方である法人に贈与したものとする。（基通9－2－52）

第十一款　租税公課等

一　損金の額に算入しない租税公課

1　法人税額等の損金不算入

①　法人税の額の損金不算入

　内国法人が納付する法人税（延滞税、過少申告加算税、無申告加算税及び重加算税を除く。以下同じ。）の額及び地方法人税（延滞税、過少申告加算税、無申告加算税及び重加算税を除く。以下同じ。）の額は、次の表の**イ**から**ハ**までに掲げる法人税の額及び次の表の**ニ**から**ヘ**までに掲げる地方法人税の額を除き、その内国法人の各事業年度の所得の金額の計算上、損金の額に算入しない。（法38①）

イ	退職年金等積立金に対する法人税 　注　法人税法第84条第1項に規定する退職年金業務等を行う内国法人の平成11年4月1日から令和8年3月31日までの間に開始する各事業年度の退職年金等積立金に対する法人税は課さないこととされている。（措法68の5、令5改法附1、令2改法附1、平29改法附1、平26改法附1、平20改法附1、平17改法附1、平15改法附1、平13改措法附1、平11改措法附1）
ロ	国税通則法第35条第2項《申告納税方式による国税等の納付》の規定により納付すべき金額のうち同法第19条第4項第2号ハ《修正申告》又は第28条第2項第3号ハ《更正又は決定の手続》に掲げる金額に相当する法人税 　注　欠損金の繰戻しによる還付金額が過大であったため修正申告書の提出又は更正によりその過大還付金額を法人税として納付する場合には、当初の還付金額に係る還付加算金（益金の額に算入されている。）の額のうちその過大還付金額に対応する部分の金額《過大還付加算金》も併せて法人税として納付することになるので、この過大還付加算金に相当する法人税の額は損金の額に算入する。（編者）
ハ	次に掲げる利子税 （イ）　第二節第三款の**七**の**3**の①《利子税》の**イ** （ロ）　同①《利子税》の**ロ**
ニ	**イ**に掲げる法人税に係る地方法人税
ホ	国税通則法第35条第2項《申告納税方式による国税等の納付》の規定により納付すべき金額のうち同法第19条第4項第2号ハ《修正申告》又は第28条第2項第3号ハ《更正又は決定の手続》に掲げる金額に相当する地方法人税
ヘ	次に掲げる利子税 （イ）　第六章第五節の**二**の(2)《法人税申告書の提出期限が延長された場合の取扱い》において準用する第二節第三款の**七**の**3**の①《利子税》の**イ** （ロ）　第六章第五節の**二**の(2)において準用する第二節第三款の**七**の**3**の①《利子税》の**ロ**

②　その他の租税公課の損金不算入

　内国法人が納付する次の表に掲げるものの額は、その内国法人の各事業年度の所得の金額の計算上、損金の額に算入しない。（法38②）

イ	相続税法第9条の4《受益者等が存しない信託等の特例》、第66条《人格のない社団又は財団等に対する課税》又は第66条の2《特定の一般社団法人等に対する課税》の規定による贈与税及び相続税
ロ	地方税法の規定による道府県民税及び市町村民税（都民税を含むものとし、退職年金等積立金に対する法人税に係るものを除く。）

　　（強制徴収等に係る源泉所得税）
（1）　法人がその支払う配当、給料等について源泉徴収に係る所得税を納付しなかったことにより、所得税法第221条《源泉徴収に係る所得税の徴収》の規定により所得税を徴収された場合において、その徴収された所得税を租税公課等として損金経理をしたときは、その徴収の基礎となった配当、給料等の区分に応じてその追加支払がされたものとす

第三章　第一節　第十一款《租税公課等》

る。
　法人がその配当、給料等について所得税を源泉徴収しないでその所得税を納付した場合におけるその納付した所得税についても、同様とする。（基通9-5-3）
　　注　法人がその徴収され又は納付した所得税を仮払金等として経理し求償することとしている場合には、その経理を認める。

（道府県民税等の減免に代えて交付を受けた補助金等）
（2）　法人が道府県又は市町村から工場誘致条例又はこれに準ずる条例に基づいて補助金、奨励金等の交付を受けた場合において、当該補助金、奨励金等が実質的に道府県民税及び市町村民税の減免に代えて交付されたものであることが明らかであるときは、当該補助金、奨励金等は、その交付を受けた日の属する事業年度の益金の額に算入しない。（基通9-5-4）
　　注　上記補助金等は、実質的に道府県民税及び市町村民税の還付が行われたことと異ならないので、還付金と同様に益金の額に算入しないこととしたものである。したがって、その交付を受けた補助金等が、納付時において損金算入が認められる事業税及び固定資産税等の減免に代えて交付されたものである場合には、その交付された補助金等は益金の額に算入されることに留意する。（編者）

（新法人が負担した租税公課）
（3）　更生計画の定めるところにより設立された法人（合併法人、分割承継法人、被現物出資法人又は株式移転により設立された法人を除く。以下（3）において「新法人」という。）が、更生計画の定めるところにより、その設立により解散する法人の納付すべき法人税、事業税その他の租税公課を負担したときは、これらの税額（解散した法人において未払金、引当金として処理したものを除く。）は、新法人の法人税その他の租税公課に準じて取り扱う。（基通14-3-3）

③　通算税効果額を支払う場合の損金不算入
　内国法人が他の内国法人に当該内国法人の通算税効果額（第四款の**四**《通算税効果額の益金不算入》に掲げる通算税効果額をいう。）を支払う場合には、その支払う金額は、当該内国法人の各事業年度の所得の金額の計算上、損金の額に算入しない。（法38③）

2　第二次納税義務に係る納付税額の損金不算入等

①　同族会社の第二次納税義務等に係る納付税額の損金不算入
　内国法人が次の表に掲げる国税又は地方税を納付し、又は納入したことにより生じた損失の額（その納付又は納入に係る求償権につき生じた損失の額を含む。以下②において同じ。）は、その内国法人の各事業年度の所得の金額の計算上、損金の額に算入しない。（法39①、令78の2①）

イ		国税徴収法第33条、第35条から第40条まで又は第41条第1項《合名会社等の社員の第二次納税義務等》の規定により納付すべき国税（その滞納処分費を含む。以下ハ及び②において同じ。）
ロ		地方税法第11条の2、第11条の4から第11条の9まで又は第12条の2第2項《合名会社等の社員の第二次納税義務等》の規定により納付し、又は納入すべき地方税
ハ		イ及びロに掲げる国税又は地方税に準ずるものとして次に掲げる国税又は地方税
	(イ)	地方税法第11条の2、第11条の4から第11条の9まで又は第12条の2第2項《合名会社等の社員の第二次納税義務等》の規定の例により納付し、又は納入すべき森林環境税に係る徴収金（森林環境税及び森林環境譲与税に関する法律〔平成31年法律第3号〕第2条第5号《定義》に規定する森林環境税に係る徴収金をいう。②のハの(イ)において同じ。）
	(ロ)	地方税法第11条の2、第11条の4から第11条の9まで又は第12条の2第2項の規定の例により納付すべき特別法人事業税に係る徴収金（特別法人事業税及び特別法人事業譲与税に関する法律（平成31年法律第4号）第2条第9号《定義》に規定する特別法人事業税に係る徴収金をいう。②のハの(ロ)において同じ。）
	(ハ)	国税徴収法（昭和34年法律第147号）第33条、第35条から第40条まで又は第41条第1項《合名会社等の社員の第二次納税義務等》の規定の例により納付すべき地方税法第72条の77第2号《地方消費税に関する用語の意義》に規定する譲渡割及び同条第3号に規定する貨物割並びに地方消費税に係る延滞税等（同法第72条の100第2項《貨物割の賦課徴収等》に規定する貨物割に係る延滞税及び加算税並びに同法附則第9条の4第

	2項《譲渡割の賦課徴収の特例等》に規定する譲渡割に係る延滞税、利子税及び加算税をいう。②のハの(ハ)において同じ。）並びにこれらの滞納処分費

注1 ──線部分（上表の「第40条」及び「第11条の9」に係る部分に限る。）は、令和6年度改正により改正された部分で、改正規定は、令和7年1月1日から適用され、令和6年12月31日以前の適用については、「第40条」とあるのは「第39条」と、「第11条の9」とあるのは「第11条の8」とする。（令6改法附1Ⅳイ、令6改令附1Ⅱ）

注2 注1による改正前の上表のハの(イ)は、令和5年度改正により追加された部分で、改正規定は、令和6年1月1日から適用される。（令5改令附1Ⅰ）

注3 ──線部分（上表のハの(ロ)及び同ハの(ハ)に係る部分に限る。）は、令和5年度改正により改正された部分で、改正規定は、令和6年1月1日から適用され、令和5年12月31日以前の適用については、「(ロ)」とあるのは「(イ)」と、「(ハ)」とあるのは「(ロ)」とする。（令5改令附1Ⅰ）

② 清算人等の第二次納税義務に係る納付税額の損金不算入

第二款の**五**《配当等の額とみなす金額》の表の**4**（解散による残余財産の分配に係る部分に限る。）により同款の**一**《受取配当等の益金不算入》の表の①又は②に掲げる金額とみなされた金額で同**一**若しくは第二款の**七**の1《外国子会社から受ける配当等の益金不算入》又は第三十四款の**一**の2の⑤の（1）《適格現物分配により資産の移転を受けたことにより生ずる収益の額の益金不算入》により各事業年度の所得の金額の計算上益金の額に算入されなかったものがある内国法人が、そのみなされた金額に係る残余財産の分配をした法人に関し、次に掲げる国税又は地方税を納付し、又は納入したことにより生じた損失の額は、その内国法人の各事業年度の所得の金額の計算上、損金の額に算入しない。ただし、当該国税又は地方税の額が当該益金の額に算入されなかった金額を超える場合は、その損失の額のうちその超える部分の金額に相当する金額については、この限りでない。（法39②、令78の2②）

イ	国税徴収法第34条《清算人等の第二次納税義務》の規定により納付すべき国税	
ロ	地方税法第11条の3《清算人等の第二次納税義務》の規定により納付し、又は納入すべき地方税	
ハ	イ及びロに掲げる国税又は地方税に準ずるものとして次に掲げる国税又は地方税	
	(イ)	地方税法第11条の3《清算人等の第二次納税義務》の規定の例により納付し、又は納入すべき森林環境税に係る徴収金
	(ロ)	地方税法第11条の3の規定の例により納付すべき特別法人事業税に係る徴収金
	(ハ)	国税徴収法第34条《清算人等の第二次納税義務》の規定の例により納付すべき地方税法第72条の77第2号に規定する譲渡割及び同条第3号に規定する貨物割並びに地方消費税に係る延滞税等並びにこれらの滞納処分費

注 ──線部分は、令和5年度改正により追加された部分で、改正規定は、令和6年1月1日から適用される。（令5改令附1Ⅰ）

（第二次納税義務により納付し又は納入した金額の返還を受けた場合の益金不算入）

法人が①の表及び②の表に掲げる国税又は地方税を納付し又は納入したことにより生じた損失の額が**2**の第二次納税義務に係る納付税額の損金不算入等により損金の額に算入されなかった場合において、その後の事業年度において求償により金銭その他の資産の給付を受けたときは、その給付を受けた資産の価額（②のただし書に該当して当該損失の額のうち損金の額に算入されたものがあるときは、その損金の額に算入された金額に相当する部分の金額を除く。）に相当する金額は、その給付を受けた日の属する事業年度の益金の額に算入しないものとする。（基通9－5－6）

3 外国子会社から受ける配当等に係る外国源泉税等の損金不算入

内国法人が第二款の**七**の1《外国子会社から受ける配当等の益金不算入》に掲げる外国子会社から受ける同1に掲げる剰余金の配当等の額（以下**3**において「剰余金の配当等の額」という。）につき同1の適用を受ける場合（剰余金の配当等の額の計算の基礎とされる金額に対して外国法人税〔第二節第二款の**二**の1の①《外国法人税を納付することとなる場合の外国税額控除》に掲げる外国法人税をいう。以下**3**において同じ。〕が課される場合として(1)に掲げる場合を含む。）には、当該剰余金の配当等の額（第二款の**七**の2《外国子会社の損金の額に算入される配当等の額及び自己株式としての取得が予定されている株式を取得した場合のみなし配当の額の益金算入》の適用を受ける部分の金額を除く。）に係る外国源泉税等の額（剰余金の配当等の額を課税標準として所得税法第2条第1項第45号《定義》に規定する源泉徴収の方法に類する方法により課される外国法人税の額及び剰余金の配当等の額の計算の基礎とされる金額を課税標準として課される

ものとして（2）に掲げる外国法人税の額をいう。）は、その内国法人の各事業年度の所得の金額の計算上、損金の額に算入しない。（法39の2）

（損金の額に算入されない外国源泉税等）
（1） 3に掲げる場合は、剰余金の配当等の額の計算の基礎となる3に掲げる外国子会社の所得のうち内国法人に帰せられるものとして計算される金額を課税標準として当該内国法人に対して外国法人税が課される場合（その課された日の属する事業年度において当該外国子会社から当該剰余金の配当等の額を受けていない場合に限る。）とする。（令78の3①）

（外国法人税の額）
（2） 3に掲げる外国法人税の額は、剰余金の配当等の額の計算の基礎となった3に掲げる外国子会社の所得のうち内国法人に帰せられるものとして計算される金額を課税標準として当該内国法人に対して課される外国法人税の額とする。（令78の3②）

（内国法人に帰せられるものとして計算される金額を課税標準として当該内国法人に対して課せられる外国法人税）
（3） （1）及び（2）に掲げる外国法人税には、その所在地国でいわゆるパス・スルー課税が適用される事業体で、我が国においては外国法人に該当するものの所得のうち、その所在地国において構成員である内国法人に帰せられるものとして計算される金額に対して課される外国法人税が含まれる。（基通9－5－5）

4 法人税額から控除する所得税額の損金不算入

　内国法人が各事業年度において支払を受ける利子及び配当等に対し課される所得税の額につき第二節第二款の**一**《所得税額の控除》又は同節第三款の**八**の**1**《所得税額等の還付》若しくは同款の**八**の**1**の（5）《更正等による所得税額等の還付》の適用を受ける場合には、これらによる控除又は還付をされる金額に相当する金額は、その内国法人の各事業年度の所得の金額の計算上、損金の額に算入しない。（法40）

注1　復興特別法人税に係る法人税法の適用については、**4**中次の表の左欄に掲げる字句は、それぞれ右欄に掲げる字句とする。（復興財源確保法63①）

（一）	第二節第二款の**一**《所得税額の控除》又は	第二節第二款の**一**《所得税額の控除》若しくは
（二）	場合	場合又は復興特別所得税の額につき復興財源確保法第49条第1項《復興特別所得税額の控除》若しくは第56条第1項《復興特別所得税額の還付》若しくは第59条第1項《確定申告に係る更正等による復興特別所得税額の還付》の規定の適用を受ける場合

注2　所得税額の控除又は還付と損金不算入との関連は、次の表のようになる。（編者）

（一）	内国法人が各事業年度において所得税法第174条各号《内国法人に係る所得税の課税標準》に規定する利子等、配当等、給付補塡金、利息、利益、差益、利益の分配又は賞金又は租税特別措置法第41条の9第2項《懸賞金付預貯金等の懸賞金等の分離課税等》に規定する懸賞金付預貯金等の懸賞金等、同法第41条の12第2項《償還差益等に係る分離課税等》に規定する償還差益、同法第3条の3第2項《国外で発行された公社債等の利子所得の分離課税等》に規定する国外公社債等の利子等、同法第6条第1項《民間国外債等の利子の課税の特例》に規定する一般民間国外債につき支払を受けるべき利子、同法第8条の3第2項《国外で発行された投資信託の収益の分配に係る配当所得の分離課税等》に規定する国外投資信託等の配当等若しくは同法第9条の2第1項《国外で発行された株式の配当所得の源泉徴収等の特例》に規定する国外株式の配当等の支払を受ける場合に所得税法又は租税特別措置法の規定により課される所得税の額（当該所得税の額に係る第二節第二款の**三**の**1**《分配時調整外国税相当額の控除》に掲げる分配時調整外国税相当額を除く。）は、当該事業年度の所得に対する法人税の額から控除することができる。（法68①、措法41の9④、41の12④、3の3⑤、6③、8の3⑤、9の2④）
（二）	（一）に掲げる所得税の額で当該事業年度の所得に対する法人税の額から控除しきれなかった金額は、還付を受けることができる。（法78①、133①参照）
（三）	（一）又は（二）により控除又は還付をされる所得税の額は、各事業年度の所得の金額の計算上、損金の額に算入しない。
（四）	所得税の額につき控除又は還付の適用を受けないときは、その適用を受けない所得税の額は損金の額に算入する。

注3　割引債の償還差益に対し課された所得税の額につき税額控除を受ける場合には、当該割引債の取得価額に含まれている所得税の額のうち法人税の額から控除することができる金額が損金不算入となる。（編者）

5 法人税額から控除する外国税額の損金不算入

内国法人(通算法人を除く。)が控除対象外国法人税の額(第二節第二款の二《外国税額の控除》に掲げる控除対象外国法人税の額をいう。以下5において同じ。)につき同二又は同節第三款の八の1《所得税額等の還付》若しくは同款の八の1の(5)《更正等による所得税額等の還付》の適用を受ける場合には、当該控除対象外国法人税の額は、その内国法人の各事業年度の所得の金額の計算上、損金の額に算入しない。(法41①)

> 注 控除又は還付の適用を受ける場合には、控除対象外国法人税の全額が損金不算入となる。
> なお、控除又は還付の適用を受けない場合には、控除対象外国法人税の額を含めて納付した外国法人税の全額を損金の額に算入する。(編者)

6 通算法人等の法人税額から控除する外国税額の損金不算入

通算法人又は当該通算法人の各事業年度(当該通算法人に係る通算親法人の事業年度終了の日に終了するものに限る。)終了の日において当該通算法人との間に通算完全支配関係がある他の通算法人が、控除対象外国法人税の額につき第二節第二款の二の1《直接外国税額控除》又は同節第三款の八の1《所得税額等の還付》若しくは同1の(5)《更正等による所得税額等の還付》の適用を受ける場合には、当該通算法人が納付することとなる控除対象外国法人税の額は、当該通算法人の各事業年度の所得の金額の計算上、損金の額に算入しない。(法41②)

7 分配時調整外国税相当額の損金不算入

内国法人が支払を受ける集団投資信託の収益の分配に係る所得税の額に係る第二節第二款の三の1《分配時調整外国税相当額の控除》に掲げる分配時調整外国税相当額につき同1の適用を受ける場合には、その支払を受ける収益の分配に係る所得税の額に係る当該分配時調整外国税相当額は、その内国法人の各事業年度の所得の金額の計算上、損金の額に算入しない。(法41の2)

二 損金の額に算入される租税公課の損金算入の時期

1 租税の損金算入の時期

法人が納付すべき国税及び地方税(法人の各事業年度の所得の金額の計算上損金の額に算入されないものを除く。)については、次の表の左欄に掲げる区分に応じ、それぞれ同表の右欄に掲げる事業年度の損金の額に算入する。(基通9-5-1)

①	申告納税方式による租税		納税申告書に記載された税額については当該納税申告書が提出された日(その年分の地価税に係る納税申告書が地価税法第25条《申告》に規定する申告期間の開始の日前に提出された場合には、当該納税申告書に記載された税額については当該申告期間の開始の日)の属する事業年度とし、更正又は決定に係る税額については当該更正又は決定があった日の属する事業年度とする。ただし、次の表に掲げる場合には、次による。
		イ	収入金額又は棚卸資産の評価額のうちに申告期限未到来の納付すべき酒税等に相当する金額が含まれている場合又は製造原価、工事原価その他これらに準ずる原価のうちに申告期限未到来の納付すべき事業に係る事業所税若しくは地価税に相当する金額が含まれている場合において、法人が当該金額を損金経理により未払金に計上したときの当該金額については、当該損金経理をした事業年度とする。
		ロ	法人が、申告に係る地価税につき地価税法第28条第1項及び第3項《納付》並びに同条第5項の規定により読み替えて適用される国税通則法第35条第2項《申告納税方式による納付》に定めるそれぞれの納期限の日又は実際に納付した日の属する事業年度において損金経理をした場合には、当該事業年度とする。
②	賦課課税方式による租税		賦課決定のあった日の属する事業年度とする。ただし、法人がその納付すべき税額について、その納期の開始の日(納期が分割して定められているものについては、それぞれの納期の開始の日とする。)の属する事業年度又は実際に納付した日の属する事業年度において損金経理をした場合には、当該事業年度とする。 注 地方税法の改正又は固定資産税の評価換えの年に当たるため、納税通知書の送付が遅れ、4月中に納税告知がない場合であっても、4月決算法人が期末現在の地方税法の規定に基づく評価額又は計算される金額をもって固定資産税を未払金に計上したときは、これを認める。(編者)
③	特別徴収方式による		納入申告書に係る税額についてはその申告の日の属する事業年度とし、更正又は決定によ

	租税	る不足税額については当該更正又は決定があった日の属する事業年度とする。ただし、申告期限未到来のものにつき収入金額のうちに納入すべき金額が含まれている場合において、法人が当該金額を損金経理により未払金に計上したときの当該金額については、当該損金経理をした事業年度とする。
④	利子税並びに地方税法第65条第1項、第72条の45の2第1項又は第327条第1項《法人の道府県民税等に係る納期限の延長の場合の延滞金》の規定により徴収される延滞金	納付の日の属する事業年度とする。ただし、法人が当該事業年度の期間に係る未納の金額を損金経理により未払金に計上したときの当該金額については、当該損金経理をした事業年度とする。

（消費税等の損金算入の時期）
　法人税の課税所得金額の計算に当たり、消費税等の経理処理について税込経理方式を適用している法人が納付すべき消費税等は、納税申告書に記載された税額については当該納税申告書が提出された日の属する事業年度の損金の額に算入し、更正又は決定に係る税額については当該更正又は決定があった日の属する事業年度の損金の額に算入する。ただし、当該法人が申告期限未到来の当該納税申告書に記載すべき消費税等の額を損金経理により未払金に計上したときの当該金額については、当該損金経理をした事業年度の損金の額に算入する。（平元直法2-1「7」）

2　事業税及び特別法人事業税の損金算入の時期の特例

①　事業税及び特別法人事業税の損金算入の時期の特例

　当該事業年度の直前の事業年度（以下①において「直前年度」という。）分の事業税及び特別法人事業税の額（1により直前年度の損金の額に算入される部分の金額を除く。以下同じ。）については、1にかかわらず、当該事業年度終了の日までにその全部又は一部につき申告、更正又は決定（以下①において「申告等」という。）がされていない場合であっても、当該事業年度の損金の額に算入することができるものとする。この場合において、当該事業年度の法人税について更正又は決定をするときは、当該損金の額に算入する事業税の額は、直前年度の所得金額又は収入金額（地方税法第72条の2第1項第3号又は第4号《事業税の納税義務者等》に掲げる事業にあっては、所得金額及び収入金額）に同法第72条の24の7《法人の事業税の標準税率等》に係る標準税率を乗じて計算し、当該損金の額に算入する特別法人事業税の額は、直前年度の所得金額又は収入金額に同条に係る標準税率を乗じて得た金額に特別法人事業税及び特別法人事業譲与税に関する法律第7条各号《税額の計算》に掲げる法人の区分に応じ当該各号の税率を乗じて計算するものとし、その後当該事業税及び特別法人事業税につき申告等があったことにより、その損金の額に算入した事業税及び特別法人事業税の額につき過不足額が生じたときは、その過不足額は、当該申告等又は納付のあった日の属する事業年度の益金の額又は損金の額に算入する。（基通9-5-2）

注1　事業税の額の計算上、次の表の左欄に掲げる事業については、所得金額に乗ずる標準税率は、次の表の右欄に掲げる税率による。

（一）	地方税法第72条の2第1項第1号イに掲げる法人が行う同号に掲げる事業	地方税法第72条の24の7第1項第1号イの標準税率に同号ハの標準税率を加算して得た税率
（二）	同法第72条の2第1項第3号イに掲げる法人が行う同号に掲げる事業	同法第72条の24の7第3項第1号ロの標準税率
（三）	同法第72条の2第1項第4号に掲げる事業	同法第72条の24の7第4項第2号の標準税率

注2　直前年度分の事業税及び特別法人事業税の額の損金算入だけを内容とする更正は、原則としてこれを行わないものとする。
注3　事業税の還付金については、原則どおり申告等により還付金債権が具体的に確定したときの事業年度において益金算入する。（編者）

②　残余財産の確定の日の属する事業年度に係る事業税等の損金算入

　内国法人の残余財産の確定の日の属する事業年度に係る地方税法の規定による事業税、特別法人事業税及び特別法人事業譲与税に関する法律（平成31年法律第4号）の規定による特別法人事業税及び地方法人特別税等に関する暫定措置法の規定による地方法人特別税の額は、当該内国法人の当該事業年度の所得の金額の計算上、損金の額に算入する。（法62の5

⑤、地方法人特別税等に関する暫定措置法22）

3　賦課金、納付金等の損金算入の時期

　法人が納付すべき次の表の左欄に掲げる賦課金等については、それぞれ同表の右欄に掲げる日の属する事業年度の損金の額に算入する。（基通9－5－7）

①	公害健康被害の補償等に関する法律第52条第1項《汚染負荷量賦課金の徴収及び納付義務》に規定する汚染負荷量賦課金	当該汚染負荷量賦課金の額につき、汚染負荷量賦課金申告書が提出された日（決定に係る金額については、当該決定の通知があった日）
②	公害健康被害の補償等に関する法律第62条第1項《特定賦課金の徴収及び納付義務》に規定する特定賦課金	当該特定賦課金の額につき、決定の通知があった日
③	障害者の雇用の促進等に関する法律第53条第1項《障害者雇用納付金の徴収及び納付義務》に規定する障害者雇用納付金	当該障害者雇用納付金の額につき、障害者雇用納付金申告書が提出された日（告知に係る金額については、当該告知があった日）

第十二款　寄附金

一　寄附金の損金不算入

　内国法人が各事業年度において支出した寄附金の額（**二**《完全支配関係がある他の内国法人に対する寄附金の損金不算入》又は第三十款の**三**《国外関連者に対する寄附金の損金不算入》の適用を受ける寄附金の額を除く。以下**三**において同じ。）の合計額のうち、その内国法人の当該事業年度終了の時の資本金の額及び資本準備金の額の合計額若しくは出資金の額又は当該事業年度の所得の金額を基礎として計算した**損金算入限度額**（次の表の左欄に掲げる内国法人の区分に応じ、それぞれ同表の右欄に掲げる金額とする。）を超える部分の金額は、当該内国法人の各事業年度の所得の金額の計算上、損金の額に算入しない。（法37①、令73①④、規22の4、措法66の4③）

1	普通法人、第二章第一節の**二**の**別表第二**《公益法人等の表》に掲げる労働者協同組合、協同組合等及び人格のない社団等（**2**に掲げるものを除く。）	次に掲げる金額の合計額の$\frac{1}{4}$に相当する金額 ① 当該事業年度終了の時における資本金の額及び資本準備金の額の合計額又は出資金の額 $\times \dfrac{\text{当該事業年度の月数}}{12} \times \dfrac{2.5}{1,000}$ ② 当該事業年度の所得の金額 $\times \dfrac{2.5}{100}$ （月数の計算） 　①に掲げる月数は、暦に従って計算し、1か月に満たない端数を生じたときは、これを切り捨てる。（令73⑤）
2	次の①から⑧までに掲げるもの ① 普通法人、協同組合等及び人格のない社団等のうち資本又は出資を有しないもの ② 第二章第一節の**二**の**別表第二**《公益法人等の表》に掲げる一般社団法人及び一般財団法人 ③ 地方自治法第260条の2第7項《地縁による団体》に規定する認可地縁団体 ④ 建物の区分所有等に関する法律第47条第2項《成立等》に規定する管理組合法人及び同法第66条《建物の区分所有に関する規定の準用》の規定により読み替えられた同項に規定する団地管理組合法人 ⑤ 政党交付金の交付を受ける政党等に対する法人格の付与に関する法律第7条の2第1項《変更の登記》に規定する法人である政党等 ⑥ 密集市街地における防災街区の整備の促進に関する法律第133条第1項《法人格》に規定	当該事業年度の所得の金額の$\dfrac{1.25}{100}$に相当する金額

		する防災街区整備事業組合	
	⑦	特定非営利活動促進法第2条第2項《定義》に規定する特定非営利活動法人（同条第3項に規定する認定特定非営利活動法人を除く。）	
	⑧	マンションの建替え等の円滑化に関する法律第5条第1項《マンション建替事業の施行》に規定するマンション建替組合、同法第116条《マンション敷地売却事業の実施》に規定するマンション敷地売却組合及び同法第164条《敷地分割事業の実施》に規定する敷地分割組合	
3	公益法人等（**1**、**2**に掲げるものを除く。以下**3**において同じ。）	次の表の左欄に掲げる法人の区分に応じ、それぞれ同表の右欄に掲げる金額	

3の右欄の内訳：

①	公益社団法人又は公益財団法人	当該事業年度の所得の金額の$\frac{50}{100}$に相当する金額
②	私立学校法第3条《定義》に規定する学校法人（同法第152条第5項《私立専修学校等》の規定により設立された法人で学校教育法第124条《専修学校》に規定する専修学校を設置しているものを含む。）、社会福祉法第22条《定義》に規定する社会福祉法人、更生保護事業法第2条第6項《定義》に規定する更生保護法人又は医療法第42条の2第1項《社会医療法人》に規定する社会医療法人	次のイ又はロのうちいずれか多い金額 イ　当該事業年度の所得の金額の$\frac{50}{100}$に相当する金額 ロ　200万円×$\frac{当該事業年度の月数}{12}$ （月数の計算） 　ロに掲げる月数は、暦に従って計算し、1か月に満たない端数を生じたときは、これを切り捨てる。（令73⑤）
③	①又は②以外の公益法人等	当該事業年度の所得の金額の$\frac{20}{100}$に相当する金額

注1　第三十款の三《国外関連者に対する寄附金の損金不算入》の適用を受けた寄附金は、その全額が損金不算入となることに留意する。（編者）
注2　──線部分は、私立学校法の一部を改正する法律の施行に伴う関係政令の整備に関する政令（令和6年政令第209号）により改正された部分で、改正規定は、令和7年4月1日から適用され、令和7年3月31日以前の適用については、「第152条第5項」とあるのは「第64条第4項」とする。（同政令附1）

（寄附金の損金算入限度額の計算の基礎となる所得の金額）
（１）　一《寄附金の損金不算入》の表の**1**から**3**までに掲げる「所得の金額」は、次に掲げる規定を適用しないで計算した場合における所得の金額とし、また、内国法人が当該事業年度において支出した四の**1**《寄附金の意義》に掲げる寄附金の額の全額は損金の額に算入しないものとして計算するものとする。（令73②③）
　（一）　法人税法第27条《中間申告における繰戻しによる還付に係る災害損失欠損金額の益金算入》
　（二）　法人税法第40条《法人税額から控除する所得税額の損金不算入》
　（三）　法人税法第41条《法人税額から控除する外国税額の損金不算入》
　（四）　法人税法第41条の2《分配時調整外国税相当額の損金不算入》
　（五）　法人税法第57条第1項《欠損金の繰越し》

(六)　法人税法第59条《会社更生等による債務免除等があった場合の欠損金の損金算入》
(七)　法人税法第61条の11第1項《完全支配関係がある法人の間の取引の損益》（適格合併に該当しない合併による合併法人への資産の移転に係る部分に限る。）
(八)　法人税法第62条第2項《合併及び分割による資産等の時価による譲渡》
(九)　法人税法第62条の5第2項及び第5項《現物分配による資産の譲渡》
(十)　法人税法第64条の5第1項及び第3項《損益通算》
(十一)　法人税法第64条の7第6項《欠損金の通算》
(十二)　租税特別措置法第57条の7第1項《関西国際空港用地整備準備金》
(十三)　租税特別措置法第57条の7の2第1項《中部国際空港整備準備金》
(十四)　租税特別措置法第59条第1項及び第2項《新鉱床探鉱費又は海外新鉱床探鉱費の特別控除》
(十五)　租税特別措置法第59条の2第1項及び第4項《対外船舶運航事業を営む法人の日本船舶による収入金額の課税の特例》
(十六)　<u>租税特別措置法第59条の3第1項《特許権等の譲渡等による所得の課税の特例》</u>
(十七)　租税特別措置法第60条第1項及び第2項《沖縄の認定法人の課税の特例》
(十八)　租税特別措置法第61条第1項《国家戦略特別区域における指定法人の課税の特例》
(十九)　租税特別措置法第61条の2第1項《農業経営基盤強化準備金》及び第61条の3第1項《農用地等を取得した場合の課税の特例》
(二十)　租税特別措置法第66条の7第2項及び第6項《内国法人の外国関係会社に係る所得の課税の特例》
(二十一)　租税特別措置法第66条の9の3第2項及び第5項《特殊関係株主等である内国法人に係る外国関係法人に係る所得の課税の特例》
(二十二)　租税特別措置法第66条の13第1項、第5項から第11項まで及び第15項《特定事業活動として特別新事業開拓事業者の株式の取得をした場合の課税の特例》
(二十三)　租税特別措置法第67条の12第1項及び第2項並びに第67条の13第1項及び第2項《組合事業等による損失がある場合の課税の特例》
(二十四)　租税特別措置法第67条の14第1項《特定目的会社に係る課税の特例》
(二十五)　租税特別措置法第67条の15第1項《投資法人に係る課税の特例》
(二十六)　租税特別措置法第68条の3の2第1項《特定目的信託に係る受託法人の課税の特例》
(二十七)　租税特別措置法第68条の3の3第1項《特定投資信託に係る受託法人の課税の特例》

注1　──線部分は、法人税法施行令の一部を改正する政令（令和6年政令第212号）により追加された部分で、改正規定は、令和7年4月1日から適用される。（同政令附）

注2　法人税の申告書別表四の「仮計22」の「総額①」欄の金額が上記の規定により計算した所得の金額（ただし、寄附金支出額加算前）に符合するように同表が作成されているので、当該欄の金額に損金計上の寄附金の額を加算した金額が寄附金損金算入限度額の計算の基礎となる。（申告書別表十四(二)を参照）（編者）

（内国法人の区分の判定時期）
（2）　内国法人が一の表の**1**から**3**までに掲げる法人のいずれに該当するかの判定は、各事業年度終了の時の現況による。（令73⑥）

（長期給付の事業を行う共済組合等の寄附金の損金算入限度額）
（3）　次に掲げる内国法人で退職給付その他の長期給付の事業を行うものが、各事業年度において、その長期給付の事業から融通を受けた資金の利子として収益事業から長期給付の事業に繰入れをした場合において、その繰り入れた金額（その金額が当該各事業年度において長期給付の事業から融通を受けた期間に応じ、その融通を受けた資金の金額につき当該法人を規制している経理に関する規程で定めている利率〔当該利率が年5.5％を超える場合には、年5.5％とする。〕により計算した金額を超える場合には、当該計算した金額）が一の表の**3**の③に掲げる金額を超えるときは、当該事業年度の寄附金の損金算入限度額は、同③にかかわらず、当該繰り入れた金額に相当する金額とする。（令74、規23）

(一)	国家公務員共済組合及び国家公務員共済組合連合会
(二)	地方公務員共済組合及び全国市町村職員共済組合連合会
(三)	日本私立学校振興・共済事業団

(仮払経理した寄附金)
（４）　法人が各事業年度において支払った寄附金の額を仮払金等として経理した場合には、当該寄附金はその支払った事業年度において支出したものとして一を適用することに留意する。（基通９－４－２の３・編者補正）

二　完全支配関係がある他の内国法人に対する寄附金の損金不算入

　内国法人が各事業年度において当該内国法人との間に完全支配関係（法人による完全支配関係に限る。）がある他の内国法人に対して支出した寄附金の額（第三款の一《受贈益の益金不算入》の適用がないものとした場合に当該他の内国法人の各事業年度の所得の金額の計算上益金の額に算入される同款の二《受贈益の意義》に掲げる受贈益の額に対応するものに限る。）は、当該内国法人の各事業年度の所得の金額の計算上、損金の額に算入しない。（法37②）

(完全支配関係がある他の内国法人に対する寄附金)
（１）　内国法人が他の内国法人に対して寄附金を支出した場合において、当該内国法人と当該他の内国法人との間に一の者（法人に限る。）による完全支配関係がある場合には、当該内国法人及び当該他の内国法人の発行済株式等の全部を当該一の者を通じて個人が間接に保有することによる完全支配関係があるときであっても、当該寄附金の額には二の適用があることに留意する。（基通９－４－２の５）

(受贈益の額に対応する寄附金)
（２）　内国法人が当該内国法人との間に完全支配関係（法人による完全支配関係に限る。）がある他の内国法人に対して支出した寄附金の額が、当該他の内国法人において第三款の二《受贈益の意義》に掲げる受贈益の額に該当する場合であっても、例えば、当該他の内国法人が公益法人等であり、その受贈益の額が当該他の内国法人において収益事業以外の事業に属するものとして区分経理されているときには、当該受贈益の額を当該他の内国法人において益金の額に算入することができないのであるから、当該寄附金の額は二に掲げる「受贈益の額に対応するもの」に該当しないことに留意する。（基通９－４－２の６）

(仮払経理した寄附金)
（３）　法人が各事業年度において支払った寄附金の額を仮払金等として経理した場合には、当該寄附金はその支払った事業年度において支出したものとして二を適用することに留意する。（基通９－４－２の３・編者補正）

三　国等に対する寄附金、指定寄附金、特定公益増進法人等に対する寄附金の特例

1　国等に対する寄附金、指定寄附金の損金算入の特例

　一《寄附金の損金不算入》の場合において、内国法人が各事業年度において支出した寄附金の額のうちに次に掲げる寄附金の額があるときは、それぞれ次の表に掲げる寄附金の額の合計額は、一に掲げる「寄附金の額の合計額」に算入しない。（法37③）

　　注　各事業年度において支出した寄附金の額の合計額が損金算入限度額を超えるかどうかの計算に当たって、これらの寄附金の額の合計額をその計算の対象から除外することを定めたもので、限度計算の対象から除外された金額は、当該事業年度の損金の額に算入されることになる。（編者）

①	国又は地方公共団体に対する寄附金	国又は地方公共団体（港湾法の規定による港務局を含む。）に対する寄附金（その寄附をした者がその寄附によって設けられた設備を専属的に利用することその他特別の利益がその寄附をした者に及ぶと認められるものを除く。）の額
②	指定寄附金	公益社団法人、公益財団法人その他公益を目的とする事業を行う法人又は団体に対する寄附金（当該法人の設立前においてされる寄附金で当該法人の設立に関する許可又は認可があることが確実であると認められる場合においてされるものを含む。）のうち、次に掲げる要件を満たすと認められるものとして財務大臣が指定したものの額（令75） イ　広く一般に募集されること。 ロ　教育又は科学の振興、文化の向上、社会福祉への貢献その他公益の増進に寄与するための支出で緊急を要するものに充てられることが確実であること。 　注１　財務大臣の指定は、次に掲げる事項を審査して行うものとする。（令76） 　　　（一）　寄附金を募集しようとする法人又は団体の行う事業の内容及び寄附金の使途 　　　（二）　寄附金の募集の目的及び目標額並びにその募集の区域及び対象 　　　（三）　寄附金の募集期間

		（四） 募集した寄附金の管理の方法
		（五） 寄附金の募集に要する経費
		（六） その他当該指定のために必要な事項
		注2　財務大臣は、寄附金の指定をしたときは、これを告示する。（法37⑪）

　　　（国等に対する寄附金）
（1）　1の表の①に掲げる「国又は地方公共団体に対する寄附金」とは、国又は地方公共団体（以下（3）までにおいて「**国等**」という。）において採納されるものをいうのであるが、国立又は公立の学校等の施設の建設又は拡張等の目的をもって設立された後援会等に対する寄附金であっても、その目的である施設が完成後遅滞なく国等に帰属することが明らかなものは、これに該当する。（基通9－4－3）

　　　（最終的に国等に帰属しない寄附金）
（2）　国等に対して採納の手続を経て支出した寄附金であっても、その寄附金が特定の団体に交付されることが明らかである等最終的に国等に帰属しないと認められるものは、国等に対する寄附金には該当しないことに留意する。（基通9－4－4）

　　　（公共企業体等に対する寄附金）
（3）　日本中央競馬会等のように全額政府出資により設立された法人又は日本下水道事業団等のように地方公共団体の全額出資により設立された法人に対する寄附金は、1の表の①に掲げる国等に対する寄附金には該当しないことに留意する。（基通9－4－5）

　　　（災害救助法の規定の適用を受ける地域の被災者のための義援金等）
（4）　法人が、災害救助法が適用される市町村の区域の被災者のための義援金等の募集を行う募金団体（日本赤十字社、新聞・放送等の報道機関等）に対して拠出した義援金等については、その義援金等が最終的に義援金配分委員会等（災害対策基本法第40条第1項《都道府県地域防災計画》の都道府県地域防災計画又は同法第42条第1項《市町村地域防災計画》の市町村地域防災計画に基づき地方公共団体が組織する義援金配分委員会その他これと目的を同じくする組織で地方公共団体が組織するものをいう。）に対して拠出されることが募金趣意書等において明らかにされているものであるときは、1の表の①の地方公共団体に対する寄附金に該当するものとする。（基通9－4－6）
　　　　注　海外の災害に際して、募金団体から最終的に日本赤十字社に対して拠出されることが募金趣意書等において明らかにされている義援金等については、特定公益増進法人である日本赤十字社に対する寄附金となることに留意する。

　　　（指定寄附金の告示──昭和40年大蔵省告示第154号〔最終改正平成29年第97号〕）
（5）　1の表の②により法人の各事業年度の所得の金額の計算上損金の額に算入する寄附金は次のように指定され、昭和40年4月1日以後に支出された寄附金から適用される。
　（一）　国立大学法人法第2条第1項《定義》に規定する国立大学法人若しくは同条第3項《定義》に規定する大学共同利用機関法人に対して支出された寄附金で同法第22条第1項第1号から第5号まで《業務の範囲等》若しくは同法第29条第1項第1号から第4号まで《業務の範囲等》に掲げる業務に充てられるものの全額、独立行政法人国立高等専門学校機構に対して支出された寄附金で独立行政法人国立高等専門学校機構法第12条第1項第1号から第4号まで《業務の範囲等》に掲げる業務に充てられるものの全額又は地方独立行政法人法第68条第1項《名称の特例》に規定する公立学校法人に対して支出された寄附金で同法第21条第2号《業務の範囲》に掲げる業務（出資に関するものを除く。）に充てられるものの全額
　（一の二）　学校教育法第1条《定義》に規定する学校（就学前の子どもに関する教育、保育等の総合的な提供の推進に関する法律第2条第7項《定義》に規定する幼保連携型認定こども園を含む。以下「学校」という。）又は学校教育法第124条《専修学校》に規定する専修学校（以下「専修学校」という。）で、私立学校法第3条《定義》に規定する学校法人（同法第64条第4項《私立専修学校等》の規定により設立された法人を含む。以下「学校法人」という。）が設置するものの校舎その他附属設備（専修学校にあっては、次に掲げる高等課程又は専門課程の教育の用に供されるものに限る。）の受けた災害による被害の復旧のために当該学校法人に対して支出された寄附金の全額
　　　イ　学校教育法第125条第1項《高等課程・専門課程・一般課程》に規定する高等課程（その修業期間〔普通科、専攻科その他これらに類する区別された課程があり、一の課程に他の課程が継続する場合には、これらの課程の修業期間を通算した期間。以下同じ。〕を通ずる授業時間数が2,000時間以上であるものに限る。以下「高等課程」

　　　　　第三章　第一節　第十二款《寄附金》

　　　　　という。）
　　　　ロ　学校教育法第125条第1項に規定する専門課程（その修業期間を通ずる授業時間数が1,700時間以上であるものに限る。以下「専門課程」という。）
（二）　学校（学校のうち幼稚園、小学校、中学校、義務教育学校、高等学校、中等教育学校又は特別支援学校の行う教育に相当する内容の教育を行う学校教育法第134条第1項《各種学校》に規定する各種学校でその運営が法令等に従って行われ、かつ、その教育を行うことについて相当の理由があるものと所轄庁〔私立学校法第4条《所轄庁》に規定する所轄庁をいう。〕が文部科学大臣と協議して認めるもののうち、その設置後相当の年数を経過しているもの又は学校を設置している学校法人の設置するものを含む。）又は専修学校で学校法人が設置するものの敷地、校舎その他附属設備（専修学校にあっては、高等課程又は専門課程の教育の用に供されるものに限る。）に充てるために当該学校法人に対してされる寄附金（（一）に該当する寄附金を除く。）であって、当該学校法人が当該寄附金の募集につき財務大臣の承認を受けた日から1年を超えない範囲内で財務大臣が定めた期間内に支出されたものの全額
（二の二）　日本私立学校振興・共済事業団に対して支出された寄附金で、学校法人が設置する学校又は専修学校の教育に必要な費用若しくは基金（専修学校にあっては、高等課程又は専門課程の教育の用に供されるものに限る。）に充てられるものの全額
（二の三）　独立行政法人日本学生支援機構に対して支出された寄附金で、独立行政法人日本学生支援機構法第13条第1項第1号《業務の範囲》に規定する学資の貸与に充てられるものの全額
（三）　特別の法律により設立された法人又は公益社団法人若しくは公益財団法人で国民経済上重要と認められる科学技術に関する試験研究を主たる目的とするもの（以下「研究法人」という。）の当該試験研究の用に直接供する固定資産の取得のために当該研究法人に対してされる寄附金であって、当該研究法人が当該寄附金の募集につき財務大臣の承認を受けた日から1年を超えない範囲内で財務大臣が定めた期間内に支出されたものの全額（当該試験研究の成果又は当該試験研究に係る施設を特に利用すると認められる者がするものを除く。）
（四）　各都道府県共同募金会に対して社会福祉法第112条《共同募金》の規定により厚生労働大臣が定める期間内に支出された寄附金で、当該各都道府県共同募金会が当該寄附金の募集につき財務大臣の承認を受けたものの全額
（四の二）　社会福祉事業若しくは更生保護事業の用に供される土地、建物及び機械その他の設備の取得若しくは改良の費用、これらの事業に係る経常的経費又は社会福祉事業に係る民間奉仕活動に必要な基金に充てるために中央共同募金会又は各都道府県共同募金会に対して支出された寄附金（（四）に該当するものを除く。）の全額
（五）　日本赤十字社に対して毎年4月1日から9月30日までの間に支出された寄附金で、日本赤十字社が当該寄附金の募集につき財務大臣の承認を受けたものの全額

　　（告示第154号に基づく財務大臣の承認を受けた寄附金）
（6）　（5）に基づき、財務大臣が承認した寄附金の一覧表を次に掲げる。
　　注　指定期間が、原則として令和5年4月1日以後に係るもので、令和6年7月1日までに告示されたものについて掲載した。（編者）

　　　　　昭和40年4月30日大蔵省告示第154号（第4号）に基づき承認を受けたもの

寄附金を受ける団体の名称	寄附金の使途	指定期間	告示年月日 告示番号
各都道府県共同募金会	社会福祉事業又は更生保護事業を行うことを主たる目的とする者のこれらの事業の用に供される土地、建物及び機械その他の設備の取得若しくは改良の費用又はこれらの事業に係る経常的経費に充てるための寄附金	令5.10.1～令6.3.31	令5.9.29 第240号

　　　　　昭和40年4月30日大蔵省告示第154号（第5号）に基づき承認を受けたもの

寄附金を受ける団体の名称	寄附金の使途	指定期間	告示年月日 告示番号
日本赤十字社	災害救護設備の整備、災害救護物資の備蓄及び救急医療体制の整備に充てるための寄附金	令6.4.1～令6.9.30	令6.3.29 第86号

(指定寄附金の告示——昭和40年大蔵省告示第159号)
（7） 1の表の②により法人の各事業年度の所得の金額の計算上損金の額に算入する寄附金が次のように指定されている。
　注　指定期間が、原則として令和5年4月1日以後に係るもので、令和6年7月1日までに告示されたものについて掲載した。（編者）

昭和40年5月13日大蔵省告示第159号に基づき指定されたもの

番号	寄附金を受ける法人等の名称 （所在地）	寄附金の使途	指定期間	告示年月日 告示番号
1	公益社団法人2025年日本国際博覧会協会 （大阪府大阪市住之江区南港北1丁目14番16号）	2025年日本国際博覧会開催の費用	令2.1.20 ～令7.1.19	令2.1.20 第19号 ［最終改正 令6.1.18 第23号］
2	宗教法人東照宮 （群馬県太田市世良田町3119番地1）	重要文化財として指定されている宗教法人東照宮の建造物の保存修理の費用	令5.2.10 ～令6.2.9	令5.2.10 第41号
3	公益社団法人2027年国際園芸博覧会協会 （神奈川県横浜市中区住吉町1丁目13番地松村ビル本館）	2027年国際園芸博覧会開催の費用	令5.3.23 ～令7.3.22	令5.3.23 第73号 ［最終改正 令6.3.22 第84号］
4	宗教法人西福寺 （福井県敦賀市原13号7番地）	重要文化財として指定されている宗教法人西福寺の建造物の保存修理の費用	令6.2.27 ～令7.2.26	令6.2.27 第56号
5	独立行政法人日本学生支援機構 （神奈川県横浜市緑区長津田町4259番地）	官民協働海外留学支援制度大学生等コース（家計基準内）に係る費用（令和6年度事業分）	令6.3.29 ～令6.9.30	令6.3.29 第87号

(指定寄附金の告示——平成23年財務省告示第84号〔最終改正平成31年第85号〕)
（8）　1の表の②により法人の各事業年度の所得の金額の計算上損金の額に算入する寄附金を次のように指定し、平成23年3月11日以後に支出された寄附金について適用する。
　なお、東日本大震災（東日本大震災の被害者等に係る国税関係法律の臨時特例に関する法律第2条第1項《定義》に規定する東日本大震災をいう。以下同じ。）による災害の復旧のために平成23年6月10日から令和7年3月31日までの間に支出された寄附金（（四）に掲げるものに該当するものに限る。）は、（5）《指定寄附金の告示》の（一）及び（一の二）に掲げる寄附金に該当しないものとする。
（一）　社会福祉事業に関する民間奉仕活動を行う団体等が東日本大震災の被災者に対する救援又は生活再建の支援を行う活動（（二）及び（三）において「被災者支援活動」という。）に必要な資金に充てるものとして、社会福祉法人中央共同募金会に対して支出された寄附金（平成23年3月11日から平成25年12月31日までの間に支出されたものに限る。）の全額
（二）　特定非営利活動促進法第2条第3項《定義》に規定する認定特定非営利活動法人（以下（二）において「認定特定非営利活動法人」という。）、同条第4項に規定する特例認定特定非営利活動法人（以下（二）において「特例認定特定非営利活動法人」という。）又は特定非営利活動促進法の一部を改正する法律（平成23年法律第70号）附則第10条第4項《租税特別措置法の一部改正に伴う経過措置》に規定する旧認定特定非営利活動法人（以下（二）において「旧認定特定非営利活動法人」という。）である法人（以下（二）及び（四）においてこれらの法人を「認定特定非営利活動法人等」という。）の東日本大震災の被災者支援活動（相当の対価又は助成金を得て行われる活動を除く。以下（二）及び（三）において同じ。）に特に必要となる費用（次の表のホにおいて「必要費用」という。）に充てるために当該認定特定非営利活動法人等に対してされる寄附金であって、当該認定特定非営利活動法人等が当該寄附金の募集につき次に掲げる要件を満たすことについて、認定特定非営利活動法人又は仮認定特定非営利活動法人にあっては特定非営利活動促進法第9条《所轄庁》に規定する所轄庁の、旧認定特定非営利活動法人にあっては主たる事務所の所在地の所轄国税局長の確認を受けた日の翌日から平成25年12月31日までの間に支出されたものの全額

イ	当該認定特定非営利活動法人等が当該被災者支援活動を自ら行うために、当該寄附金の募集を行うことについて相当の理由があること。
ロ	募集要綱（寄附金の使途並びに募集の方法及び期間並びに募集した寄附金の管理の方法を明らかにした書面をいう。）に記載された事項についてインターネットの利用その他適切な方法により公表すること。
ハ	その募集する寄附金に係る会計と他の会計とを区分して経理すること。
ニ	その募集する寄附金の収入の実績並びに当該被災者支援活動に係る活動及び支出の実績について、適時に、インターネットの利用その他適切な方法により公表すること。
ホ	平成26年12月31日が到来した場合、当該被災者支援活動が終了した場合又は不正等の事実があった場合には、それまでに受け入れた当該寄附金の額から当該寄附金のうち当該必要費用に充てられたものの額（同日が到来した場合にあっては、同日後に行う当該被災者支援活動に係る必要費用の額を含む。）を控除した残額について東日本大震災による被害を受けた地方公共団体並びに東日本大震災の被災者の収容及び保護を行う地方公共団体その他これに類する事業を行う地方公共団体に寄附すること。

(三) 公益社団法人又は公益財団法人の東日本大震災の被災者支援活動に特に必要となる費用（次の表のハにおいて「必要費用」という。）に充てるために当該公益社団法人又は公益財団法人に対してされる寄附金であって、当該公益社団法人又は公益財団法人が当該寄附金の募集につき次に掲げる要件を満たすことについて当該公益社団法人又は公益財団法人に係る行政庁（公益社団法人及び公益財団法人の認定等に関する法律第3条《行政庁》に規定する行政庁をいう。）の確認を受けた日の翌日から平成25年12月31日までの間に支出されたものの全額

イ	当該公益社団法人又は公益財団法人が当該被災者支援活動を自ら行うために、当該寄附金の募集を行うことについて相当の理由があること。
ロ	募集要綱（寄附金の使途並びに募集の方法及び期間並びに募集した寄附金の管理の方法を明らかにした書面をいう。）に記載された事項についてインターネットの利用その他適切な方法により公表すること。
ハ	平成26年12月31日が到来した場合、当該被災者支援活動が終了した場合又は不正等の事実があった場合には、それまでに受け入れた当該寄附金の額から当該寄附金のうち当該必要費用に充てられたものの額（同日が到来した場合にあっては、同日後に行う当該被災者支援活動に係る必要費用の額を含む。）を控除した残額について東日本大震災による被害を受けた地方公共団体並びに東日本大震災の被災者の収容及び保護を行う地方公共団体その他これに類する事業を行う地方公共団体に寄附すること。

(四) 第二章第一節の二の**別表第一**《公共法人の表》に掲げる法人（港務局及び地方公共団体を除く。以下(四)において「公共法人」という。）、同二の**別表第二**《公益法人等の表》に掲げる法人、法人税法施行令の一部を改正する政令（平成20年政令第156号）附則第4条第2項《収益事業の範囲に関する経過措置》に規定する特例民法法人又は認定特定非営利活動法人等〔以下(四)においてこれらの法人を「公共・公益法人等」という。〕に対して支出された寄附金（その寄附金を募集することについて相当の理由があること及び募集要綱〔寄附金の使途並びに募集の目標額、方法及び期間並びに募集した寄附金の管理の方法を明らかにした書面をいう。〕に記載された事項についてインターネットの利用その他適切な方法により公表することにつき当該公共・公益法人等が平成23年6月10日から令和2年3月31日までの間に当該公共・公益法人等に係る主務官庁〔所轄庁を含む。以下(四)において同じ。〕の確認を受けた場合〔法令等に基づく建築行為等の制限がある場合において当該主務官庁が令和2年4月1日から令和4年3月31日までの間のいずれかの日を当該確認を受ける期限として定めるときは、同日までに当該確認を受けた場合を含む。〕におけるその確認を受けた日の翌日から同日以後3年を経過する日までの間に支出されたものに限る。）で、公共・公益法人等が事業の用に供していた建物（その附属設備を含む。以下(四)において同じ。）及び構築物並びにこれらの敷地の用に供されていた土地その他の固定資産（公共・公益法人等のうち公共法人以外の法人にあっては、その法人が行う第二章第一節の二の表の**13**《収益事業》に掲げる収益事業以外の事業の用に専ら供されていたものに限る。）のうち東日本大震災により滅失又は損壊をしたもの（その利用の継続が困難であることにつき当該公共・公益法人等に係る主務官庁が認めたものに限る。）の原状回復（当該建物及び構築物並びに土地の所在地において原状に復することが困難であり、かつ、当該所在地以外の地域において原状に復することが適当であることにつき当該主務官庁が認めた場合には、当該建物及び構築物並びに土地のその滅失又は損壊の直前の用途と同一の用途に供される建物及び構築物並びに土地〔土地の上に存する権利を含む。〕の取得を含む。）に要する費用に充てられるものの全額

(五) 全国商工会連合会に対して平成23年3月17日から平成23年12月31日までの間に支出された寄附金で、東日本大震災に

より被害を受けた地域を地区とする商工会又は都道府県商工会連合会が全国商工会連合会の策定した計画に基づき行うその地区における商工業に関する施設の復旧及び経済の早期の復興を図る事業(商工会法第11条第1号から第6号まで、第9号及び第10号又は第55条の8第1項第2号から第4号《事業の範囲》までに掲げるものに該当するものに限る。)に要する費用に充てられるものの全額

(六) 日本商工会議所に対して平成23年3月22日から平成23年12月31日までの間に支出された寄附金で、東日本大震災により被害を受けた地域を地区とする商工会議所が日本商工会議所の策定した計画に基づき行うその地区における商工業に関する施設の復旧及び経済の早期の復興を図る事業(商工会議所法第9条第3号から第8号まで及び第10号から第18号まで《事業の種類》に掲げるものに該当するものに限る。)に要する費用に充てられるものの全額

(七) 公益財団法人ヤマト福祉財団に対して平成23年6月24日から平成24年6月30日までの間に支出された寄附金で、東日本大震災により被害を受けた地域における農業若しくは水産業その他これらに関連する産業の基盤の整備又は生活環境の整備により当該地域の復旧及び復興を図る事業に要する費用に充てられるものの全額

(指定寄附金の告示―平成28年財務省告示第158号〔最終改正平成30年第352号〕)

(9) 1の表の②により法人の各事業年度の所得の金額の計算上損金の額に算入する寄附金を次のように指定し、平成28年5月13日以後に支出された寄附金について適用する。

なお、平成28年熊本地震による災害の復旧のために平成28年8月26日から令和6年12月31日までの間に支出された寄附金((二)に掲げるものに該当するものに限る。)は、寄附金控除の対象となる寄附金又は(5)の(一)及び(一の二)に掲げる寄附金に該当しないものとする。

(一) 社会福祉事業に関する民間奉仕活動を行う団体等が平成28年熊本地震による災害の被災者に対する救援又は生活再建の支援を行う活動に必要な資金に充てるものとして、社会福祉法人中央共同募金会に対して支出された寄附金(平成28年5月13日から平29年3月31日までの間に支出されたものに限る。)の全額

(二) 第二章第一節の**二**の**別表第一**《公共法人の表》に掲げる法人(港務局及び地方公共団体を除く。以下「公共法人」という。)、同**二**の**別表第二**《公益法人等の表》に掲げる法人、法人税法施行令の一部を改正する政令(平成20年政令第156号)附則第4条第2項(収益事業の範囲に関する経過措置)に規定する特例民法法人又は特定非営利活動促進法(平成10年法律第7号)第2条第3項(定義)に規定する認定特定非営利活動法人、同条第4項に規定する特例認定特定非営利活動法人若しくは特定非営利活動促進法の一部を改正する法律(平成23年法律第70号)附則第10条第4項(租税特別措置法の一部改正に伴う経過措置)に規定する旧認定特定非営利活動法人である法人(以下これらの法人を「公共・公益法人等」という。)に対して支出された寄附金(その寄附金を募集することについて相当の理由があること及び募集要綱(寄附金の使途並びに募集の目標額、方法及び期間並びに募集した寄附金の管理の方法を明らかにした書面をいう。)に記載された事項についてインターネットの利用その他適切な方法により公表することにつき当該公共・公益法人等が平成28年8月26日から令和元年12月31日までの間に当該公共・公益法人等に係る主務官庁(所轄庁を含む。以下同じ。)の確認を受けた場合(法令等に基づく建築行為等の制限がある場合において当該主務官庁が令和2年1月1日から令和3年12月31日までの間のいずれかの日を当該確認を受ける期限として定めるときは、同日までに当該確認を受けた場合を含む。)におけるその確認を受けた日の翌日から同日以後3年を経過する日までの間に支出されたものに限る。)で、公共・公益法人等が事業の用に供していた次に掲げる固定資産(公共・公益法人等のうち公共法人以外の法人にあっては、その法人が行う第二章第一節の**二**の表の**13**《収益事業》に掲げる収益事業以外の事業の用に専ら供されていたものに限る。)の原状回復に要する費用に充てられるものの全額

イ	建物(その附属設備を含む。)及び構築物並びにこれらの敷地の用に供されていた土地で、平成28年熊本地震により滅失又は損壊をしたもの(その利用の継続が困難であることにつき当該公共・公益法人等に係る主務官庁が認めたものに限る。ロにおいて「被災建物等」という。)
ロ	被災建物等以外の固定資産で被災建物等の平成28年熊本地震による滅失又は損壊に伴い滅失又は損壊をしたもの(その利用の継続が困難であることにつき当該公共・公益法人等に係る主務官庁が認めたものに限る。)

(指定寄附金の告示―令和5年財務省告示第96号)

(10) 1の表の②により法人の各事業年度の所得の金額の計算上損金の額に算入する寄附金を次のように指定し、令和5年4月1日以後に支出された寄附金について適用する。

学校教育法(昭和22年法律第26号)第1条に規定する大学(同法第108条第2項の大学を除く。)、同法第1条に規定

する高等専門学校又は同法第124条に規定する専修学校（同条に規定する専修学校にあっては、同法第125条第１項に規定する専門課程でその修業期間（普通科、専攻科その他これらに準ずる区別された課程があり、一の課程に他の課程が継続する場合には、これらの課程の修業期間を通算した期間。以下同じ。）を通ずる授業時間数が3,400時間以上であるものによる教育を行うものに限る。以下「大学等」という。）の設置を主たる目的とする私立学校法（昭和24年法律第270号）第３条に規定する学校法人（同法第64条第４項の規定により設立された法人を含む。以下「学校法人」という。）の設立を目的とする法人（以下「学校法人設立準備法人」という。）に対して支出された寄附金であって、当該学校法人の設立に必要な費用に充てられるもののうち、当該学校法人設立準備法人が当該寄附金の募集につき次に掲げる要件を満たすものとして別記様式一による届出書を財務大臣に提出した日から令和10年３月31日までの間に支出されたもの（当該届出書の提出に対して別記様式二による受理書の交付を受けた当該学校法人設立準備法人に対して支出されたものに限る。）の全額

(一) 当該学校法人の設立前においてされる寄附金で、法人税法施行令（昭和40年政令第97号）第75条に規定する寄附金に該当するものであること。

(二) 募集要綱（寄附金の使途並びに募集の方法及び期間並びに募集した寄附金の管理の方法を明らかにした書面又は電磁的記録〔電子的方式、磁気的方式その他人の知覚によっては認識することができない方式で作られる記録であって、電子計算機による情報処理の用に供されるものをいう。〕をいう。以下同じ。）に、当該学校法人設立準備法人の設立後５年を超えない範囲内において当該募集要綱で定める日までに当該大学等の設置に係る学校教育法第４条第１項又は第130条第１項の認可（以下「設置認可」という。）を受けなかった場合には、それまでに受け入れた当該寄附金の額から当該寄附金のうち当該学校法人の設立及び当該大学等の設置に特に必要となる費用に充てられたものの額を控除した残額について国又は地方公共団体に寄附する旨の定めがあること。

　　（指定寄附金の告示―令和６年財務省告示第144号）

(11)　１の表の②により法人の各事業年度の所得の金額の計算上損金の額に算入する寄附金を次のように指定し、令和６年５月27日以後に支出された寄附金について適用する。
　　なお、(11)に掲げる寄附金は、(5)《指定寄附金の告示》の(一)及び(一の二)に掲げる寄附金に該当しないものとする。
　　第二章第一節の**二**の**別表第一**《公共法人の表》に掲げる法人（港務局及び地方公共団体を除く。以下「公共法人」という。）、同**二**の**別表第二**《公益法人等の表》に掲げる法人、法人税法施行令の一部を改正する政令（平成20年政令第156号）附則第４条第２項（収益事業の範囲に関する経過措置）に規定する特例民法法人又は特定非営利活動促進法（平成10年法律第７号）第２条第３項（定義）に規定する認定特定非営利活動法人若しくは同条第４項に規定する特例認定特定非営利活動法人である法人（以下これらの法人を「公共・公益法人等」という。）に対して支出された寄附金（その寄附金を募集することについて相当の理由があること及び募集要綱（寄附金の使途並びに募集の目標額、方法及び期間並びに募集した寄附金の管理の方法を明らかにした書面をいう。）に記載された事項についてインターネットの利用その他適切な方法により公表することにつき当該公共・公益法人等が令和６年５月27日から令和９年12月31日までの間に当該公共・公益法人等に係る主務官庁（所轄庁を含む。以下同じ。）の確認を受けた場合（法令等に基づく建築行為等の制限がある場合において当該主務官庁が令和10年１月１日から令和11年12月31日までの間のいずれかの日を当該確認を受ける期限として定めるときは、同日までに当該確認を受けた場合を含む。）におけるその確認を受けた日の翌日から同日以後３年を経過する日までの間に支出されたものに限る。）で、公共・公益法人等が事業の用に供していた次に掲げる固定資産（公共・公益法人等のうち公共法人以外の法人にあっては、その法人が行う第二章第一節の**二**の表の**13**《収益事業》に掲げる収益事業以外の事業の用に専ら供されていたものに限る。）の原状回復に要する費用に充てられるものの全額

(一) 建物（その附属設備を含む。）及び構築物並びにこれらの敷地の用に供されていた土地で、令和６年能登半島地震により滅失又は損壊をしたもの（その利用の継続が困難であることにつき当該公共・公益法人等に係る主務官庁が認めたものに限る。(二)において「被災建物等」という。）

(二) 被災建物等以外の固定資産で被災建物等の令和６年能登半島地震による滅失又は損壊に伴い滅失又は損壊をしたもの（その利用の継続が困難であることにつき当該公共・公益法人等に係る主務官庁が認めたものに限る。）

２　特定公益増進法人等に対する寄附金の損金算入の特例

　一　《寄附金の損金不算入》の場合において、内国法人が各事業年度において支出した寄附金の額のうちに、**特定公益増進法人**（公共法人、公益法人等〔第二章第一節の**二**の**別表第二**《公益法人等の表》に掲げる一般社団法人、一般財団法人及び労働者協同組合を除く。以下**３**までにおいて同じ。〕その他特別の法律により設立された法人のうち、教育又は科学の

振興、文化の向上、社会福祉への貢献その他公益の増進に著しく寄与するものとして(2)に掲げる法人をいう。)に対する当該法人の主たる目的である業務に関連する寄附金(出資に関する業務に充てられることが明らかなもの及び1に掲げる寄附金に該当するものを除く。)の額があるときは、当該寄附金の額の合計額(当該合計額が当該事業年度終了の時の資本金の額及び資本準備金の額の合計額若しくは出資金の額又は当該事業年度の所得の金額を基礎として計算した**特別損金算入限度額**〔次の表の左欄に掲げる内国法人の区分に応じそれぞれ右欄に掲げる金額とする。〕を超える場合には、当該計算した金額に相当する金額)は、**一**に掲げる「寄附金の額の合計額」に算入しない。ただし、公益法人等が支出した寄附金の額については、この限りでない。(法37④、令77の2①、規23の3、22の4)

①	普通法人、第二章第一節の**二**の**別表第二**《公益法人等の表》に掲げる労働者協同組合協同組合等及び人格のない社団等(②に掲げるものを除く。)	次に掲げる金額の合計額の$\frac{1}{2}$に相当する金額 イ 当該事業年度終了の時における資本金の額及び資本準備金の額の合計額又は出資金の額 $\times \frac{\text{当該事業年度の月数}}{12} \times \frac{3.75}{1,000}$ ロ 当該事業年度の所得の金額 $\times \frac{6.25}{100}$ (月数の計算) イに掲げる月数は、暦に従って計算し、1か月に満たない端数を生じたときは、これを切り捨てる。(令77の2④)	
②	次のイからチまでに掲げるもの イ 普通法人、協同組合等及び人格のない社団等のうち資本又は出資を有しないもの ロ 法人税法別表第二に掲げる一般社団法人及び一般財団法人 ハ 地方自治法第260条の2第7項《地縁による団体》に規定する認可地縁団体 ニ 建物の区分所有等に関する法律第47条第2項《成立等》に規定する管理組合法人及び同法第66条《建物の区分所有に関する規定の準用》の規定により読み替えられた同項に規定する団地管理組合法人 ホ 政党交付金の交付を受ける政党等に対する法人格の付与に関する法律第7条の2第1項《変更の登記》に規定する法人である政党等 ヘ 密集市街地における防災街区の整備の促進に関する法律第133条第1項《法人格》に規定する防災街区整備事業組合 ト 特定非営利活動促進法第2条第2項《定義》に規定する特定非営利活動法人(同条第3項に規定する認定特定非営利活動法人を除く。)	当該事業年度の所得の金額の$\frac{6.25}{100}$に相当する金額	

	チ	マンションの建替え等の円滑化に関する法律第5条第1項《マンション建替事業の施行》に規定するマンション建替組合、同法第116条《マンション敷地売却事業の実施》に規定するマンション敷地売却組合及び同法第164条《敷地分割事業の実施》に規定する敷地分割組合	

注1　――線部分は、令和6年度改正により改正された部分で、改正規定は、公益信託に関する法律（令和6年法律第30号）の施行の日から適用され、同日前の適用については、「）の額」とあるのは「）の額（**四**の**5**の（2）《認定特定公益信託の意義》に掲げる認定特定公益信託の信託財産とするために支出した金銭の額を含む。）」とする。（令6改法附1Ⅸロ）

　　　なお、同法の施行期日を定める政令は、令和6年7月1日現在制定されていない。（編者）

注2　特定公益増進法人に対する寄附金の額の合計額が当該事業年度の寄附金の損金算入限度額以下であるときは当該寄附金の額の合計額を、当該寄附金の額の合計額が当該損金算入限度額を超えるときは当該合計額のうち当該損金算入限度額に相当する金額をそれぞれ特例の適用対象とする。（編者）

注3　各事業年度において支出した寄附金の額の合計額が損金算入限度額を超えるかどうかの計算に当たって、これらの寄附金の額の合計額をその計算の対象から除外することを定めたもので、限度計算の対象から除外された金額は、当該事業年度の損金の額に算入されることになる。（編者）

（特別の法律により設立された法人における寄附金の特例の適用）

（1）　次の表の「法人」欄に掲げる法律により設立された法人は、法人税法その他法人税に関する法令の規定の適用については、公益法人等とみなされるが、**2**を適用する場合には、**2**の本文中「公益法人等〔」とあるのは、それぞれ「読替え」欄のとおり読み替える。（編者）

	法　　　　人	読　替　え	根拠条文
(一)	地方自治法第260条の2第7項《地縁による団体》に規定する認可地縁団体	公益法人等〔認可地縁団体並びに	同法260の2⑯
(二)	建物の区分所有等に関する法律第47条第2項《成立等》に規定する管理組合法人及び同法第66条《建物の区分所有に関する規定の準用》の規定により読み替えられた同項に規定する団地管理組合法人	公益法人等〔管理組合法人及び団地管理組合法人並びに	同法47⑬
(三)	政党交付金の交付を受ける政党等に対する法人格の付与に関する法律第7条の2第1項《変更の登記》に規定する法人である政党等	公益法人等〔法人である政党等並びに	同法13①
(四)	密集市街地における防災街区の整備の促進に関する法律第133条第1項《法人格》に規定する防災街区整備事業組合	公益法人等〔防災街区整備事業組合並びに	同法164の2①
(五)	特定非営利活動促進法第2条第2項《定義》に規定する特定非営利活動法人	公益法人等〔特定非営利活動法人並びに	同法70①
(六)	マンションの建替え等の円滑化に関する法律第5条第1項《マンション建替事業の施行》に規定するマンション建替組合、同法第116条《マンション敷地売却事業の実施》に規定するマンション敷地売却組合及び同法第164条《敷地分割事業の実施》に規定する敷地分割組合	公益法人等〔マンション建替組合、マンション敷地売却組合及び敷地分割組合並びに	同法44① 同法139① 同法188①

（特定公益増進法人の範囲）

（2）　**2**に掲げる法人は、次に掲げる法人をいう。（令77）

(一)	独立行政法人通則法第2条第1項《定義》に規定する独立行政法人
(二)	地方独立行政法人法第2条第1項《定義》に規定する地方独立行政法人で同法第21条第1号又は第3号から第6号まで《業務の範囲》に掲げる業務（同条第3号に掲げる業務にあっては同号チに掲げる事業の経営に、同条第6号に掲げる業務にあっては地方独立行政法人法施行令第6条第1号又は第3号《公共的な施設の範囲》に掲げる施設の設置及び管理に、それぞれ限るものとする。）を主たる目的とするもの
(三)	自動車安全運転センター、日本司法支援センター、日本私立学校振興・共済事業団、日本赤十字社及び福島国際研究教育機構
(四)	公益社団法人及び公益財団法人
(五)	私立学校法第3条《定義》に規定する学校法人で学校（学校教育法第1条《定義》に規定する学校及び就学前の子どもに関する教育、保育等の総合的な提供の推進に関する法律第2条第7項《定義》に規定する幼保連携型認定こども園をいう。以下(五)において同じ。）の設置若しくは学校及び専修学校（学校教育法第124条《専修学校》に規定する専修学校で次の表のいずれかの課程による教育を行う専修学校とする。以下(五)において同じ。）若しくは各種学校（初等教育又は中等教育を外国語により施すことを目的として設置された学校教育法第134条第1項《各種学校》に規定する各種学校であって、文部科学大臣が財務大臣と協議して定める基準に該当するものに限る。以下(五)において同じ。）の設置を主たる目的とするもの又は私立学校法第152条第5項《私立専修学校等》の規定により設立された法人で専修学校若しくは各種学校の設置を主たる目的とするもの（規23の2①②）

(五)	イ	学校教育法第125条第1項《専修学校の課程》に規定する高等課程でその修業期間（普通科、専攻科その他これらに準ずる区別された課程があり、一の課程に他の課程が継続する場合には、これらの課程の修業期間を通算した期間をいう。ロにおいて同じ。）を通ずる授業時間数が2,000時間以上であるもの
	ロ	学校教育法第125条第1項に規定する専門課程でその修業期間を通ずる授業時間数が1,700時間以上であるもの

　　　　注　上記「文部科学大臣が財務大臣と協議して定める基準」は、出入国管理及び難民認定法別表第一の一の表の外交若しくは公用の在留資格又は四の表の家族滞在の在留資格をもって在留する子女に対して教育を施すことを目的とし、かつ、その教育活動等について、スイス連邦ジュネーヴ州に主たる事務所が所在する団体である国際バカロレア事務局、アメリカ合衆国カリフォルニア州に主たる事務所が所在する団体であるウェスタン・アソシエーション・オブ・スクールズ・アンド・カレッジズ、同国コロラド州に主たる事務所が所在する団体であるアソシエーション・オブ・クリスチャン・スクールズ・インターナショナル又はオランダ王国南ホラント州に主たる事務所が所在する団体であるカウンセル・オブ・インターナショナル・スクールズの認定を受けていることとする。（平成15年文部科学省告示第59号〔最終改正令3第197号〕）

(六)	社会福祉法第22条《定義》に規定する社会福祉法人
(七)	更生保護事業法第2条第6項《定義》に規定する更生保護法人

　　注　──線部分は、私立学校法の一部を改正する法律の施行に伴う関係政令の整備に関する政令（令和6年政令第209号）により改正された部分で、改正規定は、令和7年4月1日から適用され、令和7年3月31日以前の適用については、「第152条第5項」とあるのは「第64条第4項」とする。（同政令附1）

（寄附金の特別損金算入限度額の計算の基礎となる所得の金額）

(3)　2の表の①及び②に掲げる「所得の金額」は、次に掲げる規定を適用しないで計算した場合における所得の金額とし、また、内国法人が当該事業年度において支出した四の1に掲げる寄附金の額の全額は損金の額に算入しないものとして計算するものとする。（令77の2②③、73②）

(一)　法人税法第27条《中間申告における繰戻しによる還付に係る災害損失欠損金額の益金算入》
(二)　法人税法第40条《法人税額から控除する所得税額の損金不算入》
(三)　法人税法第41条《法人税額から控除する外国税額の損金不算入》
(四)　法人税法第41条の2《分配時調整外国税相当額の損金不算入》
(五)　法人税法第57条第1項《欠損金の繰越し》
(六)　法人税法第59条《会社更生等による債務免除等があった場合の欠損金の損金算入》
(七)　法人税法第61条の11第1項《完全支配関係がある法人の間の取引の損益》（適格合併に該当しない合併による合併法人への資産の移転に係る部分に限る。）
(八)　法人税法第62条第2項《合併及び分割による資産等の時価による譲渡》

(九)　法人税法第62条の５第２項及び第５項《現物分配による資産の譲渡》
　　　(十)　法人税法第64条の５第１項及び第３項《損益通算》
　　　(十一)　法人税法第64条の７第６項《欠損金の通算》
　　　(十二)　租税特別措置法第57条の７第１項《関西国際空港用地整備準備金》
　　　(十三)　租税特別措置法第57条の７の２第１項《中部国際空港整備準備金》
　　　(十四)　租税特別措置法第59条第１項及び第２項《新鉱床探鉱費又は海外新鉱床探鉱費の特別控除》
　　　(十五)　租税特別措置法第59条の２第１項及び第４項《対外船舶運行事業を営む法人の日本船舶による収入金額の課税の特例》
　　　<u>(十六)　租税特別措置法第59条の３第１項《特許権等の譲渡等による所得の課税の特例》</u>
　　　(十七)　租税特別措置法第60条第１項及び第２項《沖縄の認定法人の課税の特例》
　　　(十八)　租税特別措置法第61条第１項《国家戦略特別区域における指定法人の課税の特例》
　　　(十九)　租税特別措置法第61条の２第１項《農業経営基盤強化準備金》及び第61条の３第１項《農用地等を取得した場合の課税の特例》
　　　(二十)　租税特別措置法第66条の７第２項及び第６項《内国法人の外国関係会社に係る所得の課税の特例》
　　　(二十一)　租税特別措置法第66条の９の３第２項及び第５項《特殊関係株主等である内国法人に係る外国関係法人に係る所得の課税の特例》
　　　(二十二)　租税特別措置法第66条の13第１項、第５項から第10項まで及び第14項《特別新事業開拓事業者に対し特定事業活動として出資をした場合の課税の特例》
　　　(二十三)　租税特別措置法第67条の12第１項及び第２項並びに第67条の13第１項及び第２項《組合事業等による損失がある場合の課税の特例》
　　　(二十四)　租税特別措置法第67条の14第１項《特定目的会社に係る課税の特例》
　　　(二十五)　租税特別措置法第67条の15第１項《投資法人に係る課税の特例》
　　　(二十六)　租税特別措置法第68条の３の２第１項《特定目的信託に係る受託法人の課税の特例》
　　　(二十七)　租税特別措置法第68条の３の３第１項《特定投資信託に係る受託法人の課税の特例》
　　　　注１　──線部分は、法人税法施行令の一部を改正する政令（令和６年政令第212号）により追加された部分で、改正規定は、令和７年４月１日から適用される。（同改令附）
　　　　注２　法人税の申告書別表四の「仮計22」の「総額①」欄の金額が上記の規定により計算した所得の金額（ただし、寄附金支出額加算前）に符合するように同表が作成されているので、当該欄の金額に損金計上の寄附金の額を加算した金額が寄附金損金算入限度額の計算の基礎となる。（申告書別表十四（二）を参照）（編者）

　　（内国法人の区分の判定時期）
(４)　内国法人が**2**の表の①及び②に掲げる法人のいずれに該当するかの判定は、各事業年度終了の時の現況による。（令73⑥）

　　（特定公益増進法人の主たる目的である業務に関連する寄附金であるかどうかの判定）
(５)　（２）の表に掲げる特定公益増進法人に対してした寄附金が「当該法人の主たる目的である業務に関連する寄附金」であるかどうかは、当該法人の募金趣意書、事業計画書、募金計画書の写し等を総合勘案して判定する。（基通９−４−７）

　　（出資に関する業務に充てられることが明らかな寄附金）
(６)　**2**に掲げる「出資に関する業務に充てられることが明らかなもの」とは、例えば次のようなものが該当する。（基通９−４−７の２）
　　　(一)　寄附金の使途を出資業務に限定して募集されたもの
　　　(二)　出資業務に使途を指定して行われたもの

３　公益信託の信託財産とするために支出した寄附金の損金算入の特例

　一《寄附金の損金不算入》の場合において、**一**に掲げる寄附金の額のうちに公益信託に関する法律第２条第１項第１号《定義》に規定する公益信託の信託財産とするために支出した当該公益信託に係る信託事務に関連する寄附金（出資に関する信託事務に充てられることが明らかなもの及び**1**《国等に対する寄附金、指定寄附金の損金算入の特例》の表の①及び②又は**2**《特定公益増進法人等に対する寄附金の損金算入の特例》に掲げる寄附金に該当するものを除く。）の額があるときは、当該寄附金の額の合計額（当該合計額が**2**に掲げる特別損金算入限度額から**2**により**一**に掲げる寄附金の額の合計

額に算入されない金額を控除した金額を超える場合には、当該控除した金額に相当する金額）は、**一**に掲げる寄附金の額の合計額に算入しない。ただし、公益法人等が支出した寄附金の額については、この限りでない。（法37⑤）

　注　**3**は、令和6年度改正により改正されたもので、改正規定は、公益信託に関する法律（令和6年法律第30号）の施行の日以後に効力が生ずる公益信託（移行認可を受けた信託を含む。）について適用され、同日前に効力が生じた公益信託に関する法律による改正前の公益信託ニ関スル法律第1条に規定する公益信託（移行認可を受けたものを除く。）については、**四**の**5**の注2に掲げるものを除き、同**5**はなお適用がある。（令6改法附7、1Ⅸ）

　　なお、同法の施行期日を定める政令は、令和6年7月1日現在制定されていない。（編者）

4　特例の適用を受けるための申告記載等

　1《国等に対する寄附金、指定寄附金の損金算入の特例》は、確定申告書、修正申告書又は更正請求書に**一**《寄附金の損金不算入》に掲げる寄附金の額の合計額に算入されない**1**の表の①及び②に掲げる寄附金の額及び当該寄附金の明細を記載した書類の添付がある場合に限り、**2**《特定公益増進法人等に対する寄附金の損金算入の特例》及び**3**《公益信託の信託財産とするために支出した寄附金の損金算入の特例》は、確定申告書、修正申告書又は更正請求書に**一**に掲げる寄附金の額の合計額に算入されない**2**又は**3**に掲げる寄附金の額及び当該寄附金の明細を記載した書類の添付があり、かつ、次の表の左欄に掲げる場合の区分に応じ、それぞれ同表の右欄に掲げる書類を保存している場合に限り、適用する。この場合において、**1**、**2**又は**3**により**一**に掲げる寄附金の額の合計額に算入されない金額は、当該金額として記載された金額を限度とする。（法37⑨、規24）

①	**2**の（2）《特定公益増進法人の範囲》の表の（一）、（三）、（四）、（六）又は（七）に掲げる特定公益増進法人に対して寄附金を支出した場合	当該寄附金が当該法人の主たる目的である業務に関連する**2**に掲げる寄附金である旨の当該法人が証する書類
②	**2**の（2）の表の（二）に掲げる特定公益増進法人に対して寄附金を支出した場合	当該寄附金が当該法人の主たる目的である業務に関連する**2**に掲げる寄附金である旨の当該法人が証する書類及び当該法人が同表の（二）に掲げる法人に該当する旨の地方独立行政法人法第6条第3項《財産的基礎》に規定する設立団体が証明した書類（当該寄附金を支出する日以前5年内に発行されたものに限る。）の写しとして当該法人から交付を受けたもの
③	**2**の（2）の表の（五）に掲げる特定公益増進法人に対して寄附金を支出した場合	当該寄附金が当該法人の主たる目的である業務に関連する**2**に掲げる寄附金である旨の当該法人が証する書類及び当該法人が同表の（五）に掲げる法人に該当する旨の私立学校法第4条《所轄庁》に規定する所轄庁が証明した書類（当該寄附金を支出する日以前5年内に発行されたものに限る。）の写しとして当該法人から交付を受けたもの
④	**2**に掲げる認定特定公益信託の信託財産とするために金銭を支出した場合	**四**の**5**の（2）《認定特定公益信託の意義》に掲げる認定に係る書類の写し（当該書類に記載されている同**5**の（2）に掲げる認定の日が当該金銭を支出する日以前5年内であるものの写しに限る。）

　注1　──線部分（注2に係る部分を除く。）は、令和6年度改正により追加された部分で、改正規定は、公益信託に関する法律（令和6年法律第30号）の施行の日から適用される。（令6改法附1Ⅸ）

　　　なお、同法の施行期日を定める政令は、令和6年7月1日現在制定されていない。（編者）

　注2　──線部分（「**1**、**2**又は**3**」に係る部分に限る。）は、令和6年度改正により改正された部分で、改正規定は、公益信託に関する法律（令和6年法律第30号）の施行の日から適用され、同日前の適用については、「**1**、**2**又は**3**」とあるのは「**1**又は**2**」とする。（令6改法附1Ⅸロ）

　　　なお、同法の施行期日を定める政令は、令和6年7月1日現在制定されていない。（編者）

　注3　**4**に係る申告書別表は、次のとおり。（編者）

　　別表十四（二）　「寄附金の損金算入に関する明細書」

第三章　第一節　第十二款《寄附金》

　　（書類の保存がない場合のゆうじょ規定）
（１）　税務署長は、**2**《特定公益増進法人等に対する寄附金の損金算入の特例》又は**3**<u>《公益信託の信託財産とするために支出した寄附金の損金算入の特例》</u>により**1**に掲げる寄附金の額の合計額に算入されないこととなる金額の全部又は一部につき**4**の表に掲げる書類の保存がない場合においても、その書類の保存がなかったことについてやむを得ない事情があると認めるときは、その書類の保存がなかった金額につき**2**又は**3**を適用することができる。（法37⑩）
　　　注　──線部分は、令和６年度改正により追加された部分で、改正規定は、公益信託に関する法律（令和６年法律第30号）の施行の日から適用される。（令６改法附１Ⅸロ）
　　　　　なお、同法の施行期日を定める政令は、令和６年７月１日現在制定されていない。（編者）

　　（資産を帳簿価額により寄附した場合の処理）
（２）　法人が金銭以外の資産をもって寄附金を支出した場合には、その寄附金の額は支出の時における当該資産の価額によって計算するのであるが、法人が金銭以外の資産をもって支出した**1**の表及び**2**に掲げる寄附金につき、その支出した金額を帳簿価額により計算し、かつ、確定申告書等に記載した場合には、法人の計上した寄附金の額が当該資産の価額より低いためその一部につき当該確定申告書等に記載がないこととなるときであっても、**1**及び**2**を適用することができる。（基通９－４－８）

四　寄附金の範囲

1　寄附金の意義

　法人税における寄附金の額は、寄附金、拠出金、見舞金その他いずれの名義をもってするかを問わず、内国法人が金銭その他の資産又は経済的な利益の贈与又は無償の供与（広告宣伝及び見本品の費用その他これらに類する費用並びに交際費、接待費及び福利厚生費とされるべきものを除く。以下同じ。）をした場合における当該金銭の額若しくは金銭以外の資産のその贈与の時における価額又は当該経済的な利益のその供与の時における価額によるものとする。（法37⑦）

　　　　　　（有利な状況にある相対買建オプション取引について権利行使を行わなかった場合の取扱い）
（1）　法人が権利行使期日又は権利行使期間の末日（以下(1)において「権利行使期日等」という。）において有利な状況にある買建ての第二十四款の一《デリバティブ取引に係る利益相当額又は損失相当額の益金又は損金算入》表の①に掲げる取引のうち金融商品取引法第2条第22項第3号及び第4号《店頭デリバティブ取引》に掲げる取引並びに同表の④及び⑤に掲げる取引並びにこれらの取引に類似する同表の⑦に掲げる取引（相対取引により行われるものに限る。以下(2)までにおいて「**相対オプション取引**」という。）について、合理的な理由もなく権利行使を行わなかった場合には、当該権利行使期日等において、権利行使により生ずることとなる当該買建ての相対オプション取引に係る利益の額に相当する金額をその取引の相手方に対して贈与したものとして取り扱うことに留意する。（基通2－1－37）
　　　注1　「有利な状況にある」とは、例えば有価証券をオプション対象物としたコール・オプションを買い建てている場合において、オプション対象物である有価証券の権利行使期日等における価格が当該コール・オプションの行使価格を上回っているときをいう。
　　　注2　「利益の額に相当する金額」とは、オプション対象物の権利行使期日等における価格と当該相対オプション取引に係る権利行使価格との差額に相当する金額をいう。

　　　　　　（不利な状況にある相対買建オプション取引について権利行使を行った場合の取扱い）
（2）　法人が不利な状況にある買建ての相対オプション取引について、合理的な理由もなく権利行使を行った場合には、当該権利行使を行った日において、当該相対オプション取引に係る損失の額に相当する金額をその取引の相手方に対して贈与したものとして取り扱うことに留意する。（基通2－1－38）
　　　注1　「不利な状況にある」とは、例えば有価証券をオプション対象物としたプット・オプションを買い建てている場合において、オプション対象物である有価証券の権利行使を行った日における価格が当該プット・オプションの行使価格を上回っているときをいう。
　　　注2　「損失の額に相当する金額」とは、当該相対オプション取引に係る権利行使価格とオプション対象物の権利行使を行った日における価格との差額に相当する金額をいう。

　　　　　　（共同的施設の設置又は改良のために支出する費用）
（3）　第八款の一《繰延資産の意義》の表の**6**のイに掲げる「自己が便益を受ける共同的施設の設置又は改良のために支出する費用」とは、法人がその所属する協会、組合、商店街等の行う共同的施設の建設又は改良に要する費用の負担金をいう。この場合において、共同的施設の相当部分が貸室に供される等協会等の本来の用以外の用に供されているときは、その部分に係る負担金は、協会等に対する寄附金となることに留意する。（基通8－1－4）

　　　　　　（転籍者に対する退職給与）
（4）　転籍した使用人（以下「転籍者」という。）に係る退職給与につき転籍前の法人における在職年数を通算して支給することとしている場合において、転籍前の法人及び転籍後の法人がその転籍者に対して支給した退職給与の額（相手方である法人を経て支給した金額を含む。）については、それぞれの法人における退職給与とする。ただし、転籍前の法人及び転籍後の法人が支給した退職給与の額のうちにこれらの法人の他の使用人に対する退職給与の支給状況、それぞれの法人における在職期間等からみて明らかに相手方である法人の支給すべき退職給与の額の全部又は一部を負担したと認められるものがあるときは、その負担したと認められる部分の金額は、相手方である法人に贈与したものとする。（基通9－2－52）

　　　　　　（子会社等を整理する場合の損失負担等）
（5）　法人がその子会社等の解散、経営権の譲渡等に伴い当該子会社等のために債務の引受けその他の損失負担又は債権放棄等（以下(5)において「損失負担等」という。）をした場合において、その損失負担等をしなければ今後より大きな損失を蒙ることになることが社会通念上明らかであると認められるためやむを得ずその損失負担等をするに至った等そのことについて相当な理由があると認められるときは、その損失負担等により供与する経済的利益の額は、寄

(子会社等を再建する場合の無利息貸付け等)
(6)　法人がその子会社等に対して金銭の無償若しくは通常の利率よりも低い利率での貸付け又は債権放棄等(以下(6)において「無利息貸付け等」という。)をした場合において、その無利息貸付け等が例えば業績不振の子会社等の倒産を防止するためにやむを得ず行われるもので合理的な再建計画に基づくものである等その無利息貸付け等をしたことについて相当な理由があると認められるときは、その無利息貸付け等により供与する経済的利益の額は、寄附金の額に該当しないものとする。(基通9－4－2)
　　注　合理的な再建計画かどうかについては、支援額の合理性、支援者による再建管理の有無、支援者の範囲の相当性及び支援割合の合理性等について、個々の事例に応じ、総合的に判断するのであるが、例えば、利害の対立する複数の支援者の合意により策定されたものと認められる再建計画は、原則として、合理的なものと取り扱う。

　　　(個人の負担すべき寄附金)
(7)　法人が損金として支出した寄附金で、その法人の役員等が個人として負担すべきものと認められるものは、その負担すべき者に対する給与とする。(基通9－4－2の2)

　　　(災害の場合の取引先に対する売掛債権の免除等)
(8)　法人が、災害を受けた得意先等の取引先(以下(9)までにおいて「取引先」という。)に対してその復旧を支援することを目的として災害発生後相当の期間(災害を受けた取引先が通常の営業活動を再開するための復旧過程にある期間をいう。以下(9)において同じ。)内に売掛金、未収請負金、貸付金その他これらに準ずる債権の全部又は一部を免除した場合には、その免除したことによる損失の額は、寄附金の額に該当しないものとする。
　既に契約で定められたリース料、貸付利息、割賦販売に係る賦払金等で災害発生後に授受するものの全部又は一部の免除を行うなど契約で定められた従前の取引条件を変更する場合及び災害発生後に新たに行う取引につき従前の取引条件を変更する場合も、同様とする。(基通9－4－6の2)
　　注1　「得意先等の取引先」には、得意先、仕入先、下請工場、特約店、代理店等のほか、商社等を通じた取引であっても価格交渉等を直接行っている場合の商品納入先など、実質的な取引関係にあると認められる者が含まれる。
　　注2　本文の取扱いは、新型インフルエンザ等対策特別措置法の規定の適用を受ける同法第2条第1号《定義》に規定する新型インフルエンザ等が発生し、入国制限又は外出自粛の要請など自己の責めに帰すことのできない事情が生じたことにより、売上の減少等に伴い資金繰りが困難となった取引先に対する支援として行う債権の免除又は取引条件の変更についても、同様とする。

　　　(災害の場合の取引先に対する低利又は無利息による融資)
(9)　法人が、災害を受けた取引先に対して低利又は無利息による融資をした場合において、当該融資が取引先の復旧を支援することを目的として災害発生後相当の期間内に行われたものであるときは、当該融資は正常な取引条件に従って行われたものとする。(基通9－4－6の3)
　　注　本文の取扱いは、(8)の注2の取引先に対する支援として行う低利又は無利息による融資についても、同様とする。

　　　(自社製品等の被災者に対する提供)
(10)　法人が不特定又は多数の被災者を救援するために緊急に行う自社製品等の提供に要する費用の額は、寄附金の額に該当しないものとする。(基通9－4－6の4)

　　　(優先出資を発行する協同組織金融機関の資本金の額及び資本準備金の額)
(11)　優先出資(協同組織金融機関の優先出資に関する法律第2章《優先出資の発行》の規定に基づき発行される有価証券をいう。)を発行する同法第2条第1項《定義》に規定する協同組織金融機関に係る一及び三の2に掲げる「資本金の額及び資本準備金の額の合計額若しくは出資金の額」については、当該協同組織金融機関の出資金の額によるのではなく、協同組織金融機関の優先出資に関する法律第42条《資本金及び資本準備金》の規定による資本金の額及び資本準備金の額の合計額によるのであるから留意する。(基通9－4－6の5)

(寄附金と交際費等との区分)
(12) 事業に直接関係のない者に対して金銭、物品等の贈与をした場合において、それが寄附金であるか交際費等であるかは個々の実態により判定すべきであるが、金銭でした贈与は原則として寄附金とするものとし、次のようなものは交際費等に含まれないものとする。(措通61の4(1)-2)
(一) 社会事業団体、政治団体に対する拠金
(二) 神社の祭礼等の寄贈金

(寄附金に係る時価)
(13) **1**及び**2**《低廉譲渡等による寄附金》に掲げる「資産のその贈与の時における価額」又は「資産のその譲渡の時における価額」とは、消費税等の経理処理に関して当該資産につき法人が適用している税抜経理方式又は税込経理方式に応じ、その適用している方式による価額をいい、「経済的な利益のその供与の時における価額」については、当該法人が売上げ等の収益に係る取引につき適用している方式に応じ、その適用している方式による価額をいうものとする。(平元直法2-1「11」)

2 低廉譲渡等による寄附金

内国法人が資産の譲渡又は経済的な利益の供与をした場合において、その譲渡又は供与の対価の額が当該資産のその譲渡の時における価額又は当該経済的な利益のその供与の時における価額に比して低いときは、当該対価の額と当該価額との差額のうち実質的に贈与又は無償の供与をしたと認められる金額は、**1**に掲げる寄附金の額に含まれるものとする。(法37⑧)

(低廉譲渡等)
公益法人等又は人格のない社団等が通常の対価の額に満たない対価による資産の譲渡又は役務の提供を行った場合においても、その資産の譲渡等が当該公益法人等又は人格のない社団等の本来の目的たる事業の範囲内で行われるものである限り、その資産の譲渡等については**2**の適用はないものとする。(基通15-2-9)

3 未払寄附金

寄附金の支出は、各事業年度の所得の金額の計算については、その支払がされるまでの間、なかったものとする。(令78)

(手形で支払った寄附金)
3に掲げる「支払」とは、法人がその寄附金を現実に支払ったことをいうのであるから、当該寄附金の支払のための手形の振出し(裏書譲渡を含む。)は、現実の支払には該当しないことに留意する。(基通9-4-2の4)
注 寄附金は、現実にその支払が行われた事業年度において限度額計算の対象とする。(編者)

4 公益法人等のみなし寄附金

公益法人等(第二章第一節の**二**《定義》の**別表第二**《公益法人等の表》に掲げる一般社団法人、一般財団法人及び労働者協同組合を除く。)がその収益事業に属する資産のうちからその収益事業以外の事業のために支出した金額(公益社団法人又は公益財団法人にあっては、その収益事業に属する資産のうちからその収益事業以外の事業で公益に関する事業として(2)に掲げる事業に該当するもののために支出した金額)は、その収益事業に係る寄附金の額とみなして、**一**を適用する。ただし、事実を隠蔽し、又は仮装して経理をすることにより支出した金額については、この限りでない。(法37⑥)

(特別の法律により設立された法人における寄附金の特例の適用)
(1) 次の表の「法人」欄に掲げる法人は、法人税法その他法人税に関する法令の規定の適用については、公益法人等とみなされるが、**4**を適用する場合には、**4**の本文中「公益法人等(」とあるのは、次の表の「法人」欄に掲げる法人の区分に応じ、それぞれ同表の「読替え」欄に掲げる字句とする。(編者)

	法　　人	読　替　え	根拠条文
(一)	地方自治法第260条の2第7項《地縁による団体》に規定する認可地縁団体	公益法人等(認可地縁団体並びに	同法260の2⑯
(二)	建物の区分所有等に関する法律第47条第2項《成立等》に規定する管理組合法人及び同法第66条の規定により読み替えられた同項に規定する団地管理組合法人	公益法人等(管理組合法人及び団地管理組合法人並びに	同法47⑬

（三）	政党交付金の交付を受ける政党等に対する法人格の付与に関する法律第7条の2第1項《変更の登記》に規定する法人である政党等	公益法人等（法人である政党等並びに	同法13①
（四）	密集市街地における防災街区の整備の促進に関する法律第133条第1項《法人格》に規定する防災街区整備事業組合	公益法人等（防災街区整備事業組合並びに	同法164の2①
（五）	特定非営利活動促進法第2条第2項《定義》に規定する特定非営利活動法人	公益法人等（特定非営利活動法人並びに	同法70①
（六）	マンションの建替え等の円滑化に関する法律第5条第1項《マンション建替事業の施行》に規定するマンション建替組合、同法第116条《マンション敷地売却事業の実施》に規定するマンション敷地売却組合及び同法第164条《敷地分割事業の実施》に規定する敷地分割組合	公益法人等（マンション建替組合、マンション敷地売却組合及び敷地分割組合並びに	同法44① 同法139① 同法188①

（公益社団法人又は公益財団法人の寄附金の額とみなされる金額に係る事業）
（2） 4に掲げる公益に関する事業は、公益社団法人又は公益財団法人が行う**公益目的事業**（公益社団法人及び公益財団法人の認定等に関する法律第2条第4号《定義》に規定する公益目的事業をいう。以下（7）までにおいて同じ。）とする。（令77の3）

（公益社団法人又は公益財団法人の寄附金の損金算入限度額）
（3） 公益社団法人又は公益財団法人の各事業年度において4によりその収益事業に係る4に掲げる寄附金の額とみなされる金額（以下「みなし寄附金額」という。）がある場合において、当該事業年度のその公益目的事業の実施のために必要な金額として（4）に掲げる金額（当該金額が当該みなし寄附金額を超える場合には、当該みなし寄附金額に相当する金額。以下4において「**公益法人特別限度額**」という。）が一《寄附金の損金不算入》の表の3の右欄の表の①に掲げる金額を超えるときは、当該事業年度の同表の①に掲げる金額は、同表の①にかかわらず、当該公益法人特別限度額に相当する金額とする。（令73の2①）
　　注　（3）の場合において、法人が公益社団法人又は公益財団法人に該当するかどうかの判定は、各事業年度終了の時の現況による。（令73の2③）

（公益目的事業の実施のために必要な金額）
（4） （3）に掲げる公益法人特別限度額は、次の表の（一）に掲げる金額から同表の（二）に掲げる金額を控除した金額とする。（規22の5①）

	次に掲げる金額の合計額	
（一）	イ	当該事業年度の公益目的事業に係る経常費用の額から、当該経常費用の額に含まれる公益目的保有財産（公益社団法人及び公益財団法人の認定等に関する法律施行規則〔以下（7）までにおいて「公益認定法規則」という。〕第26条第3号《公益目的事業を行うことにより取得し、又は公益目的事業を行うために保有していると認められる財産》に規定する公益目的保有財産をいう。（二）のニにおいて同じ。）の償却費の額を控除した金額
	ロ	公益認定法規則第18条第1項《特定費用準備資金》の規定により当該事業年度の公益目的事業比率（公益社団法人及び公益財団法人の認定等に関する法律第15条《公益目的事業比率》に規定する公益目的事業比率をいう。以下（7）までにおいて同じ。）の計算上公益目的事業に係る費用額（公益認定法規則第13条第2項《費用額の算定》に規定する費用額をいう。以下（7）までにおいて同じ。）に算入される金額（当該金額が特定費用準備資金当期積立基準額を超える場合には、その超える部分の金額を控除した金額。ロにおいて「算入額」という。）に相当する金額（公益目的事業に係る公益認定法規則第18条第1項に規定する特定費用準備資金〔以下（4）及び（5）において「特定費用準備資金」という。〕を2以上有する場合には、特定費用準備資金ごとの算入額に相当する金額の合計額）
	ハ	当該事業年度終了の時における資産取得資金（公益認定法規則第22条第3項第3号《遊休財産額》に掲げる資金をいう。以下（4）及び（6）において同じ。）の額（同条第3項第1号に掲げる財産に係る部分

		の額に限る。以下（7）までにおいて「公益資産取得資金の額」という。）が当該事業年度の前事業年度終了の時における当該公益資産取得資金の額を超える場合におけるその超える部分の金額（当該金額が公益資産取得資金当期積立基準額を超える場合には、その超える部分の金額を控除した金額。ハにおいて「増加額」という。）に相当する金額（資産取得資金を2以上有する場合には、資産取得資金ごとの増加額に相当する金額の合計額）
	ニ	当該事業年度に取得した公益社団法人及び公益財団法人の認定等に関する法律第18条第5号及び第6号《公益目的事業財産》に掲げる財産並びに公益認定法規則第26条第6号に掲げる財産の取得価額並びに当該事業年度に同法第18条第7号に規定する方法により公益目的事業の用に供するものである旨を表示した同号及び公益認定法規則第26条第7号に掲げる財産のその表示した額の合計額
（二）		次に掲げる金額の合計額に公益目的事業以外の事業（収益事業を除く。）から公益目的事業に繰り入れた金額を加算した金額
	イ	当該事業年度の公益目的事業に係る経常収益の額
	ロ	公益認定法規則第18条第2項の規定により当該事業年度の公益目的事業比率の計算上公益目的事業に係る費用額から控除される金額（ロにおいて「控除額」という。）に相当する金額（公益目的事業に係る特定費用準備資金を2以上有する場合には、特定費用準備資金ごとの控除額に相当する金額の合計額）
	ハ	当該事業年度の前事業年度終了の時における公益資産取得資金の額が当該事業年度終了の時における当該公益資産取得資金の額を超える場合におけるその超える部分の金額（ハにおいて「減少額」という。）に相当する金額（資産取得資金を2以上有する場合には、資産取得資金ごとの減少額に相当する金額の合計額）
	ニ	当該事業年度において公益目的保有財産を処分した場合におけるその処分に係る公益認定法規則第26条第4号の額及び当該事業年度において公益目的保有財産を公益目的保有財産以外の財産とした場合におけるその財産に係る同条第5号の額の合計額

（特定費用準備資金当期積立基準額の意義）

（5） （4）の表の（一）のロに掲げる特定費用準備資金当期積立基準額とは、次の表の（一）に掲げる金額から同表の（二）に掲げる金額を控除した金額を当該事業年度開始の日から当該特定費用準備資金を積み立てることとされた期間の末日までの期間の月数で除し、これに当該事業年度の月数（当該事業年度が当該末日の属する事業年度である場合には、当該事業年度開始の日から当該末日までの期間の月数）を乗じて計算した金額をいう。（規22の5②）

（一）	当該事業年度終了の時における当該特定費用準備資金（公益目的事業に係るものに限る。）に係る公益認定法規則第18条第1項第1号に規定する積立限度額
（二）	当該特定費用準備資金につき、公益認定法規則第18条第1項の規定により当該事業年度前の各事業年度の公益目的事業比率の計算上公益目的事業に係る費用額に算入された金額の合計額（同条第2項の規定により当該事業年度前の各事業年度の公益目的事業比率の計算上当該公益目的事業に係る費用額から控除された金額がある場合には、当該控除された金額の合計額を控除した金額）

注　（5）の月数は、暦に従って計算し、1か月に満たない端数を生じたときは、これを1か月とする。（規22の5④）

（公益資産取得資金当期積立基準額の意義）

（6） （4）の表の（一）のハに掲げる公益資産取得資金当期積立基準額とは、次の表の（一）に掲げる金額から同表の（二）に掲げる金額を控除した金額を当該事業年度開始の日から当該資産取得資金を積み立てることとされた期間の末日までの期間の月数で除し、これに当該事業年度の月数（当該事業年度が当該末日の属する事業年度である場合には、当該事業年度開始の日から当該末日までの期間の月数）を乗じて計算した金額をいう。（規22の5③）

（一）	当該事業年度終了の時における当該資産取得資金に係る公益認定法規則第22条第3項第3号に規定する最低額のうち、同項第1号に掲げる財産に係る部分の額
（二）	当該事業年度の前事業年度終了の時における当該公益資産取得資金の額

注　（6）の月数は、暦に従って計算し、1か月に満たない端数を生じたときは、これを1か月とする。（規22の5④）

　　　（公益社団法人等が他の公益社団法人等と合併した場合の取扱い）
（7）　（3）の公益社団法人又は公益財団法人（以下（7）において「適用法人」という。）が当該事業年度において他の公益社団法人又は公益財団法人（以下（7）において「他の公益法人」という。）を被合併法人とする合併を行った場合には、公益認定法規則第18条第1項の規定により当該他の公益法人の当該合併の日の前日の属する事業年度以前の各事業年度の公益目的事業比率の計算上公益目的事業に係る費用額に算入された金額若しくは同条第2項の規定により当該他の公益法人の同日の属する事業年度以前の各事業年度の公益目的事業比率の計算上公益目的事業に係る費用額から控除された金額又は当該他の公益法人の同日の属する事業年度終了の時における公益資産取得資金の額は、それぞれ当該適用法人の当該事業年度前の各事業年度の公益目的事業比率の計算上公益目的事業に係る費用額に算入された金額若しくは当該適用法人の当該事業年度前の各事業年度の公益目的事業比率の計算上公益目的事業に係る費用額から控除された金額又は当該適用法人の当該事業年度の前事業年度終了の時における公益資産取得資金の額とみなして、（4）から（6）までを適用する。（規22の5⑤）

　　　（明細書の添付）
（8）　（3）は、確定申告書、修正申告書又は更正請求書に（4）に掲げる金額及びその計算に関する明細を記載した書類の添付がある場合に限り、適用する。（令73の2②）

　　　（公益法人等のみなし寄附金）
（9）　公益法人等（非営利型法人及び一《寄附金の損金不算入》の表の**2**の左欄の③から⑧までに掲げる法人を除く。）が収益事業に属する金銭その他の資産につき収益事業以外の事業に属するものとして区分経理をした場合においても、その一方において収益事業以外の事業から収益事業へその金銭等の額に見合う金額に相当する元入れがあったものとして経理するなど実質的に収益事業から収益事業以外の事業への金銭等の支出がなかったと認められるときは、当該区分経理をした金額については**4**の適用がないものとする。（基通15－2－4）
　　　注　人格のない社団等並びに非営利型法人及び一《寄附金の損金不算入》の表の**2**の左欄の③から⑧までに掲げる法人が収益事業に属する資産につき収益事業以外の事業に属するものとして区分経理をした場合においても、その区分経理をした金額については、**4**の適用はないことに留意する。

　　　（収益事業の所得の運用）
（10）　公益法人等又は人格のない社団等が、収益事業から生じた所得を預金、有価証券等に運用する場合においても、当該預金、有価証券等のうち当該収益事業の運営のために通常必要と認められる金額に見合うもの以外のものにつき収益事業以外の事業に属する資産として区分経理をしたときは、その区分経理に係る資産を運用する行為は、収益事業に付随して行われる行為に含めないことができる。（基通15－1－7参照）
　　　注　この場合、公益法人等（人格のない社団等並びに非営利型法人及び法人税法以外の法律によって公益法人等とみなされている法人〔一の表の**2**の左欄の③から⑧までに掲げる法人をいう。〕を除く。）のその区分経理をした金額については、**4**の適用がある。

5　特定公益信託の信託財産とするために支出した金銭のみなし寄附金

注1　**5**は、令和6年度改正により廃止されたもので、改正規定は、公益信託に関する法律（令和6年法律第30号）の施行の日から適用され、同日前に効力が生じた公益信託に関する法律による改正前の公益信託ニ関スル法律第一条に規定する公益信託（移行認可を受けたものを除く。）については、注2に定めるものを除き、**5**はなお適用がある。（令6改法附7、1Ⅸロ、令6改令附1Ⅲ）
　　なお、同法の施行期日を定める政令は、令和6年7月1日現在制定されていない。（編者）
注2　法人（人格のない社団等を含む）が、（1）《特定公益信託の意義》に掲げる特定公益信託（移行認可を受けたものを除く。）の信託財産とするために支出する金銭の額については、**5**はなお適用がある。（令6改法附8、1Ⅸロ、令6改令附4、1Ⅲ）

　内国法人が**特定公益信託**の信託財産とするために支出した金銭の額は、寄附金の額とみなして一《寄附金の損金不算入》、**三の2**《特定公益増進法人等に対する寄附金の損金算入の特例》及び**三の4**《特例の適用を受けるための申告記載等》を適用する。（法37旧⑥）

　　　（特定公益信託の意義）
（1）　特定公益信託とは、公益信託ニ関スル法律第1条《公益信託》に規定する公益信託で信託の終了の時における信託財産がその信託財産に係る信託の委託者に帰属しないこと及びその信託事務の実施につき次に掲げる事項が信託行為において明らかであり、かつ、受託者が信託会社（金融機関の信託業務の兼営等に関する法律により同法第1条第1項《兼営の認可》に規定する信託業務を営む同項に規定する金融機関を含む。）であることについて当該公益信託に

係る主務大臣（当該公益信託が(2)《認定特定公益信託の意義》の(二)に掲げるものを目的とする公益信託である場合を除き、公益信託ニ関スル法律第11条《主務官庁の権限に属する事務の処理》その他の法令の規定により当該公益信託に係る主務官庁の権限に属する事務を行うこととされた都道府県の知事その他の執行機関を含む。以下 **5** において同じ。）の証明を受けたものをいう。

なお、当該公益信託に係る<u>主務大臣（当該特定公益信託が(2)の(二)に掲げるものをその目的とする公益信託である場合を除き、当該特定公益信託に係る主務官庁の権限に属する事務を行うこととされた都道府県の知事その他の執行機関を含む。）</u>は、上記の証明をしようとするとき（当該証明がされた公益信託の次の表の(一)から(八)までに掲げる事項に関する信託の変更を当該公益信託の主務官庁が命じ、又は許可するときを含む。以下(2)において同じ。）は、財務大臣に協議しなければならない。（法37旧⑥、旧令77の4①②④、規23の4①）

(一)	当該公益信託の終了（信託の併合による終了を除く。(二)において同じ。）の場合において、その信託財産が国若しくは地方公共団体に帰属し、又は当該公益信託が類似の目的のための公益信託として継続するものであること。
(二)	当該公益信託は、合意による終了ができないものであること。
(三)	当該公益信託の受託者がその信託財産として受け入れる資産は、金銭に限られるものであること。
(四)	当該公益信託の信託財産の運用は、次に掲げる方法に限られるものであること。 　イ　預金又は貯金 　ロ　国債、地方債、特別の法律により法人の発行する債券又は貸付信託（所得税法第2条第1項第12号《定義》に規定する貸付信託をいう。以下同じ。）の受益権の取得 　ハ　合同運用信託の信託（貸付信託の受益権の取得を除く。）
(五)	当該公益信託につき信託管理人が指定されるものであること。
(六)	当該公益信託の受託者がその信託財産の処分を行う場合には、当該受託者は、当該公益信託の目的に関し学識経験を有する者の意見を聴かなければならないものであること。
(七)	当該公益信託の信託管理人及び(六)に掲げる学識経験を有する者に対してその信託財産から支払われる報酬の額は、その任務の遂行のために通常必要な費用の額を超えないものであること。
(八)	当該公益信託の受託者がその信託財産から受ける報酬の額は、当該公益信託の信託事務の処理に要する経費として通常必要な額を超えないものであること。

注1　──線部分は、令和6年度改正により改正された部分で、改正規定は、公益信託に関する法律（令和6年法律第30号）の施行の日から適用され、同日前の適用については、「主務大臣（当該特定公益信託が(2)の(二)に掲げるものをその目的とする公益信託である場合を除き、当該特定公益信託に係る主務官庁の権限に属する事務を行うこととされた都道府県の知事その他の執行機関を含む。）」とあるのは「主務大臣」とする。（令6改令附4、1Ⅲ）

　　　なお、同法の施行期日を定める政令は、令和6年7月1日現在制定されていない。（編者）

注2　本文括弧書により都道府県が処理することとされている事務は、地方自治法第2条第9項第1号《法定受託事務》に規定する第1号法定受託事務とする。（法37旧⑥、旧令77の4⑥）

（認定特定公益信託の意義）

（2）　三の2《特定公益増進法人等に対する寄附金の損金算入の特例》に掲げる認定特定公益信託とは、(1)に掲げる特定公益信託のうち、その目的が教育又は科学の振興、文化の向上、社会福祉への貢献その他公益の増進に著しく寄与するものとして次に掲げるものの一又は二以上のものをその目的とする特定公益信託で、その目的に関し相当と認められる業績が持続できることにつき当該特定公益信託に係る<u>主務大臣（当該特定公益信託が(二)に掲げるものをその目的とする公益信託である場合を除き、当該特定公益信託に係る主務官庁の権限に属する事務を行うこととされた都道府県の知事その他の執行機関を含む。以下(2)において同じ。）</u>の認定を受けたもの（その認定を受けた日の翌日から5年を経過していないものに限る。）をいう。

なお、当該特定公益信託に係る主務大臣は、上記の認定をしようとするときは、財務大臣に協議しなければならない。（法37旧⑥、旧令77の4③④⑥、規23の4②）

（一）　科学技術（自然科学に係るものに限る。）に関する試験研究を行う者に対する助成金の支給
（二）　人文科学の諸領域について、優れた研究を行う者に対する助成金の支給
（三）　学校教育法第1条《定義》に規定する学校における教育に対する助成
（四）　学生又は生徒に対する学資の支給又は貸与

(五) 芸術の普及向上に関する業務（助成金の支給に限る。）を行うこと。
(六) 文化財保護法第2条第1項《定義》に規定する文化財の保存及び活用に関する業務（助成金の支給に限る。）を行うこと。
(七) 開発途上にある海外の地域に対する経済協力（技術協力を含む。）に資する資金の贈与
(八) 自然環境の保全のため野性動植物の保護繁殖に関する業務を行うことを主たる目的とする法人で当該業務に関し国又は地方公共団体の委託を受けているもの（これに準ずるものとして当該業務を行うことを主たる目的とする法人で次のイからハに掲げるものを含む。）に対する助成金の支給
　イ　その構成員に国若しくは地方公共団体又は公益社団法人若しくは公益財団法人が含まれているもの
　ロ　国又は地方公共団体が拠出をしているもの（イに掲げる法人を除く。）
　ハ　イ又はロに掲げる法人に類するものとして環境大臣が認めたもの
(九) すぐれた自然環境の保全のためその自然環境の保存及び活用に関する業務（助成金の支給に限る。）を行うこと。
(十) 国土の緑化事業の推進（助成金の支給に限る。）
(十一) 社会福祉を目的とする事業に対する助成
(十二) 就学前の子どもに関する教育、保育等の総合的な提供の推進に関する法律第2条第7項《定義》に規定する幼保連携型認定こども園における教育及び保育に対する助成

　注　――線部分は、令和6年度改正により改正された部分で、改正規定は、公益信託に関する法律（令和6年法律第30号）の施行の日から適用され、同日前の適用については、「主務大臣（当該特定公益信託が(二)に掲げるものをその目的とする公益信託である場合を除き、当該特定公益信託に係る主務官庁の権限に属する事務を行うこととされた都道府県の知事その他の執行機関を含む。以下(2)において同じ。）」とあるのは「主務大臣」とする。（令6改令附4、1Ⅲ）
　　なお、同法の施行期日を定める政令は、令和6年7月1日現在制定されていない。（編者）

（特定公益信託の信託財産とするために支出した金銭の損金算入の申告）

(3)　**5**により**一**《寄附金の損金不算入》の適用を受けようとする内国法人は、確定申告書に特定公益信託の信託財産とするために支出した金銭の明細書《別表十四(二)》及び当該特定公益信託の(1)に掲げる証明に係る書類の写しを添付しなければならない。（法37旧⑥、旧令77の4⑤）

五　認定特定非営利活動法人に対する寄附金の損金算入の特例等

　五《認定特定非営利活動法人に対する寄附金の損金算入の特例等》は、特定非営利活動促進法の一部を改正する法律（平成23年法律第70号）により改正された認定特定非営利活動法人における課税に係る主要なものを掲載している。

1　認定特定非営利活動法人等に対して寄附金を支出した場合の損金算入の特例等

　法人（**2**の適用を受ける法人を除く。）が各事業年度において支出した寄附金の額のうちに**認定特定非営利活動法人等**（特定非営利活動促進法第2条第3項《定義》に規定する認定特定非営利活動法人及び同条第4項に規定する特例認定特定非営利活動法人をいう。以下**1**において同じ。）に対する当該認定特定非営利活動法人等の行う**特定非営利活動**（特定非営利活動促進法第2条第1項に規定する特定非営利活動をいう。以下**1**において同じ。）に係る事業に関連する寄附金の額がある場合におけるこの款の適用については、**三**の**2**《特定公益増進法人等に対する寄附金の損金算入の特例》中「）の額があるときは、当該寄附金」とあるのは、「以下**2**において同じ。）及び認定特定非営利活動法人等（**五**の**1**に掲げる認定特定非営利活動法人等をいう。）に対する当該認定特定非営利活動法人等の行う同**1**に掲げる特定非営利活動に係る事業に関連する寄附金の額があるときは、これらの寄附金」とする。（措法66の11の3②）

　　　（特例の適用を受けるための申告記載等）
　　　法人が認定特定非営利活動法人等に対して寄附金を支出した場合における**三**の**4**《特例の適用を受けるための申告記載等》に掲げる書類は、当該寄附金が当該認定特定非営利活動法人等の行う特定非営利活動に係る事業に関連する寄附金である旨の当該認定特定非営利活動法人等が証する書類とする。（措規22の12）

2　認定特定非営利活動法人等のみなし寄附金

　その事業年度終了の日において特定非営利活動促進法第2条第3項《定義》に規定する認定特定非営利活動法人である法人がその収益事業に属する資産のうちからその収益事業以外の事業で特定非営利活動に係る事業に該当するもののために支出した金額がある場合における同法第70条第1項《税法上の特例》の規定により読み替えて適用するこの款の適用については、**一**《寄附金の損金不算入》の表の**3**の右欄中「又は医療法」とあるのは「医療法」と、「規定する社会医療法人」とあるのは「規定する社会医療法人又は認定特定非営利活動法人（**五**の**2**《認定特定非営利活動法人等のみなし寄附金》に掲げる認定特定非営利活動法人をいう。**三**の**2**、**三**の**3**及び**四**の**4**において同じ。）」と、**三**の**2**ただし書き中「公益法人等が」とあるのは「公益法人等又は認定特定非営利活動法人が」と、**三**の**3**ただし書き中「公益法人等が」とあるのは「公益法人等又は認定特定非営利活動法人が」と、**四**の**4**《公益法人等のみなし寄附金》中「公益法人等（第二章第一節の**二**《定義》の**別表第二**《公益法人等の表》に掲げる一般社団法人及び一般財団法人を除く。）が」とあるのは、「公益法人等（第二章第一節の**二**《定義》の**別表第二**《公益法人等の表》に掲げる一般社団法人及び一般財団法人を除く。）又は認定特定非営利活動法人が」と、「にあっては、」とあるのは「にあっては」と、「金額）」とあるのは「金額とし、認定特定非営利活動法人にあってはその収益事業に属する資産のうちからその収益事業以外の事業で**五**の**1**に掲げる特定認定非営利活動に係る事業に該当するもののために支出した金額とする。）」とする。（措法66の11の3①⑤、措令39の23①）

　　注―――線部分は、令和6年度改正により追加された部分で、改正規定は、公益信託に関する法律（令和6年法律第30号）の施行の日から適用される。（令6改法附1Ⅸ）
　　　　なお、同法の施行期日を定める政令は、令和6年7月1日現在制定されていない。（編者）

3　認定特定非営利活動法人等の認定が取り消された場合の取扱い

　特定非営利活動促進法第44条第1項《認定》の認定を受けた法人がその認定を取り消された場合には、当該法人が特定非営利活動促進法第67条第4項《認定又は特例認定の取消し》において準用する同法第49条第1項《認定の通知等》の規定による通知において示された同法第44条第1項《認定》の認定の取消しの原因となった事実があった日を含む事業年度からその取消しの日を含む事業年度の前事業年度までの各事業年度（その取消しの日を含む事業年度終了の日前7年以内に終了した各事業年度に限る。以下**3**において同じ。）においてその収益事業に属する資産のうちからその収益事業以外の事業で特定非営利活動に係る事業に該当するもののために支出した金額で当該各事業年度の所得の金額の計算上損金の額に算入された金額に相当する金額の合計額は、当該法人のその取消しの日を含む事業年度において行う収益事業から生じた収益の額とみなす。（措法66の11の3③⑤、措令39の23②）

　　　（収益事業開始のみなし規定）
（1）　**3**の場合において、法人がその取消しの日に収益事業を行っていないものであるときは、当該法人は、その取消しの日において新たに収益事業を開始したものとみなす。この場合において、その取消しの日を含む事業年度について

は、第二節第一款の一の1の②の(1)《事業年度が1年に満たない法人の年800万円以下の所得金額》は、適用しない。
（措法66の11の3④）

第十三款　交際費等の損金不算入

一　交際費等の損金不算入

①　交際費等の損金不算入（適用期限の延長）

　法人が平成26年4月1日から令和9年3月31日までの間に開始する各事業年度（以下第十三款において「適用年度」という。）において支出する交際費等の額（当該適用年度終了の日における資本金の額又は出資金の額〔資本又は出資を有しない法人、公益法人等及び人格のない社団等にあっては、（1）《資本金の額又は出資金の額に準ずる金額の計算》に掲げる金額。以下①及び②において同じ。〕が100億円以下である法人（通算法人の当該適用年度終了の日において当該通算法人との間に通算完全支配関係がある他の通算法人のうちいずれかの法人の同日における資本金の額又は出資金の額が100億円を超える場合における当該通算法人を除く。）については、当該交際費等の額のうち接待飲食費の額の$\frac{50}{100}$に相当する金額を超える部分の金額）は、当該適用年度の所得の金額の計算上、損金の額に算入しない。（措法61の4①）

（資本金の額又は出資金の額に準ずる金額の計算）
（1）　資本又は出資を有しない法人、公益法人等及び人格のない社団等の資本又は出資に準ずる金額は、次の表の左欄に掲げる法人の区分に応じ、それぞれ右欄に掲げる金額とする。（措令37の4①）

（一）	資本又は出資を有しない法人（（三）に掲げるものを除く。）	当該適用年度終了の日における貸借対照表（確定した決算に基づくものに限る。以下同じ。）に計上されている総資産の帳簿価額から当該貸借対照表に計上されている総負債の帳簿価額を控除した金額（当該貸借対照表に、当該適用年度に係る利益の額が計上されているときは、その額を控除した金額とし、当該適用年度に係る欠損金の額が計上されているときは、その額を加算した金額とする。）の$\frac{60}{100}$に相当する金額 $\left[\left(\begin{array}{c}\text{期末時の貸借対照表上}\\\text{の総資産の帳簿価額}\end{array}\right) - \left(\begin{array}{c}\text{期末時の貸借対照表上}\\\text{の総負債の帳簿価額}\end{array}\right) - \left(\begin{array}{c}\text{当期の利}\\\text{益の額}\end{array}\right) + \left(\begin{array}{c}\text{当期の欠}\\\text{損金の額}\end{array}\right)\right] \times \frac{60}{100}$
（二）	公益法人等又は人格のない社団等（（三）に掲げるものを除く。）	当該適用年度終了の日における資本金の額又は出資金の額に同日における総資産の価額のうちに占めるその行う収益事業に係る資産の価額の割合を乗じて計算した金額 期末時の資本金の額又は出資金の額 × $\dfrac{\text{期末時の収益事業に係る資産の価額}}{\text{期末時の貸借対照表上の総資産の価額}}$
（三）	資本又は出資を有しない公益法人等又は人格のない社団等	当該適用年度終了の日における貸借対照表につき（一）に準じて計算した金額に同日における総資産の価額のうちに占めるその行う収益事業に係る資産の価額の割合を乗じて計算した金額 上記(一)の金額 × $\dfrac{\text{期末時の収益事業に係る資産の価額}}{\text{期末時の貸借対照表上の総資産の価額}}$

注1　会社法の規定の適用を受ける法人で資本金の額が零のものについては、資本を有しない法人には該当しないことに留意する。（基通1-5-8）
注2　上記の表の（一）に掲げる資本又は出資を有しない法人には、例えば相互会社である生命保険会社や非出資の協同組合等がある。（編者）

（他の通算法人である場合の資本金の額又は出資金の額に準ずる金額）
（2）　①又は②の(2)の表の（二）に掲げる他の通算法人が（1）の表の（一）に掲げる法人である場合における当該他の通算法人に係る①に掲げる金額は、（1）にかかわらず、①又は②の(2)の表の（二）の通算法人の適用年度終了の日以前に最後に終了した当該他の通算法人の事業年度終了の日における貸借対照表（確定した決算に基づくものに限る。）に計上されている総資産の帳簿価額から当該貸借対照表に計上されている総負債の帳簿価額を控除した金額（当該貸借対照表に、当該事業年度に係る利益の額が計上されているときは、その額を控除した金額とし、当該事業年度に係る欠損金の額が計上されているときは、その額を加算した金額とする。）の$\frac{60}{100}$に相当する金額（当該適用年度終了の日以前に終了した当該他の通算法人の事業年度がない場合には、当該他の通算法人の設立の日における貸借対照表に計上されている総資産の帳簿価額から当該貸借対照表に計上されている総負債の帳簿価額を控除した金額の$\frac{60}{100}$に相当する金額）とする。（措令37の4②）

　　　　　　　　　　　第三章　第一節　第十三款《交際費等》

　　　　（交際費等の損金不算入額を計算する場合の資本金の額又は出資金の額等）
（３）　①に掲げる「資本金の額又は出資金の額」は、税務計算上の金額によるのであるから、例えば資本金の額又は出資金の額に税務計算上の払込否認金額がある場合には、当該払込否認金額を控除した金額によることに留意する。（措通61の４(2)-1）

　　　　（交際費等の損金不算入額を計算する場合の総資産の帳簿価額等）
（４）　(1)の表の(一)に掲げる「総資産の帳簿価額」、「総負債の帳簿価額」、「利益の額」又は「欠損金の額」は、当該適用年度終了の日における貸借対照表に計上されているこれらの金額によるのであるから、税務計算上の否認金があっても、当該否認金の額は、これらの額に関係させないことに留意する。（措通61の４(2)-2）

　　　　（総負債の範囲）
（５）　(1)の表の(一)に掲げる「総負債」とは、外部負債たると内部負債たるとを問わないのであるから、貸倒引当金等だけではなく、税務計算上損金の額に算入されないものであっても、法人が損金経理により計上した税金未払金、各種引当金等も含むことに留意する。（措通61の４(2)-3）
　　　注　利益処分によって計上した各種引当金等は総負債には含まれない。（編者）

　　　　（税金引当金の区分）
（６）　(1)の表の(一)に掲げる総負債の額を計算する場合において、当該適用年度終了の日における貸借対照表に計上されている税金引当金の額のうち利益又は剰余金の処分により積み立てられたものと損金経理により積み立てられたものとの区分が明らかでないときは、当該税金引当金の額は、同日に最も近い時において積み立てられたものから順次成るものとして計算し、その計算により損金経理により積み立てられた部分とされる金額を総負債の額に含めるものとする。（措通61の４(2)-4）

　　　　（保険会社の総負債）
（７）　保険会社に係る(1)の表の(一)に掲げる総負債の額には、支払備金、責任準備金及び社員配当準備金の額は含まれるが、価格変動準備金は含まれないものとする。（措通61の４(2)-5）

　　　　（通算法人が１項括弧書適用除外法人又は２項適用除外法人であるかどうかの判定の時期）
（８）　通算法人が①に掲げる「通算法人の……場合における当該通算法人」に該当するかどうかの判定（以下「１項括弧書適用除外法人判定」という。）は、他の通算法人（当該通算法人の適用年度終了の日において当該通算法人との間に通算完全支配関係がある法人に限る。）の同日の現況によるのであるが、通算親法人の事業年度の中途において通算承認の効力を失った通算法人のその効力を失った日の前日に終了する事業年度の１項括弧書適用除外法人判定についても、同様とする。（措通61の４(2)-8）
　　　注　本文の取扱いは、②の表の(二)に掲げる法人に該当するかどうかの判定についても、同様とする。

② **中小法人等の交際費等の損金不算入の特例**
　①の場合において、法人（投資信託及び投資法人に関する法律第２条第12項《定義》に規定する投資法人及び資産の流動化に関する法律第２条第３項《定義》に規定する特定目的会社を除く。）のうち当該適用年度終了の日における資本金の額又は出資金の額が１億円以下であるもの（(2)に掲げる法人を除く。）については、①の交際費等の額のうち定額控除限度額（800万円に当該適用年度の月数を乗じてこれを12で除して計算した金額をいう。）を超える部分の金額をもって、①に掲げる超える部分の金額とすることができる。（措法61の４②）

　　　　（月数の計算）
（１）　②の表の(一)に掲げる「当該適用年度の月数」は、暦に従って計算し、１か月に満たない端数を生じたときは、これを１か月とする。（措法61の４④）

　　　　（定額控除限度額不適用法人）
（２）　②に掲げる資本金の額又は出資金の額が１億円以下である法人から除かれる法人は、次の表に掲げる法人に該当するものをいう。（措法61の４②、法66⑤、令139の６）

	普通法人のうち当該適用年度終了の日において次に掲げる法人に該当するもの		
(一)	大法人（次に掲げる法人をいう。以下(一)及び(二)において同じ。）との間に当該大法人による完全支配関係がある普通法人		
	イ	(イ)	資本金の額又は出資金の額が５億円以上である法人
		(ロ)	相互会社（保険業法第２条第10項《定義》に規定する外国相互会社を含む。）
		(ハ)	法人税法第４条の３《受託法人等に関する法人税法の適用》に掲げる受託法人
	ロ	普通法人との間に完全支配関係がある全ての大法人が有する株式及び出資の全部を当該全ての大法人のうちいずれか一の法人が有するものとみなした場合において当該いずれか一の法人と当該普通法人との間に当該いずれか一の法人による完全支配関係があることとなるときの当該普通法人（(一)に掲げる法人を除く。）	
(二)	通算法人の当該適用年度終了の日において当該通算法人との間に通算完全支配関係がある他の通算法人のうちいずれかの法人が次に掲げる法人である場合における当該通算法人		
	イ	当該適用年度終了の日における資本金の額又は出資金の額が１億円を超える法人	
	ロ	(一)に掲げる法人	

注 （２）の月数は、暦に従って計算し、１か月に満たない端数を生じたときは、これを１か月とする。（措法61の４④）

（定額控除限度額の計算に関する明細書の添付）
（３）　②は、確定申告書等、修正申告書又は更正請求書に②に掲げる定額控除限度額の計算に関する明細書の添付がある場合に限り、適用する。（措法61の４⑦）

③　**通算法人の交際費等の損金不算入**

通算法人（通算子法人にあっては、当該通算子法人に係る通算親法人の事業年度終了の日において当該通算親法人との間に通算完全支配関係があるものに限る。）に対する①及び②の適用については、次の表に掲げるところによる。（措法61の４③）

(一)	通算子法人の適用年度は、当該通算子法人に係る通算親法人の適用年度終了の日に終了する当該通算子法人の事業年度とする。	
(二)	②に掲げる定額控除限度額は、800万円に当該適用年度終了の日に終了する当該通算法人に係る通算親法人の事業年度の月数を乗じてこれを12で除して計算した金額（(四)のイにおいて「通算定額控除限度額」という。）に、イに掲げる金額がロに掲げる金額のうちに占める割合を乗じて計算した金額（③において**「通算定額控除限度分配額」**という。）とする。	
	イ	当該通算法人が当該適用年度において支出する交際費等の額
	ロ	当該通算法人が当該適用年度において支出する交際費等の額及び当該適用年度終了の日において当該通算法人との間に通算完全支配関係がある他の通算法人が同日に終了する事業年度において支出する交際費等の額の合計額
(三)	(二)を適用する場合において、(二)のイ及びロの交際費等の額が(二)の通算法人の(二)の適用年度又は(二)のロの他の通算法人の(二)のロに掲げる事業年度（以下③において「通算事業年度」という。）の確定申告書等（期限後申告書を除く。）に添付された書類に当該通算事業年度において支出する交際費等の額として記載された金額（以下(三)及び(五)において「当初申告交際費等の額」という。）と異なるときは、当初申告交際費等の額を(二)のイ及びロの交際費等の額とみなす。	
(四)	通算事業年度のいずれかについて修正申告書の提出又は第二章第三節の一の１《更正、決定、再更正》の表の①若しくは同１の表の③に掲げる更正（(五)において「更正」という。）がされる場合において、次に掲げる場合のいずれかに該当するときは、(二)の通算法人の(二)の適用年度については、(三)は、適用しない。	
	イ	(三)を適用しないものとした場合における(二)のロに掲げる金額が通算定額控除限度額以下である場合

	ロ	第三十五款の一の１の③の（１）《修正申告又は更正がされる場合の適用除外》の適用がある場合
	ハ	同③の（３）《みなし金額の否認》の適用がある場合
（五）	通算事業年度について(四)（ハに係る部分を除く。）を適用して修正申告書の提出又は更正がされた後における(三)の適用については、当該修正申告書又は当該更正に係る第二章第三節の一の１の（３）《更正通知書の記載事項》に掲げる更正通知書に添付された書類に当該通算事業年度において支出する交際費等の額として記載された金額を当初申告交際費等の額とみなす。	

注　③の月数は、暦に従って計算し、１か月に満たない端数を生じたときは、これを１か月とする。（措法61の４④）

（通算定額控除限度分配額の計算に関する明細書の添付）

　③の通算法人の適用年度終了の日において当該通算法人との間に通算完全支配関係がある他の通算法人（以下③において「他の通算法人」という。）の同日に終了する事業年度において支出する交際費等の額がある場合における当該適用年度に係る②は、②の（３）にかかわらず、当該交際費等の額を支出する他の通算法人の全てにつき、それぞれ同日に終了する事業年度の確定申告書等、修正申告書又は更正請求書に通算定額控除限度分配額の計算に関する明細書の添付がある場合で、かつ、当該適用年度の確定申告書等、修正申告書又は更正請求書に通算定額控除限度分配額の計算に関する明細書の添付がある場合に限り、適用する。（措法61の４⑤）

二　交際費等の範囲

交際費等とは、交際費、接待費、機密費その他の費用で、法人が、その得意先、仕入先その他事業に関係のある者等に対する接待、供応、慰安、贈答その他これらに類する行為（二において「**接待等**」という。）のために支出するもの（次の表に掲げる費用のいずれかに該当するものを除く。）をいい、一の①に掲げる接待飲食費とは、同①の交際費等のうち飲食その他これに類する行為のために要する費用（専ら当該法人の第二章第一節の二《定義》の表の**15**に掲げる役員若しくは従業員又はこれらの親族に対する接待等のために支出するものを除く。次の表の（二）において「**飲食費**」という。）であって、その旨につき（1）に掲げるところにより明らかにされているものをいう。（措法61の4⑥、措令37の5①②）

（一）	専ら従業員の慰安のために行われる運動会、演芸会、旅行等のために通常要する費用
（二）	飲食費であって、その支出する金額を基礎として（イ）を（ロ）で除して計算した金額が10,000円以下の費用
	（イ）当該飲食費として支出する金額
	（ロ）当該飲食費に係る飲食等に参加した者の数
（三）	カレンダー、手帳、扇子、うちわ、手拭いその他これらに類する物品を贈与するために通常要する費用
（四）	会議に関連して、茶菓、弁当その他これらに類する飲食物を供与するために通常要する費用
（五）	新聞、雑誌等の出版物又は放送番組を編集するために行われる座談会その他記事の収集のために、又は放送のための取材に通常要する費用

注1　（二）の飲食費の費用については第一款の**七の2**の(12)《交際費等に係る消費税等の額》により、法人が消費税等の経理処理について税抜経理方式又は税込経理方式いずれの方式を採っているかに応じ、その適用している方式により算定した金額が10,000円以下であるかどうかにより判定するものとする。（編者）

注2　──線部分は、令和6年度改正により改正された部分で、改正規定は、令和6年4月1日以後に支出する飲食費について適用され、令和6年3月31日以前に支出した飲食費については、「10,000」とあるのは「5,000」とする。（令6改措令附16、1）

（飲食費であることを明らかにされているもの）

（1）　二に掲げる飲食費であることを明らかにされているものは、二に掲げる飲食費であることにつき第二章第二節の**三の1**の⑧《帳簿書類の整理保存》又は同章第五節の**三の1**の③《保存すべき書類》及び④《帳簿書類の整理保存》により保存される同章第二節の**三の1**の⑧に掲げる帳簿書類又は同章第五節の**三の1**の④に掲げる帳簿及び書類に次表に掲げる事項（（三）に掲げる事項を除く。）が記載されているものとする。（措規21の18の4前段）

（一）	当該飲食費に係る飲食等（飲食その他これに類する行為をいう。以下（1）及び（2）において同じ。）のあった年月日
（二）	当該飲食費に係る飲食等に参加した得意先、仕入先その他事業に関係のある者等の氏名又は名称及びその関係
（三）	当該飲食費に係る飲食等に参加した者の数
（四）	当該飲食費の額並びにその飲食店、料理店等の名称（店舗を有しないことその他の理由により当該名称が明らかでないときは、領収書等に記載された支払先の氏名又は名称）及びその所在地（店舗を有しないことその他の理由により当該所在地が明らかでないときは、領収書等に記載された支払先の住所若しくは居所又は本店若しくは主たる事務所の所在地）
（五）	その他飲食費であることを明らかにするために必要な事項

（証拠書類の保存）

（2）　二の表の（二）は、（1）の表に掲げる事項を記載した書類を保存している場合に限り、適用する。（措法61の4⑧、措規21の18の4後段）

（交際費等の支出の相手方の範囲）

（3）　二に掲げる「得意先、仕入先その他事業に関係のある者等」には、直接当該法人の営む事業に取引関係のある者だけでなく間接に当該法人の利害に関係のある者及び当該法人の役員、従業員、株主等も含むことに留意する。（措通61の4(1)-22）

第三章　第一節　第十三款《交際費等》

　　　　（カレンダー、手帳等に類する物品の範囲）
（４）　二の表の(三)に掲げる「これらに類する物品」とは、多数の者に配付することを目的とし主として広告宣伝的効果を意図する物品でその価額が少額であるものとする。（措通61の４（１）－20）

　　　　（交際費等の意義）
（５）　二に掲げる「交際費等」とは、交際費、接待費、機密費、その他の費用で法人がその得意先、仕入先その他事業に関係ある者等に対する接待、供応、慰安、贈答その他これらに類する行為のために支出するものをいうのであるが、主として次に掲げるような性質を有するものは交際費等には含まれないものとする。（措通61の４（１）－１）
　　（一）　寄　附　金
　　（二）　値引き及び割戻し
　　（三）　広告宣伝費
　　（四）　福利厚生費
　　（五）　給　与　等

　　　　（寄附金と交際費等との区分）
（６）　事業に直接関係のない者に対して金銭、物品等の贈与をした場合において、それが寄附金であるか交際費等であるかは個々の実態により判定すべきであるが、金銭でした贈与は原則として寄附金とするものとし、次のようなものは交際費等に含まれないものとする。（措通61の４（１）－２）
　　（一）　社会事業団体、政治団体に対する拠金
　　（二）　神社の祭礼等の寄贈金

　　　　（売上割戻し等と交際費等との区分）
（７）　法人がその得意先である事業者に対し、売上高若しくは売掛金の回収高に比例して、又は売上高の一定額ごとに金銭で支出する売上割戻しの費用及びこれらの基準のほかに得意先の営業地域の特殊事情、協力度合い等を勘案して金銭で支出する費用は、交際費等に該当しないものとする。（措通61の４（１）－３）
　　注１　「得意先である事業者に対し金銭を支出する」とは、得意先である企業自体に対して金銭を支出することをいうのであるから、その金額は当該事業者の収益に計上されるものである。
　　注２　得意先である事業者において棚卸資産若しくは固定資産として販売し若しくは使用することが明らかな物品（以下「**事業用資産**」という。）又はその購入単価が少額（おおむね3,000円以下）である物品（以下（９）までにおいて「**少額物品**」という。）を交付する場合（その交付の基準が上記の売上割戻し等の算定基準と同一である場合に限る。）におけるこれらの物品を交付するために要する費用についても同様とする。

　　　　（売上割戻し等と同一の基準により物品を交付し又は旅行、観劇等に招待する費用）
（８）　法人がその得意先に対して物品を交付する場合（（７）の注２を除く。以下（８）において同じ。）又は得意先を旅行、観劇等に招待する場合には、たとえその物品の交付又は旅行、観劇等への招待が売上割戻し等と同様の基準で行われるものであっても、その物品の交付のために要する費用又は旅行、観劇等に招待するために要する費用は交際費等に該当するものとする。ただし、物品を交付する場合であっても、その物品が少額物品であり、かつ、その交付の基準が（７）に掲げる売上割戻し等の算定基準と同一であるときは、これらの物品を交付するために要する費用は、交際費等に該当しないものとすることができる。（措通61の４（１）－４）

　　　　（景品引換券付販売等により得意先に対して交付する景品の費用）
（９）　製造業者又は卸売業者が得意先に対しいわゆる景品引換券付販売又は景品付販売により交付する景品については、その景品（引換券により引き換えられるものについては、その引き換えられる物品をいう。）が少額物品であり、かつ、その種類及び金額が当該製造業者又は卸売業者で確認できるものである場合には、その景品の交付のために要する費用は交際費等に該当しないものとすることができる。（措通61の４（１）－５）
　　注　景品引換券付販売に係る景品の交付に要する費用を第十四款の三の１の②《金品引換券付販売に要する費用》の表の**ロ**により未払金に計上している場合においても、当該費用が交際費等に該当するかどうかは、実際に景品を交付した事業年度において（９）を適用して判定することとし、交際費等に該当するものは当該事業年度の交際費等の額に含めて損金不算入額を計算する。

　　　　（売上割戻し等の支払に代えてする旅行、観劇等の費用）
（10）　法人が、その得意先に対して支出する（７）に該当する売上割戻し等の費用であっても、一定額に達するまでは現

第三章　第一節　第十三款《交際費等》

実に支払をしないで預り金等として積み立て、一定額に達した場合に、その積立額によりその得意先を旅行、観劇等に招待することとしているときは、その預り金等として積み立てた金額は、その積み立てた日を含む事業年度の所得の金額の計算上損金の額に算入しないで、旅行、観劇等に招待した日を含む事業年度において交際費等として支出したものとする。（措通61の4（1）－6）

　　注　この場合に、たまたまその旅行、観劇等に参加しなかった得意先に対し、その預り金等として積み立てた金額の全部又は一部に相当する金額を支払ったとしても、その支払った金額は交際費等に該当する。

　　（事業者に金銭等で支出する販売奨励金等の費用）
(11)　法人が販売促進の目的で特定の地域の得意先である事業者に対して販売奨励金等として金銭又は事業用資産を交付する場合のその費用は、交際費等に該当しない。ただし、その販売奨励金等として交付する金銭の全部又は一部が(22)《交際費等に含まれる費用等の例示》の(五)に掲げる交際費等の負担額として交付されるものである場合には、その負担額に相当する部分の金額についてはこの限りでない。（措通61の4（1）－7）

　　注　法人が特約店等の従業員等（役員及び従業員をいう。以下同じ。）を被保険者とするいわゆる掛捨ての生命保険又は損害保険（役員、部課長その他特定の従業員等のみを被保険者とするものを除く。）の保険料を負担した場合のその負担した金額は、販売奨励金等に該当する。

　　（情報提供料等と交際費等との区分）
(12)　法人が取引に関する情報の提供又は取引の媒介、代理、あっせん等の役務の提供（以下(12)において「情報提供等」という。）を行うことを業としていない者（当該取引に係る相手方の従業員等を除く。）に対して情報提供等の対価として金品を交付した場合であっても、その金品の交付につき例えば次の要件の全てを満たしている等その金品の交付が正当な対価の支払であると認められるときは、その交付に要した費用は交際費等に該当しない。（措通61の4（1）－8）

　（一）　その金品の交付があらかじめ締結された契約に基づくものであること。
　（二）　提供を受ける役務の内容が当該契約において具体的に明らかにされており、かつ、これに基づいて実際に役務の提供を受けていること。
　（三）　その交付した金品の価額がその提供を受けた役務の内容に照らし相当と認められること。

　　注　この取扱いは、その情報提供等を行う者が非居住者又は外国法人である場合にも適用があるが、その場合には、その受ける金品に係る所得が所得税法第161条第1項各号《国内源泉所得》又は法人税法第138条第1項各号《国内源泉所得》に掲げる国内源泉所得のいずれかに該当するときは、これにつき相手方において所得税又は法人税の納税義務が生ずることがあることに留意する。

　　（広告宣伝費と交際費等との区分）
(13)　不特定多数の者に対する宣伝的効果を意図するものは広告宣伝費の性質を有するものとし、次のようなものは交際費等に含まれないものとする。（措通61の4（1）－9）

　（一）　製造業者又は卸売業者が、抽選により、一般消費者に対し金品を交付するために要する費用又は一般消費者を旅行、観劇等に招待するために要する費用
　（二）　製造業者又は卸売業者が、金品引換券付販売に伴い、一般消費者に対し金品を交付するために要する費用
　（三）　製造業者又は販売業者が、一定の商品等を購入する一般消費者を旅行、観劇等に招待することをあらかじめ広告宣伝し、その購入した者を旅行、観劇等に招待する場合のその招待のために要する費用
　（四）　小売業者が商品の購入をした一般消費者に対し景品を交付するために要する費用
　（五）　一般の工場見学者等に製品の試飲、試食をさせる費用（これらの者に対する通常の茶菓等の接待に要する費用を含む。）
　（六）　得意先等に対する見本品、試用品の供与に通常要する費用
　（七）　製造業者又は卸売業者が、自己の製品又はその取扱商品に関し、これらの者の依頼に基づき、継続的に試用を行った一般消費者又は消費動向調査に協力した一般消費者に対しその謝礼として金品を交付するために通常要する費用

　　注　例えば、医薬品の製造業者（販売業者を含む。以下(13)において同じ。）における医師又は病院、化粧品の製造業者における美容業者又は理容業者、建築材料の製造業者における大工、左官等の建築業者、飼料、肥料等の農業用資材の製造業者における農家、機械又は工具の製造業者における鉄工業者等は、いずれもこれらの製造業者にとって一般消費者には当たらない。

　　（福利厚生費と交際費等との区分）
(14)　社内の行事に際して支出される金額等で次のようなものは交際費等に含まれないものとする。（措通61の4（1）－10）

（一）　創立記念日、国民祝日、新社屋落成式等に際し従業員等におおむね一律に社内において供与される通常の飲食に要する費用
　　（二）　従業員等（従業員等であった者を含む。）又はその親族等の慶弔、禍福に際し一定の基準に従って支給される金品に要する費用

　　　（災害の場合の取引先に対する売掛債権の免除等）
(15)　法人が、災害を受けた得意先等の取引先（以下(16)までにおいて「取引先」という。）に対してその復旧を支援することを目的として災害発生後相当の期間（災害を受けた取引先が通常の営業活動を再開するための復旧過程にある期間をいう。以下(16)において同じ。）内に売掛金、未収請負金、貸付金その他これらに準ずる債権の全部又は一部を免除した場合には、その免除したことによる損失は、交際費等に該当しないものとする。
　　既に契約で定められたリース料、貸付利息、割賦販売に係る賦払金等で災害発生後に授受するものの全部又は一部の免除を行うなど契約で定められた従前の取引条件を変更する場合及び災害発生後に新たに行う取引につき従前の取引条件を変更する場合も、同様とする。（措通61の4（1）－10の2）
　　　注1　「得意先等の取引先」には、得意先、仕入先、下請工場、特約店、代理店等のほか、商社等を通じた取引であっても価格交渉等を直接行っている場合の商品納入先など、実質的な取引関係にあると認められる者が含まれる。
　　　注2　本文の取扱いは、新型インフルエンザ等特別措置法の規定の適用を受ける同法第2条第1号《定義》に規定する新型インフルエンザ等が発生し、入国制限又は外出自粛の要請など自己の責めに帰すことのできない事情が生じたことにより、売上の減少等に伴い資金繰りが困難となった取引先に対する支援として行う債権の免除又は取引条件の変更についても、同様とする。

　　　（取引先に対する災害見舞金等）
(16)　法人が、被災前の取引関係の維持、回復を目的として災害発生後相当の期間内にその取引先に対して行った災害見舞金の支出又は事業用資産の供与若しくは役務の提供のために要した費用は、交際費等に該当しないものとする。（措通61の4（1）－10の3）
　　　注1　自社の製品等を取り扱う小売業者等に対して災害により滅失又は損壊した商品と同種の商品を交換又は無償で補填した場合も、同様とする。
　　　注2　事業用資産には、当該法人が製造した製品及び他の者から購入した物品で、当該取引先の事業の用に供されるもののほか、当該取引先の福利厚生の一環として被災した従業員等に供与されるものを含むものとする。
　　　注3　取引先は、その受領した災害見舞金及び事業用資産の価額に相当する金額を益金の額に算入することに留意する。ただし、受領後直ちに福利厚生の一環として被災した従業員等に供与する物品並びに第六款の二の1《少額の減価償却資産の取得価額の損金算入》に掲げる取得価額が10万円未満であるもの及び使用可能期間が1年未満であるものについては、この限りでない。
　　　注4　本文の取扱いは、(15)の注2の取引先に対する支援として行った金銭の支出又は事業用資産の供与若しくは役務の提供のために要した費用についても、同様とする。
　　　注5　災害見舞金等の支出先が取引先の役員や使用人等の個人（個人事業主を除く。）であるものは、交際費等に該当することとなるので留意する。（編者）

　　　（自社製品等の被災者に対する提供）
(17)　法人が不特定又は多数の被災者を救援するために緊急に行う自社製品等の提供に要する費用は、交際費等に該当しないものとする。（措通61の4（1）－10の4）

　　　（協同組合等が支出する災害見舞金等）
(18)　協同組合等がその福利厚生事業の一環として一定の基準に従って組合員その他直接又は間接の構成員を対象にして支出する災害見舞金等は、協同組合等の性格に顧み、交際費等に該当しないものとする。（措通61の4（1）－11）

　　　（給与等と交際費等との区分）
(19)　従業員等に対して支給する次のようなものは、給与の性質を有するものとして交際費等に含まれないものとする。（措通61の4（1）－12）
　　（一）　常時給与される昼食等の費用
　　（二）　自社の製品、商品等を原価以下で従業員等に販売した場合の原価に達するまでの費用
　　（三）　機密費、接待費、交際費、旅費等の名義で支給したもののうち、その法人の業務のために使用したことが明らかでないもの
　　　注　上記の（三）について、役員又は使用人に支給されたいわゆる渡切交際費ではなく、法人として支出したことは領収書等で明らかであっても、その費途が明らかでないものについては(35)《費途不明の交際費等》の適用があることに留意する。（基通9－7－20参照）

(特約店等のセールスマンのために支出する費用)
(20) 製造業者又は卸売業者が自己又はその特約店等に専属するセールスマン（その報酬につき所得税法第204条《報酬・料金等の源泉徴収義務》の規定の適用を受ける者に限る。）のために支出する次の費用は、交際費等に該当しない。（措通61の4（1）－13）
　(一) セールスマンに対し、その取扱数量又は取扱金額に応じてあらかじめ定められているところにより交付する金品の費用
　　注　この金品の交付に当たっては、所得税法第204条第1項の規定により所得税の源泉徴収をしなければならないことに留意する。
　(二) セールスマンの慰安のために行われる運動会、演芸会、旅行等のために通常要する費用
　(三) セールスマン又はその親族等の慶弔、禍福に際し一定の基準に従って交付する金品の費用
　　注　所得税法第204条の適用のない特約店等のセールスマン又は従業員に対する上記の費用は(26)《下請企業の従業員等のために支出する費用》の適用があるものを除き、交際費等に該当することとなり、また、特約店等の従業員等のために支出する費用の取扱いは(21)《特約店等の従業員等を対象として支出する報奨金品》によることとなる。（措通61の4（1）－18、61の4（1）－14参照）

(特約店等の従業員等を対象として支出する報奨金品)
(21) 製造業者又は卸売業者が専ら自己の製品等を取り扱う特約店等の従業員等に対し、その者の外交販売に係る当該製品等の取扱数量又は取扱金額に応じてあらかじめ明らかにされているところにより交付する金品の費用については、(20)の(一)に掲げる費用の取扱いの例による。（措通61の4（1）－14）

(交際費等に含まれる費用等の例示)
(22) 次のような費用は、原則として交際費等の金額に含まれるものとする。ただし、二の表の(二)の適用を受ける飲食費を除く。（措通61の4（1）－15）
　(一) 会社の何周年記念又は社屋新築記念における宴会費、交通費及び記念品代並びに新船建造又は土木建築等における進水式、起工式、落成式等におけるこれらの費用（これらの費用が主として(14)《福利厚生費と交際費等との区分》に該当するものである場合の費用を除く。）
　　注　進水式、起工式、落成式等の式典の祭事のために通常要する費用は、交際費等に該当しない。
　(二) 下請工場、特約店、代理店等となるため、又はするための運動費等の費用
　　注　これらの取引関係を結ぶために相手方である事業者に対して金銭又は事業用資産を交付する場合のその費用は、交際費等に該当しない。
　(三) 得意先、仕入先等社外の者の慶弔、禍福に際し支出する金品等の費用（(15)から(18)まで、(20)の(三)及び(26)《下請企業の従業員等のために支出する費用》の(一)に該当する費用を除く。）
　(四) 得意先、仕入先その他事業に関係のある者（製造業者又はその卸売業者と直接関係のないその製造業者の製品又はその卸売業者の扱う商品を取り扱う販売業者を含む。）等を旅行、観劇等に招待する費用（卸売業者が製造業者又は他の卸売業者から受け入れる(五)に掲げる負担額に相当する金額を除く。）
　(五) 製造業者又は卸売業者がその製品又は商品の卸売業者に対し、当該卸売業者が小売業者等を旅行、観劇等に招待する費用の全部又は一部を負担した場合のその負担額
　(六) いわゆる総会対策等のために支出する費用で総会屋等に対して会費、賛助金、寄附金、広告料、購読料等の名目で支出する金品に係るもの
　(七) 建設業者等が高層ビル、マンション等の建設に当たり、周辺の住民の同意を得るために、当該住民又はその関係者を旅行、観劇等に招待し、又はこれらの者に酒食を提供した場合におけるこれらの行為のために要した費用
　　注　周辺の住民が受ける日照妨害、風害、電波障害等による損害を補償するために当該住民に交付する金品は、交際費等に該当しない。
　(八) スーパーマーケット業、百貨店業等を営む法人が既存の商店街等に進出するに当たり、周辺の商店等の同意を得るために支出する運動費等（営業補償等の名目で支出するものを含む。）の費用
　　注　その進出に関連して支出するものであっても、主として地方公共団体等に対する寄附金の性質を有するもの及び第八款の一《繰延資産の意義》の表の6のイに掲げる費用の性質を有するものは、交際費等に該当しない。
　(九) 得意先、仕入先等の従業員等に対して取引の謝礼等として支出する金品の費用（(21)に該当する費用を除く。）
　(十) 建設業者等が工事の入札等に際して支出するいわゆる談合金その他これに類する費用
　(十一) (一)から(十)までに掲げるもののほか、得意先、仕入先等社外の者に対する接待、供応に要した費用で(5)の(一)から(五)までに該当しない全ての費用

(飲食その他これに類する行為に要する費用の範囲)
(23) 二の表の(二)に掲げる「飲食費」には、得意先、仕入先等社外の者に対する接待、供応の際の飲食の他、例えば、

得意先、仕入先等の業務の遂行や行事の開催に際して、得意先、仕入先等の従業員等によって飲食されることが想定される弁当等の差し入れに要する費用が含まれることに留意する。（措通61の４(1)－15の２)
   注　例えば中元・歳暮の贈答のように、単なる飲食物の詰め合わせ等を贈答のために要する費用は、飲食費には含まれない。ただし、本文の飲食等に付随して支出した費用については、当該飲食等に要する費用に含めて差し支えない。

（旅行等に招待し、併せて会議を行った場合の会議費用）
(24)　製造業者又は卸売業者が特約店その他の販売業者を旅行、観劇等に招待し、併せて新製品の説明、販売技術の研究等の会議を開催した場合において、その会議が会議としての実体を備えていると認められるときは、会議に通常要すると認められる費用の金額は、交際費等の金額に含めないことに取り扱う。（措通61の４(1)－16)
   注　旅行、観劇等の行事に際しての飲食等は、当該行事の実施を主たる目的とする一連の行為の一つであることから、当該行事と不可分かつ一体的なものとして取り扱うことに留意する。ただし、当該一連の行為とは別に単独で行われていると認められる場合及び本文の取扱いを受ける会議に係るものと認められる場合は、この限りでない。

（現地案内等に要する費用）
(25)　次に掲げる費用は、販売のために直接要する費用として交際費等に該当しないものとする。（措通61の４(1)－17)
　（一）　不動産販売業を営む法人が、土地の販売に当たり一般の顧客を現地に案内する場合の交通費又は食事若しくは宿泊のために通常要する費用
　（二）　旅行あっせん業を営む法人が、団体旅行のあっせんをするに当たって、旅行先の決定等の必要上その団体の責任者等特定の者を事前にその旅行予定地に案内する場合の交通費又は食事若しくは宿泊のために通常要する費用（旅行先の旅館業者等がこれらの費用を負担した場合におけるその負担した金額を含む。）
　（三）　新製品、季節商品等の展示会等に得意先等を招待する場合の交通費又は食事若しくは宿泊のために通常要する費用
　（四）　自社製品又は取扱商品に関する商品知識の普及等のため得意先等に当該製品又は商品の製造工場等を見学させる場合の交通費又は食事若しくは宿泊のために通常要する費用

（下請企業の従業員等のために支出する費用）
(26)　次に掲げる費用は、業務委託のために要する費用等として交際費等に該当しないものとする。（措通61の４(1)－18)
　（一）　法人の工場内、工事現場等において、下請企業の従業員等がその業務の遂行に関連して災害を受けたことに伴い、その災害を受けた下請企業の従業員等に対し自己の従業員等に準じて見舞金品を支出するために要する費用
　（二）　法人の工場内、工事現場等において、無事故等の記録が達成されたことに伴い、その工場内、工事現場等において経常的に業務に従事している下請企業の従業員等に対し、自己の従業員等とおおむね同一の基準により表彰金品を支給するために要する費用
　（三）　法人が自己の業務の特定部分を継続的に請け負っている企業の従業員等で専属的に当該業務に従事している者（例えば、検針員、集金員等）の慰安のために行われる運動会、演芸会、旅行等のために通常要する費用を負担する場合のその負担額
　（四）　法人が自己の従業員等と同等の事情にある専属下請先の従業員等又はその親族等の慶弔、禍福に際し一定の基準に従って支給する金品の費用
   注　本文（一）の取扱いは、(15)の注２の取引先に該当する下請企業に対する支援として、その従業員等に対し支出する見舞金品についても、同様とする。

（商慣行として交付する模型のための費用）
(27)　建物、プラント、船舶等の建設請負等をした建設業者又は製造業者が、その発注者に対して商慣行として当該建設請負等の目的物の模型を交付するために通常要する費用は、交際費等に含まれないものとする。（措通61の４(1)－19)

（会議に関連して通常要する費用の例示）
(28)　会議に際して社内又は通常会議を行う場所において通常供与される昼食の程度を超えない飲食物等の接待に要する費用は、原則として二の表の(四)に掲げる「会議に関連して、茶菓、弁当その他これらに類する飲食物を供与するために通常要する費用」に該当するものとする。（措通61の４(1)－21)

第三章　第一節　第十三款《交際費等》

注1　会議には、来客との商談、打合せ等が含まれる。
注2　本文の取扱いは、その1人当たりの費用の金額が二の表の（二）に掲げる10,000円を超える場合であっても、適用があることに留意する。

　　（ゴルフクラブの年会費その他の費用）
(29)　法人がゴルフクラブに支出する年会費、年決めロッカー料その他の費用（その名義人を変更するために支出する名義書換料を含み、プレーする場合に直接要する費用を除く。）については、その入会金が資産として計上されている場合には交際費とし、その入会金が給与とされる場合には会員たる特定の役員又は使用人に対する給与とする。（基通9－7－13）
　　注　プレーする場合に直接要する費用については、入会金を資産に計上しているかどうかにかかわらず、その費用が法人の業務の遂行上必要なものであると認められる場合には交際費とし、その他の場合には当該役員又は使用人に対する給与とする。

　　（レジャークラブの年会費等）
(30)　法人がレジャークラブ（宿泊施設、体育施設、遊技施設その他のレジャー施設を会員に利用させることを目的とするクラブでゴルフクラブ以外のものをいう。以下(31)の（一）において同じ。）に対して支出する年会費その他の費用は、その使途に応じて交際費等又は福利厚生費若しくは給与となることに留意する。（基通9－7－13の2（注）参照）

　　（社交団体等の入会金等）
(31)　法人が社交団体等に対して入会金及び会費等を支出した場合の取扱いは、次による。

　　　（社交団体の入会金）
　（一）　法人が社交団体（ゴルフクラブ及びレジャークラブを除く。以下（二）において同じ。）に対して支出する入会金については、次に掲げる場合に応じ、次による。（基通9－7－14）
　　イ　法人会員として入会する場合　　入会金は支出の日の属する事業年度の交際費とする。
　　ロ　個人会員として入会する場合　　入会金は個人会員たる特定の役員又は使用人に対する給与とする。ただし、法人会員制度がないため個人会員として入会した場合において、その入会が法人の業務の遂行上必要であると認められるときは、その入会金は支出の日の属する事業年度の交際費とする。

　　　（社交団体の会費等）
　（二）　法人がその入会している社交団体に対して支出した会費その他の費用については、次の区分に応じ、次による。（基通9－7－15）
　　イ　経常会費については、その入会金が交際費に該当する場合には交際費とし、その入会金が給与に該当する場合には会員たる特定の役員又は使用人に対する給与とする。
　　ロ　経常会費以外の費用については、その費用が法人の業務の遂行上必要なものであると認められる場合には交際費とし、会員たる特定の役員又は使用人の負担すべきものであると認められる場合には当該役員又は使用人に対する給与とする。

　　　（ロータリークラブ及びライオンズクラブの入会金等）
　（三）　法人がロータリークラブ又はライオンズクラブに対する入会金又は会費等を負担した場合には、次による。（基通9－7－15の2）
　　イ　入会金又は経常会費として負担した金額については、その支出をした日の属する事業年度の交際費とする。
　　ロ　イ以外に負担した金額については、その支出の目的に応じて寄附金又は交際費とする。ただし、会員たる特定の役員又は使用人の負担すべきものであると認められる場合には、当該負担した金額に相当する金額は、当該役員又は使用人に対する給与とする。

　　（交際費等の支出の方法）
(32)　法人の支出する交際費等は、当該法人が直接支出した交際費等であると間接支出した交際費等であるとを問わないから、次の点に留意する。（措通61の4（1）－23）
　（一）　2以上の法人が共同して接待、供応、慰安、贈答その他これらに類する行為をして、その費用を分担した場合においても、交際費等の支出があったものとする。
　（二）　同業者の団体等が接待、供応、慰安、贈答その他これらに類する行為をしてその費用を法人が負担した場合に

第三章　第一節　第十三款《交際費等》

おいても、交際費等の支出があったものとする。
　(三)　法人が団体等に対する会費その他の経費を負担した場合においても、当該団体が専ら団体相互間の懇親のための会合を催す等のために組織されたと認められるものであるときは、その会費等の負担は交際費等の支出があったものとする。
　　注1　二の表の(二)に掲げる「飲食費として支出する金額」とは、その飲食費として支出する金額の総額をいう。したがって、同(二)の適用に当たって、例えば、上記の(一)又は(二)の場合におけるこれらの法人の分担又は負担した金額については、その飲食費として支出する金額の総額を当該飲食等に参加した者の数で除して計算した金額が10,000円以下であるときに、同(二)の適用があることに留意する。ただし、分担又は負担した法人側に当該費用の総額の通知がなく、かつ、当該飲食費の1人当たりの金額がおおむね10,000円程度に止まると想定される場合には、当該分担又は負担した金額をもって判定して差し支えない。(編者)
　　注2　同業者団体等に対して支出した会費その他の経費については、上記(三)の取扱いのほか、第十四款の三の3の④《同業団体等の会費》を参照。(編者)

（交際費等の支出の意義）
(33)　一《交際費等の損金不算入》に掲げる各事業年度において支出する交際費等とは、交際費等の支出の事実があったものをいうのであるから、次の点に留意する。(措通61の4(1)－24)
　(一)　取得価額に含まれている交際費等で一に掲げる適用年度(以下「適用年度」という。)の損金の額に算入されていないものであっても、支出の事実があった日を含む適用年度の交際費等に算入するものとする。
　(二)　交際費等の支出の事実があったときとは、接待、供応、慰安、贈答その他これらに類する行為のあったときをいうのであるから、これらに要した費用につき仮払又は未払等の経理をしているといないとを問わないものとする。

（原価に算入された交際費等の調整）
(34)　法人が適用年度において支出した交際費等の金額のうちに棚卸資産若しくは固定資産の取得価額又は繰延資産の金額(以下「棚卸資産の取得価額等」という。)に含めたため直接当該適用年度の損金の額に算入されていない部分の金額(以下「原価算入額」という。)がある場合において、当該交際費等の金額のうちに一《交際費等の損金不算入》により損金の額に算入されないこととなった金額(以下「損金不算入額」という。)があるときは、当該適用年度の確定申告書において、当該原価算入額のうち損金不算入額から成る部分の金額を限度として、当該適用年度終了の時における棚卸資産の取得価額等を減額することができるものとする。この場合において、当該原価算入額のうち損金不算入額から成る部分の金額は、当該損金不算入額に、当該適用年度において支出した交際費等の金額のうちに当該棚卸資産の取得価額等に含まれている交際費等の金額の占める割合を乗じた金額とすることができる。(措通61の4(2)－7)
　　注1　この取扱いの適用を受けた場合には、その減額した金額につき当該適用年度の翌事業年度において決算上調整するものとする。
　　注2　この取扱いについて、棚卸資産、固定資産の取得価額又は繰延資産の金額の減額については原則として法人の決算において行うが、当期の確定申告書において申告調整により減額することもできる。なお、当期の決算により処理するほかは、確定申告書での調整が認められるだけであるため、修正申告に際し申告減算することも、税務調査による更正に際し減額を請求することも、いずれも認められないことに留意する。(編者)

（費途不明の交際費等）
(35)　法人が交際費、機密費、接待費等の名義をもって支出した金銭でその費途が明らかでないものは、損金の額に算入しない。(基通9－7－20)
　　注　この取扱いにより損金の額に算入されなかったものは、一《交際費等の損金不算入》の適用対象から除かれる。(編者)

（交際費等に係る消費税等の額）
(36)　法人が支出した交際費等に係る消費税等の額は、交際費等の額に含まれることに留意する。
　　ただし、法人が消費税等の経理処理について税抜経理方式を適用している場合には、当該交際費等に係る消費税等の額のうち控除対象消費税額等(消費税法第30条第1項《仕入れに係る消費税額の控除》の規定の適用を受ける場合で、同条第2項に規定する課税仕入れ等の税額のうち同条第1項の規定による控除をすることができる金額の合計額をいう。)に相当する金額は交際費等の額に含めないものとする。(平元直法2－1「12」)
　　注1　消費税等の経理処理について税込経理方式を適用している場合には、交際費等に係る消費税等の額は、その全額が交際費等の額に含まれることになる。
　　注2　消費税等の経理処理について税抜経理方式を適用している場合における交際費等に係る仮払消費税等の額のうち控除対象外消費税額等(消費税法第30条第1項の規定の適用を受ける場合で、同条第2項に規定する課税仕入れ等の税額のうち同条第1項の規定による控除をすることができない金額の合計額をいう。)に相当する金額は、交際費等の額に含まれることになる。
　　注3　注2により交際費等の額に含まれることとなる金額のうち、飲食費に係る金額については、飲食費の額に含まれる。

第十四款　その他の費用又は損失

一　貸倒損失

1　金銭債権の貸倒れ

法人の有する金銭債権についての貸倒れに関する取扱いは、以下のとおりである。

（金銭債権の全部又は一部の切捨てをした場合の貸倒れ）
（1）　法人の有する金銭債権について次に掲げる事実が発生した場合には、その金銭債権の額のうち次に掲げる金額は、その事実の発生した日の属する事業年度において貸倒れとして損金の額に算入する。（基通9－6－1）
　（一）　更生計画認可の決定又は再生計画認可の決定があった場合において、これらの決定により切り捨てられることとなった部分の金額
　（二）　特別清算に係る協定の認可の決定があった場合において、この決定により切り捨てられることとなった部分の金額
　（三）　法令の規定による整理手続によらない関係者の協議決定で次に掲げるものにより切り捨てられることとなった部分の金額
　　イ　債権者集会の協議決定で合理的な基準により債務者の負債整理を定めているもの
　　ロ　行政機関又は金融機関その他の第三者のあっせんによる当事者間の協議により締結された契約でその内容がイに準ずるもの
　（四）　債務者の債務超過の状態が相当期間継続し、その金銭債権の弁済を受けることができないと認められる場合において、その債務者に対し書面により明らかにされた債務免除額
　　注　この取扱いは、法人が貸倒れとして損金経理をしているといないとにかかわらず、税務上は、当該事実が発生した日の属する事業年度において損金の額に算入することに留意する。（編者）

（回収不能の金銭債権の貸倒れ）
（2）　法人の有する金銭債権につき、その債務者の資産状況、支払能力等からみてその全額が回収できないことが明らかになった場合には、その明らかになった事業年度において貸倒れとして損金経理をすることができる。この場合において、当該金銭債権について担保物があるときは、その担保物を処分した後でなければ貸倒れとして損金経理をすることはできないものとする。（基通9－6－2）
　　注　保証債務は、現実にこれを履行した後でなければ貸倒れの対象にすることはできないことに留意する。

（一定期間取引停止後弁済がない場合等の貸倒れ）
（3）　債務者について次に掲げる事実が発生した場合には、その債務者に対して有する売掛債権（売掛金、未収請負金その他これらに準ずる債権をいい、貸付金その他これに準ずる債権を含まない。以下同じ。）について法人が当該売掛債権の額から備忘価額を控除した残額を貸倒れとして損金経理をしたときは、これを認める。（基通9－6－3）
　（一）　債務者との取引を停止した時（最後の弁済期又は最後の弁済の時が当該停止をした時以後である場合には、これらのうち最も遅い時）以後1年以上経過した場合（当該売掛債権について担保物のある場合を除く。）
　（二）　法人が同一地域の債務者について有する当該売掛債権の総額がその取立てのために要する旅費その他の費用に満たない場合において、当該債務者に対し支払を督促したにもかかわらず弁済がないとき
　　注　（一）の取引の停止は、継続的な取引を行っていた債務者につきその資産状況、支払能力等が悪化したためその後の取引を停止するに至った場合をいうのであるから、例えば不動産取引のようにたまたま取引を行った債務者に対して有する当該取引に係る売掛債権については、この取扱いの適用はない。

（非更生債権等の処理）
（4）　更生会社等（会社更生法又は金融機関等の更生手続の特例等に関する法律の適用を受けている法人をいう。以下同じ。）に対して債権を有する法人（以下「債権法人」という。）が、更生会社等に対して有する債権で指定された期限までに裁判所に届け出なかったため更生計画に係る更生債権とされなかったものについては、その金額を当該更生計画認可の決定のあった日において貸倒れとすることができる。

更生計画の定めるところにより交付を受けた募集株式、設立時募集株式若しくは募集新株予約権又は出資若しくは基金の拠出（以下「募集株式等」という。）の割当てを受ける権利について当該募集株式等の引受け等の申込みをしなかったこと又はこれらの権利に係る株主となる権利若しくは新株予約権について払込期日までに払込みをしなかったためこれらの権利を失うことになった場合についても、同様とする。（基通14－3－7）

2　返品債権特別勘定

　返品調整引当金勘定を設けることのできる出版業を営む法人の雑誌の販売については、次により返品債権特別勘定の繰入れができる。

　　注　返品調整引当金勘定の繰入れについては、第十七款の二《返品調整引当金》を参照。（編者）

（返品債権特別勘定の設定）

（1）　出版業を営む法人のうち、常時、その販売する出版業に係る棚卸資産の大部分につき、一定の特約を結んでいるものが、**雑誌**（週刊誌、旬刊誌、月刊誌等の定期刊行物をいう。以下同じ。）の販売に関し、その取次業者又は販売業者（以下これらの者を「販売業者」という。）との間に、次の(一)及び(二)に掲げる事項を内容とする特約を結んでいる場合には、その販売した事業年度において(2)《返品債権特別勘定の繰入限度額》に掲げる繰入限度額以下の金額を損金経理により返品債権特別勘定に繰り入れることができる。（基通9－6－4）

（一）　各事業年度終了の時においてその販売業者がまだ販売していない雑誌（当該事業年度終了の時の直前の発行日に係るものを除く。以下「店頭売れ残り品」という。）に係る売掛金に対応する債務を当該時において免除すること。

（二）　店頭売れ残り品を当該事業年度終了の時において自己に帰属させること。

　　注1　一定の特約とは、次に掲げる事項を内容とする特約とする。
　　　　イ　販売先からの求めに応じ、その販売した棚卸資産を当初の販売価額によって無条件に買い戻すこと。
　　　　ロ　販売先において、当該法人から棚卸資産の送付を受けた場合にその注文によるものかどうかを問わずこれを購入すること。
　　注2　法人が当該事業年度において、店頭売れ残り品に係る返金負債勘定又は返品資産勘定を設けている場合には、その返金負債勘定の金額から返品資産勘定の金額を控除した金額については、損金経理により返品債権特別勘定に繰り入れたものとみなす。

（返品債権特別勘定の繰入限度額）

（2）　返品債権特別勘定の繰入限度額は、次に掲げるいずれかの金額とする。（基通9－6－5）

(一)	当該事業年度終了の時における雑誌の販売に係る売掛金（当該事業年度終了の時の直前の発行日に係るものを除く。）の帳簿価額の合計額に当該雑誌の返品率を乗じて計算した金額から店頭売れ残り品の当該事業年度終了の時における価額に相当する金額を控除した金額 （算式） 〔当該事業年度終了の時における雑誌の販売に係る売掛金の額 － 当該事業年度終了の時の直前の発行日の雑誌に係る売掛金の額〕×返品率－店頭売れ残り品の当該事業年度終了の時における時価＝繰入限度額
(二)	当該事業年度終了の日以前2か月間における雑誌の販売の対価の額（当該事業年度終了の時の直前の発行日に係るものを除く。）の合計額に当該雑誌の返品率を乗じて計算した金額から店頭売れ残り品の当該事業年度終了の時における価額に相当する金額を控除した金額 （算式） 〔当該事業年度終了の日以前2か月間の雑誌の販売の対価の額 － 当該事業年度終了の時の直前の発行日の雑誌の販売の対価の額〕×返品率－店頭売れ残り品の当該事業年度終了の時における時価＝繰入限度額

　　注　上記(一)又は(二)の返品率とは、買戻事業年度（当該事業年度及び当該事業年度開始の前1年以内に開始した各事業年度をいう。）における次のイに掲げる金額のうちに次のロに掲げる金額の占める割合をいう。
　　　イ　当該雑誌の販売対価の額の合計額
　　　ロ　(1)の注1に掲げる特約に基づく当該雑誌の買戻しに係る対価の額の合計額

（返品債権特別勘定の金額の益金算入）

（3）　返品債権特別勘定の金額は、その繰り入れた事業年度の翌事業年度の益金の額に算入する。（基通9－6－6）

（明細書の添付）

（4）　返品債権特別勘定への繰入れを行う場合には、その繰入れを行う事業年度の確定申告書に返品債権特別勘定の繰入額の計算に関する明細を記載した書類を添付しなければならないものとする。（基通9－6－7）

(適格組織再編成に係る返品債権特別勘定の設定等)
（5） 第九款の**二**の**2**の(10)の(三)《適格分割等に係る期中補修用部品在庫調整勘定の設定等》から(五)《適格組織再編成により引継ぎを受けた補修用部品在庫調整勘定等の益金算入》までの取扱いは、（1）に定める法人が適格分割等により分割承継法人等に返品債権特別勘定の設定の対象となる（1）の(一)及び(二)に定める特約を結んでいる売掛金を移転する場合並びに適格組織再編成により合併法人等に返品債権特別勘定を引き継ぐ場合についてそれぞれ準用する。(基通9－6－8)

二 保　険　料

1 社会保険料の損金算入の時期

　法人が納付する次の表に掲げる保険料等の額のうち当該法人が負担すべき部分の金額は、当該保険料等の額の計算の対象となった月の末日の属する事業年度の損金の額に算入することができる。（基通9－3－2）

①	健康保険法第155条《保険料》又は厚生年金保険法第81条《保険料》の規定により徴収される保険料
②	公的年金制度の健全性及び信頼性の確保のための厚生年金保険法等の一部を改正する法律（平成25年法律第63号）附則第5条第1項《存続厚生年金基金に係る改正前厚生年金保険法等の効力等》の規定によりなおその効力を有するものとされる同法第1条《厚生年金保険法の一部改正》の規定による改正前の厚生年金保険法（以下この款において「旧効力厚生年金保険法」という。）第138条《掛金》の規定により徴収される掛金（同条第5項《設立事業所の減少に係る掛金の一括徴収》又は第6項《解散時の掛金の一括徴収》の規定により徴収される掛金を除く。）又は同法第140条《徴収金》の規定により徴収される徴収金 　注　同法第138条第5項又は第6項の規定により徴収される掛金については、納付義務の確定した日の属する事業年度の損金の額に算入することができる。

2 労働保険料の損金算入の時期等

　法人が、労働保険の保険料の徴収等に関する法律第15条《概算保険料の納付》の規定によって納付する概算保険料の額又は同法第19条《確定保険料》の規定によって納付し、又は充当若しくは還付を受ける確定保険料に係る過不足額の損金算入の時期等については、次による。（基通9－3－3）

①	概算保険料	概算保険料の額のうち、被保険者が負担すべき部分の金額は立替金等とし、その他の部分の金額は当該概算保険料に係る労働保険の保険料の徴収等に関する法律第15条第1項に規定する申告書を提出した日（同条第3項に規定する決定に係る金額については、その決定のあった日）又はこれを納付した日の属する事業年度の損金の額に算入する。
②	確定保険料に係る不足額	概算保険料の額が確定保険料の額に満たない場合のその不足のうち当該法人が負担すべき部分の金額は、労働保険の保険料の徴収等に関する法律第19条第1項に規定する申告書を提出した日（同条第4項に規定する決定に係る金額については、その決定のあった日）又はこれを納付した日の属する事業年度の損金の額に算入する。ただし、当該事業年度終了の日以前に終了した同法第2条第4項《定義》に規定する保険年度に係る確定保険料について生じた不足額のうち当該法人が負担すべき部分の金額については、当該申告書の提出前であっても、これを未払金に計上することができるものとする。
③	確定保険料に係る超過額	概算保険料の額が確定保険料の額を超える場合のその超える部分の金額のうち当該法人が負担した概算保険料の額に係る部分の金額については、労働保険の保険料の徴収等に関する法律第19条第1項に規定する申告書を提出した日（同条第4項に規定する決定に係る金額については、その決定のあった日）の属する事業年度の益金の額に算入する。

3 生命保険に係る保険料

　法人が生命保険に加入しその保険料を支払った場合の取扱いは、以下のとおりである。

　　（養老保険に係る保険料）
（1）　法人が、自己を契約者とし、役員又は使用人（これらの者の親族を含む。）を被保険者とする**養老保険**（被保険者の死亡又は生存を保険事故とする生命保険をいい、特約が付されているものを含むが、（4）《定期付養老保険等に係る保険料》に掲げる定期付養老保険等を含まない。以下(11)までにおいて同じ。）に加入してその保険料（第二十七款の一《確定給付企業年金等の掛金等の損金算入》の適用があるものを除く。以下(1)において同じ。）を支払った場合には、その支払った保険料の額（特約に係る保険料の額を除く。）については、次の表の左欄に掲げる場合の区分に応

じ、それぞれ同表の右欄により取り扱うものとする。(基通9-3-4)

(一)	死亡保険金及び生存保険金の受取人が当該法人である場合	その支払った保険料の額は、保険事故の発生又は保険契約の解除若しくは失効により当該保険契約が終了する時までは資産に計上するものとする。
(二)	死亡保険金及び生存保険金の受取人が被保険者又はその遺族である場合	その支払った保険料の額は、当該役員又は使用人に対する給与とする。
(三)	死亡保険金の受取人が被保険者の遺族で、生存保険金の受取人が当該法人である場合	その支払った保険料の額のうち、その$\frac{1}{2}$に相当する金額は(一)により資産に計上し、残額は期間の経過に応じて損金の額に算入する。ただし、役員又は部課長その他特定の使用人(これらの者の親族を含む。)のみを被保険者としている場合には、当該残額は、当該役員又は使用人に対する給与とする。

注1 上表に掲げる「死亡保険金」とは、被保険者が死亡した場合に支払われる保険金をいう。
注2 上表に掲げる「生存保険金」とは、被保険者が保険期間の満了の日その他一定の時期に生存している場合に支払われる保険金をいう。
注3 上表の(三)のただし書の取扱いについては、次による。(以下(2)《定期保険及び第三分野保険に係る保険料》の表の(二)及び(6)の(一)《個人年金保険に係る保険料》の表のハのただし書の適用において同じ。)(編者)
　イ 保険加入の対象とする役員又は使用人(以下注3において「従業員」という。)について、保険加入の有無、保険金額等に格差が設けられている場合であっても、それが職種、年齢、勤続年数等に応ずる合理的な基準により普遍的に設けられた格差であると認められるときは、その保険料の額については、ただし書を適用しないこととして差し支えない。
　ロ 従業員の全部又は大部分が同族関係者である法人については、たとえその従業員の全部を対象として保険に加入する場合であっても、その同族関係者である従業員については、ただし書の「役員又は部課長その他特定の使用人」に該当する。
注4 (1)の取扱いは、令和元年7月8日以後の契約に係る定期保険又は第三分野保険((2)に掲げる解約返戻金相当額のない短期払の定期保険又は第三分野保険を除く。)の保険料及び令和元年10月8日以後の契約に係る定期保険又は第三分野保険((2)に掲げる解約返戻金相当額のない短期払の定期保険又は第三分野保険に限る。)の保険料について適用され、それぞれの日前の契約に係る定期保険又は第三分野保険の保険料については、(1)は次による。(令元課法2-13 経過的取扱い)

> 法人が、自己を契約者とし、役員又は使用人(これらの者の親族を含む。)を被保険者とする**養老保険**(被保険者の死亡又は生存を保険事故とする生命保険をいい、傷害特約等の特約が付されているものを含むが、(4)の注の旧(4)に掲げる定期付養老保険を含まない。以下(10)の注の旧(10)までにおいて同じ。)に加入してその保険料(第二十七款の一《確定給付企業年金等の掛金等の損金算入》の適用があるものを除く。以下旧(1)において同じ。)を支払った場合には、その支払った保険料の額(傷害特約等の特約に係る保険料の額を除く。)については、次の表の左欄に掲げる場合の区分に応じ、それぞれ同表の右欄により取り扱うものとする。(旧基通9-3-4)
>
> | | | |
> |---|---|---|
> | 旧(一) | 死亡保険金及び生存保険金の受取人が当該法人である場合 | その支払った保険料の額は、保険事故の発生又は保険契約の解除若しくは失効により当該保険契約が終了する時までは資産に計上するものとする。 |
> | 旧(二) | 死亡保険金及び生存保険金の受取人が被保険者又はその遺族である場合 | その支払った保険料の額は、当該役員又は使用人に対する給与とする。 |
> | 旧(三) | 死亡保険金の受取人が被保険者の遺族で、生存保険金の受取人が当該法人である場合 | その支払った保険料の額のうち、その$\frac{1}{2}$に相当する金額は(一)により資産に計上し、残額は期間の経過に応じて損金の額に算入する。ただし、役員又は部課長その他特定の使用人(これらの者の親族を含む。)のみを被保険者としている場合には、当該残額は、当該役員又は使用人に対する給与とする。 |
>
> 注1 上表に掲げる「死亡保険金」とは、被保険者が死亡した場合に支払われる保険金をいう。(2)の注3の旧(2)において同じ。
> 注2 上表に掲げる「生存保険金」とは、被保険者が保険期間の満了の日その他一定の時期に生存している場合に支払われる保険金をいう。
> 注3 上表の旧(三)のただし書の取扱いについては、次による。(以下(2)の注3の旧(2)の表の(二)、(6)の(一)《個人年金保険に係る保険料》の表のハ及び(9)の注の旧(9)のただし書の適用において同じ。)(編者)
> 　イ 保険加入の対象とする役員又は使用人(以下注3において「従業員」という。)について、保険加入の有無、保険金額等に格差が設けられている場合であっても、それが職種、年齢、勤続年数等に応ずる合理的な基準により普遍的に設けられた格差であると認められるときは、その保険料の額については、ただし書を適用しないこととして差し支えない。
> 　ロ 従業員の全部又は大部分が同族関係者である法人については、たとえその従業員の全部を対象として保険に加入する場合であっても、その同族関係者である従業員については、ただし書の「役員又は部課長その他特定の使用人」に該当する。

(定期保険及び第三分野保険に係る保険料)

(2) 法人が、自己を契約者とし、役員又は使用人(これらの者の親族を含む。)を被保険者とする**定期保険**(一定期間内における被保険者の死亡を保険事故とする生命保険をいい、特約が付されているものを含む。以下(11)までにおい

て同じ。）又は**第三分野保険**（保険業法第３条第４項第２号《免許》に掲げる保険〔これに類するものを含む。〕をいい、特約が付されているものを含む。以下(11)までにおいて同じ。）に加入してその保険料を支払った場合には、その支払った保険料の額（特約に係る保険料の額を除く。以下(3)までにおいて同じ。）については、(3)《定期保険等の保険料に相当多額の前払部分の保険料が含まれる場合の取扱い》の適用を受けるものを除き、次の表の左欄に掲げる場合の区分に応じ、それぞれ同表の右欄により取り扱うものとする。（基通９－３－５）

(一)	保険金又は給付金の受取人が当該法人である場合	その支払った保険料の額は、原則として、期間の経過に応じて損金の額に算入する。
(二)	保険金又は給付金の受取人が被保険者又はその遺族である場合	その支払った保険料の額は、原則として、期間の経過に応じて損金の額に算入する。ただし、役員又は部課長その他特定の使用人（これらの者の親族を含む。）のみを被保険者としている場合には、当該保険料の額は、当該役員又は使用人に対する給与とする。

注１　保険期間が終身である第三分野保険については、保険期間の開始の日から被保険者の年齢が116歳に達する日までを計算上の保険期間とする。

注２　(一)及び(二)左欄の取扱いについては、法人が、保険期間を通じて解約返戻金相当額のない定期保険又は第三分野保険（ごく少額の払戻金のある契約を含み、保険料の払込期間が保険期間より短いものに限る。以下(2)において「解約返戻金相当額のない短期払の定期保険又は第三分野保険」という。）に加入した場合において、当該事業年度に支払った保険料の額（一の被保険者につき２以上の解約返戻金相当額のない短期払の定期保険又は第三分野保険に加入している場合にはそれぞれについて支払った保険料の額の合計額）が30万円以下であるものについて、その支払った日の属する事業年度の損金の額に算入しているときには、これを認める。

注３　(2)の取扱いは、令和元年７月８日以後の契約に係る定期保険又は第三分野保険（(2)に定める解約返戻金相当額のない短期払の定期保険又は第三分野保険を除く。）の保険料及び令和元年10月８日以後の契約に係る定期保険又は第三分野保険（(2)に定める解約返戻金相当額のない短期払の定期保険又は第三分野保険に限る。）の保険料について適用され、それぞれの日前の契約に係る定期保険又は第三分野保険の保険料については、(2)は次による。（令元課法２－13　経過的取扱い）

> 　法人が、自己を契約者とし、役員又は使用人（これらの者の親族を含む。）を被保険者とする**定期保険**（一定期間内における被保険者の死亡を保険事故とする生命保険をいい、傷害特約等の特約が付されているものを含む。以下(10)の注の旧(10)までにおいて同じ。）に加入してその保険料を支払った場合には、その支払った保険料の額（傷害特約等の特約に係る保険料の額を除く。）については、次の表の左欄に掲げる場合の区分に応じ、それぞれ同表の右欄により取り扱うものとする。（旧基通９－３－５）
>
> | 旧(一) | 死亡保険金の受取人が当該法人である場合 | その支払った保険料の額は、期間の経過に応じて損金の額に算入する。 |
> |---|---|---|
> | 旧(二) | 死亡保険金の受取人が被保険者の遺族である場合 | その支払った保険料の額は、期間の経過に応じて損金の額に算入する。ただし、役員又は部課長その他特定の使用人（これらの者の親族を含む。）のみを被保険者としている場合には、当該保険料の額は、当該役員又は使用人に対する給与とする。 |

（定期保険等の保険料に相当多額の前払部分の保険料が含まれる場合の取扱い）
(3)　法人が、自己を契約者とし、役員又は使用人（これらの者の親族を含む。）を被保険者とする保険期間が３年以上の定期保険又は第三分野保険（以下(3)において「定期保険等」という。）で最高解約返戻率が50％を超えるものに加入して、その保険料を支払った場合には、当期分支払保険料の額については、次表に掲げる区分に応じ、それぞれ次により取り扱うものとする。ただし、これらの保険のうち、最高解約返戻率が70％以下で、かつ、年換算保険料相当額（一の被保険者につき２以上の定期保険等に加入している場合にはそれぞれの年換算保険料相当額の合計額）が30万円以下の保険に係る保険料を支払った場合については、(2)の例によるものとする。（基通９－３－５の２）

(一)　当該事業年度に次表の資産計上期間がある場合には、当期分支払保険料の額のうち、次表の資産計上額の欄に掲げる金額（当期分支払保険料の額に相当する額を限度とする。）は資産に計上し、残額は損金の額に算入する。

　　注　当該事業年度の中途で次表の資産計上期間が終了する場合には、次表の資産計上額については、当期分支払保険料の額を当該事業年度の月数で除して当該事業年度に含まれる資産計上期間の月数（１か月未満の端数がある場合には、その端数を切り捨てる。）を乗じて計算した金額により計算する。また、当該事業年度の中途で次表の資産計上額の欄の「保険期間の開始の日から、10年を経過する日」が到来する場合の資産計上額についても、同様とする。

(二)　当該事業年度に次表の資産計上期間がない場合（当該事業年度に次表の取崩期間がある場合を除く。）には、当期分支払保険料の額は、損金の額に算入する。

(三)　当該事業年度に次表の取崩期間がある場合には、当期分支払保険料の額（(一)により資産に計上することとなる金額を除く。）を損金の額に算入するとともに、(一)により資産に計上した金額の累積額を取崩期間（当該取崩期間に１か月未満の端数がある場合には、その端数を切り上げる。）の経過に応じて均等に取り崩した金額のうち、当

該事業年度に対応する金額を損金の額に算入する。

区分	資産計上期間	資産計上額	取崩期間
最高解約返戻率50%超70%以下	保険期間の開始の日から、当該保険期間の$\frac{40}{100}$相当期間を経過する日まで	当期分支払保険料の額に$\frac{40}{100}$を乗じて計算した金額	保険期間の$\frac{75}{100}$相当期間経過後から、保険期間の終了の日まで
最高解約返戻率70%超85%以下		当期分支払保険料の額に$\frac{60}{100}$を乗じて計算した金額	
最高解約返戻率85%超	保険期間の開始の日から、最高解約返戻率となる期間(当該期間経過後の各期間において、その期間における解約返戻金相当額からその直前の期間における解約返戻金相当額を控除した金額を年換算保険料相当額で除した割合が$\frac{70}{100}$を超える期間がある場合には、その超えることとなる期間)の終了の日まで (注) 上記の資産計上期間が5年未満となる場合には、保険期間の開始の日から、5年を経過する日まで(保険期間が10年未満の場合には、保険期間の開始の日から、当該保険期間の$\frac{50}{100}$相当期間を経過する日まで)とする。	当期分支払保険料の額に最高解約返戻率の$\frac{70}{100}$(保険期間の開始の日から、10年を経過する日までは、$\frac{90}{100}$)を乗じて計算した金額	解約返戻金相当額が最も高い金額となる期間(資産計上期間がこの表の資産計上期間の欄に掲げる(注)に該当する場合には、当該(注)による資産計上期間)経過後から、保険期間の終了の日まで

注1 「最高解約返戻率」、「当期分支払保険料の額」、「年換算保険料相当額」及び「保険期間」とは、それぞれ次のものをいう。
(一) 最高解約返戻率とは、その保険の保険期間を通じて解約返戻率(保険契約時において契約者に示された解約返戻金相当額について、それを受けることとなるまでの間に支払うこととなる保険料の額の合計額で除した割合)が最も高い割合となる期間におけるその割合をいう。
(二) 当期分支払保険料の額とは、その支払った保険料の額のうち当該事業年度に対応する部分の金額をいう。
(三) 年換算保険料相当額とは、その保険の保険料の総額を保険期間の年数で除した金額をいう。
(四) 保険期間とは、保険契約に定められている契約日から満了日までをいい、当該保険期間の開始の日以後1年ごとに区分した各期間で構成されているものとして本文の取扱いを適用する。

注2 保険期間が終身である第三分野保険については、保険期間の開始の日から被保険者の年齢が116歳に達する日までを計算上の保険期間とする。

注3 上表の資産計上期間の欄の「最高解約返戻率となる期間」及び「$\frac{70}{100}$を超える期間」並びに取崩期間の欄の「解約返戻金相当額が最も高い金額となる期間」が複数ある場合には、いずれもその最も遅い期間がそれぞれの期間となることに留意する。

注4 一定期間分の保険料の額の前払をした場合には、その全額を資産に計上し、資産に計上した金額のうち当該事業年度に対応する部分の金額について、本文の取扱いによることに留意する。

注5 本文の取扱いは、保険契約時の契約内容に基づいて適用するのであるが、その契約内容の変更があった場合、保険期間のうち当該変更以後の期間においては、変更後の契約内容に基づいて(1)から(4)まで及び(9)の取扱いを適用する。
  なお、その契約内容の変更に伴い、責任準備金相当額の過不足の精算を行う場合には、その変更後の契約内容に基づいて計算した資産計上額の累積額と既往の資産計上額の累積額との差額について調整を行うことに留意する。

注6 保険金又は給付金の受取人が被保険者又はその遺族である場合であって、役員又は部課長その他特定の使用人(これらの者の親族を含む。)のみを被保険者としているときには、本文の取扱いの適用はなく、(2)の表の(二)の例により、その支払った保険料の額は、当該役員又は使用人に対する給与となる。

注7 (3)の取扱いは、令和元年7月8日以後の契約に係る定期保険又は第三分野保険の保険料について適用される。(令元課法2-13 経過的取扱い)

(定期付養老保険等に係る保険料)
(4) 法人が、自己を契約者とし、役員又は使用人(これらの者の親族を含む。)を被保険者とする**定期付養老保険等**(養老保険に定期保険又は第三分野保険を付したものをいう。以下(10)までにおいて同じ。)に加入してその保険料を支払った場合には、その支払った保険料の額(特約に係る保険料の額を除く。)については、次の表の左欄に掲げる場合の区分に応じ、それぞれ同表の右欄により取り扱うものとする。(基通9-3-6)

(一)	当該保険料の額が生命保険証券等において養老保険に係る保険料の額と定期保険又は	それぞれの保険料の額について(1)《養老保険に係る保険料》、(2)《定期保険及び第三分野保険に係る保険料》又は(3)《定

	第三分野保険に係る保険料の額とに区分されている場合	期保険等の保険料に相当多額の前払部分の保険料が含まれる場合の取扱い》の例による。
(二)	(一)以外の場合	その保険料の額について(1)の例による。

注　(4)の取扱いは、令和元年７月８日以後の契約に係る定期保険又は第三分野保険（(2)に定める解約返戻金相当額のない短期払の定期保険又は第三分野保険を除く。）の保険料及び令和元年10月８日以後の契約に係る定期保険又は第三分野保険（(2)に定める解約返戻金相当額のない短期払の定期保険又は第三分野保険に限る。）の保険料について適用され、それぞれの日前の契約に係る定期保険又は第三分野保険の保険料については、(4)は次による。（令元課法２−13　経過的取扱い）

> 法人が、自己を契約者とし、役員又は使用人（これらの者の親族を含む。）を被保険者とする**定期付養老保険**（養老保険に定期保険を付したものをいう。以下(10)の注の旧(10)までにおいて同じ。）に加入してその保険料を支払った場合には、その支払った保険料の額（傷害特約等の特約に係る保険料の額を除く。）については、次の表の左欄に掲げる場合の区分に応じ、それぞれ同表の右欄により取り扱うものとする。（旧基通９−３−６）
>
> | | | |
> |---|---|---|
> | (一) | 当該保険料の額が生命保険証券等において養老保険に係る保険料の額と定期保険に係る保険料の額とに区分されている場合 | それぞれの保険料の額について(1)の注４の旧(1)又は(2)の注３の旧(2)の例による。 |
> | (二) | (一)以外の場合 | その保険料の額について(1)の注４の旧(1)の例による。 |

（長期平準定期保険及び逓増定期保険に係る保険料）

(5)　法人が、自己を契約者とし、役員又は使用人（これらの者の親族を含む。）を被保険者とする**長期平準定期保険**（定期保険のうち、その保険期間満了の時における被保険者の年齢が70歳を超え、かつ、当該保険に加入した時における被保険者の年齢に保険期間の２倍に相当する数を加えた数が105を超えるものをいい、逓増定期保険に該当するものを除く。）及び**逓増定期保険**（保険期間の経過により保険金額が５倍までの範囲で増加する定期保険のうち、その保険期間満了の時における被保険者の年齢が45歳を超えるものをいう。）に加入してその保険料を支払った場合（役員又は部課長その他特定の使用人〔これらの者の親族を含む。〕のみを被保険者とし、死亡保険金の受取人を被保険者の遺族としているため、その保険料の額が当該役員又は使用人に対する給与となる場合を除く。）には、旧(2)及び旧(4)にかかわらず、次により取り扱うものとする。（昭62直法２−２〔最終改正平20課法２−３〕）

(一)　次の表の左欄に掲げる区分に応じ、それぞれ同表の中欄に掲げる前払期間を経過するまでの期間にあっては、各年の支払保険料の額のうち同表の右欄に掲げる資産計上額を前払金等として資産に計上し、残額については、一般の定期保険（旧(2)の適用対象となる定期保険をいう。以下同じ。）の保険料の取扱いの例により損金の額に算入する。

区　分		前 払 期 間	資 産 計 上 額
イ 長期平準定期保険	保険期間満了の時における被保険者の年齢が70歳を超え、かつ、当該保険に加入した時における被保険者の年齢に保険期間の２倍に相当する数を加えた数が105を超えるもの	保険期間の開始の時から当該保険期間の60％に相当する期間	支払保険料の$\frac{1}{2}$に相当する金額
ロ 逓増定期保険	(イ)　保険期間満了の時における被保険者の年齢が45歳を超えるもの（(ロ)又は(ハ)に該当するものを除く。）	保険期間の開始の時から当該保険期間の60％に相当する期間	支払保険料の$\frac{1}{2}$に相当する金額
	(ロ)　保険期間満了の時における被保険者の年齢が70歳を超え、かつ、当該保険に加入した時における被保険者の年齢に保険期間の２倍に相当する数を加えた数が95を超えるもの（(ハ)に該当するものを除く。）	同　　上	支払保険料の$\frac{2}{3}$に相当する金額
	(ハ)　保険期間満了の時における被保険者の年齢が80歳を超え、かつ、当該保険に加入した時にお	同　　上	支払保険料の$\frac{3}{4}$に相当する金額

	ける被保険者の年齢に保険期間の2倍に相当する数を加えた数が120を超えるもの		

(二) 保険期間のうち前払期間を経過した後の期間にあっては、各年の支払保険料の額を一般の定期保険の保険料の取扱いの例により損金の額に算入するとともに、上記の(一)により資産に計上した前払金等の累計額をその期間の経過に応じ取り崩して損金の額に算入する。

 注1 (5)は、令和元年6月28日付課法2-13ほか2課共同「法人税基本通達等の一部改正について（法令解釈通達）」により、令和元年6月28日をもって廃止されているが、令和元年7月7日以前の契約に係る定期保険又は第三分野保険（(2)に掲げる解約返戻金相当額のない短期払の定期保険又は第三分野保険を除く。）の保険料及び令和元年10月7日以前の契約に係る定期保険又は第三分野保険（(2)に掲げる解約返戻金相当額のない短期払の定期保険又は第三分野保険に限る。）の保険料については、(5)の例による。（同通達 経過的取扱い）

 注2 「保険に加入した時における被保険者の年齢」とは、保険契約証書に記載されている契約年齢をいい、「保険期間満了の時における被保険者の年齢」とは、契約年齢に保険期間の年数を加えた数に相当する年齢をいう。

 注3 前払期間に1年未満の端数がある場合には、その端数を切り捨てた期間を前払期間とする。

 注4 保険期間の全部又はその数年分の保険料をまとめて支払った場合には、いったんその保険料の全部を前払金として資産に計上し、その支払の対象となった期間（全保険期間分の保険料の合計額をその全保険期間を下回る一定の期間に分割して支払う場合には、その全保険期間とする。）の経過に応ずる経過期間分の保険料について、(一)又は(二)の処理を行うことに留意する。

 注5 養老保険等に付された長期平準定期保険及び逓増定期保険特約（特約の内容が長期平準定期保険及び逓増定期保険と同様のものをいう。）に係る保険料が主契約たる当該養老保険等に係る保険料と区分されている場合には、当該特約に係る保険料について(5)の取扱いの適用があることに留意する。

（個人年金保険に係る保険料）

(6) 法人が、自己を契約者とし、役員又は使用人（これらの者の親族を含む。）を被保険者とする**個人年金保険**（当該保険契約に係る年金支払開始日に被保険者が生存しているときに所定の期間中、年金が当該保険契約に係る年金受取人に支払われる生命保険をいう。以下同じ。）に加入した場合の保険料等の取扱いは次による。（平2直審4-19）

 注 第二十七款の一《確定給付企業年金等の掛金等の損金算入》の適用のあるもの及び(1)の適用のあるものは、この(6)の取扱いの対象とならないことに留意する。

（個人年金保険に係る保険料）

(一) 法人が支払った個人年金保険の保険料の額（傷害特約等の特約に係る保険料の額を除く。）については、次の表の左欄に掲げる場合の区分に応じ、それぞれ同表の右欄により取り扱うものとする。

イ	死亡給付金及び年金の受取人が当該法人である場合	その支払った保険料の額は、(四)《資産計上した保険料等の取崩し》により取り崩すまでは資産に計上するものとする。
ロ	死亡給付金及び年金の受取人が当該被保険者又はその遺族である場合	その支払った保険料の額は、当該役員又は使用人に対する給与とする。
ハ	死亡給付金の受取人が当該被保険者の遺族で、年金の受取人が当該法人である場合	その支払った保険料の額のうち、その90％に相当する金額はイにより資産に計上し、残額は期間の経過に応じて損金の額に算入する。ただし、役員又は部課長その他特定の使用人（これらの者の親族を含む。）のみを被保険者としている場合には、当該残額は、当該役員又は使用人に対する給与とする。

 注1 「死亡給付金」とは、年金支払開始日前に被保険者が死亡した場合に支払われる死亡給付金又は死亡保険金をいう。

 注2 「年金」とは、年金支払開始日に被保険者が生存している場合に支払われる年金をいう。

 注3 個人年金保険の保険料の額のうち傷害特約等の特約に係る保険料の額については、(9)の注の旧(9)の取扱いの例による。

（年金支払開始日前に支払を受ける契約者配当）

(二) 法人が個人年金保険の保険契約に基づいて年金支払開始日前に支払を受ける契約者配当の額については、その通知を受けた日の属する事業年度の益金の額に算入する。ただし、当該保険契約の年金の受取人が被保険者であり、かつ、当該法人と当該被保険者との契約により、当該法人が契約者配当の支払請求をしないでその全額を年金支払開始日まで積み立てておくこと（当該積み立てた契約者配当の額が、生命保険会社において年金支払開始日に当該保険契約の責任準備金に充当され、年金の額が増加する〔これにより増加する年金を「**増加年金**」という。以下同

じ。〕こと）が明らかである場合には、当該契約者配当の額を益金の額に算入しないことができる。
　　注　契約者配当の額に付される利子の額については、本文ただし書により当該契約者配当の額を益金の額に算入しない場合を除き、その通知を受けた日の属する事業年度の益金の額に算入するのであるから留意する。

　（年金支払開始日以後に支払を受ける契約者配当）
(三)　法人が個人年金保険の年金の受取人である場合に当該保険契約に基づいて年金支払開始日以後に支払を受ける契約者配当の額については、その通知を受けた日の属する事業年度の益金の額に算入する。ただし、年金支払開始日に分配される契約者配当で、生命保険会社から年金として支払われるもの（年金受取人の支払方法の選択によるものを除く。）については、当該契約者配当の額をその通知を受けた日の属する事業年度の益金の額に算入しないことができる。
　　なお、益金の額に算入した契約者配当の額を一時払保険料に充当した場合には、(四)《資産計上した保険料等の取崩し》により取り崩すまでは資産に計上するものとする（以下(6)において、契約者配当を充当した一時払保険料を「**買増年金積立保険料**」という。）。
　　注　契約者配当の額に付される利子の額については、その通知を受けた日の属する事業年度の益金の額に算入するのであるから留意する。

　（資産計上した保険料等の取崩し）
(四)　資産に計上した保険料等の取崩しについては、次の表の左欄に掲げる場合の区分に応じ、それぞれ同表の右欄に掲げるところによる。

イ	年金支払開始日前に死亡給付金支払の保険事故が生じた場合	当該保険事故が生じた日（死亡給付金の受取人が当該法人である場合には、死亡給付金の支払通知を受けた日）の属する事業年度において、当該保険契約に基づいて資産に計上した支払保険料の額及び資産に計上した契約者配当等（配当を積み立てたことにより付される利子を含む。以下同じ。）の額の全額を取り崩して損金の額に算入する。 注　この場合、死亡給付金の受取人が法人であるときには、支払を受ける死亡給付金の額及び契約者配当等の額を法人の益金の額に算入するのであるから留意する。		
ロ	年金の受取人が役員又は使用人である保険契約に係る年金支払開始日が到来した場合	当該年金支払開始日の属する事業年度において、当該保険契約に基づいて資産に計上した契約者配当等の額の全額を取り崩して損金の額に算入する。		
ハ	年金の受取人が当該法人である保険契約に基づいて**契約年金**（年金支払開始日前の支払保険料に係る年金をいう。以下同じ。）及び増加年金の支払を受ける場合（年金の一時支払を受ける場合を除く。）	当該年金の支払通知を受けた日の属する事業年度において、当該保険契約に基づいて年金支払開始日までに資産に計上した支払保険料の額及び年金支払開始日に責任準備金に充当された契約者配当等の額の合計額（以下(6)において、「**年金積立保険料の額**」という。）に、当該支払を受ける契約年金の額及び増加年金の額の合計額が年金支払総額（次の表の左欄に掲げる場合の区分に応じ、それぞれ同表の右欄に掲げる金額をいう。以下同じ。）に占める割合を乗じた金額に相当する額の年金積立保険料の額を取り崩して損金の額に算入する。		
		(イ)	当該保険契約が確定年金（あらかじめ定められた期間〔以下(6)において、その期間を「保証期間」という。〕中は被保険者の生死にかかわらず年金が支払われることとされているものをいう。以下同じ。）である場合	当該保険契約に基づいて当該保証期間中に支払われる契約年金の額及び増加年金の額の合計額
		(ロ)	当該保険契約が保証期間付終身年金（保証期間中は被保険者の生死にかかわらず年金が支払われ、あるいは保証期間中に被保険者が死亡したときには保証期間に対応する年金の支払残額が支払われ、保証期間	当該保険契約に基づいて当該保証期間と被保険者の余命年数（年金支払開始日における所得税法施行令の別表「余命年数表」に掲げる余命年数をいう。以下同じ。）の期間とのいずれか長い期間中に支払われる契約年金の額及び増加年金の額の合

			経過後は年金支払開始日の応当日に被保険者が生存しているときに年金が支払われるものをいう。以下同じ。）である場合	計額。ただし、保証期間中に被保険者が死亡したとき以後にあっては、当該保険契約に基づいて当該保証期間中に支払われる契約年金の額及び増加年金の額の合計額
		(ハ)	当該保険契約が有期年金（保証期間中において被保険者が生存しているときに年金が支払われ、保証期間中に被保険者が死亡した場合で年金基金残額があるときには死亡一時金が支払われるものをいう。以下同じ。）である場合	被保険者の生存を前提に、当該保険契約に基づき当該保証期間中に支払われる契約年金の額及び増加年金の額の合計額
		なお、保証期間付終身年金で、かつ、被保険者の余命年数の期間中の年金支払総額に基づき年金積立保険料の額の取崩額を算定している保険契約に係る被保険者が死亡した場合には、その死亡の日の属する事業年度において、その日が当該保険契約に係る保証期間経過後であるときは、当該保険契約に係る年金積立保険料の額の取崩残額の全額を、また、その日が保証期間中であるときは、当該保険契約に係る年金積立保険料の額に、既に支払を受けた契約年金の額及び増加年金の額の合計額が保証期間中の年金総額に占める割合から同合計額が余命年数の期間中の年金支払総額に占める割合を控除した割合を乗じた額に相当する額の年金積立保険料の額を、それぞれ取り崩して損金の額に算入することができる。		
ニ	年金受取人が当該法人である保険契約に基づいて**買増年金**（年金支払開始日後の契約者配当により買い増した年金をいう。以下同じ。）の支払を受ける場合（年金の一時支払を受ける場合を除く。）	当該買増年金の支払を受ける日の属する事業年度において、当該保険契約に基づいて支払を受ける１年分の買増年金ごとに次の算式により求められる額に相当する額（当該支払を受ける買増年金が分割払の場合にあっては、当該金額を分割回数によりあん分した額）の買増年金積立保険料の額を取り崩して損金の額に算入する。 なお、当該保険契約が保証期間付終身年金で、保証期間及び被保険者の余命年数の期間のいずれをも経過した後においては、当該保険契約に係る買増年金積立保険料の額の全額を取り崩して損金の額に算入する。 （算式） 買増年金の受取りに伴い取り崩すべき「買増年金積立保険料」の額（年額） ＝ 前年分の買増年金の受取の時においてこの算式により算定される取崩額（年額） ＋ (新たに一時払保険料に充当した契約者配当の額) / (新たに一時払保険料に充当した後の年金の支払回数) 注１　算式に掲げる「新たに一時払保険料に充当した後の年金の支払回数」については、次の表の左欄に掲げる場合に応じ、それぞれ同表の右欄に掲げる年金の支払回数（年１回払の場合の支払回数をいう。）による。		
			(イ) 当該保険契約が確定年金である場合及び当該保険契約が保証期間付終身年金であり、かつ、被保険者が既に死亡している場合	当該保険契約に係る保証期間中の年金の支払回数から新たに買増年金の買増しをする時までに経過した年金の支払回数を控除した回数
			(ロ) 当該保険契約が保証期間付終身年金であり、かつ、被保険者が生存している場合	当該保険契約に係る保証期間と当該被保険者の余命年数の期間とのいずれか長い期間中の年金の支払回数から新たに買増年金の買増しをする時までに経過した年金の支払回数を控除した回数
		注２　保険契約が保証期間付終身年金に係る買増年金積立保険料の取崩しにつき、被保険者の余命年数の期間の年金支払回数に基づき算定される額を取り崩すべきであるものに係る被保険者が死亡した場合の取崩額の調整については、ハのなお書を準用する。		
ホ	年金受取人が当該法人である保険契約に基づいて年金の一時支払を受け	当該保険契約が次の表の左欄に掲げる年金の一時支払のときに消滅するものか否かに応じ、それぞれ同表の右欄に掲げるところによる。		
			(イ) 当該保険契約が年金の一時支払のときに消滅	年金の一時支払を受ける日の属する事業年度において、当該保険契約に係る年金積立保険料の額の取崩残

			額及び買増年金積立保険料の額（既に取り崩した額を除く。）の全額を取り崩して損金の額に算入する。
		(ロ) 当該保険契約が年金の一時支払のときには消滅しないもの	年金の一時支払を受ける日の属する事業年度において、当該保険契約に係る年金積立保険料の額及び買増年金積立保険料の額につき保証期間の残余期間を通じて年金の支払を受けることとした場合に取り崩すこととなる額に相当する額を取り崩して損金の額に算入し、その余の残額については、保証期間経過後の年金の支払を受ける日の属する事業年度において、ハ及びニに基づき算定される額に相当する額の年金積立保険料の額及び買増年金積立保険料の額を取り崩して損金の額に算入する。 なお、年金の一時支払を受けた後に被保険者が死亡した場合には、その死亡の日の属する事業年度において、当該保険契約に係る年金積立保険料の額の取崩残額及び買増年金積立保険料の額（既に取り崩した額を除く。）の全額を取り崩して損金の額に算入する。
ヘ	保険契約を解約した場合及び保険契約者の地位を変更した場合		当該事実が生じた日の属する事業年度において、当該保険契約に基づいて資産に計上した支払保険料の額及び資産に計上した契約者配当等の額の全額を取り崩して損金の額に算入する。 注　保険契約を解約したときには、解約返戻金の額及び契約者配当等の額を法人の益金の額に算入するのであるから留意する。

（保険契約者の地位を変更した場合の役員又は使用人の課税関係）

（五）　保険契約者である法人が、年金支払開始日前において、被保険者である役員又は使用人が退職したこと等に伴い個人年金保険の保険契約者及び年金受取人の地位（保険契約の権利）を当該役員又は使用人に変更した場合には、所得税基本通達36－37《保険契約等に関する権利の評価》に準じ、当該契約を解約した場合の解約返戻金の額に相当する額（契約者配当等の額がある場合には、当該金額を加算した額）の退職給与又は賞与の支払があったものとして取り扱う。

（がん保険及び医療保険に係る保険料）

（7）　法人が、自己を契約者とし、役員又は使用人（これらの者の親族を含む。）を被保険者として（一）に掲げるがん保険《終身保障タイプ》及び（二）に掲げる医療保険《終身保障タイプ》に加入した場合の保険料等については、次の表の左欄に掲げる場合の区分に応じ、それぞれ同表の右欄により取り扱う。（平13課審4－100〔最終改正平24課法2－3〕）

終身払込みの場合	保険期間の終了（保険事故の発生による終了を除く。）に際して支払う保険金がないこと及び保険契約者にとって毎年の付保利益は一定であることから、保険料は保険期間の経過に応じて平準的に費用化することがもっとも自然であり、その払込みの都度損金の額に算入する。
有期払込みの場合	保険料払込期間と保険期間の経過とが対応しておらず、支払う保険料の中に前払保険料が含まれていることから、生保標準生命表の最終の年齢「男性106歳、女性109歳」を参考に「105歳」を「計算上の満期到達時年齢」とし、払込保険料に「保険料払込期間を105歳と加入時年齢の差で除した割合」を乗じた金額を損金の額に算入し、残余の金額を積立保険料として資産に計上する。
保険料払込満了後の取扱い	保険料払込満了時点の資産計上額を「105歳と払込満了時年齢の差」で除した金額を資産計上額より取り崩して、損金の額に算入する。ただし、この取り崩し額は年額であるため、払込満了時が事業年度の中途である場合には、月数あん分により計算する。

注1　（7）は、令和元年6月28日付課法2－13ほか2課共同「法人税基本通達等の一部改正について（法令解釈通達）」により、令和元年6月28日をもって廃止されているが、令和元年7月7日以前の契約に係る定期保険又は第三分野保険（（2）に掲げる解約返戻金相当額のない短期払の定期保険又は第三分野保険を除く。）の保険料及び令和元年10月7日以前の契約に係る定期保険又は第三分野保険（（2）に掲

げる解約返戻金相当額のない短期払の定期保険又は第三分野保険に限る。）の保険料については、（7）の例による。（同通達　経過的取扱い）

注2　（7）は、保険金の受取人が法人及び役員又は使用人のいずれかの場合にも適用される。

　　　ただし、保険受取人が役員又は使用人（これらの者の親族を含む。）であって役員又は部課長その他特定の使用人（これらの者の親族を含む。）のみを被保険者としている場合には、当該保険料の額はその役員又は使用人に対する給与とする。

（がん保険《終身保障タイプ》の概要）

(一)　（7）に掲げるがん保険（終身保障タイプ）の概要は次のとおり。

1	主たる保険事故及び保険金	
	保　険　事　故	保　険　金
	初めてがんと診断	がん診断給付金
	がんによる入院	がん入院給付金
	がんによる手術	がん手術給付金
	がんによる死亡	がん死亡保険金
	注　保険期間の終了（保険事故の発生による終了を除く。）に際して支払う保険金はない。 　なお、上記に加えて、がん以外の原因により死亡した場合にごく少額の普通死亡保険金を支払うものもある。	
2	保険期間	終身
3	保険料払込方法	一時払、年払、半年払、月払
4	保険料払込期間	終身払込、有期払込
5	保険金受取人	会社、役員又は使用人（これらの親族の者を含む。）
6	払戻金	この保険は、保険料は掛け捨てでいわゆる満期保険金はないが、保険契約の失効、告知義務違反による解除及び解約等の場合には、保険料の払込期間に応じた所定の払戻金が保険契約者に払い戻される。これは、保険期間が長期にわたるため、高齢化するにつれて高まる死亡率等に対して、平準化した保険料を算出しているためである。

（医療保険《終身保障タイプ》の概要）

(二)　（7）に掲げる医療保険（終身保障タイプ）の概要は次のとおり。

1	主たる保険事故及び保険金	
	保　険　事　故	保　険　金
	災害による入院	災害入院給付金
	病気による手術	病気入院給付金
	災害又は病気による手術	手術給付金
	注　保険期間の終了（保険事故の発生による終了を除く。）に際して支払う保険金はない。 　なお、上記に加えて、ごく少額の普通死亡保険金を支払うものもある。	
2	保険期間	終身
3	保険料払込方法	一時払、年払、半年払、月払
4	保険料払込期間	終身払込、有期払込
5	保険金受取人	会社、役員又は使用人（これらの親族の者を含む。）
6	払戻金	この保険は、保険料は掛け捨てでいわゆる満期保険金はないが、保険契約の失効、告知義務違反による解除及び解約等の場合には、保険料の払込期間に応じた所定の払戻金が保険契約者に払い戻される。これは、保険期間が長期にわたるため、高齢化するにつれて高まる死亡率等に対して、平準化した保険料を算出しているためである。

第三章　第一節　第十四款　二《保　険　料》

（がん保険《終身保障タイプ》の保険料）
（8）　法人が自己を契約者とし、役員又は使用人（これらの者の親族を含む。）を被保険者とする(一)《がん保険《終身保障タイプ》の概要》に掲げるがん保険《終身保障タイプ》に加入してその保険料を支払った場合には、次の表の左欄に掲げる保険料の払込期間の区分等に応じ、それぞれ同表の右欄のとおり取り扱う。（平24課法2－5）

終身払込の場合	イ	前払期間		加入時の年齢から105歳までの期間を計算上の保険期間（(8)において「保険期間」という。）とし、当該保険期間開始の日から当該保険期間の50％に相当する期間（(8)において「前払期間」という。）を経過するまでの期間にあっては、保険料の額のうち$\frac{1}{2}$に相当する金額を前払金等として資産に計上し、残額については損金の額に算入する。 注　前払期間に1年未満の端数がある場合には、その端数を切り捨てた期間を前払期間とする。
	ロ	前払期間経過後の期間		保険期間のうち前払期間を経過した後の期間にあっては、各年の支払保険料の額を損金の額に算入するとともに、次の算式により計算した金額を、イによる資産計上額の累計額（既にこのロの処理により取り崩した金額を除く。）から取り崩して損金の額に算入する。 （算式） $$損金算入額（年額）＝資産計上額の累計額 \times \frac{1}{105－前払期間経過年齢}$$ 注　前払期間経過年齢とは、被保険者の加入時年齢に前払期間の年数を加算した年齢をいう。
有期払込（一時払を含む。）の場合	イ	前払期間	保険料払込期間が終了するまでの期間	次の算式により計算した金額（(8)において「当期分保険料」という。）を算出し、各年の支払保険料の額のうち、当期分保険料の$\frac{1}{2}$に相当する金額と当期分保険料を超える金額を前払金等として資産に計上し、残額については損金の額に算入する。 （算式） $$当期分保険料（年額）＝支払保険料（年額） \times \frac{保険料払込期間}{保険期間}$$ 注　保険料払込方法が一時払の場合には、その一時払による支払保険料を上記算式の「支払保険料（年額）」とし、「保険料払込期間」を1として計算する。
			保険料払込期間が終了した後の期間	当期分保険料の$\frac{1}{2}$に相当する金額を、（イ）による資産計上額の累計額（既にこの（ロ）の処理により取り崩した金額を除く。）から取り崩して損金の額に算入する。
	ロ	前払期間経過後の期間		保険期間のうち前払期間を経過した後の期間にあっては、次の表の左欄に掲げる期間の区分に応じ、それぞれ同表の右欄に掲げる処理を行う。
			保険料払込期間が終了するまでの期間	各年の支払保険料の額のうち、当期分保険料を超える金額を前払金等として資産に計上し、残額については損金の額に算入する。 また、次の算式により計算した金額（(8)において「取崩損金算入額」という。）を、イの（イ）による資産計上額の累計額（既にこの（イ）の処理により取り崩した金額を除く。）から取り崩して損金の額に算入する。

					(算式) 取崩損金算入額＝$\left[\dfrac{当期分保険料}{2} \times 前払期間\right] \times \dfrac{1}{105－前払期間経過年齢}$
				(ロ) 保険料払込期間が終了した後の期間	当期分保険料の金額と取崩損金算入額を、イ及びこのロの(イ)による資産計上額の累計額（既にイの(ロ)及びこのロの処理により取り崩した金額を除く。）から取り崩して損金の額に算入する。

注1　(8)は、令和元年6月28日付課法2－13ほか2課共同「法人税基本通達等の一部改正について（法令解釈通達）」により、令和元年6月28日をもって廃止されているが、令和元年7月7日以前の契約に係る定期保険又は第三分野保険（(2)に掲げる解約返戻金相当額のない短期払の定期保険又は第三分野保険を除く。）の保険料及び令和元年10月7日以前の契約に係る定期保険又は第三分野保険（(2)に掲げる解約返戻金相当額のない短期払の定期保険又は第三分野保険に限る。）の保険料については、(8)の例による。（同通達　経過的取扱い）

注2　(8)は、役員又は部課長その他特定の使用人（これらの者の親族を含む。）のみを被保険者としており、これらの者を保険金受取人としていることによりその保険料が給与に該当する場合の契約を除く。

（がん保険《終身保障タイプ》の概要）

(一)　(8)に掲げるがん保険《終身保障タイプ》の概要は次のとおり。

1	主たる保険事故及び保険金
	次の表の右欄に掲げる保険事故の区分に応じ、それぞれ同表の左欄に掲げる保険金が支払われる契約。

保険事故	保険金
初めてがんと診断	がん診断給付金
がんによる入院	がん入院給付金
がんによる手術	がん手術給付金
がんによる死亡	がん死亡給付金

注1　がん以外の原因により死亡した場合にごく少額の普通死亡保険金を支払うものを含む。
注2　毎年の付保利益が一定（各保険金が保険期間を通じて一定であることをいう。）である契約に限る（がん以外の原因により死亡した場合にごく少額の普通死亡保険金を支払う契約のうち、保険料払込期間が有期払込であるもので、保険払込期間において当該普通死亡保険金の支払がなく、保険料払込期間が終了した後の期間においてごく少額の普通死亡保険金を支払うものを含む。）。

2	保険期間	終身
3	保険料払込方法	一時払、年払、半年払、月払
4	保険料払込期間	終身払込、有期払込
5	保険金受取人	会社、役員又は使用人（これらの者の親族を含む。）
6	払戻金	保険料は掛け捨てであり、いわゆる満期保険金はないが、保険契約の失効、告知義務違反による解除及び解約等の場合には、保険料の払込期間に応じた所定の払戻金が保険契約者に払い戻されることがある。 注　上記の払戻金は、保険期間が長期にわたるため、高齢化するにつれて高まる保険事故の発生率等に対して、平準化した保険料を算出していることにより払い戻されるものである。

（例外的取扱い）

(二)　保険契約の解約等において払戻金のないもの（保険料払込期間が有期払込であり、保険料払込期間が終了した後の解約等においてごく少額の払戻金がある契約を含む。）である場合には、(8)にかかわらず、保険料の払込の都度当該保険料を損金の額に算入する。

(特約に係る保険料)
(9) 法人が、自己を契約者とし、役員又は使用人(これらの者の親族を含む。)を被保険者とする特約を付した養老保険、定期保険、第三分野保険又は定期付養老保険等に加入し、当該特約に係る保険料を支払った場合には、その支払った保険料の額については、当該特約の内容に応じ、(1)、(2)又は(3)の例による。(基通9－3－6の2)

> 注 (9)の取扱いは、令和元年7月8日以後の契約に係る定期保険又は第三分野保険((2)に定める解約返戻金相当額のない短期払の定期保険又は第三分野保険を除く。)の保険料及び令和元年10月8日以後の契約に係る定期保険又は第三分野保険((2)に定める解約返戻金相当額のない短期払の定期保険又は第三分野保険に限る。)の保険料について適用され、それぞれの日前の契約に係る定期保険又は第三分野保険の保険料については、(9)は次による。(令元課法2－13 経過的取扱い)
>
> > 法人が、自己を契約者とし、役員又は使用人(これらの者の親族を含む。)を被保険者とする傷害特約等の特約を付した養老保険、定期保険又は定期付養老保険に加入し、当該特約に係る保険料を支払った場合には、その支払った保険料の額は、期間の経過に応じて損金の額に算入することができる。ただし、役員又は部課長その他特定の使用人(これらの者の親族を含む。)のみを傷害特約等に係る給付金の受取人としている場合には、当該保険料の額は、当該役員又は使用人に対する給与とする。(旧基通9－3－6の2)

(保険契約の転換をした場合)
(10) 法人がいわゆる契約転換制度によりその加入している養老保険、第三分野保険又は定期付養老保険等を他の養老保険、定期保険、第三分野保険又は定期付養老保険等(以下(10)において「転換後契約」という。)に転換した場合には、資産に計上している保険料の額(以下(10)において「資産計上額」という。)のうち、転換後契約の責任準備金に充当される部分の金額(以下(10)において「充当額」という。)を超える部分の金額をその転換をした日の属する事業年度の損金の額に算入することができるものとする。この場合において、資産計上額のうち充当額に相当する部分の金額については、その転換のあった日に保険料の一時払いをしたものとして、転換後契約の内容に応じて(1)から(4)まで及び(9)の例(ただし、(3)の表の資産計上期間の欄の(注)を除く。)による。(基通9－3－7)

> 注 (10)の取扱いは、令和元年7月8日以後の契約に係る定期保険又は第三分野保険((2)に定める解約返戻金相当額のない短期払の定期保険又は第三分野保険を除く。)の保険料及び令和元年10月8日以後の契約に係る定期保険又は第三分野保険((2)に定める解約返戻金相当額のない短期払の定期保険又は第三分野保険に限る。)の保険料について適用され、それぞれの日前の契約に係る定期保険又は第三分野保険の保険料については、(10)は次による。(令元課法2－13 経過的取扱い)
>
> > 法人がいわゆる契約転換制度によりその加入している養老保険又は定期付養老保険を他の養老保険、定期保険又は定期付養老保険(以下旧(10)において「転換後契約」という。)に転換した場合には、資産に計上している保険料の額(以下旧(10)において「資産計上額」という。)のうち、転換後契約の責任準備金に充当される部分の金額(以下旧(10)において「充当額」という。)を超える部分の金額をその転換をした日の属する事業年度の損金の額に算入することができるものとする。この場合において、資産計上額のうち充当額に相当する部分の金額については、その転換のあった日に保険料の一時払いをしたものとして、転換後契約の内容に応じて(1)の注4の旧(1)、(2)の注3の旧(2)、(4)の注の旧(4)の例による。(旧基通9－3－7)

(払済保険へ変更した場合)
(11) 法人が既に加入している生命保険をいわゆる払済保険に変更した場合には、原則として、その変更時における解約返戻金相当額とその保険契約により資産に計上している保険料の額(以下(11)において「資産計上額」という。)との差額を、その変更した日の属する事業年度の益金の額又は損金の額に算入する。ただし、既に加入している生命保険の保険料の全額(特約に係る保険料の額を除く。)が役員又は使用人に対する給与となる場合は、この限りでない。(基通9－3－7の2)

注1 養老保険、終身保険、定期保険、第三分野保険及び年金保険(特約が付加されていないものに限る。)から同種類の払済保険に変更した場合に、(11)を適用せずに、既往の資産計上額を保険事故の発生又は解約失効等により契約が終了するまで計上しているときは、これを認める。

注2 本文の解約返戻金相当額については、その払済保険へ変更した時点において当該変更後の保険と同一内容の保険に加入して保険期間の全部の保険料を一時払いしたものとして、(1)から(4)までの例(ただし、(3)の表の資産計上期間の欄の(注)を除く。)により処理するものとする。

注3 払済保険が復旧された場合には、払済保険に変更した時点で益金の額又は損金の額に算入した金額を復旧した日の属する事業年度の損金の額又は益金の額に、また、払済保険に変更した後に損金の額に算入した金額は復旧した日の属する事業年度の益金の額に算入する。

注4 (11)の取扱いは、令和元年7月8日以後の契約に係る定期保険又は第三分野保険((2)に定める解約返戻金相当額のない短期払の定期保険又は第三分野保険を除く。)の保険料及び令和元年10月8日以後の契約に係る定期保険又は第三分野保険((2)に定める解約返戻金相当額のない短期払の定期保険又は第三分野保険に限る。)の保険料について適用され、それぞれの日前の契約に係る定期保険又は第三分野保険の保険料については、(11)は次による。(令元課法2－13 経過的取扱い)

> 法人が既に加入している生命保険をいわゆる払済保険に変更した場合には、原則として、その変更時における解約返戻金相当額とその保険契約により資産に計上している保険料の額(以下旧(11)において「資産計上額」という。)との差額を、その変更した日の属する事業年度の益金の額又は損金の額に算入する。ただし、既に加入している生命保険の保険料の全額(傷害特約等に係る保険料の額を

除く。）が役員又は使用人に対する給与となる場合は、この限りでない。（旧基通9－3－7の2）
> 注1　養老保険、終身保険及び年金保険（定期保険特約が付加されていないものに限る。）から同種類の払済保険に変更した場合に、(11)を適用せずに、既往の資産計上額を保険事故の発生又は解約失効等により契約が終了するまで計上しているときは、これを認める。
> 注2　本文の解約返戻金相当額については、その払済保険へ変更した時点において当該変更後の保険と同一内容の保険に加入して保険期間の全部の保険料を一時払いしたものとして、(1)の注4の旧(1)、(2)の注3の旧(2)、(4)の注の旧(4)の例により処理するものとする。
> 注3　払済保険が復旧された場合には、払済保険に変更した時点で益金の額又は損金の額に算入した金額を復旧した日の属する事業年度の損金の額又は益金の額に、また、払済保険に変更した後に損金の額に算入した金額は復旧した日の属する事業年度の益金の額に算入する。

（契約者配当）
(12) 法人が生命保険契約（適格退職年金契約に係るものを含む。）に基づいて支払を受ける契約者配当の額については、その通知（据置配当については、その積立てをした旨の通知）を受けた日の属する事業年度の益金の額に算入するのであるが、当該生命保険契約が(1)の表の(一)に掲げる場合に該当する場合（(4)の(二)により(1)の表の(一)の例による場合を含む。）には、当該契約者配当の額を資産に計上している保険料の額から控除することができるものとする。（基通9－3－8）
> 注1　契約者配当の額をもっていわゆる増加保険に係る保険料の額に充当することになっている場合には、その保険料の額については、(1)から(4)までに掲げるところによる。
> 注2　据置配当又は未収の契約者配当の額に付される利子の額については、その通知のあった日の属する事業年度の益金の額に算入するのであるから留意する。
> 注3　個人年金保険契約に基づいて支払を受ける契約者配当の額については、(6)の取扱いによるのであるから留意する。（編者）

4　損害保険契約に係る保険料

①　長期の損害保険契約に係る保険料

　法人が、保険期間が3年以上で、かつ、当該保険期間満了後に満期返戻金を支払う旨の定めのある損害保険契約（これに類する共済に係る契約を含む。以下「**長期の損害保険契約**」という。）に係る保険料を支払った場合の取扱いは、次による。
> 注　長期傷害保険（終身保障タイプ）については、平成18年4月28日付「長期傷害保険（終身保障タイプ）に関する税務上の取扱いについて」の文書回答事例がある。（編者）

（長期の損害保険契約に係る支払保険料）
(1) 法人が長期の損害保険契約について保険料（共済掛金を含む。以下(4)までにおいて同じ。）を支払った場合には、その支払った保険料の額のうち、積立保険料に相当する部分の金額は保険期間の満了又は保険契約の解除若しくは失効の時までは資産に計上するものとし、その他の部分の金額は期間の経過に応じて損金の額に算入する。（基通9－3－9）
> 注　支払った保険料の額のうち、積立保険料に相当する部分の金額とその他の部分の金額との区分は、保険払込案内書、保険証券添付書類等により区分されているところによる。

（賃借建物等を保険に付した場合の支払保険料）
(2) 法人が賃借している建物等（役員又は使用人から賃借しているもので当該役員又は使用人に使用させているものを除く。）に係る長期の損害保険契約について保険料を支払った場合には、当該保険料については、次の表の左欄に掲げる区分に応じ、それぞれ同表の右欄による。（基通9－3－10）

(一)	法人が保険契約者となり、当該建物等の所有者が被保険者となっている場合	(1)《長期の損害保険契約に係る支払保険料》による。
(二)	当該建物等の所有者が保険契約者及び被保険者となっている場合	保険料の全部を当該建物等の賃借料とする。

（役員又は使用人の建物等を保険に付した場合の支払保険料）
(3) 法人がその役員又は使用人の所有する建物等（法人が役員又は使用人から賃借している建物等で当該役員又は使

用人に使用させているものを含む。）に係る長期の損害保険契約について保険料を支払った場合には、当該保険料については、次の表の左欄に掲げる区分に応じ、それぞれ同表の右欄による。（基通９－３－11）

（一）	法人が保険契約者となり、当該役員又は使用人が被保険者となっている場合	保険料の額のうち、積立保険料に相当する部分の金額は資産に計上し、その他の部分の金額は当該役員又は使用人に対する給与とする。ただし、その他の部分の金額で所得税法上経済的な利益として課税されないものについて法人が給与として経理しない場合には、給与として取り扱わない。（所基通36－31の７《使用者契約の保険契約等に係る経済的利益》参照）
（二）	当該役員又は使用人が保険契約者及び被保険者となっている場合	保険料の額の全部を当該役員又は使用人に対する給与とする。

（保険事故の発生による積立保険料の処理）
（４）　法人が長期の損害保険契約につき資産に計上している積立保険料に相当する部分の金額は、保険事故の発生により保険金の支払を受けた場合においても、その支払により当該損害保険契約が失効しないときは損金の額に算入されないことに留意する。（基通９－３－12）

② **介護費用保険に係る保険料**

　法人が、自己を契約者とし、役員又は使用人（これらの者の親族を含む。）を被保険者とする**介護費用保険**（被保険者が寝たきり又は痴ほうにより介護が必要な状態になったときに保険事故が生じたとして保険金が被保険者に支払われる損害保険をいう。以下同じ。）に加入してその保険料を支払った場合（役員又は部課長その他特定の使用人〔これらの者の親族を含む。〕のみを被保険者とし、保険金の受取人を被保険者としているため、その保険料の額が当該役員又は使用人に対する給与となる場合を除く。）には、次により取り扱うものとする。（平元直審４－52）

　注　②は、令和元年６月28日付課法２－13ほか２課共同「法人税基本通達等の一部改正について（法令解釈通達）」により、令和元年６月28日をもって廃止されているが、令和元年７月７日以前の契約に係る定期保険又は第三分野保険（３の（２）に掲げる解約返戻金相当額のない短期払の定期保険又は第三分野保険を除く。）の保険料及び令和元年10月７日以前の契約に係る定期保険又は第三分野保険（同（２）に掲げる解約返戻金相当額のない短期払の定期保険又は第三分野保険に限る。）の保険料については、②の例による。（同通達　経過的取扱い）

（介護費用保険に係る保険料）
（１）　法人が支払った介護費用保険の保険料の額については、次の表の左欄に掲げる場合の区分に応じ、それぞれ同表の右欄により取り扱うものとする。

（一）	保険料を年払又は月払する場合	支払の対象となる期間の経過に応じて損金の額に算入するものとするが、保険料払込期間のうち被保険者が60歳に達するまでの支払分については、その50％相当額を前払費用等として資産に計上し、被保険者が60歳に達した場合には、当該資産に計上した前払費用等の累積額を60歳以後の15年で期間の経過により損金の額に算入するものとする。
（二）	保険料を一時払する場合	保険料払込期間を加入時から75歳に達するまでと仮定し、その期間の経過に応じて期間経過分の保険料につき（一）により取り扱う。
（三）	保険事故が生じた場合	（一）又は（二）にかかわらず資産計上している保険料について一時の損金の額に算入することができる。

　注１　数年分の保険料をまとめて支払った場合には、いったんその保険料の全額を前払金として資産に計上し、その支払の対象となった期間の経過に応ずる経過期間分の保険料について、（一）の取扱いによることに留意する。
　注２　被保険者の年齢が60歳に達する前に保険料を払済みとする保険契約又は払込期間が15年以下の短期払済みの年払又は月払の保険契約にあっては、支払保険料の総額を一時払したものとして（二）の取扱いによる。
　注３　保険料を年払又は月払する場合において、保険事故が生じたときには、以後の保険料の支払は免除される。しかし、免除後に要介護の状態がなくなったときは、再度保険料の支払を要することとされているが、当該支払保険料は支払の対象となる期間の経過に応じて損金の額に算入するものとする。

（被保険者である役員又は使用人の課税関係）
（２）　被保険者である役員又は使用人については、介護費用保険が掛け捨ての保険であるので、**３の（２）の注３の旧（二）**

に準じて取り扱う。

　　　（保険契約者の地位を変更した場合——退職給与の一部とした場合等の課税関係）
（3）　保険契約者である法人が、被保険者である役員又は使用人が退職したことに伴い介護費用保険の保険契約者の地位（保険契約の権利）を退職給与の全部又は一部として当該役員又は使用人に供与した場合には、所得税基本通達36－37《保険契約等に関する権利の評価》に準じ当該契約を解除した場合の解約返戻金の額相当額が退職給与として支給されたものとして取り扱う。
　　なお、法人が保険契約者の地位を変更せず、定年退職者のために引き続き保険料を負担している場合であっても、所得税の課税対象としなくて差し支えない（役員又は部課長その他特定の使用人〔これらの者の親族を含む。〕のみを被保険者とし、保険金の受取人を被保険者としている場合を除く。）。

　　　（保険金の支払を受けた役員又は使用人の課税関係）
（4）　被保険者である役員又は使用人が保険金の支払を受けた場合には、当該保険金は所得税法施行令第30条《非課税とされる保険金、損害賠償金等》に規定する保険金に該当するものとして、非課税として取り扱う。

三　その他の経費

1　商品等の販売に要する景品等の費用

①　抽選券付販売に要する景品等の費用

　法人が商品等の抽選券付販売により当選者に金銭若しくは景品を交付し、又は旅行、観劇等に招待することとしている場合（第一款の三の1の②のイの（7）《ポイント等を付与した場合の収益の計上の単位》又は同②のハの(10)《相手方に支払われる対価》の適用を受ける場合を除く。）には、これらに要する費用の額は、当選者から抽選券の引換えの請求があった日又は旅行等を実施した日の属する事業年度の損金の額に算入する。ただし、当選者からの請求を待たないで、法人が金銭又は景品を送付することとしている場合には、抽選の日の属する事業年度の損金の額に算入することができる。（基通9－7－1）

②　金品引換券付販売に要する費用

　金品引換券付販売に要する費用の損金算入については、次に掲げるところによる。

イ	金品引換券付販売に要する費用	法人が商品等の金品引換券付販売により金品引換券と引換えに金銭又は物品を交付することとしている場合（第一款の三の1の②のイの（7）又は同②のハの(10)の適用を受ける場合を除く。）には、その金銭又は物品の代価に相当する額は、その引き換えた日の属する事業年度の損金の額に算入する。（基通9－7－2）
ロ	金品引換費用の未払金の計上	法人が商品等の金品引換券付販売をした場合において、その金品引換券が販売価額又は販売数量に応ずる点数等で表示されており、かつ、たとえ1枚の呈示があっても金銭又は物品と引き換えることとしているものであるとき（第一款の三の1の②のイの（7）又は同②のハの(10)の適用を受ける場合を除く。）は、イ《金品引換券付販売に要する費用》にかかわらず、次の算式により計算した金額をその販売の日の属する事業年度において損金経理により未払金に計上することができる。（基通9－7－3） （算式） 　1枚又は1点について交付する金銭の額　×　その事業年度において発行した枚数又は点数 　注1　算式中「1枚又は1点について交付する金銭の額」は、物品だけの引換えをすることとしている場合には、1枚又は1点について交付する物品の購入単価（2以上の物品のうちその一つを選択することができることとしている場合には、その最低購入単価）による。 　注2　算式中「その事業年度において発行した枚数又は点数」には、その事業年度において発行した枚数又は点数のうち、その事業年度終了の日までに引換えの済んだもの及び引換期間の終了したものは含まない。

　（金品引換費用の未払金の益金算入）
（1）　②の表のロにより損金の額に算入した未払金の額は、その翌事業年度の益金の額に算入する。ただし、引換期間の定めのあるものでその期間が終了していないものの未払金の額は、その引換期間の末日の属する事業年度の益金の額に算入する。（基通9－7－4）

　（明細書の添付）
（2）　②の表のロにより未払金の計上を行う場合には、その計上を行う事業年度の確定申告書に未払金の額の計算の基礎及び金品引換券の引換条件等に関する事項を記載した明細書を添付しなければならないものとする。（基通9－7－5）

2　海外渡航費

　法人がその役員又は使用人の海外渡航に際して支給する旅費（支度金を含む。以下同じ。）は、その海外渡航が当該法人の業務の遂行上必要なものであり、かつ、当該渡航のため通常必要と認められる部分の金額に限り、旅費としての法人の経理を認める。したがって、法人の業務の遂行上必要とは認められない海外渡航の旅費の額はもちろん、法人の業務の遂行上必要と認められる海外渡航であってもその旅費の額のうち通常必要と認められる金額を超える部分の金額については、原則として、当該役員又は使用人に対する給与とする。（基通9－7－6）

　注　その海外渡航が旅行期間のおおむね全期間を通じ、明らかに法人の業務の遂行上必要と認められるものである場合には、その海外渡航のため

に支給する旅費は、社会通念上合理的な基準によって計算されている等不当に多額でないと認められる限り、その全額を旅費として経理することができる。

（業務の遂行上必要な海外渡航の判定）
（１）　法人の役員又は使用人の海外渡航が法人の業務の遂行上必要なものであるかどうかは、その旅行の目的、旅行先、旅行経路、旅行期間等を総合勘案して実質的に判定するものとするが、次に掲げる旅行は、原則として法人の業務の遂行上必要な海外渡航に該当しないものとする。（基通９－７－７）
　　（一）　観光渡航の許可を得て行う旅行
　　（二）　旅行あっせんを行う者等が行う団体旅行に応募してする旅行
　　（三）　同業者団体その他これに準ずる団体が主催して行う団体旅行で主として観光目的と認められるもの

（同伴者の旅費）
（２）　法人の役員が法人の業務の遂行上必要と認められる海外渡航に際し、その親族又はその業務に常時従事していない者を同伴した場合において、その同伴者に係る旅費を法人が負担したときは、その旅費はその役員に対する給与とする。ただし、その同伴が例えば次に掲げる場合のように、明らかにその海外渡航の目的を達成するために必要な同伴と認められるときは、その旅行について通常必要と認められる費用の額は、この限りでない。（基通９－７－８）
　　（一）　その役員が常時補佐を必要とする身体障害者であるため補佐人を同伴する場合
　　（二）　国際会議への出席等のために配偶者を同伴する必要がある場合
　　（三）　その旅行の目的を遂行するため外国語に堪能な者又は高度の専門的知識を有する者を必要とするような場合に、適任者が法人の使用人のうちにいないためその役員の親族又は臨時に委嘱した者を同伴するとき

（業務の遂行上必要と認められる旅行と認められない旅行とを併せて行った場合の旅費）
（３）　法人の役員又は使用人が海外渡航をした場合において、その海外渡航の旅行期間にわたり法人の業務の遂行上必要と認められる旅行と認められない旅行とを併せて行ったものであるときは、その海外渡航に際して支給する旅費を法人の業務の遂行上必要と認められる旅行の期間と認められない旅行の期間との比等によりあん分し、法人の業務の遂行上必要と認められない旅行に係る部分の金額については、当該役員又は使用人に対する給与とする。ただし、海外渡航の直接の動機が特定の取引先との商談、契約の締結等法人の業務の遂行のためであり、その海外渡航を機会に観光を併せて行うものである場合には、その往復の旅費（当該取引先の所在地等その業務を遂行する場所までのものに限る。）は、法人の業務の遂行上必要と認められるものとして、その海外渡航に際して支給する旅費の額から控除した残額につき本文の規定を適用する。（基通９－７－９）

（業務の遂行上必要と認められない海外渡航の旅費の特例）
（４）　法人の役員又は使用人の海外渡航が（１）に掲げる旅行に該当する場合であっても、その海外渡航の旅行期間内における旅行先、行った仕事の内容等からみて法人の業務にとって直接関連のあるものがあると認められるときは、法人の支給するその海外渡航に要する旅費のうち、法人の業務にとって直接関連のある部分の旅行について直接要した費用の額は、旅費として損金の額に算入する。（基通９－７－１０）

3　会費及び入会金等の費用

①　ゴルフクラブの入会金

　法人がゴルフクラブに対して支出した入会金については、次の表の左欄に掲げる場合に応じ、それぞれ同表の右欄に掲げるところによる。（基通９－７－１１）

イ	法人会員として入会する場合	入会金は資産として計上するものとする。ただし、記名式の法人会員で名義人たる特定の役員又は使用人が専ら法人の業務に関係なく利用するためこれらの者が負担すべきものであると認められるときは、当該入会金に相当する金額は、これらの者に対する給与とする。
ロ	個人会員として入会する場合	入会金は個人会員たる特定の役員又は使用人に対する給与とする。ただし、無記名式の法人会員制度がないため個人会員として入会し、その入会金を法人が資産に計上した場合において、その入会が法人の業務の遂行上必要であるため法人の負担すべきものであると認められるときは、その経理を認める。

注　この入会金は、ゴルフクラブに入会するために支出する費用であるから、他人の有する会員権を購入した場合には、その購入代価のほか他人の名義を変更するためにゴルフクラブに支出する費用も含まれる。

　　　（資産に計上した入会金の処理）
（1）　法人が資産に計上した入会金については償却を認めないものとするが、ゴルフクラブを脱退してもその返還を受けることができない場合における当該入会金に相当する金額及びその会員たる地位を他に譲渡したことにより生じた当該入会金に係る譲渡損失に相当する金額については、その脱退をし、又は譲渡をした日の属する事業年度の損金の額に算入する。（基通9－7－12）
　　　注　預託金制ゴルフクラブのゴルフ会員権については、退会の届出、預託金の一部切捨て、破産手続開始の決定等の事実に基づき預託金返還請求権の全部又は一部が顕在化した場合において、当該顕在化した部分については、金銭債権として貸倒損失及び貸倒引当金の対象とすることができることに留意する。

　　　（年会費その他の費用）
（2）　法人がゴルフクラブに支出する年会費、年決めロッカー料その他の費用（その名義人を変更するために支出する名義書換料を含み、プレーする場合に直接要する費用を除く。）については、その入会金が資産として計上されている場合には交際費とし、その入会金が給与とされている場合には会員たる特定の役員又は使用人に対する給与とする。（基通9－7－13）
　　　注　プレーする場合に直接要する費用については、入会金を資産に計上しているかどうかにかかわらず、その費用が法人の業務の遂行上必要なものであると認められる場合には交際費とし、その他の場合には当該役員又は使用人に対する給与とする。

② 　レジャークラブの入会金
　①及び①の（1）《資産に計上した入会金の処理》に掲げる入会金の取扱いは、法人がレジャークラブ（宿泊施設、体育施設、遊技施設その他のレジャー施設を会員に利用させることを目的とするクラブでゴルフクラブ以外のものをいう。③において同じ。）に対して支出した入会金について準用する。ただし、その会員としての有効期間が定められており、かつ、その脱退に際して入会金相当額の返還を受けることができないものとされているレジャークラブに対して支出する入会金（役員又は使用人に対する給与とされるものを除く。）については、繰延資産として償却することができるものとする。（基通9－7－13の2）
　　　注　年会費その他の費用は、その使途に応じて交際費等又は福利厚生費若しくは給与となることに留意する。

③ 　社交団体の入会金
　法人が社交団体（ゴルフクラブ及びレジャークラブを除く。以下（1）において同じ。）に対して支出する入会金については、次の表の左欄に掲げる場合に応じ、それぞれ同表の右欄に掲げるところによる。（基通9－7－14）

イ	法人会員として入会する場合	入会金は支出の日の属する事業年度の交際費とする。 注　脱会の時に返還を受けることができるものは、資産に計上することに留意する。（編者）
ロ	個人会員として入会する場合	入会金は個人会員たる特定の役員又は使用人に対する給与とする。ただし、法人会員制度がないため個人会員として入会した場合において、その入会が法人の業務の遂行上必要であると認められるときは、その入会金は支出の日の属する事業年度の交際費とする。

　　　（社交団体の会費等）
（1）　法人がその入会している社交団体に対して支出した会費その他の費用については、次の表の左欄に掲げる区分に応じ、それぞれ同表の右欄に掲げるところによる。（基通9－7－15）

(一)	経常会費	その入会金が交際費に該当する場合には交際費とし、その入会金が給与に該当する場合には会員たる特定の役員又は使用人に対する給与とする。
(二)	経常会費以外の費用	その費用が法人の業務の遂行上必要なものであると認められる場合には交際費とし、会員たる特定の役員又は使用人の負担すべきものであると認められる場合には当該役員又は使用人に対する給与とする。

（ロータリークラブ及びライオンズクラブの入会金等）
（２）　法人がロータリークラブ又はライオンズクラブに対する入会金又は会費等を負担した場合には、次による。（基通９－７－15の２）
（一）　入会金又は経常会費として負担した金額については、その支出をした日の属する事業年度の交際費とする。
（二）　（一）以外に負担した金額については、その支出の目的に応じて寄附金又は交際費とする。ただし、会員たる特定の役員又は使用人の負担すべきものであると認められる場合には、当該負担した金額に相当する金額は、当該役員又は使用人に対する給与とする。

④　**同業団体等の会費**
　法人がその所属する協会、連盟その他の同業団体等（以下「同業団体等」という。）に対して支出した会費の取扱いについては、次による。（基通９－７－15の３）
（一）　通常会費（同業団体等がその構成員のために行う広報活動、調査研究、研修指導、福利厚生その他同業団体としての通常の業務運営のために経常的に要する費用の分担額として支出する会費をいう。以下同じ。）については、その支出をした日の属する事業年度の損金の額に算入する。ただし、当該同業団体等においてその受け入れた通常会費につき不相当に多額の剰余金が生じていると認められる場合には、当該剰余金が生じた時以後に支出する通常会費については、当該剰余金の額が適正な額になるまでは、前払費用として損金の額に算入しないものとする。
（二）　その他の会費（同業団体等が次に掲げるような目的のために支出する費用の分担額として支出する会費をいう。以下同じ。）については、前払費用とし、当該同業団体等がこれらの支出をした日にその費途に応じて当該法人がその支出をしたものとする。
　　イ　会館その他特別な施設の取得又は改良
　　ロ　会員相互の共済
　　ハ　会員相互又は業界の関係先等との懇親等
　　ニ　政治献金その他の寄附

注１　通常会費として支出したものであっても、その全部又は一部が当該同業団体等において（二）に掲げるような目的のための支出に充てられた場合には、その会費の額のうちその充てられた部分に対応する部分の金額については、その他の会費に該当することに留意する。ただし、その同業団体等における支出が当該同業団体等の業務運営の一環として通常要すると認められる程度のものである場合には、この限りでない。
注２　（一）の場合において、同業団体等の役員又は使用人に対する賞与又は退職給与の支給に充てるために引き当てられた金額で適正と認められるものは、剰余金の額に含めないことができる。

⑤　**災害見舞金に充てるために同業団体等へ拠出する分担金等**
　法人が、同業団体等の構成員の有する事業用資産について災害により損失が生じた場合に、その損失の補塡を目的とする構成員相互の扶助等に係る規約等（災害の発生を機に新たに定めたものを含む。）に基づき合理的な基準に従って当該災害発生後に当該同業団体等から賦課され、拠出した分担金等は、④にかかわらず、その支出した日の属する事業年度の損金の額に算入する。（基通９－７－15の４）

4　その他

①　**法人が支出した役員等の損害賠償金**
　法人の役員又は使用人がした行為等によって他人に与えた損害につき法人がその損害賠償金を支出した場合には、次の表の左欄に掲げる場合により、それぞれ同表の右欄に掲げるところによる。（基通９－７－16）

イ	その損害賠償金の対象となった行為等が法人の業務の遂行に関連するものであり、かつ、故意又は重過失に基づかないものである場合	その支出した損害賠償金の額は給与以外の損金の額に算入する。
ロ	その損害賠償金の対象となった行為等が、法人の業務の遂行に関連するものであるが故意又は重過失に基づくものである場合又は法人の業務の遂行に関連しないものである場合	その支出した損害賠償金に相当する金額は当該役員又は使用人に対する債権とする。

　注　法人が業務の遂行に関連して他の者に与えた損害につき賠償をする場合の取扱いについては、第一款の**四**の**11**の(11)《損害賠償金》を参照。（編者）

（損害賠償金に係る債権の処理）
　法人が①の表の口に掲げる債権につき、その役員又は使用人の支払能力等からみて求償できない事情にあるため、その全部又は一部に相当する金額を貸倒れとして損金経理をした場合（①の表の口に掲げる損害賠償金相当額を債権として計上しないで損金の額に算入した場合を含む。）には、これを認める。ただし、当該貸倒れ等とした金額のうちその役員又は使用人の支払能力等からみて回収が確実であると認められる部分の金額については、これを当該役員又は使用人に対する給与とする。（基通9－7－17）

② **自動車による人身事故に係る内払の損害賠償金**
　自動車による人身事故（死亡又は傷害事故をいう。）に伴い、損害賠償金（①の表の口に係る損害賠償金を除く。）として支出した金額は、示談の成立等による確定前においても、その支出の日の属する事業年度の損金の額に算入することができるものとする。この場合には、当該損金の額に算入した損害賠償金に相当する金額（その人身事故について既に益金の額に算入した保険金がある場合には、その累積額を当該人身事故に係る保険金見積額から控除した残額を限度とする。）の保険金は益金の額に算入する。（基通9－7－18）
　　注1　保険金見積額とは、当該法人が自動車損害賠償責任保険契約又は任意保険契約を締結した保険会社に対して保険金の支払を請求しようとする額をいう。
　　注2　被害者の見舞いのための果物、菓子、生花の費用等保険が担保していない諸経費については、損害賠償金に該当しないから、この取扱いに関係なく支出の都度損金の額に算入される。（編者）
　　注3　交通事故に伴う損害賠償交渉が長引き数期にわたることが多いが、双方合意に達しない場合、加害者側の示談呈示額は、②の支出した金額に準じて未払費用として計上して差し支えない。（編者）

③ **社　葬　費　用**
　法人が、その役員又は使用人が死亡したため社葬を行い、その費用を負担した場合において、その社葬を行うことが社会通念上相当と認められるときは、その負担した金額のうち社葬のために通常要すると認められる部分の金額は、その支出をした日の属する事業年度の損金の額に算入することができるものとする。（基通9－7－19）
　　注　会葬者が持参した香典等を法人の収入としないで遺族の収入としたときは、これを認める。

④ **費途不明の交際費等**
　法人が交際費、機密費、接待費等の名義をもって支出した金銭でその費途が明らかでないものは、損金の額に算入しない。（基通9－7－20）
　　注　この取扱いにより損金の額に算入されなかったものは、交際費等の損金不算入の適用対象から除かれる。（編者）

⑤ **その他の費用又は損失に関する取扱い**
　その他の費用又は損失の計上等に関して次のような取扱いが定められている。
　　注　特殊なもの及び昭和55年以前のものは省略した。
（一）　○○販売店遺児育英制度に基づき給付される遺児育英年金等に係る税務上の取扱い（昭57直審4－139）
（二）　定年退職者医療保険制度に基づき負担する保険料の課税上の取扱い（昭60直審4－15）

第十五款　圧縮記帳

一　国庫補助金等による圧縮記帳

1　国庫補助金等で取得した固定資産の圧縮額の損金算入

　内国法人（清算中のものを除く。以下一において同じ。）が、各事業年度において固定資産の取得又は改良に充てるための**国庫補助金等**（（1）に掲げるものをいう。以下一において同じ。）の交付を受けた場合（その国庫補助金等の返還を要しないことが当該事業年度終了の時までに確定した場合に限る。）において、当該事業年度終了の時までに取得又は改良（以下一において「**取得等**」という。）をしたその交付の目的に適合した固定資産につき、当該事業年度においてその交付を受けた国庫補助金等の額に相当する金額（その固定資産が当該事業年度前の各事業年度において取得等をした減価償却資産である場合には、当該国庫補助金等の額を基礎として（2）により計算した金額。以下1において「**圧縮限度額**」という。）の範囲内でその帳簿価額を損金経理により減額し、又はその圧縮限度額以下の金額を当該事業年度の確定した決算において積立金として積み立てる方法（決算の確定の日までに剰余金の処分により積立金として積み立てる方法を含む。）により経理したときは、その減額し又は経理した金額に相当する金額は、当該事業年度の所得の金額の計算上、損金の額に算入する。（法42①、令80）

　　注　税効果会計を適用する場合には、剰余金の処分による圧縮積立金の積立額は、税効果相当額を控除した純額になるが、この場合でも確定申告書等に税務上の圧縮積立金の積立額を明らかにするための明細書を添付しているときは、税務上は、剰余金の処分による積立額とこれに対応する税効果相当額との合計額を圧縮積立金として積み立てたものとして取り扱われる。（編者）

　　　（国庫補助金等の範囲）
（1）　圧縮記帳の適用の対象となる国庫補助金等は、次に掲げる助成金又は補助金とする。（令79）
　（一）　国又は地方公共団体の補助金又は給付金
　（二）　障害者の雇用の促進等に関する法律第49条第2項《納付金関係業務》に基づく独立行政法人高齢・障害・求職者雇用支援機構の同条第1項第2号、第3号及び第5号から第7号までに規定する助成金
　（三）　福祉用具の研究開発及び普及の促進に関する法律第7条第1号《国立研究開発法人新エネルギー・産業技術総合開発機構の業務》に基づく国立研究開発法人新エネルギー・産業技術総合開発機構の助成金
　（四）　国立研究開発法人新エネルギー・産業技術総合開発機構法第15条第3号《業務の範囲》に基づく国立研究開発法人新エネルギー・産業技術総合開発機構の助成金（外国法人、外国の政府若しくは地方公共団体に置かれる試験研究機関〔試験所、研究所その他これらに類する機関をいう。以下(四)において同じ。〕、国際機関に置かれる試験研究機関若しくは外国の大学若しくはその附属の試験研究機関〔以下(四)において「外国試験研究機関等」という。〕又は外国試験研究機関等の研究員と共同して行う試験研究に関する助成金を除く。）
　（五）　特定高度情報通信技術活用システムの開発供給及び導入の促進に関する法律第29条第1号《国立研究開発法人新エネルギー・産業技術総合開発機構の業務》に基づく国立研究開発法人新エネルギー・産業技術総合開発機構の助成金
　<u>（六）　国立研究開発法人新エネルギー・産業技術総合開発機構法第15条第15号に基づく国立研究開発法人新エネルギー・産業技術総合開発機構の供給確保事業助成金（経済施策を一体的に講ずることによる安全保障の確保の推進に関する法律第31条第3項第1号《安定供給確保支援法人の指定及び業務》に規定する助成金をいう。（十）において同じ。）</u>
　（七）　独立行政法人農畜産業振興機構法第10条第2号《業務の範囲》に基づく独立行政法人農畜産業振興機構の補助金
　（八）　独立行政法人鉄道建設・運輸施設整備支援機構法第13条第2項第1号から第3号まで《業務の範囲》に基づく独立行政法人鉄道建設・運輸施設整備支援機構の補助金
　（九）　日本国有鉄道清算事業団の債務等の処理に関する法律附則第5条第1項第1号《機構の行う会社等への助成金の交付等の業務》に基づく独立行政法人鉄道建設・運輸施設整備支援機構の助成金のうち、日本国有鉄道清算事業団の債務等の処理に関する法律施行規則附則第5条第1項第1号ロ（1）《機構の行う会社等への助成金の交付等の認可》に掲げる鉄道施設等の整備使途に充てられるもの（規24の2）
　<u>（十）　独立行政法人エネルギー・金属鉱物資源機構法第11条第1項第25号《業務の範囲》に基づく独立行政法人エネ</u>

第三章　第一節　第十五款　一《国庫補助金等による圧縮記帳》

ルギー・金属鉱物資源機構の供給確保事業助成金
(十一)　日本たばこ産業株式会社が日本たばこ産業株式会社法第９条《事業計画》の規定による認可を受けた事業計画に定めるところに従って交付するたばこ事業法第２条第２号《定義》に規定する葉たばこの生産基盤の強化のための助成金
　　注　──線部分は、令和６年度改正により追加された部分で、改正規定は、令和６年４月１日以後に第二節第三款の二の１《確定申告》による申告書の提出期限が到来する事業年度について適用される。(令６改令附５、１)

　　（国庫補助金等の交付前に取得した固定資産等の圧縮限度額）
(２)　１に掲げる圧縮限度額は、その交付を受けた国庫補助金等の全部又は一部の返還を要しないことが確定した日における１に掲げる固定資産の帳簿価額（改良の場合にあっては、その改良に係る部分の帳簿価額）に(一)に掲げる金額のうちに(二)に掲げる金額の占める割合を乗じて計算した金額とする。(令79の２)
　(一)　当該固定資産の取得又は改良をするために要した金額
　(二)　その返還を要しないこととなった当該国庫補助金等の額

　　（地方税の減免に代えて交付を受けた補助金等）
(３)　法人が都道府県又は市町村から工場誘致条例又はこれに準ずる条例に基づいて補助金、奨励金等の交付を受けた場合において、当該補助金、奨励金等が実質的に税の減免に代えて交付されたものであることが明らかであると認められるときは、当該補助金、奨励金等は国庫補助金等には該当しない。(基通10－２－４)

　　（山林の取得等に充てるために交付を受けた国庫補助金等）
(４)　法人が山林の取得等に充てるため、国又は地方公共団体から交付を受けた補助金は、国庫補助金等に該当するものとする。(基通10－２－５)

　　（返還が確定しているかどうかの判定）
(５)　法人が交付を受けた国庫補助金等について次のような一般的条件が付されていることは、１（３の①《適格分割等を行った場合の分割法人等における固定資産の圧縮額の損金算入》を含む。）、４《国庫補助金等に係る特別勘定の金額の損金算入》（５《国庫補助金等に係る特別勘定の金額の取崩し》若しくは６《適格組織再編成の場合の特別勘定等の引継ぎ》を含む。）又は７《特別勘定を設けた場合の国庫補助金等で取得した固定資産の圧縮額の損金算入》の適用上、当該国庫補助金等につき返還を要しないことが確定しているかどうかの判定には関係がないものとする。(基通10－２－１)
　(一)　交付の条件に違反した場合には返還しなければならないこと。
　(二)　一定期間内に相当の収益が生じた場合には返還しなければならないこと。
　　注　補助金等に係る予算の執行の適正化に関する法律第15条《補助金等の額の確定等》の規定により交付すべき補助金等の額が確定し、その旨の通知を受けた国庫補助金等は、返還を要しないことが確定した国庫補助金等に該当する。

　　（資産につき除却等があった場合の積立金の取崩し）
(６)　圧縮記帳による圧縮額を積立金として経理している資産につき除却、廃棄、滅失又は譲渡（以下(６)において「除却等」という。）があった場合には、当該積立金の額（当該資産の一部につき除却等があった場合には、その除却等があった部分に係る金額）を取り崩してその除却等のあった日の属する事業年度の益金の額に算入するのであるから留意する。(基通10－１－２)
　　注　当該譲渡には、適格分社型分割、適格現物出資又は適格現物分配による資産の移転は含まれないのであるから留意する。

　　（積立金の任意取崩しの場合の償却超過額等の処理）
(７)　圧縮記帳による圧縮額を積立金として経理している法人が当該積立金の額の全部又は一部を取り崩して益金の額に算入した場合において、その取り崩した積立金の設定の基礎となった資産に係る償却超過額又は評価損の否認金（当該事業年度において生じた償却超過額又は評価損の否認金を含む。）があるときは、その償却超過額又は評価損の否認金の額のうち益金の額に算入した積立金の額に達するまでの金額は、当該事業年度の損金の額に算入する。(基通10－１－３)

　　（圧縮記帳をした資産の帳簿価額）
(８)　１《国庫補助金等で取得した固定資産の圧縮額の損金算入》、２《国庫補助金等に代えて交付を受けた固定資産の

圧縮額の損金算入》又は7《特別勘定を設けた場合の国庫補助金等で取得した固定資産の圧縮額の損金算入》の適用を受ける資産については、1、2又は7の適用によりその帳簿価額が1円未満となるべき場合においても、その帳簿価額として1円以上の金額を付するものとする。（令93）

2　国庫補助金等に代えて交付を受けた固定資産の圧縮額の損金算入

内国法人が、各事業年度において国庫補助金等の交付に代わるべきものとして交付を受ける固定資産を取得した場合において、その固定資産につき、当該事業年度においてその固定資産の価額に相当する金額（以下2において「**圧縮限度額**」という。）の範囲内でその帳簿価額を損金経理により減額し、又はその圧縮限度額以下の金額を当該事業年度の確定した決算において積立金として積み立てる方法（決算の確定の日までに剰余金の処分により積立金として積み立てる方法を含む。）により経理したときは、その減額し又は経理した金額に相当する金額は、当該事業年度の所得の金額の計算上、損金の額に算入する。（法42②、令80）

　　注　税効果会計を適用する場合には、剰余金の処分による圧縮積立金の積立額は、税効果相当額を控除した純額になるが、この場合でも確定申告書等に税務上の圧縮積立金の積立額を明らかにするための明細書を添付しているときは、税務上は、剰余金の処分による積立額とこれに対応する税効果相当額との合計額を圧縮積立金として積み立てたものとして取り扱われる。（編者）

（地方公共団体から土地等を時価に比して著しく低い価額で取得した場合の圧縮記帳）
　法人が工場誘致等のために都道府県又は市町村から土地その他の固定資産をその時価に比して著しく低い価額で取得し、当該価額（その取得に要した費用があるときは、当該費用の額を加算した金額）を帳簿価額とした場合には、当該資産については2により圧縮記帳をしたものとして取り扱う。（基通10－2－3）

3　適格分割等を行った場合の分割法人等における固定資産の圧縮額の損金算入等《期中圧縮記帳》

①　適格分割等を行った場合の分割法人等における固定資産の圧縮額の損金算入《期中圧縮記帳》

内国法人が、適格分割、適格現物出資又は適格現物分配（以下一において「**適格分割等**」という。）により当該適格分割等の直前の時までに取得等をした固定資産（当該適格分割等の日の属する事業年度開始の時から当該直前の時までの期間内に交付を受けた国庫補助金等の交付の目的に適合したものに限る。）を分割承継法人、被現物出資法人又は被現物分配法人（以下一において「**分割承継法人等**」という。）に移転する場合（当該国庫補助金等の返還を要しないことが当該直前の時までに確定した場合に限る。）において、当該固定資産につき、当該事業年度において1に掲げる圧縮限度額に相当する金額の範囲内でその帳簿価額を減額したときは、その減額した金額に相当する金額は、当該事業年度の所得の金額の計算上、損金の額に算入する。（法42⑤）

②　国庫補助金等に代えて交付を受けた固定資産の圧縮額の損金算入《期中圧縮記帳》

内国法人が、適格分割等により2に掲げる固定資産（当該適格分割等の日の属する事業年度開始の時から当該適格分割等の直前の時までの期間内に取得したものに限る。）を分割承継法人等に移転する場合において、当該固定資産につき、当該事業年度において当該固定資産の価額に相当する金額の範囲内でその帳簿価額を減額したときは、その減額した金額に相当する金額は、当該事業年度の所得の金額の計算上、損金の額に算入する。（法42⑥）

③　適格分割等に係る国庫補助金等で取得した固定資産等の圧縮額の損金算入に関する届出

①又は②は、当該内国法人が適格分割等の日以後2か月以内に次に掲げる事項を記載した書類を納税地の所轄税務署長に提出した場合に限り、適用する。（法42⑦、規24の3）

イ	①又は②の適用を受けようとする内国法人の名称、納税地及び法人番号（行政手続における特定の個人を識別するための番号の利用等に関する法律第2条第15項に規定する法人番号をいう。以下第十五款において同じ。）並びに代表者の氏名
ロ	適格分割等に係る分割承継法人等の名称及び納税地並びに代表者の氏名
ハ	適格分割等の日
ニ	適格分割等により分割承継法人等に移転をする固定資産に係る①又は②に掲げる帳簿価額を減額した金額に相当する金額及び当該金額の計算に関する明細
ホ	その他参考となるべき事項

　　注　ニに掲げる事項の記載については、別表十三（一）の書式によらなければならない。（規27の14）

4　国庫補助金等に係る特別勘定の金額の損金算入

①　国庫補助金等に係る特別勘定の金額の損金算入

内国法人が、各事業年度（被合併法人の合併〔適格合併を除く。5において「**非適格合併**」という。〕の日の前日の属する事業年度を除く。）において固定資産の取得等に充てるための国庫補助金等の交付を受ける場合（その国庫補助金等の返還を要しないことが当該事業年度終了の時までに確定していない場合に限る。）において、その国庫補助金等の額に相当する金額以下の金額を当該事業年度の確定した決算において特別勘定を設ける方法（決算の確定の日までに剰余金の処分により積立金として積み立てる方法を含む。）により経理したときは、その経理した金額に相当する金額は、当該事業年度の所得の金額の計算上、損金の額に算入する。（法43①、令80）

　（特別勘定の経理）

　　①に掲げる特別勘定の経理は、積立金として積み立てる方法のほか、仮受金等として経理する方法によることもできるものとする。（基通10－1－1）

②　適格分割等を行った場合の分割法人等における国庫補助金等に係る期中特別勘定の金額の損金算入

内国法人が、適格分割等を行い、かつ、当該適格分割等の日の属する事業年度開始の時から当該適格分割等の直前の時までの期間内に固定資産の取得等に充てるための国庫補助金等（その返還を要しないことが当該直前の時までに確定していないものに限る。以下②において同じ。）の交付を受けている場合（次に掲げる要件のいずれかを満たす場合に限る。）において、その取得等に充てるための国庫補助金等の額に相当する金額の範囲内で①の特別勘定に相当するもの（以下**4**において「**期中特別勘定**」という。）を設けたときは、その設けた期中特別勘定の金額に相当する金額は、当該事業年度の所得の金額の計算上、損金の額に算入する。（法43⑥）

イ	当該内国法人が当該国庫補助金等をもってその取得等をした固定資産（当該国庫補助金等の交付の目的に適合するものに限る。）を当該適格分割等により分割承継法人等に移転すること。
ロ	当該適格分割又は適格現物出資に係る分割承継法人又は被現物出資法人が当該国庫補助金等をもってその交付の目的に適合した固定資産の取得等をすることが見込まれること。

　（適格分割等を行った場合の期中特別勘定に関する届出）

　　②は、その内国法人が適格分割等の日以後2か月以内に次に掲げる事項を記載した書類を納税地の所轄税務署長に提出した場合に限り、適用する。（法43⑦、規24の4）

(一)	②の適用を受けようとする内国法人の名称、納税地及び法人番号並びに代表者の氏名
(二)	適格分割等に係る分割承継法人等の名称及び納税地並びに代表者の氏名
(三)	適格分割等の日
(四)	②のロに掲げる取得等をすることが見込まれる同ロに掲げる固定資産の種類、構造及び規模並びに当該取得等に要することが見込まれる金額及び当該取得等予定日
(五)	期中特別勘定の金額に相当する金額及び当該金額の計算に関する明細
(六)	その他参考となるべき事項

　　注　(五)に掲げる事項の記載については、別表十三(一)の書式によらなければならない。（規27の14）

5　国庫補助金等に係る特別勘定の金額の取崩し

4の①《国庫補助金等に係る特別勘定の金額の損金算入》に掲げる特別勘定を設けている内国法人は、次の表の左欄に掲げる場合に該当することとなった場合には、その国庫補助金等に係る特別勘定の金額のうち、それぞれ右欄に掲げる金額に相当する金額を取り崩さなければならない。（法43②、令81）

①	国庫補助金等について返還すべきこと又は返還を要しないことが確定した場合	その確定した国庫補助金等の額に相当する**5**の特別勘定の金額（②及び③において「**特別勘定の金額**」という。）
②	解散（合併による解散を除く。）をした場合において、特別勘定の金額を有しているとき	当該特別勘定の金額

| ③ | 非適格合併により解散した場合において、特別勘定の金額を有しているとき | 当該特別勘定の金額 |

（国庫補助金等に係る特別勘定の取崩額の益金算入）
　　5により取り崩すべきこととなった**4**の①の特別勘定の金額又は**5**に該当しないで取り崩した当該特別勘定の金額（**6**《適格組織再編成の場合の特別勘定等の引継ぎ》により合併法人、分割承継法人、被現物出資法人又は被現物分配法人〔以下**6**において「**合併法人等**」という。〕に引き継ぐこととされたものを除く。）は、それぞれその取り崩すべきこととなった日（内国法人が、非適格合併により解散した場合には、当該非適格合併の日の前日）又は取り崩した日の属する事業年度の所得の金額の計算上、益金の額に算入する。（法43③）

6　適格組織再編成の場合の特別勘定等の引継ぎ

　内国法人が、適格合併、適格分割、適格現物出資又は適格現物分配（以下**一**において「**適格組織再編成**」という。）を行った場合には、次の表の左欄に掲げる適格組織再編成の区分に応じ、それぞれ右欄に掲げる特別勘定の金額又は期中特別勘定の金額は、当該適格組織再編成に係る合併法人等に引き継ぐものとする。（法43⑧）

①	適 格 合 併	当該適格合併の直前に有する国庫補助金等（その返還を要しないことが当該適格組織再編成の直前までに確定していないものに限る。以下②において同じ。）に係る**4**の①の特別勘定の金額	
②	適 格 分 割 等	当該適格分割等の直前に有する国庫補助金等に係る**4**の①の特別勘定の金額のうち、次の表の左欄に掲げる場合の区分に応じ、それぞれ右欄に掲げる特別勘定の金額及び当該適格分割等に際して設けた国庫補助金等に係る期中特別勘定の金額	
		イ	当該内国法人が当該国庫補助金等をもってその取得等をした固定資産（当該国庫補助金等の交付の目的に適合するものに限る。）を当該適格分割等により分割承継法人等に移転した場合	当該固定資産の取得等に充てた当該国庫補助金等に係る特別勘定の金額
		ロ	当該適格分割又は適格現物出資に係る分割承継法人又は被現物出資法人が当該国庫補助金等をもってその交付の目的に適合した固定資産の取得等をすることが見込まれる場合	当該固定資産の取得等に充てるための当該国庫補助金等に係る特別勘定の金額

（適格分割等による国庫補助金等に係る特別勘定の金額の引継ぎに関する届出）
（1）　**6**は、**4**の①の特別勘定を設けている内国法人で適格分割等を行ったもの（当該特別勘定及び期中特別勘定の双方を設けている内国法人であって、適格分割等により分割承継法人等に当該期中特別勘定の金額のみを引き継ぐものを除く。）にあっては、当該特別勘定を設けている内国法人が当該適格分割等の日以後2か月以内に次に掲げる事項を記載した書類を納税地の所轄税務署長に提出した場合に限り、適用する。（法43⑨、規24の5）

(一)	**6**の適用を受けようとする内国法人の名称、納税地及び法人番号並びに代表者の氏名
(二)	適格分割等に係る**6**の表の②のイの分割承継法人等又は同②のロの分割承継法人若しくは被現物出資法人の名称及び納税地並びに代表者の氏名
(三)	適格分割等の日
(四)	国庫補助金等の名称、交付をした者及び交付を受けた日
(五)	**6**の表の②のロに掲げる場合に該当する場合には、同ロに掲げる取得等をすることが見込まれる固定資産の種類、構造及び規模並びに当該取得等に要することが見込まれる金額及び当該取得等予定日
(六)	**6**の表の②のイの分割承継法人等又は同②のロの分割承継法人若しくは被現物出資法人に引き継ぐ同②のイ又はロに掲げる特別勘定の金額
(七)	その他参考となるべき事項

(適格組織再編成により引継ぎを受けた特別勘定の合併法人等における取扱い)
（2） **6**により合併法人等が引継ぎを受けた**4**の①の特別勘定の金額又は期中特別勘定の金額は、当該合併法人等が設けている特別勘定の金額とみなす。（法43⑩）

7 特別勘定を設けた場合の国庫補助金等で取得した固定資産の圧縮額の損金算入

① 特別勘定を設けた場合の国庫補助金等で取得した固定資産の圧縮額の損金算入

4の①《国庫補助金等に係る特別勘定の金額の損金算入》に掲げる特別勘定の金額（既に取り崩すべきこととなったものを除く。）を有する内国法人が国庫補助金等をもってその交付の目的に適合した固定資産の取得等（**6**《適格組織再編成の場合の特別勘定等の引継ぎ》により被合併法人、分割法人、現物出資法人又は現物分配法人〔以下①及び**8**の③において「**被合併法人等**」という。〕から当該特別勘定の金額の引継ぎを受けている場合〔以下①において「引継ぎがある場合」という。〕には、当該被合併法人等が国庫補助金等をもって行ったその取得等を含む。以下**7**において同じ。）をし、かつ、その取得等をした日（引継ぎがある場合には、適格組織再編成の日）の属する事業年度以後の事業年度においてその取得等に充てた国庫補助金等の全部又は一部の返還を要しないことが確定した場合において、その固定資産につき、その確定した日における当該特別勘定の金額のうち、同日におけるその固定資産の帳簿価額（改良の場合にあっては、その改良に係る部分の帳簿価額）にイに掲げる金額のうちにロに掲げる金額の占める割合を乗じて計算した金額（以下**7**において「**圧縮限度額**」という。）の範囲内でその帳簿価額を損金経理により減額し、又はその圧縮限度額以下の金額を当該事業年度の確定した決算において積立金として積み立てる方法（決算の確定の日までに剰余金の処分により積立金として積み立てる方法を含む。）により経理したときは、その減額し又は経理した金額に相当する金額は当該事業年度の所得の金額の計算上、損金の額に算入する。（法44①、令80、82）

イ	当該固定資産の取得等をするために要した金額（当該特別勘定の金額が**6**により被合併法人等から引継ぎを受けたものである場合には、当該被合併法人等がその取得等をするために要した金額を含む。）
ロ	その返還を要しないこととなった当該国庫補助金等の額

$$圧縮限度額 = 返還を要しないことが確定した日における当該固定資産の帳簿価額（改良の場合は改良部分の帳簿価額） \times \frac{返還不要となった国庫補助金等の額}{当該固定資産の取得等をするために要した金額}$$

注　税効果会計を適用する場合には、剰余金の処分による圧縮積立金の積立額は、税効果相当額を控除した純額になるが、この場合でも確定申告書等に税務上の圧縮積立金の積立額を明らかにするための明細書を添付しているときは、税務上は、剰余金の処分による積立額とこれに対応する税効果相当額との合計額を圧縮積立金として積み立てたものとして取り扱われる。（編者）

(資本的支出がある場合の圧縮限度額)
固定資産につき①《特別勘定を設けた場合の国庫補助金等で取得した固定資産の圧縮額の損金算入》により圧縮限度額を計算する場合において、当該固定資産の取得等の後国庫補助金等の返還を要しないことが確定した日までの間に当該固定資産につき資本的支出を行っているときの①の適用については、当初の取得価額及びその取得価額に係る帳簿価額（改良の場合にはその改良に係る部分のこれらの金額）を基礎として計算するのであるが、法人が①を適用する時における当該固定資産の資本的支出後の取得価額及び帳簿価額を基礎として計算している場合には、これを認める。（基通10－2－1の2）

② 特別勘定を設けた場合の適格分割等に係る国庫補助金等で取得した固定資産の圧縮額の損金算入《期中圧縮記帳》

特別勘定の金額を有する内国法人が適格分割等を行い、かつ、当該内国法人が当該適格分割等の直前までに国庫補助金等をもってその交付の目的に適合した固定資産の取得等をした場合（当該適格分割等の日の属する事業年度開始の時から当該適格分割等の直前の時までの期間内に当該取得等に充てた国庫補助金等の全部又は一部の返還を要しないことが確定し、かつ、当該取得等をした固定資産を当該適格分割等により分割承継法人等に移転する場合に限る。）において、当該固定資産につき、圧縮限度額に相当する金額の範囲内でその帳簿価額を減額したときは、当該減額した金額に相当する金額は、当該事業年度の所得の金額の計算上、損金の額に算入する。（法44④）

(特別勘定を設けた場合の適格分社型分割等に係る国庫補助金等で取得した固定資産の圧縮額の損金算入に関する届出)
②は、内国法人が適格分割等の日以後2か月以内に次に掲げる事項を記載した書類を納税地の所轄税務署長に提出

した場合に限り、適用する。（法44⑤、規24の6）

（一）	②の適用を受けようとする内国法人の名称、納税地及び法人番号並びに代表者の氏名
（二）	適格分割等に係る分割承継法人等の名称及び納税地並びに代表者の氏名
（三）	適格分割等の日
（四）	適格分割等により分割承継法人等に移転をする固定資産に係る②に掲げる帳簿価額を減額した金額に相当する金額及び当該金額の計算に関する明細
（五）	その他参考となるべき事項

注　（四）に掲げる事項の記載については、別表十三（一）の書式によらなければならない。（規27の14）

8　圧縮記帳資産の取得価額の特例

①　国庫補助金等で取得した固定資産等の取得価額

　内国法人がその有する固定資産について 1《国庫補助金等で取得した固定資産の圧縮額の損金算入》、2《国庫補助金等に代えて交付を受けた固定資産の圧縮額の損金算入》、3の①《適格分割等を行った場合の分割法人等における固定資産の圧縮額の損金算入》又は3の②《国庫補助金等に代えて交付を受けた固定資産の圧縮額の損金算入》の適用を受けた場合には、1、2、3の①又は3の②により各事業年度の所得の金額の計算上損金の額に算入された金額（当該固定資産が減価償却資産である場合において、当該資産につき既にその償却費として各事業年度の所得の金額の計算上損金の額に算入された金額があるときは、当該金額の累積に1の（2）《国庫補助金等の交付前に取得した固定資産等の圧縮限度額》に掲げる割合を乗じて計算した金額を加算した金額）は、当該固定資産の取得価額に算入しない。（令80の2①）

②　特別勘定を設けた場合の国庫補助金等で取得した固定資産等の取得価額

　内国法人がその有する固定資産について 7の①《特別勘定を設けた場合の国庫補助金等で取得した固定資産の圧縮額の損金算入》又は7の②《特別勘定を設けた場合の適格分割等に係る国庫補助金等で取得した固定資産の圧縮額の損金算入》の適用を受けた場合には、7により各事業年度の所得の金額の計算上損金の額に算入された金額（当該固定資産が減価償却資産である場合において、当該資産につき既にその償却費として各事業年度の所得の金額の計算上損金の額に算入された金額があるときは、当該金額の累積額に7の①に掲げる割合を乗じて計算した金額を加算した金額）は、当該固定資産の取得価額に算入しない。（令82の2①）

③　適格組織再編成により圧縮額の損金算入の適用を受けた固定資産の移転を受けた場合の取得価額

　内国法人が適格組織再編成により被合併法人等において**圧縮額の損金算入**（1、2、3の①、3の②、7の①又は7の②による損金算入をいう。）の適用を受けた固定資産の移転を受けた場合には、当該被合併法人等において当該固定資産の取得価額に算入されなかった金額は、当該固定資産の取得価額に算入しない。（法42⑧、44⑥、令80の2②、82の2②）

　（圧縮記帳の適用を受けた固定資産の移転を受けた場合の取得価額）
　　合併法人等（合併法人、分割承継法人、被現物出資法人又は被現物分配法人をいう。）が適格組織再編成により被合併法人等において圧縮記帳の適用を受けた固定資産の移転を受けた場合には、当該固定資産に係る積立金の金額の引継ぎを受けたかどうかにかかわらず、当該被合併法人等において当該固定資産の取得価額に算入されなかった金額は、当該固定資産の取得価額に算入されないことに留意する。（基通10－1－4）

9　圧縮額等の損金算入の申告

　1《国庫補助金等で取得した固定資産の圧縮額の損金算入》、2《国庫補助金等に代えて交付を受けた固定資産の圧縮額の損金算入》及び7《特別勘定を設けた場合の国庫補助金等で取得した固定資産の圧縮額の損金算入》の固定資産の圧縮額の損金算入又は4《国庫補助金等に係る特別勘定の金額の損金算入》の特別勘定の金額の損金算入は、確定申告書等に圧縮額又は特別勘定経理額の損金算入に関する明細《別表十三（一）》の記載がある場合に限り、適用する。（法42③、43④、44②）

　（明細の記載がない場合のゆうじょ規定）
　　税務署長は、9に掲げる明細の記載がない確定申告書等の提出があった場合においても、その記載がなかったことについてやむを得ない事情があると認めるときは、損金算入の適用を認めることができる。（法42④、43⑤、44③）

10　その他の国庫補助金等に関する取扱い

その他国庫補助金等に該当する補助金等に関して次のような取扱いが定められている。
　イ　畜産団地造成事業により設置した資産に関する法人税の取扱い（昭47直法2－61）
　ロ　家畜導入事業に係る法人税に関する取扱い（昭48直法2－36）
　ハ　肉用牛産肉性向上推進事業及び優良種豚生産促進事業に係る法人税に関する取扱い（昭51直法2－44）
　ニ　運輸事業振興助成交付金制度に基づいてバス事業者が公益法人から助成金の交付を受けた場合の法人税の取扱い（昭52直法2－20）
　ホ　家畜導入事業資金供給事業及び肉用牛経営安定対策事業資金供給事業に係る法人税の取扱い（昭59直審4－6）

二 工事負担金による圧縮記帳

1 工事負担金で取得した固定資産の圧縮額の損金算入

　次に掲げる事業を営む内国法人（清算中のものを除く。以下二において同じ。）が、各事業年度において当該事業に必要な施設を設けるため電気、ガス若しくは水の需要者又は鉄道若しくは軌道の利用者その他その施設によって便益を受ける者（以下二において「**受益者**」という。）から金銭又は資材の交付を受けた場合において、当該事業年度終了の時までに取得したその施設を構成する固定資産につき、当該事業年度においてその交付を受けた金銭の額若しくは資材の価額のうちその固定資産の取得に要した金額に達するまでの金額（その固定資産が当該事業年度前の各事業年度において取得した減価償却資産である場合には、当該金額を基礎として（1）に掲げるところにより計算した金額。以下1において「**圧縮限度額**」という。）の範囲内でその帳簿価額を損金経理により減額し、又はその圧縮限度額以下の金額を当該事業年度の確定した決算において積立金として積み立てる方法（決算の確定の日までに剰余金の処分により積立金として積み立てる方法を含む。）により経理したときは、その減額し又は経理した金額に相当する金額は、当該事業年度の所得の金額の計算上、損金の額に算入する。（法45①、令83）

①	電気事業法第2条第1項第8号《定義》に規定する**一般送配電事業**、同項第10号に規定する**送電事業**、同項第11号の2に規定する**配電事業**又は同項第14号に規定する**発電事業**
②	ガス事業法第2条第5項《定義》に規定する**一般ガス導管事業**
③	水道法第3条第2項《用語の定義》に規定する**水道事業**
④	鉄道事業法第2条第1項《定義》に規定する**鉄道事業**
⑤	軌道法第1条第1項《軌道法の適用対象》に規定する**軌道を敷設して行う運輸事業**
⑥	①から⑤までに掲げる事業に類する事業で次に掲げるもの（令83の2） 　イ　電気通信事業法第9条第1号《電気通信事業の登録》に規定する電気通信回線設備を設置して同法第2条第3号《定義》に規定する電気通信役務を提供する同条第4号に規定する**電気通信事業** 　ロ　電気通信事業法第2条第5号《定義》に規定する**電気通信事業者が行う事業**のうち放送法の規定に基づき設立された日本放送協会から委託を受けて行う同法第2条第5号《定義》に規定する**国際放送のための施設に係るもの** 　ハ　有線電気通信設備を用いて放送法第2条第18号に規定する**テレビジョン放送を行う事業**

注1　電気事業法等の一部を改正する法律（平成27年法律第47号）附則第49条第2項に規定するみなし熱供給事業者が営む同法第50条《みなし熱供給事業者の供給義務等》第1項に掲げる指定旧供給区域熱供給を行う事業は、1の表に掲げる事業と、熱供給を受ける者は受益者と、それぞれみなして、1を適用する。（同法附84②）

注2　税効果会計を適用する場合には、剰余金の処分による圧縮積立金の積立額は、税効果相当額を控除した純額になるが、この場合でも確定申告書等に税務上の圧縮積立金の積立額を明らかにするための明細書を添付しているときは、税務上は、剰余金の処分による積立額とこれに対応する税効果相当額との合計額を圧縮積立金として積み立てたものとして取り扱われる。（編者）

　　（工事負担金の交付前に取得した固定資産の圧縮限度額）
（1）　1に掲げる圧縮限度額は、1の金銭又は資材の交付を受けた日における1に掲げる固定資産の帳簿価額に（一）に掲げる金額のうちに（二）に掲げる金額の占める割合を乗じて計算した金額とする。（令82の3）
　（一）　当該固定資産の取得をするために要した金額
　（二）　当該交付を受けた金銭の額又は資材の価額のうち、（一）に掲げる金額に達するまでの金額

　　（受益者の範囲）
（2）　「受益者」には、例えば不動産業者等が、その開発した団地に必要な施設で1《工事負担金で取得した固定資産の圧縮額の損金算入》に掲げるものに係る工事負担金を1の表の①から⑥までに掲げる事業を営む法人に交付し、当該工事負担金に相当する金額を当該団地に係る土地等の購入者に負担させることとしている場合における当該不動産業者等が含まれる。（基通10－3－1）

　　（工事負担金を受けた事業年度において固定資産が取得できない場合の仮受経理等）
（3）　1《工事負担金で取得した固定資産の圧縮額の損金算入》の表の①から⑥までに掲げる事業を営む法人が、その事業に必要な施設を設けるため受益者から金銭又は資材の提供を受けた場合において、その提供を受けた事業年度終了の日までに、その施設を構成する固定資産を取得することができなかったときは、その提供を受けた金銭又は資材

の価額に相当する金額を仮勘定として経理し、当該固定資産の取得をした日の属する事業年度においてこれを取り崩して益金の額に算入することを認める。この場合において、当該固定資産については、**1**に準じて圧縮記帳をすることができる。（基通10－3－3・編者補正）

> 注 **3**の①《適格分割等を行った場合の分割法人等における固定資産の圧縮額の損金算入》に掲げる適格分割等を行った場合については、「**1**に準じて」とあるのは「**1**又は**3**の①《適格分割等を行った場合の分割法人等における固定資産の圧縮額の損金算入》に準じて」とする。（編者）

（資産につき除却等があった場合の積立金の取崩し）

（4） 圧縮記帳による圧縮額を積立金として経理している資産につき除却、廃棄、滅失又は譲渡（以下（4）において「除却等」という。）があった場合には、当該積立金の額（当該資産の一部につき除却等があった場合には、その除却等があった部分に係る金額）を取り崩してその除却等のあった日の属する事業年度の益金の額に算入するのであるから留意する。（基通10－1－2）

> 注 当該譲渡には、適格分社型分割、適格現物出資又は適格現物分配による資産の移転は含まれないのであるから留意する。

（積立金の任意取崩しの場合の償却超過額等の処理）

（5） 圧縮記帳による圧縮額を積立金として経理している法人が当該積立金の額の全部又は一部を取り崩して益金の額に算入した場合において、その取り崩した積立金の設定の基礎となった資産に係る償却超過額又は評価損の否認金（当該事業年度において生じた償却超過額又は評価損の否認金を含む。）があるときは、その償却超過額又は評価損の否認金の額のうち益金の額に算入した積立金の額に達するまでの金額は、当該事業年度の損金の額に算入する。（基通10－1－3）

（圧縮記帳をした資産の帳簿価額）

（6） **1**《工事負担金で取得した固定資産の圧縮額の損金算入》又は**2**《受益者から交付を受けた固定資産の圧縮額の損金算入》の適用を受ける資産については、**1**又は**2**の適用によりその帳簿価額が1円未満となるべき場合においても、その帳簿価額として1円以上の金額を付するものとする。（令93）

2 受益者から交付を受けた固定資産の圧縮額の損金算入

1《工事負担金で取得した固定資産の圧縮額の損金算入》に掲げる内国法人が、各事業年度においてそれぞれ**1**の表の①から⑥までに掲げる事業に係る受益者から当該事業に必要な施設を構成する固定資産の交付を受けた場合において、その固定資産につき、当該事業年度においてその固定資産の価額に相当する金額（以下**2**において「**圧縮限度額**」という。）の範囲内でその帳簿価額を損金経理により減額し、又はその圧縮限度額以下の金額を当該事業年度の確定した決算において積立金として積み立てる方法（決算の確定の日までに剰余金の処分により積立金として積み立てる方法を含む。）により経理したときは、その減額し又は経理した金額に相当する金額は、当該事業年度の所得の金額の計算上、損金の額に算入する。（法45②、令83）

> 注 税効果会計を適用する場合には、剰余金の処分による圧縮積立金の積立は、税効果相当額を控除した純額になるが、この場合でも確定申告書等に税務上の圧縮積立金の積立を明らかにするための明細書を添付しているときは、税務上は、剰余金の処分による積立額とこれに対応する税効果相当額との合計額を圧縮積立金として積み立てたものとして取り扱われる。（編者）

3 適格分割等を行った場合の分割法人等における固定資産の圧縮額の損金算入等《期中圧縮記帳》

① 適格分割等を行った場合の分割法人等における固定資産の圧縮額の損金算入《期中圧縮記帳》

1《工事負担金で取得した固定資産の圧縮額の損金算入》に掲げる内国法人が、適格分割、適格現物出資又は適格現物分配（以下**3**において「**適格分割等**」という。）により当該適格分割等の直前の時までに取得した固定資産（当該適格分割等の日の属する事業年度開始の時から当該直前の時までの期間内に**1**の表に掲げる事業に必要な施設を設けるため当該事業に係る受益者から金銭又は資材の交付を受けた場合におけるその施設を構成するものに限る。）を分割承継法人、被現物出資法人又は被現物分配法人（以下**3**において「**分割承継法人等**」という。）に移転する場合において、当該固定資産につき、当該事業年度において**1**に掲げる圧縮限度額に相当する金額の範囲内でその帳簿価額を減額したときは、その減額した金額に相当する金額は、当該事業年度の所得の金額の計算上、損金の額に算入する。（法45⑤）

② 受益者から交付を受けた固定資産の圧縮額の損金算入《期中圧縮記帳》

1に掲げる内国法人が、適格分割等により**1**の表の①から⑥までに掲げる事業に必要な施設を構成する固定資産（当該

適格分割等の日の属する事業年度開始の時から当該適格分割等の直前の時までの期間内に当該事業に係る受益者から交付を受けたものに限る。）を分割承継法人等に移転する場合において、当該固定資産につき、当該事業年度において当該固定資産の価額に相当する金額の範囲内でその帳簿価額を減額したときは、その減額した金額に相当する金額は、当該事業年度の所得の金額の計算上、損金の額に算入する。（法45⑥）

③ **適格分割等に係る工事負担金で取得した固定資産等の圧縮額の損金算入に関する届出**
　①又は②は、当該内国法人が適格分割等の日以後2か月以内に次に掲げる事項を記載した書類を納税地の所轄税務署長に提出した場合に限り、適用する。（法45⑦、規24の7）

イ	①又は②の適用を受けようとする内国法人の名称、納税地及び法人番号並びに代表者の氏名
ロ	適格分割等に係る分割承継法人等の名称及び納税地並びに代表者の氏名
ハ	適格分割等の日
ニ	適格分割等により分割承継法人等に移転をする固定資産に係る①又は②に掲げる帳簿価額を減額した金額に相当する金額及び当該金額の計算に関する明細
ホ	その他参考となるべき事項

　注　ニに掲げる事項の記載については、別表十三（一）の書式によらなければならない。（規27の14）

4　圧縮記帳資産の取得価額の特例

① **工事負担金で取得した固定資産等の取得価額**
　内国法人がその有する固定資産について1《工事負担金で取得した固定資産の圧縮額の損金算入》、2《受益者から交付を受けた固定資産の圧縮額の損金算入》、3の①《適格分割等を行った場合の分割法人等における固定資産の圧縮額の損金算入》又は3の②《受益者から交付を受けた固定資産の圧縮額の損金算入》の適用を受けた場合には、1、2、3の①又は3の②により各事業年度の所得の金額の計算上損金の額に算入された金額（当該固定資産が減価償却資産である場合において、当該資産につき既にその償却費として各事業年度の所得の金額の計算上損金の額に算入された金額があるときは、当該金額の累積額に1の(1)《工事負担金の交付前に取得した固定資産の圧縮限度額》に掲げる割合を乗じて計算した金額を加算した金額）は、当該固定資産の取得価額に算入しない。（令83の3①）

② **適格組織再編成により圧縮額の損金算入を受けた固定資産の移転を受けた場合の取得価額**
　内国法人が適格合併、適格分割、適格現物出資又は適格現物分配（以下4において「**適格組織再編成**」という。）により被合併法人、分割法人、現物出資法人又は現物分配法人（以下4において「**被合併法人等**」という。）において**圧縮額の損金算入**（1、2、3の①又は3の②による損金算入をいう。）の適用を受けた固定資産の移転を受けた場合には、当該被合併法人等において当該固定資産の取得価額に算入されなかった金額は、当該固定資産の取得価額に算入しない。（法45⑧、令83の3②）

　　（圧縮記帳の適用を受けた固定資産の移転を受けた場合の取得価額）
　　　合併法人等（合併法人、分割承継法人、被現物出資法人又は被現物分配法人をいう。）が適格組織再編成により被合併法人等において圧縮記帳の適用を受けた固定資産の移転を受けた場合には、当該固定資産に係る積立金の金額の引継ぎを受けたかどうかにかかわらず、当該被合併法人等において当該固定資産の取得価額に算入されなかった金額は、当該固定資産の取得価額に算入されないことに留意する。（基通10－1－4）

5　圧縮額の損金算入の申告

　1《工事負担金で取得した固定資産の圧縮額の損金算入》及び2《受益者から交付を受けた固定資産の圧縮額の損金算入》の固定資産の圧縮額の損金算入は、確定申告書等にその圧縮額の損金算入に関する明細《別表十三（一）》の記載がある場合に限り、適用する。（法45③）

　　（明細の記載がない場合のゆうじょ規定）
　　　税務署長は、5に掲げる明細の記載がない確定申告書等の提出があった場合においても、その記載がなかったことについてやむを得ない事情があると認めるときは、損金算入の適用を認めることができる。（法45④）

三　非出資組合の賦課金による圧縮記帳

1　非出資組合が賦課金で取得した固定資産の圧縮額の損金算入

　協同組合等のうち出資を有しないものが、各事業年度においてその組合員又は会員に対しその事業の用に供する固定資産の取得又は改良（以下三において「**取得等**」という。）に充てるための費用を賦課した場合において、当該事業年度終了の時までに取得等をしたその事業の用に供する固定資産につき、当該事業年度においてその賦課に基づいて納付された金額のうちその固定資産の取得等に要した金額に達するまでの金額（その固定資産が当該事業年度前の各事業年度において取得等をした減価償却資産である場合には、当該金額を基礎として（1）又は（2）により計算した金額。以下1において「**圧縮限度額**」という。）の範囲内でその帳簿価額を損金経理により減額し、又はその圧縮限度額以下の金額を当該事業年度の確定した決算において積立金として積み立てる方法により経理したときは、その減額し又は経理した金額に相当する金額は、当該事業年度の所得の金額の計算上、損金の額に算入する。（法46①）

　　注　税効果会計を適用する場合には、剰余金の処分による圧縮積立金の積立額は、税効果相当額を控除した純額になるが、この場合でも確定申告書等に税務上の圧縮積立金の積立額を明らかにするための明細書を添付しているときは、税務上は、剰余金の処分による積立額とこれに対応する税効果相当額との合計額を圧縮積立金として積み立てたものとして取り扱われる。（編者）

　　　（賦課金の納付前に取得した固定資産等の圧縮限度額）
（1）　**1**に掲げる圧縮限度額は、**1**の賦課に基づいて納付された日における固定資産の帳簿価額（改良の場合にあっては、その改良に係る部分の帳簿価額）に（一）に掲げる金額のうちに（二）に掲げる金額の占める割合を乗じて計算した金額とする。（法46④、令83の4）
　（一）　当該固定資産の取得等をするために要した金額
　（二）　当該賦課に基づいて納付された金額のうち（一）に掲げる金額に達するまでの金額

　　　（賦課金で取得した固定資産等の取得価額）
（2）　協同組合等がその有する固定資産について**1**の適用を受けた場合には、**1**により各事業年度の所得の金額の計算上損金の額に算入された金額（当該固定資産が減価償却資産である場合において、当該資産につき既にその償却費として各事業年度の所得の金額の計算上損金の額に算入された金額があるときは、当該金額の累積額に（1）に掲げる割合を乗じて計算した金額を加算した金額）は、当該固定資産の取得価額に算入しない。（法46④、令83の5）

　　　（2以上の事業年度にわたり納付金が納付される場合の圧縮記帳）
（3）　非出資組合が2以上の事業年度にわたり納付金を納付させることとしている場合において、その納付金の全額を納付させる前にその目的となった固定資産の取得等をし、その固定資産について、その取得等をした事業年度後に納付させる納付金の額をその事業年度において未収入金に計上し、その事業年度において圧縮記帳をしているときは、これを認める。（基通10－4－1）

　　　（納付金の納付があった事業年度において固定資産の取得等をすることができない場合の仮受経理等）
（4）　二の**1**の（3）《工事負担金を受けた事業年度において固定資産が取得できない場合の仮受経理等》は、非出資組合が納付金の納付があった事業年度においてその目的となった固定資産の取得等をすることができなかった場合について準用する。（基通10－4－2）

　　　（資産につき除却等があった場合の積立金の取崩し）
（5）　圧縮記帳による圧縮額を積立金として経理している資産につき除却、廃棄、滅失又は譲渡（以下（5）において「除却等」という。）があった場合には、当該積立金の額（当該資産の一部につき除却等があった場合には、その除却等があった部分に係る金額）を取り崩してその除却等のあった日の属する事業年度の益金の額に算入するのであるから留意する。（基通10－1－2）

　　注　当該譲渡には、適格分社型分割、適格現物出資又は適格現物分配による資産の移転は含まれないのであるから留意する。

　　　（積立金の任意取崩しの場合の償却超過額等の処理）
（6）　圧縮記帳による圧縮額を積立金として経理している法人が当該積立金の額の全部又は一部を取り崩して益金の額に算入した場合において、その取り崩した積立金の設定の基礎となった資産に係る償却超過額又は評価損の否認金（当該事業年度において生じた償却超過額又は評価損の否認金を含む。）があるときは、その償却超過額又は評価損の否認

第三章　第一節　第十五款　三《非出資組合の賦課金による圧縮記帳》

金の額のうち益金の額に算入した積立金の額に達するまでの金額は、当該事業年度の損金の額に算入する。（基通10－1－3）

　　（圧縮記帳をした資産の帳簿価額）
（7）　**1**《非出資組合が賦課金で取得した固定資産の圧縮額の損金算入》の適用を受ける資産については、**1**の適用によりその帳簿価額が1円未満となるべき場合においても、その帳簿価額として1円以上の金額を付するものとする。（令93）

2　圧縮額の損金算入の申告
　1《非出資組合が賦課金で取得した固定資産の圧縮額の損金算入》の固定資産の圧縮額の損金算入は、確定申告書等にその圧縮額の損金算入に関する明細《別表十三（一）》の記載がある場合に限り、適用する。（法46②）

　　（明細の記載がない場合のゆうじょ規定）
　　税務署長は、**2**に掲げる明細の記載がない確定申告書等の提出があった場合においても、その記載がなかったことについてやむを得ない事情があると認めるときは、損金算入の適用を認めることができる。（法46③）

四　保険金等による圧縮記帳

1　保険金等で取得した固定資産の圧縮額の損金算入

　内国法人（清算中のものを除く。以下四において同じ。）が、各事業年度においてその有する固定資産（当該内国法人を合併法人、分割承継法人、被現物出資法人又は被現物分配法人〔以下四において「**合併法人等**」という。〕とする適格合併、適格分割、適格現物出資又は適格現物分配〔以下四において「**適格組織再編成**」という。〕が行われている場合には、当該適格組織再編成に係る被合併法人、分割法人、現物出資法人又は現物分配法人〔以下四において「**被合併法人等**」という。〕の有していたものを含む。以下四において「**所有固定資産**」という。）の滅失又は損壊（以下四において「**滅失等**」という。）により保険金、共済金又は損害賠償金で2に掲げるもの（以下四において「**保険金等**」という。）の支払を受けた場合において、当該事業年度終了の時までに取得（第六款の四の1の②の(2)の表の(五)《所有権移転外リース取引》に掲げる所有権移転外リース取引による取得を除く。5の①《適格分割等を行った場合の分割法人等における固定資産の圧縮額の損金算入《期中圧縮記帳》》において同じ。）をした**代替資産**（その所有固定資産に代替する同一種類の固定資産をいう。以下四において同じ。）又は当該事業年度終了の時までに改良をした損壊資産等（その損壊をした所有固定資産又は代替資産となるべき資産をいう。5の①において同じ。）につき、当該事業年度においてその支払を受けた保険金等に係る差益金の額として3《保険金等で取得した代替資産の圧縮限度額》により計算した金額（以下1において「**圧縮限度額**」という。）の範囲内でその帳簿価額を損金経理により減額し、又はその圧縮限度額以下の金額を当該事業年度の確定した決算において積立金として積み立てる方法（決算の確定の日までに剰余金の処分により積立金として積み立てる方法を含む。）により経理したときは、その減額し又は経理した金額に相当する金額は、当該事業年度の所得の金額の計算上、損金の額に算入する。（法47①、令84の2、86）

注1　税効果会計を適用する場合には、剰余金の処分による圧縮積立金の積立額は、税効果相当額を控除した純額になるが、この場合でも確定申告書等に税務上の圧縮積立金の積立額を明らかにするための明細書を添付しているときは、税務上は、剰余金の処分による積立額とこれに対応する税効果相当額との合計額を圧縮積立金として積み立てたものとして取り扱われる。（編者）

注2　適格組織再編成により、被合併法人等が有していた固定資産が滅失等したことにより、合併法人等が支払を受ける保険金等についても、その合併法人等が代替資産の取得を行った場合には圧縮記帳を行うことができる。（編者）

　　　（圧縮記帳をする場合の減失損の計上時期）
（1）　所有固定資産の滅失等があった場合において、その滅失等により支払を受ける保険金等の額につき四の適用を受けようとするときは、当該滅失等による損失の額（当該滅失等により支出した経費の額を含む。）は、保険金等の額を見積り計上する場合を除き、当該保険金等の額が確定するまでは仮勘定として損金の額に算入しないものとする。ただし、その支払を受ける保険金等が損害賠償金のみである場合には、この限りでない。（基通10－5－2）

注　適格組織再編成に係る被合併法人等が有する固定資産の滅失等があった場合において、その滅失等により支払を受ける保険金等の額につき、当該適格組織再編成に係る合併法人等が四の圧縮記帳の適用を受けようとするときの被合併法人等においても同様とする。

　　　（同一種類かどうかの判定）
（2）　1《保険金等で取得した固定資産の圧縮額の損金算入》の適用上、法人が取得をした固定資産がその滅失等をした所有固定資産と同一種類の固定資産であるかどうかは、減価償却資産の耐用年数等に関する省令別表第一に掲げる減価償却資産にあっては同別表第一に掲げる種類の区分が同じであるかどうかにより、機械及び装置にあっては減価償却資産の耐用年数等に関する省令の一部を改正する省令（平成20年財務省令第32号）による改正前の耐用年数省令別表第二に掲げる設備の種類の区分が同じであるか又は類似するものであるかどうかによる。（基通10－5－3・編者補正）

注　5の①《適格分割等を行った場合の分割法人等における固定資産の圧縮額の損金算入》に掲げる適格分割等を行った場合については、「1《保険金等で取得した固定資産の圧縮額の損金算入》の適用上」とあるのは、「1《保険金等で取得した固定資産の圧縮額の損金算入》又は5の①《適格分割等を行った場合の分割法人等における固定資産の圧縮額の損金算入》の適用上」とする。（編者）

　　　（代替資産の範囲）
（3）　代替資産は、所有固定資産が滅失等をしたことによりこれに代替するものとして取得をされる固定資産に限られるのであるから、例えば滅失等のあった時において現に自己が建設、製作、製造又は改造中であった資産は代替資産に該当しないことに留意する。（基通10－5－4）

　　　（資産につき除却等があった場合の積立金の取崩し）
（4）　圧縮記帳による圧縮額を積立金として経理している資産につき除却、廃棄、滅失又は譲渡（以下(4)において「除

却等」という。）があった場合には、当該積立金の額（当該資産の一部につき除却等があった場合には、その除却等があった部分に係る金額）を取り崩してその除却等のあった日の属する事業年度の益金の額に算入するのであるから留意する。（基通10－1－2）
　　注　当該譲渡には、適格分社型分割、適格現物出資又は適格現物分配による資産の移転は含まれないのであるから留意する。

　　　（積立金の任意取崩しの場合の償却超過額等の処理）
（5）　圧縮記帳による圧縮額を積立金として経理している法人が当該積立金の額の全部又は一部を取り崩して益金の額に算入した場合において、その取り崩した積立金の設定の基礎となった資産に係る償却超過額又は評価損の否認金（当該事業年度において生じた償却超過額又は評価損の否認金を含む。）があるときは、その償却超過額又は評価損の否認金の額のうち益金の額に算入した積立金の額に達するまでの金額は、当該事業年度の損金の額に算入する。（基通10－1－3）

　　　（圧縮記帳をした資産の帳簿価額）
（6）　1《保険金等で取得した固定資産の圧縮額の損金算入》、4《保険金等に代えて交付を受けた代替資産の圧縮額の損金算入》又は8《特別勘定を設けた場合の保険金等で取得した代替資産の圧縮額の損金算入等》の適用を受ける資産については、1、4又は8の適用によりその帳簿価額が1円未満となるべき場合においても、その帳簿価額として1円以上の金額を付するものとする。（令93）

2　保険金等の範囲

　1《保険金等で取得した固定資産の圧縮額の損金算入》に掲げる保険金等とは、保険金若しくは共済金（保険業法第2条第2項《定義》に規定する保険会社、同条第6項に規定する外国保険業者若しくは同条第18項に規定する少額短期保険業者が支払う保険金又は次に掲げる法人が行う共済で固定資産について生じた損害を共済事故とするものに係る共済金に限る。）又は損害賠償金で、滅失等のあった日から3年以内に支払の確定したものをいう。（令84）

①	農業協同組合法第10条第1項第10号《共済に関する施設》の事業を行う農業協同組合及び農業協同組合連合会
②	農業共済組合及び農業共済組合連合会
③	水産業協同組合法第11条第1項第12号《事業の種類》の事業を行う漁業協同組合及び同法93条第1項第6号の2《事業の種類》の事業を行う水産加工業協同組合並びに共済水産業協同組合連合会
④	事業協同組合及び事業協同小組合（中小企業等協同組合法第9条の2第7項《事業協同組合及び事業協同小組合》に掲げる特定共済組合に限る。）並びに協同組合連合会（同法第9条の9第1項第3号《協同組合連合会》の事業を行う協同組合連合会及び同条第4項に掲げる特定共済組合連合会に限る。）
⑤	生活衛生関係営業の運営の適正化及び振興に関する法律第8条第1項第10号《共済事業》に掲げる事業を行う生活衛生同業組合及び同法第54条第8号又は第9号《事業》に掲げる事業を行う生活衛生同業組合連合会
⑥	漁業共済組合及び漁業共済組合連合会
⑦	森林組合法第101条第1項第13号《事業の種類》に掲げる事業を行う森林組合連合会

　　　（保険金等の範囲）
（1）　法人が支払を受ける保険金等で1《保険金等で取得した固定資産の圧縮額の損金算入》の適用があるのは、所有固定資産の滅失等に基因して受けるものに限られるのであるから、たとえ所有固定資産の滅失等に関連して支払を受けるものであっても、次に掲げるような保険金等については1の適用がないことに留意する。（基通10－5－1・編者補正）
　（一）　棚卸資産の滅失等により受ける保険金等
　（二）　所有固定資産の滅失等に伴う休廃業等により減少し、又は生ずることとなる収益又は費用の補塡に充てるものとして支払を受ける保険金等
　　注　5の①《適格分割等を行った場合の分割法人等における固定資産の圧縮額の損金算入》に掲げる適格分割等を行った場合については、「1《保険金等で取得した固定資産の圧縮額の損金算入》」とあるのは「1《保険金等で取得した固定資産の圧縮額の損金算入》又は5の①《適格分割等を行った場合の分割法人等における固定資産の圧縮額の損金算入》」と、「1の適用がない」とあるのは「1又は5の①の適用がない」とする。（編者）

（立竹木の保険金等に係る圧縮記帳）
（2） 法人が、その有する立竹木の滅失等により支払を受けた保険金等をもってその滅失等をした立竹木に代替する立竹木を取得した場合には、当該立竹木につき**1**《保険金等で取得した固定資産の圧縮額の損金算入》の適用を受けることができるものとする。ただし、次に掲げる立竹木の滅失等により支払を受けた保険金等をもって取得した立竹木に代替する資産については、**1**の適用はないものとする。（基通10－5－1の2・編者補正）
（一） 法人が、保険金等の支払の基因となる滅失等のあった日（以下(2)において「基因日」という。）前1年以内に他から購入した立竹木で販売計画等からみてその購入後おおむね1年以内に転売又は伐木されることが確実と認められるもの
（二） 原木販売業、製材業、製紙業、パルプ製造業等を営む法人が、基因日前1年以内に他から購入した立竹木（（一）に該当する立竹木を除き、その購入をした日において通常の伐期に達していたものに限る。）
　注　**5の①**《適格分割等を行った場合の分割法人等における固定資産の圧縮額の損金算入》に掲げる適格分割等を行った場合については、「**1**《保険金等で取得した固定資産の圧縮額の損金算入》」とあるのは「**1**《保険金等で取得した固定資産の圧縮額の損金算入》又は**5の①**《適格分割等を行った場合の分割法人等における固定資産の圧縮額の損金算入》」と、「**1**の適用がない」とあるのは「**1**又は**5の①**の適用がない」とする。（編者）

3　保険金等で取得した代替資産の圧縮限度額

①　代替資産の圧縮限度額

　1《保険金等で取得した固定資産の圧縮額の損金算入》に掲げる圧縮限度額は、内国法人が支払を受ける保険金等に係る保険差益金の額に圧縮基礎割合（**イ**に掲げる金額のうちに**ロ**に掲げる金額の占める割合をいう。）を乗じて計算した金額（代替資産又は損壊資産等〔以下①において「代替資産等」という。〕が当該事業年度前の各事業年度において取得又は改良〔以下**四**において「**取得等**」という。〕をした減価償却資産である場合には、当該金額に**ハ**に掲げる金額のうちに**ニ**に掲げる金額の占める割合を乗じて計算した金額）とする。（令85①）

イ	その保険金等の額からその保険金等に係る所有固定資産の滅失等により支出する経費の額（当該所有固定資産が適格組織再編成〔当該内国法人が合併法人等となるものに限る。〕に係る被合併法人等の有していたものである場合〔②において「被合併法人等所有資産である場合」という。〕には、当該被合併法人等が支出した当該経費の額を含むものとし、保険金等の支払を受けるとともに保険金等の支払に代わるべきものとして代替資産の交付を受ける場合には、当該支出する経費の額のうちその保険金等の額に対応する部分の金額とする。）を控除した金額
ロ	イに掲げる金額（**1**、**4から7**、**10の③**及び**11**の適用を受けない部分の金額並びに同**イ**の保険金等に係る他の代替資産等につき**1**、**4から7**、**10の③**及び**11**の適用を受ける場合におけるその適用に係る部分の金額を控除した金額）のうち当該代替資産等の取得等をするために要した金額に達するまでの金額
ハ	当該代替資産等の取得等をするために要した金額
ニ	その保険金等の支払を受ける日における当該代替資産等の帳簿価額（改良の場合にあっては、その改良に係る部分の帳簿価額）

代替資産等の圧縮限度額　＝　保険差益金の額　×　圧縮基礎割合

$$圧縮基礎割合 = \frac{分母の金額のうち代替資産等の取得等をするために要した金額に達するまでの金額}{保険金等の額 - 滅失等による支出経費の額}$$

　ただし、代替資産等が当該事業年度前の各事業年度において取得等をした減価償却資産である場合には、次により計算した金額とする。

$$代替資産の圧縮限度額 = 保険差益金の額 \times 圧縮基礎割合 \times \frac{保険金等の支払を受ける日における代替資産等の帳簿価額}{代替資産等の取得等をするために要した金額}$$

　注　合併法人等における圧縮限度額の計算において、その滅失等した所有固定資産が適格組織再編成に係る被合併法人等の有していたものである場合には、所有固定資産の滅失等により支出する経費の額は被合併法人等がその滅失等により支出した経費の額を含み、その所有固定資産の被害直前の帳簿価額はその被合併法人等におけるその帳簿価額となる。（編者）

② **保険差益金の額**

　①に掲げる保険金等に係る保険差益金の額とは、①のイに掲げる金額がその滅失等をした①のイに掲げる所有固定資産の被害直前の帳簿価額（当該所有固定資産が被合併法人等所有資産である場合には、①のイに掲げる被合併法人等における当該所有固定資産の当該直前の帳簿価額）のうち被害部分に相当する金額（保険金等の支払を受けるとともに保険金等の支払に代わるべきものとして代替資産の交付を受ける場合には、当該金額のうちその保険金等の額に対応する部分の金額）を超える場合におけるその超える部分の金額をいう。（令85②）

　　保険差益金の額＝（保険金等の額－所有固定資産の滅失等により支出する経費の額）－被害資産の被害部分の帳簿価額

　　（滅失等により支出した経費の範囲）
（1）　①のイに掲げる「所有固定資産の滅失等により支出する経費」には、その滅失等があった所有固定資産の取壊費、焼跡の整理費、消防費等のように当該所有固定資産の滅失等に直接関連して支出される経費が含まれるが、類焼者に対する賠償金、けが人への見舞金、被災者への弔慰金等のように当該所有固定資産の滅失等に直接関連しない経費はこれに含まれないものとする。（基通10－5－5）

　　（2以上の種類の資産の滅失等により支出した共通経費）
（2）　例えば工場用建物と機械設備が滅失等をした場合のように2以上の所有固定資産が滅失等をした場合において、これらの資産の滅失等により支出した共通の経費があるときは、その共通の経費の額については、保険金等の額の比その他合理的な基準によりこれらの資産に配賦するものとする。（基通10－5－6）

　　（資産の滅失等により支出した経費の見積り）
（3）　法人が所有固定資産の滅失等により保険金等の支払を受けた場合において、まだ焼跡の整理に着手していない等のため当該所有固定資産の滅失等により支出すべき経費の額が確定していないときは、その経費の額を見積もって①《代替資産の圧縮限度額》のイに掲げる金額を計算し、当該所有固定資産の滅失等により支出すべき経費の額が確定した場合に、その額が確定した日の属する事業年度においてその確定した経費の額により調整する。（基通10－5－7）

　　注　本文の取扱いにより所有固定資産の滅失等により支出すべき経費の額を見積もって圧縮記帳の規定の適用をした固定資産を適格組織再編成により移転した場合には、当該固定資産の移転を受けた合併法人等においてその経費の額が確定したときに、その額が確定した日の属する事業年度でその確定した経費の額により調整する。

4　保険金等に代えて交付を受けた代替資産の圧縮額の損金算入

　内国法人が、各事業年度において所有固定資産の滅失等による保険金等の支払に代わるべきものとして代替資産の交付を受けた場合において、その代替資産につき、当該事業年度においてその代替資産に係る差益金の額として計算した金額（以下**4**において「**圧縮限度額**」という。）の範囲内でその帳簿価額を損金経理により減額し、又はその圧縮限度額以下の金額を当該事業年度の確定した決算において積立金として積み立てる方法（決算の確定の日までに剰余金の処分により積立金として積み立てる方法を含む。）により経理したときは、その減額し又は経理した金額に相当する金額は、当該事業年度の所得の金額の計算上、損金の額に算入する。（法47②、令86）

　この場合における圧縮限度額は、①に掲げる金額が②に掲げる金額を超える場合におけるその超える部分の金額とする。（令87）

①	保険金等の支払に代わるべきものとして交付を受けた代替資産のその交付を受けた時における価額からその滅失等により支出する経費の額（所有固定資産が適格組織再編成〔**4**の内国法人が合併法人等となるものに限る。〕に係る被合併法人等の有していたものである場合〔②において「被合併法人等所有資産である場合」という。〕には、当該被合併法人等が支出した当該経費の額を含むものとし、当該代替資産の交付を受けるとともに保険金等の支払を受ける場合には、当該支出する経費の額のうちその交付を受けた時における当該代替資産の価額に対応する部分の金額とする。）を控除した金額
②	滅失等をした**4**に掲げる所有固定資産の被害直前の帳簿価額（当該所有固定資産が被合併法人等所有資産である場合には、①に掲げる被合併法人等における当該所有固定資産の当該直前の帳簿価額）のうち被害部分に相当する金額（代替資産の交付を受けるとともに保険金等の支払を受ける場合には、当該金額のうちその交付を受けた時における当該代替資産の価額に対応する部分の金額）

$$\text{代替資産の圧縮限度額} = \left(\begin{array}{l}\text{代替資産のその交付を}\\\text{受けた時における価額}\end{array} - \begin{array}{l}\text{所有固定資産の滅失等}\\\text{による支出経費の額}\end{array}\right) - \text{被害資産の被害部分の帳簿価額}$$

注1　交付を受けた代替資産については、まずその交付を受けた時における価額をもって取得したものとし、次に当該価額と被害資産の被害部分の帳簿価額との差額に相当する金額（所有固定資産の滅失等により支出する経費の額がある場合には、その経費の額を控除した金額）を圧縮記帳する。（編者）

注2　代替資産の交付を受けるとともに保険金等の支払を受ける場合には、滅失等により支出する経費の額及び滅失等をした所有固定資産の帳簿価額のうち被害部分に相当する金額を、当該代替資産の価額に対応する部分と保険金等の額に対応する部分とにあん分する。（編者）

注3　税効果会計を適用する場合には、剰余金の処分による圧縮積立金の積立額は、税効果相当額を控除した純額になるが、この場合でも確定申告書等に税務上の圧縮積立金の積立額を明らかにするための明細書を添付しているときは、税務上は、剰余金の処分による積立額とこれに対応する税効果相当額との合計額を圧縮積立金として積み立てたものとして取り扱われる。（編者）

5　適格分割等を行った場合の分割法人等における固定資産の圧縮額の損金算入等《期中圧縮記帳》

①　適格分割等を行った場合の分割法人等における固定資産の圧縮額の損金算入《期中圧縮記帳》

内国法人が、適格分割、適格現物出資又は適格現物分配（以下**5**において「**適格分割等**」という。）により当該適格分割等の直前の時までに取得等をした固定資産（当該適格分割等の日の属する事業年度開始の時から当該直前の時までの期間内に所有固定資産の滅失等により保険金等の支払を受けた場合におけるその滅失等に係る代替資産又は損壊資産等に限る。）を分割承継法人、被現物出資法人又は被現物分配法人（②において「**分割承継法人等**」という。）に移転する場合において、当該固定資産につき、当該事業年度において**3**《保険金等で取得した代替資産の圧縮限度額》の①に掲げる圧縮限度額に相当する金額の範囲内でその帳簿価額を減額したときは、その減額した金額に相当する金額は、当該事業年度の所得の金額の計算上、損金の額に算入する。（法47⑤）

②　保険金等に代えて交付を受けた代替資産の圧縮額の損金算入《期中圧縮記帳》

内国法人が、適格分割等により代替資産（当該適格分割等の日の属する事業年度開始の時から当該適格分割等の直前の時までの期間内に所有固定資産の滅失等による保険金等の支払に代わるべきものとして交付を受けたものに限る。）を分割承継法人等に移転する場合において、当該代替資産につき、当該事業年度において**4**《保険金等に代えて交付を受けた代替資産の圧縮額の損金算入》に掲げる圧縮限度額に相当する金額の範囲内でその帳簿価額を減額したときは、その減額した金額に相当する金額は、当該事業年度の所得の金額の計算上、損金の額に算入する。（法47⑥）

③　適格分割等に係る保険金等で取得した固定資産等に係る圧縮額の損金算入に関する届出

①又は②は、当該内国法人が適格分割等の日以後2か月以内に次に掲げる事項を記載した書類を納税地の所轄税務署長に提出した場合に限り、適用する。（法47⑦、規24の8）

イ	①又は②の適用を受けようとする内国法人の名称、納税地及び法人番号並びに代表者の氏名
ロ	適格分割等に係る分割承継法人等の名称及び納税地並びに代表者の氏名
ハ	適格分割等の日
ニ	適格分割等により分割承継法人等に移転をする固定資産に係る①又は②に掲げる帳簿価額を減額した金額に相当する金額及び当該金額の計算に関する明細
ホ	その他参考となるべき事項

注　ニに掲げる事項の記載については、別表十三（二）の書式によらなければならない。（規27の14）

6　保険差益等に係る特別勘定の金額の損金算入

①　保険差益等に係る特別勘定の金額の損金算入

保険金等の支払を受ける内国法人が、その支払を受ける事業年度（被合併法人の合併〔適格合併を除く。以下**四**において「**非適格合併**」という。〕の日の前日の属する事業年度を除く。）終了の日の翌日から2年を経過した日の前日（災害その他やむを得ない事由により同日までに代替資産の取得〔第六款の**四**の1の②の(2)の表の(五)《所有権移転外リース取引》に掲げる所有権移転外リース取引による取得を除く。以下①において同じ。〕をすることが困難である場合には、その内国法人の申請に基づき納税地の所轄税務署長が指定した日〔以下**7**までにおいて「**指定日**」という。〕）までの期間（**8**の①において「**指定期間**」という。）内にその保険金等をもって代替資産の取得等をしようとする場合（当該内国法人が保

第三章　第一節　第十五款　四《保険金等による圧縮記帳》

険金等の支払を受ける事業年度終了の日後に当該内国法人を被合併法人、分割法人又は現物出資法人とする適格合併、適格分割又は適格現物出資〔以下6において「適格合併等」という。〕を行い、かつ、当該適格合併等に係る合併法人、分割承継法人又は被現物出資法人が当該適格合併等の日から当該内国法人の当該事業年度終了の日の翌日以後2年を経過した日の前日〔指定日がある場合には、当該指定日〕までの期間内に当該保険金等をもって取得等をすることが見込まれる場合を含む。）において、当該取得等に充てようとする保険金等に係る差益金の額として3《保険金等で取得した代替資産の圧縮限度額》に準じて計算した金額以下の金額を当該事業年度の確定した決算において特別勘定を設ける方法（決算の確定の日までに剰余金の処分により積立金として積み立てる方法を含む。）により経理したときは、その経理した金額に相当する金額は、当該事業年度の所得の金額の計算上、損金の額に算入する。この場合において、3の①《代替資産の圧縮限度額》の表の口中「取得等をするために要した金額に達するまでの金額」とあるのは、「取得等に充てようとする金額」と読み替えるものとする。（法48①、令86、88の2、89）

$$\text{特別勘定への繰入限度額} = \text{保険差益金の額} \times \text{圧縮基礎割合}$$

$$\text{圧縮基礎割合} = \frac{\text{分母の金額のうち代替資産等の取得等に充てようとする額}}{\text{保険金等の額} - \text{滅失等による支出経費の額}}$$

ただし、代替資産等が当該事業年度前の各事業年度において取得等をした減価償却資産である場合には、次により計算した金額とする。

$$\text{特別勘定への繰入限度額} = \text{保険差益金の額} \times \text{圧縮基礎割合} \times \frac{\text{保険金等の支払を受ける日における代替資産等の帳簿価額}}{\text{代替資産等の取得等をするために要した金額}}$$

注1　保険差益金の額は、3の②《保険差益金の額》により計算した金額とする。（編者）
注2　非適格合併を行った被合併法人は、特別勘定の設定を行うことができない。（編者）
注3　被合併法人、分割法人又は現物出資法人の保険金等の支払を受けた事業年度後の事業年度において適格合併等が行われることが見込まれ、かつ、合併法人、分割承継法人又は被現物出資法人がその適格合併等の日からその保険金等の支払を受けた事業年度終了の日の翌日以後2年を経過した日の前日（指定日がある場合には、その指定日）までの期間内にその保険金等をもって代替資産の取得等をすることが見込まれる場合には、被合併法人、分割法人又は現物出資法人はその保険金等を受けた事業年度において特別勘定を設けることができる。（編者）

（特別勘定の経理）
（1）　①に掲げる特別勘定の経理は、積立金として積み立てる方法のほか、仮受金等として経理する方法によることもできるものとする。（基通10－1－1）

（保険差益等に係る特別勘定の設定期間延長の申請）
（2）　①に掲げる指定（保険差益等に係る特別勘定の設定期間の延長期限の指定）を受けようとする内国法人は、保険金等の支払を受ける事業年度終了の日の翌日から2年を経過した日の2か月前までに、次に掲げる事項を記載した申請書を納税地の所轄税務署長に提出しなければならない。（令88①、規24の9）

(一)	申請をする内国法人の名称、納税地及び法人番号並びに代表者の氏名
(二)	保険金等の支払を受けた日（(一)の内国法人が有する8《特別勘定を設けた場合の保険金等で取得した代替資産の圧縮額の損金算入等》の特別勘定の金額が7の②《適格合併等の場合の特別勘定等の引継ぎ》により被合併法人等から引継ぎを受けたものである場合〔以下(二)において「引継ぎを受けた場合」という。〕には、当該被合併法人等が当該特別勘定に係る当該保険金等の支払を受けた日）及びその支払を受けた事業年度（引継ぎを受けた場合には、当該被合併法人等の当該保険金等の支払を受けた事業年度）終了の日の翌日から2年を経過した日の前日
(三)	(二)の当該保険金等の支払を受ける基因となった滅失等をした所有固定資産の種類、構造及び規模
(四)	その申請の日における特別勘定の金額
(五)	代替資産の取得をすることが困難である理由
(六)	指定を受けようとする期日

(七)	取得をする見込みである代替資産の種類、構造及び規模並びにその見込取得価額
(八)	(七)に掲げる代替資産の取得が見込まれる日
(九)	その他参考となるべき事項

(申請の却下)
（３）　税務署長は、（２）に掲げる申請書の提出があった場合において、その申請に係る理由が相当でないと認めるときは、その申請を却下することができる。(令88②)

(指定又は却下の通知)
（４）　税務署長は、（２）に掲げる申請書の提出があった場合において、延長期限の指定又は（３）に掲げる却下の処分をするときは、その申請をした内国法人に対し、書面によりその旨を通知する。(令88③)

(みなし承認)
（５）　（２）に掲げる申請書の提出があった場合において、保険金等の支払を受ける事業年度終了の日の翌日から２年を経過した日の前日までに延長期限の指定又は（３）に掲げる却下の処分がなかったときは、その申請に係る指定を受けようとする期日により指定がされたものとみなす。(令88④)

②　適格分割等を行った場合の分割法人等における保険金等に係る期中特別勘定の金額の損金算入

　内国法人が、適格分割又は適格現物出資（以下②及び7において「適格分割等」という。）を行い、かつ、当該適格分割等の日の属する事業年度開始の時から当該適格分割等の直前の時までの期間内に保険金等の支払を受けている場合（当該適格分割等の日から当該事業年度終了の日の翌日以後２年を経過した日の前日〔指定日がある場合には、当該指定日〕までの期間内に当該適格分割等に係る分割承継法人又は被現物出資法人〔以下②、7の②の表の ロ 及び同②の(1)において「分割承継法人等」という。〕が当該保険金等をもって取得等をすることが見込まれる場合に限る。）において、その取得等に充てようとする保険金等に係る差益金の額として３《保険金等で取得した代替資産の圧縮限度額》の①に準じて計算した金額に相当する金額の範囲内で①の特別勘定に相当するもの（以下7までにおいて「**期中特別勘定**」という。）を設けたときは、その設けた期中特別勘定の金額に相当する金額は、当該事業年度の所得の金額の計算上、損金の額に算入する。(法48⑥)

(適格分割等を行った場合の期中特別勘定に関する届出)
　②は、その内国法人が適格分割等の日以後２か月以内に次に掲げる事項を記載した書類を納税地の所轄税務署長に提出した場合に限り、適用する。(法48⑦、規24の10)

(一)	②の適用を受けようとする内国法人の名称、納税地及び法人番号並びに代表者の氏名
(二)	適格分割等に係る分割承継法人等の名称及び納税地並びに代表者の氏名
(三)	適格分割等の日
(四)	１の保険金等の支払を受けた日
(五)	指定日がある場合には、当該指定日
(六)	②に掲げる取得等をすることが見込まれる代替資産又は損壊資産等の種類、構造及び規模並びに当該取得等に要することが見込まれる金額及び当該取得等予定日
(七)	期中特別勘定の金額に相当する金額及び当該金額の計算に関する明細
(八)	その他参考となるべき事項

　　注　(七)に掲げる事項の記載については、別表十三(二)の書式によらなければならない。(規27の14)

7　保険差益等に係る特別勘定の金額の取崩し

①　保険差益等に係る特別勘定の金額の取崩し

　6の①《保険差益等に係る特別勘定の金額の損金算入》に掲げる特別勘定を設けている内国法人は、次の表の左欄に掲

げる場合には、その保険金等に係る特別勘定の金額のうち、それぞれ同表の右欄に掲げる金額を取り崩さなければならない。(法48②、令90)

イ	代替資産の1に掲げる取得等に充てようとする保険金等の全部又は一部をもって当該取得等をした場合	当該取得等に係る固定資産につき9《特別勘定を設けた場合の保険金等で取得した代替資産の圧縮限度額》により計算した金額
ロ	8の①《特別勘定を設けた場合の保険金等で取得した代替資産の圧縮額の損金算入》に掲げる取得指定期間(以下7において「取得指定期間」という。)を経過した日の前日において特別勘定の金額(既に取り崩すべきこととなったものを除く。以下①において同じ。)を有している場合	当該特別勘定の金額
ハ	取得指定期間内に解散(合併による解散を除く。)をした場合において、特別勘定の金額を有しているとき	当該特別勘定の金額
ニ	取得指定期間内に非適格合併(合併のうち適格合併を除いたものをいう。)により解散した場合において、特別勘定の金額を有しているとき	当該特別勘定の金額

(保険差益等に係る特別勘定の取崩額の益金算入)
　①により取り崩すべきこととなった6の①《保険差益等に係る特別勘定の金額の損金算入》に掲げる特別勘定の金額又は①に該当しないで取り崩した当該特別勘定の金額(②により合併法人、分割承継法人又は被現物出資法人〔以下②において「合併法人等」という。〕に引き継ぐこととされたものを除く。)は、それぞれの取り崩すべきこととなった日(1に掲げる内国法人が非適格合併により解散した場合には、当該非適格合併の日の前日)又は取り崩した日の属する事業年度の所得の金額の計算上、益金の額に算入する。(法48③)

② **適格合併等の場合の特別勘定等の引継ぎ**
　内国法人が、適格合併、適格分割又は適格現物出資(以下②及び8の②において「適格合併等」という。)を行った場合には、次の表の左欄に掲げる適格合併等の区分に応じ、それぞれ右欄に掲げる特別勘定の金額又は期中特別勘定の金額は、当該適格合併等に係る合併法人等に引き継ぐものとする。(法48⑧)

イ	適　格　合　併	当該適格合併の直前に有する保険金等に係る6の①の特別勘定の金額
ロ	適　格　分　割　等	当該適格分割等の直前に有する保険金等に係る6の①の特別勘定の金額のうち当該適格分割等に係る分割承継法人等が取得改良期間(当該適格分割等の日から当該適格分割等に係る分割法人又は現物出資法人の当該保険金等の支払を受けた事業年度終了の日の翌日以後2年を経過した日の前日〔指定日がある場合には、当該指定日〕までの期間をいう。)内に行うことが見込まれる取得等に充てようとする当該保険金等に係るもの及び当該適格分割等に際して設けた保険金等に係る期中特別勘定の金額

(適格分割等による保険差益等に係る特別勘定の金額の引継ぎに関する届出)
(1)　②は、保険差益に係る特別勘定を設けている内国法人で適格分割等を行ったもの(当該特別勘定及び期中特別勘定の双方を設けている内国法人であって、適格分割等により分割承継法人等に当該期中特別勘定の金額のみを引き継ぐものを除く。)にあっては、当該特別勘定を設けている内国法人が当該適格分割等の日以後2か月以内に次に掲げる事項を記載した書類を納税地の所轄税務署長に提出した場合に限り、適用する。(法48⑨、規24の11)

(一)	②の適用を受けようとする内国法人の名称、納税地及び法人番号並びに代表者の氏名
(二)	適格分割等に係る②の表のロの分割承継法人等の名称及び納税地並びに代表者の氏名
(三)	適格分割等の日
(四)	6の①の保険金等の支払を受ける基因となった滅失等をした所有固定資産の種類、構造及び規模
(五)	(四)の保険金等の支払を受けた日

(六)	指定日がある場合には、当該指定日
(七)	②の口に掲げる取得等をすることが見込まれる代替資産又は損壊資産等の種類、構造及び規模並びに当該取得等に要することが見込まれる金額及び当該取得等予定日
(八)	②の口の分割承継法人等に引き継ぐ②の表の右欄に掲げる特別勘定の金額
(九)	その他参考となるべき事項

　　　　（適格合併等により引継ぎを受けた特別勘定の合併法人等における取扱い）
　（2）　②により合併法人等が引継ぎを受けた**6**の①の特別勘定の金額又は期中特別勘定の金額は、当該合併法人等が設けている特別勘定の金額とみなす。（法48⑩）

8　特別勘定を設けた場合の保険金等で取得した代替資産の圧縮額の損金算入等

①　特別勘定を設けた場合の保険金等で取得した代替資産の圧縮額の損金算入

　6の①《保険差益等に係る特別勘定の金額の損金算入》に掲げる特別勘定の金額（既に取り崩すべきこととなったものを除く。）を有する内国法人が、指定期間（当該特別勘定の金額が**7**の②《適格合併等の場合の特別勘定等の引継ぎ》により被合併法人、分割法人又は現物出資法人（以下①において「被合併法人等」という。）から引継ぎを受けたものである場合には、当該引継ぎに係る適格合併、適格分割又は適格現物出資の日から当該被合併法人等の当該特別勘定に係る保険金等の支払を受けた事業年度終了の日の翌日以後2年を経過した日の前日〔指定日がある場合には、当該指定日〕までの期間。以下**8**において「取得指定期間」という。）内に代替資産の取得等をした場合において、その取得等に係る固定資産につき、その取得等をした日における当該特別勘定の金額のうちその取得等に充てた保険金等に係るものとして**9**《特別勘定を設けた場合の保険金等で取得した代替資産の圧縮限度額》により計算した金額（以下**8**において「**圧縮限度額**」という。）の範囲内でその帳簿価額を損金経理により減額し、又はその圧縮限度額以下の金額を当該事業年度の確定した決算において積立金として積み立てる方法（決算の確定の日までに剰余金の処分により積立金として積み立てる方法を含む。）により経理したときは、その減額し又は経理した金額に相当する金額は、当該事業年度の所得の金額の計算上、損金の額に算入する。（法49①、令86、90の2）

　　注1　この場合には、**7**の①《保険差益等に係る特別勘定の金額の取崩し》により、特別勘定の金額のうち圧縮限度額に相当する金額を取り崩して益金の額に算入しなければならない。（編者）
　　注2　適格合併等により特別勘定の金額又は期中特別勘定の金額の引継ぎを受けた場合の合併法人等における取得指定期間は、その適格合併等の日から被合併法人等がその保険金等の支払を受けた事業年度終了の日の翌日以後2年を経過した日の前日（指定日がある場合には、その指定日）までの期間となる。この場合、**6**の①の(2)《保険差益等に係る特別勘定の設定期間延長の申請》の(二)により、合併法人等においても指定日の指定に係る申請を行うことができることに留意する。（編者）

　　　（圧縮記帳をした資産の帳簿価額）
　　　①の適用を受ける資産については、①の適用によりその帳簿価額が1円未満となるべき場合においても、その帳簿価額として1円以上の金額を付するものとする。（令93）

②　特別勘定を設けた場合の適格分割等に係る保険金等で取得した固定資産等の圧縮額の損金算入《期中圧縮記帳》

　①の特別勘定の金額を有する内国法人が適格分割、適格現物出資又は適格現物分配（以下②において「適格分割等」という。）を行い、かつ、当該内国法人が当該適格分割等の日の属する事業年度開始の時から当該適格分割等の直前の時までの期間内に代替資産の取得等をした場合（当該取得等に係る取得指定期間内に当該取得等をし、かつ、当該取得等をした固定資産を当該適格分割等により分割承継法人、被現物出資法人又は被現物分配法人に移転する場合に限る。）において、当該固定資産につき、圧縮限度額に相当する金額の範囲内でその帳簿価額を減額したときは、当該減額した金額に相当する金額は、当該事業年度の所得の金額の計算上、損金の額に算入する。（法49④）

　　　（特別勘定を設けた場合の適格分割等に係る固定資産等の圧縮額の損金算入に関する届出）
　　　②は、当該内国法人が適格分割等の日以後2か月以内に次に掲げる事項を記載した書類を納税地の所轄税務署長に提出した場合に限り、適用する。（法49⑤、規24の12）

イ	②の適用を受けようとする内国法人の名称、納税地及び法人番号並びに代表者の氏名

ロ	適格分割等に係る分割承継法人、被現物出資法人又は被現物分配法人（ヘにおいて「分割承継法人等」という。）の名称及び納税地並びに代表者の氏名
ハ	適格分割等の日
ニ	①に掲げる保険金等の支払を受けた日（イの内国法人の有する特別勘定の金額が**7**の②《適格合併等の場合の特別勘定等の引継ぎ》により引継ぎを受けたものである場合には、適格合併等に係る被合併法人、分割法人又は現物出資法人が当該保険金等の支払を受けた日）
ホ	指定日がある場合には、当該指定日
ヘ	適格分割等により分割承継法人等に移転をする固定資産に係る②に掲げる帳簿価額を減額した金額に相当する金額及び当該金額の計算に関する明細
ト	その他参考となるべき事項

注　ヘに掲げる事項の記載については、別表十三（二）の書式によらなければならない。（規27の14）

9　特別勘定を設けた場合の保険金等で取得した代替資産の圧縮限度額

8の①《特別勘定を設けた場合の保険金等で取得した代替資産の圧縮額の損金算入》に掲げる特別勘定の金額のうち代替資産の取得等に充てた保険金等に係る金額《圧縮限度額》は、その代替資産の取得等をした日における特別勘定の金額のうち、その保険金等（当該特別勘定の金額が**7**の②《適格合併等の場合の特別勘定等の引継ぎ》により**1**《保険金等で取得した固定資産の圧縮額の損金算入》に掲げる被合併法人等から引継ぎを受けたものである場合には、当該被合併法人等が支払を受ける当該特別勘定の金額に係る当該保険金等。以下**9**において「保険金等」という。）に係る保険差益金の額にイに掲げる金額のうちにロに掲げる金額の占める割合を乗じて計算した金額に相当する金額とする。（令91）

イ	その保険金等の額からその保険金等に係る所有固定資産の滅失等により支出する経費の額（当該所有固定資産が適格組織再編成〔当該内国法人が合併法人等となるものに限る。〕に係る被合併法人等の有していたものである場合には、当該被合併法人等が支出した当該経費の額を含むものとし、保険金等の支払を受けるとともに保険金等の支払に代わるべきものとして代替資産の交付を受ける場合には、当該支出する経費の額のうちその保険金等の額に対応する部分の金額とする。）を控除した金額
ロ	イに掲げる金額（**1**、**4**から**7**、**10**の③及び**11**の適用を受けなかった部分の金額並びに同**イ**の保険金等に係る他の固定資産につき**1**、**4**から**7**、**10**の③及び**11**の適用を受けた場合におけるその適用に係る部分の金額を控除した金額）のうち当該取得等に充てた額

$$代替資産の圧縮限度額 = 保険差益金の額 \times \frac{分母の金額のうち代替資産の取得等に充てた額}{保険金等の額 - 所有固定資産の滅失等による支出経費の額}$$

注１　保険差益金の額は、**3**の②《保険差益金の額》により計算した金額とする。（編者）
注２　適格合併等により特別勘定の金額又は期中特別勘定の金額の引継ぎを受けた場合の合併法人等における取得指定期間は、その適格合併等の日から被合併法人等がその保険金等の支払を受けた事業年度終了の日の翌日以後２年を経過した日の前日（指定日がある場合には、その指定日）までの期間となる。この場合、**6**の①の(2)《保険差益等に係る特別勘定の設定期間延長の申請》の(二)により、合併法人等においても指定日の指定に係る申請を行うことができることに留意する。（編者）

10　圧縮記帳資産の取得価額の特例

①　保険金等で取得した固定資産等の取得価額

内国法人がその有する固定資産について**1**《保険金等で取得した固定資産の圧縮額の損金算入》、**4**《保険金等に代えて交付を受けた代替資産の圧縮額の損金算入》、**5**の①《適格分割等を行った場合の分割法人等における固定資産の圧縮額の損金算入》又は**5**の②《保険金等に代えて交付を受けた代替資産の圧縮額の損金算入》の適用を受けた場合には、**1**、**4**、**5**の①又は**5**の②により各事業年度の所得の金額の計算上損金の額に算入された金額（当該固定資産が減価償却資産である場合において、当該資産につき既にその償却費として各事業年度の所得の金額の計算上損金の額に算入された金額があるときは、当該金額の累積額に**3**の①《代替資産の圧縮限度額》の**ハ**に掲げる金額のうちに**3**の②《保険差益金の額》に掲げる保険差益金の額に**3**の①に掲げる圧縮基礎割合を乗じて計算した金額の占める割合を乗じて計算した金額を加算した金額）は、当該固定資産の取得価額に算入しない。（令87の２①）

② **特別勘定を設けた場合の保険金等で取得した固定資産等の取得価額**
　内国法人がその有する固定資産について**8の①**《特別勘定を設けた場合の保険金等で取得した代替資産の圧縮額の損金算入》又は**8の②**《特別勘定を設けた場合の適格分割等に係る保険金等で取得した固定資産等の圧縮額の損金算入》の適用を受けた場合には、**8の①**又は**8の②**により各事業年度の所得の金額の計算上損金の額に算入された金額は、当該固定資産の取得価額に算入しない。（令91の2①）

③ **適格組織再編成により圧縮額の損金算入の適用を受けた固定資産の移転を受けた場合の取得価額**
　内国法人が適格合併、適格分割、適格現物出資又は適格現物分配により被合併法人、分割法人、現物出資法人又は現物分配法人（以下③において「被合併法人等」という。）において**圧縮額の損金算入**の適用を受けた固定資産の移転を受けた場合には、当該被合併法人等において当該固定資産の取得価額に算入されなかった金額は、当該固定資産の取得価額に算入しない。（法47⑧、49⑥、令87の2①②、91の2①②）

　　注　圧縮額の損金算入とは、次のものをいう。
　　　（一）　**1**《保険金等で取得した固定資産の圧縮額の損金算入》
　　　（二）　**4**《保険金等に代えて交付を受けた代替資産の圧縮額の損金算入》
　　　（三）　**5の①**《適格分割等を行った場合の分割法人等における固定資産の圧縮額の損金算入〔期中圧縮記帳〕》
　　　（四）　**5の②**《保険金等に代えて交付を受けた代替資産の圧縮額の損金算入〔期中圧縮記帳〕》
　　　（五）　**8の①**《特別勘定を設けた場合の保険金等で取得した代替資産の圧縮額の損金算入》
　　　（六）　**8の②**《特別勘定を設けた場合の適格分割等に係る保険金等で取得した固定資産等の圧縮額の損金算入〔期中圧縮記帳〕》

　（圧縮記帳の適用を受けた固定資産の移転を受けた場合の取得価額）
　　合併法人等（合併法人、分割承継法人、被現物出資法人又は被現物分配法人をいう。）が適格組織再編成（適格合併、適格分割、適格現物出資又は適格現物分配をいう。）により被合併法人等（被合併法人、分割法人、現物出資法人又は現物分配法人をいう。）において圧縮記帳の適用を受けた固定資産の移転を受けた場合には、当該固定資産に係る積立金の金額の引継ぎを受けたかどうかにかかわらず、当該被合併法人等において当該固定資産の取得価額に算入されなかった金額は、当該固定資産の取得価額に算入されないことに留意する。（基通10−1−4）

11　圧縮額等の損金算入の申告

　1《保険金等で取得した固定資産の圧縮額の損金算入》、**4**《保険金等に代えて交付を受けた代替資産の圧縮額の損金算入》及び**8**《特別勘定を設けた場合の保険金等で取得した代替資産の圧縮額の損金算入等》の固定資産の圧縮額の損金算入又は**6**《保険差益等に係る特別勘定の金額の損金算入》の特別勘定の金額の損金算入は、確定申告書等に圧縮額又は特別勘定経理額の損金算入に関する明細《別表十三(二)》の記載がある場合に限り、適用する。（法47③、48④、49②）

　（明細の記載がない場合のゆうじょ規定）
　　税務署長は、**11**に掲げる明細の記載がない確定申告書等の提出があった場合においても、その記載がなかったことについてやむを得ない事情があると認めるときは、損金算入の適用を認めることができる。（法47④、48⑤、49③）

五　交換資産の圧縮記帳

1　交換により取得した資産の圧縮額の損金算入

　内国法人（清算中のものを除く。以下五において同じ。）が、各事業年度において、1年以上有していた固定資産（当該内国法人が適格合併、適格分割、適格現物出資又は適格現物分配〔以下五において「**適格組織再編成**」という。〕により被合併法人、分割法人、現物出資法人又は現物分配法人〔以下五において「**被合併法人等**」という。〕から移転を受けたもので、その被合併法人等と当該内国法人の有していた期間の合計が1年以上であるものを含む。）で次の表の①から⑤までに掲げるものをそれぞれ他の者が1年以上有していた固定資産（当該他の者が適格組織再編成により被合併法人等から移転を受けたもので、その被合併法人等と当該他の者の有していた期間の合計が1年以上であるものを含む。）同表の①から⑤までに掲げるもの（交換のために取得したと認められるものを除く。）と交換し、その交換により取得した同表の①から⑤までに掲げる資産（以下五において「**取得資産**」という。）をその交換により譲渡した同表の①から⑤までに掲げる資産（以下五において「**譲渡資産**」という。）の譲渡の直前の用途と同一の用途に供した場合において、その取得資産につき、その交換により生じた差益金の額として**2**により計算した金額（以下五において「**圧縮限度額**」という。）の範囲内でその帳簿価額を損金経理により減額したときは、その減額した金額に相当する金額は、当該事業年度の所得の金額の計算上、損金の額に算入する。（法50①）

　ただし、その交換の時における取得資産の価額と譲渡資産の価額との差額がこれらの価額のうちいずれか多い価額の$\frac{20}{100}$に相当する金額を超える場合には、この特例を適用しない。（法50②）

①	土地（建物又は構築物の所有を目的とする地上権及び賃借権並びに農地法第2条第1項《定義》に規定する農地〔同法第43条第1項《農作物栽培高度化施設に関する特例》の規定により農作物の栽培を耕作に該当するものとみなして適用する同法第2条第1項に規定する農地を含む。〕の上に存する耕作〔同法第43条第1項の規定により耕作に該当するものとみなされる農作物の栽培を含む。〕に関する権利を含む。）
②	建物（これに附属する設備及び構築物を含む。）
③	機械及び装置
④	船舶
⑤	鉱業権（租鉱権及び採石権その他土石を採掘し、又は採取する権利を含む。）

注1　交換は税法上譲渡とみなされ、いったん譲渡益が実現するが、**1**の取得資産の圧縮額の損金算入の適用によりその譲渡益相当額だけ取得資産につき圧縮記帳をすることを認めるものである。（編者）

注2　交換の対象となる固定資産に係る要件のうち「1年以上有していた固定資産」には、交換の当事者が合併法人等となる適格組織再編成により被合併法人等から移転を受けたもので、被合併法人等と合併法人等の有していた期間の合計が1年以上であるものを含む。（編者）

　　（遊休資産の交換）
（1）　**1**《交換により取得した資産の圧縮額の損金算入》の取得資産の圧縮額の損金算入は、現に事業の用に供していない固定資産を交換した場合にも適用があるものとする。（基通10－6－1・編者補正）

　　　注　**3**《適格分割等を行った場合の分割法人等における交換資産の圧縮額の損金算入》に掲げる適格分割等を行った場合については、「**1**《交換により取得した資産の圧縮額の損金算入》」とあるのは、「**1**《交換により取得した資産の圧縮額の損金算入》又は**3**《適格分割等を行った場合の分割法人等における交換資産の圧縮額の損金算入》」とする。（編者）

　　（建設中の期間）
（2）　**1**《交換により取得した資産の圧縮額の損金算入》を適用する場合において、その交換の対象となった資産を1年以上有していたかどうかの判定については、建物等の建設中の期間はその所有期間に含めない。（基通10－6－1の2・編者補正）

　　　注　**3**《適格分割等を行った場合の分割法人等における交換資産の圧縮額の損金算入》に掲げる適格分割等を行った場合については、「**1**《交換により取得した資産の圧縮額の損金算入》」とあるのは、「**1**《交換により取得した資産の圧縮額の損金算入》又は**3**《適格分割等を行った場合の分割法人等における交換資産の圧縮額の損金算入》」とする。（編者）

　　（交換の対象となる土地の範囲）
（3）　**1**《交換により取得した資産の圧縮額の損金算入》の表の①に掲げる土地には、立木その他独立して取引の対象となる土地の定着物は含まれないのであるが、その土地が宅地である場合には、庭木、石垣、庭園（庭園に附属する亭、庭内神し〔祠〕その他これらに類する附属設備を含む。）その他これらに類するもののうち宅地と一体として交換

　　　　（交換の対象となる耕作権の範囲）
(4)　**1**《交換により取得した資産の圧縮額の損金算入》の表の①に掲げる「農地法第2条第1項《定義》に規定する農地（同法第43条第1項の規定により農作物の栽培を耕作に該当するものとみなして適用する同法第2条第1項に規定する農地を含む。）の上に存する耕作（同法第43条の規定により耕作に該当するものとみなされる農作物の栽培を含む。）に関する権利」とは、**1**の表の①に掲げる耕作を目的とする地上権、永小作権又は賃借権で、これらの権利の移転、これらの権利に係る契約の解除等をする場合には、農地法第3条第1項、第5条第1項又は第18条第1項《農地又は採草放牧地の権利移動の制限等》の規定の適用があるものをいう。（基通10－6－2の2）

　　　　（交換の対象となる建物附属設備等）
(5)　**1**《交換により取得した資産の圧縮額の損金算入》の表の②の括弧書に掲げる建物に附属する設備及び構築物は、その建物と一体となって交換される場合に限り建物として**1**の圧縮額の損金算入の適用があるのであるから、建物に附属する設備又は構築物は、それぞれ単独には**1**の取得資産の圧縮額の損金算入の適用がないことに留意する。（基通10－6－3）

　　　　（借地権の交換等）
(6)　例えば自己の有する土地に新たに借地権を設定（第二十七款の**五**の2《借地権の設定等により地価が著しく低下する場合の土地等の帳簿価額の一部の損金算入》の適用のある設定に限る。）し、その設定の対価として相手方から土地等を取得する場合のように、実質的には固定資産の交換であるが手続上は権利の設定等の方法によらざるを得ないものについても**1**《交換により取得した資産の圧縮額の損金算入》の取得資産の圧縮額の損金算入を適用することができるものとする。（基通10－6－3の2・編者補正）
　　注　**3**《適格分割等を行った場合の分割法人等における交換資産の圧縮額の損金算入》に掲げる適格分割等を行った場合については、「**1**《交換により取得した資産の圧縮額の損金算入》の」とあるのは、「**1**《交換により取得した資産の圧縮額の損金算入》又は**3**《適格分割等を行った場合の分割法人等における交換資産の圧縮額の損金算入》の」とする。（編者）

　　　　（2以上の種類の資産を交換した場合の交換差金等）
(7)　法人が2以上の種類の固定資産を同時に交換した場合、例えば、土地及び建物と土地及び建物とを交換した場合には、土地は土地と、建物は建物とそれぞれ交換したものとする。この場合において、これらの資産は全体としては等価であるが、土地と土地、建物と建物とはそれぞれの時価が異なっているときは、それぞれの交換の時における価額の差額は**2**の(1)《交換差金等の意義》に掲げる交換差金等となることに留意する。（基通10－6－4）
　　注　次のような交換（金額は交換の時の価額を表わす。）が行われた場合には、建物については圧縮記帳の適用はないが、土地については適用があり、この場合、建物の価額のうち200万円が土地の交換差金等となる。（編者）

	甲		乙
土地	800万円	土地	1,000万円
建物	600万円	建物	400万円
（合計	1,400万円）	（合計	1,400万円）

　　　　（資産の一部を交換とし他の部分を譲渡とした場合の交換の特例の適用）
(8)　法人がその有する固定資産を交換する場合において、一体となって同じ効用を有する同種の資産のうち、その一部については交換とし、他の部分については譲渡としているときは、**1**《交換により取得した資産の圧縮額の損金算入》の取得資産の圧縮額の損金算入の適用については、当該他の部分を含めて交換があったものとし、その譲渡代金は**2**の(1)《交換差金等の意義》に掲げる交換差金等とする。（基通10－6－5）

　　　　（交換資産の時価）
(9)　例えば交換の当事者が通常の取引価額が異なる2以上の固定資産を相互に等価であるものとして交換した場合においても、その交換がその交換をするに至った事情に照らし正常な取引条件に従って行われたものであると認められるときは、**1**《交換により取得した資産の圧縮額の損金算入》の取得資産の圧縮額の損金算入の適用上、これらの資産の価額は当該当事者間において合意されたところによるものとする。（基通10－6－5の2）

(譲渡資産の譲渡直前の用途)
(10)　**1**《交換により取得した資産の圧縮額の損金算入》に掲げる譲渡資産の譲渡直前の用途は、法人が当該譲渡資産を他の用途に供するために改造に着手している等改造して他の用途に供することとしている場合には、その改造後の用途をいう。(基通10－6－6・編者補正)
　　　注　**3**《適格分割等を行った場合の分割法人等における交換資産の圧縮額の損金算入》に掲げる適格分割等を行った場合については、「**1**《交換により取得した資産の圧縮額の損金算入》に」とあるのは、「**1**《交換により取得した資産の圧縮額の損金算入》又は**3**《適格分割等を行った場合の分割法人等における交換資産の圧縮額の損金算入》に」とする。(編者)

(取得資産を譲渡資産の譲渡直前の用途と同一の用途に供したかどうかの判定)
(11)　法人が固定資産を交換した場合において、取得資産を譲渡資産の譲渡直前の用途と同一の用途に供したかどうかは、その資産の種類に応じ、おおむね次に掲げる区分により判定する。(基通10－6－7)
　(一)　土地にあっては、その現況により、宅地、田畑、鉱泉地、池沼、山林、牧場又は原野、その他の区分
　(二)　建物にあっては、居住の用、店舗又は事務所の用、工場の用、倉庫の用、その他の用の区分
　(三)　機械及び装置にあっては、減価償却資産の耐用年数等に関する省令の一部を改正する省令(平成20年財務省令第32号)による改正前の耐用年数省令別表第二に掲げる設備の種類の区分
　(四)　船舶にあっては、漁船、運送船(貨物船、油槽船、薬品槽船、客船等をいう。)、作業船(しゅんせつ船及び砂利採取船を含む。)、その他の区分
　　　注　(二)の適用については、店舗又は事務所と住宅とに併用されている家屋は、居住専用又は店舗専用若しくは事務所専用の家屋と認めて差し支えない。

(取得資産を譲渡資産の譲渡直前の用途と同一の用途に供する時期)
(12)　法人がその有する固定資産を交換した場合において、取得資産をその交換の日の属する事業年度の確定申告書の提出期限(第二節第三款の**二**の**3**《確定申告書の提出期限の延長の特例》によりその提出期限が延長されている場合には、その延長された期限とする。以下(12)において同じ。)までに譲渡資産の譲渡直前の用途と同一の用途に供したときは、**1**《交換により取得した資産の圧縮額の損金算入》の取得資産の圧縮額の損金算入を適用することができるものとする。この場合において、取得資産が譲渡資産の譲渡直前の用途と同一の用途に供するため改造等を要するものであるときは、法人が当該提出期限までにその改造等の発注をするなどその改造等に着手し、かつ、相当期間内にその改造等を了する見込みであるときに限り、当該提出期限までに同一の用途に供されたものとして取り扱う。(基通10－6－8)

(交換により取得した資産の圧縮記帳の経理の特例)
(13)　**1**の取得資産の圧縮額の損金算入を適用する場合において、法人が取得資産につき、その帳簿価額を損金経理により減額しないで、**2**《交換により生じた差益金の額》に掲げる譲渡資産の譲渡直前の帳簿価額とその取得資産の取得のために要した経費との合計額に相当する金額を下らない金額をその取得価額としたときは、これを認める。この場合においても、**5**《圧縮額の損金算入の申告》に掲げる取得資産の圧縮額の損金算入に関する申告を要することに留意する。(基通10－6－10)

(圧縮記帳をした資産の帳簿価額)
(14)　**1**《交換により取得した資産の圧縮額の損金算入》の適用を受ける資産については、**1**の適用によりその帳簿価額が1円未満となるべき場合においても、その帳簿価額として1円以上の金額を付するものとする。(令93)

2　交換により生じた差益金の額

　1《交換により取得した資産の圧縮額の損金算入》に掲げる交換により生じた差益金の額《圧縮限度額》は、取得資産の取得の時における価額が譲渡資産の譲渡直前の帳簿価額(当該譲渡資産の譲渡に要した経費がある場合には、その経費の額〔当該譲渡資産が適格組織再編成により被合併法人等から移転を受けたものである場合には、当該被合併法人等が当該譲渡のために要した経費の額を含む。〕を加算した金額。以下**2**において同じ。)を超える場合におけるその超える部分の金額とする。(令92①)
　この場合の「譲渡直前の帳簿価額」は、次の表の左欄に掲げる場合に該当する場合には、それぞれ同表の右欄に掲げる金額とする。(令92②)

| イ | 取得資産とともに(1)に掲げる**交換差金** | 譲渡資産の譲渡直前の帳簿価額に、その取得資産の価額とその交換差 |

	等を取得した場合	金等の額との合計額のうちにその取得資産の価額の占める割合を乗じて計算した金額
ロ	譲渡資産とともに交換差金等を交付して取得資産を取得した場合	譲渡資産の譲渡直前の帳簿価額にその交換差金等の額を加算した金額

注　譲渡資産の譲渡直前の帳簿価額が交換による譲渡原価となり、取得資産の取得の時における時価がその譲渡原価を超える場合におけるその超える部分の金額が交換による差益金の額となる。(編者)

（交換差金等の意義）
（1）　「交換差金等」とは、**1**《交換により取得した資産の圧縮額の損金算入》に掲げる交換の時における取得資産の価額と譲渡資産の価額とが等しくない場合にその差額を補うために交付される金銭その他の資産をいう。(令92②Ⅰ括弧書)

（譲渡資産の譲渡直前の帳簿価額の計算）
（2）　譲渡資産の譲渡直前の帳簿価額は、次の表の左欄に掲げる場合の区分に応じ、それぞれ同表の右欄により計算した金額となるのであるから留意する。(編者)

(一)	交換差金等を伴わない場合	譲渡資産の譲渡直前の帳簿価額＋譲渡資産の譲渡に要した経費の額
(二)	取得資産とともに交換差金等を取得した場合	$\left(\dfrac{譲渡資産の譲渡}{直前の帳簿価額}＋\dfrac{譲渡資産の譲渡に}{要した経費の額}\right)\times\dfrac{取得資産等の価額}{取得資産の価額＋交換差金等の額}$
(三)	譲渡資産とともに交換差金等を交付して取得資産を取得した場合	$\left(\dfrac{譲渡資産の譲渡}{直前の帳簿価額}＋\dfrac{譲渡資産の譲渡に}{要した経費の額}\right)＋$交換差金等の額

（譲渡資産の譲渡に要した経費）
（3）　**2**《交換により生じた差益金の額》に掲げる「譲渡資産の譲渡に要した経費の額」には、交換に当たり支出した譲渡資産に係る仲介手数料、取りはずし費、荷役費、運送保険料その他その譲渡に要した経費の額のほか、土地の交換に関する契約の一環として、又は当該交換のために当該土地の上に存する建物等につき取壊しをした場合におけるその取壊しにより生じた損失の額（その取壊しに伴い借家人に対して支払った立退料の額を含む。）が含まれる。(基通10－6－9)

3　適格分割等を行った場合の分割法人等における交換資産の圧縮額の損金算入《期中圧縮記帳》

内国法人が、適格分割、適格現物出資又は適格現物分配（以下**3**において「**適格分割等**」という。）により取得資産（当該適格分割等の日の属する事業年度開始の時から当該適格分割等の直前の時までの期間内に、**1**《交換により取得した資産の圧縮額の損金算入》に掲げる交換により取得をし、譲渡資産の譲渡の直前の用途と同一の用途に供したものに限る。）を分割承継法人、被現物出資法人又は被現物分配法人（以下**3**において「**分割承継法人等**」という。）に移転する場合において、当該取得資産につき、圧縮限度額に相当する金額の範囲内でその帳簿価額を減額したときは、当該減額した金額に相当する金額は、当該事業年度の所得の金額の計算上、損金の額に算入する。(法50⑤)

（適格分割等に係る交換により取得した資産の圧縮額の損金算入に関する届出）
　　3は、当該内国法人が適格分割等の日以後2か月以内に次に掲げる事項を記載した書類を納税地の所轄税務署長に提出した場合に限り、適用する。(法50⑥、規25)

(一)	**3**の適用を受けようとする内国法人の名称、納税地及び法人番号並びに代表者の氏名
(二)	適格分割等に係る分割承継法人等の名称及び納税地並びに代表者の氏名
(三)	適格分割等の日
(四)	適格分割等により分割承継法人等に移転をする**3**に掲げる取得資産に係る**3**に掲げる帳簿価額を減額した金額に相当する金額及び当該金額の計算に関する明細
(五)	その他参考となるべき事項

注 (四)に掲げる事項の記載については、別表十三(三)の書式によらなければならない。(規27の14)

4　圧縮記帳資産の取得価額の特例

①　交換により取得した資産の取得価額

内国法人がその有する固定資産について**1**《交換により取得した資産の圧縮額の損金算入》又は**3**《適格分割等を行った場合の分割法人等における交換資産の圧縮額の損金算入》の適用を受けた場合には、**1**又は**3**により各事業年度の所得の金額の計算上損金の額に算入された金額は、当該固定資産の取得価額に算入しない。(令92の2①)

②　適格合併等により圧縮額の損金算入を受けた固定資産の移転を受けた場合の取得価額

内国法人が適格合併、適格分割、適格現物出資又は適格現物分配により被合併法人、分割法人、現物出資法人又は現物分配法人(以下②において「被合併法人等」という。)において**圧縮額の損金算入**(**1**又は**3**による損金算入をいう。)の適用を受けた固定資産の移転を受けた場合には、当該被合併法人等において当該固定資産の取得価額に算入されなかった金額は、当該固定資産の取得価額に算入しない。(法50⑦、令92の2②)

(圧縮記帳の適用を受けた固定資産の移転を受けた場合の取得価額)

合併法人等(合併法人、分割承継法人、被現物出資法人又は被現物分配法人をいう。)が適格組織再編成(適格合併、適格分割、適格現物出資又は適格現物分配をいう。)により被合併法人等において圧縮記帳の適用を受けた固定資産の移転を受けた場合には、当該固定資産に係る積立金の金額の引継ぎを受けたかどうかにかかわらず、当該被合併法人等において当該固定資産の取得価額に算入されなかった金額は、当該固定資産の取得価額に算入されないことに留意する。(基通10－1－4)

5　圧縮額の損金算入の申告

1《交換により取得した資産の圧縮額の損金算入》の取得資産の圧縮額の損金算入は、確定申告書等に取得資産の帳簿価額を減額した金額に相当する金額の損金算入に関する明細《別表十三(三)》の記載がある場合に限り、適用する。(法50③)

(明細の記載がない場合のゆうじょ規定)

税務署長は、**5**に掲げる明細の記載がない確定申告書等の提出があった場合においても、その記載がなかったことについてやむを得ない事情があると認めるときは、損金算入の適用を認めることができる。(法50④)

六　農用地等を取得した場合の課税の特例

1　農用地等を取得した場合の圧縮額の損金算入

　第十八款の**四**の表の11《農業経営基盤強化準備金》に掲げる農業経営基盤強化準備金の金額（農業経営基盤強化準備金を積み立てている法人が青色申告の承認を取り消され、又は青色申告書による申告をやめる旨の届出書を提出した場合において準備金の取崩しの規定の適用を受けるものを除く。）を有する法人（同11の適用を受けることができる法人を含む。）が、各事業年度において、同11に掲げる**認定計画**の定めるところにより、農業経営基盤強化促進法第４条第１項第１号《定義》に規定する**農用地**（当該農用地に係る賃借権を含む。以下**六**において同じ。）の取得（贈与、交換、出資、第二章第一節の**二**の表の**12の５の２**《現物分配法人》に掲げる現物分配、所有権移転外リース取引、代物弁済、合併又は分割による取得を除く。以下**六**において同じ。）をし、又は農業用の機械及び装置、器具及び備品、建物及びその附属設備、構築物並びにソフトウエア（（１）に掲げる規模のものに限るものとし、建物及びその附属設備にあっては農業振興地域の整備に関する法律第８条第４項《市町村の定める農業振興地域整備計画》に規定する農用地利用計画において同法第３条第４号《定義》に掲げる土地としてその用途が指定された土地に建設される同号に規定する農業用施設のうち当該法人の農業の用に直接供される農業振興地域の整備に関する法律施行規則第１条第１号及び第２号《耕作又は養畜の業務のために必要な農業用施設》に掲げる農業用施設を構成する建物及びその附属設備に限る。以下**六**において「**特定農業用機械等**」という。）でその製作若しくは建設の後事業の用に供されたことのないものの取得をし、若しくは特定農業用機械等の製作若しくは建設をして、当該農用地又は特定農業用機械等（以下**六**において「**農用地等**」という。）を当該法人の農業の用に供した場合には、当該農用地等につき、次の表に掲げる金額のうちいずれか少ない金額以下の金額（以下**六**において「**圧縮限度額**」という。）の範囲内でその帳簿価額を損金経理により減額し、又はその帳簿価額を減額することに代えてその圧縮限度額以下の金額を当該事業年度の確定した決算（第二節第三款の**一**の３《仮決算をした場合の中間申告書の記載事項等》の表の①に掲げる金額を計算する場合にあっては、同３に掲げる期間（通算子法人にあっては、同３の(8)《通算法人である場合の適用》の表の(一)に掲げる期間）に係る決算。以下第十五款において同じ。）において積立金として積み立てる方法（当該事業年度の決算の確定の日までに剰余金の処分により積立金として積み立てる方法を含む。）により経理したときは、その減額し、又は経理した金額に相当する金額は、当該事業年度の所得の金額の計算上、損金の額に算入する。（措法61の３①、措令37の３①④、措規21の18の３①）

①		次に掲げる金額の合計額
	イ	前事業年度から繰り越された第十八款の**四**の11に掲げる農業経営基盤強化準備金の金額（前事業年度の終了の日までに租税特別措置法第61条の２第２項又は第３項の規定により益金の額に算入された金額がある場合には、当該金額を控除した金額）のうち、当該事業年度において同条第２項又は第３項（第２号ロに係る部分を除く。）の規定により益金の額に算入された、又は算入されるべきこととなった金額に相当する金額
	ロ	当該事業年度において交付を受けた第十八款の**四**の11に掲げる交付金等の額のうち同11に掲げる認定計画に記載された農用地等の取得に充てるための金額であって同11に掲げる農業経営基盤強化準備金として積み立てられなかった金額として（２）に掲げるところにより証明がされた金額
②		１並びに租税特別措置法第61条の２第２項の規定並びに<u>第二十七款の**九**の２</u>《特許権等の譲渡等による所得の課税の特例》、同款の**十三**の１《特定事業活動として特別新事業開拓事業者の株式の取得をした場合の損金算入》、同款**十三**の３《特定株式に係る特別勘定の金額の取崩し》を適用せず、かつ、当該事業年度において支出した寄附金の額の全額を損金の額に算入するものとして計算した場合の当該事業年度の所得の金額

注１　──線部分は、租税特別措置法施行令の一部を改正する政令（令和６年政令第213号）により追加された部分で、改正規定は、令和７年４月１日から適用される。（同政令附則１）

注２　租税特別措置法第61条の２第２項又は第３項の規定とは、前事業年度から繰り越された農業経営基盤強化準備金の金額のうちにその積み立てられた事業年度終了の日の翌日から５年を経過したものがある場合、認定農地所有適格法人に該当しないこととなった場合、認定計画の定めるところにより農用地等の取得又は製作若しくは建設をした場合、当該法人が被合併法人となる合併が行われた場合等に係る規定をいう。（編者）

注３　税効果会計を適用する場合には、剰余金の処分による圧縮積立金の積立額は、税効果相当額を控除した純額になるが、この場合でも確定申告書等に税務上の圧縮積立金の積立額を明らかにするための明細書を添付しているときは、税務上は、剰余金の処分による積立額とこれに対応する税効果相当額との合計額を圧縮積立金として積み立てたものとして取り扱われる。（編者）

（農業用の機械及び装置等の規模）

（１）　**１**に掲げる規模のものは、機械及び装置並びに器具及び備品にあっては一台又は一基（通常一組又は一式をもっ

て取引の単位とされるものにあっては、一組又は一式）の取得価額（第六款の**六の１**《減価償却資産の取得価額》の表により計算した取得価額をいう。以下（１）において同じ。）が30万円以上のものとし、建物及びその附属設備にあっては一の建物及びその附属設備の取得価額の合計額が30万円以上のものとし、構築物にあっては一の構築物の取得価額が30万円以上のものとし、ソフトウエアにあっては一のソフトウエアの取得価額が30万円以上のものとする。（措令37の３②）

（農業経営基盤強化準備金として積み立てられなかった金額として証明された金額）
（２）　１の表の①のロに掲げる証明がされた金額は、１の適用を受けようとする事業年度の確定申告書等に、農林水産大臣の同口に掲げる交付金等の額のうち第十八款の**四**の11に掲げる農業経営基盤強化準備金として積み立てられなかった金額である旨を証する書類を添付することにより証明がされたものとする。（措規21の18の３②）

（圧縮記帳をした資産の帳簿価額）
（３）　１の適用を受ける農用地等については、１の適用によりその帳簿価額が１円未満となるべき場合においても、その帳簿価額として１円以上の金額を付するものとする。（措令37の３⑦）

（贈与による取得があったものとされる場合の適用除外）
（４）　農用地の贈与による取得は、１に掲げる取得に該当しないのであるが、次に掲げる場合は、次によることに留意する。（措通61の３－１）
　（一）　農用地を著しく低い価額で譲り受けた場合において、その譲受価額と譲受の時における当該農用地の価額との差額に相当する金額について贈与を受けたものと認められるときは、１の適用に当たっては、当該譲受価額による取得があったものとする。
　（二）　農用地を著しく高い価額で譲り受けた場合において、その譲受価額と譲受の時における当該農用地の価額との差額に相当する金額の贈与をしたものと認められるときは、１の適用に当たっては、当該農用地の価額による取得があったものとする。

（取得価額の判定単位）
（５）　（１）に掲げる機械及び装置並びに器具及び備品の１台又は１基の取得価額が30万円以上であるかどうかについては、通常一単位として取引される単位ごとに判定するのであるが、個々の機械及び装置の本体と同時に設置する自動調整装置又は原動機のような附属機器で当該本体と一体になって使用するものがある場合には、これらの附属機器を含めたところによりその判定を行うことができるものとする。（措通61の３－１の２）

（圧縮記帳の適用を受けた場合の特定農業用機械等の取得価額要件の判定）
（６）　（１）に掲げる機械及び装置、器具及び備品、建物及びその附属設備、構築物並びにソフトウエアの取得価額が30万円以上であるかどうかを判定する場合において、その機械及び装置、器具及び備品、建物及びその附属設備、構築物並びにソフトウエアが**一**《国庫補助金等による圧縮記帳》、**二**《工事負担金による圧縮記帳》、**三**《非出資組合の賦課金による圧縮記帳》及び**四**《保険金等による圧縮記帳》による圧縮記帳の適用を受けたものであるときは、その圧縮記帳後の金額に基づいてその判定を行うものとする。（措通61の３－１の３）

（事業の判定）
（７）　法人の営む事業が１に掲げる農業に該当するかどうかは、おおむね日本標準産業分類（総務省）の分類を基準として判定する。（措通61の３－２）

（貸付けの用に供されているものに該当しない機械の貸与）
（８）　法人がその有する１に掲げる特定農業用機械等を他に貸し付けている場合には、当該特定農業用機械等について１の適用はないのであるが、例えば農業用の機械を他の者に貸与した場合において、当該農業用の機械が専ら当該法人のためにする農畜産物の生産の用に供されているなど法人自らが使用しているものと同様の事情にあると認められる場合には、その貸し付けている農業用の機械は、当該法人の農業の用に供したものとして取り扱う。（措通61の３－３）

(農用地等の圧縮限度額の計算)
（９）　農用地等が２以上ある場合において、圧縮限度額がいずれの農用地等から充てられたものとするかは、法人の計算によるものとする。（措通61の３－４）
　　　注　農用地等の取得価額が圧縮限度額を超える場合には、その超える部分に相当する金額につき当該事業年度後の事業年度に繰越しをすることができないことに留意する。

２　圧縮記帳資産の取得価額の特例

①　圧縮記帳資産の取得価額の特例
　１《農用地等を取得した場合の圧縮額の損金算入》の適用を受けた農用地等について法人税に関する法令の規定を適用する場合には、**１**により各事業年度の所得の金額の計算上損金の額に算入された金額は、当該農用地等の取得価額に算入しない。（措法61の３⑤、措令37の３⑤）

②　適格合併等により圧縮額の損金算入の適用を受けた農用地等の移転を受けた場合の取得価額の特例
　適格合併、適格分割、適格現物出資又は適格現物分配（以下②において「適格合併等」という。）により**１**《農用地等を取得した場合の圧縮額の損金算入》の適用を受けた農用地等の移転を受けた合併法人、分割承継法人、被現物出資法人又は被現物分配法人が当該農用地等について法人税に関する法令の規定を適用する場合には、当該適格合併等に係る被合併法人、分割法人、現物出資法人又は現物分配法人において当該農用地等の取得価額に算入されなかった金額は、当該農用地等の取得価額に算入しない。（措法61の３⑤、措令37の３⑥）

３　圧縮記帳資産に対する特別償却等の不適用
　１《農用地等を取得した場合の圧縮額の損金算入》の適用を受けた特定農業用機械等については、第七款の**二十五**《特別償却等に関する複数の規定の不適用》の表の①から④までに掲げる規定は適用しない。（措法61の３④）

４　圧縮額の損金算入の申告
　１《農用地等を取得した場合の圧縮額の損金算入》は、**１**の適用を受けようとする事業年度の確定申告書等に**１**により損金の額に算入される金額の損金算入に関する申告の記載があり、かつ、当該確定申告書等にその損金の額に算入される金額の計算に関する明細書《別表十二(十三)》及び(１)に掲げる書類の添付がある場合に限り、適用する。（措法61の３②）

　　　（農用地等である旨を農林水産大臣が証する書類）
（１）　**４**に掲げる確定申告書等に添付する書類は、農林水産大臣の**１**に掲げる認定計画の定めるところにより取得又は製作若しくは建設をした**１**に掲げる農用地等である旨を証する書類とする。（措規21の18の３③）

　　　（申告の記載等がない場合のゆうじょ規定）
（２）　税務署長は、**４**に掲げる記載又は添付がない確定申告書等の提出があった場合においても、その記載又は添付がなかったことについてやむを得ない事情があると認めるときは、当該記載をした書類並びに明細書及び(１)に掲げる書類の提出があった場合に限り、**１**の特例を適用することができる。（措法61の３③）

七　特定の資産の買換えの場合等の課税の特例

1　特定の資産の買換えの場合の圧縮記帳

　法人（清算中の法人を除く。以下同じ。）が、昭和45年4月1日から令和8年3月31日までの期間（**4**において「**対象期間**」という。）内に、その有する資産（棚卸資産を除く。以下**九**までにおいて同じ。）で次の表の①から④までの左欄に掲げるもの（その譲渡につき第二節第一款の**五**《短期所有に係る土地の譲渡等がある場合の特別税率》の適用がある**土地等**〔土地又は土地の上に存する権利をいう。以下**七**において同じ。〕を除く。以下**七**〔**6**及び**7**を除く。〕において同じ。）の譲渡をした場合において、当該譲渡の日を含む事業年度において、それぞれ①から④までの右欄に掲げる資産の取得をし、かつ、当該取得の日から1年以内に、当該取得をした資産（以下**七**において「**買換資産**」という。）をそれぞれ①から④までの右欄に掲げる地域内にある当該法人の事業の用（同表の④の右欄に掲げる資産については、その法人の事業の用。**3**及び**4**において同じ。）に供したとき（当該事業年度において当該事業の用に供しなくなったときを除く。）、又は供する見込みであるとき（当該買換資産の取得〔建設及び製作を含む。（1）において同じ。〕をした日を含む事業年度終了の日後に当該買換資産を適格合併等〔適格合併、適格分割、適格現物出資又は適格現物分配をいう。以下**1**において同じ。〕により、合併法人、分割承継法人、被現物出資法人又は被現物分配法人〔以下**1**において「合併法人等」という。〕に移転する場合において、当該合併法人等が当該取得をした日から1年以内に当該買換資産を当該適格合併等により移転を受けるそれぞれ同表の右欄に掲げる地域内にある事業の用〔同表の④の右欄に掲げる資産については、その移転を受ける事業の用〕に供する見込みであるときを含む。以下**3**において同じ。）は、当該買換資産（（1）に掲げるところにより納税地の所轄税務署長に**1**の適用を受ける旨の届出をした場合における当該買換資産に限る。）につき、その**圧縮基礎取得価額**に**差益割合**を乗じて計算した金額の$\frac{80}{100}$（当該譲渡をした資産が同表の①の左欄に掲げる資産〔同欄のハに掲げる区域内にあるものに限る。〕に該当し、かつ、当該買換資産が同②の右欄に掲げる資産に該当する場合には、$\frac{70}{100}$）に相当する金額（以下**1**及び**4**において「**圧縮限度額**」という。）の範囲内でその帳簿価額を損金経理により減額し、又はその帳簿価額を減額することに代えてその圧縮限度額以下の金額を当該事業年度の確定した決算において積立金として積み立てる方法（当該事業年度の決算の確定の日までに剰余金の処分により積立金として積み立てる方法を含む。）により経理したときに限り、その減額し、又は経理した金額に相当する金額は、当該事業年度の所得の金額の計算上、損金の額に算入する。（措法65の7①、措令39の7①）

$$圧縮限度額＝圧縮基礎取得価額×差益割合×\frac{80}{100}（又は\frac{70}{100}）$$

譲　渡　資　産			買　換　資　産
次の表の左欄に掲げる**区域**（イ又はロに掲げる区域にあっては、令和2年3月31日以前に当該区域となった**区域を除く。以下「航空機騒音障害区域」という。**）内にある土地等（平成26年4月1日又はその土地等のある区域が航空機騒音障害区域となった日のいずれか遅い日以後に取得〔贈与による取得を除く。〕をされたものを除く。）、**建物**（その附属設備を含む。以下この表及び**5**において同じ。）又は構築物でそれぞれ同表の右欄に掲げる場合に譲渡をされるもの			左欄のイからハまでに掲げる区域以外の地域内（国内に限る。以下①において同じ。）にある土地等、建物、構築物又は機械及び装置（農業又は林業の用に供されるものにあっては、**都市計画法第7条第1項**《**区域区分**》の市街化区域と定められた区域以外の地域内にあるものに限る。）
①	イ	特定空港周辺航空機騒音対策特別措置法第4条第1項《航空機騒音障害防止地区及び航空機騒音障害防止特別地区》に規定する航空機騒音障害防止特別地区	同法第8条第1項《土地の買入れ》若しくは第9条第2項《移転の補償等》の規定により買い取られ、又は同条第1項の規定により補償金を取得する場合	
	ロ	公共用飛行場周辺における航空機騒音による障害の防止等に関する法律第9条第1項《移	同条第2項の規定により買い取られ、又は同条第1項の規定により補償金を取得する場合	

		転の補償等》に規定する第２種区域	
	ハ	防衛施設周辺の生活環境の整備等に関する法律第５条第１項《移転の補償等》に規定する第２種区域	同条第２項の規定により買い取られ、又は同条第１項の規定により補償金を取得する場合

②	次に掲げる区域（イからハまでに掲げる区域にあっては、**1**の譲渡があった日の属する年の10年前の年の翌年１月１日以後に公有水面埋立法の規定による竣功認可のあった埋立地の区域〔以下「**埋立区域**」という。〕を除く。以下②において「**既成市街地等**」という。）内にある土地等、建物又は構築物（措令39の７③）		既成市街地等内にある土地等、建物、構築物又は機械及び装置で、土地の計画的かつ効率的な利用に資するものとして都市再開発法による市街地再開発事業（その施行される土地の区域の面積が5,000平方メートル以上であるものに限る。）に関する都市計画の実施に伴い、当該計画の実施に従って取得をされるもの（イ及びロに掲げるものを除く。）（措令39の７④）	
	イ	首都圏整備法第２条第３項《定義》に規定する既成市街地	再開発会社（都市再開発法第50条の２第３項《施行の認可》に規定する再開発会社をいう。）が当該市街地再開発事業を施行する場合において、同法第73条第１項《権利変換計画の内容》に規定する権利変換計画において定められた同項第22号に規定する施設建築敷地若しくはその共有持分、施設建築物の一部等及び個別利用区内の宅地を当該再開発会社が取得する場合におけるこれらの資産又は同法第118条の７第１項《管理処分計画の内容》に規定する管理処分計画において定められた同項第８号に規定する建築施設の部分を当該再開発会社が取得する場合におけるこれらの資産	
	ロ	近畿圏整備法第２条第３項《定義》に規定する既成市街地		
	ハ	首都圏、近畿圏及び中部圏の近郊整備地帯等の整備のための国の財政上の特別措置に関する法律第２条第３項に規定する政令で定める区域		
	ニ	都市計画法第４条第１項に規定する都市計画に都市再開発法第２条の３第１項第２号《定義》に掲げる地区若しくは同条第２項に規定する地区の定められた市又は道府県庁所在の市の区域の都市計画法第４条第２項に規定する都市計画区域のうち最近の国勢調査の結果による人口集中地区の区域（イからハまでに掲げる区域〔埋立区域を除く。〕を除く。）	ロ	建物（その附属設備を含む。以下ロにおいて同じ。）のうち(イ)及び(ロ)に掲げるもの（その敷地の用に供される土地等を含む。）
				(イ) 中高層耐火建築物（地上階数４以上の中高層の建築基準法第２条第９号の２《用語の定義》に規定する耐火建築物をいう。）以外の建物
				(ロ) 住宅の用に供される部分が含まれる建物（住宅の用に供される部分に限る。）
③	国内にある土地等、建物又は構築物で、当該法人により**取得**をされた日から引き続き所有されていたこれらの資産のうち所有期間（その取得をされた日の翌日からこれらの資産の譲渡をされた日の属する年の１月１日までの所有期間とする。）が10年を超えるもの 注　上記の土地等、建物又は構築物が、**2**の(1)《譲渡資産の取得日》の表の左欄のいずれかに該当する場合には、当該土地等、建物又は構築物は、同欄の区分に応じて、それぞれ同表の右欄に掲げる日において取得（建設を含む。）をされたものとみなして上記を適用する。（措令39の７㉔）		国内にある土地等（**特定施設**の敷地の用に供されるもの〔当該特定施設に係る事業の遂行上必要な駐車場の用に供されるものを含む。〕又は駐車場の用に供されるもの〔建物又は構築物の敷地の用に供されていないことについて(12)《建物等の敷地の用に供されていないことについてのやむを得ない事情》に掲げるやむを得ない事情があるものに限る。〕で、その面積が300平方メートル以上のものに限る。）、建物又は構築物 注　上記の特定施設は、事務所、工場、作業場、研究所、営業所、店舗、倉庫、住宅その他これらに類する施設（福利厚生施設に該当するものを除く。）とする。（措令39の７⑤）	

④	**船舶**（船舶法第1条に規定する日本船舶に限るものとし、漁業〔水産動植物の採捕又は養殖の事業をいう。〕の用に供されるものを除く。以下⑤において同じ。）のうちその進水の日からその譲渡の日までの期間が次の表の左欄に掲げる船舶の区分に応じそれぞれ同表の右欄に掲げる期間に満たないもの（建設業及びひき船業の用に供されるものにあっては、平成23年1月1日以後に建造されたものを除く。）（措令39の7⑥）		
	イ	海洋運輸業（本邦の港と本邦以外の地域の港との間又は本邦以外の地域の各港間において船舶により人又は物の運送をする事業をいう。）の用に供されている船舶	20年
	ロ	沿海運輸業（本邦の各港間において船舶により人又は物の運送をする事業をいう。）の用に供されている船舶	23年
	ハ	建設業又はひき船業の用に供される船舶	30年

船舶（その船舶に係る**1**の譲渡をした資産に該当する船舶〔ロにおいて「譲渡船舶」という。〕に係る事業と同一の事業の用に供されるものに限る。）
イ 建造の後事業の用に供されたことのない船舶のうち環境への負荷の低減に資する船舶として国土交通大臣が財務大臣と協議して指定するもの
ロ 船舶でその進水の日から取得の日までの期間が耐用年数（法人税法の規定により定められている耐用年数をいう。）以下であり、かつ、その期間がその船舶に係る譲渡船舶の進水の日から当該譲渡船舶の譲渡の日までの期間に満たないもののうち環境への負荷の低減に資する船舶として国土交通大臣が財務大臣と協議して指定するもの（イに掲げるものを除く。）（措令39の7⑦）

注1 国土交通大臣は、船舶を指定したときは、これを告示する。（措令39の7㊺）
注2 上記の国土交通大臣が財務大臣と協議して指定するものは、平成29年国土交通省告示第303号（最終改正令和5年第283号）により指定されている。（編者）

注1 ――線部分は、令和5年度改正により改正された部分で、経過措置は次のとおり定められている。
（一） 令和5年3月31日以前に注2の旧①の左欄に掲げる資産の譲渡をした場合における令和5年3月31日以前に取得をした同旧①の右欄に掲げる資産又は令和5年4月1日以後に取得をする同欄に掲げる資産及びこれらの資産に係る**6**の①又は②の特別勘定又は期中特別勘定については、なお注2の適用がある。（令5改法附46①、1）
（二） 上表の①、③及び④に掲げる部分は、令和5年4月1日以後に同表の①、③又は④の左欄に掲げる資産の譲渡をして、令和5年4月1日以後にこれらの右欄に掲げる資産の取得をする場合の当該資産及び当該資産に係る**6**の①又は**6**の②の特別勘定又は期中特別勘定について適用し、令和5年3月31日以前に注2の表の旧②、旧④又は旧⑤の左欄に掲げる資産の譲渡をした場合における令和5年3月31日以前に取得をしたこれらの右欄に掲げる資産又は令和5年4月1日以後に取得をするこれらの右欄に掲げる資産及びこれらの資産に係る**6**の①又は**6**の②の特別勘定又は期中特別勘定並びに令和5年4月1日以後にこれらの左欄に掲げる資産の譲渡をする場合における令和5年3月31日以前に取得をしたこれらの右欄に掲げる資産については、なお注2の適用がある。（令5改法附46②、1、令5改措令附10①、1）
（三） 「当該買換資産（(1)に掲げるところにより…当該買換資産に限る。」に係る部分は、令和6年4月1日以後に上表の左欄に掲げる資産の譲渡をして、令和6年4月1日以後にそれぞれの右欄に掲げる資産の取得をする場合の当該資産について適用し、令和6年3月31日以前に表の左欄に掲げる資産の譲渡をした場合における令和6年3月31日以前に取得をした同表の右欄に掲げる資産又は令和6年4月1日以後に取得をする同表の右欄に掲げる資産及び令和6年4月1日以後に同表の左欄に掲げる資産の譲渡をする場合における令和6年3月31日以前に取得をした同表の右欄に掲げる資産については、「当該買換資産（(1)に掲げるところにより…当該買換資産に限る。」とあるのは、「当該買換資産」とする。（令5改法附46③、1Ⅳニ、令5改措令附10③、1Ⅳ）
（四） （一）から（三）に掲げる部分以外の部分については、令和5年4月1日以後から適用され、令和5年3月31日以前の適用については、なお注2の適用がある。（令5改法附1、令5改措令附1）
注2 令和5年度改正前の**1**は次による。

法人（清算中の法人を除く。以下同じ。）が、昭和45年4月1日から令和5年3月31日までの期間（**4**において「**対象期間**」という。）内に、その有する資産（棚卸資産を除く。以下**九**までにおいて同じ。）で次の表の旧①から旧⑤までの左欄に掲げるもの（その譲渡につき第二節第一款の**五**《短期所有に係る土地の譲渡等がある場合の特別税率》の適用がある**土地等**〔土地又は土地の上に存する権利をいう。以下**七**において同じ。〕を除く。以下**七**〔**6**及び**7**を除く。〕において同じ。）の譲渡をした場合において、当該譲渡の日を含む事業年度において、それぞれ旧①から旧⑤までの右欄に掲げる資産の取得をし、かつ、当該取得の日から1年以内に、当該取得をした資産（以下**七**において「**買換資産**」という。）をそれぞれ旧①から旧⑤までの右欄に掲げる地域内にある当該法人の事業の用（同表の旧⑤の右欄に掲げる資産については、その法人の事業の用。**3**及び**4**において同じ。）に供したとき（当該事業年度において当該事業の用に供しなくなったときを除く。）、又は供する見込みであるとき（当該買換資産の取得〔建設及び製作を含む。〕をした日を含む事業年度終了の日後に当該買換資産を適格合併等〔適格合併、適格分割、適格現物出資又は適格現物分配をいう。以下**1**において同じ。〕により、合併法人、分割承継法人、被現物出資法人又は被現物分配法人〔以下**1**において「合併法人等」という。〕に移転する場合において、当該合併法人等が当該取得をした日から1年以内に当該買換資産を当該適格合併等により移転を受けるそれぞれ同表の右欄に掲げる地域内にある事業の用〔同表の旧⑤の右欄に掲げる資産については、その移転を受ける事業の用。〕に供する見込みであるときを含む。以下**3**において同じ。）は、当該買換資産につき、その**圧縮基礎取得価額**に**差益割合**を乗じて計算した金額の$\frac{80}{100}$（当該譲渡をした資産が同表の旧②の左欄に掲げる資産〔令和2年4月1日前に同欄のイ若しくはロに掲げる区域となった区域内又は同欄のハに掲げる区域内にあるものに限る。〕に該当し、かつ、当該買換資産が同旧②の右欄に掲げる資産に該当する場合には、$\frac{70}{100}$）に相当する金額（以下**1**及び**4**において「**圧縮限度額**」という。）の範囲内でその帳簿価額を損金

第三章　第一節　第十五款　七《特定の資産の買換えの圧縮記帳》

経理により減額し、又はその帳簿価額を減額することに代えてその圧縮限度額以下の金額を当該事業年度の確定した決算において積立金として積み立てる方法（当該事業年度の決算の確定の日までに剰余金の処分により積立金として積み立てる方法を含む。）により経理したときに限り、その減額し、又は経理した金額に相当する金額は、当該事業年度の所得の金額の計算上、損金の額に算入する。（措法65の7旧①、措令39の7旧①）

圧縮限度額＝圧縮基礎取得価額×差益割合×$\frac{80}{100}$（又は$\frac{70}{100}$）

譲　渡　資　産		買　換　資　産
旧①	**既成市街地等**内にある**事業所**として使用されている建物（その附属設備を含む。以下この表において同じ。）又はその敷地の用に供されている土地等で、当該法人により**取得**をされた日から引き続き所有されていたこれらの資産のうち**所有期間**〔その取得をされた日の翌日からこれらの資産の譲渡をされた日の属する年の1月1日までの所有期間とする。旧④において同じ。〕が**10年を超えるもの** 注　上記の建物又は土地等が、2の(1)《譲渡資産の取得日》の表の左欄のいずれかに該当する場合には、当該建物又は土地等は、同欄の区分に応じて、それぞれ同表の右欄に掲げる日において取得（建設を含む。）をされたものとみなして上記を適用する。（措令39の7旧㉔）	**既成市街地等**以外の地域内（国内に限る。以下旧①及び旧②において同じ。）にある土地等、建物、構築物又は機械及び装置（農業及び林業以外の事業の用に供されるものにあっては次に掲げる区域〔ロに掲げる区域にあっては、都市計画法第7条第1項《区域区分》の市街化調整区域と定められた区域を除く。〕内にあるものに限るものとし、農業又は林業の用に供されるものにあっては同項の市街化区域と定められた区域〔以下旧①及び旧②において「**市街化区域**」という。〕以外の地域内にあるものに限るものとし、都市再生特別措置法第81条第1項《立地適正化計画》の規定により同項に規定する立地適正化計画を作成した市町村の当該立地適正化計画に記載された同条第2項第3号に規定する都市機能誘導区域以外の地域内にある当該立地適正化計画に記載された同号に規定する誘導施設に係る土地等、建物及び構築物を除く。） **イ　特定区域** ロ　首都圏整備法第2条第5項《定義》又は近畿圏整備法第2条第5項《定義》に規定する都市開発区域その他これに類するものとして中部圏開発整備法第2条第4項《定義》に規定する都市開発区域（措令39の7旧③）
旧②	次の表の左欄に掲げる**航空機騒音障害区域**内にある土地等（平成26年4月1日又はその土地等のある区域が航空機騒音障害区域となった日のいずれか遅い日以後に取得〔贈与による取得を除く。〕をされたものを除く。）、建物又は構築物でそれぞれ同表の右欄に掲げる場合に譲渡をされるもの |	イ	特定空港周辺航空機騒音対策特別措置法第4条第1項《航空機騒音障害防止地区及び航空機騒音障害防止特別地区》に規定する航空機騒音障害防止特別地区	同法第8条第1項《土地の買入れ》若しくは第9条第2項《移転の補償等》の規定により買い取られ、又は同条第1項の規定により補償金を取得する場合
ロ	公共用飛行場周辺における航空機騒音による障害の防止等に関する法律第9条第1項《移転の補償等》に規定する第2種区域	同条第2項の規定により買い取られ、又は同条第1項の規定により補償金を取得する場合
ハ	防衛施設周辺の生活環境の整備等に関する法律第5条第1項《移転の補償等》に規定する第2種区域	同条第2項の規定により買い取られ、又は同条第1項の規定により補償金を取得する場合		**航空機騒音障害区域**以外の地域内にある土地等、建物、構築物又は機械及び装置（農業又は林業の用に供されるものにあっては、市街化区域以外の地域内にあるものに限る。）
旧③	**既成市街地等**及び都市計画法第4条第1項《定義》に規定する都市計画に都市再開発法第2条の3第1項第2号《都市再開発方針》に掲げる地区若しくは同条第2項に規定する地区の定められた市又は道府県庁所在の市の区域の都市計画法第4条第2項に規定する都市計画区域のうち最近の国勢調査の結果による**人口集中地区の区域**（既成市街地等を除く。）内にある土地等、建物又は構築物（措令39の7旧④前段）	左欄に掲げる区域内にある**土地等、建物、構築物又は機械及び装置**で、土地の計画的かつ効率的な利用に資するものとして都市再開発法による市街地再開発事業（その施行される土地の区域の面積が5,000平方メートル以上であるものに限る。）に関する都市計画の実施に伴い、当該計画の実施に従って取得をされるもの（イ及びロに掲げるものを除く。）（措令39の7旧④後段） イ　再開発会社（都市再開発法第50条の2第3項《施行の認可》に規定する再開発会社をいう。）が当該市街地再開発事業を施行する場合において、同法第73条第1項《権利

			変換計画の内容》に規定する権利変換計画において定められた同項第22号に規定する施設建築敷地若しくはその共有持分、施設建築物の一部等及び個別利用区内の宅地を当該再開発会社が取得する場合におけるこれらの資産又は同法第118条の7第1項《管理処分計画の内容》に規定する管理処分計画において定められた同項第8号に規定する建築施設の部分を当該再開発会社が取得する場合におけるこれらの資産
			建物(その附属設備を含む。以下ロにおいて同じ。)のうち(イ)及び(ロ)に掲げるもの(その敷地の用に供される土地等を含む。)
		ロ	(イ) 中高層耐火建築物(地上階数4以上の中高層の建築基準法第2条第9号の2《用語の定義》に規定する耐火建築物をいう。)以外の建物
			(ロ) 住宅の用に供される部分が含まれる建物(住宅の用に供される部分に限る。)
旧④	国内にある土地等、建物又は構築物で、当該法人により**取得を**された日から引き続き所有されていたこれらの資産のうち**所有期間**が10年を超えるもの 注 上記の土地等、建物又は構築物が、2の(1)《譲渡資産の取得日》の表の左欄のいずれかに該当する場合には、当該土地等、建物又は構築物は、同欄の区分に応じて、それぞれ同表の右欄に掲げる日において取得(建設を含む。)をされたものとみなして上記を適用する。(措令39の7旧㉔)		国内にある土地等(**特定施設**の敷地の用に供されるもの〔当該特定施設に係る事業の遂行上必要な駐車場の用に供されるものを含む。〕又は駐車場の用に供されるもの〔建物又は構築物の敷地の用に供されていないことについて**1**の(12)《建物等の敷地の用に供されていないことについてのやむを得ない事情》に掲げるやむを得ない事情があるものに限る。〕で、その面積が300平方メートル以上のものに限る。)、建物又は構築物 注 上記の特定施設は、事務所、工場、作業場、研究所、営業所、店舗、倉庫、住宅その他これらに類する施設(福利厚生施設に該当するものを除く。)とする。(措令39の7旧⑤)
旧⑤	**船舶**(船舶法第1条に規定する日本船舶に限るものとし、漁業〔水産動植物の採捕又は養殖の事業をいう。〕の用に供されるものを除く。以下旧⑤において同じ。)のうちその進水の日からその譲渡の日までの期間が次の表の左欄に掲げる船舶の区分に応じそれぞれ同表の右欄に掲げる期間に満たないもの(措令39の7旧⑥)		**船舶**(次に掲げるものに限る。) イ 建造の後事業の用に供されたことのない船舶のうち環境への負荷の低減に資する船舶として国土交通大臣が財務大臣と協議して指定するもの ロ 船舶でその進水の日から取得の日までの期間が耐用年数(法人税法の規定により定められている耐用年数をいう。以下ロにおいて同じ。)以下であり、かつ、その期間がその船舶に係る**1**の譲渡をした資産に該当する船舶(以下ロにおいて「譲渡船舶」という。)の進水の日から当該譲渡船舶の譲渡の日までの期間に満たないもののうち環境への負荷の低減に資する船舶として国土交通大臣が財務大臣と協議して指定するもの(イに掲げるものを除く。)(措令39の7旧⑦) 注1 国土交通大臣は、船舶を指定したときは、これを告示する。(措令39の7旧㊺) 注2 上記の国土交通大臣が財務大臣と協議して指定するものは、平成29年国土交通省告示第303号(最終改正令和3年第316号)により指定されている。(編者)
	イ 海洋運輸業(本邦の港と本邦以外の地域の港との間又は本邦以外の地域の各港間において船舶により人又は物の運送をする事業をいう。)又は沿海運輸業(本邦の各港間において船舶により人又は物の運送をする事業をいう。)の用に供されている船舶	25年	
	ロ 建設業又はひき船業の用に供される船舶	35年	

(1号買換え)
(1) 注2の表の旧①の買換えについては、次による。
(一) 注2の表の旧①に掲げる**既成市街地等**とは、次に掲げる区域(注2に掲げる譲渡があった日の属する年の10年前の年の翌年1月1日以後に公有水面埋立法の規定による竣功認可のあった埋立地の区域を除く。)をいう。(注2の表において同じ。)(措法65の7旧①表のⅠ、措令39の7旧②前段、後段)
  イ 首都圏整備法第2条第3項《定義》に規定する**既成市街地**
    注 既成市街地の区域は、首都圏整備法施行令第2条に規定されている。(同令2、同令別表)(編者)
  ロ 近畿圏整備法第2条第3項《定義》に規定する**既成都市区域**
    注 既成都市区域は、近畿圏整備法施行令第1条に規定されている。(同令1、同令別表)(編者)
  ハ イ又はロに掲げる区域に類するものとして首都圏、近畿圏及び中部圏の近郊整備地帯等の整備のための国の財政上の特別措置に関する法律施行令別表に掲げる区域
    注 上記のイからハまでに掲げる区域から除かれる「**1**に掲げる譲渡があった日の属する年の10年前の年の翌年1月1日以後に

第三章　第一節　第十五款　七《特定の資産の買換えの圧縮記帳》

　　　　公有水面埋立法の規定による竣功認可のあった埋立地の区域」とは、当該譲渡のあった日の属する年の12月31日以前10年以内に当該竣功認可のあった埋立地の区域をいうことに留意する。(旧措通65の7(1)-23)
　(二)　注2の表の旧①の右欄に掲げる**市街化区域**とは、都市計画法第7条第1項《区域区分》の市街化区域と定められた区域をいう。(注2の表の旧①及び旧②において同じ。)(措法65の7旧①表のⅠの下欄)
　　注　都市計画には、無秩序な市街化を防止し、計画的な市街化を図るため、都市計画区域を区分して、市街化区域及び市街化調整区域を定めるものとされており、市街化区域は、既に市街地を形成している区域及びおおむね10年以内に優先的かつ計画的に市街化を図るべき区域とされている。(都市計画法7①②)
　(三)　**特定区域**とは、市街化区域のうち都市計画法第7条第1項ただし書の規定により区域区分(同項に規定する区域区分をいう。)を定めるものとされている区域をいう。(措法65の7旧①表のⅠの下欄)
　　注　区域区分を定めるものとされている地域は次のとおりである。(都市計画法7①)
　　　(一)　次に掲げる土地の区域の全部又は一部を含む都市計画区域
　　　　イ　首都圏整備法第2条第3項に規定する既成市街地又は同条第4項に規定する近郊整備地帯
　　　　ロ　近畿圏整備法第2条第3項に規定する既成都市区域又は同条第4項に規定する近郊整備区域
　　　　ハ　中部圏開発整備法第2条第3項に規定する都市整備区域
　　　(二)　(一)に掲げるもののほか、大都市に係る都市計画区域として政令で定めるもの
　(四)　注2の表の旧①の左欄に掲げる**事業所**とは、工場、作業場、研究所、営業所、倉庫その他これらに類する施設(工場、作業場その他これらに類する施設が相当程度集積している区域として国土交通大臣が指定する区域内にあるもの及び福利厚生施設を除く。)をいう。(措令39の7旧②中段)

　　(建物が譲渡資産に該当するかどうかの判定)
(2)　法人の有する建物が注2の表の旧①の左欄に掲げる譲渡資産に該当するかどうかは、当該建物を譲渡する時の現況によって判定する。ただし、使用を休止している建物でその休止期間中必要な維持補修が行われておりいつでも使用し得る状態にあるものについては、その休止直前の状況によって判定するものとする。(措通旧65の7(1)-16)

　　(工場等の建物及びその附属設備の範囲)
(3)　(1)の(四)に掲げる工場、作業場、研究所、営業所、倉庫その他これらに類する施設(工場、作業場その他これらに類する施設が相当程度集積している区域として国土交通大臣が指定する区域内にあるもの及び福利厚生施設を除く。以下(3)において「工場等」という。)及びその附属設備には、工場等の構内にある守衛所、詰所、自転車置場、浴場その他これらに類するもの及びこれらの建物の附属設備並びに工場等において使用する電力に係る発電所又は変電所の用に供する建物及びこれらの建物の附属設備のように工場等の維持又はその効用を果たすために必要と認められる建物又はその附属設備が含まれる。(措通旧65の7(1)-17・編者補正)

　　(福利厚生施設の範囲)
(4)　(1)の(四)に掲げる「福利厚生施設」には、社宅、寮、宿泊所、集会所、診療所、保養所、体育館その他のスポーツ施設、食堂その他これらに類する施設が含まれる。(措通旧65の7(1)-18・編者補正)

　　(工場等の建物の敷地の用に供されている土地等の意義)
(5)　注2の表の旧①の左欄に掲げる「その敷地の用に供されている土地等」とは、法人が工場等として使用されている建物を有し、かつ、当該法人が当該建物の敷地の用に供されている土地又は土地の上に存する権利を有している場合における当該土地又は当該土地の上に存する権利をいう。(措通旧65の7(1)-19・編者補正)

　　(工場等の建物の敷地の用に供されている土地等の範囲)
(6)　注2の表の旧①の左欄に掲げる建物の敷地の用に供されている土地等は、当該建物の維持又はその効用を果たすために必要と認められる部分に限られ、当該敷地の用に供されている土地等に含まれるかどうかは、建ぺい率、容積率、土地の利用状況等を総合的に勘案して判定するものとする。(措通旧65の7(1)-20・編者補正)

　　(工場等の用とその他の用に共用されている建物の判定)
(7)　1の注2の表の旧①の左欄に掲げる建物について、一の建物が工場等の用とその他の用に共用されている場合には、床面積の比等の合理的な基準によってその用途の異なるごとに区分し、工場等の用に供されている部分について、1の注2を適用するものとする。(措通旧65の7(1)-21・編者補正)
　注1　4に掲げる適格分割等を行った場合については、「注2」とあるのは「注2又は4」とする。(編者)
　注2　一の建物につき工場等の用に供されている部分とその他の用に供されている部分とに区分する場合において、廊下、階段、機械室その他共用されるべき部分(専らその他の用に供されている部分に係る廊下、階段等を除く。)は、工場等の用に供されている部分に含めることができる。
　注3　建物について工場等の用に供されている部分とその他の用に供されている部分とに区分する場合には、その敷地の用に供されている土地等についても、建物を区分した基準等の合理的な基準により区分する。

　　(所有期間が10年を超える土地等についての買換えの適用)
(8)　法人により取得をされた日から引き続き所有されていた土地等でその所有期間(注2の表の旧①の左欄に掲げる所有期間をいう。以下(8)及び2の(7)において同じ。)が10年を超えるものとともに、当該土地等の上に建設した建物で所有期間が10年を超えないもの

第三章　第一節　第十五款　七《特定の資産の買換えの圧縮記帳》

の譲渡をした場合には、当該建物は同表の旧①の左欄に掲げる譲渡資産に該当しないが、当該土地等は同欄に掲げる他の要件を満たすものであれば、当該土地等は同欄に掲げる資産に該当することに留意する。（措通旧65の7（1）－22・編者補正）
　　注　譲渡をした資産の所有期間が10年を超えるかどうかの判定に当たり、当該土地等が2の（1）《譲渡資産の取得日》の表の（一）から（六）までに掲げる資産に該当する場合には、いわゆる取得日の引継ぎが認められているのであるから留意する。

注3　──線部分は、令和3年度改正により改正された部分で、改正規定は、令和3年4月1日から適用され、令和3年3月31日以前に注4の旧③又は旧⑤の左欄に掲げる資産の譲渡をした場合における令和3年3月31日前に取得をしたこれらの右欄に掲げる資産又は令和3年4月1以後に取得する同欄に掲げる資産及びこれらに係る6の①又は6の②の特別勘定又は期中特別勘定については、なお注4の適用がある。（令3改法附52②、1）

注4　令和3年度改正前の1は次による。

　　法人（清算中の法人を除く。以下同じ。）が、昭和45年4月1日から令和5年3月31日（次の表の旧③又は旧⑤の左欄に掲げる資産にあっては、令和3年3月31日）までの期間（4において「**対象期間**」という。）内に、その有する資産（棚卸資産を除く。以下**九**までにおいて同じ。）で同表の旧①から旧⑦までの左欄に掲げるもの（その譲渡につき第二節第一款の**五**《短期所有に係る土地の譲渡等がある場合の特別税率》の適用がある**土地等**〔土地又は土地の上に存する権利をいう。以下**七**において同じ。〕を除く。以下**七**〔**6**及び**7**を除く。〕において同じ。）の譲渡をした場合において、当該譲渡の日を含む事業年度において、それぞれ旧①から旧⑦までの右欄に掲げる資産の取得をし、かつ、当該取得の日から1年以内に、当該取得をした資産（以下**七**において「**買換資産**」という。）をそれぞれ旧①から旧⑦までの右欄に掲げる地域内にある当該法人の事業の用（同表の旧⑦の右欄に掲げる資産については、その法人の事業の用。3及び4において同じ。）に供したとき（当該事業年度において当該事業の用に供しなくなったときを除く。）、又は供する見込みであるとき（当該買換資産の取得〔建設及び製作を含む。〕をした日を含む事業年度終了の日後に当該買換資産を適格合併等〔適格合併、適格分割、適格現物出資又は適格現物分配をいう。以下1において同じ。〕により、合併法人、分割承継法人、被現物出資法人又は被現物分配法人〔以下1において「合併法人等」という。〕に移転する場合において、当該合併法人等が当該取得をした日から1年以内に当該買換資産を当該適格合併等により移転を受けるそれぞれ同表の右欄に掲げる地域内にある事業の用〔同表の旧⑦の右欄に掲げる資産については、その移転を受ける事業の用〕に供する見込みであるときを含む。以下3において同じ。）は、当該買換資産につき、その**圧縮基礎取得価額**に**差益割合**を乗じて計算した金額の$\frac{80}{100}$（当該譲渡をした資産が同表の旧②の左欄に掲げる資産〔令和2年4月1日前に同欄のイ若しくはロに掲げる区域となった区域内又は同欄のハに掲げる区域内にあるものに限る。〕に該当し、かつ、当該買換資産が同旧②の右欄に掲げる資産に該当する場合には、$\frac{70}{100}$）に相当する金額（以下**1**及び**4**において「**圧縮限度額**」という。）の範囲内でその帳簿価額を損金経理により減額し、又はその帳簿価額を減額することに代えてその圧縮限度額以下の金額を当該事業年度の確定した決算において積立金として積み立てる方法（当該事業年度の決算の確定の日までに剰余金の処分により積立金として積み立てる方法を含む。）により経理したときに限り、その減額し、又は経理した金額に相当する金額は、当該事業年度の所得の金額の計算上、損金の額に算入する。（措法65の7旧①、措令39の7旧①）

　　圧縮限度額＝圧縮基礎取得価額×差益割合×$\frac{80}{100}$（又は$\frac{70}{100}$）

	譲　渡　資　産	買　換　資　産
旧①	**既成市街地等**内にある**事業所**として使用されている建物（その附属設備を含む。以下この表において同じ。）又はその敷地の用に供されている土地等で、当該法人により**取得**をされた日から引き続き所有されていたこれらの資産のうち**所有期間**〔その取得をされた日の翌日からこれらの資産の譲渡をされた日の属する年の1月1日までの所有期間とする。旧⑥において同じ。〕が10年を超えるもの 　注　上記の建物又は土地等が、2の（1）《譲渡資産の取得日》の表の左欄のいずれかに該当する場合には、当該建物又は土地等は、同欄の区分に応じて、それぞれ同表の右欄に掲げる日において取得（建設を含む。）をされたものとみなして上記を適用する。（措令39の7旧㉑）	**既成市街地等**以外の地域内（国内に限る。以下旧③までにおいて同じ。）にある土地等、建物、構築物又は機械及び装置（農業及び林業以外の事業の用に供されるものにあっては次に掲げる区域〔ロに掲げる区域にあっては、都市計画法第7条第1項《区域区分》の市街化調整区域と定められた区域を除く。〕内にあるものに限るものとし、農業又は林業の用に供されるものにあっては同項の市街化区域と定められた区域〔以下旧①及び旧②において「**市街化区域**」という。〕以外の地域内にあるものに限るものとし、都市再生特別措置法第81条第1項《立地適正化計画》の規定により同項に規定する立地適正化計画を作成した市町村の当該立地適正化計画に記載された同条第2項第3号に規定する都市機能誘導区域以外の地域内にある当該立地適正化計画に記載された同号に規定する誘導施設に係る土地等、建物及び構築物を除く。） イ　**特定区域** ロ　首都圏整備法第2条第5項《定義》又は近畿圏整備法第2条第5項《定義》に規定する都市開発区域その他これに類するものとして中部圏開発整備法第2条第4項《定義》に規定する都市開発区域（措令39の7旧③）
旧②	次の表の左欄に掲げる**航空機騒音障害区域**内にある土地等（平成26年4月1日又はその土地等のある区域が航空機騒音障害区域となった日のいずれか遅い日以後に取得〔贈与による取得を除く。〕をされたものを除く。）、建物又は構築物でそれぞれ同表の右欄に掲げる場合に譲渡をされるもの	**航空機騒音障害区域**以外の地域内にある土地等、建物、構築物又は機械及び装置（農業又は林業の用に供されるものにあっては、市街化区域以外の地域内にあるものに限る。）

	イ	特定空港周辺航空機騒音対策特別措置法第4条第1項《航空機騒音障害防止地区及び航空機騒音障害防止特別地区》に規定する航空機騒音障害防止特別地区	同法第8条第1項《土地の買入れ》若しくは第9条第2項《移転の補償等》の規定により買い取られ、又は同条第1項の規定により補償金を取得する場合	
	ロ	公共用飛行場周辺における航空機騒音による障害の防止等に関する法律第9条第1項《移転の補償等》に規定する第2種区域	同条第2項の規定により買い取られ、又は同条第1項の規定により補償金を取得する場合	
	ハ	防衛施設周辺の生活環境の整備等に関する法律第5条第1項《移転の補償等》に規定する第2種区域	同条第2項の規定により買い取られ、又は同条第1項の規定により補償金を取得する場合	
旧③	過疎地域自立促進特別措置法第2条第1項《過疎地域》に規定する過疎地域（同項に規定する過疎地域に係る市町村の廃置分合又は境界変更に伴い同法第33条第1項《市町村の廃置分合等があった場合の特例》の規定に基づいて新たに同法第2条第1項に規定する過疎地域に該当することとなった区域及び都市計画法第7条第1項《区域区分》の市街化調整区域と定められた区域を除く。以下旧③において「**過疎地域**」という。）以外の地域内にある土地等、建物又は構築物（既成市街地等内にあるものにあっては、事務所、工場、作業場、研究所、営業所、倉庫その他これらに類する施設〔福利厚生施設を除く。〕として使用されている建物又はその敷地の用に供されている土地等に限る。）（措令39の7旧④）	**過疎地域**内にある特定資産（土地等、建物、構築物又は機械及び装置をいう。旧④において同じ。）	
旧④	**既成市街地等**及び都市計画法第4条第1項《定義》に規定する都市計画に都市再開発法第2条の3第1項第2号《都市再開発方針》に掲げる地区若しくは同条第2項に規定する地区の定められた市又は道府県庁所在の市の区域の都市計画法第4条第2項に規定する都市計画区域のうち最近の国勢調査の結果による**人口集中地区の区域**（既成市街地等を除く。）内にある土地等、建物又は構築物（措令39の7旧⑤前段）	左欄に掲げる区域内にある特定資産で、土地の計画的かつ効率的な利用に資するものとして都市再開発法による市街地再開発事業（その施行される土地の区域の面積が5,000平方メートル以上であるものに限る。）に関する都市計画の実施に伴い、当該計画の実施に従って取得をされるもの（イ及びロに掲げるものを除く。）（措令39の7旧⑤後段）	
			イ	再開発会社（都市再開発法第50条の2第3項《施行の認可》に規定する再開発会社をいう。）が当該市街地再開発事業を施行する場合において、同法第73条第1項《権利変換計画の内容》に規定する権利変換計画において定められた同項第22号に規定する施設建築敷地若しくはその共有持分、施設建築物の一部等及び個別利用区内の宅地を当該再開発会社が取得する場合におけるこれらの資産又は同法第118条の7第1項《管理処分計画の内容》に規定する管理処分計画において定められた同項第8号に規定する建築施設の部分を当該再開発会社が取得する場合におけるこれらの資産
			ロ	建物（その附属設備を含む。以下ロにおいて同じ。）のうち(イ)及び(ロ)に掲げるもの（その敷地の用に供される土地等を含む。）
				(イ) 中高層耐火建築物（地上階数4以上の中高層の建築基準法第2条第9号の2《用語の定義》に規定する耐火建築物をいう。）以外の建物
				(ロ) 住宅の用に供される部分が含まれる建物（住宅の用に供される部分に限る。）
旧⑤	密集市街地における防災街区の整備の促進に関する法律第3条第1項第1号《防災街区整備方針》に規定する防災再開発促進	当該**危険密集市街地**内にある土地等、建物又は構築物で、密集市街地における防災街区の整備の促進に関する法律による防災街	

第三章 第一節 第十五款 七《特定の資産の買換えの圧縮記帳》

	地区のうち地震その他の災害が発生した場合に著しく危険な地区として国土交通大臣が定める基準に該当する地区であって国土交通大臣が指定する地区（以下旧⑤において「**危険密集市街地**」という。）内にある土地等、建物又は構築物で、当該土地等又は当該建物若しくは構築物の敷地の用に供されている土地等の上に耐火建築物等又は準耐火建築物等（建築基準法第53条第3項第1号のイ《<u>建蔽率</u>》に規定する耐火建築物等又は同号のロに規定する準耐火建築物等をいう。）で(6)《5号買換え》の(一)に掲げるものを建築するために譲渡をされるもの（措令39の7旧⑥） 注1 国土交通大臣は、<u>注2の(1)《1号買換え》</u>により区域を指定したとき、旧⑤の基準を定めたとき、又は地区を指定したときは、これを告示する。（旧措令39の7㊼前段） 注2 注1の基準は、平成26年国土交通省告示第428号及び第429号により定められている。（編者） 注3 注1の地区は、平成27年国土交通省告示第227号により指定されている。（編者）	区整備事業に関する都市計画の実施に伴い、当該防災街区整備事業に関する都市計画に従って取得をされるもの（(6)の(二)に掲げるものを除く。）
旧⑥	国内にある土地等、建物又は構築物で、当該法人により**取得を**された日から引き続き所有されていたこれらの資産のうち**所有期間**が10年を超えるもの 注 上記の土地等、建物又は構築物が、2の(1)《譲渡資産の取得日》の表の左欄のいずれかに該当する場合には、当該土地等、建物又は構築物は、同欄の区分に応じて、それぞれ同表の右欄に掲げる日において取得（建設を含む。）をされたものとみなして上記を適用する。（措令39の7旧㉖）	国内にある土地等（**特定施設**の敷地の用に供されるもの〔当該特定施設に係る事業の遂行上必要な駐車場の用に供されるものを含む。〕又は駐車場の用に供されるもの〔建物又は構築物の敷地の用に供されていないことについて1の(12)《建物等の敷地の用に供されていないことについてのやむを得ない事情》に掲げるやむを得ない事情があるものに限る。〕で、その面積が300平方メートル以上のものに限る。）、建物又は構築物 注 上記の特定施設は、事務所、工場、作業場、研究所、営業所、店舗、倉庫、住宅その他これらに類する施設（福利厚生施設に該当するものを除く。）とする。（措令39の7旧⑦）
旧⑦	**船舶**（船舶法第1条に規定する日本船舶に限るものとし、漁業〔水産動植物の採捕又は養殖の事業をいう。〕の用に供されるものを除く。以下旧⑦において同じ。）のうちその進水の日からその譲渡の日までの期間が次の表の左欄に掲げる船舶の区分に応じそれぞれ同表の右欄に掲げる期間に満たないもの（措令39の7旧⑧） | | | | |---|---|---| | イ | 海洋運輸業（本邦の港と本邦以外の地域の港との間又は本邦以外の地域の各港間において船舶により人又は物の運送をする事業をいう。）又は沿海運輸業（本邦の各港間において船舶により人又は物の運送をする事業をいう。）の用に供されている船舶 | 25年 | | ロ | 建設業又はひき船業の用に供される船舶 | 35年 |	**船舶**（次に掲げるものに限る。） イ 建造の後事業の用に供されたことのない船舶のうち環境への負荷の低減に資する船舶として国土交通大臣が財務大臣と協議して指定するもの ロ 船舶でその進水の日から取得の日までの期間が耐用年数（法人税法の規定により定められている耐用年数をいう。）以下であり、かつ、その期間がその船舶に係る1の譲渡をした資産に該当する船舶（以下ロにおいて「譲渡船舶」という。）の進水の日から当該譲渡船舶の譲渡の日までの期間に満たないもののうち環境への負荷の低減に資する船舶として国土交通大臣が財務大臣と協議して指定するもの（イに掲げるものを除く。）（措令39の7旧⑨） 注1 国土交通大臣は、船舶を指定したときは、これを告示する。（措令39の7旧㊼後段） 注2 上記の国土交通大臣が財務大臣と協議して指定するものは、平成29年国土交通省告示第303号により指定されている。（編者）

（事務所等の建物及びその附属設備の範囲）
（1） 1の表の旧③の左欄に掲げる事務所、工場、作業場、研究所、営業所、倉庫その他これらに類する施設（工場、作業場その他これらに類する施設が相当程度集積している区域として国土交通大臣が指定する区域内にあるもの及び福利厚生施設を除く。以下(1)において「事務所等」という。）及びその附属設備には、事務所等の構内にある守衛所、詰所、自転車置場、浴場その他これらに類するもの及びこれらの建物の附属設備並びに事務所等において使用する電力に係る発電所又は変電所の用に供する建物及びこれらの建物の附属設備のように事務所等の維持又はその効用を果すために必要と認められる建物又はその附属設備が含まれる。（措通旧65の7(1)－17注・編者補正）

（福利厚生施設の範囲）
（2） 1の表の旧③の左欄に掲げる「福利厚生施設」には、社宅、寮、宿泊所、集会所、診療所、保養所、体育館その他のスポーツ施設、食堂その他これらに類する施設が含まれる。（措通旧65の7(1)－18・編者補正）

（事務所等の建物の敷地の用に供されている土地等の意義）
（3） 1の表の旧③の左欄に掲げる「その敷地の用に供されている土地等」とは、法人が事務所等として使用されている建物を有し、か

第三章　第一節　第十五款　七《特定の資産の買換えの圧縮記帳》

　　　つ、当該法人が当該建物の敷地の用に供されている土地又は土地の上に存する権利を有している場合における当該土地又は当該土地の上に存する権利をいう。(措通旧65の7(1)-19・編者補正)

　　　(事務所等の建物の敷地の用に供されている土地等の範囲)
（4）1の表の旧③の左欄に掲げる建物の敷地の用に供されている土地等は、当該建物の維持又はその効用を果たすために必要と認められる部分に限られ、当該敷地の用に供されている土地等に含まれるかどうかは、建ぺい率、容積率、土地の利用状況等を総合的に勘案して判定するものとする。(措通旧65の7(1)-20・編者補正)

　　　(事務所等の用とその他の用に共用されている建物の判定)
（5）1の表の旧③の左欄に掲げる建物について、一の建物が事務所等の用とその他の用に共用されている場合には、床面積の比等の合理的な基準によってその用途の異なるごとに区分し、事務所等の用に供されている部分について、1を適用するものとする。(措通旧65の7(1)-21・編者補正)
　　注1　4に掲げる適格分割等を行った場合については、「1」とあるのは「1又は4」とする。(編者)
　　注2　一の建物につき事務所等の用に供されている部分とその他の用に供されている部分とに区分する場合において、廊下、階段、機械室その他共用されるべき部分(専らその他の用に供されている部分に係る廊下、階段等を除く。)は、事務所等の用に供されている部分に含めることができる。
　　注3　建物について事務所等の用に供されている部分とその他の用に供されている部分とに区分する場合には、その敷地の用に供されている土地等についても、建物を区分した基準等の合理的な基準により区分する。

　　　(5号買換え)
（6）1の表の旧⑤の買換えについては、次による。(措令39の7旧⑥)
　(一)　1の表の旧⑤の左欄に掲げるものは、危険密集市街地内に建築される耐火建築物等又は準耐火建築物等であることにつき、その建物の建築基準法第2条第16号《用語の定義》に規定する建築主の申請に基づき都道府県知事が認定したものとする。
　(二)　1の表の旧⑤の右欄に掲げるものは、事業会社(密集市街地における防災街区の整備の促進に関する法律第165号第3項《施行の認可》に規定する事業会社をいう。)が防災街区整備事業を施行する場合において、密集市街地における防災街区の整備の促進に関する法律第205条第1項《権利変換計画の内容》に規定する権利変換計画において定められた同項第21号に規定する防災施設建築敷地又はその共有持分、防災施設建築物の一部等及び個別利用区内の宅地を当該事業会社が取得する場合におけるこれらの資産とする。

注5　──線部分(注4に係る部分に限る。)は、令和2年度改正により改正された部分で、経過措置は、次のとおり定められている。
　(一)　──線部分(注4の表の旧②、旧⑤又は旧⑥に係る部分に限る。)は、法人が令和2年4月1日以後に注4の表の旧②、旧⑤又は旧⑥の左欄に掲げる資産の譲渡をして、令和2年4月1日以後に同表の旧②、旧⑤又は旧⑥の右欄に掲げる資産の取得(建設及び製作を含む。(一)において同じ。)をする場合の当該資産及び当該資産に係る6の①の注2又は6の②の注2の特別勘定又は期中特別勘定について適用され、法人が令和2年3月31日以前に注6の表の旧②、旧⑦又は旧⑧の左欄に掲げる資産の譲渡をした場合における令和2年3月31日以前に取得をした同表の旧②、旧⑦又は旧⑧の右欄に掲げる資産又は令和2年4月1日以後に取得をする同表の旧②、旧⑦又は旧⑧の右欄に掲げる資産及びこれらの資産に係る6の①の注3又は6の②の注3の特別勘定又は期中特別勘定並びに法人が令和2年4月1日以後に同表の旧②、旧⑦又は旧⑧の左欄に掲げる資産の譲渡をする場合における令和2年3月31日以前に取得をした同表の旧②、旧⑦又は旧⑧の右欄に掲げる資産については、(三)の適用がある場合を除きなお注6の適用がある。(令2改法附88①、令2改措令附34)
　(二)　令和2年3月31日以前に行った注6の表の旧④の左欄に掲げる資産の譲渡については、なお注6の適用がある。(令2改法附88②)
　(三)　法人が令和2年4月1日から令和4年9月30日までの間に取得をする注6の表の旧⑦の右欄に掲げる資産(同欄に掲げる国内にある鉄道事業の用に供される車両及び運搬具のうち貨物鉄道事業用の電気機関車で当該法人が令和2年3月31日以前に締結した契約に基づき取得をするものに限る。)については、注4の表の旧⑥の右欄に掲げる資産とみなして、**七**(5を除く。)を適用する。(令2改法附88③)
注6　令和2年度改正以前の1は次による。

　　　法人(清算中の法人を除く。以下同じ。)が、昭和45年4月1日から令和2年3月31日までの期間(4において「**対象期間**」という。)内に、その有する資産(棚卸資産を除く。以下**九**までにおいて同じ。)で次の表の旧①から旧⑧までの左欄に掲げるもの(その譲渡につき第二節第一款の**五**《短期所有に係る土地の譲渡等がある場合の特別税率》の適用がある**土地等**〔土地又は土地の上に存する権利をいう。以下**七**において同じ。〕を除く。以下**七**〔**6**及び**7**を除く。〕において同じ。)の譲渡をした場合において、当該譲渡の日を含む事業年度において、それぞれ旧①から旧⑧までの右欄に掲げる資産の取得をし、かつ、当該取得の日から1年以内に、当該取得をした資産(以下**七**において「**買換資産**」という。)をそれぞれ旧①から旧⑧までの右欄に掲げる地域内にある当該法人の事業の用(同表の旧⑧の右欄に掲げる資産については、その法人の事業の用。**3**及び**4**において同じ。)に供したとき(当該事業年度において当該事業の用に供しなくなったときを除く。)、又は供する見込みであるとき(当該買換資産の取得〔建設及び製作を含む。〕をした日を含む事業年度終了の日後に当該買換資産を適格合併等〔適格合併、適格分割、適格現物出資又は適格現物分配をいう。以下1において同じ。〕により、合併法人、分割承継法人、被現物出資法人又は被現物分配法人〔以下1において「合併法人等」という。〕に移転する場合において、当該合併法人等が当該取得をした日から1年以内に当該買換資産を当該適格合併等により移転を受けるそれぞれ同表の右欄に掲げる地域内にある事業の用〔同表の旧⑧の右欄に掲げる資産については、その移転を受ける事業の用〕に供する見込みであるときを含む。以下**3**において同じ。)は、当該買換資産につき、その**圧縮基礎取得価額**に**差益割合**を乗じて計算した金額の$\frac{80}{100}$に相当する金額(以下**1**及び**4**において「**圧縮限度額**」という。)の範囲内でその帳簿価額を損金経理により減額し、又はその帳簿価額を減額することに代えてその圧縮限度額以下の金額を当該事業年度の確定した決算において積立金として積み立てる方法(当該事業年度の決算の確定の日までに剰余金の処分により積立金として積み立てる方法を含む。)により経理したときに限り、その減額し、又は経理した金額に相当する金額は、当該事業年度の所得の金額の計算上、損金の額に算入する。(措法65の7旧①、措令39の7旧①)

—772—

第三章 第一節 第十五款 七《特定の資産の買換えの圧縮記帳》

圧縮限度額＝圧縮基礎取得価額×差益割合×$\frac{80}{100}$

	譲 渡 資 産			買 換 資 産
旧①	**既成市街地等**内にある**事業所**として使用されている建物（その附属設備を含む。以下この表において同じ。）又はその敷地の用に供されている土地等で、当該法人により**取得**をされた日から引き続き所有されていたこれらの資産のうち**所有期間**〔その取得をされた日の翌日からこれらの資産の譲渡をされた日の属する年の1月1日までの所有期間とする。旧⑦において同じ。〕が10年を超えるもの 注 上記の建物又は土地等が、2の（1）《譲渡資産の取得日》の表の左欄のいずれかに該当する場合には、当該建物又は土地等は、同欄の区分に応じて、それぞれ同表の右欄に掲げる日において取得（建設を含む。）をされたものとみなして上記を適用する。（措令39の7旧㉗）			**既成市街地等**以外の地域内（国内に限る。以下旧④までにおいて同じ。）にある土地等、建物、構築物又は機械及び装置（農業及び林業以外の事業の用に供されるものにあっては次に掲げる区域〔ロに掲げる区域にあっては、都市計画法第7条第1項《区域区分》の市街化調整区域と定められた区域を除く。〕内にあるものに限るものとし、農業又は林業の用に供されるものにあっては同項の市街化区域と定められた区域〔以下旧①及び旧②において「**市街化区域**」という。〕以外の地域内にあるものに限るものとし、都市再生特別措置法第81条第1項《立地適正化計画》の規定により同項に規定する立地適正化計画を作成した市町村の当該立地適正化計画に記載された同条第2項第3号に規定する都市機能誘導区域以外の地域内にある当該立地適正化計画に記載された同号に規定する誘導施設に係る土地等、建物及び構築物を除く。） イ 特定区域 ロ 首都圏整備法第2条第5項《定義》又は近畿圏整備法第2条第5項《定義》に規定する都市開発区域その他これに類するものとして中部圏開発整備法第2条第4項《定義》に規定する都市開発区域（措令39の7旧③）
旧②	次の表の左欄に掲げる**航空機騒音障害区域**内にある土地等（平成26年4月1日又はその土地等のある区域が航空機騒音障害区域となった日のいずれか遅い日以後に取得〔贈与による取得を除く。〕をされたものを除く。）、建物又は構築物でそれぞれ同表の右欄に掲げる場合に譲渡をされるもの	イ	特定空港周辺航空機騒音対策特別措置法第4条第1項《航空機騒音障害防止地区及び航空機騒音障害防止特別地区》に規定する航空機騒音障害防止特別地区	同法第8条第1項《土地の買入れ》若しくは第9条第2項《移転の補償等》の規定により買い取られ、又は同条第1項の規定により補償金を取得する場合
		ロ	公共用飛行場周辺における航空機騒音による障害の防止等に関する法律第9条第1項《移転の補償等》に規定する第2種区域	同条第2項の規定により買い取られ、又は同条第1項の規定により補償金を取得する場合
		ハ	防衛施設周辺の生活環境の整備等に関する法律第5条第1項《移転の補償等》に規定する第2種区域	同条第2項の規定により買い取られ、又は同条第1項の規定により補償金を取得する場合
				航空機騒音障害区域以外の地域内にある土地等、建物、構築物又は機械及び装置（農業又は林業の用に供されるものにあっては、市街化区域以外の地域内にあるものに限る。）
旧③	過疎地域自立促進特別措置法第2条第1項《過疎地域》に規定する過疎地域（同項に規定する過疎地域に係る市町村の廃置分合又は境界変更に伴い同法第33条第1項《市町村の廃置分合等があった場合の特例》の規定に基づいて新たに同法第2条第1項に規定する過疎地域に該当することとなった区域及び都市計画法第7条第1項《区域区分》の市街化調整区域と定められた区域を除く。以下旧③において「**過疎地域**」という。）以外の地域内にある土地等、建物又は構築物（既成市街地等内にあるものにあっては、事務所、工場、作業場、研究所、営業所、倉庫その他これらに類する施設〔福利厚生施設を除く。〕として使用されている建物又はその敷地の用に供されている土地等に限る。）（措令39の7旧④）			**過疎地域**内にある特定資産（土地等、建物、構築物又は機械及び装置をいう。旧④及び旧⑤において同じ。）
旧④	都市再生特別措置法第95条第1項《民間誘導施設等整備事業計画の認定》に規定する都市機能誘導区域（以下旧④において「都			**都市機能誘導区域**内にある特定資産で、当該都市機能誘導区域内における同項に規定する誘導施設等整備事業に係る同法第99条

	市機能誘導区域」という。）以外の地域内にある土地等、建物又は構築物	《報告の徴収》に規定する認定誘導事業計画に記載された同項に規定する誘導施設において行われる事業の用に供されるもの	
旧⑤	既成市街地等及び都市計画法第４条第１項《定義》に規定する都市計画に都市再開発法第２条の３第１項第２号《都市再開発方針》に掲げる地区若しくは同条第２項に規定する地区の定められた市又は道府県庁所在の市の区域の都市計画法第４条第２項に規定する都市計画区域のうち最近の国勢調査の結果による人口集中地区の区域（既成市街地等を除く。）内にある土地等、建物又は構築物（措令39の７旧⑤前段）	左欄に掲げる区域内にある特定資産で、土地の計画的かつ効率的な利用に資するものとして都市再開発法による市街地再開発事業（その施行される土地の区域の面積が5,000平方メートル以上であるものに限る。）に関する都市計画の実施に伴い、当該計画の実施に従って取得をされるもの（イ及びロに掲げるものを除く。）（措令39の７旧⑤後段）	
		イ	再開発会社（都市再開発法第50条の２第３項《施行の認可》に規定する再開発会社をいう。）が当該市街地再開発事業を施行する場合において、同法第73条第１項《権利変換計画の内容》に規定する権利変換計画において定められた同項第20号に規定する施設建築敷地若しくはその共有持分、施設建築物の一部等及び個別利用区内の宅地を当該再開発会社が取得する場合におけるこれらの資産又は同法第118条の７第１項《管理処分計画の内容》に規定する管理処分計画において定められた同項第８号に規定する建築施設の部分を当該再開発会社が取得する場合におけるこれらの資産
		ロ	建物（その附属設備を含む。以下ロにおいて同じ。）のうち(イ)及び(ロ)に掲げるもの（その敷地の用に供される土地等を含む。）
			(イ) 中高層耐火建築物（地上階数４以上の中高層の建築基準法第２条第９号の２《用語の定義》に規定する耐火建築物をいう。）以外の建物
			(ロ) 住宅の用に供される部分が含まれる建物（住宅の用に供される部分に限る。）
旧⑥	密集市街地における防災街区の整備の促進に関する法律第３条第１項第１号《防災街区整備方針》に規定する防災再開発促進地区のうち地震その他の災害が発生した場合に著しく危険な地区として国土交通大臣が定める基準に該当する地区であって国土交通大臣が指定する地区（以下旧⑥において「危険密集市街地」という。）内にある土地等、建物又は構築物で、当該土地等又は当該建物若しくは構築物の敷地の用に供されている土地等の上に耐火建築物又は準耐火建築物（建築基準法第２項第９号の２《用語の定義》に規定する耐火建築物又は同条第９号の３に規定する準耐火建築物をいう。）で注２の(6)の(一)に掲げるものを建築するために譲渡をされるもの（措令39の７旧⑥） 注１　国土交通大臣は、旧⑥の基準を定めたとき、又は地区を指定したときは、これを告示する。（措令39の７旧㊸前段） 注２　注１の基準は、平成26年国土交通省告示第428号及び第429号により定められている。（編者） 注３　注１の地区は、平成27年国土交通省告示第227号により指定されている。（編者）	当該危険密集市街地内にある土地等、建物又は構築物で、密集市街地における防災街区の整備の促進に関する法律による防災街区整備事業に関する都市計画の実施に伴い、当該防災街区整備事業に関する都市計画に従って取得をされるもの（注２の(6)の(二)に掲げるものを除く。）	
旧⑦	国内にある土地等、建物又は構築物で、当該法人により取得をされた日から引き続き所有されていたこれらの資産のうち所有期間が10年を超えるもの 注　上記の土地等、建物又は構築物が、２の(1)《譲渡資産の取得日》の表の左欄のいずれかに該当する場合には、当該土地等、建物又は構築物は、同欄の区分に応じて、それぞれ同表の右欄に掲げる日において取得（建設を含む。）をされたものとみなして上記を適用する。（措令39の７旧㉗）	国内にある土地等（特定施設の敷地の用に供されるもの〔当該特定施設に係る事業の遂行上必要な駐車場の用に供されるものを含む。〕又は駐車場の用に供されるもの〔建物又は構築物の敷地の用に供されていないことについて１の(12)《建物等の敷地の用に供されていないことについてのやむを得ない事情》に掲げるやむを得ない事情があるものに限る。〕で、その面積が300平方メートル以上のものに限る。）、建物若しくは構築物又は国内にある鉄道事業の用に供される車輛及び運搬具のうち貨物鉄道事業用の電気機関車（措令39の７旧⑦） 注　上記の特定施設は、事務所、工場、作業場、研究所、営業所、店舗、倉庫、住宅その他これらに類する施設（福利厚生施設に該当するものを除く。）とする。（措令39の７旧⑦）	

第三章 第一節 第十五款 七《特定の資産の買換えの圧縮記帳》

<table>
<tr><td rowspan="4">旧⑧</td><td colspan="3">船舶（船舶法第1条に規定する日本船舶に限るものとし、漁業〔水産動植物の採捕又は養殖の事業をいう。〕の用に供されるものを除く。以下旧⑧において同じ。）のうちその進水の日からその譲渡の日までの期間が次の表の左欄に掲げる船舶の区分に応じそれぞれ同表の右欄に掲げる期間に満たないもの（措令39の7旧⑧）</td></tr>
<tr><td>イ</td><td>海洋運輸業（本邦の港と本邦以外の地域の港との間又は本邦以外の地域の各港間において船舶により人又は物の運送をする事業をいう。旧⑧において同じ。）又は沿海運輸業（本邦の各港間において船舶により人又は物の運送をする事業をいう。旧⑧において同じ。）の用に供されている船舶</td><td>25年</td></tr>
<tr><td>ロ</td><td>建設業又はひき船業の用に供される船舶</td><td>40年</td></tr>
</table>

<table>
<tr><td colspan="3">船舶（次に掲げるものに限る。）
イ　建造の後事業の用に供されたことのない船舶のうち環境への負荷の低減に資する船舶として国土交通大臣が財務大臣と協議して指定するもの
ロ　次に掲げる船舶でその進水の日から取得の日までの期間（（ハ）において「船齢」という。）がその船舶に係る1の譲渡をした資産に該当する船舶（以下ロにおいて「譲渡船舶」という。）の進水の日から当該譲渡船舶の譲渡の日までの期間に満たないもののうち環境への負荷の低減に資する船舶として国土交通大臣が財務大臣と協議して指定するもの（イに掲げるものを除く。）（措令39の7旧⑨）</td></tr>
<tr><td>（イ）</td><td colspan="2">海洋運輸業の用に供される船舶</td></tr>
<tr><td>（ロ）</td><td colspan="2">沿海運輸業の用に供される船舶</td></tr>
<tr><td>（ハ）</td><td colspan="2">建設業又はひき船業の用に供される船舶でその船齢が耐用年数（法人税法の規定により定められている耐用年数をいう。）以下であるもの</td></tr>
<tr><td colspan="3">注1　国土交通大臣は、船舶を指定したときは、これを告示する。（措令39の7旧㊾後段）
注2　上記の国土交通大臣が財務大臣と協議して指定するものは、平成29年国土交通省告示第303号により指定されている。（編者）</td></tr>
</table>

注7　税効果会計を適用する場合には、剰余金の処分による圧縮積立金の積立額は、税効果相当額を控除した純額になるが、この場合でも確定申告書等に税務上の圧縮積立金の積立額を明らかにするための明細書を添付しているときは、税務上は、剰余金の処分による積立額とこれに対応する税効果相当額との合計額を圧縮積立金として積み立てたものとして取り扱われる。（編者）

（届出書に記載する事項）

（1）　1の届出は、1の表の左欄に掲げる資産の1に掲げる譲渡の日（同日前に同表の右欄に掲げる資産の取得をした場合〔（二）のロにおいて「先行取得の場合」という。〕には、当該資産の1に掲げる取得の日）を含む3か月期間（事業年度をその開始の日以後3か月ごとに区分した各期間〔最後に3か月未満の期間を生じたときは、その3か月未満の期間〕をいう。（二）において同じ。）の末日の翌日から2か月以内に、同表の右欄に掲げる資産につき1の適用を受ける旨及び次に掲げる事項を記載した届出書により行わなければならない。（措令39の7②）

<table>
<tr><td>（一）</td><td colspan="3">届出者の名称、納税地及び法人番号（行政手続における特定の個人を識別するための番号の利用等に関する法律第2条第15項《定義》に規定する法人番号をいう。以下七において同じ。）</td></tr>
<tr><td rowspan="7">（二）</td><td colspan="3">次に掲げる場合の区分に応じそれぞれ次に定める事項</td></tr>
<tr><td rowspan="4">イ</td><td colspan="2">ロに掲げる場合以外の場合次に掲げる事項</td></tr>
<tr><td>（イ）</td><td>当該譲渡をした資産及び当該3か月期間内に取得をした資産の種類、構造又は用途、規模（土地等〔土地又は土地の上に存する権利をいう。以下七において同じ。〕にあっては、その面積。ロの（イ）において同じ。）、所在地並びに譲渡年月日及び取得年月日（船舶にあっては、種類、構造又は用途、規模並びに譲渡年月日及び取得年月日。ロの（イ）において同じ。）</td></tr>
<tr><td>（ロ）</td><td>当該譲渡をした資産の価額及びその譲渡直前の帳簿価額</td></tr>
<tr><td>（ハ）</td><td>当該3か月期間の末日の翌日以後に取得をする見込みである資産の種類、所在地及び取得予定年月日（船舶にあっては、種類及び取得予定年月日）</td></tr>
<tr><td rowspan="4">ロ</td><td colspan="2">先行取得の場合次に掲げる事項</td></tr>
<tr><td>（イ）</td><td>当該3か月期間内に譲渡をした資産及び当該取得をした資産の種類、構造又は用途、規模、所在地並びに譲渡年月日及び取得年月日</td></tr>
</table>

<table>
<tr><td></td><td></td><td>（ロ）</td><td>当該取得をした資産の取得価額</td></tr>
<tr><td></td><td></td><td>（ハ）</td><td>当該3か月期間の末日の翌日以後に譲渡をする見込みである資産の種類、所在地及び譲渡予定年月日（船舶にあっては、種類及び譲渡予定年月日）</td></tr>
</table>

(三)	(二)の取得をした、又は(二)の取得をする見込みである資産のその適用に係る1の表に掲げる区分
(四)	その他参考となるべき事項

　　注　(1)は、令和5年度改正により追加されたもので、改正規定は、令和6年4月1日以後に適用される。(令5改措令附1Ⅳ)

　　(不動産売買業者の有する土地等)
(2)　**七**は、棚卸資産については適用がないのであるが、不動産売買業を営む法人の有する土地又は建物(その附属設備を含む。以下同じ。)で、当該法人が使用し、若しくは他に貸し付けているもの(販売の目的で所有しているもので、一時的に使用し又は他に貸し付けているものを除く。)又は当該法人が具体的な使用計画に基づいて使用することを予定し相当の期間所有していることが明らかであるものは、棚卸資産には該当しないことに留意する。(措通65の7(1)－1)

　　注　不動産売買業を営むかどうかは、当該法人の定款等において事業目的として定められているかどうか、又は主たる事業であるかどうかにかかわらず、その実態により判定する。したがって、土木建築業者等がその有する土地の上に建物等を建設して土地とともに販売するような場合には、当該土地も、棚卸資産に該当する。(編者)

　　(固定資産として使用していた土地の分譲)
(3)　法人が従来固定資産として使用していた土地を譲渡するに当たり、当該土地に集合住宅等を建築し、又は当該土地の区画形質の変更等を行って分譲した場合における当該土地の分譲は、棚卸資産の譲渡に該当しないものとして取り扱う。ただし、その分譲に当たり、その土地について宅地造成を行った場合におけるその造成により付加された価値に対応する部分の譲渡については、この限りでない。(措通65の7(1)－2)

　　(特例の適用を受ける資産についての延払基準の不適用)
(4)　法人が、第一款の**五**の1の①のイ《リース譲渡に係る収益及び費用の帰属事業年度》に掲げるリース譲渡に該当する資産の譲渡を行った場合において、当該譲渡について1の適用を受けるときは、第一款の**五**の1のイを適用することはできないものとする。(措通65の7(1)－5・編者補正)

　　注　4に掲げる適格分割等を行った場合については、「1の適用を」とあるのは「1又は4の適用を」とする。(編者)

　　(土地の上に存する権利)
(5)　1に掲げる土地の上に存する権利とは、地上権、永小作権、地役権又は土地の賃借権をいい、租鉱権、採石権等のように土地に附帯するものであっても土地そのものを利用することを目的としない権利は含まれないことに留意する。(措通65の7(1)－6)

　　注　鉄道高架下使用権は、1に掲げる土地の上に存する権利に該当する。(編者)

　　(土地等が買換資産に該当するかどうかの判定)
(6)　法人の取得した土地等(土地又は土地の上に存する権利をいう。以下同じ。)が買換資産(1の表の右欄に掲げる資産をいう。以下同じ。)に該当するかどうかを判定する場合において、その取得した土地等が同表の右欄のそれぞれに掲げる地域又は区域にあるかどうかは、その土地等を取得した時の現況による。(措通65の7(1)－11)

　　(買換資産を当該法人の事業の用に供したことの意義)
(7)　法人が、その取得した買換資産について1の適用を受けることができるのは、当該買換資産をその取得の日から1年以内に当該法人の事業の用に供した場合又は供する見込みである場合に限られるのであるが、この場合において当該法人の事業の用に供したかどうかの判定は、次による。(措通65の7(2)－1・編者補正)
　(一)　土地の上に当該法人の建物、構築物等の建設等をする場合においても、当該建物、構築物等が当該法人の事業の用に供されないときにおける当該土地は、当該法人の事業の用に供したものに該当しない。
　(二)　空閑地(運動場、物品置場、駐車場等として利用している土地であっても、特別の施設を設けていないものを含む。)である土地、空屋である建物等は、当該法人の事業の用に供したものに該当しない。ただし、特別の施設は設けていないが、物品置場、駐車場等として常時使用している土地で当該法人の事業の遂行上通常必要なものとして合理的であると認められる程度のものは、この限りでない。
　(三)　工場等の用地としている土地であっても、当該工場等の生産方式、生産規模等の状況からみて必要なものとして合理的であると認められる部分以外の部分の土地は、当該法人の事業の用に供したものに該当しない。

(四) 農場又は牧場等としている土地であっても、当該農場又は牧場等で行っている耕作、牧畜等の行為が社会通念上農業、牧畜業等に至らない程度のものであると認められる場合における当該土地又は耕作能力、牧畜能力等から推定して必要以上に保有されていると認められる場合における当該必要以上に保有されている土地は、当該法人の事業の用に供したものに該当しない。

(五) 植林されている山林を相当の面積にわたって取得し、社会通念上林業と認められる程度に至る場合における当該土地は当該法人の事業の用に供したものに該当するが、例えば、雑木林を取得して保有するにすぎず、林業と認められるに至らない場合における当該土地は、当該法人の事業の用に供したものに該当しない。

(六) 他に貸し付けている資産は、その貸付けが相当の対価を得て継続的に行われるものに限り、当該法人の事業の用に供したものに該当する。ただし、その貸付けを受けた者が正当な理由なく当該資産をその貸付けの目的に応じて使用していないこと、その貸付けを受けた者における当該資産の使用の状況が(一)、(二)の本文、(三)、(四)及び(五)の後段に該当すること等の事情があるため、その貸付けが専ら圧縮記帳の適用を受けることを目的として行われたと認められる場合は、この限りでない。

(七) 次に掲げるものは、相当の対価を得ていないものであっても、継続的に行われるものである限り、(六)にかかわらず、当該法人の事業の用に供したものに該当する。

イ 自己の商品等の下請工場、販売特約店等に対し、それらが商品等について加工、販売等をするために必要な施設として貸し付けるもの(その貸付けを受けた者がその貸付けの目的に応じて使用しているものに限る。)

ロ 工場、事業所等の従業員社宅(役員に貸与しているものを除く。)、売店等として貸し付けているもの

注1 役員に貸与している社宅は、(六)の取扱いを適用することになる。

注2 適格分割等を行った場合の(7)については、**4**の(5)を、適格合併等を行った場合の合併法人等における供用事業の適用については、**4**の(7)を参照。(編者)

(買換資産を当該法人の事業の用に供した時期の判定)

(8) 法人が、買換資産を当該法人の事業の用に供した日は、次に掲げるものは次により判定する。(措通65の7(2)－2)

(一) 土地等については、その使用の状況に応じ、それぞれ次に掲げる日による。

イ 新たに建物、構築物等の敷地の用に供するものは、当該建物、構築物等を当該法人の事業の用に供した日(次に掲げる場合には、その建設等に着手した日)

(イ) 当該建物、構築物等の建設等に着手した日から3年以内に建設等を完了して当該法人の事業の用に供することが確実であると認められる場合

(ロ) 当該建物、構築物等の建設等に着手した日から3年超5年以内に建設等を完了して当該法人の事業の用に供することが確実であると認められる場合(当該建物、構築物等の建設等に係る事業の継続が困難となるおそれがある場合において、国又は地方公共団体が当該事業を代行することにより当該事業の継続が確実であるものに限る。)

ロ 既に建物、構築物等の存するものは、当該建物、構築物等を当該法人の事業の用に供した日(当該建物、構築物等が当該土地等の取得の日前から当該法人の事業の用に供されており、かつ、引き続きその用に供されるものであるときは、当該土地等の取得の日)

ハ 建物、構築物等の施設を要しないものは、当該土地等をそのものの本来の目的のために使用を開始した日(当該土地等がその取得の日前から当該法人において使用されているものであるときは、その取得の日)

(二) 建物、構築物並びに機械及び装置については、そのものの本来の目的のために使用を開始した日(当該資産がその取得の日前から当該法人において使用されているものであるときは、その取得の日)による。

(資産につき除却等があった場合の積立金の取崩し)

(9) 圧縮記帳による圧縮額を積立金として経理している資産につき除却、廃棄、滅失又は譲渡(以下(9)において「除却等」という。)があった場合には、当該積立金の額(当該資産の一部につき除却等があった場合には、その除却等があった部分に係る金額)を取り崩してその除却等のあった日の属する事業年度の益金の額に算入するのであるから留意する。(措通64～66(共)－1、基通10－1－2参照)

注 当該譲渡には、適格分社型分割、適格現物出資又は適格現物分配による資産の移転は含まれないのであるから留意する。

(積立金の任意取崩しの場合の償却超過額等の処理)

(10) 圧縮記帳による圧縮額を積立金として経理している法人が当該積立金の額の全部又は一部を取り崩して益金の額

第三章　第一節　第十五款　**七**《特定の資産の買換えの圧縮記帳》

に算入した場合において、その取り崩した積立金の設定の基礎となった資産に係る償却超過額又は評価損の否認金（当該事業年度において生じた償却超過額又は評価損の否認金を含む。）があるときは、その償却超過額又は評価損の否認金の額のうち益金の額に算入した積立金の額に達するまでの金額は、当該事業年度の損金の額に算入する。（措通64～66（共）－1、基通10－1－3参照）

（所有期間が10年を超える土地等についての買換えの適用）
(11)　法人により取得をされた日から引き続き所有されていた国内にある土地等でその所有期間（**1**の表の③の左欄に掲げる所有期間をいう。以下(11)において同じ。）が10年を超えるものとともに、当該土地等の上に建設した建物で所有期間が10年を超えないものの譲渡をした場合には、当該建物は同表の③の左欄に掲げる譲渡資産に該当しないが、当該土地等は同欄に掲げる他の要件を満たすものであれば、同欄に掲げる資産に該当することに留意する。（措通65の7(1)－19・編者補正）

> 注　譲渡をした資産の所有期間が10年を超えるものであるかどうかの判定に当たり、当該土地等が**2**の(1)《譲渡資産の取得日》の表の(一)から(六)までに掲げる資産に該当する場合には、いわゆる取得日の引継ぎが認められているのであるから留意する。

（建物等の敷地の用に供されていないことについてのやむを得ない事情）
(12)　**1**の表の③の右欄に掲げる建物等の敷地の用に供されていないことについてのやむを得ない事情は、次の表の左欄に掲げる手続その他の行為が進行中であることにつきそれぞれ同表の右欄に掲げる書類により明らかにされた事情とする。（措令39の7⑤、措規22の7①）

(一)	都市計画法第29条第1項又は第2項《開発行為の許可》の規定による許可の手続	当該許可に係る都市計画法第30条第1項《許可申請の手続》に規定する申請書の写し又は同法第32条第1項若しくは第2項《公共施設の管理者の同意等》に規定する協議に関する書類の写し
(二)	建築基準法第6条第1項《建築物の建築等に関する申請及び確認》に規定する確認の手続	当該確認に係る建築基準法第6条第1項に規定する申請書の写し
(三)	文化財保護法第93条第2項《土木工事等のための発掘に関する届出及び指示》に規定する発掘調査	文化財保護法第93条第2項の規定による当該発掘調査の実施の指示に係る書類の写し
(四)	建築物の建築に関する条例の規定に基づく手続（建物又は構築物の敷地の用に供されていないことが当該手続を理由とするものであることにつき国土交通大臣が証明したものに限る。）	国土交通大臣の(四)の証明をしたことを証する書類の写し

> 注　──線部分は、令和5年度改正により改正された部分で、改正規定は、令和5年4月1日から適用され、令和5年3月31日以前の適用については、「**1**の表の③」とあるのは「**1**の注2の表の旧④」とする。（令5改措令附1）

（福利厚生施設の範囲）
(13)　**1**の表の③の右欄に掲げる「福利厚生施設」には、社宅、寮、宿泊所、集会所、診療所、保養所、体育館その他のスポーツ施設、食堂その他これらに類する施設が含まれる。（措通65の7(1)－20）

（特定施設の敷地の用に供される土地等の意義）
(14)　**1**の表の③の右欄に掲げる特定資産（以下「特定施設」という。）の敷地の用に供される土地等とは、土地又は土地の上に存する権利を取得した時において、現に特定施設の敷地の用に供されているもの及び特定施設の敷地の用に供されることが確実であると認められるものをいい、当該特定施設の維持又はその効用を果すために必要と認められる部分に限られる。（措通65の7(1)－21）

> 注1　特定施設の敷地の用に供されることが確実であると認められるものとは、例えば、取得した土地等を特定施設の敷地の用に供することとする具体的な計画があるものをいう。
> 注2　当該特定施設の維持又はその効用を果すために必要と認められる部分かどうかは、建蔽率、容積率、土地の利用状況等を総合的に勘案して判定するものとする。

（長期所有の土地等の買換えに係る面積の判定）
(15)　法人が取得した土地等の面積が**1**の表の③の右欄に掲げる300平方メートル以上であるかどうかの判定について

は、次による。(措通65の7(1)-22)
　(一)　当該土地等が2以上の者の共有とされるものである場合には、当該土地等の総面積に当該法人の共有持分の割合を乗じて計算した面積を、当該法人が取得した土地等の面積として判定する。
　(二)　当該土地等が区分所有に係る特定施設の敷地の用に供されるものである場合には、当該土地等の総面積に当該特定施設の専有部分の総床面積のうちに当該法人の専有部分の床面積の占める割合を乗じて計算した面積を、当該法人が取得した土地等の面積として判定する。

　(特定施設と特定施設以外の施設から成る一の施設の敷地の用に供される土地等の面積の判定)
(16)　特定施設と特定施設以外の施設から成る一の施設の敷地の用に供される土地等が1の表の③の右欄に掲げる面積の要件を満たしているかどうかの判定は、当該土地等の面積をそれぞれの施設の床面積の比等の合理的な基準によってそれぞれの施設に対応する部分に区分し、特定施設に対応する部分について行う。(措通65の7(1)-23)
　　注　上記の土地等を区分する場合において、廊下、階段、機械室その他共用される部分(専ら特定施設以外の施設の用に供される部分に係る廊下、階段等を除く。)は、特定施設に対応する部分に含めることができる。

　(船舶の範囲)
(17)　1の表の④の左欄に掲げる船舶には、サルベージ船、工作船、起重機船その他の作業船にあっては、自力で水上を航行しないものも含まれるが、いわゆるかき船、海上ホテル等のようにその形状及び構造が船舶に類似していても主として建物又は構築物として用いることを目的として建造(改造を含む。)されたものは含まれないことに留意する。(措通65の7(1)-24)

　(建造された船舶の意義)
(18)　1の表の④の左欄に掲げる「平成23年1月1日以後に建造されたもの」とは、同日以後に竣工した船舶をいうのであるが、同日前に建造に着手したことを明らかにする書類の保存がある場合の当該船舶については、同日以後に建造された船舶に該当しないものとして取り扱う。(措通65の7(1)-25)

　(海洋運輸業又は沿海運輸業の意義)
(19)　1の表の④のイに掲げる海洋運輸業又は1の表の④のロに掲げる沿海運輸業(以下「海洋運輸業又は沿海運輸業」という。)は、海洋又は沿海において営む運送営業に限られるから、たとえ海上運送法の規定により船舶運航事業を営もうとする旨の届出をしていても、専ら自家貨物の運送を行う場合には、その営む運送は、海洋運輸業又は沿海運輸業に該当しないことに留意する。(措通65の7(1)-26)
　　注　海洋運輸業又は沿海運輸業については、日本標準産業分類(総務省)の「小分類451外航海運業」又は「小分類452沿海海運業」に分類する事業が該当する。

　(日本船舶の意義)
(20)　1の表の④の右欄に掲げる船舶は日本船舶に限られるのであるが、当該日本船舶には、外国船籍であった船舶を取得し、これを日本船舶として登録した上運航の用に供した場合の当該船舶が含まれる。(措通65の7(1)-27)

2　用語の意義
　七《特定の資産の買換えの場合等の課税の特例》における用語の意義については、次に掲げるところによる。(措法65の7⑯、措令39の7⑯～⑱)

①	譲渡	譲渡には、土地等を使用させることにより当該土地等の価値が著しく減少する場合として第二十七款の五の2《借地権の設定等により地価が著しく低下する場合の土地等の帳簿価額の一部の損金算入》に該当する場合におけるその使用させる行為を含むものとし、次に掲げるものを含まないものとする。 イ　第十六款の一の1《収用等のあった事業年度において取得した代替資産の圧縮記帳》の①から④まで及び⑧並びに同款の二の1《換地処分等により交換取得した資産の圧縮記帳》の①及び③から⑦までに掲げる収用、買取り、換地処分、権利変換又は買収による譲渡(同款の一の2《使用補償金及び譲渡対価等に対する特例の適用》又は同款の二の6《市街地再開発事業の施行により変換清算金等又は施設建築物等を取得した場合の特例》、同二の7《密集市街地における防災街区の整備の促進に関する法律により防災変換金又は防災施設建築物等を取得した場合の特例》若しくは同二の8《マンションの建替え等の円滑化に関する法律のマンション建替事業により施

		行再建マンションに関する権利を取得した場合の特例》により、これらの規定に掲げる収用等又は換地処分等による譲渡があったものとみなされる場合における当該譲渡を含む。） ロ　贈与、交換、出資又は第二章第一節の**二**の表の**12の5の2**《現物分配法人》に掲げる現物分配による譲渡 ハ　代物弁済（金銭債務の弁済に代えてするものに限る。）としての譲渡 ニ　合併又は分割による資産の移転
②	取　　得	**取得**には、建設及び製作を含むものとし、**1**の表の**①**及び**③**の左欄の場合を除き、合併、分割、贈与、交換、出資又は第二章第一節の**二**の表の**12の5の2**に掲げる現物分配によるもの、所有権移転外リース取引（第六款の**四**の**1**の②の（2）の表の（五）《所有権移転外リース取引》に掲げるものをいう。）による取得若しくは代物弁済（金銭債務の弁済に代えてするものに限る。）としての取得を含まないものとする。
③	圧縮基礎取得価額	**圧縮基礎取得価額**とは、次に掲げる金額のうちいずれか少ない金額をいう。 イ　当該買換資産の取得価額 　　当該買換資産に係る**1**の表の**①**から**④**までの左欄に掲げる資産の譲渡に係る対価の額（同表の**①**から**④**までの左欄に掲げる資産の譲渡の日を含む事業年度において次の表の左欄に掲げる場合の区分に応じ、それぞれ同表の右欄に掲げる金額を控除した金額〔同表の（イ）及び（ロ）のいずれにも該当する場合には、（イ）及び（ロ）の右欄に掲げる金額の合計額〕。**6**の①《譲渡益の特別勘定経理》及び**6**の②《適格分割等を行った場合の分割法人等における譲渡益の期中特別勘定経理》において同じ。） ロ　 |　|　|　| |---|---|---| |（イ）| 既に当該譲渡に係る対価の額の一部に相当する金額をもって取得（建設及び製作を含む。以下同じ。）した**1**の表の**①**から**④**までに係る他の買換資産で圧縮記帳の適用を受けるものがある場合 | 当該他の買換資産の取得価額に相当する金額 | |（ロ）| 既に当該譲渡に係る対価の額のうち**6**の①の特別勘定及び**6**の②の期中特別勘定の金額の計算の基礎とした同表の**①**から**④**までに係る買換資産の取得に充てようとする額がある場合 | 当該取得に充てようとする額に相当する金額 | ただし、買換資産が**3**《買換えのための先行取得資産》により買換資産とみなされた資産であり、かつ、当該買換資産が**減価償却資産**であるときの**圧縮基礎取得価額**は、上記のイ又はロに掲げる金額のうちいずれか少ない金額に、次の（イ）に掲げる金額のうちに（ロ）に掲げる金額の占める割合を乗じて計算した金額に相当する金額とする。 （イ）当該買換資産の当該事業年度開始の日の前日における取得価額 （ロ）当該買換資産の（イ）に掲げる開始の日の前日における帳簿価額 注　圧縮基礎取得価額とは、買換資産の取得価額のうち譲渡資産の譲渡の対価の額で取得した部分の金額のことであるが、買換資産として減価償却資産を先行取得し、事業の用に供している場合に、その事業の用に供した日から譲渡資産の譲渡事業年度の直前事業年度終了の日までの期間につき減価償却を行っているときは、同日――すなわち、譲渡事業年度の開始の日――における帳簿価額のうち当初の取得価額で譲渡の対価の額により取得した金額に係る部分の金額が圧縮基礎取得価額となる。（編者）
④	差益割合	**差益割合**とは、当該事業年度において譲渡をした**1**の表の左欄に掲げる資産の当該譲渡に係る対価の額のうちに、当該対価の額から当該資産の譲渡直前の帳簿価額（当該譲渡に要した経費がある場合には、当該経費の額〔当該資産が（1）の表の（一）に掲げる**適格合併等**により同表の（一）に掲げる**被合併法人等**から移転を受けた資産である場合には、当該被合併法人等が支出した当該経費の額を含む。〕を加算した金額）を控除した金額の占める割合をいう。

注1　――線部分は、令和5年度改正により改正された部分で、**1**の注1の経過措置の適用を受ける場合については、上表の②中「**1**の表の**①**及び**③**」とあるのは「**1**の注2の表の旧**①**、旧**②**及び旧**④**」と、③の表のロ中「**1**の表の**①**から**④**まで」とあるのは「**1**の注2の表の旧**①**から旧**⑤**まで」と、「同表の**①**から**④**まで」とあるのは「同表の旧**①**から旧**⑤**まで」とする。（令5改法附46②）

注2　――線部分は、令和3年度改正により改正された部分で、**1**の注3の経過措置の適用を受ける場合については、上表の②中「**1**の表の**①**及び**③**」とあるのは「**1**の注4の表の旧**①**、旧**②**及び旧**⑥**」と、③の表のロ中「**1**の表の**①**から**④**まで」とあるのは「**1**の注4の表の旧**①**

から旧⑦まで」と、「同表の①から④まで」とあるのは「同表の旧①から旧⑦まで」する。(令3改法附52②、1)
注3　──線部分は、令和2年度改正により改正された部分で、1の注5の経過措置の適用を受ける場合については、上表の②中「1の表の①及び③」とあるのは「1の注6の表の旧①、旧②及び旧⑦」と、③の表のロ中「1の表の①から④まで」とあるのは「1の注6の表の旧①から旧⑧まで」と、「同表の①から④まで」とあるのは「同表の旧①から旧⑧まで」とする。(令2改法附88①②、令2改措令附34)

（譲渡資産の取得日）

（1）　**1の表の③**の左欄に掲げる土地等、建物又は構築物が次の表の左欄に掲げる資産である場合には、当該資産は、当該法人によりそれぞれ右欄に掲げる日において取得（建設を含む。以下同じ。）をされたものとみなして、同表の③の左欄を適用する。（措法65の7⑮、措令39の7㉔）

(一)	**適格合併等**（適格合併、適格分割、適格現物出資又は適格現物分配をいう。以下**2**において同じ。）により移転を受けた資産	当該適格合併等に係る**被合併法人等**（被合併法人、分割法人、現物出資法人又は現物分配法人をいう。以下**2**において同じ。）が当該資産の取得をした日
(二)	特別の法律に基づく承継により受け入れた資産	当該承継に係る被承継法人（承継により資産を譲渡する法人をいう。）が当該資産の取得をした日
(三)	**五の1**《交換により取得した資産の圧縮額の損金算入》又は**五の3**《適格分割等を行った場合の分割法人等における交換資産の圧縮額の損金算入》の適用を受けた取得資産	当該取得資産に係る譲渡資産の取得の日
(四)	第十六款の一の**1**《収用等のあった事業年度において取得した代替資産の圧縮記帳》（同款の一の**10**の①《特別勘定を有する法人が取得した代替資産の圧縮記帳》又は同款の二の**3**《交換取得資産とともに取得した補償金等に対する特例》において準用する場合を含む。）又は同款の一の**7**《適格分割等を行った場合の分割法人等における代替資産の圧縮額の損金算入》（同一の**10**の②《特別勘定を有する法人が適格分割等を行った場合の分割法人等における代替資産の圧縮額の損金算入》又は同款の二の**3**において準用する場合を含む。）の適用を受けた代替資産	当該代替資産に係る第十六款の一の**1**の表に掲げる資産（同一の**2**《使用補償金及び譲渡対価等に対する特例の適用》の表の①に掲げる土地等、同表の②に掲げる土地の上にある資産、同款の二の**6**《市街地再開発事業の施行により変換清算金等又は施設建築物等を取得した場合の特例》の適用を受けた場合における同二の**1**《換地処分等により交換取得した資産の圧縮記帳》の表の④の施設建築物の一部を取得する権利及び施設建築敷地若しくはその共有持分若しくは地上権の共有持分〔都市再開発法第110条の2第1項の規定により定められた権利変換計画に係る施設建築敷地に関する権利又は施設建築物に関する権利を取得する権利を含む。〕若しくは個別利用区内の宅地若しくはその使用収益権若しくは同④に掲げる給付を受ける権利又は同二の**7**《密集市街地における防災街区の整備の促進に関する法律により防災変換金又は防災施設建築物等を取得した場合の特例》の適用を受けた場合における同二の**1**の表の⑤の防災施設建築物の一部を取得する権利及び防災施設建築敷地若しくはその共有持分若しくは地上権の共有持分〔密集市街地における防災街区の整備の促進に関する法律第255条《指定宅地の権利者以外の権利者等のすべての同意を得た場合の特則》第1項の規定により定められた権利変換計画に係る防災施設建築敷地に関する権利又は防災施設建築物に関する権利を取得する権利を含む。〕若しくは個別利用区内の宅地若しくはその使用収益権を含む。）の取得の日
(五)	第十六款の二の**1**《換地処分等により交換取得した資産の圧縮記帳》又は同二の**4**《適格分割等を行った場合の分割法人等における交換取得資産の圧縮額の損金算入》の適用を受けた交換取得資産	当該交換取得資産に係る換地処分等により譲渡した資産（第十六款の二の**6**《市街地再開発事業の施行により変換清算金等又は施設建築物等を取得した場合の特例》の適用を受けた場合における同二の**1**の

		表の④の施設建築物の一部を取得する権利〔都市再開発法第110条第1項又は第110条の2第1項の規定により定められた権利変換計画に係る施設建築物に関する権利を取得する権利を含む。〕若しくは同④に掲げる給付を受ける権利、同二の**7**《密集市街地における防災街区の整備の促進に関する法律により防災変換金又は防災施設建築物等を取得した場合の特例》の適用を受けた場合における同二の**1**の表の⑤の防災施設建築物の一部を取得する権利〔密集市街地における防災街区の整備の促進に関する法律第255条第1項又は第257条《施行地区内の権利者等のすべての同意を得た場合の特則》第1項の規定により定められた権利変換計画に係る防災施設建築物に関する権利を取得する権利を含む。〕又は同二の**8**の適用を受けた場合における権利を取得する権利を含む。)の取得の日
(六)	**八の1の①**《交換分合により取得した土地等の圧縮記帳》又は同**1の②**《適格分割等を行った場合の分割法人等における交換取得資産の圧縮額の損金算入》の適用を受けた交換取得資産	当該交換取得資産に係る交換譲渡資産の取得の日

注1 ──線部分は、令和5年度改正により改正された部分で、**1**の注1の経過措置の適用を受ける場合については、(1)中「**1**の表の③」とあるのは「**1**の注2の表の①の左欄に掲げる建物若しくは土地等又は同表の④」と、「又は構築物」とあるのは「若しくは構築物」と、「同表の③」とあるのは「同表の①及び④」とする。(令5改法附46②)

注2 ──線部分は、令和3年度改正により改正された部分で、**1**の注3の経過措置の適用を受ける場合については、(1)中「**1**の表の③」とあるのは「**1**の注4の表の旧①の左欄に掲げる建物若しくは土地等又は同表の旧⑥」と、「又は構築物」とあるのは「若しくは構築物」と、「同表の③」とあるのは「同表の旧①及び旧⑥」とする。(令3改法附52②)

注3 ──線部分は、令和2年度改正により改正された部分で、**1**の注5の経過措置の適用を受ける場合については、(1)中「**1**の表の③」とあるのは「**1**の注6の表の旧①の左欄に掲げる建物若しくは土地等又は同表の旧⑦」と、「又は構築物」とあるのは「若しくは構築物」と、「同表の③」とあるのは「同表の旧①及び旧⑦」とする。(令2改法附88①②、令2改措令附34)

(特別勘定を有する場合の圧縮基礎取得価額)

(2) **6の④**《特別勘定を設けている法人の圧縮記帳》又は**6の⑤**《特別勘定を設けている法人が適格分割等を行った場合の圧縮記帳》を適用する場合 ((3)《特別勘定の引継ぎを受けた場合の圧縮基礎取得価額》の適用がある場合を除く。)における圧縮基礎取得価額の計算については、**2の③**《圧縮基礎取得価額》の表のロに掲げる金額は、**6の④**又は**6の⑤**の特別勘定の金額の計算の基礎となった**6の①**《譲渡益の特別勘定経理》に掲げる取得に充てようとする額(既に当該特別勘定の基礎となった譲渡の日を含む事業年度後の各事業年度において当該取得に充てようとする額の一部に相当する金額をもって取得をした当該特別勘定に係る他の買換資産で**6の④**又は**6の⑤**の適用を受けたものがある場合には、当該取得に充てようとする額から当該他の買換資産の取得価額に相当する金額を控除した金額)とする。(措法65の7⑮、措令39の7㉝)

(特別勘定の引継ぎを受けた場合の圧縮基礎取得価額)

(3) **6の③**《適格合併等を行った場合の特別勘定の引継ぎ》により引継ぎを受けた**6の①**《譲渡益の特別勘定経理》に掲げる特別勘定の金額を有する合併法人等が**6の④**《特別勘定を設けている法人の圧縮記帳》又は**6の⑤**《特別勘定を設けている法人が適格分割等を行った場合の圧縮記帳》を適用する場合における圧縮基礎取得価額の計算については、**2の③**《圧縮基礎取得価額》の表のロに掲げる金額は、当該引継ぎを受けた特別勘定の金額の計算の基礎となった**6の①**若しくは**6の②**又は**6の③**の表のロに掲げる取得に充てようとする額(既に当該特別勘定の金額の引継ぎを受けた日以後に当該取得に充てようとする額の一部に相当する金額をもって取得をした当該特別勘定に係る他の買換資産で**6の④**又は**6の⑤**の適用を受けたものがある場合には、当該取得に充てようとする額から当該他の買換資産の取得価額に相当する金額を控除した金額)とする。(措法65の7⑮、措令39の7㉞)

第三章　第一節　第十五款　七《特定の資産の買換えの圧縮記帳》

(買換取得資産等の取得の日)
(4)　1の表の③の左欄に掲げる取得の日につき特例が認められる譲渡資産は、(1)の表の(一)から(六)までに掲げる資産に限られるから、例えば、七《特定の資産の買換えの場合等の課税の特例》により圧縮記帳の規定の適用を受けている資産を譲渡しても、その資産の取得の日は、法人が実際にその資産を取得した日によることに留意する。(措通65の7(1)-33)

(借地権者が土地を取得した場合等の土地等の取得の時期)
(5)　1の表の③を適用する場合において、その譲渡資産が次の表の左欄に掲げるものに該当するときは、それぞれ右欄に掲げるところによる。(措通65の7(1)-34)

(一)	借地権を有する法人が当該借地権に係る土地を取得したことにより借地権が消滅した土地	消滅した借地権に対応する部分の土地はその借地権の取得の日に取得し、当該借地権に対応する部分以外の部分の土地は、その土地の取得の日に取得したものとする。
(二)	借地権の返還を受けた土地	返還に際して支払った立退料等の額に対応する部分の土地は、その返還を受けた日に取得し、それ以外の部分の土地は、その土地の取得の日に取得したものとする。

(借地権を消滅させた後土地の譲渡をした場合等の譲渡対価の区分)
(6)　法人が(5)に該当する土地の譲渡(当該土地に係る借地権の設定を含む。)をした場合(その土地の一部が1の表の③の左欄に掲げる土地に該当しないものとされる場合に限る。)において、同表の③の適用を受けるときは、同表の③の左欄に掲げる土地に該当するものとされる部分の土地の譲渡について同表の③を適用する。この場合におけるその譲渡対価の額及び譲渡直前の帳簿価額の区分は、次に掲げる取扱いに準ずるものとする。(措通65の7(1)-36・編者補正)
　(一)　措通62の3(2)-8《借地権を消滅させた後土地等の譲渡をした場合の譲渡対価の区分》
　(二)　措通62の3(2)-9《底地を取得した後土地等の譲渡をした場合の譲渡対価の区分》
　(三)　措通62の3(3)-2《借地権を消滅させた後土地等の譲渡をした場合の原価の額の区分》
　(四)　措通62の3(3)-3《底地を取得した後土地等の譲渡をした場合の原価の額の区分》
　　注　上記(一)から(四)までについては、本書では省略している。(編者)

(市街地再開発事業の施行に伴う権利変換等により取得した建物等の取得の時期等)
(7)　法人が第十六款の二の1《換地処分等により交換取得した資産の圧縮記帳》又は同二の4《適格分割等を行った場合の分割法人等における交換取得資産の圧縮額の損金算入》の適用を受けた同二の1の表の④から⑥までに掲げる権利又は当該権利に基づき取得した建物で同二の6《市街地再開発事業の施行により変換清算金等又は施設建築物等を取得した場合の特例》から同二の8《マンションの建替え等の円滑化に関する法律のマンション建替事業により施行再建マンションに関する権利を取得した場合の特例》までの適用を受けたものを譲渡した場合における1の表の③の適用については、次によることに留意する。(措通65の7(1)-35・編者補正)
　(一)　当該権利を譲渡した場合において、当該権利の取得の基因となった譲渡資産の所有期間が10年を超えるときは、当該権利は1の表の③の左欄に掲げる資産に該当する。
　(二)　当該権利に基づき取得した建物で第十六款の二の6から同二の8までの適用を受けたものを譲渡した場合には、当該権利の取得の基因となった譲渡資産の取得の日に当該建物を取得したものとする。

(収用等をされた資産についての適用除外)
(8)　譲渡資産(1の表の左欄に掲げる資産をいう。以下同じ。)について第十六款の一《収用等に伴い代替資産を取得した場合の課税の特例》から同款の四《収用換地等の場合の所得の特別控除》までの適用を受けることができる場合には、法人がこれらの規定の適用を受けないときにおいても、七《特定の資産の買換えの場合等の課税の特例》の適用はないことに留意する。(措通65の7(1)-3)

(贈与による譲渡等があったものとされる場合の適用除外)
(9)　資産の贈与による譲渡又は取得は、2の表の①に掲げる譲渡又は同表の②に掲げる取得に該当しないのであるか

ら、次に掲げる場合は、次によることに留意する。(措通65の7(1)-4)
 (一)　資産につき著しく低い価額で譲渡があった場合において、その譲渡価額と譲渡の時における当該資産の価額との差額に相当する金額について贈与し又は給与として支給したものと認められるときは、**1**《特定の資産の買換えの場合の圧縮記帳》の適用に当たっては、その資産の譲渡をした法人については当該譲渡価額による譲渡があったものとし、その資産を譲り受けた法人については当該譲渡価額による取得があったものとする。
 (二)　資産につき著しく高い価額で譲渡があった場合において、その譲渡価額と譲渡の時における当該資産の価額との差額に相当する金額の贈与を受けたものと認められるときは、**1**の適用に当たっては、その資産を譲渡した法人については当該譲渡資産の価額に相当する金額による譲渡があったものとし、当該資産を譲り受けた法人については当該価額による取得があったものとする。
   注　(一)の取扱いによる場合において、譲渡をした法人の当該譲渡資産の帳簿価額のうち**1**に掲げる譲渡があったものとされる部分に対応する金額は、当該譲渡資産の帳簿価額に当該譲渡資産の価額のうちに占める当該譲渡価額の割合を乗じて計算した金額による。

(借地権の返還により支払を受けた借地権の対価に対する特例の適用)
(10)　他人の土地を使用している法人が、当該土地の上に存する借地権をその土地の所有者に返還し、その土地の所有者から立退料等の支払を受けた場合には、当該支払を受けた金額のうち借地権の価額に相当する金額については、**1**《特定の資産の買換えの場合の圧縮記帳》に掲げる土地の上に存する権利の譲渡による対価として取り扱う。(措通65の7(1)-7)
   注　建物を賃借している法人が、当該建物を当該建物の所有者に返還し立退料の支払を受けたときは、当該立退料については特例の適用がないことに留意する。(編者)

(借地権の譲渡対価の全部又は一部を土地所有者が取得した場合の特例の適用)
(11)　他人の土地の上に存する建物等が土地とともに譲渡された場合において、当該建物等を有する法人が当該土地の上に存する借地権の譲渡対価の額に相当する金額の全部又は一部を取得せず、当該土地の所有者がこれを取得したため、当該金額を当該土地の所有者に贈与（当該土地の所有者が当該法人の代表者等であるときは、給与として支給）したものと認められるときは、当該法人については、当該借地権の価額に相当する金額は**1**《特定の資産の買換えの場合の圧縮記帳》に掲げる土地の上に存する権利の譲渡による対価の額として取り扱う。(措通65の7(1)-8)
   注1　土地の所有者がこの取扱いにより贈与等を受けたものとされる金額は、当該土地の所有者については、圧縮記帳の特例の適用がない。
   注2　借地人たる法人が、当該土地の所有者が取得した金額のうちから借地権の対価に相当する金額の支払を受ける場合には、当該支払を受ける金額については借地権の譲渡対価の額として特例の適用があり、当該土地の所有者については贈与等とされることがないことに留意する。(編者)

(借地権の譲渡対価に代えて新たに借地権を取得する場合の特例の適用)
(12)　他人の土地の上に存する建物等が土地とともに譲渡された場合において、当該建物等を有する法人が当該土地の上に存する借地権の譲渡対価の額に相当する金額の全部又は一部を取得しなかったときにおいても、当該土地の所有者の有する他の土地について新たに借地権を取得したときは、**1**《特定の資産の買換えの場合の圧縮記帳》の適用については、当該法人が借地権の譲渡対価を取得し、これを新たに取得した借地権の取得の対価に充てたものとして取り扱う。この場合において、当該法人が新たに取得した借地権の価額と譲渡した借地権の価額との間に著しい差異があるときを除き、その譲渡した借地権の価額と取得した借地権の価額とは同額であるものとすることができる。(措通65の7(1)-9・編者補正)
   注　**4**に掲げる適格分割等を行った場合については、「**1**《特定の資産の買換えの場合の圧縮記帳》」とあるのは「**1**《特定の資産の買換えの場合の圧縮記帳》又は**4**」とする。(編者)

(借地権の無償返還に代えて新たに借地権を取得する場合の特例の適用)
(13)　(12)の取扱いは、法人の有する借地権を土地の所有者に返還した場合において、当該土地の所有者から立退料等の支払を受けないで、その土地の所有者の有する他の土地について新たに借地権を取得した場合について準用する。この場合において、当該土地の所有者については、返還を受けた借地権の価額に相当する立退料等の支払をしたものとして第二十七款の**五**の**4**の(2)《貸地の返還を受けた場合の処理》の取扱いを適用する。(措通65の7(1)-10)

(資本的支出)
(14)　法人がその有する資産の改良、改造等を行った場合においても、当該改良、改造等は、原則として買換資産の取得に当たらないのであるが、次に掲げる場合に該当する場合におけるその改良、改造等については、買換資産の取得

に当たるものとして**1**《特定の資産の買換えの場合の圧縮記帳》を適用することができるものとする。(措通65の7(1)－12・編者補正)
(一) 新たに取得した買換資産について事業の用に供するために改良、改造等を行った場合(その取得の日から1年以内に行った場合に限る。)
(二) (一)の場合のほか、例えば建物の増築、構築物の拡張又は延長等をした場合のように、その改良、改造等により実質的に新たな資産を取得したと認められる場合
> 注 **4**に掲げる適格分割等を行った場合については、「**1**《特定の資産の買換えの場合の圧縮記帳》」とあるのは「**1**《特定の資産の買換えの場合の圧縮記帳》又は**4**」とする。(編者)

(土地造成費等)

(15) 法人が、次に掲げるような宅地等の造成のための費用を支出した場合において、その金額が相当の額に上り、実質的に新たに土地を取得したことと同様の事情があるものと認められるときは、当該造成についてはその完成の時に新たな土地の取得があったものとし、当該費用の額をその取得価額として**1**《特定の資産の買換えの場合の圧縮記帳》の適用があるものとする。(措通65の7(1)－13・編者補正)
(一) 自己の有する水田、池沼の土盛り等をして宅地等の造成をするための費用
(二) 自己の有するいわゆるがけ地の切土をして宅地等の造成をするための費用
> 注1 **4**に掲げる適格分割等を行った場合については、「**1**《特定の資産の買換えの場合の圧縮記帳》」とあるのは「**1**《特定の資産の買換えの場合の圧縮記帳》又は**4**」とする。(編者)
> 注2 新たに土地を取得したとみられる程度の造成に限られるから、単に従前から所有していた土地を整地した程度のものは買換資産の取得とみられない。(編者)

(貸地の返還を受けた場合に支払った立退料等)

(16) 土地を他人に使用させていた法人が、借地人を立ち退かせるために立退料等を支払った場合には、**1**《特定の資産の買換えの場合の圧縮記帳》の適用については、土地の取得があったものとし、当該支払った金額(その金額のうちに当該借地人から取得した建物、構築物の対価に相当する金額があるときは、当該金額を除く。)は、当該土地の取得価額とする。(措通65の7(1)－14・編者補正)
> 注1 **4**に掲げる適格分割等を行った場合については、「**1**《特定の資産の買換えの場合の圧縮記帳》」とあるのは「**1**《特定の資産の買換えの場合の圧縮記帳》又は**4**」とする。(編者)
> 注2 土地又は借地権とともに取得した建物等について特例の適用を受けた場合において、当該建物等をその取得の日から1年以内に取り壊したときは、**10**《買換資産を事業の用に供しない場合の圧縮額の益金算入》の適用があるのであるが、この場合において、当該建物等の帳簿価額及び取壊費が当該土地又は借地権の取得価額に算入されるものであるときは、当該算入される金額のうち、当該建物の帳簿価額に相当する金額(指定期間内に取り壊した部分の金額に限る。)は、当初から当該土地又は借地権の取得に充てられた金額とみなして取り扱うことができる。したがって、この取扱いによる場合には、当該建物の帳簿価額に相当する金額を当該土地又は借地権の帳簿価額に加算するにとどまることになる。(編者)

(公有水面の埋立てをした場合の土地の取得の時期)

(17) 法人が公有水面の埋立てにより取得した土地の取得の日は、原則として公有水面埋立法第22条第2項《竣功認可の手続》の規定による竣功認可の告示のあった日によるのであるが、法人が同日前に当該土地の全部又は一部につき使用を開始したときは、その使用を開始した部分については、その使用開始の日をもって取得の日とすることができる。(措通65の7(1)－15)

(届出をした場合における買換資産)

(18) 法人が、**1**《特定の資産の買換えの場合の圧縮記帳》又は**4**《特定の資産の買換えの場合の圧縮記帳》の届出をした場合において、例えば、次に掲げるような事情により、当該届出に係る届出書に記載した**1**の(1)の表の(二)のイの(ハ)の資産(以下(19)までにおいて「取得見込資産」という。)の全部又は一部を取得することが困難となったため、当該取得見込資産以外の資産を取得した場合のその資産は、**1**又は**4**の「(1)に掲げるところにより納税地の所轄税務署長に**1**の適用を受ける旨の届出をした場合における当該買換資産」として取り扱う。(措通65の7(1)－16)

(一)	当該届出をした日後に生じた事情により、その取得に関する計画の変更を余儀なくされたこと。
(二)	売主その他の関係者との交渉が成立せず、その取得ができなかったこと。
(三)	(一)又は(二)に準ずる特別な事情があること。

第三章　第一節　第十五款　七《特定の資産の買換えの圧縮記帳》

　　注　法人が、先行取得の場合（1の(1)に掲げる先行取得の場合をいう。以下同じ。）における1若しくは4の届出に係る届出書に記載した1の(1)の表の(二)のロの(ハ)の資産又は3《買換えのための先行取得資産》（4の(2)《特定の資産の買換えの場合の圧縮記帳規定の期中圧縮記帳への準用》において準用する場合を含む。）の規定の適用を受ける場合における3の届出に係る届出書に記載した3の(1)の(四)の資産（以下「譲渡見込資産」という。）の全部又は一部を譲渡することが上表の(一)から(三)までに掲げる事情に類する事情により困難となったため、当該譲渡見込資産以外の資産を譲渡した場合の当該取得をした資産についても、同様とする。

　　（買換資産の取得価額が譲渡資産の対価の額を超える場合）
(19)　買換資産の取得価額（当該買換資産が取得見込資産である場合は、その見込額）が、当該買換資産の取得に充てるために既に譲渡された譲渡資産の対価の額を超える場合において、その既にされた譲渡後に譲渡され、又は譲渡することが見込まれる他の譲渡資産があるときは、当該買換資産のうち当該対価の額を超える金額に相当する部分を一の買換資産とみなして、1、3（4の(2)《特定の資産の買換えの場合の圧縮記帳規定の期中圧縮記帳への準用》において準用する場合を含む。）又は4の届出をするものとする。譲渡資産の対価の額（当該譲渡資産が譲渡見込資産である場合は、その見込額）が、既に取得をした買換資産の取得価額を超える場合のその超える部分についての1若しくは4の届出に係る規定又は6の⑤の《特別勘定を設けている法人が適格分割等を行った場合の圧縮額の損金算入に関する届出》による読替え後の13《圧縮額等の損金算入の申告》の申告に係る規定の適用についても、同様とする。（措通65の7(1)-17）

　　（既成市街地等に含まれない埋立地の範囲）
(20)　1の表の②の左欄のイからハまでに掲げる区域から除かれる同欄に掲げる「1の譲渡があった日の属する年の10年前の年の翌年1月1日以後に公有水面埋立法の規定による竣功認可のあった埋立地の区域」とは、当該譲渡のあった日の属する年の12月31日以前10年以内に当該竣功認可のあった埋立地の区域をいうことに留意する。（措通65の7(1)-18）

　　（差益割合の計算）
(21)　2の表の④に掲げる差益割合は、原則として譲渡した資産のそれぞれごとに計算するのであるが、次の表の左欄に掲げる場合には、それぞれ右欄に掲げる資産ごとに一括してその計算をすることができる。（措通65の7(3)-1）

(一)	土地等と当該土地等の上に存する建物又は構築物を同時に譲渡した場合	その同時に譲渡した土地等及び建物又は構築物
(二)	同一事業年度中に1の表の左欄の区分を同じくする2以上の資産を譲渡した場合	当該区分を同じくする2以上の資産
(三)	譲渡した一団の土地にその取得時期又は取得価額の異なるものが含まれている場合	当該一団の土地

　　注　（二）に掲げる区分を同じくする2以上の資産の譲渡につき(21)によりその差益割合を一括して計算して特別勘定を設定した場合には、その後当該2以上の資産の一部につき9の①《譲渡資産についての選択適用》により他の区分に係る買換えに変更するときにおいても、その圧縮限度額の計算の基礎となる差益割合は、当該特別勘定の設定に際してその基礎とした差益割合による。

　　（本店資産であるかどうかの判定）
(22)　法人が、その本店所在地を現に本店又は主たる事務所として使用する建物等（建物及び構築物並びにこれらの敷地の用に供される土地等をいう。以下(22)において同じ。）の所在地から買換資産の所在地へ移転しようとする場合において、当該買換資産の取得が間に合わないために、一時的に本店所在地を他の建物等の所在地へ移転させた場合においても、その譲渡する建物等は5《地域再生法における集中地域以外の地域から集中地域への買換えの場合の課税の特例》の本店資産に該当するものとする。この場合において、当該他の建物等の譲渡をしたとしても、その譲渡をする他の建物等は5の本店資産に該当しないことに留意する。（措通65の7(3)-1の2）

　　（損金算入の特例を適用した場合の特定資産の譲渡からの除外）
(23)　法人の当該事業年度のうち同一の年に属する期間に譲渡した1の表の①から③までの左欄に掲げる譲渡資産のうちに、第十六款の五《特定土地区画整理事業等のために土地等を譲渡した場合の所得の特別控除》の2,000万円特別控除の特例の適用がある土地等が2以上ある場合において、当該土地等の一部につきこの特別控除の適用を受けたときは、その適用を受けなかった土地等についても1《特定の資産の買換えの場合の圧縮記帳》の適用がないことに留意

する。同款の**六**《特定住宅地造成事業等のために土地等を譲渡した場合の所得の特別控除》の1,500万円特別控除又は同款の**七**《農地保有の合理化のために農地等を譲渡した場合の所得の特別控除》の800万円特別控除の特例の適用についても同様とする。(措通65の7(3)-2・編者補正)

　　　(譲渡資産の譲渡に要する経費の範囲)
(24)　**2**の表の④に掲げる譲渡資産の譲渡に要した経費には、例えば、次に掲げるようなものが含まれることに留意する。(措通65の7(3)-5)
　(一)　譲渡に要したあっせん手数料、謝礼
　(二)　譲渡資産が建物である場合の借家人に対して支払った立退料
　(三)　譲渡資産の測量、所有権移転に伴う諸手続、運搬、修繕等の費用で譲渡資産を相手方に引き渡すために支出したもの

　　　(譲渡に伴う取壊損失)
(25)　土地等の上にある資産又は建物内に施設されている資産について、当該土地等又は建物の譲渡に関する契約の一環として若しくは当該譲渡のために取壊し又は除去を要する場合には、当該取壊し又は除去により生ずる損失の額(これらの資産を移設する場合において、その取得価額に算入すべきものを除く。)は、**2**の表の④に掲げる譲渡資産の譲渡に要した経費の額に含まれるものとする。(措通65の7(3)-6)

　　　(譲渡対価の額等の計算に誤りがあった場合の損金算入額)
(26)　**1**《特定の資産の買換えの場合の圧縮記帳》を適用する場合において、**2**の表の③に掲げる圧縮基礎取得価額又は同表の④に掲げる差益割合が、法人の申告に係る価額又は割合と異なることとなったときにおいても、買換資産に係る損金算入額は、法人が確定申告書等に記載した買換資産につき損金の額に算入した金額を限度とすることに留意する。(措通65の7(3)-7・編者補正)
　　注　**4**に掲げる適格分割等を行った場合については、「**1**《特定の資産の買換えの場合の圧縮記帳》」とあるのは「**1**《特定の資産の買換えの場合の圧縮記帳》又は**4**」とし、「確定申告書等」とあるのは「確定申告書等又は**4**の(3)に掲げる書類」とする。(編者)

　　　(譲渡経費の支出が遅れる場合の圧縮記帳等の計算の調整)
(27)　法人が、譲渡資産の譲渡に要する経費を支出することとなる場合における圧縮記帳又は特別勘定の計算については、次の表の左欄に掲げる場合に応じ、それぞれ同表の右欄の取扱いに準ずるものとする。(措通65の7(3)-8)

(一)	当該譲渡があった日を含む事業年度において、翌事業年度以後に当該譲渡に要する経費の全部又は一部を支出することが予定されている場合	第十六款の**一**の**1**の(20)《取壊し等が遅れる場合の圧縮記帳の計算の調整》及び同**一**の**8**の①の(5)《取壊し等が遅れる場合の特別勘定の計算》
(二)	当該譲渡資産の譲渡に伴い当該特別勘定を設けた事業年度後の事業年度において当該譲渡に要する経費を支出した場合	第十六款の**一**の**8**の①の(6)《特別勘定に経理した後に資産の取壊し等をした場合の調整》

　　注　(一)の右欄の取扱いに準じて譲渡資産の譲渡に要する経費の額の見積りをする場合におけるその見積額については、当該譲渡があった日を含む事業年度において未払金に計上することができる。

3　買換えのための先行取得資産

　1《特定の資産の買換えの場合の圧縮記帳》に掲げる場合において、当該法人が、その有する資産で<u>**1**の表の①から④までの左欄に掲げるもの</u>の譲渡をした日を含む事業年度開始の日前1年(工場、事務所その他の建物、構築物又は機械及び装置〔以下**3**において「**工場等**」という。〕の敷地の用に供するための宅地の造成並びに当該工場等の建設及び移転に要する期間が通常1年を超えると認められる事情その他これに準ずる事情がある場合には、3年)以内にそれぞれ<u>同表の①から④までの右欄に掲げる資産</u>の取得をし、かつ、当該取得の日から1年以内に、当該取得をした資産をそれぞれ<u>同表の①から④までの右欄</u>に掲げる地域内にある当該法人の事業の用に供したとき(当該事業年度終了の日と当該取得の日から1年を経過する日とのいずれか早い日までに当該事業の用に供しなくなったときを除く。)、又は供する見込みであるときは、当該法人は、納税地の所轄税務署長にこの先行取得資産の圧縮記帳の特例の適用を受ける旨の届出をした当該資産に限り、当該資産を買換資産とみなして圧縮記帳の適用を受けることができる。(措法65の7③、措令39の7⑨)
　　注1　──線部分は、令和5年度改正により改正された部分で、**1**の注1の経過措置の適用を受ける場合については、**3**中「**1**の表の①から④まで」とあるのは「**1**の注2の表の旧①から旧⑤まで」と、「同表の①から④まで」とあるのは「同表の旧①から旧⑤まで」とする。(令5改法

第三章　第一節　第十五款　七《特定の資産の買換えの圧縮記帳》

　　　　　附46②）
注2　――線部分は、令和3年度改正により改正された部分で、**1**の注3の経過措置の適用を受ける場合については、**3**中「**1**の表の①から④まで」とあるのは「**1**の注4の表の旧①から旧⑦まで」とし「同表の①から④まで」とあるのは「同表の旧①から旧⑦まで」とする。（令3改法附52②）
注3　――線部分は、令和2年度改正により改正された部分で、**1**の注5の経過措置の適用を受ける場合については、**3**中「**1**の表の①から④まで」とあるのは「**1**の注6の表の旧①から旧⑧まで」とし「同表の①から④まで」とあるのは「同表の旧①から旧⑧まで」とする。（令2改法附88①②、令2改措令附34）

　　　（先行取得資産の届出）
（1）　**3**に掲げる届出は、<u>**1**の表の①から④までの右欄に掲げる資産の取得（建設及び製作を含む。）をした日を含む事業年度終了の日の翌日から2か月以内に、次に掲げる事項を記載した届出書により行わなければならない。</u>（措令39の7⑩）
　　　（一）　当該資産につき**3**の適用を受ける旨
　　　（二）　届出者の名称、納税地及び法人番号
　　　（三）　当該取得をした資産の<u>種類、構造又は用途、</u>規模（土地等にあっては、その面積）、所在地、取得年月日及び<u>取得価額（船舶にあっては、種類、構造又は用途、規模、取得年月日及び取得価額）</u>
　　　（四）　譲渡をする見込みである資産の種類、<u>所在地及び譲渡予定年月日（船舶にあっては、種類及び譲渡予定年月日）</u>
　　　（五）　<u>当該取得をした資産のその適用に係る**1**の表の①から④の区分</u>
　　　（六）　その他参考となるべき事項
　　　　注1　――線部分（本文に係る部分を除く。）は、令和5年度改正により改正された部分で、改正規定は、令和6年4月1日以後に取得をする**1**の表の右欄に掲げる資産について適用され、令和6年3月31日以前に取得をした**1**の表の右欄に掲げる資産については、（1）は次による。（令5改措令附10②、**1**Ⅳ）

> **3**に掲げる届出は、**1**の表の①から④までの右欄に掲げる資産の取得（建設及び製作を含む。）をした日を含む事業年度終了の日の翌日から2か月以内に、次に掲げる事項を記載した届出書により行わなければならない。（旧措令39の7⑩）
> （一）　当該資産につき**3**の適用を受ける旨
> （二）　届出者の名称、納税地及び法人番号
> （三）　当該取得をした資産の種類、規模（土地等にあっては、その面積）、所在地、用途、取得年月日及び取得価額
> （四）　譲渡をする見込みである資産の種類
> （五）　その他参考となるべき事項

　　　　注2　――線部分（本文に係る部分に限る。）は、令和5年度改正により改正された部分で、**1**の注1の経過措置の適用を受ける場合については、（1）中「**1**の表の①から④まで」とあるのは「**1**の注2の表の旧①から旧⑤まで」とする。（令5改法附46②）
　　　　注3　――線部分（本文に係る部分に限る。）は、令和3年度改正により改正された部分で、**1**の注3の経過措置の適用を受ける場合については、（1）中「**1**の表の①から④まで」とあるのは「**1**の注4の表の旧①から旧⑧まで」とし「同表の①から⑤まで」とあるのは「同表の旧①から旧⑧まで」とする。（令3改法附52②）
　　　　注4　――線部分（本文に係る部分に限る。）は、令和2年度改正により改正された部分で、**1**の注5の経過措置の適用を受ける場合については、（1）中「**1**の表の①から④まで」とあるのは「**1**の注6の表の旧①から旧⑧まで」とする。（令2改法附88①②、令2改措令附34）

　　　（先行取得資産に関する届出の提出）
（2）　第二節第三款の二の**3**《確定申告書の提出期限の延長の特例》に掲げる確定申告書の提出期限の延長の特例の適用を受けている法人であっても、**1**又は**3**（**4**の（2）《特定の資産の買換えの場合の圧縮記帳規定の期中圧縮記帳への準用》において準用する場合を含む。）の規定による届出の期限は延長されないのであるから、留意する。（措通65の7（5）－2・編者補正）

　　　（長期先行取得が認められるやむを得ない事情）
（3）　**3**の括弧書に掲げる「その他これに準ずる事情」には、譲渡資産について次に掲げるような事情があるためやむを得ずその譲渡が遅延した場合が含まれるものとする。（措通65の7（1）－32・編者補正）
　　　（一）　借地人又は借家人が容易に立退きに応じないため譲渡ができなかったこと。
　　　（二）　譲渡するために必要な広告その他の行為をしたにもかかわらず容易に買手がつかなかったこと。
　　　（三）　（一）又は（二）に準ずる特別な事情があったこと。
　　　　注　**4**に掲げる適格分割等を行った場合については、「**3**の括弧書」とあるのは「**3**の括弧書（**4**の（2）《特定の資産の買換えの場合の圧縮記帳規定の期中圧縮記帳への準用》において準用する場合を含む。）」とする。（編者）

(買換資産の取得の時期)
(4) 買換資産の取得の時期は、次に掲げるところによるのであるから留意する。(編者)
- (一) 譲渡資産の譲渡の日を含む事業年度において取得すること。この場合においては、取得の日が譲渡の日前であっても差し支えない。
- (二) 譲渡資産の譲渡の日を含む事業年度中に買換資産を取得することができなかった場合には、翌事業年度開始の日から同日以後1年を経過する日までの期間内に取得すること。この場合においては、譲渡の日を含む事業年度において譲渡益相当額を特別勘定に経理する。(**6**《特定の資産の譲渡に伴い特別勘定を設けた場合の課税の特例》を参照)
- (三) (二)の場合において、工場等の敷地の用に供するための宅地の造成並びに当該工場等の建設及び移転に要する期間が通常1年を超えると認められる事情があるため、(二)の期間内に買換資産の取得をすることが困難であるときは、納税地の所轄税務署長の承認を受け、翌事業年度開始の日から同日以後3年以内において当該税務署長が認定した日までの期間内に取得すること。(**6**の①の(3)、(4)を参照)
- (四) (一)から(三)までによるほか、譲渡の日を含む事業年度開始の日前1年(工場等の敷地の用に供するための宅地の造成並びに当該工場等の建設及び移転に要する期間が通常1年を超えると認められる事情がある場合には、3年)以内に取得すること。

注1 買換資産を先行取得することができる期間及び翌事業年度以降の買換資産の取得指定期間は、次のようになる。

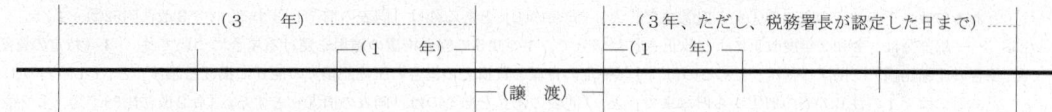

注2 買換資産として減価償却資産を先行取得した場合の圧縮記帳の計算例を示すと、次のようになる。

〔設例〕
- イ 買換資産の取得価額 1,200万円(取得の後における資本的支出はないものとする。)
- ロ 譲渡資産の譲渡の対価の額 1,000万円
- ハ 譲渡資産の譲渡直前の帳簿価額 360万円
- ニ 譲渡資産の譲渡に要した経費の額 40万円
- ホ 譲渡事業年度開始の日におけるイの買換資産の帳簿価額 960万円(取得後の償却額 240万円)

〔計算〕
- (イ) 差益割合……$\frac{1,000万円 - (360万円 + 40万円)}{1,000万円} = 0.6$
- (ロ) 買換資産の圧縮基礎取得価額……$1,000万円 \times \frac{960万円}{1,200万円} = 800万円$ (**2**の表の③のただし書を参照)
- (ハ) 圧縮限度額……$800万円 \times 0.6 \times 0.8 = 384万円$
- (ニ) 圧縮後の償却計算の基礎となる取得価額……$1,200万円 - 384万円 \times \frac{1,200万円}{960万円} = 720万円$ (**11**の①《圧縮後の取得価額》を参照)

(譲渡事業年度前の事業年度において取得した資産の圧縮記帳)
(5) 譲渡資産の譲渡の日を含む事業年度開始の日前に取得した資産について**3**により当該譲渡資産に係る買換資産とみなす場合において、当該買換資産の取得価額が当該譲渡資産の対価の額を超えるときは、当該超える金額に相当する部分の資産については、当該事業年度後の事業年度における**3**による買換資産とみなすことができるものとする。(措通65の7(3)-4)

注1 譲渡資産を300万円で譲渡した事業年度において1,000万円の土地を取得した場合に、その翌事業年度以後においても譲渡する資産があるときは、取得した土地のうち300万円だけを前の譲渡資産に係る買換資産とみなし、残額700万円は後の事業年度における譲渡資産に係る買換資産とすることができることとしたものである。(編者)

注2 前事業年度において譲渡資産300万円があり、その譲渡益を特別勘定に経理している場合に、当該事業年度において1,000万円の土地を取得し、かつ、翌事業年度以後においても譲渡する資産があるときは、その取得した土地のうち300万円を前事業年度における譲渡対価に係る買換資産とし、残額700万円を翌事業年度以後における譲渡対価に係る買換資産とすることもできる。(編者)

4 適格分割等を行った場合の分割法人等における買換資産の圧縮額の損金算入《期中圧縮記帳》

法人が、**対象期間**内に **1**《特定の資産の買換えの場合の圧縮記帳》に掲げる譲渡をし、かつ、その譲渡の日を含む事業年度において適格分割、適格現物出資又は適格現物分配(その日以後に行われるものに限る。以下**4**において「**適格分割等**」という。)を行う場合において、当該事業年度開始の時から当該適格分割等の直前の時までの間に当該譲渡をした資産に係る**1**の表の①から④までのそれぞれ右欄に掲げる資産の取得をし、当該適格分割等により当該買換資産(それぞれ同表の右欄に掲げる地域内にある当該法人の事業の用に供し、かつ、当該適格分割等の直前まで引き続き当該事業の用に供しているもの又は当該取得の日から1年以内に当該適格分割等に係る分割承継法人、被現物出資法人若しくは被現物分配

第三章　第一節　第十五款　**七**《特定の資産の買換えの圧縮記帳》

法人〔以下**4**において「**分割承継法人等**」という。〕において当該適格分割等により移転を受けるそれぞれ同表の右欄に掲げる地域内にある事業の用〔同表の④の右欄に掲げる資産については、その移転を受ける事業の用〕に供することが見込まれるものに限る。）を当該分割承継法人等に移転するときは、当該買換資産（（1）に掲げるところにより納税地の所轄税務署長に**4**の適用を受ける旨の届出をした場合における当該買換資産に限る。）につき、当該買換資産に係る圧縮限度額に相当する金額の範囲内でその帳簿価額を減額したときに限り、その減額した金額に相当する金額は、当該事業年度の所得の金額の計算上、損金の額に算入する。（措法65の7⑨）

注1　──線部分（「（（1）に掲げるところにより…買換資産に限る。）」に係る部分に限る。）は、令和5年度改正により追加された部分で、改正規定は、令和6年4月1日以後に**1**の表の左欄に掲げる資産の譲渡をして、令和6年4月1日以後に同表の右欄に掲げる資産の取得をする場合の当該資産について適用し、令和6年3月31日以前に**1**の表の左欄に掲げる資産の譲渡をした場合における令和6年3月31日以前に取得をした同表の右欄に掲げる資産又は令和6年4月1日以後に取得をする同表の右欄に掲げる資産及び令和6年4月1日以後に同表の左欄に掲げる資産の譲渡をする場合における令和6年3月31日以前に取得をした同表の右欄に掲げる資産については、なお従前の例による。（令5改法附46③、1Ⅳ二）

注2　──線部分（注1に係る部分を除く。）は、令和5年度改正により改正された部分で、改正規定は、令和5年4月1日以後に**1**の注1の経過措置の適用を受ける場合については、「**1**《特定の資産の買換えの場合の圧縮記帳》」とあるのは「**1**《特定の資産の買換えの場合の圧縮記帳》の注2に掲げる譲渡」と、「**1**の表の①から④まで」とあるのは「**1**の注2の表の旧①から旧⑤まで」と、「同表の④」とあるのは「同表の旧⑤」とする。（令5改法附46②）

注3　──線部分は、令和3年度改正により改正された部分で、**1**の注3の経過措置の適用を受ける場合については、「**1**《特定の資産の買替えの場合の圧縮記帳》に掲げる譲渡」とあるのは「**1**《特定の資産の買替えの場合の圧縮記帳》の注4に掲げる譲渡」と、「**1**の表の①から④まで」とあるのは「**1**の注4の表の旧①から旧⑦まで」と、「同表の④」とあるのは「同表の旧⑦」とする。（令3改法附52②、1）

注4　──線部分は、令和2年度改正により改正された部分で、**1**の注5の経過措置の適用を受ける場合については、「**1**《特定の資産の買換えの場合の圧縮記帳》に掲げる譲渡」とあるのは「**1**《特定の資産の買換えの場合の圧縮記帳》の注6に掲げる譲渡」と、「**1**の表の①から④まで」とあるのは「**1**の注6の表の旧①から旧⑧まで」と、「同表の④」とあるのは「同表の旧⑧」とする。（令2改法附88①②、令2改措令附34）

（届出書に記載する事項）

（1）　　**4**の届出は、**1**の表の左欄に掲げる資産の**4**に掲げる譲渡の日（同日前に同表の右欄に掲げる資産の取得をした場合〔（二）のロにおいて「先行取得の場合」という。〕には、当該資産の**1**に掲げる取得の日）を含む3か月期間（事業年度をその開始の日以後3か月ごとに区分した各期間〔最後に3か月未満の期間を生じたときは、その3か月未満の期間〕をいう。（二）において同じ。）の末日の翌日から2か月以内に、同表の右欄に掲げる資産につき**4**の適用を受ける旨及び次に掲げる事項を記載した届出書により行わなければならない。（措令39の7②）

(一)	届出者の名称、納税地及び法人番号（行政手続における特定の個人を識別するための番号の利用等に関する法律第2条第15項《定義》に規定する法人番号をいう。以下**七**において同じ。）			
(二)	次に掲げる場合の区分に応じそれぞれ次に定める事項			
	イ	ロに掲げる場合以外の場合次に掲げる事項		
		(イ)	当該譲渡をした資産及び当該3か月期間内に取得をした資産の種類、構造又は用途、規模（土地等にあっては、その面積。ロの(イ)において同じ。）、所在地並びに譲渡年月日及び取得年月日（船舶にあっては、種類、構造又は用途、規模並びに譲渡年月日及び取得年月日。ロの(イ)において同じ。）	
		(ロ)	当該譲渡をした資産の価額及びその譲渡直前の帳簿価額	
		(ハ)	当該3か月期間の末日の翌日以後に取得をする見込みである資産の種類、所在地及び取得予定年月日（船舶にあっては、種類及び取得予定年月日）	
	ロ	先行取得の場合次に掲げる事項		
		(イ)	当該3か月期間内に譲渡をした資産及び当該取得をした資産の種類、構造又は用途、規模、所在地並びに譲渡年月日及び取得年月日	
		(ロ)	当該取得をした資産の取得価額	
		(ハ)	当該3か月期間の末日の翌日以後に譲渡をする見込みである資産の種類、所在地及び譲渡予定年月日（船舶にあっては、種類及び譲渡予定年月日）	
(三)	（二）の取得をした、又は（二）の取得をする見込みである資産のその適用に係る**1**の表に掲げる区分			
(四)	その他参考となるべき事項			

第三章　第一節　第十五款　七《特定の資産の買換えの圧縮記帳》

注　(1)は、令和5年度改正により追加されたもので、改正規定は、令和6年4月1日以後に適用される。(令5改措令附1Ⅳ)

　　　(特定の資産の買換えの場合の圧縮記帳規定の期中圧縮記帳への準用)
(2)　**8**《買換資産として土地等を取得する場合の面積制限》は**4**を適用する場合について、**3**《買換えのための先行取得資産》は**4**に掲げる場合について、それぞれ準用する。
　　この場合において、**8**中「当該事業年度の」とあるのは「当該事業年度開始の時から当該適格分割等の直前の時までの期間内に取得をした」と、「**3**の買換えのための」とあるのは「**4**の(2)において準用する**3**の買換えのための」と、「当該事業年度において譲渡」とあるのは「当該期間内に譲渡」と、**3**中「当該事業年度終了の日」とあるのは「当該適格分割等の日の前日」と読み替えるものとする。(措法65の7⑩、措令39の7⑬)

　　　(適格分割等に係る特定資産の買換えの場合の圧縮額の損金算入に関する届出)
(3)　**4**は、その適用を受けようとする法人が適格分割等の日以後2か月以内に次に掲げる事項を記載した書類及び**13**の(2)《買換えの証明書》に掲げる書類を納税地の所轄税務署長に提出した場合に限り、適用する。(措法65の7⑪、措令39の7㊶、措規22の7④)

(一)	**4**の適用を受けようとする法人の名称、納税地及び法人番号並びに代表者の氏名
(二)	分割承継法人、被現物出資法人又は被現物分配法人の名称及び納税地並びに代表者の氏名
(三)	適格分割等の年月日
(四)	譲渡資産の種類、<u>構造又は用途、規模</u>（土地等にあっては、その面積）、所在地及び譲渡年月日　<u>（船舶にあっては、種類、構造又は用途、規模及び譲渡年月日）</u>
(五)	買換資産の種類、<u>構造又は用途、規模</u>（土地等にあっては、その面積）、所在地及び取得年月日　<u>（船舶にあっては、種類、構造又は用途、規模及び取得年月日）</u>
(六)	**4**により損金の額に算入される**4**に掲げる帳簿価額を減額した金額及びその金額の計算に関する明細
(七)	その他参考となるべき事項

注1　——線部分は、令和5年度改正により改正された部分で、改正規定は、令和6年4月1日以後に**1**の表の左欄に掲げる資産の譲渡をして、令和6年4月1日以後にそれぞれ同表の右欄に掲げる資産の取得をする場合の当該資産について適用し、令和6年3月31日以前に**1**の注2の表の左欄に掲げる資産の譲渡をした場合における令和6年3月31日以前に取得をした同表の右欄に掲げる資産又は令和6年4月1日以後に取得をする同表の右欄に掲げる資産及び令和6年4月1日以後に同表の左欄に掲げる資産の譲渡をする場合における令和6年3月31日以前に取得をした同表の右欄に掲げる資産については、上表の(四)及び(五)は次による。(令5改措規附6①、1Ⅳ)

旧(四)	譲渡資産の種類、所在地及び規模（土地等にあっては、その面積）並びにその譲渡年月日
旧(五)	買換資産の種類、構造、所在地及び規模（土地等にあっては、その面積）並びにその取得年月日

注2　(六)に掲げる事項の記載については、別表十三(五)の書式によらなければならない。(規27の14)

　　　(長期先行取得が認められるやむを得ない事情)
(4)　買換資産の取得につき**3**《買換えのための先行取得資産》((2)において準用する場合を含む。)を適用する場合における**3**に掲げる「その他これに準ずる事情」には、譲渡資産について次に掲げるような事情があるためやむを得ずその譲渡が遅延した場合が含まれるものとする。(措通65の7(1)-37)
(一)　借地人又は借家人が容易に立退きに応じないため譲渡ができなかったこと。
(二)　譲渡するために必要な広告その他の行為をしたにもかかわらず容易に買手がつかなかったこと。
(三)　(一)又は(二)に準ずる特別な事情があったこと。

　　　(買換資産を当該法人の事業の用に供したことの意義)
(5)　法人が、その取得した買換資産について**1**《特定の資産の買換えの場合の圧縮記帳》の適用を受けることができるのは、当該買換資産をその取得の日から1年以内に当該法人の事業の用に供した場合又は供する見込みである場合に限られるのであるが、**4**の適用を受ける場合における分割法人等又は分割承継法人等の事業の用に供したかどうかの判定については、**1**の(7)《買換資産を当該法人の事業の用に供したことの意義》を参照。(措通65の7(2)-1

（工場等の用とその他の用に共用されている建物の判定）
（6）　一の建物が工場等の用とその他の用に共用されている場合には、床面積の比等の合理的な基準によってその用途の異なるごとに区分し、工場等の用に供されている部分について、**1**《特定の資産の買換えの場合の圧縮記帳》又は**4**を適用するものとする。（措通65の7(1)-21）
> 注1　一の建物につき工場等の用に供されている部分とその他の用に供されている部分とに区分する場合において、廊下、階段、機械室その他共用されるべき部分（専らその他の用に供されている部分に係る廊下、階段等を除く。）は、工場等の用に供されている部分に含めることができる。
> 注2　建物について工場等の用に供されている部分とその他の用に供されている部分とに区分する場合には、その敷地の用に供されている土地等についても、建物を区分した基準等の合理的な基準により区分する。

（適格合併等に係る合併法人等における供用事業）
（7）　**1**《特定の資産の買換えの場合の圧縮記帳》又は**4**は、買換資産をその取得の日から1年以内に事業の用に供した場合又は供する見込みである場合に限り適用があるのであるが、適格合併等に係る被合併法人等が、当該買換資産を当該適格合併等により合併法人等に移転する場合において、当該合併法人等が当該適格合併等により移転を受ける事業以外の事業の用に供する見込であるときは、**1**又は**4**の適用はないことに留意する。
　6の①《譲渡益の特別勘定経理》又は同②《適格分割等を行った場合の分割法人等における譲渡益の期中特別勘定経理》の適用についても同様とする。（措通65の7(2)-3）
> 注　適格合併等により**1**又は**4**の適用を受けた買換資産の移転を受けた合併法人等が、当該適格合併等に係る被合併法人等が当該買換資産を取得した日から1年以内に、当該買換資産を当該合併法人等が当該適格合併等により移転を受けた事業の用に供しない場合又は供しなくなった場合には、合併法人等において**10**の②に基づく取戻し課税の適用があるのであるから、留意する。

5　地域再生法における集中地域以外の地域から集中地域への買換えの場合の課税の特例

　1又は**4**（**1**の表の③に係る部分に限る。）を適用する場合において、法人が譲渡をした**1**の表の③の左欄に掲げる資産が同表の①に掲げる地域内にある資産に該当し、かつ、当該法人が取得をした同表の③の右欄に掲げる資産が同表の②若しくは③の地域内にある資産に該当するとき、又は法人が譲渡をした同表の③の左欄に掲げる資産が同表の③に掲げる地域内にある本店資産（当該法人の本店又は主たる事務所として使用される建物（その付属設備を含む。以下**5**において同じ。）及び構築物並びにこれらの敷地の用に供される土地等をいう。以下**5**において同じ。）に該当し、かつ、当該法人が取得をした同表の③の右欄に掲げる資産が同表の①に掲げる地域内にある本店資産に該当するときは、これらの取得をした資産に係る**1**に掲げる圧縮限度額は、**1**にかかわらず、当該資産が次の表に掲げる地域のうちいずれの地域内にあるかに応じそれぞれ次の表の右欄に掲げる金額とする。（措法65の7⑭）

①	地域再生法第5条第4項第5号イ《地域再生計画の認定》に規定する集中地域（②において「集中地域」という。）以外の地域	**1**に掲げる計算した金額の$\frac{90}{100}$に相当する金額
②	集中地域（③に掲げる地域を除く。）	**1**に掲げる計算した金額の$\frac{75}{100}$に相当する金額
③	地域再生法第17条の2第1項第1号《地方活力向上地域特定業務施設整備計画の認定等》に規定する政令で定めるもの	**1**に掲げる計算した金額の$\frac{70}{100}$（その譲渡をした資産及び取得をした資産のいずれもが本店資産に該当する場合には、$\frac{60}{100}$）に相当する金額

> 注1　──線部分は、令和5年度改正により改正された部分で、改正規定は、令和5年4月1日から適用され、令和5年3月31日以前の適用については、**5**は次による。（令5改法附46②、1）

> 　**1**の注2又は**4**（**1**の注2の表の旧④に係る部分に限る。）を適用する場合において、法人が譲渡をした**1**の注2の表の旧④の左欄に掲げる資産が地域再生法第5条第4項第5号《地域再生計画の認定》のイに規定する集中地域（旧②において「集中地域」という。）以外の地域内にある資産に該当し、かつ、当該法人が取得をした同表の旧④の右欄に掲げる資産が次の表の左欄に掲げる地域内にある資産に該当するときは、その取得をした資産に係る**1**の注2に掲げる圧縮限度額は、**1**の注2にかかわらず、次の表の右欄に掲げる金額とする。（旧措法65の7⑭）

> | | | |
> |---|---|---|
> | 旧① | 地域再生法第17条の2第1項第1号《地方活力向上地域特定業務施設整備計画の認定等》に規定する政令で定めるもの | **1**の注2に掲げる計算した金額の$\frac{70}{100}$に相当する金額 |
> | 旧② | 集中地域（旧①に掲げる地域を除く。） | **1**の注2に掲げる計算した金額の$\frac{75}{100}$に相当する金額 |

第三章　第一節　第十五款　七《特定の資産の買換えの圧縮記帳》

注2　――線部分（注1に係る部分に限る。）は、令和3年度改正により改正された部分で、1の注3の経過措置の適用を受ける場合については、「1の注2」とあるのは「1の注4」と、「1の注2の表の旧④」とあるのは「1の注4の表の旧⑥」と、「同表の旧④」とあるのは「同表の旧⑥」とする。（令3改法附52②、1）

注3　――線部分（注1に係る部分に限る。）は、令和2年度改正により改正された部分で、1の注5の経過措置の適用を受ける場合については、5中「1の注2」とあるのは「1の注6」と、「1の注2の表の旧④」とあるのは「1の注6の表の旧⑦」とし「同表の旧④」とあるのは「同表の旧⑦」とする。（令2改法附88①②、令2改措令附34）

6　特定の資産の譲渡に伴い特別勘定を設けた場合の課税の特例

①　譲渡益の特別勘定経理

　法人が、昭和45年4月1日から**令和8年3月31日**までの期間（②において「**対象期間**」という。）内に、その有する資産で**1**《特定の資産の買換えの場合の圧縮記帳》の表の①から④までの左欄に掲げるもの（その譲渡につき第二節第一款の**五**《短期所有に係る土地の譲渡等がある場合の特別税率》の適用がある土地等を除く。）の譲渡をした場合において、当該譲渡をした日を含む事業年度（解散の日を含む事業年度及び被合併法人の合併〔適格合併を除く。〕の日の前日を含む事業年度を除く。）終了の日の翌日から1年を経過する日までの期間（工場等の敷地の用に供するための宅地の造成並びに当該工場等の建設及び移転に要する期間が通常1年を超えると認められる事情その他これに準ずる事情があるため、当該期間内にそれぞれ同表の①から④までの右欄に掲げる資産の取得をすることが困難である場合において、納税地の所轄税務署長の承認を受けたときは、当該資産の取得をすることができるものとして、同日後2年以内において当該税務署長が認定した日までの期間。以下①及び③において「**取得指定期間**」という。）内にそれぞれ同表の①から④までの右欄に掲げる資産の取得をする見込みであり、かつ、当該取得の日から1年以内に当該取得をした資産をそれぞれ同表の①から④までの右欄に掲げる地域内にある当該法人の事業の用（同表の④の右欄に掲げる資産については、その法人の事業の用）に供する見込みであるとき（当該譲渡をした日を含む事業年度終了の日後に当該譲渡をした法人が被合併法人、分割法人又は現物出資法人となる適格合併、適格分割又は適格現物出資〔以下①において「適格合併等」という。〕を行う場合において、当該適格合併等に係る合併法人、分割承継法人又は被現物出資法人〔①において「合併法人等」という。〕が取得指定期間内に当該譲渡をした資産に係る同表の①から④までの右欄に掲げる資産の取得をする見込みであり、かつ、当該取得の日から1年以内に当該合併法人等において当該取得をした資産を当該適格合併等により移転を受ける同表の①から④までの右欄に掲げる地域内にある事業の用〔同表の④の右欄に掲げる資産については、その移転を受ける事業の用〕に供する見込みであるときを含む。）は、当該譲渡をした資産の譲渡に係る対価の額のうち当該譲渡をした資産に係る同表の①から④までの右欄に掲げる資産の取得に充てようとする額に差益割合を乗じて計算した金額の$\frac{80}{100}$（当該譲渡をした資産が同表の①の左欄に掲げる資産〔同欄のハに掲げる区域内にあるものに限る。〕に該当し、かつ、当該取得をする見込みである資産が同表の①の右欄に掲げる資産に該当する場合には、$\frac{70}{100}$。②において同じ。）に相当する金額以下の金額を当該譲渡の日を含む事業年度の確定した決算において特別勘定を設ける方法（当該事業年度の決算の確定の日までに剰余金の処分により積立金として積み立てる方法を含む。）により経理した場合に限り、その経理した金額に相当する金額は、当該事業年度の所得の金額の計算上、損金の額に算入する。（措法65の8①、措令39の7⑨㉖）

　特別勘定に経理することができる金額＝譲渡の対価の額で買換資産の取得に充てようとするものの金額 × 差益割合 × $\frac{80}{100}$（又は$\frac{70}{100}$）

注1　――線部分（本文に係る部分に限る。）は、令和5年度改正により改正された部分で、1の注1の経過措置の適用を受ける場合については、①は次による。（令5改法附46②）

　法人が、昭和45年4月1日から令和5年3月31日までの期間（②において「対象期間」という。）内に、その有する資産で**1**《特定の資産の買換えの場合の圧縮記帳》の注2の表の旧①から旧⑤までの左欄に掲げるもの（その譲渡につき第二節第一款の**五**《短期所有に係る土地の譲渡等がある場合の特別税率》の適用がある土地等を除く。）の譲渡をした場合において、当該譲渡をした日を含む事業年度（解散の日を含む事業年度及び被合併法人の合併〔適格合併を除く。〕の日の前日を含む事業年度を除く。）終了の日の翌日から1年を経過する日までの期間（工場等の敷地の用に供するための宅地の造成並びに当該工場等の建設及び移転に要する期間が通常1年を超えると認められる事情その他これに準ずる事情があるため、当該期間内にそれぞれ同表の旧①から旧⑤までの右欄に掲げる資産の取得をすることが困難である場合において、納税地の所轄税務署長の承認を受けたときは、当該資産の取得をすることができるものとして、同日後2年以内において当該税務署長が認定した日までの期間。以下①及び③において「取得指定期間」という。）内にそれぞれ同表の旧①から旧⑤までの右欄に掲げる資産の取得をする見込みであり、かつ、当該取得の日から1年以内に当該取得をした資産をそれぞれ同表の旧①から旧⑤までの右欄に掲げる地域内にある当該法人の事業の用（同表の旧⑤の右欄に掲げる資産については、その法人の事業の用）に供する見込みであるとき（当該譲渡をした日を含む事業年度終了の日後に当該譲渡をした法人が被合併法人、分割法人又は現物出資法人となる適格合併、適格分割又は適格現物出資〔以下①において「適格合併等」という。〕を行う場合において、当該適格合併等に係る合併法人、分割承継法人又は被現物出資法人〔①において「合併法人等」という。〕が取得指定期間内に当該譲渡をした資産に係る同表の旧①から旧⑤までの右欄に掲げる資産の取得をする見込みであり、かつ、当該取得の日から1年以内に当該合併法人等において当該取得をした資産を当該適格合併等により移転を受ける同表の旧①から旧⑤までの右欄に掲げる地域内にある事業の用〔同表の旧⑤の右欄に掲げる資産については、その移転を受ける事業の用〕

第三章　第一節　第十五款　七《特定の資産の買換えの圧縮記帳》

に供する見込みであるときを含む。）は、当該譲渡をした資産の譲渡に係る対価の額のうち当該譲渡をした資産に係る同表の旧①から旧⑤までの右欄に掲げる資産の取得に充てようとする額に差益割合を乗じて計算した金額の$\frac{80}{100}$（当該譲渡をした資産が同表の旧②の左欄に掲げる資産〔令和２年４月１日前に同欄のイ若しくはロに掲げる区域となった区域内又は同欄のハに掲げる区域内にあるものに限る。〕に該当し、かつ、当該取得をする見込みである資産が同表の旧②の右欄に掲げる資産に該当する場合には、$\frac{70}{100}$。②において同じ。）に相当する金額以下の金額を当該譲渡の日を含む事業年度の確定した決算において特別勘定を設ける方法（当該事業年度の決算の確定の日までに剰余金の処分により積立金として積み立てる方法を含む。）により経理した場合に限り、その経理した金額に相当する金額は、当該事業年度の所得の金額の計算上、損金の額に算入する。（措法65の８旧①、措令39の７旧⑨旧㉖）

$$\text{特別勘定に経理することができる金額} = \text{譲渡の対価の額で買換資産の取得に充てようとするものの金額} \times \text{差益割合} \times \frac{80}{100}\left(\text{又は}\frac{70}{100}\right)$$

注２　──線部分（注１に係る部分に限る。）は、令和３年度改正により改正された部分で、**１**の注３の経過措置の適用を受ける場合については、①は次による。（令３改法附52②、１）

　法人が、昭和45年４月１日から令和５年３月31日（**１**《特定の資産の買換えの場合の圧縮記帳》の注４の表の③又は⑤の左欄に掲げる資産にあっては、令和３年３月31日）までの期間（②において「**対象期間**」という。）内に、その有する資産で同表の旧①から旧⑦までの左欄に掲げるもの（その譲渡につき第二節第一款の**五**《短期所有に係る土地の譲渡等がある場合の特別税率》の適用がある土地等を除く。）の譲渡をした場合において、当該譲渡をした日を含む事業年度（解散の日を含む事業年度及び被合併法人の合併〔適格合併を除く。〕の日の前日を含む事業年度を除く。）終了の日の翌日から１年を経過する日までの期間（工場等の敷地の用に供するための宅地の造成並びに当該工場等の建設及び移転に要する期間が通常１年を超えると認められる事情その他これに準ずる事情があるため、当該期間内にそれぞれ同表の旧①から旧⑦までの右欄に掲げる資産の取得をすることが困難である場合において、納税地の所轄税務署長の承認を受けたときは、当該資産の取得をすることができるものとして、同日後２年以内において当該税務署長が認定した日までの期間。以下①及び③において「**取得指定期間**」という。）内にそれぞれ同表の旧①から旧⑦までの右欄に掲げる資産の取得をする見込みであり、かつ、当該取得の日から１年以内に当該取得をした資産をそれぞれ同表の旧①から旧⑦までの右欄に掲げる地域内にある当該法人の事業の用（同表の旧⑦の右欄に掲げる資産については、その法人の事業の用）に供する見込みであるとき（当該譲渡をした日を含む事業年度終了の日後に当該譲渡をした法人が被合併法人、分割法人又は現物出資法人となる適格合併、適格分割又は適格現物出資〔以下①において「適格合併等」という。〕を行う場合において、当該適格合併等に係る合併法人、分割承継法人又は被現物出資法人〔①において「合併法人等」という。〕が取得指定期間内に当該譲渡をした資産に係る同表の旧①から旧⑦までの右欄に掲げる資産の取得をする見込みであり、かつ、当該取得の日から１年以内に当該合併法人等において当該取得をした資産を当該適格合併等により移転を受ける同表の旧①から旧⑦までの右欄に掲げる地域内にある事業の用〔同表の旧⑦の右欄に掲げる資産については、その移転を受ける事業の用〕に供する見込みであるときを含む。）は、当該譲渡をした資産の譲渡に係る対価の額のうち当該譲渡をした資産に係る同表の旧①から旧⑦までの右欄に掲げる資産の取得に充てようとする額に差益割合を乗じて計算した金額の$\frac{80}{100}$（当該譲渡をした資産が同表の旧②の左欄に掲げる資産〔令和２年４月１日前に同欄のイ若しくはロに掲げる区域となった区域内又は同欄のハに掲げる区域内にあるものに限る。〕に該当し、かつ、当該取得をする見込みである資産が同表の旧②の右欄に掲げる資産に該当する場合には、$\frac{70}{100}$。②において同じ。）に相当する金額以下の金額を当該譲渡の日を含む事業年度の確定した決算において特別勘定を設ける方法（当該事業年度の決算の確定の日までに剰余金の処分により積立金として積み立てる方法を含む。）により経理した場合に限り、その経理した金額に相当する金額は、当該事業年度の所得の金額の計算上、損金の額に算入する。（措法65の８旧①、措令39の７旧⑪旧㉘）

$$\text{特別勘定に経理することができる金額} = \text{譲渡の対価の額で買換資産の取得に充てようとするものの金額} \times \text{差益割合} \times \frac{80}{100}\left(\text{又は}\frac{70}{100}\right)$$

注３　──線部分（注２に係る部分に限る。）は、令和２年度改正により改正された部分で、**１**の注５の経過措置の適用を受ける場合については、①は次による。（令２改法附88①②、令２改措令附34）

　法人が、昭和45年４月１日から令和２年３月31日までの期間（②において「**対象期間**」という。）内に、その有する資産で**１**《特定の資産の買換えの場合の圧縮記帳》の注６の表の旧①から旧⑧までの左欄に掲げるもの（その譲渡につき第二節第一款の**五**《短期所有に係る土地の譲渡等がある場合の特別税率》の適用がある土地等を除く。）の譲渡をした場合において、当該譲渡をした日を含む事業年度（解散の日を含む事業年度及び被合併法人の合併〔適格合併を除く。〕の日の前日を含む事業年度を除く。）終了の日の翌日から１年を経過する日までの期間（工場等の敷地の用に供するための宅地の造成並びに当該工場等の建設及び移転に要する期間が通常１年を超えると認められる事情その他これに準ずる事情があるため、当該期間内にそれぞれ同表の旧①から旧⑧までの右欄に掲げる資産の取得をすることが困難である場合において、納税地の所轄税務署長の承認を受けたときは、当該資産の取得をすることができるものとして、同日後２年以内において当該税務署長が認定した日までの期間。以下①及び③において「**取得指定期間**」という。）内にそれぞれ同表の旧①から旧⑧までの右欄に掲げる資産の取得をする見込みであり、かつ、当該取得の日から１年以内に当該取得をした資産をそれぞれ同表の旧①から旧⑧までの右欄に掲げる地域内にある当該法人の事業の用（同表の旧⑧の右欄に掲げる資産については、その法人の事業の用）に供する見込みであるとき（当該譲渡をした日を含む事業年度終了の日後に当該譲渡をした法人が被合併法人、分割法人又は現物出資法人となる適格合併、適格分割又は適格現物出資〔以下①において「適格合併等」という。〕を行う場合において、当該適格合併等に係る合併法人、分割承継法人又は被現物出資法人〔①において「合併法人等」という。〕が取得指定期間内に当該譲渡をした資産に係る同表の旧①から旧⑧までの右欄に掲げる資産の取得をする見込みであり、かつ、当該取得の日から１年以内に当該合併法人等において当該取得をした資産を当該適格合併等により移転を受ける同表の旧①から旧⑧までの右欄に掲げる地域内にある事業の用〔同表の旧⑧の右欄に掲げる資産については、その移転を受ける事業の用〕に供する見込みであるときを含む。）は、当該譲渡をした資産の譲渡に係る対価の額のうち当該譲渡をした資産に係る同表の旧①から旧⑧までの右欄に掲げる資産の取得に充てようとする額に差益割合を乗じて計算した金額の$\frac{80}{100}$に相当する金額以下の金額を当該譲渡の日を含む事業年度の確定した決算において特別勘定を設ける方法（当該事業年度の決算の確定の日までに剰余金の処分により積立金として積み立てる方法を含む。）により経理した場合に限り、その経理した金額に相当する金額は、当該事業年度の所得の金額の計算上、損金の額に算入する。（措法65の８旧①、措令39の７旧⑪旧㉙）

第三章　第一節　第十五款　七《特定の資産の買換えの圧縮記帳》

$$\text{特別勘定に経理することができる金額} = \text{譲渡の対価の額で買換資産の取得に充てようとするものの金額} \times \text{差益割合} \times \frac{80}{100}$$

　　　（特別勘定の経理）
（1）　特別勘定の経理は、積立金として積み立てる方法のほか、仮受金等として経理する方法によることもできるものとする。（措通64〜66（共）－1、基通10－1－1参照）

　　　（取得指定期間の認定）
（2）　①の括弧書に掲げる取得指定期間の認定は、工場等を構成する買換資産の取得の事情に基づいて個々に行うのであるから、例えば工場建設に3年を要するときであっても、その敷地たる土地については、①の括弧書に掲げるやむを得ない事情がない限り、取得指定期間の延長は認められないことに留意する。（措通65の7（4）－1・編者補正）
　　　注1　適格分割等を行った場合については、「①の括弧書」とあるのは「①の括弧書（②の表のイの括弧書を含む。）」とする。（編者）
　　　注2　取得指定期間の延長が認められる事情は、専ら技術的、物理的な事情をいうのであり、資金繰りの都合でその取得が遅れる場合を含まない。なお、建物を他人に建設させてから購入することとしている場合において、その建物の建設の期間が1年を超えるときは、延長の申請の対象とすることができる。（編者）

　　　（取得指定期間の認定を行う場合のやむを得ない事情）
（3）　①の括弧書に掲げる取得指定期間の認定を行う場合における「その他これに準ずる事情」には、取得資産について次に掲げるような事情があるためやむを得ずその取得が遅延する場合が含まれるものとする。（措通65の7（4）－2）
（一）　法令の規制等によりその取得に関する計画の変更を余儀なくされたこと。
（二）　売主その他の関係者との交渉が長びき容易にその取得ができないこと。
（三）　（一）又は（二）に準ずる特別な事情があること。
　　　注　適格分割等を行った場合については、「①の括弧書」とあるのは「①の括弧書（②の表のイの括弧書を含む。）」とする。（編者）

　　　（取得指定期間の再延長）
（4）　法人が①の括弧書に掲げる取得指定期間の延長の承認を受けている場合において、その承認後①の括弧書のやむを得ない事情が生じたため、その承認に係る取得指定期間内に買換資産を取得することが困難であると認められるときは、法人の申請に基づきその取得指定期間を変更することができる。（措通65の7（4）－3）
　　　注　適格分割等を行った場合については、「①の括弧書」とあるのは「①の括弧書（②の表のイの括弧書を含む。）」とする。（編者）

　　　（取得指定期間の延長の申請）
（5）　取得指定期間の延長につき税務署長の承認を受けようとする法人は、譲渡資産の譲渡をした日を含む事業年度終了の日の翌日から2か月（その日から2か月を経過した日以後に①の括弧書に掲げるやむを得ない事情が生じたため、取得指定期間内に資産の取得〔建設及び製作を含む。以下同じ。〕をすることが困難であることとなった場合には、当該事情の生じた日から2か月）以内に、次に掲げる事項を記載した申請書を納税地の所轄税務署長に提出しなければならない。（措令39の7㉕）
（一）　申請者の名称、納税地及び法人番号
（二）　その申請の日における①に掲げる特別勘定の金額
（三）　取得をする見込みである資産の種類、構造、規模（土地等にあっては、その面積）及び価額
（四）　①の括弧書に掲げるやむを得ない事情の詳細
（五）　（三）の資産の取得予定年月日及び税務署長の認定を受けようとする日
（六）　その他参考となるべき事項
　　　注　──線部分は、令和3年度改正により改正された部分で、改正規定は、令和3年4月1日から適用され、令和3年3月31日以前の適用については、「資産」とあるのは「買換資産」とする。（令3改措令附1）

② **適格分割等を行った場合の分割法人等における譲渡益の期中特別勘定経理**
　　法人が、**対象期間内**に①に掲げる譲渡をし、かつ、その譲渡の日を含む事業年度において適格分割又は適格現物出資（その日以後に行われる場合に限る。以下 **6** 〔⑤を除く。〕において「適格分割等」という。）を行う場合において、次の表に掲げる要件を満たすときは、当該譲渡をした資産の譲渡に係る対価の額のうち当該適格分割等に係る分割承継法人又は被現物出資法人において当該譲渡をした資産に係る **1** の表の①から④までの右欄に掲げる資産の取得に充てようとする額に

第三章　第一節　第十五款　七《特定の資産の買換えの圧縮記帳》

差益割合を乗じて計算した金額の$\frac{80}{100}$に相当する金額の範囲内で①の特別勘定に相当するもの（以下七において「**期中特別勘定**」という。）を設けたときに限り、その設けた期中特別勘定の金額に相当する金額は、当該事業年度の所得の金額の計算上、損金の額に算入する。（措法65の8②、65の7③、措令39の7⑨）

イ	当該分割承継法人又は被現物出資法人において当該適格分割等の日から当該譲渡の日を含む事業年度終了の日の翌日以後1年を経過する日までの期間（工場等の敷地の用に供するための宅地の造成並びに当該工場等の建設及び移転に要する期間が通常1年を超えると認められる事情その他これに準ずる事情があるため、当該分割承継法人又は被現物出資法人が当該期間内に同表の①から④までの右欄に掲げる資産の取得をすることが困難である場合において、当該譲渡をした法人が納税地の所轄税務署長の承認を受けたときは、当該資産の取得をすることができるものとして、同日後2年以内において当該税務署長が認定した日までの期間。）内に同表の①から④までに掲げる資産の取得をすることが見込まれること。
ロ	イの取得の日から1年以内に当該分割承継法人又は被現物出資法人において当該取得をした資産を当該適格分割等により移転を受ける同表の①から④までの右欄に掲げる地域内にある事業の用（同表の④の右欄に掲げる資産については、その移転を受ける事業の用）に供することが見込まれること。

注1　──線部分は、令和5年度改正により改正された部分で、1の注1の経過措置の適用を受ける場合については、「①に掲げる譲渡」とあるのは「①の注1に掲げる譲渡」と、「1の表の①から④まで」とあるのは「1の注2の表の旧①から旧⑤まで」と、「同表の①から④まで」とあるのは「同表の旧①から旧⑤まで」と、「同表の④」とあるのは「同表の旧⑤」とする。（令5改法附46②）

注2　──線部分は、令和3年度改正により改正された部分で、1の注3の経過措置の適用を受ける場合については、「①に掲げる譲渡」とあるのは「①の注2に掲げる譲渡」と、「1の表の①から④まで」とあるのは「1の注4の表の旧①から旧⑦まで」と、「同表の①から④まで」とあるのは「同表の旧①から旧⑦まで」と、「同表の④」とあるのは「同表の旧⑦」とする。（令3改法附52②）

注3　──線部分は、令和2年度改正により改正された部分で、1の注5の経過措置の適用を受ける場合については、「①に掲げる譲渡」とあるのは「①の注3に掲げる譲渡」と、「1の表の①から④まで」とあるのは「1の注6の表の旧①から旧⑧まで」と、「同表の①から④まで」とあるのは「同表の旧①から旧⑧まで」と、「同表の④」とあるのは「同表の旧⑧」とする。（令2改法附88①②、令2改措令附34）

（適格分割等を行った場合の期中特別勘定に関する届出）

（1）　②は、その適用を受けようとする法人が適格分割等の日以後2か月以内に次に掲げる事項を記載した書類を納税地の所轄税務署長に提出した場合に限り、適用する。（措法65の8③、措規22の7⑤）

(一)	②の適用を受けようとする法人の名称、納税地及び法人番号並びに代表者の氏名
(二)	分割承継法人又は被現物出資法人（以下（1）において「分割承継法人等」という。）の名称及び納税地並びに代表者の氏名
(三)	適格分割等の年月日
(四)	譲渡資産の種類、構造又は用途、規模（土地等にあっては、その面積）、所在地及び譲渡年月日（船舶にあっては、種類、構造又は用途、規模及び譲渡年月日）
(五)	分割承継法人等において取得をする見込みである資産の種類、構造、規模（土地等にあっては、その面積）、所在地及び取得予定年月日（船舶にあっては、種類、構造、規模及び取得予定年月日）
(六)	②により損金の額に算入される期中特別勘定の金額及びその金額の計算に関する明細
(七)	(五)の取得をする見込みである資産の分割承継法人等におけるその適用に係る1の表の①から④までの区分
(八)	その他参考となるべき事項

注1　──線部分（(四)及び(七)に係る部分に限る。）は、令和5年度改正により改正された部分で、改正規定は、令和6年4月1日以後に1の表の左欄に掲げる資産の譲渡をして、令和6年4月1日以後に同表の右欄に掲げる資産の取得をする場合の当該資産及び当該資産に係る①又は②の特別勘定又は期中特別勘定について適用し、令和6年3月31日以前に1の注2の表の左欄に掲げる資産の譲渡をした場合における令和6年3月31日以前に取得をした同表の右欄に掲げる資産又は令和6年4月1日以後に取得をする同表の右欄に掲げる資産及びこれらの資産に係る①又は②の特別勘定又は期中特別勘定並びに令和6年4月1日以後に同表の左欄に掲げる資産の譲渡をする場合における令和6年3月31日以前に取得をした同表の右欄に掲げる資産については、上表の(四)及び(七)は次による。（令5改措規附6①、1Ⅳ）

旧(四)	譲渡資産の種類、所在地及び規模（土地等にあっては、その面積）並びにその譲渡年月日
旧(七)	(五)の取得をする見込みである資産について分割承継法人等において適用を受けることとしている**1の表の①から④までの区分**

注2　──線部分（(五)及び注1の旧(七)に係る部分に限る。）は、令和5年度改正により改正された部分で、1の注1の経過措置の適用を受ける場合については、上表の(五)及び注1の旧(七)は次による。（令5改法附46②）

旧(五)	分割承継法人等において取得をする見込みである資産の種類及び取得予定年月日（1の注2の表の旧①から旧④までの右欄に掲げる資産にあっては、種類、構造、所在地及び規模〔土地等にあっては、その面積〕並びにその取得予定年月日）
旧(七)	(五)の取得をする見込みである資産について分割承継法人等において適用を受けることとしている同表の旧①から旧⑤までの区分

注3　――線部分（注2に係る部分に限る。）は、令和3年度改正により改正された部分で、1の注3の経過措置の適用を受ける場合については、注2の旧(五)中「1の注2の表の旧①から旧④まで」とあるのは「1の注4の表の旧①から旧⑥まで」とし、注2の旧(七)中「同表の旧①から旧⑤まで」とあるのは「同表の旧①から旧⑦まで」とする。（令3改法附52②）

注4　――線部分（注2に係る部分に限る。）は、令和2年度改正により改正された部分で、1の注5の経過措置の適用を受ける場合については、注2の旧(五)中「1の注2の表の旧①から旧④まで」とあるのは「1の注6の表の旧①から旧⑦まで」とし、注2の旧(七)中「同表の旧①から旧⑤まで」とあるのは「同表の旧①から旧⑧まで」とする。（令2改法附88①②、令2改措附34）

注5　(六)に掲げる事項の記載については、別表十三(五)の書式によらなければならない。（規27の14）

　（取得指定期間の延長の申請）
（2）　②のイに掲げる税務署長の承認を受けようとする法人は、適格分割等の日以後2か月以内に、次に掲げる事項を記載した申請書を納税地の所轄税務署長に提出しなければならない。（措法65の8⑳、措令39の7㉘）

(一)	申請者の名称、納税地及び法人番号
(二)	②により設ける期中特別勘定の金額
(三)	当該適格分割等に係る②に掲げる分割承継法人又は被現物出資法人において取得をする見込みである資産の種類、構造、規模（土地等にあっては、その面積）及び価額
(四)	②のイに掲げるやむを得ない事情の詳細
(五)	(三)の資産の取得予定年月日及び②のイに掲げる認定を受けようとする日
(六)	その他参考となるべき事項

　（取得指定期間の認定）
（3）　①の括弧書（②の表のイの括弧書を含む。以下(5)までにおいて同じ。）の取得指定期間の認定は、工場等を構成する買換資産の取得の事情に基づいて個々に行うのであるから、例えば工場建設に3年を要するときであっても、その敷地たる土地については、①の括弧書に掲げるやむを得ない事情がない限り、取得指定期間の延長は認められないことに留意する。（措通65の7(4)-1）

　（取得指定期間の認定を行う場合のやむを得ない事情）
（4）　①の括弧書の取得指定期間の認定を行う場合における同括弧書に掲げる「その他これに準ずる事情」には、取得資産について次に掲げるような事情があるためやむを得ずその取得が遅延する場合が含まれるものとする。（措通65の7(4)-2）
　(一)　法令の規制等によりその取得に関する計画の変更を余儀なくされたこと。
　(二)　売主その他の関係者との交渉が長びき容易にその取得ができないこと。
　(三)　(一)又は(二)に準ずる特別な事情があること。

　（取得指定期間の再延長）
（5）　法人が①の括弧書の取得指定期間の延長の承認を受けている場合において、その承認後同括弧書に掲げるやむを得ない事情が生じたため、その承認に係る取得指定期間内に買換資産を取得することが困難であると認められるときは、法人の申請に基づきその取得指定期間を変更することができる。（措通65の7(4)-3）

③　**適格合併等を行った場合の特別勘定の引継ぎ**
　法人が、適格合併、適格分割又は適格現物出資を行った場合には、次の表の左欄に掲げる適格合併、適格分割又は適格現物出資の区分に応じそれぞれ同表の右欄に掲げる特別勘定の金額又は期中特別勘定の金額は、当該適格合併、適格分割又は適格現物出資に係る合併法人、分割承継法人又は被現物出資法人に引き継ぐものとする。（措法65の8④、措令39の7㉙）

イ	適格合併	当該適格合併直前において有する特別勘定の金額（既に益金の額に算入された、又は益金の額に算入されるべき金額がある場合には、これらの金額を控除した金額とする。以下**七**において同じ。）	
ロ	適格分割等	当該適格分割等の直前において有する**6**の①の特別勘定の金額のうち当該適格分割等に係る分割承継法人又は被現物出資法人が取得指定期間の末日までに**1**の表の①から④までの右欄に掲げる資産の取得をすることが見込まれ、かつ、当該取得の日から１年以内に当該分割承継法人又は被現物出資法人において当該取得をした資産を当該適格分割等により移転を受ける<u>同表の①から④までの右欄に掲げる地域内にある事業の用</u>（同表の④の右欄に掲げる資産については、その移転を受ける事業の用）に供することが見込まれる場合における当該資産の取得に充てようとする額に差益割合を乗じて計算した金額に対応する部分の金額の$\frac{80}{100}$に相当する金額（ロの特別勘定の金額が次の表の左欄に掲げる資産の取得に係る特別勘定の金額である場合には、当該計算した金額に同表のそれぞれ右欄に掲げる割合を乗じて計算した金額）及び当該適格分割等に際して設けた期中特別勘定の金額	
		(イ) ①の譲渡をした資産が**1**の表の①の左欄に掲げる資産（同欄のハに掲げる区域内にあるものに限る。）に該当し、かつ、その取得をする見込みである資産が同①の右欄に掲げる資産に該当する場合における当該取得をする見込みである資産	$\frac{70}{100}$
		(ロ) ⑨において読み替えて準用する**5**に掲げるときにおける同**5**の表の①に掲げる地域内にある資産	$\frac{90}{100}$
		(ハ) ⑨において読み替えて準用する**5**に掲げるときにおける同**5**の表の②に掲げる地域内にある資産	$\frac{75}{100}$
		(ニ) ⑨において読み替えて準用する**5**に掲げるときにおける同**5**の表の③に掲げる地域内にある資産	$\frac{70}{100}$ <u>（**6**の①の譲渡をした資産及びその取得をする見込みである資産のいずれもが**5**に掲げる本店資産に該当する場合には、$\frac{60}{100}$）</u>

注１ ――線部分（本文に係る部分に限る。）は、令和５年度改正により改正された部分で、**1**の注１の経過措置の適用を受ける場合については、③は次による。（令５改法附46②、令５改措附１）

法人が、適格合併、適格分割又は適格現物出資を行った場合には、次の表の左欄に掲げる適格合併、適格分割又は適格現物出資の区分に応じそれぞれ同表の右欄に掲げる特別勘定の金額又は期中特別勘定の金額は、当該適格合併、適格分割又は適格現物出資に係る合併法人、分割承継法人又は被現物出資法人に引き継ぐものとする。（措法65の８旧④、措令39の７旧㉙）

旧イ	適格合併	当該適格合併直前において有する特別勘定の金額（既に益金の額に算入された、又は益金の額に算入されるべき金額がある場合には、これらの金額を控除した金額とする。以下**七**において同じ。）	
旧ロ	適格分割等	当該適格分割等の直前において有する**6**の①の特別勘定の金額のうち当該適格分割等に係る分割承継法人又は被現物出資法人が取得指定期間の末日までに**1**の注２の表の旧①から旧⑤までの右欄に掲げる資産の取得をすることが見込まれ、かつ、当該取得の日から１年以内に当該分割承継法人又は被現物出資法人において当該取得をした資産を当該適格分割等により移転を受ける同表の旧①から旧⑤までの右欄に掲げる地域内にある事業の用（同表の旧⑤の右欄に掲げる資産については、その移転を受ける事業の用）に供することが見込まれる場合における当該資産の取得に充てようとする額に差益割合を乗じて計算した金額に対応する部分の金額の$\frac{80}{100}$に相当する金額（ロの特別勘定の金額が次の表の左欄に掲げる資産の取得に係る特別勘定の金額である場合には、当該計算した金額に同表のそれぞれ右欄に掲げる割合を乗じて計算した金額）及び当該適格分割等に際して設けた期中特別勘定の金額	
		(イ) ①の譲渡をした資産が**1**の注２の表の旧②の左欄に掲げる資産（令和２年３月31日以前に同欄のイ若しくはロに掲げる区域となった区域内又は同欄のハに掲げる区域内にあるものに限る。）に該当し、かつ、その取得をする見込みである資産が同旧②の右欄に掲げる資産に該当する場合における当該取得をする見込みである資産	$\frac{70}{100}$
		(ロ) ⑧において読み替えて準用する**5**に掲げるときにおける同**5**の表の①に掲げる地域内にある資産	$\frac{70}{100}$

第三章　第一節　第十五款　七《特定の資産の買換えの圧縮記帳》

		(ハ) ⑧において読み替えて準用する5に掲げるときにおける同5の表の②に掲げる地域内にある資産	$\frac{75}{100}$

注2　――線部分（注1に係る部分に限る。）は、令和3年度改正により改正された部分で、1の注3の経過措置の適用を受ける場合については、③は次による。（令3改法附52②）

法人が、適格合併、適格分割又は適格現物出資を行った場合には、次の表の左欄に掲げる適格合併、適格分割又は適格現物出資の区分に応じそれぞれ同表の右欄に掲げる特別勘定の金額又は期中特別勘定の金額は、当該適格合併、適格分割又は適格現物出資に係る合併法人、分割承継法人又は被現物出資法人に引き継ぐものとする。（措法65の8旧④、措令39の7旧㉛）

旧イ	適格合併	当該適格合併直前において有する特別勘定の金額（既に益金の額に算入された、又は益金の額に算入されるべき金額がある場合には、これらの金額を控除した金額とする。以下七において同じ。）	
旧ロ	適格分割等	当該適格分割等の直前において有する6の①の特別勘定の金額のうち当該適格分割等に係る分割承継法人又は被現物出資法人が取得指定期間の末日までに1の注4の表の旧①から旧⑦までの右欄に掲げる資産の取得をすることが見込まれ、かつ、当該取得の日から1年以内に当該分割承継法人又は被現物出資法人において当該取得をした資産を当該適格分割等により移転を受ける同表の旧①から旧⑦までの右欄に掲げる地域内にある事業の用（同表の旧⑦の右欄に掲げる資産については、その移転を受ける事業の用）に供することが見込まれる場合における当該資産の取得に充てようとする額に差益割合を乗じて計算した金額に対応する部分の金額の$\frac{80}{100}$に相当する金額（ロの特別勘定の金額が次の表の左欄に掲げる資産の取得に係る特別勘定の金額である場合には、当該計算した金額に同表のそれぞれ右欄に掲げる割合を乗じて計算した金額）及び当該適格分割等に際して設けた**期中特別勘定の金額**	
		(イ) ①の譲渡をした資産が1の注2の表の旧②の左欄に掲げる資産（令和2年3月31日以前に同欄のイ若しくはロに掲げる区域となった区域内又は同欄のハに掲げる区域内にあるものに限る。）に該当し、かつ、その取得をする見込みである資産が同②の右欄に掲げる資産に該当する場合における当該取得をする見込みである資産	$\frac{70}{100}$
		(ロ) ⑧において読み替えて準用する5に掲げるときにおける同5の表の①に掲げる地域内にある資産	$\frac{70}{100}$
		(ハ) ⑧において読み替えて準用する5に掲げるときにおける同5の表の②に掲げる地域内にある資産	$\frac{75}{100}$

注3　――線部分（注2に係る部分に限る。）は、令和2年度改正により改正された部分で、1の注5の経過措置の適用を受ける場合については、③は次による。（令2改法附88①②、令2改措令附34）

法人が、適格合併、適格分割又は適格現物出資を行った場合には、次の表の左欄に掲げる適格合併、適格分割又は適格現物出資の区分に応じ、それぞれ同表の右欄に掲げる特別勘定の金額又は期中特別勘定の金額は、当該適格合併、適格分割又は適格現物出資に係る合併法人、分割承継法人又は被現物出資法人に引き継ぐものとする。（措法65の8旧④、措令39の7旧㉜）

旧イ	適格合併	当該適格合併直前において有する特別勘定の金額（既に益金の額に算入された、又は益金の額に算入されるべき金額がある場合には、これらの金額を控除した金額とする。以下七において同じ。）	
旧ロ	適格分割等	当該適格分割等の直前において有する6の①の特別勘定の金額のうち当該適格分割等に係る分割承継法人又は被現物出資法人が取得指定期間の末日までに1の注6の表の旧①から旧⑧までの右欄に掲げる資産の取得をすることが見込まれ、かつ、当該取得の日から1年以内に当該分割承継法人又は被現物出資法人において当該取得をした資産を当該適格分割等により移転を受ける同表の旧①から旧⑧までの右欄に掲げる地域内にある事業の用（同表の旧⑧の右欄に掲げる資産については、その移転を受ける事業の用）に供することが見込まれる場合における当該資産の取得に充てようとする額に差益割合を乗じて計算した金額に対応する部分の金額の$\frac{80}{100}$に相当する金額（ロの特別勘定の金額が次の表の左欄に掲げる資産の取得に係る特別勘定の金額である場合には、当該計算した金額に同表のそれぞれ右欄に掲げる割合を乗じて計算した金額）及び当該適格分割等に際して設けた**期中特別勘定の金額**	
		(イ) ⑧において読み替えて準用する5に掲げるときにおける同5の表の①に掲げる地域内にある資産	$\frac{70}{100}$
		(ロ) ⑧において読み替えて準用する5に掲げるときにおける同5の表の②に掲げる地域内にある資産	$\frac{75}{100}$

（適格合併等を行った場合の特別勘定の引継ぎに関する届出）

（1）　③《適格合併等を行った場合の特別勘定の引継ぎ》は、特別勘定を設けている法人で適格分割等を行ったもの（当該特別勘定及び期中特別勘定の双方を設けている法人であって、適格分割等により分割承継法人又は被現物出資法人に当該期中特別勘定の金額のみを引き継ぐものを除く。）にあっては、当該特別勘定を設けている法人が当該適格分割等の日以後2か月以内に次に掲げる事項を記載した書類を納税地の所轄税務署長に提出した場合に限り、適用する。（措法65の8⑤、措規22の7⑥）

(一)	③の適用を受けようとする内国法人の名称、納税地及び法人番号並びに代表者の氏名
(二)	③の表のロに掲げる分割承継法人又は被現物出資法人の名称及び納税地並びに代表者の氏名

(三)	適格分割等の年月日
(四)	③により分割承継法人等に引き継ぐ③の表の口に掲げる特別勘定の金額又は期中特別勘定の金額
(五)	(四)に掲げる特別勘定の金額又は期中特別勘定の金額に係る譲渡資産の種類、<u>構造又は用途</u>、規模（土地等にあっては、その面積）、所在地及び譲渡年月日（船舶にあっては、種類、構造又は用途、規模及び譲渡年月日）
(六)	分割承継法人等において取得をする見込みである資産の種類、構造、規模〔土地等にあっては、その面積〕、所在地及び取得予定年月日〔船舶にあっては、種類、構造、規模及び取得予定年月日〕
(七)	(六)の取得をする見込みである資産の<u>その適用に係る1の表の①から④までの区分</u>
(八)	その他参考となるべき事項

注1 ──線部分（（五）及び（七）に係る部分に限る。）は、令和5年度改正により改正された部分で、改正規定は、令和6年4月1日以後に1の表の左欄に掲げる資産の譲渡をして、令和6年4月1日以後に同表の右欄に掲げる資産の取得をする場合の当該資産及び当該資産に係る①又は②の特別勘定又は期中特別勘定について適用し、令和6年3月31日以前に1の表の左欄に掲げる資産の譲渡をした場合における令和6年3月31日以前に取得をした同表の右欄に掲げる資産又は令和6年4月1日以後に取得をする同表の右欄に掲げる資産及びこれらの資産に係る①又は②の特別勘定又は期中特別勘定並びに令和6年4月1日以後に同表の左欄に掲げる資産の譲渡をする場合における令和6年3月31日以前に取得をした同表の右欄に掲げる資産については、上表の(五)及び(七)は次による。（令5改規附6①、1Ⅳ）

旧(五)	(四)に掲げる特別勘定の金額又は期中特別勘定の金額に係る譲渡資産の種類、所在地及び規模（土地等にあっては、その面積）並びにその譲渡年月日
旧(七)	(六)の取得をする見込みである資産について適用を受けることとしている同表の①から④までの区分

注2 ──線部分（（六）及び注1の旧(七)に係る部分に限る。）は、令和5年度改正により改正された部分で、1の注1の経過措置の適用を受ける場合については、上表の(六)及び注1の旧(七)は次による。（令5改法附46②）

旧(六)	分割承継法人等において取得をする見込みである資産の種類及び取得予定年月日（1の注2の表の旧①から旧④までの右欄に掲げる資産にあっては、種類、構造、所在地及び規模〔土地等にあっては、その面積〕並びにその取得予定年月日）
旧(七)	(六)の取得をする見込みである資産について適用を受けることとしている同表の旧①から旧⑤までの区分

注3 ──線部分（注2に係る部分に限る。）は、令和3年度改正により改正された部分で、1の注3の経過措置の適用を受ける場合については、注2の旧(六)中「1の注2の表の旧①から旧④まで」とあるのは「1の注4の表の旧①から旧⑥まで」とし、注2の旧(七)中「同表の旧①から旧⑤まで」とあるのは「同表の旧①から旧⑦まで」とする。（令3改法附52②）

注4 ──線部分（注2に係る部分に限る。）は、令和2年度改正により改正された部分で、1の注5の経過措置の適用を受ける場合については、注2の旧(六)中「1の注2の表の旧①から旧④まで」とあるのは「1の注6の表の旧①から旧⑦まで」とし、注2の旧(七)中「同表の旧①から旧⑤まで」とあるのは「同表の旧①から旧⑧まで」とする。（令2改法附88①②、令2改措令附34）

注5 適格分割等に際して期中特別勘定を設ける場合には、別途②の(1)《適格分割等を行った場合の期中特別勘定に関する届出》に係る届出書を提出しなければならない。（編者）

注6 適格合併による特別勘定の引継ぎの場合には、この税務署長への届出の必要はない。（編者）

（適格合併等により引継ぎを受けた特別勘定の合併法人等における取扱い）

（2） ③《適格合併等を行った場合の特別勘定の引継ぎ》により合併法人、分割承継法人又は被現物出資法人が引継ぎを受けた特別勘定の金額又は期中特別勘定の金額は、当該合併法人、分割承継法人又は被現物出資法人が①《譲渡益の特別勘定経理》により設けている特別勘定の金額とみなす。（措法65の8⑥）

④ 特別勘定を設けている法人の圧縮記帳

①に掲げる特別勘定を設けている法人が、①に掲げる取得指定期間（当該特別勘定の金額が、次の表の左欄に掲げる場合には、それぞれ同表の右欄に掲げる期間〔引継ぎを受けた日以後に工場等の敷地の用に供するための宅地の造成並びに当該工場等の建設及び移転に要する期間が1年を超えると認められる事情その他これに準ずる事情が生じたため、当該特別勘定を設けている法人が次の表の右欄に掲げる期間内に**1の表の①から④までの右欄に掲げる資産の取得**をすることが困難である場合において、当該法人が納税地の所轄税務署長の承認を受けたときは、次の表の右欄に掲げる期間の初日から認定日〈同表の右欄に掲げる当該特別勘定又は期中特別勘定の基礎となった譲渡をした日を含む事業年度終了の日の翌日以後3年以内において当該税務署長が認定した日をいう。〉までの期間〕。以下⑤及び⑥において「**取得指定期間**」という。）内に当該特別勘定に係る<u>同表の①から④までの右欄に掲げる資産の取得</u>をした場合において、当該取得の日から1年以内に、当該買換資産をそれぞれ同表の①から④までの右欄に掲げる地域内にある当該法人の事業の用（同表の④の右欄

第三章　第一節　第十五款　七《特定の資産の買換えの圧縮記帳》

に掲げる資産については、その法人の事業の用）に供したとき（当該取得の日を含む事業年度において当該事業の用に供しなくなったときを除く。）、又は供する見込みであるとき（当該取得をした日を含む事業年度終了の日後に当該買換資産を適格合併、適格分割、適格現物出資又は適格現物分配〔以下④において「適格合併等」という。〕により合併法人、分割承継法人、被現物出資法人又は被現物分配法人〔以下④において「合併法人等」という。〕に移転する場合において、当該合併法人等が当該取得の日から１年以内に当該買換資産を当該適格合併等により移転を受ける同表の①から④までの右欄に掲げる地域内にある事業の用〔同表の④の右欄に掲げる資産については、その移転を受ける事業の用〕に供する見込みであるときを含む。）は、当該買換資産の取得をした日を含む事業年度の確定した決算において、当該買換資産につき１《特定の資産の買換えの場合の圧縮記帳》に準じて圧縮記帳をすることができる。（措法65の８⑦、措令39の７㉚㉜）

　この場合において、その買換資産に係る特別勘定の金額のうち、当該買換資産の圧縮基礎取得価額に差益割合を乗じて計算した金額の$\frac{80}{100}$に相当する金額（④に掲げる特別勘定の金額が③の表のロの(イ)及び(ロ)に掲げる資産の取得に係る特別勘定の金額である場合には、当該計算した金額に同ロの(イ)及び(ロ)の右欄に掲げる割合を乗じて計算した金額）は、当該買換資産の取得の日を含む事業年度の所得の金額の計算上、益金の額に算入する。（措法65の８⑨、措令39の７㉟）

イ	①に掲げる特別勘定の金額が③《適格合併等を行った場合の特別勘定の引継ぎ》により引継ぎを受けた③の表のイ又はロに掲げる特別勘定の金額である場合	当該引継ぎを受けた日から①に掲げる取得指定期間の末日までの期間
ロ	①に掲げる特別勘定の金額が③により引継ぎを受けた③の表のロに掲げる期中特別勘定の金額である場合	分割承継法人又は被現物出資法人において当該適格分割又は適格現物出資の日から当該譲渡の日を含む事業年度終了の日の翌日以後１年を経過する日までの期間（工場等の敷地の用に供するための宅地の造成並びに当該工場等の建設及び移転に要する期間が通常１年を超えると認められる事情その他これに準ずる事情があるため、当該分割承継法人又は被現物出資法人が当該期間内に１の表の①から④までの右欄に掲げる資産の取得をすることが困難である場合において、当該譲渡をした法人が納税地の所轄税務署長の承認を受けたときは、当該資産の取得をすることができるものとして、同日後２年以内において当該税務署長が認定した日までの期間。）

注１　――線部分は、令和５年度改正により改正された部分で、１の注１の経過措置の適用を受ける場合については、「１の表の①から④まで」とあるのは「１の注２の表の旧①から旧⑤まで」と、「同表の①から④まで」とあるのは「同表の旧①から旧⑤まで」と、「同表の④」とあるのは「同表の旧⑤」とする。（令５改法附46②）

注２　――線部分は、令和３年度改正により改正された部分で、１の注３の経過措置の適用を受ける場合については、「１の表の①から④まで」とあるのは「１の注４の表の旧①から旧⑦まで」と、「同表の①から④まで」とあるのは「同表の旧①から旧⑦まで」と、「同表の④」とあるのは「同表の旧⑦」とする。（令３改法附52②）

注３　――線部分は、令和２年度改正により改正された部分で、１の注５の経過措置の適用を受ける場合については、「１の表の①から④まで」とあるのは「１の注６の表の旧①から旧⑧まで」と、「同表の①から④まで」とあるのは「同表の旧①から旧⑧まで」と、「同表の④」とあるのは「同表の旧⑧」とする。（令２改法附88①②、令２改措令附34）

（取得指定期間の延長の申請）

（１）　④の税務署長の承認を受けようとする法人は、④に掲げるやむを得ない事情が生じた日以後２か月以内に、次に掲げる事項を記載した申請書を納税地の所轄税務署長に提出しなければならない。（措令39の７㉛）

(一)	申請者の名称、納税地及び法人番号
(二)	その申請の日における③のイに掲げる特別勘定の金額
(三)	取得をする見込みである資産の種類、構造、規模（土地等にあっては、その面積）及び価額
(四)	④に掲げるやむを得ない事情の詳細
(五)	(三)の資産の取得予定年月日及び④に掲げる認定を受けようとする日
(六)	その他参考となるべき事項

　　　　　　（取得指定期間の延長をした場合の特別勘定）
（２）　同一事業年度分の譲渡対価に係る特別勘定について、**６**の①の括弧書による取得指定期間の認定を受けたものに係る金額（以下（３）までにおいて「長期特別勘定の金額」という。）とその他の金額（以下（２）において「普通特別勘定の金額」という。）とがある場合には、長期特別勘定の金額（当該認定に係る申請が２以上あるときは、それぞれの申請書ごとの長期特別勘定の金額）と普通特別勘定の金額とを区分経理しなければならないものとし、かつ、長期特別勘定の金額は、当該認定に係る申請書に記載された買換資産（当該申請書が２以上あるときは、それぞれの長期特別勘定の金額についてそれぞれの申請書に記載された買換資産）の取得にのみ充てられるものとして計算する。したがって、原則として長期特別勘定の金額の剰余額を当該認定に係る申請書に記載された買換資産以外の買換資産に充てるものとして計算することはできないことに留意する。（措通65の７（４）－４・編者補正）
　　　注　適格分割等を行った場合については、「①の括弧書」とあるのは「①の括弧書（**６**の②の表のイの括弧書を含む。）」とする。（編者）

　　　　　　（やむを得ない事情がある場合の長期特別勘定の流用）
（３）　法人が、長期特別勘定の金額を有している場合において、やむを得ない事情により当該長期特別勘定に係る取得指定期間内にその認定に係る買換資産の全部又は一部を取得することが困難となったため、当該買換資産以外の資産を買換資産とすることにつき当該事業年度終了の日までに所轄税務署長（国税局の調査部〔課〕所管法人にあっては、所轄国税局長）に申し出て、その確認を受けたときは、当該資産を当該長期特別勘定に係る買換資産として④の特別勘定を有する法人が買換資産を取得した場合の圧縮記帳をすることができるものとする。（措通65の７（４）－５）

　　　　　　（前事業年度分以前の特別勘定の額と当該事業年度分の譲渡対価の額とをもって圧縮記帳をする場合の計算）
（４）　法人が、その取得した買換資産について**１**又は**４**の適用を受ける場合において、当該買換資産の取得に充てられる金額としてその取得の日を含む事業年度における譲渡対価の額と当該事業年度前の事業年度における譲渡対価の額（**６**の①《譲渡益の特別勘定経理》の特別勘定の金額の計算の基礎としたものに限る。以下「過年度譲渡対価の額」という。）とがあるときは、過年度譲渡対価の額から充てたものとする。この場合において、法人が、当該買換資産の取得の日までに当該特別勘定の一部を取り崩したときの当該過年度譲渡対価の額については、その取崩し後の特別勘定の金額に対応する金額による。
　　　なお、当該買換資産のうち取得の日を含む事業年度における譲渡対価の額から充てられる部分については、別途**１**又は**４**の届出を要するのであるから留意する。（措通65の７（４）－６）

　　　　　　（特別勘定を設定した場合の取得資産）
（５）　①の特別勘定（③の（２）《適格合併等により引継ぎを受けた特別勘定の合併法人等における取扱い》により合併法人、分割承継法人又は被現物出資法人が設けているとみなされたものを含む。）を設けている法人が取得指定期間内に取得する資産は、次の（一）又は（二）に掲げる資産（以下（５）において「取得見込資産」という。）に限られることに留意する。ただし、法人が、取得見込資産に係る書類を確定申告書に添付又は提出している場合において、やむを得ない事情により当該取得見込資産の全部又は一部を取得することが困難となったため、当該取得見込資産以外の資産を取得することにつき当該事業年度終了の日若しくは適格分割、適格現物出資又は適格現物分配の日の前日までに所轄税務署長（国税局の調査課所管法人にあっては、所轄国税局長）に申し出て、その確認を受けたときは、当該資産を買換資産として④の特別勘定を設けている法人の圧縮記帳を適用することができるものとする。（措通65の７（４）－７・編者補正）
（一）　**13**の（１）《取得をする見込みである資産を明らかにする書類》に掲げる書類に記載された資産
（二）　②の（１）《適格分割等を行った場合の期中特別勘定に関する届出》又は③の（１）《適格合併等を行った場合の特別勘定の引継ぎに関する届出》に掲げる書類に記載された取得をする見込みである資産
　　　注　⑤に掲げる適格分割等を行った場合については、「④の特別勘定を設けている法人の圧縮記帳」とあるのは「④の特別勘定を設けている法人の圧縮記帳又は⑤の圧縮記帳」とする。（編者）

　　　　　　（資産につき除却等があった場合の積立金の取崩し）
（６）　圧縮記帳による圧縮額を積立金として経理している資産につき除却、廃棄、滅失又は譲渡（以下（６）において「除却等」という。）があった場合には、当該積立金の額（当該資産の一部につき除却等があった場合には、その除却等があった部分に係る金額）を取り崩してその除却等のあった日の属する事業年度の益金の額に算入するのであるから留意する。（措通64～66（共）－１、基通10－１－２参照）
　　　注　当該譲渡には、適格分社型分割、適格現物出資又は適格現物分配による資産の移転は含まれないのであるから留意する。

(積立金の任意取崩しの場合の償却超過額等の処理)
(7) 圧縮記帳による圧縮額を積立金として経理している法人が当該積立金の額の全部又は一部を取り崩して益金の額に算入した場合において、その取り崩した積立金の設定の基礎となった資産に係る償却超過額又は評価損の否認金(当該事業年度において生じた償却超過額又は評価損の否認金を含む。)があるときは、その償却超過額又は評価損の否認金の額のうち益金の額に算入した積立金の額に達するまでの金額は、当該事業年度の損金の額に算入する。(措通64〜66(共)-1、基通10-1-3参照)

⑤ 特別勘定を設けている法人が適格分割等を行った場合の圧縮記帳《期中圧縮記帳》

①《譲渡益の特別勘定経理》に掲げる特別勘定を設けている法人が適格分割、適格現物出資又は適格現物分配(①に掲げる譲渡の日以後に行われるものに限る。以下⑤において「適格分割等」という。)を行う場合において、当該法人が当該適格分割等の日を含む事業年度の取得指定期間内に当該特別勘定に係る**1**の表の①から④までの右欄に掲げる資産の取得をし、当該適格分割等により当該買換資産(同表の右欄に掲げる地域内にある法人の事業の用〔同表の④の右欄に掲げる資産については、その法人の事業の用〕に供し、かつ、当該適格分割等の直前まで引き続き当該事業の用に供しているもの又は当該取得の日から1年以内に当該適格分割等に係る分割承継法人、被現物出資法人又は被現物分配法人〔以下⑤において「分割承継法人等」という。〕において当該適格分割等により移転を受ける同表の右欄に掲げる地域内にある事業の用〔同表の④の右欄に掲げる資産については、その移転を受ける事業の用〕に供することが見込まれるものに限る。)を分割承継法人等に移転するときについては、当該買換資産の取得をした日を含む事業年度終了の時において、**4**《適格分割等を行った場合の分割法人等における買換資産の圧縮額の損金算入》に準じて圧縮記帳をすることができる。(措法65の8⑧)

この場合において、その買換資産に係る①の特別勘定の金額のうち、当該買換資産の圧縮基礎取得価額に差益割合を乗じて計算した金額の$\frac{80}{100}$に相当する金額(⑤に掲げる特別勘定の金額が③の表の口の(イ)及び(ロ)に掲げる資産の取得に係る特別勘定の金額である場合には、当該計算した金額に同口の(イ)及び(ロ)の右欄に掲げる割合を乗じて計算した金額)は、当該買換資産の取得をした日を含む事業年度の所得の金額の計算上、益金の額に算入する。(措法65の8⑨、措令39の7㉟)

注1 ――線部分は、令和5年度改正により改正された部分で、**1**の注1の経過措置の適用を受ける場合については、「**1**の表の①から④まで」とあるのは「**1**の注2の表の旧①から旧⑤まで」とする。(令5改法附46②)
注2 ――線部分は、令和3年度改正により改正された部分で、**1**の注3の経過措置の適用を受ける場合については、「**1**の表の①から④まで」とあるのは「**1**の注4の表の旧①から旧⑦まで」と、「同表の④」とあるのは「同表の旧⑦」とする。(令3改法附52②)
注3 ――線部分は、令和2年度改正により改正された部分で、**1**の注5の経過措置の適用を受ける場合については、「**1**の表の①から④まで」とあるのは「**1**の注6の表の旧①から旧⑧まで」と、「同表の④」とあるのは「同表の旧⑧」とする。(令2改法附88①②、令2改措令附34)

(特別勘定を設けている法人が適格分割等を行った場合の圧縮額の損金算入に関する届出)
法人が、⑤の適用を受けようとする場合には、当該適格分割等の日以後2か月以内に**4**の(2)《適格分割等に係る特定資産の買換えの場合の圧縮額の損金算入に関する届出》に掲げる書類を納税地の所轄税務署長に提出しなければならない。(措法65の8⑯、65の7⑪、措規22の7④)
注 特別勘定を設定した場合の取得資産の取扱いについては、④の(5)を参照。(編者)

⑥ 解散等の場合の特別勘定の益金算入

①《譲渡益の特別勘定経理》に掲げる特別勘定を設けている法人が次の表の左欄に掲げる場合(③《適格合併等を行った場合の特別勘定の引継ぎ》により合併法人、分割承継法人又は被現物出資法人に当該特別勘定を引き継ぐこととなった場合を除く。)に該当することとなった場合には、それぞれ右欄に掲げる金額は、その該当することとなった日を含む事業年度(ニに掲げる場合にあっては、その合併の日の前日を含む事業年度)の所得の金額の計算上、益金の額に算入する。(措法65の8⑫)

イ	取得指定期間内に①の特別勘定の金額を買換資産の圧縮記帳の場合以外の場合に取り崩した場合	当該取り崩した金額
ロ	取得指定期間を経過する日において、①の特別勘定の金額を有している場合	当該特別勘定の金額
ハ	取得指定期間内に解散した場合(合併により解散した場合を除く。)において、①の特別勘定の金額を有しているとき	当該特別勘定の金額

| 二 | 取得指定期間内に当該法人を被合併法人とする合併を行った場合において、①の特別勘定の金額を有しているとき | 当該特別勘定の金額 |

注1　特別勘定の取崩事由から、適格合併等により特別勘定を引き継ぐこととなった場合は除かれる。(編者)
注2　非適格合併を行った場合には、被合併法人の有する特別勘定の金額は、当該合併の日の前日を含む事業年度に益金の額に算入することとなる。(編者)

⑦　自己を株式交換完全子法人又は株式移転完全子法人とする非適格株式交換等を行った場合の特別勘定の益金算入

　①《譲渡益の特別勘定経理》の特別勘定を設けている法人が、自己を株式交換等完全子法人又は株式移転完全子法人とする第三十四款の二の1《非適格株式交換等に係る株式交換完全子法人等の有する資産の時価評価損益》に掲げる非適格株式交換等(以下⑦において「非適格株式交換等」という。)を行った場合において、当該非適格株式交換等の直前の時の①の特別勘定の金額(1,000万円未満のものを除く。)を有しているときは、当該特別勘定の金額は、当該非適格株式交換等の日を含む事業年度の所得の金額の計算上、益金の額に算入する。(措法65の8⑩、措令39の7㊱)

　(特別勘定の金額が1,000万円未満のものであるかどうかの判定)
　⑦に掲げる特別勘定の金額が1,000万円未満のものであるかどうかは、その特別勘定の対象となる譲渡した資産のそれぞれの特別勘定の金額ごとに判定することに留意する。(措通65の7(4)-8、64(3)-19参照)

⑧　通算法人等を有している場合の特別勘定の益金算入

　①《譲渡益の特別勘定経理》の特別勘定を設けている法人が、第三十五款の三の1《通算制度の開始に伴う資産の時価評価損益》に掲げる内国法人、同三の2《通算制度への加入に伴う資産の時価評価損益》に掲げる他の内国法人又は同三の3《通算制度からの離脱等に伴う資産の時価評価損益》に掲げる通算法人(同3の表の(一)に掲げる要件に該当するものに限る。)に該当することとなった場合において、同三の1に掲げる通算開始直前事業年度、同三の2に掲げる通算加入直前事業年度又は同三の3に掲げる通算終了直前事業年度終了の時に①の特別勘定の金額(1,000万円未満のものを除く。)を有しているときは、当該特別勘定の金額は、当該通算開始直前事業年度、当該通算加入直前事業年度又は当該通算終了直前事業年度の所得の金額の計算上、益金の額に算入する。(措法65の8⑪、措令39の7㊲)

　(通算法人等が特別勘定残額を有する場合の益金算入の不適用)
　⑧に掲げる法人が⑧に掲げる通算開始直前事業年度又は通算加入直前事業年度終了の時に⑧に掲げる特別勘定の金額(以下⑧において「特別勘定残額」という。)を有する場合において、当該特別勘定残額が次の表の左欄に掲げる法人の区分に応じそれぞれ同表の右欄に掲げる特別勘定の金額に該当するときは、当該特別勘定残額については、⑧は、適用しない。(措令39の7㊳)

(一)	第三十五款の三の1《通算制度の開始に伴う資産の時価評価損益》に掲げる内国法人(同三の1に掲げる親法人を除く。)	同款の二の1の(13)《時価評価資産その他のもの》の表の(四)のロに掲げる特別勘定の金額
(二)	同款の三の2《通算制度への加入に伴う資産の時価評価損益》に掲げる他の内国法人	同款の二の1の(16)《他の内国法人における時価評価資産その他のもの》の表の(四)のロに掲げる特別勘定の金額

⑨　地域再生法における集中地域以外の地域から集中地域への買換えの場合の課税の特例を適用する場合の特別勘定経理

　5は、①、②、④又は⑤(1の表の③に係る部分に限る。)を適用する場合について準用する。この場合において、①又は②を適用するときは、5中「取得をした」とあるのは「取得をする見込みである」と、「1に掲げる圧縮限度額」とあるのは「6の①又は同6の②に掲げる$\frac{80}{100}$に相当する金額」と、「1」とあるのは「これら」と、5の表中「1に」とあるのは「6の①又は同6の②に」と読み替えるものとする。(措法65の8⑱)

注1　——線部分は、令和5年度改正により改正された部分で、1の注1の経過措置の適用を受ける場合については、「1の表の③」とあるのは「1の注2の表の旧④」とする。(令5改法附46②)
注2　——線部分は、令和3年度改正により改正された部分で、1の注3の経過措置の適用を受ける場合については、「1の表の③」とあるのは「1の注4の表の旧⑥」とする。(令3改法附52②)
注3　——線部分は、令和2年度改正により改正された部分で、1の注5の経過措置の適用を受ける場合については、「1の表の③」とあるのは「1の注6の表の旧⑧」とする。(令2改法附88①②、令2改措令附34)

第三章　第一節　第十五款　七《特定の資産の買換えの圧縮記帳》

⑩　特定非常災害に基因する買換資産の取得期間等の延長の特例

　　法人が、特定非常災害の被害者の権利利益の保全等を図るための特別措置に関する法律第2条第1項《特定非常災害及びこれに対し適用すべき措置の指定》の規定により特定非常災害として指定された非常災害に基因するやむを得ない事情により、**1**《特定の資産の買換えの場合の圧縮記帳》の表の①から④までの右欄に掲げる資産の④《特別勘定を設けている法人の圧縮記帳》に掲げる取得指定期間内における取得をすることが困難となった場合において、当該取得指定期間の初日から当該取得指定期間の末日の翌日から起算して2年以内の日で資産の取得をすることができるものとして税務署長が認定した日までの間に同表の①から④までの右欄に掲げる資産の取得をする見込みであり、かつ、（1）《取得指定期間の延長の申請》で定めるところにより納税地の所轄税務署長の承認を受けたときは、**6**の適用については、**6**に掲げる取得指定期間は、当該初日から当該取得指定期間の末日の翌日から起算して2年以内の日で資産の取得をすることができるものとして税務署長が認定した日までの期間とする。（措法65の8⑲、措令39の7㊴）

　　注1　──線部分は、令和5年度改正により改正された部分で、**1**の注1の経過措置の適用を受ける場合については、「**1**《特定の資産の買換えの場合の圧縮記帳》の表の①から④」とあるのは「**1**の注2の表の旧①から旧⑤」と、「同表の①から④」とあるのは「同表の旧①から旧⑤」とする。（令5改法附46②）

　　注2　──線部分は、令和3年度改正により改正された部分で、**1**の注3の経過措置の適用を受ける場合については、「**1**《特定の資産の買換えの場合の圧縮記帳》の表の①から④」とあるのは「**1**の注4の表の旧①から旧⑦」と、「同表の①から④」とあるのは「同表の①から旧⑦」とする。（令3改法附52②）

　　注3　──線部分は、令和2年度改正により改正された部分で、**1**の注5の経過措置の適用を受ける場合については、「**1**《特定の資産の買換えの場合の圧縮記帳》の表の①から④」とあるのは「**1**の注6の表の旧①から旧⑧」と、「同表の①から④」とあるのは「同表の旧①から旧⑧」とする。（令2改法附88①②、令2改措令附34）

　（取得指定期間の延長の申請）

（1）　⑩に掲げる税務署長の承認を受けようとする法人は、⑩に掲げる取得指定期間の末日までに、次に掲げる事項を記載した申請書を納税地の所轄税務署長に提出しなければならない。（措規22の7⑧）

（一）	申請をする法人の名称、納税地及び法人番号並びに代表者の氏名
（二）	その申請の日における③の表のイに掲げる特別勘定の金額
（三）	取得をする見込みである**1**の表の①から④までの右欄に掲げる資産（（五）において「買換対象資産」という。）の種類、構造、規模（土地等にあっては、その面積）及び価額
（四）	⑩に掲げる特定非常災害として指定された非常災害に基因するやむを得ない事情の詳細
（五）	買換対象資産の取得予定年月日及び⑩に掲げる認定を受けようとする日
（六）	その他参考となるべき事項

　（税務署長が認定した日）

（2）　（1）に掲げる法人が（1）の税務署長の承認を受けた場合には、⑩に掲げる税務署長が認定した日は当該承認において税務署長が認定した日とする。（措規22の7⑨）

　（取得指定期間の延長をした場合の特別勘定）

（3）　同一事業年度分の譲渡対価に係る特別勘定について、⑩による取得指定期間の認定を受けたものに係る金額とその他の金額（以下（3）において「普通特別勘定の金額」という。）とがある場合には、長期特別勘定の金額（当該認定に係る申請が2以上あるときは、それぞれの申請書ごとの長期特別勘定の金額）と普通特別勘定の金額とを区分経理しなければならないものとし、かつ、長期特別勘定の金額は、当該認定に係る申請書に記載された買換資産（当該申請書が2以上あるときは、それぞれの長期特別勘定の金額についてそれぞれの申請書に記載された買換資産）の取得にのみ充てられるものとして計算する。したがって、原則として長期特別勘定の金額の剰余額を当該認定に係る申請書に記載された買換資産以外の買換資産に充てるものとして計算することはできないことに留意する。（措通65の7（4）－4・編者補正）

7　特定の資産を交換した場合の課税の特例

　　法人が、昭和45年4月1日から令和8年3月31日までの間に、その有する資産で**1**《特定の資産の買替えの場合の圧縮記帳》の表の①から④までの左欄に掲げるもの（その交換による譲渡につき第二節第一款の**五**《短期所有に係る土地の譲渡等がある場合の特別税率》の適用がある土地等を除く。以下**7**において「**交換譲渡資産**」という。）とそれぞれ同表の①

第三章　第一節　第十五款　七《特定の資産の買換えの圧縮記帳》

から④までの右欄に掲げる資産(以下7において「**交換取得資産**」という。)との交換(第十六款の**二**の**1**《換地処分等により交換取得した資産の圧縮記帳》の表の②から⑦までに掲げる交換、換地処分、権利変換及び**五**の**1**《交換により取得した資産の圧縮額の損金算入》又は**五**の**3**《適格分割等を行った場合の分割法人等における交換資産の圧縮額の損金算入》の適用を受ける交換を除く。以下7において同じ。)をした場合(当該交換に伴い**交換差金**〔交換により取得した資産の価額と交換により譲渡した資産の価額との差額を補うための金銭をいう。以下7において同じ。〕を取得し、又は支払った場合を含む。)又は交換譲渡資産と交換取得資産以外の資産との交換をし、かつ、交換差金を取得した場合(以下7において「**他資産との交換の場合**」という。)における圧縮記帳の適用については、次に定めるところによる。(措法65の9、措令39の7㊸㊹)

①	**交換譲渡資産**	当該交換譲渡資産(他資産との交換の場合にあっては、交換譲渡資産のうち、交換差金の額が当該交換差金の額と交換により取得した資産の価額との合計額のうちに占める割合を、当該交換譲渡資産の価額に乗じて計算した金額に相当する部分に限る。)は、当該法人が、その交換の日において、同日における当該資産の価額に相当する金額をもって**1**《特定の資産の買換えの場合の圧縮記帳》の譲渡をしたものとみなす。
②	**交換取得資産**	当該交換取得資産は、当該法人が、その交換の日において、同日における当該資産の価額に相当する金額をもって**1**《特定の資産の買換えの場合の圧縮記帳》の取得をし、**1及び4の届け出を**したものとみなす。

注1 ──線部分(②に係る部分を除く。)は、令和5年度改正により改正された部分で、**1**の注1の経過措置の適用を受ける場合については、「**1**《特定の資産の買換えの場合の圧縮記帳》の表の①から④まで」とあるのは「**1**の注2の表の旧①から旧⑤まで」と、「同表の①から④まで」とあるのは「同表の旧①から旧⑤」とする。(令5改法附46②)

注2 ──線部分(上表の②に係る部分に限る。)は、令和5年度改正により追加された部分で、令和6年4月1日以後に上表の左欄に掲げる資産の譲渡をして、令和6年4月1日以後にそれぞれの右欄に掲げる資産の取得をする場合の当該資産について適用される。(令5改法附46③、1Ⅳ二)

注3 ──線部分(本文〔適用期限及び②に係る部分を除く〕に係る部分に限る。)は、令和3年度改正により改正された部分で、**1**の注2の経過措置の適用を受ける場合については、7は次による。(令3改法附52②)

> 法人が、昭和45年4月1日から令和5年3月31日(**1**《特定の資産の買替えの場合の圧縮記帳》注2の表の旧③又は旧⑤の左欄に掲げる資産にあっては、令和3年3月31日)までの間に、その有する資産で**1**の注4の表の旧①から旧⑦までの左欄に掲げるもの(その交換による譲渡につき第二節第一款の**五**《短期所有に係る土地の譲渡等がある場合の特別税率》の適用がある土地等を除く。以下7において「**交換譲渡資産**」という。)とそれぞれ同表の旧①から旧⑦までの右欄に掲げる資産(以下7において「**交換取得資産**」という。)との交換(第十六款の**二**の**1**《換地処分等により交換取得した資産の圧縮記帳》の表の②から⑥までに掲げる交換、換地処分、権利変換及び**五**の**1**《交換により取得した資産の圧縮額の損金算入》又は**五**の**3**《適格分割等を行った場合の分割法人等における交換資産の圧縮額の損金算入》の適用を受ける交換を除く。以下7において同じ。)をした場合(当該交換に伴い**交換差金**〔交換により取得した資産の価額と交換により譲渡した資産の価額との差額を補うための金銭をいう。以下7において同じ。〕を取得し、又は支払った場合を含む。)又は交換譲渡資産と交換取得資産以外の資産との交換をし、かつ、交換差金を取得した場合(以下7において「**他資産との交換の場合**」という。)における圧縮記帳の適用については、次に定めるところによる。(措法旧65の9、措令39の7旧㊺旧㊻)

注4 ──線部分(注3に係る部分に限る。)は、令和2年度改正により改正された部分で、**1**の注5の経過措置の適用を受ける場合については、7は次による。(令2改法附88①②、令2改措令附34)

> 法人が、昭和45年4月1日から令和2年3月31日までの間に、その有する資産で**1**《特定の資産の買換えの場合の圧縮記帳》の注6の表の旧①から旧⑧までの左欄に掲げるもの(その交換による譲渡につき第二節第一款の**五**《短期所有に係る土地の譲渡等がある場合の特別税率》の適用がある土地等を除く。以下7において「**交換譲渡資産**」という。)とそれぞれ同表の旧①から旧⑧までの右欄に掲げる資産(以下7において「**交換取得資産**」という。)との交換(第十六款の**二**の**1**《換地処分等により交換取得した資産の圧縮記帳》の表の②から⑥までに掲げる交換、換地処分、権利変換及び**五**の**1**《交換により取得した資産の圧縮額の損金算入》又は**五**の**3**《適格分割等を行った場合の分割法人等における交換資産の圧縮額の損金算入》の適用を受ける交換を除く。以下7において同じ。)をした場合(当該交換に伴い**交換差金**〔交換により取得した資産の価額と交換により譲渡した資産の価額との差額を補うための金銭をいう。以下7において同じ。〕を取得し、又は支払った場合を含む。)又は交換譲渡資産と交換取得資産以外の資産との交換をし、かつ、交換差金を取得した場合(以下7において「**他資産との交換の場合**」という。)における圧縮記帳の適用については、次に定めるところによる。(措法65の9、措令39の7㊼旧㊽)
>
> | 旧① | **交換譲渡資産** | 当該交換譲渡資産(他資産との交換の場合にあっては、交換譲渡資産のうち、交換差金の額が当該交換差金の額と交換により取得した資産の価額との合計額のうちに占める割合を、当該交換譲渡資産の価額に乗じて計算した金額に相当する部分に限る。)は、当該法人が、その交換の日において、同日における当該資産の価額に相当する金額をもって**1**の譲渡をしたものとみなす。 |
> |---|---|---|
> | 旧② | **交換取得資産** | 当該交換取得資産は、当該法人が、その交換の日において、同日における当該資産の価額に相当する金額をもって**1**の取得をしたものとみなす。 |

（交換の意義）
（１） **7**の交換については、**五**《交換資産の圧縮記帳》のような相手方における交換のための取得の事実の有無及び交換差金の額等についての要件は付されておらず、要するに交換譲渡資産をいったん時価で譲渡し、同時にその対価をもって交換取得資産を買換資産として取得したものとする。この場合、交換譲渡資産と交換取得資産とは、**1**の表の①から④までのそれぞれごとに、左欄と右欄に該当する資産でなければならない。（編者）

（交換の場合の買換資産）
（２） 法人が、**1**の表の①から④までの左欄に掲げる資産とそれぞれ同表の①から④までの右欄に掲げる資産とを交換し、当該交換について**7**を適用する場合には、**7**に掲げる交換取得資産をもって交換譲渡資産の買換資産とする。したがって、当該交換に係る譲渡対価の額については、当該交換に伴い交換譲渡資産の価額と交換取得資産の価額との差額を補うために金銭を取得した場合における当該金銭の額に係る部分を除き、**6**《特定の資産の譲渡に伴い特別勘定を設けた場合の課税の特例》の適用はないことに留意する。（措通65の７（１）－37・編者補正）

（支払った交換差金についての買換えの適用）
（３） 法人が資産の交換をした場合（**7**及び**五**《交換資産の圧縮記帳》の適用を受ける場合を除く。）において、当該交換に伴い交換差金を支払ったときは、当該交換により取得した資産のうち当該交換差金に対応する部分については、買換えにより取得した資産として取り扱うことができるものとする。したがって、当該資産が**1**の表の①から④までの右欄に掲げる買換資産のいずれかに該当する場合において、法人がその該当するそれぞれ同表の①から④までの左欄に該当する譲渡資産を有するときは、これらの資産の譲渡及び取得については**1**《特定の資産の買換えの場合の圧縮記帳》の適用がある。（措通65の７（１）－38・編者補正）

（法人税法第50条との選択適用）
（４） 法人が、資産の交換について**五**《交換資産の圧縮記帳》を適用した場合には、その交換に伴って取得した交換差額については、**7**により、**1**《特定の資産の買換えの場合の圧縮記帳》の適用を受けることはできないことに留意する。（措通65の７（５）－１・編者補正）

注１　適格分割等を行った場合については、「**1**《特定の資産の買換えの場合の圧縮記帳》」とあるのは「**1**《特定の資産の買換えの場合の圧縮記帳》又は**4**」とする。（編者）
注２　交換による圧縮記帳を適用するか買換えによる圧縮記帳を適用するかの実質的な差異は、交換差金を取得している場合において、交換による圧縮記帳を適用するときはその交換差金は課税対象となるが、買換えによる圧縮記帳を適用するときはその交換差金も特例の適用対象となる点である。（編者）

8　買換資産として土地等を取得する場合の面積制限

①　買換資産として土地等を取得する場合の面積制限

買換資産の圧縮記帳を適用する場合において、当該事業年度の買換資産（**3**《買換えのための先行取得資産》の買換えのための先行取得資産により買換資産とみなされた資産を含む。）のうちに土地等があり、かつ、当該土地等をそれぞれ**1**の表の①から③までの右欄ごとに区分をし、当該区分ごとに計算した当該土地等に係る面積が、当該事業年度において譲渡をしたそれぞれ同表の①から③までの左欄に掲げる土地等に係る面積を基礎として当該譲渡をした資産である土地等に係る面積に５を乗じて計算した面積を超えるときは、当該買換資産である土地等のうちその超える部分の面積に対応するものは、買換資産に該当しないものとする。（措法65の７②、措令39の７⑧）

注１　──線部分は、令和５年度改正により改正された部分で、**1**の注１の経過措置の適用を受ける場合については、「**1**の表の①から③まで」とあるのは「**1**の注２の表の旧①から旧④まで」とする。（令５改法附46②）
注２　──線部分は、令和３年度改正により改正された部分で、**1**の注３の経過措置の適用を受ける場合については、「**1**の注４の表の旧①から旧⑥まで」と、「同表の①から④まで」とあるのは「同表の旧①から旧⑥まで」とする。（令３改法附52②）
注３　──線部分は、令和２年度改正により改正された部分で、**1**の注５の経過措置の適用を受ける場合については、①は次による。（令２改法附88①②、令２改措令附34）

> 買換資産の圧縮記帳を適用する場合において、当該事業年度の買換資産（**3**《買換えのための先行取得資産》の買換えのための先行取得資産により買換資産とみなされた資産を含む。）のうちに土地等があり、かつ、当該土地等をそれぞれ**1**の注６の表の旧①から旧⑦までの右欄ごとに区分をし、当該区分ごとに計算した当該土地等に係る面積が、当該事業年度において譲渡をしたそれぞれ同表の旧①から旧⑦までの左欄に掲げる土地等に係る面積を基礎として当該譲渡をした資産である土地等に係る面積に５を乗じて計算した面積を超えるときは、当該買換資産である土地等のうちその超える部分の面積に対応するものは、買換資産に該当しないものとする。（措法65の７旧②、措令39の７旧⑩）

第三章　第一節　第十五款　七《特定の資産の買換えの圧縮記帳》

(特別勘定に経理した場合の面積制限)
（1）　①は、**6**の④《特別勘定を設けている法人の圧縮記帳》を適用する場合について準用する。この場合において、①の本文中「当該土地等に係る面積が」とあるのは、「当該土地等に係る面積と特別勘定の基礎となった譲渡に係る買換資産のうち土地等に係る面積との合計が」と読み替える。(措法65の8⑬)
　　　注　土地を譲渡した場合に、その譲渡事業年度において当該譲渡の対価の一部をもって買換資産として土地を取得するとともに残額に係る譲渡益相当額を特別勘定として経理し、翌事業年度において更に買換資産として土地を取得したときは、譲渡事業年度及び翌事業年度において取得した土地の合計面積と譲渡した土地の面積に5を乗じて計算した面積とを対比する。(編者)

(買換資産である土地等の面積が譲渡をした土地等の面積に5を乗じて計算した面積を超えるかどうかの判定)
（2）　買換資産として土地等を取得した場合に、その面積が譲渡をした土地等の面積の5を乗じて計算した面積を超えるかどうかの判定に当たっては、次の諸点に留意する。(編者)
　（一）　譲渡をした土地等の面積と取得をした土地等の面積との対比は、**1**の表の①から③までのそれぞれごとに行う。
　（二）　**3**《買換えのための先行取得資産》により土地等を先行取得した場合には、その土地等の面積は、土地等を譲渡した事業年度において買換資産として取得した土地等の面積と合計して譲渡をした土地等の面積を対比する。

(土地造成費についての面積制限)
（3）　法人が、その有する土地について造成等を行った場合において、**2**の(15)《土地造成費等》により当該造成等を買換資産の取得として**1**《特定の資産の買換えの場合の圧縮記帳》の適用を受けようとするときは、当該土地が譲渡資産の譲渡の日前おおむね10年以内に取得されたものであるときを除き、これにつき①《買換資産として土地等を取得する場合の面積制限》の適用はないものとする。(措通65の7(1)-28・編者補正)
　　　注　適格分割等を行った場合については、「**1**《特定の資産の買換えの場合の圧縮記帳》」とあるのは「**1**《特定の資産の買換えの場合の圧縮記帳》又は**4**」とし、「①《買換資産として土地等を取得する場合の面積制限》」とあるのは「①《買換資産として土地等を取得する場合の面積制限》(②の適用がある場合を含む。)」とする。(編者)

(共有地に係る面積制限)
（4）　法人が土地に係る共有持分（借地権に係る準共有持分を含む。以下(4)において同じ。）を譲渡し、又は買換資産として取得した場合における**1**《特定の資産の買換えの場合の圧縮記帳》の適用については、当該土地の面積にその譲渡又は取得をした共有持分の割合を乗じて計算した面積を基礎として①《買換資産として土地等を取得する場合の面積制限》を適用する。(措通65の7(1)-29・編者補正)
　　　注　適格分割等を行った場合については、「**1**《特定の資産の買換えの場合の圧縮記帳》」とあるのは「**1**《特定の資産の買換えの場合の圧縮記帳》又は**4**」とし、「①《買換資産として土地等を取得する場合の面積制限》」とあるのは「①《買換資産として土地等を取得する場合の面積制限》(②の適用がある場合を含む。)」とする。(編者)

(仮換地に係る面積制限)
（5）　法人が土地区画整理法等により仮換地の指定を受けた土地を譲渡し、又は買換資産として取得した場合における**1**《特定の資産の買換えの場合の圧縮記帳》の適用については、当該仮換地の面積を基礎として①《買換資産として土地等を取得する場合の面積制限》を適用する。(措通65の7(1)-30・編者補正)
　　　注　適格分割等を行った場合については、「**1**《特定の資産の買換えの場合の圧縮記帳》」とあるのは「**1**《特定の資産の買換えの場合の圧縮記帳》又は**4**」とし、「①《買換資産として土地等を取得する場合の面積制限》」とあるのは「①《買換資産として土地等を取得する場合の面積制限》(②の適用がある場合を含む。)」とする。(編者)

(借地権又は底地に係る面積制限)
（6）　法人が借地権等（借地権その他の土地の上に存する権利をいう。以下(6)において同じ。）又は借地権等の設定されている土地（底地）を譲渡し、又は買換資産として取得した場合における**1**《特定の資産の買換えの場合の圧縮記帳》の適用については、当該借地権等の目的となっている土地又は当該借地権等の設定されている土地の面積を基礎として①《買換資産として土地等を取得する場合の面積制限》を適用する。(措通65の7(1)-31・編者補正)
　　　注　適格分割等を行った場合については、「**1**《特定の資産の買換えの場合の圧縮記帳》」とあるのは「**1**《特定の資産の買換えの場合の圧縮記帳》又は**4**」とし、「①《買換資産として土地等を取得する場合の面積制限》」とあるのは「①《買換資産として土地等を取得する場合の面積制限》(②の適用がある場合を含む。)」とする。(編者)

第三章　第一節　第十五款　七《特定の資産の買換えの圧縮記帳》

② **適格合併等における買換資産として土地等を取得する場合の面積制限**
　1　《特定の資産の買換えの場合の圧縮記帳》に掲げる譲渡の日を含む事業年度（以下②において「**譲渡事業年度**」という。）以後の各事業年度（以下②において「**適用事業年度**」という。）において 1 若しくは 4《適格分割等を行った場合の分割法人等における買換資産の圧縮額の損金算入》又は 6 の④《特別勘定を設けている法人の圧縮記帳》若しくは 6 の⑤《特別勘定を設けている法人か適格分割等を行った場合の圧縮記帳》（以下②において「**買換えの圧縮記帳**」という。）を適用する場合（（2）の適用がある場合を除く。）において、当該適用事業年度（4 又は 6 の⑤を適用する場合には、当該適用事業年度開始の時から適格分割等〔適格分割、適格現物出資又は適格現物分配〈その日以後に行われるものに限る。〉をいう。〕の直前の時までの間）において取得をした買換資産（3《買換えのための先行取得資産》〔4 の（1）《特定の資産の買換えの場合の圧縮記帳規定の期中圧縮記帳への準用》において準用する場合を含む。〕により買換資産とみなされた資産を含む。）のうちに土地等があり、かつ、当該土地等（既に譲渡事業年度以後の各事業年度〔以下②において「**譲渡年度以後の年度**」という。〕において買換えの圧縮記帳の適用を受けた買換資産のうちに土地等がある場合における当該土地等を含む。）をそれぞれ 1 の表の①から③までの右欄ごとに区分をし、当該区分ごとに計算した当該土地等に係る面積（譲渡年度以後の年度において同表の①から③までの左欄に掲げる資産の譲渡につき設けた 6 の①《譲渡益の特別勘定経理》に掲げる特別勘定の金額及び 6 の②《適格分割等を行った場合の分割法人等における譲渡益の期中特別勘定経理》に掲げる期中特別勘定の金額のうちに適格合併、適格分割又は適格現物出資により合併法人、分割承継法人又は被現物出資法人に既に引き継いだ、又は引き継ぐものがある場合には、（1）に掲げる面積を加算した面積）が、当該譲渡事業年度において譲渡をした同表の①から③までの左欄に掲げる土地等に係る面積を基礎として①に掲げる面積を超えるときは、買換えの圧縮記帳の適用を受けようとする買換資産である土地等のうちその超える部分の面積に対応するものは、当該買換資産に該当しないものとして、買換えの圧縮記帳を適用する。（措法65の7②⑩、65の8⑬、措令39の7⑬⑳）
　　注1 ──線部分は、令和5年度改正により改正された部分で、1の注1の経過措置の適用を受ける場合については、「1の表の①から③まで」とあるのは「1の注2の表の旧①から旧④まで」と、「同表の①から③」までとあるのは「同表の旧①から旧④まで」とする。（令5改法附46②）
　　注2 ──線部分は、令和3年度改正により改正された部分で、1の注3の経過措置の適用を受ける場合については、「1の表の①から③まで」とあるのは「1の注4の表の旧①から旧⑥まで」と、「同表の①から③まで」とあるのは「同表の旧①から旧⑥まで」とする。（令3改法附52②）
　　注3 ──線部分は、令和2年度改正により改正された部分で、1の注5の経過措置の適用を受ける場合については、②中「1の表の①から③まで」とあるのは「1の注6の表の旧①から旧⑦まで」とし「同表の①から③まで」とあるのは「同表の旧①から旧⑦まで」とする。（令2改法附88①②、令2改措令附34）

　（土地等を取得するとして設定された特別勘定等を引き継ぐ際に加算する面積）
（1）　②《適格合併等における買換資産として土地等を取得する場合の面積制限》又は（2）《適格合併等により合併法人等が引継ぎを受けた場合の面積制限》において、土地等を取得するとして設定された特別勘定の金額及び期中特別勘定の金額のうちに、適格合併、適格分割又は適格現物出資により合併法人、分割承継法人又は被現物出資法人に引き継いだ、又は引き継ぐものがある場合に加算する面積は、次の表の左欄に掲げる場合の区分に応じ、それぞれ同表の右欄に掲げる面積とする。（措法65の7⑮、措令39の7㊵、措規22の7⑩）

(一)	6の③の表のイの適格合併により6の①に掲げる特別勘定の金額を引き継ぐ場合	当該特別勘定の基礎となった譲渡に係る土地等の面積を基礎として①の表の右欄に掲げる倍数を乗じて計算した面積（既に当該特別勘定に係る買換資産のうちに1及び4並びに6の④及び6の⑤の適用を受けた土地等がある場合には、当該計算した面積から当該適用を受けた土地等に係る面積を控除した面積。(二)において「**取得可能面積**」という。）
(二)	6の③の表のロの適格分割等により6の①に掲げる特別勘定の金額を引き継ぐ場合	当該適格分割等に係る分割法人又は現物出資法人が当該特別勘定の金額の引継ぎの際に6の③の(1)により提出した当該書類に記載した取得をする見込みである土地等に係る面積（取得可能面積を限度とする。）
(三)	6の③の表のロの適格分割等により6の②に掲げる期中特別勘定の金額を引き継ぐ場合	当該適格分割等に係る分割法人又は現物出資法人が当該期中特別勘定の金額の引継ぎの際に6の③の(1)（当該期中特別勘定の金額のみを引き継ぐ場合にあっては、6の②の(1)《適格分割等を行った場合の期中特別勘定に関する届出》）により提出した当該書類に記載した取得をする見込みである土地等に係る面積（当該期中特別勘定の基礎となった譲渡に係る土地等の面積を基礎として①に掲げる面積を限度とする。）

(適格合併等により合併法人等が引継ぎを受けた場合の面積制限)
(2) 6の③《適格合併等を行った場合の特別勘定の引継ぎ》により引継ぎ(以下(2)において「**当初の引継ぎ**」という。)を受けた6の①に掲げる特別勘定の金額を有する合併法人、分割承継法人又は被現物出資法人が当該当初の引継ぎを受けた事業年度以後の各事業年度において6の④又は6の⑤を適用する場合において、当該各事業年度(6の⑤を適用する場合には、当該各事業年度開始の時から適格分割等の直前の時までの間)において取得をした買換資産のうちに土地等があり、かつ、当該土地等(既に6の④又は6の⑤の適用を受けた当該特別勘定に係る買換資産のうちに土地等がある場合の当該土地等を含む。)をそれぞれ<u>1《特定の資産の買換えの場合の圧縮記帳》の表の①から③まで</u>の右欄ごとに区分をし、当該区分ごとに計算した当該土地等に係る面積(当該特別勘定の金額のうちに6の③の表に掲げる適格合併、適格分割又は適格現物出資により同表に掲げる合併法人、分割承継法人又は被現物出資法人に既に引き継いだ、又は引き継ぐものがある場合には、(1)の表の(一)及び(二)の左欄の区分に応じ、それぞれ同表の右欄に掲げる面積を加算した面積)が、当該特別勘定の当初の引継ぎの際に取得をする見込みであるとされた土地等に係る面積として(1)に掲げる面積を超えるときは、6の④又は6の⑤の適用を受けようとする買換資産である土地等のうちその超える部分の面積に対応するものは、6の④又は6の⑤の買換資産に該当しないものとして、6の④又は6の⑤を適用する。(措令39の7㊶、措規22の7⑩⑪)

注1 ──線部分は、令和5年度改正により改正された部分で、1の注1の経過措置の適用を受ける場合については、「1《特定の資産の買換えの場合の圧縮記帳》の表の①から③まで」とあるのは「1の注2の表の旧①から旧④まで」とする。(令5改法附46②)
注2 ──線部分は、令和3年度改正により改正された部分で、1の注3の経過措置の適用を受ける場合については、(2)中「1《特定の資産の買換えの場合の圧縮記帳》の表の①から③まで」とあるのは「1の注4の表の旧①から旧⑥まで」とする。(令3改法附52②)
注3 ──線部分は、令和2年度改正により改正された部分で、1の注5の経過措置の適用を受ける場合については、(2)中「1《特定の資産の買換えの場合の圧縮記帳》の表の①から③まで」とあるのは「1の注6の表の旧①から旧⑦まで」とする。(令2改法附88①②、令2改措令附34)

9 譲渡資産又は買換資産についての選択適用

① 譲渡資産についての選択適用

譲渡資産が1《特定の資産の買換えの場合の圧縮記帳》の表の2以上の左欄に掲げる資産に該当する場合における1又は4《適格分割等を行った場合の分割法人等における買換資産の圧縮額の損金算入》により損金の額に算入される金額の計算については、当該譲渡をした資産の全部又は一部は、当該法人の選択により、当該2以上のいずれかの左欄に掲げる資産にのみ該当するものとして、1又は4を適用する。(措法65の7⑮、65の8⑳、措令39の7㉒)

注 ①は、6の①《譲渡益の特別勘定経理》の特別勘定の金額又は6の②《適格分割等を行った場合の分割法人等における譲渡益の期中特別勘定経理》に掲げる期中特別勘定の金額の計算及び6の④《特別勘定を設けている法人の圧縮記帳》又は6の⑤《特別勘定を設けている法人が適格分割等を行った場合の圧縮記帳》による損金の額に算入される金額の計算について準用する。(措令39の7㉒)

② 買換資産についての選択適用

買換資産が1《特定の資産の買換えの場合の圧縮記帳》の表の2以上の右欄に掲げる資産に該当する場合における1又は4《適格分割等を行った場合の分割法人等における買換資産の圧縮額の損金算入》により損金の額に算入される金額の計算については、当該買換資産の全部又は一部は、当該法人の選択により、<u>1の表の①から④までのうちその該当する当該2以上のいずれかの右欄に掲げる資産にのみ該当するものとして、1又は4</u>を適用する。(措法65の7⑮、65の8⑳、措令39の7㉓)

注1 ──線部分は、令和5年度改正により改正された部分で、1の注1の経過措置の適用を受ける場合については、②は次による。(令5改法附46②)

> 買換資産が1《特定の資産の買換えの場合の圧縮記帳》の表の2以上の右欄に掲げる資産に該当する場合における1又は4《適格分割等を行った場合の分割法人等における買換資産の圧縮額の損金算入》により損金の額に算入される金額の計算については、当該買換資産の全部又は一部は、当該法人の選択により、1の注2の表の旧①から旧④までのうちその該当する2以上のいずれかの右欄に掲げる資産にのみ該当するものとして、1又は4を適用する。(措法65の7⑮、65の8⑳、旧措令39の7旧㉓)

注2 ──線部分(注1に係る部分に限る。)は、令和3年度改正により改正された部分で、1の注3の経過措置の適用を受ける場合については、②の注1中「1の注2の表の旧①から旧④まで」とあるのは「1の注4の表の旧①から旧⑥まで」ととする。(令3改法附52②)
注3 ──線部分(注1に係る部分に限る。)は、令和2年度改正により改正された部分で、1の注5の経過措置の適用を受ける場合については、②の注1中「1の注2の表の旧①から旧④まで」とあるのは「1の注6の表の旧①から旧⑦まで」とする。(令2改法附88①②、令2改措令附34)
注4 ②は、6の①《譲渡益の特別勘定経理》の特別勘定の金額又は6の②《適格分割等を行った場合の分割法人等における譲渡益の期中特別勘定経理》に掲げる期中特別勘定の金額の計算及び6の④《特別勘定を設けている法人の圧縮記帳》又は6の⑤《特別勘定を設けている法人が適格分割等を行った場合の圧縮記帳》による損金の額に算入される金額の計算について準用する。(措令39の7㉒)

第三章　第一節　第十五款　七《特定の資産の買換えの圧縮記帳》

（買換資産が2以上ある場合のその取得に充てた対価の額）
　同一事業年度において1の表のいずれか一の適用を受ける買換資産が2以上ある場合には、譲渡資産の対価の額は、それらの買換資産のうち一の買換資産の取得価額に達するまでその取得に充てられたものとし、次にその残額について他の買換資産の取得価額に達するまで順次に充てられたものとして計算することに留意する。この場合において、当該対価の額がいずれの買換資産からまず充てられたものとするかは、法人の計算によるものとする。（措通65の7（3）－3）

10　買換資産を事業の用に供しない場合の圧縮額の益金算入

①　圧縮記帳の適用を受けた法人が買換資産を事業の用に供しない場合の圧縮額の益金算入

　圧縮記帳の適用を受けた法人が、買換資産（1の適用を受けた事業年度以後の事業年度において第三十五款の三の1《通算制度の開始に伴う資産の時価評価損益》、同三の2《通算制度への加入に伴う資産の時価評価損益》又は同三の3《通算制度からの離脱等に伴う資産の時価評価損益》の適用を受けたこれらに掲げる時価評価資産に該当するものを除く。）の取得をした日から1年以内に、当該買換資産を1《特定の資産の買替えの場合の圧縮記帳》の表の①から④までの右欄に掲げる地域内にある当該法人の事業の用（同表の④の右欄に掲げる資産については、その法人の事業の用）に供しない場合又は供しなくなった場合（適格合併、適格分割、適格現物出資又は適格現物分配〔以下10において「適格合併等」という。〕により当該買換資産を合併法人、分割承継法人、被現物出資法人又は被現物分配法人〔以下10において「合併法人等」という。〕に移転する場合を除く。）には、次に掲げるところにより、当該買換資産につき圧縮記帳により損金の額に算入された金額に相当する金額は、当該取得の日から1年を経過する日又はその供しなくなった日を含む事業年度（適格合併に該当しない合併により当該買換資産を移転したことにより当該買換資産をその事業の用に供しなくなった場合には、当該合併の日の前日を含む事業年度）の所得の金額の計算上、益金の額に算入する。（措法65の7④、65の8⑭、措令39の7⑪）

イ	当該買換資産が土地等である場合	\multicolumn{2}{l	}{益金の額に算入する金額は、圧縮記帳により損金の額に算入された金額に、（イ）に掲げる金額のうちに（ロ）に掲げる金額の占める割合を乗じて計算した金額とする。}
		(イ)	当該損金の額に算入された金額に係る買換資産のその取得の日における価額
		(ロ)	(イ)に掲げる買換資産のうち事業の用に供しない部分又は供しなくなった部分のその取得の日における価額
ロ	当該買換資産が減価償却資産である場合	\multicolumn{2}{l	}{益金の額に算入する金額は、圧縮記帳により損金の額に算入された金額（当該買換資産が先行取得をした減価償却資産である場合には、11の①《圧縮後の取得価額》の括弧書により計算された金額と11の②《買換資産を事業の用に供しないため圧縮額を復活させた場合の取得価額》により計算された金額との合計額）に、イの(イ)に掲げる金額のうちにイの(ロ)に掲げる金額の占める割合を乗じて計算し、この金額に、次の(イ)に掲げる金額のうちに(ロ)に掲げる金額の占める割合を乗じて計算した金額とする。}
		(イ)	イの(イ)に掲げる買換資産のその取得の日から1年を経過する日（その取得の日から1年以内に事業の用に供しなくなった場合には、その供しなくなった日〔適格合併に該当しない合併により当該買換資産を移転したことにより当該買換資産をその事業の用に供しなくなった場合には、当該合併の日の前日〕とする。(ロ)において同じ。）における取得価額
		(ロ)	(イ)に掲げる買換資産のその取得の日から1年を経過する日における帳簿価額

注1　――線部分は、令和5年度改正により改正された部分で、1の注1の経過措置の適用を受ける場合については、①中「1《特定の資産の買換えの場合の圧縮記帳》の表の①から④まで」とあるのは「1の注2の表の旧①から旧⑤まで」と、「同表の④」とあるのは「同表の旧⑤」とする。（令5改法附46②）

注2　――線部分は、令和3年度改正により改正された部分で、1の注3の経過措置の適用を受ける場合については、①中「1《特定の資産の買替えの場合の圧縮記帳》の表の①から④まで」とあるのは「1の注4の表の旧①から旧⑦まで」と、「同表の④」とあるのは「同表の旧⑦」とする。（令3改法附52②、1）

注3　――線部分は、令和2年度改正により改正された部分で、1の注5の経過措置の適用を受ける場合については、①中「1《特定の資産の買換えの場合の圧縮記帳》の表の①から④まで」とあるのは「1の注6の表の旧①から旧⑦まで」と、「同表の④」とあるのは「同表の旧⑧」とする。（令2改法附88①②、令2改措令附34）

(買換資産を当該法人の事業の用に供しなくなったかどうかの判定)
(1) 法人の有する買換資産について①に掲げる事実が生じた場合においても、それが収用、災害その他法人の責めに帰せられないやむを得ない事情に基づき生じたものであるときは、①又は②《圧縮記帳適用買換資産の移転を受けた合併法人等が買換資産を事業の用に供しない場合の圧縮額の益金算入》を適用しないことができる。(措通65の7(3)－9)

(建物、構築物等の建設等が遅れる場合の土地等の圧縮額の益金算入)
(2) 1の(8)《買換資産を当該法人の事業の用に供した時期の判定》の(一)のイの(イ)又は(ロ)に掲げる場合において、その建物、構築物等が同(一)のイの(イ)又は(ロ)に定める範囲内に当該法人の事業の用に供されないときは、当該建物、構築物等の敷地の用に供する土地等は、当該期間を経過する日を含む事業年度において①の適用をするのではなく、その取得の日から1年を経過する日を含む事業年度において①の適用があることに留意する。(措通65の7(3)－10)
注 当該期間を経過する日を含む事業年度における②《圧縮記帳適用買換資産の移転を受けた合併法人等が買換資産を事業の用に供しない場合の圧縮額の益金算入》の適用についても同様とする。

(帳簿価額の復活)
(3) ①の適用を受けた法人は、当該買換資産の取得の日から1年を経過する日(その取得の日から1年以内に事業の用に供しなくなった場合には、その供しなくなった日)において、当該買換資産の帳簿価額につき益金の額に算入された金額に相当する金額の増額をするものとする。この場合において、当該増額をしなかったときは、同日を含む事業年度以後の各事業年度の所得の金額の計算上、当該買換資産の帳簿価額は、当該金額の増額がされたものとみなす。(措令39の7⑫)

② **圧縮記帳適用買換資産の移転を受けた合併法人等が買換資産を事業の用に供しない場合の圧縮額の益金算入**
　適格合併等により **1**《特定の資産の買換えの場合の圧縮記帳》(**6**の④《特別勘定を設けている法人の圧縮記帳》において準用する場合を含む。以下②において同じ。)又は **4**《適格分割等を行った場合の分割法人等における買換資産の圧縮額の損金算入》(**6**の⑤《特別勘定を設けている法人が適格分割等を行った場合の圧縮記帳》において準用する場合を含む。以下②において同じ。)の適用を受けた買換資産(**1**又は **4** の適用を受けた事業年度以後の事業年度において第三十五款の三の1《通算制度の開始に伴う資産の時価評価損益》、同三の2《通算制度への加入に伴う資産の時価評価損益》又は同三の3《通算制度からの離脱等に伴う資産の時価評価損益》の適用を受けたこれらに掲げる時価評価資産に該当するものを除く。)の移転を受けた合併法人等が、当該適格合併等に係る被合併法人、分割法人、現物出資法人又は現物分配法人(以下②において「被合併法人等」という。)が当該買換資産を取得した日から1年以内に、当該買換資産を当該合併法人等の当該適格合併等により移転を受けた **1** の表の①から④までの右欄に掲げる地域内にある事業の用(同表の④の右欄に掲げる資産については、その移転を受けた事業の用)に供しない場合又は供しなくなった場合(適格合併等により当該買換資産を合併法人等に移転する場合を除く。)には、次に掲げるところにより、当該買換資産につき **1** 又は **4** により当該被合併法人等において損金の額に算入された金額に相当する金額は、当該取得の日から1年を経過する日又はその供しなくなった日を含む当該被合併法人等の事業年度(適格合併に該当しない合併により当該買換資産を移転したことにより当該買換資産をその事業の用に供しなくなった場合には、当該合併の日の前日を含む事業年度)の所得の金額の計算上、益金の額に算入する。(措法65の7⑫、65の8⑮、措令39の7⑭)

イ	当該買換資産が土地等である場合	**1** 又は **4** により当該買換資産につき被合併法人等において損金の額に算入された金額(当該買換資産が11の①《圧縮後の取得価額》の適用を受けた買換資産である場合には、同①により計算された金額と11の②《買換資産を事業の用に供しないため圧縮額を復活させた場合の取得価額》により計算された金額との合計額〔②により益金の額に算入された金額がある場合には、当該合計額に11の④ただし書により計算された金額を加算した金額〕とする。)に、(イ)に掲げる金額のうちに(ロ)に掲げる金額の占める割合を乗じて計算した金額
		(イ) 当該損金の額に算入された金額に係る買換資産の当該被合併法人において取得をした日における価額
		(ロ) (イ)における買換資産のうち②に掲げる事情が生じた部分の当該被合併法人等において取得をした日における価額

ロ	当該買換資産が減価償却資産である場合	イに掲げる金額に、(イ)に掲げる金額のうちに(ロ)に掲げる金額の占める割合を乗じて計算した金額	
		(イ)	イの(イ)に掲げる買換資産の当該被合併法人等において取得をした日から1年を経過する日(その取得をした日から1年以内に②に掲げる事業の用に供しなくなった場合には、その供しなくなった日〔適格合併に該当しない合併により当該買換資産を移転したことにより当該買換資産をその事業の用に供しなくなった場合には、当該合併の日の前日〕とする。(ロ)において同じ。)における取得価額
		(ロ)	(イ)に掲げる買換資産の当該被合併法人等において取得をした日から1年を経過する日における帳簿価額

注1 ──線部分は、令和5年度改正により改正された部分で、1の注1の経過措置の適用を受ける場合については、②中「1の表の①から④まで」とあるのは「1の注2の表の旧①から旧⑤まで」と、「同表の④」とあるのは「同表の旧⑤」とする。(令5改法附46②)

注2 ──線部分は、令和3年度改正により改正された部分で、1の注3の経過措置の適用を受ける場合については、②中「1の表の①から④まで」とあるのは「1の注4の表の旧①から旧⑦まで」と、「同表の④」とあるのは「同表の旧⑦」とする。(令3改法附52②、1)

注3 ──線部分は、令和2年度改正により改正された部分で、1の注5の経過措置の適用を受ける場合については、②中「1の表の①から⑤まで」とあるのは「1の注6の表の旧①から旧⑦まで」と、「同表の④」とあるのは「同表の旧⑧」とする。(令2改法附88①②、令2改措令附34)

(帳簿価額の復活)

(1) ②の適用を受けた法人は、②の表のロの(イ)に掲げる取得をした日から1年を経過する日において、当該買換資産の帳簿価額につき②により益金の額に算入された金額に相当する金額の増額をするものとする。この場合において、当該増額をしなかったときは、同日を含む事業年度以後の各事業年度の所得の金額の計算上、当該買換資産の帳簿価額は、当該金額の増額がされたものとみなす。(措法65の7⑫、措令39の7⑭)

(適格合併等に係る合併法人等における供用事業)

(2) 1《特定の資産の買換えの場合の圧縮記帳》又は4《適格分割等を行った場合の分割法人等における買換資産の圧縮額の損金算入》は、買換資産をその取得の日から1年以内に事業の用に供した場合又は供する見込みである場合に限り適用があるのであるが、適格合併等に係る被合併法人等が、当該買換資産を当該適格合併等により合併法人等に移転する場合において、当該合併法人等が当該適格合併等により移転を受ける事業以外の事業の用に供する見込みであるときは、1又は4の適用はないことに留意する。

6の①《譲渡益の特別勘定経理》又は同②《適格分割等を行った場合の分割法人等における譲渡益の期中特別勘定経理》の適用についても同様とする。(措通65の7(2)-3)

注 適格合併等により1又は4の適用を受けた買換資産の移転を受けた合併法人等が、当該適格合併等に係る被合併法人等が当該買換資産を取得した日から1年以内に、当該買換資産を当該合併法人等が当該適格合併等により移転を受けた事業の用に供しない場合又は供しなくなった場合には、合併法人等において②に基づく取戻し課税の適用があるのであるから、留意する。

11　圧縮記帳資産の取得価額の特例

① 圧縮後の取得価額

　1、4、6の④又は6の⑤の適用を受けた買換資産について法人税に関する法令の規定を適用する場合には、1、4、6の④又は6の⑤により各事業年度の所得の金額の計算上損金の額に算入された金額（当該買換資産が3《買換えのための先行取得資産》により買換資産とみなされた資産《先行取得資産》であり、かつ、当該買換資産が減価償却資産である場合には、当該損金の額に算入された金額に、ロに掲げる金額に対するイに掲げる金額の割合を乗じて計算した金額に相当する金額）は、当該買換資産の取得価額に算入しない。（措法65の7⑧⑩、65の8⑯、措令39の7⑲）

イ	当該買換資産の当該事業年度開始の日の前日における帳簿価額
ロ	当該買換資産のイに掲げる開始の日の前日における取得価額

　　注　圧縮記帳の適用を受けた買換資産については、圧縮後の価額を取得価額とみなすのであるが、買換資産が先行取得資産であり、かつ、減価償却資産であるときは、圧縮後の取得価額は3の(4)の注2のように計算する。（編者）

② 買換資産を事業の用に供しないため圧縮額を復活させた場合の取得価額

　1、4、6の④又は6の⑤の適用を受けた買換資産につき10《買換資産を事業の用に供しない場合の圧縮額の益金算入》の適用を受けた場合には、益金の額に算入された金額（当該買換資産が減価償却資産である場合は、①により当該買換資産の取得価額に算入されなかった金額に、イに掲げる金額のうちにロに掲げる金額の占める割合を乗じて計算した金額に相当する金額）は、当該買換資産の取得価額に算入するものとする。（措法65の7⑧括弧書、⑩、65の8⑯、措令39の7⑳）

イ	当該買換資産のその取得の日における価額
ロ	当該買換資産のうちその取得の日から1年以内に事業の用に供しない部分又は供しなくなった部分のその取得の日における価額

　　注　買換資産を事業の用に供しない場合又は供しなくなった場合に、圧縮額を復活させたときは、取得価額も復活させるのであるが、減価償却資産については、復活による益金算入額はその時における帳簿価額ベースで計算することになるので、取得価額の復活額は、益金算入額を取得価額ベースに置き換えて計算することになる。（編者）

③ 適格合併等により移転を受けた圧縮記帳資産の取得価額

　適格合併等により1、4、6の④又は6の⑤の圧縮記帳の適用を受けた買換資産の移転を受けた合併法人等が当該買換資産について法人税に関する法令の規定を適用する場合には、当該適格合併等に係る被合併法人等において当該買換資産の取得価額に算入されなかった金額は、当該買換資産の取得価額に算入しない。（措法65の7⑬、65の8⑰）

　　（圧縮記帳の適用を受けた固定資産の移転を受けた場合の取得価額）
　　　合併法人等（合併法人、分割承継法人、被現物出資法人又は被現物分配法人をいう。）が適格組織再編成（適格合併、適格分割、適格現物出資又は適格現物分配をいう。）により被合併法人等（被合併法人、分割法人、現物出資法人又は現物分配法人をいう。）において圧縮記帳の適用を受けた固定資産の移転を受けた場合には、当該固定資産に係る積立金の金額の引継ぎを受けたかどうかにかかわらず、当該被合併法人等において当該固定資産の取得価額に算入されなかった金額は、当該固定資産の取得価額に算入されないことに留意する。（措通64〜66（共）−1、基通10−1−4）

④ 移転を受けた買換資産を事業の用に供しない場合の取戻額の取得価額加算

　10の②《圧縮記帳適用買換資産の移転を受けた合併法人等が買換資産を事業の用に供しない場合の圧縮の益金算入》の適用を受けた買換資産については、10の②により益金の額に算入された金額を当該買換資産の取得価額に算入する。ただし、当該買換資産が減価償却資産である場合には、被合併法人等において①《圧縮後の取得価額》により当該買換資産の取得価額に算入されなかった金額（同①に掲げる益金の額に算入された金額を含む。）に、イに掲げる金額のうちにロに掲げる金額を占める割合を乗じて計算した金額に相当する金額を当該買換資産の取得価額に算入する。（措法65の7⑮、65の8⑳、措令39の7㉑）

イ　当該買換資産のうち当該被合併法人等において取得をした日における価額
ロ　当該買換資産のうち10の②に掲げる事情が生じた部分の当該被合併法人等において取得をした日における価額

12　圧縮記帳資産に対する特別償却等の不適用

　圧縮記帳の適用を受けた買換資産については、第七款《租税特別措置法による特別償却》の**二十五**《特別償却等に関する複数の規定の不適用》の表に掲げる規定は適用しない。（措法65の7⑦、65の8⑯）

（圧縮記帳をした資産についての特別償却等の不適用）
（1）　**1**《特定の資産の買換えの場合の圧縮記帳》の適用を受けた買換資産については、その取得価額の一部が資産の譲渡対価以外の資金から成るときであっても、当該買換資産については、特別償却の規定、これに係る特別償却準備金の規定及び特別税額控除の規定を適用することはできないことに留意する。（措通65の7（3）－11・編者補正）

　　注　適格分割等を行った場合については、「**1**《特定の資産の買換えの場合の圧縮記帳》」とあるのは「**1**《特定の資産の買換えの場合の圧縮記帳》又は**4**」とする。（編者）

（事業の用に供しなかった買換資産に係る特別償却等）
（2）　法人が買換資産につき**10**《買換資産を事業の用に供しない場合の圧縮額の益金算入》の適用を受けた場合には、当該適用を受けた事業年度以後の事業年度においては、当該買換資産について第七款《租税特別措置法による特別償却》の**一**から**二十**まで並びにこれに係る同款の**二十三**及び**二十四**の特別償却等及び第三章第二節第二款《税額控除》の**六**から**十五**（同款の**十二**及び**十三**を除く。）までの特別控除をすることができる。
　この場合において、次に掲げることについては、次によることに留意する。（措通65の7（3）－12・編者補正）
（一）　特別償却の適用における取得の日は、当該資産の圧縮記帳の特例の適用における取得の日による。
（二）　第七款の**十六の3**《産業振興機械等の割増償却》、同款の**二十一**《事業再編計画の認定を受けた場合の事業再編促進機械等の割増償却》、同款の**十九**《特定都市再生建築物の割増償却》及び同款の**二十**《倉庫用建物等の割増償却》の適用を受けることができる期間は、当該益金の額に算入されることとなった日からこれらに掲げる供用期間の末日までの間に限られる。

　　注1　特定機械装置等《第七款の一参照》につき買換えによる圧縮記帳の適用を受けた場合において、それが一旦当該法人の事業の用に供した後その取得の日から1年以内に当該法人の事業の用に供さなくなったため**10**《買換資産を事業の用に供しない場合の圧縮額の益金算入》の①により益金の額に算入されたときは、その後においても当該特定機械装置等について特別償却の適用を受けることはできない。
　　　　しかし、特定機械装置等をその取得の日から1年を経過する日まで引き続き当該法人の事業の用に供さなかったため**10**の①により益金の額に算入されたときは、その後当該特定機械装置等を当該法人の事業の用に供した日（同一に掲げる指定期間内の日に限る。）を含む事業年度において特別償却の適用を受けることができる。
　　　　適格合併等により**1**又は**4**の適用を受けた買換資産の移転を受けた合併法人等が**10**の②の適用を受ける場合も同様とする。
　　注2　産業振興機械等《第七款の**十六の3**》（以下「産業振興機械等」という。）について買換えによる圧縮記帳の適用を受けた場合において、それが一旦当該法人の事業の用に供した後その取得の日から1年以内に当該法人の事業の用に供さなくなったため**10**《買換資産を事業の用に供しない場合の圧縮額の益金算入》の①により益金の額に算入されたときは、その後当該産業振興機械等を事業の用に供したときの当初に当該法人の事業の用に供した日以後5年以内の期間のうち再び事業の用に供している期間について、産業振興機械等をその取得の日から1年を経過する日まで引き続き当該法人の事業の用に供さなかったため**10**の①により益金の額に算入されたときはその後当該産業振興機械等を事業の用に供した日以後5年以内の期間のうち事業の用に供している期間については、割増償却の適用を受けることができる。
　　　　適格合併等により**1**又は**4**の適用を受けた買換資産の移転を受けた合併法人等が**10**の②の適用を受ける場合も同様とする。

（特別償却等を実施した先行取得資産についての圧縮記帳の不適用）
（3）　譲渡資産の譲渡の日を含む事業年度開始の日前に取得した資産につき法人が第七款《租税特別措置法による特別償却》の**一**から**二十**まで並びにこれらの特別償却に係る同款の**二十四**《準備金方式による特別償却》の適用及び第三章第二節第二款《税額控除》の**六**から**十五**（同款の**十二**及び**十三**を除く。）までの適用を受けている場合には、当該資産が**3**《買換えのための先行取得資産》に該当するものであっても、**3**の適用がないことに留意する。（措通65の7（3）－13・編者補正）

13　圧縮額等の損金算入の申告

1　《特定の資産の買換えの場合の圧縮記帳》及び6の④《特別勘定を設けている法人の圧縮記帳》の買換資産の圧縮額の損金算入又は6の①《譲渡益の特別勘定経理》の特別勘定の金額の損金算入は、確定申告書等にその損金の額に算入される金額の損金算入に関する申告《別表十三(五)》の記載があり、かつ、当該確定申告書等にその損金の額に算入される金額の計算に関する明細書《別表十三(五)》及び(2)《買換えの証明書》に掲げる書類の添付がある場合に限り、適用する。(措法65の7⑤、65の8⑯)

ただし、税務署長は、上記の記載又は添付がない確定申告書等の提出があった場合においても、その記載又は添付がなかったことについてやむを得ない事情があると認めるときは、当該記載をした書類並びに明細書及び(2)に掲げる書類の提出があった場合に限り、これらの特例を適用することができる。(措法65の7⑥、65の8⑯)

この場合において、6の①に掲げる特別勘定の金額の損金算入を適用するときは、上記の「明細書」とあるのは、「明細書、(1)に掲げる書類」と読み替えるものとする。(措法65の8⑯、措規22の7⑦)

(取得をする見込みである資産を明らかにする書類)

(1)　13の後段において6の①に掲げる特別勘定の金額の損金算入を適用するときに添付する書類には、取得をする見込みである資産に関する次の事項を記載する。(措規22の7⑦)

(一)	取得をする見込みである資産の種類、構造、規模（土地等にあっては、その面積）、所在地及び取得予定年月日（船舶にあっては、種類、構造、規模及び取得予定年月日）
(二)	6の①に掲げる特別勘定として経理した金額並びに当該特別勘定に係る譲渡資産の種類、構造又は用途、規模（土地等にあっては、その面積）、所在地及び譲渡年月日（船舶にあっては、種類、構造又は用途、規模及び譲渡年月日）
(三)	取得をする見込みである資産のその適用に係る1の表の①から④までの区分
(四)	その他参考となるべき事項

注1　──線部分（(二)及び(三)に係る部分に限る。）は、令和5年度改正により改正された部分で、改正規定は、令和6年4月1日以後に1の表の左欄に掲げる資産の譲渡をして、令和6年4月1日以後に同表の右欄に掲げる資産の取得をする場合の当該資産及び当該資産に係る①又は②の特別勘定又は期中特別勘定について適用し、令和6年3月31日以前に1の表の左欄に掲げる資産の譲渡をした場合における令和6年3月31日以前に取得をした同表の右欄に掲げる資産又は令和6年4月1日以後に取得をする同表の右欄に掲げる資産及びこれらの資産に係る①又は②の特別勘定又は期中特別勘定並びに令和6年4月1日以後に同表の左欄に掲げる資産の譲渡をする場合における令和6年3月31日以前に取得をした同表の右欄に掲げる資産については、上表の(二)及び(三)は次による。（令5改措規附6①、1Ⅳ）

旧(二)	6の①に掲げる特別勘定として経理した金額並びに当該特別勘定に係る譲渡資産の種類、所在地及び規模（土地等にあっては、その面積）並びにその譲渡年月日
旧(三)	取得をする見込みである資産について適用を受けることとしている1の表の①から④までの区分

注2　──線部分（(一)及び注1の旧(三)に係る部分に限る。）は、令和5年度改正により改正された部分で、1の注1の経過措置の適用を受ける場合については、上表の(一)及び注1の旧(三)は次による。（令5改法附46②）

旧(一)	取得をする見込みである資産の種類及び取得予定年月日（1の注2の表の旧①から旧④までの右欄に掲げる資産にあっては、種類、構造、所在地及び規模〔土地等にあっては、その面積〕並びにその取得予定年月日）
旧(三)	取得をする見込みである資産について適用を受けることとしている同表の旧①から旧⑤までの区分

注3　──線部分（注2に係る部分に限る。）は、令和3年度改正により改正された部分で、1の注3の経過措置の適用を受ける場合については、注2の旧(一)中「1の注2表の旧①から旧④まで」とあるのは「1の注4の表の旧①から旧⑥まで」と、注2の旧(三)中「同表の旧①から旧⑤まで」とあるのは「同表の旧①から旧⑦まで」とする。（令3改附52②）

注4　──線部分（注2に係る部分に限る。）は、令和2年度改正により改正された部分で、1の注5の経過措置の適用を受ける場合については、注2の旧(一)中「1の注2の表の旧①から旧④まで」とあるのは「1の注6の表の旧①から旧⑦まで」と、注2の旧(三)中「同表の旧①から旧⑤まで」とあるのは「同表の旧①から旧⑧まで」とする。（令2改法附88①②、令2改措令附34）

(買換えの証明書)

(2)　13に掲げる添付書類は、次に掲げる区分に応じ、それぞれに掲げる証明者のそれぞれ次に該当する旨を証する書類とする。(措規22の7②)

第三章　第一節　第十五款　七《特定の資産の買換えの圧縮記帳》

適用区分	譲渡資産					買換資産				
	資産	資産の所在地等	証明の要否	証明事項	証明者	資産	資産の所在地等	証明の要否	証明事項（証明書）	証明者
① 航空機騒音障害区域の内から外への買換え（措法65の7①の表〔以下「表」という。〕の1号該当）	航空機騒音障害区域内にある土地等、建物、構築物	特定空港周辺航空機騒音対策特別措置法第4条第1項に規定する航空機騒音障害防止特別地区内	必要	当該譲渡資産を買い取ったものである旨又は当該譲渡資産に係る補償金を支払ったものである旨及び当該所在地が航空機騒音障害防止特別地区に該当することとなった日	特定空港の設置者	航空機騒音障害区域以外にある土地等、建物、構築物、機械装置	農林業以外の事業用資産	必要	<u>表の1号のイからハまでに掲げる区域</u>以外の地域内である旨	都道府県知事
		公共用飛行場周辺における航空機騒音による障害の防止等に関する法律第9条第1項に規定する第二種区域内	必要	当該譲渡資産を買い取ったものである旨又は当該譲渡資産に係る補償金を支払ったものである旨及び当該所在地が第二種区域に該当することとなった日	特定飛行場の設置者			必要	<u>表の1号のイからハまでに掲げる区域</u>以外の地域内である旨	地方航空局長
		防衛施設周辺の生活環境の整備等に関する法律第5条第1項に規定する第二種区域内	必要	当該譲渡資産を買い取ったものである旨又は当該譲渡資産に係る補償金を支払ったもので	地方防衛局長（東海防衛支局の管轄区域内である場合は東海防衛支局			必要	<u>表の1号のイからハまでに掲げる区域</u>以外の地域内である旨	地方防衛局長（東海防衛支局の管轄区域内である場合は東海防衛支局

適用区分	譲渡資産					買換資産				
	資産	資産の所在地等	証明の要否	証明事項	証明者	資産	資産の所在地等	証明の要否	証明事項（証明書）	証明者
				ある旨	長)					長)
						航空機騒音障害区域以外の地域内で、かつ、市街化区域以外の地域内にある土地等、建物、構築物、機械装置	農林業用資産	必要	表の1号のイからハまでに掲げる区域以外の地域内である旨	都道府県知事
								必要	表の1号のイからハまでに掲げる区域以外の地域内である旨	地方航空局長
								必要	表の1号のイからハまでに掲げる区域以外の地域内である旨	地方防衛局長（東海防衛支局の管轄区域内である場合は東海防衛支局長）
② 土地の計画的かつ効率的な利用に資する施策に伴う既成市街地等及び人口集中地区の区域内での買換え（表の2号該当）	既成市街地等内にある土地等、建物、構築物	東京都23区内・大阪市内・武蔵野市内	不要			既成市街地等及び人口集中地区の区域内にある土地等、建物、構築物、機械装置	東京都23区内・大阪市内・武蔵野市内	必要	都市再開発法による市街地再開発事業（以下「市街地再開発事業」という。）の施行地域内である旨（当該買換資産の所在地が指定都市の区域内であり、かつ、当該市街地再開発事	都道府県知事
		三鷹市等の区域内(注)三鷹市等の区域とは、三鷹市、横浜市、川崎市、川口市、京都市、堺市、守口市、東大阪市、神戸市、尼崎市、	必要	既成市街地等内である旨	市長					

—818—

第三章　第一節　第十五款　七《特定の資産の買換えの圧縮記帳》

適用区分	譲渡資産					買換資産				
	資産	資産の所在地等	証明の要否	証明事項	証明者	資産	資産の所在地等	証明の要否	証明事項（証明書）	証明者
		西宮市、芦屋市又は名古屋市の区域をいう。							業の施行者が個人施行者、組合又は再開発会社である場合には、当該買換資産の所在地が当該市街地再開発事業の施行地域内である旨）	
	都市計画区域のうち人口集中地区の区域内（既成市街地等内を除く。）にある土地等、建物、構築物	市の全域が都市計画区域となっていない当該市の区域内	必要	都市計画区域内である旨	市町村長					
				人口集中地区の区域内である旨	総務大臣					
		市の全域が都市計画区域となっている当該市の区域内	必要	人口集中地区の区域内である旨	総務大臣		三鷹市等の区域内の既成市街地等内	必要	市街地再開発事業の施行地域内である旨	都道府県知事
									既成市街地等内である旨	市長
							人口集中地区の区域内	必要	市街地再開発事業の施行地域内である旨	都道府県知事
									人口集中地区の区域内である旨	総務大臣
③ 長期保有の土地等から土地等及び一定の減価償却資産への買換え（表の3号該当）	国内にある土地等、建物又は構築物で、取得をされた日から引き続き所有されていたこれらの資産のうち所有期間	熊谷市等の区域内の集中地域 （注）熊谷市等の区域とは、熊谷市、飯能市、木更津市、成田市、市原市、君津市、	必要	集中地域内である旨 （注）熊谷市等については、市域内に集中地域とそれ以外の地域が混在している市であるこ	市長	国内にある土地等、建物若しくは構築物（駐車場の用に供される土地〔1の表の③の右欄に掲げるやむを得ない	熊谷市等の区域内の集中地域	不要		
							熊谷市等の区域内の集中地域以外	必要	集中地域以外である旨	市長
							熊谷市等の区域以外の集中地域及び同区域以外の集中地域以外	不要		

第三章　第一節　第十五款　七《特定の資産の買換えの圧縮記帳》

適用区分	譲渡資産					買換資産				
	資産	資産の所在地等	証明の要否	証明事項	証明者	資産	資産の所在地等	証明の要否	証明事項（証明書）	証明者
	が10年を超えるもの	富津市、袖ヶ浦市、相模原市、常総市、京都市、堺市、守口市、東大阪市、神戸市、尼崎市、西宮市、芦屋市又は名古屋市の区域をいう。		とに留意する。		事情があるものに限る。〕及び5における当該資産を除く。）				
						駐車場の用に供される土地（1の表の③の右欄に掲げるやむを得ない事情があるものに限る。）	熊谷市等の区域内の集中地域	必要	1の表の③の右欄に掲げるやむを得ない事情を明らかにする1の(12)に掲げる書類	
							熊谷市等の区域内の集中地域以外	必要（注）集中地域内である旨の証明書がある場合は、いずれかによる。	集中地域以外である旨及び1の表の③の右欄に掲げるやむを得ない事情を明らかにする1の(12)に掲げる書類	市長（集中地域以外である旨に限る。）
							熊谷市等の区域以外の集中地域及び同区域以外の集中地域以外	必要	1の表の③の右欄に掲げるやむを得ない事情を明らかにする1の(12)に掲げる書類	
		熊谷市等の区域内の集中地域以外	不要			国内にある土地等、建物若しくは構築物（駐車場の用に供	熊谷市等の区域内の集中地域	不要		
							熊谷市等の区域内の集中地域以外	必要	集中地域以外である旨	市長
							熊谷市等の区域以外の集中地域及び	不要		

適用区分	譲渡資産					買換資産				
	資産	資産の所在地等	証明の要否	証明事項	証明者	資産	資産の所在地等	証明の要否	証明事項（証明書）	証明者
						される土地〔1の表の③の右欄に掲げるやむを得ない事情があるものに限る。〕及び5における当該資産を除く。）	同区域以外の集中地域以外			
						駐車場の用に供される土地（1の表の③の右欄に掲げるやむを得ない事情があるものに限る。）	熊谷市等の区域内の集中地域	必要	1の表の③の右欄に掲げるやむを得ない事情を明らかにする1の(12)に掲げる書類	
							熊谷市等の区域内の集中地域以外	必要	集中地域以外である旨及び1の表の③の右欄に掲げるやむを得ない事情を明らかにする1の(12)に掲げる書類	市長（集中地域以外である旨に限る。）
							熊谷市等の区域以外の集中地域及び同区域以外の集中地域以外	必要	1の表の③の右欄に掲げるやむを得ない事情を明らかにする1の(12)に掲げる書類	

第三章　第一節　第十五款　七《特定の資産の買換えの圧縮記帳》

適用区分	譲渡資産					買換資産				
	資　産	資産の所在地等	証明の要否	証明事項	証明者	資　産	資産の所在地等	証明の要否	証明事項（証明書）	証明者
		熊谷市等の区域以外の集中地域及び同区域以外の集中地域以外	不　要			国内にある土地等、建物若しくは構築物（駐車場の用に供される土地〔1の表の③の右欄に掲げるやむを得ない事情があるものに限る。〕及び5における当該資産を除く。）	熊谷市等の区域内の集中地域	不　要		
							熊谷市等の区域内の集中地域以外	必　要	集中地域以外である旨	市　長
							熊谷市等の区域以外の集中地域及び同区域以外の集中地域以外	不　要		
						駐車場の用に供される土地（1の表の③の右欄に掲げるやむを得ない事情があるものに限る。）	熊谷市等の区域内の集中地域	必　要	1の表の③の右欄に掲げるやむを得ない事情を明らかにする1の(12)に掲げる書類	
							熊谷市等の区域内の集中地域以外	必　要	集中地域以外である旨及び1の表の③の右欄に掲げるやむを得ない事情を明らかにする1の(12)に掲げる書類	
							熊谷市等の区域以外の集中地域及び同区域以外の集中地域以外	必　要	1の表の③の右欄に掲げるやむを得	

第三章 第一節 第十五款 七《特定の資産の買換えの圧縮記帳》

適用区分	譲渡資産					買換資産				
	資産	資産の所在地等	証明の要否	証明事項	証明者	資産	資産の所在地等	証明の要否	証明事項（証明書）	証明者
									ない事情を明らかにする**1**の(12)に掲げる書類	
						車両及び運搬具（貨物鉄道事業用機関車）	国内	不要		
④船舶から船舶への買換え（表の4号該当）	船舶（船舶法第1条に規定する日本船舶に限る。）のうち一定のもの		不要			船舶（日本船舶に限る。）のうち一定のもの		不要		

注1 上記の表は、租税特別措置法施行規則第22条の7第3項から第5項までの規定に基づいて**1**の表の①から④までのそれぞれごとに、その資産又は地域につき証明の要否及び証明事項等を適宜まとめたものである。（編者）
(一) 証明事項は、上記の表の①から④までのそれぞれごとに、かつ、譲渡資産又は買換資産の区分ごとに定められているので、一の譲渡資産又は買換資産について二つの事項（地域）に該当する旨の証明を要する場合がある。
(二) 証明は、主として譲渡資産又は買換資産の所在地に関するものであるので、個々の資産ごとに証明を受けることなく、一定の区域又は地域内にある2以上の資産について一括して証明を受けることも差し支えない。

注2 令和5年度改正により、上表から次のものが除かれているが、令和5年3月31日以前については、なおその適用がある。（令5改措規附1）

適用区分	譲渡資産					買換資産				
	資産	資産の所在地等	証明の要否	証明事項	証明者	資産	資産の所在地等	証明の要否	証明事項（証明書）	証明者
旧① 既成市街地等の内から外への買換え（措法65の7旧①の表〔以下「表」という。〕の1号該当）	既成市街地等内にある事務所若しくは事業所として使用されている建物又はその敷地の用に供されている土地等	東京都23区内（大田区を除く。）・武蔵野市内	不要			既成市街地等以外にある土地等、建物、構築物、機械装置	農林業以外の事業用資産	三鷹市等の区域外	必要	特定区域内である旨	市町村長
								三鷹市等の区域内	必要	既成市街地等以外の地域及び特定区域内である旨	市長
		三鷹市等の区域内（横浜市、川崎市、堺市、神戸市、尼崎市又は西宮市を除く。）(注)三鷹市等の区域とは、	必要	既成市街地等内である旨 (注)三鷹市等については、既成市街地等に含まれていない地域があるので留意す	市長		農林業用資産	三鷹市等の区域内	必要	既成市街地域等以外の地域及び市街化区域以外の地域内である旨	市長
								三鷹市等の区域外	必要	市街化区域以外の地域内である旨	市町村長

第三章　第一節　第十五款　七《特定の資産の買換えの圧縮記帳》

	譲渡資産				買換資産				
	資産の所在地等	証明の要否	証明事項	証明者	資産	資産の所在地等	証明の要否	証明事項	証明者
	三鷹市、横浜市、川崎市、川口市、京都市、堺市、守口市、東大阪市、神戸市、尼崎市、西宮市、芦屋市又は名古屋市の区域をいう。		る。						
	横浜市、川崎市、堺市、神戸市、尼崎市又は西宮市の区域内	必要	1の注2の(1)《1号買替え》に掲げる国土交通大臣が指定する区域以外の既成市街地等である旨	市長					
	大田区又は大阪市の区域内	必要	1の注2の(1)に掲げる国土交通大臣が指定する区域以外の地域内である旨	区長又は市長					

注3　上表は、令和3年度改正により改正されており、改正規定は、令和3年4月1日から適用され、令和3年3月31日以前の適用については、上表は次による。（令3改措規附1）

適用区分	譲渡資産					買換資産				
	資産	資産の所在地等	証明の要否	証明事項	証明者	資産	資産の所在地等	証明の要否	証明事項（証明書）	証明者
旧① 既成市街地等の内から外への買換え（措法65の7旧①の表〔以下「表」という。〕の1号該当）	既成市街地等内にある事務所若しくは事業所として使用されている建物又はその敷地の用に供されている土地等	東京都23区内（大田区を除く。）・武蔵野市内	不要			既成市街地等以外にある土地等、建物、構築物、機械装置	農林業以外の事業用資産	三鷹市等の区域外	必要	特定区域内である旨	市町村長
								三鷹市等の区域内	必要	既成市街地等以外の地域及び特定区域内である旨	市長
		三鷹市等の区域内（横浜市、川崎市、堺市、神戸市、尼崎市又は西宮市を除く。）	必要	既成市街地等内である旨（注）三鷹市等については、既成市街地等に含まれてい	市長		農林業用資産	三鷹市等の区域内	必要	既成市街地等及び市街化区域以外の地域内である旨	市長
								三鷹市等の区域外	必要	市街化区域以外の地域内で	市町村長

			(注)三鷹市等の区域とは、三鷹市、横浜市、川崎市、川口市、京都市、堺市、守口市、東大阪市、神戸市、尼崎市、西宮市、芦屋市又は名古屋市の区域をいう。		ない地域があるので留意する。					ある旨	
			横浜市、川崎市、堺市、神戸市、尼崎市又は西宮市の区域内	必 要	1の注2の(1)《1号買替え》に掲げる国土交通大臣が指定する区域以外の既成市街地等である旨	市　長					
			大田区又は大阪市の区域内	必 要	1の注2の(1)に掲げる国土交通大臣が指定する区域以外の地域内である旨	区長又は市長					
旧②	航空機騒音障害区域の内から外への買換え（表の2号該当）	航空機騒音障害区域内にある土地等、建物、構築物	特定空港周辺航空機騒音対策特別措置法第4条第1項に規定する航空機騒音障害防止特別地区内	必 要	当該譲渡資産を買い取ったものである旨又は当該譲渡資産に係る補償金を支払ったものである旨及び当該所在地が航空機騒音障害防止特別地区に該当することとなった日	特定空港の設置者	航空機騒音障害区域以外にある土地等、建物、構築物、機械装置	農林業以外の事業用資産	必 要	航空機騒音障害区域以外の地域内である旨	都道府県知事
			公共用飛行場周辺における	必 要	当該譲渡資産を買い取った	特定飛行場の設置者			必 要	航空機騒音障害区域以外の	地方航空局長

			航空機騒音による障害の防止等に関する法律第9条第1項に規定する第二種区域内		ものである旨又は当該譲渡資産に係る補償金を支払ったものである旨及び当該所在地が第二種区域に該当することとなった日					地域内である旨	
			防衛施設周辺の生活環境の整備等に関する法律第5条第1項に規定する第二種区域内	必要	当該譲渡資産を買い取ったものである旨又は当該譲渡資産に係る補償金を支払ったものである旨	地方防衛局長（東海防衛支局の管轄区域内である場合は東海防衛支局長）			必要	航空機騒音障害区域以外の地域内である旨	地方防衛局長（東海防衛支局の管轄区域内である場合は東海防衛支局長）
							航空機騒音障害区域以外の地域内で、かつ、市街化区域以外の地域内にある土地等、建物、構築物、機械装置	農林業用資産	必要	航空機騒音障害区域以外の地域内である旨	都道府県知事
									必要	航空機騒音障害区域以外の地域内である旨	地方航空局長
									必要	航空機騒音障害区域以外の地域内である旨	地方防衛局長（東海防衛支局の管轄区域内である場合は東海防衛支局長）
旧③	過疎地域の外から内への買換え（表の3号該当）	過疎地域以外にある土地等、建物、構築物		必要	過疎地域以外の地域内である旨	町村長	過疎地域内にある土地等、建物、構築物、機械装置		必要	過疎地域内である旨	市町村長
旧④	土地の計画的かつ効率的な利用に資する施策に伴う既成市街地	東京都23区内・大阪市内・武蔵野市内		不要			既成市街地等及び人口集中地区の区域内にある土地等、建物、	東京都23区内・大阪市内・武蔵野市内	必要	都市再開発法による市街地再開発事業（以下「市街地再開発事	都道府県知事
		三鷹市等の区域内		必要	既成市街地等内で	市長					

第三章 第一節 第十五款 七《特定の資産の買換えの圧縮記帳》

等及び人口集中地区の区域内での買換え（表の4号該当）	都市計画区域のうち人口集中地区の区域内（既成市街地等内を除く。）にある土地等、建物、構築物	市の全域が都市計画区域となっていない当該市の区域内	必要	ある旨 都市計画区域内である旨 人口集中地区の区域内である旨	市町村長 総務大臣	構築物、機械装置			業」という。）の施行地域内である旨（当該買換資産の所在地が指定都市の区域内であり、かつ、当該市街地再開発事業の施行者が個人施行者、組合又は再開発会社である場合には、当該買換資産の所在地が当該市街地再開発事業の施行地域内である旨）	
		市の全域が都市計画区域となっている当該市の区域内	必要	人口集中地区の区域内である旨	総務大臣	三鷹市等の区域内の既成市街地等内	必要	市街地再開発事業の施行地域内である旨	都道府県知事
								既成市街地等内である旨	市長
						人口集中地区の区域内	必要	市街地再開発事業の施行地域内である旨	都道府県知事
								人口集中地区の区域内である旨	総務大臣
旧⑤ 危険密集市街地内にある土地等、建物、構築物の買換え（表の5号該当）	危険密集市街地内にある土地等、建物、構築物で、その敷地の用に供されている土地等の上に耐火建築物等又は準耐		必要	当該土地等の上に建築される耐火建築物等又は準耐火建築物等につき都道府県知事の認定を受けている旨	都道府県知事	危険密集市街地内にある土地等、建物、構築物で、防災街区整備事業に関する都市計画の実施に伴い、当該都市計画		必要	譲渡資産の所在地を含む危険密集市街地内である旨 防災街区整備事業の施行地区内である旨	都道府県知事

		火建築物等を建築するため譲渡される土地等、建物、構築物				に従って取得されるもの				
旧⑥	長期保有の土地等から土地等及び一定の減価償却資産への買換え（表の6号該当）	国内にある土地等、建物又は構築物で、取得をされた日から引き続き所有されていたこれらの資産のうち所有期間が10年を超えるもの	**熊谷市等の区域**内の集中地域 （注）熊谷市等の区域とは、熊谷市、飯能市、木更津市、成田市、市原市、君津市、富津市、袖ヶ浦市、相模原市、常総市、京都市、堺市、守口市、東大阪市、神戸市、尼崎市、西宮市、芦屋市又は名古屋市の区域をいう。	必要	集中地域内である旨 （注）熊谷市等については、市域内に集中地域とそれ以外の地域が混在している市であることに留意する。	市長	国内にある土地等、建物若しくは構築物（駐車場の用に供される土地〔1の注4の表の旧⑥の右欄に掲げるやむを得ない事情があるものに限る。〕及び5における当該資産を除く。）	熊谷市等の区域内の集中地域	不要		
								熊谷市等の区域内の集中地域以外	必要	集中地域以外である旨	市長
								熊谷市等の区域以外の集中地域及び同区域以外の集中地域以外	不要		
							駐車場の用に供される土地（1の注4の表の旧⑥の右欄に掲げるやむを得ない事情があるものに限る。）	熊谷市等の区域内の集中地域	必要	1の注4の表の旧⑥の右欄に掲げるやむを得ない事情を明らかにする1の(12)に掲げる書類	
								熊谷市等の区域内の集中地域以外	必要（注）集中地域内である旨の証明書がある場合は、いずれかによる。	集中地域以外である旨及び1の注4の表の旧⑥の右欄に掲げるやむを得ない事情を明らかにする1の(12)に掲げる書類	市長（集中地域以外である旨に限る。）
								熊谷市等の区域以外の集中地域及び同区域以外の集中地域以外	必要	1の注4の表の旧⑥の右欄に掲げるやむを得ない事情	

			熊谷市等の区域内の集中地域以外	不要				を明らかにする1の(12)に掲げる書類
					国内にある土地等、建物若しくは構築物（駐車場の用に供される土地〔1の注4の表の旧⑥の右欄に掲げるやむを得ない事情があるものに限る。〕及び5における当該資産を除く。）	熊谷市等の区域内の集中地域	不要	
						熊谷市等の区域内の集中地域以外	必要	集中地域以外である旨	市長
						熊谷市等の区域以外の集中地域及び同区域以外の集中地域以外	不要	
					駐車場の用に供される土地（1の注4の表の旧⑥の右欄に掲げるやむを得ない事情があるものに限る。）	熊谷市等の区域内の集中地域	必要	1の注4の表の旧⑥の右欄に掲げるやむを得ない事情を明らかにする1の(12)に掲げる書類
						熊谷市等の区域内の集中地域以外	必要	集中地域以外である旨及び1の注4の表の旧⑥の右欄に掲げるやむを得ない事情を明らかにする1の(12)に掲げる書類	市長（集中地域以外である旨に限る。）
						熊谷市等の区域以外の集中地域及び同区域以外の集中地域以外	必要	1の注4の表の旧⑥の右欄に掲げるやむを得ない事情を明らかにする1

				国内にある土地等、建物若しくは構築物（駐車場の用に供される土地〔1の注4の表の旧⑥の右欄に掲げるやむを得ない事情があるものに限る。〕及び5における当該資産を除く。）	熊谷市等の区域内の集中地域	不要		
	熊谷市等の区域以外の集中地域及び同区域以外の集中地域以外	不要			熊谷市等の区域内の集中地域以外	必要	集中地域以外である旨	市長
					熊谷市等の区域以外の集中地域及び同区域以外の集中地域以外	不要		
				駐車場の用に供される土地（1の注4の表の旧⑥の右欄に掲げるやむを得ない事情があるものに限る。）	熊谷市等の区域内の集中地域	必要	1の注4の表の旧⑥の右欄に掲げるやむを得ない事情を明らかにする1の(12)に掲げる書類	
					熊谷市等の区域内の集中地域以外	必要	集中地域以外である旨及び1の注4の表の旧⑥の右欄に掲げるやむを得ない事情を明らかにする1の(12)に掲げる書類	
					熊谷市等の区域以外の集中地域及び同区域以外の集中地域以外	必要	1の注4の表の旧⑥の右欄に掲げるやむを得ない事情を明らかにする1の(12)に掲げる書	

第三章　第一節　第十五款　七《特定の資産の買換えの圧縮記帳》

適用区分	譲渡資産					買換資産				
	資産	資産の所在地等	証明の要否	証明事項	証明者	資産	資産の所在地等	証明の要否	証明事項	証明者
									類	
						車両及び運搬具（貨物鉄道事業用機関車）	国内	不要		
旧⑦	船舶から船舶への買換え（表の7号該当）	船舶（船舶法第1条に規定する日本船舶に限る。）のうち一定のもの		不要			船舶（日本船舶に限る。）のうち一定のもの		不要	

注4　──線部分（注3に係る部分に限る。）は、令和2年度改正により改正された部分で、改正規定は、令和2年4月1日から適用され、令和2年3月31日以前については、注3は次による。（令2改措規附1）

適用区分	譲渡資産					買換資産				
	資産	資産の所在地等	証明の要否	証明事項	証明者	資産	資産の所在地等	証明の要否	証明事項（証明書）	証明者
旧①	既成市街地等の内から外への買換え（措法65の7旧①の表〔以下「表」という。〕の1号該当）	既成市街地等内にある事務所若しくは事業所として使用されている建物又はその敷地の用に供されている土地等	東京都23区内・大阪市内・武蔵野市内	不要			既成市街地等以外にある土地等、建物、構築物、機械装置	農林業以外の事業用資産	三鷹市等の区域外	必要	特定区域内である旨	市町村長
								三鷹市等の区域内	必要	既成市街地等以外の地域及び特定区域内である旨	市　長
		三鷹市等の区域内 (注)**三鷹市等の区域**とは、三鷹市、横浜市、川崎市、川口市、京都市、堺市、守口市、東大阪市、神戸市、尼崎市、西宮市、芦屋市又は名古屋市の区域をいう。	必要	既成市街地等内である旨 (注)三鷹市等については、既成市街地等に含まれていない地域があるので留意する。	市　長		農林業用資産	三鷹市等の区域内	必要	既成市街地等及び市街化区域以外の地域内である旨	市　長
								三鷹市等の区域外	必要	市街化区域以外の地域内である旨	市町村長
旧②	航空機騒音障害区域の内から外への買換え（表の2号該当）	航空機騒音障害区域内にある土地等、建物、構築物	特定空港周辺航空機騒音対策特別措置法第4条第1項に規定する航空機騒音障害	必要	当該譲渡資産を買い取ったものである旨又は当該譲渡資産に係る補償金を支払っ	特定空港の設置者	航空機騒音障害区域以外にある土地等、建物、構築物、機械装置	農林業以外の事業用資産		必要	航空機騒音障害区域以外の地域内である旨	都道府県知事

			防止特別地区内		たものである旨						
			公共用飛行場周辺における航空機騒音による障害の防止等に関する法律第9条第1項に規定する第二種区域内	必要	当該譲渡資産を買い取ったものである旨又は当該譲渡資産に係る補償金を支払ったものである旨	特定飛行場の設置者			必要	航空機騒音障害区域以外の地域内である旨	地方航空局長
			防衛施設周辺の生活環境の整備等に関する法律第5条第1項に規定する第二種区域内	必要	当該譲渡資産を買い取ったものである旨又は当該譲渡資産に係る補償金を支払ったものである旨	地方防衛局長(東海防衛支局の管轄区域内である場合は東海防衛支局長)			必要	航空機騒音障害区域以外の地域内である旨	地方防衛局長(東海防衛支局の管轄区域内である場合は東海防衛支局長)
							航空機騒音障害区域以外の地域内で、かつ、市街化区域以外の地域内にある土地等、建物、構築物、機械装置	農林業用資産	必要	航空機騒音障害区域以外の地域内である旨	都道府県知事
									必要	航空機騒音障害区域以外の地域内である旨	地方航空局長
									必要	航空機騒音障害区域以外の地域内である旨	地方防衛局長(東海防衛支局の管轄区域内である場合は東海防衛支局長)
旧③	過疎地域の外から内への買換え(表の3号該当)	過疎地域以外にある土地等、建物、構築物		必要	過疎地域以外の地域内である旨	町村長	過疎地域内にある土地等、建物、構築物、機械装置		必要	過疎地域内である旨	市町村長
旧④	都市機能誘導区域の外から都市機能誘導区域の内への	都市機能誘導区域以外にある土地等、建物、構築物		必要	都市機能誘導区域以外の地域内である旨	市町村長	都市機能誘導区域内にある土地等、建物、構築物、機		必要	都市機能誘導区域内である旨及び認定誘導事業計画に	国土交通大臣

	買換え（表の4号該当）						械装置			記載された誘導施設において行われる事業の用に供されるものに該当する旨	
旧⑤	土地の計画的かつ効率的な利用に資する施策に伴う既成市街地等及び人口集中地区の区域内での買換え（表の5号該当）	既成市街地等内にある土地等、建物、構築物	東京都23区内・大阪市内・武蔵野市内	不要			既成市街地等及び人口集中地区の区域内にある土地等、建物、構築物、機械装置	東京都23区内・大阪市内・武蔵野市内	必要	都市再開発法による市街地再開発事業（以下「市街地再開発事業」という。）の施行地域内である旨（当該買換資産の所在地が指定都市の区域内であり、かつ、当該市街地再開発事業の施行者が個人施行者、組合又は再開発会社である場合には、当該買換資産の所在地が当該市街地再開発事業の施行地域内である旨）	都道府県知事
			三鷹市等の区域内	必要	既成市街地等内である旨	市長					
		都市計画区域のうち人口集中地区の区域内（既成市街地等内を除く。）にある土地等、建物、構築物	市の全域が都市計画区域となっている当該市の区域内	必要	都市計画区域内である旨	市町村長					
					人口集中地区の区域内である旨	総務大臣					
			市の全域が都市計画区域となっている当該市の区域内	必要	人口集中地区の区域内である旨	総務大臣		三鷹市等の区域内の既成市街地等内	必要	市街地再開発事業の施行地域内である旨	都道府県知事
								既成市街地等内である旨			市長
								人口集中地区の区域内	必要	市街地再開発事業の施行地域内である旨	都道府県知事

									人口集中地区の区域内である旨	総務大臣
旧⑥	危険密集市街地内にある土地等、建物、構築物の買換え（表の6号該当）	危険密集市街地内にある土地等、建物、構築物で、その敷地の用に供されている土地等の上に耐火建築物又は準耐火建築物を建築するため譲渡される土地等、建物、構築物		必要	当該土地等の上に建築される耐火建築物又は準耐火建築物につき都道府県知事の認定を受けている旨	都道府県知事	危険密集市街地内にある土地等、建物、構築物で、防災街区整備事業に関する都市計画の実施に伴い、当該都市計画に従って取得されるもの		必要	譲渡資産の所在地を含む危険密集市街地内である旨	都道府県知事
										防災街区整備事業の施行地区内である旨	
旧⑦	長期保有の土地等から土地等及び一定の減価償却資産への買換え（表の7号該当）	国内にある土地等、建物又は構築物で、取得をされた日から引き続き所有されていたこれらの資産のうち所有期間が10年を超えるもの	**熊谷市等の区域**内の集中地域 （注）熊谷市等の区域とは、熊谷市、飯能市、木更津市、成田市、市原市、君津市、富津市、袖ヶ浦市、相模原市、常総市、京都市、堺市、守口市、東大阪市、神戸市、尼崎市、西宮市、芦屋市又は名古屋市の区域をいう。	必要	集中地域内である旨 （注）熊谷市等については、市域内に集中地域とそれ以外の地域が混在している市であることに留意する。	市長	国内にある土地等、建物若しくは構築物（駐車場の用に供される土地〔1の注6の表の旧⑦の右欄に掲げるやむを得ない事情があるものに限る。〕及び5における当該資産を除く。）	熊谷市等の区域内の集中地域	不要		
								熊谷市等の区域内の集中地域以外	必要	集中地域以外である旨	市長
								熊谷市等の区域以外の集中地域及び同区域以外の集中地域以外	不要		
							駐車場の用に供される土地（1の注6の表の旧⑦の右欄に掲げるやむを得ない事情があるものに限る。）	熊谷市等の区域内の集中地域	必要	1の注6の表の旧⑦の右欄に掲げるやむを得ない事情を明らかにする1の(12)に掲げる書類	
								熊谷市等の区域内の集中地域以外	必要（注）集中地域	集中地域以外である旨及び	市長（集中地域以外

								内である旨の証明書がある場合は、いずれかによる。	1の注6の表の旧⑦の右欄に掲げるやむを得ない事情を明らかにする1の(12)に掲げる書類	である旨に限る。)
							熊谷市等の区域以外の集中地域及び同区域以外の集中地域以外	必 要	1の注6の表の旧⑦の右欄に掲げるやむを得ない事情を明らかにする1の(12)に掲げる書類	
						車両及び運搬具(貨物鉄道事業用機関車)	国内	不 要		
			熊谷市等の区域内の集中地域以外	不 要			国内にある土地等、建物若しくは構築物(駐車場の用に供される土地〔1の注6の表の旧⑦の右欄に掲げるやむを得ない事情があるものに限る。〕及び5における当該資産を除く。)	熊谷市等の区域内の集中地域	不 要		
							熊谷市等の区域内の集中地域以外	必 要	集中地域以外である旨	市 長
							熊谷市等の区域以外の集中地域及び同区域以外の集中地域以外	不 要		
						駐車場の用に供される土地(1の注6の表の旧⑦の右欄に掲げるやむを得ない事情があるものに限	熊谷市等の区域内の集中地域	必 要	1の注6の表の旧⑦の右欄に掲げるやむを得ない事情を明らかにする1の(12)に掲げる書類	

								熊谷市等の区域内の集中地域以外	必要	集中地域以外である旨及び1の注6の表の旧⑦の右欄に掲げるやむを得ない事情を明らかにする1の(12)に掲げる書類	市　　長（集中地域以外である旨に限る。）
								熊谷市等の区域以外の集中地域及び同区域以外の集中地域以外	必要	1の注6の表の旧⑦の右欄に掲げるやむを得ない事情を明らかにする1の(12)に掲げる書類	
							車両及び運搬具（貨物鉄道事業用機関車）	国内	不要		
		熊谷市等の区域以外の集中地域及び同区域以外の集中地域以外	不要			国内にある土地等、建物若しくは構築物（駐車場の用に供される土地〔1の注6の表の旧⑦の右欄に掲げるやむを得ない事情があるものに限る。〕及び5における当該資産を除く。）	熊谷市等の区域内の集中地域	不要		
								熊谷市等の区域内の集中地域以外	必要	集中地域以外である旨	市　　長
								熊谷市等の区域以外の集中地域及び同区域以外の集中地域以外	不要		
							駐車場の用に供される土地（1の注6の表の旧⑦の右欄に掲げるやむを	熊谷市等の区域内の集中地域	必要	1の注6の表の旧⑦の右欄に掲げるやむない事情を明らかにする1	

第三章　第一節　第十五款　七《特定の資産の買換えの圧縮記帳》

						得ない事情があるものに限る。)				の(12)に掲げる書類
							熊谷市等の区域内の集中地域以外	必要	集中地域以外である旨及び1の注6の表の旧⑦の右欄に掲げるやむを得ない事情を明らかにする1の(12)に掲げる書類
							熊谷市等の区域以外の集中地域及び同区域以外の集中地域以外	必要	1の注6の表の旧⑦の右欄に掲げるやむを得ない事情を明らかにする1の(12)に掲げる書類
							車両及び運搬具(貨物鉄道事業用機関車)	国内	不要	
旧⑧	船舶から船舶への買換え(表の8号該当)	船舶(船舶法第1条に規定する日本船舶に限る。)のうち一定のもの		不要			船舶(日本船舶に限る。)のうち一定のもの	不要	

注5　表の3号に掲げる資産(熊谷市等の区域内にあるものに限り、次の各号に掲げる場合に該当しない場合及び当該譲渡資産の所在地が集中地域以外の地域内であり、かつ、当該買換資産又は取得をする見込みである資産の所在地が集中地域内である場合における当該掲げる資産を除く。)に該当する場合には、**13**に掲げる書類は、(2)にかかわらず、次の表の左欄に掲げる場合の区分に応じそれぞれ同表の右欄に掲げる書類(表の3号の右欄に掲げる資産で、駐車場の用に供される土地等で同欄に掲げるやむを得ない事情があるものについては、当該書類及び(2)の⑤の右欄に掲げる書類)とする。(措規22の7③)

		次に掲げるいずれかの書類	
(一)	当該譲渡資産及び買換資産又は取得をする見込みである資産の所在地が熊谷市等の区域内である場合	イ	当該譲渡資産の所在地を管轄する市長の当該譲渡資産の所在地が集中地域内である旨を証する書類
		ロ	当該買換資産の所在地を管轄する市長の当該買換資産の所在地が集中地域以外の地域内である旨を証する書類
(二)	当該譲渡資産の所在地が熊谷市等の区域内である場合(当該買換資産又は取得をする見込みである資産の所在地が集中地域(熊谷市等の区域を除く。)内である場合に限る。)	(一)のイに掲げる書類	

		当該買換資産の所在地が熊谷市等の区域内である場合（（一）の左欄に掲げる場合、当該譲渡資産の所在地が集中地域（熊谷市等の区域及び**5**の③に掲げる地域を除く。）内である場合及び当該譲渡資産の所在地が同③に掲げる地域内であり、かつ、次に掲げる要件のいずれかに該当する場合を除く。）	（一）のロに掲げる書類
（三）	イ	当該買換資産の所在地が集中地域内であること。	
	ロ	当該譲渡資産又は買換資産のいずれかが**5**に掲げる本店資産に該当しないこと。	

注6　**1**の注5の（三）により**1**の注4の表の旧⑥の右欄に掲げる資産とみなされた資産については、**1**の注6の表の旧⑦の右欄に掲げる書類とする。（令2改措規附17）

（買換えの証明書の添付）
（3）　買換えの特例の適用を受けようとする場合において、確定申告書等への書類の添付は、（2）の表に掲げる資産について買換えの特例の適用を受けようとするときに限り必要とされるのであるから、（2）の表に掲げる資産以外の資産について買換えの特例の適用を受けようとするときにはその添付を要しないことに留意する。（措通65の7（5）－3）

　　注　証明書は、（2）の表の「証明の要否」欄の「必要」と表示した箇所に係る資産についてのみ添付を要し、「不要」と表示したものについては添付を要しないので、「不要」と表示したものについては、証明を受ける必要はない。（編者）

（確定申告書添付書類等による届出の代用）
（4）　次に掲げる届出については、それぞれ次に定める書類に当該届出に係る**1**の（1）《届出書に記載する事項》の表に掲げる事項が記載されている場合には、当該届出がされたものとして取り扱う。（措通65の7（5）－2の2）

（一）	**1**の届出	**1**の届出の期限までに**1**の適用を受けようとする事業年度の確定申告書の提出がされた場合において、**13**により当該確定申告書に添付された明細書
（二）	**4**の届出	**4**の規定の適用を受けようとする買換資産（同一の3か月期間〔**1**の（1）の3か月期間をいう。以下同じ。〕内に**4**の譲渡及び取得が行われた場合の当該買換資産に限る。）を移転させる**4**の適格分割等が当該3か月期間内に行われた場合において、当該適格分割等につき**4**の（3）《適格分割等に係る特定資産の買換えの場合の圧縮額の損金算入に関する届出》により納税地の所轄税務署長に提出された書類

八　特定の交換分合により土地等を取得した場合の課税の特例

1　交換分合により取得した土地等の圧縮記帳

① 交換分合により取得した土地等の圧縮記帳

　法人（清算中の法人を除く。以下八において同じ。）の有する土地又は土地の上に存する権利（棚卸資産を除く。以下八において「**土地等**」という。）が次の表に掲げる場合に該当することとなった場合において、当該法人がそれぞれ次の表に掲げる**交換分合**により取得した土地等（以下八において「**交換取得資産**」という。）につき、当該交換取得資産の価額から当該交換分合により譲渡（土地等を使用させることにより当該土地等の価値が著しく減少する場合として第二十七款の**五**の**2**《借地権の設定等により地価が著しく低下する場合の土地等の帳簿価額の一部の損金算入》に該当する場合におけるその使用させる行為を含む。以下八において同じ。）をした土地等（以下八において「**交換譲渡資産**」という。）の譲渡直前の帳簿価額を控除した残額（以下八において「**圧縮限度額**」という。）の範囲内で当該交換取得資産の帳簿価額を損金経理により減額したときは、その減額した金額に相当する金額は、当該事業年度の所得の金額の計算上、損金の額に算入する。（措法65の10①、措令39の8①②③）

イ	農業振興地域の整備に関する法律第13条の2第2項《交換分合》の規定による交換分合により土地等の譲渡（第十六款の**五**《特定土地区画整理事業等のために土地等を譲渡した場合の所得の特別控除》から**八**《特定の長期所有土地等の所得の特別控除》まで又はこの款の**七**《特定の資産の買換えの場合等の課税の特例》の適用を受けるものを除く。）をし、かつ、当該交換分合により土地等の取得をした場合（当該土地等とともに同法第13条の5《土地改良法の準用》において準用する土地改良法第102条第4項《交換分合計画の定め方》の規定による**清算金**の取得をした場合を含む。）
ロ	農住組合法第7条第2項第3号《事業》の規定による交換分合（平成3年1月1日において次の(イ)から(ハ)までに掲げる区域に該当する区域内において同法第2章第3節《交換分合》に定めるところにより行われたものに限る。）により土地等（農住組合の組合員である法人又は農住組合の組合員以外の法人で同法第9条第1項《交換分合計画の決定手続》の規定による認可があった同項に規定する交換分合計画において定める土地の所有権〔当該土地の上に存する権利を含む。〕を有する法人の有する土地等に限る。）の譲渡（第十六款の**一**《収用等に伴い代替資産を取得した場合の課税の特例》若しくは同款の**四**《収用換地等の場合の所得の特別控除》から**八**まで又はこの款の**七**の適用を受けるものを除く。）をし、かつ、当該交換分合により土地等の取得をした場合（当該土地等とともに同法第11条《土地改良法の準用》において準用する土地改良法第102条第4項の規定による**清算金**の取得をした場合を含む。）
	(イ)	都の区域（特別区の存する区域に限る。）
	(ロ)	首都圏整備法第2条第1項《定義》に規定する首都圏、近畿圏整備法第2条第1項《定義》に規定する近畿圏又は中部圏開発整備法第2条第1項《定義》に規定する中部圏内にある地方自治法第252条の19第1項《指定都市の事務》の市の区域
	(ハ)	(ロ)に掲げる市以外の市でその区域の全部又は一部が首都圏整備法第2条第3項に規定する既成市街地若しくは同条第4項に規定する近郊整備地帯、近畿圏整備法第2条第3項に規定する既成都市区域若しくは同条第4項に規定する近郊整備区域又は中部圏開発整備法第2条第3項に規定する都市整備区域内にあるものの区域

　注　阪神・淡路大震災特例法第20条第1項《特定の資産の買換えの場合等の課税の特例》の表の上欄に掲げる資産が、①の表のイ及びハに該当することとなった土地等である場合における**八**《特定の交換分合により土地等を取得した場合の課税の特例》の適用については、同表のイ及びハ中「まで又はこの款」とあるのは「まで、この款」と、「の適用」とあるのは「又は阪神・淡路大震災特例法第20条《特定の資産の買換えの場合の課税の特例》の適用」とする。（阪神・淡路大震災特例令18㊸）

　　（資産につき譲渡があった場合の積立金の取崩し）
（1）　圧縮記帳による圧縮額を積立金として経理している資産につき譲渡があった場合には、当該積立金の額（当該資産の一部につき除却等があった場合には、その除却等があった部分に係る金額）を取り崩してその譲渡のあった日の属する事業年度の益金の額に算入するのであるから留意する。（措通64～66（共）－1、基通10－1－2参照）
　　注　当該譲渡には、適格分社型分割、適格現物出資又は適格現物分配による資産の移転は含まれないのであるから留意する。

(積立金の任意取崩しの場合の評価損の否認金の処理)

（2） 圧縮記帳による圧縮額を積立金として経理している法人が当該積立金の額の全部又は一部を取り崩して益金の額に算入した場合において、その取り崩した積立金の設定の基礎となった資産に係る評価損の否認金（当該事業年度において生じた償却超過額又は評価損の否認金を含む。）があるときは、その評価損の否認金の額のうち益金の額に算入した積立金の額に達するまでの金額は、当該事業年度の損金の額に算入する。（措通64〜66（共）－1、基通10－1－3参照）

② 適格分割等を行った場合の分割法人等における交換取得資産の圧縮額の損金算入《期中圧縮記帳》

　法人が、①に掲げる交換分合が行われた日を含む事業年度において適格分割、適格現物出資又は適格現物分配（その日以後に行われるものに限る。以下八において「**適格分割等**」という。）を行う場合において、当該事業年度開始の時から当該適格分割等の直前の時までの間に当該交換分合により取得した交換取得資産を当該適格分割等により分割承継法人、被現物出資法人又は被現物分配法人に移転するときは、当該交換取得資産につき、当該交換取得資産に係る圧縮限度額に相当する金額の範囲内でその帳簿価額を減額したときに限り、その減額した金額に相当する金額は、当該事業年度の所得の金額の計算上、損金の額に算入する。（措法65の10④）

(適格分割等に係る特定の交換分合により土地等を取得した場合の圧縮額の損金算入に関する届出)

　②は、その適用を受けようとする法人が適格分割等の日以後2か月以内に **4**《圧縮額の損金算入の申告》に掲げる書類及び次に掲げる事項を記載した書類を納税地の所轄税務署長に提出した場合に限り、適用する。（措法65の10⑥、措令39の8⑥、措規22の8①②）

(一)	②の適用を受けようとする法人の名称、納税地及び法人番号並びに代表者の氏名
(二)	分割承継法人、被現物出資法人又は被現物分配法人の名称及び納税地並びに代表者の氏名
(三)	適格分割等の年月日
(四)	交換譲渡資産の種類、所在地及び規模並びにその譲渡年月日
(五)	交換取得資産の種類、所在地及び規模並びにその取得年月日
(六)	②により損金の額に算入される②に掲げる帳簿価額を減額した金額及びその金額の計算に関する明細
(七)	その他参考となるべき事項

　注　(六)に掲げる事項の記載については、別表十三(六)の書式によらなければならない。（規27の14）

2　交換譲渡資産の譲渡直前の帳簿価額

　1の①に掲げる譲渡直前の帳簿価額は、次の表の左欄に掲げる場合に該当する場合には、それぞれ右欄に掲げる金額とする。（措法65の10②、措令39の8④⑤）

①	交換取得資産とともに清算金（**1**の①のイからハまでに掲げる清算金をいう。以下**2**において同じ。）を取得した場合	帳簿価額から当該帳簿価額のうち当該清算金の額に対応する部分の金額（交換譲渡資産に係る清算金の額が当該交換譲渡資産に係る交換取得資産の価額と当該清算金の額との合計額のうちに占める割合を、当該帳簿価額に乗じて計算した金額とする。）を控除した金額 帳簿価額 － $\left(\text{帳簿価額} \times \dfrac{\text{清算金の額}}{\text{交換取得資産の価額}+\text{清算金の額}}\right)$
②	交換譲渡資産の譲渡とともに清算金を支出した場合	帳簿価額に当該清算金の額を加算した金額
③	交換譲渡資産の譲渡に要した経費で交換取得資産に係るものがある場合	帳簿価額に交換譲渡資産の譲渡により取得した交換取得資産の価額が当該交換取得資産の価額と清算金の額との合計額のうちに占める割合を、当該交換譲渡資産の譲渡に要した経費の金額の合計額に乗じて計算した金額を加算した金額 帳簿価額 ＋ 交換譲渡資産の譲渡に要した経費の金額の合計額 $\times \dfrac{\text{交換取得資産の価額}}{\text{交換取得資産の価額}+\text{清算金の額}}$

3 圧縮記帳資産の取得価額の特例

① 圧縮記帳資産の取得価額の特例

1の①《交換分合により取得した土地等の圧縮記帳》の適用を受けた交換取得資産について法人税に関する法令の規定を適用する場合には、1の①により各事業年度の所得の金額の計算上損金の額に算入された金額は、当該交換取得資産の取得価額に算入しない。(措法65の10③、65の7⑧)

② 適格分割等を行った場合の分割法人等における圧縮記帳資産の取得価額の特例

1の②《適格分割等を行った場合の分割法人等における交換取得資産の圧縮額の損金算入》の適用を受けた交換取得資産について法人税に関する法令の規定を適用する場合には、1の②により各事業年度の所得の金額の計算上損金の額に算入された金額は、当該交換取得資産の取得価額に算入しない。(措法65の10⑤、65の7⑧)

③ 適格合併等により移転を受けた圧縮記帳資産の取得価額の特例

適格合併等により1の①又は1の②の適用を受けた交換取得資産の移転を受けた合併法人等が当該交換取得資産について法人税に関する法令の規定を適用する場合には、当該適格合併等に係る被合併法人等において当該交換取得資産の取得価額に算入されなかった金額は、当該交換取得資産の取得価額に算入しない。(措法65の10⑦、65の7⑬)

(圧縮記帳の適用を受けた固定資産の移転を受けた場合の取得価額)

合併法人等(合併法人、分割承継法人、被現物出資法人又は被現物分配法人をいう。)が適格組織再編成(適格合併、適格分割、適格現物出資又は適格現物分配をいう。)により被合併法人等(被合併法人、分割法人、現物出資法人又は現物分配法人をいう。)において圧縮記帳の適用を受けた固定資産の移転を受けた場合には、当該固定資産に係る積立金の金額の引継ぎを受けたかどうかにかかわらず、当該被合併法人等において当該固定資産の取得価額に算入されなかった金額は、当該固定資産の取得価額に算入されないことに留意する。(措通64〜66(共)-1、基通10-1-4参照)

4 圧縮額の損金算入の申告

1の①《交換分合により取得した土地等の圧縮記帳》の土地等の圧縮額の損金算入は、確定申告書等にその損金の額に算入される金額の損金算入に関する申告《別表十三(六)》の記載があり、かつ、当該確定申告書等にその損金の額に算入される金額の計算に関する明細書《別表十三(六)》及び次に掲げる書類の添付がある場合に限り適用する。(措法65の10③、65の7⑤、措規22の8①)

①	1の①の表のイの場合	1の①の表のイに掲げる交換分合により譲渡をした土地等及び取得をした土地等の登記事項証明書並びに当該交換分合に係る交換分合計画の写し(農業振興地域の整備に関する法律第13条の2第3項の規定による認可をした者の当該交換分合計画の写しである旨の記載のあるものに限る。)
②	1の①の表のロの場合	1の①の表のロに掲げる交換分合により譲渡をした土地等及び取得をした土地等の登記事項証明書並びに当該交換分合に係る交換分合計画の写し(農住組合法第11条において準用する土地改良法第99条第12項《土地改良区の交換分合計画の決定手続》の規定による公告をした者の当該交換分合計画の写しである旨の記載のあるものに限る。)並びに当該土地等が1の①の表のロの(イ)から(ハ)までに掲げる区域内にあることを明らかにする書類

(申告の記載等がない場合のゆうじょ規定)

税務署長は、4に掲げる記載又は添付がない確定申告書等の提出があった場合においても、その記載又は添付がなかったことについてやむを得ない事情があると認めるときは、当該記載をした書類並びに明細書及び4の表の①から②までに掲げる書類の提出があった場合に限り、この特例を適用することができる。(措法65の10③、65の7⑥、措規22の8①)

九　特定普通財産とその隣接する土地等の交換の場合の課税の特例

1　土地等の交換等の場合の圧縮記帳

①　土地等の交換等の場合の圧縮記帳

　法人が、**特定普通財産**（（1）に掲げるものをいう。以下①において同じ。）に隣接する土地（当該特定普通財産の上に存する権利を含むものとし、棚卸資産を除く。以下①において「**所有隣接土地等**」という。）につき、国有財産特別措置法第９条第２項《交換の特例》の規定により当該所有隣接土地等と当該特定普通財産との**交換**（七の**7**《特定の資産を交換した場合の課税の特例》に掲げる交換を除く。以下①において同じ。）をしたとき（**交換差金**〔交換により取得した資産の価額と交換により譲渡した資産の価額との差額を補うための金銭をいう。（2）において同じ。〕を取得し、又は支払った場合を含む。）は、当該交換により取得した特定普通財産（以下**九**において「**交換取得資産**」という。）につき、当該交換取得資産の取得価額から当該交換により譲渡をした所有隣接土地等（（2）において「**交換譲渡資産**」という。）の譲渡直前の帳簿価額を控除した残額（以下**九**において「**圧縮限度額**」という。）の範囲内で当該交換取得資産の帳簿価額を損金経理により減額し、又はその帳簿価額を減額することに代えてその圧縮限度額以下の金額を当該事業年度の確定した決算において積立金として積み立てる方法（当該事業年度の決算の確定の日までに剰余金の処分により積立金として積み立てる方法を含む。）により経理したときに限り、その減額し、又は経理した金額に相当する金額は、当該事業年度の所得の金額の計算上、損金の額に算入する。（措法66①、65の9①、措令39の10①）

　　　　　（特定普通財産の意義）
（1）　①に掲げる特定普通財産とは、国有財産特別措置法第９条第２項《交換の特例》に規定する土地等（以下（1）において「土地等」という。）のうち、財務局長等（国有財産法第９条第２項《事務の分掌及び地方公共団体の行う事務》の規定により財務大臣から国有財産の総括に関する事務の一部を分掌された財務局長若しくは福岡財務支局長又は内閣府設置法第45条第１項の規定により財務局の長とみなされた沖縄総合事務局の長をいう。（二）及び**3**《圧縮額等の損金算入の申告》において同じ。）が当該土地等が国有財産特別措置法第９条第２項に規定する円滑に売り払うため必要があると認められるものとして次の表の（一）から（三）までのいずれかに該当する土地等であることにつき証明がされたものとする。（措法66①、措規22の9①）

(一)	建築物の敷地の用に供する場合には建築基準法第43条《敷地等と道路との関係》の規定に適合しないこととなる土地等
(二)	財務局長等が著しく不整形と認める土地等
(三)	建物又は構築物の所有を目的とする地上権又は賃借権の目的となっている土地等

　　　　　（譲渡直前の帳簿価額）
（2）　①に掲げる譲渡直前の帳簿価額は、次の表の左欄に掲げる場合に該当する場合には、それぞれ同表の右欄に掲げる金額とする。（措法66②、措令39の10②③）

(一)	交換取得資産とともに交換差金を取得した場合		帳簿価額から当該帳簿価額のうち交換譲渡資産に係る交換差金の額が当該交換譲渡資産に係る交換取得資産の取得価額と当該交換差金の額との合計額のうちに占める割合を、当該帳簿価額に乗じて計算した金額を控除した金額
(二)	当該交換とともに交換差金を支出した場合		帳簿価額に当該交換差金の額を加算した金額
(三)	交換譲渡資産の交換に要した経費で次の表の左欄の区分に応じそれぞれ同表の右欄に掲げる金額がある場合		帳簿価額に当該計算した金額を加算した金額
	イ	交換取得資産とともに交換差金を取得した場合	当該交換取得資産の取得価額が当該取得価額と当該交換により取得した交換差金の額との合計額のう

		ちに占める割合を、交換譲渡資産の交換に要した経費（ロにおいて「経費」という。）の金額の合計額に乗じて計算した金額
	ロ　イに掲げる場合以外の場合	経費の金額の合計額

　　　（遊休資産の交換）
（3）　①又は②《適格分割等を行った場合の分割法人等における交換取得資産の圧縮額の損金算入》は、現に事業の用に供していない固定資産について①に掲げる交換をした場合にも適用があることに留意する。（措通66－1）
　　注　①又は②は棚卸資産については適用がないのであるが、不動産売買業を営む法人の有する土地で、当該法人が使用し、若しくは他に貸し付けているもの（販売の目的で所有しているもので、一時的に使用し又は他に貸し付けているものを除く。）又は当該法人が具体的な使用計画に基づいて使用することを予定し相当の期間所有していることが明らかなものは、棚卸資産に該当しない。

　　　（交換の対象となる隣接する土地の範囲）
（4）　①に掲げる隣接する土地には、立木その他独立して取引の対象となる土地の定着物は含まれないのであるが、その土地が宅地である場合には、庭木、石垣、庭園（庭園に附属する亭、庭内神し〔祠〕その他これらに類する附属設備を含む。）その他これらに類するもののうち宅地と一体として交換がされるもの（建物及びこれに附属する設備並びに構築物に該当するものを除く。）は含まれる。（措通66－2）

　　　（特定普通財産の上に存する権利）
（5）　①に掲げる「特定普通財産の上に存する権利」とは、地上権、永小作権、地役権又は土地の賃借権をいい、租鉱権、採石権等のように土地に附帯するものであっても土地そのものを利用することを目的としない権利は含まれないことに留意する。（措通66－3）

　　　（交換に伴い特定普通財産とともに金銭以外の資産を取得した場合）
（6）　①に掲げる交換により土地等を譲渡した場合において、その交換に伴い特定普通財産とともに金銭以外の資産を取得したときは、当該資産は交換差金に該当するものとして取り扱う。（措通66－4）

　　　（一の所有隣接土地等を交換により譲渡した場合）
（7）　所有隣接土地等が一の土地等である場合において、①又は②の適用を受けるときには、当該所有隣接土地等の交換については、**七**の **7**《特定の資産を交換した場合の課税の特例》の適用を受けることはできないのであるから留意する。（措通66－5）

　　　（2以上の交換取得資産を取得した場合における圧縮限度額の計算）
（8）　2以上の交換取得資産を取得した場合における個々の交換取得資産に係る圧縮限度額は、交換譲渡資産の譲渡直前の帳簿価額に当該交換取得資産の取得価額の合計額のうちに占める個々の交換取得資産の取得価額の割合を乗じて計算した金額による。（措通66－6）

　　　（交換譲渡資産の交換に要した経費）
（9）　交換譲渡資産に係る（2）の表の（三）に掲げる「交換に要した経費」には、交換に当たり支出した当該交換譲渡資産に係る仲介手数料その他その交換に要した経費の額のほか、土地の交換に関する契約の一環として、又は当該交換のために当該土地の上に存する建物等につき取壊し、除去、移転等（以下（9）において「取壊し等」という。）をした場合におけるその取壊し等により生じた損失の額（当該取壊し等に伴って生ずる発生資材の処分価額を除く。）及びその取壊し等に伴い借家人に対して支払った立退料の額が含まれる。（措通66－7）

　　　（2以上の資産の交換をした場合の経費の額の計算）
（10）　（2）の表の（三）により交換譲渡資産の帳簿価額に加算すべき交換に要した経費の額を計算する場合において、同時に交換をされた所有隣接土地等が2以上あるときは、当該交換に要した経費の額は、原則として個々の所有隣接土

地等につきその交換に要した経費の額を区分して計算するのであるが、個々の所有隣接土地等ごとの区分計算が困難であるときは、個々の所有隣接土地等の価額の比等の合理的な基準によりあん分して計算した金額によることができる。(措通66－8)

(交換に要する経費の支出が遅れる場合の圧縮記帳の計算の調整)
(11) 法人が、交換譲渡資産の交換に要する経費の全部又は一部を当該交換があった日を含む事業年度後の事業年度において支出することとなる場合における①又は②による圧縮記帳の計算については、第十六款の一の1の(20)《取壊し等が遅れる場合の圧縮記帳の計算の調整》に準ずるものとする。(措通66－9)
　　注　第十六款の一の1の(20)に準じて交換譲渡資産の交換に要する経費の額の見積りをする場合におけるその見積額については、当該交換があった日を含む事業年度において未払金に計上することができる。

(譲渡対価の額等の計算に誤りがあった場合の損金算入額)
(12) ①又は②を適用する場合において、圧縮限度額が法人の申告に係る金額と異なることとなったときにおいても、交換取得資産に係る損金算入額は、法人が確定申告書等に掲げる書類に記載した交換取得資産につき損金の額に算入した金額を限度とすることに留意する。(措通66－10)

(資産につき譲渡があった場合の積立金の取崩し)
(13) 圧縮記帳による圧縮額を積立金として経理している資産につき譲渡があった場合には、当該積立金の額(当該資産の一部につき譲渡があった場合には、その譲渡があった部分に係る金額)を取り崩してその譲渡のあった日の属する事業年度の益金の額に算入するのであるから留意する。(措通64～66(共)－1、基通10－1－2参照)
　　注　当該譲渡には、適格分社型分割、適格現物出資又は適格現物分配による資産の移転は含まれないのであるから留意する。

(積立金の任意取崩しの場合の評価損の否認金の処理)
(14) 圧縮記帳による圧縮額を積立金として経理している法人が当該積立金の額の全部又は一部を取り崩して益金の額に算入した場合において、その取り崩した積立金の設立の基礎となった資産に係る評価損の否認金(当該事業年度において生じた評価損の否認金を含む。)があるときは、その評価損の否認金の額のうち益金の額に算入した積立金の額に達するまでの金額は、当該事業年度の損金の額に算入する。(措通64～66(共)－1、基通10－1－3参照)

② 適格分割等を行った場合の分割法人等における交換取得資産の圧縮額の損金算入《期中圧縮記帳》

　法人が、①《土地等の交換等の場合の圧縮記帳》に掲げる交換をした日を含む事業年度において適格分割、適格現物出資又は適格現物分配(その日以後に行われるものに限る。以下②において「**適格分割等**」という。)を行う場合において、当該事業年度開始の時から当該適格分割等の直前の時までの間に取得した当該交換に係る交換取得資産を当該適格分割等により分割承継法人、被現物出資法人又は被現物分配法人に移転するときは、当該交換取得資産につき、当該交換取得資産に係る圧縮限度額に相当する金額の範囲内でその帳簿価額を減額したときに限り、当該減額した金額に相当する金額は、当該事業年度の所得の金額の計算上、損金の額に算入する。(措法66④)

(適格分割等に係る普通財産とその隣接する土地等の交換の場合の圧縮額の損金算入に関する届出)
　②《適格分割等を行った場合の分割法人等における交換取得資産の圧縮額の損金算入》は、その適用を受けようとする法人が適格分割等の日以後2か月以内に**3**《圧縮額等の損金算入の申告》に掲げる書類及び次に掲げる事項を記載した書類を納税地の所轄税務署長に提出した場合に限り適用する。(措法66⑥、措令39の10④、措規22の9②③)

(一)	②の適用を受けようとする法人の名称、納税地及び法人番号並びに代表者の氏名
(二)	分割承継法人、被現物出資法人又は被現物分配法人の名称及び納税地並びに代表者の氏名
(三)	適格分割等の年月日
(四)	①に掲げる交換譲渡資産の種類、所在地及び規模並びに当該交換の年月日
(五)	②に掲げる交換取得資産の所在地及び規模
(六)	②により損金の額に算入される②に掲げる帳簿価額を減額した金額及びその金額の計算に関する明細
(七)	その他参考となるべき事項

　　注　(六)に掲げる事項の記載については、別表十三(七)の書式によらなければならない。(規27の14)

2　圧縮記帳資産の取得価額の特例

①　圧縮記帳資産の取得価額の特例

1の①の適用を受けた交換取得資産について法人税に関する法令の規定を適用する場合には、1の①により各事業年度の所得の金額の計算上損金の額に算入された金額は、当該交換取得資産の取得価額に算入しない。（措法66③、65の7⑧）

②　適格分割等を行った場合の分割法人等における圧縮記帳資産の取得価額の特例

1の②の適用を受けた交換取得資産について法人税に関する法令の規定を適用する場合には、1の②により各事業年度の所得の金額の計算上損金の額に算入された金額は、当該交換取得資産の取得価額に算入しない。（措法66⑤、65の7⑧）

③　適格合併等により移転を受けた圧縮記帳資産の取得価額の特例

適格合併等により1の①又は1の②の適用を受けた交換取得資産の移転を受けた合併法人等が当該交換取得資産について法人税に関する法令の規定を適用する場合には、当該適格合併等に係る被合併法人等において当該交換取得資産の取得価額に算入されなかった金額は、当該交換取得資産の取得価額に算入しない。（措法66⑦、65の7⑬）

（圧縮記帳の適用を受けた固定資産の移転を受けた場合の取得価額）

合併法人等（合併法人、分割承継法人、被現物出資法人又は被現物分配法人をいう。）が適格組織再編成（適格合併、適格分割、適格現物出資又は適格現物分配をいう。）により被合併法人等（被合併法人、分割法人、現物出資法人又は現物分配法人をいう。）において圧縮記帳の適用を受けた固定資産の移転を受けた場合には、当該固定資産に係る積立金の金額の引継ぎを受けたかどうかにかかわらず、当該被合併法人等において当該固定資産の取得価額に算入されなかった金額は、当該固定資産の取得価額に算入されないことに留意する。（措通64〜66（共）－1、基通10－1－4参照）

3　圧縮額等の損金算入の申告

1の①《土地等の交換等の場合の圧縮記帳》の交換取得資産の圧縮額の損金算入は、確定申告書等にその損金の額に算入される金額の損金算入に関する申告《別表十三（七）》の記載があり、かつ、当該確定申告書等にその損金の額に算入される金額の計算に関する明細書《別表十三（七）》及び次に掲げる書類の添付がある場合に限り、適用する。（措法66③、65の7⑤、措規22の9②）

①	交換取得資産に関する登記事項証明書その他当該交換取得資産を取得した旨を証する書類の写し		
②	交換の契約書の写し		
③	次の表の左欄の区分に応じそれぞれ同表の右欄に掲げる書類		
	イ　特定普通財産が国の一般会計に属する場合	当該特定普通財産の所在地を管轄する財務局長等から交付を受けた国有財産特別措置法第9条第2項の規定に基づき交換をした旨及び当該特定普通財産が1の（1）の表の（一）から（三）までのいずれかの土地等に該当する旨を証する書類	
	ロ　特定普通財産が国有財産法施行令第4条各号に掲げる特別会計に属する場合	当該特定普通財産を所管する国有財産法第4条第2項に規定する各省各庁の長から交付を受けた次に掲げる書類	
		（イ）	当該特定普通財産の所在地を管轄する財務局長等の当該各省各庁の長から協議された当該特定普通財産の国有財産特別措置法第9条第2項に規定する交換について同意する旨及び当該特定普通財産が1の（1）の表の（一）から（三）までのいずれかの土地等に該当する旨を証する書類の写し
		（ロ）	当該各省各庁の長の国有財産特別措置法第9条第2項の規定に基づき交換をした旨を証する書類

第三章　第一節　第十五款　九《特定普通財産とその隣接する土地等の交換の場合の課税の特例》

(申告の記載等がない場合のゆうじょ規定)
　税務署長は、**3**に掲げる記載又は添付がない確定申告書等の提出があった場合においても、その記載又は添付がなかったことについてやむを得ない事情があると認めるときは、当該記載をした書類及び明細書及び**3**の表の①から③までに掲げる書類の提出があった場合に限り、これらの特例を適用することができる。(措法66③、65の7⑥)

十 技術研究組合の試験研究用資産の圧縮記帳 （適用期限の延長等）

1 賦課金で取得した試験研究用資産の圧縮記帳

　青色申告書を提出する技術研究組合（清算中のものを除く。）が、令和９年３月31日までに技術研究組合法第９条第１項《費用の賦課》の規定により同法第３条第１項第１号《原則》に規定する試験研究（新たな知見を得るため又は利用可能な知見の新たな応用を考案するために行うものに限る。）の用に直接供する固定資産（第六款の一の２《減価償却資産の範囲》の表の②から⑦までに掲げる減価償却資産、特許権、実用新案権及び意匠権に限る。以下十において「**試験研究用資産**」という。）を取得し、又は製作するための費用を賦課し、当該賦課に基づいて納付された金額の全部又は一部に相当する金額をもってその納付された事業年度において試験研究用資産を取得し、又は製作した場合において、当該試験研究用資産につき、その取得価額から１円（当該試験研究用資産の取得価額がその納付された金額〔既に試験研究用資産の取得又は製作に充てられた金額があるときは、その金額を控除した金額〕を超える場合には、その超える金額）を控除した金額（以下十において「**圧縮限度額**」という。）の範囲内でその帳簿価額を損金経理により減額したときは、その減額した金額に相当する金額は、その取得又は製作の日を含む事業年度の所得の金額の計算上、損金の額に算入する。（措法66の10①、措令39の21）

　　注　──線部分（適用期限に係る部分は除く。）は、令和６年度改正により改正された部分で、改正規定は、令和６年４月１日以後に取得又は製作をする試験研究用資産について適用され、令和６年３月31日以前に取得又は製作をした試験研究用資産については、「試験研究（新たな知見を得るため又は利用可能な知見の新たな応用を考案するために行うものに限る。）」とあるのは「試験研究」と、「及び意匠権」とあるのは「、意匠権及びガス供給施設利用権」と、「取得又は製作」とあるのは「取得」とする。（令６改法附52、１、令６改措令附18、１）

　　（目的とする固定資産の賦課金による取得等ができなかった場合の仮受経理）
　　１に掲げる技術研究組合が試験研究用資産を取得し、又は製作するための費用を賦課し、その賦課に基づいて納付された事業年度においてその目的とした試験研究用資産を取得し、又は製作することができなかった場合において、その納付された賦課金を仮受金として経理したときは、その取得できなかった又は製作できなかったことについて相当の事由があると認められる場合に限り、そのできないと認められる事由が消滅し当該試験研究用資産を取得し、又は製作するために通常要すると認められる期間を経過するまでは、これを認める。（措通66の10－１）

2 圧縮記帳資産の取得価額の特例

　１の適用を受けた試験研究用資産について法人税に関する法令の規定を適用する場合には、１により各事業年度の所得の金額の計算上損金の額に算入された金額は、当該試験研究用資産の取得価額に算入しない。（措法66の10③）

3 圧縮額の損金算入の申告

　１は、確定申告書等にその圧縮額の損金算入に関する申告《別表十三（九）》の記載があり、かつ、当該確定申告書等にその損金の額に算入される金額の計算に関する明細書《別表十三（九）》の添付がある場合に限り、適用する。（措法66の10②）

十一　転廃業助成金等に係る課税の特例

1　機械等の減価補塡金の交付を受けた場合の対象機械等の圧縮記帳

　事業の整備その他の事業活動に関する制限につき、法令の制定、条約その他の国際約束の締結その他これらに準ずるものとして(1)に掲げる行為（以下１において「**法令の制定等**」という。）があったことに伴い、その営む事業の廃止又は転換をしなければならないこととなる法人（以下**十一**において「**廃止業者等**」という。）が、その事業の廃止又は転換をすることとなることにより国若しくは地方公共団体の補助金（これに準ずるものを含む。）又は**残存事業者等**（当該事業と同種の事業を営む者で当該法令の制定等があった後においても引き続きその事業を営むもの及びその者が構成する団体をいう。）の拠出した補償金で、(2)に掲げるもの（以下**十一**において「**転廃業助成金等**」という。）の交付を受けた場合（当該転廃業助成金等の交付の目的に応じ当該廃止業者等の属する団体その他の者を通じて交付を受けた場合を含む。以下**十一**において同じ。）において、その交付を受けた日を含む事業年度において当該転廃業助成金等の金額のうち、その法人の有する当該事業に係る機械その他の減価償却資産の減価を補塡するための費用として(3)に掲げるものに対応する部分（以下１において「**減価補塡金**」という。）の金額に相当する金額（以下１において「**圧縮限度額**」という。）の範囲内で当該減価補塡金に係る機械その他の減価償却資産の帳簿価額を損金経理により減額したときは、その減額した金額に相当する金額は、当該事業年度の所得の金額の計算上、損金の額に算入する。（措法67の４①）

　　　　（法令の制定、条約その他の国際約束の締結その他これらに準ずる行為）
（１）　１に掲げる法令の制定、条約その他の国際約束の締結に準ずる行為は、国の施策に基づいて行われる国の行政機関による指導及び国（国の全額出資に係る法人を含む。）からの資金的援助を受けてその業種に属する事業を営む者の相当数が参加して行うその事業に係る設備の廃棄その他これに類する行為とする。（措令39の27①）

　　　　（転廃業助成金等の意義）
（２）　１に掲げる転廃業助成金等とは、廃止業者等がその事業の廃止又は転換をすることとなることにより法令の規定に基づき国若しくは地方公共団体から交付される補助金その他これに準ずるものとして財務大臣が指定する補助金又は残存事業者等の拠出した補償金として財務大臣が指定する補償金をいう。（措令39の27②）
　　　注　財務大臣が指定した転廃業助成金等には、次のものがある。（平成３年３月31日以後に指定されたものについて掲げた。〔編者〕）
　　　（一）　奈良県北葛城郡河合町が、下水道の整備等に伴う一般廃棄物処理業等の合理化に関する特別措置法第３条第１項に規定する承認（平成23年３月10日に受けたものに限る。）を受けた同項に規定する合理化事業計画（以下(一)において「合理化事業計画」という。）に基づく合理化事業（(3)の注の表の(一)において「合理化事業」という。）を実施することに伴い、奈良県北葛城郡河合町からし尿処理業又は浄化槽清掃業に係る車両及び運搬具を廃棄する者に交付される当該合理化事業計画に係る転廃交付金（平成23年３月31日以後に終了する事業年度に適用）（平23財告第96号）
　　　（二）　山陰旋網漁業協同組合が、水産庁長官の承認を受けた再編整備等推進支援事業計画に基づき、水産業体質強化総合対策事業費補助金の交付を受けて特定非営利活動法人水産業・漁村活性化推進機構が行う再編整備等推進支援事業の事業資金助成金の交付を受けて行う大中型まき網漁業の不要漁船・漁具処理対策事業（(3)の注の表の(二)において「不要漁船・漁具処理対策事業」という。）を実施することに伴い、平成24年11月15日において、山陰旋網漁業協同組合から交付された不要漁船・漁具処理対策助成金（平成25年１月31日以後に終了する事業年度に適用）（平25財告第28号）
　　　（三）　長野市又は王寺町が、下水道の整備等に伴う一般廃棄物処理業等の合理化に関する特別措置法第３条第１項に規定する承認（長野市にあっては平成24年３月16日に、王寺町にあっては平成24年３月23日に、それぞれ受けたものに限る。）を受けた同項に規定する合理化事業計画（以下(三)において「合理化事業計画」という。）に基づく合理化事業（(3)の注の表の(三)において「合理化事業」という。）を実施することに伴い、長野市又は王寺町からし尿処理業又は浄化槽清掃業に係る車両及び運搬具を廃棄する者に交付される当該合理化事業計画に係る転廃交付金（平成25年１月31日以後に終了する事業年度に適用）（平25財告第28号）
　　　（四）　三郷町が下水道の整備等に伴う一般廃棄物処理業等の合理化に関する特別措置法第３条第１項に規定する合理化事業計画（同項の承認を平成26年３月14日に受けたものに限る。）に基づく同項に規定する合理化事業（(3)の注の表の(四)において「合理化事業」という。）を実施することに伴い、三郷町からし尿処理業又は浄化槽清掃業に係る車両及び運搬具の廃棄をする者に交付される当該合理化事業計画に係る転廃交付金（平成27年３月31日以後に終了する事業年度に適用）（平27財告第113号）
　　　（五）　釧路機船漁業協同組合が、水産庁長官の承認を受けた再編整備等推進支援事業計画に基づき、水産業体質強化総合対策事業費補助金の交付を受けて行う沖合底びき網漁業の不要漁船・漁具処理対策事業（以下(3)の注の表の(五)において「不要漁船・漁具処理対策事業」という。）を実施することに伴い、平成27年11月18日において、釧路機船漁業協同組合から交付された不要漁船処理対策助成金（平成27年12月28日以後に終了する事業年度に適用）（平27財告第409号）
　　　（六）　一般社団法人北海道水産会（昭和32年２月18日に社団法人北海道水産会という名称で設立された法人をいう。）、根室漁業協同組合又は銚子市漁業協同組合が平成28年３月９日に農林水産大臣の認定を受けたさけ・ます流し網漁業の再編整備に関する実施計画に基づき、一般社団法人大日本水産会（明治42年５月19日に社団法人大日本水産会という名称で設立された法人をいう。）が国際漁業再編対策事業費補助金の交付を受けて行う減船漁業者救済対策事業及び不要漁船処理対策事業を実施することに伴い、一般社団法人大日本水産会から交付された減船漁業者救済費交付金（当該減船漁業者救済費交付金と併せ一般社団法人北海道水産会から交付された交付金で、当該減船

第三章　第一節　第十五款　十一《転廃業助成金等による圧縮記帳》

漁業者救済費交付金と同一の目的を有するものを含む。以下（3）の注の表の（六）において「減船漁業者救済費交付金等」という。及び不要漁船処理費交付金（当該不要漁船処理費交付金と併せ入善漁業協同組合又は富山県鮭鱒漁業協同組合から交付された交付金で、当該不要漁船処理費交付金と同一の目的を有するものを含む。以下（3）の注の表の（六）において「不要漁船処理費交付金等」という。）（平成28年7月31日以後に終了する事業年度に適用）（平28財告第219号〔最終改正平28第338号〕）

（七）　根室漁業協同組合が令和2年12月14日に農林水産大臣の認定を受けた中型底はえ縄漁業の再編整備に関する実施計画（（八）において「実施計画」という。）に基づき、一般社団法人大日本水産会（明治42年5月19日に社団法人大日本水産会という名称で設立された法人をいう。以下（七）において同じ。）が国際漁業等再編対策事業費補助金の交付を受けて行う国際漁業再編対策事業を実施することに伴い、一般社団法人大日本水産会から交付された減船漁業者救済費交付金（当該減船漁業者救済費交付金と併せ根室漁業協同組合から交付された交付金で、当該減船漁業者救済費交付金と同一の目的を有するものを含む。）及び不要漁船処理費交付金（当該不要漁船処理費交付金と併せ根室漁業協同組合から交付された交付金で、当該不要漁船処理費交付金と同一の目的を有するものを含む。）（令3財告第80号）

（八）　一般社団法人全国いか釣り漁業協会（昭和51年5月4日に社団法人全国沖合いかつり漁業協会という名称で設立された法人をいう。）が令和3年1月26日に水産庁長官の承認を受け、令和4年7月29日に水産庁長官の変更の承認を受けたいか釣り漁業の再編整備に関する事業計画に基づき、一般財団法人日韓・日中協定対策漁業振興財団（平成10年11月27日に財団法人日韓・日中新協定対策漁業振興財団という名称で設立された法人をいう。以下（八）において同じ。）が韓国・中国等外国漁船操業対策基金事業費補助金の交付を受けて行う漁業再編対策事業を実施することに伴い、一般財団法人日韓・日中協定対策漁業振興財団から交付された減船漁業者救済費助成金及び不要漁船処理費助成金（令3財告第80号〔最終改正令5第85号〕）

（減価補塡金の意義）

（3）　1に掲げる減価補塡金とは、転廃業助成金等のうち、その交付の目的が機械その他の減価償却資産の減価を補塡するための費用に充てるべきものとして財務大臣が指定するものをいい、当該減価補塡金の交付を受けた法人が、当該減価補塡金に係る機械その他の減価償却資産の取壊し、除去又は譲渡（以下1において「**取壊し等**」という。）をする場合には、当該減価補塡金の額のうち当該取壊し等をした減価償却資産の当該取壊し等の直前における帳簿価額及び当該取壊し等に要する費用の額に相当する部分の金額は、減価補塡金に含まれないものとする。（措令39の27③⑤）

注　財務大臣の指定した減価補塡金には、次のものがある。（平成23年3月31日以後に指定されたものについて掲げた。〔編者〕）

	転廃業助成金等	減　価　補　塡　金	転　廃　業　助　成　金
（一）	（2）の注の（一）該当分（平23財告第96号）	（2）の注の（一）の転廃交付金のうち合理化事業により廃業をしたし尿処理業又は浄化槽清掃業に係る車両及び運搬具の当該廃棄の直前における帳簿価額に相当する部分の金額	（2）の注の（一）の転廃交付金のうち左の減価補塡金以外の部分の金額
（二）	（2）の注の（二）該当分（平25財告第28号）	（2）の注の（二）の不要漁船・漁具処理対策助成金のうち不要漁船・漁具処理対策事業により廃業をした漁船及び漁具の当該廃棄の直前における帳簿価額に相当する金額	（2）の注の（二）の不要漁船・漁具処理対策助成金のうち左の減価補塡金以外の部分の金額
（三）	（2）の注の（三）該当分（平25財告第28号）	（2）の注の（三）の転廃交付金のうち合理化事業により廃業をしたし尿処理業又は浄化槽清掃業に係る車両及び運搬具の当該廃棄の直前における帳簿価額に相当する金額	（2）の注の（三）の転廃交付金のうち左の減価補塡金以外の部分の金額
（四）	（2）の注の（四）該当分（平27財告第113号）	（2）の注の（四）の転廃交付金のうち合理化事業により廃業をしたし尿処理業又は浄化槽清掃業に係る車両及び運搬具の当該廃棄の直前における帳簿価額に相当する部分の金額	（2）の注の（四）の転廃交付金のうち左の減価補塡金以外の部分の金額
（五）	（2）の注の（五）該当分（平27財告第409号）	（2）の注の（五）の不要漁船処理対策助成金のうち不要漁船・漁具処理対策事業により廃棄をしたし漁船の当該廃棄の直前における帳簿価額に相当する部分の金額	（2）の注の（五）の不要漁船処理対策助成金のうち左の減価補塡金以外の部分の金額
（六）	（2）の注の（六）該当分（平28財告第219号〔最終改正平28第338号〕）	イ　（2）の注の（六）の減船漁業者救済費交付金のうち経費補塡金に相当する部分（材料費に相当する部分に限る。）の金額 ロ　（2）の注の（六）の不要漁船処理費交付金等のうち不要漁船処理対策事業により廃業をした漁船の当該廃棄の直前における償却後の取得価額又は帳簿価額に相当する部分の金額	（2）の注の（六）の減船漁業者救済費交付金等（経費補塡金に相当する部分を除く。）の金額及び（2）の注の（六）の不要漁船処理費交付金等のうち左のロ以外の部分の金額とする。
（七）	（2）の注の（七）該当分（令3財告第80号）	イ　（2）の注の（七）の減船漁業者救済費交付金のうち経費補塡金（漁具の処分に係る損失の額及び購入の代価に基づいて算定される部分に限る。）に相	（2）の注の（七）の転廃業助成金は、減船漁業者救済費交付金等のうち経費補塡金以外の部分に相当する部分及び不要漁船処理費交付金等のう

		当する部分 ロ　(2)の注の(七)の不要漁船処理費交付金等のうち実施計画に従って廃棄をした漁船の当該廃棄の直前における帳簿価額に相当する部分	ち「減価補填金」欄のロに掲げるもの以外の部分に相当する部分とする。
(八)	(2)の注の(八)該当分 (令3財告第80号〔最終改正令5第85号〕)	イ　(2)の注の(八)の減船漁業者救済費助成金のうち経費補填金(漁具の処分に係る損失の額及び購入の代価に基づいて算定される部分に限る。)に相当する部分 ロ　(2)の注の(八)の不要漁船処理費助成金のうち事業計画に従って廃棄をした漁船の当該廃棄の直前における償却後の取得価額又は帳簿価額に相当する部分	(2)の注の(八)の転廃業助成金は、(2)の注の(八)に掲げる減船漁業者救済費助成金のうち経費補填金以外の部分に相当する部分及び(2)の注の(八)に掲げる不要漁船処理費助成金のうち「減価補填金」欄のロに掲げるもの以外の部分に相当する部分とする。

　　　　(取壊し等に要する費用)
（４）　転廃業助成金等の交付を受けた法人が、これらの補助金に係る機械その他の減価償却資産を譲渡する場合における(3)に掲げる取壊し等に要する費用には、例えば、次に掲げるようなものが含まれることに留意する。(措通67の4－1)
　(一)　譲渡に要したあっせん手数料、謝礼
　(二)　譲渡資産が建物である場合の借家人に対して支払った立退料
　(三)　譲渡資産の測量、所有権移転に伴う諸手続、運搬、修繕等の費用で譲渡資産を相手方に引き渡すために支出したもの

　　　　(廃材等の処分価額の除却損失等からの控除)
（５）　(3)《減価補填金の意義》を適用する場合において、転廃業助成金等に係る機械その他の減価償却資産の取壊し又は除去に伴い発生した廃材があるときは、その処分価額については、(3)に掲げる「取壊し等の直前における帳簿価額及び当該取壊し等に要する費用の額」から控除することができるものとする。
　　転廃業助成金等に係る機械その他の減価償却資産を譲渡した場合におけるその譲渡価額のうち、取壊し等の直前における帳簿価額及び当該取壊し等に要する費用の額の合計額に達するまでの金額についても、同様とする。(措通67の4－2)

　　　　(圧縮記帳をした資産の帳簿価額)
（６）　1の対象機械等の圧縮記帳の適用を受ける資産については、圧縮記帳によりその帳簿価額が1円未満となるべき場合においても、その帳簿価額として1円以上の金額を付するものとする。(措法67の4⑲、措令39の27⑩)

2　転廃業助成金による圧縮記帳

①　転廃業助成金により取得した固定資産の圧縮額の損金算入

　廃止業者等である法人が転廃業助成金等の交付を受けた場合において、当該転廃業助成金等の金額のうちその営む事業の廃止又は転換を助成するための費用として(1)に掲げるものに対応する部分(以下十一において「**転廃業助成金**」という。)の金額の全部又は一部に相当する金額をもって当該交付を受けた日を含む事業年度において固定資産の取得(所有権移転外リース取引〔第六款の**四**の1の②の(2)の表の(五)《所有権移転外リース取引》に掲げるものをいう。〕による取得を除き、建設及び製作を含む。以下**十一**において同じ。)又は改良をし、当該固定資産につき、その取得又は改良に充てた転廃業助成金の金額に相当する金額(以下①において「**圧縮限度額**」という。)の範囲内でその帳簿価額を損金経理により減額し、又はその帳簿価額を減額することに代えてその圧縮限度額以下の金額を当該事業年度の確定した決算において積立金として積み立てる方法(当該事業年度の決算の確定の日までに剰余金の処分により積立金として積み立てる方法を含む。)により経理したときは、その減額し、又は経理した金額に相当する金額は、当該事業年度の所得の金額の計算上、損金の額に算入する。(措法67の4②)
　　注　税効果会計を適用する場合には、剰余金の処分による圧縮積立金の積立額は、税効果相当額を控除した純額になるが、この場合でも確定申告書等に税務上の圧縮積立金の積立額を明らかにするための明細書を添付しているときは、税務上は、剰余金の処分による積立額とこれに対応する税効果相当額との合計額を圧縮積立金として積み立てたものとして取り扱われる。(編者)

第三章　第一節　第十五款　**十一**《転廃業助成金等による圧縮記帳》

(転廃業助成金の意義)
（1）①に掲げる転廃業助成金とは、**1**に掲げる転廃業助成金等のうち、その交付の目的が事業の廃止又は転換を助成するための費用に充てるべきものとして財務大臣が指定するものをいい、当該転廃業助成金の交付を受けた法人が、当該転廃業助成金に係る機械その他の減価償却資産の取壊し、除却又は譲渡（以下（2）までにおいて「取壊し等」という。）をする場合には、当該転廃業助成金の額のうち当該取壊し等をした減価償却資産の当該取壊し等の直前における帳簿価額及び当該取壊し等に要する費用の額に相当する部分の金額は転廃業助成金に含まれないものとする。（措令39の27④⑤）
　　注　財務大臣の指定した転廃業助成金には、**1**の(3)の注の表の右欄に掲げるものがある。（平成23年3月31日以後に指定されたものについて掲げた。〔編者〕）

(取壊し等に要する費用及び廃材等の処分価額の除却損失等からの控除)
（2）（1）に掲げる取壊し等に要する費用については、**1**の(4)《取壊し等に要する費用》の取扱いにより、取壊し等に伴い発生した廃材があるときは、**1**の(5)《廃材等の処分価額の除却損失等からの控除》の取扱いによる。（措通67の4－1、67の4－2）

(圧縮記帳をした資産の帳簿価額)
（3）①（⑥において準用する場合を含む。）の固定資産の圧縮記帳の適用を受ける資産については、圧縮記帳によりその帳簿価額が1円未満となるべき場合においても、その帳簿価額として1円以上の金額を付するものとする。（措法67の4⑲、措令39の27⑩）

(資産につき除却等があった場合の積立金の取崩し)
（4）圧縮記帳による圧縮額を積立金として経理している資産につき除却、廃棄、滅失又は譲渡（以下（4）において「除却等」という。）があった場合には、当該積立金の額（当該資産の一部につき除却等があった場合には、その除却等があった部分に係る金額）を取り崩してその除却等のあった日の属する事業年度の益金の額に算入するのであるから留意する。（基通10－1－2）
　　注　当該譲渡には、適格分社型分割、適格現物出資又は適格現物分配による資産の移転は含まれないのであるから留意する。

(積立金の任意取崩しの場合の償却超過額等の処理)
（5）圧縮記帳による圧縮額を積立金として経理している法人が当該積立金の額の全部又は一部を取り崩して益金の額に算入した場合において、その取り崩した積立金の設定の基礎となった資産に係る償却超過額又は評価損の否認金（当該事業年度において生じた償却超過額又は評価損の否認金を含む。）があるときは、その償却超過額又は評価損の否認金の額のうち益金の額に算入した積立金の額に達するまでの金額は、当該事業年度の損金の額に算入する。（基通10－1－3）

②　適格分割等を行った場合の分割法人等における固定資産の圧縮額の損金算入《期中圧縮記帳》
　廃止業者等である法人が、転廃業助成金等の交付を受け、かつ、その交付を受けた日を含む事業年度において適格分割、適格現物出資又は適格現物分配（その日以後に行われるものに限る。以下②において「適格分割等」という。）を行う場合において、当該事業年度開始の時から当該適格分割等の直前の時までの期間内に当該転廃業助成金等の額のうち転廃業助成金の金額（その期間内に交付を受けたものに限る。）をもって固定資産の取得又は改良をし、その固定資産を当該適格分割等により分割承継法人、被現物出資法人又は被現物分配法人に移転するときは、当該固定資産につき、その取得又は改良に充てた転廃業助成金に相当する金額の範囲内でその帳簿価額を減額したときに限り、当該減額をした金額に相当する金額は、当該事業年度の所得の金額の計算上、損金の額に算入する。（措法67の4③）

(適格分割等に係る転廃業助成金で取得した固定資産の圧縮額の損金算入に関する届出)
（1）②は、その適用を受けようとする法人が適格分割等の日以後2か月以内に**5**《圧縮額等の損金算入の申告》に掲げる書類及び次に掲げる事項を記載した書類を納税地の所轄税務署長に提出した場合に限り、適用する。（措法67の4⑰、措令39の27⑭）

(一)	②の適用を受けようとする法人の名称、納税地及び法人番号並びに代表者の氏名
(二)	分割承継法人、被現物出資法人又は被現物分配法人の名称及び納税地並びに代表者の氏名

(三)	適格分割等の年月日
(四)	②に掲げる転廃業助成金の金額及び当該転廃業助成金の金額に係る転廃業助成金額等の名称
(五)	取得又は改良をした固定資産の種類及び取得年月日
(六)	②により損金の額に算入される②に掲げる帳簿価額を減額した金額及びその金額の計算に関する明細
(七)	その他参考となるべき事項

注　(六)に掲げる事項の記載については、別表十三(十)の書式によらなければならない。(規27の14)

（圧縮額の損金算入をした資産の帳簿価額）
（２）　②（⑦において準用する場合を含む。）の適用を受ける資産については、その帳簿価額が１円未満となるべき場合においても、その帳簿価額として１円以上の金額を付すものとする。(措法67の4⑲、措令39の27⑩)

③　転廃業助成金に係る特別勘定の損金算入

　廃止業者等である法人が、転廃業助成金等の交付を受けた場合において、その交付を受けた日を含む事業年度（解散の日を含む事業年度及び被合併法人の合併〔適格合併を除く。〕の日の前日を含む事業年度を除く。）終了の日の翌日から当該交付を受けた日以後２年を経過する日までの期間（次の表の左欄に掲げるやむを得ない事情がある場合には、右欄に掲げる期間。以下③及び⑤において「**指定期間**」という。）内に当該転廃業助成金等の額のうち転廃業助成金の金額（当該交付を受けた日を含む事業年度において当該金額の一部に相当する金額をもって固定資産の取得又は改良をした場合には、当該取得又は改良に充てられた金額を控除した金額）の全部又は一部に相当する金額をもって固定資産の取得又は改良をする見込みであるとき（当該交付を受けた日を含む事業年度終了の日後に当該交付を受けた法人が被合併法人、分割法人又は現物出資法人となる適格合併、適格分割又は適格現物出資を行う場合において、当該適格合併、適格分割又は適格現物出資に係る合併法人、分割承継法人又は被現物出資法人が指定期間内に転廃業助成金の金額の全部又は一部に相当する金額をもって固定資産の取得又は改良をする見込みであるときを含む。）は、当該転廃業助成金の金額のうち固定資産の取得又は改良に充てようとするものの額以下の金額を当該交付を受けた日を含む事業年度の確定した決算において特別勘定を設ける方法（当該事業年度の決算の確定の日までに剰余金の処分により積立金として積み立てる方法を含む。）により経理したときに限り、その経理した金額に相当する金額は、当該事業年度の所得の金額の計算上、損金の額に算入する。(措法67の4④、措令39の27⑥⑦)

工場、事務所その他の建物、構築物又は機械及び装置（以下③において「工場等」という。）の敷地の用に供するための宅地の造成並びに当該工場等の建設及び移転に要する期間が通常２年を超えると認められる事情その他これに準ずる事情がある場合	転廃業助成金等の交付の日から３年を経過する日までの期間

（特別勘定の経理）
　　③に掲げる特別勘定の経理は、積立金として積み立てる方法のほか、仮受金等として経理する方法によることもできるものとする。(基通10－1－1)

④　適格分割等を行った場合の分割法人等における転廃業助成金の期中特別勘定経理

　廃止業者等である法人が、転廃業助成金等の交付を受け、かつ、その交付を受けた日を含む事業年度において適格分割又は適格現物出資（その日以後に行われるものに限る。以下⑦を除き「**適格分割等**」という。）を行う場合において、当該適格分割等に係る分割承継法人又は被現物出資法人において当該適格分割等の日から当該交付を受けた日以後２年を経過する日までの期間（③の表の左欄に掲げるやむを得ない事情がある場合には、右欄に掲げる期間）内に当該転廃業助成金等の額のうち転廃業助成金の金額の全部又は一部に相当する金額をもって固定資産の取得又は改良をする見込みであるときは、当該転廃業助成金の金額のうち当該分割承継法人又は被現物出資法人において固定資産の取得又は改良に充てようとするものの額の範囲内で③の特別勘定に相当するもの（以下**十一**において「**期中特別勘定**」という。）を設けたときに限り、当該設けた期中特別勘定の金額に相当する金額は、当該事業年度の所得の金額の計算上、損金の額に算入する。(措法67の4⑤、措令39の27⑥⑧)

注　③の特別勘定又は④の期中特別勘定の金額を計算する場合における③又は④に掲げる転廃業助成金の金額については、当該転廃業助成金の金額のうち既に③の特別勘定又は④の期中特別勘定の計算の基礎とした③又は④に掲げる取得に充てようとするものの額がある場合には、当該転廃業助成金の金額から当該取得に充てようとするものの額に相当する金額を控除するものとする。(措法67の4⑲、措令39の27⑪)

(適格分割等を行った場合の転廃業助成金に係る期中特別勘定に関する届出)

④は、④の適用を受けようとする法人が適格分割等の日以後2か月以内に **5** 《圧縮額等の損金算入の申告》に掲げる書類及び次に掲げる事項を記載した書類を納税地の所轄税務署長に提出した場合に限り、適用する。(措法67の4⑱、措令39の27⑭、措規22の17②④)

(一)	④の適用を受けようとする法人の名称、納税地及び法人番号並びに代表者の氏名
(二)	分割承継法人又は被現物出資法人((五)において「分割承継法人等」という。)の名称及び納税地並びに代表者の氏名
(三)	適格分割等の年月日
(四)	④に掲げる転廃業助成金の金額及び当該転廃業助成金の金額に係る転廃業助成金等の名称
(五)	分割承継法人等において取得又は改良をする見込みである固定資産の種類及び取得又は改良予定年月日
(六)	④により損金の額に算入される期中特別勘定の金額及びその金額の計算に関する明細
(七)	その他参考となるべき事項

注 (六)に掲げる事項の記載については、別表十三(十)の書式によらなければならない。(規27の14)

⑤ 適格合併等を行った場合の特別勘定等の引継ぎ

法人が、適格合併、適格分割又は適格現物出資を行った場合には、次の表の左欄に掲げる適格合併、適格分割又は適格現物出資の区分に応じ、同表の右欄に掲げる特別勘定の金額又は期中特別勘定の金額は、当該適格合併、適格分割又は適格現物出資に係る合併法人、分割承継法人又は被現物出資法人に引き継ぐものとする。(措法67の4⑥)

イ	適 格 合 併	当該適格合併直前において有する③に掲げる特別勘定の金額(既に益金の額に算入された、又は益金の額に算入されるべき金額がある場合には、これらの金額を控除した金額とする。以下**十一**において同じ。)
ロ	適 格 分 割 等	当該適格分割等の直前において有する③に掲げる特別勘定の金額のうち当該適格分割等に係る分割承継法人又は被現物出資法人が指定期間の末日までに当該特別勘定に係る転廃業助成金の金額をもって固定資産の取得等をすることが見込まれる場合における当該取得等に充てようとする特別勘定の金額及び当該適格分割等に際して設けた期中特別勘定の金額

(適格分割等を行う場合の特別勘定の引継ぎに関する届出)

(1) ⑤は、③に掲げる特別勘定を設けている法人で適格分割等を行ったもの(当該特別勘定及び期中特別勘定の双方を設けている法人であって、適格分割等により分割承継法人又は被現物出資法人に当該期中特別勘定の金額のみを引き継ぐものを除く。)にあっては、当該特別勘定を設けている法人が当該適格分割等の日以後2か月以内に次に掲げる事項を記載した書類を納税地の所轄税務署長に提出した場合に限り、適用する。(措法67の4⑦、措規22の17①)

(一)	⑤の規定の適用を受けようとする当該法人の名称、納税地及び法人番号並びに代表者の氏名
(二)	⑤の表の**ロ**に掲げる分割承継法人又は被現物出資法人(以下この表において「分割承継法人等」という。)の名称及び納税地並びに代表者の氏名
(三)	⑤の表の**ロ**に掲げる適格分割等の年月日
(四)	⑤により分割承継法人等に引き継ぐ⑤の表の**ロ**に掲げる特別勘定の金額又は期中特別勘定の金額
(五)	(四)に掲げる特別勘定の金額又は期中特別勘定の金額に係る転廃業助成金の金額及び当該転廃業助成金の金額に係る転廃業助成金等の名称
(六)	分割承継法人等において取得をする見込みである固定資産の種類及び取得年月日
(七)	その他参考となるべき事項

(適格合併等により引継ぎを受けた特別勘定の取扱い)

(2) ⑤により合併法人、分割承継法人又は被現物出資法人が引継ぎを受けた特別勘定の金額又は期中特別勘定の金額は、当該合併法人、分割承継法人又は被現物出資法人が③により設けている特別勘定の金額とみなす。(措法67の4⑧)

⑥ **特別勘定を設けている法人が転廃業助成金により取得した固定資産の圧縮記帳**
　③に掲げる特別勘定を設けている法人が、③に掲げる指定期間（当該特別勘定の金額が、次の表の左欄に掲げる場合には、それぞれ同表の右欄に掲げる期間。⑦及び⑧において「**指定期間**」という。）内に転廃業助成金等の額のうち転廃業助成金の金額で固定資産の取得又は改良に充てようとするものの全部又は一部に相当する金額をもって固定資産の取得又は改良をした場合には、当該固定資産の取得又は改良をした日を含む事業年度において、当該固定資産につき①に準じて圧縮記帳をすることができる。（措法67の4⑨、措令39の27⑨）

イ	③に掲げる特別勘定の金額が⑤により引継ぎを受けた⑤の表に掲げる特別勘定の金額である場合	当該引継ぎを受けた日から③に掲げる指定期間の末日までの期間
ロ	③に掲げる特別勘定の金額が⑤により引継ぎを受けた⑤の表の**ロ**に掲げる期中特別勘定の金額である場合	④に掲げる期間

　（特別勘定を設けた場合の固定資産の取得に当てた転廃業助成金の金額）
（1）　⑥又は⑦《特別勘定を設けている法人が適格分割等を行った場合の圧縮額の損金算入》を適用する場合（（2）の適用がある場合を除く。）における固定資産の取得等に充てた転廃業助成金の金額は、⑥又は⑦の特別勘定の金額（既に転廃業助成金の金額の交付を受けた日を含む事業年度後の各事業年度において当該特別勘定の金額の一部に相当する金額をもって取得した他の固定資産で⑥又は⑦の適用を受けたものがある場合には、当該他の固定資産の取得価額に相当する金額を控除した金額）とする。（措法67の4⑲、措令39の27⑫）

　（適格合併等により特別勘定の引継ぎを受けた場合の転廃業助成金の金額）
（2）　⑤により引継ぎを受けた特別勘定の金額を有する合併法人、分割承継法人又は被現物出資法人が⑥又は⑦を適用する場合における固定資産の取得等に充てた転廃業助成金の金額は、⑥又は⑦に掲げる特別勘定の金額（既に当該特別勘定の金額の引継ぎを受けた日以後に当該特別勘定の金額の一部に相当する金額をもって取得した他の固定資産で⑥又は⑦の適用を受けたものがある場合には、当該他の固定資産の取得価額に相当する金額を控除した金額）とする。（措法67の4⑲、措令39の27⑬）

⑦ **特別勘定を設けている法人が適格分割等を行った場合の圧縮記帳**
　特別勘定を設けている法人が適格分割、適格現物出資又は適格現物分配（その日以後に行われるものに限る。以下⑦において「適格分割等」という。）を行う場合において、当該法人が当該適格分割等の日を含む事業年度の指定期間内に転廃業助成金等の額のうち転廃業助成金の金額で固定資産の取得又は改良に充てようとするものの全部又は一部に相当する金額をもって固定資産の取得又は改良をし、当該適格分割等によりその固定資産を分割承継法人、被現物出資法人又は被現物分配法人に移転するときは②に準じて圧縮記帳をすることができる。（措法67の4⑩）

　（特別勘定を設けている法人が適格分割等を行った場合の固定資産の圧縮額の損金算入に関する届出）
　　⑦は、⑦の適用を受けようとする法人が適格分割等の日以後2か月以内に **5**《圧縮額等の損金算入の申告》に掲げる書類及び次に掲げる事項を記載した書類を納税地の所轄税務署長に提出した場合に限り、適用する。（措法67の4⑰、措令39の27⑭、措規22の17②③）

（一）	⑦の適用を受けようとする法人の名称、納税地及び法人番号並びに代表者の氏名
（二）	分割承継法人、被現物出資法人又は被現物分配法人の名称及び納税地並びに代表者の氏名
（三）	適格分割等の年月日
（四）	⑦に掲げる転廃業助成金の金額及び当該転廃業助成金の金額に係る転廃業助成金等の名称
（五）	取得又は改良をした固定資産の種類及び取得又は改良年月日
（六）	⑦により準用する②により損金の額に算入される②に掲げる帳簿価額を減額した金額及びその金額の計算に関する明細
（七）	その他参考となるべき事項

　注　（六）に掲げる事項の記載については、別表十三（十）の書式によらなければならない。（規27の14）

⑧ 転廃業助成金に係る特別勘定の金額の取崩し

③に掲げる特別勘定を設けている法人が次の表の左欄に掲げる場合（⑤により合併法人、分割承継法人又は被現物出資法人に当該特別勘定を引き継ぐこととなった場合を除く。）に該当することとなった場合には、同表の右欄に掲げる金額は、その該当することとなった日を含む事業年度（ホに掲げる場合にあっては、その合併の日の前日を含む事業年度）の所得の金額の計算上、益金の額に算入する。（措法67の4⑪）

イ	指定期間内に③の特別勘定の金額の全部又は一部に相当する金額をもって固定資産の取得又は改良に充てた場合	当該取得又は改良に充てた金額に相当する金額
ロ	指定期間内に③の特別勘定の金額をイに該当する場合以外の場合に取り崩した場合	当該取り崩した金額
ハ	指定期間を経過する日において、③の特別勘定の金額を有している場合	当該特別勘定の金額
ニ	指定期間内に解散した場合（合併により解散した場合を除く。）において、③の特別勘定の金額を有しているとき	当該特別勘定の金額
ホ	指定期間内に当該法人を被合併法人とする合併を行った場合において、③の特別勘定の金額を有しているとき	当該特別勘定の金額

3 圧縮記帳資産の取得価額の特例

① 圧縮記帳資産の取得価額の特例

2の①《転廃業助成金により取得した固定資産の圧縮額の損金算入》（2の⑥《特別勘定を設けている法人が転廃業助成金により取得した固定資産の圧縮記帳》を含む。以下①において同じ。）の適用を受けた資産について法人税に関する法令の規定を適用する場合には、2の①により各事業年度の所得の金額の計算上損金の額に算入された金額は、当該資産の取得価額に算入しない。（措法67の4⑬）

② 適格分割等を行った場合の分割法人等における圧縮記帳資産の取得価額の特例

2の②《適格分割等を行った場合の分割法人等における固定資産の圧縮額の損金算入》（2の⑦を含む。以下②において同じ。）の適用を受けた資産について法人税に関する法令の規定を適用する場合には、2の②により各事業年度の損金の額に算入された金額は、当該資産の取得価額に算入しない。（措法67の4⑬）

③ 適格合併等により移転を受けた圧縮記帳資産の取得価額の特例

適格合併、適格分割、適格現物出資又は適格現物分配（以下③において「適格合併等」という。）により圧縮記帳の適用を受けた固定資産の移転を受けた当該適格合併等に係る合併法人、分割承継法人、被現物出資法人又は被現物分配法人が当該固定資産について法人税に関する法令の規定を適用する場合には、当該適格合併等に係る被合併法人、分割法人、現物出資法人又は現物分配法人において当該固定資産の取得価額に算入されなかった金額は、当該固定資産の取得価額に算入しない。（措法67の4⑭）

（圧縮記帳の適用を受けた固定資産の移転を受けた場合の取得価額）

合併法人等（合併法人、分割承継法人、被現物出資法人又は被現物分配法人をいう。）が適格合併等により被合併法人等（被合併法人、分割法人、現物出資法人又は現物分配法人をいう。）において圧縮記帳の適用を受けた固定資産の移転を受けた場合には、当該固定資産に係る積立金の金額の引継ぎを受けたかどうかにかかわらず、当該被合併法人等において当該固定資産の取得価額に算入されなかった金額は、当該固定資産の取得価額に算入されないことに留意する。（基通10-1-4）

4 圧縮記帳資産に対する特別償却等の不適用

2の①（2の⑥を含む。）又は2の②（2の⑦を含む。）の適用を受けた資産については、第七款《租税特別措置法による特別償却》の二十五《特別償却等に関する複数の規定の不適用》の表に掲げる規定は適用しない。（措法67の4⑫）

5 圧縮額等の損金算入の申告

1《機械等の減価補填金の交付を受けた場合の対象機械等の圧縮記帳》、2の①《転廃業助成金により取得した固定資産

の圧縮額の損金算入》若しくは**2**の⑥《特別勘定を設けている法人が転廃業助成金により取得した固定資産の圧縮記帳》の固定資産の圧縮額の損金算入又は**2**の③《転廃業助成金に係る特別勘定の損金算入》の特別勘定の金額の損金算入は、確定申告書等にその損金の額に算入される金額の損金算入に関する申告《別表十三(十)》の記載があり、かつ、当該確定申告書等にその損金の額に算入される金額の計算に関する明細書《別表十三(十)》及び次に掲げる書類（以下**5**において「証明書」という。）の添付がある場合に限り、適用する。（措法67の4⑮、措規22の17②）

①	**1**に掲げる転廃業助成金等の交付を受けた場合（②に掲げる場合を除く。）	当該転廃業助成金等の交付をした者の当該交付に関する通知書その他これに準ずる書類（当該交付の年月日、交付の目的及び当該目的別の金額の記載のあるものに限る。②において「通知書」という。）又はその写し
②	**1**に掲げる転廃業助成金等の交付を廃止業者等の属する団体その他の者（以下②において「交付団体」という。）を通じて受けた場合	当該交付団体の当該転廃業助成金等の交付の目的に応じ当該転廃業助成金等の交付をしたことを証する書類（当該交付の年月日、交付の目的及び当該目的別の金額の記載のあるものに限る。）又はその写し及び当該交付団体が受けた当該転廃業助成金等に係る通知書の写し

（申告の記載等がない場合のゆうじょ規定）
　税務署長は、**5**に掲げる記載又は添付がない確定申告書等の提出があった場合においても、その記載又は添付がなかったことについてやむを得ない事情があると認めるときは、当該記載をした書類並びに**5**に掲げる明細書及び証明書の提出があった場合に限り、これらの特例を適用することができる。（措法67の4⑯）

十二　圧縮記帳をした資産の帳簿価額

　一《国庫補助金等による圧縮記帳》から**五**《交換資産の圧縮記帳》までの圧縮記帳の適用を受ける資産については、圧縮記帳によりその帳簿価額が１円未満となるべき場合においても、その帳簿価額として１円以上の金額を付するものとする。（令93）

　　注　この規定は、法人税法の規定による圧縮記帳資産について備忘価額を付することを定めたものであるが、租税特別措置法の規定（**六**《農用地等を取得した場合の課税の特例》、**十**《技術研究組合の試験研究用資産の圧縮記帳》及び**十一**《転廃業助成金等に係る課税の特例》）による圧縮記帳資産についても備忘価額を付するものとすることがそれぞれ規定されている。（措法66の10①、措令37の３⑦、39の27⑪）

第十六款　収用等の場合の課税の特例

一　収用等に伴い代替資産を取得した場合の課税の特例

1　収用等のあった事業年度において取得した代替資産の圧縮記帳

　法人（清算中の法人を除く。以下一において同じ。）の有する資産（棚卸資産を除く。以下一において同じ。）で次の表の①から⑧までに掲げるものがそれぞれ①から⑧までに掲げる場合に該当することとなった場合（二の1《換地処分等により交換取得した資産の圧縮記帳》に該当する場合を除く。）において、当該法人がそれぞれ同表の①から⑧までに掲げる補償金、対価又は清算金の額（当該資産の譲渡〔消滅及び価値の減少を含む。以下同じ。〕に要した経費がある場合には、当該補償金、対価又は清算金の額のうちから支出したものとして5《譲渡資産の譲渡に要した経費》により計算した金額を控除した金額。以下一において同じ。）の全部又は一部に相当する金額をもってそれぞれ同表の①から⑧までに掲げる収用、買取り、換地処分、権利変換、買収又は消滅（以下「**収用等**」という。）のあった日を含む事業年度において当該収用等により譲渡した資産と同種の資産その他のこれに代わるべき資産として6《代替資産の範囲》に掲げるもの（以下二までにおいて**代替資産**という。）の取得（所有権移転外リース取引〔第六款の四の1の②の(2)の表の(五)《所有権移転外リース取引》に掲げるものをいう。以下同じ。〕による取得を除き、製作及び建設を含む。以下同じ。）をし、当該代替資産につき、その取得価額（その額が当該補償金、対価又は清算金の額〔既に取得をした代替資産のその取得に係る部分の金額として(1)に掲げる金額を除く。〕を超える場合には、その超える金額を控除した金額）に、補償金、対価若しくは清算金の額から当該譲渡した資産の譲渡直前の帳簿価額を控除した残額の当該補償金、対価若しくは清算金の額に対する割合（以下「**差益割合**」という。）を乗じて計算した金額（以下「**圧縮限度額**」という。）の範囲内でその帳簿価額を損金経理により減額し、又はその帳簿価額を減額することに代えてその圧縮限度額以下の金額を当該事業年度の確定した決算において積立金として積み立てる方法（当該事業年度の決算の確定の日までに剰余金の処分により積立金として積み立てる方法を含む。）により経理したときは、その減額し、又は経理した金額に相当する金額は、当該事業年度の所得の金額の計算上、損金の額に算入する。（措法64①）

$$差益割合 = \frac{(\langle A \rangle の金額) - (譲渡資産の譲渡直前の帳簿価額)}{\left\{ \begin{pmatrix} 収用等により取得 \\ した補償金等の額 \end{pmatrix} - \begin{pmatrix} 譲渡資産の譲渡に要した経費の額のうち補償金 \\ 等の額から支出したとみなされる金額 \end{pmatrix} \right\} \langle A \rangle}$$

$$圧縮限度額 = \left\{ \begin{pmatrix} 代替資産の \\ 取得価額 \end{pmatrix} - \begin{pmatrix} 代替資産の取得価額が\langle A \rangleの額を超 \\ える場合におけるその超える金額 \end{pmatrix} \right\} \times (差益割合)$$

　注　税効果会計を適用する場合には、剰余金の処分による圧縮積立金の積立額は、税効果相当額を控除した純額になるが、この場合でも確定申告書等に税務上の圧縮積立金の積立額を明らかにするための明細書を添付しているときは、税務上は、剰余金の処分による積立額とこれに対応する税効果相当額との合計額を圧縮積立金として積み立てたものとして取り扱われる。（編者）

①	資産が**土地収用法等**（土地収用法、河川法、都市計画法、首都圏の近郊整備地帯及び都市開発区域の整備に関する法律、近畿圏の近郊整備区域及び都市開発区域の整備及び開発に関する法律、新住宅市街地開発法、都市再開発法、新都市基盤整備法、流通業務市街地の整備に関する法律、水防法、土地改良法、森林法、道路法、住宅地区改良法、所有者不明土地の利用の円滑化等に関する特別措置法、測量法、鉱業法、採石法又は日本国とアメリカ合衆国との間の相互協力及び安全保障条約第6条に基づく施設及び区域並びに日本国における合衆国軍隊の地位に関する協定の実施に伴う土地等の使用等に関する特別措置法をいう。以下同じ。）の規定に基づいて収用され、補償金を取得する場合（都市再開発法による第二種市街地再開発事業〔その施行者が同法第50条の2第3項《施行の認可》に規定する再開発会社〈以下「**再開発会社**」という。〉であるものに限る。〕の施行に伴い、当該再開発会社の株主又は社員である者が、当該資産又は当該資産に関して有する所有権以外の権利が収用され、買い取られ、又は消滅し、補償金又は対価を取得する場合に該当する場合を除く。）（措法33①Ⅰ、措令22①、39⑥）
②	資産について買取りの申出を拒むときは土地収用法等の規定に基づいて収用されることとなる場合において、当該資産が買い取られ、対価を取得するとき（都市再開発法による第二種市街地再開発事業〔その施行者が再開発会社であるものに限る。〕の施行に伴い、当該再開発会社の株主又は社員である者が、当該資産又は当該資産に関して有する所有権以外の権利が収用され、買い取られ、又は消滅し、補償金又は対価を取得する場合に該当する場合を

	除く。)。(措令39⑥)
③	土地又は土地の上に存する権利（以下「**土地等**」という。）につき土地区画整理法による土地区画整理事業、大都市地域における住宅及び住宅地の供給の促進に関する特別措置法（以下「**大都市地域住宅等供給促進法**」という。）による住宅街区整備事業、新都市基盤整備法による土地整理又は土地改良法による土地改良事業が施行された場合において、当該土地等に係る換地処分により土地区画整理法第94条《清算金》（大都市地域住宅等供給促進法第82条第1項《土地区画整理法の準用》及び新都市基盤整備法第37条《清算金》において準用する場合を含む。）の規定による清算金（土地区画整理法第90条《所有者の同意により換地を定めない場合》〔同項及び新都市基盤整備法第36条《換地計画を定める場合の基準》において準用する場合を含む。〕の規定により換地又は当該権利の目的となるべき宅地若しくはその部分を定められなかったこと及び大都市地域住宅等供給促進法第74条第4項《宅地の立体化》又は第90条第1項《宅地の立体化手続の特則》の規定により同法第74条第4項に規定する施設住宅の一部等又は同法第90条第2項に規定する施設住宅若しくは施設住宅敷地に関する権利を定められなかったことにより支払われるものを除く。）又は土地改良法第54条の2第4項《換地処分の効果及び清算金》（同法第89条の2第10項《国又は都道府県の行う換地処分等》、第96条《土地改良区に関する規定の準用》及び第96条の4第1項《準用規定》において準用する場合を含む。）に規定する清算金（同法第53条の2第2項《換地を定めない場合等の特例》〔同法第89条の2第3項、第96条及び第96条の4第1項において準用する場合を含む。〕の規定により地積を特に減じて換地若しくは当該権利の目的となるべき土地若しくはその部分を定めたこと又は換地若しくは当該権利の目的となるべき土地若しくはその部分を定められなかったことにより支払われるものを除く。）を取得するとき（土地区画整理法による土地区画整理事業〔その施行者が同法第51条の9第5項《施行の認可の基準等》に規定する区画整理会社〈③及び**2**の表の②の(二)のロにおいて「区画整理会社」という。〉であるものに限る。〕の施行に伴い、当該区画整理会社の株主又は社員である者が、その有する土地等につき当該土地等に係る換地処分により同法第94条の規定による清算金〔同法第95条第6項《特別の宅地に関する措置》の規定により換地を定められなかったことにより取得するものに限る。〕を取得する場合に該当する場合を除く。)。(措令39⑦)
③の2	資産につき都市再開発法による第一種市街地再開発事業が施行された場合において、当該資産に係る権利変換により同法第91条《補償金等》の規定による補償金（同法第79条第3項《床面積が過小となる施設建築物の一部の処理》の規定により施設建築物の一部等若しくは施設建築物の一部についての借家権が与えられないように定められたこと又は同法第111条《施設建築敷地に地上権を設定しないこととする特則》の規定により読み替えられた同項の規定により建築施設の部分若しくは施設建築物の一部についての借家権が与えられないように定められたことにより支払われるもの及びやむを得ない事情により同法第71条第1項又は第3項《権利変換を希望しない旨の申し出等》の申出をしたと認められる場合における当該申出に基づき支払われるものに限る。）を取得するとき（資産につき都市再開発法による第一種市街地再開発事業〔その施行者が再開発会社であるものに限る。〕が施行された場合において、当該再開発会社の株主又は社員である者が、当該資産に係る権利変換により、又は当該資産に関して有する権利で権利変換により新たな権利に変換することのないものが消滅したことにより、同法第91条の規定による補償金を取得する場合に該当する場合を除く。)。(措令39⑨) なお、上記のやむを得ない事情により同法第71条第1項又は第3項の申出をしたと認められる場合とは、第一種市街地再開発事業の施行者が、次のイからニまでに掲げる場合のいずれか（同条第1項又は第3項の申出をした者が同法第70条の2第1項《個別利用区内の宅地への権利変換の申出等》の申出をすることができる場合には、イに掲げる場合に限る。）に該当することを、同法第7条の19第1項《審査委員》、第43条第1項《審査委員》若しくは第50条の14第1項《審査委員》の審査委員の過半数の同意を得て、又は同法第57条第1項《市街地再開発審査会》若しくは第59条第1項《市街地再開発審査会》の市街地再開発審査会の議決を経て、認めた場合をいう。この場合において、当該市街地再開発審査会の議決については、同法第79条第2項後段の規定を準用する。(措令39⑧)

イ	都市再開発法第71条第1項又は第3項の申出をした者（以下「申出人」という。）の当該権利変換に係る建築物が都市計画法第8条第1項第1号又は第2号《地域地区》の地域地区による用途の制限につき建築基準法第3条第2項《適用の除外》の規定の適用を受けるものである場合
ロ	申出人が当該権利変換に係る都市再開発法第2条第3号《定義》に規定する施行地区内において同条第6号に規定する施設建築物（以下「施設建築物」という。）の保安上危険であり、又は衛生上有害である事業を営んでいる場合
ハ	申出人がロに掲げる施行地区内において施設建築物に居住する者の生活又は施設建築物内における事業に対し著しい支障を与える事業を営んでいる場合

	ニ	イからハまでに掲げる場合のほか、施設建築物の構造、配置設計、用途構成、環境又は利用状況につき申出人が従前の事業を継続することを困難又は不適当とする事情がある場合

③の3	資産につき密集市街地における防災街区の整備の促進に関する法律による防災街区整備事業が施行された場合において、当該資産に係る権利変換により同法第226条《補償金等》の規定による補償金（同法第212条第3項《床面積が過少となる防災施設建築物の一部の処理》の規定により防災施設建築物の一部等若しくは防災施設建築物の一部についての借家権が与えられないように定められたこと又は密集市街地における防災街区の整備の促進に関する法律施行令第43条の規定により読み替えられた同法第212条第3項で定める規定により防災建築施設の部分若しくは防災施設建築物の一部についての借家権が与えられないように定められたことにより支払われるもの及びやむを得ない事情により同法第203条第1項又は第3項《権利変換を希望しない旨の申し出等》の申出をしたと認められる場合における当該申出に基づき支払われるものに限る。）を取得するとき（資産につき同法による防災街区整備事業〔その施行者が同法第165条第3項《施行の認可》に規定する事業会社であるものに限る。〕が施行された場合において、当該事業会社の株主又は社員である者が、当該資産に係る権利変換により、又は当該資産に関して有する権利で権利変換により新たな権利に変換をすることのないものが消滅したことにより、同法第226条の規定による補償金を取得するときに該当する場合を除く。）。（措令39⑩⑫） なお、上記のやむを得ない事情により同法第203条第1項又は第3項の申出をしたと認められる場合とは、防災街区整備事業の施行者が、次のイからニまでに掲げる場合のいずれか（同条第1項又は第3項の申出をした者〔以下「申出人」という。〕が同法第202条第1項《個別利用区内の宅地への権利変換の申出等》の申出をすることができる場合には、イに掲げる場合に限る。）に該当することを、同法第131条第1項《審査委員》、第161条第1項《審査委員》若しくは第177条第1項《審査委員》の審査委員の過半数の同意を得て、又は同法第187条第1項《防災街区整備審査会》若しくは第190条第1項《防災街区整備審査会》の防災街区整備審査会の議決を経て、認めた場合とする。この場合において、当該防災街区整備審査会の議決については、同法第212条第2項後段の規定を準用する。（措令39⑪）

	イ	申出人の当該権利変換に係る建築物が都市計画法第8条《地域地区》第1項第1号又は第2号の地域地区による用途の制限につき建築基準法第3条第2項《適用の除外》の規定の適用を受けるものである場合
	ロ	申出人が当該権利変換に係る密集市街地における防災街区の整備の促進に関する法律第117条《定義》第2号に規定する施行地区内において同条第5号に規定する防災施設建築物（以下③の3において「防災施設建築物」という。）の保安上危険であり、又は衛生上有害である事業を営んでいる場合
	ハ	申出人がロの施行地区内において防災施設建築物に居住する者の生活又は防災施設建築物内における事業に対し著しい支障を与える事業を営んでいる場合
	ニ	イからハまでに掲げる場合のほか、防災施設建築物の構造、配置設計、用途構成、環境又は利用状況につき申出人が従前の事業を継続することを困難又は不適当とする事情がある場合

③の4	土地等が都市計画法第52条の4第1項《土地の買取請求》（同法第57条の5《土地の買取請求》及び密集市街地における防災街区の整備の促進に関する法律第285条《土地の買取請求についての都市計画法の準用》において準用する場合を含む。）又は都市計画法第56条第1項《土地の買取り》の規定に基づいて買い取られ、対価を取得する場合（**五の1**《2,000万円特別控除》の表の②及び③に掲げる場合に該当する場合を除く。）。
③の5	土地区画整理法による土地区画整理事業で同法第109条第1項《減価補償金》に規定する減価補償金（③の6において「減価補償金」という。）を交付すべきこととなるものが施行される場合において、公共施設の用地に充てるべきものとして当該事業の施行区域（同法第2条第8項《定義》に規定する施行区域をいう。③の6において同じ。）内の土地等が買い取られ、対価を取得するとき。
③の6	地方公共団体又は独立行政法人都市再生機構が被災市街地復興特別措置法第5条第1項《被災市街地復興推進地域に関する都市計画》の規定により都市計画に定められた被災市街地復興推進地域において施行する同法による被災市街地復興土地区画整理事業（以下③の6において「被災市街地復興土地区画整理事業」という。）で減価補償金を交付すべきこととなるものの施行区域内にある土地等について、これらの者が当該被災市街地復興土地区画整理事業として行う公共施設の整備改善に関する事業の用に供するためにこれらの者（土地開発公社を含む。）に買い取られ、対価を取得する場合（③の4及び③の5に掲げる場合に該当する場合を除く。）

③の7	地方公共団体又は独立行政法人都市再生機構が被災市街地復興特別措置法第21条《公営住宅及び改良住宅の入居者資格の特例》に規定する住宅被災市町村の区域において施行する都市再開発法による第二種市街地再開発事業の施行区域（都市計画法第12条第2項《市街地開発事業》の規定により第二種市街地再開発事業について都市計画に定められた施行区域をいう。）内にある土地等について、当該第二種市街地再開発事業の用に供するためにこれらの者（土地開発公社を含む。）に買い取られ、対価を取得する場合（②又は二の1《換地処分等により交換取得した資産の圧縮記帳》の表の①に掲げる場合に該当する場合を除く。）
④	国、地方公共団体、独立行政法人都市再生機構又は地方住宅供給公社が、自ら居住するため住宅を必要とする者に対し賃貸し、又は譲渡する目的で行う50戸以上の一団地の住宅経営に係る事業の用に供するため土地等が買い取られ、対価を取得する場合
⑤	資産が土地収用法等の規定により収用された場合（②に該当する買取りがあった場合を含む。）において、当該資産に関して有する所有権以外の権利が消滅し、補償金又は対価を取得するとき（都市再開発法による第二種市街地再開発事業〔その施行者が再開発会社であるものに限る。〕の施行に伴い、当該再開発会社の株主又は社員である者が、当該資産又は当該資産に関して有する所有権以外の権利が収用され、買い取られ、又は消滅し、補償金又は対価を取得する場合に該当する場合を除く。）。（措令39⑥）
⑥	資産に関して有する権利で都市再開発法に規定する権利変換により新たな権利に変換をすることのないものが、同法第87条《権利変換期日における権利の変換》の規定により消滅し、同法第91条《補償金等》の規定による補償金を取得する場合（資産につき同法による第一種市街地再開発事業〔その施行者が再開発会社であるものに限る。〕が施行された場合において、当該再開発会社の株主又は社員である者が、当該資産に係る権利変換により、又は当該資産に関して有する権利で権利変換により新たな権利に変換をすることのないものが消滅したことにより、同法第91条の規定による補償金を取得する場合に該当する場合を除く。）（措令39⑨）
⑥の2	資産に関して有する権利で密集市街地における防災街区の整備の促進に関する法律に規定する権利変換により新たな権利に変換をすることのないものが、同法第221条《権利変換期日における権利の変換》の規定により消滅し、同法第226条《補償金等》の規定による補償金を取得する場合（資産につき同法による防災街区整備事業〔その施行者が同法第165条第3項《施行の認可》に規定する事業会社であるものに限る。〕が施行された場合において、当該事業会社の株主又は社員である者が、当該資産に係る権利変換により、又は当該資産に関して有する権利で権利変換により新たな権利に変換をすることのないものが消滅したことにより、同法第226条の規定による補償金を取得するときに該当する場合を除く。）。（措令39⑫）
⑦	国若しくは地方公共団体（その設立に係る団体〔その出資金額又は拠出された金額の全額が地方公共団体により出資又は拠出されている法人とする。〕を含む。）が行い、若しくは土地収用法第3条《土地を収用し、又は使用することができる事業》に規定する事業の施行者がその事業の用に供するために行う公有水面埋立法の規定に基づく公有水面の埋立て又は当該施行者が行う当該事業の施行に伴う漁業権、入漁権、<u>漁港水面施設運営権</u>その他水の利用に関する権利又は鉱業権（租鉱権及び採石権その他土石を採掘し、又は採取する権利を含む。）の消滅（これらの権利の価値の減少を含む。）により、補償金又は対価を取得する場合（措令39⑬）
⑧	①から⑦までに掲げる場合のほか、国又は地方公共団体が、次に掲げる法令の規定に基づき行う処分に伴う資産の買取り若しくは消滅（価値の減少を含む。）により、又はこれらの規定に基づき行う買収の処分により補償金又は対価を取得する場合（措令39⑭） 　イ　建築基準法第11条第1項《都市計画区域等における建築物の敷地、構造、建築設備及び用途の規定に適合しない建築物に対する措置》 　ロ　漁業法第93条第1項《公益上の必要による漁業権の取消し等》 　ハ　<u>漁港及び漁場の整備等に関する法律第59条第2項《漁港水面施設運営権の取消し等》（同項第2号に係る部分に限る。）</u> 　ニ　港湾法第41条第1項《有害構築物の改築等》 　ホ　鉱業法第53条《取消等の処分》（同法第87条《準用》において準用する場合を含む。） 　ヘ　海岸法第22条第1項《漁業権の取消等及び損失補償》 　ト　水道法第42条第1項《地方公共団体による買収》 　チ　電気通信事業法第141条第5項《水底線路の保護》

注　──線部分は、令和6年度改正により追加された部分で、改正規定は、令和6年4月1日から適用される。（令6改法附1、令6改措令附1）

(取得をした代替資産のその取得に係る部分の金額)
(1) 取得をした代替資産のその取得に係る部分の金額は、補償金、対価又は清算金の額のうち次の表に掲げる金額の合計額とする。(措令39⑤)

(一)	既に代替資産の取得に充てられた額
(二)	**1**の既に取得をした代替資産が**3**《収用等に伴い代替資産を取得した場合の課税の特例》の規定により代替資産とみなされた資産であり、かつ、当該代替資産につき**1**又は**7**《適格分割等を行った場合の分割法人等における代替資産の圧縮額の損金算入(期中圧縮記帳)》の規定の適用を受ける場合における当該代替資産の取得価額のうちその適用に係る部分の金額

(収用又は使用の範囲)
(2) **一**又は**二**《換地処分等に伴い資産を取得した場合の課税の特例》に掲げる「収用」又は「使用」には、土地収用法第16条《事業の認定》に規定する当該事業(以下(2)から(5)までにおいて「**本体事業**」という。)の施行により必要を生じた同条に規定する関連事業のための収用又は使用が含まれることに留意する。(措通64(1)-1)

(関連事業に該当する場合)
(3) 本体事業の施行により必要を生じた事業が、関連事業としての土地収用法第3章《事業の認定等》の規定による事業の認定(以下「**関連事業としての事業認定**」という。)を受けていない場合においても、その事業が次の要件の全てに該当するときは、収用等の場合の課税の特例(**一**、**二**及び**四**《収用換地等の場合の5,000万円控除》をいう。以下同じ。)の適用上は、関連事業に該当するものとする。(措通64(1)-2)

(一)	土地収用法第3条《土地を収用し、又は使用することができる事業》各号の一に該当するものに関する事業であること。
(二)	本体事業の施行によって撤去変改を被る既存の土地収用法第3条各号の一に掲げる施設(以下「**既存の公的施設**」という。)の機能復旧のため本体事業と併せて施行する必要がある事業であること。
(三)	本体事業の施行者が自ら施行することが収用経済等の公益上の要請に合致すると認められる事業であること。
(四)	その他四囲の状況から関連事業としての事業認定を受け得る条件を具備していると認められる事業であること。

注 **三**《損金算入の申告及び収用証明書》は、本体事業と関連事業とについてそれぞれ別個に適用されることに留意する。

(既存の公的施設の機能復旧に該当するための要件)
(4) 本体事業の施行により必要を生じた事業が、(3)の(二)に掲げる既存の公的施設の機能復旧のために施行されるものに該当するための要件については、次に留意する。(措通64(1)-3)
 (一) その事業は、既存の公的施設の機能復旧の限度で行われるものであることを要し、従来当該施設が当該地域において果たしてきた機能がその事業の施行によって改良されることとなるものは、これに該当しないこと。ただし、当該施設の設置に関する最低基準が法令上具体的に規制されている場合における当該基準に達するまでの改良は、この限りでないものとすること。
  注 ただし書に該当する事例としては、道路の幅員を道路構造令第7条《副道》に規定する幅員まで拡張する場合がある。
 (二) その事業は、本体事業の起業地内に所在して撤去変改を被る既存の公的施設の移転(道路等にあっては、そのかさ上げを含む。)のために行われるものであることを要し、本体事業の施行に伴う当該地域の環境の変化に起因して行う移転、新設等の事業は、これに該当しないこと。ただし、既存の公的施設が当該起業地の内外にわたって所在する場合において、当該施設の全部を移転しなければ従来利用していた目的に供することが著しく困難となるときにおける当該起業地外に所在する部分の移転は、この限りでないものとすること。
 (三) 既存の公的施設の移転先として関連事業のための収用又は使用の対象となる場所は、当該施設の従来の機能を維持するために必要欠くべからざる場所であることを要し、他の場所をもって代替することができるような場所はこれに該当しないから、起業地と即地的一帯性を欠く場所は、その対象に含まれないこと。ただし、起業地の地形及び当該施設の立地条件に特殊な制約があって、起業地と即地的に一帯をなす場所から移転先を選定することが著しく困難な場合には、当該特殊な制約が解消することとなる至近の場所については、この限りでないものとすること。

第三章　第一節　第十六款　一《収用等の場合の圧縮記帳》

（関連事業の関連事業）
（5）　関連事業に関連して施行する事業については、当該関連事業を本体事業とみなした場合に、その関連して施行する事業が（3）に掲げる要件に適合する限りにおいて、収用等の場合の課税の特例の適用上は、関連事業に該当するものとする。（措通64(1)－4）

（関連事業に該当しない場合）
（6）　起業者が本体事業の施行の必要上これに関連して土地等の買収をした場合において、当該買収をされた土地等が（3）に掲げる要件に適合する事業の用に供されるものでないときは、当該買収をされた土地等については、収用等の場合の課税の特例の適用はないが、代替資産を取得したときに限り、その態様に応じ、第十五款の**七**《特定の資産の買換えの場合等の課税の特例》の適用があることに留意する。（措通64(1)－5）

（収用等又は換地処分等があった日）
（7）　**一**の**1**に掲げる収用等又は**二**の**1**《換地処分等により交換取得した資産の圧縮記帳》に掲げる換地処分等のあった日とは、第一款の**四**の**6**の①《固定資産の譲渡に係る収益の帰属の時期》に掲げる日によるのであるが、次の表の左欄に掲げる場合にはそれぞれ右欄に掲げるところによる。（編者）

(一)	資産について土地収用法第48条第1項《権利取得裁決》若しくは同法第49条第1項《明渡裁決》に規定する裁決又は同法第50条第1項《和解》に規定する和解があった場合	当該裁決書又は和解調書に記載された権利取得の時期又は明渡しの期限として定められている日（その日前に引渡し又は明渡しがあった場合には、その引渡し又は明渡しがあった日）
(二)	資産について土地区画整理法第103条第1項《換地処分》（新都市基盤整備法第41条《換地処分等》及び大都市地域住宅等供給促進法第83条《土地区画整理法の準用》において準用する場合を含む。）、新都市基盤整備法第40条《根幹公共施設の用に供すべき土地及び開発誘導地区に充てるべき土地に換地すべき土地として指定された土地の一括換地》又は土地改良法第54条第1項《換地処分》の規定による換地処分があった場合	土地区画整理法第103条第4項（新都市基盤整備法第41条及び大都市地域住宅等供給促進法第83条において準用する場合を含む。）、新都市基盤整備法第40条又は土地改良法第54条第4項の規定による換地処分の公告のあった日の翌日
(三)	資産について土地改良法又は農業振興地域の整備に関する法律による交換分合が行われた場合	土地改良法第98条第10項又は第99条第12項《土地改良区の交換分合計画の決定手続》（同法第100条第2項《農業協同組合等の交換分合計画の決定手続》、第100条の2第2項《市町村の交換分合計画の決定手続》及び農業振興地域の整備に関する法律第13条の5において準用する場合を含む。）の規定により公告があった交換分合計画において所有権等が移転等をする日として定められている日
(四)	資産について都市再開発法第86条第2項《権利変換の処分》の規定による権利変換処分があった場合	権利変換計画に定められている権利変換期日

（権利変換による補償金の範囲）
（8）　**1**の表の③の**2**又は③の**3**に掲げる補償金には、都市再開発法第91条第1項《補償金等》又は密集市街地における防災街区の整備の促進に関する法律第226条第1項《補償金等》の規定により補償として支払われる利息相当額は含まれるが、都市再開発法第91条第2項又は密集市街地における防災街区の整備の促進に関する法律第226条第2項の規定により支払われる過怠金の額及び都市再開発法第118条の15第1項《譲受け希望の申出の撤回に伴う対償の支払等》の規定により支払われる利息相当額は含まれないことに留意する。（措通64(2)－15）

（収用等に伴う課税の特例の適用を受ける権利の範囲）
（9）　**1**の表の⑤に掲げる「当該資産に関して有する所有権以外の権利が消滅し、補償金又は対価を取得するとき」と

は、例えば、土地の収用等に伴い、当該土地にある鉱区について設定されていた租鉱権、当該土地について設定されていた採石権等が消滅し、補償金の交付を受けるとき等をいうことに留意する。(措通64(1)-6)

　　　(権利変換により新たな権利に変換することがないものの意義)
(10)　1の表の⑥に掲げる「都市再開発法に規定する権利変換により新たな権利に変換をすることのないもの」又は同表の⑥の2に掲げる「密集市街地における防災街区の整備の促進に関する法律に規定する権利変換により新たな権利に変換をすることのないもの」とは、例えば、地役権、工作物所有のための地上権又は賃借権をいうことに留意する。(措通64(1)-7)

　　　(公有水面の埋立て又は土地収用法第3条に規定する事業の施行に伴う漁業権等の消滅)
(11)　1の表の⑦は、次に掲げる場合において、漁業権、入漁権その他水の利用に関する権利又は鉱業権(租鉱権及び採石権その他土石を採掘し、又は採取する権利を含む。(12)において同じ。)が消滅(これら権利の価値の減少を含む。(12)において同じ。)し、補償金又は対価を取得するときに適用があるのであるから留意する。この場合において、漁業権又は入漁権には、漁業法第8条《組合員の漁業を営む権利》に規定する組合員の漁業を営む権利を含むことに取り扱う。(編者)
(一)　国又は地方公共団体が、公有水面埋立法第2条《免許》に規定する免許を受けて公有水面の埋立てを行う場合
　　　注　例えば、国又は地方公共団体が農地又は工業地の造成のため、同法の規定に基づき海の埋立て又は湖沼の干拓を行う場合等である。
(二)　土地収用法第3条《土地を収用し、又は使用することができる事業》に規定する事業の施行者(国又は地方公共団体を除く。)が、その事業の用に供するため公有水面埋立法に規定する免許を受けて公有水面の埋立てを行う場合
　　　注　例えば、電力会社が火力発電施設用地の取得のため、公有水面埋立法の規定に基づいて海の埋立てを行う場合等である。
(三)　土地収用法第3条に規定する事業の施行者が、その事業を施行する場合((一)及び(二)に該当する場合を除く。)
　　　注　例えば、国又は電源開発株式会社が水力発電施設としてダムを建設するため河川をせきとめたことにより、その下流にある漁業権等の全部又は一部が制限される場合又は坑道がダムの建設により造成された貯水池の水面下となったため、湧水が増加して入坑不可能となり、若しくは排水施設の新増設等が必要となる場合等である。

　　　(公有水面の埋立て等に伴う権利の消滅の意義)
(12)　1の表の⑦に掲げる「公有水面の埋立て又は当該施行者が行う当該事業の施行に伴う……権利又は鉱業権……の消滅」とは、当該公有水面の埋立てによりその埋立てに係る区域に存する漁業権、入漁権その他水の利用に関する権利若しくは鉱業権が消滅すること又は土地収用法第3条に規定する事業に係る施設が設置されることによりその施設の存する区域(河川につき施設されたものである場合には、その施設により流水等の状況に影響を受ける当該河川の流域を含む。)に存する漁業権、入漁権その他水の利用に関する権利若しくは鉱業権が消滅することをいうのであるから留意する。(編者)

　　　(事業施行者以外の者が支払う漁業補償等)
(13)　1の表の⑦に掲げる事業の施行者でない地方公共団体又は地方公共団体が財産を提供して設立した団体の支払った補償金又は対価が1の適用対象となる三《損金算入の申告及び収用証明書の保存》の表の1の(9)に掲げる補償金又は対価に該当するかどうかは、次に掲げる要件の全てを満たしているかどうかにより判定するものとする。(措通64(4)-2の2)
(一)　三《損金算入の申告及び収用証明書の保存》の表の1の(9)に掲げる権利の消滅(価値の減少を含む。以下(13)において同じ。)に関する契約書には、補償金又は対価の支払をする者が同表の1の(9)に掲げる事業の施行者が施行する○○事業のために消滅する当該権利に関して支払うものである旨が明記されているものであること。
(二)　(一)の事項については、当該事業の施行者と補償金又は対価の支払をする者との間の契約書又は覚書により相互に明確に確認されているものであること。

　　　(棚卸資産に該当するかどうかの判定)
(14)　棚卸資産について収用等があった場合には、当該資産に係る補償金等については収用等の場合の課税の特例の適用はないが、この場合の棚卸資産に該当するかどうかの判定に当たっては、次に留意する。
(一)　不動産売買業を営む法人の有する土地又は建物であっても、当該法人が使用し若しくは他に貸し付けているもの(販売の目的で所有しているもので一時的に使用し又は他に貸し付けているものを除く。)又は当該法人が使用す

ることを予定して長期間にわたり所有していることが明らかなものは、棚卸資産には該当しない。（措通64（3）－12参照）

(二) 原木販売業、製材業、製紙業、パルプ製造業等を営む法人が有する立竹木で、収用等のあった日前1年以内に他から購入したもの（当該収用等のあった時において通常の伐期に達していないものを除く。）は、当該法人が当該立竹木を棚卸資産として経理していたかどうかにかかわらず、棚卸資産に該当するものとする。（措通64（2）－13参照）

（種類を同じくする2以上の資産について収用等をされた場合等の差益割合）
(15) 種類を同じくする2以上の資産について同時に収用等をされた場合又は代替資産につき**6の②**《一組の資産が収用等をされた場合の代替資産》若しくは**6の③**《種類の異なる代替資産》の適用を受ける場合の差益割合は、その収用等に係る対価補償金の額（その額から控除することとなる譲渡経費の額がある場合には、当該金額を控除した金額。以下同じ。）の合計額に対する当該合計額から収用等により譲渡した資産の譲渡直前の帳簿価額の合計額を控除した金額の割合による。（措通64（3）－1）

（使用させる土地等の差益割合）
(16) **2**《使用補償金及び譲渡対価等に対する特例の適用》の表の①に掲げる土地等について交付を受けた補償金等により取得した代替資産の圧縮限度額の計算の基礎となる差益割合は、次の算式により計算した割合とする。（措通64（3）－2）
（算式）

$$\text{差益割合}=\frac{\text{土地等の使用に係る対価補償金の額}-\left(\text{使用させる時の直前の土地等の帳簿価額}\times\frac{\text{使用させた時の借地権の価額}}{\text{使用させる時の直前の土地等の価額}}\right)}{\text{土地等の使用に係る対価補償金の額}}$$

注1　「使用させる時の直前の土地等の帳簿価額」に「使用させる時の直前の土地等の価額」のうちに占める「使用させた時の借地権の価額」の占める割合を乗じた金額は、第二十七款の**五の2**《借地権の設定等により地価が著しく低下する場合の土地等の帳簿価額の一部の損金算入》により、その使用させることとした日を含む事業年度の損金の額に算入される。

注2　上記算式において、「使用させた時の借地権の価額」は「土地等の使用に係る対価補償金の額」と同額であるものとして計算することができる。

（2以上の代替資産を取得した場合の対価補償金から成る金額の計算）
(17) 収用等をされた資産の対価補償金をもってその代替資産として2以上の資産を取得した場合（対価補償金以外の資金とを併せて取得した場合を含む。）において、当該対価補償金がそのいずれの代替資産の取得に充てられたものとするかは法人の計算によるものとする。（措通64（3）－4）

（2以上の収用等をされた資産の対価補償金をもって代替資産を取得した場合の対価補償金から成る金額の計算）
(18) 種類を同じくする2以上の資産について時期を異にして収用等をされ対価補償金の交付を受けた場合において、これらの対価補償金がそのいずれの代替資産の取得に充てられたものとするかは法人の計算によるものとする。（措通64（3）－5）

（発生資材が生ずる場合の圧縮記帳等の計算）
(19) 取壊し等をする資産について発生資材（資産の取壊し又は除去に伴って生ずる資材をいう。以下同じ。）が生ずる場合の圧縮記帳等の計算は、次の（一）又は（二）のいずれかの方法による。（措通64（3）－7）
(一) 発生資材の帳簿価額をその処分可能価額によるとともに、取壊し等をする資産に係る差益割合を次の算式により計算した割合による方法
（算式）

$$\frac{\text{取壊し等をする資産に係る対価補償金の額}-\text{資産の取壊し等の直前の帳簿価額}}{\text{取壊し等をする資産に係る対価補償金の額}}$$

注　この方法によるときは、発生資材の評価額に相当する金額を資産の譲渡に要した経費の額から控除する。（**5の（1）**《収用等をされた資産の譲渡に要した経費の範囲》の(三)参照）

(二) 発生資材の帳簿価額を次のイの算式により計算した金額によるとともに、取壊し等をする資産に係る差益割合を次のロの算式により計算した割合による方法

(算式)

イ	資産の取壊し等の直前の帳簿価額 × $\dfrac{発生資材の処分可能価額}{資産の取壊し等の直前の価額}$
ロ	$\dfrac{取壊し等をする資産に係る対価補償金の額 - \left(\begin{array}{c}資産の取壊し等の\\直前の帳簿価額\end{array} - \begin{array}{c}イにより計算した発\\生資材の帳簿価額\end{array}\right)}{取壊し等をする資産に係る対価補償金の額}$

　なお、上記の(一)又は(二)のいずれの方法による場合であっても、発生資材を代替資産の製作、建築等に使用したときは、それぞれ(一)又は(二)による発生資材の帳簿価額のうちその使用した発生資材に対応する部分の金額を代替資産の取得価額に算入し、当該算入した金額に相当する部分は、対価補償金以外の資金から充てられたものとすることに留意する。

　　(取壊し等が遅れる場合の圧縮記帳の計算の調整)
(20)　法人が収用等をされた資産の全部又は一部を当該収用等があった日を含む事業年度後の事業年度において取壊し等をすることとしている場合における圧縮記帳又は**四**《収用換地等の場合の所得の特別控除》に掲げる5,000万円特別控除の特例の適用については、当該収用等があった日を含む事業年度終了の日における現況により、資産の譲渡に要する経費の額で対価補償金の額から控除すべき金額及び発生資材に付ける帳簿価額等の適正な見積額を基礎として計算する。この場合においてその確定額が見積額と異なることとなったときは、その確定した日を含む事業年度において、次により調整する。(措通64(3)-8)
(一)　圧縮記帳をした資産については、当該確定した日における帳簿価額が次の算式により計算した金額に満たないときは、当該満たない金額に相当する金額の帳簿価額の増額をして益金の額に算入しなければならないものとし、当該帳簿価額が当該計算した金額を超えるときは当該超える金額に相当する金額の帳簿価額の減額をして損金の額に算入することができる。

(算式)

$$\left[\begin{array}{c}確定額を基礎として当初か\\ら圧縮記帳をしたものと仮\\定した場合に代替資産の帳\\簿価額として付けることが\\できる金額の最低額\end{array} + \begin{array}{c}当初の圧縮記帳により付けた代\\替資産の帳簿価額が、当初の見\\積額を基礎とする圧縮記帳によ\\り代替資産の帳簿価額として付\\ける金額の最低額を超えている\\ときの当該超える金額\end{array}\right] \times \dfrac{当該確定した時の代替資産の帳簿価額}{当初の圧縮記帳により付けた代替資産の帳簿価額}$$

(二)　5,000万円特別控除の特例の適用を受けた補償金については、当初の見積額を基礎として計算した損金算入額が確定額を基礎として計算した損金算入額を超えるときは、当該超える金額に相当する金額を益金の額に算入しなければならないものとし、当初の見積額を基礎として計算した損金算入額が確定額を基礎として計算した損金算入額に満たないときは、当該満たない金額に相当する金額を損金の額に算入することができる。

　　(資産につき除却等があった場合の積立金の取崩し)
(21)　圧縮記帳による圧縮額を積立金として経理している資産につき除却、廃棄、滅失又は譲渡(以下「除却等」という。)があった場合には、当該積立金の額(当該資産の一部につき除却等があった場合には、その除却等があった部分に係る金額)を取り崩してその除却等のあった日の属する事業年度の益金の額に算入するのであるから留意する。(措通64～66(共)-1、基通10-1-2参照)
　　注　当該譲渡には、適格分割、適格現物出資又は適格現物分配による資産の移転は含まれないのであるから留意する。

　　(積立金の任意取崩しの場合の償却超過額等の処理)
(22)　圧縮記帳による圧縮額を積立金として経理している法人が当該積立金の額の全部又は一部を取り崩して益金の額に算入した場合において、その取り崩した積立金の設定の基礎となった資産に係る償却超過額又は評価損の否認金(当該事業年度において生じた償却超過額又は評価損の否認金を含む。)があるときは、その償却超過額又は評価損の否認金の額のうち益金の額に算入した積立金の額に達するまでの金額は、当該事業年度の損金の額に算入する。(措通64～66(共)-1、基通10-1-3参照)

2 使用補償金及び譲渡対価等に対する特例の適用

　法人の有する資産が次の表に掲げる場合に該当することとなった場合には、1《収用等のあった事業年度において取得した代替資産の圧縮記帳》の適用については、次の表の①に掲げる場合にあっては①に掲げる土地等、②に掲げる場合にあっては②に掲げる土地の上にある資産（②に掲げる補償金が当該資産の価額の一部を補償するものである場合には、当該資産のうち、当該資産に係る補償金の額が当該資産の価額のうちに占める割合に相当する部分）について、収用等による譲渡があったものとみなす。この場合においては、①又は②に掲げる補償金又は対価の額をもって、1に掲げる補償金、対価又は清算金の額とみなす。（措法64②、措令39⑮）

①	土地等が土地収用法等の規定に基づいて使用され、補償金を取得する場合（土地等について使用の申出を拒むときは土地収用法等の規定に基づいて使用されることとなる場合において、当該土地等が契約により使用され、対価を取得するときを含む。）において、当該使用に伴い当該土地等の価値が著しく減少する場合として第二十七款の**五の2**《借地権の設定等により地価が著しく低下する場合の土地等の帳簿価額の一部の損金算入》に掲げる場合に該当するとき（都市再開発法による第二種市街地再開発事業〔その施行者が再開発会社であるものに限る。〕の施行に伴い、土地等が使用され、補償金を取得する場合〔土地等について使用の申出を拒むときは都市計画法第69条《都市計画事業のための土地等の収用又は使用》の規定により適用される土地収用法の規定に基づいて使用されることとなる場合において、当該土地等が契約により使用され、対価を取得するときを含む。〕において、当該再開発会社の株主又は社員の有する土地等が使用され、補償金又は対価を取得する場合に該当する場合を除く。）。（措令39⑯⑰）		
②	土地等が1の表の①から③の3まで、この表の①若しくは**二の1**《換地処分等により交換取得した資産の圧縮記帳》の表の②若しくは同表の③に該当することとなったことに伴い、その土地の上にある資産につき、土地収用法等の規定に基づく収用をし、若しくは取壊し若しくは除去をしなければならなくなった場合又は1の表の⑧に掲げる法令の規定若しくは大深度地下の公共的使用に関する特別措置法第11条《使用の認可に関する処分を行う機関》の規定に基づき行う国若しくは地方公共団体の処分に伴い、その土地の上にある資産の取壊し若しくは除去をしなければならなくなった場合において、これらの資産の対価又はこれらの資産の損失に対する補償金で次の表の（一）の左欄に掲げる場合の区分に応じ、それぞれの右欄に掲げる対価又は補償金を取得するとき（次の表の（二）に掲げる場合に該当する場合を除く。）。（措令39⑱⑲）		
	(一)	イ	土地の上にある資産について土地収用法等の規定に基づき収用の請求をしたときは収用されることとなる場合において、当該資産が買い取られ、対価を取得するとき	当該資産の対価
		ロ	土地の上にある資産について取壊し又は除去をしなければならなくなった場合について、当該資産の損失に対する補償金を取得するとき	当該資産の損失につき土地収用法第88条《通常受ける損失の補償》（所有者不明土地の利用の円滑化等に関する特別措置法第35条第1項において準用する場合を含む。）、河川法第22条第3項《洪水時等における緊急措置》、水防法第28条第3項《公用負担》、土地改良法第119条《障害物の移転等》、道路法第69条第1項《損失の補償》、土地区画整理法第78条第1項《移転等に伴う損失補償》（大都市地域住宅等供給促進法第71条《土地区画整理法の準用》及び新都市基盤整備法第29条《土地区画整理法の準用》において準用する場合を含む。）、都市再開発法第97条第1項《土地の明渡しに伴う損失補償》、密集市街地における防災街区の整備の促進に関する法律第232条第1項《土地の明渡しに伴う損失補償》、建築基準法第11条第1項《都市計画区域等における建築物の敷地、構造、建築設備及び用途の規定に適合しない建築物に対する措置》、港湾法第41条第3項《有害構築物の改築等》又は大深度地下の公共的使用に関する特別措置法第32条第1項《事業区域の明渡しに伴う損失

		の補償》の規定により受けた補償金その他これに相当する補償金
（二）	イ	都市再開発法による市街地再開発事業（その施行者が再開発会社であるものに限る。）の施行に伴い、土地等が収用され、又は買い取られることとなったことにより、その土地の上にある当該再開発会社の株主又は社員（同法第73条第1項第2号若しくは第7号《権利変換計画の内容》又は第118条の7第1項第2号《管理処分計画の内容》に規定する者を除く。）の有する資産につき、収用をし、又は取壊し若しくは除去をしなければならなくなった場合において、当該資産の対価又は当該資産の損失につき補償金を取得するとき。
	ロ	土地区画整理法による土地区画整理事業（その施行者が区画整理会社であるものに限る。）の施行に伴い、土地等が買い取られることとなったことにより、その土地の上にある当該区画整理会社の株主又は社員（換地処分により土地等又は同法第93条第4項若しくは第5項《宅地の立体化》に規定する建築物の一部及びその建築物の存する土地の共有持分を取得する者を除く。）の有する資産につき、取壊し又は除去をしなければならなくなった場合において、当該資産の損失につき補償金を取得するとき。
	ハ	密集市街地における防災街区の整備の促進に関する法律による防災街区整備事業（その施行者が同法第165条第3項《施行の認可》に規定する事業会社であるものに限る。）の施行に伴い、土地等が買い取られることとなったことにより、その土地の上にある当該事業会社の株主又は社員（同法第205条第1項第2号又は第7号《権利変換計画の内容》に規定する者を除く。）の有する資産につき、取壊し又は除去をしなければならなくなった場合において、当該資産の損失につき補償金を取得するとき。

（借地権等の価額が$\frac{5}{10}$以上となるかどうかの判定）

（１）　**2**の表の①に掲げる土地等が土地収用法等の規定に基づいて使用され、補償金を取得する場合において、当該使用に伴い当該土地等の価値が著しく減少するかどうかは、起業者から交付を受けた対価補償金の額が借地権の設定等の直前における土地等の価額に比して$\frac{5}{10}$以上であるかどうかにより判定しても差し支えないものとする。（措通64（１）－８）

注　当該起業者から交付を受けた対価補償金の額が第二十七款の**五の2**《借地権の設定等により地価が著しく低下する場合の土地等の帳簿価額の一部の損金算入》の表の①に掲げる借地権又は地役権の設定に係るものである場合には、「当該起業者から交付を受けた対価補償金の額」を同表の①の「（設定直前の土地の価額－設定直後の土地の価額）」として同表の①の割合を計算し$\frac{5}{10}$以上であるかどうかを判定して差し支えない。

（土地等の使用に伴う損失の補償金等を対価補償金とみなす場合）

（２）　土地等が土地収用法等の規定により使用されたこと（土地等について使用の申出を拒むときは土地収用法等の規定に基づいて使用されることとなる場合を含む。）に伴い、当該使用に係る土地の上にある資産につき、土地収用法等の規定により収用をし又は取壊し若しくは除去をしなければならなくなった場合において交付を受ける当該資産の対価又は損失に対する補償金（**2**の表の②の（一）に掲げるものに限る。）は、当該土地等を使用させることが**2**の表の①に掲げる要件を満たさないときにおいても、対価補償金とみなして取り扱うことができるものとする。（措通64（２）－16）

（逆収用の請求ができる場合に買い取られた資産の対価）

（３）　**2**の表の②に掲げる収用等をされた土地の上にある資産につき土地収用法等に基づく収用をしなければならなくなった場合において、同②に掲げる「これらの資産の対価……を取得するとき」とは、収用等をされた土地の上にある資産が、次の（一）又は（二）に掲げるようなものであるため、その所有者たる法人が収用の請求をすれば収用されることとなる場合（いわゆる逆収用の請求ができる場合）において、現実に収用の請求又は収用の裁決の手続を経ないで買い取られ、その対価を取得するときをいうことに留意する。（措通64（２）－17）

（一）　移転が著しく困難であるか、又は移転によって従来利用していた目的に供することが著しく困難となる資産（土地収用法第78条参照）

（二）　公共用地の取得に関する特別措置法第2条《特定公共事業》各号に掲げる事業の用に供するために収用等をされた土地の上にある資産（同法第22条参照）

注１　これらの資産の存する土地等の収用等につき事業認定若しくは特定公共事業の認定があったかどうか、又は特定公共事業の起業者が緊急裁決の申立てをしたかどうかにかかわらない。

注2　建物、構築物、機械装置等について対価補償金ではなく、移転補償金として支払われるものは、**2**の表の②に掲げる資産の対価には当たらないから、**4**の（7）《ひき（曳）家補償等の名義で交付を受ける補償金》又は**4**の（9）《移設困難な機械装置の補償金》の取扱いが適用される場合を除き、**1**の代替資産の圧縮記帳の適用はないのであるから留意する。（編者）

　　　（取壊し又は除去をしなければならない資産の損失に対する補償金）
（4）　**2**の表の②に掲げる収用等をされた土地の上にある資産につき、取壊し又は除去をしなければならなくなった場合において、「これらの資産の損失に対する補償金で次に掲げるものを取得するとき」とは、収用等をされた土地の上にある資産につき、取壊し又は除去をしなければならなくなった場合において、当該資産自体について生ずる損失に対する補償金で**2**の表の②の(一)のロに掲げるものの交付を受けるときに限られることに留意する。（措通64(2)−18）

　　注　（4）は、収用等をされた土地の上にある資産について取壊し等を前提として支払われる損失補償金が対価補償金に該当する場合における取扱いであり、公共事業施行者から移転補償金として支払われるものは、法人が現実にその資産について取壊し等を行っていても、**4**の（7）《ひき（曳）家補償等の名義で交付を受ける補償金》又は**4**の（9）《移設困難な機械装置の補償金》に該当する場合を除き、**1**の代替資産の圧縮記帳の適用はないのであるから留意する。（編者）

　　　（換地処分等に伴う損失補償金）
（5）　土地等が**二**の**1**《換地処分等により交換取得した資産の圧縮記帳》の表の①に掲げる場合に該当することとなったことに伴い、当該土地等の上にある資産につき土地収用法等の規定に基づく収用をし、又は取壊し若しくは除去をしなければならなくなった場合において、当該資産の対価又は損失に対する補償金（**2**の表の②の(一)に掲げるものに限る。）を取得するときは、**2**の表の②に準じて取り扱うことができるものとする。（措通64(2)−19）

　　　（発生資材等の売却代金）
（6）　土地等の収用等に伴い、当該土地等の上にある建物、構築物、立竹木等を取壊し又は除去をしなければならないこととなった場合において、起業者が当該資産の損失に対する補償金の算定に当たり発生資材又は伐採立竹木の評価額を控除していないときにおいても、これらの資材又は伐採立竹木の価額又はその売却代金の額は、**2**の表の②の(一)のロに掲げる補償金の額には該当しないことに留意する。（措通64(2)−20）

3　代替資産の先行取得期間

　1《収用等のあった事業年度において取得した代替資産の圧縮記帳》に掲げる場合において、当該法人が、収用等のあった日を含む事業年度開始の日から起算して1年（工場、事務所その他の建物、構築物又は機械及び装置〔以下**3**において「工場等」という。〕の敷地の用に供するための宅地の造成並びに当該工場等の建設及び移転に要する期間が通常1年を超えると認められる事情その他これに準ずる事情がある場合には、3年）前の日（同日が当該収用等により当該法人の有する資産の譲渡をすることとなることが明らかとなった日前である場合には、同日）から当該開始の日の前日までの間に代替資産となるべき資産の取得をしたときは、当該法人は、当該資産を**1**に該当する代替資産とみなして**1**の適用を受けることができる。この場合において、当該資産が減価償却資産であるときにおける当該資産に係る圧縮限度額は、当該資産の取得価額に差益割合を乗じて計算した金額を基礎として(1)により計算した金額とする。（措法64③、措令39⑳）

　　　（代替資産とみなされる資産が減価償却資産である場合の圧縮限度額）
（1）　**3**に掲げる計算した金額は、**3**の代替資産となるべき資産に係る**3**に掲げる乗じて計算した金額に、次表の(一)に掲げる金額のうちに同表の(二)に掲げる金額の占める割合を乗じて計算した金額に相当する金額とする。（措令39㉑）

(一)	当該資産の当該事業年度開始の日の前日における取得価額
(二)	当該資産の(一)に掲げる開始の日の前日における帳簿価額

　　　（長期先行取得が認められるやむを得ない事情）
（2）　代替資産の取得につき**3**を適用する場合における**3**の「その他これに準ずる事情」には、収用等により譲渡した資産について次に掲げるような事情があるためやむを得ずその譲渡が遅延した場合が含まれるものとする。（措通64(1)−9）

(一)	借地人又は借家人が容易に立退きに応じないため譲渡ができなかったこと。

	(二)	災害等によりその譲渡に関する計画の変更を余儀なくされたこと。
	(三)	(一)又は(二)に準ずる特別な事情があったこと。

(資産の譲渡をすることとなることが明らかとなった日)
(3) 3に掲げる「当該収用等により当該法人の有する資産の譲渡をすることとなることが明らかとなった日」とは、土地収用法第16条の規定による事業認定又は起業者からの買取りの申出があったこと等により法人の有する資産(棚卸資産を除く。)について収用等をされることが明らかとなった日をいうことに留意する。(措通64(3)－6)

(収用等事業年度開始の日前において取得した資産の圧縮記帳)
(4) 収用等のあった日を含む事業年度開始の日前に取得した資産について3により当該収用等により譲渡した資産に係る代替資産とみなす場合において、当該代替資産の取得価額が当該譲渡した資産の対価の額を超えるときは、当該超える金額に相当する部分の資産については、当該事業年度後の事業年度における3による代替資産とみなすことができるものとする。(措通64(3)－6の2)

4　補償金の意義

1の表の①、⑤、⑦又は⑧に掲げる補償金の額は、名義がいずれであるかを問わず、資産の収用等の対価たるものをいうものとし、収用等に際して交付を受ける移転料その他当該資産の収用等の対価たる金額以外の金額を含まないものとする。(措法64④)

(対価補償金とその他の補償金との区分)
(1) 1《収用等のあった事業年度において取得した代替資産の圧縮記帳》又は二の1《換地処分等により交換取得した資産の圧縮記帳》に掲げる補償金、対価又は清算金の額(2《使用補償金及び譲渡対価等に対する特例の適用》により補償金又は対価の額とみなされるものを含む。)とは、名義のいかんを問わず、収用等による譲渡(2により収用等による譲渡とみなされるものを含む。以下同じ。)の目的となった資産の収用等の対価たる金額(以下「**対価補償金**」という。)をいうのであるから、次の(一)から(四)までに掲げる補償金は、別に定める場合を除き、対価補償金に該当しないことに留意する。(措通64(2)－1)
(一)　事業について減少することとなる収益又は生ずることとなる損失の補塡に充てるものとして交付を受ける補償金(以下「**収益補償金**」という。)
(二)　休廃業等により生ずる事業上の費用の補塡又は収用等による譲渡の目的となった資産以外の資産(棚卸資産を除く。)について実現した損失の補塡に充てるものとして交付を受ける補償金(以下「**経費補償金**」という。)
(三)　資産(棚卸資産を含む。)の移転に要する費用の補塡に充てるものとして交付を受ける補償金(以下「**移転補償金**」という。)
(四)　その他対価補償金たる実質を有しない補償金

(補償金の課税上の取扱い)
(2) (1)によって分類される補償金の課税上の取扱いは、次の表に掲げるとおりとなることに留意する。(措通64(2)－2)

補償金の種類		課税上の取扱い
(一)	対価補償金	収用等の場合の課税の特例の適用がある。
(二)	収益補償金	収用等の場合の課税の特例の適用はない。ただし、(16)《収益補償金名義で交付を受ける補償金を対価補償金として取り扱うことができる場合》により、収益補償金として交付を受ける補償金を対価補償金として取り扱うことができる場合がある。
(三)	経費補償金	収用等の場合の課税の特例の適用はない。ただし、(8)《事業廃止の場合の機械装置等の売却損の補償金》により、経費補償金として交付を受ける補償金を対価補償金として取り扱うことができる場合がある。
(四)	移転補償金	収用等の場合の課税の特例の適用はない。ただし、(7)《ひき(曳)家補償等の名義で交付を受ける補償金》又は(9)《移設困難な機械装置の補償金》により、ひき(曳)家補償等の名義で交付を受ける補償金又は移設困難な機械装置の補償金を対価補償金として取り扱う

		ことができる場合がある。また、(11)《借家人補償金》により、借家人補償金は、対価補償金とみなして取り扱う。
(五)	その他対価補償金たる実質を有しない補償金	収用等の場合の課税の特例の適用はない。

(各種補償金の課税上の区分)
(3) 収用等により交付を受ける補償金等が、対価補償金、収益補償金、経費補償金、移転補償金等のいずれの区分に該当するかは、起業者が補償金等の支払に際して使用している呼称のいかんによらないで、その補償金等の実質的な内容が「公共用地の取得に伴う損失補償基準要綱による各種の補償金の課税上の区分一覧表」の補償の種類及び内容に規定するもののいずれに当たるかに応じ、同表に定めるところにより判定するものとする。(編者)
　　注　「公共用地の取得に伴う損失補償基準要綱による各種の補償金の課税上の区分一覧表」の掲載は、省略した。

(残地補償金)
(4) 法人の有する土地等の一部について収用等があった場合において、土地収用法第74条《残地補償》の規定によりその残地の損失について補償金の交付を受けたときは、当該補償金を当該収用等のあった日を含む事業年度の当該収用等をされた部分の土地等の対価補償金とみなして取り扱うことができる。この場合において、当該収用等をされた部分の土地等の収用等の直前の帳簿価額は、次の算式により計算した金額による。(措通64(2)-10)

$$\text{収用等の直前の当該土地の帳簿価額} \times \frac{\text{収用等の直前の当該土地の価額} - \text{収用等をされた後の残地価額}}{\text{収用の直前の当該土地の価額}}$$

(残地買収の対価)
(5) 法人の有する土地の一部について収用等があったことに伴い、残地が従来利用されていた目的に供することが著しく困難となり、その残地について収用の請求をすれば収用されることとなる事情があるため(土地収用法第76条第1項《残地収用の請求権》参照)、残地を起業者に買い取られた場合には、その残地の買取りの対価は、当該収用等があった日を含む事業年度の対価補償金として取り扱うことができる。(措通64(2)-11)
　　注　本文の取扱いを適用しない残地の買取りの対価については、第十五款の七《特定の資産の買換えの場合等の課税の特例》の適用があることに留意する。

(伐採立竹木の損失補償金と売却代金とがある場合の損失補償金に係る帳簿価額の計算)
(6) 2の表の②に掲げる補償金を取得して伐採した立竹木を他に売却した場合には、当該立竹木の帳簿価額のうち補償金に係る部分の金額は、当該帳簿価額(当該売却のために要した経費の額を含む。)から当該立竹木の売却代金に相当する金額を控除した金額(当該金額がマイナスとなる場合には、ゼロとする。)とする。(措通64(2)-14)

(ひき〔曳〕家補償等の名義で交付を受ける補償金)
(7) 土地等の収用等に伴い、起業者から当該土地等の上にある建物又は構築物をひき(曳)家し又は移築するために要する費用として交付を受ける補償金であっても、その交付を受ける者が実際に当該建物又は構築物を取り壊したときは、当該補償金(当該建物又は構築物の一部を構成していた資産で、そのもの自体としてそのまま又は修繕若しくは改良を加えた上他の建物又は構築物の一部を構成することができると認められるものに係る部分を除く。)は、当該建物又は構築物の対価補償金に当たるものとして取り扱う。(措通64(2)-8)

(事業廃止の場合の機械装置等の売却損の補償金)
(8) 土地、建物、漁業権その他の資産の収用等に伴い、機械装置等の売却を要することとなった場合において、その売却による損失の補償として交付を受ける補償金は、経費補償金に該当する((1)《対価補償金とその他の補償金との区分》の(二)参照)のであるが、当該収用等に伴い事業の全てを廃止した場合又は従来営んできた業種の事業を廃止し、かつ、当該機械装置等を他に転用することができない場合に交付を受ける当該機械装置等の売却損の補償金は、対価補償金として取り扱う。この場合において、当該機械装置等の帳簿価額のうち当該対価補償金に対応する部分の金額は、次の算式により計算した金額によるものとする。ただし、当該収用等をされた者が、当該機械装置等の帳簿

価額のうち、その処分価額又は処分見込価額を超える部分の金額を当該対価補償金に対応する部分の帳簿価額として経理している場合には、これを認めるものとする。(措通64(2)-7)
(算式)

$$\text{当該機械装置等の帳簿価額} \times \frac{\text{当該対価補償金の額}}{\text{当該対価補償金の額} + \text{当該機械装置等の処分価額又は処分見込価額}}$$

注　機械装置等の売却損の補償金は、一般には次のイからロを控除して計算される。
　イ　当該機械装置等と同種の機械装置等の再取得価額から、当該再取得価額を基として計算した償却費の額の累積額に相当する金額を控除した残額
　ロ　当該機械装置等を現実に売却し得る価額

(移設困難な機械装置の補償金)
(9)　土地等又は建物等の収用等に伴い、機械又は装置の移設を要することとなった場合において、その移設に要する経費の補償として交付を受ける補償金は、対価補償金には該当しないのであるが、機械装置の移設補償名義のものであっても、例えば、製錬設備の溶鉱炉、公衆浴場設備の浴槽のように、その物自体を移設することが著しく困難であると認められる資産について交付を受ける取壊し等の補償金は、対価補償金として取り扱う。
　なお、これに該当しない場合であっても、機械装置の移設のための補償金の額が当該機械装置の新設のための補償金の額を超えること等の事情により、移設経費の補償に代えて当該機械装置の新設費の補償を受けた場合には、その事情が起業者の算定基礎等に照らして実質的に対価補償金の交付に代えてなされたものであることが明確であるとともに、法人が現にその補償の目的に適合した資産を取得し、かつ、旧資産の全部又は大部分を廃棄又はスクラップ化しているものであるときに限り、当該補償金は対価補償金に該当するものとして取り扱うことができる。(措通64(2)-9)

(除却損等がある場合の譲渡経費の額)
(10)　法人が、(7)から(9)までに掲げる補償金の交付を受けた場合において、当該補償金に係る資産を売却し又は取り壊したことにより生じた損失の額が当該補償金の額を超えるときは、当該補償金については(7)から(9)までの取扱いを適用しない。(措通64(2)-9の2)
　　注　当該損失の額は、収用等をされた資産の譲渡に要した経費の額に該当する。

(借家人補償金)
(11)　他人の建物を使用している法人が、当該建物が収用等をされたことに伴いその使用を継続することが困難となったため、転居先の建物の賃借に要する権利金に充てられるものとして交付を受ける補償金(従来の家賃と転居先の家賃との差額に充てられるものとして交付を受ける補償金を含む。以下「**借家人補償金**」という。)については、**2**の表の②の場合に掲げる対価補償金とみなして取り扱う。この場合において、法人が借家人補償金をもって転居先の建物の賃借に要する権利金に充てたときは、当該権利金に充てた金額を代替資産の取得に充てた金額とみなして取り扱うことができる。(措通64(2)-21)
　　注　借家人補償金をもって土地又は建物の取得に充てた場合には、**5**の③《種類の異なる代替資産》による代替資産の特例の適用があるものについては、これによる。

(残地保全経費の補償金)
(12)　法人の有する土地等の一部又は当該土地等の隣接地について収用等があったことにより、残地に通路、溝、垣、さくその他の工作物の新築、改築、増築若しくは修繕又は盛土若しくは切土(以下「**工作物の新築等**」という。)をするためのものとして交付を受ける補償金は、対価補償金には該当しないのであるが、当該工作物の新築等が残地の従来の機能を保全するために必要なものであると認められる場合に限り、当該工作物の新築等に要した金額が資本的支出と認められるものであっても、法人が、当該要した金額のうち当該補償金の額に相当する金額までの金額を修繕費として損金に経理したときは、その計算を認めても差し支えないことに取り扱う。(措通64(2)-12)

(地域外の既存設備の付替え等に要する経費の補償金)
(13)　法人の有する土地等又は当該土地等の隣接地について収用等があったことに伴い、当該法人の有する建物、構築物、機械及び装置その他の工作物で収用等に係る土地以外の土地の上に存するもの(以下「**地域外の既存設備**」という。)を従来どおり事業の用に供することが著しく困難となったため、これに代えて資産の取得をし、又は資産の改良を行うための経費に充てるものとして交付を受ける補償金は対価補償金には該当しないのであるが、当該法人が当該

補償金の全部又は一部をもって補償の目的に適合した同種の資産の取得又は資産の改良を行った場合には、次の表の左欄の場合に応じ、それぞれ右欄により取り扱うことができるものとする。
　起業者から金銭以外の資産の交付を受け、又は起業者によって当該法人の有する資産について改良が行われた場合も、同様とする。(措通64(2)-12の2)

(一)	当該地域外の既存設備について修理又は改良を行った場合	当該修理又は改良に要した金額が資本的支出と認められるものであっても、法人が当該要した金額のうち当該補償金の額に相当する金額以下の金額を修繕費として損金経理をしたときは、その計算を認める。
(二)	当該地域外の既存設備に代えて同種の資産を取得した場合	法人が当該補償金の額のうち当該資産の取得に充てた部分の金額に次の算式の割合を乗じて計算した金額以下の金額をその取得価額に算入しないで損金経理をしたときは、これを認める。 (算式) $$\frac{当該補償金の額 - 当該地域外の既存設備（転用したものを含む。）の帳簿価額がその処分価額又は処分見込価額を超える場合のその超える部分の金額}{当該補償金の額}$$

　注　当該地域外の既存設備の取壊し等に要する費用の額が、当該費用に充てるために交付を受ける金額を超える場合には、上記(二)の右欄の算式中の「当該補償金の額」は、その「当該補償金の額」からその超える部分の金額を控除したところによる。

（対価補償金等の判定）
(14)　法人が交付を受けた補償金等のうちにその交付の目的が明らかでないものがある場合には、当該法人が交付を受ける他の補償金等の内容及びその算定の内訳、同一事業につき起業者が他の収用等をされた者に対してした補償の内容等を勘案して、それぞれ対価補償金、収益補償金、経費補償金、移転補償金又はその他対価補償金たる実質を有しない補償金のいずれに属するかを判定するのであるが、その判定が困難なときは、課税上弊害がない限り、起業者が証明するところによることができるものとする。(措通64(2)-3)
　　注　収用等の補償の実施状況によれば、建物の所有者に対して特別措置の名義で建物の対価補償金たる実質を有する補償金が交付され、借家人に対して同じ名義で借家人補償金たる実質を有する補償金が交付される実例がある。

（2以上の資産について収用等が行われた場合の補償金）
(15)　2以上の資産を同時に収用等をされた場合において、個々の資産ごとの対価補償金の額が明らかでないときは、当該収用等をされた個々の資産に係る対価補償金の額は、当該資産の収用等があった日における価額の比又は起業者が補償金等の算定の基礎とした当該資産の評価額の比その他適正な基準により区分する。(措通64(2)-4)

（収益補償金名義で交付を受ける補償金を対価補償金として取り扱うことができる場合）
(16)　法人の有する建物の収用等に伴い収益補償金名義で補償金の交付を受けた場合において、当該建物の対価補償金として交付を受けた金額（建物の譲渡に要した経費の額を控除する前の額とし、特別措置等の名義で交付を受けた補償金で(14)により対価補償金と判定する金額があるときは、当該金額を含む額とする。）が、当該収用等をされた建物の再取得価額に満たないときは、当分の間、法人が、当該収益補償金の名義で交付を受けた補償金のうち当該満たない金額に達するまでの金額を、当該建物の対価補償金として計算したときに限り、これを認める。この場合における当該建物の再取得価額は次による。(措通64(2)-5)
(一)　建物の買取契約の場合は、起業者が買取対価の算定基礎とした当該建物の再取得価額によるものとし、その額が明らかでないときは、当該建物について適正に算定した再取得価額による。
(二)　建物の取壊契約の場合は次による。
　イ　起業者が補償金の算定基礎とした当該建物の再取得価額が明らかであるときは、その再取得価額による。
　ロ　イ以外のときは、当該建物の対価補償金として交付を受けた金額（建物の譲渡に要した経費の額を控除する前の額とし、特別措置等の名義で交付を受けた補償金の額を含めない額とする。）に、当該建物の構造が木造又は木骨モルタル造であるときは$\frac{100}{65}$を、その他の構造のものであるときは$\frac{100}{95}$を、それぞれ乗じた金額による。
　注1　再取得価額とは、収用等をされた建物と同一の建物を新築するものと仮定した場合の取得価額をいう。
　注2　収益補償金名義で交付を受ける補償金を、借家人補償金に振り替えて計算することはできないことに留意する。

(収益補償金名義で交付を受ける補償金を２以上の建物の対価補償金とする場合の計算)
(17) (16)の場合において、収用等をされた建物が２以上あり、かつ、収益補償金名義で交付を受けた金額及び建物の対価補償金として交付を受けた金額の合計額が当該建物の再取得価額の合計額に満たないときは、(16)により対価補償金と判定する金額をその個々の建物のいずれの対価補償金として計算するかは、個々の建物の再取得価額を限度として、法人が計算したところによる。(措通64(2)－6)

(借地人が交付を受けるべき借地権の対価補償金の代理受領とみなす場合)
(18) 法人が使用している他人の土地について収用等があった場合において、当該土地に係る対価補償金と当該借地権に係る対価補償金とが一括して当該土地の所有者に交付され、その一部を当該借地人たる法人が当該土地の所有者から支払を受けたときは、その支払が立退料等の名義でされたものであっても、当該支払を受けた金額は、当該借地人たる法人に交付されるべき借地権の対価補償金が代理受領されたものとみなして、当該借地人たる法人について収用等の場合の課税の特例を適用することができる。この場合において、当該借地人たる法人が保存する収用証明書は、当該土地の所有者から支払を受けた金額の計算に関する明細書及び収用等をされた土地に係る収用証明書として当該土地の所有者が交付を受けたものの写しとする。(措通64(2)－23)

(借地権の対価補償金の全部又は一部を土地所有者が取得した場合)
(19) 法人が使用している他人の土地について収用等があった場合において、当該借地人たる法人が起業者から通常交付を受けるべきであったと認められる借地権の対価補償金（その一部を当該借地人たる法人が起業者から交付を受けているときにおける当該交付を受けた部分を除く。以下同じ。）が当該土地の所有者に交付されたときは、当該借地人たる法人が通常交付を受けるべきであったと認められる借地権の対価補償金に相当する金額（(18)により代理受領されたとみなされる金額の支払を受けたときにおける当該支払を受けた金額を控除した金額）については、当該借地人たる法人が一旦起業者から交付を受け、これを当該土地の所有者に贈与（当該所有者が当該法人の代表者等であるときは給与として支給）したものとして取り扱うことに留意する。この場合において、当該借地人たる法人が通常交付を受けるべきであったと認められる借地権の対価補償金の額は、原則として、同一の事業について起業者が他の借地人に対してした補償の状況等を基礎として算定するが、その額が明らかでないときは当該土地の存する地域における借地権割合によっても差し支えない。
　なお、この取扱いにより贈与等をしたものと認定するに当たり、当該借地人たる法人が当該交付を受けたものとされた借地権の対価補償金について5,000万円特別控除の特例《四》の適用を受けたい旨を申し出たときは、当該借地人たる法人がその損金算入の申告書を提出し、かつ、収用等をされた当該土地の所有者が交付を受けた当該土地に係る収用証明書の写しを保存している場合に限り、これを認める。(措通64(2)－24)
　　注１　この取扱いによるのは、例えば、法人が借地の上にある建物等を有している場合において、当該土地の所有者が当該法人の同族関係者である等のため、当該土地の所有者が借地権の対価補償金も一括して取得し、当該法人が建物等の補償金だけの交付を受けたような場合である。
　　注２　土地所有者がこの取扱いにより贈与等を受けたものとされる額は対価補償金にはならないから、当該土地所有者については、収用等の場合の課税の特例の適用がない。
　　注３　当該借地人である法人は、土地所有者から立退料等の支払を受けることとすれば、(18)の取扱いによることができることに留意する。

(借地権の対価補償金の交付を受けなかったことについて相当の理由がある場合)
(20) 法人が使用している他人の土地について収用等があった場合において、当該借地人たる法人が起業者から借地権の対価補償金の交付を受けなかったとき又は当該土地の所有者から立退料等の支払を受けなかったときにおいても、例えば、土地の一時使用に該当するものであること等その交付又は支払を受けなかったことについて相当の理由があると認められるときは、(19)にかかわらず、これを認める。(措通64(2)－25)

(借地権の対価補償金の交付を受けることに代えて新たに借地権を取得する場合)
(21) 法人が使用している他人の土地について収用等があった場合において、当該借地人たる法人が起業者から借地権の対価補償金の交付を受けなかったとき又は当該土地の所有者から立退料等の支払を受けなかったときにおいても、当該交付又は支払を受けることに代えて、当該土地の所有者の有する他の土地について新たに借地権を取得したときは、当該借地人たる法人が起業者から通常交付を受けるべきであったと認められる借地権の対価補償金の交付を受け、これを新たに取得した借地権の取得に充てたものとして、収用等の場合の課税の特例を適用することができる。
　この場合において、当該借地人たる法人が保存する収用証明書については、(18)の後段に準ずるものとする。
　なお、この取扱いによる場合において、当該借地人たる法人が新たに取得した借地権の価額が当該通常交付を受け

るべきであったと認められる借地権の対価補償金の額に比して著しく差異があるときを除き、当該通常交付を受けるべきであった借地権の対価補償金は当該取得した借地権の価額と同額であるものとみなし、土地所有者との間に贈与等の事実がなかったものとすることができる。(措通64(2)-26)
> 注　土地所有者が起業者から交付を受けた対価補償金のうち借地人たる法人が通常交付を受けるべきであったと認められる金額は、借地権の設定の対価の収入(新たに設定した借地権の価額が借地人たる法人が通常交付を受けるべきであったと認められる借地権の対価補償金の額に満たないときのその差額については贈与等の収入)とされるのであるから、圧縮記帳等の特例の適用がない。

（借家人が交付を受けるべき補償金についての準用）
(22) 法人が使用している他人の建物について収用等があった場合において、当該借家人たる法人が通常交付を受けるべきであったと認められる借家人補償金について、次に該当するときは、それぞれ次による。(措通64(2)-27)
　(一)　当該建物に係る対価補償金が、当該建物の所有者に一括して交付され、その一部を当該借家人たる法人が当該建物の所有者から立退料等の名義で支払を受けたときは(19)に準ずる。
　(二)　当該借家人たる法人が起業者から通常交付を受けるべきであったと認められる借家人補償金(その一部を当該借家人たる法人が起業者から交付を受けているときにおける当該交付を受けた部分を除く。)が当該建物の所有者に交付されたときは、(19)に準ずる。
　　この場合において、当該借家人たる法人が起業者から通常交付を受けるべきであったと認められる借家人補償金の金額は、同一の事業につき起業者が他の借家人に対してした補償の状況等を基礎として算定する。
　(三)　当該借家人たる法人が起業者から借家人補償金の交付を受けなかったとき又は当該建物の所有者から立退料等の支払を受けなかったときにおいても、例えば建物の一時使用に該当するものである等、その交付又は支払を受けなかったことについて相当の理由があると認められるときは、(二)にかかわらず、これを認める。
　(四)　当該借家人たる法人が起業者から借家人補償金の交付を受けなかったとき又は当該建物の所有者から立退料等の支払を受けなかったときにおいても、当該交付又は支払を受けることに代えて、当該建物の所有者の有する他の建物を使用することとなったときは、(21)に準ずる。

（法人が交付を受けるべき収益補償金等を他の者が取得した場合）
(23) 法人が使用している他人の土地又は建物等について収用等があった場合において、当該法人が営業の休廃止又は移転により、交付を受けるべきであった収益補償金、経費補償金、移転補償金等を当該資産の所有者等当該法人以外の者が取得しているときは、当該法人がこれらの補償金に相当する金額を当該者に対して贈与(当該者が当該法人の代表者等であるときは給与として支給)したものとして取り扱うことに留意する。(措通64(2)-28)
> 注　この取扱いにより建物の所有者が贈与等を受けたものとされる収益補償金については、当該所有者及び借家人たる法人のいずれについても、(16)の取扱いによることはできないことに留意する。

（経費補償金等の仮勘定経理の特例）
(24) 収用等により交付を受ける補償金等のうち対価補償金以外の金額は、その収用等があった日を含む事業年度の益金の額に算入するのであるが、経費補償金若しくは移転補償金((7)から(9)まで及び(11)により、対価補償金として取り扱うものを除く。)、(12)に掲げる残地保全経費の補償金又は(13)に掲げる地域外の既存設備の付替え等に要する経費の補償金(以下これらを「経費補償金」という。)については、収用等があった日から2年を経過した日の前日(長期特別勘定の設定をする場合には、当該長期特別勘定に係る指定期間を経過した日の前日)まで仮勘定として経理することができるものとする。(措通64(3)-15)
> 注1　この取扱いにより経費補償金につき仮勘定として経理する場合において、当該経費補償金に見合う経費の支出をし、又は資産の取得等をしたときは、その支出をした経費の額又は取得等をした資産に係る取得価額等についても仮勘定として経理するものとする。
> 注2　法人が経費補償金の交付を受けた場合において、その補償の目的に適合する経費の支出又は同種の資産の取得若しくは資産の改良をすることが明らかでないときは、当該経費補償金の額のうち、その明らかでない部分の金額については、その収用等があった日を含む事業年度の益金の額に算入することに留意する。
> 注3　上記の長期特別勘定とは、9《指定期間》の表の①から③までの右欄又は14《特定非常災害に基因する指定期間の延長の特例》に掲げる日を末日とする指定期間内に代替資産を取得する見込みであるとして8の①《補償金等の特別勘定経理》により設けている特別勘定(8の③の(2)《適格合併等により引継ぎを受けた特別勘定の合併法人等における取扱い》により合併法人等が設けているとみなされたものを含む。)をいう。(措通64(3)-9の2)

（収益補償金の仮勘定経理等の特例）
(25) 収用等に伴い交付を受ける収益補償金のうち(16)の取扱いによらない部分の金額については、法人が、その収用等があった日を含む事業年度の益金の額に計上しないで、収用等をされた土地又は建物から立ち退くべき日として定

められている日(その日前に立ち退いたときは、その立ち退いた日)まで仮受金として経理しているときは、これを認める。(措通64(3)-16)

 注 収用等があった日を含む事業年度の終了の日までに支払われないものについても、未収金と仮受金とを両建経理する。

 (仮換地の指定により交付を受ける仮清算金)

(26) 法人の有する土地について土地区画整理法等による仮換地の指定があった場合に交付を受ける仮清算金の額については、換地処分があるまでは益金の額に算入されないことに留意する。(措通64(2)-18の2)

 (仮換地等が土地収用法等の規定に基づいて使用され補償金等を取得する場合の収用等の場合の課税の特例の適用)

(27) 土地等につき土地区画整理法又は土地改良法による土地区画整理事業又は土地改良事業が施行された場合において、当該土地等に係る仮換地又は一時利用地が公共事業のために使用されたことにより当該仮換地又は一時利用地について有する使用収益権が消滅し、補償金等を取得するときにおける収用等の場合の課税の特例の適用に関する取扱いは次による。

 なお、土地区画整理法又は土地改良法による土地区画整理事業又は土地改良事業の施行地区内の公共用地等は、本来はこれらの事業の中で換地処分の手法を通じて取得されるべきものであるが、この取扱いは、仮換地又は一時利用地の指定のあった日から相当の期間が経過しており、かつ、近い将来において換地処分が行われる見込みがないなど仮換地又は一時利用地そのものを公共事業の用に供することについてやむを得ない事情がある場合について適用するものとする。(昭48直審4-3)

(一) この取扱いにおいて、次表の左欄に掲げる用語の意義は、それぞれ同表の右欄に掲げるところによる。

イ	仮換地等	土地区画整理法第98条第1項《仮換地の指定》の規定により指定があった仮換地又は土地改良法第53条の5第1項《一時利用地の指定》の規定により指定があった一時利用地をいう。
ロ	起業地	**四**の**1**《5,000万円特別控除》に掲げる収用換地等に係る事業を施行すべき土地の区域をいう。
ハ	従前の宅地等	土地区画整理法上の従前の宅地又は土地改良法上の従前の土地をいう。
ニ	土地収用法等	**1**の表の①に掲げる土地収用法等をいう。
ホ	公共事業施行者	**四**の**3**の①《特別控除の適用対象とならない譲渡資産》の表のイに掲げる公共事業施行者をいう。

(二) 仮換地等が起業地内にあり、当該仮換地等に係る従前の宅地等が起業地の外にある場合において、当該仮換地等が次に掲げる場合に該当して補償金又は対価を取得するときは、当該補償金又は対価は、**1**《収用等のあった事業年度において取得した代替資産の圧縮記帳》に掲げる補償金又は対価に該当するものとする。

 イ 仮換地等が土地収用法等の規定に基づいて使用された結果、当該仮換地等について有する使用収益権が消滅する場合

 ロ 仮換地等について有する使用収益権の消滅の申出を拒むときは土地収用法等の規定に基づいて当該仮換地等が使用され当該権利が消滅することとなる場合において、当該権利が契約により消滅するとき

(三) 仮換地等が起業地内にあり、当該仮換地等に係る従前の宅地等が起業地の外にある場合において、公共事業施行者からの買取り等の申出に応じて当該従前の宅地等の譲渡をし、納税者から当該譲渡の対価の額の全部が当該仮換地等の使用収益権の消滅の対価に該当するものとして(二)の取扱いにより**1**又は**四**の**1**を適用して確定申告書等の提出があったときは、これを認めるものとする。

(四) (二)の取扱い((三)により(二)の取扱いを受ける場合を含む。(五)において同じ。)により、**1**又は**四**の**1**の適用を受ける場合に確定申告書等に添付すべき収用証明書は、仮換地等として指定されている土地についての**三**《損金算入の申告及び収用証明書の保存》に掲げる使用の証明書類とする。

(五) (二)の取扱いにより仮換地等の使用収益権の消滅につき**四**の**1**を適用する場合には、**四**の**3**の①の表のイに掲げる最初に買取り等の「申出のあった日」は、当該仮換地等に係る従前の宅地等について最初に買取りの申出のあった日と当該仮換地等の使用収益権について最初に消滅の申出のあった日のうちいずれか早い日をいうものとする。

(六) 仮換地等の使用収益権の消滅につき(二)の取扱いの適用を受けた者が、当該消滅のあった日の属する年の翌年1月1日以後に行われた換地処分により当該仮換地等を換地として取得した場合において、当該換地が当該仮換地

等を使用している者によって土地収用法等の規定に基づいて収用され又は買い取られ、補償金又は対価を取得したときは、当該収用又は買取りにより譲渡した換地については、四の3の①の表のロにより、5,000万円特別控除の特例は適用がないものとする。

　　　（団体漁業権等の消滅等による補償金の仮勘定経理）
(28)　漁業協同組合又は漁業協同組合連合会（以下(28)において「組合等」という。）が、その有する団体漁業権等又は入漁権（以下(28)において「団体漁業権等」という。）の消滅又はその価値の減少（以下(28)において「消滅等」という。）により1の表の⑦に掲げる補償金又は対価（以下(28)において「補償金等」という。）を取得した場合において、当該補償金等の額の全部又は一部を当該団体漁業権等の範囲内において漁業を営む権利を有する組合員に対して当該権利の消滅等による補償として配分することとしているため、その配分することが予定されている部分の金額につきその配分をする日と当該補償金等の交付を受けた日から3年を経過する日とのいずれか早い日まで仮受金として経理しているときは、これを認める。この場合において、当該補償金等の交付を受けた日から3年を経過した日において配分が確定していない金額があるときは、当該金額については、同日において組合等が収用等により取得した補償金等であるものとして一《収用等に伴い代替資産を取得した場合の課税の特例》から四《収用換地等の場合の所得の特別控除》までの取扱いを適用する。（措通64(2)-29）
　　注　後段の場合において、その後組合員に対する配分が確定したときは、その配分が確定した部分の補償金等の額に係る税額について第二節第三款の九の2《後発的事由がある場合の更正の請求の特例》による更正の請求ができるものとする。

5　譲渡資産の譲渡に要した経費

　1《収用等のあった事業年度において取得した代替資産の圧縮記帳》により補償金、対価又は清算金の額から控除する金額は、収用等により譲渡をした資産（以下「**譲渡資産**」という。）の譲渡に要した経費の金額の合計額が、当該収用等に際し譲渡に要する経費に充てるべきものとして交付を受けた金額の合計額を超える場合におけるその超える金額とする。この場合において、譲渡資産が2以上あるときは、当該譲渡資産の譲渡に要した経費の金額の合計額が当該収用等に際し譲渡に要する経費に充てるべきものとして交付を受けた金額の合計額を超える場合におけるその超える金額を個々の譲渡資産の譲渡に要した経費の金額にあん分して計算した金額とする。（措法64⑬、措令39①、措規22の2①）
（算式）

$$\text{一の譲渡資産に係る譲渡経費の超過額} = \left(\text{譲渡経費の合計額} - \text{譲渡経費に充てるべき交付金額の合計額}\right) \times \frac{\text{個々の譲渡資産の譲渡経費}}{\text{譲渡経費の合計額}}$$

　　　（収用等をされた資産の譲渡に要した経費の範囲）
(1)　収用等をされた資産の譲渡に要した経費がある場合には、当該経費の額が当該経費に充てるべきものとして交付を受けた金額を超えるときのその超える金額（交付を受けた金額が明らかでないときは、当該経費の額）を、当該譲渡をした資産に係る対価補償金の額から控除することとなるのであるが、次に掲げる経費は、この場合の譲渡に要した経費に該当することに留意する。（措通64(2)-30）
　(一)　譲渡に要したあっせん手数料、謝礼
　(二)　譲渡をした資産の借地人又は借家人等に対して支払った立退料（**4**の(18)《借地人が交付を受けるべき借地権の対価補償金の代理受領とみなす場合》又は同**4**の(22)《借家人が交付を受けるべき補償金についての準用》の(一)により代理受領とみなされる場合の立退料を除く。）
　(三)　資産が取壊し又は除去を要するものである場合におけるその取壊し又は除去の費用（発生資材の評価額を**1**の(19)《発生資材が生ずる場合の圧縮記帳等の計算》の(一)により処分可能価額によっている場合には、その評価額に相当する金額を控除した金額とし、控除しきれない場合には、当該費用はないものとする。）
　(四)　当該資産の譲渡に伴って支出しなければならないこととなった次に掲げる費用
　　イ　建物等の移転費用
　　ロ　動産の移転費用
　　ハ　仮住居の使用に要する費用
　　ニ　立木の伐採又は移植に要する費用
　(五)　(一)から(四)までに掲げる経費に準ずるもの

　　　（2以上の資産について収用等をされた場合の資産の譲渡に要した経費の計算）
(2)　**1**の代替資産の圧縮記帳により対価補償金の額から控除すべき資産の譲渡に要した経費の額を計算する場合にお

いて、同時に収用等をされた資産が2以上あるときは、資産の対価補償金の額から控除することとなる資産の譲渡に要した経費の額は、5の譲渡資産の譲渡に要した経費により、個々の資産の譲渡に要した経費の額の比によりあん分して計算した金額によるのであるが、その計算が困難であるときは、収用等をされた資産に係る対価補償金のうちに占める個々の資産に係る対価補償金の額の比によりあん分して計算した金額によることができる。（措通64(2)-31）

6　代替資産の範囲

①　種類を同じくする代替資産

圧縮記帳の対象となる代替資産は、原則として、収用等により譲渡した資産と種類を同じくする資産とするが、この場合の種類を同じくする資産は、次の表の左欄の収用等の区分に応じ右欄に掲げる資産とする。（措法64①、措令39②）

1の表の区分		種類を同じくする資産
イ	①、②、③の2、③の3の場合	譲渡資産が次に掲げる資産の区分のいずれに属するかに応じそれぞれこれらの区分に属する資産（譲渡資産がその他の資産の区分に属するものである場合には、当該資産と種類及び用途を同じくする資産） （イ）　土地又は土地の上に存する権利 （ロ）　建物（その附属設備を含む。）又は建物に附属する特定の構築物 　　上記の「建物に附属する特定の構築物」とは、建物に附属する門、塀、庭園（庭園に附属する亭、庭内神しその他これらに類する附属設備を含む。）、煙突、貯水槽その他これらに類する資産をいう。（措規22の2②） （ハ）　（ロ）以外の構築物 （ニ）　その他の資産
ロ	③、③の4、③の5、③の6、③の7、④の場合	譲渡資産が左欄の資産の区分のいずれに属するかに応じそれぞれこれらの区分に属する資産
ハ	⑤、⑥、⑦の場合	当該譲渡資産と同種の権利（当該譲渡資産が内水面に係る漁業権である場合には、当該漁業権を有していた漁業協同組合又は漁業協同組合連合会がその行う水産動植物の増殖に関する事業に関し設置する基金の運用資産として取得する有価証券を含む。）
ニ	⑧の場合	譲渡資産がイ又はハに掲げる譲渡資産の区分のいずれに属するかに応じそれぞれこれらの区分に属する資産

　　（資本的支出）
（1）　法人が、資産の収用等に伴い、その代替資産となるべき資産の改良をした場合には、その改良のための費用の支出は、一《収用等に伴い代替資産を取得した場合の課税の特例》の収用等に伴い代替資産を取得した場合の課税の特例の適用上、代替資産の取得に当たるものとして取り扱う。（措通64(3)-3の2）
　　注　②《一組の資産が収用等をされた場合の代替資産》及び③《種類の異なる代替資産》の場合についても同様である。（編者）

　　（土地造成費等）
（2）　法人が、次に掲げるような宅地等の造成のための費用を支出した場合において、その金額が相当の額に上り、実質的に新たに土地を取得したことと同様の事情があるものと認められるときは、当該造成についてはその完成の時に新たな土地の取得があったものとし、当該費用の額をその取得価額として圧縮記帳の適用があるものとする。（措通65の7(1)-13参照）
　　（一）　自己の有する水田、池沼の土盛り等をして宅地等の造成をするための費用
　　（二）　自己の有するいわゆるがけ地の切土をして宅地等の造成をするための費用
　　注　②《一組の資産が収用等をされた場合の代替資産》及び③《種類の異なる代替資産》の場合についても同様である。（編者）

　　（内水面漁業補償金で有価証券を取得した場合）
（3）　漁業協同組合又は漁業協同組合連合会が、その有する内水面に係る漁業権の消滅又はその価値の減少により取得

した**1**《収用等のあった事業年度において取得した代替資産の圧縮記帳》の表の⑦に掲げる補償金又は対価につき①の表の**ハ**の括弧書に掲げる有価証券を代替資産として**1**の収用等に伴い代替資産を取得した場合の課税の特例の適用を受けた場合には、その後当該有価証券について償還を受け、又はこれを譲渡したときにおいても、その償還を受けた金額又はその譲渡の対価をもって再び同表の**ハ**の括弧書に掲げる有価証券を取得したときは、当該有価証券が引き続き同表の**ハ**の括弧書に掲げる基金の運用資産として保有されるものである限り、当該有価証券については、次の算式により計算した金額を下らない金額をその取得価額とすることができるものとする。(措通64(3)-13の2・編者補正)

(算式)

$$\text{その償還を受け、又は譲渡した有価証券の償還又は譲渡直前の帳簿価額} \times \frac{\text{分母の金額のうち新たに取得した有価証券の取得に要した金額}}{\text{左の有価証券の償還金額又は譲渡対価の額}}$$

注　適格分割等を行った場合には、「**1**の収用等」とあるのは「**1**又は**7**の収用等」とする。(編者)

②　一組の資産が収用等をされた場合の代替資産

譲渡資産が①の表の**イ**に掲げる区分（同表の**イ**の「(ニ)その他の資産」の区分を除く。）の異なる2以上の資産で一の効用を有する一組の資産が次の表に掲げる用に供するものである場合において、譲渡資産の譲渡の日の属する事業年度の確定申告書等に当該一組の資産の明細を記載した書類を添付したときに限り、その効用と同じ効用を有する他の資産をもって当該譲渡資産の全てに係る代替資産とすることができる。(措法64⑬、措令39③、措規22の2③)

イ	居住の用	ニ	倉庫の用
ロ	店舗又は事務所の用	ホ	**イ**から**ニ**までの用のほか、劇場の用、運動場の用、遊技場の用その他これらの用の区分に類する用
ハ	工場、発電所又は変電所の用		

（一組の資産を譲渡した場合の代替資産）

(1)　②に掲げる「同じ効用を有する他の資産」には、法人が既に有する資産と一体となって同じ効用を有する資産を含むのであるから留意する。したがって、事務所用の土地建物について収用等をされた法人がその有する土地の上に事務所用の建物を取得した場合には、その建物を代替資産とすることができる。(編者)

（2以上の用に供されている資産）

(2)　②の適用に当たっては、譲渡資産又は当該譲渡に伴って取得した他の資産の用途が②の表の**イ**から**ホ**までに掲げる用途のうちの2以上にわたっている場合であっても、当該譲渡資産と当該取得した他の資産との間に共通の用途があるときは、当該取得した他の資産をもって当該譲渡資産の代替資産とすることができるものとする。(編者)

③　種類の異なる代替資産

譲渡資産の譲渡をした法人が、その事業の用に供するため、当該譲渡資産に係る①又は②に掲げる代替資産に該当する資産以外の資産（当該事業の用に供する減価償却資産、土地及び土地の上に存する権利に限る。）の取得（製作及び建設を含む。以下同じ。）をする場合には、①及び②にかかわらず、当該資産をもって当該譲渡資産の代替資産とすることができる。(措法64⑬、措令39④)

（代替資産とすることができる事業用固定資産の判定）

③により取得資産を代替資産とすることができるかどうかは、その取得資産の改修その他の手入れの要否等の具体的事情に応じ、相当の期間内に事業の用に供したかどうかによって判定するのであるが、当該取得資産をその取得の日以後1年を経過した日（当該取得の日を含む事業年度分の確定申告期限がこれより後に到来する場合には、当該期限）までにその事業の用に供しているときは、相当の期間内に事業の用に供したものとして取り扱う。(措通64(3)-3)

7　適格分割等を行った場合の分割法人等における代替資産の圧縮額の損金算入《期中圧縮記帳》

法人（その法人の有する資産で**1**《収用等のあった事業年度において取得した代替資産の圧縮記帳》の表に掲げるものが同表のそれぞれに掲げる場合に該当することとなった場合〔**2**《使用補償金及び譲渡対価等に対する特例の適用》の表

の①に掲げる土地等又は同表の②に掲げる土地の上にある資産につき収用等による譲渡があったものとみなされた場合を含むものとし、二の1《換地処分等により交換取得した資産の圧縮記帳》に該当する場合を除く。〕における当該法人に限る。）が収用等のあった日を含む事業年度において適格分割、適格現物出資又は適格現物分配（その日以後に行われるものに限る。以下7において「**適格分割等**」という。）を行う場合において、当該法人が補償金、対価又は清算金の額の全部又は一部に相当する金額をもって当該事業年度開始の時から当該適格分割等の直前の時までの間に代替資産の取得をし、当該適格分割等により当該代替資産を分割承継法人、被現物出資法人又は被現物分配法人に移転するときは、当該代替資産につき、当該代替資産に係る圧縮限度額に相当する金額の範囲内でその帳簿価額を減額したときに限り、その減額した金額に相当する金額は、当該事業年度の所得の金額の計算上、損金の額に算入する。(措法64⑨)

① **適格分割等における代替資産の先行取得期間**

（適格分割等における代替資産の先行取得期間）
（1）　7に掲げる場合において、当該法人が、収用等のあった日を含む事業年度開始の日から起算して1年（工場、事務所その他の建物、構築物又は機械及び装置〔以下(1)において「工場等」という。〕の敷地の用に供するための宅地の造成並びに当該工場等の建設及び移転に要する期間が通常1年を超えると認められる事情その他これに準ずる事情がある場合には、3年）前の日（同日が当該収用等により当該法人の有する資産の譲渡をすることとなることが明らかとなった日前である場合には、同日）から当該開始の日の前日までの間に代替資産となるべき資産の取得をしたときは、当該法人は、当該資産を7に該当する代替資産とみなして7の適用を受けることができる。この場合において、当該資産が減価償却資産であるときにおける当該資産に係る圧縮限度額は、当該資産の取得価額（その額が当該補償金、対価又は清算金の額〔既に取得をした代替資産のその取得に係る部分の金額として1の(1)《取得をした代替資産のその取得に係る部分の金額》に掲げる金額を除く。〕を超える場合には、その超える金額を控除した金額。）に差益割合を乗じて計算した金額を基礎として(2)により計算した金額とする。(措法64⑩③、措令39⑳)

（代替資産とみなされる資産が減価償却資産である場合の圧縮限度額）
（2）　(1)に掲げる計算した金額は、(1)の代替資産となるべき資産に係る(1)に掲げる乗じて計算した金額に、次表の(一)に掲げる金額のうちに同表の(二)に掲げる金額の占める割合を乗じて計算した金額に相当する金額とする。(措令39㉑)

| (一) | 当該資産の当該事業年度開始の日の前日における取得価額 |
| (二) | 当該資産の(一)に掲げる開始の日の前日における帳簿価額 |

（長期先行取得が認められるやむを得ない事情）
（3）　代替資産の取得につき(1)を適用する場合における(1)の「その他これに準ずる事情」には、収用等により譲渡した資産について次に掲げるような事情があるためやむを得ずその譲渡が遅延した場合が含まれるものとする。(措通64(1)－9)

(一)	借地人又は借家人が容易に立退きに応じないため譲渡ができなかったこと。
(二)	災害等によりその譲渡に関する計画の変更を余儀なくされたこと。
(三)	(一)又は(二)に準ずる特別な事情があったこと。

② **適格分割等に係る収用等により取得した代替資産の圧縮額の損金算入に関する届出等**
　7の圧縮額の損金算入は、7の適用を受けようとする法人が適格分割等の日以後2か月以内に次に掲げる事項を記載した書類を納税地の所轄税務署長に提出した場合に限り、適用する。(措法64⑪、措規22の2⑤)
　なお、7の適用を受ける場合には、同7の適用に係る資産が、1又は2の表に掲げる場合に該当することとなったことを証する書類として三《損金算入に関する申告及び収用証明書の保存》の表の左欄の区分に応じ、それぞれ同表の右欄に掲げる書類を保存しなければならない。(措令39㉟、措規22の2④)

| (一) | 7の圧縮記帳の適用を受けようとする法人の名称、納税地及び法人番号（行政手続における特定の個人を識別するための番号の利用等に関する法律第2条第15項に規定する法人番号をいう。以下この款において同じ。）並びに代 |

第三章　第一節　第十六款　一《収用等の場合の圧縮記帳》

	表者の氏名
(二)	**7**に掲げる分割承継法人、被現物出資法人又は被現物分配法人の名称及び納税地並びに代表者の氏名
(三)	**7**に掲げる適格分割等の年月日
(四)	**1**に掲げる収用等のあった年月日
(五)	**7**に掲げる補償金、対価又は清算金の額
(六)	**6**に掲げる代替資産の種類、構造及び規模並びに取得年月日
(七)	**7**の圧縮記帳により損金の額に算入される**7**に掲げる帳簿価額を減額した金額及びその金額の計算に関する明細
(八)	その他参考となるべき事項

注　(七)に掲げる事項の記載については、別表十三(四)の書式によらなければならない。（規27の14）

8　補償金等の特別勘定経理

①　補償金等の特別勘定経理

　法人の有する資産で**1**《収用等のあった事業年度において取得した代替資産の圧縮記帳》の表の①から⑧までに掲げるものがそれぞれ①から⑧までに掲げる場合に該当することとなった場合（**2**《使用補償金及び譲渡対価等に対する特例の適用》により土地等又は土地の上にある資産につき収用等による譲渡があったものとみなされた場合を含むものとし、二の**1**《換地処分等により交換取得した資産の圧縮記帳》に該当する場合を除く。以下②において同じ。）において、当該法人が、**9**《指定期間》に掲げる**指定期間**内に補償金、対価又は清算金の額（当該収用等のあった日を含む事業年度において当該補償金、対価若しくは清算金の額の一部に相当する金額をもって代替資産の取得をした場合又は当該収用等に係る**3**《代替資産の先行取得期間》に掲げる１年前の日から当該収用等のあった日を含む事業年度開始の日の前日までの間に代替資産となるべき資産の取得をした場合には、これらの資産の取得価額を控除した金額。以下同じ。）の全部又は一部に相当する金額をもって代替資産の取得をする見込みであるとき（（１）に掲げるときを含む。）は、当該補償金、対価又は清算金の額で当該代替資産の取得に充てようとするものの額に差益割合を乗じて計算した金額以下の金額を当該収用等のあった日を含む事業年度の確定した決算において**特別勘定**を設ける方法（当該事業年度の決算の確定の日までに剰余金の処分により積立金として積み立てる方法を含む。）により経理したときに限り、その経理した金額に相当する金額は、当該事業年度の所得の金額の計算上、損金の額に算入する。（措法64の２①、措令39㉕）

$$\text{特別勘定に経理することができる金額} \leqq \begin{pmatrix} \text{補償金等の額〔既に代替資産の取得に} \\ \text{充てられた部分を除く。〕で代替資産} \\ \text{の取得に充てようとするものの金額} \end{pmatrix} \times (\text{差益割合})$$

（適格合併、適格分割又は適格現物出資を行った場合における代替資産の取得をする見込みであるとき）

（１）　①に掲げる代替資産の取得をする見込みであるときに含まれるときは、**9**《指定期間》に掲げる収用等のあった日を含む事業年度終了の日後に①に掲げる法人が被合併法人、分割法人又は現物出資法人となる適格合併、適格分割又は適格現物出資を行う場合において、当該適格合併、適格分割又は適格現物出資に係る合併法人、分割承継法人又は被現物出資法人が**9**に掲げる指定期間内に補償金、対価又は清算金の額の一部に相当する金額をもって代替資産の取得をする見込みであるときとする。（措令39㉕）

（代替資産の取得に充てようとする金額がある場合の特別勘定に経理することができる金額）

（２）　**1**《収用等のあった事業年度において取得した代替資産の圧縮記帳》又は①若しくは**7**《適格分割等を行った場合の分割法人等における代替資産の圧縮額の損金算入》又は②を適用する場合において、これらに掲げる補償金、対価又は清算金の額のうち既に①の特別勘定の金額及び②に掲げる期中特別勘定の金額の計算の基礎とした①及び②に掲げる取得に充てようとするものの額があるときは、**1**に掲げる代替資産の取得価額又は①の特別勘定の金額若しくは②に掲げる期中特別勘定の金額を計算する場合における補償金、対価又は清算金の額は、当該補償金、対価又は清算金の額から当該取得に充てようとするものの額に相当する金額を控除した金額とする。（措法64の２⑱、措令39㉜）

（特別勘定の経理）

（３）　特別勘定の経理は、積立金として積み立てる方法のほか、仮受金等として経理する方法によることもできるものとする。（措通64～66(共)－１、基通10－１－１参照）

(圧縮記帳をしない代替資産に係る特別勘定の経理)
（４）　対価補償金をもって代替資産を取得したにもかかわらず、当該代替資産について圧縮記帳の適用を受けない場合には、当該対価補償金について特別勘定経理の適用を受けることはできないのであるが、5,000万円特別控除の特例《四》の適用を受けることはできることに留意する。
　　なお、この場合において取得した資産が代替資産に該当するかどうかは、法人が代替資産として申告したものの内容を基礎として判定することに取り扱う。（措通64(3)－9）

(取壊し等が遅れる場合の特別勘定の計算)
（５）　法人が収用等をされた資産の全部又は一部を当該収用等があった日を含む事業年度後の事業年度において取壊し等をすることとしている場合における特別勘定に経理することができる金額は、１の(20)《取壊し等が遅れる場合の圧縮記帳の計算の調整》の前段に準じて計算する。ただし、法人がこの計算に代えて取壊し等をしていない資産に係る対価補償金で代替資産の取得に充てようとするものについて、その全額を特別勘定として計算したときは、これを認める。（措通64(3)－10）

(特別勘定に経理した後に資産の取壊し等をした場合の調整)
（６）　資産の対価補償金について①により特別勘定に経理した事業年度後の事業年度において、次の表の左欄に掲げる事実があった場合の特別勘定の計算はそれぞれ右欄によるものとする。（措通64(3)－11）

(一)	資産の取壊し等をする前に代替資産を取得したとき	特別勘定の金額のうち代替資産の取得価額に特別勘定の計算の基礎とした差益割合を乗じて計算した金額（(5)のただし書によっているものについては、代替資産の取得価額に相当する金額）を益金の額に算入する。 なお、この場合における代替資産の圧縮記帳の計算については、１の(20)《取壊し等が遅れる場合の圧縮記帳の計算の調整》に準ずる。
(二)	代替資産を取得する前に資産の取壊し等をしたとき	その都度差益割合を改訂し、特別勘定のうち過大となる部分の金額が生ずるときは、当該過大となる金額を益金の額に算入する。ただし、(5)のただし書によったものについては、資産の取壊損失又は譲渡に要する経費の全額を仮勘定として経理したときは、11《解散等の場合の特別勘定の益金算入》の①の表に掲げる場合に該当することとなった日までは、特別勘定の金額を益金の額に算入しないことができる。
(三)	資産の取壊し等をした後に代替資産を取得したとき	特別勘定の金額のうち代替資産の取得価額に(二)により改訂した差益割合を乗じて計算した金額（(二)のただし書によっているものについては、代替資産の取得価額に相当する金額）を益金の額に算入する。

② **適格分割又は適格現物出資を行った場合の分割法人等における補償金等の期中特別勘定経理**

　法人（その法人の有する資産で１《収用等に伴い代替資産を取得した場合の課税の特例》の表の①から⑧に掲げるものが同表のそれぞれに掲げる場合に該当することとなった場合における当該法人に限る。）が収用等のあった日を含む事業年度において適格分割又は適格現物出資（その日以後行われるものに限る。10の②《特別勘定を有する法人が適格分割等を行った場合の分割法人等における代替資産の圧縮額の損金算入》を除き、以下一において「**適格分割等**」という。）を行う場合において、当該適格分割等に係る分割承継法人又は被現物出資法人において当該適格分割等の日から収用等のあった日以後２年を経過する日までの期間（当該収用等に係る事業の全部又は一部が完了しないこと、工場等の建設に要する期間が通常２年を超えることその他やむを得ない事情があるため、当該分割承継法人又は被現物出資法人が当該期間内に代替資産の取得をすることが困難である場合で９《指定期間》の表の左欄に掲げる場合には、当該代替資産については、当該適格分割等の日から同表の右欄に掲げる日までの期間）内に補償金、対価又は清算金の額の全部又は一部に相当する金額をもって代替資産の取得をする見込みであるときは、当該補償金、対価又は清算金の額で当該分割承継法人又は被現物出資法人において当該代替資産の取得に充てようとするものの額に差益割合を乗じて計算した金額の範囲内で①の特別勘定に相当するもの（以下一「**期中特別勘定**」という。）を設けたときに限り、その設けた期中特別勘定の金額に相当する金額は、当該事業年度の所得の金額の計算上、損金の額に算入する。（措法64の2②）

第三章　第一節　第十六款　一《収用等の場合の圧縮記帳》

(適格分割等を行った場合の期中特別勘定に関する届出)
（１）　②は、②の適用を受けようとする法人が適格分割等の日以後２か月以内に三《損金算入の申告及び収用証明書の保存》の表の左欄の区分に応じ、それぞれ同表の右欄に掲げる書類及び次に掲げる事項（②に掲げるやむを得ない事情があるため、②に掲げる収用等のあった日以後２年を経過した日から②に掲げる９《指定期間》の表の右欄に掲げる日までの期間内に代替資産の取得をする見込みであり、かつ、当該代替資産につき②の適用を受けようとする場合にあっては、そのやむを得ない事情の詳細、当該代替資産の取得予定年月日及びその取得価額の見積額その他の明細を含む。）を記載した書類を納税地の所轄税務署長に提出した場合に限り、適用する。(措法64の２③、措規22の２⑨)

(一)	②の特別勘定経理の適用を受けようとする法人の名称、納税地及び法人番号並びに代表者の氏名
(二)	分割承継法人又は被現物出資法人（(六)において「分割承継法人等」という。）の名称及び納税地並びに代表者の氏名
(三)	②に掲げる適格分割等の年月日
(四)	②に掲げる収用等のあった年月日及び当該収用等により譲渡した資産の種類
(五)	②に掲げる補償金、対価又は清算金の額
(六)	分割承継法人等において取得をする見込みである代替資産の種類、構造及び規模並びにその取得予定年月日
(七)	②の特別勘定経理により損金の額に算入される期中特別勘定の金額及びその金額の計算に関する明細
(八)	その他参考となるべき事項

　　注　(七)に掲げる事項の記載については、別表十三(四)の書式によらなければならない。（規27の14）

(収用証明書の保存)
（２）　②の適用を受ける場合には、同②の適用に係る資産が、１の表に掲げる場合に該当することとなったことを証する書類として三《損金算入に関する申告及び収用証明書の保存》の表の左欄の区分に応じ、それぞれ同表の右欄に掲げる書類を保存しなければならない。(措令39㉟、措規22の２④)

(圧縮記帳をしない代替資産に係る特別勘定の経理)
（３）　対価補償金をもって代替資産を取得したにもかかわらず、当該代替資産について１又は７の適用を受けない場合には、当該対価補償金について①又は②の適用を受けることはできないのであるが、四《収用換地等の場合の所得の特別控除》の適用を受けることはできることに留意する。
　　なお、この場合において取得した資産が代替資産に該当するかどうかは、法人が代替資産として申告したものの内容を基礎として判定することに取り扱う。(措通64(3)－9)

③　**適格合併等を行った場合の特別勘定又は期中特別勘定の引継ぎ**

　法人が、適格合併、適格分割又は適格現物出資（以下③において「**適格合併等**」という。）を行った場合には、次の表の左欄に掲げる適格合併等の区分に応じ、それぞれ同表の右欄に掲げる特別勘定の金額又は期中特別勘定の金額は、当該適格合併等に係る合併法人、分割承継法人又は被現物出資法人（以下一において「合併法人等」という。）に引き継ぐものとする。(措法64の２④)

イ	適　格　合　併	当該適格合併直前において有する①に掲げる特別勘定の金額（既に益金の額に算入された、又は益金の額に算入されるべき金額がある場合には、これらの金額を控除した金額とする。以下同じ。）
ロ	適　格　分　割　等	当該適格分割等の直前において有する①に掲げる特別勘定の金額のうち当該適格分割等に係る分割承継法人又は被現物出資法人が指定期間の末日までに補償金、対価又は清算金の額の全部又は一部に相当する金額をもって代替資産の取得をすることが見込まれる場合における当該代替資産の取得に充てようとするものの額に差益割合を乗じて計算した金額に相当する金額及び当該適格分割等に際して設けた期中特別勘定の金額

(適格分割又は適格現物出資を行った場合の特別勘定の引継ぎに関する届出)
（１）　③は、その特別勘定を設けている法人で適格分割等を行ったもの（当該特別勘定及び期中特別勘定の双方を設け

ている法人であって、適格分割等により分割承継法人又は被現物出資法人に当該期中特別勘定の金額のみを引き継ぐものを除く。）にあっては、当該特別勘定を設けている法人が当該適格分割等の日以後２か月以内に次に掲げる事項を記載した書類を納税地の所轄税務署長に提出した場合に限り、適用する。（措法64の２⑤、措規22の２⑩）

(一)	③の特別勘定の引継ぎの適用を受けようとする当該法人の名称、納税地及び法人番号並びに代表者の氏名
(二)	分割承継法人等（③の表の口に掲げる分割承継法人又は被現物出資法人をいう。以下（１）において同じ。）の名称及び納税地並びに代表者の氏名
(三)	適格分割等の年月日
(四)	③の特別勘定の引継ぎにより分割承継法人等に引き継ぐ③の表の口に掲げる特別勘定の金額又は期中特別勘定の金額
(五)	(四)に掲げる特別勘定の金額又は期中特別勘定の金額に係る補償金、対価又は清算金の額
(六)	分割承継法人等において取得をする見込みである代替資産の種類、構造及び規模並びにその取得予定年月日
(七)	その他参考となるべき事項

（適格合併等により引継ぎを受けた特別勘定の合併法人等における取扱い）
（２）　③により合併法人等が引継ぎを受けた特別勘定の金額又は期中特別勘定の金額は、当該合併法人等が①により設けている特別勘定の金額とみなす。（措法64の２⑥）

9　指定期間

　8の①《補償金等の特別勘定経理》の指定期間は、原則として、収用等のあった日を含む事業年度（解散の日を含む事業年度及び被合併法人の合併〔適格合併を除く。〕の日の前日を含む事業年度を除く。）終了の日の翌日から収用等のあった日以後２年を経過する日までの期間とするが、次の表に掲げる場合には、当該終了の日の翌日からそれぞれ同表に掲げる場合の区分に応じそれぞれ同表に掲げる日までの期間とする。（措法64の２①、措令39㉓）

		\multicolumn{2}{l}{それぞれイ又はロの右欄に掲げる日}	
①	収用等に係る事業の全部又は一部が完了しないため、当該収用等のあった日以後２年を経過する日までに右欄イ又はロの左欄に掲げる資産を代替資産として取得をすることが困難であり、かつ、当該事業の全部又は一部の完了後において当該資産の取得をすることが確実であると認められる場合	イ	当該収用等に係る事業の施行された地区内にある土地又は当該土地の上に存する権利（当該事業の施行者の指導又はあっせんにより取得するものに限る。）	当該収用等があった日から４年を経過する日（同日前に当該土地又は土地の上に存する権利の取得をすることができると認められる場合には、当該取得をすることができると認められる日とし、当該収用等に係る事業の全部又は一部が完了しないことにより当該４年を経過する日までに当該取得をすることが困難であると認められる場合において(2)《指定期間の延長》の(一)に掲げるところにより納税地の所轄税務署長の承認を受けたときは、同日から４年を経過する日までの期間内の日で当該取得をすることができる日として当該税務署長が認定した日とする。）から６か月を経過する日
		ロ	当該収用等に係る	当該収用等があった日から

第三章　第一節　第十六款　一《収用等の場合の圧縮記帳》

		事業の施行された地区内にある土地又は当該土地の上に存する権利を有する場合に当該土地又は当該権利の目的物である土地の上に建設する建物又は構築物	4年を経過する日（同日前に当該土地又は当該権利の目的物である土地を当該建物又は構築物の敷地の用に供することができると認められる場合には、当該敷地の用に供することができると認められる日とし、当該収用等に係る事業の全部又は一部が完了しないことにより当該4年を経過する日までに当該敷地の用に供することが困難であると認められる場合において(2)の(一)に掲げるところにより納税地の所轄税務署長の承認を受けたときは、同日から4年を経過する日までの期間内の日で当該敷地の用に供することができる日として当該税務署長が認定した日とする。）から6か月を経過する日
②	収用等に係る譲渡資産が内水面に係る漁業権であり、かつ、当該漁業権を有していた漁業協同組合又は漁業協同組合連合会が代替資産として水産動植物の増殖に関する事業を実施するために必要な土地若しくは土地の上に存する権利又は減価償却資産（以下「**増殖施設**」という。）の取得をする場合において、収用等に係る事業又は生態影響調査（当該事業の全部又は一部の完了後において行われる内水面に係る河川、湖沼等の水質、流量等の変化の水産動植物の生態に与える影響に関する調査をいう。以下同じ。）の全部又は一部が完了しないため、当該収用等のあった日以後2年を経過する日までに当該増殖施設の取得をすることが困難であり、かつ、当該収用等に係る事業又は生態影響調査の全部又は一部の完了後において当該増殖施設の取得をすることが確実であると認められるとき		当該収用等があった日から4年を経過する日（同日前に当該増殖施設の取得をすることができると認められる場合には、当該取得をすることができると認められる日とし、当該収用等に係る事業又は当該生態影響調査の全部又は一部が完了しないことにより当該4年を経過する日までに当該取得をすることが困難であると認められる場合において(2)《指定期間の延長》の(二)に掲げるところにより納税地の所轄税務署長の承認を受けたときは、当該取得をすることができる日として当該税務署長が認定した日〔当該4年を経過する日から同日以後8年を経過する日までの期間内の日に限る。〕とする。）から6か月を経過する日
③	収用等のあったことに伴い、工場等の建設又は移転を要することとなった場合において、当該工場等の敷地の用に供するための宅地の造成並びに当該工場等の建設及び移転に要する期間が通常2年を超えるため、当該収用等のあった日以後2年を経過する日までに当該工場等又は当該工場等の敷地の用に供する土地その他の当該工場等に係る資産を代替資産として取得をすることが困難であり、かつ、当該収用等のあった日から3年を経過する日までに当該資産の取得をすることが確実であると認められるとき 注　「工場等」とは、工場、事務所その他の建物、構築物又は機		当該資産の取得をすることができることとなると認められる日

械及び装置をいう。(措令39⑳)

　　(やむを得ない事情等を記載した明細書の提出)
(1)　9の①から③までに該当する場合には、そのやむを得ない事情の詳細、当該代替資産の取得予定年月日及びその取得価額の見積額その他の明細を記載した書類を確定申告書等に添付しなければならない。(措法64の2⑬①、64⑤、措規22の2⑥)

　　(指定期間の延長)
(2)　9の表の①及び②に掲げる所轄税務署長の承認は、それぞれ次の申請による。
　(一)　9の表の①に掲げる所轄税務署長の承認を受けようとする法人は、当該収用等があった日後4年を経過する日から2か月以内に、次に掲げる事項を記載した申請書に当該収用等に係る事業の施行者の当該法人が9の表の①の右欄のイ又は同口の左欄に掲げる資産を代替資産として取得をすること又は敷地の用に供することができることとなると認められる年月の記載がされた書類を添付して、納税地の所轄税務署長に提出しなければならない。(措規22の2⑦)
　　イ　申請をする法人の名称、納税地及び法人番号並びに代表者の氏名
　　ロ　1に掲げる譲渡した資産について引き続き8の①に掲げる特別勘定の金額を有しようとする旨
　　ハ　当該4年を経過する日までに当該取得をすること又は当該敷地の用に供することができないこととなった事情の詳細
　　ニ　8の①に掲げる収用等のあった年月日
　　ホ　8の①に掲げる補償金、対価又は清算金の額
　　ヘ　11《解散等の場合の特別勘定の益金算入》の①の表のロの左欄に該当することとなったとしたならば11により益金の額に算入すべきこととなる8の①に掲げる特別勘定の金額
　　ト　当該取得をする予定の当該代替資産の種類、構造及び規模並びにその取得予定年月日
　(二)　9の表の②に掲げる所轄税務署長の承認を受けようとする法人は、当該収用等があった日後4年を経過する日から2か月以内に、次に掲げる事項を記載した申請書を、納税地の所轄税務署長に提出しなければならない。(措規22の2⑧)
　　イ　(一)のイ及びロ並びにニからトまでに掲げる事項
　　ロ　当該4年を経過する日までに9の表の②に掲げる増殖施設の取得をすることができないこととなった事情の詳細
　　ハ　8の①に掲げる収用等に係る事業の施行の状況及び当該事業の完了見込年月日
　　ニ　9の表の②に掲げる生態影響調査の実施の状況及び当該調査の完了予定年月日

　　(収用等に係る事業の施行の状況等を記載した書面の添付)
(3)　9の表の②に掲げる場合において、税務署長が認定した日が当該収用等があった日から8年を経過する日を含む事業年度終了の日後であり、かつ、同日までに当該承認に係る増殖施設の取得をしていないときは、当該承認を受けた漁業協同組合又は漁業協同組合連合会は、同日を含む事業年度の確定申告書に当該収用等に係る事業の施行の状況、当該生態影響調査の実施の状況、当該増殖施設の取得をすることができると見込まれる日その他参考となるべき事項を記載した書面を添付しなければならない。(措法64の2⑱、措令39㉔)

10　特別勘定を有する法人が取得した代替資産の圧縮記帳

①　特別勘定を有する法人が取得した代替資産の圧縮記帳
　8の①《補償金等の特別勘定経理》に掲げる特別勘定を設けている法人が、8の①に掲げる指定期間(当該特別勘定の金額が、次の表の左欄に掲げる場合には、それぞれ同表の右欄に掲げる期間)内に補償金、対価又は清算金の額で代替資産の取得に充てようとするものの全部又は一部に相当する金額をもって代替資産の取得をした場合には、当該代替資産の取得の日を含む事業年度の確定した決算において、当該資産につき1の収用等のあった事業年度において取得した代替資産の圧縮記帳に準じて圧縮記帳をすることを認める。(措法64の2⑦、64①、措令39㉖)
　この場合において、特別勘定の金額のうち、代替資産の取得価額(その額が当該補償金、対価又は清算金の額〔既に取得をした代替資産のその取得に係る部分の金額として1の(1)に掲げる金額を除く。〕を超える場合には、その超える金額

を控除した金額）に差益割合を乗じて計算した金額に相当する金額は、代替資産の取得をした日を含む事業年度の所得の金額の計算上、益金の額に算入する。（措法64の2⑨、64①）

イ	**8**の①に掲げる特別勘定の金額が**8**の③の適格合併等を行った場合の特別勘定の引継ぎにより引継ぎを受けた**8**の③の表のイ又は同表のロに掲げる特別勘定の金額である場合	当該引継ぎを受けた日から**8**の①に掲げる指定期間の末日までの期間
ロ	**8**の①に掲げる特別勘定の金額が**8**の③の適格合併等を行った場合の特別勘定の引継ぎにより引継ぎを受けた**8**の③の表のロに掲げる期中特別勘定の金額である場合	**8**の②に掲げる期間

（やむを得ない事情がある場合の長期特別勘定の流用）
（1） 法人が、長期特別勘定の金額を有している場合において、やむを得ない事情により、当該長期特別勘定に係る指定期間内にその取得をする見込みでいた資産（以下「取得見込資産」という。）の全部又は一部を取得することが困難となったため、当該取得見込資産以外の資産を代替資産とすることにつき当該事業年度終了の日までに所轄税務署長（国税局の調査部〔課〕所管法人にあっては、所轄国税局長）に申し出て、その確認を受けたときは、当該資産を当該長期特別勘定に係る代替資産として①の代替資産の圧縮記帳を適用することができるものとする。（措通64（3）－9の2・編者補正）

注1　本文の長期特別勘定とは、**9**《指定期間》の表の①から③までの右欄又は**14**《特定非常災害に基因する指定期間の延長の特例》に掲げる日を末日とする指定期間内に代替資産を取得する見込みであるとして**8**の①《補償金等の特別勘定経理》により設けている特別勘定をいう。
注2　適格合併等が行われた場合については、②の(3)を参照。（編者）

（指定期間を延長する場合の代替資産）
（2） 法人が**8**の①の特別勘定を設けている場合において、**9**《指定期間》の表の左欄に掲げる場合に該当するときは、当該法人については、①に掲げる代替資産は、**9**に掲げる代替資産に該当する資産とする。（措法64の2⑱、措令39㉖）

②　特別勘定を有する法人が適格分割等を行った場合の分割法人等における代替資産の圧縮額の損金算入《期中圧縮記帳》

8の①《補償金等の特別勘定経理》に掲げる特別勘定を設けている法人が適格分割、適格現物出資又は適格現物分配（収用等のあった日以後に行われるものに限る。以下②において「適格分割等」という。）を行う場合において、当該法人が当該適格分割等の日を含む事業年度の指定期間内に補償金、対価又は清算金の額で代替資産の取得に充てようとするものの全部又は一部に相当する金額をもって代替資産の取得をし、当該適格分割等により当該代替資産を分割承継法人、被現物出資法人又は被現物分配法人に移転するときは、当該代替資産につき、当該代替資産に係る圧縮限度額に相当する金額の範囲内でその帳簿価額を減額したときに限り、当該減額した金額に相当する金額は、当該代替資産の取得の日を含む事業年度の所得の金額の計算上、損金の額に算入する。（措法64の2⑧、64⑨）

この場合において、**8**の①の特別勘定の金額のうち、代替資産の取得価額（その額が当該補償金、対価又は清算金の額〔既に取得をした代替資産のその取得に係る部分の金額として**1**の(1)に掲げる金額を除く。〕を超える場合には、その超える金額を控除した金額）に差益割合を乗じて計算した金額に相当する金額は、代替資産を取得した日を含む事業年度の所得の金額の計算上、益金の額に算入する。（措法64の2⑨、64⑪）

（特別勘定を有する法人が適格分割等を行った場合の代替資産の圧縮額の損金算入に関する届出等）
（1） ②は、②の適用を受けようとする法人が、当該適格分割等の日以後2か月以内に**7**の《適格分割等に係る収用等により取得した代替資産の圧縮額の損金算入に関する届出等》に掲げる書類を納税地の所轄税務署長に提出した場合に限り、適用する。（措法64の2⑮、64⑪、措規22の2⑤）

なお、**7**の適用を受ける場合には、同**7**の適用に係る資産が、**1**又は**2**の表に掲げる場合に該当することとなったことを証する書類として**三**《損金算入に関する申告及び収用証明書の保存》の表の左欄の区分に応じ、それぞれ同表の右欄に掲げる書類を保存しなければならない。（措令39㉟、措規22の2④）

(指定期間を延長する場合の代替資産)
（２）　法人が８の①の特別勘定を設けている場合において、９《指定期間》の表の左欄に掲げる場合に該当するときは、当該法人については、②に掲げる代替資産は、９に掲げる代替資産に該当する資産とする。（措法64の２⑱、措令39㉗）

(やむを得ない事情がある場合の長期特別勘定の流用)
（３）　法人が、長期特別勘定の金額を有している場合において、やむを得ない事情により、当該長期特別勘定に係る指定期間内にその取得をする見込みでいた資産（以下（３）において「取得見込資産」という。）の全部又は一部を取得することが困難となったため、当該取得見込資産以外の資産を代替資産とすることにつき当該事業年度終了の日又は適格分割等の日の前日までに所轄税務署長（国税局の調査部〔課〕所管法人にあっては、所轄国税局長）に申し出て、その確認を受けたときは、当該資産を当該長期特別勘定に係る代替資産として②を適用することができるものとする。（措通64（３）－９の２）

　　　注　本文の長期特別勘定とは、９《指定期間》の表の①から③までの右欄又は14《特定非常災害に基因する指定期間の延長の特例》に掲げる日を末日とする指定期間内に代替資産を取得する見込みであるとして８の①《補償金等の特別勘定経理》により設けている特別勘定（８の③の(2)《適格合併等により引継ぎを受けた特別勘定の合併法人等における取扱い》により合併法人等が設けているとみなされたものを含む。）をいう。

③　**通算法人等が特別勘定を有する場合の益金算入**
　８の①の特別勘定を設けている法人が、第三十五款の三の１《通算制度の開始に伴う資産の時価評価損益》に掲げる内国法人、同三の２《通算制度への加入に伴う資産の時価評価損益》に掲げる他の内国法人又は同三の３《通算制度からの離脱等に伴う資産の時価評価損益》に掲げる通算法人（同三の３の表の(一)に掲げる要件に該当するものに限る。）に該当することとなった場合において、同三の１に掲げる通算開始直前事業年度、同三の２に掲げる通算加入直前事業年度又は同三の３に掲げる通算終了直前事業年度終了の時に８の①の特別勘定の金額（1,000万円未満のものを除く。）を有しているときは、当該特別勘定の金額は、当該通算開始直前事業年度、当該通算加入直前事業年度又は当該通算終了直前事業年度の所得の金額の計算上、益金の額に算入する。（措法64の２⑪、措令39㉙）

(通算法人等が特別勘定を有する場合の益金不算入の不適用)
　③に掲げる法人が③に掲げる通算開始直前事業年度又は通算加入直前事業年度終了の時に③に掲げる特別勘定の金額（以下③において「特別勘定残額」という。）を有する場合において、当該特別勘定残額が次の表の左欄に掲げる法人の区分に応じ右欄に掲げる特別勘定の金額に該当するときは、当該特別勘定残額については、③は、適用しない。（措令39㉚）

(一)	第三十五款の三の１《通算制度の開始に伴う資産の時価評価損益》に掲げる内国法人（同三の１に掲げる親法人を除く。）	同二の１の(13)《時価評価資産その他のもの》の表の(四)のロに掲げる特別勘定の金額
(二)	同三の２《通算制度への加入に伴う資産の時価評価損益》に掲げる他の内国法人	同二の１の(16)《他の内国法人における時価評価資産その他のもの》の表の(四)のロに掲げる特別勘定の金額

11　解散等の場合の特別勘定の益金算入

①　**解散等の場合の特別勘定の益金算入**
　８の①《補償金等の特別勘定経理》に掲げる特別勘定を設けている法人が次の表の左欄に掲げる場合（８の③により合併法人等に当該特別勘定を引き継ぐこととなった場合を除く。）に該当することとなった場合には、それぞれ右欄に掲げる金額は、その該当することとなった日を含む事業年度（次の表の二に掲げる場合にあっては、その合併の日の前日を含む事業年度）の所得の金額の計算上、益金の額に算入する。（措法64の２⑫）

イ	指定期間内に特別勘定の金額を代替資産の圧縮記帳以外の場合《目的外》に取り崩した場合	当該取り崩した金額
ロ	指定期間を経過する日において、特別勘定の金額を有している場合	当該特別勘定の金額
ハ	指定期間内に解散した場合（合併により解散した場合を除く。）において、特別勘定の金	当該特別勘定の金額

	額を有しているとき	
二	指定期間内に当該法人を被合併法人とする合併を行った場合において、特別勘定の金額を有しているとき	当該特別勘定の金額

② **自己を株式交換完全子法人又は株式移転完全子法人とする非適格株式交換等を行った場合の特別勘定の益金算入**
　8の①《補償金等の特別勘定経理》の特別勘定を設けている法人が、自己を株式交換等完全子法人又は株式移転完全子法人とする第三十四款の二の1《非適格株式交換等に係る株式交換完全子法人等の有する資産の時価評価損益》に掲げる非適格株式交換等（以下②において「非適格株式交換等」という。）を行った場合において、当該非適格株式交換等の直前の時に8の①の特別勘定の金額（1,000万円未満のものを除く。）を有しているときは、当該特別勘定の金額は、当該非適格株式交換等の日を含む事業年度の所得の金額の計算上、益金の額に算入する。（措法64の2⑩、措令39㉘）

　　（特別勘定の金額が1,000万円未満のものであるかどうかの判定）
　　②に掲げる特別勘定の金額が1,000万円未満のものであるかどうかは、その特別勘定の対象となる譲渡した資産のそれぞれの特別勘定の金額ごとに判定することに留意する。（措通64（3）－19）

12　代替資産の取得価額が特別勘定の金額を超える場合における取得価額の計算

① **代替資産の取得価額が特別勘定の金額を超える場合における取得価額の計算**
　10の①《特別勘定を有する法人が取得した代替資産の圧縮記帳》及び10の②《特別勘定を有する法人が適格分割等を行った場合の分割法人等における代替資産の圧縮額の損金算入》を適用する場合（②の適用がある場合を除く。）において、1に掲げる代替資産の取得価額が10の①又は10の②の特別勘定の金額の計算の基礎となった8の①に掲げる取得に充てようとするものの額（既に収用等のあった日を含む事業年度後の各事業年度において当該取得に充てようとするものの額の一部に相当する金額をもって取得した他の代替資産で10の①又は10の②の適用を受けたものがある場合には、当該取得に充てようとするものの額から当該他の代替資産の取得価額に相当する金額を控除した金額）を超えるときは、その超える金額を控除した金額をもって当該代替資産の取得価額とする。（措法64の2⑱、措令39㉝）

② **代替資産の取得価額が適格合併等により引継ぎを受けた特別勘定の金額を超える場合における取得価額の計算**
　8の③《適格合併等を行った場合の特別勘定又は期中特別勘定の引継ぎ》により引継ぎを受けた8の①に掲げる特別勘定の金額を有する合併法人等が10の①及び10の②を適用する場合において、代替資産の取得価額が当該引継ぎを受けた特別勘定の金額の計算の基礎となった8の①、8の②又は8の③の表の口に掲げる取得に充てようとするものの額（既に当該特別勘定の引継ぎを受けた日以後に当該取得に充てようとするものの額の一部に相当する金額をもって取得した他の代替資産で10の①及び10の②の適用を受けたものがある場合には、当該取得に充てようとするものの額から当該他の代替資産の取得価額に相当する金額を控除した金額）を超えるときは、その超える金額を控除した金額をもって当該代替資産の取得価額とする。（措法64の2⑱、措令39㉞）

③ **代替資産の取得に充てようとする補償金等の金額**
　1若しくは7又は8の①若しくは8の②を適用する場合において、これらに掲げる補償金、対価又は清算金の額のうちに既に8の①に掲げる特別勘定の金額及び8の②に掲げる期中特別勘定の金額の計算の基礎とした8の①及び8の②に掲げる取得に充てようとするものの額があるときは、1に掲げる代替資産の取得価額又は8の①に掲げる特別勘定の金額若しくは8の②に掲げる期中特別勘定の金額を計算する場合におけるこれらに掲げる補償金、対価又は清算金の額は、当該補償金、対価又は清算金の額から当該取得に充てようとするものの額に相当する金額を控除した金額とする。（措法64⑬、64の2⑱、措令39㉜）

13　圧縮記帳資産の取得価額の特例

① **圧縮記帳資産の取得価額の特例**
　1、7又は10の①の適用を受けた代替資産について法人税に関する法令の規定を適用する場合には、1、7又は10により各事業年度の所得の金額の計算上損金の額に算入された金額は、当該代替資産の取得価額に算入しない。（措法64⑧⑩、64の2⑭）

(代替資産とみなされた資産の取得価額)
　代替資産が **3**《代替資産の先行取得期間》（①において準用する場合を含む。）により代替資産とみなされた資産であり、かつ、当該代替資産が減価償却資産である場合における①に掲げる当該代替資産の取得価額に算入しない金額は、**1**《収用等のあった事業年度において取得した代替資産の圧縮記帳》又は**7**《適格分割等を行った場合の分割法人等における代替資産の圧縮額の損金算入（期中圧縮記帳）》により損金の額に算入された金額に、次表の(二)に掲げる金額に対する同表の(一)に掲げる金額の割合を乗じて計算した金額に相当する金額とする。（措法64③、措令39㉒㉑）

(一)	当該資産の当該事業年度開始の日の前日における取得価額
(二)	当該資産の(一)に掲げる開始の日の前日における帳簿価額

② **適格合併等により移転を受けた圧縮記帳資産の取得価額**
　適格合併、適格分割、適格現物出資又は適格現物分配（以下②において「適格合併等」という。）により**1**又は**7**（**10**の①又は**10**の②において準用する場合を含む。）の適用を受けた代替資産の移転を受けた合併法人、分割承継法人、被現物出資法人又は被現物分配法人が当該代替資産について法人税に関する法令の規定を適用する場合には、当該適格合併等に係る被合併法人、分割法人、現物出資法人又は現物分配法人において当該代替資産の取得価額に算入されなかった金額は、当該代替資産の取得価額に算入しない。（措法64⑫、64の2⑯）

（圧縮記帳の適用を受けた固定資産の移転を受けた場合の取得価額）
　合併法人等（合併法人、分割承継法人、被現物出資法人又は現物分配法人）が適格合併等により被合併法人等（被合併法人、分割法人、現物出資法人又は現物分配法人をいう。以下同じ。）において圧縮記帳の適用を受けた固定資産の移転を受けた場合には、当該固定資産に係る積立金の金額の引継ぎを受けたかどうかにかかわらず、当該被合併法人等において当該固定資産の取得価額に算入されなかった金額は、当該固定資産の取得価額に算入されないことに留意する。（措通64〜66(共)−1、基通10−1−4・編者補正）

14　特定非常災害に基因する指定期間の延長の特例

　法人が、特定非常災害の被害者の権利利益の保全等を図るための特別措置に関する法律第2条第1項《特定非常災害及びこれに対し適用すべき措置の指定》の規定により特定非常災害として指定された非常災害に基因するやむを得ない事情により、代替資産の**10**の①《特別勘定を有する法人が取得した代替資産の圧縮記帳》に掲げる指定期間内における取得をすることが困難となった場合において、当該指定期間の初日から当該指定期間の末日の翌日から起算して2年以内の日で代替資産の取得をすることができるものとして所轄税務署長が認定した日までの間に代替資産の取得をする見込みであり、かつ、納税地の所轄税務署長の承認を受けたときは、**8**から**16**までの適用については、**8**から**16**までに掲げる指定期間は、当該初日から当該指定期間の末日の翌日から起算して2年以内の日で代替資産の取得をすることができるものとして所轄税務署長が認定した日までの期間とする。（措法64の2⑰、措令39㉛）

（指定期間の延長）
（1）　**14**の所轄税務署長の承認を受けようとする法人は、**14**に掲げる指定期間の末日までに、次に掲げる事項を記載した申請書を納税地の所轄税務署長に提出しなければならない。（措規22の2⑪）

(一)	申請をする法人の名称、納税地及び法人番号並びに代表者の氏名
(二)	その申請の日における**8**の③の表の**イ**《適格合併》に掲げる特別勘定の金額
(三)	取得をする見込みである代替資産の種類、構造、規模及び価額
(四)	**14**に掲げる特定非常災害として指定された非常災害に基因するやむを得ない事情の詳細
(五)	代替資産の取得予定年月日及び**14**に掲げる認定を受けようとする日
(六)	その他参考となるべき事項

（税務署長が認定した日）
（2）　(1)に掲げる法人が(1)の所轄税務署長の承認を受けた場合には、**14**に掲げる所轄税務署長が認定した日は当該承認において税務署長が認定した日とする。（措規22の2⑫）

15 圧縮記帳資産に対する特別償却等の不適用

1、**7**又は**10**の適用を受けた資産については、第七款の**二十五**《特別償却等に関する複数の規定の不適用》の表の①から④までに掲げる規定は適用しない。（措法64⑦⑩、64の2⑭）

（圧縮記帳をした資産についての特別償却等の不適用）

（1） 収用等をされた資産に係る対価補償金をもって取得した代替資産につき**1**《収用等のあった事業年度において取得した代替資産の圧縮記帳》（**10**の①《特別勘定を有する法人が取得した代替資産の圧縮記帳》において準用する場合を含む。）による圧縮記帳の適用を受けた場合には、当該代替資産の取得価額の一部が対価補償金以外の資産から成るときであっても、当該代替資産については、租税特別措置法に規定する特別償却、これに係る第七款の**二十四**の特別償却準備金の規定及び第二節第二款の**十九**の表に掲げる特別税額控除の規定を適用することができないことに留意する。（措通64(3)－14・編者補正）

注　適格分割等を行った場合には、「**10**の①《特別勘定を有する法人が取得した代替資産の圧縮記帳》」とあるのは「**10**の①《特別勘定を有する法人が取得した代替資産の圧縮記帳》又は**10**の②《特別勘定を有する法人が適格分割等を行った場合の分割法人等における代替資産の圧縮額の損金算入》」とする。（編者）

（特別償却等を実施した先行取得資産についての圧縮記帳の不適用）

（2） 収用等のあった日を含む事業年度開始の日前に取得した資産につき法人が第七款《租税特別措置法による特別償却》の**一**から**二十**まで並びにこれらの特別償却に係る同款の**二十四**《準備金方式による特別償却》の適用及び第二節第二款《税額控除》の**六**から**十五**（同款の**十二**及び**十三**を除く。）までの適用を受けている場合には、当該資産が**3**（**7**の①の（1）において準用する場合を含む。）に該当するものであっても、**3**（**7**の①の（1）において準用する場合を含む。）の適用がないことに留意する。（措通64(3)－18）

16 その他の取扱い

① 損金算入の申告及び収用証明書

1、**8**の①《補償金等の特別勘定経理》又は**10**の①《特別勘定を有する法人が取得した代替資産の圧縮記帳》の圧縮記帳については、**三**《損金算入の申告及び収用証明書の保存》の適用がある。（措法64⑤⑥、64の2⑬）

② 適格合併等があった場合における圧縮記帳等の計算

（経費補償金等の仮勘定経理の特例）

（1） 収用等により交付を受ける補償金等のうち対価補償金以外の金額は、その収用等があった日を含む事業年度の益金の額に算入するのであるが、経費補償金若しくは移転補償金（**4**の（7）《ひき（曳）家補償等の名義で交付を受ける補償金》から**4**の（9）《移設困難な機械装置の補償金》まで及び**4**の(11)《借家人補償金》により、対価補償金として取り扱うものを除く。）、**4**の(12)に掲げる残地保全経費の補償金又は**4**の(13)に掲げる地域外の既存設備の付替え等に要する経費の補償金（以下これらを「経費補償金」という。）については、収用等があった日から2年を経過した日の前日（**10**の②の（3）に掲げる長期特別勘定〔**8**の③の（2）《適格合併等により引継ぎを受けた特別勘定の合併法人等における取扱い》により合併法人等が設けているとみなされたものを含む。〕の設定をする場合には、当該長期特別勘定に係る指定期間を経過した日の前日）まで仮勘定として経理することができるものとする。（措通64(3)－15）

注1　この取扱いにより経費補償金につき仮勘定として経理する場合において、当該経費補償金に見合う経費の支出をし、又は資産の取得等をしたときは、その支出をした経費の額又は取得等をした資産に係る取得価額等についても仮勘定として経理するものとする。

注2　法人が経費補償金の交付を受けた場合において、その補償の目的に適合する経費の支出又は同種の資産の取得若しくは資産の改良をすることが明らかでないときは、当該経費補償金の額のうち、その明らかでない部分の金額については、その収用等があった日を含む事業年度の益金の額に算入することに留意する。

（適格合併等があった場合における圧縮記帳等の計算）

（2） 適格合併、適格分割、適格現物出資又は適格現物分配（以下「適格合併等」という。）により代替資産の移転、特別勘定の引継ぎ等があった場合には、次の表の左欄による圧縮記帳等の計算については、同表の右欄によるものとする。（措通64(3)－20）

第三章　第一節　第十六款　一　《収用等の場合の圧縮記帳》

(一)	**6**の③の《代替資産とすることができる事業用固定資産の判定》	当該適格合併等に係る被合併法人等（被合併法人、分割法人、現物出資法人又は現物分配法人をいう。以下同じ。）と合併法人等（合併法人、分割承継法人、被現物出資法人又は被現物分配法人をいう。以下同じ。）とは同一の法人であるものとして適用する。
(二)	**3**の(4)《資産の譲渡をすることとなることが明らかとなった日》	
(三)	**3**の(5)《収用等事業年度開始の日前において取得した資産の圧縮記帳》	
(四)	**15**の(2)《特別償却等を実施した先行取得資産についての圧縮記帳の不適用》	
(五)	**1**の(20)《取壊し等が遅れる場合の圧縮記帳の計算の調整》	当該適格合併等に係る被合併法人等がこれらの取扱いによっている場合には、当該適格合併等に係る合併法人等においては引き続きこれらの取扱いによる。
(六)	**4**の(25)《収益補償金の仮勘定経理等の特例》	
(七)	**8**の①の(5)《取壊し等が遅れる場合の特別勘定の計算》	
(八)	**8**の①の(6)《特別勘定に経理した後に資産の取壊し等をした場合の調整》	
(九)	**10**の②の(3)《やむを得ない事情がある場合の長期特別勘定の流用》	
(十)	(1)《経費補償金等の仮勘定経理の特例》	

二　換地処分等に伴い資産を取得した場合の課税の特例

1　換地処分等により交換取得した資産の圧縮記帳

　法人の有する資産で次の表に掲げるものがそれぞれ同表に掲げる場合に該当することとなった場合（それぞれ同表に掲げる資産とともに補償金、対価若しくは清算金〔以下「**補償金等**」という。〕又は**保留地の対価**〔中心市街地の活性化に関する法律第16条第１項《土地区画整理事業の換地計画において定める保留地の特例》、高齢者、障害者等の移動等の円滑化の促進に関する法律第39条第１項《土地区画整理事業の換地計画において定める保留地の特例》、都市の低炭素化の促進に関する法律第19条第１項《土地区画整理事業の換地計画において定める保留地の特例》、大都市地域住宅等供給促進法第21条第１項《公営住宅等及び医療施設等の用地》又は地方拠点都市地域の整備及び産業業務施設の再配置の促進に関する法律第28条第１項《公益的施設の用地》の規定による保留地が定められた場合における当該保留地の対価をいう。以下同じ。〕を取得した場合を含む。**4**《適格分割等を行った場合の分割法人等における交換取得資産の圧縮額の損金算入》において同じ。）において、当該法人がそれぞれ同表に掲げる収用、買取り、換地処分、権利変換又は交換（以下「**換地処分等**」という。）により取得した資産（以下「**交換取得資産**」という。）につき、当該交換取得資産の価額から当該換地処分等により譲渡した資産の譲渡直前の帳簿価額を控除した残額《**圧縮限度額**》の範囲内で当該交換取得資産の帳簿価額を損金経理により減額したときは、その減額した金額に相当する金額は、当該事業年度の所得の金額の計算上、損金の額に算入する。（措法65①）

①	資産につき**土地収用法等**（土地収用法、河川法、都市計画法、首都圏の近郊整備地帯及び都市開発区域の整備に関する法律、近畿圏の近郊整備区域及び都市開発区域の整備及び開発に関する法律、新住宅市街地開発法、都市再開発法、新都市基盤整備法、流通業務市街地の整備に関する法律、水防法、土地改良法、森林法、道路法、住宅地区改良法、所有者不明土地の利用の円滑化等に関する特別措置法、測量法、鉱業法、採石法又は日本国とアメリカ合衆国との間の相互協力及び安全保障条約第６条に基づく施設及び区域並びに日本国における合衆国軍隊の地位に関する協定の実施に伴う土地等の使用等に関する特別措置法をいう。以下同じ。）の規定による収用があった場合（**一の１**《収用等のあった事業年度において取得した代替資産の圧縮記帳》の表の②又は④に該当する買取りがあった場合を含む。）において、当該資産と同種の代替資産を取得するとき。（措法33①Ⅰ、措令22①） なお、交換取得資産が同種であるかどうかは、**一の６**《代替資産の範囲》の①《種類を同じくする代替資産》の表の**イ**及び**ロ**並びに同**6**の②《一組の資産が収用等をされた場合の代替資産》に掲げる資産区分により判定する。（措令39の２①、39②Ⅰ、Ⅱ、③）
②	土地又は土地の上に存する権利（以下「**土地等**」という。）につき土地改良法による土地改良事業又は農業振興地域の整備に関する法律第13条の２第１項《交換分合》の事業が施行された場合において、当該土地等に係る交換により土地等を取得するとき。
③	土地等につき土地区画整理法による土地区画整理事業、新都市基盤整備法による土地整理、土地改良法による土地改良事業又は大都市地域住宅等供給促進法による住宅街区整備事業が施行された場合において、当該土地等に係る換地処分により土地等又は土地区画整理法第93条第１項、第２項、第４項若しくは第５項《宅地の立体化》に規定する建築物の一部及びその建築物の存する土地の共有持分、大都市地域住宅等供給促進法第74条第１項《宅地の立体化》に規定する施設住宅の一部等若しくは同法第90条第２項《宅地の立体化手続の特則》に規定する施設住宅若しくは施設住宅敷地に関する権利を取得するとき。
④	資産につき都市再開発法による第一種市街地再開発事業が施行された場合において当該資産に係る権利変換により施設建築物の一部を取得する権利若しくは施設建築物の一部についての借家権を取得する権利及び施設建築敷地若しくはその共有持分若しくは地上権の共有持分（当該資産に係る権利変換が同法第110条第１項《施行地区内の権利者等の全ての同意を得た場合の特則》又は第110条の２第１項《指定宅地の権利者以外の権利者等の全ての同意を得た場合の特則》の規定により定められた権利変換計画において定められたものである場合には、施設建築敷地に関する権利又は施設建築物に関する権利を取得する権利）若しくは個別利用区内の宅地若しくはその使用収益権を取得するとき、又は資産が同法による第二種市街地再開発事業の施行に伴い買い取られ、若しくは収用された場合において同法第118条の11第１項《建築施設の部分による対償の給付》の規定によりその対償として同項に規定する建築施設の部分の給付（当該給付が同法第118条の25の３第１項《管理処分手続の特則》の規定により定められた管理処分計画において定められたものである場合には、施設建築敷地又は施設建築物に関する権利の給付）を受ける権利を取得するとき。
⑤	資産につき密集市街地における防災街区の整備の促進に関する法律による防災街区整備事業が施行された場合に

	おいて、当該資産に係る権利変換により防災施設建築物の一部を取得する権利若しくは防災施設建築物の一部についての借家権を取得する権利及び防災施設建築敷地若しくはその共有持分若しくは地上権の共有持分(当該資産に係る権利変換が同法第255条第1項《指定宅地の権利者以外の権利者等のすべての同意を得た場合の特則》又は第257条第1項《施行地区内の権利者等のすべての同意を得た場合の特則》の規定により定められた権利変換計画において定められたものである場合には、防災施設建築敷地に関する権利又は防災施設建築物に関する権利を取得する権利)又は個別利用区内の宅地若しくはその使用収益権を取得するとき。
⑥	資産(マンションの建替え等の円滑化に関する法律第2条第1項第6号《定義等》に規定する施行マンションに関する権利及びその敷地利用権〔同項第19号に規定する敷地利用権をいう。以下同じ。〕に限る。)につき同項第4号に規定するマンション建替事業が施行された場合において、当該資産に係る同法の権利変換により同項第7号に規定する施行再建マンションに関する権利を取得する権利又は当該施行再建マンションに係る敷地利用権を取得するとき。(措令39の2②)
⑦	資産につきマンションの建替え等の円滑化に関する法律第2条第1項第12号《定義等》に規定する敷地分割事業が実施された場合において、当該資産に係る同法の敷地権利変換により同法第191条《敷地権利変換計画の内容》第1項第2号に規定する除却敷地持分、同項第5号に規定する非除却敷地持分等又は同項第8号の敷地分割後の団地共用部分の共有持分を取得するとき。

(収用又は使用の範囲)

(1) **一**又は**二**《換地処分等に伴い資産を取得した場合の課税の特例》に掲げる「収用」又は「使用」には、土地収用法第16条《事業の認定》に規定する当該事業(以下(2)から(5)までにおいて「**本体事業**」という。)の施行により必要を生じた同条に規定する関連事業のための収用又は使用が含まれることに留意する。(措通64(1)-1)

(関連事業に該当する場合)

(2) 本体事業の施行により必要を生じた事業が、関連事業としての土地収用法第3章《事業の認定等》の規定による事業の認定(以下「**関連事業としての事業認定**」という。)を受けていない場合においても、その事業が次の要件の全てに該当するときは、収用等の場合の課税の特例(**一**、**二**及び**四**《収用換地等の場合の5,000万円控除》をいう。以下同じ。)の適用上は、関連事業に該当するものとする。(措通64(1)-2)

(一)	土地収用法第3条《土地を収用し、又は使用することができる事業》各号の一に該当するものに関する事業であること。
(二)	本体事業の施行によって撤去変改を被る既存の土地収用法第3条各号の一に掲げる施設(以下「**既存の公的施設**」という。)の機能復旧のため本体事業と併せて施行する必要がある事業であること。
(三)	本体事業の施行者が自ら施行することが収用経済等の公益上の要請に合致すると認められる事業であること。
(四)	その他四囲の状況から関連事業としての事業認定を受け得る条件を具備していると認められる事業であること。

注 **三**《損金算入の申告及び収用証明書》は、本体事業と関連事業についてそれぞれ別個に適用されることに留意する。

(既存の公的施設の機能復旧に該当するための要件)

(3) 本体事業の施行により必要を生じた事業が、(2)の(二)に掲げる既存の公的施設の機能復旧のために施行されるものに該当するための要件については、次に留意する。(措通64(1)-3)

(一) その事業は、既存の公的施設の機能復旧の限度で行われるものであることを要し、従来当該施設が当該地域において果たしてきた機能がその事業の施行によって改良されることとなるものは、これに該当しないこと。ただし、当該施設の設置に関する最低基準が法令上具体的に規制されている場合における当該基準に達するまでの改良は、この限りでないものとすること。

注 ただし書に該当する事例としては、道路の幅員を道路構造令第7条《副路》に規定する幅員まで拡張する場合がある。

(二) その事業は、本体事業の起業地内に所在して撤去変改を被る既存の公的施設の移転(道路等にあっては、そのかさ上げを含む。)のために行われるものであることを要し、本体事業の施行に伴う当該地域の環境の変化に起因して行う移転、新設等の事業は、これに該当しないこと。ただし、既存の公的施設が当該起業地の内外にわたって所在する場合において、当該施設の全部を移転しなければ従来利用していた目的に供することが著しく困難となると

きにおける当該起業地外に所在する部分の移転は、この限りでないものとすること。
(三) 既存の公的施設の移転先として関連事業のための収用又は使用の対象となる場所は、当該施設の従来の機能を維持するために必要欠くべからざる場所であることを要し、他の場所をもって代替することができるような場所はこれに該当しないから、起業地と即地的一帯性を欠く場所は、その対象に含まれないこと。ただし、起業地の地形及び当該施設の立地条件に特殊な制約があって、起業地と即地的に一帯をなす場所から移転先を選定することが著しく困難な場合には、当該特殊な制約が解消することとなる至近の場所については、この限りでないものとすること。

(関連事業の関連事業)
(4) 関連事業に関連して施行する事業については、当該関連事業を本体事業とみなした場合に、その関連して施行する事業が(2)に掲げる要件に適合する限りにおいて、収用等の場合の課税の特例の適用上は、関連事業に該当するものとする。(措通64(1)-4)

(関連事業に該当しない場合)
(5) 起業者が本体事業の施行の必要上これに関連して土地等の買収をした場合において、当該買収をされた土地等が(2)に掲げる要件に適合する事業の用に供されるものでないときは、当該買収をされた土地等については、収用等の場合の課税の特例の適用はないが、代替資産を取得したときに限り、その態様に応じ、第十五款の**七**《特定の資産の買換えの場合等の課税の特例》の適用があることに留意する。(措通64(1)-5)

(換地処分等により土地等又は補償金等を取得する場合の特例の適用関係)
(6) 法人の有する資産について換地処分等があった場合の収用等の場合の課税の特例の適用関係は、次のとおりであるから留意する。(編者)

(一)	交換取得資産だけを取得する場合	譲渡資産が棚卸資産であっても当該交換取得資産につき**1**の適用がある。
(二)	交換取得資産と補償金等を併せて取得する場合	譲渡資産のうち交換取得資産に対応する部分については、当該譲渡資産が棚卸資産であっても当該交換取得資産につき**1**の適用があり、補償金等に対応する部分については、当該譲渡資産が棚卸資産である場合を除き、**3**《交換取得資産とともに取得した補償金等に対する特例》の準用規定により、**一**の特例の適用がある。
(三)	土地区画整理事業又は土地改良事業が施行された場合において、換地を定められなかったことに伴い清算金のみを取得するとき(((四)に該当するときを除く。)	譲渡資産が棚卸資産である場合を除き、**一**の適用がある。
(四)	土地区画整理事業又は土地改良事業が施行された場合において、所有者の申出又は同意により換地を定められなかったことにより清算金のみを取得するとき	課税の特例の適用がない。

(棚卸資産の圧縮記帳等)
(7) 棚卸資産について収用等により交付を受けた補償金、対価又は清算金については、代替資産の圧縮記帳、特別勘定経理又は5,000万円特別控除の特例《**四**》の適用はないが、当該棚卸資産について換地処分等により取得した換地等については**1**の適用があることに留意する。(措通64(3)-12前段)
　注　棚卸資産に該当するかどうかの判定については、**一**の**1**の(14)《棚卸資産に該当するかどうかの判定》による。(編者)

(換地処分等により取得した資産の圧縮記帳の経理の特例)
(8) **1**を適用する場合において、法人が換地処分等により取得した土地等につき、その帳簿価額を損金経理により減額しないで、換地処分等により譲渡した資産の**2**《譲渡資産の帳簿価額のうち交換取得資産に対応する金額》に掲げる譲渡直前の帳簿価額とその土地等の取得に要した経費との合計額に相当する金額を下らない金額をその取得価額としたときは、これを認める。この場合においても、その確定申告書等に**三**《損金算入の申告及び収用証明書の保存》

第三章　第一節　第十六款　二《換地処分等の場合の圧縮記帳》

に掲げる損金算入の申告及び収用証明書の添付を要することに留意する。（措通64（3）－17）

2　譲渡資産の帳簿価額のうち交換取得資産に対応する金額

1　《換地処分等により交換取得した資産の圧縮記帳》に掲げる譲渡資産の譲渡直前の帳簿価額は、次の表の左欄に掲げる場合に該当する場合には、それぞれ右欄に掲げる金額とする。（措法65②、措令39の2③④、39①）

①	交換取得資産とともに補償金等又は保留地の対価を取得した場合	帳簿価額から当該帳簿価額のうち当該補償金等又は保留地の対価の額に対応する部分の金額（補償金等の額又は保留地の対価の額が交換取得資産の価額と当該補償金等の額又は当該保留地の対価の額との合計額のうちに占める割合を、当該帳簿価額に乗じて計算した金額とする。）を控除した金額 譲渡資産の帳簿価額のうち交換取得資産に対応する部分の金額 ＝ 譲渡資産の譲渡直前の帳簿価額 － 譲渡資産の譲渡直前の帳簿価額 × $\dfrac{\text{取得した補償金等の額又は保留地の対価の額}}{\text{交換取得資産の価額}＋\text{取得した補償金等の額又は保留地の対価の額}}$
②	交換取得資産の価額が譲渡資産の価額を超える場合において、その差額に相当する金額を換地処分等に際して支出したとき	帳簿価額にその支出した金額を加算した金額 譲渡資産の譲渡直前の帳簿価額 ＋ 支出した差額相当額 注　その支出した金額は、いわば交換取得資産の買増しの対価たる性格のものであるから、交換取得資産の価額から、譲渡資産の帳簿価額とその支出した金額との合計額を控除した金額を圧縮限度額とするのである。（編者）
③	譲渡資産の譲渡に要した経費の額が当該経費に充てるべきものとして交付を受けた金額を超える場合	帳簿価額にその超える金額《**超過経費の額**》のうち当該交換取得資産に係る部分の金額（その交換取得資産の価額が当該交換取得資産の価額と取得した補償金等の額又は保留地の対価の額との合計額のうちに占める割合を、当該譲渡資産に係る部分の超過経費の額に乗じて計算した金額とする。）を加算した金額 注　次の算式により計算した金額を譲渡資産の譲渡直前の帳簿価額（①又は②に該当するときは、それぞれにより計算した金額）に加算する。 交換取得資産に係る超過経費の額 ＝（譲渡資産の譲渡に要した経費の額 － 譲渡に要する経費に充てるべきものとして交付を受けた金額）× $\dfrac{\text{交換取得資産の価額}}{\text{交換取得資産の価額}＋\text{取得した補償金等の額又は保留地の対価の額}}$

（マンションに係る敷地利用権の価額が施行再建マンションの敷地利用権の概算額と異なる場合の譲渡資産の譲渡直前の帳簿価額）

（1）　1の表の⑥に掲げる圧縮記帳の適用を受ける場合において、マンションの建替え等の円滑化に関する法律第57条第1項《権利変換計画の決定及び認可》の認可を受けた同項に規定する権利変換計画（同法66条《権利変換計画の変更》において準用する同項の規定により当該権利変換計画の変更に係る認可を受けた場合には、その変更後のもの）に記載された当該法人の有する同法第2条第1項第6号《施行マンション》に規定する施行マンションに係る敷地利用権の価額（以下（1）において「譲渡資産の価額」という。）と当該施行マンションの敷地利用権に対応して取得する同条第1項第7号に規定する施行再建マンションに係る敷地利用権の価額の概算額（以下（1）において「**交換取得資産の概算額**」という。）とが異なる場合には、1の表の⑥に掲げる権利変換により1に掲げる譲渡した資産の譲渡直前の帳簿価額は、次の表の左欄に掲げる場合の区分に応じそれぞれ右欄に掲げる金額とする。（措法65⑭、措令39の2⑤）

(一)	当該譲渡資産の価額が当該交換取得資産の概算額を超える場合	その超える部分の金額を2の表の①に掲げる補償金等の額とみなして、同表の①に準じて計算した金額
(二)	当該交換取得資産の概算額が当該譲渡資産の価額を超える場合	その超える部分の金額を2の表の②に掲げる支出した金額とみなして、同表の②に準じて計算した金額

注　（1）の適用がある場合における2の表の③の右欄の適用については、「その交換取得資産の価額が当該交換取得資産の価額と取得した補

第三章　第一節　第十六款　二《換地処分等の場合の圧縮記帳》

償金等の額又は保留地の対価の額」とあるのは「交換取得資産の概算額が当該交換取得資産の概算額と（1）の表の（一）に掲げる超える部分の金額」とする。（措令39の2⑥）

　　　（譲渡資産が2以上ある場合の交換取得資産の帳簿価額に加算する経費の額）
（2）　換地処分等により2以上の資産を譲渡した場合において、当該譲渡資産の譲渡に要した経費の額の合計額が当該換地処分等に際し譲渡に要する経費に充てるべきものとして交付を受けた金額の合計額を超えるときは、その超える金額のうち個々の交換取得資産の帳簿価額に加算する金額は、次により計算することになるから留意する。（編者）

$$\text{交換取得資産の帳簿価額に加算する金額} = \left\{ \begin{pmatrix}\text{譲渡資産の}\\\text{譲渡に要し}\\\text{た経費の額}\\\text{の合計額}\end{pmatrix} - \begin{pmatrix}\text{譲渡に要する経費}\\\text{に充てるべきもの}\\\text{として交付を受け}\\\text{た金額の合計額}\end{pmatrix} \right\} \times \frac{\begin{pmatrix}\text{個々の譲渡資産の譲}\\\text{渡に要した経費の額}\end{pmatrix}}{\text{譲渡資産の譲渡に要した経費の額の合計額}} \times \frac{\text{交換取得資産の価額}}{\text{交換取得資産の価額} + \begin{pmatrix}\text{取得した補償金}\\\text{等の額又は保留}\\\text{地の対価の額}\end{pmatrix}}$$

（個々の譲渡資産に係る超過経費の額）

　　　（換地処分により2以上の交換取得資産を取得した場合の帳簿価額）
（3）　換地処分等により一の資産について2以上の資産を取得した場合における当該交換取得資産の個々の資産に付けるべき帳簿価額は、換地処分等により譲渡した資産の譲渡直前の帳簿価額に当該交換取得資産の価額の合計額のうちに占める個々の交換取得資産の価額の割合を乗じて計算した金額による。（措通64（3）-13）

$$\begin{pmatrix}\text{換地処分等により譲渡した}\\\text{資産の譲渡直前の帳簿価額}\end{pmatrix} \times \frac{\text{個々の交換取得資産の価額}}{\text{当該交換取得資産の価額の合計額}}$$

3　交換取得資産とともに取得した補償金等に対する特例

　一《収用等に伴い代替資産を取得した場合の課税の特例》（一の15《圧縮記帳資産に対する特別償却等の不適用》、同一の13の①《圧縮記帳資産の取得価額の特例》及び同②《適格合併等により移転を受けた圧縮記帳資産の取得価額》を除く。）の収用等に伴い代替資産を取得した場合の課税の特例は、法人（清算中の法人を除く。）の有する資産（棚卸資産を除く。）で1の表の①から⑥までに掲げるものがそれぞれ同表の①から⑥までに掲げる場合《換地処分等》に該当することとなった場合において、当該法人が、それぞれ同表の①から⑥までに掲げる交換取得資産とともに補償金等を取得し、その額の全部若しくは一部に相当する金額をもって代替資産の取得をしたとき、若しくは取得をする見込みであるとき、又は代替資産となるべき資産の取得をしたときについて準用する。この場合において、一の1《収用等のあった事業年度において取得した代替資産の圧縮記帳》中「補償金、対価若しくは清算金の額から当該譲渡した資産の譲渡直前の帳簿価額を控除した残額の当該補償金、対価若しくは清算金」とあるのは、「二の1に掲げる補償金等の額（同1に掲げる換地処分等により譲渡した資産の譲渡に要した経費がある場合には、当該補償金等の額のうちから支出したものとみなされる金額を控除した金額。以下一の1において同じ。）から当該譲渡した資産の譲渡直前の帳簿価額のうち当該補償金等の額に対応する部分の金額を控除した残額の当該補償金等」と読み替えるものとする。（措法65③）

$$\text{差益割合} = \frac{（\text{分母の金額}）-\begin{pmatrix}\text{譲渡資産の譲渡直前の帳簿価額の}\\\text{うち補償金等の額に対応する金額}\end{pmatrix}}{\begin{pmatrix}\text{取得した補}\\\text{償金等の額}\end{pmatrix}-\begin{pmatrix}\text{譲渡資産の譲渡に要した超過経費の額で補}\\\text{償金等の額から支出したとみなされる金額}\end{pmatrix}}$$

　　　（減価補償金）
（1）　補償金等に含まれる1に掲げる「清算金」には、土地区画整理法第109条《減価補償金》に規定する減価補償金を含むものとする。（編者）

　　　（清算金が分割交付された場合）
（2）　換地処分による清算金等（土地区画整理法第109条に規定する減価補償金を含む。）は、換地処分の公告があった日の翌日において確定するものとされているから、その清算金が同法第110条第2項《清算金の徴収及び交付》の規定により分割交付されることとなっても、その分割交付の日によらないで換地処分の公告のあった日の翌日において課税関係が生ずることとなるから留意する。（編者）

(清算金等の相殺が行われた場合)
（３）　土地区画整理法第111条《清算金等の相殺》の規定により清算金等の相殺が行われた場合であっても、収用等の場合の課税の特例の適用については、それぞれの換地処分の目的となった土地ごとに課税計算を行うのであるから、交付されるべき清算金等（その一部が相殺された時は、その相殺前の金額）に相当する金額は、その交付されるべき清算金等に係る土地等の換地処分による清算金の額に当たるものとし、徴収されるべき清算金（その一部が相殺されたときは、その相殺前の金額）に相当する金額は、その徴収されるべき清算金に係る土地等の取得価額に算入されることとなるのであるから留意する。（編者）

(資産につき除却等があった場合の積立金の取崩し)
（４）　圧縮記帳による圧縮額を積立金として経理している資産につき除却、廃棄、滅失又は譲渡（以下（４）において「除却等」という。）があった場合には、当該積立金の額（当該資産の一部につき除却等があった場合には、その除却等があった部分に係る金額）を取り崩してその除却等のあった日の属する事業年度の益金の額に算入するのであるから留意する。（措通64～66(共)－１、基通10－１－２参照）
　　注　当該譲渡には、適格分割、適格現物出資又は適格現物分配による資産の移転は含まれないのであるから留意する。

(積立金の任意取崩しの場合の償却超過額等の処理)
（５）　圧縮記帳による圧縮額を積立金として経理している法人が当該積立金の額の全部又は一部を取り崩して益金の額に算入した場合において、その取り崩した積立金の設定の基礎となった資産に係る償却超過額又は評価損の否認金（当該事業年度において生じた償却超過額又は評価損の否認金を含む。）があるときは、その償却超過額又は評価損の否認金の額のうち益金の額に算入した積立金の額に達するまでの金額は、当該事業年度の損金の額に算入する。（措通64～66(共)－１、基通10－１－３参照）

４　適格分割等を行った場合の分割法人等における交換取得資産の圧縮額の損金算入《期中圧縮記帳》

　法人（清算中の法人を除き、その法人の有する資産〔棚卸資産を除く。〕で１《換地処分等により交換取得した資産の圧縮記帳》の表の①から⑦までに掲げるものがそれぞれ同表の①から⑦までに掲げる場合に該当することとなった場合における当該法人に限る。）が換地処分等のあった日を含む事業年度において適格分割、適格現物出資又は適格現物分配（その日以後に行われるものに限る。以下４において「**適格分割等**」という。）を行う場合において、当該法人が当該換地処分等により当該事業年度開始の時から当該適格分割等の直前の時までの間に取得をした交換取得資産を当該適格分割等により分割承継法人、被現物出資法人又は被現物分配法人（以下４において「分割承継法人等」という。）に移転するときは、当該交換取得資産につき、当該交換取得資産に係る１《換地処分等により交換取得した資産の圧縮記帳》に掲げる圧縮限度額に相当する金額の範囲内でその帳簿価額を減額したときに限り、その減額した金額に相当する金額は、当該事業年度の所得の金額の計算上、損金の額に算入する。（措法65⑤）

(適格分割等に係る換地処分等に伴い取得した交換取得資産の圧縮額の損金算入に関する届出等)
　　４は、その適用を受けようとする法人が適格分割等の日以後２か月以内に次に掲げる事項を記載した書類を納税地の所轄税務署長に提出した場合に限り、適用する。（措法65⑥、措規22の２⑬）
　　なお、４の適用を受ける場合には、同４の適用に係る資産が、１の表に掲げる場合に該当することとなったことを証する書類として三《損金算入に関する申告及び収用証明書の保存》の表の左欄の区分に応じ、それぞれ同表の右欄に掲げる書類を保存しなければならない。（措令39の２⑩、措規22の２④）

(一)	４の適用を受けようとする法人の名称、納税地及び法人番号並びに代表者の氏名
(二)	分割承継法人等の名称及び納税地並びに代表者の氏名
(三)	適格分割等の年月日
(四)	１に掲げる換地処分等のあった年月日及び当該換地処分等により譲渡した資産の種類
(五)	１に掲げる補償金等、保留地の対価の額及び交換取得資産の価額
(六)	４に掲げる交換取得資産の種類、構造及び規模並びにその取得年月日
(七)	４により損金の額に算入される４に掲げる帳簿価額を減額した金額及びその金額の計算に関する明細
(八)	その他参考となるべき事項

注 (七)に掲げる事項の記載については、別表十三(四)の書式によらなければならない。(規27の14)

5 補償金等の額に係る超過経費の額及び帳簿価額の計算

① 超過経費の額のうち補償金等の額から支出したものとみなされる金額

2《譲渡資産の帳簿価額のうち交換取得資産に対応する金額》の表の③の右欄の括弧書は、換地処分等により譲渡した資産の譲渡に要した経費の額で3に掲げる補償金等の額のうちから支出したものとみなされる金額の計算について準用する。この場合において、2の表の③中「その交換取得資産の価額」とあるのは「その補償金等の額」と読み替えるものとする。(措法65⑭、措令39の2⑦)

$$\text{補償金等の額のうちから支出したものとみなされる超過経費の額} = \left(\begin{array}{l}\text{譲渡資産の譲渡に要した経費の額} - \text{譲渡に要する経費に充てるべきものとして交付を受けた金額}\end{array}\right) \times \frac{\text{取得した補償金等の額}}{\text{交換取得資産の価額} + \text{取得した補償金等の額又は保留地の対価の額}}$$

(2以上の資産を譲渡した場合の譲渡経費の計算)

換地処分等により2以上の資産を譲渡した場合には、個々の資産の補償金等の額から支出したものとみなされる超過経費の額は、次により計算することになるから留意する。(編者)

$$\left\{\begin{array}{l}\text{譲渡資産の譲渡に要した経費の額の合計額} - \text{譲渡に要する経費に充てるべきものとして交付を受けた金額の合計額}\end{array}\right\} \times \frac{\text{個々の譲渡資産の譲渡に要した経費の額}}{\text{譲渡資産の譲渡に要した経費の額の合計額}} \times \frac{\text{取得した補償金等の額}}{\text{交換取得資産の価額} + \text{取得した補償金等の額又は保留地の対価の額}}$$

② 譲渡資産の帳簿価額のうち補償金等の額に対応する金額

2《譲渡資産の帳簿価額のうち交換取得資産に対応する金額》の表の①の右欄の括弧書は、3に掲げる譲渡した資産の譲渡直前の帳簿価額のうち補償金等の額に対応する部分の金額の計算について準用する。この場合において、2の表の①中「補償金等の額又は保留地の対価の額」とあるのは「補償金等の額」と読み替えるものとする。(措法65⑭、措令39の2⑧)

$$\text{譲渡資産の帳簿価額のうち補償金等の額に対応する金額} = \text{譲渡資産の譲渡直前の帳簿価額} \times \frac{\text{取得した補償金等の額}}{\text{交換取得資産の価額} + \text{取得した補償金等の額又は保留地の対価の額}}$$

6 市街地再開発事業の施行により変換清算金等又は施設建築物等を取得した場合の特例

1《換地処分等により交換取得した資産の圧縮記帳》の表の④の適用を受けた場合において、同④の施設建築物の一部を取得する権利及び施設建築敷地若しくはその共有持分若しくは地上権の共有持分（都市再開発法第110条の2第1項《指定宅地の権利者以外の権利者等の全ての同意を得た場合の特則》の規定により定められた権利変換計画に係る施設建築敷地に関する権利又は施設建築物に関する権利を取得する権利を含む。）若しくは個別利用区内の宅地若しくはその使用収益権若しくは同④に掲げる給付を受ける権利につき同法第104条第1項《清算》（同法第110条の2第6項又は第111条の規定により読み替えて適用される場合を含む。以下(一)において同じ。）若しくは第118条の24《清算》（同法第118条の25の3第3項《管理処分手続の特則》の規定により読み替えて適用される場合を含む。）の規定によりこれらの規定に規定する差額に相当する金額（以下「変換清算金」という。）の交付を受けることとなったとき、若しくは同④に掲げる建築施設の部分（同条第1項の規定により定められた管理処分計画に係る施設建築敷地又は施設建築物に関する権利を含む。）につき同法第118条の5第1項《譲受け希望の申出等の撤回》の規定による譲受け希望の申出の撤回があったとき（同法第118条の12第1項《仮登記等に係る権利の消滅について同意が得られない場合における譲受け希望の申出の撤回》又は第118条の19第1項《修正対償額等の供託等》の規定により譲受け希望の申出を撤回したものとみなされる場合を含む。）、又は同④の施設建築物の一部を取得する権利若しくは施設建築物の一部についての借家権を取得する権利（同法第110条第1項又は第110条の2第1項の規定により定められた権利変換計画に係る施設建築物に関する権利を取得する権利を含む。以下6及び9において同じ。）若しくは同④に掲げる給付を受ける権利に基づき同④の施設建築物の一部若しくは施設建築物の一部についての借家権（同④に掲げる施設建築物に関する権利を含む。）若しくは建築施設の部分（同④に掲げる施設建築敷地又は施設建築物に関する権利を含む。）を取得したときは、その受けることとなった日若しくはその譲受け希望の申出の撤回のあった日若しくは同法第118条の12第1項若しくは第118条の19第1項の規定によりその撤回があったものとみなされる

日又はその取得した日において、同④に掲げる資産のうち当該金額に対応するものとして次の表の左欄に掲げる場合の区分に応じそれぞれ右欄に掲げる部分若しくはその撤回に係る同④に掲げる給付を受ける権利又はその取得の基因となった同④の施設建築物の一部を取得する権利若しくは施設建築物の一部についての借家権を取得する権利若しくは同④に掲げる給付を受ける権利につき収用等又は換地処分等による譲渡があったものとみなして、一《収用等に伴い代替資産を取得した場合の課税の特例》又は二《換地処分等に伴い資産を取得した場合の課税の特例》を適用する。(措法65⑦⑭、措令39の2⑪)

(一)	1の表の④に掲げる資産が権利変換により譲渡した資産である場合	1の表の④に掲げる資産のうち、都市再開発法第104条第1項に規定する変換清算金が当該譲渡した資産に係る権利変換により取得した施設建築物の一部を取得する権利及び施設建築敷地若しくはその共有持分若しくは地上権の共有持分(同法第110条の2第1項の規定により定められた権利変換計画に係る施設建築敷地に関する権利又は施設建築物に関する権利を取得する権利を含む。)又は個別利用区内の宅地若しくはその使用収益権の権利変換の時における総価額のうちに占める割合を、当該資産の権利変換の時における価額に乗じて計算した金額に相当する部分
(二)	1の表の④に掲げる資産が買取り又は収用(以下「買取り等」という。)により譲渡した資産である場合	1の表の④に掲げる資産のうち、都市再開発法第118条の24第1項(同法第118条の25の3第3項の規定により読み替えて適用される場合を含む。)に規定する変換清算金が同法第118条の11第1項の規定により取得した同④に掲げる建築施設の部分の給付を受ける権利の買取り等の時における価額のうちに占める割合を、当該資産の買取り等の時における価額(当該給付を受ける権利とともに補償金等を取得した場合には、当該価額に2の表の③に掲げる割合を乗じて計算した金額)に乗じて計算した金額に相当する部分

7 密集市街地における防災街区の整備の促進に関する法律により防災変換金又は防災施設建築物等を取得した場合の特例

1《換地処分等により交換取得した資産の圧縮記帳》の表の⑤の適用を受けた場合において、同⑤の防災施設建築物の一部を取得する権利及び防災施設建築敷地若しくはその共有持分若しくは地上権の共有持分(密集市街地における防災街区の整備の促進に関する法律第255条第1項《指定宅地の権利者以外の権利者等のすべての同意を得た場合の特則》の規定により定められた権利変換計画に係る防災施設建築敷地に関する権利又は防災施設建築物に関する権利を取得する権利を含む。以下7及び9において同じ。)若しくは個別利用区内の宅地若しくはその使用収益権につき同法第248条第1項《清算》(密集市街地における防災街区の整備の促進に関する法律施行令第43条《防災施設建築敷地に地上権を設定しないこととする特則に係る法の適用についての読替規定》又は第45条《指定宅地の権利者以外の権利者等のすべての同意を得た場合の特則に係る法の適用についての読替規定》の規定により読み替えて適用される場合を含む。)の規定により同項に規定する差額に相当する金額(以下「**防災変換清算金**」という。)の交付を受けることとなったとき、又は同⑤の防災施設建築物の一部を取得する権利若しくは防災施設建築物の一部についての借家権を取得する権利(同法第255条第1項又は第257条第1項《施行地区内の権利者等のすべての同意を得た場合の特則》の規定により定められた権利変換計画に係る防災施設建築物に関する権利を取得する権利を含む。以下同じ。)に基づき同⑤の防災施設建築物の一部若しくは防災施設建築物の一部についての借家権(同⑤の防災施設建築物に関する権利を含む。)を取得したときは、その受けることとなった日又は取得した日において、同⑤の資産のうち、防災変換清算金が防災施設建築物の一部を取得する権利及び防災施設建築敷地若しくはその共有持分若しくは地上権の共有持分又は個別利用区内の宅地若しくはその使用収益権の権利変換の時における総価額のうちに占める割合を、当該資産の権利変換の時における価額に乗じて計算した金額に相当する部分又はその取得の基因となった同⑤の防災施設建築物の一部を取得する権利若しくは防災施設建築物の一部についての借家権を取得する権利につき収用等又は換地処分等による譲渡があったものとみなして一《収用等に伴い代替資産を取得した場合の課税の特例》又は二《換地処分等に伴い資産を取得した場合の課税の特例》を適用する。(措法65⑧⑭、措令39の2⑫⑬)

8 マンションの建替え等の円滑化に関する法律のマンション建替事業により施行再建マンションに関する権利を取得した場合の特例

1《換地処分等により交換取得した資産の圧縮記帳》の表の⑥の適用を受けた場合において、同表の⑥に掲げる施行再建マンションに関する権利を取得する権利に基づき同表の⑥の施行再建マンションに関する権利を取得したときは、その取得した日において、当該権利を取得する権利につき換地処分等による譲渡があったものとみなして、1、2《譲渡資産の帳簿価額のうち交換取得資産に対応する金額》、4《適格分割等を行った場合の分割法人等における交換取得資産の圧縮額の損金算入》及び三《損金算入の申告及び収用証明書の保存》を適用する。(措法65⑨)

9　完全支配関係がある法人間で譲渡された譲渡損益調整資産に係る譲渡利益額

　内国法人が第三十三款の**一**《譲渡損益調整資産に係る譲渡利益額又は譲渡損失額の繰延べ》に掲げる譲渡損益調整資産（以下**9**において「譲渡損益調整資産」という。）に係る同**一**に掲げる譲渡利益額（**9**において「譲渡利益額」という。）につき同**一**の適用を受けた場合において、同款の**二**の**1**《譲受法人において譲渡損益調整資産の譲渡があった場合等の戻入れ》に掲げる譲受法人の有するその適用に係る譲渡損益調整資産（以下**9**において「適用譲渡損益調整資産」という。）である**1**《換地処分等により交換取得した資産の圧縮記帳》の表の③から⑦まで（同表の③にあっては新都市基盤整備法による土地整理に係る部分を、同表の④にあっては都市再開発法による第二種市街地再開発事業に係る部分を、それぞれ除く。）に該当する資産（**6**《市街地再開発事業の施行により変換清算金等又は施設建築物等を取得した場合の特例》の施設建築物の一部を取得する権利又は施設建築物の一部についての借家権を取得する権利、**7**《密集市街地における防災街区の整備の促進に関する法律により防災変換金又は防災施設建築物等を取得した場合の特例》の防災施設建築物の一部を取得する権利又は防災施設建築物の一部についての借家権を取得する権利及び**8**《マンションの建替え等の円滑化に関する法律のマンション建替事業により施行再建マンションに関する権利を取得した場合の特例》の施行再建マンションに関する権利を取得する権利を含む。）の譲渡につき**1**又は**4**の適用を受けたときは、第三十三款の適用については、次の表の左欄に掲げる場合の区分に応じそれぞれ右欄に掲げるところによる。（措法65⑩、措令39の2⑭⑮）

①	交換取得資産とともに補償金等又は保留地の対価を取得した場合（変換清算金又は防災変換清算金の交付を受けることとなった場合その他**2**の（1）《マンションに係る敷地利用権の価額が施行再建マンションの敷地利用権の概算額と異なる場合の譲渡資産の譲渡直前の帳簿価額》の表の（一）に掲げる場合を含む。）	当該譲渡に基因して第三十三款の**二**の**1**により益金の額に算入する金額は、当該譲渡利益額のうち当該補償金等若しくは保留地の対価又は変換清算金若しくは防災変換清算金の額に相当する部分の金額として当該譲渡利益額（当該譲渡利益額に係る同款の**三**《譲渡損益調整資産に係る譲渡利益額又は譲渡損失額のうち益金の額又は損金の額に戻し入れる金額の計算等》に掲げる調整済額がある場合には、当該調整済額を控除した金額）に**2**の表の①の右欄（同**2**の（1）の表の（一）により準じて計算する場合を含む。）、**6**の表の（一）又は**7**に掲げる割合を乗じて計算した金額とする。
②	①に掲げる場合以外の場合	当該譲渡は、第三十三款の**二**の**1**の適用については、同**1**に掲げる事由に該当しないものとみなす。

　（適用譲渡損益調整資産とみなす資産）
（1）　**9**の適用がある場合には、**9**の譲受法人が**9**の譲渡に係る換地処分等により取得した資産を適用譲渡損益調整資産とみなして、**9**及び第三十三款を適用する。（措法65⑪）

　（適用譲渡損益調整資産とみなす資産の取得価額及び耐用年数）
（2）　（1）により**9**に掲げる適用譲渡損益調整資産とみなされた減価償却資産につき第三十三款の**二**の**1**《譲受法人において譲渡損益調整資産の譲渡があった場合等の戻入れ》を適用する場合には、同款の**三**《譲渡損益調整資産に係る譲渡利益額又は譲渡損失額のうち益金の額又は損金の額に戻し入れる金額の計算等》の表の**3**に掲げる取得価額は（1）を適用する前の適用譲渡損益調整資産の取得価額とし、第三十三款の**三**の（1）の表の（一）のロに掲げる耐用年数は（1）を適用する前の適用譲渡損益調整資産について適用する耐用年数とする。（措令39の2⑯）

　（完全支配関係がある法人間で譲渡された適用譲渡損益調整資産に係る）
（3）　**9**に掲げる譲受法人の有する適用譲渡損益調整資産の譲渡により内国法人に**9**の適用があるときは、当該譲受法人が当該譲渡につき第三十三款の**六**の**2**の②《戻入事由が生じた旨の通知》により通知しなければならない事項は、同②に掲げるもののほか、当該譲渡につき**9**の適用がある旨及び当該譲渡に係る（1）に掲げる換地処分等により取得した資産の種類（**9**の表の①に掲げる場合には、同①に掲げる割合を含む。）とする。（措令39の2⑰）

10　圧縮記帳資産の取得価額の特例

①　圧縮記帳資産の取得価額の特例

　1《換地処分等により交換取得した資産の圧縮記帳》、**3**《交換取得資産とともに取得した補償金等に対する特例》又は**4**《適格分割等を行った場合の分割法人等における交換取得資産の圧縮額の損金算入》の適用を受けた交換取得資産につ

いて法人税に関する法令の規定を適用する場合には、**1**、**3** 又は **4** により各事業年度の所得の金額の計算上損金の額に算入された金額は、当該交換取得資産の取得価額に算入しない。（措法65⑫、64⑧）

② **換地処分等における代替資産とみなされる資産が減価償却資産である場合の圧縮限度額**

　代替資産が **一**の **3**《代替資産の先行取得期間》（同 **7** の（１）《適格分割等における代替資産の先行取得期間》において準用する場合を含む。）により代替資産とみなされた資産であり、かつ、当該代替資産が減価償却資産である場合における①の当該代替資産の取得価額に算入しない金額は、**一**の **1**《収用等のあった事業年度において取得した代替資産の圧縮記帳》又は同 **7**《適格分割等を行った場合の分割法人等における代替資産の圧縮額の損金算入（期中圧縮記帳）》により損金の額に算入された金額に、次表の（二）に掲げる金額に対する同表の（一）に掲げる金額の割合を乗じて計算した金額に相当する金額とする。（措法65③⑫、64③⑧、措令39の２⑨、39㉒㉑）

(一)	当該資産の当該事業年度開始の日の前日における取得価額
(二)	当該資産の(一)に掲げる開始の日の前日における帳簿価額

③ **適格合併等により移転を受けた圧縮記帳資産の取得価額**

　適格合併、適格分割、適格現物出資又は適格現物分配（以下②において「**適格合併等**」という。）により **1**《換地処分等により交換取得した資産の圧縮記帳》、**3**《交換取得資産とともに取得した補償金等に対する特例》又は **4**《適格分割等を行った場合の分割法人等における交換取得資産の圧縮額の損金算入》の適用を受けた交換取得資産の移転を受けた合併法人、分割承継法人、被現物出資法人又は被現物分配法人が当該交換取得資産について法人税に関する法令の規定を適用する場合には、当該適格合併等に係る被合併法人、分割法人、現物出資法人又は現物分配法人において当該交換取得資産の取得価額に算入されなかった金額は、当該交換取得資産の取得価額に算入しない。（措法65⑬、64⑫）

11　圧縮記帳資産に対する特別償却等の不適用

　1《換地処分等により交換取得した資産の圧縮記帳》、**3**《交換取得資産とともに取得した補償金等に対する特例》又は **4**《適格分割等を行った場合の分割法人等における交換取得資産の圧縮額の損金算入》の適用を受けた資産については、第七款の**二十五**《特別償却等に関する複数の規定の不適用》の表の①から④までに掲げる規定は適用しない。（措法65⑫、64⑦）

三　損金算入の申告及び収用証明書の保存

　収用換地等の場合の代替資産の圧縮額又は補償金等の特別勘定の金額の損金算入《一及び二》は、確定申告書等にその損金の額に算入される金額の損金算入に関する申告《別表十三(四)》の記載及びその損金の額に算入される金額の計算に関する明細書《別表十三(四)》の添付があり、かつ、一の１《収用等に伴い代替資産を取得した場合の課税の特例》の適用を受けようとする資産が同１又は一の２《使用補償金及び譲渡対価等に対する特例の適用》の表に掲げる場合に該当することとなったこと（二の１《換地処分等により交換取得した資産の圧縮記帳》の適用を受けようとする資産が同１の表に掲げる場合に該当することとなったことを含む。）を証する書類として次の表の左欄の区分に応じ、それぞれ右欄に掲げる書類《**収用証明書**》を保存している場合に限り適用する。（措法64⑤、64の２⑬、65④、措規22の２④、14⑤）

　ただし、税務署長は、上記の記載若しくは添付がない確定申告書等の提出があった場合又は収用証明書の保存がない場合においても、その記載若しくは添付又は保存がなかったことについてやむを得ない事情があると認めるときは、当該記載をした書類及び明細書並びに収用証明書の提出があった場合に限り、これらの特例を適用することができる。（措法64⑥、64の２⑬、65④）

1	(1)	土地収用法の規定に基づいて収用若しくは使用された資産又は同法に規定された収用委員会の勧告に基づく和解により買い取られ若しくは使用された資産	当該収用若しくは使用に係る裁決書又は当該和解調書の写し
	(2)	土地収用法第３条《土地を収用し、又は使用することができる事業》に規定する事業の用に供するため又は都市計画法その他の法律の規定により都市計画法第４条第６項《定義》に規定する都市計画施設の整備に関する事業若しくは同条第７項に規定する市街地開発事業の用に供するため収用又は使用することができる資産（(1)に掲げる資産及び(3)から(5)までに掲げる資産でこれらの適用を受けるものを除く。）	当該資産の買取り（使用を含む。以下(2)において同じ。）をする者の当該事業が土地収用法第３章《事業の認定等》の規定による事業の認定を受けたものである旨又は都市計画法第59条第１項から第４項《施行者》までの規定による都市計画事業の認可若しくは承認を受けたものである旨を証する書類（当該資産の買取りを必要とする当該事業の施行者が国、地方公共団体若しくは独立行政法人都市再生機構である場合において、当該事業の施行者に代わり、地方公共団体若しくは地方公共団体が財産を提供して設立した団体〔地方公共団体以外の者が財産を提供して設立した団体を除く。以下同じ。〕が当該資産の買取りをするとき、当該資産の買取りを必要とする当該事業の施行者が国若しくは地方公共団体であり、かつ、当該事業が一団地の面積において10ヘクタール以上〔当該事業が拡張に関する事業である場合には、その拡張後の一団地の面積が10ヘクタール以上〕のものである場合において、当該事業の施行者に代わり、独立行政法人都市再生機構が当該資産の買取りをするとき、当該事業が全国新幹線鉄道整備法第２条《定義》に規定する新幹線鉄道〔同法附則第６項《新幹線鉄道規格新幹線等の建設等》に規定する新幹線鉄道規格新線等を含む。〕の建設に係る事業若しくは地方公共団体が当該事業に関連して施行する道路法による道路に関する事業である場合において、これらの事業の施行者に代わり、地方公共団体若しくは地方公共団体が財産を提供して設立した団体若しくは独立行政法人鉄道建設・運輸施設設備支援機構が当該資産の買取りをするとき、又は当該事業が大都市地域における宅地開発及び鉄道整備の一体的推進に関する特別措置法第９条第２項《監視区域の指定等》に規定する同意特定鉄道の整備に係る事業に関連して施行される土地収用法第３条第７号の規定に該当する事業である場合において、当該事業の施行者に代わり、地方公共団体が当該資産の買取りをするときは、これ

			らの事業の施行者の当該証する書類でこれらの買取りをする者の名称及び所在地の記載があるもの。（3）及び（5）において同じ。）
	(3)	次に掲げる資産（当該資産の収用に伴い消滅する所有権以外の権利を含み、（1）に掲げる資産を除く。以下同じ。） (一)　土地収用法第3条第1号（専用自動車道及び路外駐車場に係る部分を除く。）、第2号から第6号まで、第7号から第8号まで（鉄道事業法による鉄道事業者の鉄道事業の用、独立行政法人鉄道建設・運輸施設整備支援機構が設置する鉄道の用又は軌道の用に供する施設のうち線路及び停車場に係る部分に限る。）、第10号、第10号の2、第11号、第12号、第13号（観測の用に供する施設に係る部分に限る。）、第13号の2（日本郵便株式会社が設置する郵便物の集配又は運送事務に必要な仕分その他の作業の用に供する施設で既成市街地内のもの及び高速自動車国道と一般国道との連結位置の隣接地内のものに係る部分に限る。）、第15号（海上保安庁が設置する電気通信設備に係る部分に限る。）、第15号の2（電気通信事業法第120条第1項《事業の開始の義務》に規定する認定電気通信事業者が設置する同法第9条第1号《電気通信事業の登録》に規定する電気通信回線設備の用に供する施設〔当該施設が市外通信幹線路の中継施設以外の施設である場合には、既成市街地内にあるものに限る。〕に係る部分に限る。）、第17号（水力による発電施設、最大出力10万キロワット以上の汽力若しくは原子力による発電施設、最大出力5,000キロワット以上の内燃力若しくはガスタービンによる発電施設〔その地域の全部若しくは一部が離島振興法第2条第1項《指定》の規定により指定された同項の離島振興対策実施地域若しくは奄美群島振興開発特別措置法第1条《目的》に規定する奄美群島の区域に含まれる島、沖縄振興特別措置法第3条第3号《定義》に規定する離島又は小笠原諸島振興開発特別措置法第4条第1項《定義》に規定する小笠原諸島において設置されるものに限る。〕又は送電施設若しくは使用電圧5万ボルト以上の変電施設〔電気事業法第2条第1項第8号《定義》に規定する一般送配電事業又は同項第10号に規定する送電事業の用に供するために設置される送電施設又は変電施設に限る。〕に係る部分に限る。）、第17号の2（高圧導管又は中圧導管及びこれらと接続する整圧器に係る部分に限る。）、第18号から第20号まで、第21号（地方公共団体の設置に係る幼稚園、小学校、中学校、高等学校及び特別支援学校、国の設置に係る特別支援学校、私立学校法第3条《定義》に規定する学校法人〔(一)において「学校法人」という。〕の設置	当該資産の買取り（使用を含む。）をする者の当該資産が左欄の(一)から(三)までに掲げる資産に該当する旨を証する書類

に係る幼稚園及び高等学校並びに国又は地方公共団体の設置に係る看護師養成所及び准看護師養成所に係る部分に限る。)、第23号(国、地方公共団体又は社会福祉法人の設置に係る社会福祉法第2条第3項第4号《定義》に規定する老人デイサービスセンター及び老人短期入所施設並びに同項第4号の2に規定する障害福祉サービス事業の用に供する施設〔障害者の日常生活及び社会生活を総合的に支援するための法律第5条第6項《定義》に規定する療養介護、同条第7項に規定する生活介護、同条第12項に規定する自立訓練、同条第13項に規定する就労移行支援、同条第14項に規定する就労継続支援及び同条第17項に規定する共同生活援助の用に供するものに限る。〕並びに同号に規定する地域活動支援センター及福祉ホーム並びに社会福祉法第62条第1項《施設の設置》に規定する社会福祉施設並びに児童福祉法第43条《児童発達支援センター》に規定する児童発達支援センター、地方公共団体又は社会福祉法人の設置に係る幼保連携型認定こども園〔就学前の子どもに関する教育、保育等の総合的な提供の推進に関する法律第2条第7項《定義》に規定する幼保連携型認定こども園をいう。(一)において同じ。〕、保育所〔児童福祉法第39条第1項に規定する保育所をいう。〕及び小規模保育事業の用に供する施設〔同法第6条の3第10項《定義》に規定する小規模保育事業の用に供する同項第1号に規定する施設のうち利用定員が10人以上であるものをいう。〕並びに学校法人の設置に係る幼保連携型認定こども園に係る部分に限る。)、第25号(地方公共団体の設置に係る火葬場に係る部分に限る。)、第26号(地方公共団体の設置に係るものに限る。)、第27号(地方公共団体が設置する一般廃棄物処理施設、産業廃棄物処理施設その他の廃棄物の処理施設に係る部分に限る。)、第27号の2(中間貯蔵施設〔福島県の区域内において汚染廃棄物等〈平成23年3月11日に発生した東北地方太平洋沖地震に伴う原子力発電所の事故により放出された放射性物質による環境の汚染への対処に関する特別措置法第46条《汚染廃棄物等の投棄の禁止》に規定する汚染廃棄物をいう。(一)において同じ。〉の処理を行うために設置される一群の施設であって、汚染廃棄物等の貯蔵施設及び汚染廃棄物等の受入施設、分別施設又は減量施設から構成されるもの〈これらと一体的に設置される常時監視施設、試験研究及び研究開発施設、展示施設、緑化施設その他の施設を含む。〉をいう。〕及び指定廃棄物の最終処分場〔宮城県、茨城県、栃木県、群馬県又は千葉県の区域内において同法第19条《国による指定廃棄物の処理の実施》に規定する指定廃棄物の埋立処分の用に供される場所をいう。〕として環境大臣が指定するものに

	係る部分に限る。)、第31号（国が設置する通信施設並びに都道府県が設置する警察署、派出所又は駐在所に係る庁舎、警察職員の待機宿舎、交通機動隊の庁舎及び自動車検問のための施設並びに運転免許センターに係る部分に限る。）、第32号（都市公園法第2条第1項《定義》に規定する都市公園に係る部分に限る。）又は第34号（独立行政法人水資源機構法第2条第2項《定義》に規定する施設で1日につき10万立方メートル以上の原水を供給する能力を有するものに係る部分に限る。）の規定に該当するもの（これらのものに関する事業のために欠くことができない土地収用法第3条第35号に規定する施設を含む。）に関する事業に必要なものとして収用又は使用することができる資産 (二)　河川法第22条第1項《洪水時等における緊急措置》、水防法第28条《公用負担》、土地改良法第119条《障害物の移転等》若しくは第120条《急迫の際の使用等》、道路法第68条《非常災害時における土地の一時使用等》又は住宅地区改良法の規定に基づいて収用又は使用することができる資産 (三)　土地区画整理法第79条第1項《土地の使用等》（大都市地域住宅等供給促進法第71条《土地区画整理法の準用》において準用する場合を含む。）の規定により適用される土地収用法の規定に基づいて使用することができる資産	
(4)	都市計画法第4条第15項《定義》に規定する都市計画事業（以下(4)において「都市計画事業」という。）に準ずる事業として行う一団地の住宅施設（一団地における50戸以上の集団住宅及びこれらに附帯する通路その他の施設をいう。）のために買い取られる土地その他の資産（(6)に掲げる土地等で(6)の適用を受けるものを除く。）	国土交通大臣又は都道府県知事の当該事業が国土交通大臣の定める都市計画事業として行う一団地の住宅施設に係る基準に該当するこれに準ずる事業である旨又は当該土地その他の資産が当該一団地の住宅施設の整備に関する都市計画事業に係る都市計画法第4条第8項に規定する市街地開発事業等予定区域に関する都市計画において定められた区域内にある土地その他の資産である旨を証する書類（当該事業の施行者〔当該都市計画が定められている場合には、当該都市計画に定められた施行予定者。以下(4)、(4の2)及び(4の5)において同じ。〕が国又は地方公共団体である場合において、当該事業の施行者に代わり、地方公共団体又は地方公共団体が財産を提供して設立した団体が当該資産の買取りをするときは、当該証する書類で当該買取りをする者の名称及び所在地の記載のあるもの）
(4の2)	新住宅市街地開発法第2条第1項《定義》に規定する新住宅市街地開発事業（以下(4の2)において「新住宅市街地開発事業」という。）に準ずる事業（新住宅市街地開発事業に係る都市計画法第4条第8項に規定する市街地開発事業等予定区域に関する都市計画が定められているものを除く。）として国土交通大臣が指定した事業又は当該都市計画が定められている新住宅市街地開発事業に準ずる事業の用に供するために買い取られる土地及び当該土地の上に存する資	国土交通大臣の当該事業が新住宅市街地開発事業として行う宅地の造成及び公共施設の整備に関する事業に係る基準に準じて国土交通大臣の定める基準に該当する事業として指定したものである旨又は当該土地及び資産が当該都市計画において定められた区域内にある土地及び当該土地の上に存する資産である旨を証する書類並びに当該事業の施行者の当該土地及び当該土地の上に存する資産を当該事業の用に供するために買い取ったものである旨を証する書類（当該事業の施行者

	産	が独立行政法人都市再生機構である場合において、当該事業の施行者に代わり、地方公共団体又は地方公共団体が財産を提供して設立した団体が当該資産の買取りをするときは、当該証する書類で当該買取りをする者の名称及び所在地の記載があるもの。)
(4の3)	首都圏の近郊整備地帯及び都市開発区域の整備に関する法律第2条第5項《定義》又は近畿圏の近郊整備区域及び都市開発区域の整備及び開発に関する法律第2条第4項《定義》に規定する工業団地造成事業に該当することとなる事業で一団地の面積において10ヘクタール以上であるものに必要な土地で当該事業の用に供されるもの及び当該土地の上に存する資産((1)に掲げる資産を除く。)	国土交通大臣の当該土地及び資産が当該事業の用に供される土地及び当該土地の上に存する資産である旨並びに当該事業の施行される区域が首都圏の近郊整備地帯及び都市開発区域の整備に関する法律第3条の2第1項第1号から第3号《工業団地造成事業に係る市街地開発事業等予定区域に関する都市計画》まで若しくは近畿圏の近郊整備区域及び都市開発区域の整備及び開発に関する法律第5条の2第1項第1号から第3号《工業団地造成事業に係る市街地開発事業等予定区域に関する都市計画》まで及び第6条第1項第2号《工業団地造成事業に関する都市計画》に掲げる条件に該当する区域であり、かつ、当該事業につき都市計画法第18条第1項《都道府県の都市計画の決定》(同法第22条第1項後段《国土交通大臣の定める都市計画》により読み替えて適用する場合を含む。(4の4)から(4の6)までにおいて同じ。)の決定をすることが確実であると認められる旨、当該土地及び資産が当該工業団地造成事業について同法第12条第2項《市街地開発事業》の規定により都市計画に定められた施行区域内にある土地及び当該土地の上に存する資産である旨又は当該土地及び資産が当該工業団地造成事業に係る同法第4条第8項《定義》に規定する市街地開発事業等予定区域に関する都市計画において定められた区域内にある土地及び当該土地の上に存する資産である旨を証する書類
(4の4)	都市再開発法第2条第1号《定義》に規定する第二種市街地再開発事業に該当することとなる事業に必要な土地で当該事業の用に供されるもの及び当該土地の上に存する資産((1)に掲げる資産を除く。)	国土交通大臣の当該土地及び資産が当該事業の用に供される土地及び当該土地の上に存する資産である旨並びに当該事業の施行される区域が都市再開発法第3条第2号から第4号《第一種市街地再開発事業の施行区域》まで及び第3条の2第2号《第二種市街地再開発事業の施行区域》に掲げる条件に該当する区域であり、かつ、当該事業につき都市計画法第18条第1項《都道府県の都市計画の決定》の決定をすることが確実であると認められる旨又は当該土地及び資産が当該第二種市街地再開発事業について同法第12条第2項《市街地開発事業》の規定により都市計画に定められた施行区域内にある土地及び当該土地の上に存する資産である旨を証する書類
(4の5)	新都市基盤整備法第2条第1項《定義》に規定する新都市基盤整備事業((10)及び(11)において「新都市基盤整備事業」という。)に該当することとなる事業に必要な土地で当該事業の用に供されるもの及び当該土地の上に存する資産((1)に掲げる資産を除く。)	国土交通大臣の当該土地及び資産が当該事業の用に供される土地及び当該土地の上に存する資産である旨並びに当該事業の施行される区域が新都市基盤整備法第2条の2第1号から第3号《新都市基盤整備事業に係る市街地開発事業等予定区域に関する都市計画》まで及び第3条第2号《新都市基盤整備事業に関する都市

		計画》に掲げる条件に該当する区域であり、かつ、当該事業につき都市計画法第18条第1項の決定をすることが確実であると認められる旨、当該土地及び資産が当該新都市基盤整備事業について同法第12条第2項《市街地開発事業》の規定により都市計画に定められた施行区域内にある土地及び当該土地の上に存する資産である旨又は当該土地及び資産が当該新都市基盤整備事業に係る同法第4条第8項《定義》に規定する市街地開発事業等予定区域に関する都市計画において定められた区域内にある土地及び当該土地の上に存する資産である旨を証する書類（当該事業の施行者に代わり、地方公共団体又は地方公共団体が財産を提供して設立した団体が当該資産の買取りをする場合には、当該証する書類で当該買取りをする者の名称及び所在地の記載があるもの。（4の6）において同じ。）
(4の6)	流通業務市街地の整備に関する法律第2条第2項《定義》に規定する流通業務団地造成事業に該当することとなる事業（当該事業の施行される区域の面積が30ヘクタール以上であるものに限る。）に必要な土地で当該事業の用に供されるもの及び当該土地の上に存する資産（(1)に掲げる資産を除く。）	国土交通大臣の当該土地及び資産が当該事業の用に供される土地及び当該土地の上に存する資産である旨並びに当該事業の施行される区域が流通業務市街地の整備に関する法律第6条の2各号《流通業務団地に係る市街地開発事業等予定区域に関する都市計画》及び第7条第1項第2号《流通業務団地に関する都市計画》に掲げる条件に該当する区域であり、かつ、当該事業につき都市計画法第18条第1項の決定をすることが確実であると認められる旨、当該土地及び資産が当該流通業務団地造成事業に係る同法第11条第1項第10号《都市施設》に掲げる流通業務団地について同条第2項の規定により都市計画に定められた区域内にある土地及び当該土地の上に存する資産である旨又は当該土地及び資産が当該流通業務団地造成事業に係る同法第4条第8項《定義》に規定する市街地開発事業等予定区域に関する都市計画において定められた区域内にある土地及び当該土地の上に存する資産である旨を証する書類
(4の7)	東日本大震災復興特別区域法第4条第1項《復興推進計画の認定》に規定する特定被災区域内において行う都市計画法第11条第1項第11号に掲げる一団地の津波防災拠点市街地形成施設（以下（4の7）において「一団地の津波防災拠点市街地形成施設」という。）の整備に関する事業に必要な土地で当該事業の用に供されるもの及び当該土地の上に存する資産（(1)に掲げる資産を除く。）	国土交通大臣（当該事業の施行者が市町村である場合には、道県知事）の当該土地及び資産が当該事業の用に供される土地及び当該土地の上に存する資産である旨並びに当該土地及び資産が当該事業に係る一団地の津波防災拠点市街地形成施設について同条第2項の規定により都市計画に定められた区域内にある土地及び当該土地の上に存する資産である旨を証する書類（当該事業の施行者に代わり、地方公共団体又は地方公共団体が財産を提供して設立した団体が当該資産の買取りをする場合には、当該証する書類で当該買取りをする者の名称及び所在地の記載があるもの。）
(4の8)	都市計画法第11条第1項第12号に掲げる一団地の復興再生拠点市街地形成施設（以下（4の8）において「一団地の復興再生拠点市街地形成施設」という。）の整備に関する事業に必要な土地で当該事業の用に供されるもの及び当該土地の上に存する資産（(1)に掲	国土交通大臣（当該事業の施行者が市町村である場合には、福島県知事）の当該土地及び資産が当該事業の用に供される土地及び当該土地の上に存する資産である旨並びに当該土地及び資産が当該事業に係る一団地の復興再生拠点市街地形成施設について都市計画法第

	げる資産を除く。）	11条第2項の規定により都市計画に定められた区域内にある土地及び当該土地の上に存する資産である旨を証する書類（当該事業の施行者に代わり、地方公共団体又は地方公共団体が財産を提供して設立した団体が当該資産の買取りをする場合には、当該証する書類で当該買取りをする者の名称及び所在地の記載があるもの）
(5)	土地収用法第3条各号のいずれかに該当するもの（当該いずれかに該当するものと他の当該各号のいずれかに該当するものとが一組の施設として一の効用を有する場合には、当該一組の施設とし、(3)の(一)に掲げるものを除く。）に関する事業で一団地の面積において10ヘクタール以上であるもの（拡張に関する事業にあっては、その拡張後の一団地の面積が10ヘクタール以上であるもの）に必要な土地で当該事業の用に供されるもの及び当該土地の上に存する資産（(1)に掲げる資産を除く。）	当該資産の買取りをする者の当該土地及び資産で当該事業の用に供される土地及び当該土地の上に存する資産である旨並びにこれらの資産につき一の1の表の②に掲げる事由があると認められる旨を証明する書類
(5)の(2)	森林法の規定に基づいて収用又は使用することができる資産	当該資産の所在する地域を管轄する都道府県知事の当該資産の収用（買取りを含む。）又は使用に関して森林法第51条《裁定の申請》（同法第55条第2項《収用の請求》において準用する場合を含む。）の裁定をした旨又は同法第57条《協議がととのった場合》の届出を受けた旨を証する書類
(5)の(3)	所有者不明土地の利用の円滑化等に関する特別措置法の規定に基づいて収用又は使用することができる資産	当該資産の所在する地域を管轄する都道府県知事の当該資産の収用又は使用についての同法第32条第1項《裁定》の裁定をした旨を証する書類
(5)の(4)	測量法の規定に基づいて収用又は使用することができる資産	国土地理院の長のその旨及び当該資産の所在する地域につき測量法第14条第1項《実施の公示》の規定による通知に係る同条第3項の公示があったことを証する書類
(5)の(5)	鉱業法又は採石法の規定に基づいて収用又は使用することができる資産	経済産業大臣又は当該資産の所在する地域を管轄する経済産業局長の当該資産の収用又は使用に関して鉱業法第106条第1項《許可及び公告》又は採石法第36条第1項《許可及び公告》の許可をした旨を証する書類
(5)の(6)	日本国とアメリカ合衆国との間の相互協力及び安全保障条約第6条に基づく施設及び区域並びに日本国における合衆国軍隊の地位に関する協定の実施に伴う土地等の使用等に関する特別措置法の規定に基づいて収用又は使用することができる資産	当該資産の所在する地域を管轄する地方防衛局長（当該資産の所在する地域が東海防衛支局の管轄区域内である場合には、東海防衛支局長）のその旨を証する書類
(5)の(9)	都市計画法第52条の4第1項《土地の買取請求》（同法第57条の5《土地の買取請求》及び密集市街地における防災街区の整備の促進に関する法律第285条《土地の買取請求についての都市計画法の準用》において準用する場合を含む。）の規定に基づいて買い取られる土地又は土地の上に存する権利（以下(6)までにおいて「土地等」という。）	これらの規定に規定する施行予定者の当該土地等をこれらの規定により買い取ったものである旨を証する書類
(5)の(10)	都市計画法第56条第1項《土地の買取り》の規定に基づいて買い取られる土地等	都市計画法第55条第1項《許可の基準の特例等》に規定する都道府県知事等の当該土地等につき同項本文の

		規定により同法第53条第1項《建築の許可》の許可をしなかった旨を証する書類及びその買取りをする者の当該土地等を同法第56条第1項の規定により買取りをした旨を証する書類
(5の11)	土地区画整理法による土地区画整理事業で同法第109条第1項《減価補償金》に規定する減価補償金(以下(5の11)及び(5の12)において「減価補償金」という。)を交付すべきこととなるものに係る公共施設の用地に充てるために買い取られる土地等	国土交通大臣(当該事業の施行者が市町村である場合には、都道府県知事。以下(5の11)において同じ。)の当該事業が減価補償金を交付すべきこととなる土地区画整理法による土地区画整理事業である旨を証する書類及び当該事業の施行者の当該事業に係る公共施設の用地に充てるための土地等の買取りにつき国土交通大臣の承認を受けて当該事業の施行区域(同法第2条第8項《定義》に規定する施行区域をいう。(5の12)において同じ。)内にある当該土地等を買い取ったものであり、かつ、当該土地等を当該公共施設の用地として登記をした旨を証する書類
(5の12)	地方公共団体又は独立行政法人都市再生機構が被災市街地復興特別措置法第5条第1項《被災市街地復興推進地域に関する都市計画》の規定により都市計画に定められた被災市街地復興推進地域において施行する同法による被災市街地復興土地区画整理事業で減価補償金を交付すべきこととなるものの施行区域内にある土地等	国土交通大臣(当該被災市街地復興土地区画整理事業の施行者が市町村である場合には、都道府県知事。以下(5の12)において同じ。)の当該被災市街地復興土地区画整理事業が減価補償金を交付すべきこととなる土地区画整理法による土地区画整理事業となることが確実であると認められる旨を証する書類及び当該被災市街地復興土地区画整理事業の施行者の当該被災市街地復興土地区画整理事業に係る公共施設の整備改善に関する事業の用地に充てるための土地等の買取りにつき国土交通大臣の承認を受けて当該被災市街地復興土地区画整理事業の施行区域内にある当該土地等を買い取った旨を証する書類(当該土地等の所在地及び面積並びに当該土地等の買取りの年月日及び買取りの対価の額並びに当該被災市街地復興土地区画整理事業の施行者に代わり、当該施行者以外の者が当該土地等の買取りをする場合には、当該買取りをする者の名称及び所在地の記載があるものに限る。)
(5の13)	地方公共団体又は独立行政法人都市再生機構が被災市街地復興特別措置法第21条《公営住宅及び改良住宅の入居者資格の特例》に規定する住宅被災市町村の区域において施行する都市再開発法による第二種市街地再開発事業の施行区域(都市計画法第12条第2項《市街地開発事業》の規定により第二種市街地再開発事業について都市計画に定められた施行区域をいう。以下(5の13)において同じ。)内にある土地等	国土交通大臣の次に掲げる事項を証する書類(当該土地等の所在地及び面積並びに当該土地等の買取りの年月日及び買取りの対価の額並びに当該第二種市街地再開発事業の施行者の名称及び所在地〔当該第二種市街地再開発事業の施行者に代わり、当該施行者以外の者が当該土地等の買取りをする場合には、当該施行者の名称及び所在地並びに当該買取りをする者の名称及び所在地〕の記載があるものに限る。) (一) 当該土地等が当該第二種市街地再開発事業の施行区域内の土地等であり、かつ、当該土地等が当該第二種市街地再開発事業の施行者により当該事業の用に供されることが確実であると認められること。 (二) 当該第二種市街地再開発事業につき都市再開発法第51条第1項《施行規程及び事業計画の決定等》又は第58条第1項《施行規程及び事業計画の認可等》の規定による認可があることが確実であると認められること。

(6)		国、地方公共団体、独立行政法人都市再生機構又は地方住宅供給公社の行う50戸以上の一団地の住宅経営に係る事業の用に供するために買い取られる土地等	当該事業の施行者の当該事業が自ら居住するため住宅を必要とする者に対し賃貸し、又は譲渡する目的で行う50戸以上の一団地の住宅経営に係る事業である旨及び当該土地等を当該事業の用に供するために買い取ったものである旨を証する書類
(7)		都市再開発法による第一種市街地再開発事業の施行に伴う権利変換により新たな権利に変換することのない権利	第一種市街地再開発事業の施行者のその旨を証する書類
(7)の(2)		密集市街地における防災街区の整備の促進に関する法律による防災街区整備事業の施行に伴う権利変換により新たな権利に変換することのない権利	防災街区整備事業の施行者のその旨を証する書類
(8)		一の1の表の⑦に該当して消滅（価値の減少を含む。）する漁業権、入漁権、漁港水面施設運営権その他水の利用に関する権利又は鉱業権（租鉱権及び採石権その他土石を採掘し、又は採取する権利を含む。）	一の1の表の⑦に掲げる事業の施行に関する主務大臣又は当該事業の施行に係る地域を管轄する都道府県知事のその旨を証する書類（当該事業の施行者が国又は地方公共団体である場合において、当該事業の施行者に代わり、地方公共団体又は地方公共団体が財産を提供して設立した団体が同表の⑦に掲げる補償金又は対価の支払をするときは、当該証する書類で当該支払をする者の名称及び所在地の記載があるもの）
(9)		一の1の表の⑧に該当する次の表の左欄に掲げる資産	次の表の左欄の区分に応じ、それぞれ右欄に掲げる書類
	(一)	建築基準法第11条第1項《都市計画区域内における建築物の敷地、構造、建築設備及び用途の規定に適合しない建築物に対する措置》の規定による命令又は港湾法第41条第1項《有害構築物の改築等》の規定による命令に基づく処分により買い取られる資産	これらの命令をした建築基準法第11条第1項に規定する特定行政庁又は港湾法第41条第1項に規定する港湾管理者のその旨を証する書類
	(二)	漁業法第39条第1項《公益上の必要による漁業権の変更、取消し又は行使の停止》、海岸法第22条第1項《漁業権の取消等及び損失補償》又は電気通信事業法第141条第5項《水底線路の保護》の規定による処分により消滅（価値の減少を含む。(四)において同じ。）した漁業権	当該処分をした都道府県知事又は農林水産大臣のその旨を証する書類
	(三)	漁港及び漁場の整備等に関する法律第59条第2項《漁港水面施設運営権の取消し等》（同項第2号に係る部分に限る。）の規定による処分により消滅をした漁港水面施設運営権	当該処分をした同項の漁港管理者のその旨を証する書類
	(四)	鉱業法第53条《取消等の処分》（同法第87条《準用》において準用する場合を含む。）の規定による処分により消滅した鉱業権（租鉱権を含む。）	当該処分をした経済産業大臣又は経済産業局長のその旨を証する書類
	(五)	水道法第42条第1項《地方公共団体による買収》の規定により買収される資産	国土交通大臣のその旨を証する書類
(10)		土地区画整理法、大都市地域住宅等供給促進法、新都市基盤整備法、土地改良法又は農業振興地域の整備に関する法律の規定に基づく換地処分又は交換により	土地区画整理事業、住宅街区整備事業、新都市基盤整備事業、土地改良事業又は農業振興地域の整備に関する法律第13条の2第1項《交換分合》の事業の施行者

		譲渡する資産	のその旨を証する書類
	(11)	一の2の表の②に該当して譲渡をし、若しくは取壊し又は除去をする土地の上にある資産又はその土地の上にある建物に係る配偶者居住権(以下(11)において「対象資産」という。)	これらの土地の収用若しくは使用をすることができる者、これらの土地に係る土地区画整理事業、住宅街区整備事業、新都市基盤整備事業若しくは土地改良事業の施行者、当該土地に係る第一種市街地再開発事業の施行者、当該土地に係る防災街区整備事業の施行者又は一の1の表の⑧に掲げる処分を行う者の当該対象資産及び当該対象資産に係る対価又は補償金が一の2の表の②に該当するものである旨を証する書類並びに当該対価又は補償金に関する明細書(これらの者が国、地方公共団体又は独立行政法人都市再生機構であり、かつ、当該対象資産に係る土地又は土地の上に存する権利につき(2)から(4の2)まで又は(4の5)から(5)までの適用がある場合において、これらの者に代わり地方公共団体又は地方公共団体が財産を提供して設立した団体が当該対価又は補償金の支払をするときは、当該証する書類で当該支払をする者の名称及び所在地の記載があるもの及び当該支払をする者の当該対価又は補償金に関する明細書)
2		都市再開発法による市街地再開発事業の施行に伴う権利変換又は買取り若しくは収用に係る次の表の左欄に掲げる資産	次の表の左欄に掲げる区分に応じそれぞれ右欄に掲げる書類
	(一)	第一種市街地再開発事業の施行に伴う権利変換により施設建築物の一部を取得する権利若しくは施設建築物の一部についての借家権を取得する権利及び施設建築敷地若しくはその共有持分若しくは地上権の共有持分(都市再開発法第110条第1項《施行地区内の権利者等の全ての同意を得た場合の特則》又は第110条の2第1項《指定宅地の権利者以外の権利者等の全ての同意を得た場合の特則》の規定により定められた権利変換計画に係る施設建築敷地に関する権利又は施設建築物に関する権利を取得する権利を含む。)又は個別利用区内の宅地若しくはその使用収益権が与えられるように定められた資産	第一種市街地再開発事業の施行者のその旨を証する書類
	(二)	都市再開発法第79条第3項《床面積が過小となる施設建築物の一部の処理》の規定により施設建築物の一部等若しくは施設建築物の一部についての借家権が与えられないように定められた資産又は同法第111条《施設建築敷地に地上権を設定しないこととする特則》の規定により読み替えられた同項の規定により建築施設の部分若しくは施設建築物の一部についての借家権が与えられないように定められた資産	第一種市街地再開発事業の施行者のその旨を証する書類
	(三)	都市再開発法第71条第1項又は第3項《権利変換を希望しない旨の申出等》の申出に基づき同法第87条《権利変換期日における権利の変換》又は第88条第1項、第2項若しくは第5項の規定による権利	第一種市街地再開発事業の施行者の一の1《収用等のあった事業年度において取得した代替資産の圧縮記帳》の表の③の2のなお書のイからニまでに掲げる場合のいずれか(都市再開発法第71条第1項又は第3項

	の変換を受けなかった資産	の申出をした者が同法第70条の２第１項《個別利用区内の宅地への権利変換の申出等》の申出をすることができる場合には同表の③の２のイに掲げる場合に限る。）に該当する旨を証する書類及び同なお書の審査委員の同意又は市街地再開発審査会の議決のあったことを証する書類
(四)	第二種市街地再開発事業の施行に伴い買い取られ、又は収用された資産で都市再開発法第118条の11第１項《建築施設の部分による対償の給付》の規定によりその対償として同項に規定する建築施設の部分の給付（当該給付が同法第118条の25の３第１項《管理処分手続の特則》の規定により定められた管理処分計画において定められたものである場合には、施設建築敷地又は施設建築物に関する権利の給付）を受ける権利を取得したもの	第二種市街地再開発事業の施行者のその旨を証する書類
(五)	都市再開発法第104条第１項《清算》（同法第110条の２第６項又は第111条の規定により読み替えて適用される場合を含む。）又は第118条の24《清算》（同法第118条の25の３第３項の規定により読み替えて適用される場合を含む。）の規定によりこれらの規定に規定する差額に相当する金額の交付を受けることとなった資産	市街地再開発事業の施行者のその旨を証する書類
(六)	第一種市街地再開発事業に係る施設建築物の建築工事の完了に伴い、施設建築物の一部又は施設建築物の一部についての借家権（施設建築物に関する権利を含む。）を取得することとなった二の１の表の④の施設建築物の一部を取得する権利又は施設建築物の一部についての借家権を取得する権利（都市再開発法第110条第１項又は第110条の２第１項の規定により定められた権利変換計画に係る施設建築物に関する権利を取得する権利を含む。）	第一種市街地再開発事業の施行者のその旨を証する書類
(七)	第二種市街地再開発事業に係る建築施設の建築工事の完了に伴い、建築施設の部分（施設建築敷地又は施設建築物に関する権利を含む。）を取得することとなった二の１の表の④に掲げる給付を受ける権利	第二種市街地再開発事業の施行者のその旨を証する書類
3	密集市街地における防災街区の整備の促進に関する法律による防災街区整備事業に係る権利変換に係る次の表の左欄に掲げる資産	次の表の左欄に掲げる資産の区分に応じそれぞれ右欄に掲げる書類
	(一) 防災街区整備事業の施行に伴う権利変換により防災施設建築物の一部を取得する権利若しくは防災施設建築物の一部についての借家権を取得する権利及び防災施設建築敷地若しくはその共有持分若しくは地上権の共有持分（密集市街地における防災街区の整備の促進に関する法律第255条第１項《指定宅地の権利者以外の権利者等のすべての同意を得た場合の特則》又は第257条第１項《施行地区内の権利者等のすべての同意を得た場合の特則》の規	防災街区整備事業の施行者のその旨を証する書類

	定により定められた権利変換計画に係る防災施設建築敷地に関する権利又は防災施設建築物に関する権利を取得する権利を含む。）又は個別利用区内の宅地若しくはその使用収益権が与えられるように定められた資産	
(二)	密集市街地における防災街区の整備の促進に関する法律第212条第3項《床面積が過小となる防災施設建築物の一部の処理》の規定により防災施設建築物の一部等若しくは防災施設建築物の一部についての借家権が与えられないように定められた資産又は密集市街地における防災街区の整備の促進に関する法律施行令第43条《防災施設建築敷地に地上権を設定しないこととする特則に係る法の適用についての読替規定》の規定により読み替えられた同項の規定により防災建築施設の部分若しくは防災施設建築物の一部についての借家権が与えられないように定められた資産	防災街区整備事業の施行者のその旨を証する書類
(三)	密集市街地における防災街区の整備の促進に関する法律第203条第1項又は第3項《権利変換を希望しない旨の申出等》の申出に基づき同法第221条《権利変換期日における権利の変換》又は第222条第1項、第2項若しくは第5項の規定による権利の変換を受けなかった資産	防災街区整備事業の施行者の一の1の表の③の3のイからニに掲げる場合のいずれか（密集市街地における防災街区の整備の促進に関する法律第203条第1項又は第3項の申出をした者が同法第202条第1項《個別利用区内の宅地への権利変換の申出等》の申出をすることができる場合には、同③の3のイに掲げる場合に限る。）に該当する旨を証する書類及び同項に規定する審査委員の同意又は防災街区整備審査会の議決のあったことを証する書類
(四)	密集市街地における防災街区の整備の促進に関する法律第248条第1項《清算》（密集市街地における防災街区の整備の促進に関する法律施行令第43条又は第45条《指定宅地の権利者以外の権利者等のすべての同意を得た場合の特則に係る法の適用についての読替規定》の規定により読み替えて適用される場合を含む。）の規定により同項に規定する差額に相当する金額の交付を受けることとなった資産	防災街区整備事業の施行者のその旨を証する書類
(五)	防災街区整備事業に係る防災施設建築物の建築工事の完了に伴い、防災施設建築物の一部又は防災施設建築物の一部についての借家権（防災施設建築物に関する権利を含む。）を取得することとなった二の1の表の⑤の防災施設建築物の一部を取得する権利又は防災施設建築物の一部についての借家権を取得する権利（密集市街地における防災街区の整備の促進に関する法律第255条第1項又は第257条第1項の規定により定められた権利変換計画に係る防災施設建築物に関する権利を取得する権利を含む。）	防災街区整備事業の施行者のその旨を証する書類
4	マンションの建替え等の円滑化に関する法律第2条第1項第4号《定義等》に規定するマンション建替事業（以下4において「マンション建替事業」という。）の施行に伴	次の表の左欄に掲げる区分に応じそれぞれ右欄に掲げる書類

第三章　第一節　第十六款　三《収用証明書》

		う権利変換（同法の権利変換をいう。以下**4**において同じ。）に係る次の表の左欄に掲げる資産	
	（一）	マンション建替事業の施行に伴う権利変換によりマンションの建替え等の円滑化に関する法律第2条第1項第7号に規定する施行再建マンション（（二）において「施行再建マンション」という。）に関する権利を取得する権利又は当該施行再建マンションに係る敷地利用権（同条第1項第19号に規定する敷地利用権をいう。）が与えられるように定められた資産	マンション建替事業の施行者（マンションの建替え等の円滑化に関する法律第2条第1項第5号に規定する施行者をいう。（二）において同じ。）のその旨を証する書類
	（二）	マンション建替事業に係る施行再建マンションの建築工事の完了に伴い、施行再建マンションに関する権利を取得することとなった二の**1**の表の⑥に掲げる権利	マンション建替事業の施行者のその旨を証する書類
5		マンションの建替え等の円滑化に関する法律第2条第1項第12号《定義等》に規定する敷地分割事業の実施に伴う同法の敷地権利変換により同法第191条《敷地権利変換計画の内容》第1項第2号に規定する除却敷地持分、同項第5号に規定する非除却敷地持分等又は同項第8号の敷地分割後の団地共用部分の共有持分が与えられるように定められた資産	当該敷地分割事業を実施する同法第164条《敷地分割事業の実施》に規定する敷地分割組合のその旨を証する書類

注1　──線部分（注2に係る部分を除く。）は、令和6年度改正により追加された部分で、改正規定は、令和6年4月1日から適用される。（令6改措規附1）

注2　──線部分（「国土交通大臣のその旨を証する書類」に係る部分に限る。）は、令和6年度改正により改正された部分で、改正規定は、令和6年4月1日から適用され、令和6年3月31日以前の適用については、「国土交通大臣のその旨を証する書類」とあるのは「厚生労働大臣のその旨を証する書類」とする。（令6改措規附1）

注3　令和6年度改正前の租税特別措置法施行規則第14条第5項第9号ニの規定による厚生労働大臣の証する書類は、令和6年4月1日以後は、上表の**1**の（9）の（五）による国土交通大臣の証する書類とみなす。（令6改措規附8、1）

（収用証明書の保存）

（1）　**一**から**四**まで《租税特別措置法第64条から第65条の2まで》は、原則としてその適用を受けようとする資産について**三**に掲げる書類《収用証明書》を保存している場合に限りその適用があるのであるが、この場合の保存すべき書類の内容は、次の表に掲げるものについては同表によるほか、同表に掲げていないものについてはその適用を受けようとする規定に対応する昭和46年8月26日付直資4－5ほか2課共同「租税特別措置法（山林所得・譲渡所得関係）の取扱いについて」（法令解釈通達）33－50に係る別表2の区分に応じ同表に準ずる。（措通64（4）－1・編者補正）

収用証明書の区分一覧表

区　　分	内　容	発行者	根拠条項	備　考
①　都市再開発法による市街地再開発事業の施行に伴い資産の権利変換又は買取り若しくは収用があった場合において、その権利変換又は買取り若しくは収用に係る資産が次に掲げる資産であるとき （イ）　施設建築物の一部を取得する権利若しくは施設建築物の一部についての借家権を取得する権利及び施設建築敷地若しくはその共有持分若しくは地上権の共有持分（都市再開発法第110条第1項《施行地区内の権	（イ）、（ロ）及び（ニ）から（ト）までに掲げる資産の場合にあっては、これに該当する資産である旨の証明	市街地再開発事業の施行者（※）	措置法64条1項3号の2、65条1項4号、7項 措置法規則22条の24項2号	※　施行者は個人施行者、市街地再開発組合、再開発会社、地方公共団体、独立行政法人都市再生機構及び地方住宅供給公社である。

区　　　　分	内　容	発　行　者	根拠条項	備　　考
利者等の全ての同意を得た場合の特則》又は第110条の2第1項《指定宅地の権利者以外の権利者等の全ての同意を得た場合の特則》の規定により定められた権利変換計画に係る施設建築敷地に関する権利又は施設建築物に関する権利を取得する権利を含む。）又は個別利用区内の宅地若しくはその使用収益権が与えられるように定められた資産 （ロ）　都市再開発法第79条第3項《床面積が過小となる施設建築物の一部の処理》の規定により施設建築物の一部等若しくは施設建築物の一部についての借家権が与えられないように定められた資産又は同法第111条《施設建築敷地に地上権を設定しないこととする特則》の規定により読み替えられた同項の規定により建築施設の部分若しくは施設建築物の一部についての借家権が与えられないように定められた資産 （ハ）　都市再開発法第71条第1項《権利変換を希望しない旨の申出等》又は第3項の申出に基づき同法第87条《権利変換期日における権利の変換》又は第88条第1項、第2項若しくは第5項の規定による権利変換を受けなかった資産 （ニ）　都市再開発法第118条の11第1項《建築施設の部分による対価の給付》の規定によりその対価として同項に規定する建築施設の部分の給付（当該給付が同法第118条の25の3第1項の規定により定められた管理処分計画において定められたものである場合には、施設建築敷地又は施設建築物に関する権利の給付）を受ける権利を取得することとされた資産 （ホ）　都市再開発法第104条第1項《清算》（同法第110条の2第6項又は第111条の規定により読み替えて適用される場合を含む。）又は第118条の24《清算》（同法第118条の25の3第3項の規定により読み替えて適用される場合を含む。）の規定によりこれらの規定に規定する差額に相当する金額の交付を受けることとなった資産 （ヘ）　施設建築物の建築工事の完了に伴い、施設建築物の一部又は施設建築物の一部についての借家権（施設建築物に関する権利を含む。）を取得することとなった場合の当該施設建築物の一部を取得する権利又は施設建築物の一部についての借家権を取得す	（ハ）に掲げる資産の場合にあっては、租税特別措置法施行令第39条第8項各号《一の1の表の③の2のなお書のイ～ニに掲げる場合のいずれか（都市再開発法第71条第1項又は第3項の申出をした者が同法第70条の2第1項《個別利用区内の宅地への権利変換の申出等》の申出をすることができる場合には、租税特別措置法施行令第39条第8項第1号《同③の2なお書きのイ》に掲げる場合に限る。）に該当する旨及び同項《同なお書》に規定する審査委員の同意又は市街地再			

第三章　第一節　第十六款　三《収用証明書》

区　　　　　　分	内　　容	発　行　者	根拠条項	備　　考
る権利（都市再開発法第110条第1項又は第110条の2第1項の規定により定められた権利変換計画に係る施設建築物に関する権利を取得する権利を含む。） （ト）　建築施設の建築工事の完了に伴い、建築施設の部分（施設建築敷地又は施設建築物に関する権利を含む。）を取得することとなった場合の当該建築施設の部分の給付を受ける権利	開発審査会の議決のあった旨の証明			
②　密集市街地における防災街区の整備の促進に関する法律による防災街区整備事業の施行に伴い資産の権利変換があった場合において、その権利変換に係る資産が次に掲げる資産であるとき （イ）　防災施設建築物の一部を取得する権利若しくは防災施設建築物の一部についての借家権を取得する権利及び防災施設建築敷地若しくはその共有持分若しくは地上権の共有持分（密集市街地における防災街区の整備の促進に関する法律第255条第1項《指定宅地の権利者以外の権利者等のすべての同意を得た場合の特則》又は第257条第1項《施行地区内の権利者等のすべての同意を得た場合の特則》の規定により定められた権利変換計画に係る防災施設建築敷地に関する権利又は防災施設建築物に関する権利を取得する権利を含む。）又は個別利用区内の宅地若しくはその使用収益権が与えられるように定められた資産 （ロ）　密集市街地における防災街区の整備の促進に関する法律第212条第3項《床面積が過小となる防災施設建築物の一部の処理》の規定により防災施設建築物の一部等若しくは防災施設建築物の一部についての借家権が与えられないように定められた資産又は密集市街地における防災街区の整備の促進に関する法律施行令第43条《防災施設建築敷地に地上権を設定しないこととする特則に係る法の適用についての読替規定》の規定により読み替えられた同項の規定により防災建築施設の部分若しくは防災施設建築物の一部についての借家権が与えられないように定められた資産 （ハ）　密集市街地における防災街区の整備の促進に関する法律第203条第1項又は第3項の申出に基づき同法第221条又は第222条第1項、第2項若しくは第5項の規定による権利の変換を受けなかった資産	（イ）、（ロ）、（ニ）及び（ホ）に掲げる資産の場合にあっては、これに該当する資産である旨の証明 （ハ）に掲げる資産の場合にあっては、租税特別措置法施行令第39条第11項各号《一の1の表の③の3のなお書のイ～ニ》に掲げる場合のいずれか（密集市街地における防災街区の整備の促進に関する法律第203条第1項又は第3項の申出をした者が同法第202条第1項の申出をすることができる場合には、租税特別措置法施行令第39条第11項第1号に掲げる場合に限る。）に該当する旨及び同項に規定する審査委員の同意又は防災街区整備審査会の議決のあった旨の証明	防災街区整備事業の施行者（※）	措置法64条1項3号の3、65条1項5号、8項 措置法規則22条の2　4項3号	※　施行者は、個人施行者、防災街区整備事業組合、事業会社、地方公共団体、独立行政法人都市再生機構又は地方住宅供給公社である。

区　　　　分	内　　容	発行者	根拠条項	備　　考
（ニ）　密集市街地における防災街区の整備の促進に関する法律第248条第1項（密集市街地における防災街区の整備の促進に関する法律施行令第43条又は第45条《指定宅地の権利者以外の権利者等のすべての同意を得た場合の特則に係る法の適用についての読替規定》の規定により読み替えて適用される場合を含む。）の規定により同項に規定する差額に相当する金額の交付を受けることとなった資産 （ホ）　防災施設建築物の建築工事の完了に伴い、防災施設建築物の一部又は防災施設建築物の一部についての借家権（防災施設建築物に関する権利を含む。）を取得することとなった場合の当該防災施設建築物の一部を取得する権利又は防災施設建築物の一部についての借家権を取得する権利（密集市街地における防災街区の整備の促進に関する法律第255条第1項又は第257条第1項の規定により定められた権利変換計画に係る防災施設建築物に関する権利を取得する権利を含む。）				
③　マンションの建替え等の円滑化に関する法律（以下④までにおいて「マンション建替円滑化法」という。）に規定するマンション建替事業が施行された場合において、その権利変換に係る資産が次に掲げる資産であるとき （イ）　施行再建マンションに関する権利を取得する権利又は当該施行再建マンションに係る敷地利用権（マンション建替円滑化法に規定する敷地利用権をいう。以下同じ。）が与えられるように定められた資産 （ロ）　施行再建マンションの建築工事の完了に伴い、施行再建マンションに関する権利を取得することとなった場合における施行再建マンションに関する権利を取得する権利又は当該施行再建マンションに係る敷地利用権	（イ）又は（ロ）に該当する資産である旨の証明	マンション建替事業の施行者	措置法65条1項6号 措置法規則22条の2 4項4号	
④　マンション建替円滑化法に規定する敷地分割事業が実施された場合において、その資産に係るマンション建替円滑化法の敷地権利変換によりマンション建替円滑化法第191条第1項第2号に規定する除却敷地持分、同項第5号に規定する非除却敷地持分等又は同項第8号の敷地分割後の団地共用部分の共有持分を取得するとき	これらに該当する資産である旨の証明	その敷地分割事業を実施する分割組合（マンション建替円滑化法に規定する分割組合をいう。）	措置法65条1項7号 措置法規則22条の2 4項5号	

(収用証明書の留意事項)
（2） 三の表の**1**から同表の**3**までによる証明の対象となる資産は、当該資産の収用、買取り等の時においてそれぞれ同表の**1**から同表の**3**までに掲げる要件に適合したものであることを要するのであるから、事業認定を受けた事業又は都市計画事業の認可を受けた事業の用に供する資産として同表の**1**の(2)による証明の対象となる資産は、次に掲げるものに限られる。(編者)
（一） 土地収用法第36条《土地調書及び物件調書の作成》に規定する土地調書及び物件調書に記載された資産
　注　土地調書及び物件調書の作成を行う前の買取りに係るもので旧土地収用法第33条《土地細目の公告及び通知》に規定する土地細目の公告及び通知のあった財産も証明の対象となる。
（二） （一）及び（一）の注の手続を行う前の買取りに係るものは、土地収用法第18条第2項第2号《事業認定申請書》に規定する図面において表示された起業地内にある資産（都市計画事業の認可を受けた事業の用に供するための買取りにあっては、当該事業に係る都市計画区域として決定のあった区域内にある資産）で当該事業の用に供するために収用又は使用をすることができるもの

(証明の対象となる資産の範囲)
（3） 買取りの対象となった資産が**一**の**1**《収用等のあった事業年度において取得した代替資産の圧縮記帳》の適用対象となる**三**の表の**1**の(3)の(一)に掲げる「事業に必要なものとして収用又は使用することができる資産」に該当するかどうかは、当該買取りの時において、当該事業の施行場所、施行内容等が具体的に確定し、当該資産について事業認定が行われ得る状況にあるかどうかによって判定することに留意する。
　買取りの対象となった資産が**一**の**1**の適用対象となる**三**の表の**1**の(5)に掲げる「土地収用法第3条各号のいずれかに該当するもの………に関する事業」に必要な資産であり、かつ、当該買取りについて**一**の**1**の表の②に掲げる事由があるかどうかを判定する場合についても同様とする。(措通64(4)-3)

(関連事業に係る収用証明書の記載事項)
（4） 収用等の場合の課税の特例は、当該収用等が収用等を行うことについて正当な権限を有する者（以下「**収用権者**」という。）によって行われたものであることを一覧的に表示した収用証明書（三に掲げる書類をいう。以下同じ。）を保存していることを要件として適用されるのであるから、収用等の基因となった事業が収用権者と当該事業に係る施設の管理者とを異にする場合、すなわち、関連事業に該当する場合には、当該関連事業に係る収用証明書には、当該事業が関連事業であることを表示されていることが要件となってくることに留意する。(措通64(4)-4)
　注　5,000万円特別控除の特例《**四**の**1**》の適用を受ける場合には、「公共事業用資産の買取り等の証明書」に同様の表示を必要とすることに留意する。(編者)

(代行買収の要件)
（5） **一**の**1**《収用等のあった事業年度において取得した代替資産の圧縮記帳》の適用に当たって、**三**の表の**1**の(2)から(4の2)まで又は(4の5)から(5)までにおいて、これらに掲げる事業の施行者に代わり当該事業の施行者以外の者でこれらに掲げるものの買い取った資産がこれらに掲げる資産に該当するかどうかは、次に掲げる要件の全てを満たしているかどうかにより判定するものとする。(措通64(4)-2)
（一） 買取りをした資産は、最終的に事業の施行者に帰属するものであること。
（二） 買取りをする者の買取りの申出を拒む者がある場合には、事業の施行者が収用するものであること。
（三） 資産の買取契約書には、資産の買取りをする者が事業の施行者が施行する○○事業のために買取りをするものである旨が明記されているものであること。
（四） （一）及び（二）の事項については、事業の施行者と資産の買取りをする者との間の契約書又は覚書により相互に明確に確認されているものであること。

四　収用換地等の場合の所得の特別控除

1　5,000万円特別控除

①　収用換地等の場合の特別控除

　法人（清算中の法人を除く。以下**四**において同じ。）の有する資産（棚卸資産を除く。以下**四**において同じ。）で一の1《収用等のあった事業年度において取得した代替資産の圧縮記帳》の表の①から⑧まで又は二の1《換地処分等により交換取得した資産の圧縮記帳》の表の①若しくは②に掲げるものがこれらに該当することとなった場合（一の2《使用補償金及び譲渡対価等に対する特例の適用》により一の2の表の①に掲げる土地等又は同表の②に掲げる土地の上にある資産につき収用等による譲渡があったものとみなされた場合及び二の6《市街地再開発事業の施行により変換清算金等又は施設建築物等を取得した場合の特例》の譲受け希望の申出の撤回があったときにおいて、二の6により二の1の表の④に掲げる建築施設の部分の給付を受ける権利につき収用等による譲渡があったものとみなされる場合を含む。）において、当該法人が一の1に掲げる収用等又は二の1に掲げる換地処分等（以下「**収用換地等**」という。）により取得した一の1、一の2、二の1又は二の6に掲げる補償金、対価若しくは清算金（当該譲受け希望の申出の撤回があったことにより支払を受ける対価を含む。以下「**補償金等**」という。）の額又は資産（以下「**交換取得資産**」という。）の価額（当該収用換地等により取得した交換取得資産の価額が当該収用換地等により譲渡した資産の価額を超える場合において、その差額に相当する金額を当該収用換地等に際して支出したときは、当該差額に相当する金額を控除した金額）が、当該譲渡した資産の譲渡直前の帳簿価額と当該譲渡した資産の譲渡に要した経費で当該補償金等又は交換取得資産に係るものとして2の①《譲渡経費で補償金等又は交換取得資産に係る部分の計算》により計算した金額との合計額を超え、かつ、当該法人が当該事業年度のうち同一の年に属する期間中に収用換地等により譲渡した資産（二の1の表の③から⑦までに掲げる場合に該当する換地処分等により譲渡した資産のうち当該換地処分等により取得した資産の価額に対応する部分として2の②《譲渡資産のうち交換取得資産に対応する部分の計算》に掲げる部分、二の6《市街地再開発事業の施行により変換清算金等又は施設建築物等を取得した場合の特例》、二の7《密集市街地における防災街区の整備の促進に関する法律により防災変換金又は防災施設建築物等を取得した場合の特例》及び二の8《マンションの建替え等の円滑化に関する法律のマンション建替事業により施行再建マンションに関する権利を取得した場合の特例》により換地処分等による譲渡があったものとみなされる資産を除く。）のいずれについても一《収用等に伴い代替資産を取得した場合の課税の特例》及び二《換地処分等に伴い資産を取得した場合の課税の特例》の適用を受けないときは、その超える部分の金額**譲渡益**と5,000万円（当該譲渡の日の属する年における収用換地等により取得した補償金等〔二の6に掲げる変換清算金及び二の7に掲げる防災変換清算金を含む。〕の額又は交換取得資産の価額につき、①から③《特別勘定に経理した金額に係る特別控除》までにより損金の額に算入した、又は損金の額に算入する金額があるときは、当該金額を控除した金額）とのいずれか低い金額を当該譲渡の日を含む事業年度の所得の金額の計算上、損金の額に算入する。（措法65の2①）

　　　　（収用等の場合の課税の特例相互間の適用関係）
（1）　収用等の場合の課税の特例には、圧縮記帳等の特例《**一**及び**二**》及び5,000万円特別控除の特例《**四**》があるが、これらの特例相互間の適用関係は次のとおりである。（措通65の2－1）

第三章　第一節　第十六款　四《収用換地等の場合の5,000万円控除》

(一)　二の1《換地処分等により交換取得した資産の圧縮記帳》の表の③から⑦までに掲げる場合に該当する資産の譲渡をした場合において、その譲渡した資産のうち、換地処分等により取得する同表の③から⑦までに掲げる資産に対応する部分 ─── 圧縮記帳の特例（措法65①⑦⑧⑨）

(二)　収用換地等により譲渡した資産のうち(一)以外のもの ─── 法人の選択により

- A　当該事業年度のうち同一の年中に収用換地等により譲渡した全ての資産（(一)に該当するものを除く。）について圧縮記帳等の特例の適用を受けない場合
  - 5,000万円特別控除の特例の適用が受けられる要件を満たしている資産 ─── 5,000万円特別控除の特例（措法65の2）
  - その他の資産 ─── 特例の適用なし

- B　当該事業年度のうち同一の年中に収用換地等により譲渡した資産（(一)に該当するものを除く。）の全部又は一部について圧縮記帳等の特例の適用を受ける場合
  - 収用換地等により取得した補償金等
    - 代替資産を取得し圧縮記帳等の特例を選択した部分 ─── 圧縮記帳等の特例（措法64、64の2、65③）
    - その他の部分 ─── 特例の適用なし
  - 換地処分等による交換取得資産 ─── 圧縮記帳の特例（措法65①）

注　二の**6**《市街地再開発事業の施行により変換清算金等又は施設建築物等を取得した場合の特例》、同二の**7**《密集市街地における防災街区の整備の促進に関する法律により防災変換金又は防災施設建築物等を取得した場合の特例》及び同二の**8**《マンションの建替え等の円滑化に関する法律のマンション建替事業により施行再建マンションに係る権利を取得した場合の特例》により換地処分等による譲渡があったものとみなされる資産を含む。

（5,000万円特別控除と圧縮記帳等の特例との適用関係）

（2）　法人が、同一事業年度のうち同一の年に属する期間中に収用換地等により譲渡した資産のうちに、例えば最初に買取り等の申出のあった日から6か月を経過した日までに譲渡した資産と同日後に譲渡した資産とがあるなど、5,000万円特別控除の特例の適用が受けられる資産と受けられない資産とがある場合において、その受けられる資産につき5,000万円特別控除の特例の適用を受けたときは、5,000万円特別控除の特例の適用が受けられない資産については、圧縮記帳又は特別勘定経理の特例の適用はないことに留意する。（措法65の2－2）

注　二の1《換地処分等により交換取得した資産の圧縮記帳》の表の③から⑦までに掲げる場合に該当する資産の譲渡をした場合において、換地処分等により取得した同表の③から⑦までに掲げる資産については、他の収用換地等された資産についての5,000万円特別控除の特例の適用の有無に関係なく、圧縮記帳の特例だけが適用される。

（年又は事業年度を異にする2以上の譲渡等があった場合）

（3）　①に掲げる5,000万円の額は、年を通ずる損金算入限度額であるから、次の場合における損金算入額の計算は、それぞれ次によることに留意する。（措通65の2－3）

(一)	5,000万円特別控除の特例の適用を受けることができる譲渡等が1事業年度中に2以上あり、かつ、これらの譲渡等が年を異にして行われたとき	各年に行われた譲渡等についてそれぞれ5,000万円を限度として①により損金の額に算入することができる。
(二)	5,000万円特別控除の特例の適用を受けることができる譲渡等が同一年中に2以上あり、かつ、これらの譲渡等が事業年度を異にして行われたとき	当該事業年度において損金の額に算入することができる金額は、5,000万円から当該事業年度前の各事業年度（当該年において終了したものに限る。）において①により損金の額に算入した金額の合計額（当該年中における譲渡等に係る部分の金額に限る。）を控除した金額を基礎として計算する。

第三章　第一節　第十六款　四《収用換地等の場合の5,000万円控除》

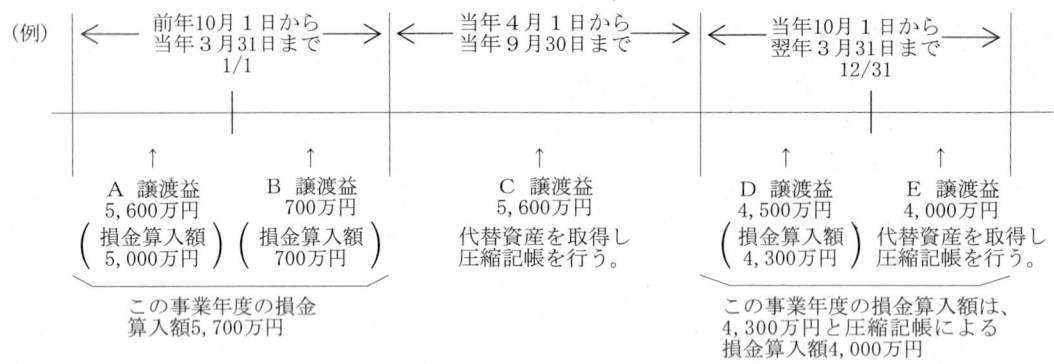

注1　Dの損金算入額……5,000万円－Bの損金算入額700万円＝4,300万円
注2　5,000万円特別控除の特例か圧縮記帳かの選択は、各事業年度ごと（図のC参照）に、かつ、年の異なるごと（図のE参照）に行うことができる。

（特別控除額と留保金額等との関係）
（4）　1の5,000万円特別控除により損金の額に算入された特別控除額は、第二節第一款の二《特定同族会社の特別税率》の2《各事業年度の留保金額》及び同二の3《留保控除額》に掲げる所得等の金額に含まれるものとする。（措法65の2⑨）

（特別控除額と利益積立金額との関係）
（5）　1の5,000万円特別控除の適用を受けた法人の利益積立金額の計算については、1の特別控除により損金の額に算入される金額は、第二章第一節の二の表の18《利益積立金額》の加算欄の①のイに掲げる所得の金額に含まれるものとする。（措法65の2⑩、措令39の3⑦）

② 換地処分又は権利変換の補償金等に係る特別控除
　法人の有する資産で二の1《換地処分等により交換取得した資産の圧縮記帳》の表の③から⑤までに掲げるものが同表の③から⑤までに該当し、当該法人が同表の③から⑤に該当する換地処分等により資産とともに補償金等を取得した場合又は二の6《市街地再開発事業の施行により変換清算金等又は施設建築物等を取得した場合の特例》により同二の1の表の④の資産につき収用等による譲渡があったものとみなされて変換清算金の交付を受けることとなった場合若しくは二の7《密集市街地における防災街区の整備の促進に関する法律により防災変換金又は防災施設建築物等を取得した場合の特例》により同二の1の表の⑤の資産につき収用等による譲渡があったものとみなされて防災変換清算金の交付を受けることとなった場合において、その取得した補償金等（変換清算金及び防災変換清算金を含む。以下②及び③において同じ。）の額が当該換地処分等により譲渡した資産（二の6又は二の7により収用等による譲渡があったとみなされる資産を含む。）の譲渡直前の帳簿価額のうち当該補償金等の額に対応するものとして2の③《譲渡資産の帳簿価額のうち補償金等に対応する部分の計算》により計算した金額と当該譲渡した資産の譲渡に要した経費で当該補償金等に係るものとして2の④《譲渡経費で補償金等に係る部分の計算》により計算した金額との合計額を超え、かつ、当該法人が当該事業年度のうち同一の年に属する期間中に収用換地等により譲渡した資産（二の1の表の③から⑦までに掲げる場合に該当する換地処分等により譲渡した資産のうち当該換地処分等により取得した資産の価額に対応する部分として2の②《譲渡資産のうち交換取得資産に対応する部分の計算》に掲げる部分、二の6《市街地再開発事業の施行により変換清算金等又は施設建築物等を取得した場合の特例》、二の7《密集市街地における防災街区の整備の促進に関する法律により防災変換金又は防災施設建築物等を取得した場合の特例》及び二の8《マンションの建替え等の円滑化に関する法律のマンション建替事業により施行再建マンションに関する権利を取得した場合の特例》により換地処分等による譲渡があったものとみなされる資産を除く。）のいずれについても一《収用等に伴い代替資産を取得した場合の課税の特例》又は二《換地処分等に伴い資産を取得した場合の課税の特例》の適用を受けないときは、その超える部分の金額《補償金等に係る譲渡益》と5,000万円（当該譲渡の日の属する年における収用換地等により取得した補償金等の額又は交換取得資産の価額につき、①《収用換地等の場合の特別控除》から③《特別勘定に経理した金額に係る特別控除》までにより損金の額に算入した、又は損金の額に算入する金額があるときは、当該金額を控除した金額）とのいずれか低い金額を当該譲渡の日を含む事業年度の所得の金額の計算上、損金の額に算入する。（措法65の2②①）

③ 特別勘定に経理した金額に係る特別控除
　法人が一の10の③《通算法人等が特別勘定を有する場合の益金算入》、一の11《解散等の場合の特別勘定の益金算入》（二

第三章　第一節　第十六款　四《収用換地等の場合の5,000万円控除》

の3《交換取得資産とともに取得した補償金等に対する特例》において準用する場合を含む。以下同じ。）に該当することとなった場合において、一の10の③若しくは一の11に掲げる特別勘定の金額に係る収用換地等のあった日を含む事業年度のうち同一の年に属する期間中に収用換地等により譲渡した資産（二の1《換地処分等により交換取得した資産の圧縮記帳》の表の③から⑦までに掲げる場合に該当する換地処分等により譲渡した資産のうち当該換地処分等により取得した資産の価額に対応する部分として2の②《譲渡資産のうち交換取得資産に対応する部分の計算》に掲げる部分、二の6《市街地再開発事業の施行により変換清算金等又は施設建築物等を取得した場合の特例》、二の7《密集市街地における防災街区の整備の促進に関する法律により防災変換金又は防災施設建築物等を取得した場合の特例》及び二の8《マンションの建替え等の円滑化に関する法律のマンション建替事業により施行再建マンションに関する権利を取得した場合の特例》により換地処分等による譲渡があったものとみなされる資産を除く。）の全部に係る特別勘定の金額がないこととなり、かつ、当該資産のいずれについても一の1《収用等のあった事業年度において取得した代替資産の圧縮記帳》（一の10の①《特別勘定を有する法人が取得した代替資産の圧縮記帳》又は二の3において準用する場合を含む。）、一の7（同一の10の②又は二の3において準用する場合を含む。）又は二の1若しくは二の4の交換取得資産の圧縮記帳の適用を受けていないときは、一の10の③、一の11に該当することとなった当該特別勘定の金額と5,000万円（当該収用換地等のあった日の属する年において他の資産の収用換地等により取得した補償金等の額又は交換取得資産の価額につき、①《収用換地等の場合の特別控除》から③までにより損金の額に算入した、又は損金の額に算入する金額があるときは、当該金額を控除した金額）とのうちいずれか低い金額をその該当することとなった日を含む事業年度の所得の金額の計算上、損金の額に算入する。（措法65の2⑦①）

（特別控除の適用上の留意事項）
　③の特別控除は、収用換地等のあった日を含む事業年度において、当該事業年度のうち同一の年に属する期間中に収用換地等のあった資産に係る対価補償金の全部を特別勘定に経理した場合に、翌事業年度以後においてその特別勘定の金額により代替資産の圧縮記帳をしていないときは、その特別勘定の全額を益金の額に算入することによりその益金の額に算入する事業年度において5,000万円特別控除の特例の適用を受けることができることとしたものであるから留意する。（編者）
（一）　当初に対価補償金の全部を特別勘定に経理しないで一部を特別勘定に経理した場合でも、特別勘定に経理しなかった対価補償金により代替資産の圧縮記帳を行っていないときは、特例の適用を受けることができる。
（二）　当初に対価補償金のほかに換地処分等により交換取得資産を取得している場合には、換地処分又は権利変換により取得する土地等又は権利変換資産については、5,000万円特別控除の適用と切り離して圧縮記帳だけを適用するので、これらの土地等又は権利変換資産につき圧縮記帳の適用をしていても、対価補償金に係る特別勘定の金額について上記の要件を具備しているときは、特例の適用を受けることができることになる。
（三）　特別勘定の全額を益金の額に算入して5,000万円特別控除の適用を受ける時期は、指定期間の中途であっても指定期間を経過する時であってもよい。

④　**適格合併等により被合併法人等の特別勘定を引き継いだ合併法人等における5,000万円特別勘定**
　一の8の③の（2）《適格合併等により引継ぎを受けた特別勘定の合併法人等における取扱い》により当該法人の特別勘定の金額とみなされた同8の①《補償金等の特別勘定経理》に掲げる特別勘定の金額を有する同8の③《適格合併等を行った場合の特別勘定又は期中特別勘定の引継ぎ》に掲げる**適格合併等**に係る合併法人、分割承継法人又は被現物出資法人（以下④において「**合併法人等**」という。）が一の10の③《通算法人等が特別勘定を有する場合の益金算入》、一の11《解散等の場合の特別勘定の益金算入》（二の3《交換取得資産とともに取得した補償金等に対する特例》において準用する場合を含む。）に該当することとなった場合において、当該適格組織再編成に係る被合併法人、分割法人又は現物出資法人（以下④において「**被合併法人等**」という。）から引き継がれた当該特別勘定の金額（当該適格合併等の日以後益金の額に算入された、又は益金の額に算入されるべき金額がある場合には、これらの金額を控除した金額。以下④において「**引継残額**」という。）に係る収用換地等のあった日を含む被合併法人等の事業年度のうち同一の年に属する期間中に当該被合併法人等の収用換地等により譲渡した資産の全部に係る引継残額がないこととなり、かつ、当該資産（二の1《換地処分等により交換取得した資産の圧縮記帳》の表の③から⑤までに掲げる場合に該当する換地処分等により譲渡した資産のうち2の②《譲渡資産のうち交換取得資産に対応する部分の計算》に基づき当該換地処分等により取得した資産の価額に対応する部分とされる部分、二の6《市街地再開発事業の施行により変換清算金等又は施設建築物等を取得した場合の特例》、二の7《密集市街地における防災街区の整備の促進に関する法律により防災変換金又は防災施設建築物等を取得した場合の特例》及び二の8《マンションの建替え等の円滑化に関する法律のマンション建替事業により施行再建マンションに関する権利を取得した場合の特例》により換地処分等による譲渡があったものとみなされる資産を除く。）のいずれについても当該被合併法人等及び当該合併法人等が一の1《収用等のあった事業年度において取得した代替資産の圧縮記帳》（一の10の①《特

別勘定を有する法人が取得した代替資産の圧縮記帳》又は二の**3**において準用する場合を含む。）、一の**7**《適格分割等を行った場合の分割法人等における代替資産の圧縮額の損金算入》（一の**10**の②《特別勘定を有する法人が適格分割等を行った場合の分割法人等における代替資産の圧縮額の損金算入》又は二の**3**において準用する場合を含む。）又は二の**1**《換地処分等により交換取得した資産の圧縮記帳》若しくは二の**4**《適格分割等を行った場合の分割法人等における交換取得資産の圧縮額の損金算入》の適用を受けていないときは、一の**10**の③《通算法人等が特別勘定を有する場合の益金算入》、一の**11**《解散等の場合の特別勘定の益金算入》に該当することとなった当該引継残額と5,000万円（当該収用換地等のあった日の属する年において当該被合併法人等の他の資産の収用換地等により取得した補償金等〔二の**6**に掲げる変換清算金及び二の**7**に掲げる防災変換清算金を含む。〕の額又は交換取得資産の価額につき、①《収用換地等の場合の特別勘定》から③《特別勘定に経理した金額に係る特別控除》により損金の額に算入した、又は損金の額に算入する金額があるときは、当該金額を控除した金額）とのうちいずれか低い金額を、その該当することとなった日を含む事業年度の所得の金額の計算上、損金の額に算入する。（措法65の2⑩、措令39の3⑥）

　　（適格合併等により引継ぎを受けた特別勘定に係る圧縮記帳と5,000万円損金算入との適用関係）
　　一の**8**の③《適格合併等を行った場合の特別勘定又は期中特別勘定の引継ぎ》に基づき引継ぎを受けた特別勘定を設けている合併法人等が、当該特別勘定につき一の**10**《特別勘定を有する法人が取得した代替資産の圧縮記帳》により圧縮記帳を行う場合であっても、当該特別勘定の基礎となった収用換地等による譲渡は被合併法人等が行ったものであることから、当該被合併法人等が行った当該譲渡と同一の年に属する期間中に合併法人等が自ら行った収用換地等による譲渡については①《収用換地等の場合の特別控除》による5,000万円損金算入の特例の適用を受けることができることに留意する。（措通65の2－3の2）

2　譲渡経費その他の計算細目

①　譲渡経費で補償金等又は交換取得資産に係る部分の計算

　1の①《収用換地等の場合の特別控除》に掲げる譲渡した資産の譲渡に要した経費で当該補償金等又は交換取得資産に係る金額は、収用換地等により譲渡をした資産（以下「**譲渡資産**」という。）の譲渡に要した経費の金額の合計額が、当該収用換地等に際し譲渡に要する経費に充てるべきものとして交付を受けた金額の合計額を超える場合におけるその超える金額とする。この場合において、譲渡資産が2以上あるときは、譲渡資産の譲渡に要した経費の金額の合計額が、当該収用等に際し譲渡に要する経費に充てるべきものとして交付を受けた金額の合計額を超える場合におけるその超える金額を個々の譲渡資産の譲渡に要した経費の金額に按分して計算した金額とする。（措法65の2①、措令39の3①、措規22の3①）
　注　譲渡経費の計算は一の**5**《譲渡資産の譲渡に要した経費》による計算と一体として行われる。（編者）

$$\text{一の譲渡資産に係る譲渡経費の超過額} = \left(\text{譲渡経費の合計額} - \text{譲渡経費に充てるべき交付金額の合計額}\right) \times \frac{\text{個々の譲渡資産の譲渡経費}}{\text{譲渡経費の合計額}}$$

②　譲渡資産のうち交換取得資産に対応する部分の計算

　1の①《収用換地等の場合の特別控除》、**1**の②《換地処分又は権利変換の補償金等に係る特別控除》及び**1**の③《特別勘定に経理した金額に係る特別控除》に掲げる換地処分等（二の**1**《換地処分等により交換取得した資産の圧縮記帳》に掲げる換地処分等で二の**1**の表の③から⑦までに掲げる場合に該当するものをいう。）により譲渡した資産のうち当該換地処分等により取得した資産の価額に対応する部分は、換地処分等により譲渡した資産のうち当該換地処分等により取得した資産《交換取得資産》の価額が当該交換取得資産の価額と当該交換取得資産とともに取得した補償金等の額又は保留地の対価（二の**1**に掲げる保留地の対価をいう。以下同じ。）の額との合計額のうちに占める割合を、当該譲渡した資産の価額に乗じて計算した金額に相当する部分とする。（措法65の2①、措令39の3②）

③　譲渡資産の帳簿価額のうち補償金等に対応する部分の計算

　1の②《換地処分又は権利変換の補償金等に係る特別控除》に掲げる譲渡した資産の譲渡直前の帳簿価額のうち**1**の②に掲げる補償金等の額に対応する金額は、**1**の②に掲げる換地処分等（二の**1**《換地処分等により交換取得した資産の圧縮記帳》に掲げる換地処分等で二の**1**の表の③から⑤までに掲げる場合に該当するものをいう。）により譲渡した資産（二の**6**《市街地再開発事業の施行により変換清算金等又は施設建築物等を取得した場合の特例》又は二の**7**《密集市街地における防災街区の整備の促進に関する法律により防災変換金又は防災施設建築物等を取得した場合の特例》により一の**1**《収用等のあった事業年度において取得した代替資産の圧縮記帳》に掲げる収用等による譲渡があったとみなされる資産を含む。）の譲渡直前の帳簿価額に当該補償金等（二の**6**に掲げる変換清算金及び二の**7**に掲げる防災変換清算金を含む。）の

額が当該補償金等の額と当該補償金等とともに取得した資産《交換取得資産》の価額又は保留地の対価の額との合計額のうちに占める割合（④《譲渡経費で補償金等に係る部分の計算》において「**補償金割合**」という。）を乗じて計算した金額とする。（措法65の2②、措令39の3③）

$$\begin{array}{c}\text{譲渡資産の帳簿価額}\\\text{のうち補償金等の額}\\\text{に対応する金額}\end{array} = \begin{array}{c}\text{譲渡資産の}\\\text{譲渡直前の}\\\text{帳簿価額}\end{array} \times \overbrace{\frac{\text{補償金等の額}}{\text{補償金等の額} + \begin{array}{c}\text{交換取得資産の価額又は}\\\text{保留地の対価の額}\end{array}}}^{\text{補償金割合}}$$

④ **譲渡経費で補償金等に係る部分の計算**

　1の②《換地処分又は権利変換の補償金等に係る特別控除》に掲げる譲渡した資産の譲渡に要した経費で当該補償金等に係る金額は、当該換地処分等（二の1《換地処分等により交換取得した資産の圧縮記帳》に掲げる換地処分等で二の1の表の③から⑤までに掲げる場合に該当するものをいう。）により譲渡した資産の譲渡に要した経費の金額の合計額について①に準じて計算した当該譲渡した資産に係る部分の金額に補償金割合を乗じて計算した金額とする。（措法65の2②、措令39の3④）

　　注　まず①に準じて譲渡経費の超過額のうち換地処分等により譲渡した資産に係る金額を計算し、次に当該金額に補償金割合を乗じて補償金等に係る超過経費の額を計算する。（編者）

3　特別控除の適用対象とならない譲渡資産

① **特別控除の適用対象とならない譲渡資産**

　1の5,000万円特別控除は、次の表のイからハまでの左欄に掲げる場合に該当する場合には、それぞれ右欄に掲げる資産については適用しない。（措法65の2③⑧、措令39の3⑤、措規22の3②）

イ	資産の収用換地等による譲渡が、当該資産の買取り、消滅、交換、取壊し、除去又は使用（以下「**買取り等**」という。）の申出をする者（以下「**公共事業施行者**」という。）から当該資産につき最初に当該申出のあった日から6か月を経過した日（次の表の(イ)から(ニ)までの左欄に掲げる場合には、同日からそれぞれ同表の(イ)から(ニ)までの右欄に掲げる期間を経過した日）までにされなかった場合			当該資産
	(イ)	資産の収用換地等による譲渡につき土地収用法第15条の7第1項《仲裁の申請》の規定による仲裁の申請（同日以前にされたものに限る。）に基づき同法第15条の11第1項《仲裁委員の報告及び退任》に規定する仲裁判断があった場合	当該申請をした日から当該譲渡の日までの期間	
	(ロ)	資産の収用換地等による譲渡につき土地収用法第46条の2第1項《補償金の支払請求》の規定による補償金の支払の請求があった場合	当該請求をした日から当該譲渡の日までの期間	
	(ハ)	資産の収用換地等による譲渡につき農地法第3条第1項《農地又は採草放牧地の権利移動の制限》又は第5条第1項《農地又は採草放牧地の転用のための権利移動の制限》の規定による許可を受けなければならない場合	当該許可の申請をした日から当該許可があった日（当該申請をした日後に当該許可を要しないこととなった場合には、その要しないこととなった日）までの期間	
	(ニ)	A	資産の収用換地等による譲渡につき農地法第5条第1項第6号の規定による届出をする場合（Bに掲げる場合を除く。）	当該届出に係る届出書を提出した日から当該届出書を農業委員会が農地法施行令第10条第2項《市街化区域内にある農地又は採草放牧地の転用のための権利

	B	資産の収用換地等による譲渡につき農地法第18条第1項《農地又は採草放牧地の賃貸借の解約等の制限》の規定による許可を受けた後同法第5条第1項第6号の規定による届出をする場合	当該許可の申請をした日から当該許可があった日までの期間にAに掲げる期間を加算した期間	移動についての届出》の規定により受理した日までの期間
ロ		一の収用換地等に係る事業につき資産の収用換地等による譲渡が2以上あった場合において、これらの譲渡が2以上の年にわたってされたとき	当該資産のうち、最初に当該譲渡があった年において譲渡された資産以外の資産
ハ		資産の収用換地等による譲渡が当該資産につき最初に買取り等の申出を受けた者以外の法人からされた場合（当該申出を受けた者が法人である場合には、当該法人が当該収用換地等による譲渡をしていない場合に該当し、かつ、②の表のハの(イ)又は(ロ)に掲げる場合に該当するときを除く。）	当該資産

（補償金の支払請求等の時期）

（1） 資産の収用換地等による譲渡につき土地収用法の規定による仲裁の申請に基づき仲裁判断があった場合若しくは補償金の支払の請求があった場合又は農地法の規定による転用等の許可を受けなければならない場合若しくは同法第5条第1項第6号の規定による届出をする場合には、その譲渡が最初に買取り等の申出のあった日から6か月を経過した日までにされないときであっても5,000万円特別控除の適用があるが、この特例は、仲裁の申請若しくは補償金の支払請求又は農地の転用等の許可申請若しくは届出書の提出が最初に買取り等の申出のあった日から6か月を経過した日までにされなかった場合には適用がないことに留意する。（措通65の2－4）

（補償金の支払請求があった土地の上にある建物等の譲渡期間）

（2） 土地収用法第46条の2第1項の規定により補償金の支払の請求ができる資産は、土地及び土地に関する所有権以外の権利に限られているが、これらの資産につき最初に買取り等の申出のあった日から6か月を経過した日までに補償金の支払の請求があった場合には、これらの資産の上にある建物等の収用換地等による譲渡についても①の表のイの(ロ)に掲げる「補償金の支払の請求があった場合」に準じて取り扱う。（措通65の2－5）

（団体漁業権等の消滅等があった場合の譲渡期間）

（3） 漁業協同組合又は漁業協同組合連合会（以下（3）において「組合等」という。）が有する団体漁業権等又は入漁権（以下（3）において「団体漁業権等」という。）の消滅又は価値の減少（以下（3）において「消滅等」という。）により組合等の組合員が一の1の表の⑦に掲げる補償金又は対価（以下（3）において「補償金等」という。）を取得する場合における①の表のイの適用については、団体漁業権等につき公共事業施行者から組合等に対して最初に買取り等の申出があった日から6か月を経過した日後において当該組合員の組合行使権（漁業法第105条に規定する組合行使権をいい、当該買取り等の申出の対象となった団体漁業権等に係るものに限る。以下（3）において同じ。）の消滅等に伴う補償金等の額が確定した場合であっても、当該公共事業施行者と当該組合等との間で締結された当該団体漁業権等の消滅等に関する契約の効力が最初に買取り等の申出があった日から6か月を経過した日までに生じているときは、当該組合員の組合員行使権の収用換地等による譲渡は、最初に買取り等の申出のあった日から6か月を経過した日までにされているものとして取り扱う。（措通65の2－5の2）

　　注　組合等が有する団体漁業権等の消滅等により、当該組合等の組合員がその組合員行使権の消滅等に伴って取得する補償金等については、当該組合員に対する配分額が確定した日を含む事業年度の益金の額に算入することに留意する。

（許可を要しないこととなった日の意義）

（4） ①の表のイの(ハ)の場合において、農地又は採草放牧地（「農地等」という。以下（4）及び（7）において同じ。）の譲渡につき農地法第5条第1項の規定による許可の申請をした日後に当該許可を要しないこととなったときにおける①の表のイの(ハ)に掲げる「その要しないこととなった日」とは、次の表の左欄に掲げる区分に応じ、それぞれ同

表の右欄に掲げる日によるものとする。(措通65の2－6)

(一)	当該許可前に当該農地等の所在する地域が都市計画法第7条第1項《区域区分》に規定する市街化区域に該当することになったことに伴い農地法第5条第1項第6号の規定による届出をし、当該届出が受理されたこと	当該受理の日
(二)	農地法施行規則第53条第12号《農地又は採草放牧地の転用のための権利移動の制限の例外》に掲げる都道府県以外の地方公共団体、独立行政法人都市再生機構、地方住宅供給公社、土地開発公社、独立行政法人中小企業基盤整備機構又は同規則第29条第14号《農地の転用の制限の例外》の規定により農林水産大臣が指定する法人(以下「指定法人」という。)が当該農地等を買い取る場合において、当該許可前に当該農地等の所在する地域が都市計画法第7条第1項に規定する市街化区域(指定法人にあっては同号に規定する指定計画に係る市街化区域)に該当することとなったこと	当該市街化区域に関する都市計画の決定に係る告示があった日

(関連事業)
(5) 土地収用法第16条《事業の認定》に規定する関連事業は、本体事業から独立した別個の事業ではなく、本体事業に付随する事業として、本体事業とともに①の表のロに掲げる「一の収用換地等に係る事業」に該当することに留意する。(措通65の2－9)

(事業計画の変更等があった場合の一の収用換地等に係る事業の判定)
(6) 一の収用換地等に係る事業が次の表の左欄に掲げる場合に該当する場合において、その事業の施行につき合理的と認められる事情があるときは、右欄に掲げる地域ごとにそれぞれ別個の事業として①の表のロを適用するものとする。(措通65の2－10)

(一)	事業の施行地について計画変更があり、当該変更に伴い拡張された部分の地域について事業を施行する場合	当該変更前の地域と当該変更に伴い拡張された部分の地域
(二)	事業を施行する営業所、事務所その他の事業場が2以上あり、当該事業場ごとに地域を区分して事業を施行する場合	当該区分された地域
(三)	事業が1期工事、2期工事等と地域を区分して計画されており、当該計画に従って当該地域ごとに時期を異にして事業を施行する場合	当該区分された地域

注 (一)の取扱いは、一の収用換地等に係る事業の施行地の変更前において当該変更前の地域にある資産を当該事業のために譲渡した法人が、当該変更後において当該変更に伴い拡張された部分の地域にある資産を当該事業のために譲渡する場合に限って適用があることに留意する。

(一の収用換地等に係る事業につき譲渡した資産のうちに農地等とその他の資産がある場合の譲渡の時期の特例)
(7) 一の収用換地等に係る事業につき譲渡した資産のうちに農地法の規定による転用等の許可を受けなければならない農地等とその他の資産とがあり、これらの資産の収用換地等による譲渡が2以上の年にわたって行われた場合において、その他の資産の収用換地等による譲渡が行われた年にその農地等につき譲渡に関する契約が締結されており、かつ、その年にその農地等の収用換地等による譲渡があったものとして申告したときは、その農地等はその年において収用換地等による譲渡があったものとして取り扱う。(措通65の2－7)

(一の収用換地等に係る事業につき譲渡した資産のうちに権利取得裁決による譲渡資産と明渡裁決による譲渡資産とがある場合の譲渡の時期の特例)
(8) 一の収用換地等に係る事業につき譲渡した資産のうちに土地(土地に関する所有権以外の権利を含む。以下(8)

において同じ。）とその土地の上にある建物等とがあり、その土地の譲渡は権利取得裁決により、その建物等の譲渡は明渡裁決により行われたため、これらの資産の譲渡が２以上の年にわたった場合において、その建物等につき権利取得裁決前に明渡裁決の申立てをしており、かつ、その土地の譲渡があった年にその建物等の譲渡があったものとして申告したときは、その建物等はその年において収用等による譲渡があったものとして取り扱う。（措通65の２－８）

② **適格合併又は適格分割があった場合の買取りの申出を受けた者の地位の引継ぎ**

　１の①の5,000万円特別控除は、次の表のイからハまでの左欄に掲げる場合に該当する場合には、それぞれ右欄に掲げる資産については適用しない。（措法65の２③⑧、措令39の３⑤）

イ	省　略	
ロ	省　略	
ハ	資産の収用換地等による譲渡が当該資産につき最初に買取り等の申出を受けた者以外の法人からされた場合（当該申出を受けた者が法人である場合には、当該法人が当該収用換地等による譲渡をしていない場合に該当し、かつ、次の表に掲げる場合に該当するときを除く。） <table><tr><td>(イ)</td><td>当該法人を被合併法人とする適格合併が行われた場合で当該適格合併により当該資産の移転を受けた合併法人が当該譲渡をした場合</td></tr><tr><td>(ロ)</td><td>当該法人を分割法人とする適格分割が行われた場合で当該適格分割により当該資産の移転を受けた分割承継法人が当該譲渡をした場合</td></tr></table>	当該資産

（最初に買取り等の申出を受けた者以外の法人による譲渡）

　現物出資法人又は現物分配法人が最初に買取り等の申出を受けた場合において、現物出資又は現物分配によりその資産の移転を受けた被現物出資法人又は被現物分配法人が収用換地等による譲渡をしたときは、当該譲渡は、最初に買取り等の申出を受けた者以外の法人による譲渡に該当することから、当該現物出資又は現物分配が適格現物出資又は適格現物分配に該当するかどうかにかかわらず、当該譲渡につき１の①《収用換地等の場合の特別控除》の適用はないことに留意する。（措通65の２－６の２）

　　注　適格合併又は適格分割があった場合の１の①の適用については、②の表のハによるのであるから留意する。

4　特別控除の申告

　１の5,000万円特別控除は、確定申告書等に特別控除により損金の額に算入される金額の損金算入に関する申告《別表十（五）→別表四》の記載及びその損金の額に算入される金額の計算に関する明細書《別表十（五）》の添付があり、かつ、次に掲げる書類を保存している場合に限り、適用する。（措法65の２④⑧、措規22の３③）

①	買取り等の申出証明書	公共事業施行者の買取り等の最初の申出の年月日及び当該申出に係る資産の明細を記載した買取り等の申出があったことを証する書類 　　注　書式は「公共事業用資産の買取り等の申出証明書」による。（編者）
②	買取り等の証明書	公共事業施行者の買取り等の年月日及び当該買取り等に係る資産の明細を記載した買取り等があったことを証する書類並びに当該買取り等につき**3**《特別控除の適用対象とならない譲渡資産》の①の表のイからハまでの左欄に掲げる場合のいずれかに該当する場合には、その旨を証する書類 　　注　書式は「公共事業用資産の買取り等の証明書」による。（編者）
③	収用証明書	買取り等に係る資産の**三**《損金算入の申告及び収用証明書の保存》の表の**1**から**4**の区分に応じそれぞれ同表の**1**から**3**に掲げる書類

（申告の記載等がない場合のゆうじょ規定）

（１）　税務署長は、**4**に掲げる記載若しくは添付がない確定申告書等の提出があった場合又は**4**に掲げる書類の保存がない場合においても、その記載若しくは添付又は保存がなかったことについてやむを得ない事情があると認めるときは、当該記載をした書類及び明細書並びに証明書の提出があった場合に限り、１の5,000万円特別控除を適用することができる。（措法65の２⑤⑧）

(買取り等の申出証明書の発行者)
(2) 公共事業施行者の買取り等の申出に関する事務に従事した者がその公共事業施行者の本店又は主たる事務所以外の営業所、事務所その他の事業場に勤務する者である場合には、保存する**4**の表の①に掲げる「買取り等の申出証明書」は、当該営業所、事務所その他の事業場の長が発行したものによることができるものとする。(措通65の2-12)

(代行買収における証明書の発行者)
(3) **1**の①《収用換地等の場合の特別控除》の適用に当たって、**三**《損金算入の申告及び収用証明書の保存》の表の**1**の(2)から(4の2)まで、(4の5)から(5)まで、(5の12)、(5の13)、(8)又は(11)により、事業の施行者に代わり、事業の施行者以外の者(以下「代行買収者」という。)が資産の買取り等をする場合には、**4**の表の①又は②に掲げる「買取り等の申出証明書」又は「買取り等の証明書」は当該資産の買取り等の申出又は買取り等をした代行買収者が発行するのであるが、**三**の表の**1**の(2)から(4の2)まで、(4の5)から(5)まで、(5の12)、(5の13)、(8)又は(11)に掲げる収用証明書は、これらに掲げる者が発行することに留意する。(措通65の2-13)

(仲裁判断等があった場合の証明書類)
(4) **4**の表の②に掲げる「当該買取り等につき**3**《特別控除の適用対象とならない譲渡資産》の①の表のイからハまでの左欄に掲げる場合のいずれかに該当する場合」の「その旨を証する書類」とは、例えば、次の表の左欄に掲げる場合に応じ、それぞれ同表の右欄に掲げるものをいうのであるが、**4**の表の②に掲げる「公共事業施行者の買取り等の年月日及び当該買取り等に係る資産の明細を記載した買取り等があったことを証する書類」にそれぞれ次の表の(一)から(四)までの右欄の括弧書の日が記載されている場合で、当該書類を保存しているときには、**1**の適用がある。(措通65の2-14)

(一)	土地収用法の規定による仲裁判断があった場合	仲裁判断書の写し(仲裁の申請をした日及び仲裁判断のあった日)
(二)	補償金の支払請求があった場合	収用裁決書の写し(補償金の支払の請求をした日)
(三)	農地法の規定による許可を受けなければならない場合	許可申請書の写し(申請をした日及び許可があった日又は許可を要しなくなった日)
(四)	農地法の規定による届出をする場合	受理通知書の写し(届出書の提出をした日及び受理した日)

(公共事業施行者の買取り等の申出証明書の写しの提出)
(5) 公共事業施行者は、**4**の表の①に掲げる「買取り等の申出証明書」の写しを、その買取り等の申出をした日の属する月の翌月10日までに、その事業の施行に係る営業所、事務所その他の事業場の所在地の所轄税務署長に提出しなければならない。(措法65の2⑥、措規22の3④)

(公共事業施行者の買取り等の対価の支払調書の提出)
(6) 公共事業施行者は、その買取り等の申出に係る資産の買取り等をした場合には、1月から3月まで、4月から6月まで、7月から9月まで及び10月から12月までの各期間に支払うべき当該買取り等に係る対価についての支払に関する調書《所得税法第225条第1項第9号》を、当該各期間に属する最終月の翌月末日までに(5)に掲げる税務署長に提出しなければならない。(措法65の2⑥、措規22の3⑤)

(公共事業用資産の買取り等の申出証明書)
(7) **4**により保存すべき**4**の表の①に掲げる「買取り等の申出証明書」、同表の②に掲げる「買取り等の証明書」及び(5)に掲げる「買取り等の申出証明書の写し」の様式は、昭和47年6月22日付直法2-31「公共事業用資産の買取り等の申出証明書等の様式について」通達に定められている。(編者)

5　特別控除額の特例

法人がその有する資産の譲渡をした場合において、当該譲渡の日の属する年におけるその資産の譲渡(当該年における当該法人との間に第二章第一節の**二**の表の**12の7の6**《完全支配関係》に掲げる完全支配関係〔法人による同**12の7の6**

第三章　第一節　第十六款　**四**《収用換地等の場合の5,000万円控除》

に掲げる完全支配関係に限る。〕がある法人〔以下**5**において「完全支配関係法人」という。〕の有する資産の譲渡を含む。）につき、当該法人及び完全支配関係法人が**四**《収用換地等の場合の所得の特別控除》から**八**《特定の長期所有土地等の所得の特別控除》までの特別控除のうち2以上の特別控除の適用を受け、又は当該法人若しくは完全支配関係法人がそれぞれこれらの特別控除の適用を受け、当該法人及び完全支配法人がこれらの特別控除により損金の額に算入した、又は損金の額に算入する金額を合計した金額（以下**5**において「調整前損金算入額」という。）が5,000万円を超えるときは、これらの特別控除にかかわらず、その超える部分の金額に当該法人がこれらの特別控除により損金の額に算入した、又は損金の額に算入する金額を合計した金額が当該調整前損金算入額のうちに占める割合を乗じて計算した金額は、当該法人の各事業年度の所得の金額の計算上、損金の額に算入しない。（措法65の6）

（損金算入限度額の意義）
（1）　**5**による5,000万円の限度額は、完全支配関係法人グループ（当該法人及び同条に規定する完全支配関係法人（以下「完全支配関係法人」という。）によって構成されたグループをいう。以下同じ。）全体の年を通ずる損金算入限度額であるから、当該法人に完全支配関係法人がある場合における各年に係る損金算入限度額の計算に当たっては、次のことに留意する。（措通65の6-1）

（一）	当該法人の当該年中にした譲渡に係る個別控除適用額（**5**の適用対象となる**1**の①、**1**の②若しくは**1**の③、**五**の**1**、**六**の**1**、**七**の**1**又は**八**の**1**の適用を受けて損金の額に算入した、又は損金の額に算入する金額をいう。以下同じ。）の合計額が5,000万円を超えない場合であっても、当該法人及び完全支配関係法人の当該年中にした譲渡に係るグループ個別控除適用額（完全支配関係法人グループに属している期間中にした譲渡に係る個別控除適用額をいう。以下同じ。）の合計額が5,000万円を超えるときには、その超える部分の金額（以下「グループ超過額」という。）については**5**の適用がある。
（二）	当該法人が当該年中に完全支配関係法人グループに加入し、又は完全支配関係法人グループから離脱した法人である場合、当該法人は、次に掲げる金額の合計額を損金の額に算入することができる。ただし、当該合計額が5,000万円を超える場合には、その超える部分の金額は、当該法人の損金の額に算入しない。 イ　当該法人の当該加入前又は当該離脱後にした譲渡（当該年中にしたものに限る。）に係る個別控除適用額の合計額 ロ　当該法人の当該年中にした譲渡に係るグループ個別控除適用額の合計額から当該合計額のうち**5**により損金不算入とされる金額を除いた金額
（三）	（一）の各特別控除の規定の適用がある譲渡が同一事業年度中に2以上あり、かつ、これらの譲渡が年を異にして行われたときは、各年中にした譲渡に係る個別控除適用額についてそれぞれ**5**の適用がある。

（事業年度を異にする2以上の譲渡があった場合の損金算入額）
（2）　当該法人及び完全支配関係法人の各年のグループ個別控除適用額に係る譲渡が2以上あり、かつ、これらの譲渡の日の属する当該法人及び完全支配関係法人の事業年度終了の日が異なる場合における**5**の適用については、次のことに留意する。（措通65の6-2）

（一）	当該法人及び完全支配関係法人の当該年中にした譲渡に係るグループ個別控除適用額は、先行して終了する当該法人又は完全支配関係法人の事業年度から順次、損金の額に算入し、当該法人及び完全支配関係法人の当該年中にした譲渡に係るグループ個別控除適用額の合計額が5,000万円を超えることとなった場合には、その超えることとなった当該法人又は完全支配関係法人の事業年度（以下「超過事業年度」という。）終了の日以前に終了した各事業年度（当該年中に終了した事業年度に限る。）について、**5**によるグループ超過額のあん分計算を行い、当該法人又は完全支配関係法人に配賦されるグループ超過額は、当該各事業年度の所得の金額の計算上、損金の額に算入しない。この場合において、当該配賦されるグループ超過額が、当該法人又は完全支配関係法人の当該年中にした譲渡に係るグループ個別控除適用額の合計額から当該合計額のうち当該法人又は完全支配関係法人の超過事業年度終了の日前に終了した事業年度（当該年中に終了したものに限る。）において既に損金の額に算入された金額の合計額を控除した金額を超える場合は、当該事業年度に遡って、当該事業年度の当該年中にした譲渡に係るグループ個別控除適用額について損金の額に算入された金額の修正を行う。 　注　超過事業年度終了の日後に終了する当該法人又は完全支配関係法人の事業年度において新たにグループ個別控除適用額が生ずる場合には、再度**5**によるグループ超過額のあん分計算をすることとなる。

第三章 第一節 第十六款 四《収用換地等の場合の5,000万円控除》

(二) (一)の取扱いにかかわらず、当該法人又は完全支配関係法人のうち、超過事業年度終了の日に終了する事業年度の当該年中にした譲渡に係るグループ個別控除適用額がある全ての法人が、当該配賦されるグループ超過額を次の算式により計算して、当該事業年度の所得の金額の計算上、損金の額に算入しないこととしている場合で、完全支配関係法人グループに属する全ての法人が、同日前に終了した事業年度にそのグループ超過額を配賦せず、かつ、同日後に終了する事業年度にした譲渡（当該年中にした譲渡で完全支配関係法人グループに属している期間中にしたものに限る。）について(1)の表の(一)の各特別控除の規定の適用をしない場合には、これを認める。

(算式)

グループ超過額 × $\dfrac{\text{超過事業年度終了の日に終了する当該法人又は完全支配関係法人の事業年度の当該年中にした譲渡に係るグループ個別控除適用額の合計額}}{\text{超過事業年度終了の日に終了する当該法人又は完全支配関係法人の事業年度の当該年中にした譲渡に係るグループ個別控除適用額の合計額と同日に終了する完全支配関係法人グループに属する他の法人の事業年度の当該年中にした譲渡に係るグループ個別控除適用額の合計額と合計した金額}}$

五　特定土地区画整理事業等のために土地等を譲渡した場合の所得の特別控除

1　2,000万円特別控除

　法人（清算中の法人を除く。）の有する土地又は土地の上に存する権利（棚卸資産を除く。以下五において「**土地等**」という。）が次の表の①から⑩までに掲げる場合に該当することとなった場合において、当該法人がそれぞれ同表の①から⑩までに該当することとなった土地等の譲渡により取得した対価の額又は資産（以下1において「**交換取得資産**」という。）の価額（当該譲渡により取得した交換取得資産の価額がその譲渡した土地等の価額を超える場合において、その差額に相当する金額を当該譲渡に際して支出したときは、当該差額に相当する金額を控除した金額）が、当該譲渡した土地等の譲渡直前の帳簿価額と当該譲渡した土地等の譲渡に要した経費で当該対価又は交換取得資産に係るものとして(2)《譲渡に要した経費の額の計算》により計算した金額との合計額を超え、かつ、当該法人が当該事業年度のうち同一の年に属する期間中にその該当することとなった土地等のいずれについても第十五款の**七**《特定の資産の買換えの場合等の課税の特例》、同款の**九**《特定普通財産とその隣接する土地等の交換の場合の課税の特例》の適用を受けないときは、その超える部分の金額《譲渡益》と2,000万円（当該譲渡の日の属する年における譲渡により取得した対価の額又は交換取得資産の価額につき、この特例により損金の額に算入した、又は損金の額に算入する金額があるときは、当該金額を控除した金額）とのいずれか低い金額を当該譲渡の日を含む事業年度の所得の金額の計算上、損金の額に算入する。（措法65の3①）

①	国、地方公共団体、独立行政法人都市再生機構又は地方住宅供給公社が土地区画整理法による土地区画整理事業、大都市地域住宅等供給促進法による住宅街区整備事業、都市再開発法による第一種市街地再開発事業又は密集市街地における防災街区の整備の促進に関する法律による防災街区整備事業として行う公共施設の整備改善、宅地の造成、共同住宅の建設又は建築物及び建築敷地の整備に関する事業の用に供するためこれらの者（地方公共団体が財産を提供して設立した団体〔当該地方公共団体とともに国、地方公共団体及び独立行政法人都市再生機構以外の者が財産を提供して設立した団体を除く。〕で、都市計画その他市街地の整備の計画に従って宅地の造成を行うことを主たる目的とするものを含む。）に買い取られる場合（**一**の1《収用等のあった事業年度において取得した代替資産の圧縮記帳》の表の③の4から③の6までの適用がある場合を除く。）（措令39の4②）
②	都市再開発法による第一種市街地再開発事業の都市計画法第56条第1項《土地の買取り》に規定する事業予定地内の土地等が、同項の規定に基づいて、当該第一種市街地再開発事業を行う都市再開発法第11条第2項《認可》の認可を受けて設立された市街地再開発組合に買い取られる場合
③	密集市街地における防災街区の整備の促進に関する法律による防災街区整備事業の都市計画法第56条第1項に規定する事業予定地内の土地等が、同項の規定に基づいて、当該防災街区整備事業を行う密集市街地における防災街区の整備の促進に関する法律第136条第2項《設立の認可》の認可を受けて設立された防災街区整備事業組合に買い取られる場合
④	古都における歴史的風土の保存に関する特別措置法第12条第1項、都市緑地法第17条第1項若しくは第3項《土地の買入れ》、特定空港周辺航空機騒音対策特別措置法第8条第1項《土地の買入れ》、航空法第49条第4項《物件の制限等》（同法第55条の2第3項《国土交通大臣の行う空港等又は航空保安施設の設置又は管理》において準用する場合を含む。）、防衛施設周辺の生活環境の整備等に関する法律第5条第2項《移転の補償等》又は公共用飛行場周辺における航空機騒音による障害の防止等に関する法律第9条第2項《移転の補償等》その他政令で定める法律の規定により買い取られる場合 　注　上記の政令は、令和6年7月1日現在制定されていない。（編者）
⑤	古都における歴史的風土の保存に関する特別措置法第13条第1項に規定する対象土地が同条第4項の規定により同項の都市緑化支援機構に買い取られる場合（(3)に掲げる要件を満たす場合に限る。）
⑥	都市緑地法第17条の2第1項に規定する対象土地が同条第4項の規定により同項の都市緑化支援機構に買い取られる場合（(3)に掲げる要件を満たす場合に限る。）
⑦	文化財保護法第27条第1項《指定》の規定により重要文化財として指定された土地、同法第109条第1項《指定》の規定により史跡、名勝若しくは天然記念物として指定された土地、自然公園法第20条第1項《特別地域》の規定により特別地域として指定された区域内の土地又は自然環境保全法第25条第1項《特別地区》の規定により特別地区として指定された区域内の土地が国又は地方公共団体（地方公共団体が財産を提供して設立した団体〔当該地方公共団体とともに国、地方公共団体及び独立行政法人都市再生機構以外の者が財産を提供して設立した団体を除く。〕で、都市計画その他市街地の整備の計画に従って宅地の造成を行うことを主たる目的とするものを含む。）に買い取られる場合（当該重要文化財として指定された土地又は当該史跡、名勝若しくは天然記念物として指定された土地が独立行政法人国立文化財機構、独立行政法人国立科学博物館、地方独立行政法人〔地方独立行政法人法施行令第

第三章　第一節　第十六款　**五**《特定土地区画整理事業等の場合の2,000万円控除》

6条第3号《公共的な施設の範囲》に掲げる博物館又は植物園のうち博物館法第2条《定義》第2項に規定する公立博物館又は同法第31条第2項に規定する指定施設に該当するものに係る地方独立行政法人法第21条第6号《業務の範囲》に掲げる業務を主たる目的とするものに限る。〕又は文化財保護法第192条の2第1項《文化財保存活用支援団体の指定》に規定する文化財保存活用支援団体に買い取られる場合〔当該文化財保存活用支援団体に買い取られる場合には、当該文化財保存活用支援団体（以下**五**において「**支援団体**」という。）が次の表に掲げる要件を満たす場合に限る。〕を含むものとし、**一**の**1**《収用等のあった事業年度において取得した代替資産の圧縮記帳》の表の②の適用がある場合を除く。）（措令39の4②⑤）

(一)	支援団体が公益社団法人（その社員総会における議決権の総数の$\frac{1}{2}$以上の数が地方公共団体により保有されているものに限る。⑩において同じ。）又は公益財団法人（その設立当初において拠出をされた金額の$\frac{1}{2}$以上の金額が地方公共団体により拠出をされているものに限る。⑩において同じ。）であり、かつ、その定款において、当該支援団体が解散した場合にその残余財産が地方公共団体又は当該支援団体と類似の目的をもつ他の公益を目的とする事業を行う法人に帰属する旨の定めがあること。
(二)	支援団体と地方公共団体との間で、その買い取った土地（⑦に掲げる重要文化財として指定された土地又は同⑤に掲げる史跡、名勝若しくは天然記念物として指定された土地をいう。以下⑦において同じ。）の売買の予約又はその買い取った土地の第三者への転売を停止条件とする停止条件付売買契約の締結をし、その旨の仮登記を行うこと。
(三)	その買い取った土地が、文化財保護法第192条の2第1項の規定により支援団体の指定をした同項の市町村の教育委員会が置かれている当該市町村の区域内にある土地であること。
(四)	文化財保護法第183条の5第1項《文化財の登録の提案》に規定する認定文化財保存活用地域計画に記載された土地の保存及び活用に関する事業（地方公共団体の管理の下に行われるものに限る。）の用に供するためにその土地が買い取られるものであること。

⑧	森林法第25条《指定》若しくは第25条の2の規定により保安林として指定された区域内の土地又は同法第41条《指定》の規定により指定された保安施設地区内の土地が同条第3項に規定する保安施設事業のために国又は地方公共団体に買い取られる場合
⑨	防災のための集団移転促進事業に係る国の財政上の特別措置等に関する法律第3条第1項《集団移転促進事業計画の策定等》の同意を得た同項に規定する集団移転促進事業計画において定められた同法第2条第1項《定義》に規定する移転促進区域内にある同法第3条第2項第6号に規定する農地等が当該集団移転促進事業計画に基づき地方公共団体に買い取られる場合（**一**の**1**《収用等のあった事業年度において取得した代替資産の圧縮記帳》の表の②の適用がある場合を除く。）
⑩	農業経営基盤強化促進法第4条第1項第1号に規定する農用地で同法第22条の4第1項に規定する区域内にあるものが、同条第2項の申出に基づき、同項の農地中間管理機構に買い取られる場合（当該農地中間管理機構が公益社団法人又は公益社団法人であり、かつ、その定款において、当該農地中間管理機構が解散した場合にその財余財産が地方公共団体又は当該農地中間管理機構と類似の目的をもつ他の公益を目的とする事業を行う法人に帰属する旨のある場合に限る。）（措令39の4⑥）

注1　──線部分（上表の④に係る部分に限る。）は、令和6年度改正により改正された部分で、改正規定は、法人の有する土地等が都市緑地法等の一部を改正する法律（令和6年法律第40号）の施行の日以後に買い取られる場合について適用され、法人の有する土地等が同日前に買い取られた場合については、「第12条第1項」とあるのは「第11条第1項」と、「買い取られる場合」とあるのは「買い取られる場合（都市緑地法第17条第3項の規定により買い取られる場合には、(4)に掲げる場合に限る。）」とする。（令6改法附51、1Xロ）

　　なお、同法の施行期日を定める政令は、令和6年7月1日現在制定されていない。（編者）

注2　──線部分（上表の⑤及び⑥に係る部分に限る。）は、令和6年度改正により追加された部分で、改正規定は、都市緑地法等の一部を改正する法律（令和6年法律第40号）の施行の日以後に開始する事業年度について適用される。（令6改法附38、1Xロ、令6改措令附1Ⅵ）

　　なお、同法の施行期日を定める政令は、令和6年7月1日現在制定されていない。（編者）

注3　──線部分（上表の⑦及び⑩に係る部分に限る。）は、令和6年度改正により改正された部分で、改正規定は、都市緑地法等の一部を改正する法律（令和6年法律第40号）の施行の日以後に開始する事業年度について適用され、同日前に開始した事業年度については、上表の⑦及び⑩は次による。（令6改法附38、1Xロ、令6改措令附1Ⅵ）

　　なお、同法の施行期日を定める政令は、令和6年7月1日現在制定されていない。（編者）

旧⑦	文化財保護法第27条第1項《指定》の規定により重要文化財として指定された土地、同法第109条第1項《指定》の規定により史跡、名勝若しくは天然記念物として指定された土地、自然公園法第20条第1項《特別地域》の規定により特別地域として指定された区域内の土地又は自然環境保全法第25条第1項《特別地区》の規定により特別地区として指定された区域内の土地が国又は地方公共団体（地方

公共団体が財産を提供して設立した団体〔当該地方公共団体とともに国、地方公共団体及び独立行政法人都市再生機構以外の者が財産を提供して設立した団体を除く。〕で、都市計画その他市街地の整備の計画に従って宅地の造成を行うことを主たる目的とするものを含む。）に買い取られる場合（当該重要文化財として指定された土地又は当該史跡、名勝若しくは天然記念物として指定された土地が独立行政法人国立文化財機構、独立行政法人国立科学博物館、地方独立行政法人〔地方独立行政法人法施行令第6条第3号《公共的な施設の範囲》に掲げる博物館又は植物園のうち博物館法第2条《定義》第2項に規定する公立博物館又は同法第31条第2項に規定する指定施設に該当するものに係る地方独立行政法人法第21条第6号《業務の範囲》に掲げる業務を主たる目的とするものに限る。〕又は文化財保護法第192条の2第1項《文化財保存活用支援団体の指定》に規定する文化財保存活用支援団体〔公益社団法人〈その社員総会における議決権の総数$\frac{1}{2}$以上の数が地方公共団体により保有されているものに限る。旧⑦及び旧⑩において同じ。〉又は公益財団法人〈その設立当初において拠出された金額の$\frac{1}{2}$以上の金額が地方公共団体により拠出されているものに限る。旧⑦及び旧⑩において同じ。〉であって、その定款において、その法人が解散した場合にその残余財産が地方公共団体又は当該法人と類似の目的をもつ他の公益を目的とする事業を行う法人に帰属する旨の定めがあるもの〔以下五において「**支援団体**」という。〕ものに限る。以下旧⑦において同じ。〕に買い取られる場合〔当該文化財保存活用支援団体に買い取られる場合には、次の表に掲げる要件を満たす場合に限る。〕を含むものとし、一の1《収用等のあった事業年度において取得した代替資産の圧縮記帳》の表の②の適用がある場合を除く。）（措令39の4旧④）

(一)	当該支援団体と地方公共団体との間で、その買い取った土地（旧⑦に掲げる重要文化財として指定された土地又は同旧⑦に掲げる史跡、名勝若しくは天然記念物として指定された土地をいう。以下旧⑦において同じ。）の売買の予約又はその買い取った土地の第三者への転売を禁止する条項を含む協定に対する違反を停止条件とする停止条件付売買契約のいずれかを締結し、その旨の仮登記を行うこと。
(二)	その買い取った土地が、文化財保護法第192条の2第1項の規定により当該支援団体の指定をした同項の市町村の教育委員会が置かれている当該市町村の区域内にある土地であること。
(三)	文化財保護法第183条の5第1項《文化財の登録の提案》に規定する認定文化財保存活用地域計画に記載された土地の保存及び活用に関する事業（地方公共団体の管理の下に行われるものに限る。）の用に供するためにその土地が買い取られるものであること。

旧⑩	農業経営基盤強化促進法第4条第1項第1号に規定する農用地で同法第22条の4第1項に規定する区域内にあるものが、同条第2項の申出に基づき、同項の農地中間管理機構（公益社団法人又は公益財団法人であって、その定款において、その法人が解散した場合にその残余財産が地方公共団体又は当該法人と類似の目的をもつ他の公益を目的とする事業を行う法人に帰属する旨の定めがあるものに限る。）に買い取られる場合（措令39の4旧⑤）

(2,000万円特別控除の不適用)

（1） 法人の有する土地等につき、一の事業で**1**の表の①から⑩までの買取りに係るものの用に供するために、同表の①から⑩までの買取りが次の表の(一)から(四)までに掲げる法人に該当する法人から行われた場合には、同表の(一)から(四)までに掲げる買取りについては、**1**は、適用しない。（措法65の3③）

(一)	適格合併に係る被合併法人	当該適格合併により合併法人が当該事業に係る資産の移転を受けた場合において当該移転を受けた資産について行われる買取り
(二)	適格分割に係る分割法人	当該適格分割により分割承継法人が当該事業に係る資産の移転を受けた場合において当該移転を受けた資産について行われる買取り
(三)	適格現物出資に係る現物出資法人	当該適格現物出資により被現物出資法人が当該事業に係る資産の移転を受けた場合において当該移転を受けた資産について行われる買取り
(四)	適格現物分配に係る現物分配法人	当該適格現物分配により被現物分配法人が当該事業に係る資産の移転を受けた場合において当該移転を受けた資産について行われる買取り

（譲渡に要した経費の額の計算）

（2） **1**に掲げる「譲渡した土地等の譲渡に要した経費で当該対価又は交換取得資産に係るものとして計算した金額」は、譲渡をした土地等の譲渡に要した経費の金額の合計額が、当該譲渡に際し譲渡に要する経費に充てるべきものとして交付を受けた金額の合計額を超える場合におけるその超える部分の金額のうち、当該譲渡をした土地等に係る部分の金額（その超える部分の金額を当該譲渡に要した経費の金額に按分して計算した金額）とする。（措法65の3⑧、措令39の4①、措規22の4③）

（都市緑化支援機構に買い取られる場合の要件）

（3） **1**の表の⑤及び⑥に掲げる要件は、次に掲げる要件とする。（措令39の4③④）

(一)	**1**の表の⑤及び⑥に掲げる都市緑化支援機構（以下(3)において「支援機構」という。）が公益社団法人又は

第三章　第一節　第十六款　五《特定土地区画整理事業等の場合の2,000万円控除》

	公益財団法人であり、かつ、その定款において、当該支援機構が解散した場合にその残余財産が地方公共団体又は当該支援機構と類似の目的をもつ他の公益を目的とする事業を行う法人に帰属する旨の定めがあること。
(二)	支援機構と地方公共団体との間で、その買い取った対象土地（1の表の⑤及び⑥に掲げる対象土地をいう。以下(二)において同じ。）の売買の予約又はその買い取った対象土地の第三者への転売を停止条件とする停止条件付売買契約の締結をし、その旨の仮登記を行うこと。

　注　(3)は、令和6年度改正により追加されたもので、改正規定は、都市緑地法等の一部を改正する法律（令和6年法律第40号）の施行の日から適用される。（令6改措令附1Ⅵ）
　　　なお、同法の施行期日を定める政令は、令和6年7月1日現在制定されていない。（編者）

（都市緑地法第17条第3項の規定により買い取られる場合の要件）
(4)　1の表の④に掲げる都市緑地法第17条第3項の規定により買い取られる場合で、1の2,000万円特別控除の適用があるのは、土地等が、都市緑地法第17条第3項の規定により、都道府県、町村又は同条第2項に規定する緑地保全・緑化推進法人（公益社団法人〔その社員総会における議決権の総数の$\frac{1}{2}$以上の数が地方公共団体により保有されているものに限る。〕又は公益財団法人〔その設立当初において拠出をされた金額の$\frac{1}{2}$以上の金額が地方公共団体により拠出をされているものに限る。〕であって、その定款において、その法人が解散した場合にその残余財産が地方公共団体又は当該法人と類似の目的をもつ他の公益を目的とする事業を行う法人に帰属する旨の定めがあるものに限る。以下(4)において「推進法人」という。）に買い取られる場合（推進法人に買い取られる場合にあっては、次に掲げる要件を満たす場合に限る。）とする。（措法65の3旧①、措令39の4旧③）

(一)	当該推進法人と地方公共団体との間で、その買い取った土地等の売買の予約又はその買い取った土地等の第三者への転売を禁止する条項を含む協定に対する違反を停止条件とする停止条件付売買契約のいずれかを締結し、その旨の仮登記を行うこと。
(二)	その買い取った土地等が、当該推進法人に係る都市緑地法第69条第1項の指定をした市町村長の当該市町村の区域内に存する同法第12条第1項に規定する特別緑地保全地区内の土地等であること。
(三)	当該推進法人が、地方公共団体の管理の下に、当該土地等の買取りを行い、かつ、その買い取った土地等の保全を行うと認められるものであること。

　注　(4)は、令和6年度改正により廃止されているが、都市緑地法等の一部を改正する法律（令和6年法律第40号）の施行の日前については、なおその適用がある。（令6改措令附1Ⅵ）
　　　なお、同法の施行期日を定める政令は、令和6年7月1日現在制定されていない。（編者）

（特定土地区画整理事業の施行者とその買取りをする者との関係）
(5)　1の表の①に掲げる事業の施行者が、国、地方公共団体、独立行政法人都市再生機構又は地方住宅供給公社であり、かつ、当該事業の用に供される土地等の買取りをする者がこれらの者（地方公共団体が財産を提供して設立した団体〔当該地方公共団体とともに国、地方公共団体及び独立行政法人都市再生機構以外の者が財産を提供して設立した団体を除く。〕で、都市計画その他市街地の整備の計画に従って宅地の造成を行うことを主たる目的とするものを含む。）である場合には、当該事業の施行者と当該買取りをする者が異なっても、同表の①の適用があることに留意する。（措通65の3－1）

（宅地の造成を主たる目的とするものかどうかの判定）
(6)　地方公共団体が財産を提供して設立した団体（当該地方公共団体とともに国、地方公共団体及び独立行政法人都市再生機構以外の者が財産を提供して設立した団体を除く。）が1の表の①又は⑦に掲げる都市計画その他市街地の整備の計画に従って宅地の造成を行うことを主たる目的とするものに該当するかどうかは、当該宅地の造成を行うことがその団体の定款に定められている目的及び業務の範囲内であるかどうかにより判定する。この場合において、当該宅地の造成を行うことがその団体の主たる業務に附帯する業務にすぎないときは、その団体は同表の①又は⑦に掲げる団体に該当しないことに留意する。（措通65の3－1の2）

（代行買収の要件）
(7)　1の表の①に掲げる事業の施行者と土地等の買取りをする者が異なる場合におけるその買い取った土地等が当該事業の用に供するため買い取った土地等に該当するかどうかは、次に掲げる要件の全てを満たしているかどうかによ

(一) 買取りをした土地等に相当する換地処分又は権利変換後の交換取得資産（二の**1**《換地処分等により交換取得した資産の圧縮記帳》に掲げる交換取得資産をいう。）は、最終的に**1**の表の①に掲げる事業の施行者に帰属するものであること。

(二) 当該土地等の買取契約書には、当該土地等の買取りをする者が**1**の表の①に掲げる事業の施行者が行う当該事業の用に供するために買取りをするものである旨が明記されているものであること。

(三) (一)の事項については、当該事業の施行者と当該土地等の買取りをする者との間の契約書又は覚書により相互に明確に確認されているものであること。

(年を異にする2以上の買取りが行われた場合)

(8) 法人の有する土地等につき、一の事業で**1**の表の①から⑩までに掲げる買取りに係るものの用に供するために、同表の①から⑩までに掲げる買取りが2以上行われた場合において、これらの買取りが2以上の年にわたって行われたときは、これらの買取りのうち、最初に同表の①から⑩までに掲げる買取りが行われた年において行われたもの以外の買取りについては、**1**の2,000万円特別控除は、適用しない。（措法65の3②）

(事業計画の変更等があった場合の一の特定土地区画整理事業等の判定)

(9) 一の特定土地区画整理事業等について事業計画等の変更等があった場合の一の事業の判定については、**四**の**3**の①の(6)《事業計画の変更等があった場合の一の収用換地等に係る事業の判定》に準じて取り扱うものとする。（措通65の3-3・65の2-10参照）

(特別控除の適用上の留意事項)

(10) **1**の2,000万円特別控除の適用に当たっては、次の点に留意する。（編者）

(一) **1**の表の①から⑩までに該当して土地等を譲渡した場合には、各事業年度ごとに、かつ、年の異なるごとに、2,000万円特別控除又は圧縮記帳（第十五款の**七**及び同款の**九**）のいずれかを選択適用することができる。

(二) **1**の2,000万円特別控除による特別控除額は、同一の年を通じて2,000万円が限度となる。したがって、譲渡益が2,000万円を超えるときは、その超える部分については通常の課税が行われる。

(特別控除額と留保金額等との関係)

(11) **1**の2,000万円特別控除により損金の額に算入された特別控除額は、第二節第一款の**二**《特定同族会社の特別税率》の**2**《各事業年度の留保金額》及び同**二**の**3**《留保控除額》に掲げる所得等の金額に含まれるものとする。（措法65の3⑦）

(特別控除額と利益積立金額との関係)

(12) **1**の2,000万円特別控除の適用を受けた法人の利益積立金額の計算については、**1**の特別控除により損金の額に算入される金額は、第二章第一節の**二**の表の**18**《利益積立金額》の加算欄の①の**イ**に掲げる所得の金額に含まれるものとする。（措法65の3⑧、措令39の4⑦）

2 特別控除の申告

1の2,000万円特別控除は、確定申告書等に特別控除により損金の額に算入される金額の損金算入に関する申告《別表十（五）→別表四》の記載及びその損金の額に算入される金額の計算に関する明細書《別表十（五）》の添付があり、かつ、**1**の表の①から⑩までの買取りをする者から交付を受けた次の表の①から⑩までに掲げる場合の区分に応じそれぞれ同表の①から⑩までに掲げる証明書類を保存している場合に限り、適用する。（措法65の3④、措規22の4①）

①	**1**の表の①の場合	**1**の表の①の事業の施行者の土地等を買い取った旨を証する書類（当該事業の施行者に代わり、同表の①に掲げる法人で当該施行者でないものが同表の①に掲げる買取りをする場合には、当該事業の施行者の当該証する書類で当該買取りをする者の名称及び所在地の記載があるもの）及び次の表の左欄に掲げる場合の区分に応じそれぞれ右欄に掲げる書類		
		イ	土地等が土地区画整理法による土地区画整理事業として行う公共施設の整備改善又は宅地の造成に関する事業の用	国土交通大臣（当該事業の施行者が市町村である場合及び市のみが設立した地方住宅供給公社である場合には、都道府県知事。ロにおいて同じ。）の当該土地等が

第三章　第一節　第十六款　五《特定土地区画整理事業等の場合の2,000万円控除》

			に供するために買い取られる場合	土地区画整理法第2条第8項《定義》に規定する施行区域内の土地等であるか又は当該事業の施行される区域の面積が30ヘクタール以上（当該事業の施行が大都市地域住宅等供給促進法第4条第1項第2号《住宅市街地の開発整備の方針》の地区内で行われる場合にあっては、15ヘクタール以上）であり、かつ、当該土地等が当該事業の施行者により当該事業の用に供されることが確実であると認められる旨を証する書類
		ロ	土地等が大都市地域住宅等供給促進法による住宅街区整備事業、都市再開発法による第一種市街地再開発事業又は密集市街地における防災街区の整備の促進に関する法律による防災街区整備事業として行う公共施設の整備改善、共同住宅の建設又は建築物及び建築敷地の整備に関する事業の用に供するために買い取られる場合	国土交通大臣の当該土地等が大都市地域住宅等供給促進法第28条第3号《定義》に規定する施行区域内の土地等、都市再開発法第6条第1項《都市計画事業として施行する市街地開発事業》に規定する施行区域内若しくは都市計画法第4条第1項《定義》に規定する都市計画に都市再開発法第2条の3第1項第2号《都市再開発方針》に掲げる地区若しくは同条第2項に規定する地区として定められた地区内の土地等又は密集市街地における防災街区の整備の促進に関する法律第117条第3号に規定する施行区域内若しくは都市計画に同法第3条第1項第1号に掲げる地区として定められた地区内の土地等であり、かつ、当該土地等が当該事業の施行者により当該事業の用に供されることが確実であると認められる旨を証する書類
②	1の表の②及び③の場合		都市計画法第55条第1項《許可の基準の特例等》に規定する都道府県知事等の当該土地等につき同項本文の規定により同法第53条第1項《建築の許可》の許可をしなかった旨を証する書類及びその買取りをする者の当該土地等を同法第56条第1項《土地の買取り》の規定により買い取った旨を証する書類	
③	1の表の④の場合		次の表の左欄に掲げる場合の区分に応じそれぞれ右欄に掲げる書類	
		イ	土地等が古都における歴史的風土の保存に関する特別措置法第12条第1項の規定により買い取られる場合	府県知事（地方自治法第252条の19第1項《指定都市の権能》の指定都市にあっては、当該指定都市の長）の当該土地等を古都における歴史的風土の保存に関する特別措置法第12条第1項の規定により買い取った旨を証する書類
		ロ	土地等が都市緑地法第17条第1項又は第3項の規定により買い取られる場合	地方公共団体の長の当該土地等をこれらの規定により買い取った旨を証する書類
		ハ	土地が特定空港周辺航空機騒音対策特別措置法第8条第1項《土地の買入れ》の規定により買い取られる場合	特定空港周辺航空機騒音対策特別措置法第8条第1項に規定する特定空港の設置者の当該土地を同項の規定により買い取った旨を証する書類
		ニ	土地等が航空法第49条第4項《物件の制限等》（同法第55条の2第3項《国土交通大臣の行う空港等又は航空保安施設の設置又は管理》において準用する場合を含む。ニにおいて同じ。）の規定により買い取られる場合	航空法第49条第4項に規定する空港の設置者の当該土地等を同項の規定により買い取った旨を証する書類
		ホ	土地等が防衛施設周辺の生活環境の整備等に関する法律第5条第2項《移転等の補償》の規定により買い取られる場合	当該土地等の所在する地域を管轄する地方防衛局長（当該土地等の所在する地域が東海防衛支局の管轄区域内である場合には、東海防衛支局長）の当該土地等を防衛施設周辺の生活環境の整備等に関する法律第5条第2項の規定により買い取った旨を証する書類

第三章　第一節　第十六款　五《特定土地区画整理事業等の場合の2,000万円控除》

			土地等が公共用飛行場周辺における航空機騒音による障害の防止等に関する法律第9条第2項《移転等の補償》の規定により買い取られる場合	公共用飛行場周辺における航空機騒音による障害の防止等に関する法律第9条第2項に規定する特定飛行場の設置者の当該土地等を同項の規定により買い取った旨を証する書類
④	1の表の⑤の場合		1の表の⑤の都市緑化支援機構に対する古都における歴史的風土の保存に関する特別措置法第13条第1項の規定による要請（以下④において「買取要請」という。）をした府県の知事又は買取要請をした地方自治法第252条の19第1項の指定都市の長の当該都市緑化支援機構が1の表の⑤に掲げる対象土地を古都における歴史的風土の保存に関する特別措置法第13条第4項の規定により買い取った旨及び当該対象土地が当該都市緑化支援機構に買い取られる場合が1の（3）《都市緑化支援機構に買い取られる場合の要件》に掲げる要件を満たすものであることを証する書類	
⑤	1の表の⑥の場合		1の表の⑥の都市緑化支援機構に対する都市緑地法第17条の2第1項の規定による要請（以下⑤において「買取要請」という。）をした都道府県の知事又は買取要請をした市の長の当該都市緑化支援機構が1の表の⑥に掲げる対象土地を都市緑地法第17条の2第4項の規定により買い取った旨及び当該対象土地が当該都市緑化支援機構に買い取られる場合が1の（3）《都市緑化支援機構に買い取られる場合の要件》に掲げる要件を満たすものであることを証する書類	
⑥	1の表の⑦の場合	\multicolumn{3}{l}{次の表の左欄に掲げる場合の区分に応じそれぞれ同表の右欄に掲げる書類}
		イ	1の表の⑦の（二）に掲げる土地が支援団体（同⑦に掲げる支援団体をいう。イにおいて同じ。）に買い取られる場合	文化財保護法第192条の2第1項の規定により当該支援団体の指定をした同項の市町村の教育委員会が置かれている当該市町村長の当該土地が当該支援団体に買い取られる場合が1の表の⑦の（一）から（四）に掲げる要件を満たすものであることを証する書類
		ロ	イに掲げる場合以外の場合	1の表の⑦に掲げる土地の買取りをする者の当該土地を買い取った旨を証する書類
⑦	1の表の⑧の場合		農林水産大臣又は都道府県知事の当該土地が1の表の⑧に掲げる保安林又は保安施設地区として指定された区域内の土地である旨を証する書類及び当該土地の買取りをする者の当該土地を同表の⑧に掲げる保安施設事業の用に供するために買い取った旨を証する書類	
⑧	1の表の⑨の場合		地方公共団体の長の1の表の⑨に掲げる農地等が同表の⑨に掲げる移転促進区域内に所在すること及び当該農地等を同表の⑨に掲げる集団移転促進事業計画に基づき買い取った旨を証する書類	
⑨	1の表の⑩の場合		市町村長の当該土地等が1の表の⑩に掲げる区域内にある同表の⑩に掲げる農用地である旨を証する書類、同表の⑩の農地中間管理機構の当該土地等を同表の⑩の申出に基づき買い取った旨を証する書類及び都道府県知事の当該土地等が当該農地中間管理機構に買い取られる場合が同表の⑩に掲げる要件を満たすものであることを証する書類	

注1　──線部分（上表の③のイに係る部分に限る。）は、令和6年度改正により改正された部分で、改正規定は、都市緑地法等の一部を改正する法律（令和6年法律第40号）の施行の日から適用され、同日前の適用については、「第12条第1項」とあるのは「第11条第1項」とする。（令6改措規附1Ⅴ）

　なお、同法の施行期日を定める政令は、令和6年7月1日現在制定されていない。（編者）

注2　──線部分（上表の③のロに係る部分に限る。）は、令和6年度改正により改正された部分で、改正規定は、都市緑地法等の一部を改正する法律（令和6年法律第40号）の施行の日から適用され、同日前の適用については、上表の③のロは次による。（令6改措規附1Ⅴ）

　なお、同法の施行期日を定める政令は、令和6年7月1日現在制定されていない。（編者）

		\multicolumn{3}{l}{次に掲げる場合の区分に応じそれぞれ次に定める書類}
旧ロ	土地等が都市緑地法第17条第1項又は第3項の規定により買い取られる場合	（イ）	当該土地等が地方公共団体に買い取られる場合	当該地方公共団体の長の当該土地等を都市緑地法第17条第1項又は第3項の規定により買い取った旨を証する書類
		（ロ）	当該土地等が1の（4）《都市緑地法第17条第3項の規定により買い取られる場合の要件》に掲げる推進法人に買い取られる場合	都市緑地法第17条第2項の規定に基づき当該推進法人を当該土地等の買取りをする者として定めた地方公共団体の長の当該推進法人が当該土地等を同条第3項の規定により買い取った旨、当該土地等の買取りをする者が当該推進法人に該当する旨及び当該土地等の買取りが同（4）の表の（一）から（三）ま

第三章　第一節　第十六款　五《特定土地区画整理事業等の場合の2,000万円控除》

		でに掲げる要件を満たすものである旨を証する書類

注3　──線部分（上表の④及び⑤に係る部分に限る。）は、令和6年度改正により追加された部分で、改正規定は、都市緑地法等の一部を改正する法律（令和6年法律第40号）の施行の日から適用される。（令6改措規附1Ⅴ）
　　なお、同法の施行期日を定める政令は、令和6年7月1日現在制定されていない。（編者）

注4　──線部分（上表の⑥のイに係る部分に限る。）は、令和6年度改正により改正された部分で、改正規定は、都市緑地法等の一部を改正する法律（令和6年法律第40号）の施行の日から適用され、同日前の適用については、上表の⑥のイは次による。（令6改措規附1Ⅴ）
　　なお、同法の施行期日を定める政令は、令和6年7月1日現在制定されていない。（編者）

旧イ	1の注3の旧⑦の（一）に掲げる土地が支援団体（同旧⑦に掲げる支援団体をいう。旧イにおいて同じ。）に買い取られる場合	文化財保護法第192条の2第1項の規定により当該支援団体の指定をした同項の市町村の教育委員会が置かれている当該市町村の長の当該土地の買取りをする者が当該支援団体に該当する旨及び当該土地の買取りが1の注3の旧⑦の（一）から（三）に掲げる要件を満たすものである旨を証する書類

注5　──線部分（上表の⑨に係る部分に限る。）は、令和6年度改正により改正された部分で、改正規定は、都市緑地法等の一部を改正する法律（令和6年法律第40号）の施行の日から適用され、同日前の適用については、上表の⑨は次による。（令6改措規附1Ⅴ）
　　なお、同法の施行期日を定める政令は、令和6年7月1日現在制定されていない。（編者）

旧⑨	市町村長の当該土地等が1の注3の旧⑩に掲げる区域内にある同旧⑩に掲げる農用地である旨を証する書類、当該土地等の買取りをする者の当該土地等を同旧⑩の申出に基づき買い取った旨を証する書類及び都道府県知事の当該土地等の買取りをする者が同旧⑩に掲げる農地中間管理機構に該当する旨を証する書類

　　　　（申告の記載等がない場合のゆうじょ規定）
（1）　税務署長は、2に掲げる記載若しくは添付がない確定申告書等の提出があった場合又は2に掲げる書類の保存がない場合においても、その記載若しくは添付又は保存がなかったことについてやむを得ない事情があると認めるときは、当該記載をした書類及び明細書並びに証明書類の提出があった場合に限り、1の2,000万円特別控除を適用することができる。（措法65の3⑤）

　　　　（買取りをする者の支払調書の提出）
（2）　1の表の①から⑩までの買取りをする者は、土地等の買取りをした場合には、1月から3月まで、4月から6月まで、7月から9月まで及び10月から12月までの各期間に支払うべき当該買取りに係る対価についての支払に関する調書《所得税法第225条第1項第9号》を、当該各期間に属する最終月の翌月末日までに、その事業の施行に係る営業所、事業所その他の事業場の所在地の所轄税務署長に提出しなければならない。（措法65の3⑥、措規22の4②、22の3⑤）

　　　　（特定土地区画整理事業等の証明書の保存）
（3）　1は、原則としてその適用を受けようとする資産について2の表の①から⑨までに掲げる書類を保存している場合に限りその適用があるのであるが、この場合の保存すべき書類の内容は、その適用を受けようとする規定に対応する昭和46年8月26日付直資4－5ほか2課共同「租税特別措置法（山林所得・譲渡所得関係）の取扱いについて」（法令解釈通達）34－5に係る別表3の区分に応じ同表に準ずる。（措通65の3－4）

3　特別控除額の特例

　法人がその有する資産の譲渡をした場合において、当該譲渡の日の属する年におけるその資産の譲渡（当該年における当該法人との間に第二章第一節の二の表の12の7の6《完全支配関係》に掲げる完全支配関係〔法人による同12の7の6に掲げる完全支配関係に限る。〕がある法人〔以下3において「完全支配関係法人」という。〕の有する資産の譲渡を含む。）につき、当該法人及び完全支配関係法人が四《収用換地等の場合の所得の特別控除》から八《特定の長期所有土地等の所得の特別控除》までの特別控除のうち2以上の特別控除の適用を受け、又は当該法人若しくは完全支配関係法人がそれぞれこれらの特別控除の適用を受け、当該法人及び完全支配法人がこれらの特別控除により損金の額に算入した、又は損金の額に算入する金額を合計した金額（以下3において「調整前損金算入額」という。）が5,000万円を超えるときは、これらの特別控除にかかわらず、その超える部分の金額に当該法人がこれらの特別控除により損金の額に算入した、又は損金の額に算入する金額を合計した金額が当該調整前損金算入額のうちに占める割合を乗じて計算した金額は、当該法人の各事業年度の所得の金額の計算上、損金の額に算入しない。（措法65の6）

六　特定住宅地造成事業等のために土地等を譲渡した場合の所得の特別控除

1　1,500万円特別控除

　法人（清算中の法人を除く。）の有する土地又は土地の上に存する権利（棚卸資産を除く。以下「**土地等**」という。）が次の表の①から㉕までに掲げる場合に該当することとなった場合において、当該法人がそれぞれ同表の①から㉕までに該当することとなった土地等の譲渡により取得した対価の額又は資産（以下1において「**交換取得資産**」という。）の価額（当該譲渡により取得した交換取得資産の価額がその譲渡した土地等の価額を超える場合において、その差額に相当する金額を当該譲渡に際して支出したときは、当該差額に相当する金額を控除した金額）が、当該譲渡した土地等の譲渡直前の帳簿価額と当該譲渡した土地等の譲渡に要した経費で当該対価又は交換取得資産に係るものとして（3）《譲渡に要した経費の額の計算》により計算した金額との合計額を超え、かつ、当該法人が当該事業年度のうち同一の年に属する期間中にその該当することとなった土地等のいずれについても第十五款の**七**《特定の資産の買換えの場合等の課税の特例》、同款の**九**《特定普通財産とその隣接する土地等の交換の場合の課税の特例》の適用を受けないときは、その超える部分の金額《**譲渡益**》と1,500万円（当該譲渡の日の属する年における譲渡により取得した対価の額又は交換取得資産の価額につき、この特例により損金の額に算入した、又は損金の額に算入する金額があるときは、当該金額を控除した金額）とのいずれか低い金額を当該譲渡の日を含む事業年度の所得の金額の計算上、損金の額に算入する。（措法65の4①）

①	地方公共団体（地方公共団体が財産を提供して設立した団体〔当該地方公共団体とともに国、地方公共団体及び独立行政法人都市再生機構以外の者が財産を提供して設立した団体を除く。〕で、都市計画その他市街地の整備の計画に従って宅地の造成を行うことを主たる目的とするものを含む。）、独立行政法人中小企業基盤整備機構、独立行政法人都市再生機構、成田国際空港株式会社、地方住宅供給公社又は日本勤労者住宅協会が行う住宅の建設又は宅地の造成を目的とする事業（土地開発公社が行う公有地の拡大の推進に関する法律第17条第1項第1号ニ《業務の範囲》に掲げる土地の取得に係る事業を除く。）の用に供するためにこれらの者に買い取られる場合（**一**の**1**《収用等のあった事業年度において取得した代替資産の圧縮記帳》の表の②若しくは④、**二**の**1**《換地処分等により交換取得した資産の圧縮記帳》の表の①又は**五**の**1**《2,000万円特別控除》の表の①に掲げる場合に該当する場合を除く。）（措令39の5②）
②	**一**の**1**《収用等のあった事業年度において取得した代替資産の圧縮記帳》の表の①に掲げる土地収用法等に基づく収用（収用に準ずる買取り《**一**の**1**の表の②》及び使用《**一**の**2**の表の①》を含む。）を行う者若しくはその者に代わるべき者（地方公共団体若しくは地方公共団体が財産を提供して設立した団体〔当該地方公共団体とともに国、地方公共団体及び独立行政法人都市再生機構以外の者が財産を提供して設立した団体を除く。〕又は独立行政法人都市再生機構で、収用を行う者と当該収用に係る事業につきその者に代わって当該収用の対価に充てられる土地等を買い取るべき旨の契約を締結したものをいう。）によって当該収用の対価に充てるため買い取られる場合、住宅地区改良法第2条第6項《定義》に規定する改良住宅を同条第3項に規定する改良地区の区域外に建設するため買い取られる場合又は公営住宅法第2条第4号に規定する公営住宅の買取りにより地方公共団体に買い取られる場合（**一**の**1**の表の②若しくは④若しくは**二**の**1**《換地処分等により交換取得した資産の圧縮記帳》の表の①に掲げる場合又は都市再開発法による第二種市街地再開発事業の用に供するために収用をすることができる当該事業の施行者である同法第50条の2第3項に規定する再開発会社によって当該収用の対価に充てるため買い取られる場合に該当する場合を除く。）（措令39の5②③④）
③	一団の宅地の造成に関する事業（当該一団の宅地の造成に関する事業に係る宅地の造成及び宅地の分譲が次のイからハまでに掲げる要件を満たすものであることにつき、国土交通大臣の定めるところにより、当該一団の宅地の造成に関する事業を行う個人又は法人の申請に基づき国土交通大臣の認定を受けたものに限る。）の用に供するために、平成6年1月1日から<u>令和8年12月31日</u>までの間に、買い取られる場合（土地等が、次のイに掲げる土地区画整理事業に係る土地区画整理法第4条第1項《施行の許可》、第14条第1項若しくは第3項《設立の許可》又は第51条の2第1項《施行の認可》に規定する認可の申請があった日の属する年の1月1日以後〔当該土地区画整理事業の同イに掲げる施行地区内の土地又は土地の上に存する権利につき同法第98条第1項《仮換地の指定》の規定による仮換地の指定〈仮に使用又は収益をすることができる権利の目的となるべき土地又はその部分の指定を含む。〉が行われた場合には、同日以後その最初に行われた当該指定の効力発生の日の前日までの間〕に、次のロに掲げる個人又は法人に買い取られる場合〔当該土地等が当該個人又は法人の有する当該施行地区内にある土地と併せて一団の土地に該当することとなる場合に限るものとし、当該土地区画整理事業〈その施行者が同法第51条の9第5項に規定する区画整理会社であるものに限る。〉の施行に伴い、当該区画整理会社の株主又は社員である者の有する土地等が当該区画整理会社に買い取られる場合を除く。〕に限る。）（措令39の5⑤⑥、措規22の5②）

	イ	当該一団の宅地の造成が土地区画整理法による土地区画整理事業（当該土地区画整理事業の同法第2条第4項《定義》に規定する施行地区〔ロにおいて「施行地区」という。〕の全部が都市計画法第7条第1項《区域区分》の市街化区域と定められた区域に含まれるものに限る。）として行われるものであること。	
	ロ	次の(イ)及び(ロ)に掲げる要件を満たすものであること。	
		(イ)	当該一団の宅地の造成に係る一団の土地（イの土地区画整理事業の施行地区内において当該土地等の買取りをする個人又は法人の有する当該施行地区内にある一団の土地に限る。）の面積が5ヘクタール以上のものであること
		(ロ)	ハに掲げる方法により分譲される一の住宅の建設のように供される土地（建物の区分所有等に関する法律第2条第1項の区分所有権の目的となる建物の建設の用に供される土地を除く。）の面積が170平方メートル（地形の状況その他の特別の事情によりやむを得ない場合にあっては、150平方メートル）以上であること。（措令39の5⑦、措規22の5③）
	ハ	当該事業により造成される宅地の分譲が公募の方法により行われるものであること。	
	注	③に掲げる場合の一団の宅地の面積要件、事業概要書等に添付される土地総括表に記載された定期借地権（借地借家法第2条第1号《定義》に規定する借地権で同法第22条《定期借地権》又は同法第23条《建物譲渡特約付借地権》の適用を受けるもの）の設定地及び設定予定地（定期借地権設定予約契約に基づいて宅地造成後に定期借地権設定により宅地供給をする予定の土地〔課税の特例に定める申告期限又は特例の適用要件である確定手続の期限までに定期借地権が設定されたものに限る。〕）を含めて判定する。（平9課法2－5・編者補正） なお、定期借地権設定予定地部分に住宅等の建設が行われなかったことにより定期借地権が設定されないこととなった場合には、当該部分は面積要件等の判定の基礎には算入されない。		

④	公有地の拡大の推進に関する法律第6条第1項《土地の買取りの協議》の協議に基づき地方公共団体、土地開発公社又は港務局、地方住宅供給公社、地方道路公社及び独立行政法人都市再生機構に買い取られる場合（一の1《収用等のあった事業年度において取得した代替資産の圧縮記帳》の表の②又は五の1《2,000万円特別控除》の表の①から⑧までに掲げる場合に該当する場合を除く。）（措令39の5⑧）	
⑤	特定空港周辺航空機騒音対策特別措置法第4条第1項《航空機騒音障害防止地区及び航空機騒音障害防止特別地区》に規定する航空機騒音障害防止特別地区内にある土地が同法第9条第2項《移転の補償等》の規定により買い取られる場合	
⑥	地方公共団体又は幹線道路の沿道の整備に関する法律第13条の2第1項《沿道整備推進機構の指定》に規定する沿道整備推進機構（公益社団法人〔その社員総会における議決権の総数の$\frac{1}{2}$以上の数が地方公共団体により保有されているものに限る。⑦から⑪まで及び㉕において同じ。〕又は公益財団法人〔その設立当初において拠出をされた金額の$\frac{1}{2}$以上の金額が地方公共団体により拠出をされているものに限る。⑦から⑪まで及び㉕において同じ。〕であって、その定款において、その法人が解散した場合にその残余財産が地方公共団体又は当該法人と類似の目的をもつ他の公益を目的とする事業を行う法人に帰属する旨の定めがあるものに限る。）が同法第2条第2号《定義》に掲げる沿道整備道路の沿道の整備のために沿道地区計画の区域内において行う次の表に掲げる事業（当該事業が沿道整備推進機構により行われるものである場合には、地方公共団体の管理の下に行われるものに限る。）の用に供するために、都市計画法第12条の4第1項第4号《地区計画等》に掲げる沿道地区計画の区域内にある土地等が、これらの者に買い取られる場合（一の1《収用等のあった事業年度において取得した代替資産の圧縮記帳》の表の②若しくは④、二の1《換地処分等により交換取得した資産の圧縮記帳》の表の①若しくは五の1《2,000万円特別控除》の表の①に掲げる場合又はこの表の①、②若しくは④に掲げる場合に該当する場合を除く。）（措令39の5⑨、措規22の5④）	
	イ	道路、公園、緑地その他の公共施設又は公用施設の整備に関する事業
	ロ	都市計画法第4条第7項《定義》に規定する市街地開発事業、住宅地区改良法第2条第1項《定義》に規定する住宅地区改良事業又は流通業務市街地の整備に関する法律第2条第2項《定義》に規定する流通業務団地造成事業
	ハ	遮音上有効な機能を有する建築物（当該沿道地区計画に適合する建築物で、幹線道路の沿道の整備に関する法律施行規則第14条第1項第2号《緩衝建築物》〔同条第2項の規定により適用される場合を含む。〕及び第3号に掲げる要件に該当する建築物〔遮音上の効用を有しないものを除く。〕。以下「緩衝建築物」という。）の整備に関する事業で、次の(イ)から(ハ)に掲げる要件を満たすもの

		(イ)	その事業の施行される土地の区域の面積が500平方メートル以上であること。
		(ロ)	当該緩衝建築物の建築面積が150平方メートル以上であること。
		(ハ)	当該緩衝建築物の敷地のうち日常一般に開放された空地の部分の面積の当該敷地の面積に対する割合が $\frac{20}{100}$ 以上であること。
⑦	地方公共団体又は防災街区整備推進機構(密集市街地における防災街区の整備の促進に関する法律第300条第1項《防災街区整備推進機構の指定》に規定する防災街区整備推進機構〔公益社団法人又は公益財団法人であって、その定款において、その法人が解散した場合にその残余財産が地方公共団体又は当該法人と類似の目的をもつ他の公益を目的とする事業を行う法人に帰属する旨の定めがあるものに限る。〕をいう。以下同じ。)が同法第2条第2号《定義》に掲げる防災街区としての整備のために特定防災街区整備地区又は防災街区整備地区計画の区域内において行う次の表に掲げる事業(当該事業が防災街区整備推進機構により行われるものである場合には、地方公共団体の管理の下に行われるものに限る。)の用に供するために、都市計画法第8条第1項第5号の2に掲げる特定防災街区整備地区又は同法第12条の4第1項第2号《地区計画等》に掲げる防災街区整備地区計画の区域内にある土地等が、これらの者に買い取られる場合(**一の1**《収用等のあった事業年度において取得した代替資産の圧縮記帳》の表の②若しくは④、**二の1**《換地処分等により交換取得した資産の圧縮記帳》の表の①若しくは**五の1**《2,000万円特別控除》の表の①に掲げる場合又はこの表の①、②若しくは④に掲げる場合に該当する場合を除く。)(措令39の5⑩、措規22の5⑤)		
	イ	道路、公園、緑地その他の公共施設又は公用施設の整備に関する事業	
	ロ	都市計画法第4条第7項《定義》に規定する市街地開発事業又は住宅地区改良法第2条第1項《定義》に規定する住宅地区改良事業	
	ハ	密集市街地における防災街区の整備の促進に関する法律第2条第2号に掲げる防災街区としての整備に資する建築物(当該特定防災街区整備地区に関する都市計画法第4条第1項に規定する都市計画〔密集市街地における防災街区の整備の促進に関する法律第31条第3項第3号に規定する間口率の最低限度が定められているものに限る。〕に適合する建築物で建築基準法第2条第9号の2に規定する耐火建築物に該当するもの並びに防災街区整備地区計画に適合する建築物で密集市街地における防災街区の整備の促進に関する法律施行規則第134条第1号ロ及びハに掲げる要件に該当する建築物。以下「延焼防止建築物」という。)の整備に関する事業で、次の(イ)及び(ロ)に掲げる要件を満たすもの	
		(イ)	その事業の施行される土地の区域の面積が300平方メートル以上であること。
		(ロ)	当該延焼防止建築物の建築面積が150平方メートル以上であること。
⑧	地方公共団体又は中心市街地整備推進機構(中心市街地の活性化に関する法律〔以下「中心市街地活性化法」という。〕第61条第1項《中心市街地整備推進機構の指定》に規定する中心市街地整備推進機構〔公益社団法人又は公益財団法人であって、その定款において、その法人が解散した場合にその残余財産が地方公共団体又は当該法人と類似の目的をもつ他の公益を目的とする事業を行う法人に帰属する旨の定めがあるものに限る。〕をいう。以下同じ。)が中心市街地活性化法第16条第1項《土地区画整理事業の換地計画において定める保留地の特例》に規定する認定中心市街地(以下⑧において「認定中心市街地」という。)の整備のために同法第12条第1項《報告の徴収》に規定する認定基本計画の内容に即して行う公共施設若しくは公用施設の整備、宅地の造成又は建築物及び建築敷地の整備に関する事業で認定中心市街地の区域内において行う次の表に掲げる事業(当該事業が中心市街地整備推進機構により行われるものである場合には、地方公共団体の管理の下に行われるものに限る。)の用に供するため、認定中心市街地の区域内にある土地等が、これらの者に買い取られる場合(**一の1**《収用等のあった事業年度において取得した代替資産の圧縮記帳》の表の②若しくは④、**二の1**《換地処分等により交換取得した資産の圧縮記帳》の表の①若しくは**五の1**《2,000万円特別控除》の表の①に掲げる場合又はこの表の①、②、④、⑥若しくは⑦に掲げる場合に該当する場合を除く。)(措令39の5⑪)		
	イ	道路、公園、緑地その他の公共施設又は公用施設の整備に関する事業	
	ロ	都市計画法第4条第7項《定義》に規定する市街地開発事業	
	ハ	都市再開発法第129条の6《報告の徴収》に規定する認定再開発事業計画に基づいて行われる同法第129条の2第1項《再開発事業の計画の認定》に規定する再開発事業	

第三章　第一節　第十六款　六《特定住宅地造成事業等の場合の1,500万円控除》

⑨	地方公共団体又は景観法第92条第1項《指定》に規定する景観整備機構（公益社団法人又は公益財団法人であって、その定款において、その法人が解散した場合にその残余財産が地方公共団体又は当該法人と類似の目的をもつ他の公益を目的とする事業を行う法人に帰属する旨の定めがあるものに限る。以下同じ。）が同法第8条第1項《景観計画》に規定する景観計画に定められた同条第2項第4号ロに規定する景観重要公共施設の整備に関する事業（当該事業が当該景観整備機構により行われるものである場合には、地方公共団体の管理の下に行われるものに限る。）の用に供するために、当該景観計画の区域内にある土地等が、これらの者に買い取られる場合（一の1《収用等のあった事業年度において取得した代替資産の圧縮記帳》の表の②、二の1《換地処分等により交換取得した資産の圧縮記帳》の表の①若しくは**五**の1《2,000万円特別控除》の表の①に掲げる場合又はこの表の②、④若しくは⑥から⑧までに掲げる場合に該当する場合を除く。）（措令39の5⑫）
⑩	地方公共団体又は都市再生特別措置法第118条第1項《都市再生整備推進法人の指定》に規定する都市再生推進法人（公益社団法人又は公益財団法人であって、その定款において、その法人が解散した場合にその残余財産が地方公共団体又は当該法人と類似の目的をもつ他の公益を目的とする事業を行う法人に帰属する旨の定めがあるものに限る。以下同じ。）が同法第46条第1項《都市再生整備計画》に規定する都市再生整備計画又は同法第81条第1項《立地適正化計画》に規定する立地適正化計画に記載された公共施設の整備に関する事業（当該事業が当該都市再生推進法人により行われるものである場合には、地方公共団体の管理の下に行われるものに限る。）の用に供するために、当該都市再生整備計画又は立地適正化計画の区域内にある土地等が、これらの者に買い取られる場合（一の1《収用等のあった事業年度において取得した代替資産の圧縮記帳》の表の②若しくは④、二の1《換地処分等により交換取得した資産の圧縮記帳》の表の①若しくは**五**の1《2,000万円特別控除》の表の①に掲げる場合又はこの表の①、②、④若しくは⑥から⑨までに掲げる場合に該当する場合を除く。）（措令39の5⑬）
⑪	地方公共団体又は地域における歴史的風致の維持及び向上に関する法律第34条第1項《歴史的風致維持向上支援法人の指定》に規定する歴史的風致維持向上支援法人（公益社団法人又は公益財団法人であって、その定款において、その法人が解散した場合にその残余財産が地方公共団体又は当該法人と類似の目的をもつ他の公益を目的とする事業を行う法人に帰属する旨の定めがあるものに限る。以下同じ。）が同法第12条第1項《歴史的風致形成建造物の指定》に規定する認定重点区域における同法第8条《認定歴史的風致維持向上計画の実施状況に関する報告の徴収》に規定する認定歴史的風致維持向上計画に記載された公共施設又は公用施設の整備に関する事業（当該事業が当該歴史的風致維持向上支援法人により行われるものである場合には、地方公共団体の管理の下に行われるものに限る。）の用に供するために、当該認定重点区域内にある土地等が、これらの者に買い取られる場合（一の1《収用等のあった事業年度において取得した代替資産の圧縮記帳》の表の②若しくは④、二の1《換地処分等により交換取得した資産の圧縮記帳》の表の①若しくは**五**の1《2,000万円特別控除》の表の①に掲げる場合又はこの表の①、②、④若しくは⑥から⑩までに掲げる場合に該当する場合を除く。）（措令39の5⑭）
⑫	国又は都道府県が作成した総合的な地域開発に関する計画で、国土交通省の作成した苫小牧地区及び石狩新港地区の開発に関する計画並びに青森県の作成したむつ小川原地区の開発に関する計画に基づき、主として工場、住宅又は流通業務施設の用に供する目的で行われる一団の土地の造成に関する事業で、次に掲げる要件に該当するものとして都道府県知事が指定したものの用に供するために、地方公共団体又は国若しくは地方公共団体の出資に係る法人（その発行済株式又は出資の総数又は総額の$\frac{1}{2}$以上が国〔国の全額出資に係る法人を含む。〕又は地方公共団体〔地方公共団体が財産を提供して設立した団体〈当該地方公共団体とともに国、地方公共団体及び独立行政法人都市再生機構以外の者が財産を提供して設立した団体を除く。〉で、都市計画その他市街地の整備の計画に従って宅地の造成を行うことを主たる目的とするものを含む。〕により所有され又は出資をされている法人をいう。）に買い取られる場合（措令39の5⑮）

	イ	当該計画に係る区域の面積が300ヘクタール以上であり、かつ、当該事業の施行区域の面積が30ヘクタール以上であること。（措令39の5⑯）
	ロ	当該事業の施行区域内の道路、公園、緑地その他の公共の用に供する空地の面積が当該施行区域内に造成される土地の用途区分に応じて適正に確保されるものであること。

⑬	次の表の「事業」欄に掲げる事業（同表の「事業の要件」欄に掲げる要件に該当することにつきこの⑬の（4）《事業の要件に該当する旨の証明》により証明がされたものに限る。）の用に供するために、それぞれ同表の「法人」欄に掲げる法人に買い取られる場合（措令39の5⑰⑱、措規22の5⑥⑧⑨⑩⑪⑬⑭）

	事　　　　　業	事　業　の　要　件	法　　　人
イ	（イ）　商店街の活性化のための地域住民の需要に応じた事業活動	（イ）　当該事業が都市計画その他の土地利用に関する国又は地方	認定商店街活性化事業計画（当該商店街活性化事業に係るものに限

の促進に関する法律（以下⑬において「商店街活性化法」という。）第5条第3項《商店街活性化事業計画の変更等》に規定する認定商店街活性化事業計画に基づく同法第2条第2項《定義》に規定する商店街活性化事業

公共団体の計画に適合して行われるものであること。
(ロ) 当該事業により顧客その他の地域住民の利便の増進を図るための施設として休憩所、集会場、駐車場、アーケードその他これらに類する施設(以下「公共用施設」という。)が設置されること。
(ハ) 当該事業の区域として(1)《商店街活性化事業の区域》に掲げる区域の面積が1,000平方メートル以上であること。
(ニ) 当該事業に係る商店街活性化法第5条第3項に規定する認定商店街活性化事業計画が経済産業大臣が財務大臣と協議して定める基準に適合するものであり、当該認定商店街活性化事業計画に従って当該事業が実施されていること。
(ホ) その他次に掲げる要件
　A 当該事業に参加する者の数が10以上であること。
　B 当該事業により新たに設置される公共用施設及び店舗その他の施設の用に供される土地の面積とこれらの施設の床面積との合計面積（これらの施設の建築面積を除く。）に占める売場面積の割合が$\frac{1}{2}$以下であること。
　C 当該事業が、独立行政法人中小企業基盤整備機構法第15条第1項第3号、第4号若しくは第11号に掲げる業務（同項第3号又は第4号に掲げる業務にあっては、同項第3号ロ又はハに掲げる事業又は業務に係るものに限る。）に係る資金（同項第11号に掲げる業務に係るものにあっては、土地、建物その他の施設を取得し、造成し、又は整備するのに必要な資金に限る。）の貸付け、株式会社日本政策金融公庫法第11条第1項第1号の規定による同法別表第1第1号若しくは第14号の下欄に掲げる資金（土地、建物その他の施設を取得し、造成し、又は

る。）に係る商店街活性化法第5条第1項に規定する認定商店街活性化事業者である法人で、中小企業等協同組合法第9条の2第7項に規定する特定共済組合及び同法第9条の9第4項に規定する特定共済組合連合会以外のもの

		整備するのに必要な資金に限る。）の貸付け又は国若しくは地方公共団体の補助金（土地、建物その他の施設を取得し、造成し、又は整備するのに必要な補助金に限る。）の交付を受けて行われるものであること。 注1　経済産業大臣は、（ニ）により基準を定めたときは、これを告示する。（措令39の5㉚） 注2　（ニ）に掲げる経済産業大臣が財務大臣と協議して定める基準は、平成21年経済産業省告示第257号により定められている。（編者）	
(ロ)　商店街活性化法第7条第3項《商店街活性化支援事業計画の変更等》に規定する認定商店街活性化支援事業計画に基づく同法第2条第3項に規定する商店街活性化支援事業	（イ）　当該事業が都市計画その他の土地利用に関する国又は地方公共団体の計画に適合して行われるものであること。 （ロ）　当該事業を行う施設として研修施設（講義室を有する施設で、資料室を備えたものをいう。）（その建築面積が150平方メートル以上であるものに限る。）が設置されること。 （ハ）　当該事業の区域として（ニ）に掲げる認定商店街活性化支援事業計画に基づく**(ロ)**に掲げる商店街活性化支援事業を行う施設として新たに設置される研修施設（講義室を有する施設で、資料室を備えたものをいう。）の用に供される土地の区域の面積が300平方メートル以上であること。 （ニ）　当該事業に係る商店街活性化法第7条第3項に規定する認定商店街活性化支援事業計画が経済産業大臣が財務大臣と協議して定める基準に適合するものであり、当該認定商店街活性化支援事業計画に従って当該事業が実施されていること。 （ホ）　その他**(イ)**の「事業の要件」欄の（ホ）のcに掲げる要件とする。 注1　経済産業大臣は、（ニ）により基準を定めたときは、これを告示する。（措令39の5㉚） 注2　（ニ）に掲げる経済産業大臣が財務大臣と協議して定める基準は、平成21年経済産業省告示第257号によ	認定商店街活性化支援事業計画（当該商店街活性化支援事業に係るものに限る。）に係る商店街活性化法第7条第1項に規定する認定商店街活性化支援事業者である法人（商店街活性化法第6条第1項に規定する一般社団法人又は一般財団法人であって、その定款において、その法人が解散した場合にその残余財産が地方公共団体又は当該法人と類似の目的をもつ他の公益を目的とする事業を行う法人に帰属する旨の定めがあるもののうち、次に掲げる要件のいずれかを満たすものに限る。） a　その社員総会における議決権の総数の$\frac{1}{3}$を超える数が地方公共団体により保有されている公益社団法人であること。 b　その社員総会における議決権の総数の$\frac{1}{4}$以上の数が一の地方公共団体により保有されている公益社団法人であること。 c　その拠出をされた金額の$\frac{1}{3}$を超える金額が地方公共団体により拠出をされている公益財団法人であること。 d　その拠出をされた金額の$\frac{1}{4}$以上の金額が一の地方公共団体により拠出をされている公益財団法人であること。

		り定められている。（編者）	認定特定民間中心市街地活性化事業計画（当該事業に係るものに限る。）に係る中心市街地活性化法第49条第1項に規定する認定特定民間中心市街地活性化事業者である法人（同法第7条第7項第7号に定める事業にあっては、商工会、商工会議所及び次に掲げる法人に限る。） A　地方公共団体の出資に係る中心市街地活性化法第7条第7項第7号に掲げる特定会社のうち、次に掲げる要件を満たすもの 　a　当該法人の発行済株式又は出資の総数又は総額の$\frac{2}{3}$以上が地方公共団体又は独立行政法人中小企業基盤整備機構により所有され、又は出資をされていること。 　b　当該法人の株主又は出資者（以下「株主等」という。）の$\frac{2}{3}$以上が中小小売商業者等（同法第7条第1項《定義》に規定する中小小売商業者又は同法施行令第12条第1項第2号に規定する中小サービス業者〔同法第7条第1項第3号及び第5号から第7号までに該当するものに限る。〕をいう。cにおいて同じ。）又は商店街振興組合等（同法第7条第7項第1号に掲げる商店街振興組合等〔中小企業等協同組合法第9条の9第1項第1号又は第3号の事業を行う協同組合連合会を除く。〕をいう。cにおいて同じ。）であること。 　c　その有する当該法人の株式又は出資の数又は金額の最も多い株主等が地方公共団体、独立行政法人中小企業基盤整備機構、中小小売商業者等又は商店街振興組合等のいずれかであること。 B　中心市街地活性化法第7条第7項第7号に掲げる一般社団法人等であって、その定款におい
	ロ	中心市街地の活性化に関する法律（以下「中心市街地活性化法」という。）第49条第2項《認定特定民間中心市街地活性化事業計画の変更等》に規定する認定特定民間中心市街地活性化事業計画に基づく同法第7条第7項《定義》に規定する中小小売商業高度化事業（同項第1号から第4号まで又は第7号に掲げるものに限る。）	（イ）　当該事業が都市計画その他の土地利用に関する国又は地方公共団体の計画に適合して行われるものであること。 （ロ）　当該事業を行う施設として公共用施設が設置されること。 （ハ）　当該事業のこの⑬の（2）《中小小売商業高度化事業の区域》の表の右欄に掲げる区域の面積が1,000平方メートル（当該事業が中心市街地活性化法第7条第7項第3号若しくは第4号に定める事業又は同項第7号に定める事業〔当該事業が同項第3号又は第4号に定める事業に類するもので共同店舗とともに公共用施設を設置する事業又は共同店舗と併設される公共用施設を設置する事業に限る。〕である場合には、500平方メートル）以上であること。 （ニ）　当該事業が独立行政法人中小企業基盤整備機構法第15条第1項第3号又は第4号に掲げる業務（同項第3号ロ又はハに掲げる事業又は業務に係るものに限る。）に係る資金の貸付けを受けて行われるものであること。 （ホ）　その他次に掲げる要件 　A　認定特定民間中心市街地活性化事業計画に基づく中心市街地活性化法第7条第7項第1号又は第2号に定める事業にあっては、これらの事業に参加する者の数が10以上であること。 　B　認定特定民間中心市街地活性化事業計画に基づく中心市街地活性化法第7条第7項第2号から第4号まで又は第7号に定める事業にあっては、これらの事業により新たに設置される公共用施設及び店舗その他の施設の用に供される土地の面積とこれらの施設の床面積との合計面積（これらの施設の建築面積を除く。）に占める売場面積の割合が$\frac{1}{2}$以下であること。	

		C　認定特定民間中心市街地活性化事業計画に基づく中心市街地活性化法第7条第7項第7号に定める事業にあっては、特定民間中心市街地活性化対象区域内の施設又は当該事業により新たに設置される店舗その他の施設をその者の営む事業の用に供する者の数が10（当該事業が(ハ)に掲げる共同店舗と共に公共用施設を設置する事業又は共同店舗と併設される公共用施設を設置する事業である場合には、5）以上であること。	て、その法人が解散した場合にその残余財産が地方公共団体又は当該法人と類似の目的をもつ他の公益を目的とする事業を行う法人に帰属する旨の定めがあるもののうち、次に掲げる要件のいずれかを満たすもの a　その社員総会における議決権の総数の$\frac{1}{3}$を超える数が地方公共団体により保有されている公益社団法人であること。 b　その社員総会における議決権の総数の$\frac{1}{4}$以上の数が一の地方公共団体により保有されている公益社団法人であること。 c　その拠出をされた金額の$\frac{1}{3}$を超える金額が地方公共団体により拠出をされている公益財団法人であること。 d　その拠出をされた金額の$\frac{1}{4}$以上の金額が一の地方公共団体により拠出をされている公益財団法人であること。

　　　（商店街活性化事業の区域）
（1）⑬の表のイの**(イ)**の「事業の要件」欄の(ハ)に掲げる区域は、同欄の(ニ)に掲げる認定商店街活性化事業計画に基づく同表のイの「事業」欄の**(イ)**に掲げる商店街活性化法第5条第1項に規定する認定商店街活性化事業者である商店街振興組合等（同法第2条第2項に規定する商店街振興組合等をいう。）の組合員又は所属員で中小小売商業者等（同法第2条第1項第3号から第7号までに掲げる者をいう。）に該当するものの事業の用に供される店舗その他の施設（当該認定商店街活性化事業計画の区域内に存するものに限る。）及び当該認定商店街活性化事業計画に基づく当該商店街活性化事業により新たに設置される公共用施設の用に供される土地の区域とする。（措規22の5⑦）

　　　（中小小売商業高度化事業の区域）
（2）⑬の表のロの「事業の要件」欄の(ハ)に掲げる当該事業の区域は、次の表の「事業」欄に掲げる事業の区分に応じそれぞれ「区域」欄に掲げる区域とする。（措規22の5⑫）

事　　業	区　　域
（一）中心市街地活性化法第49条第2項に規定する認定特定民間中心市街地活性化事業計画（以下「認定特定民間中心市街地活性化事業計画」という。）に基づく中心市街地活性化法第7条第7項第1号に定める事業	当該事業を行う中心市街地活性化法第49条第1項に規定する認定特定民間中心市街地活性化事業者（(三)において「認定特定民間中心市街地活性化事業者」という。）である商店街振興組合等（⑬の表のロ「法人」欄のAのbに掲げる商店街振興組合等をいう。(三)において同じ。）の組合員又は所属員で中小小売商業者等（⑬の表のロ「法人」欄のAのbに掲げる中小小売商業者等をいう。(三)において同じ。）に該当するものの事業の用に供される店舗その他の施設（当該認定特定民間中心市街地活性化事業計画の区域内に存するものに限る。）及び当該認定特定民間中心市街地活性化事業計画に基づく事業により新たに設置さ

			れる公共用施設の用に供される土地の区域
	(二)	認定特定民間中心市街地活性化事業計画に基づく中心市街地活性化法第7条第7項第2号から第4号までに定める事業	これら事業が施行される土地の区域
	(三)	認定特定民間中心市街地活性化事業計画に基づく中心市街地活性化法第7条第7項第7号に定める事業	当該事業を行う認定特定民間中心市街地活性化事業者である法人に出資又は拠出をしている中小小売商業者等及び当該法人に出資又は拠出をしている商店街振興組合等の組合員又は所属員である中小小売商業者等の事業の用に供される店舗その他の施設（当該認定特定民間中心市街地活性化事業計画の区域内に存するものに限る。）並びに当該認定特定民間中心市街地活性化事業計画に基づく事業により新たに設置される共同店舗その他の施設及び公共用施設の用に供される土地の区域

(事業の要件に該当する旨の証明)
(3) ⑬の本文に掲げる(3)により証明がされた事業は、次の表の左欄に掲げる事業の区分に応じそれぞれ右欄に掲げる事業とする。(措規22の5⑮)

	(一)	⑬の表のイの「事業」欄に掲げる事業	当該事業が、⑬の表のイの「事業の要件」欄に掲げる要件を満たすものであることにつき書面により経済産業大臣の証明がされた事業
	(二)	⑬の表のロの「事業」欄に掲げる事業	当該事業が、⑬の表のロの「事業の要件」欄に掲げる要件を満たすものであることにつき書面により経済産業大臣の証明がされた事業

⑭		次の表の「事業」欄に掲げる事業で、それぞれ「事業の要件」欄に掲げる要件に該当するものとして都道府県知事が指定したものの用に供するために買い取られる場合（措令39の5⑲）	
		事 業	事 業 の 要 件
	イ	農業協同組合法第11条の48第1項に規定する宅地等供給事業のうち同法第10条第5項第3号《事業》に掲げるもの	(イ) 当該事業が、都市計画その他の土地利用に関する国又は地方公共団体の計画に適合した計画に従って行われるものであること。 (ロ) 当該事業により造成される土地の処分予定価額が、当該事業の施行区域内の土地の取得及び造成に要する費用の額、分譲に要する費用の額、当該事業に要する一般管理費の額並びにこれらの費用に充てるための借入金の利子の額の見積額の合計額以下であること。
	ロ	独立行政法人中小企業基盤整備機構法第15条第1項第3号ロに規定する他の事業者との事業の共同化又は中小企業の集積の活性化に寄与する事業の用に供する土地の造成に関する事業	(イ) イの「事業の要件」欄に掲げる要件に該当すること。 (ロ) 当該事業が独立行政法人中小企業基盤整備機構法第15条第1項第3号又は第4号の規定による資金の貸付けを受けて行われるものであること。

| ⑭の2 | 総合特別区域法第2条第2項第5号イ又は第3項第5号イ《定義》に規定する共同して又は一の団地若しくは主として一の建物に集合して行う事業の用に供する土地の造成に関する事業で、当該事業が⑭の表のイの右欄に掲げる要件に該当すること及び同法第30条《独立行政法人中小企業基盤整備機構の行う国際戦略総合特区施設整備促進業務》又は第58条《独立行政法人中小企業基盤整備機構の行う地域活性化総合特区施設整備促進業務》の規定による資金の貸付けを受けて行われるものに該当するものとして市町村長又は特別区の区長が指定したものの用に供するために買い取られる場合（措令39の5⑳） |

第三章　第一節　第十六款　六《特定住宅地造成事業等の場合の1,500万円控除》

⑮	**特定法人**が行う産業廃棄物の処理に係る特定施設の整備の促進に関する法律第2条第2項《定義》に規定する特定施設（同項第1号に規定する建設廃棄物処理施設を含むものを除く。）の整備の事業（当該特定施設の整備の事業が同法第4条第1項の規定による認定を受けた同項の整備計画〔次のイ及びロに掲げる事項の定めがあるものに限る。〕に基づいて行われるものであることにつき書面により厚生労働大臣の証明がされたものに限る。）の用に供するために、地方公共団体又は当該特定法人に買い取られる場合（**一**《収用等に伴い代替資産を取得した場合の課税の特例》の1の表の②若しくは**二**《換地処分等に伴い資産を取得した場合の課税の特例》の1の表の①に掲げる場合又は①に該当する場合を除く。）（措令39の5㉒、措規22の5⑯） ｜イ｜特定法人が当該特定施設を運営すること。｜ ｜ロ｜当該特定施設の利用者を限定しないこと。｜ （特定法人の意義） 特定法人とは、次に掲げるものをいう。（措令39の5㉑） ｜（一）｜地方公共団体の出資に係る法人のうち、その発行済株式又は出資の総数又は総額の$\frac{1}{2}$以上が一の地方公共団体により所有され又は出資をされているもの｜ ｜（二）｜公益社団法人又は公益財団法人であって、その定款において、その法人が解散した場合にその残余財産が地方公共団体又は当該法人と類似の目的をもつ他の公益を目的とする事業を行う法人に帰属する旨の定めがあるもののうち、次に掲げる要件のいずれかを満たすもの （イ）その社員総会における議決権の総数の$\frac{1}{2}$以上の数が地方公共団体により保有されている公益社団法人であること。 （ロ）その社員総会における議決権の総数の$\frac{1}{4}$以上の数が一の地方公共団体により保有されている公益社団法人であること。 （ハ）その拠出をされた金額の$\frac{1}{2}$以上の金額が地方公共団体により拠出をされている公益財団法人であること。 （ニ）その拠出をされた金額の$\frac{1}{4}$以上の金額が一の地方公共団体により拠出をされている公益財団法人であること。｜
⑯	広域臨海環境整備センター法第20条第3項《基本計画》の規定による認可を受けた同項の基本計画に基づいて行われる同法第2条第1項第4号《定義等》に掲げる廃棄物の搬入施設の整備の事業の用に供するために、広域臨海環境整備センターに買い取られる場合
⑰	生産緑地法第6条第1項《標識の設置等》に規定する生産緑地地区内にある土地が、同法第11条第1項《生産緑地の買取り等》、第12条第2項《生産緑地の買取りの通知等》又は第15条第2項《生産緑地の買取り希望の申出》の規定に基づき、地方公共団体、土地開発公社又は港務局、地方住宅供給公社、地方道路公社及び独立行政法人都市再生機構に買い取られる場合（措令39の5⑧）
⑱	国土利用計画法第12条第1項《規制区域の指定》の規定により規制区域として指定された区域内の土地等が同法第19条第2項《土地に関する権利の買取り請求》の規定により買い取られる場合
⑲	国、地方公共団体又は独立行政法人中小企業基盤整備機構、独立行政法人都市再生機構その他第二章第一節の**二**の**別表第一**《公共法人の表》に掲げる法人で地域の開発、保全又は整備に関する事業を行うものが作成した地域の開発、保全又は整備に関する事業に係る計画で、国土利用計画法第9条第3項《土地利用基本計画》に規定する土地利用の調整等に関する事項として同条第1項の土地利用基本計画に定められたもののうち当該地域の開発、保全又は整備に関する事業の施行区域が定められた計画で、当該施行区域の面積が20ヘクタール以上であるものに基づき、当該事業の用に供するために土地等が国又は地方公共団体（地方公共団体が財産を提供して設立した団体〔当該地方公共団体とともに国、地方公共団体及び独立行政法人都市再生機構以外の者が財産を提供して設立した団体を除く。〕で、都市計画その他市街地の整備の計画に従って宅地の造成を行うことを主たる目的とするものを含む。）に買い取られる場合（措令39の5②㉓）
⑳	都市再開発法第7条の6第3項《土地の買取り》、大都市地域住宅等供給促進法第8条第3項《土地の買取り》（同法第27条《土地の買取り等》において準用する場合を含む。）、地方拠点都市地域の整備及び産業業務施設の再配置の促進に関する法律第22条第3項《土地の買取り等》又は被災市街地復興特別措置法第8条第3項の規定により土

	地等が買い取られる場合		
㉑	土地区画整理法による土地区画整理事業（同法第3条第1項《土地区画整理事業の施行》の規定によるものを除く。）が施行された場合において、土地等の上に存する建物又は構築物（以下「建物等」という。）が次に掲げる建物等に該当していることにより換地（当該土地の上に存する権利の目的となるべき土地を含む。以下同じ。）を定めることが困難であることにつき、下記の国土交通大臣の証明がされた当該土地等について同法第90条《所有者の同意により換地を定めない場合》の規定により換地が定められなかったことに伴い同法第94条《清算金》の規定による清算金を取得するとき（土地区画整理法による土地区画整理事業〔その施行者が同法第51条の9第5項に規定する区画整理会社であるものに限る。〕が施行された場合において、当該区画整理会社の株主又は社員である者が、その有する土地等につき換地が定められなかったことに伴い同法第94条の規定による清算金を取得する場合を除く。）。（措令39の5㉔㉕、措規22の5⑱）		
	イ	建築基準法第3条第2項《適用の除外》に規定する建築物	
	ロ	次の建築物又は構築物	
		（イ）	風俗営業等取締法の一部を改正する法律（以下ロにおいて「改正法」という。）附則第2条第2項《新たに風俗営業に該当することとなる営業に関する経過措置》若しくは第3条第1項《従前の風俗営業に関する経過措置》の規定の適用に係る風俗営業等の規制及び業務の適正化等に関する法律第2条第1項《用語の意義》に規定する風俗営業の営業所が同法第4条第2項第2号《許可の基準》の規定に基づく条例の規定の施行若しくは適用の際当該条例の規定に適合しない場合の当該風俗営業の営業所の用に供されている建築物又は構築物（以下ロからヘまでにおいて「建築物等」という。）
		（ロ）	風俗営業等の規制及び業務の適正化等に関する法律第28条第3項に規定する店舗型性風俗特殊営業（改正法附則第4条第2項又は風俗営業等の規制及び業務の適正化等に関する法律の一部を改正する法律〔平成10年法律第55号〕附則第4条第2項の規定の適用に係るものを含む。以下ロにおいて同じ。）が風俗営業等の規制及び業務の適正化等に関する法律第28条第1項の規定の施行若しくは適用の際同項の規定に適合しない場合の当該店舗型性風俗特殊営業の営業所の用に供されている建築物等
		（ハ）	風俗営業等の規制及び業務の適正化等に関する法律第28条第3項に規定する店舗型性風俗特殊営業が同条第2項の規定に基づく条例の規定の施行若しくは適用の際当該条例の規定に適合しない場合の当該店舗型性風俗特殊営業の営業所の用に供されている建築物等
		（ニ）	風俗営業等の規制及び業務の適正化等に関する法律第31条の13第1項に規定する店舗型電話異性紹介営業（風俗営業等の規制及び業務の適正化等に関する法律の一部を改正する法律〔平成13年法律第52号〕附則第2条第2項の規定の適用に係るものを含む。以下ロにおいて同じ。）が風俗営業等の規制及び業務の適正化等に関する法律第31条の13第1項の規定若しくは同項において準用する同法第28条第2項の規定に基づく条例の規定の施行若しくは適用の際同法第31条の13第1項において準用する同法第28条第1項の規定若しくは当該条例の規定に適合しない場合の当該店舗型電話異性紹介営業の営業所の用に供されている建築物等
		（ホ）	風俗営業等の規制及び業務の適正化等に関する法律第33条第5項《深夜における酒類提供飲食店営業の届出等》に規定する営業が同条第4項の規定に基づく条例の規定の施行若しくは適用の際当該条例の規定に適合しない場合の当該営業の営業所の用に供されている建築物等
	ハ	危険物の規制に関する政令の一部を改正する政令附則第2項《屋外タンク貯蔵所に関する経過措置》に規定する屋外タンク貯蔵所で危険物の規制に関する政令第11条第1項第1号の2の表の第2号《屋外タンク貯蔵所の基準》の上欄に掲げる屋外貯蔵タンクの存するもの	
	ニ	都市計画法第4条第2項に規定する都市計画区域内において同法第8条第1項第1号《地域地区》に規定する用途地域が変更され、又は変更されることとなることにより、引き続き従前の用途と同一の用途に供することができなくなる建築物等又は換地処分により取得する土地等の上に建築して従前と同一の用途に供することができなくなる建築物等	
	ホ	道路運送車両法施行規則の一部を改正する省令（昭和42年運輸省令第27号。以下ホにおいて「昭和42年改正規則」という。）附則第2項《経過措置》又は道路運送車両法施行規則等の一部を改正する省令（昭和53年運輸省令第7号。以下ホにおいて「昭和53年改正規則」という。）附則第2項《経過措置》の規定の適用に係る道路運送車両法第77条《自動車分解整備事業の種類》に規定する自動車特定整備事業を経営している者の当該事業の事業場の規模が昭和42年改正規則又は昭和53年改正規則の施行の際昭和42年改正規則による	

	改正後の道路運送車両法施行規則第57条第1号《認証基準》及び別表第2号又は昭和53年改正規則による改正後の道路運送車両法施行規則別表第4の規定に適合しない場合の当該事業場に係る建築物
ヘ	風俗営業等の規制及び業務の適正化等に関する法律施行規則附則第2項《経過措置》の規定の適用に係る風俗営業等の規制及び業務の適正化等に関する法律第2条第1項第1号又は第2号に掲げる営業に係る営業所の同法第4条第2項第1号に規定する構造又は設備の全部が同規制の施行の際同規則第7条に規定する技術上の基準（当該営業所に係る床面積の大きさの基準に限る。）に適合しない場合の当該営業所の用に供されている建築物

　　（国土交通大臣の証明）
　　上記に掲げる国土交通大臣の証明は、その土地等の上に存する建物等が上記の表のイからヘまでに掲げる建築物又は構築物に該当していることにより換地を定めることが困難となる次に掲げる事情のいずれかに該当することにつき書面によりされた証明とする。（措規22の5⑰）
　(一)　当該土地等に係る換地処分が行われたとしたならば、建築基準法その他の法令の規定により、当該建物等を引き続き従前の用途と同一の用途に供すること又は換地処分により取得する土地等の上に建物等を建築して従前の用途と同一の用途に供することができなくなると認められること。
　(二)　当該土地等に係る換地処分が行われ、当該建物等を引き続き従前の用途と同一の用途に供するとしたならば、当該建物等の構造、配置設計、利用構成等を著しく変更する必要があると認められ、かつ、当該建物等における従前の業務の継続が著しく困難となると認められること。

㉑の2　土地等につき被災市街地復興特別措置法による被災市街地復興土地区画整理事業が施行された場合において、同法第17条第1項《公営住宅等及び居住者の共同の福祉又は利便のため必要な施設の用地》の規定により保留地が定められたことに伴い当該土地等に係る換地処分により当該土地等のうち当該保留地の対価の額に対応する部分の譲渡があったとき。

㉒　土地等につきマンションの建替え等の円滑化に関する法律第2条第1項第4号に規定するマンション建替事業が施行された場合において、当該土地等に係る同法の権利変換により同法第75条の規定による補償金（当該法人〔同条第1号に掲げる者に限る。〕がやむを得ない事情により同法第56条第1項の申出をしたと認められる場合として次に掲げる場合における当該申出に基づき支払われるものに限る。）を取得するとき、又は当該土地等が同法第15条第1項若しくは第64条第1項若しくは第3項の請求（当該法人にやむを得ない事情があったと認められる場合として次に掲げる場合にされたものに限る。）により買い取られたとき。

　　（やむを得ない事情により申出をしたと認められる場合等）
　　㉒に掲げる「やむを得ない事情により同法第56条第1項の申出をしたと認められる場合」及び「やむを得ない事情があったと認められる場合」とは、マンションの建替え等の円滑化に関する法律第56条第1項の申出をした者、同法第15条第1項若しくは第64条第1項の請求をされた者又は同条第3項の請求をした者の有する同法第2条第1項第6号に規定する施行マンションが都市計画法第8条第1項第1号から第2号の2までの地域地区による用途の制限につき建築基準法第3条第2項の規定の適用を受けるものである場合に該当する場合で、㉒のマンション建替事業の施行者がその該当することにつきマンションの建替え等の円滑化に関する法律第37条第1項又は第53条第1項の審査委員の過半数の確認を得た場合をいう。（措令39の5㉖）

㉒の2　建築物の耐震改修の促進に関する法律第5条第3項第2号《都道府県耐震改修促進計画》に規定する通行障害既存耐震不適格建築物（同法第7条第2号又は第3号《要安全確認計画記載建築物の所有者の耐震診断の義務》に掲げる建築物であるものに限る。）に該当する決議特定要除却認定マンション（マンションの建替え等の円滑化に関する法律第109条第1項《買受計画の認定》に規定する決議特定要除却認定マンションをいう。以下㉒の2において同じ。）の敷地の用に供されている土地等につきマンションの建替え等の円滑化に関する法律第2条第1項第9号《定義等》に規定するマンション敷地売却事業（当該マンション敷地売却事業に係る同法第113条《除却等の実施》に規定する認定買受計画に、決議特定要除却認定マンションを除却した後の土地に新たに建築される同項第1号に規定するマンションに関する事項の記載があるものに限る。）が実施された場合において、当該土地等に係る同法第141条第1項《分配金取得計画の決定及び認可》の認可を受けた同項に規定する分配金取得計画（同法第145条《分配金取得計画の変更》において準用する同項の規定により当該分配金取得計画の変更に係る認可を受けた場合には、その変更後のもの）に基づき同法第151条《分配金》の規定による同法第142条第1項第3号《分配金取得

第三章　第一節　第十六款　六《特定住宅地造成事業等の場合の1,500万円控除》

	計画の内容》の分配金を取得するとき、又は当該土地等が同法第124条第１項《区分所有権及び敷地利用権の売渡し請求》の請求により買い取られたとき。
㉓	絶滅のおそれのある野生動植物の種の保存に関する法律第37条第１項《管理地区》の規定により管理地区として指定された区域内の土地が国若しくは地方公共団体に買い取られる場合又は鳥獣の保護及び管理並びに狩猟の適正化に関する法律第29条第１項《特別保護区》の規定により環境大臣が特別保護地区として指定した区域内の土地のうち文化財保護法第109条第１項《指定》の規定により天然記念物として指定された鳥獣（これに準ずる鳥を含む。）の生息地で国若しくは地方公共団体において保存をすることが緊急に必要なものとして環境大臣が指定する次に掲げる土地（管理地区として指定された区域内の土地を除く。）が国若しくは地方公共団体に買い取られる場合（**一**の**1**《収用等のあったた事業年度において取得した代替資産の圧縮記帳》の表の②又は**五**の**1**《2,000万円特別控除》の表の⑤に掲げる場合に該当する場合を除く。）（措令39の5㉗）

㉓	イ	文化財保護法第109条第１項の規定により天然記念物として指定された鳥獣の生息地
	ロ	日本国が締結した渡り鳥及び絶滅のおそれのある鳥類並びにその環境の保護に関する条約においてその保護をすべきものとされた鳥類の生息地

㉔		次に掲げる地域内の土地又は地区内の土地が地方公共団体に買い取られる場合
	イ	自然公園法第72条《指定》に規定する都道府県立自然公園の区域内のうち同法第73条第１項《保護及び利用》に規定する条例の定めるところにより特別地域として指定された地域で、当該地域内における行為につき同法第20条第１項《特別地域》に規定する特別地域内における行為に関する同法第２章第４節《保護及び利用》の規定による規制と同等の規制が行われている地域として環境大臣が認定した地域内の土地 注　上記の環境大臣が認定した地域は、平成22年環境省告示第65号、平成23年環境省告示第１号、第20号、第60号、平成24年環境省告示第128号及び平成26年環境省告示第11号により定められている。（編者）
	ロ	自然環境保全法第45条第１項《都道府県自然環境保全地域の指定》に規定する都道府県自然環境保全地域のうち同法第46条第１項《保全》に規定する条例の定めるところにより特別地区として指定された地区で、当該地区内における行為につき同法第25条第１項《特別地区》に規定する特別地区内における行為に関する同法第４章第２節《保全》の規定による規制と同等の規制が行われている地区として環境大臣が認定した地区内の土地 注　上記の環境大臣が認定した地域は、平成22年環境省告示第66号、平成23年環境省告示第２号、第21号、第61号及び平成24年環境省告示第129号により定められている。（編者）

㉕	農業経営基盤強化促進法第４条第１項第１号《定義》に規定する農用地で農業振興地域の整備に関する法律第８条第２項第１号《市町村の定める農業振興地域整備計画》に規定する農用地区域として定められている区域内にあるものが、農業経営基盤強化促進法第22条第２項《認定農業者への利用権の設定等の促進》の協議に基づき、同項の農地中間管理機構（公益社団法人又は公益財団法人であって、その定款において、その法人が解散した場合にその残余財産が地方公共団体又は当該法人と類似の目的をもつ他の公益を目的とする事業を行う法人に帰属する旨の定めがあるものに限る。）に買い取られる場合（措令39の5㉘）

（被災市街地復興推進地域内にある土地等に係る換地処分等の場合の圧縮記帳の適用）

（１）　法人の有する土地等で被災市街地復興特別措置法第５条第１項《被災市街地復興推進地域に関する都市計画》の規定により都市計画に定められた被災市街地復興推進地域内にあるものが**1**の表の㉑の**2**に掲げる場合に該当することとなった場合には、同表の㉑の**2**の保留地が定められた場合は**二**の**1**《換地処分等により交換取得した資産の圧縮記帳》に掲げる保留地が定められた場合に該当するものとみなし、かつ、同㉑の**2**の保留地の対価の額は同**1**並びに**二**の**2**《譲渡資産の帳簿価額のうち交換取得資産に対応する金額》の表の①及び**二**の**9**《完全支配関係がある法人間で譲渡された譲渡損益調整資産に係る譲渡利益額》の表の①に掲げる保留地の対価の額に該当するものとみなして、同**1**、**二**の**4**《適格分割等を行った場合の分割法人等における交換取得資産の圧縮額の損金算入》及び同**9**を適用する。（措法65の4②）

（1,500万円特別控除の不適用）

（２）　法人の有する土地等につき、一の事業で**1**の表の①から③まで、⑥から⑯まで、⑲、㉒又は㉒の**2**の買取りに係るものの用に供するために、これらの買取りが次の表の(一)から(四)までに掲げる法人に該当する法人から行われ

た場合には、同表の(一)から(四)までに掲げる買取りについては、**1**は、適用しない。(措法65の4④)

(一)	適格合併に係る被合併法人	当該適格合併により合併法人が当該事業に係る資産の移転を受けた場合において当該移転を受けた資産について行われる買取り
(二)	適格分割に係る分割法人	当該適格分割により分割承継法人が当該事業に係る資産の移転を受けた場合において当該移転を受けた資産について行われる買取り
(三)	適格現物出資に係る現物出資法人	当該適格現物出資により被現物出資法人が当該事業に係る資産の移転を受けた場合において当該移転を受けた資産について行われる買取り
(四)	適格現物分配に係る現物分配法人	当該適格現物分配により被現物分配法人が当該事業に係る資産の移転を受けた場合において当該移転を受けた資産について行われる買取り

(譲渡に要した経費の額の計算)
(3) **1**に掲げる「譲渡した土地等の譲渡に要した経費で当該対価又は交換取得資産に係るものとして計算した金額」は、譲渡をした土地等の譲渡に要した経費の金額の合計額が、当該譲渡に際し譲渡に要する経費に充てるべきものとして交付を受けた金額の合計額を超える場合におけるその超える部分の金額のうち、当該譲渡をした土地等に係る部分の金額(その超える部分の金額を当該譲渡に要した経費の金額に按分して計算した金額)とする。(措法65の4⑥、措令39の5①、39の4①、措規22の4③)

(特別控除の適用上の留意事項)
(4) 1,500万円特別控除の適用に当たっては、次の点に留意する。(編者)
(一) **1**の表の①から㉕までに該当して土地等を譲渡した場合には、各事業年度ごとに、かつ、年の異なるごとに、1,500万円特別控除又は圧縮記帳(第十五款の**七**及び同款の**九**)のいずれかを選択適用することができる。
(二) **1**の1,500万円特別控除による特別控除額は、同一の年を通じて1,500万円が限度となる。したがって、譲渡益が1,500万円を超えるときは、その超える部分については通常の課税が行われる。

(地方公共団体等が行う住宅の建設又は宅地の造成事業の施行者と買取りをする者との関係)
(5) **1**の表の①に掲げる住宅の建設又は宅地の造成を行う者が同表の①に掲げる者であり、かつ、当該住宅の建設又は宅地の造成のために土地等の買取りをする者が同表の①に掲げる者である場合には、当該住宅の建設又は宅地の造成の事業施行者と当該買取りをする者とが異なっていても、同表の①の適用があることに留意する。(措通65の4-1)

(代行買収の要件)
(6) **1**の表の①に掲げる住宅の建設又は宅地の造成の事業施行者と土地等の買取りをする者が異なる場合におけるその買い取った土地等が当該住宅の建設又は宅地の造成のため買い取った土地等に該当するかどうかは、次に掲げる要件の全てを満たしているかどうかにより判定するものとする。(措通65の4-2)
(一) 買取りをした土地等は、最終的に同表の①に掲げる事業の施行者に帰属するものであること。
(二) 当該土地等の買取契約書には、当該土地等の買取りをする者が同表の①に掲げる事業の施行者が行う当該住宅の建設又は宅地の造成のために買取りをするものである旨が明記されているものであること。
(三) 上記(一)に掲げる事項については、当該事業の施行者と当該土地等の買取りをする者との間の契約書又は覚書により相互に明確に確認されているものであること。

(収用対償地の買取りに係る契約方式)
(7) 次に掲げる方式による契約に基づき、収用の対償に充てられることとなる土地等(以下(7)において「代替地」という。)が公共事業施行者(**一の1**《収用等のあった事業年度において取得した代替資産の圧縮記帳》の表の①に掲げる土地収用法等に基づく収用〔**一の1**の表の②に掲げる買取り及び**一の2**《使用補償金及び譲渡対価等に対する特例の適用》の表の①に掲げる使用を含む。以下(7)において同じ。〕を行う者をいう。以下(7)において同じ。)に買い取られる場合は、**1**の表の②に掲げる「収用の対償に充てるため買い取られる場合」に該当するものとする。(措通65の4-2の2)
(一) 公共事業施行者、収用により譲渡する土地等(以下(7)において「事業用地」という。)の所有者及び代替地の所有者の三者が次に掲げる事項を約して契約を締結する方式

イ　代替地の所有者は公共事業施行者に代替地を譲渡すること。
　　　ロ　事業用地の所有者は公共事業施行者に事業用地を譲渡すること。
　　　ハ　公共事業施行者は代替地の所有者に対価を支払い、事業用地の所有者には代替地を譲渡するとともに事業用地の所有者に支払うべき補償金等（事業用地の譲渡に係る補償金又は対価に限る。以下(7)において同じ。）の額から代替地の所有者に支払う対価の額を控除した残額を支払うこと。
　　　　注　上記契約方式における代替地の譲渡のうち1の表の②に掲げる「収用の対償に充てるため買い取られる場合」の土地等の譲渡に該当するものは、当該代替地の譲渡のうち一の1の表の①、同表の②又は一の2の表の①に掲げる収用、買取り又は使用の対価たる補償金又は対価につき金銭に代えて給付される代替地に係る部分の譲渡に限られるのであるから、当該代替地の譲渡のうち当該補償金又は対価以外の補償金につき金銭に代えて給付される代替地に係る部分の譲渡は、これに該当しないことに留意する。
　(二)　公共事業施行者と事業用地の所有者が次に掲げる事項を約して契約を締結する方式
　　　イ　事業用地の所有者は公共事業施行者に事業用地を譲渡し、代替地の取得を希望する旨の申出をすること。
　　　ロ　公共事業施行者は事業用地の所有者に代替地の譲渡を約するとともに、事業用地の所有者に補償金等を支払うこと。ただし、当該補償金等の額のうち代替地の価額に相当する金額については公共事業施行者に留保し、代替地の譲渡の際にその対価に充てること。

　　　（一団地の公営住宅の買取りが行われた場合の措置法第64条等との適用関係）
(8)　1の表の②に掲げる「公営住宅法第2条第4号に規定する公営住宅の買取り」は、当該公営住宅の買取りが一団地の住宅経営に係る事業として行われる場合には、当該一団地の住宅戸数が50戸未満であるときに限られるのであるが、その住宅戸数が50戸以上であるときは、一《収用等に伴い代替資産を取得した場合の課税の特例》、二《換地処分等に伴い資産を取得した場合の課税の特例》又は四《収用換地等の場合の所得の特別控除》のいずれかの適用があることに留意する。（措通65の4－3）

　　　（公営住宅の買取りが行われた場合における特例の適用対象となる土地等の範囲）
(9)　1の表の②に掲げる公営住宅の買取りにおける土地等の買取りとは、地方公共団体が公営住宅法第2条第4号の規定により公営住宅として住宅（同号に規定する附帯施設を含む。以下(9)において同じ。）を買い取るために必要な土地の所有権、地上権、賃借権を取得することをいい、当該住宅の買取りに付随しない土地等の買取りは、これには該当しない。したがって、例えば、地方公共団体が公営住宅として住宅とその敷地である借地権を買い取り、当該借地権の設定されていた土地の所有者と当該土地に係る賃貸借契約を締結した場合において、その後に当該土地の所有者から底地を買い取った場合には、当該底地の譲渡については1《1,500万円特別控除》の適用はないことに留意する。（措通65の4－4）
　　　注1　公営住宅法第2条第4号に規定する附帯施設とは、給水施設、排水施設、電気施設等のほか自転車置場、物置等の施設をいい、同条第9号に規定する児童遊園、共同浴場、集会場等の共同施設は同条第4号の公営住宅の買取りには含まれていないのであるから留意する。
　　　注2　借地権を有する者が、当該借地権に係る底地を取得した後、公営住宅として買い取られる住宅に付随して旧借地権部分と旧底地部分が買い取られる場合には、そのいずれの部分についても、1の適用対象となる。

　　　（仮換地の指定が行われないで換地処分が行われた場合の取扱い）
(10)　土地区画整理事業に係る施行地区内の土地等につき換地が行われる場合には、当該事業に係る土地区画整理法第4条第1項《施行の許可》又は第14条第1項に規定する認可の申請があった日の属する年の1月1日以後その最初に行われた仮換地の指定（1の表の③に掲げる仮換地の指定をいう。以下同じ。）の効力発生の日の前日までの間に当該事業の用に供するために買い取られることとなった土地等の譲渡について1の適用があるのであるから、当該事業の施行地区内の土地等につき当該仮換地の指定が行われないで土地区画整理法第103条《施設建築物の一部等の価額等の確定》の規定による換地処分が行われた場合には、当該認可の申請があった日の属する年の1月1日以後同条第4項の規定による換地処分の公告のあった日の前日までの間に買い取られることとなった当該土地等の譲渡について、1の適用があることに留意する。（措通65の4－6）

　　　（公募手続開始前の譲渡）
(11)　公募手続開始前に土地等の譲渡をする場合における1の表の③のハの適用については、たとえその譲渡が一般需要者に対するものであり、かつ、公募後の譲渡と同一条件により行われたものであっても、公募の方法による譲渡には該当しないものとする。（措通65の4－7、63(5)－6参照・編者補正）

第三章 第一節 第十六款 六《特定住宅地造成事業等の場合の1,500万円控除》

(会員を対象とする土地等の譲渡)
(12) いわゆるハウジングメイト等会員を対象として土地等の譲受人を募集する場合における**1**の表の③のハの適用については、その会員の募集が公募の方法により行われるときは、当該会員を対象とする譲受人の募集は、公募の方法に該当するものとする。(措通65の4－8、63(5)－7参照・編者補正)
   注 「会員の募集が公募の方法により行われているとき」には、一団の宅地の造成分譲を目的として、その分譲を希望する組合員、出資者等を募集する場合を含むものとするが、会員等となるに当たって縁故関係を必要とすること、入会資格に強い制約のある社交団体の会員資格を必要とすること等の場合は、これに含まれないものとする。

(2以上の3号該当土地等の譲渡がある場合の取扱い)
(13) 法人の有する土地等が**1**の表の③に掲げる場合に該当することとなった場合において、当該土地等につき**1**の適用を受けるときは、同一の事業年度において譲渡した同表の③に掲げる場合に該当することとなった土地等の全てについて、**1**を適用することに留意する。(措通65の4－9・編者補正)
   注 同一の事業年度において行われた土地等の譲渡のうち(14)《年を異にする2以上の買取りが行われた場合》により**1**を適用しないこととされる買取りに係るものについては、租税特別措置法第62条の3第4項《優良住宅地等のための譲渡の適用除外》を適用できることに留意する。

(年を異にする2以上の買取りが行われた場合)
(14) 法人の有する土地等につき、一の事業で、**1**の表の①から③まで、⑥から⑯まで、⑲、㉒又は㉒の2の買取りに係るものの用に供するために、同表のそれぞれに掲げる買取りが2以上行われた場合において、これらの買取りが2以上の年にわたって行われたときは、これらの買取りのうち、最初に同表のそれぞれに掲げる買取りが行われた年において行われたもの以外の買取りについては、**1**は、適用しない。(措法65の4③)

(事業計画の変更等があった場合の一の特定住宅地造成事業等の判定)
(15) 一の特定住宅地造成事業等について事業計画等の変更等があった場合の一の事業の判定については、**四**の**3**の(6)《事業計画の変更等があった場合の一の収用換地等に係る事業の判定》に準じて取り扱うものとする。(措通65の4－15)

(2以上の年にわたり収用対償地の買取りが行われた場合の適用)
(16) 法人の所有する土地等が**1**の表の②に掲げる収用の対償に充てるために買い取られた場合(当該土地等について区画形質の変更又は宅地の造成を行った上で事業用地の所有者〔収用により譲渡する土地等の所有者をいう。〕に譲渡するために買い取られた場合を除く。)の当該買取りについては、(14)の適用はないことに留意する。(措通65の4－16・編者補正)

(2以上の年にわたり買取りが行われた場合の措置法第62条の3との適用関係)
(17) 法人の有する土地等が、**1**の表の③に掲げる場合に該当することとなった場合において、当該土地等につき同表の③に掲げる買取りが2以上行われ、かつ、これらの買取りが2以上の年にわたって行われたときは、最初に買取りが行われた年において譲渡した土地等につき**1**の適用を受けている場合であっても、当該最初に買取りが行われた年以外の年において行われた買取りに係る当該土地等の譲渡については、租税特別措置法第62条の3第4項《優良住宅地等のための譲渡の適用除外》を適用できることに留意する。(措通65の4－10)

(2以上の年にわたり買取りが行われた場合の措置法第65条の3と適用関係)
(18) **1**の表の①及び⑥から⑪までに掲げる場合に該当する買取りが行われた場合において、当該買取りが**五**の**1**《2,000万円特別控除》の表の①に掲げる場合にも該当するときは、当該買取りについては同**1**の2,000万円特別控除が適用され、**1**の1,500万円特別控除の適用はないこととされているのであるから、**五**の**1**に該当する買取りが一の事業のために2以上の年にわたって行われたときは、最初に買取りが行われた年以外の年において行われた買取りに係る譲渡については、**五**の**1**の2,000万円特別控除のみならず**1**の1,500万円特別控除の適用もないことに留意する。(措通65の4－11)

(休憩所等に類する施設の範囲)
(19) **1**の表の⑬の表のイの(イ)の「事業の要件」欄の(ロ)に掲げる休憩所、集会場、駐車場、アーケードその他これらに類する施設の「これらに類する施設」とは、例えば小公園、カラー舗装、街路灯などのように主として顧客その他の地域住民の利用に供される施設をいうのであるから、事業協同組合等の組合事務所及び事業協同組合等の組合員等が共同で使用する店舗、倉庫等のような施設はこれに含まれないことに留意する。(措通65の4－12)

第三章　第一節　第十六款　六《特定住宅地造成事業等の場合の1,500万円控除》

(事業の区域の面積判定)

(20)　1の表の⑬の(1)《商店街活性化事業の区域》又は同表の⑬の表のイの**(ロ)**の「事業の要件」欄の(ハ)に掲げる区域の面積が1,000㎡又は300㎡以上であるかどうかを判定する場合において、例えば店舗併用住宅などのように同表の⑬の(1)又は同表のイの**(ロ)**の「事業の要件」欄の(ハ)に掲げるものの事業の用に供される部分と当該事業以外の用に供される部分からなる建物の用に供される土地については、その土地の全部が当該事業の区域の面積に該当するものとして取り扱う。(措通65の4−13)

(特別控除額と留保金額等との関係)

(21)　1の1,500万円特別控除により損金の額に算入された特別控除額は、第二節第一款の**二**《特定同族会社の特別税率》の**2**《各事業年度の留保金額》及び同**二**の**3**《留保控除額》に掲げる所得等の金額に含まれるものとする。(措法65の4⑤、65の3⑦)

(特別控除額と利益積立金額との関係)

(22)　1の1,500万円特別控除の適用を受けた法人の利益積立金額の計算については、1の特別控除により損金の額に算入される金額は、第二章第一節の**二**の表の**18**《利益積立金額》の加算欄の①の**イ**に掲げる所得の金額に含まれるものとする。(措法65の4⑤、措令39の5㉙)

2　特別控除の申告

1の1,500万円特別控除は、確定申告書等に特別控除により損金の額に算入される金額の損金算入に関する申告《別表十(五)→別表四》の記載及びその損金の額に算入される金額の計算に関する明細書《別表十(五)》の添付があり、かつ、1の表の①から㉕までの買取りをする者から交付を受けた次の表の①から㉛までの左欄に掲げる場合の区分に応じそれぞれ同表の右欄に掲げる証明書類を保存している場合に限り、適用する。(措法65の4⑤、65の3④、措規22の5①)

①	1の表の①の場合	その住宅建設又は宅地造成の施行者の当該土地等を当該住宅建設又は宅地造成のために買い取った旨を証する書類(当該住宅建設又は宅地造成の施行者に代わり、1の表の①に掲げる法人で当該施行者でないものが同表の①に掲げる買取りをする場合には、当該施行者の当該証する書類で当該買取りをする者の名称及び所在地の記載があるもの)	
②	1の表の②の場合	次の表の左欄に掲げる場合の区分に応じ、それぞれ右欄に掲げる書類	
		イ　土地等が1の表の②に掲げる収用を行う者によって収用の対償に充てるため買い取られる場合	その買取りをする者の当該土地等を当該収用の対償に充てるため買い取った旨を証する書類
		ロ　土地等が1の表の②に掲げる収用を行う者に代わるべき者によって収用の対償に充てるため買い取られる場合	その買取りをする者の当該土地等を収用を行う者との契約に基づき当該収用の対償に充てるため買い取った旨を証する書類及びその契約書の写し
		ハ　土地等が住宅地区改良法第2条第6項《定義》に規定する改良住宅を同条第3項に規定する改良地区の区域外に建設するため買い取られる場合	国土交通大臣の当該土地等の所在地が住宅地区改良法第6条第3項第1号《事業計画》に掲げる住宅地区改良事業を施行する土地の区域(当該改良地区の区域を除く。)内である旨を証する書類及びその買取りをする者の当該土地等を当該住宅地区改良事業のため買い取った旨を証する書類
		ニ　土地等が公営住宅法第2条第4号《用語の定義》に規定する公営住宅の買取りにより買い取られる場合	その買取りをする地方公共団体の長の当該土地等を当該公営住宅の買取りにより買い取った旨を証する書類
③	1の表の③の場合	次に掲げる書類	
		イ　当該土地等の買取りをする者の当該土地等を1の表の③に掲げる一団の宅地の造成に関する事業の用に供するために買い取った旨、当該土地等の買取りをした年の前年以前	

			の年において当該土地等が買い取られた者から当該事業の用に供するために土地等を買い取ったことがない旨及び当該土地等が当該買取りをする者の有する土地と併せて一団の土地に該当することとなる旨を証する書類	
		ロ	1の表の③のイに掲げる土地区画整理事業の施行者の同表の③に掲げる仮換地の指定がない旨又は最初に行われた当該指定の効力発生の日の年月日を証する書類	
		ハ	国土交通大臣のイに掲げる一団の宅地の造成に関する事業に係る1の表の③による認定をした旨を証する書類(ロに掲げる土地区画整理事業に係る同表の③に掲げる認可の申請書の受理年月日の記載のあるものに限る。)の写し	
④	1の表の④の場合	1の表の④に掲げる買取りをする者の当該土地を公有地の拡大の推進に関する法律第6条第1項《土地買取りの協議》の協議に基づき買い取った旨を証する書類		
⑤	1の表の⑤の場合	特定空港周辺航空機騒音対策特別措置法第9条第2項《移転の補償等》に規定する特定空港の設置者の同法第4条第1項《航空機騒音障害防止地区及び航空機騒音障害防止特別地区》に規定する航空機騒音障害防止特別地区内にある土地を同法第9条第2項の規定に基づき買い取った旨を証する書類		
⑥	1の表の⑥の場合	地方公共団体の長の当該事業が1の表の⑥に掲げる事業である旨を証する書類及び次の表の左欄に掲げる場合の区分に応じそれぞれ右欄に掲げる者の当該土地等を当該事業の用に供するために買い取った旨を証する書類(ロに掲げる場合には、これらの書類及び市町村長又は特別区の区長の当該土地等の買取りをする者が同表の⑥に掲げる沿道整備推進機構である旨を証する書類)		
		イ	当該土地等の買取りをする者が地方公共団体である場合	当該地方公共団体の長
		ロ	当該土地等の買取りをする者が1の表の⑥に掲げる沿道整備推進機構である場合	当該沿道整備推進機構を幹線道路の沿道の整備に関する法律第13条の2第1項《沿道整備推進機構の指定》の規定により指定した市町村長又は特別区の区長
⑦	1の表の⑦の場合	地方公共団体の長の当該事業が1の表の⑦に掲げる事業である旨を証する書類及び次の表の左欄に掲げる場合の区分に応じそれぞれ右欄に掲げる者の当該土地等を当該事業の用に供するために買い取った旨を証する書類(ロに掲げる場合には、これらの書類及び市町村長又は特別区の区長の当該土地等の買取りをする者が同表の⑦に掲げる防災街区整備推進機構である旨を証する書類)		
		イ	当該土地等の買取りをする者が地方公共団体である場合	当該地方公共団体の長
		ロ	当該土地等の買取りをする者が1の表の⑦に掲げる防災街区整備推進機構である場合	当該防災街区整備推進機構を密集市街地における防災街区の整備の促進に関する法律第300条第1項《防災街区整備推進機構の指定》の規定により指定した市町村長又は特別区の区長
⑧	1の表の⑧の場合	地方公共団体の長の当該事業が1の表の⑧に掲げる事業である旨を証する書類及び次の表の左欄に掲げる場合の区分に応じそれぞれ右欄に掲げる者の当該土地等を当該事業の用に供するために買い取った旨を証する書類(ロに掲げる場合には、これらの書類及び市町村長又は特別区の区長の当該土地等の買取りをする者が同表の⑧に掲げる中心市街地整備推進機構である旨を証する書類)		
		イ	当該土地等の買取りをする者が地方公共団体である場合	当該地方公共団体の長
		ロ	当該土地等の買取りをする者が1の表の⑧に掲げる中心市街地整備推進機構である場合	当該中心市街地整備推進機構を中心市街地の活性化に関する法律(以下「中心市街地活性化法」という。)第61条第1項の規定により指定した市町村長又は特別区の区長

第三章　第一節　第十六款　六《特定住宅地造成事業等の場合の1,500万円控除》

⑨	1の表の⑨の場合	地方公共団体の長の当該事業が1の表の⑨に掲げる事業である旨を証する書類及び次の表の左欄に掲げる場合の区分に応じそれぞれ同表の右欄に掲げる者の当該土地等を当該事業の用に供するために買い取った旨を証する書類（ロに掲げる場合には、これらの書類〔当該事業の用に供するために買い取った土地等である旨を証する書類にあっては、当該土地等が景観法施行令第28条各号のいずれに該当するかの別の記載があるものに限る。〕及び景観法第7条第1項に規定する景観行政団体の長〔以下「景観行政団体の長」という。〕の当該土地等の買取りをする者が1の表の⑨に掲げる景観整備機構である旨を証する書類）		
		イ	当該土地等の買取りをする者が地方公共団体である場合	当該地方公共団体の長
		ロ	当該土地等の買取りをする者が1の表の⑨に掲げる景観整備機構である場合	当該景観整備機構を景観法第92条第1項の規定により指定した景観行政団体の長
⑩	1の表の⑩の場合	地方公共団体の長の当該事業が1の表の⑩に掲げる事業である旨を証する書類及び次の表の左欄に掲げる場合の区分に応じそれぞれ同表の右欄に掲げる者の当該土地等を当該事業の用に供するために買い取った旨を証する書類（ロに掲げる場合には、これらの書類及び市町村長又は特別区の区長の当該土地等の買取りをする者が同表の⑩に掲げる都市再生推進法人である旨を証する書類）		
		イ	当該土地等の買取りをする者が地方公共団体である場合	当該地方公共団体の長
		ロ	当該土地等の買取りをする者が1の表の⑩に掲げる都市再生推進法人である場合	当該都市再生推進法人を都市再生特別措置法第118条第1項の規定により指定した市町村長又は特別区の区長
⑪	1の表の⑪の場合	地方公共団体の長の当該事業が1の表の⑪に掲げる事業である旨を証する書類及び次の表の左欄に掲げる場合の区分に応じそれぞれ右欄に掲げる者の当該土地等を当該事業の用に供するために買い取った旨を証する書類（ロに掲げる場合には、これらの書類及び市町村長又は特別区の区長の当該土地等の買取りをする者が同表の⑪に掲げる歴史的風致維持向上支援法人である旨を証する書類）		
		イ	当該土地等の買取りをする者が地方公共団体である場合	当該地方公共団体の長
		ロ	当該土地等の買取りをする者が1の表の⑪に掲げる歴史的風致維持向上支援法人である場合	当該歴史的風致維持向上支援法人を地域における歴史的風致の維持及び向上に関する法律第34条第1項の規定により指定した市町村長又は特別区の区長
⑫	1の表の⑫の場合	都道府県知事の当該事業の1の表の⑫の指定をした事業である旨を証する書類及び次の表の左欄に掲げる場合の区分に応じそれぞれ右欄に掲げる者の当該土地等を当該事業の用に供するために買い取った旨を証する書類（ハに掲げる場合には、これらの書類及び都道府県知事の当該土地等の買取りをする者が同表の⑫に掲げる国又は地方公共団体の出資に係る法人に該当する旨を証する書類）		
		イ	当該土地等の買取りをする者が地方公共団体である場合	当該地方公共団体の長
		ロ	当該土地等の買取りをする者が1の表の⑫に掲げる地方公共団体が財産を提供して設立した団体である場合	当該団体を所轄する都道府県知事
		ハ	当該土地等の買取りをする者が1の表の⑫に掲げる国又は地方公共団体の出資に係る法人である場合	当該法人
⑬	1の表の⑬のイの場合（土地等が同	経済産業大臣の当該土地等の買取りをする者が1の表の⑬のイ又はロの「法人」欄に掲げる法人に該当する旨を証する書類及び当該事業に係る同表の⑬の(4)《事業の要件に該当する旨の		

	表の⑬のイに掲げる事業の用に供されるために買い取られる場合に限る。）	証明》の（一）に掲げる書面並びに当該土地等の買取りをする者の当該土地等を当該事業の用に供するために買い取った旨を証する書類
⑭	1の表の⑬のロの場合（土地等が同表の⑬のロに掲げる事業の用に供されるために買い取られる場合に限る。）	経済産業大臣の当該土地等の買取りをする者が1の表の⑬のロの「法人」欄に掲げる法人に該当する旨を証する書類及び当該事業に係る同表の⑬の（4）《事業の要件に該当する旨の証明》の（二）に掲げる書面並びに当該土地等の買取りをする者の当該土地等を当該事業の用（当該事業が中心市街地活性化法第7条第7項第1号に定める事業である場合には、当該事業により設置される1の表の⑬のイの「事業の要件」欄の（ロ）に掲げる公共用施設の用）に供するために買い取った旨を証する書類
⑮	1の表の⑭の場合	都道府県知事の当該事業が1の表の⑭に掲げる指定をした事業である旨を証する書類及び同表の⑭に掲げる買取りをする者の当該土地等を同表の⑭に掲げる事業の用に供するために買い取った旨を証する書類
⑯	1の表の⑭の2の場合	市町村長又は特別区の区長の当該事業が1の表の⑭の2の指定をした事業である旨を証する書類及び同表の⑭の2の買取りをする者の当該土地等を同表の⑭の2に掲げる事業の用に供するために買い取った旨を証する書類
⑰	1の表の⑮の場合	厚生労働大臣の当該土地等の買取りをする者が地方公共団体又は1の表の⑮に掲げる特定法人に該当する旨を証する書類及び当該事業が1の表の⑮の特定施設の整備の事業で同表の⑮に掲げる要件に該当することにつき厚生労働大臣の証明がされた書面並びに当該土地等の買取りをする者の当該土地等を同表の⑮に掲げる事業の用に供するために買い取った旨を証する書類
⑱	1の表の⑯の場合	厚生労働大臣の当該事業が1の表の⑯の認可を受けた同表の⑯に掲げる基本計画に基づいて行われる同表の⑯の事業である旨を証する書類及び当該土地等の買取りをする者の当該土地等を当該事業の用に供するために買い取った旨を証する書類
⑲	1の表の⑰の場合	1の表の⑰に掲げる買取りをする者の当該土地を生産緑地法第11条第1項《生産緑地の買取り等》、第12条第2項《生産緑地の買取りの通知等》又は第15条第2項《生産緑地の買取り希望の申出》の規定に基づき買い取った旨を証する書類
⑳	1の表の⑱の場合	都道府県知事（地方自治法第252条の19第1項《指定都市の権能》の指定都市にあっては、当該指定都市の長）の当該土地等を国土利用計画法第19条第2項《規制区域の指定》の規定に基づき買い取った旨を証する書類
㉑	1の表の⑲の場合	都道府県知事の地域の開発、保全又は整備に関する事業に係る計画が国、地方公共団体又は独立行政法人中小企業基盤整備機構、独立行政法人都市再生機構その他第二章第一節の二の**別表第一**《公共法人の表》に掲げる法人で地域の開発、保全又は整備に関する事業を行うものの作成に係るもので、国土利用計画法第9条第3項《土地利用基本計画》に規定する土地利用の調整等に関する事項として同条第1項の土地利用基本計画に定められたもののうち当該地域の開発、保全又は整備に関する事業の施行区域が定められた計画で、当該施行区域の面積が20ヘクタール以上である旨を証する書類及び1の表の⑲に掲げる買取りをする者の当該土地等を当該計画に基づく事業の用に供するために買い取った旨を証する書類（当該買取りをする者が当該事業の施行者でない場合には、当該書類で当該事業の施行者の名称及び所在地の記載があるもの）
㉒	1の表の⑳の場合	都市再開発法第7条の6第3項《土地の買取り》に規定する建築許可権者、大都市地域住宅供給促進法第8条第3項《土地の買取り》（同法第27条《土地の買取り等》において準用する場合を含む。）に規定する都道府県知事、地方拠点都市地域の整備及び産業業務施設の再配置の促進に関する法律第22条第3項《土地の買取り等》に規定する都道府県知事等又は被災市街地復興特別措置法第8条第3項に規定する都道府県知事等の当該土地等をこれらの規定により買い取った旨を証する書類
㉓	1の表の㉑の場合	国土交通大臣の当該土地等に係る1の表の㉑に掲げる《国土交通大臣の証明》で定める書面及

第三章　第一節　第十六款　六《特定住宅地造成事業等の場合の1,500万円控除》

		び同表の㉑に掲げる土地区画整理事業の施行者の同表の㉑に掲げる換地が定められなかったことに伴い土地区画整理法第94条《清算金》の規定による清算金の支払をした旨を証する書類
㉔	1の表の㉑の2の場合	㉑の2の被災市街地復興土地区画整理事業を施行する者の当該土地等に係る換地処分により当該土地等のうち㉑の2の保留地の対価の額に対応する部分の譲渡があった旨を証する書類（当該対価の額の記載があるものに限る。）
㉕	1の表の㉒の場合	1の表の㉒に掲げるマンション建替事業の施行者（マンションの建替え等の円滑化に関する法律第2条第1項第5号に規定する施行者をいう。）の同表の㉒に掲げる補償金が同表の㉒に掲げる申出に基づき支払ったものである旨又は当該土地等を同表の㉒に掲げる請求により買い取った旨、《やむを得ない事情により申出をしたと認められる場合等》に該当する旨及びその該当することにつき同表の㉒に掲げる審査委員の確認があった旨を証する書類
㉖	1の表の㉒の2の場合	1の表の㉒の2に掲げるマンション敷地売却事業を実施する者の当該マンション敷地売却事業に係る同表の㉒の2に掲げる決議特定要除却認定マンションが同表の㉒の2に掲げる通行障害既存耐震不適格建築物に該当すること、当該マンション敷地売却事業に係る同表の㉒の2に掲げる認定買受計画に同表の㉒の2に掲げるマンションに関する事項の記載があること及び当該記載がされた当該マンションが新たに建築されることにつき都道府県知事（市の区域内にあっては、当該市の長）の証明を受けた旨並びに同表の㉒の2に掲げる分配金が当該土地等に係る同表の㉒の2に掲げる分配金取得計画に基づき支払ったものである旨又は当該土地等を同表の㉒の2の請求により買い取った旨を証する書類
㉗	1の表の㉓の場合	次の表の左欄に掲げる場合の区分に応じ、それぞれ右欄に掲げる書類

		イ　1の表の㉓に掲げる管理地区として指定された区域内の土地が買い取られる場合	その買取りをする者の当該土地を買い取った旨を証する書類
		ロ　1の表の㉓に掲げる生息地である土地が買い取られる場合	環境大臣の当該土地が1の表の㉓のイ又はロに掲げる鳥獣の生息地で国又は地方公共団体において保存をすることが緊急に必要なものとして指定したものである旨を証する書類及びその買取りをする者の当該土地を当該鳥獣の生息地として保存をするために買い取った旨を証する書類

㉘	1の表の㉔の場合	地方公共団体の長の当該土地を買い取った旨及び当該土地が1の表の㉔に掲げる特別地域として指定された地域又は特別地区として指定された地区内のものである旨を証する書類並びに環境大臣の当該特別地域として指定された地域又は特別地区として指定された地区内の行為に関する規制が自然公園法第2章第4節《保護及び利用》又は自然環境保全法第4章第2節《保全》の規定による規制と同等の規制が行われていると認定した旨の通知に係る文書の写し
㉙	1の表の㉕の場合	市町村長の当該土地等が1の表の㉕の農用地区域として定められている区域内にある同表の㉕に掲げる農用地である旨及び当該土地等の買取りにつき同表の㉕の協議に係る農業経営基盤強化促進法第22条第2項《認定農業者への利用権の設定等の促進》の規定による通知をしたことを証する書類（その通知をした年月日の記載があるものに限る。）、当該土地等の買取りをする者の当該土地等を当該協議に基づき買い取った旨を証する書類並びに都道府県知事の当該土地等の買取りをする者が1の表の㉕に掲げる農地中間管理機構に該当する旨を証する書類

注　1の表の③に掲げる土地等の譲渡に係る一団の宅地の面積要件については、事業概要書等に添付される土地総括表に記載された定期借地権（借地借家法第2条第1号《定義》に規定する借地権で同法第22条《定期借地権》又は同法第24条《建物譲渡特約付借地権》の適用を受けるもの）の設定地を含めて判定することができるが、この場合には、次の表の左欄に掲げる区分に応じ、それぞれ同表の右欄に掲げる書類等（定期借地権設定予約契約に基づいて宅地造成後に定期借地権設定により宅地供給をする予定の土地〔課税の特例に定める申告期限又は特例の適用要件である確定手続の期限までに定期借地権が設定されたものに限る。以下「定期借地権設定予定地」という。〕を含めて一体的に行われる一団の住宅地造成事業等の場合にあっては、定期借地権設定契約書を含む。）の所轄税務署長への提出を要する。（平9課法2－5・編者補正）

定期借地権設定地	土地等総括表を添付した、①特定宅地造成事業認定書の写し又は、②特定住宅建設事業認定書の写し
定期借地権設定予定地	土地等総括表及び同意書（都市計画法第33条第1項第14号の同意を得たことを証する書類で定期借地権設定予定地である旨の記載のあるものをいう。）を添付した、①特定宅地造成事業認定書の写し又は、②特定住宅建設事業認定書の写し

　　　　（申告の記載等がない場合のゆうじょ規定）
（1）　税務署長は、**2**に掲げる記載若しくは添付がない確定申告書等の提出があった場合又は**2**に掲げる書類の保存がない場合においても、その記載若しくは添付又は保存がなかったことについてやむを得ない事情があると認めるときは、当該記載をした書類及び明細書並びに証明書類の提出があった場合に限り、**1**の1,500万円特別控除を適用することができる。（措法65の4⑤、65の3⑤）

　　　　（買取りをする者の支払調書の提出）
（2）　**1**の表の①から㉕までの買取りをする者は、土地等の買取りをした場合には、1月から3月まで、4月から6月まで、7月から9月まで及び10月から12月までの各期間に支払うべき当該買取りに係る対価についての支払に関する調書《所得税法第225条第1項第9号》を、当該各期間に属する最終月の翌月末までに、その事業の施行に係る営業所、事業所その他の事業場の所在地の所轄税務署長に提出しなければならない。（措法65の4⑤、65の3⑥、措規22の3⑤、22の5⑲）

　　　　（特定住宅地造成事業等の証明書の保存）
（3）　**六**は、原則としてその適用を受けようとする資産について**2**の表の①から㉙までに掲げる書類を保存している場合に限りその適用があるのであるが、この場合の保存すべき書類の内容は、その適用を受けようとする規定に対応する昭和46年8月26日付直資4－5ほか2課共同「租税特別措置法（山林所得・譲渡所得関係）の取扱いについて」（法令解釈通達）34の2－24に係る別表4の区分に応じ同表に準ずる。（措通65の4－17・編者補正）

3　特別控除額の特例

　法人がその有する資産の譲渡をした場合において、当該譲渡の日の属する年におけるその資産の譲渡（当該年における当該法人との間に第二章第一節の**二**の表の**12の7の6**《完全支配関係》に掲げる完全支配関係〔法人による同**12の7の6**に掲げる完全支配関係に限る。〕がある法人〔以下**3**において「完全支配関係法人」という。〕の有する資産の譲渡を含む。）につき、当該法人及び完全支配関係法人が**四**《収用換地等の場合の所得の特別控除》から**八**《特定の長期所有土地等の所得の特別控除》までの特別控除のうち2以上の特別控除の適用を受け、又は当該法人若しくは完全支配関係法人がそれぞれこれらの特別控除の適用を受け、当該法人及び完全支配法人がこれらの特別控除により損金の額に算入した、又は損金の額に算入する金額を合計した金額（以下**3**において「調整前損金算入額」という。）が5,000万円を超えるときは、これらの特別控除にかかわらず、その超える部分の金額に当該法人がこれらの特別控除により損金の額に算入した、又は損金の額に算入する金額を合計した金額が当該調整前損金算入額のうちに占める割合を乗じて計算した金額は、当該法人の各事業年度の所得の金額の計算上、損金の額に算入しない。（措法65の6）

七　農地保有の合理化のために農地等を譲渡した場合の所得の特別控除

1　800万円特別控除

　農地法第2条第3項《定義》に規定する農地所有適格法人（清算中の法人を除く。）の有する土地又は土地の上に存する権利（棚卸資産を除く。以下「**土地等**」という。）が次の表の①又は②に掲げる場合に該当することとなった場合において、当該農地所有適格法人がそれぞれ同表の①又は②に該当することとなった土地等の譲渡により取得した対価の額又は資産（以下「**交換取得資産**」という。）の価額（当該譲渡により取得した交換取得資産の価額がその譲渡した土地等の価額を超える場合において、その差額に相当する金額を当該譲渡に際して支出したときは、当該差額に相当する金額を控除した金額）が、当該譲渡した土地等の譲渡直前の帳簿価額と当該譲渡した土地等の譲渡に要した経費で当該対価又は交換取得資産に係るものとして（1）《譲渡に要した経費の額の計算》により計算した金額との合計額を超え、かつ、当該農地所有適格法人が当該事業年度のうち同一の年に属する期間中にその該当することとなった土地等のいずれについても第十五款の**七**《特定の資産の買換えの場合等の課税の特例》又は同款の**九**《特定普通財産とその隣接する土地等の交換の場合の課税の特例》の適用を受けないときは、その超える部分の金額《**譲渡益**》と**800万円**（当該譲渡の日の属する年における譲渡により取得した対価の額又は交換取得資産の価額につき、この特例により損金の額に算入した、又は損金の額に算入する金額があるときは、当該金額を控除した金額）とのいずれか低い金額を当該譲渡の日を含む事業年度の所得の金額の計算上、損金の額に算入する。（措法65の5①、措令39の6②、措規22の6①）

	次の表に掲げる場合（**五の1**《2,000万円特別控除》の表の⑧又は**六の1**《1,500万円特別控除》の表の㉕の適用がある場合を除く。）	
①	イ	農業振興地域の整備に関する法律第23条《土地の譲渡に係る所得税等の軽減》に規定する勧告に係る協議により譲渡した場合
	ロ	同条に規定する調停により譲渡した場合
	ハ	同条に規定するあっせんにより譲渡した場合
	ニ	農地保有の合理化のために土地等を譲渡した場合として、農業経営基盤強化促進法第5条第3項《農業経営基盤強化促進基本方針》に規定する農地中間管理機構（公益社団法人〔その社員総会における議決権の総数の$\frac{1}{2}$以上の数が地方公共団体により保有されているものに限る。〕又は公益財団法人〔その設立当初において拠出をされた金額の$\frac{1}{2}$以上の金額が地方公共団体により拠出をされているものに限る。〕であって、その定款において、その法人が解散した場合にその残余財産が地方公共団体又は当該法人と類似の目的をもつ他の公益を目的とする事業を行う法人に帰属する旨の定めがあるものに限る。）に対し、同法第7条の規定により当該農地中間管理機構が行う事業（同条第1号に掲げるものに限る。）のために農地法第2条第1項《定義》に規定する農地（同法第43条第1項《農作物栽培高度化施設に関する特例》の規定により農作物の栽培を耕作に該当するものとみなして適用する同法第2条第1項《定義》に規定する農地を含む。以下**七**において「**農地**」という。）若しくは採草放牧地で農業振興地域の整備に関する法律第8条第2項第1号《市町村の定める農業振興地域整備計画》に規定する農用地区域として定められている区域内にあるもの、当該区域内にある土地で開発して農地とすることが適当なもの若しくは当該区域内にある土地で同号に規定する農業上の用途区分が同法第3条第4号《定義》に規定する農業用施設の用に供することとされているもの（農用地区域として定められている区域内にある農地を保全し、又は耕作〔農地法第43条第1項の規定により耕作に該当するものとみなされる農作物の栽培を含む。〕の用に供するために必要なかんがい排水施設、ため池、排水路又は当該農地の地すべり若しくは風害を防止するために直接必要な施設の用に供する土地を含む。）又はこれらの土地の上に存する権利を譲渡した場合（②に掲げる場合に該当する場合を除く。）
②	農業振興地域の整備に関する法律第8条第2項第1号に規定する農用地区域内にある土地等を農地中間管理事業の推進に関する法律第18条第7項《農用地利用配分計画》の規定による公告があった同条第1項の農地利用集積等促進計画の定めるところにより譲渡した場合（**五の1**《2,000万円特別控除》の表の⑧又は**六の1**《1,500万円特別控除》の表の㉕の適用がある場合を除く。）	

（譲渡に要した経費の額の計算）

（1）　1の「譲渡した土地等の譲渡に要した経費で当該対価又は交換取得資産に係るものとして計算した金額」は、譲渡をした土地等の譲渡に要した経費の金額の合計額が、当該譲渡に際し譲渡に要する経費に充てるべきものとして交

付を受けた金額の合計額を超える場合におけるその超える部分の金額のうち、当該譲渡をした土地等に係る部分の金額（その超える部分の金額を当該譲渡に要した経費の金額に按分して計算した金額）とする。（措法65の5⑤、措令39の6①、39の4①、措規22の4③）

　　　（特別控除の適用上の留意事項）
（2）　800万円特別控除の適用に当たっては、次の点に留意する。（編者）
　（一）　1の表の①から②までに該当して土地等を譲渡した場合には、各事業年度ごとに、かつ、年の異なるごとに、800万円特別控除又は圧縮記帳（第十五款の**七**及び同款の**九**）のいずれかを選択適用することができる。
　（二）　1の800万円特別控除による特別控除額は、同一の年を通じて800万円が限度となる。したがって、譲渡益が800万円を超えるときは、その超える部分については通常の課税が行われる。

　　　（特別控除額と留保金額等との関係）
（3）　1の800万円特別控除により損金の額に算入された特別控除額は、第二節第一款の**二**《特定同族会社の特別税率》の**2**《各事業年度の留保金額》及び同**二**の**3**《留保控除額》に掲げる所得等の金額に含まれるものとする。（措法65の5④、65の3⑦）

　　　（特別控除額と利益積立金額との関係）
（4）　1の800万円特別控除の適用を受けた法人の利益積立金額の計算については、**1**により損金の額に算入される金額は、第二章第一節の**二**の表の**18**《利益積立金額》の加算欄の①の**イ**に掲げる所得の金額に含まれるものとする。（措法65の5⑤、措令39の6③）

2　特別控除の申告

　1の800万円特別控除は、確定申告書等に**1**により損金の額に算入される金額の損金算入に関する申告《別表十（五）→別表四》の記載があり、かつ、当該確定申告書等にその損金の額に算入される金額の計算に関する明細書《別表十（五）》及び次の表の左欄に掲げる場合の区分に応じそれぞれ同表の右欄に掲げる証明書類の添付がある場合に限り、適用する。（措法65の5②、措規22の6②）

①	**1**の表の①のイの場合	市町村長の当該土地等の譲渡につき当該勧告をしたことを証する書類又は当該勧告に係る通知書の写し
②	**1**の表の①のロの場合	都道府県知事の当該土地等の譲渡につき当該調停をしたことを証する書類又は当該土地等に係る農業振興地域の整備に関する法律第15条第4項《都道府県知事の調停》の調停案の写し
③	**1**の表の①のハの場合	農業委員会の当該土地等の譲渡につき当該あっせんを行ったことを証する書類
④	**1**の表の①のニの場合	農用地区域として定められている区域内にある**1**の表の①のニに掲げる農地若しくは採草放牧地（④において「農用地区域内農地等」という。）、同表に掲げる開発して農地とすることが適当な土地若しくは同表に掲げる農業用施設の用に供することとされている土地又はこれらの土地の上に存する権利（以下「農地等」という。）の買入れをする者の当該農地等をその者の行う**1**の表の①のニに掲げる事業のため買い入れた旨を証する書類、当該農地等の次の表の左欄に掲げる区分に応じそれぞれ右欄に掲げる書類及び都道府県知事の当該農地等の買入れをする者が**1**の表の①のニに掲げる農地中間管理機構に該当する旨を証する書類

イ	農地等（農用地区域内農地等又は農用地区域内農地等の上に存する権利に限る。）	農業委員会の当該農地等に係る権利の移転につき農地法第3条第1項第13号の届出を受理した旨を証する書類又は福島県知事の当該農地等に係る権利の移転につき福島復興再生特別措置法第17条の20《農用地利用集積等促進計画の公告》の規定により公告をした旨及び当該公告の年月日を証する書類
ロ	農地等（**1**の表の①のニに掲げる開発して	市町村長の当該農地等が**1**の表の①のニに掲げる農用地区域として定められている区域内にある旨及び当該農地

		農地とすることが適当な土地若しくは農業用施設の用に供することとされている土地又はこれらの土地の上に存する権利に限る。)	等が同①のニに掲げる開発して農地とすることが適当な土地若しくは当該農地等に係る同①のニに掲げる農業上の用途区分が農業用施設の用に供することとされている土地又は同①のニに掲げる施設の用に供することとされている土地（これらの土地の上に存する権利を含む。）に該当するものである旨を証する書類並びに当該農地等の買入れをする者に対し当該農地等の買入れを要請している地方公共団体の長の当該農地等の買入れにつき当該要請をしている旨を証する書類
⑤	1の表の②の場合	市町村長の当該土地等が1の表の②に掲げる農用地区域内にある旨を証する書類並びに当該土地等に係る権利の移転につき同②に掲げる公告をした者の当該公告をした旨及び当該公告の年月日を証する書類又は当該権利の移転に係る登記事項証明書（当該権利の移転が同②に掲げる農用地利用集積等促進計画によるものであることを明らかにする表示のあるものに限る。)	

（申告の記載等がない場合のゆうじょ規定）
（１）　税務署長は、2に掲げる記載又は添付がない確定申告書等の提出があった場合においても、その記載又は添付がなかったことについてやむを得ない事情があると認めるときは、当該記載をした書類並びに明細書及び証明書類の提出があった場合に限り、1の800万円特別控除を適用することができる。（措法65の5③）

（農地保有の合理化等の証明書の添付）
（２）　**七**は、原則としてその適用を受けようとする資産について**2**の表の①から⑤までに掲げる書類を保存している場合に限りその適用があるのであるが、この場合の保存すべき書類の内容は、その適用を受けようとする規定に対応する昭和46年8月26日付直資4－5ほか2課共同「租税特別措置法（山林所得・譲渡所得関係）の取扱いについて」（法令解釈通達）34の3－1に係る別表5の区分に応じ同表に準ずる。（措通65の5－1・編者補正）

3　特別控除額の特例

　法人がその有する資産の譲渡をした場合において、当該譲渡の日の属する年におけるその資産の譲渡（当該年における当該法人との間に第二章第一節の**二**の表の**12の7の6**《完全支配関係》に掲げる完全支配関係〔法人による同**12の7の6**に掲げる完全支配関係に限る。〕がある法人〔以下**3**において「完全支配関係法人」という。〕の有する資産の譲渡を含む。）につき、当該法人及び完全支配関係法人が**四**《収用換地等の場合の所得の特別控除》から**八**《特定の長期所有土地等の所得の特別控除》までの特別控除のうち2以上の特別控除の適用を受け、又は当該法人若しくは完全支配関係法人がそれぞれこれらの特別控除の適用を受け、当該法人及び完全支配法人がこれらの特別控除により損金の額に算入した、又は損金の額に算入する金額を合計した金額（以下**3**において「調整前損金算入額」という。）が5,000万円を超えるときは、これらの特別控除にかかわらず、その超える部分の金額に当該法人がこれらの特別控除により損金の額に算入した、又は損金の額に算入する金額を合計した金額が当該調整前損金算入額のうちに占める割合を乗じて計算した金額は、当該法人の各事業年度の所得の金額の計算上、損金の額に算入しない。（措法65の6）

八　特定の長期所有土地等の所得の特別控除

1　1,000万円特別控除

　法人（清算中の法人を除く。）が、平成21年1月1日から平成22年12月31日までの期間（**2**において「**指定期間**」という。）内に取得をした国内にある土地又は土地の上に存する権利（棚卸資産に該当するものを除く。以下**八**において「**土地等**」という。）で、その取得をした日から引き続き所有し、かつ、その所有期間（その取得をした日の翌日から当該土地等の譲渡をした日の属する年の1月1日までの所有していた期間をいう。）が5年を超えるものの譲渡をした場合において、当該法人が当該土地等の譲渡により取得した対価の額又は資産（以下**1**において「**交換取得資産**」という。）の価額（当該譲渡により取得した交換取得資産の価額がその譲渡をした土地等の価額を超える場合において、その差額に相当する金額を当該譲渡に際して支出したときは、当該差額に相当する金額を控除した金額）が、当該譲渡をした土地等の譲渡直前の帳簿価額と当該譲渡をした土地等の譲渡に要した経費で当該対価又は交換取得資産に係るものとして（1）《譲渡に要した経費の額》により計算した金額との合計額を超え、かつ、当該法人が当該事業年度のうち同一の年に属する期間中にその譲渡をした土地等のいずれについても第十五款の**七**《特定の資産の買換えの場合等の課税の特例》又は同款の**九**《特定普通財産とその隣接する土地等の交換の場合の課税の特例》の適用を受けないときは、その超える部分の金額《**譲渡益**》と1,000万円（当該譲渡の日の属する年における譲渡により取得した対価の額又は交換取得資産の価額につき、この特例により損金の額に算入した、又は損金の額に算入する金額があるときは、当該金額を控除した金額）とのいずれか低い金額を当該譲渡の日を含む事業年度の所得の金額の計算上、損金の額に算入する。（措法65の5の2①）

　　　（譲渡に要した経費の額）
（1）　**1**に掲げる「譲渡をした土地等の譲渡直前の帳簿価額と当該譲渡をした土地等の譲渡に要した経費で当該対価又は交換取得資産に係るものとして計算した金額」は、譲渡をした土地等の譲渡に要した経費の金額の合計額が、当該譲渡に際し譲渡に要する経費に充てるべきものとして交付を受けた金額の合計額を超える場合におけるその超える部分の金額のうち、当該譲渡をした土地等に係る部分の金額（その超える部分の金額を当該譲渡に要した経費の金額に按分して計算した金額）とする。（措令39の6の2①、39の4①、措規22の4③）

　　　（土地等の取得の時期）
（2）　**八**を適用する場合において、**1**に掲げる土地等の取得をした日とは、原則として、当該土地等の引渡しを受けた日をいうものとする。ただし、引渡しの日に関し特約がある場合を除き、当該引渡しを受けた日前に当該土地等の売買代金の支払額（手付金を含む。）の合計額がその売買代金の30％以上になったときには、その30％以上になった日（その日が売買契約締結の日前である場合には、その締結の日）をもって取得をした日とすることができる。（措通65の5の2(1)-1）

　　　注1　土地等の売買代金の支払のため手形の振出し（裏書譲渡を含む。以下同じ。）をした場合には、当該手形が次の全ての要件を備えているものであるときに限り、その振出しの日において土地等の売買代金の支払があったものとして取り扱う。
　　　　（一）　当該手形の期日において券面額の支払を現に行っていること。
　　　　（二）　当該手形の振出しの日（裏書譲渡の場合には、その裏書の日）から手形の期日までの期間が120日を超えないこと。
　　　注2　土地の上に存する権利の引渡しを受けた日とは、その土地につき当該権利に基づき使用収益等を行うことができることとなった日をいう。

　　　（土地等の引渡しの日に関し特約がある場合）
（3）　（2）において「引渡しの日に関し特約がある場合」とは、例えば、地方公共団体と公有水面の埋立地を分譲する契約を締結した場合に埋立後その土地の引渡しを受けることとしているとき、土地付マンションの分譲契約を締結した場合にマンション竣工後建物と合わせてその土地等の引渡しを受けることとしているとき、建物の取壊し、撤去を条件として土地等の引渡しを受けることとしている場合等をいうものとし、単に代金完済後所有権の移転又は引渡しを行う旨の条件が付されていてもここにいう特約がある場合には該当しないものとする。（措通65の5の2(1)-2）

　　　（借地権者が土地を取得した場合等の土地等の取得の時期）
（4）　**八**を適用する場合において、**1**に掲げる土地等が次に掲げるものに該当するときは、その取得をした日はそれぞれ次に掲げるところによる。（措通65の5の2(1)-3）

| （一） | 借地権を有する法人が | 消滅した借地権に対応する部分の土地は、その借地権の取得の日に取得し、当該借 |

第三章　第一節　第十六款　八《特定の長期所有土地等の所得の特別控除》

	当該借地権に係る土地を取得したことにより借地権が消滅した土地	地権に対応する部分以外の部分の土地は、その土地の取得の日に取得したものとする。
(二)	借地権の返還を受けた土地	返還に際して支払った立退料等の額に対応する部分の土地は、その返還を受けた日に取得し、それ以外の部分の土地は、その土地の取得の日に取得したものとする。

　　　（公有水面の埋立てをした場合の土地の取得の時期）
（5）　法人が公有水面の埋立てにより取得した土地の取得をした日は、原則として公有水面埋立法第22条第2項の規定による竣功認可の告示のあった日によるのであるが、法人が同日前に当該土地の全部又は一部につき使用を開始したときは、その使用を開始した部分については、その使用開始の日をもって取得をした日とすることができる。（措通65の5の2(1)-4）

　　　（土地の上に存する権利）
（6）　1に掲げる土地の上に存する権利とは、地上権、永小作権、地役権又は土地の賃借権をいい、租鉱権、採石権等のように土地に附帯するものであっても土地そのものを利用することを目的としない権利は含まれないことに留意する。（措通65の5の2(1)-5）

　　　（固定資産として使用していた土地の分譲）
（7）　法人が従来固定資産として使用していた土地を譲渡するに当たり、当該土地に集合住宅等を建築し、又は当該土地の区画形質の変更等を行って分譲した場合における当該土地の分譲は、棚卸資産の譲渡に該当しないものとして取り扱う。ただし、その分譲に当たり、その土地について宅地造成を行った場合におけるその造成により付加された価値に対応する部分の譲渡については、この限りでない。（措通65の5の2(1)-6）

　　　（贈与による取得があったものとされる場合の適用除外）
（8）　3の表の①《取得》により、贈与による取得は八の取得に該当しないのであるから、次に掲げる場合は、次によることに留意する。（措通65の5の2(1)-8）

(一)	土地等を著しく低い価額で譲り受けた場合において、その譲受価額と譲受けの時における当該土地等の価額との差額に相当する金額について贈与を受けたものと認められるとき	八の適用に当たっては、当該譲受価額による取得があったものとする。
(二)	土地等を著しく高い価額で譲り受けた場合において、その譲受価額と譲受けの時における当該土地等の価額との差額に相当する金額の贈与をしたものと認められるとき	八の適用に当たっては、当該土地等の価額による取得があったものとする。

　　　（収用等をされた土地等についての適用除外）
（9）　譲渡をした土地等について一《収用等に伴い代替資産を取得した場合の課税の特例》、二《換地処分等に伴い資産を取得した場合の課税の特例》又は四《収用換地等の場合の所得の特別控除》の適用を受けることができる場合には、法人がこれらの適用を受けないときにおいても、八の適用はないことに留意する。（措通65の5の2(1)-9）

　　　（法第50条との選択適用）
（10）　法人が、資産の交換について第十五款の五《交換資産の圧縮記帳》を適用した場合には、その交換に伴って取得した交換差額については、3の表の②《譲渡》のハにより、1の適用を受けることはできないことに留意する。（措通65の5の2(1)-10）

　　　（特別控除の適用上の留意事項）
（11）　1,000万円特別控除の適用に当たっては、次の点に留意する。（編者）
　　（一）　1の要件に該当して土地等を譲渡した場合には、各事業年度ごとに、かつ、年の異なるごとに、1,000万円特別控除又は圧縮記帳（第十五款の七又は同款の九）のいずれかを選択適用することができる。
　　（二）　1の1,000万円特別控除による特別控除額は、同一の年を通じて1,000万円が限度となる。したがって、譲渡益

第三章　第一節　第十六款　八《特定の長期所有土地等の所得の特別控除》

が1,000万円を超えるときは、その超える部分については通常の課税が行われる。

（特別控除額と留保金額等との関係）
(12)　1の1,000万円特別控除により損金の額に算入された金額は、第二節第一款の二《特定同族会社の特別税率》の2《各事業年度の留保金額》及び同二の3《留保控除額》に掲げる所得等の金額に含まれるものとする。（措法65の5の2⑤）

（特別控除額と利益積立金額との関係）
(13)　1の1,000万円特別控除の適用を受けた法人の利益積立金額の計算については、1により損金の額に算入される金額は、第二章第一節の二の表の18《利益積立金額》の加算欄の①のイに掲げる所得の金額に含まれるものとする。（措法65の5の2⑥、措令39の6の2⑦）

（年又は事業年度を異にする2以上の譲渡等があった場合）
(14)　1に掲げる1,000万円の額は、年を通ずる損金算入限度額であるから、次の場合における損金算入額の計算は、それぞれ次によることに留意する。（措通65の5の2(2)-1）

(一)	1,000万円損金算入の特例（八に掲げる1,000万円の損金算入の特例をいう。以下同じ。）の適用を受けることができる譲渡等が1事業年度中に2以上あり、かつ、これらの譲渡等が年を異にして行われたとき	各年に行われた譲渡等についてそれぞれ1,000万円を限度として1により損金の額に算入することができる。
(二)	1,000万円損金算入の特例の適用を受けることができる譲渡等が同一年中に2以上あり、かつ、これらの譲渡等が事業年度を異にして行われたとき	当該事業年度において損金の額に算入することができる金額は、1,000万円から当該事業年度前の各事業年度（当該年において終了したものに限る。）において1により損金の額に算入した金額の合計額（当該年中における譲渡等に係る部分の金額に限る。）を控除した金額を基礎として計算する。

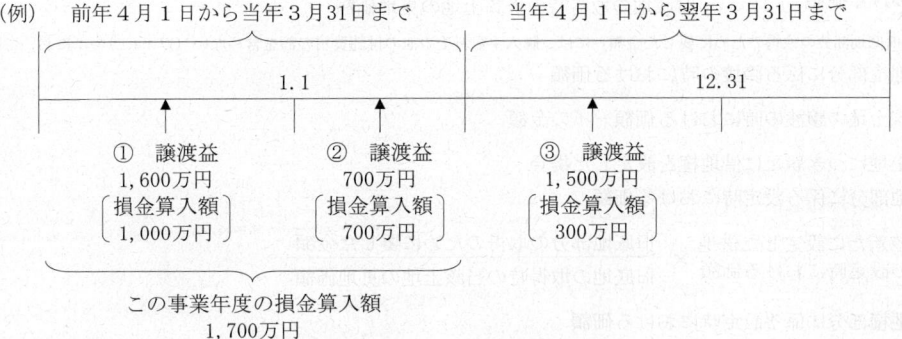

（例）

この事業年度の損金算入額
1,700万円

注　③の損金算入額は、年1,000万円－②の損金算入額700万円＝300万円となる。

（借地権の返還により支払を受けた借地権の対価に対する特例の適用）
(15)　他人の土地を使用している法人が、当該土地の上に存する借地権をその土地の所有者に返還し、その土地の所有者から立退料等の支払を受けた場合には、当該支払を受けた金額のうち借地権の価額に相当する金額については、1に掲げる土地の上に存する権利の譲渡による対価として取り扱う。（措通65の5の2(2)-4）

（借地権を消滅させた後土地等の譲渡をした場合の譲渡対価の区分）
(16)　地主たる法人が、その土地に係る借地権を消滅させた後に当該土地を譲渡し、又は当該土地に新たな借地権を設定した場合には、(4)により借地権の消滅時に取得したものとされる部分の土地（以下(16)において「旧借地権部分」という。）及びその他の部分の土地（以下(16)において「旧底地部分」という。）をそれぞれ譲渡し又はそれぞれの部分について借地権を設定したものとして取り扱うものとするが、この場合における旧借地権部分及び旧底地部分に係る1に掲げる譲渡の時における価額は、次に掲げる場合の区分に応じ、それぞれイ又はロに掲げる算式により計算し

第三章　第一節　第十六款　**八**《特定の長期所有土地等の所得の特別控除》

た金額によるものとする。(措通65の５の２(2)－５、62の３(2)－８参照)
(一)　当該土地を譲渡した場合
　　イ　旧借地権部分に係る譲渡の時における価額

$$\text{当該土地の譲渡の時} \atop \text{における価額} \times \frac{\text{旧借地権部分につき支払った立退料等の額}}{\text{旧借地権の消滅時の当該土地の更地価額}}$$

　　ロ　旧底地部分に係る譲渡の時における価額

　　　　当該土地の譲渡の時における価額－イの金額

(二)　当該土地につき新たに借地権を設定した場合
　　イ　旧借地権部分に係る設定時における価額

$$\text{当該新たに設定した借地} \atop \text{権の設定時における価額} \times \frac{\text{旧借地権部分につき支払った立退料等の額}}{\text{旧借地権の消滅時の当該土地の更地価額}}$$

　　ロ　旧底地部分に係る設定時における価額

　　　　当該新たに設定した借地権の設定時における価額－イの金額

　　注　借地権を消滅させた後土地等の譲渡をした場合の原価の額の区分については、(18)を参照する。

（底地を取得した後土地等の譲渡をした場合の譲渡対価の区分）
(17)　借地権を有する法人が、当該借地権に係る底地を取得した後に当該土地を譲渡し、又は当該土地に新たな借地権を設定した場合には、(4)により取得したものとされる底地（以下(17)において「旧底地部分」という。）及び借地権に対応する部分の土地（以下(17)において「旧借地権部分」という。）に係る**１**に掲げる譲渡の時における価額は、次に掲げる場合の区分に応じ、それぞれイ又はロに掲げる算式により計算した金額によるものとする。(措通65の５の２(2)－５、62の３(2)－９参照)

(一)　当該土地を譲渡した場合
　　イ　旧底地部分に係る譲渡の時における価額

$$\text{当該土地の譲渡の時} \atop \text{における価額} \times \frac{\text{旧底地部分の取得のために要した金額}}{\text{旧底地の取得時の当該土地の更地価額}}$$

　　　　注　「旧底地部分の取得のために要した金額」には、購入手数料その他の付随費用の額を含めない（以下(二)のイにおいて同じ。）。

　　ロ　旧借地権部分に係る譲渡の時における価額

　　　　当該土地の譲渡の時における価額－イの金額

(二)　当該土地につき新たに借地権を設定した場合
　　イ　旧底地部分に係る設定時における価額

$$\text{当該新たに設定した借地} \atop \text{権の設定時における価額} \times \frac{\text{旧底地部分の取得のために要した金額}}{\text{旧底地の取得時の当該土地の更地価額}}$$

　　ロ　旧借地権部分に係る設定時における価額

　　　　当該新たに設定した借地権の設定時における価額－イの金額

　　注　底地を取得した後土地等の譲渡をした場合の原価の額の区分については、(19)を参照する。

（借地権を消滅させた後土地等の譲渡をした場合の原価の額の区分）
(18)　地主たる法人が、その土地に係る借地権を消滅させた後に当該土地を譲渡し、又は当該土地に新たな借地権を設定した場合には、(16)に掲げる旧借地権部分及び旧底地部分に係る**１**に掲げる金額は、次に掲げる場合の区分に応じ、それぞれイ又はロに掲げる算式により計算した金額によるものとする。(措通65の５の２(2)－５、62の３(3)－２参照)

(一)　当該土地を譲渡した場合
　　イ　旧借地権部分に係る原価の額

$$\text{旧借地権部分につき支} \atop \text{払った立退料等の額} \times \frac{\text{譲渡した部分の土地の面積}}{\text{当該土地の面積}}$$

ロ　旧底地部分に係る原価の額

$$\left(\begin{array}{c}\text{当該土地の帳}\\\text{簿価額}\end{array} - \begin{array}{c}\text{旧借地権部分につき支}\\\text{払った立退料等の額}\end{array}\right) \times \frac{\text{譲渡した部分の土地の面積}}{\text{当該土地の面積}}$$

（二）　当該土地につき新たに借地権を設定した場合

イ　旧借地権部分に係る原価の額

$$\begin{array}{c}\text{当該土地につき新たに設定した借地}\\\text{権に係る第二十七款の}\mathbf{5の2}《\text{借地}\\\text{権の設定等により地価が著しく低下}\\\text{する場合の土地等の帳簿価額の一部}\\\text{の損金算入}》\text{による損金算入額}\end{array} \times \frac{\text{旧借地権部分につき支払った立退料等の額}}{\text{当該土地の帳簿価額}}$$

ロ　旧底地部分に係る原価の額

$$\begin{array}{c}\text{当該土地につき新たに設定した借地権に係る第二十七款の}\\\mathbf{5の2}\text{による損金算入額}\end{array} - \text{イの金額}$$

（底地を取得した後土地等の譲渡をした場合の原価の額の区分）

(19)　借地権を有する法人が、当該借地権に係る底地を取得した後に当該土地を譲渡し、又は当該土地に新たな借地権を設定した場合には、(17)に掲げる旧底地部分及び旧借地権部分に係る**1**に掲げる金額は、次に掲げる場合の区分に応じ、それぞれイ又はロに掲げる算式により計算した金額によるものとする。（措通65の5の2(2)－5、62の3(3)－3参照）

（一）　当該土地を譲渡した場合

イ　旧底地部分に係る原価の額

$$\begin{array}{c}\text{旧底地部分の取得の}\\\text{ために要した金額}\end{array} \times \frac{\text{譲渡した部分の土地の面積}}{\text{当該土地の面積}}$$

ロ　旧借地権部分に係る原価の額

$$\left(\begin{array}{c}\text{当該土地の帳}\\\text{簿価額}\end{array} - \begin{array}{c}\text{旧底地部分の取得の}\\\text{ために要した金額}\end{array}\right) \times \frac{\text{譲渡した部分の土地の面積}}{\text{当該土地の面積}}$$

（二）　当該土地につき新たに借地権を設定した場合

イ　旧底地部分に係る原価の額

$$\begin{array}{c}\text{当該土地につき新たに設定した借地権に係る第二十七款の}\\\mathbf{5の2}《\text{借地権の設定等により地価が著しく低下する場合の}\\\text{土地等の帳簿価額の一部の損金算入}》\text{による損金算入額}\end{array} \times \frac{\text{旧底地部分の取得の}\text{ために要した金額}}{\text{当該土地の帳簿価額}}$$

ロ　旧借地権部分に係る原価の額

$$\begin{array}{c}\text{当該土地につき新たに設定した借地権に係る第二十七款の}\\\mathbf{5の2}\text{による損金算入額}\end{array} - \text{イの金額}$$

2　合併法人等が適格組織再編成により被合併法人等が指定期間内に取得をした土地等の移転を受けた場合の1,000万円特別控除

　合併法人、分割承継法人、被現物出資法人又は被現物分配法人（以下**2**において「**合併法人等**」という。）が、適格合併、適格分割、適格現物出資又は適格現物分配（**3**の表の②のニにおいて「適格合併等」という。）により被合併法人、分割法人、現物出資法人又は現物分配法人（以下**2**において「**被合併法人等**」という。）が指定期間内に取得をした土地等の移転を受けた場合には、当該被合併法人等が当該土地等の取得をした日において当該合併法人等が当該土地等の取得をしたものとみなして、**1**の1,000万円特別控除を適用する。（措法65の5の2④）

3　用語の意義

　八における用語の意義については、次に掲げるところによる。（措法65の5の2⑦、措令39の6の2⑤⑥）

| ① | 取　　得 | **取得**には、当該法人と（1）に掲げる特殊の関係のある個人若しくは法人からの取得又は合併、分割、贈与、交換、出資、適格現物分配によるもの、所有権移転外リース取引による取得（第六款の**四**の**1**の②の(2)の表の(五)《所有権移転外リース取引》に掲げるものをいう。）若しくは代物弁済としての |

		取得を含まないものとする。
②	譲　渡	**譲渡**には、土地等を使用させることにより当該土地等の価値が著しく減少する場合として第二十七款の**五の2**《借地権の設定等により地価が著しく低下する場合の土地等の帳簿価額の一部の損金算入》に掲げる場合に該当する場合におけるその使用させる行為を含むものとし、次に掲げるものを含まないものとする。 イ　**一の1**《収用等のあった事業年度において取得した代替資産の圧縮記帳》の①から④まで及び⑧並びに**二の1**《換地処分等により交換取得した資産の圧縮記帳》の①及び③から⑦までに掲げる収用、買取り、換地処分、権利変換又は買収による譲渡（**一の2**《使用補償金及び譲渡対価等に対する特例の適用》又は**二の6**《市街地再開発事業の施行により変換清算金等又は施設建築物等を取得した場合の特例》、**二の7**《密集市街地における防災街区の整備の促進に関する法律により防災変換金又は防災施設建築物等を取得した場合の特例》若しくは**二の8**《マンションの建替え等の円滑化に関する法律のマンション建替事業により施行再建マンションに関する権利を取得した場合の特例》により、これらに掲げる収用等又は換地処分等による譲渡があったものとみなされる場合における当該譲渡を含む。） ロ　**五**《特定土地区画整理事業等のために土地等を譲渡した場合の所得の特別控除》、**六**《特定住宅地造成事業等のために土地等を譲渡した場合の所得の特別控除》又は**七**《農地保有の合理化のために農地等を譲渡した場合の所得の特別控除》の適用を受ける譲渡（交換による譲渡を含む。） ハ　第十五款の**五の1**《交換により取得した資産の圧縮額の損金算入》又は同**3**《適格分割等を行った場合の分割法人等における交換資産の圧縮額の損金算入》の適用を受ける交換による譲渡 ニ　適格合併等による土地等の移転

（特殊の関係のある個人若しくは法人の範囲）
（１）　**3**の表の①に掲げる特殊の関係のある個人又は法人は、**1**に掲げる土地等の取得をした法人（以下（１）において「**適用法人**」という。）の株主等の1人及びその同族関係者（次に掲げる者をいう。以下（１）において同じ。）が当該適用法人を支配している場合の当該株主等及び当該株主等の同族関係者並びに適用法人が他の法人を直接又は間接に支配する関係がある場合の当該他の法人とする。（措令39の6の2②）

(一)	次に掲げる個人 イ　当該株主等の親族 ロ　当該株主等と婚姻の届出をしていないが事実上婚姻関係と同様の事情にある者 ハ　当該株主等の使用人 ニ　イからハまでに掲げる者以外の者で当該株主等から受ける金銭その他の資産によって生計を維持しているもの ホ　ロからニまでに掲げる者と生計を一にするこれらの者の親族
(二)	当該株主等と他の者との間にいずれか一方の者（当該者が個人である場合には、これと第二章第一節の二の表の**10**の(１)《同族関係者の範囲》に掲げる特殊の関係のある個人を含む。）が他方の者（法人に限る。）を直接又は間接に支配する関係がある場合における当該他の者
(三)	当該株主等と他の者（法人に限る。）との間に同一の者（当該者が個人である場合には、これと第二章第一節の二の表の**10**の(１)《同族関係者の範囲》に掲げる特殊の関係のある個人を含む。）が当該株主等及び当該他の者を直接又は間接に支配する関係がある場合における当該他の者

（直接又は間接に支配する関係）
（２）　（１）に掲げる直接又は間接に支配する関係とは、一方の者と他方の者との間に当該他方の者が次に掲げる法人に該当する関係がある場合における当該関係をいう。（措令39の6の2③）

(一)	当該一方の者が法人を支配している場合における当該法人
(二)	(一)若しくは(三)に掲げる法人又は当該一方の者及び(一)若しくは(三)に掲げる法人が他の法人を支配している場合における当該他の法人

(三)	(二)に掲げる法人又は当該一方の者及び（二）に掲げる法人が他の法人を支配している場合における当該他の法人

(他の法人を支配している場合)
（３）　（１）に掲げる適用法人を支配している場合、（２）の表の(一)に掲げる法人を支配している場合及び同表(二)又は(三)に掲げる他の法人を支配している場合とは、次に掲げる場合のいずれかに該当する場合をいう。（措令39の6の2④、令4③）

(一)	他の法人の発行済株式又は出資（その有する自己の株式又は出資を除く。）の総数又は総額の$\frac{50}{100}$を超える数又は金額の株式又は出資を有する場合
(二)	他の法人の次に掲げる議決権のいずれかにつき、その総数（当該議決権を行使することができない株主等が有する当該議決権の数を除く。）の$\frac{50}{100}$を超える数を有する場合 イ　事業の全部若しくは重要な部分の譲渡、解散、継続、合併、分割、株式交換、株式移転又は現物出資に関する決議に係る議決権 ロ　役員の選任及び解任に関する決議に係る議決権 ハ　役員の報酬、賞与その他の職務執行の対価として法人が供与する財産上の利益に関する事項についての決議に係る議決権 ニ　剰余金の配当又は利益の配当に関する決議に係る議決権
(三)	他の法人の株主等（合名会社、合資会社又は合同会社の社員〔当該他の法人が業務を執行する社員を定めた場合にあっては、業務を執行する社員〕に限る。）の総数の半数を超える数を占める場合

(同一の内容の議決権を行使することに同意している者がある場合の議決権)
（４）　個人又は法人との間で当該個人又は法人の意思と同一の内容の議決権を行使することに同意している者がある場合には、当該者が有する議決権は当該個人又は法人が有するものとみなし、かつ、当該個人又は法人（当該議決権に係る法人の株主等であるものを除く。）は当該議決権に係る法人の株主等であるものとみなして、（３）を適用する。（措令39の6の2④、令4⑥）

４　特別控除の申告

１の1,000万円特別控除は、確定申告書等に特別控除により損金の額に算入される金額の損金算入に関する申告《別表十(五)→別表四》の記載があり、かつ、当該確定申告書等にその損金の額に算入される金額の計算に関する明細書《別表十(五)》の添付がある場合に限り、適用する。（措法65の5の2②）

(申告書の記載等がない場合のゆうじょ規定)
税務署長は、４に掲げる記載又は添付がない確定申告書等の提出があった場合においても、その記載又は添付がなかったことについてやむを得ない事情があると認めるときは、当該記載をした書類及び４に掲げる明細書の提出があった場合に限り、１の1,000万円特別控除を適用することができる。（措法65の5の2③）

５　特別控除額の特例

法人がその有する資産の譲渡をした場合において、当該譲渡の日の属する年におけるその資産の譲渡（当該年における当該法人との間に第二章第一節の二の表の**12の7の6**《完全支配関係》に掲げる完全支配関係〔法人による同**12の7の6**に掲げる完全支配関係に限る。〕がある法人〔以下５において「完全支配関係法人」という。〕の有する資産の譲渡を含む。）につき、当該法人及び完全支配関係法人が**四**《収用換地等の場合の所得の特別控除》から**八**《特定の長期所有土地等の所得の特別控除》までの特別控除のうち２以上の特別控除の適用を受け、又は当該法人若しくは完全支配関係法人がそれぞれこれらの特別控除の適用を受け、当該法人及び完全支配法人がこれらの特別控除により損金の額に算入した、又は損金の額に算入する金額を合計した金額（以下５において「調整前損金算入額」という。）が5,000万円を超えるときは、これらの特別控除にかかわらず、その超える部分の金額に当該法人がこれらの特別控除により損金の額に算入した、又は損金の額に算入する金額を合計した金額が当該調整前損金算入額のうちに占める割合を乗じて計算した金額は、当該法人の各事業年度の所得の金額の計算上、損金の額に算入しない。（措法65の6）

第十七款　引　当　金

一　貸倒引当金

1　貸倒引当金繰入額の損金算入

① 個別評価金銭債権に係る貸倒引当金

　次の表のイからハまでに掲げる内国法人が、その有する金銭債権（債券に表示されるべきものを除く。以下①及び③において同じ。）のうち、（5）《個別評価金銭債権に係る貸倒引当金を繰り入れる事実及び個別貸倒引当金繰入限度額》の表の左欄に掲げる事実が生じていることにより、その一部につき貸倒れその他これに類する事由による損失が見込まれるもの（当該金銭債権に係る債務者に対する他の金銭債権がある場合には、当該他の金銭債権を含む。以下一において「**個別評価金銭債権**」という。）のその損失の見込額として、各事業年度（被合併法人の適格合併に該当しない合併の日の前日の属する事業年度及び残余財産の確定〔その残余財産の分配が適格現物分配に該当しないものに限る。〕の日の属する事業年度を除く。）において損金経理により貸倒引当金勘定に繰り入れた金額については、当該繰り入れた金額のうち、当該事業年度終了の時において当該個別評価金銭債権の取立て又は弁済の見込みがないと認められる部分の金額を基礎として同表の右欄に掲げるところにより計算した金額（②において「**個別貸倒引当金繰入限度額**」という。）に達するまでの金額は、当該事業年度の所得の金額の計算上、損金の額に算入する。（法52①）

イ	当該事業年度終了の時において次のAからCまでに掲げる法人に該当する内国法人 　A　普通法人（投資法人及び特定目的会社を除く。）のうち、資本金の額若しくは出資金の額が１億円以下であるもの（（1）《適用除外法人》に掲げる法人に該当するもの及び第二節第一款の一の⑥《中小通算法人の軽減対象所得金額以下の金額に対する税率》に掲げる大通算法人を除く。）又は資本若しくは出資を有しないもの（同⑥に掲げる大通算法人を除く。） 　B　公益法人等又は協同組合等 　C　人格のない社団等
ロ	次のAからCまでに掲げる法人 　A　銀行法第２条第１項《定義等》に規定する銀行 　B　保険業法第２条第２項《定義》に規定する保険会社 　C　A又はBに掲げるものに準ずるものとして（2）《銀行及び保険会社に準ずる法人》に掲げる内国法人
ハ	第一款の**六**《リース取引に係る所得の金額の計算》により売買があったものとされる同**六**に掲げるリース資産の対価の額に係る金銭債権を有する内国法人その他の金融に関する取引に係る金銭債権を有する内国法人として（3）《リースの対価の額に係る金銭債権を有する内国法人等及び対象金銭債権》の表の左欄に掲げる内国法人（**イ**又は**ロ**に掲げる内国法人を除く。）

（適用除外法人）
（1）　①の表の**イ**のAに掲げる１億円以下であるものから除かれる法人は、普通法人のうち当該事業年度終了の日において次の表の(一)又は(二)に掲げる法人に該当するもの及び通算法人である普通法人又は当該普通法人の各事業年度終了の日において当該普通法人との間に通算完全支配関係がある他の通算法人のうち、いずれかの法人が次の表の(三)又は(四)に掲げる法人に該当する場合における当該普通法人をいう。（法52①、66⑤ⅡⅢ⑥、令139の６）

(一)	大法人（次に掲げる法人をいう。以下（1）において同じ。）との間に当該大法人による完全支配関係がある普通法人 　イ　資本金の額又は出資金の額が５億円以上である法人 　ロ　相互会社及び保険業法第２条第10項《定義》に規定する外国相互会社 　ハ　法人税法第４条の３《受託法人等に関するこの法律の適用》に規定する受託法人
(二)	普通法人との間に完全支配関係がある全ての大法人が有する株式及び出資の全部を当該全ての大法人のうちいずれか一の法人が有するものとみなした場合において当該いずれか一の法人と当該普通法人との間に当該

	いずれか一の法人による完全支配関係があることとなるときの当該普通法人（（一）に掲げる法人を除く。）
(三)	当該各事業年度終了の時における資本金の額又は出資金の額が1億円を超える法人
(四)	当該各事業年度終了の時において第二節第一款の**一**の**1**の③《中小法人の年800万円以下の所得に対する軽減税率の不適用》の表のイからハ又はへに掲げる法人に該当する法人

（銀行及び保険会社に準ずる法人）
(2) ①の表の**ロ**のＣに掲げる内国法人は、次の表の(一)から(十六)までに掲げる内国法人とする。（令96④）

(一)	無尽業法第2条第1項《免許》の免許を受けて無尽業を行う無尽会社
(二)	金融商品取引法第2条第30項《定義》に規定する証券金融会社
(三)	株式会社日本貿易保険
(四)	長期信用銀行法第2条《定義》に規定する長期信用銀行
(五)	長期信用銀行法第16条の4第1項《長期信用銀行持株会社の子会社の範囲等》に規定する長期信用銀行持株会社
(六)	銀行法第2条第13項《定義等》に規定する銀行持株会社
(七)	貸金業法施行令第1条の2第3号又は第5号《貸金業の範囲からの除外》に掲げるもの
(八)	保険業法第2条第16項《定義》に規定する保険持株会社
(九)	保険業法第2条第18項に規定する少額短期保険業者
(十)	保険業法第272条の37第2項《少額短期保険持株会社に係る承認等》に規定する少額短期保険持株会社
(十一)	債権管理回収業に関する特別措置法第2条第3項《定義》に規定する債権回収会社
(十二)	株式会社商工組合中央金庫
(十三)	株式会社日本政策投資銀行
(十四)	株式会社地域経済活性化支援機構
(十五)	株式会社東日本大震災事業者再生支援機構
(十六)	(一)から(十五)までに掲げる内国法人に準ずる法人として財務省令で定める内国法人

注　(十六)に掲げる財務省令で定める法人については、令和6年7月1日現在定められていない。（編者）

（リースの対価の額に係る金銭債権を有する内国法人等及び対象金銭債権）
(3) ①の表の**ハ**に掲げる内国法人は、次の表の(一)から(八)までの左欄に掲げる内国法人とする。（法52①Ⅲ、令96⑤、規25の4の2）

なお、①の適用については、個別評価金銭債権には、次の表の左欄に掲げる内国法人（②《適格分割等により移転する個別評価金銭債権に係る期中個別貸倒引当金勘定の損金算入》を適用する場合にあっては、適格分割等の直前の時を事業年度終了の時とした場合に同欄に掲げる内国法人に該当するもの）が有する金銭債権のうち当該内国法人の区分に応じそれぞれ同表の右欄に掲げる金銭債権（同表の(一)から(八)までのうち2以上の内国法人に掲げる区分に該当する場合には、当該2以上に掲げる金銭債権の全て）以外のもの及び完全支配関係がある他の法人に対して有する金銭債権を含まないものとする。（法52⑨、令96⑨）

	内国法人	対象金銭債権
(一)	第一款の**六**《リース取引に係る所得の金額の計算》により同**六**に掲げるリース資産の売買があったものとされる場合の当該リース資産の対価の額に係る金銭債権を有する内国法人	左欄に掲げる金銭債権
(二)	金融商品取引法第2条第9項《定義》に規定する金融商品取引業者（同法第28条第1項《通則》に規定する第一種金融商品取引業を行うものに限る。）に該当する内国法人	当該内国法人が行う金融商品取引法第35条第1項第2号《第一種金融商品取引業又は投資運用業を行う者の業務の範囲》に掲げる行為に係る金銭債権

第三章　第一節　第十七款　一　《貸倒引当金》

(三)	質屋営業法第1条第2項《定義》に規定する質屋である内国法人		質屋営業法第13条《帳簿》の帳簿に記載された質契約に係る金銭債権
(四)	割賦販売法第31条《包括信用購入あっせん業者の登録》に規定する登録包括信用購入あっせん業者又は同法第35条の2の3第1項《登録》に規定する登録少額包括信用購入あっせん業者に該当する内国法人		割賦販売法第35条の3の56《基礎特定信用情報の提供》の規定により同法第35条の3の43第1項第6号《業務規程の認可》に規定する基礎特定信用情報として同法第30条の2第3項《包括支払可能見込額の調査》に規定する指定信用情報機関に提供された同法第35条の3の56第1項第3号に規定する債務に係る金銭債権
(五)	割賦販売法第35条の3の23《個別信用購入あっせん業者の登録》に規定する登録個別信用購入あっせん業者に該当する内国法人		
(六)	次に掲げる内国法人 イ　銀行法第2条第1項《定義等》に規定する銀行の同条第8項に規定する子会社である同法第16条の2第1項第11号《銀行の子会社の範囲等》に掲げる会社のうち同法第10条第2項第5号《業務の範囲》に掲げる業務を営む内国法人 ロ　保険業法第2条第2項《定義》に規定する保険会社の同条第12項に規定する子会社である同法第106条第1項第12号《保険会社の子会社の範囲等》に掲げる会社のうち同法第98条第1項第4号《業務の範囲等》に掲げる業務を営む内国法人 ハ　イ又はロに規定する会社に準ずるものとして次の表の左欄に掲げる会社のうちイ又はロに掲げる業務に準ずる業務として同表の左欄に掲げる会社の区分に応じ同表の右欄に掲げる業務を営む内国法人		商業、工業、サービス業その他の事業を行う者から買い取った金銭債権((七)の右欄のロにおいて「買取債権」という。)で当該内国法人のこの左欄のイからハまでに掲げる区分に応じそれぞれ同欄のイからハまでに掲げる業務として買い取ったもの
	(イ)	農業協同組合法第10条第1項第3号又は第10号《事業》の事業を行う農業協同組合の同法第11条の2第2項《農業協同組合等の子会社の定義》に規定する子会社である会社	農業協同組合法第10条第6項第6号に掲げる業務	
	(ロ)	農業協同組合法第10条第1項第3号の事業を行う農業協同組合連合会の同法第11条の2第2項に規定する子会社である同法第11条の66第1項第5号《農業協同組合連合会の子会社の範囲等》に掲げる会社	農業協同組合法第10条第6項第6号に掲げる業務	
	(ハ)	信用協同組合の協同組合による金融事業に関する法律第4条第1項《信用協同組合等の子会社の定義》に規定する子会社である同法第4条の2第1項第1号《信用協同組合の子会社の範囲等》に掲げる会社	中小企業等協同組合法第9条の8第2項第10号《信用協同組合》に掲げる業務	
	(ニ)	中小企業等協同組合法第9条の9第1項第1号《協同組合連合会》の事業を行う協同組合連合会の協同組合による金融事業に関する法律第4条第1項に規定する子会社である同法第4条の4第1項第6号《信用協同組合連合会の子会社の範囲等》に掲げる会社	中小企業等協同組合法第9条の8第2項第10号に掲げる業務	

(ホ)	信用金庫の信用金庫法第32条第6項《役員》に規定する子会社である同法第54条の21第1項第1号《信用金庫の子会社の範囲等》に掲げる会社	信用金庫法第53条第3項第5号《信用金庫の事業》に掲げる業務
(ヘ)	信用金庫連合会の信用金庫法第32条第6項に規定する子会社である同法第54条の23第1項第10号《信用金庫連合会の子会社の範囲等》に掲げる会社	信用金庫法第54条第4項第5号《信用金庫連合会の事業》に掲げる業務
(ト)	長期信用銀行法第2条《定義》に規定する長期信用銀行の同法第13条の2第2項《長期信用銀行の子会社の範囲等》に規定する子会社である同条第1項第11号に掲げる会社	長期信用銀行法第6条第3項第4号《業務の範囲》に掲げる業務
(チ)	長期信用銀行法第16条の4第1項《長期信用銀行持株会社の子会社の範囲等》に規定する長期信用銀行持株会社の同法第13条の2第2項に規定する子会社である同法第16条の4第1項第10号に掲げる会社	長期信用銀行法第6条第3項第4号に掲げる業務
(リ)	労働金庫の労働金庫法第32条第5項《役員》に規定する子会社である同法第58条の3第1項第1号《労働金庫の子会社の範囲等》に掲げる会社	労働金庫法第58条第2項第11号《金庫の事業》に掲げる業務
(ヌ)	労働金庫連合会の労働金庫法第32条第5項に規定する子会社である同法第58条の5第1項第6号《労働金庫連合会の子会社の範囲等》に掲げる会社	労働金庫法第58条の2第1項第9号《金庫の事業》に掲げる業務
(ル)	銀行法第2条第13項《定義等》に規定する銀行持株会社の同条第8項に規定する子会社である同法第52条の23第1項第10号《銀行持株会社の子会社の範囲等》に掲げる会社	銀行法第10条第2項第5号《業務の範囲》に掲げる業務
(ヲ)	保険業法第2条第16項《定義》に規定する保険持株会社の同条第12項に規定する子会社である同法第271条の22第1項第12号《保険持株会社の子会社の範囲等》に掲げる会社	保険業法第98条第1項第4号《業務の範囲等》に掲げる業務
(ワ)	農林中央金庫の農林中央金庫法第24条第4項《監事》に規定する子会社である同法第72条第1項第8号《農林中央金庫の子会社の範囲等》に掲げる会社	農林中央金庫法第54条第4項第5号《業務の範囲》に掲げる業務

	(カ)	株式会社商工組合中央金庫の株式会社商工組合中央金庫法第23条第2項《経営の健全性の確保》に規定する子会社である同法第39条第1項第6号《商工組合中央金庫の子会社の範囲等》に掲げる会社	株式会社商工組合中央金庫法第21条第4項第5号《業務の範囲》に掲げる業務	
(七)		貸金業法第2条第2項《定義》に規定する貸金業者に該当する内国法人	次に掲げる金銭債権 イ 貸金業法第19条《帳簿の備付け》（同法第24条第2項《債権譲渡等の規制》において準用する場合を含む。）の帳簿に記載された同法第2条第3項に規定する貸付けの契約に係る金銭債権 ロ 買取債権
(八)		信用保証業を行う内国法人	当該内国法人の行う信用保証業に係る保証債務を履行したことにより取得した金銭債権

（リース資産の対価の額に係る金銭債権の範囲）
（4） （3）の表の（一）に掲げる「リース資産の対価の額に係る金銭債権」には、第一款の**六**《リース取引に係る所得の金額の計算》に掲げるリース取引に係る契約が解除された場合に同**六**の賃貸人に支払われることとされているいわゆる規定損害金に係る金銭債権が含まれることに留意する。（基通11－2－1の3）

（個別評価金銭債権に係る貸倒引当金を繰り入れる事実及び個別貸倒引当金繰入限度額）
（5） 個別評価金銭債権に係る貸倒引当金について、貸倒引当金勘定へ繰り入れる事実は、次の表の左欄に掲げる事実とし、個別貸倒引当金繰入限度額は、同表の左欄に掲げる事実の区分に応じ、それぞれ同表の右欄に掲げる金額とする。（法52①、令96①、規25の2、25の3）

(一)	①の表に掲げる内国法人が当該事業年度終了の時において有する金銭債権（①に掲げる金銭債権をいう。以下同じ。）に係る債務者について生じた次の表に掲げる事由に基づいてその弁済を猶予され、又は賦払により弁済されること		当該金銭債権の額のうち当該事由が生じた日の属する事業年度終了の日の翌日から5年を経過する日までに弁済されることとなっている金額以外の金額（担保権の実行その他によりその取立て又は弁済〔以下（5）において「**取立て等**」という。〕の見込みがあると認められる部分の金額を除く。）
	イ	更生計画認可の決定	
	ロ	再生計画認可の決定	
	ハ	特別清算に係る協定の認可の決定	
	ニ	第九款の**一**の**3**《民事再生等による特定の事実が生じた場合の資産の評価益の益金算入》の表に掲げる事実が生じたこと	
	ホ	法令の規定による整理手続によらない関係者の協議決定で次に掲げるもの（ニに掲げる事由を除く。）	
		(イ) 債権者集会の協議決定で合理的な基準により債務者の負債整理を定めているもの	
		(ロ) 行政機関、金融機関その他第三者のあっせんによる当事者間の協議により締結された契約でその内容が(イ)に準ずるもの	
(二)	当該内国法人が当該事業年度終了の時において有する金銭債権に係る債務者につき、債務超過の状態が相当期間継続し、かつ、その		当該一部の金額に相当する金額

	営む事業に好転の見通しがないこと、災害、経済事情の急変等により多大な損害が生じたことその他の事由により、当該金銭債権の一部の金額につきその取立て等の見込みがないと認められること（当該金銭債権につき（一）の左欄に掲げる事実が生じている場合を除く。）			
(三)	当該内国法人が当該事業年度終了の時において有する金銭債権に係る債務者につき次の表に掲げる事由が生じていること（当該金銭債権につき、（一）の左欄に掲げる事実が生じている場合及び（二）の左欄に掲げる事実が生じていることにより①《個別評価金銭債権に係る貸倒引当金》の適用を受けた場合を除く。）			当該金銭債権の額（当該金銭債権の額のうち、当該債務者から受け入れた金額があるため実質的に債権とみられない部分の金額及び担保権の実行、金融機関又は保証機関による保証債務の履行その他により取立て等の見込みがあると認められる部分の金額を除く。）の$\frac{50}{100}$に相当する金額
	イ	更生手続開始の申立て		
	ロ	再生手続開始の申立て		
	ハ	破産手続開始の申立て		
	ニ	特別清算開始の申立て		
	ホ	次の表の（イ）又は（ロ）に掲げる事由		
		(イ)	手形交換所（手形交換所のない地域にあっては、当該地域において手形交換業務を行う銀行団を含む。）による取引停止処分	
		(ロ)	電子記録債権法第2条第2項《定義》に規定する電子債権記録機関（次に掲げる要件を満たすものに限る。）による取引停止処分	
			A 金融機関（預金保険法第2条第1項各号《定義》に掲げる者をいう。以下（ロ）において同じ。）の総数の$\frac{50}{100}$を超える数の金融機関に業務委託（電子記録債権法第58条第1項《電子債権記録業の一部の委託》の規定による同法第51条第1項《電子債権記録業を営む者の指定》に規定する電子債権記録業の一部の委託をいう。Bにおいて同じ。）をしていること。	
			B 電子記録債権法第56条《電子債権記録機関の業務》に規定する業務規程に、業務委託を受けている金融機関はその取引停止処分を受けた者に対し資金の貸付け（当該金融機関の有する債権を保全するための貸付けを除く。）をすることができない旨の定めがあること。	
(四)	当該内国法人が当該事業年度終了の時において有する金銭債権に係る債務者である外国の政府、中央銀行又は地方公共団体の長期にわたる債務の履行遅滞によりその金銭債権の経済的な価値が著しく減少し、かつ、その弁済を受けることが著しく困難であると認められること			当該金銭債権の額（当該金銭債権の額のうち、これらの者から受け入れた金額があるため実質的に債権とみられない部分の金額及び保証債務の履行その他により取立て等の見込みがあると認められる部分の金額を除く。）の$\frac{50}{100}$に相当する金額

注　非適格合併又は非適格分割等を行った場合の被合併法人又は分割法人における個別貸倒引当金繰入限度額の計算については、次の点に留意する。（編者）
　（一）　個別評価金銭債権に係る貸倒引当金は、債務者ごとに繰入限度額を計算することを原則としているが、同一債務者に対する金銭債権の一部が非適格分割等により分割承継法人に移転する場合には、その金銭債権はその債務者に対する個別評価金銭債権には含めずに繰入

第三章　第一節　第十七款　一《貸倒引当金》

　　　　限度額を計算する。
　　　(二)　非適格合併又は非適格分割等（以下(二)において「非適格合併等」という。）により被合併法人又は分割法人が金銭債権を移転する場合には、その非適格合併等により移転する金銭債権を繰入限度額の計算対象となる個別評価金銭債権から除くこととし、その移転する金銭債権については個別評価金銭債権に係る貸倒引当金の繰入れはできない。

　　　（貸倒れその他これに類する事実を証する書類の保存）
(6)　内国法人の有する金銭債権について(5)《個別評価金銭債権に係る貸倒引当金を繰り入れる事実及び個別貸倒引当金繰入限度額》の表の(一)から(四)までに掲げる事実が生じている場合においても、当該事実が生じていることを証する次に掲げる書類の保存がされていないときは、当該金銭債権に係る(5)の適用については、当該事実は、生じていないものとみなす。（法52⑬、令96②、規25の4）

(一)	(5)の表の(一)から(四)までの左欄に掲げる事実が生じていることを証する書類
(二)	担保権の実行、保証債務の履行その他により取立て等の見込みがあると認められる部分の金額がある場合には、その金額を明らかにする書類

　　　（書類の保存がない場合のゆうじょ規定）
(7)　税務署長は、(6)《貸倒れその他これに類する事実を証する書類の保存》の書類の保存がない場合においても、その書類の保存がなかったことについてやむを得ない事情があると認めるときは、その書類の保存がなかった金銭債権に係る金額につき(6)を適用しないことができる。（法52⑬、令96③）

　　　（貸倒引当金勘定に繰り入れた金額等とみなす金額）
(8)　内国法人が第一款の三の1の②《資産の販売等に係る収益計上に関する通則》のロに掲げる資産の販売等を行った場合において、当該資産の販売等の対価として受け取ることとなる金額のうち第一款の三の1の②のハの(1)の(一)に掲げる事実が生ずる可能性があることにより売掛金その他の金銭債権に係る勘定の金額としていない金額（以下(8)において「金銭債権計上差額」という。）があるときは、当該金銭債権計上差額に相当する金額は、当該内国法人が損金経理により貸倒引当金勘定に繰り入れた金額とみなして、①を適用する。（令99）

　　　（取立不能見込額として表示した貸倒引当金）
(9)　法人が貸倒引当金勘定への繰入れの表示に代えて取立不能見込額として表示した場合においても、当該取立不能見込額の表示が財務諸表の注記等により確認でき、かつ、貸倒引当金勘定への繰入れであることが総勘定元帳及び確定申告書において明らかにされているときは、当該取立不能見込額は貸倒引当金勘定への繰入額として取り扱う。（基通11－2－1）

　　　（個別評価金銭債権に係る貸倒引当金と一括評価金銭債権に係る貸倒引当金との関係）
(10)　個別評価金銭債権に係る貸倒引当金の繰入限度額の計算と③に掲げる一括評価金銭債権に係る貸倒引当金の繰入限度額の計算は、それぞれ別に計算することとされていることから、例えば、個別評価金銭債権に係る貸倒引当金の繰入額に繰入限度超過額があり、他方、一括評価金銭債権に係る貸倒引当金の繰入額が繰入限度額に達していない場合であっても、当該繰入限度超過額を当該一括評価金銭債権に係る貸倒引当金の繰入額として取り扱うことはできないことに留意する。（基通11－2－1の2）

　　　（貸倒損失の計上と個別評価金銭債権に係る貸倒引当金の繰入れ）
(11)　①の適用に当たり、確定申告書に「個別評価金銭債権に係る貸倒引当金の損金算入に関する明細書」が添付されていない場合であっても、それが貸倒損失を計上したことに基因するものであり、かつ、当該確定申告書の提出後に当該明細書が提出されたときは、5の《申告記載がない場合のゆうじょ規定》を適用し、当該貸倒損失の額を当該債務者についての個別評価金銭債権に係る貸倒引当金の繰入れに係る損金算入額として取り扱うことができるものとする。（基通11－2－2）
　　　注　本文の適用は、①に基づく個別評価金銭債権に係る貸倒引当金の繰入れに係る損金算入額の認容であることから、①の適用に関する疎明資料の保存がある場合に限られる。

　　　（貸倒れに類する事由）
(12)　①に掲げる「貸倒れその他これに類する事由」には、売掛金、貸付金その他これらに類する金銭債権の貸倒れの

ほか、例えば、保証金や前渡金等について返還請求を行った場合における当該返還請求債権が回収不能となったときがこれに含まれる。(基通11－2－3)

　　(裏書譲渡をした受取手形)
(13)　法人がその有する金銭債権について取得した受取手形で当該金銭債権に係る債務者が振り出し、又は引き受けたものを裏書譲渡(割引を含む。以下(13)において同じ。)した場合には、当該受取手形に係る既存債権を①に掲げる金銭債権に該当するものとして取り扱う。(基通11－2－4)
　　　注　この取扱いは、その裏書譲渡された受取手形の金額が財務諸表の注記等において確認できる場合に適用する。

　　(担保権の実行により取立て等の見込みがあると認められる部分の金額)
(14)　(5)《個別評価金銭債権に係る貸倒引当金を繰り入れる事実及び個別貸倒引当金繰入限度額》の表の(一)及び(三)の右欄に掲げる担保権の実行により取立て等の見込みがあると認められる部分の金額とは、質権、抵当権、所有権留保、信用保険等によって担保されている部分の金額をいうことに留意する。(基通11－2－5)

　　(相当期間の意義)
(15)　(5)の表の(二)の左欄に掲げる「債務者につき、債務超過の状態が相当期間継続し、かつ、その営む事業に好転の見通しがないこと」における「相当期間」とは、「おおむね１年以上」とし、その債務超過に至った事情と事業好転の見通しをみて、同(二)の左欄に掲げる事由が生じているかどうかを判定するものとする。(基通11－2－6)

　　(人的保証に係る回収可能額の算定)
(16)　(5)の表の(二)の左欄に掲げる「当該金銭債権の一部の金額につきその取立て等の見込みがないと認められる」場合における「当該一部の金額に相当する金額」とは、その金銭債権の額から担保物の処分による回収可能額及び人的保証に係る回収可能額などを控除して算定するのであるが、次に掲げる場合には、人的保証に係る回収可能額の算定上、回収可能額を考慮しないことができる。(基通11－2－7)
(一)　保証債務の存否に争いのある場合で、そのことにつき相当の理由のあるとき
(二)　保証人が行方不明で、かつ、当該保証人の有する資産について評価額以上の質権、抵当権(以下(16)において「質権等」という。)が設定されていること等により当該資産からの回収が見込まれない場合
(三)　保証人について(5)の表の(三)の左欄に掲げる事由が生じている場合
(四)　保証人が生活保護を受けている場合(それと同程度の収入しかない場合を含む。)で、かつ、当該保証人の有する資産について評価額以上の質権等が設定されていること等により当該資産からの回収が見込まれないこと。
(五)　保証人が個人であって、次のいずれにも該当する場合

イ	当該保証人が有する資産について評価額以上の質権等が設定されていること等により、当該資産からの回収が見込まれないこと。
ロ	当該保証人の年収額(その事業年度終了の日の直近１年間における収入金額をいう。)が当該保証人に係る保証債務の額の合計額(当該保証人の保証に係る金銭債権につき担保物がある場合には当該金銭債権の額から当該担保物の価額を控除した金額をいう。以下(五)において同じ。)の５％未満であること。

　　注１　当該保証人に係る保証債務の額の合計額には、当該保証人が他の債務者の金銭債権につき保証をしている場合には、当該他の債務者の金銭債権に係る保証債務の額の合計額を含めることができる。
　　注２　上記ロの当該保証人の年収額については、その算定が困難であるときは、当該保証人の前年(当該事業年度終了の日を含む年の前年をいう。)分の収入金額とすることができる。

　　(担保物の処分以外に回収が見込まれない場合等の個別評価金銭債権に係る貸倒引当金の繰入れ)
(17)　(5)の表の(二)の左欄に掲げる「その他の事由により、当該金銭債権の一部の金額につきその取立て等の見込みがないと認められること」には、次に掲げる事実が含まれることに留意する。この場合において、同(二)の右欄に掲げるその取立て等の見込みがないと認められる金額とは、当該回収できないことが明らかになった金額又は当該未収利息として計上した金額をいう。(基通11－2－8)
(一)　法人の有するその金銭債権の額のうち担保物の処分によって得られると見込まれる金額以外の金額につき回収できないことが明らかになった場合において、その担保物の処分に日時を要すると認められること
(二)　貸付金又は有価証券(以下この(二)において「貸付金等」という。)に係る未収利息を資産に計上している場合

において、当該計上した事業年度終了の日（当該貸付金等に係る未収利息を２以上の事業年度において計上しているときは、これらの事業年度のうち最終の事業年度終了の日）から２年を経過した日の前日を含む事業年度終了の日までの期間に、各種の手段を活用した支払の督促等の回収の努力をしたにもかかわらず、当該期間内に当該貸付金等に係る未収利息（当該資産に計上している未収利息以外の利息の未収金を含む。）につき、債務者が債務超過に陥っている等の事由からその入金が全くないこと

　　　（実質的に債権とみられない部分）
(18)　(5)の表の(三)の右欄に掲げる「当該金銭債権の額のうち、当該債務者から受け入れた金額があるため実質的に債権とみられない部分の金額」とは、次に掲げるような金額がこれに該当する。（基通11－２－９）
　(一)　同一人に対する売掛金又は受取手形と買掛金がある場合のその売掛金又は受取手形の金額のうち買掛金の金額に相当する金額
　(二)　同一人に対する売掛金又は受取手形と買掛金がある場合において、当該買掛金の支払のために他から取得した受取手形を裏書譲渡したときのその売掛金又は受取手形の金額のうち当該裏書譲渡した手形（支払期日の到来していないものに限る。）の金額に相当する金額
　(三)　同一人に対する売掛金とその者から受け入れた営業に係る保証金がある場合のその売掛金の額のうち保証金の額に相当する金額
　(四)　同一人に対する売掛金とその者から受け入れた借入金がある場合のその売掛金の額のうち借入金の額に相当する金額
　(五)　同一人に対する完成工事の未収金とその者から受け入れた未成工事に対する受入金がある場合のその未収金の額のうち受入金の額に相当する金額
　(六)　同一人に対する貸付金と買掛金がある場合のその貸付金の額のうち買掛金の額に相当する金額
　(七)　使用人に対する貸付金とその使用人から受け入れた預り金がある場合のその貸付金の額のうち預り金の額に相当する金額
　(八)　専ら融資を受ける手段として他から受取手形を取得し、その見合いとして借入金を計上した場合のその受取手形の金額のうち借入金の額に相当する金額
　(九)　同一人に対する未収地代家賃とその者から受け入れた敷金がある場合のその未収地代家賃の額のうち敷金の額に相当する金額

　　　（第三者の振り出した手形）
(19)　(5)の表の(三)を適用する場合において、法人が債務者から他の第三者の振り出した手形（債務者の振り出した手形で第三者の引き受けたものを含む。）を受け取っている場合における当該手形の金額に相当する金額は、同(三)の右欄に掲げる「取立て等の見込みがあると認められる部分の金額」に該当することに留意する。（基通11－２－10）

　　　（手形交換所等の取引停止処分）
(20)　法人の各事業年度終了の日までに債務者の振り出した手形が不渡りとなり、当該事業年度分に係る確定申告書の提出期限（第二節第三款の**二の3**《確定申告書の提出期限の延長の特例》によりその提出期限が延長されている場合には、その延長された期限とする。以下(20)において同じ。）までに当該債務者について(5)の表の(三)の左欄のホの(イ)に掲げる手形交換所による取引停止処分が生じた場合には、当該事業年度において同(三)を適用することができる。
　　法人の各事業年度終了の日までに支払期日の到来した電子記録債権法第２条第１項《定義》に規定する電子記録債権につき債務者から支払が行われず、当該事業年度分に係る確定申告書の提出期限までに当該債務者について同条第２項に規定する電子債権記録機関（(5)の表の(三)の左欄のホの(ロ)のＡ及びＢに掲げる要件を満たすものに限る。）による取引停止処分が生じた場合についても、同様とする。（基通11－２－11）

　　　（国外にある債務者）
(21)　国外にある債務者について、(5)の表の(一)又は(三)の左欄に掲げる事由に類する事由が生じた場合には、同表の(一)又は(三)の適用があることに留意する。（基通11－２－12）

　　　（中央銀行の意義）
(22)　(5)の表の(四)の左欄に掲げる「中央銀行」とは、金融機関でその本店又は主たる事務所の所在する国において、

通貨の調節、金融の調整又は信用制度の保持育成の業務その他これに準ずる業務を行うものをいう。(基通11－2－13)

　　　(繰入れ対象となる公的債務者に対する個別評価金銭債権)
(23)　(5)の表の(四)に掲げる金銭債権は、次に掲げる金銭債権とする。
　　ただし、債務者が外国の地方公共団体である場合において、その金銭債権の元本の返済及び利息等の支払に係る債務不履行の原因が当該地方公共団体の属する国の外貨準備高の不足によるものであることが明らかなときは、当該地方公共団体に対する金銭債権については、この限りでない。(基通11－2－14)
　(一)　債務者たる外国の政府、中央銀行及び地方公共団体（以下(24)までにおいて「公的債務者」という。）に対して有する金銭債権につき債務不履行が生じたため、当該公的債務者との間の金銭債権に係る契約において定められているところに従い、当該法人が当該公的債務者に対して債務不履行宣言を行った場合で、次に掲げる要件の全てを満たすとき　当該公的債務者に対して有する金銭債権の額

イ	当該債務不履行宣言を行った日以後その事業年度終了の日までの間において、当該債務不履行の状態が継続し、かつ、当該法人が、当該公的債務者に対する融資又は当該公的債務者との間で金銭債権に係る債務の履行期限の延長に関する契約の締結若しくは物品販売等の取引を行っていないこと。
ロ	その事業年度終了の日において、当該法人が、当該公的債務者に対する融資又は当該公的債務者との間で金銭債権に係る債務の履行期限の延長に関する契約の締結若しくは物品販売等の取引を行う具体的な計画を有していないこと。

　　注1　債務不履行宣言とは、債務者に対する金銭債権につき債務不履行が生じた場合に、当該金銭債権に係る期限の利益の喪失を目的として債権者が行う宣言をいう。
　　注2　当該法人以外の者が外国の公的債務者に対して債務不履行宣言を行った場合において、当該債務不履行宣言の効果が当該法人に及ぶことが金銭債権に係る契約書において定められているときであっても、当該法人の当該公的債務者に対して有する金銭債権につき債務不履行が生じていないときは、(5)の表の(四)に掲げる事由に該当しないことに留意する。
　(二)　外国の公的債務者が次に掲げる全ての要件を満たす場合　当該公的債務者に対して有する金銭債権のうち元本等の返済及び利息等の支払に係る債務不履行の期間（当該金銭債権が適格組織再編成により移転を受けたものである場合にあっては、当該適格組織再編成に係る被合併法人、分割法人、現物出資法人又は現物分配法人〔以下(23)において「被合併法人等」という。〕における債務不履行の期間を含む。）がその事業年度終了の日以前3年以上の期間にわたっているものの金額

イ	その事業年度終了の日以前3年間（以下(23)において「期末以前3年間」という。）において、当該公的債務者に対する金銭債権につき元本等の返済及び利息等の支払がないこと。
ロ	当該法人（その金銭債権が適格組織再編成により移転を受けたものである場合にあっては、当該適格組織再編成に係る被合併法人等を含む。）が、期末以前3年間において、当該公的債務者に対する融資又は当該公的債務者との間で金銭債権に係る債務の履行期限の延長に関する契約の締結若しくは物品販売等の取引を行っていないこと。
ハ	その事業年度終了の日において、当該法人が、当該公的債務者に対する融資又は当該公的債務者との間で金銭債権に係る債務の履行期限の延長に関する契約の締結若しくは物品販売等の取引を行う具体的な計画を有していないこと。

　　　(取立て等の見込みがあると認められる部分の金額)
(24)　(5)の表の(四)の右欄に掲げる「取立て等の見込みがあると認められる部分の金額」とは、次に掲げる金額をいう。(基通11－2－15)
　(一)　当該金銭債権につき他の者（当該法人の当該他の者に対する金銭債権につき債務不履行が生じている者を除く。以下(四)において同じ。）により債務の保証が付されている場合の当該保証が付されている部分に相当する金額
　(二)　当該金銭債権につき債務の履行不能によって生ずる損失を填補する保険が付されている場合の当該保険が付されている部分に相当する金額
　(三)　当該金銭債権につき質権、抵当権、所有権留保等によって担保されている場合の当該担保されている部分の金額
　(四)　当該公的債務者から他の者が振り出した手形（当該公的債務者の振り出した手形で他の者の引き受けたものを

含む。）を受け取っている場合のその手形の金額に相当する金額等実質的に債権と認められない金額

② **適格分割等により移転する個別評価金銭債権に係る期中個別貸倒引当金勘定の損金算入**《適格分割・適格現物出資・適格現物分配》
　内国法人が、適格分割、適格現物出資又は適格現物分配（適格現物分配にあっては、残余財産の全部の分配を除く。以下〔⑤を除く。〕において「**適格分割等**」という。）により分割承継法人、被現物出資法人又は被現物分配法人（以下②において「**分割承継法人等**」という。）に**個別評価金銭債権**を移転する場合（当該適格分割等の直前の時を事業年度終了の時とした場合に当該内国法人が①の表の**イ**から**ハ**までに掲げる法人に該当する場合に限る。）において、当該個別評価金銭債権について①の貸倒引当金勘定に相当するもの（以下一において「**期中個別貸倒引当金勘定**」という。）を設けたときは、その設けた期中個別貸倒引当金勘定の金額に相当する金額のうち、当該個別評価金銭債権につき当該適格分割等の直前の時を事業年度終了の時とした場合に①により計算される個別貸倒引当金繰入限度額に相当する金額に達するまでの金額は、当該適格分割等の日の属する事業年度の所得の金額の計算上、損金の額に算入する。（法52⑤）

　　　　　（適格分割等が行われた場合のリースの対価の額に係る金銭債権を有する内国法人等及び対象金銭債権）
（１）　②の適用については、個別評価金銭債権には、適格分割等の直前の時を事業年度終了の時とした場合に①の（３）《リースの対価の額に係る金銭債権を有する内国法人等及び対象金銭債権》の表の左欄に掲げる内国法人に該当するものが有する金銭債権のうち同表の左欄の内国法人の区分に応じそれぞれ同表の右欄に掲げる金銭債権（同表の（一）から（八）までのうち２以上の内国法人に掲げる区分に該当する場合には、当該２以上に掲げる金銭債権の全て）以外のもの及び完全支配関係がある他の法人に対して有する金銭債権を含まないものとする。（法52⑨、令96⑨）

　　　　　（適格分割等により移転する期中個別貸倒引当金勘定の金額の損金算入に関する届出）
（２）　②は、②の内国法人が適格分割等の日以後２か月以内に次に掲げる事項を記載した書類を納税地の所轄税務署長に提出した場合に限り、適用する。（法52⑦、規25の６）

（一）	②の適用を受けようとする内国法人の名称、納税地及び法人番号（行政手続における特定の個人を識別するための番号の利用等に関する法律第２条第15項に規定する法人番号をいう。）並びに代表者の氏名
（二）	適格分割等に係る分割承継法人等の名称及び納税地並びに代表者の氏名
（三）	適格分割等の日
（四）	期中個別貸倒引当金勘定の金額に相当する金額及び個別貸倒引当金繰入限度額に相当する金額並びにこれらの金額の計算に関する明細
（五）	その他参考となるべき事項

　　注　（四）に掲げる事項の記載については、別表十一（一）の書式によらなければならない。（規27の14）

　　　　　（適格分割等に係る期中個別貸倒引当金勘定の金額の計算）
（３）　②の内国法人が適格分割等によりその有する同一の債務者に対する個別評価金銭債権の一部のみを当該適格分割等に係る分割承継法人等に移転する場合には、当該個別評価金銭債権の金額のうちその移転する一部の金額以外の金額はないものとみなして、②を適用する。（法52⑬、令98）

　　　　　（貸倒引当金勘定に繰り入れた金額等とみなす金額）
（４）　内国法人が第一款の三の１の②《資産の販売等に係る収益計上に関する通則》の**ロ**に掲げる資産の販売等を行った場合において、当該資産の販売等の対価として受け取ることとなる金額のうち第一款の三の１の②の**ハ**の（１）の（一）に掲げる事実が生ずる可能性があることにより売掛金その他の金銭債権に係る勘定の金額としていない金額（以下（４）において「**金銭債権計上差額**」という。）があるときは、当該金銭債権計上差額に相当する金額は、当該内国法人が設けた②に掲げる期中個別貸倒引当金勘定の金額とみなして、②を適用する。（令99）

③　**一括評価金銭債権に係る貸倒引当金**
　①《個別評価金銭債権に係る貸倒引当金》の表の**イ**から**ハ**までに掲げる内国法人が、その有する売掛金、貸付金その他これらに準ずる金銭債権（個別評価金銭債権を除く。以下１において「**一括評価金銭債権**」という。）の貸倒れによる損失の見込額として、各事業年度（被合併法人の適格合併に該当しない合併の日の前日の属する事業年度及び残余財産の確定

〔その残余財産の分配が適格現物分配に該当しないものに限る。〕の日の属する事業年度を除く。）において損金経理により貸倒引当金勘定に繰り入れた金額については、当該繰り入れた金額のうち、当該事業年度終了の時において有する一括評価金銭債権の額及び最近における売掛金、貸付金その他これらに準ずる金銭債権の貸倒れによる損失の額を基礎として（１）《貸倒実績率による繰入限度額の計算》に掲げるところにより計算した金額（④において「**一括貸倒引当金繰入限度額**」という。）に達するまでの金額は、当該事業年度の所得の金額の計算上、損金の額に算入する。（法52②）

注　中小企業の貸倒引当金の特例制度の対象法人（⑥のイに掲げる法人をいう。）については、上記にかかわらず、経過措置として、引き続き⑥のイにより法定繰入率による繰入限度額の計算が認められるほか、公益法人等又は協同組合等については、一括評価による繰入限度額を11％増しとする特例措置《⑥のハ参照》の適用がある。（編者）

（貸倒実績率による繰入限度額の計算）
（１）　一括評価金銭債権に係る貸倒引当金による繰入限度額は、③の内国法人の当該事業年度終了の時において有する一括評価金銭債権の帳簿価額の合計額に貸倒実績率（次の表の（一）に掲げる金額のうちに同表の（二）に掲げる金額の占める割合〔当該割合に小数点以下４位未満の端数があるときは、これを切り上げる。〕をいう。）を乗じて計算した金額とする。（法52②、令96⑥）

（一）	当該内国法人の**前３年内事業年度**（当該事業年度開始の日前３年以内に開始した各事業年度をいい、当該内国法人が適格合併に係る合併法人である場合には当該内国法人の当該事業年度開始の日前３年以内に開始した当該適格合併に係る被合併法人の各事業年度を含むものとし、当該事業年度が次の表の左欄に掲げる当該内国法人の区分に応じそれぞれ同表の右欄に掲げる日の属する事業年度である場合には当該事業年度とし、同表のロからニの右欄に掲げる日の属する事業年度前の各事業年度を除く。以下（２）までにおいて同じ。）終了の時における一括評価金銭債権の帳簿価額の合計額を当該前３年内事業年度における事業年度の数で除して計算した金額		
	イ	新たに設立された内国法人（適格合併〔被合併法人の全てが収益事業を行っていない公益法人等であるものを除く。〕により設立されたもの並びに公益法人等及び人格のない社団等を除く。）	設立の日
	ロ	新たに収益事業を開始した内国法人である公益法人等及び人格のない社団等	その開始した日
	ハ	公共法人に該当していた収益事業を行う公益法人等	当該公益法人等に該当することとなった日
	ニ	公共法人又は収益事業を行っていない公益法人等に該当していた普通法人又は協同組合等	当該普通法人又は協同組合等に該当することとなった日
（二）	当該内国法人の次の表のイ及びロまでに掲げる金額の合計額から同表のハに掲げる金額を控除した残額に12を乗じてこれを前３年内事業年度における事業年度の月数の合計数で除して計算した金額		
	イ	前３年内事業年度において売掛金、貸付金その他これらに準ずる金銭債権（①の(3)《リースの対価の額に係る金銭債権を有する内国法人等及び対象金銭債権》の表の右欄に掲げるものを除く。以下(１)において「売掛債権等」という。）の貸倒れにより生じた損失の額の合計額	
	ロ	①《個別評価金銭債権に係る貸倒引当金》又は②《適格分割等により移転する個別評価金銭債権に係る期中個別貸倒引当金勘定の損金算入》により前３年内事業年度に含まれる各事業年度の所得の金額の計算上損金の額に算入された金額（売掛債権等に係る金額に限る。）の合計額	
	ハ	４の①《貸倒引当金の益金算入》又は４の②《適格組織再編成により引継ぎを受けた貸倒引当金勘定の処理》により前３年内事業年度に含まれる各事業年度の所得の金額の計算上益金の額に算入された金額のうち次に掲げる金額に係るもの（当該各事業年度においてこの表のイに掲げる損失の額が生じた売掛債権等に係る金額又は当該各事業年度において売掛債権等につき４の①若しくは４の②の適用を受ける場合の当該売掛債権等に係る金額に限る。）の合計額 （イ）　①により当該各事業年度開始の日の前日の属する事業年度の所得の金額の計算上損金の額に算入された金額 （ロ）　①により適格合併又は適格現物分配（残余財産の全部の分配に限る。）に係る被合併法人又は現物分配法人の当該適格合併の日の前日又は当該残余財産の確定の日の属する事業年度の所得の金額	

	の計算上損金の額に算入された金額
	(ハ) ②により適格分割等に係る分割法人、現物出資法人又は現物分配法人の当該適格分割等の日の属する事業年度の所得の金額の計算上損金の額に算入された金額

注　上表の月数は、暦に従って計算し、1か月に満たない端数を生じたときは、これを1か月とする。（令96⑦）

（前3年内事業年度の各事業年度の終了の時において貸倒引当金対象法人に該当しない場合の貸倒実績率の取扱い）

（2）　次の表の（一）から（四）までに掲げる場合における（1）《貸倒実績率による繰入限度額の計算》（次の表の（一）に掲げる場合にあっては（1）の表の（二）のロに係る部分に、次の表の（二）から（四）までに掲げる場合にあっては（1）の表の（二）のハに係る部分に、それぞれ限る。）の適用については、次の表の（一）若しくは同表の（二）に掲げる内国法人、同表の（三）に掲げる被合併法人若しくは現物分配法人又は同表の（四）に掲げる分割法人、現物出資法人若しくは現物分配法人が同表のそれぞれ左欄に該当する時において①の表のイのAからCまで又は同表のロのAからCまでに掲げる法人（以下（2）において「**貸倒引当金対象法人**」という。）に該当するものとしてそれぞれ次の表の右欄に掲げる事業年度において一を適用した場合に一により各事業年度の所得の金額の計算上損金の額又は益金の額に算入されることとなる金額は、一により当該各事業年度の所得の金額の計算上損金の額又は益金の額に算入された金額とみなす。（令96⑧）

（一）	（1）の内国法人（当該内国法人が適格合併に係る合併法人である場合には、当該適格合併に係る被合併法人を含む。（二）において同じ。）が前3年内事業年度に含まれる各事業年度終了の時において貸倒引当金対象法人に該当しない場合	当該各事業年度
（二）	（1）の内国法人が（1）の表の（二）の表のハの（イ）に掲げる開始の日の前日の属する事業年度終了の時において貸倒引当金対象法人に該当しない場合	当該前日の属する事業年度
（三）	（1）の表の（二）の表のハの（ロ）の被合併法人又は現物分配法人が同（ロ）に掲げる事業年度終了の時において貸倒引当金対象法人に該当しない場合	当該事業年度
（四）	（1）の表の（二）の表のハの（ハ）に掲げる分割法人、現物出資法人又は現物分配法人が同（ハ）に掲げる適格分割等の直前の時において貸倒引当金対象法人に該当しない場合	当該適格分割等の日の属する事業年度

（一括評価金銭債権に含まれないもの）

（3）　③《一括評価金銭債権に係る貸倒引当金》の適用については、一括評価金銭債権には、①の（3）《リースの対価の額に係る金銭債権を有する内国法人等及び対象金銭債権》の表の左欄に掲げる内国法人（④《適格分割等により移転する一括評価金銭債権に係る期中一括貸倒引当金勘定の損金算入》を適用する場合にあっては、適格分割等の直前の時を事業年度終了の時とした場合に当該左欄に掲げる内国法人に該当するもの）が有する金銭債権のうち同表の左欄の内国法人の区分に応じそれぞれ同表の右欄に掲げる金銭債権（同表の（一）から（八）までのうち2以上の内国法人に掲げる区分に該当する場合には、当該2以上に掲げる金銭債権の全て）以外のもの及び完全支配関係がある他の内国法人に対して有する金銭債権を含まないものとする。（法52⑨、令96⑨）

（貸倒引当金勘定に繰り入れた金額等とみなす金額）

（4）　内国法人が第一款の三の1の②《資産の販売等に係る収益計上に関する通則》のロに掲げる資産の販売等を行った場合において、当該資産の販売等の対価として受け取ることとなる金額のうち第一款の三の1の②のハの（1）の（一）に掲げる事実が生ずる可能性があることにより売掛金その他の金銭債権に係る勘定の金額としていない金額（以下（4）において「金銭債権計上差額」という。）があるときは、当該金銭債権計上差額に相当する金額は、当該内国法人が損金経理により貸倒引当金勘定に繰り入れた金額とみなして、③を適用する。（令99）

（個別評価金銭債権に係る貸倒引当金と一括評価金銭債権に係る貸倒引当金との関係）

（5）　個別評価金銭債権に係る貸倒引当金の繰入限度額の計算と一括評価金銭債権に係る貸倒引当金の繰入限度額の計算は、それぞれ別に計算することとされていることから、例えば、個別評価金銭債権に係る貸倒引当金の繰入額に繰

入限度超過額があり、他方、一括評価金銭債権に係る貸倒引当金の繰入額が繰入限度額に達していない場合であっても、当該繰入限度超過額を当該一括評価金銭債権に係る貸倒引当金の繰入額として取り扱うことはできないことに留意する。（基通11－2－1の2）

　　（売掛金、貸付金に準ずる債権）
（6）　（1）《貸倒実績率による繰入限度額の計算》の表の(二)のイに掲げる「その他これらに準ずる金銭債権」には、次のような債権が含まれる。（基通11－2－16・編者補正）
　(一)　未収の譲渡代金、未収加工料、未収請負金、未収手数料、未収保管料、未収地代家賃等又は貸付金の未収利子で、益金の額に算入されたもの
　(二)　他人のために立替払いをした場合の立替金（(8)《売掛債権等に該当しない債権》の(四)に該当するものを除く。）
　(三)　未収の損害賠償金で益金の額に算入されたもの
　(四)　保証債務を履行した場合の求償権
　(五)　通算税効果額に係る未収金
　　注　法人がその有する売掛金、貸付金等の債権について取得した先日付小切手を一括評価金銭債権に含めている場合には、その計算を認める。

　　（裏書譲渡をした受取手形）
（7）　法人がその有する売掛債権等について取得した受取手形につき裏書譲渡（割引を含む。以下(7)において同じ。）をした場合には、当該売掛金、貸付金等の既存債権を売掛債権等に該当するものとして取り扱う。したがって、裏書により取得した受取手形（手形法第18条第1項本文《取立委任裏書》又は第19条第1項本文《質入裏書》に規定する裏書により取得したものを除く。）で、その取得の原因が売掛金、貸付金等の既存債権と関係のないものについて更に裏書譲渡をした場合には、その受取手形の金額は売掛債権等の額に含まれないことに留意する。（基通11－2－17）
　　注1　この取扱いは、その裏書譲渡された受取手形の金額が財務諸表の注記等において確認できる場合に適用する。
　　注2　金融機関が円建銀行引受手形市場及び手形割引市場で取得又は譲渡する手形の貸金の取扱いについては、昭和60年9月3日付直法2－5「円建銀行引受手形市場及び手形割引市場で売買される手形に係る貸倒引当金の取扱いについて」通達に留意する。なお、当該通達の掲載については省略した。（編者）

　　（売掛債権等に該当しない債権）
（8）　次に掲げるようなものは、売掛債権等には該当しない。（基通11－2－18）
　(一)　預貯金及びその未収利子、公社債の未収利子、未収配当その他これらに類する債権
　(二)　保証金、敷金（借地権、借家権等の取得等に関連して無利息又は低利率で提供した建設協力金等を含む。）、預け金その他これらに類する債権
　(三)　手付金、前渡金等のように資産の取得の代価又は費用の支出に充てるものとして支出した金額
　(四)　前払給料、概算払旅費、前渡交際費等のように将来精算される費用の前払として一時的に仮払金、立替金等として経理されている金額
　(五)　金融機関における他店為替貸借の決済取引に伴う未決済為替貸勘定の金額
　(六)　証券会社又は証券金融会社に対し、借株の担保として差し入れた信用取引に係る株式の売却代金に相当する金額
　(七)　雇用保険法、労働施策の総合的な推進並びに労働者の雇用の安定及び職業生活の充実等に関する法律、障害者の雇用の促進等に関する法律等の法令の規定に基づき交付を受ける給付金等の未収金
　(八)　仕入割戻しの未収金
　(九)　保険会社における代理店貸勘定（外国代理店貸勘定を含む。）の金額
　(十)　第二十四款の一《デリバティブ取引に係る利益相当額又は損失相当額の益金又は損金算入》に掲げる未決済デリバティブ取引に係る差金勘定等の金額
　(十一)　法人がいわゆる特定目的会社（SPC）を用いて売掛債権等の証券化を行った場合において、当該特定目的会社の発行する証券等のうち当該法人が保有することとなったもの
　　注1　仮払金等として計上されている金額については、その実質的な内容に応じて売掛債権等に該当するかどうかを判定することに留意する。
　　注2　投資家たる法人の保有する抵当証券は、売掛債権等には該当しないことに留意する。（昭59直審4－30）

(リース取引に係る売掛債権等)
（9）　第一款の**六**《リース取引に係る所得の金額の計算》により売買があったものとされたリース取引に係るリース料のうち、当該事業年度終了の時において支払期日の到来していないリース料の額の合計額は売掛債権等に該当するものとする。（基通11－2－20）

(返品債権特別勘定を設けている場合の売掛債権等の額)
（10）　出版業を営む法人が返品債権特別勘定を設けている場合の売掛債権等の金額は、当該事業年度終了の時における売掛債権等の金額から当該返品債権特別勘定の金額に相当する金額を控除した金額によることに留意する。（基通11－2－21）

(貸倒損失の範囲——返品債権特別勘定の繰入額等)
（11）　次に掲げるような金額は、（1）《貸倒実績率による繰入限度額の計算》の表の（二）のイに掲げる売掛債権等の貸倒れによる損失の額には含まれない。（基通11－2－22）
　（一）　第十四款の**一**の**2**の（1）《返品債権特別勘定の設定》により返品債権特別勘定に繰り入れた金額
　（二）　外貨建ての債権の換算による損失の額
　（三）　売掛債権等の貸倒れによる損失の額のうち保険金等により補填された部分の金額

(外貨建資産等の為替差損益を一括表示した場合の金銭債権の額)
（12）　法人が外貨建資産等につき期末時換算法を選定している場合の為替差損益を個々の外貨建資産等の額に加算又は減算しないで、いわゆる洗替方式により売掛金、借入金等のそれぞれの項目に一括して加算又は減算している場合、貸倒引当金の計算の基礎となる金銭債権の額は、当該金銭債権の額に対応する為替差損益に相当する金額を加算又は減算して計算することに留意する。（基通13の2－2－9参照）

④　**適格分割等により移転する一括評価金銭債権に係る期中一括貸倒引当金勘定の損金算入《適格分割・適格現物出資・適格現物分配》**

　内国法人が、適格分割等により分割承継法人、被現物出資法人又は被現物分配法人に一括評価金銭債権を移転する場合（当該適格分割等の直前の時を事業年度終了の時とした場合に当該内国法人が①《個別評価金銭債権に係る貸倒引当金》の表のイからハまでに掲げる法人に該当する場合に限る。）において、当該一括評価金銭債権について、③《一括評価金銭債権に係る貸倒引当金》の貸倒引当金勘定に相当するもの（以下**一**において「**期中一括貸倒引当金勘定**」という。）を設けたときは、その設けた期中一括貸倒引当金勘定の金額に相当する金額のうち、当該一括評価金銭債権につき当該適格分割等の直前の時を事業年度終了の時とした場合に③により計算される一括貸倒引当金繰入限度額に相当する金額に達するまでの金額は、当該適格分割等の日の属する事業年度の所得の金額の計算上、損金の額に算入する。（法52⑥）
　　注　中小企業の貸倒引当金の特例制度の対象法人（⑥の**イ**に掲げる法人をいう。）については、上記にかかわらず、⑥の**ロ**により法定繰入率による繰入限度額の計算が認められるほか、公益法人等又は協同組合等については、一括評価による繰入限度額を11％増しとする特例措置《⑥の**ハ**参照》の適用がある。（編者）

(適格分割等が行われた場合のリースの対価の額に係る金銭債権を有する内国法人等及び対象金銭債権)
（1）　④の適用については、一括評価金銭債権には、適格分割等の直前の時を事業年度終了の時とした場合に①の（3）《リースの対価の額に係る金銭債権を有する内国法人等及び対象金銭債権》の表の左欄に掲げる内国法人に該当するものが有する金銭債権のうち同表の左欄の内国法人の区分に応じそれぞれ同表の右欄に掲げる金銭債権（同表の（一）から（八）までのうち2以上の内国法人に掲げる区分に該当する場合には、当該2以上に掲げる金銭債権の全て）以外のもの及び完全支配関係がある他の内国法人に対して有する金銭債権を含まないものとする。（法52⑨、令96⑨）

(適格分割等により移転する期中一括貸倒引当金勘定の金額の損金算入に関する届出)
（2）　④は、④の内国法人が適格分割等の日以後2か月以内に次に掲げる事項を記載した書類を納税地の所轄税務署長に提出した場合に限り、適用する。（法52⑦、規25の6）

（一）	④の適用を受けようとする内国法人の名称、納税地及び法人番号並びに代表者の氏名
（二）	適格分割等に係る分割承継法人等の名称及び納税地並びに代表者の氏名
（三）	適格分割等の日

（四）	期中一括貸倒引当金勘定の金額に相当する金額及び一括貸倒引当金繰入限度額に相当する金額並びにこれらの金額の計算に関する明細
（五）	その他参考となるべき事項

注　（四）に掲げる事項の記載については、別表十一（一の二）の書式によらなければならない。（規27の14）

（貸倒引当金勘定に繰り入れた金額等とみなす金額）
（３）　内国法人が第一款の三の**１**の**②**《資産の販売等に係る収益計上に関する通則》の**ロ**に掲げる資産の販売等を行った場合において、当該資産の販売等の対価として受け取ることとなる金額のうち第一款の三の**１**の**②**の**ハ**の（１）の（一）に掲げる事実が生ずる可能性があることにより売掛金その他の金銭債権に係る勘定の金額としていない金額（以下（３）において「金銭債権計上差額」という。）があるときは、当該金銭債権計上差額に相当する金額は、当該内国法人が設けた④に掲げる期中一括貸倒引当金勘定の金額とみなして、④を適用する。（令99）

⑤　貸倒実績率の特別な計算方法

　内国法人を分割法人若しくは分割承継法人又は現物出資法人若しくは被現物出資法人とする適格分割又は適格現物出資（以下⑤において「**適格分割等**」という。）が行われた場合において、当該内国法人が当該適格分割等の日の属する事業年度及び当該事業年度の翌事業年度開始の日以後２年以内に終了する各事業年度（以下⑤において「**調整事業年度**」という。）における③の（１）《貸倒実績率による繰入限度額の計算》に掲げる**貸倒実績率**を当該適格分割等により移転する事業に係る貸倒れの実績を考慮して合理的な方法により計算することについて納税地の所轄税務署長の承認を受けたときは、当該内国法人のその承認を受けた日の属する事業年度以後の当該調整事業年度における貸倒実績率は、その承認を受けた方法により計算した割合とする。（法52⑬、令97①）

（税務署長の承認を受けるための申請）
（１）　⑤の承認を受けようとする内国法人は、当該適格分割等の日以後２か月以内に次に掲げる事項を記載した申請書を納税地の所轄税務署長に提出しなければならない。（法52⑬、令97②、規25の５）

（一）	申請をする内国法人の名称、納税地及び法人番号並びに代表者の氏名	
（二）	（一）の内国法人の次の表の左欄に掲げる区分に応じ、それぞれ同表の右欄に掲げる事項	
	イ　適格分割等に係る分割法人又は現物出資法人（ロにおいて「分割法人等」という。）	当該適格分割等に係る分割承継法人又は被現物出資法人（以下ロ及び（四）において「分割承継法人等」という。）の名称及び納税地並びに代表者の氏名
	ロ　適格分割等に係る分割承継法人等	当該適格分割等に係る分割法人等の名称及び納税地並びに代表者の氏名
（三）	適格分割等の日（（７）《承認が取り消された場合の再申請》の適用を受けて⑤による貸倒実績率の特別な計算方法の承認を申請する場合には、（５）《貸倒引当金対象法人に該当しないこととなった場合等の承認のみなし取消し》に掲げる該当しないこととなった日又は該当することとなった日を含む。）	
（四）	採用しようとする適格分割等により分割承継法人等に移転する事業に係る貸倒れの実績を考慮した計算方法の内容及びその方法による計算の基礎となる金額の明細	
（五）	（四）の方法を採用しようとする理由	
（六）	その他参考となるべき事項	

（申請の承認又は却下）
（２）　税務署長は、（１）の申請書の提出があった場合には、これを審査し、その申請に係る方法を承認し、又はその申請に係る方法により計算される割合をもって③の（１）《貸倒実績率による繰入限度額の計算》の表に掲げるところにより計算した金額（（３）において「一括貸倒引当金繰入限度額」という。）の計算を行うことによっては、その内国法人の各事業年度の所得の金額の計算が適正に行われ難いと認めるときは、その申請を却下する。（法52⑬、令97③）

　　　　　　　第三章　第一節　第十七款　一《貸倒引当金》

　　（承認の取消し）
（3）　税務署長は、⑤の承認をした後、その承認に係る方法により計算される割合をもって一括貸倒引当金繰入限度額の計算をすることを不適当とする特別の事由が生じたと認める場合には、その承認を取り消すことができる。（法52⑬、令97④）

　　（承認の却下又は取消しの場合の通知）
（4）　税務署長は、（2）又は（3）の処分をするときは、その処分に係る内国法人に対し、書面によりその旨を通知する。（法52⑬、令97⑤）

　　（貸倒引当金対象法人に該当しないこととなった場合等の承認のみなし取消し）
（5）　⑤の承認を受けた内国法人（①の（3）《リースの対価の額に係る金銭債権を有する内国法人等及び対象金銭債権》の表の左欄に掲げる内国法人に該当するものに限る。）がその承認の基因となった適格分割等に係る調整事業年度において①の表のイのAからCまで又は同表のロのAからCまでに掲げる法人に該当しないこととなった場合又は該当することとなった場合（既にこの（5）によりその承認を取り消されたものとみなされた場合を除く。）には、その該当しないこととなった日又はその該当することとなった日においてその承認を取り消されたものとみなす。（令97⑥）

　　（承認取消事業年度後の効果）
（6）　（3）の処分があった場合にはその処分のあった日の属する事業年度以後の各事業年度の所得の金額を計算する場合のその処分に係る貸倒実績率の計算についてその処分の効果が生ずるものとし、（5）により⑤の承認を取り消されたものとみなされた場合にはその取り消されたものとみなされた日の属する事業年度以後の各事業年度の所得の金額を計算する場合の貸倒実績率の計算についてその取消しの効果が生ずるものとする。（法52⑬、令97⑦）

　　（承認が取り消された場合の再申請）
（7）　内国法人は、（5）により⑤の承認を取り消されたものとみなされた場合には、その承認の基因となった適格分割等に係る調整事業年度における貸倒実績率の計算の方法については、再び⑤による承認を受けることができる。この場合において、（1）《税務署長の承認を受けるための申請》の本文中「当該適格分割等の日」とあるのは、「（5）に掲げる該当しないこととなった日又は該当することとなった日」とする。（令97⑧）

⑥　中小企業者等の貸倒引当金勘定への繰入限度計算の特例

イ　法定繰入率による繰入限度額の計算
　法人で各事業年度終了の時において①《個別評価金銭債権に係る貸倒引当金》の表のイのAからCまでに掲げる法人（（1）に掲げる法人を除く。ロにおいて「中小企業者等」という。）に該当するもの（①の表のイのAに掲げる法人に該当するもの〔ロにおいて「中小法人」という。〕にあっては、第二節第二款の五の3の（7）《適用除外事業者の意義》に掲げる適用除外事業者〔以下⑥において**適用除外事業者**という。〕に該当するもの〔通算法人の各事業年度終了の日において当該通算法人との間に通算完全支配関係がある他の通算法人のうちいずれかの法人が適用除外事業者に該当する場合には、当該通算法人を含む。〕を除く。）が③《一括評価金銭債権に係る貸倒引当金》の適用を受ける場合には、③にかかわらず、当該事業年度終了の時における一括評価金銭債権（第二章第一節の二の表の**12の7の6**《完全支配関係》に掲げる完全支配関係がある他の法人に対して有する金銭債権を除く。ロにおいて同じ。）の帳簿価額（その債務者から受け入れた金額があるためその全部又は一部が実質的に債権とみられない金銭債権にあっては、その債権とみられない部分の金額に相当する金額を控除した残額。ロにおいて同じ。）の合計額に、当該法人の営む主たる事業が次の表の左欄に掲げる事業のいずれに該当するかに応じ、それぞれ同表の右欄に掲げる割合を乗じて計算した金額をもって、③の（1）《貸倒実績率による繰入限度額の計算》に掲げるところにより計算した金額とすることができる。（措法57の9①、措令33の7②④）

A	卸売及び小売業（飲食店業及び料理店業を含むものとし、Dに掲げる割賦販売小売業を除く。）	$\frac{10}{1,000}$
B	製造業（電気業、ガス業、熱供給業、水道業及び修理業を含む。）	$\frac{8}{1,000}$
C	金融及び保険業	$\frac{3}{1,000}$
D	割賦販売小売業（割賦販売法第2条第1項第1号《定義》に規定する割賦販売の方法により行う小売業をいう。）並びに包括信用購入あっせん業（同条第3項に規定する包括信用購入あっせん〔同項第1	$\frac{7}{1,000}$

	号に掲げるものに限る。〕を行う事業をいう。）及び個別信用購入あっせん業（同条第４項に規定する個別信用購入あっせんを行う事業をいう。）	
E	AからDまでに掲げる事業以外の事業	$\frac{6}{1,000}$

　　　（法定繰入率による繰入限度額の計算の不適用法人）
（１）　イに掲げる法定繰入率による繰入限度額の計算ができる法人から除かれる法人は、次の表に掲げる法人をいう。（措法57の９①、措令33の７①）

保険業法に規定する相互会社（同法第２条第10号《定義》に規定する外国相互会社を含む。）

　　　（実質的に債権とみられないもの）
（２）　イ《法定繰入率による繰入限度額の計算》に掲げる「その債務者から受け入れた金額があるためその全部又は一部が実質的に債権とみられない金銭債権」には、債務者から受け入れた金額がその債務者に対し有する金銭債権と相殺適状にあるものだけでなく、金銭債権と相殺的な性格をもつもの及びその債務者と相互に融資しているもの等である場合のその債務者から受け入れた金額に相当する金銭債権も含まれるのであるから、次に掲げるような金額はこれに該当する。（措通57の９－１）
（一）　同一人に対する売掛金又は受取手形と買掛金又は支払手形がある場合のその売掛金又は受取手形の金額のうち買掛金又は支払手形の金額に相当する金額
（二）　同一人に対する売掛金又は受取手形と買掛金がある場合において、当該買掛金の支払のために他から取得した受取手形を裏書譲渡したときのその売掛金又は受取手形の金額のうち当該裏書譲渡をした手形（支払期日の到来していないものに限る。）の金額に相当する金額
（三）　同一人に対する売掛金とその者から受け入れた営業に係る保証金がある場合のその売掛金の額のうち保証金の額に相当する金額
（四）　同一人に対する売掛金とその者から受け入れた借入金がある場合のその売掛金の額のうち借入金の額に相当する金額
（五）　同一人に対する完成工事の未収金とその者から受け入れた未成工事に対する受入金がある場合のその未収金の額のうち受入金の額に相当する金額
（六）　同一人に対する貸付金と買掛金がある場合のその貸付金の額のうち買掛金の額に相当する金額
（七）　使用人に対する貸付金とその使用人から受け入れた預り金がある場合のその貸付金の額のうち預り金の額に相当する金額
（八）　専ら融資を受ける手段として他から受取手形を取得し、その見合いとして借入金を計上した場合又は支払手形を振り出した場合のその受取手形の金額のうち借入金又は支払手形の金額に相当する金額
（九）　同一人に対する未収地代家賃とその者から受け入れた敷金がある場合のその未収地代家賃の額のうち敷金の額に相当する金額

　　　（一括評価金銭債権の額から控除する債務の額の簡便計算）
（３）　平成27年４月１日に存する法人（同日後に行われる適格合併に係る合併法人にあっては、当該法人及び当該適格合併に係る被合併法人の全て〔当該適格合併が法人を設立する合併である場合にあっては、当該適格合併に係る被合併法人の全て〕が同日に存していた合併法人に限る。）は、イ《法定繰入率による繰入限度額の計算》にかかわらず、イ中、次の表の左欄に掲げる字句は、それぞれ同表の右欄に掲げる字句とすることができる。（措法57の９①、措令33の７③）

その債務者から受け入れた金額があるためその全部又は一部が実質的に債権とみられない金銭債権	当該法人の当該事業年度終了の時における一括評価金銭債権の全て
その債権とみられない部分の金額に相当する金額	当該法人の当該事業年度終了の時における一括評価金銭債権の額に、平成27年４月１日から平成29年３月31日までの期間内に開始した各事業年度終了の時における一括評価金銭債権の額の合計額（平成27年４月２日以後に行われる適格合併に係る合併法人については、当該各事業年度終

	了の時において当該合併法人及び当該適格合併に係る被合併法人がそれぞれ有していた一括評価金銭債権の額の合計額）のうちに当該各事業年度終了の時における**イ**に掲げる債権とみられない部分の金額の合計額の占める割合（当該割合に小数点以下3位未満の端数があるときは、これを切り捨てる。）を乗じて計算した金額

$$\text{実質的に債権とみられないものの額} = \text{当該事業年度終了の時における一括評価金銭債権の額} \times \text{一括評価金銭債権からの控除割合}$$

$$\text{一括評価金銭債権からの控除割合} = \frac{\text{分母の各事業年度終了の時における\textbf{イ}に掲げる債権とみられないものの額の合計額}}{\text{平成27年4月1日から平成29年3月31日までの期間内に開始した各事業年度終了の時における一括評価金銭債権の額の合計額}} \quad \left(\begin{array}{l}\text{小数点以下3位未満の}\\ \text{端数は切り捨てる。}\end{array}\right)$$

（実質的に債権とみられないものの簡便計算）
（4） （3）の簡便計算は、平成27年4月1日から平成29年3月31日までの期間内に開始した各事業年度において貸倒引当金を設けていたかどうかに関係なく適用があることに留意する。（措通57の9－2）

（一括評価金銭債権の額から控除する債務の額の計算方法の適用）
（5） 一括評価金銭債権の額から控除する債務の額を計算する場合の実額計算と簡便計算のように、その計算方法の選択が認められており、かつ、その継続適用を要件としていないものについては、中間事業年度において適用する計算方法と確定事業年度（当該中間事業年度を含む事業年度をいう。）において適用する計算方法とが異なることとなっても差し支えない。（編者）

（適用事業区分）
（6） 法人の営む事業が**イ**《法定繰入率による繰入限度額の計算》の表のAからEまでに掲げる事業のうちいずれの事業に該当するかは、別に定めるものを除き、おおむね日本標準産業分類（総務省）の分類を基準として判定する。（措通57の9－3）
　注1　自動車販売業において、業務用に主として使用される自動車の販売は原則的には卸売業に該当するが、この自動車の販売であっても一取引が少量又は少額である場合には、その販売の事業は小売業に分類しても差し支えない。
　注2　木材市場を営む法人で実質的に買取販売を行っていると認められるものは、「卸売業及び小売業」を営んでいるものとして判定する。

（主たる事業の判定基準）
（7） 法人が**イ**《法定繰入率による繰入限度額の計算》の表のAからEまでに掲げる事業の2以上を兼営している場合における貸倒引当金勘定への繰入限度額は、主たる事業について定められている割合により計算し、それぞれの事業ごとに区分して計算するのではないことに留意する。この場合において、いずれの事業が主たる事業であるかは、それぞれの事業に属する収入金額又は所得金額の状況、使用人の数等事業の規模を表す事実、経常的な金銭債権の多寡等を総合的に勘案して判定する。（措通57の9－4）
　注　法人が2以上の事業を兼営している場合に、当該2以上の事業のうち一の事業を主たる事業として判定したときは、その判定の基礎となった事実に著しい変動がない限り、継続して当該一の事業を主たる事業とすることができる。

（いわゆる製造問屋の繰入率）
（8） 自己の計算において原材料等を購入し、これをあらかじめ指示した条件に従って下請加工させて完成品として販売するいわゆる製造問屋の事業は、**イ**《法定繰入率による繰入限度額の計算》の表のBに掲げる「製造業」に該当する。（措通57の9－5）

ロ　適格分割等により移転する一括評価金銭債権に係る法定繰入率による繰入限度額の計算

法人で④《適格分割等により移転する一括評価金銭債権に係る期中一括貸倒引当金勘定の損金算入》に掲げる適格分割等の直前の時を事業年度終了の時とした場合に中小企業者等に該当するもの（中小法人にあっては、適用除外事業者に該当するもの〔当該適格分割等の直前の時において通算法人である中小法人との間に通算完全支配関係がある他の通算法人

のうちいずれかの法人が適用除外事業者に該当する場合には、当該通算法人である中小法人を含む。〕を除く。）が④の適用を受ける場合には、④にかかわらず、当該適格分割等の直前の時における当該適格分割等により移転する一括評価金銭債権の帳簿価額の合計額に、当該法人の営む主たる事業がイの表の左欄に掲げる事業のいずれかに該当するかに応じ、それぞれ同表の右欄に掲げる割合を乗じて計算した金額をもって、④に掲げる一括貸倒引当金繰入限度額に相当する金額とすることができる。（措法57の9②、措令33の7④）

ハ　公益法人等又は協同組合等の一括評価金銭債権に係る貸倒引当金繰入限度額の割増特例（廃止）

　公益法人等又は協同組合等の平成10年4月1日から平成31年3月31日までの間に開始する各事業年度の所得の金額に係る③《一括評価金銭債権に係る貸倒引当金》又は④《適格分割等により移転する一括評価金銭債権に係る期中一括貸倒引当金勘定の損金算入》の適用については、③中「計算した金額（④）」とあるのは、「計算した金額（当該内国法人が⑥のイ《法定繰入率による繰入限度額の計算》又は⑥のロ《適格分割等により移転する一括評価金銭債権に係る法定繰入率による繰入限度額の計算》の適用を受ける場合には、⑥のイの表に掲げる割合を乗じて計算した金額）の$\frac{110}{100}$に相当する金額（④）」とする。（旧措法57の9③）

　　注　ハに掲げる法人の令和5年3月31日以前に開始する各事業年度の所得の金額の計算については、ハは、なおその効力を有する。この場合において、ハ中「平成31年3月31日」とあるのは「令和5年3月31日」と、「中小企業等」とあるのは「中小企業者等」と、「$\frac{110}{100}$」とあるのは「$\frac{110}{100}$（平成31年4月1日から令和2年3月31日までの間に開始する事業年度については$\frac{108}{100}$とし、同年4月1日から令和3年3月31日までの間に開始する事業年度については$\frac{106}{100}$とし、同年4月1日から令和4年3月31日までの間に開始する事業年度については$\frac{104}{100}$とし、同年4月1日から令和5年3月31日までの間に開始する事業年度については$\frac{102}{100}$とする。）」とする。（平31改法附54）

2　普通法人又は協同組合等が公益法人等に該当することとなる場合の繰入れの禁止

　普通法人又は協同組合等が公益法人等に該当することとなる場合の当該普通法人又は協同組合等のその該当することとなる日の前日の属する事業年度については、1の①《個別評価金銭債権に係る貸倒引当金》及び1の③《一括評価金銭債権に係る貸倒引当金》は、適用しない。（法52⑫）

3　適格組織再編成における貸倒引当金の引継ぎ《適格合併・適格分割・適格現物出資・適格現物分配》

　内国法人が、適格合併、適格分割、適格現物出資又は適格現物分配（以下3及び4の②において「**適格組織再編成**」という。）を行った場合には、次の表の左欄に掲げる適格組織再編成の区分に応じ右欄に掲げる貸倒引当金勘定の金額又は期中個別貸倒引当金勘定の金額若しくは期中一括貸倒引当金勘定の金額は、当該適格組織再編成に係る合併法人、分割承継法人、被現物出資法人又は被現物分配法人（4の②において「**合併法人等**」という。）に引き継ぐものとする。（法52⑧）

イ	適格合併又は適格現物分配（残余財産の全部の分配に限る。）	1の①《個別評価金銭債権に係る貸倒引当金》又は1の③《一括評価金銭債権に係る貸倒引当金》により当該適格合併の日の前日又は当該残余財産の確定の日の属する事業年度の所得の金額の計算上損金の額に算入された貸倒引当金勘定の金額
ロ	適格分割等《適格分割、適格現物出資又は適格現物分配（残余財産の全部の分配を除く。）》	1の②《適格分割等により移転する個別評価金銭債権に係る期中個別貸倒引当金勘定の損金算入》又は1の④《適格分割等により移転する一括評価金銭債権に係る期中一括貸倒引当金勘定の損金算入》により当該適格分割等の日の属する事業年度の所得の金額の計算上損金の額に算入された期中個別貸倒引当金勘定の金額又は期中一括貸倒引当金勘定の金額

4　貸倒引当金の益金算入

①　貸倒引当金の益金算入

　1の①《個別評価金銭債権に係る貸倒引当金》又は1の③《一括評価金銭債権に係る貸倒引当金》により各事業年度の所得の金額の計算上損金の額に算入された貸倒引当金勘定の金額は、当該事業年度の翌事業年度の所得の金額の計算上、益金の額に算入する。（法52⑩）

　　　　（貸倒引当金の差額繰入れ等の特例）
（1）　法人が貸倒引当金につき当該事業年度の取崩額と当該事業年度の繰入額との差額を損金経理により繰り入れ又は取り崩して益金の額に算入している場合においても、確定申告書に添付する明細書にその相殺前の金額に基づく繰入れ等であることを明らかにしているときは、その相殺前の金額によりその繰入れ及び取崩しがあったものとして取り

扱う。(基通11－1－1)

　　　（解散した法人の貸倒引当金の新法人への引継ぎ）
（2）　更生計画の定めるところにより設立された法人（合併法人、分割承継法人、被現物出資法人若しくは被事後設立法人又は株式移転により設立された法人を除く。以下（2）において「新法人」という。）が更生計画の定めるところにより、解散した法人の有する貸倒引当金を新法人に引き継いだときは、当該貸倒引当金は新法人のその引き継がれた日に設けている貸倒引当金とみなす。(基通14－3－5・編者補正)
　　　注　更生会社等（会社更生法又は金融機関等の更生手続の特例等に関する法律の適用を受けている法人をいう。）が繰り入れた引当金で繰入限度超過額があるものについては、税務計算上の金額により新法人に受け入れられたものとする。

② 　**適格組織再編成により引継ぎを受けた貸倒引当金勘定の処理**
　3により合併法人等が引継ぎを受けた貸倒引当金勘定の金額又は期中個別貸倒引当金勘定の金額若しくは期中一括貸倒引当金勘定の金額は、当該合併法人等の適格組織再編成の日の属する事業年度の所得の金額の計算上、益金の額に算入する。(法52⑪)

5　貸倒引当金繰入額の損金算入の申告
　1《貸倒引当金繰入額の損金算入》は、確定申告書に貸倒引当金勘定に繰り入れた金額の損金算入に関する明細《別表十一(一)、十一(一の二)》の記載がある場合に限り、適用する。(法52③)

　　　（申告記載がない場合のゆうじょ規定）
　　　税務署長は、**5**に掲げる記載がない確定申告書の提出があった場合においても、その記載がなかったことについてやむを得ない事情があると認めるときは、**1**《貸倒引当金繰入額の損金算入》を適用することができる。(法52④)

二　返品調整引当金（平30.4改正により廃止）

　返品調整引当金制度は、平成30年度改正により廃止されたが、平成30年3月31日以前に終了した事業年度については、なお **1**《平成30年度改正前の返品調整引当金》の適用がある。（平30改法附19、1）

　なお、この改正における経過措置については、**2**《平成30年度改正における経過措置》による。

1　平成30年度改正前の返品調整引当金

①　返品調整引当金繰入額の損金算入

　内国法人で次の表の(一)に掲げる事業（以下 **1** において「**対象事業**」という。）を営むもののうち、常時、その販売する当該対象事業に係る棚卸資産の大部分につき、同表の(二)に掲げる事項を内容とする特約を結んでいるものが、当該棚卸資産の当該特約に基づく買戻しによる損失の見込額として、各事業年度（被合併法人の適格合併に該当しない合併の日の前日の属する事業年度及び残余財産の確定の日の属する事業年度を除く。）終了の時において損金経理により返品調整引当金勘定に繰り入れた金額については、当該繰り入れた金額のうち、最近における当該対象事業に係る棚卸資産の当該特約に基づく買戻しの実績を基礎として②《返品調整引当金勘定への繰入限度額》により計算した金額（以下「**返品調整引当金繰入限度額**」という。）に達するまでの金額は、当該事業年度の所得の金額の計算上、損金の額に算入する。（旧法53①、旧令99、100）

(一)	返品調整引当金勘定を設定することができる事業の範囲	イ　出版業 ロ　出版に係る取次業 ハ　医薬品（医薬部外品を含む。）、農薬、化粧品、既製服、蓄音機用レコード、磁気音声再生機用レコード又はデジタル式の音声再生機用レコードの製造業 ニ　ハに掲げる物品の卸売業
(二)	返品調整引当金勘定の設定要件	イ　その内国法人において、販売先からの求めに応じ、その販売した棚卸資産を当初の販売価額によって無条件に買い戻すこと。 ロ　販売先において、その内国法人から棚卸資産の送付を受けた場合にその注文によるものかどうかを問わずこれを購入すること。

　　（既製服の製造業の範囲）
（1）　①の表の(一)《返品調整引当金勘定を設定することができる事業の範囲》のハに掲げる既製服の製造業には、背広服、制服、婦人子供服等一般に既製服と称されているものの製造業のほか、既製和服、メリヤス製婦人服、スポーツウェアその他通常外衣として着用される既製の衣服の製造業が含まれるものとする。（旧基通11－3－1）

　　（磁気音声再生機用レコードの製造業の意義）
（2）　①の表の(一)《返品調整引当金勘定を設定することができる事業の範囲》のハに掲げる磁気音声再生機用レコードの製造業とは、いわゆる録音済みのカセットテープの製造業のように、磁気音声再生機用レコードをマザーテープ等から複製により多量に製造する事業をいう。（旧基通11－3－1の2）
　　注　磁気音声再生機用レコードとは、いわゆるカーステレオ、テープレコーダー等により音声を再生することのできる磁気テープ、磁気シート等で録音済みのものをいう。

　　（特約を結んでいる法人の範囲）
（3）　対象事業を営む法人が、その販売先との間に文書により①の表の(二)《返品調整引当金勘定の設定要件》に掲げる事項を内容とする特約を結んでいない場合であっても、慣習によりその販売先との間に同表の②に掲げる事項につき特約があると認められるときは、当該法人は①《返品調整引当金繰入額の損金算入》に掲げる特約を結んでいるものに該当するものとする。（旧基通11－3－1の3）

　　（特定普通法人が公益法人等に該当することとなる場合の繰入れの禁止）
（4）　第五章第二節の一の1の注1に掲げる特定普通法人等が公益法人等に該当することとなる場合の当該特定普通法人等のその該当することとなる日の前日の属する事業年度については、①は、適用しない。（旧法53⑨）

② 返品調整引当金勘定への繰入限度額

イ　各事業年度における繰入限度額

　返品調整引当金繰入限度額は、対象事業の種類ごとに、次の表に掲げる方法のうちいずれかの方法により計算した金額の合計額とする。（旧法53①、旧令101①）

（イ）	売掛金基準	各事業年度終了の時における対象事業に係る売掛金（第一款の**五の１**の②の**イ**の(1)《長期割賦販売等の意義》に掲げる長期割賦販売等に係る棚卸資産で、その収益の額及び費用の額につき、同②の**イ**《長期割賦販売等に係る収益及び費用の帰属事業年度》又は同②の**ロ**《リース譲渡に係る収益及び費用の特例》の適用を受けたものに係る売掛金を除く。）の帳簿価額の合計額に当該対象事業に係る棚卸資産（長期割賦販売等に係る棚卸資産で、その収益の額及び費用の額につき同②の**イ**又は同②の**ロ**の適用を受けたものを除く。以下**２**において同じ。）の**返品率**を乗じて計算した金額に、当該事業年度における当該対象事業に係る**売買利益率**を乗じて計算する方法
（ロ）	販売高基準	各事業年度終了の日以前２か月間における対象事業に係る棚卸資産の販売の対価の額（同日以前２か月以内に行われた適格分割又は適格現物出資により分割承継法人又は被現物出資法人に移転した対象事業に係るものを除く。）の合計額に当該対象事業に係る棚卸資産の**返品率**を乗じて計算した金額に、当該事業年度における当該対象事業に係る**売買利益率**を乗じて計算する方法

　　（売掛金の範囲）
（１）　**イ**の表の**(イ)**《売掛金基準》に掲げる売掛金には、その売掛金について取得した受取手形（割引又は裏書譲渡をしたものを含む。）を含むものとする。（旧基通11－３－２）
　　　注　この取扱いは、その裏書譲渡された受取手形の金額が財務諸表の注記等において確認できる場合に適用する。

　　（特約に基づく買戻しがある場合の期末前２か月間の棚卸資産の販売の対価の額の合計額）
（２）　**イ**の表の**(ロ)**《販売高基準》に掲げる「各事業年度終了の日以前２か月間における対象事業に係る棚卸資産の販売の対価の額」の合計額は、その対象事業につき特約に基づく棚卸資産の買戻しに係る対価の額がある場合であっても、当該対価の額を控除しないで計算するものとする。（旧基通11－３－４）

　　（返品債権特別勘定を設けている場合の期末売掛金等）
（３）　法人が返品債権特別勘定を設けている場合には、**イ**の表の**(イ)**《売掛金基準》に掲げる売掛金の帳簿価額には第十四款の**一**の**２**の(2)《返品債権特別勘定の繰入限度額》の表の(一)に掲げる雑誌の販売に係る売掛金の帳簿価額を、**イ**の表の**(ロ)**《販売高基準》に掲げる対価の額には第十四款の**一**の**２**の(2)の表の(二)に掲げる雑誌の販売の対価の額を、それぞれ含めないことに留意する。（旧基通11－３－８）

　　（返品調整引当金勘定への繰入限度額の計算方法の適用）
（４）　返品調整引当金勘定への繰入限度額の計算における**イ**の表の**(イ)**《売掛金基準》に掲げる売掛金基準による計算方法と同表の**(ロ)**《販売高基準》に掲げる販売高基準のように、その計算方法の選択が認められており、かつ、その継続適用を要件としていないものについては、中間事業年度において適用する計算方法と確定事業年度（当該中間事業年度を含む事業年度をいう。）において適用する計算方法とが異なることとなっても差し支えない。（編者）

ロ　返品率及び売買利益率の計算

　返品調整引当金繰入限度額の計算の基礎となる**返品率**及び**売買利益率**は、それぞれ次の表に掲げるところにより計算する。（旧法53⑩、旧令101②③）

（イ）	返品率	\multicolumn{2}{l}{**イ**の表の**(イ)**《売掛金基準》及び同表の**(ロ)**《販売高基準》に掲げる対象事業に係る棚卸資産の**返品率**とは、買戻事業年度（当該事業年度及び当該事業年度開始の日前１年以内に開始した各事業年度をいう。以下**ロ**において同じ。）におけるＡに掲げる金額のうちにＢに掲げる金額の占める割合をいう。}
		Ａ	当該対象事業に係る棚卸資産の販売の対価の額の合計額（当該買戻事業年度のうちのいずれかの事業年度において適格合併により当該対象事業の移転を受けた合併法人にあっては、当

	B	①の表の(二)《返品調整引当金勘定の設定要件》に掲げる事項を内容とする特約に基づく当該対象事業に係る棚卸資産の買戻しに係る対価の額の合計額（Aに掲げる合併法人にあっては、当該事業年度終了の日以前2年以内に開始したAに掲げる被合併法人の各事業年度における当該対象事業に係る棚卸資産の買戻しに係る対価の額の合計額を含む。）
	該事業年度終了の日以前2年以内に開始した当該適格合併に係る被合併法人の各事業年度における当該対象事業に係る棚卸資産の販売の対価の額の合計額を含む。）	
	返品率＝$\dfrac{\text{当期及び当期首前1年以内に開始した各期の対象事業に係る棚卸資産の買戻しに係る対価の額の合計額}}{\text{当期及び当期首前1年以内に開始した各期の対象事業に係る棚卸資産の販売の対価の額の合計額}}$	
	注　延払基準の適用に係る長期割賦販売資産を除いて計算することに留意する。（編者）	
(ロ)	売買利益率	イの表の**(イ)**及び同表の**(ロ)**に掲げる対象事業に係る**売買利益率**とは、当該事業年度における当該対象事業に係る棚卸資産の販売の対価の額の合計額から①の表の(二)に掲げる事項を内容とする特約に基づく当該事業年度における当該棚卸資産の買戻しに係る対価の額の合計額を控除した残額のうちに当該販売に係る利益の総額（当該残額がその売上原価の額と販売手数料の額との合計額を超える場合におけるその超える部分の金額をいう。）の占める割合をいう。 売買利益率＝$\dfrac{\text{分母の金額}-\left(\begin{array}{c}\text{当該対象事業に}\\\text{係る売上原価}\end{array}+\begin{array}{c}\text{当該対象事業に係}\\\text{る販売手数料の額}\end{array}\right)}{\text{当該対象事業に係る売上高（買戻しの額を除く。）}}$ 注　延払基準の適用に係る長期割賦販売資産を除いて計算することに留意する。（編者）

注　適格合併が行われた場合に、その合併法人に係る返品率を計算するときは、その対象事業に係る棚卸資産の販売の対価の額及び買戻しの対価の額の合計額には、被合併法人に係るものを含むことに留意する。（編者）

ハ　返品率の特別な計算方法

　内国法人を分割法人若しくは分割承継法人又は現物出資法人若しくは被現物出資法人とする適格分割又は適格現物出資（以下ハにおいて「**適格分割等**」という。）が行われた場合において、当該内国法人が当該適格分割等の日の属する事業年度及び当該事業年度の翌事業年度開始の日以後1年以内に終了する各事業年度（以下ハにおいて「**調整事業年度**」という。）における返品率を当該適格分割等により移転をする対象事業に係る棚卸資産の買戻しの実績を考慮して合理的な方法により計算することについて納税地の所轄税務署長の承認を受けたときは、当該内国法人のその承認を受けた日の属する事業年度以後の当該調整事業年度における返品率については、その承認を受けた方法により計算した割合とする。（旧法53⑩、旧令102①）

　　　　（税務署長の承認を受けるための申請）
（1）　ハの承認を受けようとする内国法人は、当該適格分割等の日以後2か月以内に、次に掲げる事項を記載した申請書を納税地の所轄税務署長に提出しなければならない。（旧法53⑩、旧令102②、旧規25の7）

(一)	申請をする内国法人の名称、納税地及び法人番号（行政手続における特定の個人を識別するための番号の利用等に関する法律第2条第15項に規定する法人番号をいう。）並びに代表者の氏名	
(二)	(一)の内国法人の次の表の左欄に掲げる区分に応じ、それぞれ同表の右欄に掲げる事項	
	イ　適格分割等に係る分割法人又は現物出資法人（ロにおいて「分割法人等」という。）	当該適格分割等に係る分割承継法人又は被現物出資法人（以下(二)及び(四)において「分割承継法人等」という。）の名称及び納税地並びに代表者の氏名
	ロ　適格分割等に係る分割承継法人等	当該適格分割等に係る分割法人等の名称及び納税地並びに代表者の氏名
(三)	適格分割等の日	
(四)	採用しようとする適格分割等により分割承継法人等に移転する事業に係る買戻しの実績を考慮した計算方法の内容及びその方法による計算の基礎となる金額の明細	

(五)	(四)の方法を採用しようとする理由
(六)	その他参考となるべき事項

　　　(申請の承認又は却下)
（２）　税務署長は、（１）の申請書の提出があった場合には、これを審査し、その申請に係る方法を承認し、又はその申請に係る方法により計算される割合をもってイ《各事業年度における繰入限度額》に掲げる返品調整引当金繰入限度額の計算を行うことによってはその内国法人の各事業年度の所得の金額の計算が適正に行われ難いと認めるときは、その申請を却下する。(旧法53⑩、旧令102③)

　　　(承認の取消し)
（３）　税務署長は、ハの承認をした後、その承認に係る方法により計算される割合をもって返品調整引当金繰入限度額の計算をすることを不適当とする特別の事由が生じたと認める場合には、その承認を取り消すことができる。(旧法53⑩、旧令102④)

　　　(承認の却下又は取消しの場合の通知)
（４）　税務署長は、（２）又は（３）の処分をするときは、その処分に係る内国法人に対し、書面によりその旨を通知する。(旧法53⑩、旧令102⑤)

　　　(承認取消事業年度後の効果)
（５）　（３）の処分があった場合には、その処分のあった日の属する事業年度以後の各事業年度の所得の金額を計算する場合のその処分に係る返品率の計算についてその処分の効果が生ずるものとする。(旧法53⑩、旧令102⑥)

　　(割戻しがある場合の棚卸資産の販売の対価の額の合計額等の計算)
（６）　法人が対象事業に係る棚卸資産の販売の対価の額につき割戻しをした金額がある場合において、次の金額を計算するときは、それぞれ次による。(旧基通11－3－3)
　(一)　イの表の(ロ)《販売高基準》に掲げる「各事業年度終了の日以前２か月間における対象事業に係る棚卸資産の販売の対価の額」の合計額は、次の算式により計算した金額を控除した金額による。
　　　(算式)

$$\text{当該事業年度において割戻しをした金額の合計額} \times \frac{\text{当該2か月間の割戻しを行う前における棚卸資産の販売の対価の額の合計額}}{\text{当該事業年度の割戻しを行う前における棚卸資産の販売の対価の額の合計額}}$$

　(二)　ロの表の(イ)《返品率》に掲げる「当該対象事業に係る棚卸資産の販売の対価の額の合計額」は、同表の(イ)に掲げる「買戻事業年度」において割戻しをした金額を控除しないところの金額による。
　(三)　ロの表の(ロ)《売買利益率》に掲げる「当該事業年度における当該対象事業に係る棚卸資産の販売の対価の額の合計額」は、当該事業年度において割戻しをした金額を控除した金額による。
　　　注　イの表の(イ)《売掛金基準》を適用する場合において、当該事業年度終了の時に未払金に計上している割戻しの金額があるときにおいても、当該割戻しの金額は、同表の(イ)に掲げる売掛金の帳簿価額の合計額の計算に関係させないことができる。

　　(買戻しに係る対価の額の計算)
（７）　ロの表の(イ)《返品率》に掲げる「棚卸資産の買戻しに係る対価の額の合計額」には、販売した棚卸資産について受け入れた物的なかしに基づく返品の額は含まれないのであるが、返品が物的なかしに基づくものであるかどうか明らかでない場合において、法人がその返品の額を当該合計額に含めているときは、これを認める。(旧基通11－3－5)

　　(売買利益率の計算における広告料収入)
（８）　出版業を営む法人がロの表の(ロ)《売買利益率》に掲げる売買利益率を計算する場合において、その出版業に係る広告料収入があるときは、その広告料収入及びその原価の額は、当該出版業に係る棚卸資産の販売の対価の額の合計額及びその売上原価の額に含めないのであるが、その広告料収入に係る原価の額を区分することが困難である場合には、広告料収入及びその原価の額をそれぞれ出版業に係る棚卸資産の販売の対価の額の合計額及びその売上原価の

額に含めて計算することができる。（旧基通11－3－6）

　　　（売買利益率の計算の基礎となる販売手数料の範囲）
（9）　ロの表の**(ロ)**《売買利益率》に掲げる販売手数料には、当該法人の使用人たる外交員等に対して支払う歩合給、手数料等で所得税法第204条《源泉徴収義務》に規定する報酬等に該当するものも含まれる。（旧基通11－3－7）

③　**適格分割等により移転する対象事業に係る期中返品調整引当金勘定の損金算入（適格分割・適格現物出資）**

　内国法人が、適格分割又は適格現物出資（以下④までにおいて「**適格分割等**」という。）により分割承継法人又は被現物出資法人（以下③において「**分割承継法人等**」という。）に対象事業の全部又は一部を移転する場合において、当該移転をする対象事業について①に掲げる返品調整引当金勘定に相当するもの（以下二において「**期中返品調整引当金勘定**」という。）を設けたときは、その設けた期中返品調整引当金勘定の金額に相当する金額のうち、当該適格分割等の直前の時を事業年度終了の時とした場合に②の**イ**により計算される返品調整引当金繰入限度額に相当する金額に達するまでの金額は、当該適格分割等の日の属する事業年度の所得の金額の計算上、損金の額に算入する。（旧法53④）

　　　（適格分割等により移転する対象事業に係る期中返品調整引当金勘定の金額の損金算入に関する届出）
　　③は、③の内国法人が適格分割等の日以後2か月以内に次に掲げる事項を記載した書類を納税地の所轄税務署長に提出した場合に限り、適用する。（旧法53⑤、旧規25の8）

(一)	③の適用を受けようとする内国法人の名称、納税地及び法人番号並びに代表者の氏名
(二)	③に掲げる適格分割等に係る分割承継法人等の名称及び納税地並びに代表者の氏名
(三)	適格分割等の日
(四)	③に掲げる期中返品調整引当金勘定の金額に相当する金額及び返品調整引当金繰入限度額に相当する金額並びにこれらの金額の計算に関する明細
(五)	その他参考となるべき事項

　　　注　(四)に掲げる事項の記載については、別表十一(二)の書式によらなければならない。（旧規27の14）

④　**適格合併等における返品調整引当金の引継ぎ（適格合併・適格分割・適格現物出資）**

　内国法人が、適格合併、適格分割又は適格現物出資（以下④及び⑤の**ロ**において「**適格合併等**」という。）を行った場合には、次の表の左欄に掲げる適格合併等の区分に応じ、それぞれ同表の右欄に掲げる返品調整引当金勘定の金額又は期中返品調整引当金勘定の金額は、当該適格合併等に係る合併法人、分割承継法人又は被現物出資法人（⑤の**ロ**において「**合併法人等**」という。）に引き継ぐものとする。（旧法53⑥）

イ	適格合併	①により当該適格合併の日の前日の属する事業年度の所得の金額の計算上損金の額に算入された当該返品調整引当金勘定の金額
ロ	適格分割等	③《適格分割等により移転する対象事業に係る期中返品調整引当金勘定の損金算入》により当該適格分割等の日の属する事業年度の所得の金額の計算上損金の額に算入された期中返品調整引当金勘定の金額

⑤　返品調整引当金の益金算入

イ　返品調整引当金の益金算入

　①《返品調整引当金繰入額の損金算入》により各事業年度の所得の金額の計算上損金の額に算入された返品調整引当金勘定の金額は、当該事業年度の翌事業年度の所得の金額の計算上、益金の額に算入する。（旧法53⑦）

　　　（返品調整引当金の差額繰入れ等の特例）
（1）　法人が返品調整引当金につき当該事業年度の取崩額と当該事業年度の繰入額との差額を損金経理により繰り入れ又は取り崩して益金の額に算入している場合においても、確定申告書等に添付する明細書にその相殺前の金額に基づく繰入れ等であることを明らかにしているときは、その相殺前の金額によりその繰入れ及び取崩しがあったものとして取り扱う。（旧基通11－1－1）

(解散した法人の返品調整引当金の新法人への引継ぎ)
(2) 更生計画の定めるところにより設立された法人(合併法人、分割承継法人、被現物出資法人若しくは被事後設立法人又は株式移転により設立された法人を除く。以下(2)において「新法人」という。)が更生計画の定めるところにより、解散した法人の有する返品調整引当金を新法人に引き継いだときは、当該引当金は新法人のその引き継がれた日に設けている返品調整引当金とみなす。(旧基通14-3-5、14-3-2参照)
　注　更生会社等(会社更生法又は金融機関等の更生手続の特例等に関する法律の適用を受けている法人をいう。)が繰り入れた引当金で繰入限度超過額があるものについては、税務計算上の金額により新法人に受け入れられたものとする。

ロ　適格合併等により引継ぎを受けた返品調整引当金の処理
　④により合併法人等が引継ぎを受けた返品調整引当金勘定の金額又は期中返品調整引当金勘定の金額は、当該合併法人等の適格合併等の日の属する事業年度の所得の金額の計算上、益金の額に算入する。(旧法53⑧)

⑥　返品調整引当金繰入額の損金算入の申告
　①《返品調整引当金繰入額の損金算入》は、確定申告書等に返品調整引当金勘定に繰り入れた金額の損金算入に関する明細《別表十一(二)》の記載がある場合に限り、適用する。(旧法53③)

(申告記載がない場合のゆうじょ規定)
　税務署長は、⑥に掲げる記載がない確定申告書等の提出があった場合においても、その記載がなかったことについてやむを得ない事情があると認めるときは、①《返品調整引当金繰入額の損金算入》を適用することができる。(旧法53④)

2　平成30年度改正における経過措置
　所得税法等の一部を改正する法律(平成30年法律第7号)の施行の際現に1の①《返品調整引当金繰入額の損金算入》に掲げる対象事業(以下2において「**対象事業**」という。)を営む法人(所得税法等の一部を改正する法律(平成30年法律第7号)の施行の際現に営まれている対象事業につき平成30年4月1日以後に移転を受ける法人を含む。以下2において「**経過措置法人**」という。)の平成30年4月1日以後に終了する事業年度(令和12年3月31日以前に開始する事業年度に限る。)の所得の金額(経過措置法人以外の法人で平成30年4月1日の属する事業年度の平成30年3月31日以前の期間内に対象事業を移転する(3)に掲げる適格分割等を行ったものの当該事業年度の所得の金額を含む。)の計算については、**二の1**《平成30年度改正前の返品調整引当金》は、なおその効力を有する。この場合において、1の①中「②《返品調整引当金勘定への繰入限度額》により計算した金額」とあるのは、次の表の左欄に掲げる期間に開始する事業年度の区分に応じそれぞれ右欄に掲げる金額と、<u>1の①の(4)《特定普通法人が公益法人等に該当することとなる場合の繰入れの禁止》中「第五章第二節の一の1の注1に掲げる特定普通法人等」とあるのは「普通法人又は協同組合等」と、「当該特定普通法人等」とあるのは「当該普通法人又は協同組合等」</u>と、1の②のイ《各事業年度における繰入限度額》の表の**(イ)**中「第一款の**五の1の②のイ(1)**《長期割賦販売等の意義》」とあるのは「第一款の**五の1の①のイ**《リース譲渡に係る収益及び費用の帰属事業年度》に掲げるリース譲渡又は第一款の**五の1の③のイ**《経過措置事業年度における平成30年度改正前の規定の適用》によりなおその効力を有するものとされる第一款の**五の1の②のイの(1)**《長期割賦販売等の意義》」と、「同②のイ《長期割賦販売等に係る収益及び費用の帰属事業年度》又は同②のロ《リース譲渡に係る収益及び費用の特例》」とあるのは「同②の**イ**又は同②の**ロ**」とあるのは「第一款の**五の1の①のイ**《リース譲渡に係る収益及び費用の帰属事業年度》若しくは同**五の1の①のロ**《リース譲渡に係る収益及び費用の特例》又は第一款の**五の③のイ**によりなおその効力を有するものとされる同**五の1の②のイ**《長期割賦販売等に係る収益及び費用の帰属事業年度》」と、「(長期割賦販売等」とあるのは「(第一款の**五の1の①のイ**《リース譲渡に係る収益及び費用の帰属事業年度》に掲げるリース譲渡又は第一款の**五の③のイ**によりなおその効力を有するものとされる同**五の1の②のイ**の(1)《長期割賦販売等の意義》」とする。(平30改法附25①、平30改令附9①)

事業年度開始の日	金　　　額
令和3年4月1日から令和4年3月31日まで	1の②《返品調整引当金勘定への繰入限度額》により計算した金額の$\frac{9}{10}$に相当する金額
令和4年4月1日から令和5年3月31日まで	1の②により計算した金額の$\frac{8}{10}$に相当する金額
令和5年4月1日から令和6年3月31日まで	1の②により計算した金額の$\frac{7}{10}$に相当する金額

令和6年4月1日から令和7年3月31日まで	1の②により計算した金額の$\frac{6}{10}$に相当する金額
令和7年4月1日から令和8年3月31日まで	1の②により計算した金額の$\frac{5}{10}$に相当する金額
令和8年4月1日から令和9年3月31日まで	1の②により計算した金額の$\frac{4}{10}$に相当する金額
令和9年4月1日から令和10年3月31日まで	1の②により計算した金額の$\frac{3}{10}$に相当する金額
令和10年4月1日から令和11年3月31日まで	1の②により計算した金額の$\frac{2}{10}$に相当する金額
令和11年4月1日から令和12年3月31日まで	1の②により計算した金額の$\frac{1}{10}$に相当する金額

注 ――線部分は、令和元年度改正により追加された部分で、改正規定は、平成31年4月2日以後に公益法人等に該当することとなる普通法人及び協同組合等について適用される。（平31改法附106①、1）

（経過措置法人の令和12年4月1日以後最初に開始する事業年度における益金算入）

（1） 2によりなおその効力を有するものとされる1の①により法人の令和12年4月1日以後最初に開始する事業年度の前事業年度の所得の金額の計算上損金の額に算入された同①に掲げる返品調整引当金勘定の金額は、当該最初に開始する事業年度の所得の金額の計算上、益金の額に算入する。（平30改法附25②）

（経過措置法人の適格合併等により引き継いだ返品調整引当金及び期中返品調整引当金勘定の益金算入）

（2） 2によりなおその効力を有するものとされる1の④《適格合併等における返品調整引当金の引継ぎ（適格合併・適格分割・適格現物出資）》に掲げる合併法人等の令和12年4月1日以後に開始する事業年度において当該合併法人が同④により引継ぎを受けた返品調整引当金勘定の金額又は1の③《適格分割等により移転する対象事業に係る期中返品調整引当金勘定の損金算入（適格分割・適格現物出資）》に掲げる期中返品調整引当金勘定の金額は、当該事業年度の所得の金額の計算上、益金の額に算入する。（平30改法附25③）

（経過措置法人に該当しない法人の適格合併等により引き継いだ返品調整引当金及び期中返品調整引当金勘定の益金算入）

（3） 1の①により平成30年3月31日以前に対象事業を営んでいた法人（経過措置法人を除く。）の平成30年4月1日の属する事業年度の前事業年度の所得の金額の計算上損金の額に算入された同①に掲げる返品調整引当金勘定の金額その他これに準ずるものとして平成30年4月1日の属する事業年度において1の④又は2によりなおその効力を有するものとされる1の④により引継ぎを受けた返品調整引当金勘定の金額又は1の③に掲げる期中返品調整引当金勘定の金額は、平成30年4月1日の属する事業年度の所得の金額の計算上、益金の額に算入する。（平30改法附25④、平30改令附9④）

（経過措置の適用がある場合の課税所得の範囲の変更の取扱い）

（4） 2によりなおその効力を有するものとされる1《平成30年度改正前の返品調整引当金》の適用がある場合における第五章第二節の一《課税所得の範囲の変更》の適用については、同一の2《普通法人又は協同組合等が公益法人等に該当することとなった日の取扱い》の注1中「規定を」とあるのは「規定及び第三章第一節第十七款の二の2《平成30年度改正における経過措置》によりなおその効力を有するものとされる同二の1の②の口《返品率及び売買利益率の計算》の表の(イ)を」と、同一の3《普通法人又は協同組合等が適格合併を行った場合の取扱い》の注1中「規定を」とあるのは「規定並びに第三章第一節第十七款の二の2《平成30年度改正における経過措置》によりなおその効力を有するものとされる同二の1の①及び同1の②の口の表の(イ)を」とする。（平30改法附25⑤、平30改令附9②）

（経過措置事業年度において対象事業に係る棚卸資産の販売を行った場合の取扱い）

（5） 法人が、平成30年4月1日以後に終了する事業年度（以下(5)において**「経過措置事業年度」**という。）において1の①に掲げる対象事業に係る棚卸資産の販売を行った場合において、当該経過措置事業年度において返金負債勘定を設けているときは、その返金負債勘定の金額から当該経過措置事業年度において設けている返品資産勘定の金額を控除した金額に相当する金額は、当該法人が当該経過措置事業年度において損金経理（第二節第三款の一の3《仮決算をした場合の中間申告書の記載事項等》の表の①に掲げる金額を計算する場合にあっては、同3に掲げる期間に係る決算において費用又は損失として経理することをいう。）により返品調整引当金勘定に繰り入れた金額又は当該法人が設けた1の③《適格分割等により移転する対象事業に係る期中返品調整引当金勘定の損金算入（適格分割・適格現物出資）》に掲げる期中返品調整引当金勘定の金額とみなして、2によりなおその効力を有するものとされる1の①及び1の③を適用する。（平30改法附25⑤、平30改令附9③）

第十八款　準備金

一　海外投資等損失準備金

1　投融資に係る海外投資等損失準備金積立額の損金算入（適用期限の延長）

　青色申告書を提出する内国法人（特殊投資法人以外の資源開発投資法人を除く。）が、昭和48年４月１日から<u>令和８年３月31日</u>までの期間（以下一において「**指定期間**」という。）内の日を含む各事業年度（解散の日を含む事業年度及び清算中の各事業年度を除く。）の指定期間内において、次の表の左欄に掲げる法人（当該内国法人が通算法人である場合には、当該内国法人との間に通算完全支配関係がある他の通算法人として(1)に掲げるものを除く。以下一において「**特定法人**」という。）の特定株式等の取得をし、かつ、これを当該取得の日を含む事業年度終了の日まで引き続き有している場合において、当該特定株式等の価格の低落による損失に備えるため、当該特定株式等（合併〔適格合併を除く。〕により合併法人に移転するものを除く。）の取得価額にそれぞれ右欄に掲げる割合を乗じて計算した金額（当該事業年度において当該特定株式等の帳簿価額を減額した場合には、その減額した金額のうち当該事業年度の所得の金額の計算上損金の額に算入された金額に相当する金額を控除した金額）（以下１において「**積立限度額**」という。）以下の金額を損金経理の方法により各特定法人別に**海外投資等損失準備金**として積み立てたとき（当該事業年度の決算の確定の日までに剰余金の処分により積立金として積み立てる方法により海外投資等損失準備金として積み立てた場合を含む。）は、その積み立てた金額は、当該事業年度の所得の金額の計算上、損金の額に算入する。（措法55①）

$$積立限度額＝特定株式等の取得価額 \times \frac{70}{100} 又は \frac{30}{100}$$

	法　　　人	割　合
①	資源開発事業法人（③に掲げる法人に該当するものを除く。）	$\frac{20}{100}$
②	資源開発投資法人（④に掲げる法人に該当するものを除く。）	$\frac{20}{100}$
③	資源探鉱事業法人	$\frac{50}{100}$
④	資源探鉱投資法人	$\frac{50}{100}$

　注　税効果会計を適用する場合には、剰余金の処分による海外投資等損失準備金の積立額は、税効果相当額を控除した純額になるが、この場合でも確定申告書等に税務上の海外投資等損失準備金積立額を明らかにするための明細書を添付しているときは、税務上は、剰余金の処分による積立額とこれに対応する税効果相当額との合計額を海外投資等損失準備金として積み立てたものとして取り扱われる。（編者）

（通算完全支配関係がある他の通算法人の範囲）
(1)　１に掲げる内国法人との間に通算完全支配関係がある他の通算法人は、次に掲げる法人とする。（措令32の２①）

(一)	通算法人である１の内国法人との間に通算完全支配関係がある他の通算法人（(二)において「他の通算法人」という。）のうち資源開発事業法人（２の①の資源開発事業法人をいう。）に該当するもの
(二)	他の通算法人のうち資源開発投資法人（２の②の資源開発投資法人をいう。以下(二)において同じ。）に該当するもの（次の表に掲げる法人のいずれかに対する投融資等（同②に掲げる投融資等をいう。以下一において同じ。）を行っている法人に限る。）

	イ	(一)に掲げる法人
	ロ	イ又はハに掲げる法人に対する投融資等を行っている資源開発投資法人に該当する他の通算法人
	ハ	ロに掲げる法人に対する投融資等を行っている資源開発投資法人に該当する他の通算法人

(特殊投資法人の海外投資等損失準備金の積立ての対象となる特定株式等の取得価額)

(2) 1《投融資に係る海外投資等損失準備金積立額の損金算入》に掲げる内国法人が特殊投資法人である場合における1又は4《適格分割等があった場合の期中海外投資等損失準備金の損金算入》の適用については、特定株式等の取得価額は、2の①《資源開発事業法人》に掲げる資源開発事業法人(2の②《資源開発投資法人》に掲げる他の法人を含む。)の2の⑥《特定株式等》に掲げる株式等の取得価額に、当該取得の日を含む事業年度終了の日における各資源開発事業法人の株式等の帳簿価額の合計額のうちに当該合計額から当該特殊投資法人の同日における資本金の額又は出資金の額に相当する金額を控除した残額の占める割合を乗じて計算した金額に相当する金額とする。(措法55㉕、措令32の2⑲)

(算式)

$$\text{特殊投資法人である場合の特定株式等の取得価額} = \left(\text{資源開発事業法人の特定株式等の取得価額}\right) \times \frac{(A) - \left(\begin{array}{l}\text{特殊投資法人の取得の日を含む事}\\\text{業年度終了の日における資本金の}\\\text{額又は出資金の額に相当する金額}\end{array}\right)}{\text{取得の日を含む事業年度終了の日における資源開発事業法人の株式等の帳簿価額の合計額}(A)}$$

(海外投資等損失準備金の積立ての対象となる特定株式等の取得の意義)

(3) 1により海外投資等損失準備金を積み立てることができる特定株式等の取得は、2の⑥《特定株式等》の表のイ又はロに該当する払込み又は分社型分割若しくは現物出資に伴う取得に限られるのであるから、例えば、贈与による取得、代物弁済による取得、合併若しくは分割型分割による取得又は購入による取得はこれに該当しないが、新株予約権の行使による取得はこれに該当する。(措通55-1)

(積立限度額の計算の基礎となる取得価額)

(4) 1に掲げる海外投資等損失準備金の積立額の計算の基礎となる特定株式等の取得価額は、当該特定株式等の取得に際し現実に負担した金額によることに留意する。(措通55-2)

(特定株式等の取得の日の判定)

(5) 特定株式等の取得が指定期間内にされたものであるかどうかは、設立の場合には当該特定株式等に係る特定法人の本店又は主たる事務所の所在する国の法令により法人が成立したとされる日、増資の場合には第二章第一節の二の表の16《資本金等の額》に掲げる資本の増加の日を基礎として判定するものとする。(措通55-3)

(分割払込みをした場合の積立ての時期等)

(6) 海外投資等損失準備金勘定の積立ては特定株式等を取得した事業年度に係る準備金として積み立てられるのであるが、その取得が払込みによるものであり、かつ、当該払込みが2以上の事業年度にわたって分割して行われるものである場合には、それぞれその払込みをした事業年度に係る準備金としてその払込みをした金額を基礎としてその積立てを行うものとする。(措通55-4)

2 用語の意義

1《投融資に係る海外投資等損失準備金積立額の損金算入》において、次に掲げる用語の意義は、それぞれ次に掲げるところによる。

① 資源開発事業法人

資源開発事業法人とは、法人でその現に行っている事業が国外における**資源**(石油〔可燃性天然ガスを含む。〕及び金属鉱物をいう。)の探鉱、開発又は採取(採取した産物について行われる加工で、採掘した鉱産物の選鉱その他これに類する加工を含む。)の事業及びこれらの事業に付随して行われる事業並びに国内におけるこれらの事業で当該石油に係るもの(以下2において「**資源開発事業等**」と総称する。)に限られているもの(国営の法人を除く。)並びに資源開発事業等を行っている国営の法人をいう。(措法55②Ⅰ、措令32の2②)

(付随事業の例示)

① 《資源開発事業法人》に掲げる「これらの事業に付随して行われる事業」には、例えば、資源の探鉱、開発又は採取の事業を営む法人が行うその採油した石油の精製、幹線パイプラインの整備、出荷施設の建設又は採掘した鉱産

物の精錬の事業が含まれる。（措通55－5）

② **資源開発投資法人**

　資源開発投資法人とは、現に行っている事業が次の表に掲げる事業のいずれかに限られている旨を当該法人の申請に基づき経済産業大臣が認定した法人をいう。（措法55②Ⅱ、措令32の2③、措規21①）

イ	①《資源開発事業法人》に掲げる資源開発事業法人（この②に該当する他の法人及び資源開発事業等を行っている外国政府を含む。以下ロにおいて「資源開発事業法人」という。）に対する**投融資等**（法人に対する出資又は長期の資金の貸付けの事業〔これらに関連して行われる当該法人の採取した産物の引取りその他当該事業に密接に関連する事業及びこれに附帯して行われる事業を含む。〕をいう。以下イにおいて同じ。）又は当該投融資等及び付随事業法人に対する出資等（当該資源開発事業法人の行う資源の探鉱、開発又は採取の事業に付随して行われる事業を営む法人に対する出資又は長期の資金の貸付けの事業をいう。）
ロ	イに掲げる事業及び当該事業に係る資源開発事業法人以外の資源開発事業法人が採取し、又は取得した産物の引取りの事業（当該事業に密接に関連する事業及びこれに附帯して行われる事業を含む。）で当該引取りの事業の規模がイに掲げる事業の規模に比して僅少であるもの
ハ	イに掲げる事業及び**資源開発事業等**
ニ	ロに掲げる事業及び資源開発事業等

　注　経済産業大臣の認定に関する手続は、平成26年経済産業省告示第72号（最終改正令和6年経済産業省告示第96号）に定められている。（編者）

③ **資源探鉱事業法人**

　資源探鉱事業法人とは、①《資源開発事業法人》に掲げる資源開発事業法人のうち、現に行っている事業が資源の探鉱等（資源の埋蔵の有無及び範囲並びにその商業的採取の可能性の調査〔これに付随して行われる行為を含む。〕をいう。）の事業（④において「**資源探鉱事業**」という。）に限られているもの（国営の法人を除く。）及び当該事業を行っている国営の法人をいう。（措法55②Ⅲ、措令32の2④）

④ **資源探鉱投資法人**

　資源探鉱投資法人とは、②《資源開発投資法人》に掲げる資源開発投資法人のうち、現に行っている事業が主として③《資源探鉱事業法人》に掲げる資源探鉱事業法人（この④に該当する他の法人及び資源の探鉱等の事業を行っている外国政府を含む。）に係る投融資等又は当該投融資等及び資源の探鉱等の事業であるものとして、次の表に掲げる要件の全てに該当する旨を当該法人の申請に基づき経済産業大臣が認定した法人をいう。（措法55②Ⅳ、措令32の2⑤、措規21②）

イ		当該法人（以下④において「**投融資法人**」という。）から直接に又は②に掲げる他の法人を通じて出資又は長期の資金の貸付け（以下④において「**投融資**」という。）を受けている①《資源開発事業法人》に掲げる資源開発事業法人又は外国政府（以下イにおいて「資源開発事業法人等」という。）が次の(イ)又は(ロ)に該当すること。
	(イ)	当該資源開発事業法人等の全ての現に行っている**資源開発事業等**（当該資源開発事業法人等が外国政府又は国営の法人その他これに類する法人である場合には、当該投融資法人から貸付けを受けた長期の資金を用いて行われる事業に限る。）が資源探鉱事業（③に掲げる資源探鉱事業をいう。(ロ)において同じ。）に限られていること。
	(ロ)	当該資源開発事業法人等のうちに、現に(イ)に掲げる資源開発事業等のうち資源の開発又は採取の事業に該当するものを行っている法人又は外国政府（以下(ロ)において「資源採取法人等」という。）がある場合には、資源採取法人等の全てが当該投融資法人から直接に又は②に掲げる他の法人を通じて投融資を受けている額の合計額が、当該投融資法人の投融資の額の総額及び当該投融資法人の行う資源開発事業等に支出された金額の合計額に比して僅少であること。
ロ		当該投融資法人が②の表のハ又はニに掲げる事業を行う法人である場合には、その現に行っている資源開発事業等のうち資源探鉱事業以外の事業に支出された金額の合計額が、当該投融資法人の投融資の額の総額及び資源開発事業等に支出された金額の合計額に比して僅少であること。

　注　経済産業大臣の認定に関する手続は、平成26年経済産業省告示第72号（最終改正令和6年経済産業省告示第96号）に定められている。（編者）

第三章　第一節　第十八款　一《海外投資等損失準備金》

⑤　特殊投資法人

　特殊投資法人とは、②《資源開発投資法人》に掲げる資源開発投資法人（当該資源開発投資法人が通算法人である場合には、1の(1)の表の(二)のイからハまでに掲げる法人のいずれかに対する投融資等を行っているものを除く。）のうち、その資本金の額又は出資金の額を超えて①に掲げる資源開発事業法人（②に掲げる他の法人及び外国政府を含む。）に対する投融資等（②の表のイに掲げる投融資等をいう。以下⑤において同じ。）を行っているものであることにつき、当該資源開発事業法人に対する投融資等の金額の明細を明らかにする書類を、1《投融資に係る海外投資等損失準備金積立額の損金算入》に掲げる内国法人の当該投融資等に係る株式（出資を含む。以下一において「**株式等**」という。）を取得した日を含む事業年度の確定申告書等に添付することにより証明がされた法人をいう。（措法55②Ⅴ、措令32の2⑥、措規21③）

⑥　特定株式等

　特定株式等とは、次の表に掲げる株式等のうちその払込み又は取得をすることが資源の探鉱又は開発を促進し、本邦における資源の安定的供給に寄与することになるものとして、内国法人が取得する①に掲げる資源開発事業法人及び②に掲げる資源開発投資法人（以下**6**の③《適格現物出資により被現物出資法人に株式等の全部又は一部を移転する場合の取扱い》及び**7**《資源開発事業法人が分割法人等となる分社型分割等が行われた場合の取扱い》において「**資源開発投資法人**」という。）の株式等のうち、当該株式等を取得する内国法人又は資源開発事業法人若しくは資源開発投資法人の申請に基づき当該株式等に係る資金が当該資源開発事業法人又は資源開発投資法人の資源の探鉱又は開発の事業に充てられること及び当該事業により採取される産物の全部又は一部が内国法人により引き取られることになる旨を経済産業大臣が認定した株式等<u>（独立行政法人エネルギー・金属鉱物資源機構法第11条第1項第25号の規定による助成金の交付を受けた内国法人が当該助成金をもって取得する当該助成金の交付の目的に適合したものを除く。）</u>をいう。（措法55②Ⅵ、措令32の2⑦、措規21④）

イ	当該事業年度内において設立（合併及び分割型分割による設立を除く。ロにおいて同じ。）をされ、又は資本金の額若しくは出資金の額の増加を行った①に掲げる資源開発事業法人の株式等で1《投融資に係る海外投資等損失準備金積立額の損金算入》に掲げる内国法人の払込み又は分社型分割若しくは現物出資に伴う取得に係るもの
ロ	当該事業年度内において設立をされ、又は資本金の額若しくは出資金の額の増加を行った②に掲げる資源開発投資法人の株式等で1に掲げる内国法人の払込み又は分社型分割若しくは現物出資に伴う取得に係るもの

注1　――線部分は、令和6年度改正により追加された部分で、改正規定は、令和6年4月1日以後に取得する特定株式等について適用される。（令6改措令附15①、1）

注2　平成26年度改正により、上表から次のものが除かれているが、平成26年3月31日以前の適用については、なおその適用がある。（平26改措法附85②）

旧ハ	\multicolumn{2}{l|}{資源開発法人（⑤《特殊投資法人》に掲げる特殊投資法人に該当するものを除く。）に対する貸付金又は当該法人の発行する社債（その株式又は社債が金融商品取引法第2条第16項《定義》に規定する金融商品取引所に上場されている法人に対する貸付金及び当該法人の発行する社債並びに国内にある担保物に係る物上担保又は内国法人の保証が付されている貸付金及び社債を除く。以下旧ハにおいて同じ。）のうち、次のいずれかに該当するもので注3に掲げる事情がある場合に取得されるものであることにつき注4に掲げるところにより認定を受けたものに係る債権で1に掲げる内国法人の取得に係るもの（資源開発法人の株式等を取得することが困難である場合として注3に掲げる事情がある場合に取得されるものに限る。②において「**資源特定債権**」という。）}	
	(イ)	③《資源探鉱事業法人》に掲げる資源探鉱事業法人若しくは④《資源探鉱投資法人》に掲げる資源探鉱投資法人に対する貸付金又はこれらの法人の発行する社債で、その貸付金又は社債に係る資金を用いて行われる③に掲げる資源探鉱等事業が開発の事業（当該資源探鉱等事業に該当するものを除く。）へ移行したことをその償還の条件としているもの
	(ロ)	(イ)に掲げるもの以外の貸付金又は社債で、その償還期間（貸付金のうちその返済が賦払の方法によるものについては、その最後の賦払金の支払の期日までの期間）が10年以上であるもの

注3　注2の旧ハに掲げる資源開発法人の株式等を取得することが困難である場合の事情は、次のいずれかに該当する事情がある場合とする。（旧措令32の2⑧）
　(一)　資源開発法人（⑤に掲げる特殊投資法人に該当するものを除く。以下注3において同じ。）の株式等の全部を国（外国を含む。）又は地方公共団体（外国の地方公共団体を含む。）が有していること。
　(二)　資源開発法人が資本又は出資を有しない法人であること。
　(三)　資源開発法人の本店又は主たる事務所の所在地の属する国の法令又は資源開発法人の定款、寄附行為その他これらに準ずるものにより内国法人の出資につき禁止又は制限がされていること。
　(四)　資源開発法人が資金の調達につき内国法人の出資に応じないことその他これに準ずる事情

注4　注2の旧ハに掲げる資源開発法人の株式等を取得することが困難である事情がある場合に取得されるものであることにつき認定を受けた貸付金又は社債は、その取得する内国法人の申請に基づき同ハに掲げる貸付金又は社債が注3の(一)から(四)までのいずれかに該当する事情がある場合に取得されたものである旨を経済産業大臣が認定したものとする。（旧措規21⑤前段）

注5　平成26年度改正前の租税特別措置法第55条の詳細については、本書平成26年版1058ページ以下を参照。(編者)
注6　経済産業大臣の認定に関する手続は、平成26年経済産業省告示第72号(最終改正令和6年経済産業省告示第96号)に定められている。(編者)

3　海外投資等損失準備金の益金算入

①　据置期間(5年)経過による5年均等取崩し

1　《投融資に係る海外投資等損失準備金積立額の損金算入》に掲げる内国法人の各事業年度終了の日において、前事業年度から繰り越された特定法人に係る海外投資等損失準備金の金額(その日までに②《特定法人の株式等の譲渡等による取崩し》により益金の額に算入された、若しくは算入されるべきこととなった金額又は前事業年度終了の日までにこの①により益金の額に算入された金額がある場合には、これらの金額を控除した金額。以下一において同じ。)のうちにその積み立てられた事業年度(以下①及び②において「**積立事業年度**」という。)終了の日の翌日から5年を経過したもの(以下①において「**据置期間経過準備金額**」という。)がある場合には、当該据置期間経過準備金額については、その積み立てられた積立事業年度別に区分した各金額ごとに、当該区分した金額の積み立てられた積立事業年度の所得の金額の計算上1により損金の額に算入された当該海外投資等損失準備金として積み立てた金額に当該各事業年度の月数を乗じてこれを60で除して計算した金額(当該計算した金額が当該区分した金額を超える場合には、当該区分した金額)に相当する金額を、それぞれ、当該事業年度の所得の金額の計算上、益金の額に算入する。(措法55③)

$$益金算入額 = \frac{当初の積立額のうち損金に算入された金額}{} \times \frac{事業年度の月数}{60}$$

注1　算出は、積立事業年度別に区分した各据置期間経過準備金額ごとに行う。(編者)
注2　算出額が区分した各据置期間経過準備金額を超える場合は、当該区分した金額が益金算入額となる。(編者)

　　　(月数の計算)
(1)　①に掲げる月数は、暦に従って計算し、1か月に満たない端数を生じたときは、これを1か月とする。(措法55⑥)

　　　(海外投資等損失準備金の経理)
(2)　海外投資等損失準備金の金額は、原則として、その積立事業年度の翌事業年度から5年間据え置き、5年を経過した事業年度から更に5年間で均分して取り崩すこととなるのであるから、積立事業年度別に海外投資等損失準備金の残額及び取崩しの状況を補助簿等において明確に経理するものとする。(措通55-7)
　　注　補助簿等においては、積立事業年度別に、かつ、積立ての対象となった投資別に区分経理する。(編者)

　　　(海外投資等損失準備金の差額積立て等の特例)
(3)　法人が海外投資等損失準備金につき、当該事業年度の取崩額と当該事業年度の積立額との差額を積み立て又は取り崩している場合においても、確定申告書等に添付する明細書にその相殺前の金額に基づく積立て等であることを明らかにしているときは、その相殺前の金額によりその積立て及び取崩しがあったものとして取り扱う。(措通55~57の8(共)-1、基通11-1-1参照)

　　　(特定法人が2以上ある場合の海外投資等損失準備金の取崩しの計算)
(4)　法人が海外投資等損失準備金への積立てを2以上の特定法人の株式等について行っている場合には、当該準備金の金額は、それぞれの特定法人について設けられているのであるから、①による益金算入額は、各特定法人ごとに計算することに留意する。(措通55-8)

②　特定法人の株式等の譲渡等による取崩し

海外投資等損失準備金を積み立てている内国法人が次の表の左欄に掲げる場合(適格合併、適格分割、ハに掲げる場合の適格現物出資以外の適格現物出資又は適格現物分配により特定法人の株式等を移転した場合を除く。)に該当することとなった場合には、それぞれ右欄に掲げる金額に相当する金額は、その該当することとなった日を含む事業年度(ロに掲げる場合にあっては、合併の日の前日を含む事業年度)の所得の金額の計算上、益金の額に算入する。この場合において、**イ**から**ハ**まで、**ホ**又は**ト**の左欄に掲げる場合にあっては、それぞれの右欄に掲げる海外投資等損失準備金の金額をその積み立てられた積立事業年度別に区分した各金額のうち、その積み立てられた積立事業年度が最も古いものから順次益金の額に算入されるものとする。(措法55④、措令32の2⑩)

第三章　第一節　第十八款　一《海外投資等損失準備金》

イ	当該海外投資等損失準備金に係る特定法人の株式等の全部又は一部を有しないこととなった場合（ロからニまでに該当する場合を除く。）	その有しないこととなった日における当該特定法人に係る海外投資等損失準備金の金額のうちその有しないこととなった株式等に係るものとして(1)《特定法人の株式等の一部を有しないこととなった場合の取崩額の計算》により計算した金額（当該特定法人の株式等の全部を有しないこととなった場合には、その有しないこととなった日における当該特定法人に係る海外投資等損失準備金の金額）
ロ	合併により合併法人にイに掲げる特定法人の株式等を移転した場合	その合併の直前における当該特定法人に係る海外投資等損失準備金の金額
ハ	適格現物出資により外国法人である被現物出資法人（2の②《資源開発投資法人》に掲げる資源開発投資法人に該当するものを除く。）にイに掲げる特定法人の株式等の全部又は一部を移転した場合	その適格現物出資直前における当該特定法人に係る海外投資等損失準備金の金額のうちその移転することとなった株式等に係るものとして(2)に掲げるところにより計算した金額（当該適格現物出資により当該被現物出資法人に当該特定法人の株式等の全部を移転した場合には、その適格現物出資直前における当該特定法人に係る海外投資等損失準備金の金額）
ニ	当該海外投資等損失準備金に係る特定法人が、解散（適格合併による解散を除く。）をした場合又は特定法人でないこととなった場合	その該当することとなった日における当該特定法人に係る海外投資等損失準備金の金額
ホ	当該海外投資等損失準備金に係る特定法人の株式等についてその帳簿価額を減額した場合（当該特定法人の適格分割型分割に伴いその帳簿価額を減額した場合で、当該適格分割型分割に係る分割承継法人が特定法人に該当する場合を除く。）	その減額をした日における当該特定法人に係る海外投資等損失準備金の金額のうちその減額をした金額に相当する金額（第二十三款の二の1の(27)《資本の払戻し等の場合の有価証券の譲渡原価の額》に掲げる資本の払戻しにより当該特定法人の株式等の帳簿価額を減額した場合には、同日における当該特定法人に係る海外投資等損失準備金の金額のうちにその減額をした金額に対応する金額として同(27)に掲げる払戻等割合を乗じて計算した金額）
ヘ	当該内国法人が解散した場合（合併により解散した場合を除く。）	その解散の日における海外投資等損失準備金の金額
ト	①《据置期間（5年）経過による5年均等取崩し》、イからヘまで及び③《青色申告の取消し又は取りやめがあった場合の益金算入》の場合以外の場合《目的外》において特定法人に係る海外投資等損失準備金の金額を取り崩した場合	その取り崩した日における当該特定法人に係る海外投資等損失準備金の金額のうちその取り崩した金額に相当する金額

（特定法人の株式等の一部を有しないこととなった場合の取崩額の計算）
（1）　②の表のイの左欄に該当する場合に取り崩すべき海外投資等損失準備金の金額は、同表のイの右欄に掲げる海外投資等損失準備金の金額に、次の表の左欄に掲げる場合の区分に応じそれぞれ右欄に掲げる割合を乗じて計算した金額とする。（措令32の2⑧）

(一)	当該海外投資等損失準備金に係る特定法人の株式等の一部を有しないこととなった場合（(二)に該当する場合を除く。）	その有しないこととなった当該特定法人の株式又は出資の数又は金額がその有しないこととなった時の直前において有していた当該特定法人の株式又は出資の数又は金額のうちに占める割合
(二)	当該海外投資等損失準備金に係る特定法人の第二十三款の二の1の(29)《出資の払戻しを受	同(29)に掲げる割合

	けた場合の譲渡原価の額》に掲げる出資金の払戻しにより出資の一部を有しないこととなった場合

　　　(適格現物出資があった場合における取崩しの計算)
(2)　②の表のハに掲げる計算した金額は、当該海外投資等損失準備金の金額に、同ハに掲げる適格現物出資により移転することとなった当該特定法人の株式又は出資の数又は金額が当該適格現物出資直前において有していた当該特定法人の株式又は出資の数又は金額のうちに占める割合を乗じて計算した金額とする。(措法55㉕④、措令32の2⑨)

　　　(特定法人が2以上ある場合の海外投資等損失準備金の取崩しの計算)
(3)　法人が海外投資等損失準備金への積立てを2以上の特定法人の株式等について行っている場合には、当該準備金の金額は、それぞれの特定法人について設けられているのであるから、①又は②の表のイからホまでによる益金算入額は、各特定法人ごとに計算することに留意する。(措通55-8)

　　　(評価減をした場合の海外投資等損失準備金の取崩し)
(4)　海外投資等損失準備金を積み立てている法人が、各事業年度において当該準備金に係る特定法人の株式等について帳簿価額を減額した場合(②の表のホの括弧書により除くこととされている場合に該当する場合を除く。(5)及び(7)において同じ。)において、同ホにより取り崩すこととなる海外投資等損失準備金の金額は、当該事業年度前の事業年度から引き続き有している当該特定法人の株式等及び当該事業年度において取得した当該特定法人の株式等のうち特定株式等に該当しないものの帳簿価額を減額した部分の金額に限るものとし、当該事業年度に取得した特定株式等の帳簿価額を減額した部分の金額は1《投融資に係る海外投資等損失準備金積立額の損金算入》により当該事業年度における積立限度額の計算上控除することに留意する。(措通55-11)

　　　(評価減の額の区分)
(5)　法人が、各事業年度において海外投資等損失準備金に係る特定法人の株式等の帳簿価額を減額した場合において、当該特定法人の株式等が当該事業年度の指定期間内において取得した特定株式等とその他の株式等とからなっているときにおける当該その他の株式等に係る帳簿価額を減額した金額は、当該特定法人の株式等について帳簿価額を減額した金額から当該事業年度の指定期間内に取得した特定株式等に係る帳簿価額を減額した金額として次により計算した金額を控除した金額によるものとする。(措通55-12)
(一)　帳簿価額を減額した日に有する特定法人の株式等の当該減額後の平均単価(当該株式等の帳簿価額を当該株式等の数で除して計算した金額をいう。(二)において同じ。)が当該事業年度の指定期間内に取得した特定株式等に係る平均取得単価(当該特定株式等の実際の取得価額の合計額を当該特定株式等の数で除して計算した金額をいう。(二)において同じ。)以上である場合には、当該特定株式等に係る帳簿価額を減額した金額はないものとする。
(二)　帳簿価額を減額した日に有する特定法人の株式等の当該減額後の平均単価が当該事業年度の指定期間内に取得した特定株式等に係る平均取得単価に満たない場合には、その満たない金額に当該特定株式等の数を乗じて計算した金額(当該金額が当該特定法人の株式等に係る帳簿価額を減額した金額を超えるときは、当該帳簿価額を減額した金額)を特定株式等に係る帳簿価額を減額した金額とする。

　　　(特定法人の株式等の評価減を否認した場合の海外投資等損失準備金の特例)
(6)　法人が、海外投資等損失準備金に係る特定法人の株式等についてその帳簿価額を減額したため、②の表のホにより海外投資等損失準備金の金額を取り崩して益金の額に算入した場合において、当該特定法人の株式等に係る当該減額後の帳簿価額が時価を下回る等のため当該減額が認められないこととなる金額があり、かつ、その取り崩した金額が帳簿価額の減額が認められた金額を基礎として同ホにより取り崩すべきこととなる金額を超えるときは、その超える部分の金額は、取崩しがなかったものとし、当該金額に相当する会社計算外の海外投資等損失準備金の金額があるものとして取り扱う。(措通55-13)

　　　(海外投資等損失準備金の基礎としなかった株式等がある場合の評価減)
(7)　法人が、当該事業年度前の事業年度から引き続き有している特定法人の株式等について帳簿価額を減額した場合には、当該株式等のうちに海外投資等損失準備金の設定の基礎としなかった株式等があるときにおいても、当該減額

した日における海外投資等損失準備金の金額のうち当該減額した金額に達するまでの金額は、②の表の**ホ**により益金の額に算入しなければならないことに留意する。(措通55－14)

(特定法人が適格合併をした場合)
(8) 海外投資等損失準備金の設定の基礎とした特定株式等に係る特定法人が適格合併により解散した場合には、②の表の**ニ**括弧書により当該特定法人に係る海外投資等損失準備金の金額は取り崩すことを要しないのであるが、当該適格合併に係る6の①の(1)《合併法人が特定法人である場合の引継ぎ》に掲げる合併法人等が特定法人でないとき(当該適格合併が第二十三款の**ニ**の1の(4)《合併の場合の有価証券の譲渡対価の額》に掲げる金銭等不交付合併でないときを含む。)は同**ニ**及び6の①の(2)《合併法人が特定法人でない場合の取崩し》により当該適格合併に係る被合併法人である特定法人が当該適格合併直前において特定法人でないこととなったものとみなして海外投資等損失準備金の金額を取り崩すこととなることに留意する。(措通55－15)

(換算差損を計上した場合の海外投資等損失準備金の取崩し)
(9) 法人が海外投資等損失準備金を積み立てている場合において、当該積立てに係る特定法人の株式等で外貨建てのものにつき当該事業年度終了の時において第二十六款の**三**の1の(2)《外国為替の売買相場が著しく変動した場合の外貨建資産等の期末時換算》により換算を行ったため換算差損が生じたときは、当該海外投資等損失準備金の金額のうち、当該換算差損の金額に相当する金額を取り崩して益金の額に算入するものとする。(措通55－16)

③ 青色申告の取消し又は取りやめがあった場合の益金算入

海外投資等損失準備金を積み立てている法人が青色申告書の提出の承認を取り消され、又は青色申告書による申告をやめる旨の届出書の提出をした場合には、その承認の取消しの基因となった事実のあった日(次の表の左欄に掲げる場合に該当する場合には、同表のそれぞれ右欄に掲げる日)又はその届出書の提出をした日(その届出書の提出をした日が青色申告書による申告をやめた事業年度終了の日後である場合には、同日)における海外投資等損失準備金の金額は、その日を含む事業年度の所得の金額の計算上、益金の額に算入する。この場合においては、①《据置期間(5年)経過による5年均等取崩し》、②《特定法人の株式等の譲渡等による取崩し》、5の①《適格合併における海外投資等損失準備金の引継ぎ等》、5の②《適格分割における海外投資等損失準備金の引継ぎ等》、5の③《適格現物出資における海外投資等損失準備金の引継ぎ等》及び5の④《適格現物分配における海外投資等損失準備金の引継ぎ等》は適用しない。(措法55⑤)

(一)	通算法人がその取消しの処分に係る第二章第二節の**四**の(1)《青色申告の承認の取消しの通知》の通知を受けた場合	その通知を受けた日の前日(当該前日が当該通算法人に係る通算親法人の事業年度終了の日であるときは、当該通知を受けた日)
(二)	通算法人であった法人がその取消しの処分に係る同(1)の通知を受けた場合	その承認の取消しの基因となった事実のあった日又は第三十五款の**ニ**の1《通算承認》による承認の効力を失った日の前日(当該前日が当該法人に係る通算親法人の事業年度終了の日であるときは、当該効力を失った日)のいずれか遅い日

4 適格分割等があった場合の期中海外投資等損失準備金の損金算入《適格分割・適格現物出資・適格現物分配》

1 《投融資に係る海外投資等損失準備金積立額の損金算入》に掲げる内国法人が、指定期間内の日を含む各事業年度(清算中の各事業年度を除く。)の指定期間内に、特定法人の2の⑥《特定株式等》の特定株式等の取得をし、かつ、**適格分割等**(適格分割、適格現物出資又は適格現物分配をいう。以下**一**において同じ。)により**分割承継法人等**(分割承継法人、被現物出資法人〔3の②《特定法人の株式等の譲渡等による取崩し》の**ハ**に掲げる被現物出資法人を除く。〕又は被現物分配法人をいう。以下**一**において同じ。)に当該特定株式等を移転する場合において、当該特定株式等の価格の低落による損失に備えるため、当該適格分割等の直前の時を当該事業年度終了の時として当該特定株式等の取得価額の$\frac{20}{100}$(当該特定株式等に係る特定法人が資源探鉱事業法人又は資源探鉱投資法人である場合には、$\frac{50}{100}$)に相当する金額(当該事業年度開始の時から当該直前の時までの間において当該特定株式等の帳簿価額を減額した場合には、その減額した金額のうち当該事業年度の所得の金額の計算上損金の額に算入される金額に相当する金額を控除した金額)以下の金額を各特定法人別に海外投資等損失準備金として積み立てたときは、その積み立てた金額は、当該事業年度の所得の金額の計算上、損金の額に算入する。(措法55⑧)

(期中海外投資等損失準備金の損金算入に関する届出)

4は、当該内国法人が適格分割等の日以後2か月以内に次に掲げる事項を記載した書類及び9《海外投資等損失準備金積立額の損金算入の申告》に掲げる経済産業大臣の認定に係る認定書の写しを納税地の所轄税務署長に提出した場合に限り、適用する。(措法55⑨、措令32の2⑪、措規21⑥⑦)

(一)	4の適用を受けようとする法人の名称、納税地及び法人番号(行政手続における特定の個人を識別するための番号の利用等に関する法律第2条第15項に規定する法人番号をいう。)並びに代表者の氏名
(二)	適格分割等に係る分割承継法人等の名称及び納税地並びに代表者の氏名
(三)	適格分割等の年月日
(四)	4に掲げる当該特定法人の名称
(五)	4の当該海外投資等損失準備金として積み立てた金額及びその積み立てた金額の計算に関する明細
(六)	その他参考となるべき事項

注 (五)に掲げる事項の記載については、別表十二(一)《海外投資等損失準備金の損金算入に関する明細書》の書式によらなければならない。(規27の14)

5 適格組織再編成における海外投資等損失準備金の引継ぎ等

① 適格合併における海外投資等損失準備金の引継ぎ等

1 《投融資に係る海外投資等損失準備金積立額の損金算入》の海外投資等損失準備金を積み立てている法人が適格合併により合併法人に特定法人の株式等を移転した場合には、その適格合併直前における海外投資等損失準備金の金額は、当該合併法人に引き継ぐものとする。この場合において、その合併法人が引継ぎを受けた海外投資等損失準備金の金額は、当該合併法人がその適格合併の日において有する海外投資等損失準備金の金額とみなす。(措法55⑩)

(合併法人における益金算入)
(1) ①の合併法人のその適格合併の日を含む事業年度に係る3の①《据置期間(5年)経過による5年均等取崩し》の規定の適用については、前事業年度から繰り越された海外投資等損失準備金の金額は、この①により当該合併法人が有するものとみなされた海外投資等損失準備金の金額を含むものとする。この場合において、当該合併法人が合併後存続する法人であるときは、その有するものとみなされた海外投資等損失準備金の金額については、3の①中「当該各事業年度の月数」とあるのは、「当該適格合併の日から同日を含む事業年度終了の日までの期間の月数」とする。(措法55⑫)

(合併法人が青色申告法人でない場合の益金算入)
(2) ①の場合において、その合併法人がその適格合併の日を含む事業年度の確定申告書等を青色申告書により提出することができる者でないときは、当該事業年度終了の日における海外投資等損失準備金の金額は、当該事業年度の所得の金額の計算上、益金の額に算入する。(措法55⑪)

(適格合併により引継ぎを受けた海外投資等損失準備金の均分取崩し)
(3) 合併法人が①により海外投資等損失準備金の金額の引継ぎを受けた場合において、当該合併法人の適格合併の日を含む事業年度以後の各事業年度における当該海外投資等損失準備金に係る3の①《据置期間(5年)経過による5年均等取崩し》の適用については、当該適格合併に係る被合併法人において当該海外投資等損失準備金が積み立てられた事業年度と当該合併法人の事業年度とは区分して、かつ、当該被合併法人において積み立てられた事業年度に当該合併法人が自ら積立てをしたものとみなして取り扱うものとする。(措通55-7の2・編者補正)

(合併等に伴う海外投資等損失準備金の表示替え)
(4) 海外投資等損失準備金で損金経理の方法により積み立てられたものと剰余金の処分の方法により積み立てられたものとを有する法人が、その準備金の積立方式の統一を図るため、例えば、損金経理の方法により積み立てられた準備金の全部を取り崩して益金の額に算入するとともに同額(取り崩して益金の額に算入すべき金額を除く。)を剰余金の処分の方法により準備金として積み立てる経理をした場合において、その経理をしたことが合併に伴う合併法人と被合併法人の準備金の積立方式の不統一を改める等合理的な理由によるものであるときは、その準備金は、当初から

その統一後の積立方式によって積み立てられていたものとして取り扱う。(措通55～57の8(共)-2)
> 注 この準備金の積立方式の変更を行った場合には、その内容に応じ、申告調整による当該準備金の額に相当する金額の加算又は減算をしなければならないことに留意する。

② 適格分割における海外投資等損失準備金の引継ぎ等

1《投融資に係る海外投資等損失準備金積立額の損金算入》又は**4**《適格分割等があった場合の期中海外投資等損失準備金の損金算入》に掲げる海外投資等損失準備金を積み立てている法人が適格分割により分割承継法人に当該海外投資等損失準備金に係る特定法人の株式等の全部又は一部を移転した場合には、その適格分割直前における海外投資等損失準備金の金額に、その適格分割により移転することとなった当該特定法人の株式若しくは出資の数又は金額がその移転することとなった時の直前において有していた当該特定法人の株式若しくは出資の数又は金額のうちに占める割合を乗じて計算した金額(当該適格分割により当該特定法人の株式等の全部を移転した場合には、その適格分割直前における当該特定法人に係る海外投資等損失準備金の金額)は、当該分割承継法人に引き継ぐものとする。この場合において、その分割承継法人が引継ぎを受けた海外投資等損失準備金の金額は、当該分割承継法人がその適格分割の日において有する海外投資等損失準備金の金額とみなす。(措法55⑬、措令32の2⑫)

$$\text{その分割の直前における当該特定法人に係る海外投資等損失準備金の金額} \times \frac{\text{その分割により移転することとなった当該特定法人の株式の数若しくは出資の金額}}{\text{その分割の直前において有していた当該特定法人の株式の数若しくは出資の金額}}$$

(分割法人における益金算入)
(1) ②の場合において、海外投資等損失準備金を積み立てている法人のその適格分割の日を含む事業年度(同日が当該法人の事業年度開始の日である場合の当該事業年度を除く。)については、当該適格分割の日の前日を当該事業年度終了の日とみなして、**3**の①《据置期間(5年)経過による5年均等取崩し》を適用する。この場合において、同①中「当該各事業年度の月数」とあるのは、「当該適格分割の日を含む事業年度開始の日から当該適格分割の日の前日までの期間の月数」とする。(措法55⑭)
> 注 引き継ぐ海外投資等損失準備金の金額のうちにその積立てをした事業年度終了の日の翌日から5年を経過したもの《**据置期間経過準備金**》がある場合には、その海外投資等損失準備金の金額を引き継ぐのではなく、その分割法人において、当該適格分割の日の前日を当該事業年度終了の日とみなして、据置期間経過準備金として益金の額に算入される金額を取り崩した上で分割承継法人に引き継ぐこととなる。
> (編者)

(分割承継法人における益金算入)
(2) ②の分割承継法人のその適格分割の日を含む事業年度に係る**3**の①《据置期間(5年)経過による5年均等取崩し》の適用については、前事業年度から繰り越された海外投資等損失準備金の金額は、この②により当該分割承継法人が有するものとみなされた海外投資等損失準備金の金額を含むものとする。この場合において、当該分割承継法人が当該適格分割により設立された法人でないときは、当該分割承継法人の有するものとみなされた海外投資等損失準備金の金額については、**3**の①中「当該各事業年度の月数」とあるのは、「当該適格分割の日から同日を含む事業年度終了の日までの期間の月数」とする。(措法55⑯)

(分割承継法人が青色申告法人でない場合の益金算入)
(3) ②の場合において、その分割承継法人がその適格分割の日を含む事業年度の確定申告書等を青色申告書により提出することができる者でないときは、当該事業年度終了の日における海外投資等損失準備金の金額は、当該事業年度の所得の金額の計算上、益金の額に算入する。(措法55⑮)

(適格分割により引継ぎを受けた海外投資等損失準備金の均分取崩し)
(4) 分割承継法人が②により海外投資等損失準備金の金額の引継ぎを受けた場合において、当該分割承継法人の適格分割の日を含む事業年度以後の各事業年度における当該海外投資等損失準備金に係る**3**の①《据置期間(5年)経過による5年均等取崩し》の適用については、当該適格分割に係る分割法人において当該海外投資等損失準備金が積み立てられた事業年度と当該分割承継法人の事業年度とは区分して、かつ、当該分割法人において積み立てられた事業年度に当該分割承継法人が自ら積立てをしたものとみなして取り扱うものとする。(措通55-7の2・編者補正)

③ 適格現物出資における海外投資等損失準備金の引継ぎ等

1 《投融資に係る海外投資等損失準備金積立額の損金算入》又は **4**《適格分割等があった場合の期中海外投資等損失準備金の損金算入》に掲げる海外投資等損失準備金を積み立てている法人が適格現物出資により被現物出資法人（外国法人である被現物出資法人を除く。）に当該海外投資等損失準備金に係る特定法人の株式等の全部又は一部を移転した場合には、その適格現物出資直前における海外投資等損失準備金の金額に、その適格現物出資により移転することとなった当該特定法人の株式若しくは出資の数又は金額がその移転することとなった時の直前において有していた当該特定法人の株式若しくは出資の数又は金額のうちに占める割合を乗じて計算した金額（当該適格現物出資により当該特定法人の株式等の全部を移転した場合には、その適格現物出資直前における当該特定法人に係る海外投資等損失準備金の金額）は、当該被現物出資法人に引き継ぐものとする。この場合において、その被現物出資法人が引継ぎを受けた海外投資等損失準備金の金額は、当該被現物出資法人がその適格現物出資の日において有する海外投資等損失準備金の金額とみなす。（措法55⑰、措令32の2⑫⑬）

$$\text{その現物出資の直前における当該特定法人に係る海外投資等損失準備金の金額} \times \frac{\text{その現物出資により移転することとなった当該特定法人の株式の数若しくは出資の金額}}{\text{その現物出資の直前において有していた当該特定法人の株式の数若しくは出資の金額}}$$

（現物出資法人における益金算入）

（1） ③の場合において、海外投資等損失準備金を積み立てている法人のその適格現物出資の日を含む事業年度（同日が当該法人の事業年度開始の日である場合の当該事業年度を除く。）については、当該適格現物出資の日の前日を当該事業年度終了の日とみなして、**3**の①《据置期間（5年）経過による5年均等取崩し》を適用する。この場合において、同①中「当該各事業年度の月数」とあるのは、「当該適格現物出資の日を含む事業年度開始の日から当該適格現物出資の日の前日までの期間の月数」とする。（措法55⑱）

（被現物出資法人における益金算入）

（2） ③の被現物出資法人のその適格現物出資の日を含む事業年度に係る**3**の①《据置期間（5年）経過による5年均等取崩し》の適用については、前事業年度から繰り越された海外投資等損失準備金の金額は、この③により当該被現物出資法人が有するものとみなされた海外投資等損失準備金の金額を含むものとする。この場合において、当該被現物出資法人が当該適格現物出資により設立された法人でないときは、当該被現物出資法人の有するものとみなされた海外投資等損失準備金の金額については、**3**の①中「当該各事業年度の月数」とあるのは、「当該適格現物出資の日から同日を含む事業年度終了の日までの期間の月数」とする。（措法55⑳）

（被現物出資法人が青色申告法人でない場合の益金算入）

（3） ③の場合において、③に掲げる被現物出資法人がその適格現物出資の日を含む事業年度の確定申告書等を青色申告書により提出することができる者でないときは、当該事業年度終了の日における海外投資等損失準備金の金額は、当該事業年度の所得の金額の計算上、益金の額に算入する。（措法55⑲）

（適格現物出資により引継ぎを受けた海外投資等損失準備金の均分取崩し）

（4） 被現物出資法人が③により海外投資等損失準備金の金額の引継ぎを受けた場合において、当該被現物出資法人の適格現物出資の日を含む事業年度以後の各事業年度における当該海外投資等損失準備金に係る**3**の①《据置期間（5年）経過による5年均等取崩し》の適用については、当該適格現物出資に係る現物出資法人において当該海外投資等損失準備金が積み立てられた事業年度と当該被現物出資法人の事業年度とは区分して、かつ、当該現物出資法人において積み立てられた事業年度に当該被現物出資法人が自ら積立てをしたものとみなして取り扱うものとする。（措通55－7の2・編者補正）

④ 適格現物分配における海外投資等損失準備金の引継ぎ等

1 《投融資に係る海外投資等損失準備金積立額の損金算入》又は **4**《適格分割等があった場合の期中海外投資等損失準備金の損金算入》に掲げる海外投資等損失準備金を積み立てている法人が適格現物分配により被現物分配法人に当該海外投資等損失準備金に係る特定法人の株式等の全部又は一部を移転した場合には、その適格現物分配直前における海外投資等損失準備金の金額に、その適格現物分配により移転することとなった当該特定法人の株式若しくは出資の数又は金額がその移転することとなった時の直前において有していた当該特定法人の株式若しくは出資の数又は金額のうちに占める割

合を乗じて計算した金額（当該適格現物分配により当該特定法人の株式等の全部を移転した場合には、その適格現物分配直前における当該特定法人に係る海外投資等損失準備金の金額）は、当該被現物分配法人に引き継ぐものとする。この場合において、その被現物分配法人が引継ぎを受けた海外投資等損失準備金の金額は、当該被現物分配法人がその適格現物分配の日において有する**1**の海外投資等損失準備金の金額とみなす。（措法55㉑、措令32の2⑫⑬）

$$\text{その現物分配の直前における当該特定法人に係る海外投資等損失準備金の金額} \times \frac{\text{その現物分配により移転することとなった当該特定法人の株式の数若しくは出資の金額}}{\text{その現物分配の直前において有していた当該特定法人の株式の数若しくは出資の金額}}$$

（現物分配法人における益金算入）
（1） ④の場合において、海外投資等損失準備金を積み立てている法人のその適格現物分配の日を含む事業年度（同日が当該法人の事業年度開始の日である場合の当該事業年度を除く。）については、当該適格現物分配の日の前日を当該事業年度終了の日とみなして、**3**の①《据置期間（5年）経過による5年均等取崩し》を適用する。この場合において、同①中「当該各事業年度の月数」とあるのは、「当該適格現物分配の日を含む事業年度開始の日から当該適格現物分配の日の前日までの期間の月数」とする。（措法55㉒）

（被現物分配法人における益金算入）
（2） ④の被現物分配法人のその適格現物分配の日を含む事業年度に係る**3**の①《据置期間（5年）経過による5年均等取崩し》の適用については、前事業年度から繰り越された海外投資等損失準備金の金額は、この④により当該被現物分配法人が有するものとみなされた海外投資等損失準備金の金額を含むものとする。この場合において、当該被現物分配法人の有するものとみなされた海外投資等損失準備金の金額については、**3**の①中「当該各事業年度の月数」とあるのは、「当該適格現物分配の日から同日を含む事業年度終了の日までの期間の月数」とする。（措法55㉔）

（被現物分配法人が青色申告法人でない場合の益金算入）
（3） ④の場合において、④に掲げる被現物分配法人がその適格現物分配の日を含む事業年度の確定申告書等を青色申告書により提出することができる者でないときは、当該事業年度終了の日における海外投資等損失準備金の金額は、当該事業年度の所得の金額の計算上、益金の額に算入する。（措法55㉓）

（適格現物分配により引継ぎを受けた海外投資等損失準備金の均分取崩し）
（4） 被現物分配法人が④により海外投資等損失準備金の金額の引継ぎを受けた場合において、当該被現物分配法人の適格現物分配の日を含む事業年度以後の各事業年度における当該海外投資等損失準備金に係る**3**の①《据置期間（5年）経過による5年均等取崩し》の適用については、当該適格現物分配に係る現物分配法人において当該海外投資等損失準備金が積み立てられた事業年度と当該被現物分配法人の事業年度とは区分して、かつ、当該現物分配法人において積み立てられた事業年度に当該被現物分配法人が自ら積立てをしたものとみなして取り扱うものとする。（措通55－7の2・編者補正）

6　特定法人を被合併法人等とする適格合併等が行われた場合の取扱い

①　特定法人を被合併法人とする適格合併が行われた場合の取扱い

（合併法人が特定法人である場合の引継ぎ）
（1） 内国法人が海外投資等損失準備金を積み立てている場合において、当該海外投資等損失準備金に係る特定法人を被合併法人とする適格合併（第二十三款の二の1の（4）《合併の場合の有価証券の譲渡対価の額》に掲げる金銭等不交付合併に限る。）が行われ、かつ、当該適格合併に係る合併法人（当該被合併法人の第二章第一節の二《定義》の表の14に掲げる株主等〔②の（1）及び②の（2）の表の（二）において「株主等」という。〕）が第二章第一節の二《定義》の表の12の8《適格合併》に掲げる合併親法人の株式等の交付を受ける場合にあっては、当該合併親法人。以下①において「合併法人等」という。）が特定法人であるときは、当該内国法人の当該適格合併の日における被合併法人である特定法人に係る海外投資等損失準備金の金額（以下**6**において「**海外投資等損失準備金の金額**」という。）は、当該適格合併後においては、当該合併法人等に係る海外投資等損失準備金の金額とみなして、**3**《海外投資等損失準備金の益金算入》及び**5**《適格組織再編成における海外投資等準備金の引継ぎ等》を適用する。（措法55㉕、措令32の2⑭）

注　当該合併が適格合併でない場合には、**3**の②の表の**ニ**の左欄に該当することから、その合併の日における当該特定法人に係る海外投資等損失準備金の金額を取り崩して益金の額に算入することとなる。（編者）

（合併法人が特定法人でない場合の取崩し）
（2）　（1）に掲げる海外投資等損失準備金に係る特定法人を被合併法人とする適格合併が行われた場合において、当該適格合併に係る合併法人等が特定法人でないとき（当該適格合併が第二十三款の**二**の**1**の（4）《合併の場合の有価証券の譲渡対価の額》に掲げる金銭等不交付合併でないときを含む。）における当該海外投資等損失準備金を積み立てている内国法人に対する**3**の②《特定法人の株式等の譲渡等による取崩し》の適用については、当該適格合併に係る被合併法人である特定法人が当該適格合併直前において特定法人でないこととなったものとみなして、**3**の②の表の**ニ**を適用する。（措法55㉕、措令32の2⑮）

注　海外投資等損失準備金の設定の基礎とした特定株式等に係る特定法人が適格合併により解散した場合には、**3**の②の表の**ニ**の括弧書により当該特定法人に係る海外投資等損失準備金の金額は取り崩すことを要しないのであるが、当該適格合併に係る合併法人等が特定法人でないとき（当該適格合併が第二十三款の**二**の**1**の（4）《合併の場合の有価証券の譲渡対価の額》に掲げる金銭等不交付合併でないときを含む。）は同表の**ニ**及び上記（2）により当該適格合併に係る被合併法人である特定法人が当該適格合併直前において特定法人でないこととなったものとみなして海外投資等損失準備金の金額を取り崩すこととなることに留意する。（措通55－15）

②　特定法人を分割法人とする適格分割型分割が行われた場合の取扱い

（分割承継法人が特定法人である場合の引継ぎ）
（1）　内国法人が海外投資等損失準備金を積み立てている場合において、当該海外投資等損失準備金に係る特定法人を分割法人とする適格分割型分割が行われ、かつ、当該適格分割型分割に係る分割承継法人（当該分割法人の株主等が第二章第一節の**二**《定義》の表の**12の11**《適格分割》に掲げる分割承継親法人〔以下（1）及び（2）の表の（二）において「分割承継親法人」という。〕の株式等の交付を受ける場合にあっては、当該分割承継親法人。以下（1）において「分割承継法人等」という。）が特定法人であるときは、当該内国法人の当該適格分割型分割の日における分割法人である特定法人に係る海外投資等損失準備金の金額のうち当該海外投資等損失準備金の金額に次の表の（一）に掲げる金額に（二）に掲げる金額の占める割合を乗じて計算した金額に相当する金額は、当該適格分割型分割後においては、当該分割承継法人等に係る海外投資等損失準備金の金額とみなして、**3**《海外投資等損失準備金の益金算入》及び**5**《適格組織再編成における海外投資等準備金の引継ぎ等》を適用する。（措法55㉕、措令32の2⑯）

（一）	当該適格分割型分割直前において有していた当該適格分割型分割に係る分割法人である特定法人の株式等の帳簿価額の合計額
（二）	当該適格分割型分割に係る分割法人である特定法人の株式等の分割純資産対応帳簿価額 注　「分割純資産対応帳簿価額」とは、第二十三款の**二**の**1**の（6）《分割型分割により新株等の交付を受けた場合の譲渡対価の額及び譲渡原価の額》に掲げるものをいう。（編者）

（分割承継法人が特定法人でない場合等の取崩し）
（2）　（1）に掲げる海外投資等損失準備金に係る特定法人を分割法人とする分割型分割が行われた場合において、次の左欄に掲げる事実があるときにおける当該海外投資等損失準備金を積み立てている内国法人に対する**3**の②《特定法人の株式等の譲渡等による取崩し》の適用については、それぞれ右欄に掲げるところによる。（措法55㉕、措令32の2⑰）

（一）	当該分割型分割が適格分割型分割に該当しない場合（（二）及び（四）に掲げる場合を除く。）	当該内国法人が当該分割型分割の時において分割法人である特定法人の株式等のうち当該分割型分割によりその分割承継法人に移転した資産及び負債に対応する部分（第二十三款の**二**の**1**《有価証券の譲渡益又は譲渡損の益金又は損金算入》の適用につき同**1**の（6）《分割型分割により新株等の交付を受けた場合の譲渡対価の額及び譲渡原価の額》に掲げる譲渡を行ったものとみなされる同（6）に掲げる分割承継法人に移転した資産及び負債に対応する部分をいう。（二）及び（三）において同じ。）を有しないこととなったものとみなして、**3**の②の表の**イ**を適用する。
（二）	当該分割型分割に係る分割承継法人（当該	当該内国法人が当該分割型分割直前において分割法人である特定

	分割型分割が適格分割型分割に該当し、かつ、当該分割法人の株主等が分割承継親法人の株式等の交付を受ける場合にあっては、当該分割承継親法人。(三)及び(四)において「分割承継法人等」という。)が特定法人でない場合((四)に掲げる場合を除く。)	法人の株式等のうち当該分割型分割によりその分割承継法人に移転した資産及び負債に対応する部分を有しないこととなったものとみなして、**3**の②の表の**イ**を適用する。
(三)	当該分割型分割に係る分割法人である特定法人が当該分割型分割により特定法人でないこととなった場合(当該分割型分割に係る分割承継法人等が特定法人である場合に限る。)	当該内国法人が当該分割型分割直前において分割法人である特定法人の株式等のうち当該分割型分割によりその分割承継法人に移転した資産及び負債に対応する部分以外のものを有しないこととなったものとみなして、**3**の②の表の**イ**を適用する。
(四)	当該分割型分割に係る分割承継法人等が特定法人でなく、かつ、当該分割型分割に係る分割法人である特定法人が当該分割型分割により特定法人でないこととなった場合	当該分割型分割に係る分割法人である特定法人が当該分割型分割直前において特定法人でないこととなったものとみなして、**3**の②の表の**ニ**を適用する。

③ 適格現物出資により被現物出資法人に株式等の全部又は一部を移転する場合の取扱い

内国法人が海外投資等損失準備金を積み立てている場合において、適格現物出資により外国法人である被現物出資法人に当該海外投資等損失準備金に係る特定法人の株式等の全部又は一部を移転し、かつ、当該被現物出資法人が資源開発投資法人に該当するものであるときは、当該内国法人の当該特定法人に係る海外投資等損失準備金の金額のうち次の表のそれぞれ左欄に掲げる場合の区分に応じそれぞれ右欄に掲げる金額は、当該適格現物出資後においては、当該被現物出資法人に係る海外投資等損失準備金の金額とみなして、**3**《海外投資等損失準備金の益金算入》及び**5**《適格組織再編成における海外投資等損失準備金の引継ぎ等》を適用する。(措法55㉖、措令32の2⑱)

イ	当該適格現物出資により当該被現物出資法人に当該特定法人の株式等の全部を移転した場合	その適格現物出資直前における当該特定法人に係る海外投資等損失準備金の金額
ロ	当該適格現物出資により当該被現物出資法人に当該特定法人の株式等の一部を移転した場合	その適格現物出資直前における当該特定法人に係る海外投資等損失準備金の金額に当該適格現物出資により移転することとなった当該特定法人の株式又は出資の数又は金額がその移転することとなった時の直前において有していた当該特定法人の株式又は出資の数又は金額のうちに占める割合を乗じて計算した金額

7 資源開発事業法人が分割法人等となる分社型分割等が行われた場合の取扱い

資源開発事業法人が分割法人又は現物出資法人となる分社型分割又は現物出資が行われたことにより当該資源開発事業法人が資源開発投資法人に該当することとなり、かつ、当該資源開発投資法人となった当該資源開発事業法人が特殊投資法人に該当する場合には、当該分社型分割又は現物出資により交付を受けた分割承継法人又は被現物出資法人の株式等の**1**の(1)《特殊投資法人の海外投資等損失準備金の積立ての対象となる特定株式等の取得価額》の適用については、同(1)に掲げる特殊投資法人の資本金の額又は出資金の額に相当する金額は、同(1)に掲げる各資源開発事業法人の株式等の帳簿価額の合計額とする。(措法55㉕、措令32の2⑳)

8 海外自主開発法人の特定株式等に係る貸倒引当金の繰入れの禁止

第二十九款の一の**1**の②《海外探鉱準備金積立額の損金算入》に掲げる国内鉱業者等に該当する法人が同②に掲げる指定期間(昭和50年4月1日から令和7年3月31日までの期間をいう。)内に取得する同②に掲げる海外自主開発法人の一の**2**の⑥《特定株式等》の特定株式等については、**1**《投融資に係る海外投資等損失準備金積立額の損金算入》及び**4**《適格分割等があった場合の期中海外投資等損失準備金の損金算入》は適用しない。(措法58⑬)

9　海外投資等損失準備金積立額の損金算入の申告

　1　《投融資に係る海外投資等損失準備金積立額の損金算入》は、1の適用を受けようとする事業年度の確定申告書等に海外投資等損失準備金として積み立てた金額の損金算入に関する申告《別表十二(一)》の記載があり、かつ、当該確定申告書等にその積み立てた金額の計算に関する明細書《別表十二(一)》及び2の②《資源開発投資法人》、2の④《資源探鉱投資法人》又は2の⑥《特定株式等》に掲げる経済産業大臣の認定に係る認定書の写しの添付がある場合に限り、適用する。(措法55⑦、措規21⑤)

　　注　経済産業大臣の認定に関する手続は、平成26年経済産業省告示第72号（最終改正令和4年経済産業省告示第86号）に定められている。（編者）

二　中小企業事業再編投資損失準備金

1　中小企業事業再編投資損失準備金積立額の損金算入

　青色申告書を提出する法人で次の表の法人欄に掲げる法人に該当するものが、各事業年度（解散の日を含む事業年度及び清算中の各事業年度を除く。）において同表の措置欄に掲げる措置として他の法人の株式又は出資（以下二において「**株式等**」という。）の取得（購入による取得に限る。以下二において同じ。）をし、かつ、これをその取得の日を含む事業年度終了の日まで引き続き有している場合（その取得をした株式等〔以下**1**において「特定株式等」という。〕の取得価額が同表の金額欄に掲げる金額である場合及び同日において当該措置に基因し、又は関連して生ずる損害を塡補する保険で(1)《特定保険契約の意義》で定めるものの契約〔**2**の②の表の(七)において「特定保険契約」という。〕を締結している場合を除く。）において、当該特定株式等の価格の低落による損失に備えるため、当該特定株式等（合併により合併法人に移転するものを除く。）の取得価額に同表の割合欄に掲げる割合を乗じて計算した金額（当該事業年度において当該特定株式等の帳簿価額を減額した場合には、その減額した金額のうち当該事業年度の所得の金額の計算上損金の額に算入された金額に相当する金額を控除した金額）以下の金額を損金経理の方法により各特定法人（特定株式等を発行した法人をいう。**2**において同じ。）別に中小企業事業再編投資損失準備金として積み立てたとき（当該事業年度の決算の確定の日までに剰余金の処分により積立金として積み立てる方法により中小企業事業再編投資損失準備金として積み立てた場合を含む。）は、その積み立てた金額は、当該事業年度の所得の金額の計算上、損金の額に算入する。（措法56①）

	法人	措置	金額	割合	
①	第二節第二款の**五**の３の(2)《中小企業者の意義》に掲げる中小企業者（同**3**の(7)《適用除外事業者の意義》に掲げる適用除外事業者又は同**3**の(8)《通算適用除外事業者の意義》に掲げる通算適用除外事業者に該当するものを除く。）のうち、産業競争力強化法等の一部を改正する等の法律（令和３年法律第70号）の施行の日（令和３年８月２日）から令和９年３月31日までの間に中小企業等経営強化法第17条第１項に規定する経営力向上計画（同条第４項第２号に掲げる事項の記載があるものに限る。以下①において「経営力向上計画」という。）について同条第１項の認定を受けたもの	当該認定に係る経営力向上計画（同法第18条第１項の規定による変更の認定があったときは、その変更後のもの）に従って行う同法第２条第10項に規定する事業承継等（同項第８号に掲げる措置に限る。）	10億円を超える金額	$\frac{70}{100}$	
②	新たな事業の創出及び産業への投資を促進するための産業競争力強化法等の一部を改正する法律（令和６年法律第45号）の施行の日から令和９年３月31日までの間に産業競争力強化法第24条の２第１項に規定する特別事業再編計画（以下②において「特別事業再編計画」とい	当該認定に係る特別事業再編計画（同法第24条の３第１項の規定による変更の認定があったときは、その変更後のもの。以下②において「認定特別事業再編計画」という。）に従って行う同法第46条の２に規定する特別事業再編（以下この号において「特別事業	100億円を超える金額又は１億円に満たない金額	次に掲げる当該特定株式等の区分に応じそれぞれ次に定める割合	
				(一)　当該認定特別事業再編計画に従って行う最初の特別事業再編のための措置として取得をした株式等	$\frac{90}{100}$
				(二)　(一)に掲げるもの以外の株式等	$\frac{100}{100}$

う。）について同項の認定を受けた同法第46条の2に規定する認定特別事業再編事業者である法人	再編」という。）のための措置（同法第2条第18項第6号にかかげる措置に限る。以下②において同じ。）	

注1 ─── 線部分（②に係る部分に限る。）は、令和6年度改正により追加された部分で、法人が新たな事業の創出及び産業への投資を促進するための産業競争力強化法等の一部を改正する法律（令和6年法律第45号）の施行の日以後に取得をする株式等について適用される。（令6改法附49②、1ⅩⅢイ）

　　なお、同法の施行期日を定める政令は、令和6年7月1日現在制定されていない。（編者）

注2 ─── 線部分（注1に係る部分は除く。）は、令和6年度改正により改正された部分で、改正規定は、新たな事業の創出及び産業への投資を促進するための産業競争力強化法等の一部を改正する法律（令和6年法律第45号）の施行の日から適用され、同日前の適用については、次による。（令6改法附1ⅩⅢイ）

　　なお、同法の施行期日を定める政令は、令和6年7月1日現在制定されていない。（編者）

　第二節第二款の**五の3の（2）**《中小企業者の意義》に掲げる中小企業者（同**3の（7）**《適用除外事業者の意義》に掲げる適用除外事業者又は同**3の（8）**《通算適用除外事業者の意義》に掲げる通算適用除外事業者に該当するものを除く。）で青色申告書を提出するもののうち、産業競争力強化法等の一部を改正する等の法律（令和3年法律第70号）の施行の日（令和3年8月2日）から令和9年3月31日までの間に中小企業等経営強化法17条第1項に規定する経営力向上計画（同条第4項第2号に掲げる事項の記載があるものに限る。以下**1**において「経営力向上計画」という。）について同条第1項の認定を受けたものが、各事業年度（解散の日を含む事業年度及び清算中の各事業年度を除く。）において当該認定に係る経営力向上計画（同法第18条第1項の規定による変更の認定があったときは、その変更後のもの。**2の②**の表の（一）において「**認定経営力向上計画**」という。）に従って行う同法第2条第10項に規定する事業承継等（同項第8号に掲げる措置に限る。**2の②**の表の（一）において「事業承継等」という。）として他の法人の株式又は出資（以下**1**、**2の②**及び**3**において「株式等」という。）の取得（購入による取得に限る。<u>以下**二**において同じ。</u>）をし、かつ、これをその取得の日を含む事業年度終了の日まで引き続き有している場合（その取得をした株式等〔以下**1**において「特定株式等」という。〕の取得価額が10億円を超える場合及び同日において当該措置に基因し、又は関連して生ずる損害を填補する保険で（1）《特定保険契約の意義》で定めるものの契約〔**2の②**の表の（七）において「特定保険契約」という。〕を締結している場合を除く。）において、当該特定株式等の価格の低落による損失に備えるため、当該特定株式等（合併により合併法人に移転するものを除く。）の取得価額の$\frac{70}{100}$に相当する金額（当該事業年度において当該特定株式等の帳簿価額を減額した場合には、その減額した金額のうち当該事業年度の所得の金額の計算上損金の額に算入された金額に相当する金額を控除した金額）以下の金額を損金経理の方法により各特定法人（特定株式等を発行した法人をいう。**2**において同じ。）別に中小企業事業再編投資損失準備金として積み立てたとき（当該事業年度の決算の確定の日までに剰余金の処分により積立金として積み立てる方法により中小企業事業再編投資損失準備金として積み立てた場合を含む。）は、その積み立てた金額は、当該事業年度の所得の金額の計算上、損金の額に算入する。（措法56旧①）

　　注1 ─── 線部分（「以下**二**において同じ。」の部分に限る。）は、令和6年度改正により改正された部分で、改正規定は、令和6年4月1日から適用され、令和6年3月31日以前の適用については、「以下**二**において同じ。」とあるのは「以下**2の②**の表の（一）において同じ。」とする。（令6改法附1）

　　注2 ─── 線部分（適用期限及び注1に係る部分を除く。）は、令和6年度改正により改正された部分で、令和6年4月1日以後に取得をする株式等について適用され、令和6年3月31日以前に取得をした株式等については、「及び同日において当該措置に基因し、又は関連して生ずる損害を填補する保険で（1）《特定保険契約の意義》で定めるものの契約〔**2の②**の表の（七）において「特定保険契約」という。〕を締結している場合を除く。）において、」とあるのは「を除く。）において、」とする。（令6改法附49①、1）

（特定保険契約の意義）

（1）　**1**に掲げる損害を填補する契約とは、**1**に掲げる事業承継等として取得をした株式等の売買契約における売主表明事項（売主から表明された当該売主又は当該株式等を発行した法人の法務に関する事項、財務に関する事項、税務に関する事項、労務に関する事項その他の事項をいう。）につき正確でない、又は真実でない事実があり、当該売主表明事項と異なる事実が生じたことによってその取得をした法人に損害が生じた場合に保険金を支払う定めのある保険（当該損害により支払われることとされている保険金の限度額が5億円を超えるものに限る。）とする。（措規21の2①）

　　注　（1）は、令和6年度改正により追加されたもので、改正規定は、令和6年4月1日から適用される。（令6改措規附1）

（中小企業者であるかどうかの判定）

（2）　**1**は、法人が株式等の**1**に掲げる取得（以下「取得」という。）後、その取得の日を含む事業年度終了の日までの間、**1**に掲げる中小企業者（以下「中小企業者」という。）である場合でなければ適用がないことに留意する。（措通56−1）

　　注1　当該事業年度後の事業年度においては、中小企業者でなくなった場合においても、他の要件を満たす限り、**1**の中小企業事業再編投資損失準備金を取り崩す必要はない。

　　注2　本文及び注1の取扱いは、通算親法人の事業年度の中途において通算承認の効力を失った通算法人のその効力を失った日の前日に終了する事業年度についても、同様とする。

第三章　第一節　第十八款　二《中小企業事業再編投資損失準備金》

　　（評価減の額の区分）
（3）　法人が、各事業年度において1に掲げる特定法人（以下「特定法人」という。）の株式等の帳簿価額を減額した場合において、当該特定法人の株式等が1に掲げる特定株式等（以下「特定株式等」という。）とその他の株式等から成っているときは、当該事業年度に取得した特定株式等に係る帳簿価額を減額した金額は、次により計算した金額によるものとする。（措通56－2）

(一)	帳簿価額を減額した日に有する特定法人の株式等のその減額後の平均単価（当該株式等の帳簿価額を当該株式等の数で除して計算した金額をいう。以下同じ。）が特定株式等に係る取得単価以上である場合には、当該特定株式等に係る帳簿価額を減額した金額はないものとする。
(二)	帳簿価額を減額した日に有する特定法人の株式等の当該減額後の平均単価が特定株式等に係る取得単価に満たない場合には、その満たない金額に当該特定株式等の数を乗じて計算した金額（当該金額が当該特定法人の株式等に係る帳簿価額を減額した金額を超えるときは、当該帳簿価額を減額した金額）を特定株式等に係る帳簿価額を減額した金額とする。

2　中小企業事業再編投資損失準備金の益金算入

①　据置期間（5年）経過による5年均等取崩し

　　1の中小企業事業再編投資損失準備金を積み立てている法人の各事業年度終了の日において、前事業年度から繰り越された特定法人に係る中小企業事業再編投資損失準備金の金額（その日までに②により益金の額に算入された、若しくは算入されるべきこととなった金額又は前事業年度の終了の日までに①により益金の額に算入された金額がある場合にはこれらの金額を控除した金額とする。以下二において同じ。）のうちにその積み立てられた事業年度（以下①において「積立事業年度」という。）終了の日の翌日から5年（1の表の②の措置欄に掲げる措置として特定法人の株式等の取得をしていた場合における当該特定法人に係る中小企業事業再編投資損失準備金にあっては、10年）を経過したもの（以下①において「据置期間経過準備金額」という。）がある場合には、当該据置期間経過準備金額については、当該積立事業年度の所得の金額の計算上1により損金の額に算入された当該中小企業事業再編投資損失準備金として積み立てた金額に当該各事業年度の月数を乗じてこれを60で除して計算した金額（当該計算した金額が当該据置期間経過準備金額を超える場合には、当該据置期間経過準備金額）に相当する金額を、当該事業年度の所得の金額の計算上、益金の額に算入する。（措法56②）

　　注　――線部分は、令和6年度改正により追加された部分で、改正規定は、新たな事業の創出及び産業への投資を促進するための産業競争力強化法等の一部を改正する法律（令和6年法律第45号）の施行の日から適用される。（令6改法附1ⅩⅢイ）
　　　　なお、同法の施行期日を定める政令は、令和6年7月1日現在制定されていない。（編者）

　　（月数の計算）
（1）　①の月数は、暦に従って計算し、1か月に満たない端数を生じたときは、これを1か月とする。（措法56⑤）

　　（特定法人が2以上ある場合の中小企業事業再編投資損失準備金の取崩しの計算）
（2）　法人が中小企業事業再編投資損失準備金への積立てを2以上の特定法人の株式等について行っている場合には、当該準備金の金額は、それぞれの特定法人について設けられているのであるから、①による益金算入額は各特定法人ごとに計算することに留意する。（措通56－3）

　　（中小企業事業再編投資損失準備金の差額積立て等の特例）
（3）　法人が中小企業事業再編投資損失準備金につき、当該事業年度の取崩額と当該事業年度の積立額との差額を積み立て又は取り崩している場合においても、確定申告書等に添付する明細書にその相殺前の金額に基づく積立て等であることを明らかにしているときは、その相殺前の金額によりその積立て及び取崩しがあったものとして取り扱う。（措通55～57の8（共）－1、基通11－1－1参照）

②　特定法人の株式等の譲渡等による取崩し

　　1の中小企業事業再編投資損失準備金を積み立てている法人が次の表の左欄に掲げる場合に該当することとなった場合には、それぞれ次の表の右欄に掲げる金額に相当する金額は、その該当することとなった日を含む事業年度（（三）に掲げる場合にあっては、合併の日の前日を含む事業年度）の所得の金額の計算上、益金の額に算入する。（措法56③）

(一)	次の表の左欄に掲げる場合に該当することとなった	その取り消された日における当該特定法人に係る中小企

	場合（同表の左欄に掲げる場合の区分に応じそれぞれ同表の右欄に掲げる措置として特定法人の株式等の取得をしていた場合に限る。）		業事業再編投資損失準備金の金額
	イ	中小企業等経営強化法第18条第2項の規定により同法第17条第1項の認定が取り消された場合	当該認定に係る1の表の①の措置欄に掲げる措置
	ロ	産業競争力強化法第24条の3第2項又は第3項の規定により同法第24条の2第1項の認定が取り消された場合	当該認定に係る1の表の②の措置欄に掲げる措置
(二)	当該中小企業事業再編投資損失準備金に係る特定法人の株式等の全部又は一部を有しないこととなった場合（(三)又は(四)に該当する場合及び当該法人を合併法人とする適格合併により当該特定法人が解散した場合を除く。）		その有しないこととなった日における当該特定法人に係る中小企業事業再編投資損失準備金の金額のうちその有しないこととなった株式等に係るものとして(1)で掲げるところにより計算した金額（当該特定法人の株式等の全部を有しないこととなった場合には、その有しないこととなった日における当該特定法人に係る中小企業事業再編投資損失準備金の金額）
(三)	合併により合併法人に(二)に掲げる特定法人の株式等を移転した場合		その合併の直前における当該特定法人に係る中小企業事業再編投資損失準備金の金額
(四)	(二)に掲げる特定法人が解散した場合（当該法人を合併法人とする適格合併により解散した場合を除く。）		その解散の日における当該特定法人に係る中小企業事業再編投資損失準備金の金額
(五)	(二)に掲げる特定法人の株式等についてその帳簿価額を減額した場合		その減額をした日における当該特定法人に係る中小企業事業再編投資損失準備金の金額のうちその減額をした金額に相当する金額（分割型分割、第二章第一節の二の表の**12の15の2**《株式分配》に掲げる株式分配又は第二十三款の二の1の(27)《資本の払戻し等の場合の有価証券の譲渡原価の額》に掲げる資本の払戻しによりその帳簿価額を減額した場合には、同日における当該特定法人に係る中小企業事業再編投資損失準備金の金額のうちその減額をした金額に対応する部分の金額として(2)に掲げる金額）
(六)	当該法人が解散した場合（合併により解散した場合を除く。）		その解散の日における中小企業事業再編投資損失準備金の金額
(七)	当該法人が特定保険契約を締結した場合（当該特定保険契約に係る1の表の措置欄に掲げる措置として特定法人の株式等の取得をしていた場合に限る。）		その締結した日における当該特定法人に係る中小企業事業再編投資損失準備金の金額
(八)	①、(一)から(七)及び③の場合以外の場合において特定法人に係る中小企業事業再編投資損失準備金の金額を取り崩した場合		その取り崩した日における当該特定法人に係る中小企業事業再編投資損失準備金の金額のうちその取り崩した金額に相当する金額

注1 ──線部分（(一)に係る部分に限る。）は、令和6年度改正により改正された部分で、改正規定は、新たな事業の創出及び産業への投資を促進するための産業競争力強化法等の一部を改正する法律（令和6年法律第45号）の施行の日から適用され、同日前の適用については、次による。（令6改法附1 XIII イ）
　なお、同法の施行期日を定める政令は、令和6年7月1日現在制定されていない。（編者）

旧(一)	中小企業等経営強化法第18条第2項の規定により同法第17条第1項の認定が取り消された場合（当該認定に係る認定経営力向上計画に従って行う事業承継等として特定法人の株式等の取得をしていた場合に限る。）	その取り消された日における当該特定法人に係る中小企業事業再編投資損失準備金の金額

第三章　第一節　第十八款　二《中小企業事業再編投資損失準備金》

注2　――線部分（（七）に係る部分に限る。）は、令和6年度改正により追加された部分で、法人が令和6年4月1日以後に締結する1に掲げる特定保険契約について適用される。（令6改法附49③、1）

　　なお、（七）は、新たな事業の創出及び産業への投資を促進するための産業競争力強化法等の一部を改正する法律（令和6年法律第45号）の施行の日の前日までは、次のとおり適用される。（令6改法附49④）

　　なお、同法の施行期日を定める政令は、令和6年7月1日現在制定されていない。（編者）

| 旧（七） | 当該法人が特定保険契約を締結した場合（当該特定保険契約に係る1に掲げる事業承継等として特定法人の株式等の取得をしていた場合に限る。） | その締結した日における当該特定法人に係る中小企業事業再編投資損失準備金の金額 |

注3　――線部分（（八）に係る部分に限る。）は、令和6年度改正により改正された部分で、改正規定は、令和6年4月1日から適用され、令和6年3月31日以前の適用については、「（七）」とあるのは「（六）」とする。（令6改法附1）

　　（中小企業事業再編投資損失準備金の金額のうちその有しないこととなった株式等に係るものの金額）
（1）　②の表の（二）に掲げる中小企業事業再編投資損失準備金の金額のうちその有しないこととなった株式等に係るものの金額は、同（二）に掲げる中小企業事業再編投資損失準備金の金額に、次の表の左欄に掲げる場合の区分に応じそれぞれ次の表の右欄に掲げる割合を乗じて計算した金額とする。（措令33①）

（一）	当該中小企業事業再編投資損失準備金に係る特定法人の株式等の一部を有しないこととなった場合（同（二）に該当する場合を除く。）	その有しないこととなった当該特定法人の株式又は出資の数又は金額がその有しないこととなった時の直前において有していた当該特定法人の株式又は出資の数又は金額のうちに占める割合
（二）	当該中小企業事業再編投資損失準備金に係る特定法人の第二十三款の二の1の(29)《出資の払戻しを受けた場合の譲渡原価の額》に掲げる出資の払戻しにより出資の一部を有しないこととなった場合	同(29)に掲げる割合

　　（中小企業事業再編投資損失準備金の金額のうちその減額をした金額に対応する部分の金額）
（2）　②の表の（五）に掲げる中小企業事業再編投資損失準備金の金額のうちその減額をした金額に対応する部分の金額は、同（五）に掲げる中小企業事業再編投資損失準備金の金額に、次の表の左欄に掲げる場合の区分に応じそれぞれ次の表の右欄に掲げる割合を乗じて計算した金額とする。（措令33②）

（一）	分割型分割により特定法人の株式等の帳簿価額を減額した場合	当該分割型分割に係る第二十三款の一の2《有価証券の取得価額》の表の⑥に掲げる割合
（二）	第二章第一節の二の表の12の15の2に掲げる株式分配（以下（二）において「株式分配」という。）により特定法人の株式等の帳簿価額を減額した場合	当該株式分配に係る第二十三款の一の2の表の⑧に掲げる割合
（三）	第二十三款の二の1の(27)《資本の払戻し等の場合の有価証券の譲渡原価の額》に掲げる資本の払戻し（以下（三）において「資本の払戻し」という。）により特定法人の株式等の帳簿価額を減額した場合	当該資本の払戻しに係る同(27)に掲げる払戻等割合

　　（特定法人が2以上ある場合の中小企業事業再編投資損失準備金の取崩しの計算）
（3）　法人が中小企業事業再編投資損失準備金への積立てを2以上の特定法人の株式等について行っている場合には、当該準備金の金額は、それぞれの特定法人について設けられているのであるから、②（（六）を除く。）による益金算入額は各特定法人ごとに計算することに留意する。（措通56－3）

　　（特定法人の株式等の評価減を否認した場合の中小企業事業再編投資損失準備金の特例）
（4）　法人が、中小企業事業再編投資損失準備金に係る特定法人の株式等の帳簿価額を減額するとともに、その中小企業事業再編投資損失準備金の金額を取り崩した場合において、当該特定法人の株式等のその減額をした後の帳簿価額が時価を下回る等のため損金の額に算入されない部分の金額があることによりその取り崩した金額が②により取り崩して益金の額に算入すべき金額を超えるときは、その超える部分の金額は取崩しがなかったものとし、当該金額に相

当する法人計算外の中小企業事業再編投資損失準備金の金額があるものとして取り扱う。(措通56－4)

(中小企業事業再編投資損失準備金の基礎としなかった株式等がある場合の評価減)
（5） 法人が、当該事業年度前の事業年度から引き続き有している特定法人の株式等について帳簿価額を減額した場合には、当該株式等のうちに中小企業事業再編投資損失準備金の設定の基礎としなかった株式等があるときにおいても、その減額した日における中小企業事業再編投資損失準備金の金額のうちその減額した金額に達するまでの金額は、②の表の(五)により益金の額に算入しなければならないことに留意する。(措通56－5)

(合併等に伴う中小企業事業再編投資損失準備金の表示替え)
（6） 中小企業事業再編投資損失準備金で損金経理の方法により積み立てられたものと剰余金の処分の方法により積み立てられたものとを有する法人が、その準備金の積立方式の統一を図るため、例えば、損金経理の方法により積み立てられた準備金の全部を取り崩して益金の額に算入するとともに同額（取り崩して益金の額に算入すべき金額を除く。）を剰余金の処分の方法により準備金として積み立てる経理をした場合において、その経理をしたことが合併に伴う合併法人と被合併法人の準備金の積立方式の不統一を改める等合理的な理由によるものであるときは、その準備金は、当初からその統一後の積立方式によって積み立てられていたものとして取り扱う。(措通55～57の8（共）－2)
注 この準備金の積立方式の変更を行った場合には、その内容に応じ、申告調整による当該準備金の額に相当する金額の加算又は減算をしなければならないことに留意する。

③ 青色申告の取消し又は取りやめがあった場合の益金算入
1の中小企業事業再編投資損失準備金を積み立てている法人が青色申告書の提出の承認を取り消され、又は青色申告書による申告をやめる旨の届出書の提出をした場合には、その承認の取消しの基因となった事実のあった日（次の表の左欄に掲げる場合に該当する場合には、同表のそれぞれ右欄に掲げる日）又はその届出書の提出をした日（その届出書の提出をした日が青色申告書による申告をやめた事業年度終了の日後である場合には、同日）における中小企業事業再編投資損失準備金の金額は、その日を含む事業年度の所得の金額の計算上、益金の額に算入する。この場合において、①及び②は、適用しない。(措法56④)

(一)	通算法人がその取消しの処分に係る第二章第二節の四の(1)《青色申告の承認の取消しの通知》の通知を受けた場合	その通知を受けた日の前日（当該前日が当該通算法人に係る通算親法人の事業年度終了の日であるときは、当該通知を受けた日）
(二)	通算法人であった法人がその取消しの処分に係る同(1)の通知を受けた場合	その承認の取消しの基因となった事実のあった日又は第三十五款の二の1《通算承認》による承認の効力を失った日の前日（当該前日が当該法人に係る通算親法人の事業年度終了の日であるときは、当該効力を失った日）のいずれか遅い日

3 中小企業事業再編投資損失準備金積立額の損金算入の申告
1は、1の適用を受けようとする事業年度の確定申告書等に中小企業事業再編投資損失準備金として積み立てた金額の損金算入に関する申告の記載があり、かつ、当該確定申告書等にその積み立てた金額の計算に関する明細書の添付がある場合に限り、適用する。(措法56⑥)

(特定株式等に該当するものであることを証する書類の添付)
法人がその取得をした株式等につき1の適用を受ける場合には、当該株式等につき1の適用を受ける事業年度の確定申告書等に当該株式等が1に掲げる特定株式等に該当するものであることを証する書類として中小企業等経営強化法第18条第2項に規定する認定経営力向上計画に従って行う1の適用に係る1に掲げる事業承継等に係る次に掲げる書類を添付しなければならない。(措令33③、措規21の2②)

(一)	中小企業等経営強化法第17条第1項の認定に係る経営力向上に関する命令第2条第1項の申請書（同法第18条第1項の規定による変更の認定があったときは、当該変更の認定に係る同令第3条第1項の申請書を含む。以下(一)において「認定申請書」という。）の写し及び当該認定申請書に係る認定書（当該変更の認定があったときは、当該変更の認定に係る認定書を含む。）の写し
(二)	経営力向上に関する命令第5条第2項の確認書の写し

第三章　第一節　第十八款　二《中小企業事業再編投資損失準備金》

注1 ――線部分は、令和6年度改正により改正された部分で、改正規定は、令和6年4月1日から適用され、令和6年3月31日以前の適用については、「第1項」とあるのは「第1項又は第2項」とする。(令6改措規附1)

注2 **3**の《特定株式等に該当するものであることを証する書類の添付》の適用については、同《特定株式等に該当するものであることを証する書類の添付》に掲げる認定申請書には、旧経営力向上命令第2条第2項又は第3条第2項の申請書を含むものとする。(令6改措規附15①)

―1021―

三　特定船舶に係る特別修繕準備金

1　特別修繕準備金積立額の損金算入

青色申告書を提出する法人が、各事業年度（解散の日を含む事業年度及び清算中の各事業年度を除く。）において、その事業の用に供する船舶安全法第5条第1項第1号《船舶の施設等の検査》の規定による定期検査（以下**1**において「**定期検査**」という。）を受けなければならない船舶（総トン数が5トン未満のもの及び合併〔適格合併を除く。〕により合併法人に移転するものを除く。以下**三**において「**特定船舶**」という。）について行う定期検査を受けるための修繕（以下**三**において「**特別の修繕**」という。）に要する費用の支出に備えるため、当該特定船舶ごとに、**積立限度額**（**2**《特別修繕準備金の積立限度額》により計算される積立限度額をいう。）以下の金額を損金経理の方法により**特別修繕準備金**として積み立てたとき（当該事業年度の決算の確定の日までに剰余金の処分により積立金として積み立てる方法により特別修繕準備金として積み立てたときを含む。）は、その積み立てた金額は、当該事業年度の所得の金額の計算上、損金の額に算入する。（措法57の8①）

　注　税効果会計を適用する場合には、剰余金の処分による特別修繕準備金の積立額は、税効果相当額を控除した純額になるが、この場合でも確定申告書等に税務上の特別修繕準備金積立額を明らかにするための明細書を添付しているときは、税務上は、剰余金の処分による積立額とこれに対応する税効果相当額との合計額を特別修繕準備金として積み立てたものとして取り扱われる。（編者）

（特定船舶を賃借している場合の特別修繕準備金勘定の積立て）
（1）　**1**に掲げる事業の用に供する特定船舶には、法人が賃借している特定船舶に係る特別の修繕のために要する費用を当該法人が負担する契約をしている場合における当該特定船舶が含まれることに留意する。（措通57の8－1）

（船舶の定期検査のための修繕）
（2）　法人がその有する船舶につき船舶安全法による定期検査を受けるために修繕を行った場合においても、当該修繕のうちに明らかに定期検査と関係のないものがあるときは、当該定期検査と関係のない修繕は**1**に掲げる特別の修繕に該当しないことに留意する。（措通57の8－2）

2　特別修繕準備金の積立限度額

①　特別修繕準備金の積立限度額

特別修繕準備金の積立限度額は、次の表の左欄に掲げる区分に応じそれぞれ同表の右欄に掲げる金額とする。（措法57の8②、措令33の6①④⑥）

イ　**1**《特別修繕準備金積立額の損金算入》に掲げる法人がその特定船舶につき当該事業年度終了の時までに特別の修繕を行ったことがある場合	**1**の法人の事業の用に供する特定船舶につき最近において行った特別の修繕のために要した費用の額の$\frac{3}{4}$に相当する金額を60（当該特定船舶が船舶安全法第10条第1項ただし書《小型船等の船舶検査証書の有効期間》に規定する船舶である場合には72）で除し、これに当該事業年度の月数（当該事業年度において当該特定船舶の特別の修繕を完了した場合には、その完了の日から当該事業年度終了の日までの期間の月数）を乗じて計算した金額（当該計算した金額が**累積限度余裕額**を超える場合には、当該累積限度余裕額）とする。ただし、**3**の②《特別修繕予定日経過準備金額がある場合の益金算入》に掲げる特別修繕予定日経過準備金額が生じた特定船舶については、当該計算した金額は、同②に掲げる経過した日から当該特定船舶に係る特別の修繕が完了する日を含む事業年度開始の日の前日までの期間内の日を含む各事業年度においては、ないものとする。 $$積立限度額 = 前回の特別の修繕のために要した費用の額 \times \frac{3}{4} \times \frac{当該事業年度（特別修繕の完了事業年度にあっては、完了日以後の期間）の月数}{60又は72}$$ と $$前回の特別の修繕のために要した費用の額 \times \frac{3}{4} - 当該特定船舶に係る前事業年度繰越特別修繕準備金$$ とのいずれか少ない金額 （累積限度余裕額の意義） 　**イ**に掲げる累積限度余裕額とは、その最近において行った特別の修繕のために要した費用の額の$\frac{3}{4}$に相当する金額から当該特定船舶に係る当該事業年度終了の日における前事業年度から繰り越された特別修繕準備金の金額（その日までに**3**の①《特別の修繕のために要し

		た費用の額を支出した場合の益金算入》又は**3**の③《特別の修繕が完了した場合等の益金算入》により益金の額に算入された、又は算入されるべきこととなった金額がある場合には、当該金額を控除した金額。以下①において同じ。）を控除した金額をいう。（措令33の6②）
ロ	**1**に掲げる法人が、その特定船舶につき当該事業年度終了の時までに特別の修繕を行ったことがなく、かつ、類似船舶につき当該事業年度終了の時までに特別の修繕を行ったことがある場合	当該特定船舶と種類、構造、容積量、建造後の経過年数等について状況の類似する当該法人の事業の用に供する他の船舶（以下ロにおいて「類似船舶」という。）につき最近において行った特別の修繕のために要した費用の額を当該類似船舶の総トン数で除し、これに**1**に掲げる法人の事業の用に供する特定船舶の総トン数を乗じて計算した金額（以下ロにおいて**「特別修繕費の額」**という。）の$\frac{3}{4}$に相当する金額を60（当該特定船舶が船舶安全法第10条第1項ただし書に規定する船舶である場合には72）で除し、これに当該事業年度の月数（当該事業年度において当該特定船舶を取得し、又は建造した場合には、その取得又は建造の日から当該事業年度終了の日までの期間の月数）を乗じて計算した金額（当該計算した金額が当該特別修繕費の額の$\frac{3}{4}$に相当する金額から当該特定船舶に係る当該事業年度終了の日における前事業年度から繰り越された特別修繕準備金の金額を控除した金額を超える場合には、当該控除した金額）とする。ただし、**3**の②《特別修繕予定日経過準備金額がある場合の益金算入》に掲げる特別修繕予定日経過準備金額が生じた特定船舶については、当該計算した金額は、同②に掲げる経過した日から当該特定船舶に係る特別の修繕が完了する日を含む事業年度開始の日の前日までの期間内の日を含む各事業年度においては、ないものとする。$$積立限度額＝特別修繕費の額 \times \frac{3}{4} \times \frac{当該事業年度（当該特定船舶の取得又は建造事業年度にあっては取得又は建造の日以後の期間）の月数}{60又は72}$$$$特別修繕費の額 \times \frac{3}{4} - 当該特定船舶に係る前事業年度繰越特別修繕準備金$$とのいずれか少ない金額$$特別修繕費の額 ＝ 類似船舶につき最近に行われた特別の修繕のために要した費用の額 \times \frac{特定船舶の総トン数}{類似船舶の総トン数}$$
ハ	イ及びロに掲げる場合以外の場合	種類、構造、容積量、建造後の経過年数等について**1**の法人の事業の用に供する特定船舶と状況の類似する他の船舶につき最近において行われた特別の修繕のために要した費用の額を基礎として、**1**に掲げる法人の申請に基づき、納税地の所轄税務署長が認定した金額の$\frac{3}{4}$に相当する金額を60（当該特定船舶が船舶安全法第10条第1項ただし書に規定する船舶である場合には72）で除し、これに当該事業年度の月数（当該事業年度において当該特定船舶を取得し、又は建造した場合には、その取得又は建造の日から当該事業年度終了の日までの期間の月数）を乗じて計算した金額（当該計算した金額が当該認定した金額の$\frac{3}{4}$に相当する金額から当該特定船舶に係る当該事業年度終了の日における前事業年度から繰り越された特別修繕準備金の金額を控除した金額を超える場合には、当該控除した金額）とする。ただし、**3**の②《特別修繕予定日経過準備金額がある場合の益金算入》に掲げる特別修繕予定日経過準備金額が生じた特定船舶については、当該計算した金額は、同②に掲げる経過した日から当該特定船舶に係る特別の修繕が完了する日を含む事業年度開始の日の前日までの期間内を含む各事業年度においては、ないものとする。$$積立限度額 = 認定を受けた特別修繕費の額 \times \frac{3}{4} \times \frac{当該事業年度（当該特定船舶の取得等事業年度にあっては、取得等の日以後の期間）の月数}{60又は72}$$$$認定を受けた特別修繕費の額 \times \frac{3}{4} - 当該特定船舶に係る前事業年度繰越特別修繕準備金$$とのいずれか少ない金額

　　（月数の計算）
（1）　積立限度額の計算の基礎となる月数は、暦に従って計算し、1か月に満たない端数を生じたときは、これを1か月とする。（措法57の8⑯、措令33の6⑧）

第三章　第一節　第十八款　三《特定船舶に係る特別修繕準備金》

　　　（特別修繕完了の日及び築造の完了の日）
（２）　①の表の**イ**、同表の**ハ**若しくは**３**の②《特別修繕予定日経過準備金額がある場合の益金算入》及び**３**の③《特別の修繕が完了した場合等の益金算入》に掲げる特別の修繕の完了の日とは、定期検査が行われた船舶についての新たな船舶検査証書の交付の日をいう。（措通57の８－４）

　　　（特別修繕費の金額又は期間の認定申請書）
（３）　①の表の**ハ**に掲げる認定を受けようとする法人は、次に掲げる事項を記載した申請書に当該認定に係る金額の算定の基礎となるべき事項を記載した書類を添付し、これを納税地の所轄税務署長に提出しなければならない。（措法57の８⑯、措令33の６⑨、措規21の14①）

(一)	申請をする法人の名称、納税地及び法人番号並びに代表者の氏名
(二)	適用を受けようとする特定船舶の種類、名称及び船籍港
(三)	当該特定船舶と状況の類似する他の船舶の種類及び名称、船籍港、建造の日並びに経過年数並びにその所有者の氏名又は名称
(四)	(三)に掲げる他の船舶について最近に行われた特別の修繕の完了の日及びその特別の修繕のために要した費用の額
(五)	認定を受けようとする金額
(六)	その他参考となるべき事項

　　　（申請書の提出があった場合の税務署長の認定）
（４）　税務署長は、（３）《特別修繕費の金額又は期間の認定申請書》に掲げる申請書の提出があった場合には、遅滞なく、これを審査し、その申請に係る金額を認定するものとする。（措法57の８⑯、措令33の６⑩）

　　　（認定した特別修繕費の金額の変更）
（５）　①の表の**ハ**の認定後において、税務署長は、特別修繕費の金額の認定をした後、その認定に係る金額により当該特定船舶につき①の表の**ハ**に掲げる金額の計算をすることを不適当とする特別の事由が生じたと認める場合には、その金額を変更することができる。（措法57の８⑯、措令33の６⑪）

　　　（認定又は変更の通知）
（６）　税務署長は、（４）《申請書の提出があった場合の税務署長の認定》又は（５）《認定した特別修繕費の金額の変更》の処分をするときは、その認定に係る法人に対し、書面によりその旨を通知する。（措法57の８⑯、措令33の６⑫）

　　　（認定又は変更の処分の効果）
（７）　（４）《申請書の提出があった場合の税務署長の認定》又は（５）《認定した特別修繕費の金額の変更》の処分があった場合には、その処分のあった日の属する事業年度以後の各事業年度の所得の金額を計算する場合のその処分に係る特定船舶についての①の表の**ハ**に掲げる金額の計算につきその処分の効果が生ずるものとする。（措法57の８⑯、措令33の６⑬）

②　適格合併等により特別修繕準備金に係る特定船舶の移転を受けた場合の特別修繕準備金の積立限度額

　１《特別修繕準備金積立額の損金算入》に掲げる法人が適格合併、適格分割又は適格現物出資（以下**三**において「**適格合併等**」という。）により当該特別修繕準備金に係る特定船舶の移転を受けた合併法人、分割承継法人又は被現物出資法人（以下**二**において「**合併法人等**」という。）である場合において、合併法人等である当該法人が当該特定船舶に係る特別修繕準備金の積立てにつき積立限度額を計算するときの当該積立限度額は、次の表の左欄に掲げる場合の区分に応じそれぞれ同表の右欄に掲げる金額として①《特別修繕準備金の積立限度額》を適用する。（措法57の８②、措令33の６①〜⑦）

イ　１に掲げる法人がその特定船舶（当該適格合併等に係	１の法人の事業の用に供する特定船舶につき最近において行った特別の修繕のために要した費用の額の$\frac{3}{4}$に相当する金額を60（当該特定船舶が船舶安全法第10条第１項ただし書《小型船等の船舶検査証書の有効期間》に規定する船舶である場合には72）で除し、これに当該事業年度の月数（当該事業年度において適格合併等により当該特定船舶の移転を受けた場合には当該適格合併等

第三章　第一節　第十八款　三《特定船舶に係る特別修繕準備金》

イ	る被合併法人、分割法人又は現物出資法人〔以下ニにおいて「**被合併法人等**」という。〕においてその特定船舶に係る特別修繕準備金の積立てにつき積立限度額を①の表の**イ**により計算していた場合における当該特定船舶に限る。）につき当該事業年度終了のときまでに特別な修繕を行ったことがある場合	の日から当該事業年度終了の日までの期間の月数とし、当該事業年度において当該特定船舶の特別の修繕を完了した場合にはその完了の日から当該事業年度終了の日までの期間の月数とする。）を乗じて計算した金額（当該計算した金額が**累積限度余裕額**を超える場合には、当該累積余裕額）とする。ただし、3の②《特別修繕予定日経過準備金額がある場合の益金算入》に掲げる特別修繕予定日経過準備金額が生じた特定船舶については、当該計算した金額は、同②に掲げる経過した日から当該特定船舶に係る特別の修繕が完了する日を含む事業年度開始の日の前日までの期間内の日を含む各事業年度においては、ないものとする。 （累積限度余裕額の意義） 　イに掲げる累積限度余裕額とは、その最近において行った特別の修繕のために要した費用の額の$\frac{3}{4}$に相当する金額から当該特定船舶に係る当該事業年度終了の日における前事業年度から繰り越された特別修繕準備金の金額（当該適格合併等により引継ぎを受けた特別修繕準備金の金額及びその日までに3の①《特別の修繕のために要した費用の額を支出した場合の益金算入》又は3の③《特別の修繕が完了した場合等の益金算入》により益金の額に算入された、又は算入されるべきこととなった金額がある場合における当該金額を控除した金額とする。以下②において同じ。）を控除した金額をいう。（措令33の6③②）
ロ	1に掲げる法人が、その特定船舶（当該適格合併等に係る被合併法人等においてその特定船舶に係る特別修繕準備金の積立てにつき積立限度額を①の表の**ロ**により計算していた場合における当該特定船舶に限る。）につき当該事業年度終了の時までに特別の修繕を行ったことがなく、かつ、類似船舶につき当該事業年度終了の時までに特別の修繕を行	当該特定船舶と種類、構造、容積量、建造後の経過年数等について状況の類似する当該法人の事業の用に供する他の船舶（以下ロにおいて「類似船舶」という。）につき最近において行われた特別の修繕のために要した費用の額を当該類似船舶の総トン数で除し、これに1に掲げる法人の事業の用に供する特定船舶の総トン数を乗じて計算した金額（以下ロにおいて「**特別修繕費の額**」という。）の$\frac{3}{4}$に相当する金額を60（当該特定船舶が船舶安全法第10条第1項ただし書に規定する船舶である場合には、72）で除し、これに当該事業年度の月数（当該事業年度において適格合併等により当該特定船舶の移転を受けた場合には当該適格合併等の日から当該事業年度終了の日までの期間の月数とし、当該事業年度において当該特定船舶を取得し、又は建造した場合にはその取得又は建造の日から当該事業年度終了の日までの期間の月数とする。）を乗じて計算した金額（当該計算した金額が当該特別修繕費の額の$\frac{3}{4}$に相当する金額から当該特定船舶に係る当該事業年度終了の日における前事業年度から繰り越された特別修繕準備金の金額〔当該適格合併等により引継ぎを受けた特別修繕準備金を含む。〕を控除した金額を超える場合には、当該控除した金額）とする。ただし、3の②《特別修繕予定日経過準備金額がある場合の益金算入》に掲げる特別修繕予定日経過準備金額が生じた特定船舶については、当該計算した金額は、同②に掲げる経過した日から当該特定船舶に係る特別の修繕が完了する日を含む事業年度開始の日の前日までの期間内の日を含む各事業年度においては、ないものとする。

第三章　第一節　第十八款　三《特定船舶に係る特別修繕準備金》

		ったことがある場合
ハ	イ及びロに掲げる場合以外の場合（当該適格合併等に係る被合併法人等においてその特定船舶に係る特別修繕準備金の積立てにつき積立限度額を①の表のハにより計算していた場合における当該特定船舶に限る。）	種類、構造、容積量、建造後の経過年数等について**1**の法人の事業の用に供する特定船舶と状況の類似する他の船舶につき最近において行った特別の修繕のために要した費用の額を基礎として、同**1**に掲げる法人の申請に基づき、納税地の所轄税務署長が認定した金額（適格合併等により当該特定船舶の移転を受けた法人である場合には当該適格合併等に係る被合併法人等の納税地の所轄税務署長が認定した金額とする。）の$\frac{3}{4}$に相当する金額を60（当該特定船舶が船舶安全法第10条第1項ただし書に規定する船舶である場合には、72）で除し、これに当該事業年度の月数（当該事業年度において適格合併等により当該特定船舶の移転を受けた場合には当該適格合併等の日から当該事業年度終了の日までの期間の月数とし、当該事業年度において当該特定船舶を取得し、又は建造した場合にはその取得又は建造の日から当該事業年度終了の日までの期間の月数とする。）を乗じて計算した金額（当該計算した金額が当該認定した金額の$\frac{3}{4}$に相当する金額から当該特定船舶に係る当該事業年度終了の日における前事業年度から繰り越された特別修繕準備金の金額〔当該適格合併等により引継ぎを受けた特別修繕準備金の金額を含む。〕を控除した金額を超える場合には、当該控除した金額。）とする。ただし、**3**の②《特別修繕予定日経過準備金額がある場合の益金算入》に掲げる特別修繕予定日経過準備金額が生じた特定船舶については、当該計算した金額は、同②に掲げる経過した日から当該特定船舶に係る特別の修繕が完了する日を含む事業年度開始の日の前日までの期間内の日を含む各事業年度においては、ないものとする。

3　特別修繕準備金の益金算入

①　特別の修繕のために要した費用の額を支出した場合の益金算入

　1《特別修繕準備金積立額の損金算入》の特別修繕準備金を積み立てている法人が、当該特別修繕準備金に係る特定船舶（以下**二**において「**準備金設定特定船舶**」という。）について特別の修繕のために要した費用の額を支出した場合には、その支出をした日における当該準備金設定特定船舶に係る特別修繕準備金の金額（その日までにこの①若しくは③《特別の修繕が完了した場合等の益金算入》により益金の額に算入された、若しくは算入されるべきこととなった金額又は前事業年度終了の日までに②《特別修繕予定日経過準備金額がある場合の益金算入》により益金の額に算入された金額がある場合には、これらの金額を控除した金額。以下**4**までにおいて同じ。）のうち当該支出をした金額に相当する金額は、その支出をした日を含む事業年度の所得の金額の計算上、益金の額に算入する。（措法57の8③）

②　特別修繕予定日経過準備金額がある場合の益金算入

　1の特別修繕準備金を積み立てている法人の各事業年度終了の日において、前事業年度から繰り越された準備金設定特定船舶に係る特別修繕準備金の金額のうちに当該準備金設定特定船舶に係る特別の修繕の完了予定日（準備金設定特定船舶が次の表の左欄に掲げる資産のいずれに該当するかに応じそれぞれ同表の右欄に掲げる日をいう。）を含む事業年度終了の日の翌日から2年を経過したもの（以下②において「**特別修繕予定日経過準備金額**」という。）がある場合には、当該特別修繕予定日経過準備金額については、その経過した日を含む事業年度終了の日における当該準備金設定特定船舶に係る特別修繕準備金の金額に当該各事業年度の月数を乗じてこれを60で除して計算した金額（当該計算した金額が当該事業年度終了の日における当該準備金設定特定船舶に係る特別修繕準備金の金額を超える場合には、当該特別修繕準備金の金額）に相当する金額を、当該事業年度の所得の金額の計算上、益金の額に算入する。（措法57の8④、措令33の6⑭）

イ	特別の修繕を行ったことがある準備金設定特定船舶	最近において行った特別の修繕が完了した日の翌日から60か月（当該準備金設定特定船舶が船舶安全法第10条第1項ただし書に規定する船舶である場合には、72か月）を経過する日
ロ	特別の修繕を行ったことがない準備金設定特定船舶	当該準備金設定特定船舶の取得又は建造の日の翌日から60か月（当該準備金設定特定船舶が船舶安全法第10条第1項ただし書に規定する船舶である場合には、72か月）を経過する日

　注　②の月数は、暦に従って計算し、1か月に満たない端数を生じたときは、これを1か月とする。（措法57の8⑦）

(積立限度超過額の認容)
(1) 法人が特別修繕準備金勘定の金額を取り崩して収益として計上した場合において、その収益として計上した金額が益金の額に算入すべき金額を超えるときは、その超える金額は③の表の**ホ**《目的外》に掲げる任意の取崩額に該当することに留意する。この場合において、法人が計上していた特別修繕準備金勘定のうちに積立限度超過額があり、法人がその超える金額のうち既往の積立限度超過額に達するまでの金額について既往の積立限度超過額の取崩しとして確定申告書等において損失として計上したときは、その計算を認めるものとする。(措通57の8－8、措通57の4－1参照)

(特別修繕準備金の差額積立て等の特例)
(2) 法人が特別修繕準備金につき、当該事業年度の取崩額と当該事業年度の積立額との差額を積み立て又は取り崩している場合においても、確定申告書等に添付する明細書にその相殺前の金額に基づく積立て等であることを明らかにしているときは、その相殺前の金額によりその積立て及び取崩しがあったものとして取り扱う。(措通55～57の8(共)－1、基通11－1－1参照)

③ 特別の修繕が完了した場合等の益金算入

1の特別修繕準備金を積み立てている法人が次の表の左欄に掲げる場合(適格合併等により準備金設定特定船舶を移転した場合を除く。)に該当することとなった場合には、それぞれ同表の右欄に掲げる金額に相当する金額は、その該当することとなった日を含む事業年度(ハに掲げる場合にあっては、合併の日の前日を含む事業年度)の所得の金額の計算上、益金の額に算入する。(措法57の8⑤)

イ	準備金設定特定船舶について特別の修繕を完了した場合	その完了した日における当該準備金設定特定船舶に係る特別修繕準備金の金額
ロ	準備金設定特定船舶について特別の修繕を行わないこととなった場合(ハに該当する場合を除く。)	その行わないこととなった日における当該準備金設定特定船舶に係る特別修繕準備金の金額
ハ	合併により合併法人に準備金設定特定船舶を移転した場合	当該合併の直前における当該準備金設定特定船舶に係る特別修繕準備金の金額
ニ	解散した場合(合併により解散した場合を除く。)	その解散の日における特別修繕準備金の金額
ホ	①《特別の修繕のために要した費用の額を支出した場合の益金算入》、②《特別修繕予定日経過準備金額がある場合の益金算入》、イからニまで及び④《青色申告の取消し又は取りやめがあった場合の益金算入》の場合以外の場合《目的外》において特別修繕準備金の金額を取り崩した場合	その取り崩した日における特別修繕準備金の金額のうちその取り崩した金額に相当する金額

(準備金設定特定船舶を賃貸した場合の取崩し)
法人が特別修繕準備金勘定を設けている特定船舶を賃貸した場合において、その契約により賃借人が当該特定船舶の特別の修繕のために要する費用を負担することを定めているときは、準備金設定特定船舶について特別の修繕を行わないこととなったものとして③の表の**ロ**により当該特定船舶に係る特別修繕準備金勘定の金額を取り崩すものとする。(措通57の8－6)

④ 青色申告の取消し又は取りやめがあった場合の益金算入

1の特別修繕準備金を積み立てている法人が青色申告書の提出の承認を取り消され、又は青色申告書による申告をやめる旨の届出書の提出をした場合には、その承認の取消しの基因となった事実のあった日(次の表の左欄に掲げる場合に該当する場合には、同表のそれぞれ右欄に掲げる日)又はその届出書の提出をした日(その届出書の提出をした日が青色申告書による申告をやめた事業年度終了の日後である場合には、同日)における特別修繕準備金の金額は、その日を含む事業年度の所得の金額の計算上、益金の額に算入する。この場合においては、①から③まで及び**5**《適格合併等における特別修繕準備金の引継ぎ等》は適用しない。(措法57の8⑥)

(一)	通算法人がその取消しの処分に係る第二章第二	その通知を受けた日の前日(当該前日が当該通算法人に係る通算

	節の四の（1）《青色申告の承認の取消しの通知》の通知を受けた場合	親法人の事業年度終了の日であるときは、当該通知を受けた日）
(二)	通算法人であった法人がその取消しの処分に係る同（1）の通知を受けた場合	その承認の取消しの基因となった事実のあった日又は第三十五款の二の1《通算承認》による承認の効力を失った日の前日（当該前日が当該法人に係る通算親法人の事業年度終了の日であるときは、当該効力を失った日）のいずれか遅い日

4　適格分割等があった場合の期中特別修繕準備金の損金算入《適格分割・適格現物出資》

　青色申告書を提出する法人が適格分割又は適格現物出資（以下4において「**適格分割等**」という。）により分割承継法人又は被現物出資法人（以下4において「**分割承継法人等**」という。）に特定船舶を移転する場合において、当該特定船舶について行う特別の修繕に要する費用の支出に備えるため、当該特定船舶ごとに、当該適格分割等の日の前日を事業年度終了の日とした場合に2《特別修繕準備金の積立限度額》により計算される積立限度額に相当する金額以下の金額を特別修繕準備金として積み立てたときは、その積み立てた金額は、当該事業年度の所得の金額の計算上、損金の額に算入する。（措法57の8⑨）

　　（期中特別修繕準備金の積立てに関する届出）

　　4は、当該法人が適格分割等の日以後2か月以内に次に掲げる事項を記載した書類を納税地の所轄税務署長に提出した場合に限り、適用する。（措法57の8⑩、措規21の14②）

(一)	4の適用を受けようとする法人の名称、納税地及び法人番号並びに代表者の氏名
(二)	分割承継法人等の名称及び納税地並びに代表者の氏名
(三)	適格分割等の年月日
(四)	4に掲げる特定船舶の種類及び名称
(五)	4に掲げる特別修繕準備金として積み立てた金額及びその積み立てた金額の計算に関する明細
(六)	その他参考となるべき事項

5　適格合併等における特別修繕準備金の引継ぎ等

①　適格合併における特別修繕準備金の引継ぎ等

　1《特別修繕準備金積立額の損金算入》の特別修繕準備金を積み立てている法人が適格合併により合併法人に準備金設定特定船舶を移転した場合には、その適格合併直前における特別修繕準備金の金額は、当該合併法人に引き継ぐものとする。この場合において、その合併法人が引継ぎを受けた特別修繕準備金の金額は、当該合併法人がその適格合併の日において有する特別修繕準備金の金額とみなす。（措法57の8⑪、55⑩）

　　（合併法人における益金算入）
（1）　①に掲げる合併法人のその適格合併の日を含む事業年度に係る3の②《特別修繕予定日経過準備金額がある場合の益金算入》の適用については、前事業年度から繰り越された特別修繕準備金の金額は、①により当該合併法人が有するものとみなされた特別修繕準備金の金額を含むものとする。この場合において、当該合併法人が合併後存続する法人であるときは、その有するものとみなされた特別修繕準備金の金額については、同②中「当該各事業年度の月数」とあるのは、「当該適格合併の日から同日を含む事業年度終了の日までの期間の月数」とする。（措法57の8⑪、55⑫）

　　（合併法人が青色申告法人でない場合等の益金算入）
（2）　①の場合において、その合併法人がその適格合併の日を含む事業年度の確定申告書等を青色申告書により提出することができる者でないときは、当該事業年度終了の日における特別修繕準備金の金額は、当該事業年度の所得の金額の計算上、益金の額に算入する。（措法57の8⑪、55⑪）

　　（適格合併により引継ぎを受けた特別修繕準備金の均分取崩し）
（3）　合併法人が①により特別修繕準備金の金額の引継ぎを受けた場合において、当該合併法人の適格合併の日を含む

事業年度以後の各事業年度における当該特別修繕準備金に係る**3**の②《特別修繕予定日経過準備金額がある場合の益金算入》の適用については、当該適格合併に係る被合併法人において当該特別修繕準備金が積み立てられた事業年度と当該合併法人の事業年度とは区分して、かつ、当該被合併法人において積み立てられた事業年度に当該合併法人が自ら積立てをしたものとみなして取り扱うものとする。(措法57の8－7、55－7の2・編者補正)

　　　　(合併等に伴う特別修繕準備金の表示替え)
(4)　特別修繕準備金で損金経理の方法により積み立てられたものと剰余金の処分の方法により積み立てられたものとを有する法人が、その準備金の積立方式の統一を図るため、例えば、損金経理の方法により積み立てられた準備金の全部を取り崩して益金の額に算入するとともに同額(取り崩して益金に算入すべき金額を除く。)を剰余金の処分の方法により準備金として積み立てる経理をした場合において、その経理をしたことが合併に伴う合併法人と被合併法人の準備金の積立方式の不一致を改める等合理的な理由によるものであるときは、その準備金は、当初からその統一後の積立方式によって積み立てられていたものとして取り扱う。(措通55～57の8(共)－2)
　　　注　この準備金の積立方式の変更を行った場合には、その内容に応じ、申告調整による当該準備金の額に相当する金額の加算又は減算をしなければならないことに留意する。

②　適格分割における特別修繕準備金の引継ぎ等
　1《特別修繕準備金積立額の損金算入》又は**4**《適格分割等があった場合の期中特別修繕準備金の損金算入》の特別修繕準備金を積み立てている法人が適格分割により分割承継法人に当該特別修繕準備金に係る特定船舶を移転した場合には、その適格分割直前における当該特定船舶に係る特別修繕準備金の金額は、当該分割承継法人に引き継ぐものとする。この場合において、その分割承継法人が引継ぎを受けた特別修繕準備金の金額は、当該分割承継法人がその適格分割の日において有する**1**に掲げる特別修繕準備金の金額とみなす。(措法57の8⑫)

　　　　(分割法人における益金算入)
(1)　②の特別修繕準備金を積み立てている法人が適格分割により分割承継法人に当該特別修繕準備金に係る特定船舶を移転した場合において、特別修繕準備金を積み立てている法人のその適格分割の日を含む事業年度(同日が当該法人の事業年度開始の日である場合の当該事業年度を除く。)については、当該適格分割の日の前日を当該事業年度終了の日とみなして、**3**の②《特別修繕予定日経過準備金額がある場合の益金算入》を適用する。この場合において、同②中「当該各事業年度の月数」とあるのは、「当該適格分割の日を含む事業年度開始の日から当該適格分割の日の前日までの期間の月数」とする。(措法57の8⑬、55⑭)

　　　　(分割承継法人における益金算入)
(2)　②に掲げる分割承継法人のその適格分割の日を含む事業年度に係る**3**の②《特別修繕予定日経過準備金額がある場合の益金算入》の適用については、前事業年度から繰り越された特別修繕準備金の金額は、この②により当該分割承継法人が有するものとみなされた特別修繕準備金の金額を含むものとする。この場合において、当該分割承継法人が当該適格分割により設立された法人でないときは、当該分割承継法人の有するものとみなされた特別修繕準備金の金額については、同②中「当該各事業年度の月数」とあるのは、「当該適格分割の日から同日を含む事業年度終了の日までの期間の月数」とする。(措法57の8⑬、55⑯)

　　　　(分割承継法人が青色申告法人でない場合等の益金算入)
(3)　②の特別修繕準備金を積み立てている法人が適格分割により分割承継法人に当該特別修繕準備金に係る特定船舶を移転した場合において、その分割承継法人がその適格分割の日を含む事業年度の確定申告書等を青色申告書により提出することができる者でないときは、当該事業年度終了の日における特別修繕準備金の金額は、当該事業年度の所得の金額の計算上、益金の額に算入する。(措法57の8⑬、55⑮)

　　　　(適格分割により引継ぎを受けた特別修繕準備金の均分取崩し)
(4)　分割承継法人が②により特別修繕準備金の金額の引継ぎを受けた場合において、当該分割承継法人の適格分割の日を含む事業年度以後の各事業年度における当該特別修繕準備金に係る**3**の②《特別修繕予定日経過準備金額がある場合の益金算入》の適用については、当該適格分割に係る分割法人において当該特別修繕準備金が積み立てられた事業年度と当該分割承継法人の事業年度とは区分して、かつ、当該分割法人において積み立てられた事業年度に当該分割承継法人が自ら積立てをしたものとみなして取り扱うものとする。(措通57の8－7、55－7の2・編者補正)

⑤　適格現物出資における特別修繕準備金の引継ぎ等

　1《特別修繕準備金積立額の損金算入》又は4《適格分割等があった場合の期中特別修繕準備金の損金算入》の特別修繕準備金を積み立てている法人が適格現物出資により被現物出資法人に当該特別修繕準備金に係る特定船舶を移転した場合には、その適格現物出資直前における当該特定船舶に係る特別修繕準備金の金額は、当該被現物出資法人に引き継ぐものとする。この場合において、その被現物出資法人が引継ぎを受けた特別修繕準備金の金額は、当該被現物出資法人がその適格現物出資の日において有する1に掲げる特別修繕準備金の金額とみなす。（措法57の8⑭）

　　　　（現物出資法人における益金算入）
（1）⑤の特別修繕準備金を積み立てている法人が適格現物出資により被現物出資法人に当該特別修繕準備金に係る特定船舶を移転した場合において、特別修繕準備金を積み立てている法人のその適格現物出資の日を含む事業年度（同日が当該法人の事業年度開始の日である場合の当該事業年度を除く。）については、当該適格現物出資の日の前日を当該事業年度終了の日とみなして、3の②《特別修繕予定日経過準備金額がある場合の益金算入》を適用する。この場合において、同②中「当該各事業年度の月数」とあるのは、「当該適格現物出資の日を含む事業年度開始の日から当該適格現物出資の日の前日までの期間の月数」とする。（措法57の8⑮、55⑱）

　　　　（被現物出資法人における益金算入）
（2）⑤に掲げる被現物出資法人のその適格現物出資の日を含む事業年度に係る3の②《特別修繕予定日経過準備金額がある場合の益金算入》の適用については、前事業年度から繰り越された特別修繕準備金の金額は、この⑤により当該被現物出資法人が有するものとみなされた特別修繕準備金の金額を含むものとする。この場合において、当該被現物出資法人が当該適格現物出資により設立された法人でないときは、当該被現物出資法人の有するものとみなされた特別修繕準備金の金額については、同②中「当該各事業年度の月数」とあるのは、「当該適格現物出資の日から同日を含む事業年度終了の日までの期間の月数」とする。（措法57の8⑮、55⑳）

　　　　（被現物出資法人が青色申告法人でない場合等の益金算入）
（3）⑤の特別修繕準備金を積み立てている法人が適格現物出資により被現物出資法人に当該特別修繕準備金に係る特定船舶を移転した場合において、その被現物出資法人がその適格現物出資の日を含む事業年度の確定申告書等を青色申告書により提出することができる者でないときは、当該事業年度終了の日における特別修繕準備金の金額は、当該事業年度の所得の金額の計算上、益金の額に算入する。（措法57の8⑮、55⑲）

　　　　（適格現物出資により引継ぎを受けた特別修繕準備金の均分取崩し）
（4）被現物出資法人が⑤により特別修繕準備金の金額の引継ぎを受けた場合において、当該被現物出資法人の適格現物出資の日を含む事業年度以後の各事業年度における当該特別修繕準備金に係る3の②《特別修繕予定日経過準備金額がある場合の益金算入》の適用については、当該適格現物出資に係る現物出資法人において当該特別修繕準備金が積み立てられた事業年度と当該被現物出資法人の事業年度とは区分して、かつ、当該現物出資法人において積み立てられた事業年度に当該被現物出資法人が自ら積立てをしたものとみなして取り扱うものとする。（措通57の8－7、55－7の2・編者補正）

6　特別修繕準備金積立額の損金算入の申告

　1《特別修繕準備金積立額の損金算入》は、1の適用を受けようとする事業年度の確定申告書等に特別修繕準備金として積み立てた金額の損金算入に関する申告《別表十二(十二)》の記載があり、かつ、当該確定申告書等にその積み立てた金額の計算に関する明細書《別表十二(十二)》の添付がある場合に限り、適用する。（措法57の8⑧、56⑥）

四 その他の準備金

一《海外投資等損失準備金》及び二《中小企業事業再編投資損失準備金》、三《特定船舶に係る特別修繕準備金》、第七款の二十四《準備金方式による特別償却》並びに第二十九款の一《探鉱準備金又は海外探鉱準備金》のほか、租税特別措置法上の準備金として次のものがある。

1	新事業開拓事業者投資損失準備金 （令和元年度改正により廃止） 《別表十二（三）》	新事業開拓事業者投資損失準備金は、令和元年度改正により廃止された。ただし、平成31年3月31日以前に受けた計画の認定に係る投資事業有限責任組合に係る投資事業有限責任組合契約を締結している法人が平成31年4月1日以後に終了する各事業年度において有している当該投資事業有限責任組合の組合財産である新事業開拓事業者の株式については、令和元年度改正前の租税特別措置法第55条の2の適用がある。（平31改法附53、1、平31改措令附21、1、平31改措規附11、1） 青色申告書を提出する法人で、産業競争力強化法の施行の日（平成26年1月20日）から平成31年3月31日までの間に同法第16条第1項《特定新事業開拓投資事業計画の認定》に規定する特定新事業開拓投資事業計画（以下1において「特定新事業開拓投資事業計画」という。）について同条第1項の認定（以下1において「計画の認定」という。）を受けた投資事業有限責任組合契約に関する法律第2条第2項《定義》に規定する投資事業有限責任組合（以下1において「投資事業有限責任組合」という。）に係る同法第3条第1項《投資事業有限責任組合契約》に規定する投資事業有限責任組合契約を締結しているもの（当該投資事業有限責任組合の有限責任組合員に限り、当該法人が金融商品取引法第2条第3項第1号《定義》に規定する適格機関投資家のうち投資事業有限責任組合契約を締結した日を含む事業年度開始の時においてその有する第二十三款の一の1《用語の意義》の表の④に掲げるその他有価証券〔株式〈投資信託及び投資法人に関する法律第2条第14項《定義》に規定する投資口を含む。〉及び出資に限る。〕の帳簿価額が20億円以上である金融商品取引法第2条第3項第1号に規定する適格機関投資家に該当する場合には当該投資事業有限責任組合の産業競争力強化法第2条第6項《定義》に規定する特定新事業開拓投資事業〔以下1において「特定新事業開拓投資事業」という。〕の実施に資するものとして適格機関投資家に該当する法人の投資事業有限責任組合に係る組合員の出資の予定額として計画の認定に係る申請書に添付された経済産業省関係産業競争力強化法施行規則の一部を改正する省令（平成31年経済産業省令第39号）による改正前の経済産業省関係産業競争力強化法施行規則第10条第2項第9号《特定新事業開拓投資事業計画の認定の申請》に掲げる書類に記載された法人により出資される資金の額が2億円以上である場合に限る。）のうち、当該計画の認定を受けた日から当該計画の認定に係る特定新事業開拓投資事業計画（産業競争力強化法第17条第1項《特定新事業開拓投資事業計画の変更等》の規定による変更の認定があったときは、その変更後のもの。以下1において「認定特定新事業開拓投資事業計画」という。）に記載された特定新事業開拓投資事業を実施する期間として認定特定新事業開拓投資事業計画に記載された経済産業省関係産業競争力強化法施行規則第10条第3項に規定する特定新事業開拓投資事業計画の実施期間（当該認定特定新事業開拓投資事業計画につき変更の認定があったときは、特定新事業開拓投資事業計画の実施期間）終了の日までの期間（以下1において「積立期間」という。）内において当該投資事業有限責任組合に係る組合員の出資をしたものが、当該認定特定新事業開拓投資事業計画に従って取得をした当該投資事業有限責任組合の組合財産となる産業競争力強化法第2条第5項に規定する新事業開拓事業者（当該計画の認定を受けた日以後に剰余金の配当をしたものを除く。以下「新事業開拓事業者」という。）の株式（積立期間内における設立〔合併及び分割型分割による設立を除く。〕又は資本金の額の増加に伴う払込み又は現物出資により交付されるものに限る。以下同じ。）を積立期間内に終了する各事業年度（解散の日を含む事業年度及び清算中の各事業年度を除く。以下1において「適用事業年度」という。）において有している場合において、当該株式の価格の低落による損失に備えるため、当該適用事業年度終了の時において有する当該株式（合併〔適格合併を除く。〕により合併法人に移転するものを除く。）の当該適用事業年度終了の日に終了する当該投資事業有限責任組合の投資事業有限責任組合契約に関する法律第8条第1項《財務諸表等の備付け及び閲覧等》の事業年度（以下1において「計算期間」という。）終了の時（当該適用事業年度終了の日に終了する当該投資事業有限責任組合の計算期間がない場合には、当該適用事業年度終了の日の直前に終了した当該投資事業有限責任組合の計算期間終了の時）における帳簿価額の合計額の$\frac{50}{100}$（平成29年3月31日以前に受けた計画の認定に係る認定特定新事業開拓投資事業計画に従って取得をした投資事業有限責任組合の組合財産と

なる新事業開拓事業者の株式については、$\frac{80}{100}$）に相当する金額以下の金額を損金経理の方法により新事業開拓事業者投資損失準備金として積み立てたとき（当該適用事業年度の決算の確定の日までに剰余金の処分により積立金として積み立てる方法により新事業開拓事業者投資損失準備金として積み立てた場合を含む。）は、その積み立てた金額は、当該適用事業年度の所得の金額の計算上、損金の額に算入する。（旧措法55の2①、旧措令32の3①③、旧措規21の2①②）

2	特定事業再編投資損失準備金 （平成29年度改正により廃止） 《別表十二(十六)》	特定事業再編投資損失準備金は、平成29年度改正により廃止された。ただし、平成29年3月31日以前に**2**に掲げる計画の認定を受けた法人の平成29年4月1日以後に開始する各事業年度については、なお平成29年度改正前の租税特別措置法第55条の3の適用がある。（平29改法附68、1、平29改措令附20、1、平29改措規附10、1） 青色申告書を提出する法人で産業競争力強化法の施行の日（平成26年1月20日）から平成29年3月31日までの期間内に産業競争力強化法等の一部を改正する法律（平成30年法律第26号。以下「産業競争力強化法改正法」という。）第1条の規定による改正前の産業競争力強化法（以下「旧産業競争力強化法」という。）第26条第1項《特定事業再編計画の認定》に規定する特定事業再編計画（以下**2**において「特定事業再編計画」という。）について同条第1項の認定（以下**2**において「計画の認定」という。）を受けたものが、当該計画の認定を受けた日から同日以後10年を経過する日（当該計画の認定に係る特定事業再編計画〔産業競争力強化法改正法附則第5条第2項の規定によりなお従前の例によることとされる場合における旧産業競争力強化法第27条第1項《特定事業再編計画の変更等》の規定による変更の認定があったときは、その変更後のもの。〕に記載された旧産業競争力強化法第2条第12項《定義》に規定する特定事業再編〔以下**2**において「特定事業再編」という。〕に係る同条第12項第2号に規定する特定会社〔以下「特定会社」という。〕が当該特定事業再編による財務内容の健全性の向上に関する目標として旧産業競争力強化法第23条第2項第3号《事業再編の実施に関する指針》に規定する特定事業再編による財務内容の健全性の向上に関する目標として経済産業大臣が定める目標〔以下「財務目標」という。〕を達成した場合には、その目標を達成した日として特定会社が財務目標を達成した日として経済産業大臣が定める日）までの期間（イにおいて「積立期間」という。）内の日を含む各事業年度（平成26年4月1日以後に終了する事業年度に限り、解散の日を含む事業年度及び清算中の各事業年度を除く。）において次の表の左欄に掲げる株式若しくは出資又は債権につきそれぞれ同表の右欄に掲げる事実がある場合において、当該株式若しくは出資又は債権（以下**2**において「特定株式等」という。）の価格の低落又は貸倒れによる損失に備えるため、当該事実がある事業年度（以下**2**において「適用事業年度」という。）において当該特定株式等（合併により合併法人に移転するものを除く。）の取得価額（ロに掲げる特定株式等にあっては、当該適用事業年度終了の時における帳簿価額）の$\frac{70}{100}$に相当する金額（当該適用事業年度において当該特定株式等〔イに掲げるものに限る。〕の帳簿価額を減額した場合には、その減額した金額のうち当該適用事業年度の所得の金額の計算上損金の額に算入された金額に相当する金額を控除した金額）以下の金額を損金経理の方法により特定事業再編投資損失準備金として積み立てたとき（当該適用事業年度の決算の確定の日までに剰余金の処分により積立金として積み立てる方法により特定事業再編投資損失準備金として積み立てた場合を含む。）は、当該積み立てた金額は、当該適用事業年度の所得の金額の計算上、損金の額に算入する。（旧法55の3①、旧措令32の4①）
		イ　当該特定会社の株式若しくは出資（以下**2**において「特定株式」という。）で積立期間内における設立若しくは資本金の額若しくは出資金の額の増加に伴う払込み若しくは合併、分社型分割若しくは現物出資により交付されるもの又は当該特定会社に対する貸付金に係る債権（以下**2**において「特定債権」という。）で積立期間内における貸付けに係るもの	当該事業年度において当該特定株式又は特定債権の取得（当該計画の認定を受けた日以後最初に当該特定事業再編が行われた日〔ロにおいて「最初特定事業再編実施日」という。〕前の取得を除く。）をし、かつ、当該特定株式又は特定債権を当該事業年度終了の日まで引き続き有していること。
		ロ　最初特定事業再編実施日前から引き続き	当該事業年度が当該最初特定事業再編実施日を

		有している特定株式又は特定債権	含む事業年度である場合において、当該特定株式又は特定債権を当該事業年度終了の日まで引き続き有していること。
3	金属鉱業等鉱害防止準備金 (令和２年度改正により廃止) 《別表十二(四)》	金属鉱業等鉱害防止準備金は、令和２年度改正により廃止された。ただし、令和２年３月31日を含む事業年度終了の日において金属鉱業等鉱害防止準備金の金額を有する法人(令和２年４月１日以後に特定施設〔その使用の開始の日が令和２年３月31日以前であるものに限る。〕の移転を受ける法人を含む。)の令和２年４月１日以後に開始する各事業年度の所得の金額の計算については、なお令和２年度改正前の租税特別措置法第55条の２の適用がある。(令２改法附87、1) 青色申告書を提出する法人で金属鉱業等鉱害対策特別措置法第２条第２項《定義》に規定する採掘権者又は租鉱権者であるものが、昭和49年４月１日から令和９年３月31日までの期間内の日を含む各事業年度(解散の日を含む事業年度及び清算中の各事業年度を除く。以下三において同じ。)において、同法第７条第１項《鉱害防止積立金の積立て》に規定する特定施設(その使用の開始の日が令和２年３月31日以前であるものに限る。以下3において「特定施設」という。)の使用の終了後における鉱害の防止に要する費用の支出に備えるため、当該特定施設ごとに、当該特定施設(合併〔適格合併を除く。〕により合併法人に移転する特定施設を除く。)につき当該事業年度において同項及び同条第２項の規定により独立行政法人石油天然ガス・金属鉱物資源機構に鉱害防止積立金として積み立てた金額(同法第10条《承継等》の規定により積み立てたものとみなされた金額〔適格合併、適格分割又は適格現物出資により移転を受けた金額を除く。〕を含む。)の$\frac{80}{100}$(当該事業年度が、令和２年４月１日から令和３年３月31日までの間に開始する事業年度であるときは$\frac{70}{100}$とし、同年４月１日から令和４年３月31日までの間に開始する事業年度であるときは$\frac{60}{100}$とし、同年４月１日から令和５年３月31日までの間に開始する事業年度であるときは$\frac{50}{100}$とし、同年４月１日から令和６年３月31日までの間に開始する事業年度であるときは$\frac{40}{100}$とし、同年４月１日から令和７年３月31日までの間に開始する事業年度であるときは$\frac{30}{100}$とし、同年４月１日から令和８年３月31日までの間に開始する事業年度であるときは$\frac{20}{100}$とし、同年４月１日から令和９年３月31日までの間に開始する事業年度であるときは$\frac{10}{100}$とする。)に相当する金額以下の金額を損金経理の方法により金属鉱業等鉱害防止準備金として積み立てたとき(当該事業年度の決算の確定の日までに剰余金の処分により積立金として積み立てる方法により金属鉱業等鉱害防止準備金として積み立てたときを含む。)は、その積み立てた金額は、当該事業年度の所得の金額の計算上、損金の額に算入する。(旧措法55の２①)
4	特定災害防止準備金 (令和４年度改正により廃止) 《別表十二(五)》 《別表十二(六)》	特定災害防止準備金は、令和４年度改正により廃止された。ただし、令和４年３月31日を含む事業年度終了の日(以下4において「基準日」という。)において廃棄物の処理及び清掃に関する法律第８条第１項又は第15条第１項の許可(以下4において「設置許可」という。)を受けている法人(基準日後に他の者から旧租税特別措置法第56条第１項に規定する特定廃棄物最終処分場〔当該他の者が法人である場合には当該特定廃棄物最終処分場に係る設置許可を受けた日が当該他の者の基準日以前であるものに、当該他の者が個人である場合には当該特定廃棄物最終処分場に係る設置許可を受けた日が令和４年12月31日以前であるものに、それぞれ限る。〕の移転を受ける法人を含む。)の令和４年４月１日以後に開始する各事業年度の所得の金額の計算については、なお令和４年度改正前の租税特別措置法第56条の適用がある。(令４改法附44、1) 青色申告書を提出する法人で廃棄物の処理及び清掃に関する法律第８条第１項《一般廃棄物処理施設の許可》又は第15条第１項《産業廃棄物処理施設》の許可を受けたものが、平成10年６月17日から令和11年３月31日までの期間内の日を含む各事業年度(解散の日を含む事業年度及び清算中の各事業年度を除く。)において、同法第８条の５第１項《維持管理積立金》に規定する特定一般廃棄物最終処分場又は同法第15条の２の４《準用》において準用する同項に規定する特定産業廃棄物最終処分場(以下4において「特定廃棄物最終処分場」という。)の埋立処分の終了後における維持管理に要する費用の支出に備えるため、当該特定廃棄物最終処分場ごとに、当該特定廃棄物最終処分場(合併〔適格合併を除く。〕により合併法人に移転する特定廃棄物最終処分場を除く。)につき当該事業年度において同法第８条の５第１項及び第２項(これらの規定を同法第15条の２の４にお

いて準用する場合を含む。）の規定により独立行政法人環境再生保全機構に維持管理積立金として積み立てた金額（当該事業年度において同法第９条の５第３項又は第９条の６第１項〔これらの規定を同法第15条の４において準用する場合を含む。〕の規定による地位の承継があったときは、当該地位の承継〔適格合併、適格分割又は適格現物出資によるものを除く。〕につき同法第８条の５第７項〔同法第15条の２の４において準用する場合を含む。〕の規定により積み立てたものとみなされた金額を含む。）のうち同法第８条の５第１項（同法第15条の２の４において準用する場合を含む。）に規定する通知する額の$\frac{60}{100}$（当該事業年度が、令和６年４月１日から令和７年３月31日までの間に開始する事業年度であるときは、$\frac{50}{100}$とし、令和７年４月１日から令和８年３月31日までの間に開始する事業年度であるときは$\frac{40}{100}$とし、令和８年４月１日から令和９年３月31日までの間に開始する事業年度であるときは$\frac{30}{100}$とし、令和９年４月１日から令和10年３月31日までの間に開始する事業年度であるときは$\frac{20}{100}$とし、令和10年４月１日から令和11年３月31日までの間に開始する事業年度であるときは$\frac{10}{100}$とする。）に相当する金額以下の金額を損金経理の方法により特定災害防止準備金として積み立てたとき（当該事業年度の決算の確定の日までに剰余金の処分により積立金として積み立てる方法により特定災害防止準備金として積み立てたときを含む。）は、その積み立てた金額は、当該事業年度の所得の金額の計算上、損金の額に算入する。（旧措法56①、令４改法附44）

5	新幹線鉄道大規模改修準備金 （平成28年度改正により廃止） 《別表十二(七)》	新幹線鉄道大規模改修準備金は、平成28年度改正により廃止された。ただし、平成28年３月31日以前に全国新幹線鉄道整備法第15条第１項《所有営業主体の指定》の指定を受けた法人の当該指定に係る**5**に掲げる承認積立計画に係る新幹線鉄道大規模改修準備金については、なお平成28年度改正前の租税特別措置法第56条の適用がある。（平28改法附93②、１、平28改措令附18、１、平28改措規附21、１） 青色申告書を提出する法人で全国新幹線鉄道整備法第16条第１項《引当金積立計画》に規定する指定所有営業主体であるものが、適用事業年度において、同項の規定による承認を受けた同項に規定する引当金積立計画（同項の規定による変更の承認を受けたときは、その変更後のもの。以下**5**において「承認積立計画」という。）に係る同法第15条第２項に規定する新幹線鉄道に係る鉄道施設の大規模改修（同条第２項に規定する大規模改修をいう。）の実施に要する費用の支出に備えるため、次に掲げる金額のうちいずれか低い金額以下の金額を損金経理の方法により新幹線鉄道大規模改修準備金として積み立てたときは、当該積み立てた金額は、当該適用事業年度の所得の金額の計算上、損金の額に算入する。（旧措法56①⑰、旧措令32の５①）

イ	当該承認積立計画に従って全国新幹線鉄道整備法第17条第１項《新幹線鉄道大規模改修引当金の積立て》の規定により積み立てるべき金額の総額として同法第16条第１項の規定により国土交通大臣が承認した金額（ロにおいて「累積限度額」という。）に当該承認積立計画に記載された同法第16条第１項第２号の積立期間（以下**5**において「積立期間」という。）に含まれる当該事業年度の月数を乗じてこれを当該積立期間の月数で除して計算した金額
ロ	当該事業年度終了の日における当該承認積立計画に係る累積限度額から前事業年度から繰り越された当該承認積立計画に係る新幹線鉄道大規模改修準備金の金額（当該事業年度終了の日までに益金の額に算入された、若しくは算入されるべきこととなった金額又は前事業年度終了の日までに益金の額に算入された金額がある場合には、これらの金額を控除した金額とする。）を控除した金額

注　上記の月数は、暦に従って計算し、１か月に満たない端数を生じたときは、これを１か月とする。（旧措法56⑧）

（適用事業年度の意義）
　適用事業年度とは、承認積立計画に記載された積立期間内の日を含む各事業年度（合併〔適格合併を除く。〕により全国新幹線鉄道整備法第15条第１項の指定に係る同法第２条《定義》に規定する新幹線鉄道に係る鉄道事業法第２条第２項に規定する第一種鉄道事業の全部を移転する場合の当該合併の日の前日を含む事業年度を除く。）をいう。（旧措法56②）

6	原子力発電施	原子力発電施設解体準備金は、令和５年度改正により廃止された。ただし、脱炭素社会の実現に向

	設解体準備金 (令和5年度改正により廃止) 《別表十二(十九)》	けた電気供給体制の確立を図るための電気事業法等の一部を改正する法律（令和5年法律第44号）の施行の日（令和6年4月1日）以前に設置された特定原子力発電施設に係る原子力発電施設解体準備金については、なお令和5年度改正前の租税特別措置法第57条の4の適用がある。（令5改法附43①②、1 XIII）
		青色申告書を提出する法人で電気事業法（昭和39年法律第170号）第2条第1項第14号《定義》に規定する発電事業を営むものが、各事業年度（解散の日を含む事業年度及び清算中の各事業年度並びに被合併法人の合併〔適格合併を除く。〕の日の前日を含む事業年度を除く。）において、当該事業年度終了の日において有する特定原子力発電施設（原子力発電施設のうち、原子炉、タービンその他の設備並びに建物及びその附属設備で特定のものをいう。）に係る解体費用の支出に備えるため、特定原子力発電施設ごとに、イに掲げる金額からロに掲げる金額を控除した金額に当該事業年度の月数（当該事業年度が当該特定原子力発電施設の設置後初めて発電した日を含む事業年度である場合には、同日から当該事業年度終了の日までの期間の月数）を乗じてこれを当該特定原子力発電施設に係る解体費用の積立期間として特定原子力発電施設の設置後初めて発電した日の属する月から起算して50年を経過する月までの期間（原子力発電施設解体引当金に関する省令第2条の2第1項又は第4項《積立期間の変更》の通知があった場合には、直近の当該通知があった期間）（以下6において「積立期間」という。）の月数から当該特定原子力発電施設の設置後初めて発電した日から当該事業年度開始の日の前日までの期間の月数を控除した月数（当該事業年度が当該特定原子力発電施設の設置後初めて発電した日を含む事業年度である場合には、積立期間の月数）で除して計算した金額（当該事業年度が積立期間の末日を含む事業年度である場合には、イに掲げる金額からロに掲げる金額を控除した金額。）以下の金額を損金経理の方法により原子力発電施設解体準備金として積み立てたときは、その積み立てた金額は、当該事業年度の所得の金額の計算上、損金の額に算入する。（旧措法57の4①、旧措令33②、旧措規21の11、平成元年通商産業省令第30号）
			イ	当該法人の申請に基づき、経済産業大臣が当該特定原子力発電施設に係る当該事業年度終了の日における解体費用の額の見積額として承認した金額の $\frac{90}{100}$ に相当する金額
			ロ	当該事業年度終了の日における前事業年度から繰り越された当該特定原子力発電施設に係る原子力発電施設解体準備金の金額（前事業年度以前の事業年度において当該特定原子力発電施設に係る原子力発電施設解体準備金として積み立てた金額でその積み立てられた事業年度の所得の金額の計算上損金の額に算入されなかった金額がある場合には当該金額を含むものとし、前事業年度の終了の日までに益金の額に算入された金額がある場合には当該金額を控除した金額とする。）の $\frac{90}{100}$ に相当する金額
7	特定原子力施設炉心等除去準備金 《別表十二(八)》	青色申告書を提出する法人で原子力損害賠償・廃炉等支援機構法第55条の3第1項《廃炉等積立金の積立て及び管理》に規定する廃炉等実施認定事業者であるものが、原子力損害賠償・廃炉等支援機構法の一部を改正する法律の施行の日から令和8年3月31日までの期間内の日を含む各事業年度（解散の日を含む事業年度及び清算中の各事業年度を除く。）において、核原料物質、核燃料物質及び原子炉の規制に関する法律（昭和32年法律第166号）第43条の3の5第2項第5号《設置の許可》に規定する発電用原子炉施設又は原子力損害賠償・廃炉等支援機構法第38条第1項第2号《負担金の納付》に規定する実用再処理施設のうち、核原料物質、核燃料物質及び原子炉の規制に関する法律第64条の2第1項《特定原子力施設の指定》の規定により特定原子力施設として指定されたもの（以下7において「特定原子力施設」という。）に係る著しく損傷した炉心等の除去に要する費用の支出に充てるため、当該特定原子力施設ごとに、当該特定原子力施設につき当該事業年度において原子力損害賠償・廃炉等支援機構法第55条の3第1項及び第2項の規定により原子力損害賠償・廃炉等支援機構に廃炉等積立金として積み立てた金額に相当する金額以下の金額を損金経理の方法により特定原子力施設炉心等除去準備金として積み立てたときは、その積み立てた金額は、当該事業年度の所得の金額の計算上、損金の額に算入する。（措法57の4①）
8	異常危険準備金 《別表十二(九)》	① 保険会社等の異常危険準備金 　青色申告書を提出する法人で次の表の左欄に掲げるものが、各事業年度（解散の日を含む事業年度及び清算中の各事業年度を除く。）において、それぞれ右欄に掲げる法律の規定による責任準備

金の積立てに当たり、保険（②に掲げる原子力保険及び地震保険を除くものとし、異常災害損失の発生が見込まれる特定のものに限る。）又はこれに類する特定の共済に係る異常災害損失の補塡に充てるため、当該保険の種類又は共済の種類ごとに、当該保険又は当該共済の当該事業年度における正味収入保険料又は正味収入共済掛金を基礎として計算した金額以下の金額を損金経理の方法により異常危険準備金として積み立てたとき（当該事業年度の決算の確定の日までに剰余金の処分により積立金として積み立てる方法により異常危険準備金として積み立てたときを含む。）は、その積み立てた金額は、当該事業年度の所得の金額の計算上、損金の額に算入する。（措法57の5①）

イ	保険業法第3条第1項《免許》に規定する免許を受けて損害保険業を行う法人	保険業法第116条第1項《責任準備金》
ロ	保険業法第185条第1項《免許》・に規定する免許を受けて損害保険業を行う法人	保険業法第199条《業務等に関する規定の準用》において準用する同法第116条第1項《責任準備金》
ハ	保険業法第272条第1項《登録》に規定する登録を受けて同法第2条第17項《定義》に規定する少額短期保険業を行う法人（損害保険業を行うものに限る。）	保険業法第272条の18《事業費等の償却等に関する規定の準用》において準用する同法第116条第1項《責任準備金》
ニ	船主相互保険組合	船主相互保険組合法第44条の8《準用規定》において準用する保険業法第116条第1項
ホ	農業協同組合法第10条第1項第10号《事業》に掲げる事業を行う農業協同組合連合会	農業協同組合法第11条の32《共済の責任準備金の積立》
ヘ	消費生活協同組合法第10条第1項第4号《事業の種類》に掲げる事業を行う消費生活協同組合及び消費生活協同組合連合会	消費生活協同組合法第50条の7《責任準備金》
ト	共済水産業協同組合連合会	水産業協同組合法第105条第1項《準用規定》において準用する同法第15条の17《責任準備金》
チ	中小企業等協同組合法第9条の9第3項《協同組合連合会》に規定する火災等共済組合及び同条第1項第3号に掲げる事業を行う協同組合連合会	中小企業等協同組合法第58条第5項《準備金及び繰越金》
リ	生活衛生関係営業の運営の適正化及び振興に関する法律第8条第1項第10号《事業》に掲げる事業を行う生活衛生同業組合及び同法第54条第8号又は第9号《事業》に掲げる事業を行う生活衛生同業組合連合会	生活衛生関係営業の運営の適正化に関する法律第14条の4《共済事業の支払備金及び責任準備金》（同法第56条《準用》において準用する場合を含む。）
ヌ	森林組合法第101条第1項第13号《事業の種類》に掲げる事業を行う森林組合連合会	森林組合法第109条第1項《準用規定》において準用する同法第20条《責任準備金》

② **原子力保険又は地震保険に係る異常危険準備金**
　青色申告書を提出する法人で次の表の左欄に掲げるものが、各事業年度（解散の日を含む事業年度及び清算中の各事業年度を除く。）において、それぞれ右欄に掲げる法律の規定による責任準備金の積立てに当たり、原子力保険（原子力施設、原子力災害に係る損害賠償責任等を保険の目的とする保険をいう。）に係る原子力災害損失又は地震保険（住宅又は生活用動産を目的とし、地震若しくは噴火又はこれらによる津波を保険事故又は共済事故とする保険又は共済をいう。）に係る地震災害損失の補塡に充てるため、当該原子力保険又は地震保険の当該事業年度における正味収入保険料又は正味収入共済掛金を基礎として計算した金額以下の金額を損金経理の方法により異常危

険準備金として積み立てたとき（当該事業年度の決算の確定の日までに剰余金の処分により積立金として積み立てる方法により異常危険準備金として積み立てたときを含む。）は、その積み立てた金額は、当該事業年度の所得の金額の計算上、損金の額に算入する。（措法57の6①）

イ	保険業法第3条第1項《免許》に規定する免許を受けて損害保険業を行う法人	保険業法第116条第1項《責任準備金》
ロ	保険業法第185条第1項《免許》に規定する免許を受けて損害保険業を行う法人	保険業法第199条《業務等に関する規定の準用》において準用する同法第116条第1項《責任準備金》

9	関西国際空港用地整備準備金《別表十二(十)》	関西国際空港及び大阪国際空港の一体的かつ効率的な設置及び管理に関する法律第12条第1項第1号《事業実施の特例》に規定する指定会社（以下**9**において「指定会社」という。）が、適用事業年度において、空港用地整備費用（同法第15条《関西国際空港用地整備準備金》の空港用地の整備に要する費用をいう。）の支出に備えるため、次の表の①及び②に掲げる金額のうちいずれか低い金額以下の金額を損金経理の方法により関西国際空港用地整備準備金として積み立てたとき（当該適用事業年度の決算の確定の日までに剰余金の処分により積立金として積み立てる方法により関西国際空港用地整備準備金として積み立てたときを含む。）は、その積み立てた金額は、当該適用事業年度の所得の金額の計算上、損金の額に算入する。（措法57の7①、措令33の4①②）	
		①	次に掲げる金額のうちいずれか低い金額 イ 指定会社の平成24年7月1日を含む事業年度開始の時における空港用地（関西国際空港及び大阪国際空港の一体的かつ効率的な設置及び管理に関する法律第12条第1項に規定する空港用地をいう。以下**9**において同じ。）の帳簿価額の$\frac{1}{10}$に相当する金額 ロ 指定会社の適用事業年度の所得の金額（以下①において「指定会社所得金額」という。）のうち、指定会社所得金額と新関西国際空港株式会社の当該適用事業年度終了の日を含む事業年度の所得の金額との合計額（新関西国際空港株式会社の当該事業年度に欠損金額〔以下①において「新関空会社欠損金額」という。〕が生じた場合には、指定会社所得金額から新関空会社欠損金額を控除した金額）に$\frac{20}{100}$を乗じて計算した金額に相当する金額を超える部分の金額 注 ロの指定会社所得金額は、**9**《関西国際空港用地整備準備金》、第二十七款の**九**の2《特許権等の譲渡等による所得の課税の特例》、同款の**十三**の1《特定事業活動として特別新事業開拓事業者の株式の取得をした場合の損金算入》及び同**十三**の3《特定株式に係る特別勘定の金額の取崩し》を適用しないで計算した場合における適用事業年度の所得の金額とする。（措令33の4③）
		②	空港用地整備債務の額から、当該適用事業年度終了の日における前事業年度から繰り越された関西国際空港用地整備準備金の金額（その日までに益金の額に算入された、若しくは算入されるべきこととなった金額又は前事業年度終了の日までに益金の額に算入された金額がある場合には、これらの金額を控除した金額とする。）を控除した金額

注 ──線部分は、租税特別措置法施行令の一部を改正する政令（令和6年政令第213号）により追加された部分で、改正規定は、令和7年4月1日から適用される。（同政令附1）

　　（適用事業年度の意義）
（1） 適用事業年度とは、関西国際空港及び大阪国際空港の一体的かつ効率的な設置及び管理に関する法律第12条第1項第2号の規定に基づき指定会社が新関西国際空港株式会社に対し空港用地を貸し付けた日から関西国際空港及び大阪国際空港の一体的かつ効率的な設置及び管理に関する法律施行令第5条第2号《空港用地の貸付けの条件の基準》に規定する貸付期間の満了の日（その日が空港用地整備債務の返済の完了の日後となる場合には、当該完了の日）までの期間内の日を含む各事業年度（解散の日を含む事業年度及び清算中の各事業年度並びに被合併法人の合併〔適格合併を除く。〕の日の前日を含む事業年度を除くものとし、青色申告書を提出する事業年度に限る。）をいう。（措法57の7②、措令33の4④）

　　（空港用地整備債務の意義）
（2） 空港用地整備債務とは、指定会社が関西国際空港及び大阪国際空港の一体的かつ効率的な

設置及び管理に関する法律附則第3条第3項第1号《承継方針》に規定する吸収分割後に有する借入金その他の債務のうち空港用地の造成工事の費用に充てるために要した借入金その他の債務をいう。(措法57の7③)

10	中部国際空港整備準備金《別表十二(十一)》	中部国際空港の設置及び管理に関する法律第4条第2項《中部国際空港等の設置及び管理を行う者の指定》に規定する指定会社(以下10において「指定会社」という。)が、適用事業年度において、中部国際空港の整備に要する費用の支出に備えるため、次の①又は②に掲げる金額のうちいずれか低い金額(当該金額が(2)《適用事業年度の所得金額の計算》に掲げる金額の$\frac{2}{3}$に相当する金額を超えるときは、当該$\frac{2}{3}$に相当する金額。)以下の金額を損金経理の方法により中部国際空港整備準備金として積み立てたとき(当該適用事業年度の決算の確定の日までに剰余金の処分により積立金として積み立てる方法により中部国際空港整備準備金として積み立てたときを含む。)は、その積み立てた金額は、当該適用事業年度の所得の金額の計算上、損金の額に算入する。(措法57の7の2①、措令33の5②)
		① 指定会社が中部国際空港の用に供するために造成した土地(以下10において「中部国際空港用地」という。)の指定会社の平成25年4月1日を含む事業年度開始の時における中部国際空港用地の帳簿価額(以下10において「累積限度基準額」という。)の$\frac{1}{10}$に相当する金額
		② 累積限度基準額から、当該適用事業年度終了の日における前事業年度から繰り越された中部国際空港整備準備金の金額(その日までに益金の額に算入された、若しくは算入されるべきこととなった金額又は前事業年度終了の日までに益金の額に算入された金額がある場合には、これらの金額を控除した金額とする。)を控除した金額

(適用事業年度の意義)
(1) 適用事業年度とは、平成25年4月1日から令和17年3月31日までの期間内の日を含む各事業年度(被合併法人の合併〔適格合併を除く。〕の日の前日を含む事業年度を除くものとし、青色申告書を提出する事業年度に限る。)をいう。(措法57の7の2②、措令33の5③⑤、平成25年国土交通省告示第336号〔最終改正平成26年第424号〕)

(適用事業年度の所得金額の計算)
(2) 10に掲げる所得の金額は、10、第二十七款の九の2《特許権等の譲渡等による所得の課税の特例》、同款の十三の1《特定事業活動として特別新事業開拓事業者の株式の取得をした場合の損金算入》及び同十三の3《特定株式に係る特別勘定の金額の取崩し》を適用しないで計算した場合における適用事業年度の所得の金額とする。(措令33の5①)
注 ──線部分は、租税特別措置法施行令の一部を改正する政令(令和6年政令第213号)により追加された部分で、改正規定は、令和7年4月1日から適用される。(同政令附1)

| 11 | 農業経営基盤強化準備金《別表十二(十三)》 | 青色申告書を提出する法人で、農業経営基盤強化促進法第12条第1項《農業経営改善計画の認定等》に規定する農業経営改善計画に係る同項の認定を受けた農地法第2条第3項《定義》に規定する農地所有適格法人(以下11において「認定農地所有適格法人」という。)に該当するもの(農業経営基盤強化促進法第19条第1項に規定する地域計画の区域において農業を担う者として同条第8項の規定による公告(以下11において「公告」という。)があった同条第1項に規定する地域計画(これを変更した旨の公告があったときは、その変更後のもの)に、農業経営基盤強化促進法施行規則第17条の規定によりその名称が記載されている認定農地所有適格法人に限る。)が、平成19年4月1日から令和7年3月31日までの期間(以下11において「指定期間」という。)内の日を含む各事業年度(解散の日を含む事業年度及び清算中の各事業年度を除く。)の指定期間内において、農業の担い手に対する経営安定のための交付金の交付に関する法律第3条第1項《生産条件に関する不利を補正するための交付金の交付》若しくは第4条第1項《収入の減少が農業経営に及ぼす影響を緩和するための交付金の交付》に規定する交付金又は農業経営基盤強化促進法施行規則第25条の2第3号《勧奨についての配慮》に掲げる交付金若しくは補助金(以下11において「交付金等」という。)の交付を受けた場合において、農業経営基盤強化促進法第13条第2項に規定する認定計画(以下11において「認定計画」という。)の定めるところに従って行う農業経営基盤強化(同法第12条 |

第２項第２号の農業経営の規模を拡大すること又は同号の生産方式を合理化することをいう。以下11において同じ。）に要する費用の支出に備えるため、次に掲げる金額のうちいずれか少ない金額以下の金額を損金経理の方法により農業経営基盤強化準備金として積み立てたとき（当該事業年度の決算の確定の日までに剰余金の処分により積立金として積み立てる方法により農業経営基盤強化準備金として積み立てたときを含む。）は、その積み立てた金額は、当該事業年度の所得の金額の計算上、損金の額に算入する。（措法61の2①、措令37の2②、措規21の18の2①②）

イ	当該交付金等の額のうち農業経営基盤強化に要する費用の支出に備えるものとして（２）に掲げる金額
ロ	11、第十五款の**六**の**１**《農用地等を取得した場合の圧縮額の損金算入》、第二十七款の**九**の**２**《特許権等の譲渡等による所得の課税の特例》、同款の**十三**の**１**《特定事業活動として特別新事業開拓事業者の株式の取得をした場合の損金算入》及び同**十三**の**３**《特定株式に係る特別勘定の金額の取崩し》を適用せず、かつ、当該事業年度において支出した寄附金の額の全額を損金の額に算入するものとして計算した場合の当該事業年度の所得の金額

注　——線部分は、租税特別措置法施行令の一部を改正する政令（令和６年政令第213号）により追加された部分で、改正規定は、令和７年４月１日から適用される。（同政令附１）

（農業経営基盤強化に要する費用の支出に備える金額）
（１）　交付金等の額のうち農業経営基盤強化に要する費用の支出に備える金額とは、11に掲げる認定計画に記載された農用地等（第十五款の**六**の**１**に掲げる農用地等をいう。）の取得に充てるための金額として（２）《農用地等の取得に充てるための金額の証明》に掲げるところにより証明がされた金額をいう。（措令37の2①）

（農用地等の取得に充てるための金額の証明）
（２）　（１）に掲げるところにより証明がされた金額とは、11の適用を受けようとする事業年度の確定申告書等に、農林水産大臣の認定計画等に記載された農用地等（（２）に掲げる農用地等をいう。）の取得に充てるための金額である旨を証する書類を添付することにより証明がされたものをいう。（措規21の18の2③）

注　税効果会計を適用する場合には、剰余金の処分による租税特別措置法の準備金の積立額は、税効果相当額を控除した純額になるが、この場合でも確定申告書等に税務上の準備金積立額を明らかにするための明細書を添付しているときは、税務上は、剰余金の処分による積立額とこれに対応する税効果相当額との合計額を準備金として積み立てたものとして取り扱われる。（編者）

第十九款　譲渡制限付株式を対価とする費用等

一　譲渡制限付株式を対価とする費用等

1　給与等課税額が生じたときの役務の提供に係る費用

　内国法人が個人から役務の提供を受ける場合において、当該役務の提供に係る費用の額につき**譲渡制限付株式**（譲渡についての制限その他の条件が付されている株式〔出資を含む。〕として(1)に掲げる要件に該当する株式をいう。以下 **1** において同じ。）であって次の表に掲げる要件に該当するもの（以下 **一** において「**特定譲渡制限付株式**」という。）が交付されたとき（(2)に掲げる譲渡制限付株式〔以下 **一** において「**承継譲渡制限付株式**」という。〕が交付されたときを含む。）は、当該個人において当該役務の提供につき所得税法その他所得税に関する法令の規定により当該個人の同法に規定する給与所得、事業所得、退職所得及び雑所得（個人が所得税法第2条第1項第5号《定義》に規定する非居住者である場合には、当該個人が同項第3号に規定する居住者であるとしたときにおけるこれらの所得）の金額に係る収入金額とすべき金額又は総収入金額に算入すべき金額（**一** において「**給与等課税額**」という。）が生ずることが確定した日において当該役務の提供を受けたものとして、法人税法の規定を適用する。（法54①、令111の2③）

(一)	当該譲渡制限付株式が当該役務の提供の対価として当該個人に生ずる債権の給付と引換えに当該個人に交付されるものであること。
(二)	(一)に掲げるもののほか、当該譲渡制限付株式が実質的に当該役務の提供の対価と認められるものであること。

　　（譲渡制限付株式）
（1）　1に掲げる譲渡制限付株式は、次に掲げる要件に該当する株式（出資を含む。(2)において同じ。）とする。（法54①、令111の2①）

(一)	譲渡（担保権の設定その他の処分を含む。）についての制限がされており、かつ、当該譲渡についての制限に係る期間（以下 **1** において「**譲渡制限期間**」という。）が設けられていること。
(二)	個人から役務の提供を受ける内国法人又はその株式を発行し、若しくは個人に交付した法人がその株式を無償で取得することとなる事由（その株式の交付を受けた個人が譲渡制限期間内の所定の期間勤務を継続しないこと若しくは当該個人の勤務実績が良好でないことその他の当該個人の勤務の状況に基づく事由又はこれらの法人の業績があらかじめ定めた基準に達しないことその他のこれらの法人の業績その他の指標の状況に基づく事由に限る。）が定められていること。

　　（承継譲渡制限付株式）
（2）　1に掲げる承継譲渡制限付株式は、次に掲げるものとする。（法54①、令111の2②）

(一)	合併により当該合併に係る被合併法人の特定譲渡制限付株式を有する者に対し交付される当該合併に係る合併法人の譲渡制限付株式又は当該合併の直前に当該合併に係る合併法人と当該合併法人以外の法人との間に当該法人による完全支配関係がある場合における当該法人の譲渡制限付株式
(二)	分割型分割により当該分割型分割に係る分割法人の特定譲渡制限付株式を有する者に対し交付される当該分割型分割に係る分割承継法人の譲渡制限付株式又は当該分割型分割の直前に当該分割型分割に係る分割承継法人と当該分割承継法人以外の法人との間に当該法人による完全支配関係がある場合における当該法人の譲渡制限付株式

　　（役務の提供に係る費用）
（3）　特定譲渡制限付株式の交付が正常な取引条件で行われた場合には、1の役務の提供に係る費用の額は、当該特定譲渡制限付株式と引換えに給付された債権その他その役務の提供をする者に当該特定譲渡制限付株式が交付されたことに伴って消滅した債権（1の役務の提供の対価として1の個人に生ずる債権に限る。以下(3)において「消滅債権」

という。）の額（次の表の左欄に掲げる場合には、それぞれ次の表の右欄に掲げる金額。以下（3）において同じ。）に相当する金額（当該特定譲渡制限付株式につき（1）の表の（一）及び（二）に掲げる譲渡制限付株式が交付された場合には、同（一）及び（二）の特定譲渡制限付株式に係る消滅債権のに相当する金額）とする。（法54④、令111の2④）

（一）	その特定譲渡制限付株式に係る消滅債権がない場合（（二）に掲げる場合を除く。）	その特定譲渡制限付株式の交付された時の価額
（二）	その特定譲渡制限付株式が第十款の一の1の②の(15)《確定した数の株式を交付する旨の定めに基づいて支給する給与に係る費用の額》に掲げる確定数給与の支給として交付されたものである場合	同(15)に掲げる交付決議時価額

（分割型分割に係る分割法人の役務の提供に係る費用）
（4）（1）の表の（二）の分割型分割（承継譲渡制限付株式が交付されるものに限る。）に伴い、当該分割型分割に係る分割法人の特定譲渡制限付株式につき1に掲げる給与等課税額が生ずることが確定した場合には、当該特定譲渡制限付株式に係る（3）に掲げる費用の額は、当該特定譲渡制限付株式に係る（3）に掲げる消滅債権の額（（3）の表の（一）又は（二）の左欄に掲げる場合には、それぞれ同表の右欄に掲げる金額）に相当する金額に次の表の（一）に掲げる割合を乗じて計算した金額と当該相当する金額から当該計算した金額を控除した金額に次の表の（二）に掲げる割合を乗じて計算した金額との合計額その他の合理的な方法により計算した金額とし、当該承継譲渡制限付株式に係る（3）に掲げる費用の額は、当該消滅債権の額に相当する金額から当該合理的な方法により計算した金額を控除した金額とする。（令111の2②、規25の9）

（一）	1から当該分割型分割に係る第二款の**五**《配当等の額とみなす金額》の表の2に掲げる割合を控除した割合
（二）	当該特定譲渡制限付株式の交付の日から当該承継譲渡制限付株式に係る1の表の（一）に掲げる譲渡制限期間終了の日までの期間の日数のうちに当該交付の日から当該分割型分割の日の前日までの期間の日数の占める割合

2　給与等課税額が生じないときの役務の提供に係る費用の損金不算入

1《給与等課税額が生じたときの役務の提供に係る費用》に掲げる場合において、1の個人において1の役務の提供につき給与等課税額が生じないときは、当該役務の提供を受ける内国法人の当該役務の提供を受けたことによる費用の額又は当該役務の全部若しくは一部の提供を受けられなかったことによる損失の額は、当該内国法人の各事業年度の所得の金額の計算上、損金の額に算入しない。（法54②）

3　明細書の添付

1《給与等課税額が生じたときの役務の提供に係る費用》の個人から役務の提供を受ける内国法人は、特定譲渡制限付株式の一株当たりの交付の時の価額、交付数、その事業年度において給与等課税額が生ずること又は生じないことが確定した数その他当該特定譲渡制限付株式又は承継譲渡制限付株式の状況に関する明細書を当該事業年度の確定申告書に添付しなければならない。（法54③）

二　新株予約権を対価とする費用等

1　給与等課税事由が生じたときの役務の提供に係る費用

内国法人が個人から役務の提供を受ける場合において、当該役務の提供に係る費用の額につき**譲渡制限付新株予約権**（所得税法施行令第84条第3項《譲渡制限付株式の価額等》に規定する権利の譲渡についての制限その他特別の条件が付されている新株予約権をいう。以下**二**において同じ。）であって次に掲げる要件に該当するもの（以下**二**において「**特定新株予約権**」という。）が交付されたとき（合併、分割、株式交換又は株式移転〔以下1において「**合併等**」という。〕に際し当該合併等に係る被合併法人、分割法人、株式交換完全子法人又は株式移転完全子法人の当該特定新株予約権を有する者に対し交付される当該合併等に係る合併法人、分割承継法人、株式交換完全親法人又は株式移転完全親法人の譲渡制限付新株予約権〔以下**二**において「**承継新株予約権**」という。〕が交付されたときを含む。）は、当該個人において当該役務の提供につき所得税法その他所得税に関する法令の規定により当該個人の同法に規定する給与所得、事業所得、退職所得及び雑所得（個人が所得税法第2条第1項第5号《定義》に規定する非居住者である場合には、当該個人が同項第3号に規定

する居住者であるとしたときにおけるこれらの所得）の金額に係る収入金額とすべき金額又は総収入金額に算入すべき金額を生ずべき事由（以下二において「**給与等課税事由**」という。）が生じた日において当該役務の提供を受けたものとして、法人税法の規定を適用する。（法54の2①、令111の3①②）

(一)	当該譲渡制限付新株予約権と引換えにする払込みに代えて当該役務の提供の対価として当該個人に生ずる債権をもって相殺されること。
(二)	(一)に掲げるもののほか、当該譲渡制限付新株予約権が実質的に当該役務の提供の対価と認められるものであること。

（役務の提供に係る費用の額）
（1）　特定新株予約権の交付が正常な取引条件で行われた場合には、1の役務の提供に係る費用の額は、当該特定新株予約権の交付された時の価額（第十款の一の1の②の(15)《確定した数の株式を交付する旨の定めに基づいて支給する給与に係る費用の額》に掲げる確定数給与にあっては、同(15)に掲げる交付決議時価額。以下（1）及び（2）において同じ。）に相当する金額（当該特定新株予約権につき承継新株予約権が交付された場合には、次の表の左欄に掲げる新株予約権の区分に応じそれぞれ同表の右欄に掲げる金額）とする。（法54の2⑥、令111の3③）

(一)	合併又は分割に係る承継新株予約権	当該承継新株予約権に係る特定新株予約権の1の個人に交付された時の価額に相当する金額
(二)	株式交換又は株式移転に係る承継新株予約権	当該承継新株予約権に係る特定新株予約権の1の個人に交付された時の価額に相当する金額に、その交付の日から当該承継新株予約権の行使が可能となる日までの期間の月数のうちに当該株式交換又は株式移転の日から当該行使が可能となる日までの期間の月数の占める割合を乗じて計算した金額
(三)	株式交換又は株式移転により消滅した特定新株予約権（その行使が可能となる日前に消滅したものに限る。）	当該特定新株予約権の1の個人に交付された時の価額に相当する金額に、その交付の日から当該特定新株予約権の行使が可能となる日までの期間の月数のうちに当該交付の日から当該株式交換又は株式移転の日の前日までの期間の月数の占める割合を乗じて計算した金額

　注　上表の月数は、暦に従って計算し、1か月に満たない端数を生じたときは、これを1か月とする。（法54の2⑥、令111の3④）

（役務の提供に係る費用とならないもの）
（2）　（1）の特定新株予約権の交付された時の価額には、1の個人から払い込まれた金銭の額及び給付を受けた金銭以外の資産（1の表の(一)の債権を除く。）の価額を含まないものとする。（令111の3⑤）

2　給与等課税事由が生じないときの役務の提供に係る費用の損金不算入

　1《給与等課税事由が生じたときの役務の提供に係る費用》に掲げる場合において、1の個人において1の役務の提供につき給与等課税事由が生じないときは、当該役務の提供を受ける内国法人の当該役務の提供を受けたことによる費用の額又は当該役務の全部若しくは一部の提供を受けられなかったことによる損失の額は、当該内国法人の各事業年度の所得の金額の計算上、損金の額に算入しない。（法54の2②）

3　新株予約権の消滅による利益の額の益金不算入

　2《給与等課税事由が生じないときの役務の提供に係る費用の損金不算入》に掲げる場合において、特定新株予約権（承継新株予約権を含む。）が消滅をしたときは、当該消滅による利益の額は、これらの新株予約権を発行した法人の各事業年度の所得の金額の計算上、益金の額に算入しない。（法54の2③）

4　新株予約権の発行の時の時価と払い込まれる金額との差額の損金不算入又は益金不算入

　内国法人が新株予約権（投資信託及び投資法人に関する法律第2条第17項《定義》に規定する新投資口予約権を含む。以下4において同じ。）を発行する場合において、その新株予約権と引換えに払い込まれる金銭の額（金銭の払込みに代えて給付される金銭以外の資産の価額及び相殺される債権の額を含む。以下4において同じ。）がその新株予約権のその発行の時の価額に満たないとき（その新株予約権を無償で発行したときを含む。）、又はその新株予約権と引換えに払い込まれる金銭の額がその新株予約権のその発行の時の価額を超えるときは、その満たない部分の金額（その新株予約権を無償で発行した場合には、その発行の時の価額）又はその超える部分の金額に相当する金額は、その内国法人の各事業年度の所

得の金額の計算上、損金の額又は益金の額に算入しない。（法54の2⑤）

5　明細書の添付

1の個人から役務の提供を受ける内国法人は、特定新株予約権の一個当たりの交付の時の価額、交付数、その事業年度において行使された数その他当該特定新株予約権又は承継新株予約権の状況に関する明細書を当該事業年度の確定申告書に添付しなければならない。（法54の2④）

第二十款　不正行為等に係る費用等の損金不算入

一　隠蔽仮装行為に要する費用等の損金不算入

　内国法人が、その所得の金額若しくは欠損金額又は法人税の額の計算の基礎となるべき事実の全部又は一部を隠蔽し、又は仮装すること（第二十款において「**隠蔽仮装行為**」という。）によりその法人税の負担を減少させ、又は減少させようとする場合には、当該隠蔽仮装行為に要する費用の額又は当該隠蔽仮装行為により生ずる損失の額は、その内国法人の各事業年度の所得の金額の計算上、損金の額に算入しない。（法55①）

　　（法人税以外の租税への準用）
　　一《隠蔽仮装行為に要する費用等の損金不算入》は、内国法人が隠蔽仮装行為によりその納付すべき法人税以外の租税の負担を減少させ、又は減少させようとする場合について準用する。（法55②）

二　隠蔽仮装行為に基づき確定申告書を提出した場合等の費用等の損金不算入

　内国法人が、隠蔽仮装行為に基づき確定申告書（その申告に係る法人税についての調査があったことにより当該法人税について第二章第三節の一の1の表の②《決定》による決定があるべきことを予知して提出された期限後申告書を除く。以下二において同じ。）を提出しており、又は確定申告書を提出していなかった場合には、これらの確定申告書に係る事業年度の第一款の三の2の表の①《売上原価等》に掲げる原価の額（資産の販売又は譲渡における当該資産の取得に直接要した額及び資産の引渡しを要する役務の提供における当該資産の取得に直接に要した額として（1）《原価の額から除かれる資産の取得に直接に要した額》に掲げる額を除く。）、同2の表の②《販売費、一般管理費その他の費用》に掲げる費用の額及び同2の表の③《損失》に掲げる損失の額（その内国法人が当該事業年度の確定申告書を提出していた場合には、これらの額のうち、その提出した当該確定申告書に記載した第二節第三款の二の1《確定申告》の表の①に掲げる金額又は当該確定申告書に係る修正申告書〔その申告に係る法人税についての調査があったことにより当該法人税について更正があるべきことを予知した後に提出された修正申告書を除く。〕に記載した同款の四の（3）《修正申告書の記載事項及び添付書類》の（一）に掲げる課税標準等の計算の基礎とされていた金額を除く。）は、その内国法人の各事業年度の所得の金額の計算上、損金の額に算入しない。ただし、次に掲げる場合に該当する当該原価の額、費用の額又は損失の額については、この限りでない。（法55③、規25の10）

（一）		次に掲げるものにより当該原価の額、費用の額又は損失の額の基因となる取引が行われたこと及びこれらの額が明らかである場合（災害その他やむを得ない事情により、当該取引に係る（イ）に掲げる帳簿書類の保存をすることができなかったことをその内国法人において証明した場合を含む。）
	（イ）	その内国法人が第二章第二節の三の1《帳簿書類の備付等》又は同章第五節の三の1の④《帳簿書類の整理保存》により保存する帳簿書類
	（ロ）	（イ）に掲げるもののほか、その内国法人の納税地又は（一）の取引に係る国内の事務所、事業所その他これらに準ずるものの所在地に保存する帳簿書類その他の物件
（二）		（一）の（イ）又は（ロ）に掲げるものにより、当該原価の額、費用の額又は損失の額の基因となる取引の相手方が明らかである場合その他当該取引が行われたことが明らかであり、又は推測される場合（（一）に掲げる場合を除く。）であって、当該相手方に対する調査その他の方法により税務署長が、当該取引が行われ、これらの額が生じたと認める場合

　　（原価の額から除かれる資産の取得に直接に要した額）
（1）　二《隠蔽仮装行為に基づき確定申告書を提出した場合等の費用等の損金不算入》に掲げる資産の販売又は譲渡における当該資産の取得に直接要した額及び資産の引渡しを要する役務の提供における当該資産の取得に直接に要した額として原価の額から除かれる額は、二の資産の販売又は譲渡及び資産の引渡しを要する役務の提供に係る第一款の三の2の表の①《売上原価等》に掲げる原価の額のうち、これらの資産（二の表の（一）及び（二）に掲げる場合に該当する場合におけるそれぞれ同表の（一）及び（二）の取引に係るものを除く。）が次の表の左欄に掲げる資産のいずれに該当するかに応じ、それぞれ同表の右欄に掲げる金額とする。（令111の4①）

①	購入した資産	当該資産の購入の代価(引取運賃、荷役費、運送保険料、購入手数料、関税(関税法第２条第２項第４号の２《定義》に規定する附帯税を除く。)その他当該資産の購入のために要した費用がある場合には、その費用の額を加算した金額)
②	自己の製造等(製造、採掘、採取、栽培、養殖その他これらに準ずる行為をいう。以下②において同じ)に係る資産	当該資産の製造等のために直接に要した原材料費の額
③	①及び②に掲げる方法以外の方法により取得(適格分社型分割、適格現物出資又は適格現物分配による分割法人、現物出資法人又は現物分配法人からの取得を除く。以下③において同じ)をした資産	その取得の時における当該資産の取得のために通常要する価額
④	適格合併、適格分割、適格現物出資又は適格現物分配(以下④において「適格組織再編成」という。)により移転を受けた資産	当該資産が当該適格組織再編成に係る被合併法人、分割法人、現物出資法人又は現物分配法人(以下「被合併法人等」という。以下④において同じ)において左欄①から④に掲げる資産の区分に応じ当該被合併法人等におけるそれぞれ右欄に掲げる金額

(災害その他やむを得ない事情の範囲)
(2) 二の表の(一)に掲げる「災害その他やむを得ない事情」の意義は、次に掲げるところによる。(基通９－５－８)
 (一) 「災害」とは、震災、風水害、冷害、雪害、干害、落雷、噴火その他の自然現象の異変による災害及び火災、鉱害、火薬類の爆発その他の人為による異常な災害並びに害虫、害獣その他の生物による異常な災害をいう。
 (二) 「やむを得ない事情」とは、(一)に掲げる災害に準ずるような状況又は二の内国法人の責めに帰することができない状況にある事態をいう。

(帳簿書類その他の物件の意義)
(3) 二の表の(一)の(イ)又は(ロ)に掲げる帳簿書類その他の物件とは、同表の(一)及び(二)の取引が行われたことを明らかにする、又は推測させる一切の帳簿書類その他の物件で二の内国法人が保存しているものをいうことに留意する。(基通９－５－９)

(取引が行われたことが推測される場合)
(4) 二の表の(二)の取引が行われたことが推測される場合とは、二の内国法人が保存する帳簿書類その他の物件により、その取引が行われたことが推測される場合をいうのであるが、例えば、当該内国法人の法人税に関する調査において、当該内国法人が帳簿書類その他の物件の提示又は提出をした場合に、当該帳簿書類その他の物件に、取引の年月日や具体的な内容は記載されているが金額が記載されていないときその他その取引が存在すると見込まれるような事実の記載があるときは、二の表の(二)の取引が行われたことが推測される場合に該当することに留意する。(基通９－５－10)

(相手方に対する調査その他の方法)
(5) 二の表の(二)の「相手方に対する調査その他の方法」には、例えば、次に掲げる方法が該当することに留意する。(基通９－５－11)

(一)	第二章第五節の六の１《当該職員の質問検査権》による質問検査権の行使に基づく相手方に対する調査
(二)	同六の３《特定事業者等への報告の求め》による同３に掲げる特定事業者等への報告の求め
(三)	同六の６《事業者等への協力要請》による同６の事業者又は官公署への協力の求め
(四)	相手方が国税に関する法律その他の法令の規定に基づき所轄税務署長に提出した納税申告書、当該納税申告書に添付された書類その他当該相手方が法令の規定に基づき所轄税務署長に提出した書類の確認
(五)	二の内国法人から提出又は提示のあった取引の相手方が保存する当該取引に関する帳簿書類その他の物件の写し

	の確認

注　（一）に掲げる相手方に対する調査は、相手方が支配又は管理をする場所（事業所等）等に臨場して行うものに限られず、個々の実情に応じ、相手方に電話をかけ、又は文書を発送して回答を求める方法によることもできることに留意する。
　　なお、相手方が国外にある者である場合には、通常、当該相手方に対し第二章第五節の**六の1**による質問検査権の行使ができないため、（一）に掲げる方法以外の方法によることとなる。

三　附帯税、罰科金等の損金不算入

1　附帯税

内国法人が納付する次の表に掲げるものの額は、その内国法人の各事業年度の所得の金額の計算上、損金の額に算入しない。（法55④、令111の4②）

①	国税に係る延滞税、過少申告加算税、無申告加算税、不納付加算税及び重加算税並びに印紙税法の規定による過怠税
②	地方税法の規定による延滞金（同法第65条《法人の道府県民税に係る納期限の延長の場合の延滞金》、第72条の45の2《法人の事業税に係る納期限の延長の場合の延滞金》又は第327条《法人の市町村民税に係る納期限の延長の場合の延滞金》の規定により徴収されるものを除く。）、過少申告加算金、不申告加算金及び重加算金
③	<u>森林環境税及び森林環境譲与税に関する法律の規定による森林環境税に係る延滞金</u>
④	特別法人事業税及び特別法人事業譲与税に関する法律の規定による特別法人事業税に係る延滞金（地方税法第72条の45の2《法人の事業税に係る納期限の延長の場合の延滞金》の規定の例により徴収されるものを除く。）、過少申告加算金、不申告加算金及び重加算金
⑤	地方税法第72条の100第2項《貨物割の賦課徴収等》に規定する貨物割に係る延滞税及び加算税並びに同法附則第9条の4第2項《譲渡割の賦課徴収の特例等》に規定する譲渡割に係る延滞税、利子税及び加算税（消費税法第45条の2第4項《法人の確定申告書の提出期限の特例》の規定の例により徴収されるものを除く。）

注　――線部分は、令和5年度改正により追加された部分で、改正規定は、令和6年1月1日から適用される。（令5改令附1Ⅰ）

2　罰科金等

内国法人が納付する次の表に掲げるものの額は、その内国法人の各事業年度の所得の金額の計算上、損金の額に算入しない。（法55⑤）

①	罰金及び科料（通告処分による罰金又は科料に相当するもの及び外国又はその地方公共団体が課する罰金又は科料に相当するものを含む。）並びに過料
②	国民生活安定緊急措置法の規定による課徴金及び延滞金
③	私的独占の禁止及び公正取引の確保に関する法律の規定による課徴金及び延滞金（外国若しくはその地方公共団体又は国際機関が納付を命ずるこれらに類するものを含む。）
④	金融商品取引法第六章の二《課徴金》の規定による課徴金及び延滞金
⑤	公認会計士法の規定による課徴金及び延滞金
⑥	不当景品類及び不当表示防止法の規定による課徴金及び延滞金
⑦	医薬品、医療機器等の品質、有効性及び安全性の確保等に関する法律（昭和35年法律第145号）の規定による課徴金及び延滞金

（役員等に対する罰科金等）

（1）　法人がその役員又は使用人に対して課された罰金若しくは科料、過料又は交通反則金を負担した場合において、その罰金等が法人の業務の遂行に関連してされた行為等に対して課されたものであるときは法人の損金の額に算入しないものとし、その他のものであるときはその役員又は使用人に対する給与とする。（基通9－5－12）

注1　「法人の損金の額に算入しない」とは、その罰金等をいわば法人の罰金等と観念する趣旨で、役員又は使用人に対する所得税は課さない。（編者）
注2　役員に対する給与とする場合には、その給与は損金不算入となることに留意する。（編者）

(外国等が課する罰金又は科料に相当するもの)
（２）　**2**の表の①に掲げる外国又はその地方公共団体が課する罰金又は科料に相当するものとは、裁判手続（刑事訴訟手続）を経て外国又はその地方公共団体により課されるものをいう。（基通９－５－13）
　　注　いわゆる司法取引により支払われたものも、裁判手続（刑事訴訟手続）を経て課された罰金又は科料に相当するものに該当することに留意する。

(外国等が納付を命ずる課徴金及び延滞金に類するもの)
（３）　**2**の表の③に掲げる「外国若しくはその地方公共団体又は国際機関が納付を命ずるこれらに類するもの」とは、外国若しくはその地方公共団体又は国際機関が、法令等（市場における公正で自由な競争の実現を目的とするものに限る。）に基づいて納付を命ずるもの（同表の①に掲げる罰金及び科料を除く。以下（３）において「外国課徴金」という。）をいう。（基通９－５－14）
　　注　欧州連合によるカルテル等違反への制裁金は、外国課徴金に該当する。

3　賄賂等
　内国法人が供与をする刑法第198条《贈賄》に規定する賄賂又は不正競争防止法第18条第１項《外国公務員等に対する不正の利益の供与等の禁止》に規定する金銭その他の利益に当たるべき金銭の額及び金銭以外の資産の価額並びに経済的な利益の額の合計額に相当する費用又は損失の額（その供与に要する費用の額又はその供与により生ずる損失の額を含む。）は、その内国法人の各事業年度の所得の金額の計算上、損金の額に算入しない。（法55⑥）

第二十一款　繰越欠損金

一　欠損金の繰越し

1　前10年以内の繰越欠損金の損金算入

①　前10年以内の繰越欠損金の損金算入

　内国法人の各事業年度開始の日前**10年**以内に開始した事業年度において生じた欠損金額（既に当該各事業年度前の事業年度の所得の金額の計算上損金の額に算入されたもの及び第二節第三款の**八**の**3**《欠損金の繰戻しによる還付》により還付を受けるべき金額の計算の基礎となったものを除く。）がある場合には、当該欠損金額に相当する金額は、当該各事業年度の所得の金額の計算上、損金の額に算入する。ただし、当該欠損金額に相当する金額が損金算入限度額（本文を適用せず、かつ、**三**の**2**の**(2)**《民事再生等に準ずる事実により債務免除等があった場合の欠損金の損金算入》及び**三**の**3**《解散の場合の期限切れ欠損金の損金算入》並びに第十一款の**二**の**2**の**②**《残余財産の確定の日の属する事業年度に係る事業税等の損金算入》を適用しないものとして計算した場合における当該各事業年度の**所得の金額の$\frac{50}{100}$**〔第二十七款の**十七**の**1**《特定目的会社の支払配当の損金算入》の表の①に掲げる要件を満たす特定目的会社及び同款の**十八**の**1**《投資法人の支払配当の損金算入》の表の①の要件を満たす投資法人にあっては、当該所得の金額の$\frac{100}{100}$〕に相当する金額をいう。）から当該欠損金額の生じた事業年度前の事業年度において生じた欠損金額に相当する金額で本文により当該各事業年度の所得の金額の計算上損金の額に算入される金額を控除した金額を超える場合は、その超える部分の金額については、この限りでない。（法57①、措法67の14②、67の15②）

注1　繰越控除期間及び損金算入限度額の経過措置に係る適用関係については、次のとおり。（編者）

（繰越控除期間）

欠損金額が生じた事業年度	平成30.3.31以前開始事業年度	平成30.4.1以後開始事業年度
繰越期間	**9年**	**10年**

（損金算入限度額）

①を適用する事業年度	平24.3.31以前開始事業年度	平24.4.1～平27.3.31開始事業年度	平27.4.1～平28.3.31開始事業年度	平28.4.1～平29.3.31開始事業年度	平29.4.1～平30.3.31開始事業年度	平30.4.1以後開始事業年度
損金算入限度額	繰越控除前所得金額（※）	繰越控除前所得金額の$\frac{80}{100}$相当額	繰越控除前所得金額の$\frac{65}{100}$相当額	繰越控除前所得金額の$\frac{60}{100}$相当額	繰越控除前所得金額の$\frac{55}{100}$相当額	繰越控除前所得金額の$\frac{50}{100}$相当額

　※　上表の繰越控除前所得金額とは、①に掲げる所要の調整を行った後の所得の金額をいう。

注2　適格合併が行われた場合における未処理欠損金額の引継ぎ等については、**四**の**1**《被合併法人等の未処理欠損金額の引継ぎ及び引継ぎ等に係る制限》を参照。（編者）

（会社更生等による債務免除等があった場合の適用対象となる欠損金額の範囲）

（1）　①《前10年以内の繰越欠損金の損金算入》の内国法人が**三**の**1**《会社更生等による債務免除等があった場合の欠損金の損金算入》、**三**の**2**《民事再生等による債務免除等があった場合の欠損金の損金算入》又は**三**の**3**《解散の場合の期限切れの欠損金の損金算入》の適用を受ける場合には、当該内国法人のこれらに掲げる適用年度（以下（1）において「適用年度」という。）以後の各事業年度（**三**の**3**の適用を受ける場合にあっては、適用年度後の各事業年度）における①の適用については、適用年度においてこれらの適用を受ける内国法人の次の表の（一）に掲げる金額（以下（1）において「損金算入額」という。）が同表の（二）に掲げる欠損金額（以下（1）において「未使用欠損金額」という。）のうち最も古い事業年度において生じたものから順次成るものとした場合に当該損金算入額に相当する金額を構成するものとされた未使用欠損金額があることとなる事業年度ごとに当該事業年度の未使用欠損金額のうち当該損金算入額に相当する金額を構成するものとされた部分に相当する金額は、ないものとする。（法57⑤、令112⑫）

次の表の左欄に掲げる場合の区分に応じそれぞれ同表の右欄に掲げる金額		
（一）	イ　当該適用年度において**三**の**1**の適用を受ける場合	**三**の**1**により当該適用年度の所得の金額の計算上損金の額に算入される金額が次表の（イ）に掲げる金額から（ロ）に掲げる金額を控除した金額を超え

			る場合のその超える部分の金額
		(イ)	三の1に掲げる適用年度終了の時における前事業年度以前の事業年度から繰り越された欠損金額の合計額
		(ロ)	①のただし書及び第三十五款の一の3《欠損金の通算》を適用しないものとした場合に①の本文により当該適用年度の所得の金額の計算上損金の額に算入されることとなる①に掲げる欠損金額（四の1の①《被合併法人等の未処理欠損金額の引継ぎ》により当該内国法人の欠損金額とみなされたものを含む。）
	ロ	当該適用年度において三の2の適用を受ける場合	三の2により当該適用年度の所得の金額の計算上損金の額に算入される金額が同2に掲げる合計額からイの(ロ)に掲げる金額を控除した金額を超える場合のその超える部分の金額
	ハ	当該適用年度において三の3の適用を受ける場合	三の3により当該適用年度の所得の金額の計算上損金の額に算入される金額
(二)	（一）のイの表の(ロ)に掲げる金額（（一）のハに掲げる場合にあっては、当該適用年度の次の表の左欄に掲げる区分に応じそれぞれ同表の右欄に掲げる金額）		
	イ	第三十五款の一の3の①《前10年以内の繰越欠損金の損金算入》、同①の（1）《繰越欠損金の額》及び同①の（2）《通算法人の繰越欠損金の損金算入限度額》の適用を受ける事業年度	当該適用年度に係る第三十五款の一の3の②《適用事業年度後の繰越欠損金の損金算入》に掲げる損金算入欠損金額の合計額
	ロ	イに掲げる事業年度以外の事業年度	①により当該適用年度の所得の金額の計算上損金の額に算入される金額

（繰越欠損金の損金算入の順序）
（2）　①による欠損金額の損金算入は、当該事業年度に繰り越された欠損金額が2以上の事業年度において生じたものから成る場合には、そのうち最も古い事業年度において生じた欠損金額に相当する金額から順次損金算入を行うものであることに留意する。（基通12－1－1）

②　中小法人等の繰越欠損金の損金算入限度額

次の表の左欄に掲げる内国法人のそれぞれ右欄に掲げる各事業年度の所得に係る①のただし書の適用については、①のただし書中「**所得の金額の$\frac{50}{100}$に相当する金額**」とあるのは、「所得の金額」とする。（法57⑪、66⑤⑥、令139の6）

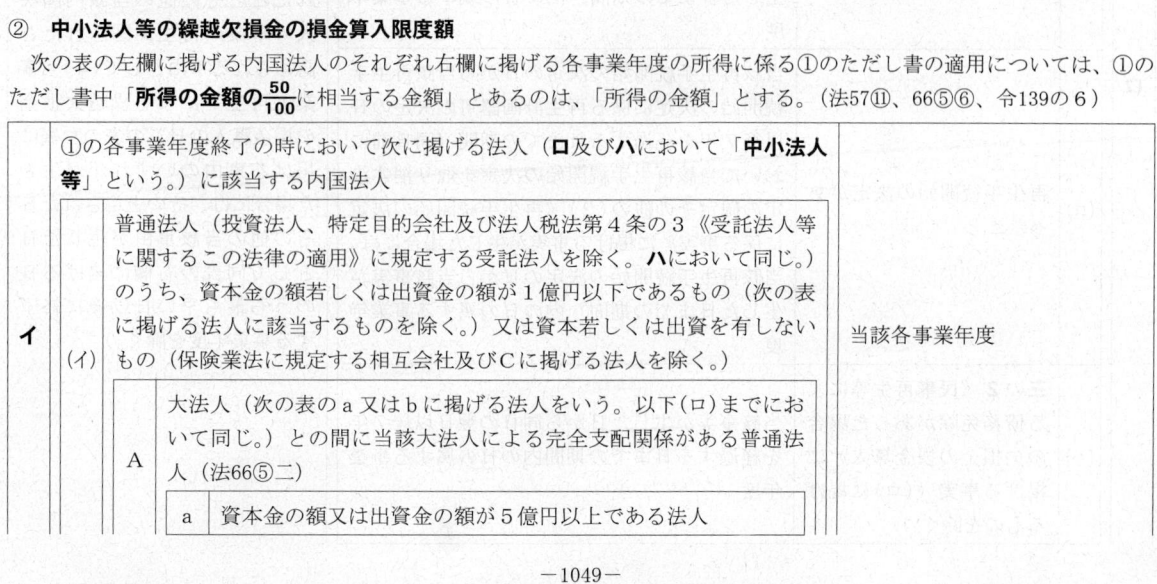

		b	相互会社（保険業法第2条第10項《定義》に規定する外国相互会社を含む。）	
	B		普通法人との間に完全支配関係がある全ての大法人が有する株式及び出資の全部を当該全ての大法人のうちいずれか一の法人が有するものとみなした場合において当該いずれか一の法人と当該普通法人との間に当該いずれか一の法人による完全支配関係があることとなるときの当該普通法人（Aに掲げる法人を除く。）（法66⑤三）	
	C		大通算法人（通算法人である普通法人又は当該普通法人の各事業年度終了の日において当該普通法人との間に通算完全支配関係がある他の通算法人のうち、いずれかの法人が次の表に掲げる法人に該当する場合における当該普通法人をいう。）（法66⑥）	
		a	当該各事業年度終了の時における資本金の額又は出資金の額が1億円を超える法人	
		b	当該各事業年度終了の時において保険業法に規定する相互会社、A及びBに掲げる法人又は法人税法第4条の3《受託法人等に関するこの法律の適用》に規定する受託法人に掲げる法人に該当する法人	
(ロ)	公益法人等又は協同組合等			
(ハ)	人格のない社団等			
ロ	①の各事業年度が内国法人について生じた次の表の左欄に掲げる事実の区分に応じそれぞれ同表の右欄に掲げる事業年度である場合における当該内国法人（当該各事業年度終了の時において中小法人等に該当するものを除く。）			当該各事業年度（当該事実が生じた日以後に当該内国法人の発行する株式が金融商品取引法第2条第16項《定義》に規定する金融商品取引所に上場されたことその他の当該内国法人の事業の再生が図られたと認められる事由として（4）《事業の再生等による繰越欠損金の損金算入の日》の表の左欄に掲げる事由のいずれかが生じた場合には、その上場された日その他の当該事由が生じた日として同表の右欄に掲げる日のうち最も早い日以後に終了する事業年度を除く。）
	(イ)		更生手続開始の決定があったこと	当該更生手続開始の決定の日から当該更生手続開始の決定に係る更生計画認可の決定の日以後7年を経過する日までの期間（同日前において当該更生手続開始の決定を取り消す決定の確定その他の（1）《更生手続開始の決定に係る事実》に掲げる事実が生じた場合には、当該更生手続開始の決定の日から当該事実が生じた日までの期間）内の日の属する事業年度
	(ロ)		再生手続開始の決定があったこと	当該再生手続開始の決定の日から当該再生手続開始の決定に係る再生計画認可の決定の日以後7年を経過する日までの期間（同日前において当該再生手続開始の決定を取り消す決定の確定その他の（2）《再生手続開始の決定に係る事実》に掲げる事実が生じた場合には、当該再生手続開始の決定の日から当該事実が生じた日までの期間）内の日の属する事業年度
	(ハ)		三の2《民事再生等による債務免除があった場合の欠損金の損金算入》に掲げる事実（(ロ)に掲げるものを除く。）	当該事実が生じた日から同日の翌日以後7年を経過する日までの期間内の日の属する事業年度

	(ニ)	(イ)から(ハ)までに掲げる事実に準ずるものとして（3）《更生手続開始等の決定に係る事実に準ずる事実》に掲げる事実	当該事実が生じた日から同日の翌日以後7年を経過する日までの期間内の日の属する事業年度	
ハ	\multicolumn{2}{l	}{①の各事業年度が内国法人の設立の日として（6）《内国法人の設立の日》に掲げる日から同日以後7年を経過する日までの期間内の日の属する事業年度である場合における当該内国法人（普通法人に限り、次の表に掲げる法人を除く。）}	当該各事業年度（当該内国法人の発行する株式が金融商品取引法第2条第16項《定義》に規定する金融商品取引所に上場されたことその他の（8）《金融商品取引所等に上場された日》の表の左欄に掲げる事由のいずれかが生じた場合には、その上場された日その他の当該事由が生じた日として同表の右欄に掲げる日のうち最も早い日以後に終了する事業年度を除く。）
	(イ)	当該各事業年度終了の時において中小法人等に該当するもの	
	(ロ)	当該各事業年度終了の時において第二節第一款の一の1の③の表のロ若しくはハに掲げる法人に該当するもの	
	(ハ)	当該内国法人が清算法人である場合において他の通算法人のいずれかの当該各事業年度終了の日の属する事業年度が当該他の通算法人の設立の日として（7）《他の通算法人における設立の日の準用》に掲げる日から同日以後7年を経過する日までの期間内の日の属する事業年度でないときにおける当該内国法人	
	(ニ)	株式移転完全親法人	

（更生手続開始の決定に係る事実）

（1） ②の表のロの(イ)に掲げる事実は、同(イ)の更生手続開始の決定に係る次に掲げる事実とする。（令113の2②）

(一)	当該更生手続開始の決定を取り消す決定の確定
(二)	当該更生手続開始の決定に係る更生手続廃止の決定の確定
(三)	当該更生手続開始の決定に係る更生計画不認可の決定の確定

（再生手続開始の決定に係る事実）

（2） ②の表のロの(ロ)に掲げる事実は、同(ロ)の再生手続開始の決定に係る次に掲げる事実とする。（令113の2③）

(一)	当該再生手続開始の決定を取り消す決定の確定
(二)	当該再生手続開始の決定に係る再生手続廃止の決定の確定
(三)	当該再生手続開始の決定に係る再生計画不認可の決定の確定
(四)	当該再生手続開始の決定に係る再生計画取消しの決定の確定

（更生手続開始等の決定に係る事実に準ずる事実）

（3） ②の表のロの(ニ)に掲げる事実は、次に掲げる事実とする。（令113の2④、規26の4③）

(一)		三の2の(3)《再生手続開始の決定に準ずる事実等》の表の(一)、(二)又は(四)に掲げる事実
(二)	\multicolumn{2}{l	}{法令の規定による整理手続によらない負債の整理に関する計画の決定又は契約の締結で、第三者が関与する協議によるものとして次表に掲げるものがあったこと（②の表のロの(ハ)に掲げるものに該当する事実を除く。）}
	イ	債権者集会の協議決定で合理的な基準により債務者の負債整理を定めているもの
	ロ	行政機関、金融機関その他第三者のあっせんによる当事者間の協議によるイに準ずる内容の契約の締結

（事業の再生等による繰越欠損金の損金算入の日）

（4） ②の表のロの右欄に掲げる事由は、①の各事業年度が次の表の左欄に掲げる事業年度のいずれに該当するかに応じそれぞれ同表の右欄に掲げる事由とし、②の表のロの右欄に掲げる日は、当該事由が生じた日とする。（令113の2①、規26の4②）

(一)	②の表の口の(イ)に掲げる事実が生じた同口の内国法人の当該事実に係る同口の(イ)に掲げる事業年度	次に掲げる事由（当該事実が生じた日以後に生じたものに限る。）	
		イ	当該内国法人の発行する株式（出資を含む。以下(4)及び(7)において同じ。）が金融商品取引法第2条第16項《定義》に規定する金融商品取引所（これに類するもので外国の法令に基づき設立されたものを含む。以下(4)及び(7)の表の(一)において「**金融商品取引所等**」という。）に上場されたこと。
		ロ	当該内国法人の発行する株式が金融商品取引法第67条の11第1項《店頭売買有価証券登録原簿への登録》の店頭売買有価証券登録原簿（以下(4)及び(7)の表の(二)において「**店頭売買有価証券登録原簿**」という。）に登録されたこと。
		ハ	当該内国法人の当該事実に係る更生計画で定められた弁済期間が満了したこと。
		ニ	当該内国法人の当該事実に係る更生債権（会社更生法〔平成14年法律第154号〕第2条第8項《定義》並びに金融機関等の更生手続の特例等に関する法律〔平成8年法律第95号〕第4条第8項《定義》及び第169条第8項《定義》に規定する更生債権をいう。）の全てが債務の免除、弁済その他の事由により消滅したこと（当該内国法人以外の者で当該内国法人の事業の更生のために債務を負担する者が当該内国法人の当該事実に係る更生計画において明示されている場合において、その者が債務〔当該更生計画において定められているものに限る。〕を負担したときは、その負担によりその者が当該内国法人に対して有することとなった債権及び当該更生債権の全てが債務の免除、弁済その他の事由により消滅したこと。）。
(二)	②の表の口の(ロ)に掲げる事実が生じた同口の内国法人の当該事実に係る同口の(ロ)に掲げる事業年度	次に掲げる事由（当該事実が生じた日以後に生じたものに限る。）	
		イ	当該内国法人の発行する株式が金融商品取引所等に上場されたこと。
		ロ	当該内国法人の発行する株式が店頭売買有価証券登録原簿に登録されたこと。
		ハ	当該内国法人の当該事実に係る再生計画で定められた弁済期間が満了したこと。
		ニ	当該内国法人の当該事実に係る再生債権（民事再生法〔平成11年法律第225号〕第84条《再生債権となる請求権》に規定する再生債権をいう。）の全てが債務の免除、弁済その他の事由により消滅したこと（当該内国法人以外の者で当該内国法人の事業の再生のために債務を負担する者が当該内国法人の当該事実に係る再生計画において明示されている場合において、その者が債務〔当該再生計画において定められているものに限る。〕を負担したときは、その負担によりその者が当該内国法人に対して有することとなった債権及び当該再生債権の全てが債務の免除、弁済その他の事由により消滅したこと。）。
(三)	②の表の口の(ハ)又は(ニ)に掲げる事実が生じた同口の内国法人の当該事実に係る同口の(ハ)又は(ニ)に掲げる事業年度	次の表のイからニまでに掲げる事由（当該内国法人の当該事実が再生支援〔株式会社地域経済活性化支援機構法〔平成21年法律第63号〕第24条第1項《支援基準》に規定する再生支援又は株式会社東日本大震災事業者再生支援機構法（平成23年法律第113号）第18条第1項《支援基準》に規定する再生支援のうち、(5)《欠損金の繰越しに係る再生支援等の範囲》に掲げるものをいう。ホにおいて同じ。〕によるものである場合にはイ、ロ及びホに掲げる事由とし、当該事実が生じた日以後に生じたものに限る。）	
		イ	当該内国法人の発行する株式が金融商品取引所等に上場されたこと。
		ロ	当該内国法人の発行する株式が店頭売買有価証券登録原簿に登録されたこと。
		ハ	当該内国法人の当該事実に係る債務処理に関する計画（ニにおいて「再建計画」という。）で定められた弁済期間（当該内国法人が当該内国法人に対する債権で当該事実が生じた日前に生じた債権として当該内国法人に対する金融債権で当該事実の発生前の原因に基づいて生じたもの〔ニにおいて「事実発生前債権」という。〕に係る債務の弁済をする期間をいう。）が満了したこと。
		ニ	当該内国法人の当該事実に係る事実発生前債権の全てが債務の免除、弁済その他の事由により消滅したこと（当該内国法人以外の者で当該内国法人の事業の再生のために債務を負担する者が当該内国法人の当該事実に係る再建計画において明示されている場合において、その者が債務〔当該再建計画において定められているものに限る。〕を負担したとき

		は、その負担によりその者が当該内国法人に対して有することとなった債権及び当該事実発生前債権の全てが債務の免除、弁済その他の事由により消滅したこと。）。
	ホ	当該内国法人の当該事実に係る再生支援に係る全ての業務が完了したこと。

（欠損金の繰越しに係る再生支援等の範囲）
（5）（4）の表の（三）に掲げる再生支援は、次に掲げるものとする。（規26の4①）

（一）	株式会社地域経済活性化支援機構法第24条第1項《支援基準》に規定する再生支援のうち、同法第28条第1項《買取決定》に規定する買取決定又は同法第31条第1項《出資決定》に規定する出資決定が行われるもの
（二）	株式会社東日本大震災事業者再生支援機構法第18条第1項《支援基準》に規定する再生支援のうち、同法第22条第1項《買取決定》に規定する買取決定又は同法第25条第1項《出資決定》に規定する出資決定が行われるもの

（内国法人の設立の日）
（6）②の表の八の左欄に掲げる設立の日は、同八の内国法人の設立の日（当該内国法人が次の表の左欄に掲げる法人に該当する場合には同表の左欄に掲げる法人の区分に応じそれぞれ同表の右欄に掲げる日とし、当該内国法人が同表の（一）から（五）のうち2以上に掲げる法人に該当する場合には当該2以上の右欄に掲げる日のうち最も早い日とする。）とする。（令113の2⑤）

（一）	合併法人	当該合併法人とその合併に係る被合併法人の設立の日のうち最も早い日
（二）	分割承継法人（その分割により分割法人が行っていた事業の移転を受け、かつ、当該事業を引き続き行うものに限る。）	当該分割承継法人とその分割に係る分割法人（その分割により当該事業を移転するものに限る。）の設立の日のうち最も早い日
（三）	被現物出資法人（その現物出資により現物出資法人が行っていた事業の移転を受け、かつ、当該事業を引き続き行うものに限る。）	当該被現物出資法人とその現物出資に係る現物出資法人（その現物出資により当該事業を移転するものに限る。）の設立の日のうち最も早い日
（四）	その内国法人との間に完全支配関係（当該内国法人による完全支配関係又は第二章第一節の二の表の12の7の6《完全支配関係》に掲げる相互の関係に限る。）がある他の内国法人（当該内国法人が発行済株式又は出資の全部又は一部を有するものに限る。）の残余財産が確定した場合における当該内国法人	当該内国法人と当該他の内国法人の設立の日のうち最も早い日
（五）	特別の法律に基づく承継を受けた法人その他財務省令で定める法人	当該承継に係る被承継法人の設立の日その他財務省令で定める日

注　上表の（五）の財務省令は、令和6年7月1日現在制定されていない。（編者）

（他の通算法人における設立の日の準用）
（7）（6）は②の表の八の（ハ）に掲げる他の通算法人の設立の日について準用する。（法令113の2⑥）

（金融商品取引所等に上場された日）
（8）②の表の八の右欄に掲げる事由は、同八の内国法人（当該内国法人が通算法人である場合には、他の通算法人を含む。）に係る次の表の左欄に掲げる事由とし、同八の右欄に掲げる事由が生じた日は、次の表の右欄に掲げる事由が生じた日とする。（令113の2⑦）

（一）	その発行する株式が金融商品取引所等に上場されたこと。	株式が金融商品取引所等に上場された日
（二）	その発行する株式が店頭売買有価証券登録原簿に登録されたこと。	株式が店頭売買有価証券登録原簿に登録された日

第三章　第一節　第二十一款《繰越欠損金》

　　　（民事再生等による特定の事実が生じた場合の繰越欠損金の損金算入の申告）
（９）　②（同②の表の口に係る部分に限る。）は、確定申告書、修正申告書又は更正請求書に同口に掲げる事実が生じたことを証する書類の添付がある場合に限り、適用する。（法57⑫）

　　　（書類の添付がない場合のゆうじょ規定）
（10）　税務署長は、（９）の書類の添付がない確定申告書、修正申告書又は更正請求書の提出があった場合においても、その添付がなかったことについてやむを得ない事情があると認めるときは、②（同②の表の口に係る部分に限る。）を適用することができる。（法57⑬）

　　　（新設法人であるかどうかの判定の時期）
（11）　通算法人が②の表のハの括弧書に掲げる「当該内国法人が通算法人である場合において……事業年度でないときにおける当該内国法人」に該当するかどうかの判定〔以下(11)において「新設法人判定」という。〕は、当該通算法人及び他の通算法人（当該通算法人の①の適用を受けようとする事業年度〔以下(11)において「適用事業年度」という。〕終了の日において当該通算法人との間に通算完全支配関係がある法人に限る。）の適用事業年度終了の時の現況によるのであるが、通算親法人の事業年度の中途において通算承認の効力を失った通算法人のその効力を失った日の前日に終了する事業年度の新設法人判定についても、同様とする。（基通12－１－10）

③　前10年以内の繰越欠損金の損金算入の適用要件
　　①《前10年以内の繰越欠損金の損金算入》は、①の内国法人が欠損金額（四の１の①《被合併法人等の未処理欠損金額の引継ぎ》により当該内国法人の欠損金額とみなされたものを除く。）の生じた事業年度について確定申告書を提出し、かつ、その後において連続して確定申告書を提出している場合（同１の①により当該内国法人の欠損金額とみなされたものにつき①を適用する場合にあっては、四の１の①の合併等事業年度について確定申告書を提出し、かつ、その後において連続して確定申告書を提出している場合）であって欠損金額の生じた事業年度に係る帳簿書類を《欠損金に係る帳簿書類の保存》に掲げるところにより保存している場合に限り、適用する。（法57⑩）
　　注　適格合併が行われた場合における③については、四の１の①の(3)《内国法人における損金算入の適用要件》を参照。（編者）

　　　（欠損金に係る帳簿書類の保存）
　　内国法人が①の適用を受けようとする場合（当該内国法人が通算法人である場合には、他の通算法人が第三十五款の一の３の①《前10年以内の繰越欠損金の損金算入》及び同３の②《適用事業年度後の繰越欠損金の損金算入》により①を受けようとする場合を含む。）には、当該内国法人は、①の欠損金額が生じた事業年度の第二章第二節の三の１の⑧《帳簿書類の整理保存》の表のイからハまでに掲げる帳簿書類（四の１の①《被合併法人等の未処理欠損金額の引継ぎ》により当該内国法人の各事業年度において生じた欠損金額とみなされたものにあっては、当該帳簿書類又はその写し）を整理し、第二章第二節の三の１の⑧の(1)《保存期間の起算日》に掲げる起算日から10年間、これを納税地（同⑧の表のハに掲げる書類又はその写しにあっては、当該納税地又は同ハの取引に係る国内の事務所、事業所その他これらに準ずるものの所在地）に保存しなければならない。（規26の３①）
　　　注　第二章第二節の三の１の⑧の(2)《保存の方法の特例》から(4)《帳簿書類の保存の方法》までは、《欠損金に係る帳簿書類の保存》に掲げる帳簿書類の保存について準用する。（規26の３②）

２　認定事業適応法人の欠損金の損金算入の特例（令和５年度改正により廃止）
注１　**２**は、令和５年度改正により廃止されているが、**２**に掲げる１年を経過する日以前に新たな事業の創出及び産業への投資を促進するための産業競争力強化法等の一部を改正する法律（令和６年法律第45号）第１条の規定による改正前の産業競争力強化法（平成25年法律第98号）第21条の15第１項の認定を受けた法人（当該法人が通算法人である場合には、他の通算法人を含む。）の令和５年３月31日以前に開始した事業年度において生じた租税特別措置法第２条第２項第21号に規定する欠損金額（所得税法等の一部を改正する法律〔令和２年法律第８号〕附則第20条第１項の規定により租税特別措置法第２条第２項第21号に規定する欠損金額とみなされたものを含む。）については、なお**２**の適用がある。
　（令５改法附49、１、令５改措令附１、令５改措規附１）
注２　──線部分は、令和６年度改正により追加された部分で、改正規定は、新たな事業の創出及び産業への投資を促進するための産業競争力強化法等の一部を改正する法律の施行の日から適用される。（令６改法附１ⅩⅢハ）
　　　なお、同法の施行期日を定める政令は、令和６年７月１日現在制定されていない。（編者）

　青色申告書を提出する法人で産業競争力強化法等の一部を改正する等の法律（令和３年法律第70号）の施行の日（令和３年８月２日）から同日以後１年を経過する日までの間に産業競争力強化法第21条の15第１項の認定を受けたもののうち当該認定に係る同法第21条の28第１項に規定する認定事業適応事業者であるもの（**２**において「**認定事業適応法人**」とい

第三章　第一節　第二十一款《繰越欠損金》

う。)の当該認定に係る同法第21条の16第2項に規定する認定事業適応計画に記載された同法第21条の15第3項第2号に規定する実施時期内の日を含む各事業年度(次に掲げる要件の全てを満たす事業年度に限る。(1)において「**適用事業年度**」という。)において1の①《前10年以内の繰越欠損金の損金算入》を適用する場合において、同①に掲げる欠損金額のうちに特例欠損事業年度において生じたものがあるときは、同①ただし書中「を超える」とあるのは、「に当該欠損金額の生じた事業年度が2の(1)《特例欠損事業年度の意義》に掲げる特例欠損事業年度である場合における同(1)に掲げる超過控除対象額に相当する金額を加算した金額を超える」とする。(旧措法66の11の4①、旧措規22の12の2①)

(一)	基準事業年度(特例事業年度〔経済社会情勢の著しい変化によりその事業の遂行に重大な影響を受けた事業年度として産業競争力強化法施行規則第11条の18第3項の確認をした旨の表示がある同令第11条の3第1項の認定書(産業競争力強化法第21条の16第1項の規定による変更の認定があったときは、同令第11条の4第4項の変更の認定書)に添付された同令第11条の18第1項に規定する確認申請書の写しに特例事業年度として記載された事業年度で、当該写しを保存することにより証明がされたものをいう。2において同じ。〕のうちその開始の日が最も早い事業年度をいう。(1)において同じ。)後の各事業年度で欠損控除前所得金額(1の①のただし書の計算した場合における当該各事業年度の所得の金額をいう。(一)及び(1)の表の(三)において同じ。)が生じた最初の事業年度(通算法人〔通算法人であった法人を含む。以下(一)において「通算法人等」という。〕の当該最初の事業年度開始の日前に開始する他の通算法人〔当該基準事業年度終了の日後のいずれかの時において当該通算法人等との間に通算完全支配関係があるものに限る。以下(一)において同じ。〕の各事業年度〔次に掲げる事業年度を除く。〕のうちに欠損控除前所得金額が生ずる事業年度〔当該基準事業年度終了の日後に終了するものに限る。以下(一)において「所得事業年度」という。〕がある場合には、他の通算法人のいずれかの所得事業年度のうちその開始の日が最も早い事業年度開始の日を含む当該通算法人等の事業年度)開始の日以後5年以内に開始する事業年度であること。	
	イ	当該通算法人等との間に通算完全支配関係を有しないこととなった日の前日を含む事業年度(当該通算法人等に係る通算親法人の事業年度終了の日に終了するものを除く。)及び当該有しないこととなった日以後に開始する事業年度
	ロ	当該通算法人等に係る通算親法人との間に通算完全支配関係を有することとなった日前に開始する事業年度(当該通算法人等が通算法人である場合には、認定事業適応法人に該当しない他の通算法人の事業年度に限る。)
(二)	令和8年4月1日以前に開始する事業年度であること。	

(特例欠損事業年度の意義)

(1)　2に掲げる特例欠損事業年度とは、特例事業年度において生じた欠損金額のうちに超過控除対象額(次に掲げる金額のうち最も少ない金額をいう。(二)において同じ。)がある場合における当該特例事業年度をいう。(旧措法66の11の4②、旧措規22の12の2②)

(一)	当該特例事業年度において生じた欠損金額(**四**の1の①《被合併法人等の未処理欠損金額の引継ぎ》により当該認定事業適応法人の欠損金額とみなされたもの、**四**の2の①《合併法人等の青色欠損金額の繰越額の制限》又は1の①の(1)《会社更生等による債務免除等があった場合の適用対象となる欠損金額の範囲》によりないものとされたもの、二《青色申告書を提出しなかった事業年度の欠損金の特例》の適用があるもの、3《特定株主等によって支配された欠損等法人の欠損金の繰越しの不適用》により1の①のイを適用しないものとされたもの及び第二節第三款の**八**の3の②《欠損金の繰戻しによる還付》により還付を受けるべき金額の計算の基礎となったものを除く。以下2において同じ。)から次に掲げる金額の合計額を控除した金額	
	イ	当該欠損金額に相当する金額で1の①により当該適用事業年度前の各事業年度の所得の金額の計算上損金の額に算入された金額の合計額
	ロ	当該欠損金額に相当する金額で当該欠損金額につき2を適用しないものとした場合に1の①により当該適用事業年度の所得の金額の計算上損金の額に算入されることとなる金額
(二)	イに掲げる金額からロ及びニに掲げる金額の合計額を控除した金額	
	イ	当該適用事業年度終了の日までに産業競争力強化法第21条の16第2項に規定する認定事業適応計画に従って行った投資の額として2に掲げる適用事業年度に係る産業競争力強化法施行規則第11条の21の適合証明書に特例対象投資累積額として記載された金額(当該適用事業年度の確定申告書等に当該適合証明

		書の写しの添付がある場合における当該金額に限る。)
	ロ	当該適用事業年度前の事業年度で**2**の適用を受けた各事業年度における各特例事業年度において生じた欠損金額に係る超過控除対象額の合計額
	ハ	当該適用事業年度前の事業年度で(3)の適用を受けた各事業年度における(6)の表の(二)のイに掲げる金額に相当する金額として(2)に掲げる金額
	ニ	当該適用事業年度における当該特例事業年度前の各特例事業年度において生じた欠損金額に係る超過控除対象額の合計額
(三)		当該適用事業年度の所得限度額(欠損控除前所得金額から**一**の**1**の①《前10年以内の繰越欠損金の損金算入》のただし書き〔同**1**の②《中小法人等の繰越欠損金の損金算入限度額》により読み替えて適用する場合を含む。〕に掲げる損金算入限度額を控除した金額をいう。(6)の表の(三)及び(六)のイにおいて同じ。)から(二)のニに掲げる金額を控除した金額

(特例通算欠損事業年度において生じた欠損金がある場合の超過控除対象額の計算)
(2) (1)の表の(二)のハに掲げる金額は、認定事業適応法人(**2**に掲げる認定事業適応法人をいう。以下**2**において同じ。)の適用事業年度(**2**に掲げる適用事業年度をいう。(9)において同じ。)前の事業年度で(3)の適用を受けた各事業年度(以下(2)において「過去通算適用事業年度」という。)の次に掲げる金額の合計額とする。(旧措令39の23の2①)

(一)		当該過去通算適用事業年度における各特例10年内事業年度((6)に掲げる特例10年内事業年度をいう。以下**2**において同じ。)において生じた欠損金額とされた金額に係る特定超過控除対象額((6)に掲げる特定超過控除対象額をいう。以下**2**において同じ。)の合計額
(二)		イに掲げる金額にロに掲げる金額がハに掲げる金額のうちに占める割合を乗じて計算した金額の合計額
	イ	次に掲げる金額の合計額
		(イ) 当該過去通算適用事業年度における各特例10年内事業年度において生じた欠損金額とされた金額に係る非特定超過控除対象額((6)に掲げる非特定超過控除対象額をいう。以下**2**において同じ。)
		(ロ) 当該過去通算適用事業年度終了の日において当該認定事業適応法人との間に通算完全支配関係がある他の通算法人の同日に終了する事業年度における各特例10年内事業年度((イ)の各特例10年内事業年度終了の日に終了するものに限る。)において生じた欠損金額とされた金額に係る非特定超過控除対象額
	ロ	イの(イ)に掲げる金額の計算の基礎となった当該認定事業適応法人の投資額残額((6)の表の(二)に掲げる投資額残額をいう。以下**2**において同じ。)から当該金額の計算の基礎となった(6)の表の(五)のイに掲げる金額を控除した金額
	ハ	イの(イ)に掲げる金額の計算の基礎となった(6)の表の(五)に掲げる金額

(通算法人の適用対象事業年度の欠損金額のうち特例通算欠損事業年度において生じたものがある場合の特例)
(3) 通算法人(当該通算法人又は他の通算法人が認定事業適応法人に該当する場合における当該通算法人に限る。)の適用対象事業年度(当該通算法人の適用事業年度又は認定事業適応法人に該当する他の通算法人の適用事業年度終了の日に終了する当該通算法人の事業年度をいう。(6)において同じ。)において第三十五款の**一**の**3**《欠損金の通算》を適用して**一**を適用する場合において、当該通算法人の同**3**の①の(3)《特定欠損金額の意義》により欠損金額とされる金額のうちに特例通算欠損事業年度において生じたものがあるときは、**2**にかかわらず、次の表の左欄に掲げる規定中同表の中欄に掲げる字句は、同表の右欄に掲げる字句とする。(旧措法66の11の4③)

法人税法第64条の7第1項第2号ハ(2)	控除した金額	控除した金額に当該10年内事業年度が租税特別措置法第66条の11の4第4項《認定事業適応法人の欠損金の損金算入の特例》に規定する特例通算欠損事業年度(以下こ

		の条において「特例通算欠損事業年度」という。）である場合における当該通算法人の同項に規定する非特定超過控除対象額（以下この条において「非特定超過控除対象額」という。）に相当する金額を加算した金額（当該金額が当該10年内事業年度に係る次号イに規定する欠損控除前所得金額から(ii)に掲げる金額を控除した金額を超える場合には、その超える部分の金額を控除した金額）
法人税法第64条の7第1項第2号ハ(3)	控除した金額	控除した金額に当該10年内事業年度が特例通算欠損事業年度である場合における当該他の通算法人の非特定超過控除対象額に相当する金額を加算した金額（当該金額が当該10年内事業年度に係る次号イ(3)に規定する他の欠損控除前所得金額から(ii)に掲げる金額を控除した金額を超える場合には、その超える部分の金額を控除した金額）
法人税法第64条の7第1項第3号イ	（以下	（当該10年内事業年度が特例通算欠損事業年度である場合には、当該通算法人の租税特別措置法第66条の11の4第4項に規定する特定超過控除対象額（以下この条において「特定超過控除対象額」という。）に相当する金額を加算した金額。以下
法人税法第64条の7第1項第3号ロ(1)	控除した金額	控除した金額に当該10年内事業年度が特例通算欠損事業年度である場合における当該通算法人及び当該他の通算法人の非特定超過控除対象額の合計額を加算した金額
法人税法第64条の7第4項	みなし	みなし、当該他の事業年度に係る各特例通算欠損事業年度の特定超過控除対象額又は非特定超過控除対象額が当初申告特定超過控除対象額又は当初申告非特定超過控除対象額（それぞれ当該申告書に添付された書類に当該各特例通算欠損事業年度の特定超過控除対象額又は非特定超過控除対象額として記載された金額をいう。以下この項において同じ。）と異なるときは当初申告特定超過控除対象額又は当初申告非特定超過控除対象額を当該各特例通算欠損事業年度の特定超過控除対象額又は非特定超過控除対象額とみなし
法人税法第64条の7第5項	異なり、当該	異なり、当該適用事業年度に係る各特例通算欠損事業年度の特定超過控除対象額若しくは非特定超過控除対象額が当初申告特定超過控除対象額若しくは当初申告非特定超過控除対象額（それぞれ当該申告書に添付された書類に当該各特例通算欠損事業年度の特定超過控除対象額又は非特定超過控除対象額として記載された金額をいう。以下この項において同じ。）と異なり、当該
	非特定損金算入限度額が	非特定損金算入限度額若しくは第1項第3号イに規定する欠損控除前所得金額が
	当初申告非特定損金算入限度額（	当初申告非特定損金算入限度額若しくは当初申告欠損控除前所得金額（
	又は非特定損金算入限度額	若しくは非特定損金算入限度額又は同号イに規定する欠損控除前所得金額
法人税法第64条の7第5項第1号	を当該適用事業年度の損金算入限度額	並びに当該適用事業年度に係る各特例通算欠損事業年度の当初申告特定超過控除対象額及び当初申告非特定超過

		控除対象額をそれぞれ当該適用事業年度の損金算入限度額並びに当該各特例通算欠損事業年度の特定超過控除対象額及び非特定超過控除対象額
	をそれぞれ	並びに当初申告欠損控除前所得金額をそれぞれ
	とみなした	並びに第１項第３号イに規定する欠損控除前所得金額とみなした
	第１項第２号ハ	同項第２号ハ
法人税法第64条の７第５項第２号	とし、かつ	と、当該通算法人の当該適用事業年度の租税特別措置法第66条の11の４第１項第１号に規定する欠損控除前所得金額から前号に掲げる金額を控除した金額を当該適用事業年度の同条第２項第３号の欠損控除前所得金額とし、かつ
	の規定を	並びに同条第３項の規定を
法人税法第64条の７第５項第２号イ	を当該適用事業年度の損金算入限度額	並びに当該適用事業年度に係る各特例通算欠損事業年度の当初申告特定超過控除対象額及び当初申告非特定超過控除対象額をそれぞれ当該適用事業年度の損金算入限度額並びに当該各特例通算欠損事業年度の特定超過控除対象額及び非特定超過控除対象額
	をそれぞれ	並びに当初申告欠損控除前所得金額をそれぞれ
	とみなした場合	並びに第１項第３号イに規定する欠損控除前所得金額とみなした場合（イ及び次項において「当初申告の場合」という。）
	をいう。）	をいう。次項において同じ。）並びに当該適用事業年度に係る租税特別措置法第66条の11の４第２項第２号に掲げる金額のうち、当初申告の場合における当該適用事業年度に係る各特例通算欠損事業年度に係る配賦投資額（当該各特例通算欠損事業年度終了の日に終了する他の通算法人の特例通算欠損事業年度の非特定超過控除対象額の合計額のうち当該通算法人の同号イに規定する投資の額に対応する部分の金額として政令で定める金額をいう。）の合計額
法人税法第64条の７第６項	前項第２号イに掲げる金額	当初申告の場合における配賦欠損金控除額
法人税法第64条の７第９項	金額として記載された金額を	金額（当該適用事業年度に係る各特例通算欠損事業年度又は当該他の事業年度に係る各特例通算欠損事業年度の特定超過控除対象額及び非特定超過控除対象額を含む。以下この項において同じ。）として記載された金額を
法人税法第64条の７第９項第７号	非特定損金算入限度額	非特定損金算入限度額並びに第１項第３号イに規定する欠損控除前所得金額

（適用事業年度の損金算入限度額が当初申告と異なる場合の配賦欠損金控除額）
（４）（３）により読み替えて適用する第三十五款の一の３の③の口《適用事業年度の損金算入限度額が当初申告と異なる場合》の表の（二）のイに掲げる金額は、同イに掲げる当初申告の場合における同口の通算法人の特例通算欠損事業年度（同３の①の（１）の表の（三）の口に掲げる特例通算欠損事業年度をいう。以下（４）において同じ。）の非特定超過控除対象額（以下（４）において「当初申告非特定超過控除対象額」という。）が当該当初申告非特定超過控除対象額及び当該特例通算欠損事業年度終了の日に終了する他の通算法人の特例通算欠損事業年度の非特定超過控除対象額の合計額に（一）に掲げる金額が（二）に掲げる金額のうちに占める割合を乗じて計算した金額に満たない場合のその満たな

第三章　第一節　第二十一款《繰越欠損金》

い部分の金額とする。（旧措令39の23の2②）

（一）	当該当初申告非特定超過控除対象額の計算の基礎となった当該通算法人の投資額残額から当該当初申告非特定超過控除対象額の計算の基礎となった（6）の表の（五）のイに掲げる金額を控除した金額
（二）	当該当初申告非特定超過控除対象額の計算の基礎となった（6）の表の（五）に掲げる金額

（適用事業年度の損金算入限度額が当初申告と異なる場合の損金算入限度額）

（5）（3）により読み替えて適用する第三十五款の一の3の③のロ《適用事業年度の損金算入限度額が当初申告と異なる場合》の適用がある場合における同③のロの表の（二）のロに掲げる金額は、次の表の左欄に掲げる金額をそれぞれ同表の右欄に掲げる金額とみなした場合における同（二）のロに掲げる損金算入限度額に（4）に掲げる当初申告非特定超過控除対象額が同③のロに掲げる計算した金額を超える場合のその超える部分の金額の合計額を加算した金額から同③のロの（一）に掲げる金額を控除した金額とする。（旧措令39の23の2③）

（一）	（3）により読み替えて適用する第三十五款の一の3の③のロの表の（二）のロの（イ）のBに掲げる金額に同③のロに掲げる当初申告特定超過控除対象額及び当初申告非特定超過控除対象額の合計額を加算した金額	同（二）のロの（イ）のBに掲げる金額
（二）	（3）により読み替えて適用する第三十五款の一の3の③のロの表の（二）のロの（ロ）のBに掲げる金額に同（二）のロの（ロ）他の通算法人の特定超過控除対象額及び非特定超過控除対象額（（3）により読み替えて適用する同③のイ《他の通算法人の事業年度の損金算入限度額が当初申告と異なるとき》により特定超過控除対象額又は非特定超過控除対象額とみなされる金額がある場合には、そのみなされる金額）の合計額を加算した金額	同（二）のロの（ロ）のBに掲げる金額

（特例通算欠損事業年度の意義）

（6）（3）に掲げる特例通算欠損事業年度とは、（3）の通算法人の第三十五款の一の3の①の（1）《繰越欠損金の額》に掲げる10年内事業年度のうち、当該10年内事業年度に係る当該通算法人の対応事業年度（同（1）の表の（一）に掲げる対応事業年度をいう。以下（6）において同じ。）又は他の通算法人（当該通算法人の適用対象事業年度終了の日において当該通算法人との間に通算完全支配関係があるもので、同日にその事業年度が終了するものに限る。（二）のイの（ハ）を除き、以下（6）において同じ。）の事業年度で当該10年内事業年度の期間内にその開始の日がある事業年度（当該10年内事業年度終了の日の翌日が当該通算法人に係る通算親法人の適用対象事業年度開始の日である場合には、当該終了の日後に開始した事業年度を含む。以下（6）において「他の対応事業年度」という。）のいずれかが特例事業年度に該当する場合における当該10年内事業年度（以下（6）において「特例10年内事業年度」という。）で、当該対応事業年度及び他の対応事業年度において生じた欠損金額のうちに特定超過控除対象額（（一）から（三）までに掲げる金額のうち最も少ない金額をいう。以下（6）において同じ。）又は非特定超過控除対象額（（四）から（六）までに掲げる金額のうち最も少ない金額に（七）に掲げる割合を乗じて計算した金額をいう。（二）及び（六）のイにおいて同じ。）がある場合における当該特例10年内事業年度をいう。（旧措法66の11の4④）

（一）	当該特例10年内事業年度に係る当該通算法人の各対応事業年度において生じた欠損金額のうち第三十五款の一の3の①の（3）《特定欠損金額の意義》に掲げる特定欠損金額（以下（6）において「特定欠損金額」という。）から当該特定欠損金額に相当する金額で当該特定欠損金額につき2を適用しないものとした場合に1の①《前10年以内の繰越欠損金の損金算入》により当該通算法人の適用対象事業年度の所得の金額の計算上損金の額に算入されることとなる金額を控除した金額の合計額		
（二）	当該通算法人の投資額残額（（1）の表の（二）のイに掲げる金額から次に掲げる金額の合計額を控除した金額をいう。（五）において同じ。）		
	イ	（イ）に掲げる金額と（ロ）及び（ハ）に掲げる金額の合計額のうち（1）の表の（二）のイに掲げる投資の額に対応する部分の金額として（7）に掲げる金額の合計額とを合計した金額	
		（イ）	当該通算法人の適用対象事業年度前の事業年度で（3）の適用を受けた各事業年度（（ロ）及び（ハ）において「過去通算適用事業年度」という。）における各特例10年内事業年度において生じた欠損金額とされた金額に係る特定超過控除対象額の合計額

		(ロ)	当該通算法人の過去通算適用事業年度における各特例10年内事業年度において生じた欠損金額とされた金額に係る非特定超過控除対象額
		(ハ)	当該通算法人の過去通算適用事業年度終了の日において当該通算法人との間に通算完全支配関係がある他の通算法人の同日に終了する事業年度における各特例10年内事業年度において生じた欠損金額とされた金額に係る非特定超過控除対象額
	ロ		(1)の表の(二)のロに掲げる金額
	ハ		(イ)に掲げる金額と(ロ)及び(ハ)に掲げる金額の合計額のうち(1)の表の(二)のイに掲げる投資の額に対応する部分の金額として(8)に掲げる金額の合計額とを合計した金額
		(イ)	当該通算法人の適用対象事業年度における当該特例10年内事業年度前の各特例10年内事業年度において生じた欠損金額とされた金額に係る特定超過控除対象額の合計額
		(ロ)	当該通算法人の適用対象事業年度における当該特例10年内事業年度前の各特例10年内事業年度において生じた欠損金額とされた金額に係る非特定超過控除対象額
		(ハ)	当該通算法人の適用対象事業年度終了の日に終了する他の通算法人の事業年度における当該特例10年内事業年度開始の日前に開始した当該他の通算法人の各事業年度において生じた欠損金額とされた金額に係る非特定超過控除対象額
(三)			当該通算法人の適用対象事業年度の所得限度額から(二)のハの(イ)及び(ロ)に掲げる金額の合計額を控除した金額のうちイに掲げる金額からロに掲げる金額を控除した金額に達するまでの金額
	イ		当該特例10年内事業年度に係る当該通算法人の第三十五款の一の3の①の(2)《通算法人の繰越欠損金の損金算入限度額》の表の(一)に掲げる欠損控除前所得金額
	ロ		当該特例10年内事業年度に係る当該通算法人の各対応事業年度において生じた特定欠損金額に相当する金額で当該特定欠損金額につき2を適用しないものとした場合に1の①により当該通算法人の適用対象事業年度の所得の金額の計算上損金の額に算入されることとなる金額の合計額
(四)			当該特例10年内事業年度に係る第三十五款の一の3の①の(1)の表の(三)のイに掲げる金額から当該金額に非特定損金算入割合（当該金額につき(3)を適用しないものとした場合における当該特例10年内事業年度に係る同①の(2)の表の(二)に掲げる非特定損金算入割合をいう。）を乗じて計算した金額を控除した金額
(五)			当該通算法人及び他の通算法人の投資額残額の合計額から次に掲げる金額の合計額を控除した金額
	イ		当該通算法人の適用対象事業年度における当該特例10年内事業年度に係る当該通算法人の対応事業年度において生じた特定欠損金額に係る特定超過控除対象額
	ロ		当該通算法人の適用対象事業年度終了の日に終了する他の通算法人の事業年度における当該特例10年内事業年度の期間内にその開始の日がある当該他の通算法人の事業年度（当該特例10年内事業年度終了の日の翌日が当該通算法人に係る通算親法人の適用対象事業年度開始の日である場合には、当該終了の日後に開始した事業年度を含む。）において生じた特定欠損金額に係る特定超過控除対象額
(六)			イに掲げる金額のうちロに掲げる金額に達するまでの金額
	イ		当該通算法人の適用対象事業年度及び当該通算法人の適用対象事業年度終了の日に終了する他の通算法人の事業年度（イ及び(七)のロにおいて「他の事業年度」という。）の所得限度額の合計額から(二)のハの(イ)及び(ロ)並びに(五)のイ及びロに掲げる金額並びに他の事業年度における当該特例10年内事業年度開始の日前に開始した当該他の通算法人の各事業年度において生じた欠損金額とされた金額に係る特定超過控除対象額及び非特定超過控除対象額の合計額を控除した金額
	ロ		非特定欠損控除前所得金額（当該特例10年内事業年度に係る第三十五款の一の3の①の(2)の表の(一)に掲げる欠損控除前所得金額から当該特例10年内事業年度に係る同①の(1)の表の(三)のロの(ロ)に掲げる金額を控除した金額をいう。(七)のイにおいて同じ。）及び他の非特定欠損控除前所得金額（当該特例10年内事業年度に係る同①の(2)の表の(一)のハに掲げる他の欠損控除前所得金額から当該特例10年内事業年度に係る同①の(1)の表の(三)のハの(ロ)に掲げる金額を控除した金額をいう。(七)の

（七）		ロにおいて同じ。）の合計額
		イに掲げる金額がイ及びロに掲げる金額の合計額のうちに占める割合
	イ	非特定欠損控除前所得金額から当該特例10年内事業年度に係る第三十五款の一の3の①の（1）の表の（三）のイに掲げる金額のうち、当該金額につき（3）を適用しないものとした場合に1の①により当該通算法人の適用対象事業年度の所得の金額の計算上損金の額に算入されることとなる金額に相当する金額を控除した金額
	ロ	他の非特定欠損控除前所得金額から当該特例10年内事業年度に係る第三十五款の一の3の①の（1）の表の（三）のイに掲げる金額のうち、当該金額につき（3）を適用しないものとした場合に1の①により（六）のイの他の通算法人の他の事業年度の所得の金額の計算上損金の額に算入されることとなる金額に相当する金額を控除した金額

（投資の額に対応する部分の金額）

（7）（6）の表の（二）のイに掲げる金額は、（一）に掲げる金額に（二）に掲げる金額が（三）に掲げる金額のうちに占める割合を乗じて計算した金額とする。（旧措令39の23の2④）

（一）	（6）の表の（二）のイの（ロ）に掲げる金額及び同イの（ハ）に掲げる金額（同イの（ロ）の各特例10年内事業年度終了の日に終了する同イの（ハ）の他の通算法人の同イの（ハ）の各特例10年内事業年度に係るものに限る。）の合計額
（二）	（6）の表の（二）のイの（ロ）に掲げる金額の計算の基礎となった同（二）の通算法人の投資額残額から当該金額の計算の基礎となった同表の（五）のイに掲げる金額を控除した金額
（三）	（6）の表の（二）のイの（ロ）に掲げる金額の計算の基礎となった同表の（五）に掲げる金額

（投資の額に対応する部分の金額）

（8）（6）の表の（二）のハに掲げる金額は、（一）に掲げる金額に（二）に掲げる金額が（三）に掲げる金額のうちに占める割合を乗じて計算した金額とする。（旧措令39の23の2⑤）

（一）	（6）の表の（二）のハの（ロ）に掲げる金額及び同ハの（ハ）に掲げる金額（同ハの（ロ）の各特例10年内事業年度終了の日に終了する同ハの（ハ）の他の通算法人の同ハの（ハ）の各事業年度に係るものに限る。）の合計額
（二）	（6）の表の（二）のハの（ロ）に掲げる金額の計算の基礎となった同（二）の通算法人の投資額残額から当該金額の計算の基礎となった同表の（五）のイに掲げる金額を控除した金額
（三）	（6）の表の（二）のハの（ロ）に掲げる金額の計算の基礎となった同表の（五）に掲げる金額

（適用対象事業年度の前の事業年度において配賦投資額がある場合における投資額残額）

（9）　**2**の適用を受けようとする認定事業適応法人又は（3）の適用を受けようとする（3）に掲げる通算法人が適用事業年度又は適用対象事業年度（（3）に掲げる適用対象事業年度をいう。以下（9）及び（12）において同じ。）前の事業年度において（3）により読み替えて適用する第三十五款の一の3の③のロ《適用事業年度の損金算入限度額が当初申告と異なる場合》の適用を受けた法人である場合において、その適用につき配賦投資額（同③のロの表の（二）のイに掲げる配賦投資額をいう。以下（9）において同じ。）があるときは、当該適用事業年度における各特例事業年度（**2**の表の（一）に掲げる特例事業年度をいう。（14）において同じ。）に係る（1）の表の（二）に掲げる金額及び当該適用対象事業年度における各特例10年内事業年度に係る投資額残額は、当該配賦投資額を控除した金額とする。（旧措令39の23の2⑥、旧措法66の11の4⑦）

（損金算入欠損金額及び10年内事業年度に係る対応事業年度が2以上ある場合の適用）

（10）　（3）により読み替えて適用する第三十五款の一の3の③のロ《適用事業年度の損金算入限度額が当初申告と異なる場合》の適用がある場合における同③のロの（1）及び同③のロの（2）の適用については、同③のロの（1）の表の（二）中「ロの表の（二）のイに掲げる金額」とあるのは「第二十一款の一の**2**の（3）により読み替えて適用するロの表の（二）のイに掲げる当初申告の場合における同（二）のイに掲げる配賦欠損金控除額」と、同③のロの（2）の表の（三）中「ロ

の表の(二)のイに掲げる金額」とあるのは「第二十一款の一の 2 の(3)により読み替えて適用するロの表の(二)のイに掲げる当初申告の場合における同(二)のイに掲げる配賦欠損金控除額」と、「場合」とあるのは「当初申告の場合」とする。(旧措令39の23の2⑦、旧措法66の11の4⑦)

(対応事業年度が2以上ある場合の適用事業年度後の繰越欠損金の損金算入額)

(11) (3)により第三十五款の一の 3 を読み替えて適用する場合における同 3 の②《適用事業年度後の繰越欠損金の損金算入》の各事業年度に係る特例10年内事業年度について、当該特例10年内事業年度に係る対応事業年度((6)に掲げる対応事業年度をいう。(一)及び(12)において同じ。)が2以上あるときにおける同②の適用については、同②の表の(一)に掲げる金額は、第三十五款の一の 3 の③のロの(2)の表の(一)にかかわらず、次に掲げる金額の合計額とする。(旧措令39の23の2⑧、旧措法66の11の4⑦)

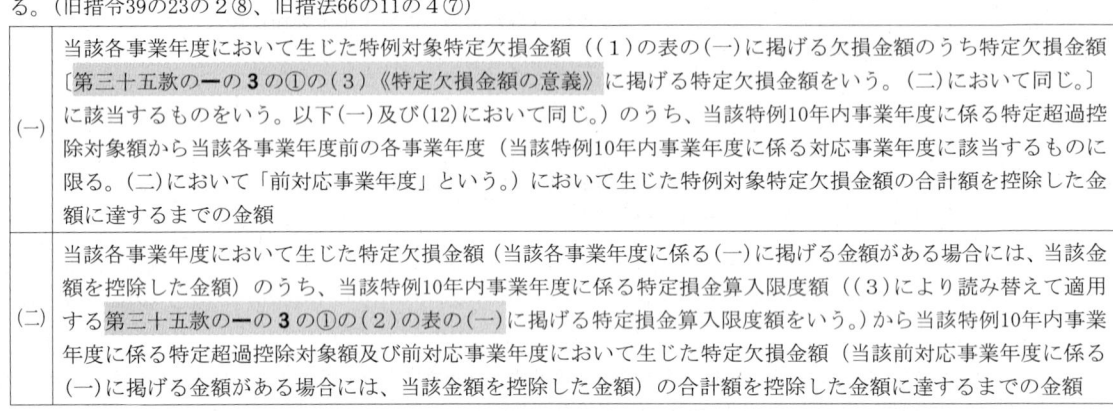

(特例10年内事業年度に係る通算法人の対応事業年度が2以上ある場合等の特定超過控除対象額)

(12) (6)の表の(五)のイの特例10年内事業年度について、当該特例10年内事業年度に係る同(五)のイの通算法人の対応事業年度が2以上ある場合又は当該特例10年内事業年度の期間内にその開始の日がある同(五)のロの他の通算法人の事業年度(当該特例10年内事業年度終了の日の翌日が当該通算法人に係る通算親法人の適用対象事業年度開始の日である場合には、当該終了の日後に開始した事業年度を含む。以下(12)において「他の対応事業年度」という。)が2以上ある場合における(6)の適用については、当該特例10年内事業年度に係る各対応事業年度(他の通算法人あっては、他の対応事業年度。以下(12)において同じ。)に係る同(五)のイ又は同(五)のロに掲げる金額は、当該特例10年内事業年度に係る特定超過控除対象額のうち、当該各対応事業年度において生じた特例対象特定欠損金額から当該各対応事業年度前の各事業年度(当該特例10年内事業年度に係る対応事業年度に該当するものに限る。)において生じた特例対象特定欠損金額の合計額を控除した金額に達するまでの金額とする。(旧措令39の23の2⑨、旧措法66の11の4⑦)

(適用事業年度の損金算入限度額が当初申告と異なる場合の超過控除対象額)

(13) (1)の表の(二)のイの適用事業年度以前の各事業年度において(3)により読み替えて適用する第三十五款の一の 3 の③のロ《適用事業年度の損金算入限度額が当初申告と異なる場合》の適用がある場合における同表の(二)のイに掲げる金額は、同表の(二)のイにかかわらず同表の(二)のイに掲げる金額から被配賦欠損金控除投資額(その適用に係る同 3 の①に掲げる適用事業年度に係る各特例通算欠損事業年度((6)に掲げる特例通算欠損事業年度をいう。)の(一)に掲げる金額に(二)に掲げる割合を乗じて計算した金額をいう。)の合計額を控除した金額とする。(旧措規22の12の2③)

		イに掲げる金額からロに掲げる金額を控除した金額	
(一)	イ	(3)により読み替えて適用する第三十五款の一の 3 の③ロの表の(一)に掲げる場合における同(一)に掲げる被配賦欠損金控除額	
	ロ	(3)を適用しないものとして計算した第三十五款の一の 3 の③ロの表の(一)に掲げる場合における同(一)に掲げる被配賦欠損金控除額	
(二)		(4)に掲げる計算した金額を(3)により読み替えて適用する第三十五款の一の 3 の③ロに掲げる当初申告非特定超過控除対象額で除して計算した割合(当該割合が1を超える場合には、1)	

(欠損金額の一部が特例対象欠損金額である場合の適用)
(14) 認定事業適応法人の各特例事業年度において生じた欠損金額（**四**の**1**の①により当該特例事業年度において生じた欠損金額とみなされたものを含む。）の一部が特例対象欠損金額（（1）の表の（一）に掲げる欠損金額をいう。以下(14)において同じ。）である場合には、当該各特例事業年度において生じた欠損金額のうち次に掲げる金額は、まず特例対象欠損金額から成るものとする。（旧措令39の23の2⑩、旧措法66の11の4⑦）

(一)	(1)の表の(一)のイに掲げる損金の額に算入された金額
(二)	(1)の表の(一)のロに掲げる金額
(三)	(6)の表の(一)に掲げる損金の額に算入されることとなる金額
(四)	(11)の表の(二)に掲げる金額
(五)	**四**の**1**の①又は**1**の①の**イ**の(1)によりないものとされた金額

(超過控除対象額及び当該超過控除対象額の計算に関する明細を記載した書類の添付)
(15) **2**は、**2**の適用を受ける事業年度の確定申告書等に(1)に掲げる超過控除対象額及び当該超過控除対象額の計算に関する明細を記載した書類の添付がある場合に限り、適用する。（旧措法66の11の4⑤）

(特定超過控除対象額及び非特定超過控除対象額の計算に関する明細を記載した書類の添付)
(16) （3）は、（3）の適用を受ける事業年度の確定申告書等に(6)に掲げる特定超過控除対象額及び非特定超過控除対象額並びにこれらの金額の計算に関する明細を記載した書類の添付がある場合（当該事業年度終了の日に終了する他の通算法人の事業年度の全てにつき、それぞれその事業年度の確定申告書等に当該書類の添付がある場合に限る。）に限り、適用する。（旧措法66の11の4⑥）

3 特定株主等によって支配された欠損等法人の欠損金の繰越しの不適用

内国法人で他の者との間に当該他の者による**特定支配関係**（（1）《特定支配関係の意義》に掲げるものをいう。以下**3**において同じ。）を有することとなったもののうち、当該特定支配関係を有することとなった日（以下**3**及び**四**の**4**の①の**イ**において「**支配日**」という。）の属する事業年度（以下**3**において「**特定支配事業年度**」という。）において当該特定支配事業年度前の各事業年度において生じた欠損金額（**四**の**1**の①《被合併法人等の未処理欠損金額の引継ぎ》により当該内国法人の欠損金額とみなされたものを含むものとし、**1**の①《前10年以内の繰越欠損金の損金算入》の適用があるものに限る。以下**3**及び**四**の**4**《特定株主等によって支配された欠損等法人の欠損金の繰越しの不適用》において同じ。）又は**評価損資産**（当該内国法人が当該特定支配事業年度開始の日において有する資産のうち同日における価額がその帳簿価額に満たないものとして(6)《評価損資産》に掲げるものをいう。）を有するもの（以下「**欠損等法人**」という。）が、当該支配日以後5年を経過した日の前日まで（(7)《特定支配関係を有しなくなった場合等》に掲げる事実が生じた場合には、これらの事実が生じた日まで）に次の表に掲げる事由に該当する場合には、その該当することとなった日（同表の④に掲げる事由〔同④に掲げる適格合併に係る部分に限る。〕に該当する場合にあっては、当該適格合併の日の前日。以下**四**の**4**において「**該当日**」という。）の属する事業年度（以下**3**及び**四**の**4**において「**適用事業年度**」という。）以後の各事業年度においては、当該適用事業年度前の各事業年度において生じた欠損金額については、**1**の①は、適用しない。（法57の2①、令113の2⑮⑱）

①	当該欠損等法人が当該支配日の直前において事業を営んでいない場合（清算中の場合を含む。）において、当該支配日以後に事業を開始すること（清算中の当該欠損等法人が継続することを含む。）。
②	当該欠損等法人が当該支配日の直前において営む事業（以下**3**において「**旧事業**」という。）の全てを当該支配日以後に廃止し、又は廃止することが見込まれている場合において、当該旧事業の当該支配日の直前における事業規模（売上金額、収入金額その他の事業の種類に応じて(9)《資金借入れ等の判断における旧事業の事業規模》に掲げるものをいう。③及び⑤において同じ。）のおおむね**5倍**を超える資金の借入れ又は出資による金銭その他の資産の受入れ（合併又は分割による資産の受入れを含む。以下③において「資金借入れ等」という。）を行うこと。
③	当該他の者又は当該他の者との間に当該他の者による特定支配関係（欠損等法人との間の当該他の者による特定支配関係を除く。）がある者（以下③において「関連者」という。）が当該他の者及び関連者以外の者から当該欠損等法人に対する債権で(13)《特定債権》に掲げるもの（以下③において「特定債権」という。）を取得している場合（当該支配日前に特定債権を取得している場合を含むものとし、(14)《特定債権を取得している場合から除かれる場合》

	に掲げる場合を除く。④において「特定債権が取得されている場合」という。）において、当該欠損等法人が旧事業の当該支配日の直前における事業規模のおおむね**5倍**を超える資金借入れ等を行うこと。
④	①若しくは②に掲げる場合又は③の特定債権が取得されている場合において、当該欠損等法人が自己を被合併法人とする適格合併を行い、又は当該欠損等法人（他の内国法人との間に当該他の内国法人による完全支配関係があるものに限る。）の残余財産が確定すること。
⑤	当該欠損等法人が当該特定支配関係を有することとなったことに基因して、当該欠損等法人の当該支配日の直前の役員（社長、副社長、代表取締役、代表執行役、専務取締役若しくは常務取締役又はこれらに準ずる者で法人の経営に従事している者に限る。）の全てが退任（業務を執行しないものとなることを含む。）をし、かつ、当該支配日の直前において当該欠損等法人の業務に従事する使用人（以下⑤において「旧使用人」という。）の総数のおおむね$\frac{20}{100}$以上に相当する数の者が当該欠損等法人の使用人でなくなった場合において、当該欠損等法人の非従事事業（当該旧使用人が当該支配日以後その業務に実質的に従事しない事業をいう。）の事業規模が旧事業の当該支配日の直前における事業規模のおおむね**5倍**を超えることとなること（(15)《旧使用人の引継要件から除かれる場合》に掲げる場合を除く。）。
⑥	①から⑤までに掲げる事由に類するものとして政令で定める事由 注　上記に掲げる政令は、令和6年7月1日現在制定されていない。（編者）

注　組織再編成があった場合の**2**については、**四**の**4**を参照。（編者）

　　　（特定支配関係の意義）
（１）　**3**に掲げる特定支配関係とは、他の者（その者の組合関連者を含む。）と法人との間の当該他の者による支配関係（当該他の者と当該法人との間に同一者支配関係がある場合における当該支配関係を除く。）をいい、（４）に掲げる事由によって生じたものを除く。（令113の3①）

　　　（同一者支配関係の意義）
（２）　（１）に掲げる同一者支配関係とは、（１）に掲げる他の者（法人に限る。）と（１）に掲げる法人との間に同一の者による支配関係がある場合における当該支配関係をいう。（令113の3②）

　　　（同一の者の組合関連者の意義）
（３）　（２）に掲げる同一の者の組合関連者（当該同一の者が個人である場合には、その個人との間に第二章第一節の**二**の表の**10**の（１）《同族関係者の範囲》の（一）に掲げる特殊の関係のある個人の組合関連者を含む。）の有する（２）に掲げる他の者又は（２）に掲げる法人の株式（出資を含む。以下同じ。）は、当該同一の者が有するものとみなして、（２）を適用する。（令113の3③）

　　　（特定支配関係から除かれる事由）
（４）　（１）に掲げる特定支配関係から除かれる事由は、次の表に掲げる事由とする。（令113の3⑤）

（一）	適格合併、適格分割若しくは適格現物出資又は適格株式交換等若しくは適格株式移転（**3**《特定株主等によって支配された欠損等法人の欠損金の繰越しの不適用》の内国法人〔他の者との間に当該他の者による特定支配関係があるものに限る。〕が関連者〔当該他の者との間に当該他の者による特定支配関係がある者をいう。〕との間に当該関連者による（１）に掲げる関係を有することとなるものを除く。）
（二）	**3**の内国法人について債務処理計画（更生手続開始の決定又は**三**の**2**の（１）《民事再生等の場合の債権の範囲》の表の（一）及び（二）若しくは同**2**の（３）《再生手続開始の決定に準ずる事実等》の表の（一）から（三）までに掲げる事実〔（７）の（三）において「更生手続開始の決定等」という。〕に関して策定された債務処理に関する計画をいう。）に基づいて行われる当該内国法人の株式の発行又は譲渡

　　　（組合関連者の意義）
（５）　（１）及び（３）に掲げる組合関連者とは、一の法人又は個人が締結している組合契約等（民法第667条第1項《組合契約》に規定する組合契約、投資事業有限責任組合契約に関する法律第3条第1項《投資事業有限責任組合契約》に規定する投資事業有限責任組合契約及び有限責任事業組合契約に関する法律第3条第1項《有限責任事業組合契約》に規定する有限責任事業組合契約並びに外国におけるこれらの契約に類する契約〔以下（５）において「組合契約」と

いう。〕をいい、次の表の(一)から(三)までに掲げるものを含む。)に係る他の組合員である者をいう。(令113の3④)

(一)	当該法人又は個人が締結している組合契約による組合(これに類するものを含む。(二)及び(三)において同じ。)が締結している組合契約
(二)	(一)又は(三)に掲げる組合契約による組合が締結している組合契約
(三)	(二)に掲げる組合契約による組合が締結している組合契約

(評価損資産)

(6) 3に掲げる評価損資産は、法人の有する固定資産、土地〔土地(土地の上に存する権利を含み、固定資産に該当するものを除く。〕、有価証券〔第二十三款の三の1の表の①《売買目的有価証券》に掲げる売買目的有価証券及び同表の②《売買目的外有価証券》に掲げる償還有価証券並びに当該法人が通算法人である場合における他の通算法人〈第九款の一の4《通算法人である場合の不適用》に掲げる初年度離脱通算子法人及び通算親法人を除く。〉の株式又は出資を除く。〕、金銭債権及び繰延資産並びに第三十三款の四の1の(2)《適格合併により合併法人に引き継がれる負債又は資産》に掲げる調整勘定の金額に係る資産及び第三十四款の一の1の③《非適格合併等により移転を受ける資産等に係る調整勘定の損金算入等》に掲げる資産調整勘定の金額に係る資産〔(8)において「特定資産」という。〕)で3に掲げる特定支配事業年度開始の日における価額(資産を次の表の左欄に掲げる区分に応じ、それぞれ同表の右欄に掲げる単位に区分した後のそれぞれの資産の価額とする。)が同日における帳簿価額(資産を当該単位に区分した後のそれぞれの資産の帳簿価額とする。)に満たないもの(当該満たない金額が当該法人の資本金等の額の$\frac{1}{2}$に相当する金額と1,000万円とのいずれか少ない金額〔(8)において「基準額」という。〕)に満たないものを除く。)とする。(令113の3⑥、規26の5①、27の15①)

(一)	金銭債権	一の債務者ごと	
(二)	減価償却資産	次の表の左欄に掲げる区分に応じそれぞれ同表の右欄に掲げる単位ごと	
		イ 建物	一棟(建物の区分所有等に関する法律第1条《建物の区分所有》の規定に該当する建物にあっては、同法第2条第1項《定義》に規定する建物の部分)ごと
		ロ 機械及び装置	一の生産設備又は1台若しくは1基(通常1組又は1式をもって取引の単位とされるものにあっては、1組又は1式)ごと
		ハ その他の減価償却資産	イ又はロに準ずる単位ごと
(三)	土地(土地の上に存する権利を含む。以下(三)において「土地等」という。)	土地等を一筆(一体として事業の用に供される一団の土地等にあっては、その一団の土地等)ごと	
(四)	有価証券	その銘柄の異なるごと	
(五)	資金決済に関する法律第2条第5項《定義》に規定する暗号資産	その種類の異なるごと	
(六)	その他の資産	通常の取引の単位ごと	

(特定支配関係を有しなくなった場合等)

(7) 3に掲げる特定支配日以後5年を経過した日の前日については、次の表に掲げる事実が生じた場合については、当該生じた日とする。(法57の2①、令113の3⑦⑨)

(一)	特定支配関係を有しなくなった場合(3に掲げる他の者が有する欠損等法人の株式が譲渡されたことその他の事由により、当該欠損等法人が当該他の者との間に当該他の者による特定支配関係を有しなくなった場合をいう。)

(二)	当該欠損等法人の債務につき(8)に掲げる債務の免除その他の行為があったこと
(三)	更生手続開始の決定等
(四)	解散（解散後の継続、**3**の表の②に掲げる資金借入れ等〔以下**3**において「資金借入れ等」という。〕又は同表の④に掲げる事由に該当する残余財産の確定の見込みがないものに限り、欠損等法人の支配日前の解散及び合併による解散を除く。）

(債務の免除)

（８）　(7)の表の(二)に掲げる債務の免除その他の行為は、次の表に掲げる行為によって欠損等法人に生ずる債務の消滅による利益の額が当該欠損等法人の当該行為の日の属する事業年度開始の時における**3**に掲げる欠損金額（当該欠損等法人が当該事業年度の直前の事業年度終了の時において(6)に掲げる評価損資産を有している場合には、当該評価損資産の評価損〔その時の価額がその時の帳簿価額に満たない場合のその満たない部分の金額をいい、当該金額が基準額に満たないものを除く。〕の合計額〔その時において有する特定資産を(6)の表の左欄に掲げる資産の区分に応じ、それぞれ同表の右欄に掲げる単位に区分した後のそれぞれの資産のうちにその時の価額からその時の帳簿価額を控除した金額が基準額を超えるものがある場合には、当該資産の当該控除した金額の合計額を控除した金額〕を含む。以下(8)において「欠損金額等」という。）のおおむね$\frac{90}{100}$に相当する金額を超える場合（当該行為によって消滅する債務の額が当該欠損等法人の当該行為の直前における債務の総額の$\frac{50}{100}$に相当する金額を超える場合には、当該消滅による利益の額が欠損金額等のおおむね$\frac{50}{100}$に相当する金額を超えるとき）における当該行為とする。(令113の３⑧)

(一)	欠損等法人がその債権者から受ける債務の免除（当該債権者において当該免除により生ずる損失の額が第十二款の**四**の**1**《寄附金の意義》に掲げる寄附金の額に該当しないものに限る。）
(二)	欠損等法人がその債権者から受ける自己債権（当該欠損等法人に対する債権をいう。）の現物出資

(資金借入れ等の判断における旧事業の事業規模)

（９）　**3**の表の②に掲げる事業規模は、次の表の左欄に掲げる事業の区分に応じ、それぞれ同表の右欄に掲げる金額（当該事業が２以上ある場合には、それぞれの同表の左欄の事業の区分に応じ、それぞれ同表の右欄に掲げる金額の合計額）とする。(令113の３⑩)

(一)	資産の譲渡を主な内容とする事業	当該事業の事業規模算定期間（**3**の表の②に掲げる旧事業に係る事業の規模を算定する場合にあっては欠損等法人の支配日直前期間〔欠損等法人の支配日の１年前の日から当該支配日までの期間をいう。〕又は支配日直前事業年度〔欠損等法人の支配日の属する事業年度の直前の事業年度をいう。以下(9)において同じ。〕をいい、**3**の表の⑤に掲げる非従事事業に係る事業の規模を算定する場合にあっては支配日以後期間〔欠損等法人の支配日以後の期間を１年ごとに区分した期間をいう。〕又は支配日以後事業年度〔欠損等法人の支配日の属する事業年度以後の事業年度をいう。以下(9)において同じ。〕をいう。以下(9)及び(15)《旧使用人の引継要件から除かれる場合》において同じ。）における当該資産の譲渡による売上金額その他の収益の額の合計額（支配日直前事業年度又は支配日以後事業年度が１年に満たない場合には、当該合計額を当該支配日直前事業年度又は支配日以後事業年度の月数で除し、これに12を乗じて計算した金額。以下「**譲渡収益額**」という。）
(二)	資産の貸付けを主な内容とする事業	当該事業の事業規模算定期間における当該資産の貸付けによる収入金額その他の収益の額の合計額（支配日直前事業年度又は支配日以後事業年度が１年に満たない場合には、当該合計額を当該支配日直前事業年度又は支配日以後事業年度の月数で除し、これに12を乗じて計算した金額。以下「**貸付収益額**」という。）
(三)	役務の提供を主な内容とする事業	当該事業の事業規模算定期間における当該役務の提供による収入金額その他の収益の額の合計額（支配日直前事業年度又は支配日以後事業年度が１年に満たない場合には、当該合計額を当該支配日直前事業年度又は支配日以後事業年度の月数で除し、これに12を乗じて計算した金額。以下「**役務提供収益額**」という。）

注　上記の月数は、暦に従って計算し、１か月に満たない端数を生じたときは、これを１か月とする。(令113の３⑪)

第三章　第一節　第二十一款《繰越欠損金》

(新事業の内容が明らかである場合の事業規模の判定)
(10)　資金借入れ等により行われることが見込まれる事業(以下(10)及び(16)において「新事業」という。)の内容が明らかである場合には、**3**の表の②又は③に掲げる欠損等法人が旧事業の事業規模(同表の②に掲げる事業規模をいう。(15)において同じ。)のおおむね５倍を超える資金借入れ等を行ったかどうかの判定については、次の表の左欄に掲げる事実の区分に応じ、それぞれ同表の右欄に掲げる方法により、当該旧事業の譲渡収益額、貸付収益額若しくは役務提供収益額又は当該旧事業に係る事業資金額(事業に要する資金の額として(11)に掲げる金額をいう。以下(10)及び(16)において同じ。)と当該新事業の譲渡収益額、貸付収益額若しくは役務提供収益額又は新事業に係る事業資金額とを比較する方法により行うものとする。(法57の２⑤、令113の３⑫、規26の５②)

(一)	旧事業による収益が資産の譲渡によるものである場合で、新事業が右欄に掲げるものであることが明らかであるとき	次の表の左欄に掲げる新事業の区分に応じ、それぞれ同表の右欄に掲げる方法		
		イ	資産の譲渡による事業	次の表の左欄に掲げる金額(イにおいて「旧事業計数」という。)とそれぞれ同表の右欄に掲げる金額(イにおいて「新事業計数」という。)とを比較し、当該新事業計数が当該旧事業計数のおおむね５倍を超えるものとなるかどうかを判定する方法
				(イ) 旧事業による事業規模算定期間((9)の表の(一)に掲げる事業規模算定期間をいう。以下(10)及び(16)において同じ。)における譲渡収益額 / 新事業による事業規模算定期間(資金借入れ等の日以後の期間を１年ごとに区分した期間又は同日の属する事業年度以後の事業年度をいう。以下(10)及び(16)において同じ。)における譲渡収益額として合理的に見込まれる金額
				(ロ) 旧事業による事業規模算定期間における棚卸資産に係る譲渡原価の額と当該棚卸資産の当該事業規模算定期間終了の時における残高から当該事業規模算定期間開始の時における残高を控除した金額との合計額(以下(一)及び(11)において「原価所要額」という。) / 資金借入れ等による金銭の額及び金銭以外の資産の価額の合計額(資金借入れ等が合併、分割又は現物出資〔以下(10)において「合併等」という。〕によるものである場合にあっては、当該合併等により移転を受けた棚卸資産の価額と金銭の額及び金銭以外の預金、貯金、貸付金、売掛金その他の債権の価額〔これらに対応する貸倒引当金勘定の金額がある場合には、これを控除した金額。以下(一)において「金銭等価額」という。〕との合計額。以下(11)までにおいて「棚卸資産資金額」という。)
		ロ	資産の貸付けによる事業	次の表の左欄に掲げる金額(ロにおいて「旧事業計数」という。)とそれぞれ同表の右欄に掲げる金額(ロにおいて「新事業計数」という。)とを比較し、当該新事業計数が当該旧事業計数のおおむね５倍を超えるものとなるかどうかを判定する方法
				(イ) 旧事業による事業規模算定期間における譲渡利益額(譲渡収益額から、その売上原価 / 新事業による事業規模算定期間における貸付収益額として合理的に見込まれる金

					その他の原価の額を控除した金額をいう。以下(10)において同じ。)	額
			(ロ)	旧事業による事業規模算定期間における原価所要額	資金借入れ等による金銭の額及び金銭以外の資産の価額の合計額(資金借入れ等が合併等によるものである場合にあっては、当該合併等により移転を受けた貸付けの用に供されることが見込まれる資産の価額と金銭等価額との合計額。以下(11)までにおいて「貸付資産資金額」という。)
		ハ	役務の提供による事業	次の表の左欄に掲げる金額（ハにおいて「旧事業計数」という。)とそれぞれ同表の右欄に掲げる金額（ハにおいて「新事業計数」という。)とを比較し、当該新事業計数が当該旧事業計数のおおむね5倍を超えるものとなるかどうかを判定する方法	
				(イ)	旧事業による事業規模算定期間における譲渡利益額	新事業による事業規模算定期間における役務提供収益額として合理的に見込まれる金額
				(ロ)	旧事業による事業規模算定期間における原価所要額	資金借入れ等による金銭の額及び金銭以外の資産の価額の合計額(資金借入れ等が合併等によるものである場合にあっては、当該合併等により移転を受けた当該役務の提供の用に供することが見込まれる資産の価額と金銭等価額との合計額。以下(11)までにおいて「役務提供資金額」という。)
(ニ)	旧事業による収益が資産の貸付けによるものである場合で、新事業が右欄に掲げるものであることが明らかであるとき		次の表の左欄に掲げる新事業の区分に応じ、それぞれ同表の右欄に掲げる方法		
		イ	資産の譲渡による事業	次の表の左欄に掲げる金額（イにおいて「旧事業計数」という。)とそれぞれ同表の右欄に掲げる金額（イにおいて「新事業計数」という。)とを比較し、当該新事業計数が当該旧事業計数のおおむね5倍を超えるものとなるかどうかを判定する方法	
				(イ)	旧事業による事業規模算定期間における貸付収益額	新事業による事業規模算定期間における譲渡利益額として合理的に見込まれる金額
				(ロ)	旧事業による事業規模算定期間終了の時における貸付けの用に供していた資産の価額(以下(ニ)及び(11)にお	資金借入れ等による棚卸資産資金額

					いて「貸付資産額」という。)
		ロ	資産の貸付けによる事業	次の表の左欄に掲げる金額（ロにおいて「旧事業計数」という。）とそれぞれ同表の右欄に掲げる金額（ロにおいて「新事業計数」という。）とを比較し、当該新事業計数が当該旧事業計数のおおむね5倍を超えるものとなるかどうかを判定する方法	
				(イ)	旧事業による事業規模算定期間における貸付収益額	新事業による事業規模算定期間における貸付収益額として合理的に見込まれる金額
				(ロ)	旧事業による事業規模算定期間終了の時における貸付資産額	資金借入れ等による貸付資産資金額
		ハ	役務の提供による事業	次の表の左欄に掲げる金額（ハにおいて「旧事業計数」という。）とそれぞれ同表の右欄に掲げる金額（ハにおいて「新事業計数」という。）とを比較し、当該新事業計数が当該旧事業計数のおおむね5倍を超えるものとなるかどうかを判定する方法	
				(イ)	旧事業による事業規模算定期間における貸付収益額	新事業による事業規模算定期間における役務提供収益額として合理的に見込まれる金額
				(ロ)	旧事業による事業規模算定の期間終了の時における貸付資産額	資金借入れ等による役務提供資金額
(三)	旧事業による収益が役務の提供によるものである場合で、新事業が右欄に掲げるものであることが明らかであるとき		次の表の左欄に掲げる新事業の区分に応じ、それぞれ同表の右欄に掲げる方法		
		イ	資産の譲渡による事業	次の表の左欄に掲げる金額（イにおいて「旧事業計数」という。）とそれぞれ同表の右欄に掲げる金額（イにおいて「新事業計数」という。）とを比較し、当該新事業計数が当該旧事業計数のおおむね5倍を超えるものとなるかどうかを判定する方法	
				(イ)	旧事業による事業規模算定期間における役務提供収益額	新事業による事業規模算定期間における譲渡利益額として合理的に見込まれる金額
				(ロ)	旧事業による事業規模算定期間における役務の提供の用に供していた資金の額（以下(三)及び(11)において「役務提供所要額」という。）	資金借入れ等による棚卸資産資金額
		ロ	資産の貸付けによる事業	次の表の左欄に掲げる金額（ロにおいて「旧事業計数」という。）とそれぞれ同表の右欄に掲げる金額（ロにおいて「新事業計数」という。）とを比較し、当該新事業計数が当該旧事業計数のおおむね5倍を超えるものとなるかどうかを判定する方法	
				(イ)	旧事業による事業規模算定期間における役務提供収益額	新事業による事業規模算定期間における貸付収益額として合理的に見込まれる金額

				旧事業による事業規模算定期間における役務提供所要額	資金借入れ等による貸付資産資金額
			(ロ)		
		ハ	役務の提供による事業	次の表の左欄に掲げる金額（ハにおいて「旧事業計数」という。）とそれぞれ同表の右欄に掲げる金額（ハにおいて「新事業計数」という。）とを比較し、当該新事業計数が当該旧事業計数のおおむね５倍を超えるものとなるかどうかを判定する方法	
			(イ)	旧事業による事業規模算定期間における役務提供収益額	新事業による事業規模算定期間における役務提供収益額として合理的に見込まれる金額
			(ロ)	旧事業による事業規模算定期間における役務提供所要額	資金借入れ等による役務提供資金額

（事業に要する資金の額）

(11) (10)に掲げる事業資金額は、(10)の旧事業に係る原価所要額、貸付資産額及び役務提供所要額並びに新事業に係る棚卸資産資金額、貸付資産資金額及び役務提供資金額とする。（規26の５③）

（資金借入れ等に含まれないもの）

(12) **3**の表の②及び③の資金借入れ等には、次に掲げるものは含まれないものとする。（法57の２⑤、令113の３⑭）

(一)	資金借入れ等による金銭その他の資産のおおむね全部が欠損等法人の債務の弁済に充てられることが明らかなもの
(二)	欠損等法人がその債権者から受ける自己債権（当該欠損等法人に対する債権をいう。）の現物出資を受けること。

（特定債権）

(13) **3**の表の③に掲げる特定債権は、欠損等法人に対する債権でその取得の対価の額が当該債権の額の$\frac{50}{100}$に相当する金額に満たない場合で、かつ、当該債権の額（当該欠損等法人の債権で同③の他の者又は関連者が既に取得しているものの額を含む。）の同③の取得の時における当該欠損等法人の債務の総額のうちに占める割合が$\frac{50}{100}$を超える場合における当該債権とする。（令113の３⑯）

（特定債権を取得している場合から除かれる場合）

(14) **3**の表の③に掲げる特定債権を取得している場合から除かれる場合は、(8)の表の(一)に掲げる債務の免除又は同表の(二)に掲げる現物出資（これらの行為によって消滅する欠損等法人の債務の額が当該行為の直前における債務の総額の$\frac{50}{100}$に相当する金額を超える場合の当該行為に限る。）が行われることが見込まれる場合とする。（令113の３⑰）

（旧使用人の引継要件から除かれる場合）

(15) **3**の表の⑤の場合から除かれる場合は、欠損等法人の事業規模算定期間における同⑤に掲げる非従事事業（以下(15)において「非従事事業」という。）の事業規模（当該事業規模算定期間において当該欠損等法人を合併法人、分割承継法人又は被現物出資法人とする合併、分割又は現物出資〔それぞれ第二章第一節の二の表の**12の8**の③《共同で事業を行うための合併》、同表の**12の11**の③《共同で事業を行うための分割》又は同表の**12の14**の③《共同で事業を行うための現物出資》に掲げる要件の全てを満たすものに限る。以下(15)において「合併等」という。〕を行っている場合には、当該合併等により移転を受けた事業に係る部分を除く。）が当該事業規模算定期間の直前の事業規模算定期間における非従事事業の事業規模のおおむね５倍を超えない場合とする。（令113の３⑲）

(適用要件)
(16) (10)は、(10)の資金借入れ等を行った日の属する事業年度の確定申告書、修正申告書又は更正請求書に旧事業及び新事業に係る譲渡収益額、貸付収益額若しくは役務提供収益額又は事業資金額その他次の表に掲げる事項を記載した書類の添付がある場合に限り、適用する。(令113の3⑬、規26の5④)

(一)	旧事業の内容並びに新事業の内容及び当該新事業が資金借入れ等により行われることについての説明
(二)	旧事業の事業規模算定期間の開始の日及び終了の日並びに当該事業規模算定期間における旧事業の事業規模
(三)	新事業の事業規模算定期間の開始の日及び終了の日並びに当該事業規模算定期間における事業規模
(四)	その他参考となるべき事項

注　第二節第三款の一の**3**《仮決算をした場合の中間申告書の記載事項等》に掲げる期間に係る課税標準である所得の金額又は欠損金額及び同**3**の表の②に掲げる法人税の額の計算については、(16)中「確定申告書」とあるのは「中間申告書」とする。(令150の2①)

二　青色申告書を提出しなかった事業年度の欠損金の特例

1　前10年以内の災害による繰越損失金の損金算入

内国法人の各事業年度開始の日前10年以内に開始した事業年度のうち青色申告書を提出する事業年度でない事業年度において生じた欠損金額に係る**一**の**1**の①《前10年以内の繰越欠損金の損金算入》の適用については、当該欠損金額のうち、棚卸資産、固定資産又は固定資産に準ずる繰延資産（第八款の**一**《繰延資産の意義》の表の**6**に掲げる繰延資産のうち他の者の有する固定資産を利用するために支出されたものをいう。）について(1)に掲げる災害により生じた損失の額で**2**《災害による繰越損失金の範囲》に掲げるもの（**1**において「**災害損失金額**」という。）を超える部分の金額は、ないものとする。(法58①、令114)

(災害の範囲)
（1）　**1**に掲げる災害は、震災、風水害、火災、冷害、雪害、干害、落雷、噴火その他の自然現象の異変による災害及び鉱害、火薬類の爆発その他の人為による異常な災害並びに害虫、害獣その他の生物による異常な災害とする。(法58①、令115)

(災害損失の対象となる固定資産に準ずる繰延資産の範囲)
（2）　**1**の固定資産に準ずる繰延資産とは、繰延資産のうち他の者の有する固定資産を利用するために支出されたものをいうのであるから、次に掲げるような繰延資産が該当する。(基通12-2-2)
　(一)　自己が便益を受ける公共的施設又は共同的施設の設置又は改良のために支出した費用
　(二)　固定資産を賃借し又は使用するために支出した権利金、立退料その他の費用
　(三)　広告宣伝の用に供する固定資産を贈与したことにより生じた費用
注　繰延資産を計上している法人がその繰延資産の対象となった固定資産の損壊等により復旧に要する費用を支出した場合において、その復旧に要する費用が支出時の損金として認められるときは、その支出した費用の額は②の表のイに掲げる損失の額（以下**2**において「災害損失の額」という。）に該当することに留意する。

(前10年以内の災害による繰越損失金の損金算入に係る規定の適用)
（3）　**1**の適用に関し必要な事項は、政令で定める。(法58④)
注　(3)の政令は、令和6年7月1日現在制定されていない。(編者)

2　災害損失金額の範囲

損金算入の適用対象となる災害による繰越損失金の額は、**1**《前10年以内の災害による繰越損失金の損金算入》に掲げる欠損金額のうち、棚卸資産、固定資産又は固定資産に準ずる繰延資産について生じた次の表に掲げる損失の額（保険金、損害賠償金その他これらに類するものにより補填されるものを除く。）の合計額とする。(令116)

イ	**1**の(1)《災害の範囲》に掲げる災害（以下**2**において同じ。）により当該資産が滅失し、若しくは損壊したこと又は災害による価値の減少に伴い当該資産の帳簿価額を減額したことにより生じた損失の額（その滅失、損壊又は価値の減少による当該資産の取壊し又は除去の費用その他の付随費用に係る損失の額を含む。）

ロ	災害により当該資産が損壊し、又はその価値が減少した場合その他災害により当該資産を事業の用に供することが困難となった場合において、その災害のやんだ日の翌日から1年を経過した日（大規模な災害の場合その他やむを得ない事情がある場合には、3年を経過した日）の前日までに支出する次に掲げる費用その他これらに類する費用に係る損失の額 （イ）　災害により生じた土砂その他の障害物を除去するための費用 （ロ）　当該資産の原状回復のための修繕費 （ハ）　当該資産の損壊又はその価値の減少を防止するための費用
ハ	災害により当該資産につき現に被害が生じ、又はまさに被害が生ずるおそれがあると見込まれる場合において、当該資産に係る被害の拡大又は発生を防止するため緊急に必要な措置を講ずるための費用に係る損失の額

　　　（滅失損等の計上時期）
（１）　災害損失の額は、災害（**1**に掲げる災害をいう。以下**2**において同じ。）のあった日の属する事業年度（以下**2**において「被災事業年度」という。）又は災害のやんだ日の属する事業年度において損金経理をした金額に限る。ただし、**2**の表のイの括弧書の資産の取壊し又は除去の費用については、災害のやんだ日の翌日から1年を経過した日の前日までに支出したものを当該支出の日の属する事業年度において損金経理をしたときは、これを認める。（基通12－2－1・編者補正）

　　　（災害損失の額に含まれる棚卸資産等の譲渡損）
（２）　棚卸資産又は固定資産の譲渡による損失の額は、災害損失の額には含まれないのであるが、被災事業年度において、法人が、災害により著しく損傷したこれらの資産を譲渡したことにより生じた損失の額のうち被害を受けたことに基因する金額を災害損失の額に含めているときは、これを認める。（基通12－2－3）

　　　（災害損失の額に含まれない費用の範囲）
（３）　災害損失の額には、けが人への見舞金、被災者への弔慰金等のように滅失又は損壊した資産に直接関連しない費用は含まれないことに留意する。（基通12－2－4）

　　　（災害損失特別勘定を設定した場合の災害損失の範囲）
（４）　**1**の欠損金額のうち損害損失金額（**1**に掲げる損害損失金額をいう。）に達するまでの金額に係る**一**の**1**の①の適用に当たり、被災事業年度において（５）《災害損失特別勘定の設定》により災害損失特別勘定に繰り入れた金額は、当該被災事業年度の災害損失の額に含まれることに留意する。（基通12－2－5）

　　　（災害損失特別勘定の設定）
（５）　法人が被災資産の修繕等のために要する費用を見積もった場合には、被災事業年度において（６）《災害損失特別勘定の繰入限度額》に掲げる繰入限度額以下の金額を損金経理により災害損失特別勘定に繰り入れることができる。（基通12－2－6）
　　　注１　**1**において、被災資産とは、次に掲げる資産で災害により被害を受けたものをいう。
　　　　　（一）　法人の有する棚卸資産及び固定資産（法人が賃貸をしている資産で、契約により賃借人が修繕等を行うこととされているものを除く。）
　　　　　（二）　法人が賃借をしている資産又は販売等をした資産で、契約により当該法人が修繕等を行うこととされているもの
　　　注２　災害のあった日の属する中間期間（以下**2**において「被災中間期間」という。）に係る第二節第三款の**一**の**3**《仮決算をした場合の中間申告書の記載事項等》の規定による中間申告書を提出する場合には、その被災中間期間において災害損失特別勘定に繰り入れることができることに留意する。

　　　（災害損失特別勘定の繰入限度額）
（６）　（５）《災害損失特別勘定の設定》の災害損失特別勘定の繰入限度額は、次の（一）又は（二）に掲げる金額のうちいずれか多い金額の合計額（当該被災資産に係る保険金、損害賠償金、補助金その他これらに類するもの（以下**1**において「保険金等」という。）により補填される金額がある場合には、当該金額の合計額を控除した残額）とする。（基通12－2－7）
　　　（一）　被災資産（第九款の**二**の**2**《評価替えを行った場合の資産の評価損の損金算入》の適用を受けたものを除く。）の被災事業年度終了の日における価額がその帳簿価額に満たない場合のその差額に相当する金額

(二) 被災資産について、災害のあった日から1年を経過する日までに支出すると見込まれる次に掲げる費用その他これらに類する費用(以下**1**において「修繕費用等」という。)の見積額(被災事業年度終了の日の翌日以後に支出すると見込まれるものに限る。)
　イ　被災資産の滅失、損壊又は価値の減少による当該被災資産の取壊し又は除去の費用その他の付随費用
　ロ　土砂その他の障害物を除去するための費用
　ハ　被災資産の原状回復のための修繕費(被災資産の被災前の効用を維持するために行う補強工事、排水又は土砂崩れの防止等のために支出する費用を含む。)
　ニ　被災資産の損壊又はその価値の減少を防止するための費用
　ホ　被災資産に係る被害の拡大を防止するため緊急に必要な措置を講ずるための費用(災害により棚卸資産及び固定資産にまさに被害が生ずるおそれがあると見込まれる場合のこれらの資産に係る被害の発生を防止するため緊急に必要な措置を講ずるための費用を含む。)
　注1　法令の規定、地方公共団体の定めた復興計画等により、一定期間修繕等の工事に着手できないこととされている場合には、上記(二)の「災害のあった日から1年を経過する日」は、「修繕等の工事に着手できることとなる日から1年を経過する日」と読み替えることができる。
　注2　上記(二)に掲げる金額により災害損失特別勘定に繰り入れる場合には、次のことに留意する。
　　(一)　第六款の**十二**の1の②《有姿除却》の適用を受けた資産については、上記イ、ロ及びホに掲げる費用に限り災害損失特別勘定への繰入れの対象とすることができる。
　　(二)　第九款の**二**の2《評価替えを行った場合の資産の評価損の損金算入》により評価損を計上した資産については、上記ロ、ニ及びホに掲げる費用に限り災害損失特別勘定への繰入れの対象とすることができる。

(被災資産の修繕費用等の見積りの方法)
(7) (6)《災害損失特別勘定の繰入限度額》の(二)の修繕費用等の見積額は、その修繕等を行うことが確実な被災資産につき、例えば次の金額によるなど合理的に見積もるものとする。(基通12－2－8)
　(一)　建設業者、製造業者等による当該被災資産に係る修繕費用等の見積額
　(二)　相当部分が損壊等をした当該被災資産につき、次のイからロを控除した金額
　　イ　再取得価額又は国土交通省建築物着工統計の工事費予定額から算定した建築価額等を基礎として、その取得の時から被災事業年度終了の日まで償却を行ったものとした場合に計算される未償却残額
　　ロ　被災事業年度終了の日における価額
　　注　被災中間期間において災害損失特別勘定に繰り入れる場合には、上記の「被災事業年度終了の日」は「被災中間期間終了の日」と読み替えることに留意する。

(災害損失特別勘定の損金算入に関する明細書の添付)
(8) 災害損失特別勘定への繰入れを行う場合には、その繰入れを行う被災事業年度の確定申告書又は被災中間期間に係る第二節第三款の**一**の3《仮決算をした場合の中間申告書の記載事項等》による中間申告書に災害損失特別勘定の損金算入に関する明細書《災害損失特別勘定の損金算入に関する明細書》を添付するものとする。この場合、当該明細書の書式は、付表の書式(これに準ずる書式を含む。)による。(基通12－2－9)

(災害損失特別勘定の益金算入)
(9) 次に掲げる事業年度の区分に応じ、災害損失特別勘定の金額のうちそれぞれ次に掲げる金額を当該事業年度の所得の金額の計算上、益金の額に算入する。(基通12－2－10・編者補正)
　(一)　災害のあった日から1年を経過する日の属する事業年度(以下**2**において「1年経過事業年度」という。)　当該1年経過事業年度終了の日における災害損失特別勘定の金額
　(二)　1年経過事業年度前の各事業年度(被災事業年度後の事業年度に限る。)　当該事業年度において被災資産に係る修繕費用等として損金の額に算入した金額の合計額(保険金等により補填された金額がある場合には、当該金額の合計額を控除した残額)
　　注　(6)《災害損失特別勘定の繰入限度額》の注1の適用を受けている場合であっても、1年経過事業年度は「修繕等の工事に着手できることとなる日から1年を経過する日」の属する事業年度とはならないことに留意する。

(災害損失特別勘定の益金算入に関する明細書の添付)
(10) (9)《災害損失特別勘定の益金算入》の(一)又は(二)に掲げる事業年度において災害損失特別勘定の金額を益金の額に算入する場合には、当該事業年度の確定申告書に災害損失特別勘定の益金算入に関する明細書《災害損失特別勘定の益金算入に関する明細書》を添付するものとする。この場合、当該明細書の書式は、付表の書式(これに準ず

る書式を含む。）による。（基通12-2-11）

　　　　（修繕等が遅れた場合の災害損失特別勘定の益金算入の特例）
(11)　被災資産に係る修繕等がやむを得ない事情により1年経過事業年度終了の日までに完了しなかったため、同日において災害損失特別勘定の残額（次の（一）に掲げる金額から（二）に掲げる金額を控除した金額をいう。以下(11)において同じ。）を有している場合において、当該1年経過事業年度終了の日までに災害損失特別勘定の益金算入時期の延長確認申請書を所轄税務署長（国税局の調査部〔課〕所管法人にあっては、所轄国税局長）に提出し、その確認を受けたときは、修繕等が完了すると見込まれる日の属する事業年度（以下(11)において「修繕完了事業年度」という。）をもって(9)《災害損失特別勘定の益金算入》の（一）の1年経過事業年度とすることができる。（基通12-2-12・編者補正）
　　（一）　被災事業年度において災害損失特別勘定に繰り入れた金額
　　（二）　被災事業年度終了の日の翌日から1年経過事業年度終了の日までにおいて被災資産に係る修繕費用等として損金の額に算入する金額の合計額（保険金等により補塡される金額がある場合には、当該金額の合計額を控除した残額。以下(11)において「修繕済額」という。）
　　　注　上記の取扱いの適用を受ける場合には、その取扱いの適用を受ける前の1年経過事業年度までの各事業年度において、修繕済額と災害損失特別勘定の残額から修繕費用等の見込額（1年経過事業年度終了の日の翌日から修繕完了事業年度終了の日までに支出することが見込まれる修繕費用等の金額の合計額〔保険金等により補塡される金額がある場合には、当該金額の合計額を控除した残額とし、災害損失特別勘定の残額を限度とする。〕をいう。）を控除した金額との合計額に相当する災害損失特別勘定の金額を益金の額に算入することとなる。

　　　　（災害損失特別勘定の益金算入時期の延長確認申請書の書式）
(12)　(11)《修繕等が遅れた場合の災害損失特別勘定の益金算入の特例》により災害損失特別勘定の益金算入時期の延長確認の申請を行う場合の申請書の書式は、付表の書式（これに準ずる書式を含む。）による。（基通12-2-13）

　　　　（繰延資産の基因となった資産について損壊等の被害があった場合）
(13)　(5)から(12)まで《災害損失特別勘定の設定等》は、災害により1に掲げる繰延資産につき、当該繰延資産に係る他の者の有する固定資産について損壊等の被害があった場合について準用する。（基通12-2-14）

　　　　（修繕費用等の支出がある場合の災害損失の額の計算）
(14)　1の欠損金額のうち損害損失金額（1に掲げる損害損失金額をいう。）に達するまでの金額に係る一の1の①の適用に当たり、(5)《災害損失特別勘定の設定》により災害損失特別勘定に繰り入れた被災事業年度後の事業年度開始の日において災害損失特別勘定の金額がある場合には、当該事業年度において修繕費用等として損金の額に算入した金額（保険金等により補塡された金額がある場合には、当該金額の合計額を控除した残額とし、災害損失の額に該当する部分の金額に限る。）の合計額から当該事業年度開始の日における災害損失特別勘定の金額を控除した残額が当該事業年度における災害損失の額となることに留意する。（基通12-2-15・編者補正）

3　災害による繰越損失金の損金算入の不適用
　内国法人の各事業年度開始の日前10年以内に開始した事業年度のうち青色申告書を提出する事業年度でない事業年度において生じた欠損金額に係る一の1の①《前10年以内の繰越欠損金の損金算入》の適用については、当該欠損金額のうち、災害損失金額に達するまでの金額については、四の1の②《被合併法人等の未処理欠損金額の引継額の制限》及び四の2の①《合併法人等の青色欠損金額の繰越額の制限》並びに一の3《特定株主等によって支配された欠損等法人の欠損金の繰越しの不適用》及び四の4《特定株主等によって支配された欠損等法人の欠損金の繰越しの不適用》の規定は、適用しない。（法58②）

　　　　（災害による繰越損失金の損金算入の不適用に係る規定の適用）
　　3の適用に関し必要な事項は、政令で定める。（法58④）
　　　注　上記政令は、令和6年7月1日現在制定されていない。（編者）

4　災害による繰越損失金の損金算入の適用要件
　欠損金額の生じた事業年度の確定申告書、修正申告書又は更正請求書に災害損失金額の計算に関する明細を記載した書類の添付がない場合には、当該事業年度の災害損失金額はないものとして、①及び③の規定を適用する。（法58③）

(災害による繰越損失金の損金算入の適用要件に係る規定の適用)
4の適用に関し必要な事項は、政令で定める。(法58④)
　注　上記政令は、令和6年7月1日現在制定されていない。(編者)

5　青色申告書を提出しなかった事業年度の欠損金に係る帳簿書類の保存

　一の**1**の③の《欠損金に係る帳簿書類の保存》に掲げる事業年度が青色申告書を提出する事業年度でない場合には、その事業年度に係る同③の《欠損金に係る帳簿書類の保存》の適用については、同③の《欠損金に係る帳簿書類の保存》中「第二章第二節の**三**の**1**の⑧《帳簿書類の整理保存》の表の**イ**から**ハ**までに掲げる帳簿書類」とあるのは「第二章第五節の**三**の**1**の①《取引に関する帳簿等》に掲げる帳簿及び同**1**の④《帳簿書類の整理保存》に掲げる書類」と、「当該帳簿書類」とあるのは「当該帳簿及び書類」と、「その写し)」とあるのは「これらの写し)」と、「同⑧の表の**ハ**」とあるのは「同③の表の**イ**」と、**一**の**1**の③の《欠損金に係る帳簿書類の保存》の注中「帳簿書類」とあるのは「帳簿及び書類」と、「準用する」とあるのは「準用する。この場合において、同⑧の(3)《帳簿代用書類》中「②**別表二十二**《青色申告書の提出の承認を受けようとする法人の帳簿の記載事項》の記載事項」とあるのは「第二章第五節の**三**の**1**の②の**別表二十四**《普通法人等の帳簿の記録方法》の表の区分の欄に掲げる事項」と、「当該記載事項」とあるのは「当該事項」と読み替えるものとする」とする。(規26の3③)
　注1　**5**により読み替えて適用する**一**の**1**の③の《欠損金に係る帳簿書類の保存》は次のとおり。(編者)

> 内国法人が**一**の**1**の①《前10年以内の繰越欠損金の損金算入》の適用を受けようとする場合には、当該内国法人は、同①の欠損金額が生じた事業年度の第二章第五節の**三**の**1**の①《取引に関する帳簿等》に掲げる帳簿及び同**1**の④《帳簿書類の整理保存》に掲げる書類(**四**の**1**の①《被合併法人等の未処理欠損金額の引継ぎ》により当該内国法人の各事業年度において生じた欠損金額とみなされたものにあたっては、当該帳簿及び書類又はこれらの写し)を整理し、第二章第二節の**三**の**1**の⑧の(1)《保存期間の起算日》に掲げる起算日から10年間、これを納税地(同③の表**イ**に掲げる書類又はその写しにあっては、当該納税地又は同**ハ**の取引に係る国内の事務所、事業所その他これらに準ずるものの所在地)に保存しなければならない。(規26の3③①)
> 　注　第二章第二節の**三**の**1**の⑧の(2)《保存の方法の特例》から(4)《帳簿書類の保存の方法》までは、《欠損金に係る帳簿書類の保存》に掲げる帳簿及び書類の保存について準用する。この場合において、同⑧の(3)《帳簿代用書類》中「②**別表二十二**《青色申告書の提出の承認を受けようとする法人の帳簿の記載事項》の記載事項」とあるのは「第二章第五節の**三**の**1**の②の**別表二十四**《普通法人等の帳簿の記録方法》の表の区分の欄に掲げる事項」と、「当該記載事項」とあるのは「当該事項」と読み替えるものとする。(規26の3③②)

　注2　──線部分は、法人税法施行規則の一部を改正する省令(令和6年財務省令第36号)により改正された部分で、改正規定は、令和6年4月12日から適用され、令和6年4月11日以前の適用については「**別表二十二**」とあるのは「**別表二十一**」と、「**別表二十四**」とあるのは「**別表二十三**」とする。(同省令附1)

6　災害による繰越欠損金の損金算入の適用要件

　1《前10年以内の災害による繰越損失金の損金算入》は、**1**の内国法人が欠損金額(**四**の**1**の①《被合併法人等の未処理欠損金額の引継ぎ》により当該内国法人の欠損金額とみなされたものを除く。)の生じた事業年度について確定申告書を提出し、かつ、その後において連続して確定申告書を提出している場合(同**1**の①により当該内国法人の欠損金額とみなされたものにつき**1**を適用する場合にあっては、**四**の**1**の①の合併等事業年度について確定申告書を提出し、かつ、その後において連続して確定申告書を提出している場合)であって欠損金額の生じた事業年度に係る帳簿書類を《欠損金に係る帳簿書類の保存》に掲げるところにより保存している場合に限り、適用する。(法57⑩)

三　会社更生等による債務免除等があった場合の欠損金の損金算入
　注　中小企業者の事業再生に伴い特定の組合財産に係る債務免除等がある場合の欠損金の損金算入の令和元年改正前の取扱いについては、本書令和元年版1214ページ以下を参照。(編者)

1　会社更生等による債務免除等があった場合の欠損金の損金算入

　内国法人について更生手続開始の決定があった場合において、その内国法人が次の表の左欄に掲げる場合に該当するときは、その該当することとなった日の属する事業年度(以下**1**において「適用年度」という。)前の各事業年度において生じた欠損金額で適用年度終了の時における前事業年度以前の事業年度から繰り越された欠損金額の合計額に相当する金額のうちそれぞれ同表の右欄に掲げる金額の合計額に達するまでの金額は、当該適用年度の所得の金額の計算上、損金の額に算入する。(法59①、令116の2)

| ① | 当該更生手続開始の決定があった時においてその内国法人に対し(1)《会社更正等の場合の債権の範囲》に掲げる債権を有する者(当該内国法人が通算法人である場合(当該適用年度 | その債務の免除を受けた金額(当該利益の額を含む。) |

	終了の日が当該内国法人に係る通算親法人の事業年度終了の日である場合に限る。）には、他の通算法人で当該適用年度終了の日にその事業年度が終了するものを除く。）から当該債権につき債務の免除を受けた場合（当該債権が債務の免除以外の事由により消滅した場合でその消滅した債務に係る利益の額が生ずるときを含む。）	
②	当該更生手続開始の決定があったことに伴いその内国法人の役員等（役員若しくは株主等である者又はこれらであった者をいい、当該内国法人が通算法人である場合（当該適用年度終了の日が当該内国法人に係る通算親法人の事業年度終了の日である場合に限る。）には他の通算法人で当該適用年度終了の日にその事業年度が終了するものを除く。）から金銭その他の資産の贈与を受けた場合	その贈与を受けた金銭の額及び金銭以外の資産の価額
③	第九款の一の2《会社更生等による評価換えを行った場合の資産の評価益の益金算入》（会社更生法又は金融機関等の更生手続の特例等に関する法律の規定に従って行う評価換えに係る部分に限る。以下③において同じ。）に掲げる評価換えをした場合	同款の一の2により当該適用年度の所得の金額の計算上益金の額に算入される金額（同款の二の3《会社更生等による評価換えを行った場合の資産の評価損の損金算入》により当該適用年度の所得の金額の計算上損金の額に算入される金額がある場合には、当該益金の額に算入される金額から当該損金の額に算入される金額を控除した金額）

（会社更生等の場合の債権の範囲）

（1） 1の表の①に掲げる債権は、会社更生法第2条第8項《定義》に規定する更生債権（同条第10項に規定する更生担保権及び同法に規定する共益債権で更生手続開始の決定があった場合の当該更生手続開始前の原因に基づいて生じたものを含む。）並びに金融機関等の更生手続の特例等に関する法律第4条第8項《定義》及び第169条第8項《定義》に規定する更生債権（同法第4条第10項及び第169条第10項に規定する更生担保権並びに同法に規定する共益債権で更生手続開始の決定があった場合の当該更生手続開始前の原因に基づいて生じたものを含む。）とする。（令116の3）

（前事業年度以前の事業年度から繰り越された欠損金額の合計額）

（2） 1に掲げる「前事業年度以前の事業年度から繰り越された欠損金額の合計額」とは、当該事業年度の確定申告書に添付する申告書別表五（一）の「利益積立金額及び資本金等の額の計算に関する明細書」に期首現在利益積立金額の合計額として記載されるべき金額で、当該金額が負（マイナス）である場合の当該金額による。

ただし、当該金額が、当該確定申告書に添付する法人税申告書別表七（一）の「欠損金又は災害損失金の損金算入等に関する明細書」に控除未済欠損金額として記載されるべき金額に満たない場合には、当該控除未済欠損金額として記載されるべき金額による。（基通12－3－2・編者補正）

（債務の免除を受けた更生債権等の範囲）

（3） 1の表の①に掲げる「債務の免除を受けた場合」には、会社更生法第138条《更生債権等の届出》の届出がされなかった更生債権等（同法第2条第8項に規定する「更生債権」及び同条第10項に規定する「更生担保権」をいう。）につき、同法第204条第1項《更生債権等の免責等》の規定によって、その責任を免れることとなった場合も含むことに留意する。ただし、更生計画の定めるところにより同法第2条第13項に規定する更生債権者等に交付した募集株式若しくは設立時募集株式又は募集新株予約権（以下「募集株式等」という。）の割当てを受ける権利について当該募集株式等の引受けの申込みをしなかったためこれらの権利を失うこととなった場合などは含まれない。

金融機関等の更生手続の特例等に関する法律第81条又は第248条《更生債権等の届出》の届出がされなかった更生債権等（同法第4条第8項又は第169条第8項に規定する「更生債権」及び同法第4条第10項又は第169条第10項に規定する「更生担保権」をいう。）に係る債務の免除についても、同様とする。（基通12－3－3）

（債務の免除以外の事由による消滅の意義）

（4） 1の表の①に掲げる「当該債権が債務の免除以外の事由により消滅した場合」とは、次に掲げるような場合がこ

(一) 会社更生法又は金融機関等の更生手続の特例等に関する法律（以下「更生特例法」という。）の規定により、1の表の①に掲げる債権を有する者が、更生計画の定めに従い、同表の①に掲げる内国法人に対して募集株式若しくは募集新株予約権の払込金額又は出資額若しくは基金の拠出の額の払込みをしたものとみなされた場合

(二) 会社更生法又は更生特例法の規定により、1に掲げる内国法人が、更生計画の定めに従い、1の表の①に掲げる債権を有する者に対して当該債権の消滅と引換えに、株式若しくは新株予約権の発行又は出資の受入れ若しくは基金の拠出の割当てをした場合

2　民事再生等による債務免除があった場合の損金算入

　内国法人について再生手続開始の決定があり、又は内国法人に第九款の一の3《民事再生等による特定の事実が生じた場合の資産の評価益の益金算入》若しくは同款の二の4《民事再生等による特定の事実が生じた場合の資産の評価損の損金算入》に掲げる事実が生じた場合において、その内国法人が第九款の一の3又は同款の二の4の適用を受けるときは、その適用を受ける事業年度（以下2において「適用年度」という。）前の各事業年度において生じた欠損金額で適用年度終了の時における前事業年度以前の事業年度から繰り越された欠損金額の合計額に相当する金額のうち次の表に掲げる金額の合計額（当該合計額が一の1の①《前10年以内の繰越欠損金の損金算入》、2及び第十一款の二の2の②《残余財産の確定の日の属する事業年度に係る事業税等の損金算入》を適用しないものとして計算した場合における当該適用年度の所得の金額を超える場合には、その超える部分の金額を控除した金額）に達するまでの金額は、当該適用年度の所得の金額の計算上、損金の額に算入する。（法59②、令117）

①	当該再生手続開始の決定があった時又は第九款の一の3若しくは同款の二の4に掲げる事実が生じた時においてその内国法人に対し(1)《民事再生等の場合の債権の範囲》に掲げる債権を有する者（当該内国法人が通算法人である場合〔当該適用年度終了の日が当該内国法人に係る通算親法人の事業年度終了の日である場合に限る。〕には、他の通算法人で当該適用年度終了の日にその事業年度が終了するものを除く。）から当該債権につき債務の免除を受けた場合（当該債権が債務の免除以外の事由により消滅した場合でその消滅した債務に係る利益の額が生ずるときを含む。）におけるその債務の免除を受けた金額（当該利益の額を含む。）
②	当該再生手続開始の決定があったこと又は第九款の一の3若しくは同款の二の4に掲げる事実が生じたことに伴いその内国法人の役員等（役員若しくは株主等である者又はこれらであった者をいい、当該内国法人が通算法人である場合〔当該適用年度終了の日が当該内国法人に係る通算親法人の事業年度終了の日である場合に限る。〕には他の通算法人で当該適用年度終了の日にその事業年度が終了するものを除く。）から金銭その他の資産の贈与を受けた場合におけるその贈与を受けた金銭の額及び金銭以外の資産の価額
③	第九款の一の3により当該適用年度の所得の金額の計算上益金の額に算入される金額から同款の二の4により当該適用年度の所得の金額の計算上損金の額に算入される金額を減算した金額

（民事再生等の場合の債権の範囲）

(1)　2の表の①に掲げる債権は、次の表の左欄に掲げる事実の区分に応じそれぞれ同表の右欄に掲げる債権とする。（令117の2）

(一)	再生手続開始の決定があったこと	民事再生法第84条《再生債権となる請求権》に規定する再生債権（同法に規定する共益債権及び同法第122条第1項《一般優先債権》に規定する一般優先債権で、その再生手続開始前の原因に基づいて生じたものを含む。）
(二)	2に掲げる事実	当該事実の発生前の原因に基づいて生じた債権

（民事再生等に準ずる事実により債務免除等があった場合の欠損金の損金算入）

(2)　内国法人について再生手続開始の決定があったことその他これに準ずる(3)《再生手続開始の決定に準ずる事実等》に掲げる事実が生じた場合（第九款の一の3《民事再生等による特定の事実が生じた場合の資産の評価益の益金算入》又は同款の二の4《民事再生等による特定の事実が生じた場合の資産の評価損の損金算入》の適用を受ける場合を除く。）において、その内国法人が次の表の左欄に掲げる場合に該当するときは、その該当することとなった日の属する事業年度（以下「適用年度」という。）前の各事業年度において生じた欠損金額で(4)《評価損益の計上のない民事再生等の場合の欠損金額の範囲》に掲げるものに相当する金額のうち同表の右欄に掲げる金額の合計額（当該合計額が(2)及び第三十四款の一の2の⑤の(2)《事業税の損金算入》を適用しないものとして計算した場合における

当該適用年度の所得の金額を超える場合には、その超える部分の金額を控除した金額）に達するまでの金額は、当該適用年度の所得の金額の計算上、損金の額に算入する。（法59③）

（一）	当該再生手続開始の決定があった時又は（3）に掲げる事実が生じた時においてその内国法人に対し（3）に掲げる債権を有する者（当該内国法人が通算法人である場合〔当該適用年度終了の日が当該内国法人に係る通算親法人の事業年度終了の日である場合に限る。〕には、他の通算法人で当該適用年度終了の日にその事業年度が終了するものを除く。）から当該債権につき債務の免除を受けた場合（当該債権が債務の免除以外の事由により消滅した場合でその消滅した債務に係る利益の額が生ずるときを含む。）	その債務の免除を受けた金額（当該利益の額を含む。）
（二）	当該再生手続開始の決定があったこと又は（3）に掲げる事実が生じたことに伴いその内国法人の役員等（役員若しくは株主等である者又はこれらであった者をいい、当該内国法人が通算法人である場合〔当該適用年度終了の日が当該内国法人に係る通算親法人の事業年度終了の日である場合に限る。〕には他の通算法人で当該適用年度終了の日にその事業年度が終了するものを除く。）から金銭その他の資産の贈与を受けた場合	その贈与を受けた金銭の額及び金銭以外の資産の価額

（再生手続開始の決定に準ずる事実等）

（3） （2）に掲げる事実は、次の表の（一）から（三）までの左欄に掲げる事実とし、（2）の表の（一）の左欄に掲げる債権は、（1）の表の（一）の左欄に掲げる事実にあっては同表の（一）の右欄に掲げる債権とし、次の表の（一）から（三）までの左欄に掲げる事実にあってはそれぞれ同表の右欄に掲げる債権とする。（令117の3）

（一）	内国法人について特別清算開始の命令があったこと	その特別清算開始前の原因に基づいて生じた債権
（二）	内国法人について破産手続開始の決定があったこと	破産法（平成16年法律第75号）第2条第5項《定義》に規定する破産債権（同条第7項に規定する財団債権でその破産手続開始前の原因に基づいて生じたものを含む。）
（三）	第九款の一の3《民事再生等による特定の事実が生じた場合の資産の評価益の益金算入》に掲げる事実	当該事実の発生前の原因に基づいて生じた債権
（四）	（1）の表の（一）又はこの表の（一）若しくは（二）に掲げる事実に準ずる事実（更生手続開始の決定があったこと及び（三）に掲げる事実を除く。）	当該準ずる事実の発生前の原因に基づいて生じた債権

（評価損益の計上のない民事再生等の場合の欠損金額の範囲）

（4） （2）に掲げる欠損金額は、（一）に掲げる金額から（二）（（2）に掲げる適用年度〔以下（4）において「適用年度」という。〕が第三十五款の一の3の①《前10年以内の繰越欠損金の損金算入》、同①の（1）《繰越欠損金の額》、及び同①の（2）《通算法人の繰越欠損金の損金算入限度額》の適用を受ける事業年度である場合には、（三））に掲げる金額を控除した金額とする。（令117の4）

（一）	適用年度終了の時における前事業年度以前の事業年度から繰り越された欠損金額の合計額
（二）	一の1の①《前10年以内の繰越欠損金の損金算入》により適用年度の所得の金額の計算上損金の額に算入される欠損金額
（三）	適用年度に係る第三十五款の一の3の②《適用事業年度後の繰越欠損金の損金算入》に掲げる損金算入欠損金額の合計額

（再生手続開始の決定に準ずる事実等）

（5） （3）の表の（四）に掲げる「（1）の表の（一）又はこの表の（一）若しくは（二）に掲げる事実に準ずる事実」とは、次

(一)	(1)の表の(一)及び(3)の表の(一)から(三)までに掲げる事実以外において法律の定める手続による資産の整理があったこと。
(二)	主務官庁の指示に基づき再建整備のための一連の手続を織り込んだ一定の計画を作成し、これに従って行う資産の整理があったこと。
(三)	(一)及び(二)以外の資産の整理で、例えば、親子会社間において親会社が子会社に対して有する債権を単に免除するというようなものでなく、債務の免除等が多数の債権者によって協議の上決められる等その決定について恣意性がなく、かつ、その内容に合理性があると認められる資産の整理があったこと。

(前事業年度以前の事業年度から繰り越された欠損金額の合計額)

(6)　2に掲げる「前事業年度以前の事業年度から繰り越された欠損金額の合計額」とは、当該事業年度の確定申告書に添付する法人税申告書別表五(一)の「利益積立金額及び資本金等の額の計算に関する明細書」に期首現在利益積立金額の合計額として記載されるべき金額で、当該金額が負(マイナス)である場合の当該金額による。

　　ただし、当該金額が、当該確定申告書に添付する法人税申告書別表七(一)の「欠損金の損金算入等に関する明細書」に控除未済欠損金額として記載されるべき金額に満たない場合には、当該控除未済欠損金額として記載されるべき金額による。(基通12－3－2・編者補正)

(債務免除等があった場合の債務免除等の金額)

(7)　2に掲げる「次の表に掲げる金額の合計額」を計算する場合において、2の表の③に掲げる金額が負(マイナス)であるときは、当該合計額は同表の①及び②の正(プラス)の金額と同表の③の負(マイナス)の金額とを通算した金額となることに留意する。(基通12－3－4)

(債務の免除以外の事由による消滅の意義)

(8)　2の表の①又は(2)に掲げる「当該債権が債務の免除以外の事由により消滅した場合」とは、2に掲げる内国法人が、2の表の①又は(2)の表の(一)に掲げる債権を有する者から当該債権の現物出資を受けることにより、当該債権を有する者に対して募集株式又は募集新株予約権を発行した場合がこれに該当する。(基通12－3－6・編者補正)

(通算法人において民事再生等による債務免除があった場合の損金算入の読替え)

(9)　2の内国法人が通算法人である場合(2に掲げる適用年度終了の日が当該内国法人に係る通算親法人の事業年度終了の日である場合に限る。)における2の適用については、2中「2及び」とあるのは「2、」と、「損金算入》を適用しない」とあるのは「損金算入》、第三十五款の一の1《通算法人の損益通算》及び同一の3の③のロの(4)《非特定欠損金額の益金算入》を適用しない」と、「所得の金額を」とあるのは「所得の金額と当該内国法人の適用年度及び当該適用年度終了の日において当該内国法人との間に通算完全支配関係がある他の通算法人の同日に終了する事業年度の調整前所得金額(一の1の①、2、3、第十一款の二の2の②、第三十五款の一の1及び同一の3の③のロの(4)を適用しないものとして計算した場合における所得の金額をいう。)の合計額から同日において当該内国法人との間に通算完全支配関係がある他の通算法人の同日に終了する事業年度において生じた調整前欠損金額(一の1の①、2、3、第十一款の二の2の②、第三十五款の一の1及び同一の3の③のロの(4)を適用しないものとして計算した場合における欠損金額をいう。)の合計額を控除した金額(これらの他の通算法人のうちに2の適用を受ける法人がある場合には、当該控除した金額のうち当該内国法人に帰せられる金額として(10)に掲げる金額)とのうちいずれか少ない金額を」とする。(法59⑤)

(民事再生等の場合の債務免除額等の限度となる通算所得帰属額)

(10)　(9)により読み替えられた2に掲げる金額は、(一)に掲げる金額に(二)に掲げる金額が(三)に掲げる金額のうちに占める割合を乗じて計算した金額とする。(令118)

(一)	2の内国法人の2に掲げる適用年度(以下2において「適用年度」という。)及び当該適用年度終了の日において当該内国法人との間に通算完全支配関係がある他の通算法人の同日に終了する事業年度の調整前所得金額(((9)により読み替えられた2に掲げる調整前所得金額をいう。(二)のイにおいて同じ。)の合計額から同日において当該内国法人との間に通算完全支配関係がある他の通算法人の同日に終了する事業年度において生じた

	調整前欠損金額（（9）により読み替えられた**2**に掲げる調整前欠損金額をいう。）の合計額を控除した金額
(二)	**2**の内国法人の適用年度の控除対象欠損金額（**2**に掲げるものに相当する金額のうち**2**の表に掲げる金額の合計額（当該合計額が次に掲げる金額のうちいずれか少ない金額を超える場合には、その超える部分の金額を控除した金額）に達するまでの金額をいう。(三)において同じ。）
	イ　調整前所得金額
	ロ　(一)に掲げる金額
(三)	**2**の内国法人の適用年度及び当該適用年度終了の日において当該内国法人との間に通算完全支配関係がある他の通算法人の同日に終了する事業年度（**2**の適用を受ける事業年度に限る。）の控除対象欠損金額の合計額

3　解散の場合の期限切れ欠損金の損金算入

　内国法人が解散した場合において、残余財産がないと見込まれるときは、その清算中に終了する事業年度（**1**又は**2**の適用を受ける事業年度を除く。以下**3**において「適用年度」という。）前の各事業年度において生じた欠損金額を基礎として、（1）に掲げるところにより計算した金額に相当する金額（当該相当する金額が**3**及び第十一款の**二**の**2**の②《残余財産の確定の日の属する事業年度に係る事業税等の損金算入》を適用しないものとして計算した場合における当該適用年度の所得の金額を超える場合には、その超える部分の金額を控除した金額）は、当該適用年度の所得の金額の計算上、損金の額に算入する。（法59④）

　　　　（解散の場合の欠損金額の範囲）
（1）　**3**の適用対象となる欠損金額を基礎として計算した金額は、(一)に掲げる金額から(二)（**3**に掲げる適用年度〔以下（1）において「適用年度」という。〕が第三十五款の**一**の**3**の①《前10年以内の繰越欠損金の損金算入》、同①の(1)《繰越欠損金の額》、及び同①の(2)《通算法人の繰越欠損金の損金算入限度額》の適用を受ける事業年度である場合には、(三)）に掲げる金額を控除した金額とする。（令117の5）

(一)	適用年度終了の時における前事業年度以前の事業年度から繰り越された欠損金額の合計額（当該適用年度終了の時における資本金等の額が零以下である場合には、当該欠損金額の合計額から当該資本金等の額を減算した額）
(二)	**一**の**1**の①《前10年以内の繰越欠損金の損金算入》により適用年度の所得の金額の計算上損金の額に算入される欠損金額
(三)	適用年度に係る第三十五款の**一**の**3**の②《適用事業年度後の繰越欠損金の損金算入》に掲げる損金算入欠損金額の合計額

　　　　（前事業年度以前の事業年度から繰り越された欠損金額の合計額）
（2）　（1）の表の(一)に掲げる「前事業年度以前の事業年度から繰り越された欠損金額の合計額」とは、当該事業年度の確定申告書に添付する法人税申告書別表五(一)の「利益積立金額及び資本金等の額の計算に関する明細書」に期首現在利益積立金額の合計額として記載されるべき金額で、当該金額が負（マイナス）である場合の当該金額による。
　　ただし、当該金額が、当該確定申告書に添付する法人税申告書別表七(一)の「欠損金又は災害損失金の損金算入等に関する明細書」に控除未済欠損金額として記載されるべき金額に満たない場合には、当該控除未済欠損金額として記載されるべき金額による。（基通12－3－2・編者補正）

　　　　（残余財産がないと見込まれるかどうかの判定の時期）
（3）　**3**に掲げる「残余財産がないと見込まれる」かどうかの判定は、法人の清算中に終了する各事業年度終了の時の現況による。（基通12－3－7）

　　　　（残余財産がないと見込まれることの意義）
（4）　解散した法人が当該事業年度終了の時において債務超過の状態にあるときは、**3**に掲げる「残余財産がないと見込まれるとき」に該当するのであるから留意する。（基通12－3－8）

4 損金算入の申告

 1、**2**又は**3**は、確定申告書、修正申告書又は更正請求書に**1**、**2**又は**3**により損金の額に算入される金額の計算に関する明細を記載した書類及び次の表の左欄に掲げる場合の区分に応じそれぞれ同表の右欄に掲げる書類の添付がある場合に限り、適用する。(法59⑥、規26の6)

①	**1**《会社更生等による債務免除等があった場合の欠損金の損金算入》の表の①から③までに掲げる場合に該当する場合	次に掲げる書類		
		イ	更生手続開始の決定があったことを証する書類	
		ロ	次に掲げる事項を記載した書類	
			(イ)	当該内国法人が債務の免除を受けた金額(当該内国法人に対する債権が債務の免除以外の事由により消滅した場合でその消滅した債務に係る利益の額が生ずるときの当該利益の額を含む。)並びにその贈与を受けた金銭の額及び金銭以外の資産の価額の明細
			(ロ)	(イ)に掲げる免除を受けた債務((イ)に掲げる消滅した債務を含む。)に係る債権が**1**の(1)《会社更生等の場合の債権の範囲》に掲げる更生債権であることの明細
			(ハ)	その債務の免除を行った者((イ)に掲げる消滅した債務に係る債権を**1**の表の①に掲げる時において有していた者を含む。)又は贈与を行った者の氏名又は名称及び住所若しくは居所又は本店若しくは主たる事務所の所在地
			(ニ)	(ハ)に掲げる贈与を行った者が当該内国法人の役員等(**1**の表の②に掲げる役員等をいう。この表の②において同じ。)であることの明細
			(ホ)	その他参考となるべき事項
②	**2**《民事再生等による債務免除等があった場合の欠損金の損金算入》の表の①から②までに掲げる場合に該当する場合	次に掲げる書類		
		イ	**2**の(1)《民事再生等の場合の債権の範囲》の表の(一)若しくは(二)又は同**2**の(3)《再生手続開始の決定に準ずる事実等》の表の(一)から(三)までに掲げる事実が生じた旨を証する書類	
		ロ	次に掲げる事項を記載した書類	
			(イ)	当該内国法人が債務の免除を受けた金額(当該内国法人に対する債権が債務の免除以外の事由により消滅した場合でその消滅した債務に係る利益の額が生ずるときの当該利益の額を含む。)並びにその贈与を受けた金銭の額及び金銭以外の資産の価額の明細
			(ロ)	(イ)に掲げる免除を受けた債務((イ)に掲げる消滅した債務を含む。)に係る債権が**2**の(1)の表の(一)若しくは(二)又は同**2**の(3)の表の(一)から(三)までに掲げる債権であることの明細
			(ハ)	その債務の免除を行った者((イ)に掲げる消滅した債務に係る債権を**2**の表の(一)若しくは(二)又は同**2**の(3)の表の(一)から(三)までに掲げる事実が生じた時において有していた者を含む。)又は贈与を行った者の氏名又は名称及び住所若しくは居所又は本店若しくは主たる事務所の所在地
			(ニ)	(ハ)に掲げる贈与を行った者が当該内国法人の**2**の表の②又は同**2**の(2)の表の(二)に掲げる役員等であることの明細
			(ホ)	その他参考となるべき事項
③	**3**《解散の場合の期限切れ欠損金の損金算入》に掲げる残余財産がないと見込ま	残余財産がないと見込まれることを説明する書類		

| れる場合 | |

（明細書の書類の添付がない場合のゆうじょ規定）

　税務署長は、**4**の表の①から③に掲げる書類の添付がない確定申告書、修正申告書又は更正請求書の提出があった場合においても、その書類の添付がなかったことについてやむを得ない事情があると認めるときは、**1**、**2**又は**3**を適用することができる。（法59⑦）

四　欠損金額の引継ぎ及び繰越制限等

1　被合併法人等の未処理欠損金額の引継ぎ及び引継ぎ等に係る制限

①　被合併法人等の未処理欠損金額の引継ぎ

　一の1の①《前10年以内の繰越欠損金の損金算入》に掲げる内国法人を合併法人とする適格合併が行われた場合又は当該内国法人との間に完全支配関係（当該内国法人による完全支配関係又は第二章第一節の二の表の**12の7の6**《完全支配関係》に掲げる相互の関係に限る。）がある他の内国法人で当該内国法人が発行済株式若しくは出資の全部若しくは一部を有するものの残余財産が確定した場合において、当該適格合併に係る被合併法人又は当該他の内国法人（以下①において「**被合併法人等**」という。）の当該適格合併の日前10年以内に開始し、又は当該残余財産の確定の日の翌日前10年以内に開始した各事業年度（以下1において「**前10年内事業年度**」という。）において生じた欠損金額（当該被合併法人等が当該欠損金額〔①により当該被合併法人等の欠損金額とみなされたものを含み、一の1の①の（1）《会社更生等による債務免除等があった場合の適用対象となる欠損金額の範囲》、2の①《合併法人等の青色欠損金額の繰越額の制限》又は二の1《前10年以内の災害による繰越損失金の損金算入》によりないものとされたものを除く。②において同じ。〕の生じた前10年内事業年度について（1）に掲げる確定申告書の提出要件を満たしている場合における当該欠損金額に限るものとし、一の1の①により当該被合併法人等の前10年内事業年度の所得の金額の計算上損金の額に算入されたもの及び第二節第三款の八の3の②《欠損金の繰戻しによる還付》により還付を受けるべき金額の計算の基礎となったものを除く。以下1において「**未処理欠損金額**」という。）があるときは、当該内国法人の当該適格合併の日の属する事業年度又は当該残余財産の確定の日の翌日の属する事業年度（以下1において「**合併等事業年度**」という。）以後の各事業年度における一の1の①の適用については、当該前10年内事業年度において生じた未処理欠損金額（当該他の内国法人に株主等が2以上ある場合には、当該未処理欠損金額を当該他の内国法人の発行済株式又は出資〔当該他の内国法人が有する自己の株式又は出資を除く。〕の総数又は総額で除し、これに当該内国法人の有する当該他の内国法人の株式又は出資の数又は金額を乗じて計算した金額）は、それぞれ当該未処理欠損金額の生じた前10年内事業年度開始の日の属する当該内国法人の各事業年度（当該内国法人の合併等事業年度開始の日以後に開始した当該被合併法人等の当該前10年内事業年度において生じた未処理欠損金額にあっては、当該合併等事業年度の前事業年度）において生じた欠損金額とみなす。（法57②）

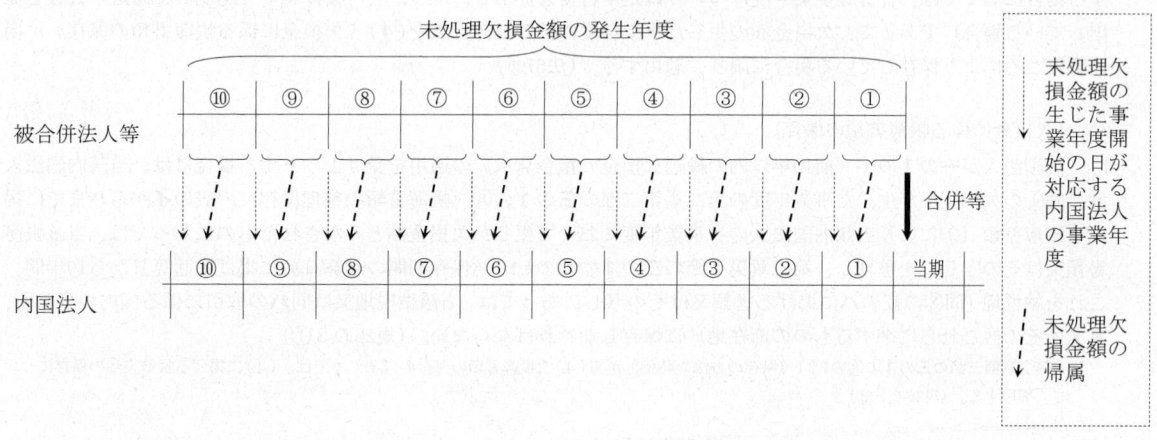

(未処理欠損金額となる欠損金額の確定申告書の提出要件)

（1）①《被合併法人等の未処理欠損金額の引継ぎ》に掲げる確定申告書の提出要件は、①に掲げる適格合併又は残余財産の確定（以下（1）において「**適格合併等**」という。）に係る被合併法人等が、前10年内事業年度のうち欠損金額（①により当該被合併法人等の欠損金額とみなされたものを含み、一の1の①の（1）《会社更生等による債務免除等があった場合の適用対象となる欠損金額の範囲》、2の①《合併法人等の青色欠損金額の繰越額の制限》又は二の1《前10年以内の災害による繰越損失金の損金算入》によりないものとされたものを除く。）の生じた事業年度（当該適格合併等の前に当該被合併法人等となる内国法人を合併法人とする適格合併（以下（1）において「**直前適格合併**」という。）が行われたこと又は当該被合併法人等となる内国法人との間に完全支配関係がある他の内国法人の残余財産が確定したことに基因して①により当該被合併法人等となる内国法人の欠損金額とみなされたものにあっては、当該直前適格合併の日の属する事業年度又は当該残余財産の確定の日の翌日の属する事業年度）について確定申告書を提出し、か

つ、その後において連続して確定申告書を提出していることとする。（令112①）

　　　（該当事業年度がない場合の特例）
（２）　①の内国法人の合併等事業年度開始の日前10年以内に開始した各事業年度のうち最も古い事業年度（当該合併等事業年度が当該内国法人の設立の日の属する事業年度である場合には、当該合併等事業年度）開始の日（以下（２）において「**合併法人等10年前事業年度開始日**」という。）が適格合併又は残余財産の確定に係る被合併法人等の前10年内事業年度（以下（２）において「被合併法人等前10年内事業年度」という。）で未処理欠損金額が生じた事業年度のうち最も古い事業年度開始の日（当該適格合併が法人を設立するものである場合にあっては、当該開始の日が最も早い被合併法人等の当該事業年度開始の日。以下（２）において「**被合併法人等10年前事業年度開始日**」という。）後である場合（当該適格合併が法人を設立するものである場合を含む。）には、当該被合併法人等10年前事業年度開始日から当該合併法人等10年前事業年度開始日（当該適格合併が法人を設立するものである場合にあっては、当該適格合併の日の属する事業年度開始の日。以下（２）において同じ。）の前日までの期間を当該期間に対応する当該被合併法人等10年前事業年度開始日に係る被合併法人等の被合併法人等前10年内事業年度ごとに区分したそれぞれの期間（当該前日の属する期間にあっては、当該被合併法人等の当該前日の属する事業年度開始の日から当該合併法人等10年前事業年度開始日の前日までの期間）を当該内国法人のそれぞれの事業年度とみなし、①の内国法人の合併等事業年度が設立日（当該内国法人の設立の日をいう。以下（２）において同じ。）の属する事業年度である場合において、被合併法人等10年前事業年度開始日が当該設立日以後であるときは、被合併法人等の当該設立日の前日の属する事業年度開始の日（当該被合併法人等が当該設立日以後に設立されたものである場合には、当該設立日の１年前の日）から当該前日までの期間を当該内国法人の事業年度とみなして、**一**の**１**の①《前10年以内の繰越欠損金の損金算入》及びこの**１**を適用する。（法57⑭、令112②）

　　　（内国法人における損金算入の適用要件）
（３）　**一**の**１**の①《前10年以内の繰越欠損金の損金算入》は、同①の内国法人が欠損金額（この①により当該内国法人の欠損金額とみなされたものを除く。）の生じた事業年度について確定申告書を提出し、かつ、その後において連続して確定申告書を提出している場合（この①により当該内国法人の欠損金額とみなされたものについて**一**の**１**の①を適用する場合にあっては、合併等事業年度について確定申告書を提出し、かつ、その後において連続して確定申告書を提出している場合）であって、欠損金額の生じた事業年度に係る帳簿書類を（４）《欠損金に係る帳簿書類の保存》に掲げるところにより保存している場合に限り、適用する。（法57⑩）

　　　（欠損金に係る帳簿書類の保存）
（４）　内国法人が**一**の**１**の①《前10年以内の繰越欠損金の損金算入》の適用を受けようとする場合には、当該内国法人は、同①の欠損金額が生じた事業年度の第二章第二節の**三**の**１**の⑧《帳簿書類の整理保存》の表の**イ**から**ハ**までに掲げる帳簿書類（①により当該内国法人の各事業年度において生じた欠損金額とみなされたものにあっては、当該帳簿書類又はその写し）を整理し、第二章第二節の**三**の**１**の⑧の（１）《保存期間の起算日》に掲げる起算日から10年間、これを納税地（同⑧の表の**ハ**に掲げる書類又はその写しにあっては、当該納税地又は同**ハ**の取引に係る国内の事務所、事業所その他これらに準ずるものの所在地）に保存しなければならない。（規26の３①）
　　　注　第二章第二節の**三**の**１**の⑧の（２）《保存の方法の特例》から（４）《帳簿書類の保存の方法》までは、（４）に掲げる帳簿書類の保存について、準用する。（規26の３②）

②　被合併法人等の未処理欠損金額の引継額の制限
　①《被合併法人等の未処理損失金額の引継ぎ》に掲げる適格合併に係る被合併法人（①に掲げる内国法人〔当該内国法人が当該適格合併により設立された法人である場合にあっては、当該適格合併に係る他の被合併法人。以下②において同じ。〕との間に支配関係があるものに限る。）又は①に掲げる残余財産が確定した他の内国法人（以下②において「被合併法人等」という。）の①に掲げる未処理欠損金額には、当該適格合併が**共同で事業を行うための合併**に該当する場合又は当該被合併法人等と①に掲げる内国法人との間に当該内国法人の当該適格合併の日の属する事業年度開始の日（当該適格合併が法人を設立するものである場合には、当該適格合併の日）の５年前の日若しくは当該残余財産の確定の日の翌日の属する事業年度開始の日の５年前の日、当該被合併法人等の設立の日若しくは当該内国法人の設立の日のうち最も遅い日から継続して支配関係がある場合として（２）に掲げる場合のいずれにも該当しない場合には、次に掲げる欠損金額を含まないものとする。（法57③）

イ	当該被合併法人等の支配関係事業年度（当該被合併法人等が当該内国法人との間に最後に支配関係を有することと

なった日の属する事業年度をいう。ロにおいて同じ。）前の各事業年度で前10年内事業年度に該当する事業年度において生じた欠損金額（当該被合併法人等において一の1の①《前10年以内の繰越欠損金の損金算入》により前10年内事業年度の所得の金額の計算上損金の額に算入されたもの及び第二節第三款の八の3の②《欠損金の繰戻しによる還付》により還付を受けるべき金額の計算の基礎となったものを除く。ロにおいて同じ。）

	当該被合併法人等の支配関係事業年度以後の各事業年度で前10年内事業年度に該当する事業年度（第三十四款の**四の1**《特定資産譲渡等損失額の損金不算入》〔同款の**四の3**《新設合併における特定資産譲渡等損失額の損金不算入》において準用する場合を含む。以下同じ。〕の適用を受ける場合の同款の**四の1**に掲げる対象期間又は同款の**三**《特定株主等によって支配された欠損等法人の資産の譲渡等損失額の損金不算入》の適用を受ける場合の同**三**に掲げる適用期間又は第三十五款の**三の5**《特定資産に係る譲渡等損失額の損金不算入》の適用を受ける場合の同**5**に掲げる適用期間内の日の属する事業年度を除く。以下②において「対象事業年度」という。）において生じた欠損金額のうち同款の**四の1**の③に掲げる**特定資産譲渡等損失額**に相当する金額から成る部分の金額として、対象事業年度ごとに、（イ）に掲げる金額から（ロ）に掲げる金額を控除した金額（令112⑤）	
ロ	（イ）	当該対象事業年度に生じた欠損金額（①により当該被合併法人等の欠損金額とみなされたもの及び一の1の①の（1）《会社更生等による債務免除等があった場合の適用対象となる欠損金額の範囲》又は2の①《合併法人等の青色欠損金額の繰越額の制限》によりないものとされたものを含むものとし、二《青色申告書を提供しなかった事業年度の欠損金の特例》の適用がある欠損金額及び第二節第三款の**八の3の⑤**《災害があった場合の欠損金の繰戻しによる還付についての特例》に掲げる災害損失欠損金額〔当該災害損失欠損金額について同⑤において準用する同**3の②**の適用を受けた場合における当該災害損失欠損金額に限る。（6）において「**適用災害損失欠損金額**」という。〕を除く。（ロ）において同じ。）のうち、当該対象事業年度を第三十四款の**四の1**《特定資産譲渡等損失額の損金不算入》が適用される事業年度として当該被合併法人等が最後に支配関係を有することとなった日（以下（3）及び（5）において「**支配関係発生日**」という。）の属する事業年度開始の日前から有していた資産（同日を同1に掲げる特定適格組織再編成等〔（3）において「特定適格組織再編成等」という。〕の日とみなした場合に同1の③のイの（1）《特定引継資産の意義》の表の（一）から（五）までに掲げる資産に該当するものを除く。）につき同1を適用した場合に同1の③《特定資産譲渡等損失額の意義》に掲げる**特定資産譲渡等損失額**となる金額に達するまでの金額
	（ロ）	当該対象事業年度に生じた欠損金額のうち、当該被合併法人等において一の1の①《前10年以内の繰越欠損金の損金算入》により当該前10年内事業年度の所得の金額の計算上損金の額に算入されたもの及び第二節第三款の八の3の②《欠損金の繰戻しによる還付》により還付を受けるべき金額の計算の基礎となったもの並びに一の1の①の（1）《会社更生等による債務免除等があった場合の適用対象となる欠損金額の範囲》又は2の①によりないものとされたもの

（共同で事業を行うための合併の意義）
（1） ②に掲げる「**共同で事業を行うための合併**」とは、適格合併のうち、次の表の(一)から(四)までに掲げる要件又は(一)及び(五)に掲げる要件に該当するものとする。（令112③）

(一)	適格合併に係る被合併法人の**被合併事業**（当該被合併法人の当該適格合併の前に行う主要な事業のうちのいずれかの事業をいう。以下(三)までにおいて同じ。）と当該適格合併に係る合併法人（当該合併法人が当該適格合併により設立された法人である場合にあっては、当該適格合併に係る他の被合併法人。以下(1)において同じ。）の**合併事業**（当該合併法人の当該適格合併の前に行う事業〔当該合併法人が当該適格合併により設立された法人である場合にあっては、当該適格合併に係る他の被合併法人の被合併事業〕のうちのいずれかの事業をいう。(二)及び(四)において同じ。）とが相互に関連するものであること。
(二)	被合併事業と合併事業（当該被合併事業と関連する事業に限る。(二)及び(四)において同じ。）のそれぞれの売上金額、当該被合併事業と当該合併事業のそれぞれの従業者の数、適格合併に係る被合併法人と合併法人のそれぞれの資本金の額若しくは出資金の額又はこれらに準ずるものの規模の割合がおおむね**5倍**を超えないこと。
(三)	被合併事業が当該適格合併に係る被合併法人が合併法人との間に最後に支配関係を有することとなった時（当該被合併法人がその時から当該適格合併の直前の時までの間に当該被合併法人を合併法人、分割承継法人又は被現物出資法人〔(四)において「**合併法人等**」という。〕とする適格合併、適格分割又は適格現物出資〔以下(三)

	及び(四)において「**適格合併等**」という。〕により被合併事業の全部又は一部の移転を受けている場合には、当該適格合併等の時。以下(三)において「**被合併法人支配関係発生時**」という。〕から当該適格合併の直前の時まで継続して行われており、かつ、当該被合併法人支配関係発生時と当該適格合併の直前の時における当該被合併事業の規模（(二)に掲げる規模の割合の計算の基礎とした指標に係るものに限る。）の割合がおおむね**2倍**を超えないこと。
(四)	合併事業が当該適格合併に係る合併法人が被合併法人との間に最後に支配関係を有することとなった時（当該合併法人がその時から当該適格合併の直前の時までの間に当該合併法人を合併法人等とする適格合併等により合併事業の全部又は一部の移転を受けている場合には、当該適格合併等の時。以下(四)において「**合併法人支配関係発生時**」という。〕から当該適格合併の直前の時まで継続して行われており、かつ、当該合併法人支配関係発生時と当該適格合併の直前の時における当該合併事業の規模（(二)に掲げる規模の割合の計算の基礎とした指標に係るものに限る。）の割合がおおむね**2倍**を超えないこと。

(五)		適格合併に係る次の表のイに掲げる者とロに掲げる者とが当該適格合併の後に当該合併法人（当該適格合併が法人を設立するものである場合には、当該適格合併により設立された法人）の**特定役員**となることが見込まれていること。
	イ	被合併法人の当該適格合併の前における**特定役員**（社長、副社長、代表取締役、代表執行役、専務取締役若しくは常務取締役又はこれらに準ずる者で法人の経営に従事している者〔以下(五)において同じ。〕）である者のいずれかの者（当該被合併法人が当該適格合併に係る合併法人との間に最後に支配関係を有することとなった日前〔当該支配関係が当該被合併法人となる法人又は当該合併法人となる法人の設立により生じたものである場合には、同日。以下(五)において同じ。〕において当該被合併法人の役員又は当該これらに準ずる者〔同日において当該被合併法人の経営に従事していた者に限る。〕であった者に限る。）
	ロ	当該合併法人の当該適格合併の前における特定役員である者のいずれかの者（当該最後に支配関係を有することとなった日前において当該合併法人の役員又は当該これらに準ずる者〔同日において当該合併法人の経営に従事していた者に限る。〕であった者に限る。）

（適用除外となる継続して支配関係がある場合）
（2） ②に掲げる継続して支配関係がある場合は、次の表の(一)又は(二)に掲げる場合のいずれかに該当する場合とする。（令112④）

(一)		被合併法人等と内国法人との間に当該内国法人の適格合併の日の属する事業年度開始の日（当該適格合併が法人を設立するものである場合には、当該適格合併の日）の5年前の日又は残余財産の確定の日の翌日の属する事業年度開始の日の5年前の日（(二)において「5年前の日」という。）から継続して支配関係がある場合
(二)		被合併法人等又は内国法人が5年前の日後に設立された法人である場合（次の表のイからハまでに掲げる場合を除く。）であって当該被合併法人等と当該内国法人との間に当該被合併法人等の設立の日又は当該内国法人の設立の日のいずれか遅い日から継続して支配関係があるとき。
	イ	当該内国法人との間に支配関係がある他の内国法人を被合併法人とする適格合併で、当該被合併法人等を設立するもの又は当該内国法人が当該他の内国法人との間に最後に支配関係を有することとなった日以後に設立された当該被合併法人等を合併法人とするものが行われていた場合（同日が当該5年前の日以前である場合を除く。）
	ロ	当該内国法人が他の内国法人との間に最後に支配関係を有することとなった日以後に設立された当該被合併法人等との間に①に掲げる完全支配関係がある当該他の内国法人（当該内国法人との間に支配関係があるものに限る。）で当該被合併法人等が発行済株式又は出資の全部又は一部を有するものの残余財産が確定していた場合（同日が当該5年前の日以前である場合を除く。）
	ハ	当該被合併法人等との間に支配関係がある他の法人を被合併法人、分割法人、現物出資法人又は現物分配法人とする2の①《合併法人等の青色欠損金額の繰越額の制限》に掲げる適格組織再編成等で、当該内国法人を設立するもの又は当該被合併法人等が当該他の法人との間に最後に支配関係を有することとなった日以後に設立された当該内国法人を合併法人、分割承継法人、被現物出資法人若しくは被現物分

配法人とするものが行われていた場合（同日が当該５年前の日以前である場合を除く。）

　　　（合併等前２年以内期間内に特定適格組織再編成が行われた場合における移転資産の有する日のみなし規定）
（３）　②の被合併法人等に係る①の適格合併の日又は①の残余財産の確定の日以前２年以内の期間（支配関係発生日以後の期間に限る。以下（３）及び（６）において「合併等前２年以内期間」という。）内に当該被合併法人等又は**特定支配関係法人**（②の内国法人及び当該被合併法人等との間に支配関係がある法人をいう。以下（３）及び（６）において同じ。）を合併法人、分割承継法人、被現物出資法人又は被現物分配法人とし、特定支配関係法人を被合併法人、分割法人、現物出資法人又は現物分配法人とする１又は２以上の特定適格組織再編成等が行われていた場合において、当該１又は２以上の特定適格組織再編成等により移転があった資産のうち当該被合併法人等が有することとなったもの（当該１又は２以上の特定適格組織再編成等に係る被合併法人、分割法人、現物出資法人又は現物分配法人である特定支配関係法人のいずれかが支配関係発生日の属する事業年度開始の日前から有していたものに限る。）については、当該被合併法人等が支配関係発生日の属する事業年度開始の日前から有していたものとみなして、②の表の口を適用する。ただし、次の表に掲げる資産については、この限りではない。（法57⑭、令112⑥）

（一）	合併等前２年以内期間内に行われた２の①《合併法人等の青色欠損金額の繰越額の制限》に掲げる適格組織再編成等で特定適格組織再編成等に該当しないものにより移転があった資産	
（二）	合併等前２年以内期間内に行われた適格合併に該当しない合併により移転があった資産で第三十三款の一《譲渡損益調整資産に係る譲渡利益額又は譲渡損失額の繰延べ》に掲げる譲渡損益調整資産以外のもの	
（三）	（一）及び（二）に掲げる資産以外の資産で次に掲げるものに該当するもの	
	イ	資産を（４）《引継ぎを受ける資産の単位》に掲げる単位に区分した後のそれぞれの資産の当該支配関係発生日の属する事業年度開始の日における帳簿価額又は取得価額が1,000万円に満たないもの
	ロ	当該支配関係発生日の属する事業年度開始の日における価額が同日における帳簿価額を下回っていない資産（②の内国法人の①に掲げる適格合併の日又は残余財産の確定の日の翌日の属する事業年度の確定申告書、修正申告書又は更正請求書に当該支配関係発生日の属する事業年度開始の日における当該資産の価額及びその帳簿価額に関する明細を記載した書類の添付があり、かつ、当該資産に係る同日の価額の算定の基礎となる事項を記載した（５）《みなし規定の適用要件》に掲げる書類を保存している場合における当該資産に限る。）

　（引継ぎを受ける資産の単位）
（４）　（３）の表の（三）のイに掲げる単位は、次の表の左欄に掲げる資産の区分に応じ、それぞれ同表の右欄に掲げるところにより区分した後の単位とする。（規26の２①）

（一）	金銭債権	一の債務者ごと	
（二）	減価償却資産	次の表の左欄に掲げる区分に応じそれぞれ同表の右欄に掲げる単位ごと	
		イ　建物	一棟（建物の区分所有等に関する法律第１条《建物の区分所有》の規定に該当する建物にあっては、同法第２条第１項《定義》に規定する建物の部分）ごと
		ロ　機械及び装置	一の生産設備又は１台若しくは１基（通常１組又は１式をもって取引の単位とされるものにあっては、１組又は１式）ごと
		ハ　その他の減価償却資産	イ又はロに準ずる単位ごと
（三）	土地（土地の上に存する権利を含む。以下（三）において「土地等」という。）	土地等を一筆（一体として事業の用に供される一団の土地等にあっては、その一団の土地等）ごと	
（四）	有価証券	その銘柄の異なるごと	

（五）	資金決済に関する法律（平成21年法律第59号）第２条第14項《定義》に規定する暗号資産	その種類の異なるごと
（六）	その他の資産	通常の取引の単位ごと

注 ――線部分は、令和５年度改正により改正された部分で、改正規定は、安定的かつ効率的な資金決済制度の構築を図るための資金決済に関する法律等の一部を改正する法律（令和４年法律第61号）の施行の日（令和５年６月１日）から適用され、同日前の適用については、「第２条第14項」とあるのは「第２条第５項」とする。（令５改規附１Ⅲ、令和５年政令第185号）

（みなし規定の適用要件）
（５）（３）の表の（三）のロに掲げる書類は、次に掲げる書類とする。（規26の２②）

（一）		資産の種類、名称、構造、取得価額、その取得をした日、②の表の**ロ**の表の（イ）（（６）の注において準用する場合にあっては、同（６））に掲げる支配関係発生日の属する事業年度開始の日（（二）において「支配関係事業年度開始日」という。）における帳簿価額その他その資産の内容を記載した書類
（二）		次に掲げるいずれかの書類で（一）の資産の支配関係事業年度開始日における価額を明らかにするもの
	イ	その資産の価額が継続して一般に公表されているものであるときは、その公表された価額が示された書類の写し
	ロ	②の内国法人が、当該支配関係事業年度開始日における価額を算定し、これを当該支配関係事業年度開始日における価額としているときは、その算定の根拠を明らかにする事項を記載した書類及びその算定の基礎とした事項を記載した書類
	ハ	イ又はロに掲げるもののほかその資産の価額を明らかにする事項を記載した書類

（合併等前２年以内適格合併等が行われていた場合の特定資産譲渡等損失相当欠損金額がある場合の特例）
（６）②の被合併法人等に係る合併等前２年以内期間内に１若しくは２以上の適格合併（特定支配関係法人を被合併法人とし、当該被合併法人等又は当該特定支配関係法人との間に支配関係がある他の特定支配関係法人を合併法人とするもの並びに特定支配関係法人及び当該特定支配関係法人との間に支配関係がある他の特定支配関係法人を被合併法人とする適格合併で法人を設立するものに限る。以下（６）において「**合併等前２年以内適格合併**」という。）が行われていた場合又は合併等前２年以内期間内に１若しくは２以上の特定支配関係法人（当該被合併法人等又は他の特定支配関係法人との間に完全支配関係〔当該被合併法人等若しくは当該他の特定支配関係法人による完全支配関係又は第二章第一節の**二**の表の**12の７の６**《完全支配関係》に掲げる相互の関係に限る。〕があるもので、かつ、当該被合併法人等又は当該他の特定支配関係法人が発行済株式又は出資の全部又は一部を有するものに限る。）の残余財産が確定していた場合において、①により当該被合併法人等の各事業年度において生じた欠損金額とみなされたもののうちに各関連法人（当該合併等前２年以内適格合併に係る被合併法人である特定支配関係法人又は当該残余財産が確定した特定支配関係法人をいう。以下（６）において同じ。）の各事業年度（**支配関係発生日**〔②の内国法人及び当該被合併法人等が当該関連法人との間に最後に支配関係を有することとなった日をいう。以下（６）において同じ。〕の属する事業年度以後の事業年度で当該合併等前２年以内適格合併の日前10年以内に開始し、又は当該関連法人の残余財産の確定の日の翌日前10年以内に開始した各事業年度〔以下（６）において「**前10年内事業年度**」という。〕に限り、当該関連法人が第三十四款の**四**の**１**《特定資産譲渡等損失額の損金不算入》〔同**四**の**３**《新設合併における特定資産譲渡等損失額の損金不算入》において準用する場合を含む。以下（６）において同じ。〕の適用を受ける場合の同**四**の**１**に掲げる対象期間又は当該関連法人が同款の**三**《特定株主等によって支配された欠損等法人の資産の譲渡等損失額の損金不算入》の適用を受ける場合の同**三**に掲げる適用期間、第三十五款の**三**の**５**《特定資産に係る譲渡等損失額の損金不算入》の適用を受ける場合の同**５**に掲げる適用期間内の日の属する事業年度に該当する期間を除く。以下（６）において「**関連法人対象事業年度**」という。）ごとに次の表の（一）に掲げる金額から（二）に掲げる金額を控除した金額（①により他の関連法人の各事業年度において生じた欠損金額とみなされた金額にあっては、他の関連法人において**一**の**１**の①《前10年以内の繰越欠損金の損金算入》により当該他の関連法人の前10年内事業年度の所得の金額の計算上損金の額に算入されたもの及び第二節第三款の**八**の**３**の②《欠損金の繰戻しによる還付》により還付を受けるべき金額の計算の基礎

第三章　第一節　第二十一款《繰越欠損金》

となったもの並びに一の**1**の①の（1）《会社更生等による債務免除等があった場合の適用対象となる欠損金額の範囲》又は**2**の①《合併法人等の青色欠損金額の繰越額の制限》によりないものとされたもの及び②により当該他の関連法人の①に掲げる未処理欠損金額に含まないこととされたものを除く。以下（6）において**「特定資産譲渡等損失相当欠損金額」**という。）に相当する金額が含まれているときは、②の表の口の適用については、当該被合併法人等の同口に掲げる対象事業年度において同口の（イ）の特定資産譲渡等損失額となる金額は、当該金額に特定資産譲渡等損失相当欠損金額を加算した金額とする。ただし、共同で事業を行うための合併として（1）《共同で事業を行うための合併の意義》に掲げるものが行われたことに基因して①により当該被合併法人等又は他の関連法人の各事業年度において生じた欠損金額とみなされたものについては、この限りでない。（法57⑭、令112⑦）

（一）	当該関連法人対象事業年度に生じた欠損金額（①により当該関連法人の欠損金額とみなされたもの〔①により当該関連法人の欠損金額とみなされたもののうち各関連法人の特定資産譲渡等損失相当欠損金額から成る部分の金額を除く。〕及び一の**1**の①の（1）《会社更生等による債務免除等があった場合の適用対象となる欠損金額の範囲》又は**2**の①によりないものとされたものを含むものとし、二の**1**の適用がある欠損金額及び適用災害損失欠損金額を除く。）のうち、当該関連法人対象事業年度を第三十四款の**四**の**1**が適用される事業年度として当該関連法人が支配関係発生日の属する事業年度開始の日前から有していた資産（同日を同**1**に掲げる特定適格組織再編成等の日とみなした場合に同**1**の③の**イ**の（1）《特定引継資産の意義》の表の（一）から（五）までに掲げる資産に該当するものを除く。）につき同**1**を適用した場合に同**1**の③に掲げる特定資産譲渡等損失額となる金額に達するまでの金額
（二）	当該関連法人対象事業年度に生じた欠損金額（①により当該関連法人の欠損金額とみなされたもの及び一の**1**の①の（1）《会社更生等による債務免除等があった場合の適用対象となる欠損金額の範囲》又は**2**の①によりないものとされたものを含むものとし、二の**1**の適用がある欠損金額及び適用災害損失欠損金額を除く。）のうち、当該関連法人において一の**1**の①により当該関連法人の前10年内事業年度の所得の金額の計算上損金の額に算入されたもの及び第二節第三款の**八**の**3**の②により還付を受けるべき金額の計算の基礎となったもの並びに一の**1**の①の（1）《会社更生等による債務免除等があった場合の適用対象となる欠損金額の範囲》又は**2**の①によりないものとされたもの及び②により当該関連法人の未処理欠損金額に含まないこととされたもの（他の関連法人の特定資産譲渡等損失相当欠損金額の計算上控除された金額がある場合には、当該金額を控除した金額）

注　（3）《合併等前2年以内期間内に特定適格組織再編成が行われた場合における移転資産の有する日のみなし規定》は、（6）を適用する場合について準用する。この場合において、（3）中「②の被合併法人等に係る①」とあるのは「（6）の被合併法人等に係る①」と、「内に当該被合併法人等」とあるのは「内に（6）に掲げる関連法人」と、「のうち当該被合併法人等」とあるのは「のうち当該関連法人」と、「当該被合併法人等が支配関係発生日」とあるのは「当該関連法人が（6）に掲げる支配関係発生日」と読み替えるものとする。（令112⑧）

（事業関連性の判定の準用）
（7）②に掲げる適格合併が、次に掲げる要件の全てに該当するものである場合には、当該適格合併に係る（1）《共同で事業を行うための合併の意義》の表の（一）被合併法人の被合併事業と当該適格合併に係る合併法人の合併事業とは、同（一）の相互に関連するものに該当するものとする。（規26、3①）

（一）	当該被合併法人及び合併法人が当該合併の直前においてそれぞれ次に掲げる要件の全てに該当すること。 イ　事務所、店舗、工場その他の固定施設（その本店又は主たる事務所の所在地がある国又は地域にあるこれらの施設に限る。ハの（ヘ）において「固定施設」という。）を所有し、又は賃借していること。 ロ　従業者（役員にあっては、その法人の業務に専ら従事するものに限る。）があること。 ハ　自己の名義をもって、かつ、自己の計算において次に掲げるいずれかの行為をしていること。 　（イ）　商品販売等（商品の販売、資産の貸付け又は役務の提供で、継続して対価を得て行われるものをいい、その商品の開発若しくは生産又は役務の開発を含む。以下（一）において同じ。） 　（ロ）　広告又は宣伝による商品販売等に関する契約の申込み又は締結の勧誘 　（ハ）　商品販売等を行うために必要となる資料を得るための市場調査 　（ニ）　商品販売等を行うに当たり法令上必要となる行政機関の許認可等（行政手続法第2条第3号《定義》に規定する許認可等をいう。）についての同号に規定する申請又は当該許認可等に係る権利の保有 　（ホ）　知的財産権（特許権、実用新案権、育成者権、意匠権、著作権、商標権その他の知的財産に関して法令により定められた権利又は法律上保護される利益に係る権利をいう。（ホ）において同じ。）の取得をするための出願若しくは登録（移転の登録を除く。）の請求若しくは申請（これらに準ずる手続を含む。）、

	知的財産権（実施権及び使用権を含むものとし、商品販売等を行うために必要となるものに限る。(ホ)及び(ニ)のロにおいて「知的財産権等」という。）の移転の登録（実施権及び使用権にあっては、これらの登録を含む。）の請求若しくは申請（これらに準ずる手続を含む。）又は知的財産権若しくは知的財産権等の所有 （ヘ）　商品販売等を行うために必要となる資産（固定施設を除く。）の所有又は賃借 （ト）　(イ)から(ヘ)までに掲げる行為に類するもの
(ニ)	当該被合併事業と合併事業との間に当該合併の直前において次に掲げるいずれかの関係があること。 　イ　当該被合併事業と合併事業とが同種のものである場合における当該被合併事業と合併事業との間の関係 　ロ　当該被合併事業に係る商品、資産若しくは役務（それぞれ販売され、貸し付けられ、又は提供されるものに限る。以下(ニ)及び(8)において同じ。）又は経営資源（事業の用に供される設備、事業に関する知的財産権等、生産技術又は従業者の有する技能若しくは知識、事業に係る商品の生産若しくは販売の方式又は役務の提供の方式その他これらに準ずるものをいう。以下(ニ)及び(8)において同じ。）と当該合併事業に係る商品、資産若しくは役務又は経営資源とが同一のもの又は類似するものである場合における当該被合併事業と合併事業との間の関係 　ハ　当該被合併事業と合併事業とが当該合併後に当該被合併事業に係る商品、資産若しくは役務又は経営資源と当該合併事業に係る商品、資産若しくは役務又は経営資源とを活用して行われることが見込まれている場合における当該被合併事業と合併事業との間の関係

　　　（被合併事業と合併事業とが経営資源等を活用して一体として行われている場合の事業関連性の判定の準用）
（8）　合併に係る被合併法人の被合併事業と当該合併に係る合併法人の合併事業とが、当該合併後に当該被合併事業に係る商品、資産若しくは役務又は経営資源と当該合併事業に係る商品、資産若しくは役務又は経営資源とを活用して一体として行われている場合には、当該被合併事業と合併事業とは、（7）の(ニ)に掲げる要件に該当するものと推定する。（規26、3②）

　　　（引継対象外未処理欠損金額の計算に係る特例）
（9）　①に掲げる内国法人は、次の表の左欄に掲げる場合に該当する場合には、当該適格合併又は残余財産の確定に係る被合併法人等の②の表のイ又はロに掲げる欠損金額は、次の表の左欄に掲げる場合の区分に応じ同表の右欄に掲げるところによることができる。（法57⑭、令113①）

(一)	当該被合併法人等の支配関係事業年度の前事業年度終了の時における**時価純資産価額**（その有する資産の価額の合計額からその有する負債〔新株予約権及び株式引受権に係る義務を含む。以下(一)において同じ。〕の価額の合計額を減算した金額をいう。以下(9)及び(10)において同じ。）が**簿価純資産価額**（その有する資産の帳簿価額の合計額からその有する負債の帳簿価額の合計額を減算した金額をいう。以下(9)において同じ。）以上である場合において、当該時価純資産価額から当該簿価純資産価額を減算した金額（(二)において「**時価純資産超過額**」という。）が当該被合併法人等の当該支配関係事業年度開始の日前10年以内に開始した各事業年度において生じた欠損金額〔当該支配関係事業年度開始の時までに①《被合併法人等の未処理欠損金額の引継ぎ》により当該被合併法人等の欠損金額とみなされたものを含むものとし、一の1の①《前10年以内の繰越欠損金の損金算入》により当該支配関係事業年度前の各事業年度の所得の金額の計算上損金の額に算入されたもの、二《青色申告書を提供しなかった事業年度の欠損金の特例》の適用がある欠損金額及び第二	②の表のイ又はロに掲げる欠損金額は、ないものとする。 　注　これにより、未処理欠損金額の全額が、内国法人に引き継がれることになる。（編者）

	節第三款の八の3の②《欠損金の繰戻しによる還付》により還付を受けるべき金額の計算の基礎となったもの（同3の⑥の(4)《通算法人の発生欠損金額又は他の通算法人の欠損金額の計算》又は同⑥の(5)《通算法人の発生災害損失欠損金額又は他の通算法人災害損失欠損金額の計算》の適用がある場合には、これらの規定により還付を受けるべき金額の計算の基礎とった金額とされたもの）並びに当該支配関係事業年度開始の時までに2の①《合併法人等の青色欠損金額の繰越額の制限》、一の1の①の(1)《会社更生等による債務免除等があった場合の適用対象となる欠損金額の範囲》、3の①《時価評価法人の繰越欠損金の切捨て》、3の②又は3の③《青色申告の承認を取り消されたことによって通算承認が効力を失った場合の繰越欠損金の切捨て》によりないものとされたものを除く。以下(9)において「**支配関係前未処理欠損金額**」という。）の合計額以上であるとき又は当該被合併法人等の支配関係前未処理欠損金額がないとき （時価純資産超過額 ≧ 支配関係前未処理欠損金額の合計額）	
(二)	当該被合併法人等の支配関係事業年度の前事業年度終了の時における時価純資産超過額が当該被合併法人等の支配関係前未処理欠損金額の合計額に満たない場合 （時価純資産超過額 ＜ 支配関係前未処理欠損金額の合計額）	②の表の**イ**に掲げる欠損金額は当該合計額から当該時価純資産超過額を控除した金額（以下(二)において「**制限対象金額**」という。）が当該支配関係前未処理欠損金額のうち最も古いものから順次成るものとした場合に制限対象金額を構成するものとされた支配関係前未処理欠損金額があることとなる事業年度（当該被合併法人等の前10年内事業年度〔(三)において「被合併法人等前10年内事業年度」という。〕に該当する事業年度に限る。）ごとに次の(イ)に掲げる金額から(ロ)に掲げる金額を控除した金額とし、②の表の**ロ**に掲げる欠損金額はないものとする。 (イ) 当該事業年度の支配関係前未処理欠損金額のうち制限対象金額を構成するものとされた部分に相当する金額 (ロ) 当該事業年度の支配関係前未処理欠損金額のうち、一の1の①《前10年以内の繰越欠損金の損金算入》により当該支配関係事業年度から当該適格合併の日の前日又は当該残余財産の確定の日の属する事業年度までの各事業年度の所得の金額の計算上損金の額に算入された金額及び当該各事業年度において2の①、一の1の①の(1)、3の①、3の②又は3の③によりないものとされたもの
(三)	当該被合併法人等の支配関係事業年度の前事業年度終了の時における時価純資産価額が簿価純資産価額に満たない場合で、かつ、当該満たない金額（以下(三)において「簿価純資産超過額」という。）が被合併法人等前10年内事業年度のうち当該支配関係事業年度以後の各事業年度（②の表の**ロ**に掲げる対象事業年度に限る。）において生じた同表の**ロ**の(イ)	②の表の**イ**及び**ロ**に掲げる欠損金額は、それぞれ次の(イ)及び(ロ)に掲げる金額とする。 (イ) ②の表の**イ**に掲げる欠損金額 (ロ) 当該簿価純資産超過額に相当する金額が当該各事業年度における特定資産譲渡等損失相当額のうち最も古いものから順次成るものとした場合に当該事業年度における特定資産譲渡等損失相当額のう

に掲げる欠損金額に係る同表のロの(イ)に掲げる金額(以下(三)において「特定資産譲渡等損失相当額」という。)の合計額に満たない場合 （簿価純資産超過額 ＜ 支配関係事業年度以後の特定資産譲渡等損失相当額の合計額）	ち当該簿価純資産超過額に相当する金額を構成するものとされた部分に相当する金額を、当該各事業年度ごとに、それぞれ②の表のロの(イ)に掲げる金額とみなして同ロを適用した場合に同ロにより計算される金額に相当する金額

（引継対象外未処理欠損金額の計算に係る特例の適用要件）
(10) （9）は、当該内国法人の適格合併又は残余財産の確定に係る合併等事業年度の確定申告書、修正申告書又は更正請求書に、（9）の表の(一)から(三)までに掲げるところによる②の表のイ及びロに掲げる欠損金額の計算に関する明細を記載した書類の添付があり、かつ、次に掲げる書類を保存している場合に限り、適用する。（法57⑭、令113②、規26の2の4①）

(一)	支配関係事業年度の前事業年度終了の時において有する資産及び負債の当該終了の時における価額及び帳簿価額を記載した書類	
(二)	次に掲げるいずれかの書類で(一)の資産及び負債の同(一)の前事業年度終了の時における価額を明らかにするもの	
	イ	その資産の価額が継続して一般に公表されているものであるときは、その公表された価額が示された書類の写し
	ロ	当該内国法人が、当該終了の時における価額を算定し、これを当該終了の時における価額としているときは、その算定の根拠を明らかにする事項を記載した書類及びその算定の基礎とした事項を記載した書類
	ハ	イ又はロに掲げるもののほかその資産及び負債の価額を明らかにする事項を記載した書類

注1　第二節第三款の一の3《仮決算をした場合の中間申告書の記載事項等》に掲げる期間に係る課税標準である所得の金額又は欠損金額及び同3の表の②に掲げる法人税の額の計算については、(10)中「確定申告書」とあるのは「中間申告書」とする。（令150の2①）
注2　上記に掲げる書類は、被合併法人等に係るものであることに留意する。（編者）

（やむを得ない場合のゆうじょ規定）
(11)　税務署長は、(10)の表に掲げる書類の保存がない場合においても、その書類の保存がなかったことについてやむを得ない事情があると認めるときは、（9）《引継対象外未処理欠損金額の計算に係る特例》を適用することができる。（令113③）

（特定資産譲渡等損失相当額の計算に係る特例）
(12)　①に掲げる内国法人は、次の表の左欄に掲げる場合に該当する場合には、(6)に掲げる関連法人の(6)に掲げる関連法人対象事業年度（次の表の(二)において「関連法人対象事業年度」という。）において生じた(6)の表の(一)に掲げる欠損金額に係る(6)の表の(一)に掲げる金額（以下(12)及び(13)において「特定資産譲渡等損失相当額」という。）は、次の表の左欄に掲げる場合の区分に応じ、それぞれ同表の右欄に掲げるところによることができる。（令113⑧）

(一)	当該関連法人の支配関係事業年度（当該内国法人及び②に掲げる被合併法人等が当該関連法人との間に最後に支配関係を有することとなった日の属する事業年度をいう。(二)及び(13)において同じ。）の前事業年度終了の時における時価純資産価額（その有する資産の価額の合計額からその有する負債〔新株予約権及び株式引受権に係る義務を含む。以下(一)において同じ。〕の価額の合計額を減算した金額をいう。(二)及び(13)において同じ。）が簿価純資産価額（その有する資産の帳簿価額の合計額からその有する負債の帳簿価額の合計額を減算した金額をいう。(二)において同じ。）以上である場合	当該関連法人の特定資産譲渡等損失相当額は、ないものとする。

(二)	当該関連法人の支配関係事業年度の前事業年度終了の時における時価純資産価額が簿価純資産価額に満たない場合で、かつ、当該満たない金額（以下（二）において「簿価純資産超過額」という。）が当該関連法人の関連法人対象事業年度において生じた（6）の表の（一）に掲げる欠損金額に係る特定資産譲渡等損失相当額の合計額に満たない場合	当該関連法人の特定資産譲渡等損失相当額は、当該簿価純資産超過額に相当する金額が当該各事業年度における特定資産譲渡等損失相当額のうち最も古いものから順次成るものとした場合に当該事業年度における特定資産譲渡等損失相当額のうち当該簿価純資産超過額に相当する金額を構成するものとされた部分に相当する金額とする。

（特定資産譲渡等損失相当額の計算に係る特例の適用要件）
(13) (12)は、(12)に掲げる内国法人の①に掲げる適格合併又は残余財産の確定に係る①に掲げる合併等事業年度の確定申告書、修正申告書又は更正請求書に(12)の表に掲げるところによる特定資産譲渡等損失相当額の計算に関する明細を記載した書類の添付があり、かつ、次に掲げる書類を保存している場合に限り、適用する。（令113⑨、規26の2の4③）

(一)	支配関係事業年度の前事業年度終了の時において有する資産及び負債の当該終了の時における価額及び帳簿価額を記載した書類	
(二)	次に掲げるいずれかの書類で(一)の資産及び負債の同(一)の前事業年度終了の時における価額を明らかにするもの	
	イ	その資産の価額が継続して一般に公表されているものであるときは、その公表された価額が示された書類の写し
	ロ	当該内国法人が、当該終了の時における価額を算定し、これを当該終了の時における価額としているときは、その算定の根拠を明らかにする事項を記載した書類及びその算定の基礎とした事項を記載した書類
	ハ	イ又はロに掲げるもののほかその資産及び負債の価額を明らかにする事項を記載した書類

（やむを得ない場合のゆうじょ規定）
(14) 税務署長は、(13)に掲げる書類の保存がない場合においても、その書類の保存がなかったことについてやむを得ない事情があると認めるときは、(12)を適用することができる。（令113⑩）

（共同で事業を行うための合併等の判定）
(15) ②に掲げる「共同で事業を行うための合併」に該当するかどうかの判定に当たっては、次の表の(一)から(四)までの取扱いを準用する。（基通12－1－3・編者補正）

(一)	第二章第一節の二の表の**12の8**の③の（4）《特定役員の範囲》
(二)	同二の（9）《従業者の範囲》
(三)	同二の(10)《主要な事業の判定》
(四)	同二の(11)《事業規模を比較する場合の売上金額等に準ずるもの》

（法人を新設する適格合併に係る被合併法人が3以上ある場合の取扱い）
(16) 法人を新設する適格合併が行われた場合において、当該適格合併に係る被合併法人が3以上あるときにおける②の適用については、被合併法人ごとに、それぞれ他の被合併法人との間でそれぞれ②の適用があるかどうかを判定することに留意する。
　この場合において、被合併法人と他の被合併法人とのいずれかの間で②の適用がある場合には、その適用のある法人間の「最後に支配関係を有することとなった日」のうち最も遅い日の属する事業年度が、②の表の**イ**又は**ロ**の支配関係事業年度となることに留意する。（基通12－1－4）

（最後に支配関係を有することとなった日）
(17) ②に掲げる「最後に支配関係を有することとなった日」とは、内国法人と②に掲げる被合併法人との間において、

第三章　第一節　第二十一款《繰越欠損金》

②の「当該適格合併の日」又は「当該残余財産の確定の日」のそれぞれの日の直前まで継続して支配関係がある場合のその支配関係を有することとなった日をいうことに留意する。
（１）《共同で事業を行うための合併の意義》の表の（五）、（２）《適用除外となる継続して支配関係がある場合》の表の（二）及び（６）《合併等前２年以内適格合併等が行われていた場合の特定資産譲渡等損失相当欠損金額がある場合の特例》の「最後に支配関係を有することとなった日」についても、同様とする。（基通12－１－５・編者補正）

　　　　（通算法人における引継対象外未処理欠損金額の計算に係る特例）
(18)　①の内国法人は、次の表の左欄に掲げる場合に該当する場合には、**3**の②《時価評価除外法人の繰越欠損金の切捨て》の通算法人の同②の表に掲げる欠損金額は、次の表の左欄に掲げる場合の区分に応じそれぞれ右欄に掲げるところによることができる。（法57⑭、令113⑫①）

（一）	当該通算法人の**3**の②の表の（一）に掲げる支配関係事業年度(以下(18)において「支配関係事業年度」という。）の前事業年度終了の時における時価純資産価額(その有する資産の価額の合計額からその有する負債(新株予約権及び株式引受権に係る義務を含む。以下（一）において同じ。）の価額の合計額を減算した金額をいう。以下(18)及び(19)《通算法人における引継対象外未処理欠損金額の計算に係る特例の適用要件》において同じ。）が簿価純資産価額(その有する資産の帳簿価額の合計額からその有する負債の帳簿価額の合計額を減算した金額をいう。以下(18)において同じ。）以上である場合において、当該時価純資産価額から当該簿価純資産価額を減算した金額（（二）において「時価純資産超過額」という。）が当該通算法人の当該支配関係事業年度開始の日前10年以内に開始した各事業年度において生じた欠損金額(当該支配関係事業年度開始の時までに**1**の①《被合併法人等の未処理欠損金額の引継ぎ》により当該通算法人の欠損金額とみなされたものを含むものとし、**一**の**1**の①《前10年以内の繰越欠損金の損金算入》により当該支配関係事業年度前の各事業年度の所得の金額の計算上損金の額に算入されたもの、**二**《青色申告書を提出しなかった事業年度の欠損金の特例》の適用がある欠損金額及び第二節第三款の**八**の**3**の②《欠損金の繰戻しによる還付》により還付を受けるべき金額の計算の基礎となったもの（同**3**の⑥の（４）《通算法人の発生欠損金額又は他の通算法人の欠損金額の計算》又は同⑥の（５）《通算法人の発生災害損失欠損金額又は他の通算法人災害損失欠損金額の計算》の適用がある場合には、これらの規定により還付を受けるべき金額の計算の基礎となった金額とされたもの）並びに当該支配関係事業年度開始の時までに**2**の①《合併法人等の青色欠損金額の繰越額の制限》、**一**の**1**の①の（１）《会社更生等による債務免除等があった場合の適用対象となる欠損金額の範囲》、**3**の①《時価評価法人の繰越欠損金の切捨て》、**3**の②又は**3**の③《青色申告の承認を取り消されたことによって通算承認が効力を失った場合の繰越欠損金の切捨て》によりないものとされたものを除く。以下(18)において「支配関係前未処理欠損金額」という。）の合計額以上であるとき又は当該通算法人の支配関	②の表のイ又はロに掲げる欠損金額は、ないものとする。 　注　これにより、未処理欠損金の全額が、内国法人に引き継がれることになる。（編者）

	係前未処理欠損金額がないとき	
(二)	当該通算法人の支配関係事業年度の前事業年度終了の時における時価純資産超過額が当該通算法人の支配関係前未処理欠損金額の合計額に満たない場合	②の表のイに掲げる欠損金額は当該合計額から当該時価純資産超過額を控除した金額（以下（二）において「制限対象金額」という。）が当該支配関係前未処理欠損金額のうち最も古いものから順次成るものとした場合に制限対象金額を構成するものとされた支配関係前未処理欠損金額があることとなる事業年度（当該通算法人の**3**の②の表の（一）の通算前10年内事業年度（（三）において「通算前10年内事業年度」という。）に該当する事業年度に限る。）ごとにイに掲げる金額からロに掲げる金額を控除した金額とし、同②の表の（二）に掲げる欠損金額はないものとする。
		イ　当該事業年度の支配関係前未処理欠損金額のうち制限対象金額を構成するものとされた部分に相当する金額
		ロ　当該事業年度の支配関係前未処理欠損金額のうち、一の**1**の①により当該支配関係事業年度から当該通算法人の第三十五款の**二**の**1**《通算承認》による承認の効力が生じた日の属する事業年度（当該事業年度終了の日後に**3**の②の新たな事業を開始した場合には、その開始した日の属する事業年度）の前事業年度までの各事業年度の所得の金額の計算上損金の額に算入された金額及び当該各事業年度において**2**の①、一の**1**の①の(1)、**3**の①、**3**の②又は**3**の③によりないものとされたもの
(三)	当該通算法人の支配関係事業年度の前事業年度終了の時における時価純資産価額が簿価純資産価額に満たない場合で、かつ、当該満たない金額（以下（三）において「簿価純資産超過額」という。）が通算前10年内事業年度のうち当該支配関係事業年度以後の各事業年度（**3**の②の(5)《特定資産譲渡等損失額に相当する金額から成る部分の金額の準用》に掲げる対象事業年度に限る。）において生じた同(5)の表の（一）に掲げる欠損金額に係る同（一）に掲げる金額（以下（三）において「特定資産譲渡等損相当額」という。）の合計額に満たない場合	②の表イ及びロに掲げる欠損金額は、それぞれイ及びロに掲げる金額とする。
		イ　②の表のイに掲げる欠損金額
		ロ　当該簿価純資産超過額に相当する金額が当該各事業年度における特定資産譲渡等損失相当額のうち最も古いものから順次成るものとした場合に当該事業年度における特定資産譲渡等損失相当額のうち当該簿価純資産超過額に相当する金額を構成するものとされた部分に相当する金額を、当該各事業年度ごとに、それぞれ**3**の②の(5)の（一）に掲げる金額とみなして同(5)を適用した場合に同(5)により計算される金額に相当する金額

（通算法人における引継対象外未処理欠損金額の計算に係る特例の適用要件）

(19) (18)《通算法人における引継対象外未処理欠損金額の計算に係る特例》は、(18)の通算法人の第三十五款の**二**の**1**《通算承認》による承認の効力が生じた日の属する事業年度（当該事業年度終了の日後に**3**の②の新たな事業を開始した場合には、その開始した日の属する事業年度）の確定申告書、修正申告書又は更正請求書に(18)の表に掲げるところによる②の表のイ及びロに掲げる欠損金額の計算に関する明細を記載した書類の添付があり、かつ、次に掲げる書類を保存している場合に限り、適用する。（法57⑭、令113⑫②、規26の2の4④①）

(一)	(18)の表の（一）に掲げる支配関係事業年度の前事業年度終了の時において有する資産及び負債の当該終了の時における価額及び帳簿価額を記載した書類
(二)	次に掲げるいずれかの書類で（一）の資産及び負債の（一）の前事業年度終了の時における価額を明らかにするもの

	イ	その資産の価額が継続して一般に公表されているものであるときは、その公表された価額が示された書類の写し
	ロ	(19)の通算法人が、当該終了の時における価額を算定し、これを当該終了の時における価額としているときは、その算定の根拠を明らかにする事項を記載した書類及びその算定の基礎とした事項を記載した書類
	ハ	イ又はロに掲げるもののほかその資産及び負債の価額を明らかにする事項を記載した書類

(やむを得ない場合のゆうじょ規定)
(20) 税務署長は、(19)《通算法人における引継対象外未処理欠損金額の計算に係る特例の適用要件》に掲げる書類の保存がない場合においても、その書類の保存がなかったことについてやむを得ない事情があると認めるときは、(18)を適用することができる。(法57⑭、令113⑫③)

(通算法人における引継対象外未処理欠損金額の計算に係る特例の不適用)
(21) 欠損等法人の一の3《特定株主等によって支配された欠損等法人の欠損金の繰越しの不適用》に掲げる該当日以後に第三十五款の二の1《通算承認》による承認の効力が生じた場合において、3の②の表以外の部分に掲げる欠損金額(同②によりないものとされる部分を含む。以下(21)において「制限対象欠損金額」という。)のうちに当該欠損等法人の一の3に掲げる適用事業年度前の各事業年度において生じた欠損金額が含まれているときは、当該制限対象欠損金額については、(18)は、適用しない。(法57⑭、令113の3㉑)

(通算法人における特定資産譲渡等損失相当額の計算に係る特例)
(22) ①の内国法人は、次の表の左欄に掲げる場合に該当する場合には、(6)《合併等前2年以内適格合併等が行われていた場合の特定資産譲渡等損失相当欠損金額がある場合の特例》に掲げる関連法人の同(6)に掲げる関連法人対象事業年度((二)において「関連法人対象事業年度」という。)において生じた同(6)の表の(一)に掲げる欠損金額に係る同(一)に掲げる金額(以下(22)及び(23)《通算法人における特定資産譲渡等損失相当額の計算に係る特例の適用要件》において「特定資産譲渡等損失相当額」という。)は、次の表の左欄に掲げる場合の区分に応じそれぞれ右欄に掲げるところによることができる。(法57⑭、令113⑬⑧)

(一)	当該関連法人の支配関係事業年度(当該通算法人及び当該通算法人に係る通算親法人〔当該通算法人が通算親法人である場合には、他の通算法人のうち当該関連法人との間に最後に支配関係を有することとなった日が最も早いもの〕が当該関連法人との間に最後に支配関係を有することとなった日の属する事業年度をいう。(二)及び(23)《通算法人における特定資産譲渡等損失相当額の計算に係る特例の適用要件》において同じ。)の前事業年度終了の時における時価純資産価額(その有する資産の価額の合計額からその有する負債〔新株予約権及び株式引受権に係る義務を含む。以下(一)において同じ。〕の価額の合計額を減算した金額をいう。(二)及び(23)において同じ。)が簿価純資産価額(その有する資産の帳簿価額の合計額からその有する負債の帳簿価額の合計額を減算した金額をいう。(二)において同じ。)以上である場合	当該関連法人の特定資産譲渡等損失相当額は、ないものとする。
(二)	当該関連法人の支配関係事業年度の前事業年度終了の時における時価純資産価額が簿価純資産価額に満たない場合で、かつ、当該満たない金額(以下(二)において「簿価純資産超過額」という。)が当該関連法人の関連法人対象事業年度において生じた(6)の表の(一)に掲げる欠損金額に係る特定資産譲渡等損失相当額の合計額に満たない場合	当該関連法人の特定資産譲渡等損失相当額は、当該簿価純資産超過額に相当する金額が当該各事業年度における特定資産譲渡等損失相当額のうち最も古いものから順次成るものとした場合に当該事業年度における特定資産譲渡等損失相当額のうち当該簿価純資産超過額に相当する金額を構成するものとされた部分に相当する金額とする。

(通算法人における特定資産譲渡等損失相当額の計算に係る特例の適用要件)
(23)　(22)《通算法人における特定資産譲渡等損失相当額の計算に係る特例》は、(22)の通算法人の第三十五款の二の1《通算承認》承認の効力が生じた日の属する事業年度（当該事業年度終了の日後に3の②の新たな事業を開始した場合には、その開始した日の属する事業年度）の確定申告書、修正申告書又は更正請求書に(22)の表に掲げるところによる特定資産譲渡等損失相当額の計算に関する明細を記載した書類の添付があり、かつ、次に掲げる書類を保存している場合に限り、適用する。(法57⑭、令113⑬⑨、規26の2の4⑤③)

(一)	(22)の表の(一)に掲げる支配関係事業年度の前事業年度終了の時において有する資産及び負債の当該終了の時における価額及び帳簿価額を記載した書類	
(二)	次に掲げるいずれかの書類で(一)の資産及び負債の(一)の前事業年度終了の時における価額を明らかにするもの	
	イ	その資産の価額が継続して一般に公表されているものであるときは、その公表された価額が示された書類の写し
	ロ	(23)の通算法人が、当該終了の時における価額を算定し、これを当該終了の時における価額としているときは、その算定の根拠を明らかにする事項を記載した書類及びその算定の基礎とした事項を記載した書類
	ハ	イ又はロに掲げるもののほかその資産及び負債の価額を明らかにする事項を記載した書類

(やむを得ない場合のゆうじょ規定)
(24)　税務署長は、(23)《通算法人における特定資産譲渡等損失相当額の計算に係る特例の適用要件》に掲げる書類の保存がない場合においても、その書類の保存がなかったことについてやむを得ない事情があると認めるときは、(22)を適用することができる。(法57⑭、令113⑬⑩)

2　合併法人等の青色欠損金額の繰越額の制限

①　合併法人等の青色欠損金額の繰越額の制限

　一の1の①《前10年以内の繰越欠損金の損金算入》の内国法人と**支配関係法人**（当該内国法人との間に**支配関係**がある法人をいう。①において同じ。）との間で当該内国法人を合併法人、分割承継法人、被現物出資法人又は被現物分配法人とする適格合併若しくは適格合併に該当しない合併で第三十三款の一《譲渡損益調整資産に係る譲渡利益額又は譲渡損失額の繰延べ》の適用があるもの、適格分割、適格現物出資又は適格現物分配（以下①において「**適格組織再編成等**」という。）が行われた場合（当該内国法人の当該適格組織再編成等の日〔当該適格組織再編成等が残余財産の全部の分配である場合には、その残余財産の確定の日の翌日〕の属する事業年度〔以下①において「組織再編成事業年度」という。〕開始の日の5年前の日、当該内国法人の設立の日又は当該支配関係法人の設立の日のうち最も遅い日から継続して当該内国法人と当該支配関係法人との間に支配関係がある場合として(1)に掲げる場合を除く。）において、当該適格組織再編成等が**共同で事業を行うための適格組織再編成等**に該当しないときは、当該内国法人の当該組織再編成事業年度以後の各事業年度における一の1の①《前10年以内の繰越欠損金の損金算入》の適用については、当該内国法人の同①に掲げる欠損金額（1の①《被合併法人等の未処理欠損金額の引継ぎ》により当該内国法人の欠損金額とみなされたものを含み、この①、一の1の①の(1)《会社更生等による債務免除等があった場合の適用対象となる欠損金額の範囲》又は二の1《前10年以内の災害による繰越損失金の損金算入》によりないものとされたものを除く。）のうち次に掲げる欠損金額は、ないものとする。(法57④)

イ	当該内国法人の支配関係事業年度（当該内国法人が当該支配関係法人との間に最後に支配関係を有することとなった日の属する事業年度をいう。ロにおいて同じ。）前の各事業年度で前10年内事業年度（当該組織再編成事業年度開始の日前10年以内に開始した各事業年度をいう。以下①において同じ。）に該当する事業年度において生じた欠損金額（一の1の①《前10年以内の繰越欠損金の損金算入》により前10年内事業年度の所得の金額の計算上損金の額に算入されたもの及び第二節第三款の八の3の②《欠損金の繰戻しによる還付》により還付を受けるべき金額の計算の基礎となったものを除く。ロにおいて同じ。）
ロ	当該適格組織再編成等に係る合併法人、分割承継法人、被現物出資法人又は被現物分配法人となる内国法人の支配関係事業年度以後の各事業年度で前10年内事業年度に該当する事業年度（第三十四款の四の1《特定資産譲渡等損

失額の損金不算入》〔同款の**四の3**《新設合併における特定資産譲渡等損失額の損金不算入》において準用する場合を含む。以下同じ。〕の同款の**四の1**に掲げる対象期間又は同款の**三**《特定株主等によって支配された欠損等法人の資産の譲渡等損失額の損金不算入》の適用を受ける場合の同**三**に掲げる適用期間又は第三十五款の**三の5**《特定資産に係る譲渡等損失額の損金不算入》の適用を受ける場合の同**5**に掲げる適用期間内の日の属する事業年度を除く。以下①において「対象事業年度」という。）において生じた欠損金額のうち同款の**四の1の③**に掲げる**特定資産譲渡等損失額**に相当する金額から成る部分の金額として、対象事業年度ごとに、次の（イ）に掲げる金額から（ロ）に掲げる金額を控除した金額（令112⑪⑤）

（イ）	当該対象事業年度に生じた欠損金額（当該適格組織再編成等の前に**1の①**により当該内国法人の欠損金額とみなされたもの及びこの①又は**一の1の①の（1）**《会社更生等による債務免除等があった場合の適用対象となる欠損金額の範囲》によりないものとされたものを含むものとし、**二の1**の適用がある欠損金額及び第二節第三款の**八の3の⑤**《災害があった場合の欠損金の繰戻しによる還付についての特例》に掲げる災害損失欠損金額〔当該災害損失欠損金額について同⑤において準用する同**3の②**の適用を受けた場合における当該災害損失欠損金額に限る。（6）において「**適用災害損失欠損金額**」という。〕を除く。（ロ）において同じ。）のうち、当該対象事業年度を第三十四款の**四の1**《特定資産譲渡等損失額の損金不算入》が適用される事業年度として当該内国法人が最後に支配関係を有することとなった日（以下（3）及び（5）において「**支配関係発生日**」という。）の属する事業年度開始の日前から有していた資産（同日を同**1**に掲げる特定適格組織再編成等〔（3）において「特定適格組織再編成等」という。〕の日とみなした場合に同**1の③のイの（1）**《特定引継資産の意義》の表の（一）から（五）までに掲げる資産に該当するものを除く。）につき同**1の①**を適用した場合に同**1の③**《特定資産譲渡等損失額の意義》に掲げる**特定資産譲渡等損失額**となる金額に達するまでの金額
（ロ）	当該対象事業年度に生じた欠損金額のうち、当該内国法人において**一の1の①**《前10年以内の繰越欠損金の損金算入》により当該前10年内事業年度の所得の金額の計算上損金の額に算入されたもの及び第二節第三款の**八の3の②**《欠損金の繰戻しによる還付》により還付を受けるべき金額の計算の基礎となったもの並びに①又は**一の1の①の（1）**《会社更生等による債務免除等があった場合の適用対象となる欠損金額の範囲》によりないものとされたもの

（適用除外となる継続して支配関係がある場合）
（1） ①に掲げる継続して当該内国法人と当該支配関係法人との間に支配関係がある場合は、次の表の（一）又は（二）に掲げる場合のいずれかに該当する場合とする。（令112⑨④）

（一）		内国法人と支配関係法人との間に組織再編成事業年度開始の日の５年前の日（（二）において「**５年前の日**」という。）から継続して支配関係がある場合
（二）		内国法人又は支配関係法人が５年前の日後に設立された法人である場合（次の表のイからハまでに掲げる場合を除く。）であって当該内国法人と当該支配関係法人との間に当該内国法人の設立の日又は当該支配関係法人の設立の日のいずれか遅い日から継続して支配関係があるとき。
	イ	当該支配関係法人との間に支配関係がある他の内国法人を被合併法人とする適格合併で、当該内国法人を設立するもの又は当該支配関係法人が当該他の内国法人との間に最後に支配関係を有することとなった日以後に設立された当該内国法人を合併法人とするものが行われていた場合（同日が当該５年前の日以前である場合を除く。）
	ロ	当該支配関係法人が他の内国法人との間に最後に支配関係を有することとなった日以後に設立された当該内国法人との間に**1の①**《被合併法人等の未処理欠損金額の引継ぎ》に掲げる完全支配関係がある当該他の内国法人（当該内国法人との間に支配関係があるものに限る。）で当該内国法人が発行済株式又は出資の全部又は一部を有するものの残余財産が確定していた場合（同日が当該５年前の日以前である場合を除く。）
	ハ	当該内国法人との間に支配関係がある他の法人を被合併法人、分割法人、現物出資法人又は現物分配法人とする①《合併法人等の青色欠損金額の繰越額の制限》に掲げる適格組織再編成等で、当該支配関係法人を設立するもの又は当該内国法人が当該他の法人との間に最後に支配関係を有することとなった日

以後に設立された当該支配関係法人を合併法人、分割承継法人、被現物出資法人若しくは被現物分配法人とするものが行われていた場合（同日が当該5年前の日以前である場合を除く。）

　　（共同で事業を行うための適格組織再編成等の意義）
（2）　①に掲げる「**共同で事業を行うための適格組織再編成等**」とは、適格組織再編成等（適格現物分配を除く。以下（2）において同じ。）のうち、次の表の（一）から（四）までに掲げる要件又は（一）及び（五）に掲げる要件に該当するものとする。（令112⑩③）

（一）	適格合併（当該適格組織再編成等が適格合併に該当しない合併、適格分割又は適格現物出資である場合には、当該合併、適格分割又は適格現物出資。以下（2）において同じ。）に係る被合併法人（当該適格組織再編成等が適格分割又は適格現物出資である場合には、分割法人又は現物出資法人。以下（2）において同じ。）の**被合併事業**（当該被合併法人の当該適格合併の前に行う主要な事業のうちのいずれかの事業をいい、当該適格組織再編成等が適格分割又は適格現物出資である場合には当該分割法人の当該適格組織再編成等に係る第二章第一節の二の表の**12の11**《適格分割》の表の②の表の（一）に掲げる分割事業又は当該現物出資法人の当該適格組織再編成等に係る同表の**12の14**《適格現物出資》の表の②の表の（一）に掲げる現物出資事業とする。以下（三）までにおいて同じ。）と当該適格合併に係る合併法人（当該適格組織再編成等が適格分割又は適格現物出資である場合には分割承継法人又は被現物出資法人とし、当該合併法人、分割承継法人又は被現物出資法人が当該適格合併により設立された法人である場合にあっては、当該適格合併に係る他の被合併法人。以下（2）において同じ。）の**合併事業**（当該合併法人の当該適格合併の前に行う事業〔当該合併法人が当該適格合併により設立された法人である場合にあっては、当該適格合併に係る他の被合併法人の被合併事業〕のうちのいずれかの事業をいう。（二）及び（四）において同じ。）とが相互に関連するものであること。
（二）	被合併事業と合併事業（当該被合併事業と関連する事業に限る。以下（二）及び（四）において同じ。）のそれぞれの売上金額、当該被合併事業と当該合併事業のそれぞれの従業者の数、適格合併に係る被合併法人と合併法人のそれぞれの資本金の額若しくは出資金の額又はこれらに準ずるものの規模（適格分割又は適格現物出資にあっては、被合併事業と合併事業のそれぞれ売上金額、当該被合併事業と当該合併事業のそれぞれの従業者の数又はこれらに準ずるものの規模）の割合がおおむね**5倍**を超えないこと。
（三）	被合併事業が当該適格合併に係る被合併法人が合併法人との間に最後に支配関係を有することとなった時（当該被合併法人がその時から当該適格合併の直前の時までの間に当該被合併法人を合併法人、分割承継法人又は被現物出資法人〔（四）において「**合併法人等**」という。〕とする適格合併、適格分割又は適格現物出資〔以下（三）及び（四）において「**適格合併等**」という。〕により被合併事業の全部又は一部の移転を受けている場合には、当該適格合併等の時。以下（三）において「**被合併法人支配関係発生時**」という。）から当該適格合併の直前の時まで継続して行われており、かつ、当該被合併法人支配関係発生時と当該適格合併の直前の時における当該被合併事業の規模（（二）に掲げる規模の割合の計算の基礎とした指標に係るものに限る。）の割合がおおむね**2倍**を超えないこと。
（四）	合併事業が当該適格合併に係る合併法人が被合併法人との間に最後に支配関係を有することとなった時（当該合併法人がその時から当該適格合併の直前の時までの間に当該合併法人を合併法人等とする適格合併等により合併事業の全部又は一部の移転を受けている場合には、当該適格合併等の時。以下（四）において「**合併法人支配関係発生時**」という。）から当該適格合併の直前の時まで継続して行われており、かつ、当該合併法人支配関係発生時と当該適格合併の直前の時における当該合併事業の規模（（二）に掲げる規模の割合の計算の基礎とした指標に係るものに限る。）の割合がおおむね**2倍**を超えないこと。
（五）	適格合併に係る次の表のイに掲げる者とロに掲げる者とが当該適格合併の後に当該合併法人（当該適格合併が法人を設立するものである場合には、当該適格合併により設立された法人）の**特定役員**となることが見込まれていること。

（五）	イ	被合併法人の当該適格合併の前における**特定役員等**（合併にあっては社長、副社長、代表取締役、代表執行役、専務取締役若しくは常務取締役又はこれらに準ずる者で法人の経営に従事している者〔以下（五）において「特定役員」という。〕をいい、適格分割又は適格現物出資にあっては役員又は当該これらに準ずる者で法人の経営に従事している者をいう。）である者のいずれかの者（当該被合併法人が当該適格合併に係る合併法人との間に最後に支配関係を有することとなった日前〔当該支配関係が当該被合併

	法人となる法人又は当該合併法人となる法人の設立により生じたものである場合には、同日。以下(五)において同じ。〕において当該被合併法人の役員又は当該これらに準ずる者〔同日において当該被合併法人の経営に従事していた者に限る。〕であった者に限る。)
ロ	当該合併法人の当該適格合併の前における特定役員である者のいずれかの者（当該最後に支配関係を有することとなった日前において当該合併法人の役員又は当該これらに準ずる者〔同日において当該合併法人の経営に従事していた者に限る。〕であった者に限る。)

(合併等前2年以内期間内に特定適格組織再編成が行われた場合における移転資産の有する日のみなし規定)

（3）　①の内国法人に係る適格組織再編成等の日以前2年以内の期間（支配関係発生日以後の期間に限る。以下(3)及び(6)において「合併等前2年以内期間」という。）内に当該内国法人又は特定支配関係法人（当該内国法人及び①に掲げる支配関係法人との間に支配関係がある法人をいう。以下(3)及び(6)において同じ。）を合併法人、分割承継法人、被現物出資法人又は被現物分配法人とし、特定支配関係法人を被合併法人、分割法人、現物出資法人又は現物分配法人とする1又は2以上の特定適格組織再編成等が行われていた場合において、当該1又は2以上の特定適格組織再編成等により移転があった資産のうち当該内国法人が有することとなったもの（当該1又は2以上の特定適格組織再編成等に係る被合併法人、分割法人、現物出資法人又は現物分配法人である特定支配関係法人のいずれかが支配関係発生日の属する事業年度開始の日前から有していたものに限る。）については、当該内国法人が支配関係発生日の属する事業年度開始の日前から有していたものとみなして、①の表のロを適用する。ただし、次の表に掲げる資産については、この限りではない。（法57⑭、令112⑥⑪）

(一)	合併等前2年以内期間内に行われた①に掲げる適格組織再編成等で特定適格組織再編成等に該当しないものにより移転があった資産
(二)	合併等前2年以内期間内に行われた適格合併に該当しない合併により移転があった資産で第三十三款の一《譲渡損益調整資産に係る譲渡利益額又は譲渡損失額の繰延べ》に掲げる譲渡損益調整資産以外のもの
(三)	(一)及び(二)に掲げる資産以外の資産で次に掲げるものに該当するもの
	イ	資産を(4)《引継ぎを受ける資産の単位》に掲げる単位に区分した後のそれぞれの資産の当該支配関係発生日の属する事業年度開始の日における帳簿価額又は取得価額が1,000万円に満たないもの
	ロ	当該支配関係発生日の属する事業年度開始の日における価額が同日における帳簿価額を下回っていない資産（①の内国法人の同①に掲げる適格組織再編成等の日の属する事業年度の確定申告書、修正申告書又は更正請求書に当該支配関係発生日の属する事業年度開始の日における当該資産の価額及びその帳簿価額に関する明細を記載した書類の添付があり、かつ当該資産に係る同日の価額の算定の基礎となる事項を記載した(5)《みなし規定の適用要件》に掲げる書類を保存している場合における当該資産に限る。)

(引継ぎを受ける資産の単位)

（4）　(3)の表の(三)のイに掲げる単位は、次の表の左欄に掲げる資産の区分に応じ、それぞれ同表の右欄に掲げるところにより区分した後の単位とする。（規26の2①）

(一)	金銭債権	一の債務者ごと	
(二)	減価償却資産	次の表の左欄に掲げる区分に応じそれぞれ同表の右欄に掲げる単位ごと	
		イ　建物	一棟（建物の区分所有等に関する法律第1条《建物の区分所有》の規定に該当する建物にあっては、同法第2条第1項《定義》に規定する建物の部分）ごと
		ロ　機械及び装置	一の生産設備又は一台若しくは一基（通常一組又は一式をもって取引の単位とされるものにあっては、一組又は一式）ごと
		ハ　その他の減価償却資産	イ又はロに準ずる単位ごと
(三)	土地（土地の上に存	土地等を一筆（一体として事業の用に供される一団の土地等にあっては、その一団の土	

	する権利を含む。以下（三）において「土地等」という。）	地等）ごと
（四）	有価証券	その銘柄の異なるごと
（五）	資金決済に関する法律（平成21年法律第59号）第２条第14項《定義》に規定する暗号資産	その種類の異なるごと
（六）	その他の資産	通常の取引の単位ごと

　注──線部分は、令和５年度改正により改正された部分で、改正規定は、安定的かつ効率的な資金決済制度の構築を図るための資金決済に関する法律等の一部を改正する法律（令和４年法律第61号）の施行の日（令和５年６月１日）から適用され、同日前の適用については、「第２条第14項」とあるのは「第２条第５項」とする。（令５改規附１、令和５年政令第185号）

　（みなし規定の適用要件）
（５）　（３）の表の（三）のロに掲げる書類は、次に掲げる書類とする。（規26の２③②）

（一）	資産の種類、名称、構造、取得価額、その取得をした日、①の表の**ロ**の表の（イ）（１の②の（６）の注において準用する場合にあっては、（６））に掲げる支配関係発生日の属する事業年度開始の日（（二）において「支配関係事業年度開始日という。）における帳簿価額その他その資産の内容を記載した書類	
（二）	次に掲げるいずれかの書類で（一）の資産の支配関係事業年度開始日における価額を明らかにするもの	
	イ	その資産の価額が継続して一般に公表されているものであるときは、その公表された価額が示された書類の写し
	ロ	①に掲げる内国法人が、当該支配関係事業年度開始日における価額を算定し、これを当該支配関係事業年度開始日における価額としているときは、その算定の根拠を明らかにする事項を記載した書類及びその算定の基礎とした事項を記載した書類
	ハ	イ又はロに掲げるもののほかその資産の価額を明らかにする事項を記載した書類

　（合併等前２年以内適格合併等が行われていた場合の特定資産譲渡等損失相当欠損金額がある場合の特例）
（６）　①の内国法人に係る合併等前２年以内期間内に１若しくは２以上の適格合併（特定支配関係法人を被合併法人とし、当該内国法人又は当該特定支配関係法人との間に支配関係がある他の特定支配関係法人を合併法人とするもの並びに特定支配関係法人及び当該特定支配関係法人との間に支配関係がある他の特定支配関係法人を被合併法人とする適格合併で法人を設立するものに限る。以下（６）において「合併等前２年以内適格合併」という。）が行われていた場合又は合併等前２年以内期間内に１若しくは２以上の特定支配関係法人（当該内国法人又は他の特定支配関係法人との間に完全支配関係〔当該内国法人若しくは当該他の特定支配関係法人による完全支配関係又は第二章第一節の二の表の**12の７の６**《完全支配関係》に掲げる相互の関係に限る。〕があるもので、かつ、当該内国法人又は当該他の特定支配関係法人が発行済株式又は出資の全部又は一部を有するものに限る。）の残余財産が確定していた場合において、１の①により当該内国法人の各事業年度において生じた欠損金額とみなされたもののうち各関連法人（当該合併等前２年以内適格合併に係る被合併法人である特定支配関係法人又は当該残余財産が確定した特定支配関係法人をいう。以下（６）において同じ。）の各事業年度（支配関係発生日〔当該内国法人及び①に掲げる支配関係法人が当該関連法人との間に最後に支配関係を有することとなった日をいう。以下（６）において同じ。〕の属する事業年度以後の事業年度で当該合併等前２年以内適格合併の日前10年以内に開始し、又は当該関連法人の残余財産の確定の日の翌日前10年以内に開始した各事業年度〔以下（６）において「前10年内事業年度」という。〕に限り、当該関連法人が第三十四款の**四**の１《特定資産譲渡等損失額の損金不算入》〔同**四**の３《新設合併における特定資産譲渡等損失額の損金不算入》において準用する場合を含む。以下（６）において同じ。〕の適用を受ける場合の同**四**の１に掲げる対象期間又は当該関連法人が同款の**三**《特定株主等によって支配された欠損等法人の資産の譲渡等損失額の損金不算入》の適用を受ける場合の同**三**に掲げる適用期間又は第三十五款の**三**の**5**《特定資産に係る譲渡等損失額の損金不算入》の適用を受ける場合の同**5**に掲げる適用期間内の日の属する事業年度に該当する期間を除く。以下（６）において「関連法人対象事業年度」と

いう。）ごとに次の表の(一)に掲げる金額から(二)に掲げる金額を控除した金額（1の①により他の関連法人の各事業年度において生じた欠損金額とみなされた金額にあっては、他の関連法人において一の1の①《前10年以内の繰越欠損金の損金算入》により当該他の関連法人の前10年内事業年度の所得の金額の計算上損金の額に算入されたもの及び第二節第三款の八の3の②《欠損金の繰戻しによる還付》により還付を受けるべき金額の計算の基礎となったもの並びに一の1の①の(1)《会社更生等による債務免除等があった場合の適用対象となる欠損金額の範囲》又は2の①《合併法人等の青色欠損金額の繰越額の制限》によりないものとされたもの及び1の②により当該他の関連法人の1の①に掲げる未処理欠損金額に含まないこととされたものを除く。以下(6)において「特定資産譲渡等損失相当欠損金額」という。）に相当する金額が含まれているときは、①の表のロの適用については、当該内国法人の同ロに掲げる対象事業年度において同ロの(イ)の特定資産譲渡等損失額となる金額は、当該金額に特定資産譲渡等損失相当欠損金額を加算した金額とする。ただし、1の②に掲げる共同で事業を行うための合併として(2)《共同で事業を行うための適格組織再編成等の意義》に掲げるものが行われたことに基因して1の①により当該内国法人又は他の関連法人の各事業年度において生じた欠損金額とみなされたものについては、この限りでない。（法57⑭、令112⑦⑪）

(一)	当該関連法人対象事業年度に生じた欠損金額（1の①により当該関連法人の欠損金額とみなされたもの〔1の①により当該関連法人の欠損金額とみなされたもののうち各関連法人の特定資産譲渡等損失相当欠損金額から成る部分の金額を除く。〕及び一の1の①の(1)《会社更生等による債務免除等があった場合の適用対象となる欠損金額の範囲》又は①によりないものとされたものを含むものとし、二の1の適用がある欠損金額及び適用災害損失欠損金額を除く。）のうち、当該関連法人対象事業年度を第三十四款の四の1が適用される事業年度として当該関連法人が支配関係発生日の属する事業年度開始の日前から有していた資産（同日を同1に掲げる特定適格組織再編成等の日とみなした場合に同1の③のイの(1)の表の(一)から(五)までに掲げる資産に該当するものを除く。）につき同①を適用した場合に同1の③に掲げる特定資産譲渡等損失額となる金額に達するまでの金額
(二)	当該関連法人対象事業年度に生じた欠損金額（1の①により当該関連法人の欠損金額とみなされたもの及び一の1の①の《会社更生等による債務免除等があった場合の適用対象となる欠損金額の範囲》又は①によりないものとされたものを含むものとし、二の1の適用がある欠損金額及び適用災害損失欠損金額を除く。）のうち、当該関連法人において一の1の①により当該関連法人の前10年内事業年度の所得の金額の計算上損金の額に算入されたもの及び第二節第三款の八の3の②により還付を受けるべき金額の計算の基礎となったもの並びに一の1の①の《会社更生等による債務免除等があった場合の適用対象となる欠損金額の範囲》又は①によりないものとされたもの及び1の②により当該関連法人の未処理欠損金額に含まないこととされたもの（他の関連法人の特定資産譲渡等損失相当欠損金額の計算上控除された金額がある場合には、当該金額を控除した金額）

注　(3)《合併等前2年以内期間内に特定適格組織再編成が行われた場合における移転資産の有する日のみなし規定》は、(6)を適用する場合について準用する。この場合において、(3)中「内に当該内国法人」とあるのは「内に(6)に掲げる関連法人」と、「のうち当該内国法人」とあるのは「のうち当該関連法人」と、「当該内国法人が支配関係発生日」とあるのは「当該関連法人が(6)に掲げる支配関係発生日」と読み替えるものとする。（令112⑧⑪）

（事業関連性の判定の準用）

(7) ①に掲げる適格組織再編成等が、次に掲げる要件の全てに該当するものである場合には、当該適格組織再編成等に係る(2)《共同で事業を行うための適格組織再編成等の意義》の表の(一)の被合併法人の被合併事業と当該適格組織再編成等に係る合併法人の合併事業とは、同(一)の相互に関連するものに該当するものとする。（規26、3①）

(一)	当該被合併法人及び合併法人が当該合併の直前においてそれぞれ次に掲げる要件の全てに該当すること。 イ　事務所、店舗、工場その他の固定施設（その本店又は主たる事務所の所在地がある国又は地域にあるこれらの施設に限る。ハの(ヘ)において「固定施設」という。）を所有し、又は賃借していること。 ロ　従業者（役員にあっては、その法人の業務に専ら従事するものに限る。）があること。 ハ　自己の名義をもって、かつ、自己の計算において次に掲げるいずれかの行為をしていること。 　(イ)　商品販売等（商品の販売、資産の貸付け又は役務の提供で、継続して対価を得て行われるものをいい、その商品の開発若しくは生産又は役務の開発を含む。以下(一)において同じ。） 　(ロ)　広告又は宣伝による商品販売等に関する契約の申込み又は締結の勧誘 　(ハ)　商品販売等を行うために必要となる資料を得るための市場調査 　(ニ)　商品販売等を行うに当たり法令上必要となる行政機関の許認可等（行政手続法第2条第3号《定義》に規定する許認可等をいう。）についての同号に規定する申請又は当該許認可等に係る権利の保有

	(ホ)　知的財産権（特許権、実用新案権、育成者権、意匠権、著作権、商標権その他の知的財産に関して法令により定められた権利又は法律上保護される利益に係る権利をいう。(ホ)において同じ。）の取得をするための出願若しくは登録（移転の登録を除く。）の請求若しくは申請（これらに準ずる手続を含む。）、知的財産権（実施権及び使用権を含むものとし、商品販売等を行うために必要となるものに限る。(ホ)及び(ニ)のロにおいて「知的財産権等」という。）の移転の登録（実施権及び使用権にあっては、これらの登録を含む。）の請求若しくは申請（これらに準ずる手続を含む。）又は知的財産権若しくは知的財産権等の所有 (ヘ)　商品販売等を行うために必要となる資産（固定施設を除く。）の所有又は賃借 (ト)　(イ)から(ヘ)までに掲げる行為に類するもの
(ニ)	当該被合併事業と合併事業との間に当該合併の直前において次に掲げるいずれかの関係があること。 イ　当該被合併事業と合併事業とが同種のものである場合における当該被合併事業と合併事業との間の関係 ロ　当該被合併事業に係る商品、資産若しくは役務（それぞれ販売され、貸し付けられ、又は提供されるものに限る。以下(ニ)及び(8)において同じ。）又は経営資源（事業の用に供される設備、事業に関する知的財産権等、生産技術又は従業者の有する技能若しくは知識、事業に係る商品の生産若しくは販売の方式又は役務の提供の方式その他これらに準ずるものをいう。以下(ニ)及び(8)において同じ。）と当該合併事業に係る商品、資産若しくは役務又は経営資源とが同一のもの又は類似するものである場合における当該被合併事業と合併事業との間の関係 ハ　当該被合併事業と合併事業とが当該合併後に当該被合併事業に係る商品、資産若しくは役務又は経営資源と当該合併事業に係る商品、資産若しくは役務又は経営資源とを活用して行われることが見込まれている場合における当該被合併事業と合併事業との間の関係

　（被合併事業と合併事業とが経営資源等を活用して一体として行われている場合の事業関連性の判定の準用）
(8)　合併に係る被合併法人の被合併事業と当該合併に係る合併法人の合併事業とが、当該合併後に当該被合併事業に係る商品、資産若しくは役務又は経営資源と当該合併事業に係る商品、資産若しくは役務又は経営資源とを活用して一体として行われている場合には、当該被合併事業と合併事業とは、(7)の(ニ)に掲げる要件に該当するものと推定する。（規26、3②）

　（繰越青色欠損金額に係る制限の対象となる金額の計算に係る特例）
(9)　1の①《被合併法人等の未処理欠損金額の引継ぎ》に掲げる内国法人は、次の表の左欄に掲げる場合に該当する場合には、当該内国法人の①《合併法人等の青色欠損金額の繰越額の制限》に掲げる適格組織再編成等に係る同①の表のイ又はロに掲げる欠損金額は、次の表の左欄に掲げる場合の区分に応じ同表の右欄に掲げるところによることができる。（法57⑭、令113④①）

(一)	当該内国法人の①の表のイに掲げる支配関係事業年度の前事業年度終了の時における**時価純資産価額**（その有する資産の価額の合計額からその有する負債〔新株予約権に係る義務を含む。以下(一)において同じ。〕の価額の合計額を減算した金額をいう。以下(9)及び(10)において同じ。）が**簿価純資産価額**（その有する資産の帳簿価額の合計額からその有する負債の帳簿価額の合計額を減算した金額をいう。以下(9)において同じ。）以上である場合において、当該時価純資産価額から当該簿価純資産価額を減算した金額（(二)において「**時価純資産超過額**」という。）が当該内国法人の当該支配関係事業年度開始の日前10年以内に開始した各事業年度において生じた欠損金額〔当該支配関係事業年度開始の時までに1の①《被合併法人等の未処理欠損金額の引継ぎ》により当該内国法人の欠損金額とみなされたものを含むものとし、一の1の①《前10年以内の繰越欠	1の②《被合併法人等の未処理損失金額の引継額の制限》の表の**イ**又は**ロ**に掲げる欠損金額は、ないものとする。

		金の損金算入》により当該支配関係事業年度前の各事業年度の所得の金額の計算上損金の額に算入されたもの、二《青色申告書を提出しなかった事業年度の欠損金の特例》の適用がある欠損金額及び第二節第三款の八の3の②《欠損金の繰戻しによる還付》により還付を受けるべき金額の計算の基礎となったもの並びに当該支配関係事業年度開始の時までに①又は一の1の①の（1）《会社更生等による債務免除等があった場合の適用対象となる欠損金額の範囲》によりないものとされたものを除く。以下（9）において「支配関係前未処理欠損金額」という。）の合計額以上であるとき又は当該内国法人の支配関係前未処理欠損金額がないとき
（二）	当該内国法人の支配関係事業年度の前事業年度終了の時における時価純資産超過額が当該内国法人の支配関係前未処理欠損金額の合計額に満たない場合	1の②の表のイに掲げる欠損金額は当該合計額から当該時価純資産超過額を控除した金額（以下（二）において「**制限対象金額**」という。）が当該支配関係前未処理欠損金額のうち最も古いものから順次成るものとした場合に制限対象金額を構成するものとされた支配関係前未処理欠損金額があることとなる事業年度（当該内国法人の2の①の表のイに掲げる前10年内事業年度〔（三）において「**前10年内事業年度**」という。〕に該当する事業年度に限る。）ごとに次の（イ）に掲げる金額から（ロ）に掲げる金額を控除した金額とし、同①の表のロに掲げる欠損金額はないものとする。 （イ）　当該事業年度の支配関係前未処理欠損金額のうち制限対象金額を構成するものとされた部分に相当する金額 （ロ）　当該事業年度の支配関係前未処理欠損金額のうち、一の1の①《前10年以内の繰越欠損金の損金算入》により当該支配関係事業年度から①に掲げる組織再編成事業年度の前事業年度までの各事業年度の所得の金額の計算上損金の額に算入された金額及び当該各事業年度において①又は一の1の①の（1）《会社更生等による債務免除等があった場合の適用対象となる欠損金額の範囲》によりないものとされたもの
（三）	当該内国法人の支配関係事業年度の前事業年度終了の時における時価純資産価額が簿価純資産価額に満たない場合で、かつ、当該満たない金額（以下（三）において「**簿価純資産超過額**」という。）が前10年内事業年度のうち当該支配関係事業年度以後の各事業年度（①の表のロに掲げる対象事業年度に限る。）において生じた①の表のロの表の（イ）に掲げる欠損金額に係る①の表のロの表の（イ）に掲げる金額（以下（三）において「**特定資産譲渡等損失相当額**」という。）の合計額に満たない場合	1の②の表のイ及びロに掲げる欠損金額は、それぞれ次の（イ）及び（ロ）に掲げる金額とする。 （イ）　同②の表のイに掲げる欠損金額 （ロ）　当該簿価純資産超過額に相当する金額が当該各事業年度における特定資産譲渡等損失相当額のうち最も古いものから順次成るものとした場合に当該事業年度における特定資産譲渡等損失相当額のうち当該簿価純資産超過額に相当する金額を構成するものとされた部分に相当する金額を、当該各事業年度ごとに、それぞれ①の表のロの表の（イ）に掲げる金額とみなして同ロを適用した場合に同ロにより計算される金額に相当する金額

(引継対象外未処理欠損金額の計算に係る特例の適用要件)
(10) (9)は、当該内国法人の適格組織再編成等に係る組織再編成事業年度の確定申告書、修正申告書又は更正請求書に、(9)の表の(一)から(三)までに掲げるところによる①の表の**イ**及び**ロ**に掲げる欠損金額の計算に関する明細を記載した書類の添付があり、かつ、次に掲げる書類を保存している場合に限り、適用する。(令113④②、規26の2の4①)

(一)	支配関係事業年度の前事業年度終了の時において有する資産及び負債の当該終了の時における価額及び帳簿価額を記載した書類	
(二)	次に掲げるいずれかの書類で(一)の資産及び負債の同(一)の前事業年度終了の時における価額を明らかにするもの	
	イ	その資産の価額が継続して一般に公表されているものであるときは、その公表された価額が示された書類の写し
	ロ	当該内国法人が、当該終了の時における価額を算定し、これを当該終了の時における価額としているときは、その算定の根拠を明らかにする事項を記載した書類及びその算定の基礎とした事項を記載した書類
	ハ	イ又はロに掲げるもののほかその資産及び負債の価額を明らかにする事項を記載した書類

注　第二節第三款の一の**3**《仮決算をした場合の中間申告書の記載事項等》に掲げる期間に係る課税標準である所得の金額又は欠損金額及び同**3**の表の②に掲げる法人税の額の計算については、(10)中「確定申告書」とあるのは「中間申告書」とする。(令150の2①)

(やむを得ない場合のゆうじょ規定)
(11) 税務署長は、(10)の表に掲げる書類の保存がない場合においても、その書類の保存がなかったことについてやむを得ない事情があると認めるときは、(9)《繰越青色欠損金額に係る制限の対象となる金額の計算に係る特例》を適用することができる。(令113④③)

(特定資産譲渡等損失相当額の計算に係る特例)
(12) **1**の①に掲げる内国法人は、次の表の左欄に掲げる場合に該当する場合には、(6)に掲げる関連法人の(6)に掲げる関連法人対象事業年度(次の表の(二)において「関連法人対象事業年度」という。)において生じた(6)の表の(一)に掲げる欠損金額に係る(6)の表の(一)に掲げる金額(以下(12)及び(13)において「特定資産譲渡等損失相当額」という。)は、次の表の左欄に掲げる場合の区分に応じ、それぞれ同表の右欄に掲げるところによることができる。(令113⑪⑧)

(一)	当該関連法人の支配関係事業年度(当該内国法人及び①に掲げる支配関係法人が当該関連法人との間に最後に支配関係を有することとなった日の属する事業年度をいう。(二)及び(13)において同じ。)の前事業年度終了の時における時価純資産価額(その有する資産の価額の合計額からその有する負債〔新株予約権に係る義務を含む。以下(一)において同じ。〕の価額の合計額を減算した金額をいう。(二)及び(13)において同じ。)が簿価純資産価額(その有する資産の帳簿価額の合計額からその有する負債の帳簿価額の合計額を減算した金額をいう。(二)において同じ。)以上である場合	当該関連法人の特定資産譲渡等損失相当額は、ないものとする。
(二)	当該関連法人の支配関係事業年度の前事業年度終了の時における時価純資産価額が簿価純資産価額に満たない場合で、かつ、当該満たない金額(以下(二)において「簿価純資産超過額」という。)が当該関連法人の関連法人対象事業年度において生じた(6)の表の(一)に掲げる欠損金額に係る特定資産譲渡等損失相当額の合計額に満たない場合	当該関連法人の特定資産譲渡等損失相当額は、当該簿価純資産超過額に相当する金額が当該各事業年度における特定資産譲渡等損失相当額のうち最も古いものから順次成るものとした場合に当該事業年度における特定資産譲渡等損失相当額のうち当該簿価純資産超過額に相当する金額を構成するものとされた部分に相当する金額とする。

第三章　第一節　第二十一款《繰越欠損金》

　　　　（特定資産譲渡等損失相当額の計算に係る特例の適用要件）
(13)　(12)は、(12)に掲げる内国法人の①に掲げる適格組織再編成等に係る①に掲げる組織再編成等事業年度の確定申告書、修正申告書又は更正請求書に(12)の表に掲げるところによる特定資産譲渡等損失相当額の計算に関する明細を記載した書類の添付があり、かつ、次に掲げる書類を保存している場合に限り、適用する。（令113⑪⑨、規26の2の4③）

(一)	支配関係事業年度の前事業年度終了の時において有する資産及び負債の当該終了の時における価額及び帳簿価額を記載した書類	
(二)	次に掲げるいずれかの書類で(一)の資産及び負債の同(一)の前事業年度終了の時における価額を明らかにするもの	
	イ	その資産の価額が継続して一般に公表されているものであるときは、その公表された価額が示された書類の写し
	ロ	当該内国法人が、当該終了の時における価額を算定し、これを当該終了の時における価額としているときは、その算定の根拠を明らかにする事項を記載した書類及びその算定の基礎とした事項を記載した書類
	ハ	イ又はロに掲げるもののほかその資産及び負債の価額を明らかにする事項を記載した書類

　　　　（やむを得ない場合のゆうじょ規定）
(14)　税務署長は、(13)に掲げる書類の保存がない場合においても、その書類の保存がなかったことについてやむを得ない事情があると認めるときは、(12)を適用することができる。（令113⑪⑩）

　　　　（共同で事業を行うための適格組織再編成等の判定）
(15)　**2**に掲げる「共同で事業を行うための適格組織再編成等」に該当するかどうかの判定に当たっては、次の表の(一)から(四)までの取扱いを準用する。（基通12－1－3・編者補正）

(一)	第二章第一節の**二**の表の**12の8**の③の（4）《特定役員の範囲》
(二)	同**二**の（9）《従業者の範囲》
(三)	同**二**の（10）《主要な事業の判定》
(四)	同**二**の（11）《事業規模を比較する場合の売上金額等に準ずるもの》

　　　　（最後に支配関係を有することとなった日）
(16)　①に掲げる「最後に支配関係を有することとなった日」とは、内国法人と①に掲げる支配関係法人との間において、①の「適格組織再編成等の日」の直前まで継続して支配関係がある場合のその支配関係があることとなった日をいうことに留意する。
　　（1）《適用除外となる継続して支配関係がある場合》の表の(二)及び(2)《共同で事業を行うための適格組織再編成等の意義》の表の(五)の「最後に支配関係を有することとなった日」についても、同様とする。（基通12－1－5・編者補正）

❷　**事業を移転しない適格分割である場合等の欠損金額に係る制限対象金額の計算の特例**
　①《合併法人等の青色欠損金額の繰越額の制限》に掲げる適格組織再編成等が事業を移転しない適格分割若しくは適格現物出資又は適格現物分配である場合において、次の表の左欄に掲げる場合に該当するときは、当該適格組織再編成等に係る分割承継法人、被現物出資法人又は被現物分配法人である内国法人の①の表の**イ**又は**ロ**に掲げる欠損金額は、次の表の左欄に掲げる場合の区分に応じそれぞれ同表の右欄に掲げるところによることができる。この場合においては、①の（9）《繰越青色欠損金額に係る制限の対象となる金額の計算に係る特例》は、適用しない。（令113⑤）

イ	当該内国法人が当該適格組織再編成等により移転を受けた資産の当該移転の直前（適格現物分配〔残余財産の全部の分配に限る。〕にあっては、その残余財産の確	①の表の**イ**又は**ロ**に掲げる欠損金額は、ないものとする。

	定の時。以下②において同じ。）の**移転時価資産価額**（その移転を受けた資産（当該内国法人の株式又は出資を除く。以下イにおいて同じ。）の価額の合計額をいう。以下②において同じ。）が当該直前の**移転簿価資産価額**（その移転を受けた資産の帳簿価額の合計額をいう。以下②において同じ。）以下である場合	
ロ	当該内国法人が当該適格組織再編成等により移転を受けた資産の当該移転の直前の移転時価資産価額が当該直前の移転簿価資産価額を超える場合において、当該移転時価資産価額から当該移転簿価資産価額を減算した金額（以下ロ及びハにおいて「**移転時価資産超過額**」という。）が当該内国法人の①の表のイに掲げる支配関係事業年度前の各事業年度で同表のイに掲げる前10年内事業年度に該当する事業年度において生じた欠損金額（1の①《被合併法人等の未処理欠損金額の引継ぎ》により当該内国法人の欠損金額とみなされたものを含むものとし、一の1の①《前10年以内の繰越欠損金の損金算入》により当該前10年内事業年度の所得の金額の計算上損金の額に算入されたもの、二《青色申告書を提供しなかった事業年度の欠損金の特例》の適用がある欠損金額及び第二節第三款の八の3の②《欠損金の繰戻しによる還付》により還付を受けるべき金額の計算の基礎となったもの並びに①又は一の1の①の（1）《会社更生等による債務免除等があった場合の適用対象となる欠損金額の範囲》によりないものとされたものを除く。以下ロ及びハにおいて「**支配関係前欠損金額**」という。）の合計額以下であるとき	①の表のイに掲げる欠損金額は当該移転時価資産超過額に相当する金額が当該支配関係前欠損金額のうち最も古いものから順次成るものとした場合に当該移転時価資産超過額に相当する金額を構成するものとされた支配関係前欠損金額があることとなる事業年度ごとに当該事業年度の支配関係前欠損金額のうち当該移転時価資産超過額に相当する金額を構成するものとされた部分に相当する金額とし、同表のロに掲げる欠損金額はないものとする。
ハ	当該内国法人が当該適格組織再編成等により移転を受けた資産の当該移転の直前の移転時価資産価額が当該直前の移転簿価資産価額を超える場合において、移転時価資産超過額が当該内国法人の支配関係前欠損金額の合計額を超えるとき	①の表のイ及びロに掲げる欠損金額は、それぞれ次の（イ）及び（ロ）に掲げる金額とする。
		（イ）①の表のイに掲げる欠損金額
		当該移転時価資産超過額から（イ）に掲げる金額を控除した金額（（ロ）において「**制限対象金額**」という。）が①の表のイに掲げる支配関係事業年度以後の各事業年度において生じた①の表のロに掲げる欠損金額に相当する金額（（ロ）において「**支配関係後欠損金額**」という。）のうち最も古いものから順次成るものとした場合に制限対象金額を構成するものとされた支配関係後欠損金額があることとなる事業年度ごとに当該事業年度の支配関係後欠損金額のうち制限対象金額を構成するものとされた部分に相当する金額とする。
		（ロ）

　　（事業を移転しない適格分割である場合等の制限対象金額の計算の特例の適用要件）
（1）　②は、当該内国法人が適格組織再編成等により移転を受けた資産が当該内国法人の株式又は出資のみである場合を除き、当該内国法人の適格組織再編成等に係る①に掲げる組織再編成事業年度の確定申告書、修正申告書又は更正請求書に、②の表のイからハまでに掲げるところによる①の表のイ及びロに掲げる欠損金額の計算に関する明細を記載した書類の添付があり、かつ、次の表に掲げる書類を保存している場合に限り、適用する。（令113⑥、規26の2の4②）

(一)	②の適格組織再編成等により移転を受けた資産（当該内国法人の株式又は出資を除く。）の当該移転の直前（適格現物分配〔残余財産の全部の分配に限る。〕にあっては、その残余財産の確定の時。以下(1)において同じ。）における価額及び帳簿価額を記載した書類
(二)	次に掲げるいずれかの書類で(一)に掲げる資産の同(一)に掲げる移転の直前における価額を明らかにするもの

(二)	イ	その資産の価額が継続して一般に公表されているものであるときは、その公表された価額が示された書類の写し
	ロ	内国法人が、当該移転の直前における価額を算定し、これを当該移転の直前における価額としているときは、その算定の根拠を明らかにする事項を記載した書類及びその算定の基礎とした事項を記載した書類
	ハ	イ又はロに掲げるもののほかその資産の価額を明らかにする事項を記載した書類

注　第二節第三款の一の3《仮決算をした場合の中間申告書の記載事項等》に掲げる期間に係る課税標準である所得の金額又は欠損金額及び同3の表の②に掲げる法人税の額の計算については、（1）中「確定申告書」とあるのは「中間申告書」とする。（令150の2①）

（やむを得ない場合のゆうじょ規定）
（2）　税務署長は、（1）の表に掲げる書類の保存がない場合においても、その書類の保存がなかったことについてやむを得ない事情があると認めるときは、②を適用することができる。（令113⑦）

（事業を移転しない適格分割等）
（3）　分割法人又は現物出資法人が分割承継法人又は被現物出資法人に対してその有する株式のみを移転する適格分割又は適格現物出資は、②に掲げる「事業を移転しない適格分割若しくは適格現物出資」に該当する。（基通12－1－6）

3　通算法人の青色欠損金額の繰越額の切捨て

①　時価評価法人の繰越欠損金の切捨て

通算法人が第三十五款の三の1《通算制度の開始に伴う資産の時価評価損益》の表又は同三の2《通算制度への加入に伴う資産の時価評価損益》に掲げる法人（（1）の（一）及び②《時価評価除外法人の繰越欠損金の切捨て》において「**時価評価除外法人**」という。）に該当しない場合（当該通算法人が通算子法人である場合において、当該通算法人について同款の二の1《通算承認》による承認〔以下3において「**通算承認**」という。〕の効力が生じた日から同日の属する当該通算法人に係る通算親法人の事業年度終了の日までの間に同款の二の2の（7）《青色申告の承認の取消し通知を受けた場合の通算承認の効力》又は（8）《通算承認の効力を失う日》により当該通算承認が効力を失ったとき〔当該通算法人を被合併法人とする合併で他の通算法人を合併法人とするものが行われたこと又は当該通算法人の残余財産が確定したことに基因してその効力を失った場合を除く。〕を除く。）には、当該通算法人（当該通算法人であった内国法人を含む。）の通算承認の効力が生じた日以後に開始する各事業年度における一の1の①《前10年以内の繰越欠損金の損金算入》の適用については、同日前に開始した各事業年度において生じた欠損金額（同日前に開始した各事業年度において1の①により当該各事業年度前の事業年度において生じた欠損金額とみなされたものを含む。）は、ないものとする。（法57⑥）

（通算完全支配関係がある他の内国法人を被合併法人等とする合併等の場合の繰越欠損金の引継ぎの不適用）
（1）　通算法人を合併法人とする合併で当該通算法人との間に通算完全支配関係（通算法人に係る通算親法人が第三十五款の二の1の（9）《申請特例年度に係る取扱い》の適用を受けて通算承認を受けた場合における当該通算法人と他の内国法人との間の完全支配関係で同一の（1）《完全支配関係の意義》に掲げる関係に該当するもの〔通算完全支配関係に該当するものを除く。以下3において「**通算完全支配関係に準ずる関係**」という。〕を含む。以下（1）において同じ。）がある他の内国法人を被合併法人とするものが行われた場合又は通算法人との間に通算完全支配関係（当該通算法人による完全支配関係又は第二章第一節の二の表の12の7の6《完全支配関係》に掲げる相互の関係に限る。）がある他の内国法人で当該通算法人が発行済株式若しくは出資の全部若しくは一部を有するものの残余財産が確定した場合には、次に掲げる欠損金額については、1の①は、適用しない。（法57⑦、令112の2①）

(一)	これらの他の内国法人が時価評価除外法人に該当しない場合（当該合併〔適格合併に限る。〕の日の前日又は当該残余財産の確定した日がこれらの他の内国法人が通算親法人との間に通算完全支配関係を有することとなっ

	た日の前日から当該有することとなった日の属する当該通算親法人の事業年度終了の日までの期間内の日であることその他の(2)に掲げる要件に該当する場合に限る。)におけるこれらの他の内国法人の前10年内事業年度において生じた欠損金額（1の①によりこれらの他の内国法人の欠損金額とみなされたものを含む。）
(二)	これらの他の内国法人の第三十五款の一の4《通算法人の合併等があった場合の欠損金の損金算入》の適用がある欠損金額

　（その他の要件）
（2）　(1)の表の(一)に掲げる要件は、次に掲げる要件のいずれにも該当すること（(1)の通算法人が通算親法人である場合には、(一)に掲げる要件に該当すること。）とする。（令112の2②）

(一)	(1)の表の(一)の合併の日の前日又は同(一)の残余財産の確定した日が、同(一)の他の内国法人が通算親法人との間に通算完全支配関係を有することとなった日（当該他の内国法人が当該通算親法人との間に通算完全支配関係に準ずる関係がある法人である場合には、次に掲げる日のうちいずれか遅い日。以下(一)及び(二)において「関係発生日」という。）の前日から当該関係発生日の属する当該通算親法人の事業年度終了の日までの期間内の日であること。	
	イ	第三十五款の二の1の(11)《申請特例年度に係るみなし承認》に掲げる申請特例年度開始の日
	ロ	当該通算完全支配関係に準ずる関係を有することとなった日（第二章第一節の七の4の(7)《加入時期の特例》の適用を受ける場合にあっては、同日の前日の属する同(7)の表の(一)に掲げる特例決算期間の末日の翌日）
(二)	関係発生日から(1)の表の(一)の合併の日の前日又は同(一)の残余財産の確定の日の属する(1)の通算法人に係る通算親法人の事業年度終了の日（当該通算法人が同日以前に当該通算法人を被合併法人とする合併で他の通算法人を合併法人とするものを行った場合又は同日前に当該通算法人の残余財産が確定した場合には、当該合併の日の前日又は当該残余財産の確定の日）まで継続して当該通算法人と当該通算親法人との間に通算完全支配関係があること。	

②　時価評価除外法人の繰越欠損金の切捨て

　通算法人で時価評価除外法人に該当するものが通算承認の効力が生じた日の5年前の日又は当該通算法人の設立の日のうちいずれか遅い日から当該通算承認の効力が生じた日まで継続して当該通算法人に係る通算親法人（当該通算法人が通算親法人である場合には、他の通算法人のいずれか）との間に支配関係がある場合として(1)に掲げる場合に該当しない場合（当該通算法人が通算子法人である場合において、同日から同日の属する当該通算法人に係る通算親法人の事業年度終了の日までの間に第三十五款の二の2の(7)《青色申告の承認の取消し通知を受けた場合の通算承認の効力》又は同2の(8)《通算承認の効力を失う日》により当該通算承認が効力を失ったとき〔当該通算法人を被合併法人とする合併で他の通算法人を合併法人とするものが行われたこと又は当該通算法人の残余財産が確定したことに基因してその効力を失った場合を除く。〕を除く。）で、かつ、当該通算法人について通算承認の効力が生じた後に当該通算法人と他の通算法人とが共同で事業を行う場合として(2)に掲げる場合に該当しない場合において、当該通算法人が当該通算法人に係る通算親法人との間に最後に支配関係を有することとなった日（当該通算法人が通算親法人である場合には、他の通算法人のうち当該通算法人との間に最後に支配関係を有することとなった日が最も早いものとの間に最後に支配関係を有することとなった日。(一)において「支配関係発生日」という。）以後に新たな事業を開始したときは、当該通算法人（当該通算法人であった内国法人を含む。）の当該通算承認の効力が生じた日以後に開始する各事業年度（同日の属する事業年度終了の日後に当該事業を開始した場合には、その開始した日以後に終了する各事業年度）における一の1の①《前10年以内の繰越欠損金の損金算入》の適用については、次に掲げる欠損金額は、ないものとする。（法57⑧）

(一)	当該通算法人の支配関係事業年度（支配関係発生日の属する事業年度をいう。(二)において同じ。）前の各事業年度で通算前10年内事業年度（当該通算承認の効力が生じた日前10年以内に開始した各事業年度をいう。以下(一)及び(二)において同じ。）に該当する事業年度において生じた欠損金額（1の①《被合併法人等の未処理欠損金額の引継ぎ》により当該通算法人の欠損金額とみなされたものを含み、一の1の①により通算前10年内事業年度の所得の金額の計算上損金の額に算入されたもの、2の①《合併法人等の青色欠損金額の繰越額の制限》、一の1の①の(1)《会社更生等による債務免除等があった場合の適用対象となる欠損金額の範囲》、①、②、③又は二の1《前10年以

第三章　第一節　第二十一款《繰越欠損金》

	内の災害による繰越損失金の損金算入》によりないものとされたもの及び第二節第三款の**八**の**3**の②《欠損金の繰戻しによる還付》により還付を受けるべき金額の計算の基礎となったものを除く。(二)において同じ。)
(二)	当該通算法人の支配関係事業年度以後の各事業年度で通算前10年内事業年度に該当する事業年度において生じた欠損金額のうち第三十五款の**三**の**5**の(3)《特定資産譲渡等損失額の意義》に掲げる特定資産譲渡等損失額に相当する金額から成る部分の金額として(5)に掲げる金額

（通算親法人との間に支配関係がある場合）

（1）　②に掲げる支配関係がある場合は、次に掲げる場合のいずれかに該当する場合とする。(令112の2③)

(一)		②の通算法人と当該通算法人に係る通算親法人（当該通算法人が通算親法人である場合には、他の通算法人のいずれか）との間に当該通算法人について通算承認の効力が生じた日（(2)において「**通算承認日**」という。）の5年前の日（(二)において「5年前の日」という。）から継続して支配関係がある場合
(二)		②の通算法人又は当該通算法人に係る通算親法人（当該通算法人が通算親法人である場合には、他の通算法人の全て）が5年前の日後に設立された法人である場合（次に掲げる場合を除く。）であって当該通算法人と当該通算法人に係る通算親法人（当該通算法人が通算親法人である場合には、他の通算法人のうちその設立の日が最も早いもの〔当該通算法人が5年前の日後に設立された法人である場合には、他の通算法人のうち当該通算法人との間に最後に支配関係を有することとなった日が最も早いもの〕。以下(二)において「通算親法人等」という。）との間に当該通算法人の設立の日又は当該通算親法人等の設立の日のいずれか遅い日から継続して支配関係があるとき。
	イ	他の通算法人との間に支配関係（通算完全支配関係を除く。）がある他の内国法人を被合併法人とする適格合併で、当該通算法人を設立するもの又は当該他の通算法人が当該他の内国法人との間に最後に支配関係を有することとなった日以後に設立された当該通算法人を合併法人とするものが行われていた場合（同日が当該5年前の日以前である場合を除く。）
	ロ	他の通算法人が他の内国法人との間に最後に支配関係を有することとなった日以後に設立された当該通算法人との間に**1**の①《被合併法人等の未処理欠損金額の引継ぎ》に掲げる完全支配関係がある当該他の内国法人（当該他の通算法人との間に支配関係〔通算完全支配関係を除く。〕があるものに限る。）で当該通算法人が発行済株式又は出資の全部又は一部を有するものの残余財産が確定していた場合（同日が当該5年前の日以前である場合を除く。）
	ハ	当該通算法人との間に支配関係（通算完全支配関係を除く。）がある他の法人を被合併法人、分割法人、現物出資法人又は現物分配法人とする**2**の①《合併法人等の青色欠損金額の繰越額の制限》に掲げる適格組織再編成等で、当該通算法人に係る通算親法人（当該通算法人が通算親法人である場合には、他の通算法人のいずれか。ハにおいて同じ。）を設立するもの又は当該通算法人が当該他の法人との間に最後に支配関係を有することとなった日以後に設立された当該通算法人に係る通算親法人を合併法人、分割承継法人、被現物出資法人若しくは被現物分配法人とするものが行われていた場合（同日が当該5年前の日以前である場合を除く。）

（共同で事業を行う場合）

（2）　②に掲げる共同で事業を行う場合は、(一)から(三)までに掲げる要件、(一)及び(四)に掲げる要件又は(五)に掲げる要件に該当する場合とする。(令112の2④)

(一)	②の通算法人又は通算承認日の直前において当該通算法人との間に完全支配関係（第三十五款の**二**の**1**の(1)《完全支配関係の意義》に掲げる関係に限る。以下(一)及び(三)において同じ。）がある法人（当該完全支配関係が継続することが見込まれているものに限る。）の当該通算承認日前に行う事業のうちのいずれかの主要な事業（以下(2)において「通算前事業」という。）と当該通算法人に係る通算親法人（当該通算法人が通算親法人である場合にあっては、他の通算法人のいずれか。以下(四)までにおいて同じ。）又は当該通算承認日の直前において当該通算親法人との間に完全支配関係がある法人（当該完全支配関係が継続することが見込まれているものに限るものとし、当該通算法人を除く。）の当該通算承認日前に行う事業のうちのいずれかの事業（以下(2)において「親法人事業」という。）とが相互に関連するものであること。

(二)	通算前事業と親法人事業（当該通算前事業と関連する事業に限る。以下(2)において同じ。）のそれぞれの売上金額、当該通算前事業と当該親法人事業のそれぞれの従業者の数又はこれらに準ずるものの規模の割合がおおむね5倍を超えないこと。
(三)	通算前事業（親法人事業と関連する事業に限る。以下(2)において同じ。）が②の通算法人が当該通算法人に係る通算親法人との間に最後に支配関係を有することとなった時（当該通算法人又は当該通算法人との間に完全支配関係がある法人〔以下(三)において「通算法人等」という。〕がその時から通算承認日の前日までの間に適格合併、適格分割又は適格現物出資〔以下(三)において「適格合併等」という。〕により当該通算法人等との間に完全支配関係がない法人から通算前事業の全部又は一部の移転を受けている場合には、当該適格合併等の時。以下(三)において「通算法人支配関係発生時」という。）から当該通算承認日まで継続して行われており、かつ、当該通算法人支配関係発生時と当該通算承認日における当該通算前事業の規模（(二)に掲げる規模の割合の計算の基礎とした指標に係るものに限る。）の割合がおおむね2倍を超えないこと。
(四)	通算承認日の前日の通算前事業を行う法人の特定役員（社長、副社長、代表取締役、代表執行役、専務取締役若しくは常務取締役又はこれらに準ずる者で法人の経営に従事している者をいう。）である者（②の通算法人が当該通算法人に係る通算親法人との間に最後に支配関係を有することとなった日前〔当該支配関係が当該通算前事業を行う法人又は親法人事業を行う法人の設立により生じたものである場合には、同日〕において当該通算前事業を行う法人の役員又は当該これらに準ずる者〔同日において当該法人の経営に従事していた者に限る。〕であった者に限る。）の全てが通算完全支配関係を有することとなったことに伴って退任をするものでないこと。
(五)	②の通算法人が次に掲げる法人のいずれかに該当すること。
	イ　第三十五款の**三の2**《通算制度への加入に伴う資産の時価評価損益》の表の(四)に掲げる法人
	ロ　第二章第一節の**二の表の12の17**《適格株式交換等》の**ハ**に該当する株式交換等により通算親法人との間に通算完全支配関係を有することとなった株式交換等完全子法人

　（事業関連性の判定の準用）

（3）　②の通算法人について第三十五款の**二の1**《通算承認》による承認の効力が生じた場合において、次に掲げる要件の全てに該当するときは、当該合併に係る第二章第一節の**二の表の12の8**の③の適用については、当該合併に係る被合併法人の同③の(一)に掲げる被合併事業（以下(3)及び(4)において「**被合併事業**」という。）と当該合併に係る合併法人（当該合併が法人を設立する合併である場合にあっては、当該合併に係る他の被合併法人。以下(3)及び(4)において同じ。）の同(一)合併事業（以下(3)及び(4)において「**合併事業**」という。）とは、同(一)の相互に関連するものに該当するものとする。（令112の2⑨、規26の2の2、3①）

(一)	(2)の表の(一)に掲げる通算前事業を行う法人及び同表の(一)に掲げる親法人事業を行う法人が同表の(一)の通算承認日の直前においてそれぞれ次に掲げる要件の全てに該当すること。		
	イ	事務所、店舗、工場その他の固定施設（その本店又は主たる事務所の所在地がある国又は地域にあるこれらの施設に限る。ハの(ヘ)において「固定施設」という。）を所有し、又は賃借していること。	
	ロ	従業者（役員には、その法人の業務に専ら従事するものに限る。）があること。	
	ハ	自己の名義をもって、かつ、自己の計算において次に掲げるいずれかの行為をしていること。	
		(イ)	商品販売等（商品の販売、資産の貸付け又は役務の提供で、継続して対価を得て行われるものをいい、その商品の開発若しくは生産又は役務の開発を含む。以下(一)において同じ。）
		(ロ)	広告又は宣伝による商品販売等に関する契約の申込み又は締結の勧誘
		(ハ)	商品販売等を行うために必要となる資料を得るための市場調査
		(ニ)	商品販売等を行うに当たり法令上必要となる行政機関の許認可等（行政手続法〔平成5年法律第88号〕第2条第3号《定義》に規定する許認可等をいう。）についての同号に規定する申請又は当該許認可等に係る権利の保有
		(ホ)	知的財産権（特許権、実用新案権、育成者権、意匠権、著作権、商標権その他の知的財産に関して法令により定められた権利又は法律上保護される利益に係る権利をいう。(ホ)において同じ。）

		の取得をするための出願若しくは登録（移転の登録を除く。）の請求若しくは申請（これらに準ずる手続を含む。）、知的財産権（実施権及び使用権を含むものとし、商品販売等を行うために必要となるものに限る。(ホ)及び(ニ)のロにおいて「知的財産権等」という。）の移転の登録（実施権及び使用権にあっては、これらの登録を含む。）の請求若しくは申請（これらに準ずる手続を含む。）又は知的財産権若しくは知的財産権等の所有
	(ヘ)	商品販売等を行うために必要となる資産（固定施設を除く。）の所有又は賃借
	(ト)	(イ)から(ヘ)までに掲げる行為に類するもの
(ニ)	\multicolumn{2}{l|}{当該被合併事業と合併事業との間に(2)の表の(一)の通算承認日の直前において次に掲げるいずれかの関係があること。}
	イ	当該被合併事業と合併事業とが同種のものである場合における当該被合併事業と合併事業との間の関係
	ロ	当該被合併事業に係る商品、資産若しくは役務（それぞれ販売され、貸し付けられ、又は提供されるものに限る。以下(ニ)及び(4)において同じ。）又は経営資源（事業の用に供される設備、事業に関する知的財産権等、生産技術又は従業者の有する技能若しくは知識、事業に係る商品の生産若しくは販売の方式又は役務の提供の方式その他これらに準ずるものをいう。以下この号及び次項において同じ。）と当該合併事業に係る商品、資産若しくは役務又は経営資源とが同一のもの又は類似するものである場合における当該被合併事業と合併事業との間の関係
	ハ	当該被合併事業と合併事業とが当該通算承認日後に当該被合併事業に係る商品、資産若しくは役務又は経営資源と当該合併事業に係る商品、資産若しくは役務又は経営資源とを活用して行われることが見込まれている場合における当該被合併事業と合併事業との間の関係

（商品等を活用して一体として行われている場合の推定の準用）
（４）　合併に係る被合併法人の被合併事業と当該合併に係る合併法人の合併事業とが、(2)の表の(一)の通算承認日後に当該被合併事業に係る商品、資産若しくは役務又は経営資源と合併事業に係る商品、資産若しくは役務又は経営資源とを活用して一体として行われている場合には、当該被合併事業と合併事業とは、(3)の表の(ニ)に掲げる要件に該当するものと推定する。（令112の２⑨、規26の２の２、３②）

（特定資産譲渡等損失額に相当する金額から成る部分の金額の準用）
（５）　②の表の(二)に掲げる金額は、②の通算法人の②の表の(二)の支配関係事業年度以後の各事業年度で同(二)の通算前10年内事業年度に該当する事業年度（第三十四款の四の１《特定資産譲渡等損失額の損金不算入》〔同四の３《新設合併における特定資産譲渡等損失額の損金不算入》において準用する場合を含む。以下（５）において同じ。〕の規定の適用を受ける場合の同四の１の適用を受ける場合の同１に掲げる対象期間、第三十四款の三《特定株主等によって支配された欠損等法人の資産の譲渡等損失額の損金不算入》の適用を受ける場合の同三に掲げる適用期間又は第三十五款の三の５《特定資産に係る譲渡等損失額の損金不算入》の適用を受ける場合の同５に掲げる適用期間内の日の属する事業年度を除く。以下（５）において「対象事業年度」という。）ごとに、(一)に掲げる金額から(二)に掲げる金額を控除した金額とする。（令112の２⑤、112⑤）

| (一) | 当該対象事業年度に生じた欠損金額（第三十五款の二の１《通算承認》による承認の効力が生じた日〔(6)において「**通算承認日**」という。〕の属する事業年度（当該事業年度終了の日後に②の新たな事業を開始した場合には、その開始した日の属する事業年度。以下３において「**最初適用年度**」という。）前に１の①《被合併法人等の未処理欠損金額の引継ぎ》により当該通算法人の欠損金額とみなされたもの及び２の①《合併法人等の青色欠損金額の繰越額の制限》、一の１の①の(1)《会社更生等による債務免除等があった場合の適用対象となる欠損金額の範囲》、①、②、③によりないものとされたものを含むものとし、二の１《前10年以内の災害による繰越損失金の損金算入》の適用がある欠損金額及び第二節第三款の八の３の⑤《災害があった場合の欠損金の繰戻しによる還付についての特例》に掲げる災害損失欠損金額（当該災害損失欠損金額について同⑤の注の②の適用を受けた場合における当該災害損失欠損金額に限る。(9)において「**適用災害損失欠損金額**」という。）を除く。(二)において同じ。）のうち、当該対象事業年度を第三十五款の三の５《特定資産に係る譲渡等損失額の損金不算入》が適用される事業年度として当該通算法人が②に掲げる支配関係発生日（(6)において「支配 |

	関係発生日」という。）の属する事業年度開始の日前から有していた資産（同日を最初適用年度開始の日とみなした場合に同**5**の（3）《特定資産譲渡等損失額の意義》の表の（一）から（五）に掲げる資産に該当するものを除く。）につき同**5**を適用した場合に同**5**の（3）《特定資産譲渡等損失額の意義》に掲げる特定資産譲渡等損失額となる金額に達するまでの金額
（二）	当該対象事業年度に生じた欠損金額のうち、当該通算法人において**一**の**1**の①《前10年以内の繰越欠損金の損金算入》により当該最初適用年度前の各事業年度の所得の金額の計算上損金の額に算入されたもの及び第二節第三款の**八**の**3**《欠損金の繰戻しによる還付》の②から⑤により還付を受けるべき金額の計算の基礎となったもの（同**3**の⑥の（4）《通算法人の発生欠損金額又は他の通算法人の欠損金額の計算》又は同**6**の（5）《通算法人の発生災害損失欠損金額又は他の通算法人災害損失欠損金額の計算》の適用がある場合には、これらにより還付を受けるべき金額の計算の基礎となった金額とされたもの）並びに**2**の①、**一**の**1**の①の（1）、①、②、③によりないものとされたもの

（承認前2年以内期間に特定適格組織再編成が行われた場合の移転資産の有する日のみなし規定の準用）

（6） ②の通算法人に係る通算承認日以前2年以内の期間（支配関係発生日以後の期間に限る。以下（6）及び（9）において「**承認前2年以内期間**」という。）内に当該通算法人又は特定支配関係法人（当該通算法人及び当該通算法人に係る通算親法人〔当該通算法人が通算親法人である場合には、他の通算法人のいずれか〕との間に支配関係がある法人をいう。以下（6）及び（9）において同じ。）を合併法人、分割承継法人、被現物出資法人又は被現物分配法人とし、特定支配関係法人を被合併法人、分割法人、現物出資法人又は現物分配法人とする1又は2以上の特定適格組織再編成等（第三十四款の**四**の**1**《特定資産譲渡等損失額の損金不算入》に掲げる特定適格組織再編成等をいう。以下（6）において同じ。）が行われていた場合において、当該1又は2以上の特定適格組織再編成等により移転があった資産のうち当該通算法人が有することとなったもの（当該1又は2以上の特定適格組織再編成等に係る被合併法人、分割法人、現物出資法人又は現物分配法人である特定支配関係法人のいずれかが支配関係発生日の属する事業年度開始の日前から有していたものに限る。）については、当該通算法人が支配関係発生日の属する事業年度開始の日前から有していたものとみなして、（5）を適用する。ただし、次に掲げる資産については、この限りでない。（令112の2⑤、112⑥）

（一）	承認前2年以内期間内に行われた**2**の①《合併法人等の青色欠損金額の繰越額の制限》に掲げる適格組織再編成等で特定適格組織再編成等に該当しないものにより移転があった資産		
（二）	承認前2年以内期間内に行われた適格合併に該当しない合併により移転があった資産で第三十三款の**一**《譲渡損益調整資産に係る譲渡利益額又は譲渡損失額の繰延べ》に掲げる譲渡損益調整資産以外のもの		
（三）	（一）及び（二）に掲げる資産以外の資産で次に掲げるものに該当するもの		
		イ	資産を（7）に掲げる単位に区分した後のそれぞれの資産の当該支配関係発生日の属する事業年度開始の日における帳簿価額又は取得価額が1,000万円に満たないもの
		ロ	当該支配関係発生日の属する事業年度開始の日における価額が同日における帳簿価額を下回っていない資産（②の通算法人の最初適用年度の確定申告書、修正申告書又は更正請求書に当該支配関係発生日の属する事業年度開始の日における当該資産の価額及びその帳簿価額に関する明細を記載した書類の添付があり、かつ、当該資産に係る同日の価額の算定の基礎となる事項を記載した書類その他の（8）に掲げる書類を保存している場合における当該資産に限る。）

（引継ぎを受ける資産の単位）

（7） （6）の表の（三）のイ（（9）の注の場合を含む。）に掲げる単位は、次の表の左欄に掲げる資産の区分に応じそれぞれ同表の右欄に掲げるところにより区分した後の単位とする。（規26の2の3①、26の2①）

（一）	金銭債権	一の債務者ごとに区分するものとする。	
（二）	減価償却資産	次に掲げる区分に応じそれぞれ次に定めるところによる。	
		イ 建物	一棟（建物の区分所有等に関する法律第1条（建物の区分所有）の規定に該当する建物にあっては、同法第2条第1項（定義）に規定する建物の部分）ごとに区分する

			ものとする。
		ロ 機械及び装置	一の生産設備又は一台若しくは一基（通常一組又は一式をもって取引の単位とされるものにあっては、一組又は一式）ごとに区分するものとする。
		ハ その他の減価償却資産	イ又はロに準じて区分するものとする。
(三)	土地（土地の上に存する権利を含む。以下(三)において「土地等」という。）	土地等を一筆（一体として事業の用に供される一団の土地等にあっては、その一団の土地等）ごとに区分するものとする。	
(四)	有価証券	その銘柄の異なるごとに区分するものとする。	
(五)	資金決済に関する法律（平成21年法律第59号）第２条第14項《定義》に規定する暗号資産	その種類の異なるごとに区分するものとする。	
(六)	その他の資産	通常の取引の単位を基準として区分するものとする。	

注──線部分は、令和５年度改正により改正された部分で、改正規定は、安定的かつ効率的な資金決済制度の構築を図るための資金決済に関する法律等の一部を改正する法律（令和４年法律第61号）の施行の日（令和５年６月１日）から適用され、同日前の適用については、「第２条第14項」とあるのは「第２条第５項」とする。（令５改規附１、令和５年政令第185号）

（みなし規定の適用要件）

(8) (6)の表の(三)のロ（(9)の注の場合を含む。）に掲げる書類は、同(三)の資産に係る次に掲げる書類とする。（規26の２の３②、26の２②）

(一)		資産の種類、名称、構造、取得価額、その取得をした日、(5)の表の(一)（(9)の注の場合にあっては、(9)）に掲げる支配関係発生日の属する事業年度開始の日（(二)において「支配関係事業年度開始日」という。）における帳簿価額その他その資産の内容を記載した書類
(二)		次に掲げるいずれかの書類で(一)の資産の支配関係事業年度開始日における価額を明らかにするもの
	イ	その資産の価額が継続して一般に公表されているものであるときは、その公表された価額が示された書類の写し
	ロ	②の通算法人が、当該支配関係事業年度開始日における価額を算定し、これを当該支配関係事業年度開始日における価額としているときは、その算定の根拠を明らかにする事項を記載した書類及びその算定の基礎とした事項を記載した書類
	ハ	イ又はロに掲げるもののほかその資産の価額を明らかにする事項を記載した書類

（承認前２年以内適格合併が行われていた場合の特定資産譲渡等損失相当欠損金額がある場合の特例）

(9) ②の通算法人に係る承認前２年以内期間に１若しくは２以上の適格合併（特定支配関係法人を被合併法人とし、当該通算法人又は当該特定支配関係法人との間に支配関係がある他の特定支配関係法人を合併法人とするもの並びに特定支配関係法人及び当該特定支配関係法人との間に支配関係がある他の特定支配関係法人を被合併法人とする適格合併で法人を設立するものに限る。以下(9)において「承認前２年以内適格合併」という。）が行われていた場合又は承認前２年以内期間内に１若しくは２以上の特定支配関係法人（当該通算法人又は他の特定支配関係法人との間に完全支配関係（当該通算法人若しくは当該他の特定支配関係法人による完全支配関係又は第二章第一節の二の表の**12の７の６**《完全支配関係》に掲げる相互の関係に限る。）があるもので、かつ、当該通算法人又は当該他の特定支配関係法人が発行済株式又は出資の全部又は一部を有するものに限る。）の残余財産が確定していた場合において、**1**の①《被合併法人等の未処理欠損金額の引継ぎ》により当該通算法人の各事業年度において生じた欠損金額とみなされたもののうちに各関連法人（当該承認前２年以内適格合併に係る被合併法人である特定支配関係法人又は当該残余財産が確

第三章 第一節 第二十一款《繰越欠損金》

定した特定支配関係法人をいう。以下（9）において同じ。）の各事業年度（当該通算法人及び当該通算法人に係る通算親法人〔当該通算法人が通算親法人である場合には、他の通算法人のうち当該関連法人との間に最後に支配関係を有することとなった日が最も早いもの〕が当該関連法人との間に最後に支配関係を有することとなった日〔以下（9）において「支配関係発生日」という。〕の属する事業年度以後の事業年度で当該承認前2年以内適格合併の日前10年以内に開始し、又は当該関連法人の残余財産の確定の日の翌日前10年以内に開始した各事業年度〔以下（9）において「前10年内事業年度」という。〕に限り、当該関連法人が第三十四款の四の1《特定資産譲渡等損失額の損金不算入》（同四の3《新設合併における特定資産譲渡等損失額の損金不算入》を含む。以下（9）において同じ。）の適用を受ける場合の同3に掲げる対象期間、当該関連法人が第三十四款の三《特定株主等によって支配された欠損等法人の資産の譲渡等損失額の損金不算入》の適用を受ける場合の同三に掲げる適用期間又は当該関連法人が第三十五款の三の5《特定資産に係る譲渡等損失額の損金不算入》の適用を受ける場合の同5に掲げる適用期間内の日の属する事業年度を除く。以下（9）において「関連法人対象事業年度」という。）ごとに（一）に掲げる金額から（二）に掲げる金額を控除した金額（1の①により他の関連法人の各事業年度において生じた欠損金額とみなされた金額にあっては、他の関連法人において一の1の①《前10年以内の繰越欠損金の損金算入》により当該他の関連法人の前10年内事業年度の所得の金額の計算上損金の額に算入されたもの及び第二節第三款の八の3《欠損金の繰戻しによる還付》の②から⑤により還付を受けるべき金額の計算の基礎となったもの（同3の⑥の（4）《通算法人の発生欠損金額又は他の通算法人の欠損金額の計算》又は同⑥の（5）《通算法人の発生災害損失欠損金額又は他の通算法人災害損失欠損金額の計算》の適用がある場合には、これらにより還付を受けるべき金額の計算の基礎となった金額とされたもの）並びに2の①、一の1の①の（1）《会社更生等による債務免除等があった場合の適用対象となる欠損金額の範囲》、①、②、③によりないものとされたもの及び1の②《被合併法人等の未処理欠損金額の引継額の制限》により当該他の関連法人の1の①に掲げる未処理欠損金額に含まないこととされたものを除く。以下（9）において「特定資産譲渡等損失相当欠損金額」という。）に相当する金額が含まれているときは、（5）《特定資産譲渡等損失額に相当する金額から成る部分の金額の準用》の適用については、当該通算法人の同（5）に掲げる対象事業年度において同（5）の表の（一）の特定資産譲渡等損失額となる金額は、当該金額に特定資産譲渡等損失相当欠損金額を加算した金額とする。ただし、1の②の（1）《共同で事業を行うための合併の意義》に掲げる共同で事業を行うための合併が行われたことに基因して1の①により当該通算法人又は他の関連法人の各事業年度において生じた欠損金額とみなされたものについては、この限りでない。
（法57⑭、令112の2⑤、112⑦）

（一）	当該関連法人対象事業年度に生じた欠損金額（1の①により当該関連法人の欠損金額とみなされたもの（同①により当該関連法人の欠損金額とみなされたもののうち各関連法人の特定資産譲渡等損失相当欠損金額から成る部分の金額を除く。）及び2の①、一の1の①の（1）、①、②、③によりないものとされたものを含むものとし、二の1《前10年以内の災害による繰越損失金の損金算入》の適用がある欠損金額及び適用災害損失欠損金額を除く。）のうち、当該関連法人対象事業年度を第三十五款の三の5《特定資産に係る譲渡等損失額の損金不算入》が適用される事業年度として当該関連法人が支配関係発生日の属する事業年度開始の日前から有していた資産（同日を最初適用年度開始の日とみなした場合に同5の（3）《特定資産譲渡等損失額の意義》の表の（一）のイからホに掲げる資産に該当するものを除く。）につき同5を適用した場合に同5の（3）に掲げる特定資産譲渡等損失額となる金額に達するまでの金額
（二）	当該関連法人対象事業年度に生じた欠損金額（1の①により当該関連法人の欠損金額とみなされたもの及び2の①、一の1の①の（1）、①、②、③によりないものとされたものを含むものとし、二の1の適用がある欠損金額及び適用災害損失欠損金額を除く。）のうち、当該関連法人において一の1の①により当該関連法人の前10年内事業年度の所得の金額の計算上損金の額に算入されたもの及び第二節第三款の八の3の②から⑤により還付を受けるべき金額の計算の基礎となったもの（同3の⑥の（4）《通算法人の発生欠損金額又は他の通算法人の欠損金額の計算》又は同⑥の（5）《通算法人の発生災害損失欠損金額又は他の通算法人災害損失欠損金額の計算》の適用がある場合には、これらの規定により還付を受けるべき金額の計算の基礎となった金額とされたもの）並びに2の①、一の1の①の（1）、①、②、③によりないものとされたもの及び1の②により当該関連法人の未処理欠損金額に含まないこととされたもの（他の関連法人の特定資産譲渡等損失相当欠損金額の計算上控除された金額がある場合には、当該金額を控除した金額）

注　（6）は、（9）を適用する場合について準用する。この場合において、（6）中「内に当該通算法人」とあるのは「内に（9）に掲げる関連法人」と、「のうち当該通算法人」とあるのは「のうち当該関連法人」と、「当該通算法人が支配関係発生日」とあるのは「当該関連法人が（9）に掲げる支配関係発生日」と読み替えるものとする。（令112の2⑤、112⑧）

(通算法人と通算完全支配関係がある他の内国法人とが適格合併等を行った場合等の未処理欠損金の取扱い)
(10) 通算法人を合併法人とする適格合併で当該通算法人との間に通算完全支配関係(通算完全支配関係に準ずる関係を含む。以下(10)において同じ。)がある他の内国法人を被合併法人とするものが行われ、又は通算法人との間に通算完全支配関係がある他の内国法人で当該通算法人が発行済株式若しくは出資の全部若しくは一部を有するものの残余財産が確定した場合には、これらの他の内国法人の**1**の①《被合併法人等の未処理欠損金額の引継ぎ》に掲げる未処理欠損金額については、**1**の②《被合併法人等の未処理欠損金額の引継額の制限》は、適用しない。(令112の2⑥)

(通算法人と通算完全支配関係がある他の内国法人とが適格組織再編成等を行った場合の欠損金額の取扱い)
(11) 通算法人を合併法人、分割承継法人、被現物出資法人又は被現物分配法人とする**2**の①《合併法人等の青色欠損金額の繰越額の制限》に掲げる適格組織再編成等で当該通算法人との間に通算完全支配関係(通算完全支配関係に準ずる関係を含む。)がある他の内国法人を被合併法人、分割法人、現物出資法人又は現物分配法人とするものが行われた場合には、当該通算法人の同①の表以外の部分に規定する欠損金額については、同①は、適用しない。(令112の2⑦)

(通算法人の適用年度後の各事業年度の所得金額の計算の特例)
(12) 通算法人の**三**の**2**の(2)《民事再生等に準ずる事実により債務免除等があった場合の欠損金の損金算入》に掲げる適用年度(第三十五款の**一**の**3**の①《前10年以内の繰越欠損金の損金算入》、同①の(1)《繰越欠損金の額》、及び同①の(2)《通算法人の繰越欠損金の損金算入限度額》の適用を受ける事業年度に限る。以下(12)において「適用年度」という。)に係る各10年内事業年度(同①の(1)に掲げる10年内事業年度をいう。)に係る同①の(2)の表の(一)に掲げる特定損金算入限度額及び(二)に掲げる非特定損金算入限度額の合計額が当該適用年度の**一**の**1**の②《中小法人等の繰越欠損金の損金算入限度額》に掲げる損金算入限度額に満たない場合で、かつ、(一)に掲げる金額が(二)に掲げる金額を超える場合には、(三)に掲げる金額(以下(12)において「損金算入額」という。)がその超える部分の金額(以下(12)において「未使用欠損金額」という。)のうち最も古い事業年度において生じたものから順次成るものとした場合に当該損金算入額に相当する金額を構成するものとされた未使用欠損金額があることとなる事業年度ごとに当該事業年度の未使用欠損金額のうち当該損金算入額に相当する金額を構成するものとされた部分に相当する金額は、**一**の**1**の①の(1)《会社更生等による債務免除等があった場合の適用対象となる欠損金額の範囲》によりないものとされた欠損金額とみなして、当該通算法人の当該適用年度後の各事業年度の所得の金額を計算する。(令112の2⑧)

(一)	**一**の**1**の①の(1)の表の(一)のイの(ロ)に掲げる金額
(二)	当該適用年度に係る第三十五款の**一**の**3**の②《適用事業年度後の繰越欠損金の損金算入》に掲げる損金算入欠損金額の合計額
(三)	**三**の**2**の(2)《民事再生等に準ずる事実により債務免除等があった場合の欠損金の損金算入》により当該適用年度の所得の金額の計算上損金の額に算入される金額

(最後に支配関係を有することとなった日)
(13) ②に掲げる「最後に支配関係を有することとなった日」とは、通算親法人と通算法人との間において、②の「通算承認の効力が生じた日」の直前まで継続して支配関係がある場合のその支配関係を有することとなった日をいうことに留意する。
  (2)の表の(二)及び(9)に掲げる「最後に支配関係を有することとなった日」についても、同様とする。(基通12-1-5・編者補正)

(共同事業に係る要件の判定)
(14) ②に掲げる「共同で事業を行う場合として政令で定める場合」に該当するかどうかの判定(以下(15)において「共同事業に係る要件の判定」という。)に当たっては、第二章第一節の**二**の(9)《従業者の範囲》、同**二**の(10)《主要な事業の判定》、同**二**の(11)《事業規模を比較する場合の売上金額等に準ずるもの》及び第二章第一節の**二**の表の**12の8**の③の(4)《特定役員の範囲》の取扱いを準用する。(基通12-1-7)

(完全支配関係グループが通算グループに加入する場合のいずれかの主要な事業の意義)
(15) (2)の表の(一)に掲げる「いずれかの主要な事業」とは、例えば、完全支配関係グループ(通算グループ〔通算親法人及び当該通算親法人との間に当該通算親法人による通算完全支配関係を有する法人によって構成されたグルー

プをいう。以下同じ。〕に属する通算法人との間に(1)の表の支配関係のいずれもない法人及び当該法人との間に当該法人による完全支配関係〔第三十五款の**二の1**の(1)《完全支配関係の意義》に掲げる関係に限る。〕を有する法人によって構成されたグループをいう。)が当該通算グループに加入する場合にあっては、当該完全支配関係グループに属するいずれかの法人にとって主要な事業ではなく、当該完全支配関係グループにとって主要な事業であることをいうのであり、当該完全支配関係グループにとって主要な事業が複数ある場合の共同事業に係る要件の判定に当たっては、そのいずれかの事業を(2)の表の(一)に掲げる通算前事業として同(一)に掲げる要件に該当するかどうかの判定を行うことに留意する。(基通12－1－8)

　　　(新たな事業の開始の意義)
(16)　②に掲げる「新たな事業を開始した」とは、②の通算法人が当該通算法人において既に行っている事業とは異なる事業を開始したことをいうのであるから、例えば、既に行っている事業において次のような事実があっただけではこれに該当しない。(基通12－1－9)

(一)	新たな製品を開発したこと。
(二)	その事業地域を拡大したこと。

③　**青色申告の承認を取り消されたことによって通算承認が効力を失った場合の繰越欠損金の切捨て**
　通算法人について、第三十五款の**二の2**の(7)《青色申告の承認の取消し通知を受けた場合の通算承認の効力》により通算承認が効力を失う場合には、その効力を失う日以後に開始する当該通算法人であった内国法人の各事業年度における**一の1**の①《前10年以内の繰越欠損金の損金算入》の適用については、同日前に開始した各事業年度において生じた欠損金額(同日前に開始した各事業年度において**1**の①《被合併法人等の未処理欠損金額の引継ぎ》により当該各事業年度前の事業年度において生じた欠損金額とみなされたものを含む。)は、ないものとする。(法57⑨)

4　**特定株主等によって支配された欠損等法人の欠損金の繰越しの不適用**

①　**欠損等法人の該当日以後に合併、分割、現物出資又は現物分配が行われる場合**
　欠損等法人と他の法人との間で当該欠損等法人の該当日以後に合併、分割、現物出資又は第二章第一節の**二**の表の**12の5の2**《現物分配法人》に掲げる現物分配が行われる場合には、次の表の左欄に掲げる欠損金額については、それぞれ同表の右欄に掲げる規定は、適用しない。(法57の2②)

イ	欠損等法人を合併法人とする適格合併が行われる場合における当該適格合併に係る被合併法人の当該適格合併の日の前日の属する事業年度以前の各事業年度において生じた欠損金額(当該適格合併が当該欠損等法人の適用事業年度開始の日以後3年を経過する日〔その経過する日が支配日以後5年を経過する日後となる場合にあっては、同日。②において「**3年経過日**」という。〕後に行われるものである場合には、当該欠損金額のうちその生じた事業年度開始の日が当該適用事業年度開始の日前であるものに限る。)	**1**の①《被合併法人等の未処理欠損金額の引継ぎ》、**1**の②《被合併法人等の未処理欠損金額の引継額の制限》
ロ	欠損等法人を合併法人、分割承継法人、被現物出資法人又は現物分配法人とする**2**の①《合併法人等の青色欠損金額の繰越額の制限》に掲げる適格組織再編成等が行われる場合における当該欠損等法人の適用事業年度前の各事業年度において生じた欠損金額	**2**の①

②　**欠損等法人との間に完全支配関係がある内国法人の残余財産が確定する場合**
　欠損等法人の該当日以後に当該欠損等法人との間に**1**の①《被合併法人等の未処理欠損金額の引継ぎ》に掲げる完全支配関係がある内国法人で当該欠損等法人が発行済株式又は出資の全部又は一部を有するものの残余財産が確定する場合における当該内国法人の当該残余財産の確定の日の属する事業年度以前の各事業年度において生じた欠損金額(当該残余財産の確定の日が当該欠損等法人の3年経過日以後である場合には、当該欠損金額のうちその生じた事業年度開始の日が当該欠損等法人の適用事業年度開始の日前であるものに限る。)については、**1**の①及び**1**の②《被合併法人等の未処理欠損金額の引継額の制限》は、当該欠損等法人については、適用しない。(法57の2③)

③ **欠損等法人との間で内国法人を合併法人とする適格合併が行われる場合等**

内国法人と欠損等法人との間で当該内国法人を合併法人とする適格合併が行われる場合又は内国法人との間に1の①《被合併法人等の未処理欠損金額の引継ぎ》に掲げる完全支配関係がある他の内国法人である欠損等法人の残余財産が確定する場合には、これらの欠損等法人の適用事業年度前の各事業年度において生じた欠損金額については、1の①及び1の②《被合併法人等の未処理欠損金額の引継額の制限》は、適用しない。（法57の2④）

④ **引継対象外未処理欠損金額の計算に係る特例等の不適用**

①《欠損等法人の該当日以後に合併、分割、現物出資又は現物分配が行われる場合》、②《欠損等法人との間に完全支配関係がある内国法人の残余財産が確定する場合》又は③《欠損等法人との間で内国法人を合併法人とする適格合併が行われる場合等》の適用がある場合には、次の表の左欄に掲げる欠損金額については、それぞれ同表の右欄に掲げるものは、適用しない。（法57の2⑤、令113の3⑳）

イ	①の表のイに掲げる被合併法人の1の①《被合併法人等の未処理欠損金額の引継ぎ》に掲げる未処理欠損金額（1の②《被合併法人等の未処理欠損金額の引継額の制限》により含まないものとされる部分を含む。以下④において「**未処理欠損金額**」という。）のうちに①の適用がある①の表のイに掲げる欠損金額が含まれている場合における当該未処理欠損金額	1の②の（9）《引継対象外未処理欠損金額の計算に係る特例》
ロ	①の表のロに掲げる欠損等法人の2の①《合併法人等の青色欠損金額の繰越額の制限》の表のイ及びロ以外の部分に掲げる欠損金額（2の①によりないものとされる部分を含む。以下このロにおいて「**制限対象欠損金額**」という。）のうちに①の適用がある同①の表のロに掲げる欠損金額が含まれている場合における当該制限対象欠損金額	2の①の（9）《引継対象外未処理欠損金額の計算に係る特例》及び2の②《事業を移転しない適格分割である場合等の欠損金額に係る制限対象金額の計算の特例》
ハ	②に掲げる内国法人の未処理欠損金額のうちに②の適用がある②に掲げる欠損金額が含まれている場合における当該未処理欠損金額	1の②の（9）
ニ	③に掲げる欠損等法人の未処理欠損金額のうちに③の適用がある③に掲げる欠損金額が含まれている場合における当該未処理欠損金額	1の②の（9）

第二十二款　短期売買商品等の譲渡損益及び時価評価損益の益金又は損金算入

については収録を割愛し、本書Web版にのみ収録しているので、そちらを参照されたい。

第二十三款　有価証券に係る損益

一　有価証券の意義等

1　用語の意義

第二十三款《有価証券に係る損益》における用語の意義は、それぞれ次に掲げるところによる。

①	有価証券	\multicolumn{2}{l|}{次に掲げるもの（自己が有する自己の株式又は出資及び第二十四款の一《デリバティブ取引に係る利益相当額又は損失相当額の益金又は損金算入》に掲げるデリバティブ取引に係るものを除く。）をいう。（法2 XXI、令11、規8の2の4）}
		イ	金融商品取引法第2条第1項《定義》に規定する有価証券
		ロ	金融商品取引法第2条第1項第1号から第15号までに掲げる有価証券及び同項第17号に掲げる有価証券（同項第16号に掲げる有価証券の性質を有するものを除く。）に表示されるべき権利（これらの有価証券が発行されていないものに限るものとし、資金決済に関する法律（平成21年法律第59号）第2条第9項《定義》に規定する特定信託受益権を除く。）
		ハ	銀行法施行規則第12条第1号《金銭債権の証書の範囲》に掲げる譲渡性預金の預金証書（外国法人が発行するものを除く。）をもって表示される金銭債権 注　銀行法施行規則第12条第1号に掲げる「譲渡性預金の預金証書」とは、譲渡性預金（払戻しについて期限の定めがある預金で、譲渡禁止の特約のないものをいう。）の預金証書をいう。
		ニ	合名会社、合資会社又は合同会社の社員の持分、協同組合等の組合員又は会員の持分その他法人の出資者の持分
		ホ	株主又は投資主（投資信託及び投資法人に関する法律第2条第16項《定義》に規定する投資主をいう。）となる権利、優先出資者（協同組織金融機関の優先出資に関する法律第13条第1項《優先出資者となる時期等》の優先出資者をいう。）となる権利、特定社員（資産の流動化に関する法律第2条第5項《定義》に規定する特定社員をいう。）又は優先出資社員（同法第26条《社員》に規定する優先出資社員をいう。）となる権利その他法人の出資者となる権利
②	売買目的有価証券	\multicolumn{2}{l|}{短期的な価格の変動を利用して利益を得る目的で取得した有価証券として、次に掲げる有価証券（⑤に掲げる企業支配株式等に該当するものを除く。）をいう。（法61の3①Ⅰ、令119の12）}
		イ	内国法人が取得した有価証券（ロからニまでに掲げる有価証券に該当するものを除く。）のうち次に掲げるもの 短期的な価格の変動を利用して利益を得る目的(以下「**短期売買目的**」という。)で行う取引に専ら従事する者が短期売買目的でその取得の取引を行ったもの(以下イにおいて「**専担者売買有価証券**」という。) (イ)　（専担者売買有価証券の意義） 　専担者売買有価証券とは、いわゆるトレーディング目的で取得した有価証券をいうのであるから、基本的には、法人が、特定の取引勘定を設けて当該有価証券の売買を行い、かつ、トレーディング業務を日常的に遂行し得る人材から構成された独立の専門部署（関係会社を含む。）により運用がされている場合の当該有価証券がこれに当たることに留意する。（基通2-3-26）

			取得の日において短期売買目的で取得したものである旨を有価証券の取得に関する帳簿書類において、短期売買目的で取得した有価証券の勘定科目をその目的以外の目的で取得した有価証券の勘定科目と区分することにより帳簿書類に記載したもの(専担者売買有価証券を除く。)(規27の5①)
		(ロ)	(短期売買目的で取得したものである旨を表示したものの意義) (ロ)に掲げる「短期売買目的で取得したものである旨を……帳簿書類に記載したもの(専担者売買有価証券を除く。)」(以下「短期売買有価証券」という。)とは、法人が、(ロ)に基づき、当該有価証券の取得の日に当該有価証券を売買目的有価証券に係る勘定科目により区分している場合の当該有価証券をいうことに留意する。(基通2-3-27) 注 短期的に売買し、又は大量に売買を行っていると認められる場合の有価証券であっても、(ロ)に基づき区分していないものは、短期売買有価証券に該当しない。
		ロ	金銭の信託((2)《売買目的有価証券の範囲から除かれる金銭の信託》に掲げる信託を除く。以下同じ。)のうち、その契約を締結したことに伴いその信託財産となる金銭を支出した日において、その信託財産として短期売買目的の有価証券を取得する旨を金銭の信託に関する帳簿書類において、その信託財産として短期売買目的で有価証券を取得する金銭の信託の信託財産に属する有価証券の勘定科目をその金銭の信託以外の金銭の信託の信託財産に属する有価証券の勘定科目と区分することにより帳簿書類に記載したもののその信託財産に属する有価証券(規27の5②) (金銭の信託に属する有価証券) ロに基づく信託財産として短期売買目的の有価証券を取得する旨の帳簿書類への記載は、信託に係る契約を単位として行うことに留意する。(基通2-3-28) 注 その信託財産に属する有価証券を短期的に売買し、又は大量に売買していると認められる金銭の信託の信託財産に属する当該有価証券であっても、ロに基づく帳簿書類への記載をしていない金銭の信託の信託財産に属する有価証券は、ロに掲げる売買目的有価証券に該当しない。
		ハ	適格合併、適格分割、適格現物出資又は適格現物分配により被合併法人、分割法人、現物出資法人又は現物分配法人(以下ハ及び③のイにおいて「被合併法人等」という。)から移転を受けた有価証券のうち、その移転の直前に当該被合併法人等においてイ、ロ又はニに掲げる有価証券とされていたもの
		ニ	内国法人が2《有価証券の取得価額》の表の⑤、⑥、⑧、⑨又は⑪に掲げる合併、分割型分割、株式分配、株式交換又は株式移転(以下ニにおいて「合併等」という。)により交付を受けた当該合併等に係る合併法人若しくは同表の⑤に掲げる親法人、分割承継法人若しくは同表の⑥に掲げる親法人、同表の⑧に掲げる完全子法人、株式交換完全親法人若しくは同表の⑨に掲げる親法人又は株式移転完全親法人の株式(出資を含む。以下ニにおいて同じ。)で、その交付の基因となった当該合併等に係る被合併法人、分割法人、現物分配法人、株式交換完全子法人又は株式移転完全子法人の株式がイ、ロ又はハに掲げる有価証券とされていたもの
③	満期保有目的等有価証券		次に掲げる有価証券をいう。(法61の2㉔、令119の2②)
		イ	償還期限の定めのある有価証券(売買目的有価証券に該当するものを除く。以下同じ。)のうち、その償還期限まで保有する目的で取得し、かつ、その取得の日においてその旨を有価証券に関する帳簿書類において、償還期限の定めのある有価証券のうちその償還期限まで保有する目的で取得したものの勘定科目をその目的以外の目的で取得したものの勘定科目と区分することにより帳簿書類に記載したもの(適格合併、適格分割、適格現物出資又は適格現物分配により被合併法人等から移転を受けた有価証券で、これらの法人においてイに掲げる有価証券に該当する有価証券とされて

		いたものを含む。)(規26の14①)
	ロ	⑤に掲げる企業支配株式等
④	その他有価証券	売買目的有価証券及び満期保有目的等有価証券以外の有価証券をいう。(法61の2㉔、令119の2②)
⑤	企業支配株式等	法人の特殊関係株主等（その法人の株主等〔その法人が自己の株式又は出資を有する場合のその法人を除く。〕及びその株主等と第二章第一節の二の表の**10**の(1)《同族関係者の範囲》に掲げる特殊の関係その他これに準ずる関係のある者をいう。）がその法人の発行済株式又は出資（その法人が有する自己の株式又は出資を除く。）の総数又は総額の$\frac{20}{100}$以上に相当する数又は金額の株式又は出資を有する場合におけるその特殊関係株主等の有するその法人の株式又は出資をいう。(法61の2㉔、令119の2②Ⅱ) （その他これに準ずる関係のある者の範囲） 　⑤に掲げる「その他これに準ずる関係のある者」には、会社以外の法人で第二章第一節の**二**の表の**10**の(1)《同族関係者の範囲》の（二）及び（三）に掲げる特殊の関係のある者が含まれる。したがって、例えば、株主の１人及びこれと同（1）に掲げる特殊の関係のある個人又は法人が有する会社以外の法人の出資の金額が当該法人の出資の総額の50％を超える金額に相当する場合における当該会社以外の法人はこれに該当する。（基通２－３－20）
⑥	売買目的外有価証券	売買目的有価証券以外の有価証券をいう。(法61の3①Ⅱ)
⑦	有価証券の空売り	次の表に掲げる取引をいい、⑧に掲げる信用取引及び⑨に掲げる発行日取引を除く。(法61の2⑳、規27の4①)
	イ	有価証券を有しないでその売付けをし、その後にその有価証券と銘柄を同じくする有価証券の買戻しをして決済をする取引
	ロ	売買目的外有価証券（内国法人の保有する売買目的外有価証券に該当する有価証券をいう。）と銘柄を同じくする有価証券（以下「同一銘柄有価証券」という。）を短期的な価格の変動を利用して利益を得る目的で売り付け、その後にその同一銘柄有価証券を買い戻して決済する取引
	ハ	保険会社売買目的勘定（保険業法第118条第１項《特別勘定》若しくは農業協同組合法第11条の37第１項《特別勘定》に規定する特別勘定〔その特別勘定が２以上ある場合には、それぞれのその特別勘定〕又は**3**の①の(2)《保険会社等の有する有価証券の目的別等区分》の（二）に掲げる有価証券の属する勘定をいう。以下同じ。）に属する有価証券と銘柄を同じくする有価証券（以下「同一銘柄有価証券」という。）を他の保険会社売買目的勘定において、短期的な価格の変動を利用して利益を得る目的で売り付け、その後にその同一銘柄有価証券を買い戻して決済する取引（令119の2③Ⅰ、規26の14②)
	二	保有有価証券（内国法人の保有する有価証券をいう。以下同じ。）と価額の変動が類似する有価証券（以下「類似有価証券」という。）をその保有有価証券の価額の変動に伴って生ずるおそれのある損失の額を減少させる目的で売り付け、その後にその類似有価証券を買い戻して決済する取引（保有有価証券と**3**の①の(1)《有価証券の目的別区分》又は同①の(2)《保険会社等の有する有価証券の目的別等区分》の区分を同じくする類似有価証券を保有していない場合の取引に限る。）
⑧	信用取引	金融商品取引法第156条の24第１項《免許及び免許の申請》に規定する信用取引をいう。(法61の2㉑)
⑨	発行日取引	有価証券が発行される前にその有価証券の売買を行う取引であって、金融商品取引法第161条の2《信用取引等における保証金の預託》に規定する取引及びその保証金に関する内閣府令第１条第２項《定義》に規定する発行日取引をいう。(法61の2㉑、規27の4②) 　注　金融商品取引法第161条の2に規定する取引及びその保証金に関する内閣府令第１条第２項に規定する「発

		行日取引」とは、金融商品取引業者（金融商品取引法第2条第9項《定義》に規定する金融商品取引業者をいう。以下同じ。）が顧客（金融商品取引業者が顧客である場合における金融商品取引業者を含む。）のために行う未発行の有価証券の売買その他の取引であって、当該有価証券の発行日（当該有価証券を引換えに取得することができる証書が作成された場合には、当該証書の最初の作成の日）から一定の日を経過した日までに当該有価証券又は当該証書をもって受渡しをするものをいう。（金融商品取引法第161条の2に規定する取引及びその保証金に関する内閣府令第1条第2項）
⑩	有価証券の引受け	新たに発行される有価証券の取得の申込みの勧誘又は既に発行された有価証券の売付けの申込み若しくはその買付けの申込みの勧誘に際し、これらの有価証券を取得させることを目的としてこれらの有価証券の全部若しくは一部を取得すること又はこれらの有価証券の全部若しくは一部につき他にこれを取得する者がない場合にその残部を取得することを内容とする契約をすることをいう。（法61の4①）

（金融商品取引法第2条第1項に規定する有価証券）
（1） 金融商品取引法第2条第1項の規定は次のとおりである。
　　第2条　この法律において「有価証券」とは、次に掲げるものをいう。
　　　一　国債証券
　　　二　地方債証券
　　　三　特別の法律により法人の発行する債券（次号及び第十一号に掲げるものを除く。）
　　　四　資産の流動化に関する法律に規定する特定社債券
　　　五　社債券（相互会社の社債券を含む。以下同じ。）
　　　六　特別の法律により設立された法人の発行する出資証券（次号、第八号及び第十一号に掲げるものを除く。）
　　　七　協同組織金融機関の優先出資に関する法律（以下「優先出資法」という。）に規定する優先出資証券
　　　八　資産の流動化に関する法律に規定する優先出資証券又は新優先出資引受権を表示する証券
　　　九　株券又は新株予約権証券
　　　十　投資信託及び投資法人に関する法律に規定する投資信託又は外国投資信託の受益証券
　　　十一　投資信託及び投資法人に関する法律に規定する投資証券、新投資口予約権証券若しくは投資法人債券又は外国投資証券
　　　十二　貸付信託の受益証券
　　　十三　資産の流動化に関する法律に規定する特定目的信託の受益証券
　　　十四　信託法に規定する受益証券発行信託の受益証券
　　　十五　法人が事業に必要な資金を調達するために発行する約束手形のうち、内閣府令で定めるもの
　　　十六　抵当証券法に規定する抵当証券
　　　十七　外国又は外国の者の発行する証券又は証書で第一号から第九号まで又は第十二号から前号までに掲げる証券又は証書の性質を有するもの（次号に掲げるものを除く。）
　　　十八　外国の者の発行する証券又は証書で銀行業を営む者その他の金銭の貸付けを業として行う者の貸付債権を信託する信託の受益権又はこれに類する権利を表示するもののうち、内閣府令で定めるもの
　　　十九　金融商品市場において金融商品市場を開設する者の定める基準及び方法に従い行う第21項第3号に掲げる取引に係る権利、外国金融商品市場（第8項第3号ロに規定する外国金融商品市場をいう。以下この号において同じ。）において行う取引であって第21項第3号に掲げる取引と類似の取引（金融商品〔第24項第3号の2に掲げるものに限る。〕又は金融指標〔当該金融商品の価格及びこれに基づいて算出した数値に限る。〕に係るものを除く。）に係る権利又は金融商品市場及び外国金融商品市場によらないで行う第22項第3号若しくは第4号に掲げる取引に係る権利（以下「オプション」という。）を表示する証券又は証書
　　　二十　前各号に掲げる証券又は証書の預託を受けた者が当該証券又は証書の発行された国以外の国において発行する証券又は証書で、当該預託を受けた証券又は証書に係る権利を表示するもの
　　　二十一　前各号に掲げるもののほか、流通性その他の事情を勘案し、公益又は投資者の保護を確保することが必要と認められるものとして政令で定める証券又は証書

（売買目的有価証券の範囲から除かれる金銭の信託）
（2）　1の表の②のロに掲げる金銭の信託から除かれるものは、集団投資信託、退職年金等信託、公益信託等又は法人課税信託をいう。（法12①ただし書）

注1　(2)の退職年金等信託とは、第二章第一節の**五**の**3**の(1)《退職年金業務等の意義》に掲げる確定給付年金資産管理運用契約、確定給付年金基金資産運用契約、確定拠出年金資産管理契約、勤労者財産形成給付契約若しくは勤労者財産形成基金給付契約、国民年金基金若しくは国民年金基金連合会の締結した国民年金法第128条第3項《基金の業務》若しくは第137条の15第4項《連合会の業務》に規定する契約又は第二十七款の**一**の(4)《退職年金等積立金に対する法人税の特例》に掲げる適格退職年金契約に係る信託をいう。(法12④Ⅰ、令15⑤)
注2　──線部分は、令和6年度改正により改正された部分で、改正規定は、公益信託に関する法律（令和6年法律第30号）の施行の日以後に効力が生ずる公益信託（移行認可を受けた信託を含む。）について適用され、同日前に効力が生じた公益信託（移行認可を受けたものを除く。）については、「公益信託等」とあるのは「特定公益信託等」とする。（令6改法附7、1Ⅸロ）
　　なお、同法の施行期日を定める政令は、令和6年7月1日現在制定されていない。（編者）

2　有価証券の取得価額

　内国法人が有価証券の取得をした場合には、その取得価額は、次の表の左欄に掲げる有価証券の区分に応じ右欄に掲げる金額とする。（法61の2㉔、令119①）

①	購入した有価証券（**四**の**3**《信用取引等による有価証券の取得》又は第二十四款の**二**《デリバティブ取引により資産を取得した場合の処理》の適用があるものを除く。）	その購入の代価（購入手数料その他その有価証券の購入のために要した費用がある場合には、その費用の額を加算した金額）
②	金銭の払込み又は金銭以外の資産の給付により取得をした有価証券（④又は⑳に掲げる有価証券に該当するもの及び適格現物出資により取得をしたものを除く。）	その払込みをした金銭の額及び給付をした金銭以外の資産の価額の合計額（新株予約権の行使により取得をした有価証券にあっては当該新株予約権の当該行使の直前の帳簿価額を含み、その払込み又は給付による取得のために要した費用がある場合にはその費用の額を加算した金額とする。）
③	株式等無償交付（法人がその株主等に対して新たに金銭の払込み又は金銭以外の資産の給付をさせないで当該法人の株式〔出資を含む。以下⑨までにおいて同じ。〕又は新株予約権を交付することをいう。④において同じ。）により取得をした株式又は新株予約権（④に掲げる有価証券に該当するもの及び新株予約権付社債に付された新株予約権を除く。）	零
④	有価証券と引換えに払込みをした金銭の額及び給付をした金銭以外の資産の価額の合計額が払い込むべき金銭の額又は給付すべき金銭以外の資産の価額を定める時におけるその有価証券の取得のために通常要する価額に比して有利な金額である場合における当該払込み又	その取得の時におけるその有価証券の取得のために通常要する価額

	は当該給付（以下④において「払込み等」という。）により取得をした有価証券（新たな払込み等をせずに取得をした有価証券を含むものとし、法人の株主等が当該株主等として金銭その他の資産の払込み等又は株式等無償交付により取得をした当該法人の株式又は新株予約権〔当該法人の他の株主等に損害を及ぼすおそれがないと認められる場合における当該株式又は新株予約権に限る。〕、⑳に掲げる有価証券に該当するもの及び適格現物出資により取得をしたものを除く。）	
⑤	合併（二の1の(4)《合併の場合の有価証券の譲渡対価の額》に掲げる金銭等不交付合併に限る。）により交付を受けた当該合併に係る合併法人又は合併の直前に当該合併に係る合併法人と当該合併法人以外の法人との間に当該法人による完全支配関係がある法人（以下⑤において「親法人」という。）の株式（令119の7の2①）	当該合併に係る被合併法人の株式の当該合併の直前の帳簿価額に相当する金額（第二款の五《配当等の額とみなす金額》の表の1により同款の一の表の①又は同表の②に掲げる金額とみなされた金額がある場合には当該金額を、当該合併法人又は当該親法人の株式の交付を受けるために要した費用がある場合にはその費用の額を、それぞれ加算した金額とする。）
⑥	分割型分割（二の1の(6)《分割型分割により新株等の交付を受けた場合の譲渡対価の額及び譲渡原価の額》に掲げる金銭等不交付分割型分割に限る。）により交付を受けた当該分割型分割に係る分割承継法人又は分割型分割の直前に当該分割型分割に係る分割承継法人との間に当該分割承継法人の発行済株式又は出資（自己が有する自己の株式又は出資を除く。）の全部を保有する関係がある法人（以下⑥において「親	当該分割型分割に係る分割法人の株式の当該分割型分割の直前の帳簿価額に当該分割型分割に係るイに掲げる金額のうちにロに掲げる金額の占める割合（ロに掲げる金額が零を超え、かつ、イに掲げる金額が零以下である場合には1とし、当該割合に小数点以下3位未満の端数があるときはこれを切り上げる。）を乗じて計算した金額（第二款の五《配当等の額とみなす金額》の表の2により同款の一の表の①に掲げる金額とみなされた金額がある場合には当該金額を、当該分割承継法人又は当該親法人の株式の交付を受けるために要した費用がある場合にはその費用の額を、それぞれ加算した金額とする。）（令119の8①、23①Ⅱ）
		イ	分割型分割の日の属する事業年度の前事業年度（当該分割型分割の日以前6か月以内に第二節第三款の一の3《仮決算をした場合の中間申告書の記載事項等》に掲げる期間について同3の表に掲げる事項を記載した中間申告書を提出し、かつ、その提出の日から当該分割型分割の日までの間に確定申告書を提出していなかった場合には、当該中間申告書に係る同3に掲げる期間）終了の時の資産の帳簿価額から負債（新株予約権に係る義務を含む。）の帳簿価額を減算した金額（当該終了の時から当該分割型分割の直前の時までの間に資本金等の額又は利益積立金額〔第二章第一節の二の表の18《利益積立金額》の表の①に掲げる金額を除

	法人」という。）の株式（同1の(6)が適用される同1の(6)に掲げる所有株式に対応して交付を受けたものに限る。）		く。〕が増加し、又は減少した場合には、その増加した金額を加算し、又はその減少した金額を減算した金額）
		ロ	分割型分割の直前の移転資産（当該分割型分割により当該分割法人から分割承継法人に移転した資産をいう。）の帳簿価額から移転負債（当該分割型分割により当該分割法人から当該分割承継法人に移転した負債をいう。）の帳簿価額を控除した金額（当該金額がイに掲げる金額を超える場合〔イに掲げる金額が零に満たない場合を除く。〕には、イに掲げる金額）
⑦	適格分社型分割又は適格現物出資により交付を受けた分割承継法人若しくは第二章第一節の二の表の**12の11**《適格分割》に掲げる分割承継親法人又は被現物出資法人の株式		当該適格分社型分割又は適格現物出資の直前の移転資産（当該適格分社型分割又は適格現物出資により当該分割承継法人又は被現物出資法人に移転した資産をいう。）の帳簿価額から移転負債（当該適格分社型分割又は適格現物出資により当該分割承継法人又は被現物出資法人に移転した負債をいう。）の帳簿価額を減算した金額（当該株式の交付を受けるために要した費用がある場合には、その費用の額を加算した金額）
⑧	株式分配（二の1の(11)《株式分配により完全子法人株式の交付を受けた場合の譲渡対価の額及び譲渡原価の額》に掲げる金銭等不交付株式分配に限る。）により交付を受けた当該株式分配に係る第二章第一節の二の表の**12の15の2**《株式分配》に掲げる完全子法人（以下⑧において「完全子法人」という。）の株式（同1の(11)が適用される同1の(11)に掲げる所有株式に対応して交付を受けたものに限る。）		当該株式分配に係る現物分配法人の株式の当該株式分配の直前の帳簿価額に当該株式分配に係るイに掲げる金額のうちにロに掲げる金額の占める割合（ロに掲げる金額が零を超え、かつ、イに掲げる金額が零以下である場合には1とし、当該割合に小数点以下3位未満の端数があるときはこれを切り上げる。）を乗じて計算した金額（第二款の**五**《配当等の額とみなす金額》の表の**3**により同款の**一**の表の**1**に掲げる金額とみなされた金額がある場合には当該金額を、当該完全子法人の株式の交付を受けるために要した費用がある場合にはその費用の額を、それぞれ加算した金額とする。）（令119の8の2①、23①Ⅲ）
		イ	当該株式分配を⑥のイの分割型分割とみなした場合における同イに掲げる金額
		ロ	当該現物分配法人の当該株式分配の直前の第二章第一節の**二**の表の**12の15の2**に掲げる完全子法人の株式の帳簿価額に相当する金額（当該金額が零以下である場合には零とし、当該金額がイに掲げる金額を超える場合（イに掲げる金額が零に満たない場合を除く。）にはイに掲げる金額とする。）
⑨	株式交換（二の1の(13)《株式交換により株式交換完全親法人の株式等以外の資産が交付されなかった場合の譲渡対価の額》に掲げる金銭等不交付株式交換に限る。）により交付を受けた当該株式交換に係る株式交換完全親法人又は株式交換の直前に当該株式交換に係る株式交換完全親法人と当該株式交換完全親以外の法人との間に当該法人による完全支配関係がある法人（以下⑨において「親法人」という。）の株式（令119の7の2④）		当該株式交換に係る株式交換完全子法人の株式の当該株式交換の直前の帳簿価額に相当する金額（当該株式交換完全親法人又は当該親法人の株式の交付を受けるために要した費用がある場合には、その費用の額を加算した金額）

次の表の左欄に掲げる場合の区分に応じそれぞれ同表の右欄に掲げる金額

⑩ 適格株式交換等（二の1の(13)に掲げる金銭等不交付株式交換に限るものとし、適格株式交換等に該当しない⑨に掲げる株式交換〔第二章第一節の二《定義》の表の**12の17**の表の①の(1)《株式交換完全親法人による完全支配関係・継続見込の意義》に掲げる無対価株式交換にあっては、同表の**12の17**の表の①の(2)に掲げる株主均等割合保有関係があるものに限る。〕で当該株式交換の直前に当該株式交換に係る株式交換完全親法人と株式交換完全子法人との間に完全支配関係があった場合における当該株式交換を含む。以下⑩において同じ。）により取得をした当該適格株式交換等に係る株式交換完全子法人の株式	イ	当該適格株式交換等の直前において株主の数が50人未満である株式交換完全子法人の株式の取得をした場合	当該株式交換完全子法人の株主が有していた当該株式交換完全子法人の株式の当該適格株式交換等の直前の帳簿価額（当該株主が公益法人等又は人格のない社団等であり、かつ、当該株式交換完全子法人の株式がその収益事業以外の事業に属するものであった場合には当該株式交換完全子法人の株式の価額として当該内国法人の帳簿に記載された金額とし、当該株主が個人である場合には当該個人が有していた当該株式交換完全子法人の株式の当該適格株式交換等の直前の取得価額とする。）に相当する金額の合計額（当該株式交換完全子法人の株式の取得をするために要した費用がある場合には、その費用の額を加算した金額）
	ロ	当該適格株式交換等の直前において株主の数が50人以上である株式交換完全子法人の株式の取得をした場合	当該株式交換完全子法人の当該適格株式交換等の日の属する事業年度の前事業年度（当該適格株式交換等の日以前6か月以内に第二節第三款の一の**3**《仮決算をした場合の中間申告書の記載事項等》に掲げる期間（通算子法人にあっては、同**3**の(8)《通算法人である場合の適用》の表の(一)に掲げる期間。ロにおいて同じ。）について同**3**に掲げる事項を記載した中間申告書を提出し、かつ、その提出の日から当該適格株式交換等の日までの間に確定申告書を提出していなかった場合には、当該中間申告書に係る同**3**に掲げる期間）終了の時の資産の帳簿価額から負債の帳簿価額を減算した金額（当該終了の時から当該適格株式交換等の直前の時までの間に資本金等の額又は利益積立金額〔第二章第一節の二の表の**18**《利益積立金額》の表の①に掲げる金額を除く。〕が増加し、又は減少した場合には、その増加した金額を加算し、又はその減少した金額を減算した金額）に相当する金額（当該適格株式交換等の直前に当該株式交換完全子法人の株式を有していた場合には《当該適格株式交換等の直前に当該株式交換完全子法人の株式を有していた場合の株式交換完全子法人株式の取得価額》に掲げる金額とし、当該株式交換完全子法人の株式の取得をするために要した費用がある場合にはその費用の額を加算した金額とする。）

（当該適格株式交換等の直前に当該株式交換完全子法人の株式を有していた場合の株式交換完全子法人株式の取得価額）
　上表ロに掲げる当該適格株式交換等の直前に当該株式交換完全子法人の株式を有していた場合の取得金額は、当該相当する金額に当該株式交換完全子法人の当該適格株式交換等の直前の発行済株式の総数のうちに当該適格株式交換等により取得をした当該株式交換完全子法人の株式の数の占める割合を乗ずる方法及び次の表の(一)に掲げる金額に相当する金額を同表の(二)に掲げる数で除し、これに同表の(三)に掲げる数を乗じて計算する方法その他合理的な方法により計算した金額とする。（規26の13）

(一)	上表ロに掲げる前事業年度終了の時の資産の帳簿価額から負債の帳簿価額を減算した金額
(二)	上表ロに掲げる株式交換完全子法人の同表ロの適格株式交換等の直前の基準株式数（会社法施行規則第25条第4項《1株当たり純資産額》に規定する

		(三)	(二)の適格株式交換等により取得をした(二)の株式交換完全子法人の各種類の株式の数に当該種類の株式に係る株式係数（会社法施行規則第25条第5項に規定する株式係数をいう。）を乗じて得た数の合計数
⑪	株式移転（当該株式移転に係る株式移転完全子法人の株主に当該株式移転に係る株式移転完全親法人の株式以外の資産〔株式移転に反対する当該株主に対するその買取請求に基づく対価として交付される金銭その他の資産を除く。〕が交付されなかったものに限る。）により交付を受けた当該株式移転完全親法人の株式		当該株式移転完全子法人の株式の当該株式移転の直前の帳簿価額に相当する金額（当該株式移転完全親法人の株式の交付を受けるために要した費用がある場合には、その費用の額を加算した金額）
⑫	適格株式移転（適格株式移転に該当しない⑪に掲げる株式移転で当該株式移転の直前に当該株式移転に係る株式移転完全子法人と他の株式移転完全子法人との間に完全支配関係があった場合における当該株式移転を含む。以下⑫において同じ。）により取得をした当該適格株式移転に係る株式移転完全子法人の株式	次の表の左欄に掲げる場合の区分に応じそれぞれ同表の右欄に掲げる金額	

	イ	当該適格株式移転の直前において株主の数が50人未満である株式移転完全子法人の株式の取得をした場合	当該株式移転完全子法人の株主が有していた当該株式移転完全子法人の株式の当該適格株式移転の直前の帳簿価額（当該株主が公益法人等又は人格のない社団等であり、かつ、当該株式移転完全子法人の株式がその収益事業以外の事業に属するものであった場合には当該株式移転完全子法人の株式の価額として当該内国法人の帳簿に記載された金額とし、当該株主が個人である場合には当該個人が有していた当該株式移転完全子法人の株式の当該適格株式移転の直前の取得価額とする。）に相当する金額の合計額（当該株式移転完全子法人の株式の取得をするために要した費用がある場合には、その費用の額を加算した金額）
	ロ	当該適格株式移転の直前において株主の数が50人以上である株式移転完全子法人の株式の取得をした場合	当該株式移転完全子法人の当該適格株式移転の日の属する事業年度の前事業年度（当該適格株式移転の日以前6か月以内に第二節第三款の一の3《仮決算をした場合の中間申告書の記載事項等》に掲げる期間（通算子法人にあっては、同3の(8)《通算法人である場合の適用》の表の(一)に掲げる期間。ロにおいて同じ。）について同3に掲げる事項を記載した中間申告書を提出し、かつ、その提出の日から当該適格株式移転の日までの間に確定申告書を提出していなかった場合には、当該中間申告書に係る同3に掲げる期間）終了の時の資産の帳簿価額から負債の帳簿価額を減算した金額（当該終了の時から当該適格株式移転の直前の時までの間に資本金等の額又は利益積立金額〔第二章第一節の二の表の18《利益積立金額》の表の①に掲げる金額を除く。〕が増加し、又は減少した場合には、その増加した金額を加算し、又はその減少した金額を減算した金額）に相当する金額（当該株式移転完全子法人の株式の取得をするために要した費用がある場合には、その費用の額を加算した金額）
⑬	新株予約権又は新株予約権付社債（以下⑬におい		当該旧新株予約権等の当該合併等の直前の帳簿価額に相当する金額（当該新株予約権又は新株予約権付社債の交付を受けるために要した費用がある場合には、その費用の額を

	て「旧新株予約権等」という。）を発行する法人を被合併法人、分割法人、株式交換完全子法人又は株式移転完全子法人とする合併、分割、株式交換又は株式移転（以下⑬において「合併等」という。）により当該旧新株予約権等に代えて当該合併等に係る合併法人、分割承継法人、株式交換完全親法人又は株式移転完全親法人の新株予約権又は新株予約権付社債のみの交付を受けた場合における当該新株予約権又は新株予約権付社債	加算した金額）
⑭	組織変更（当該組織変更をした法人の株主等に当該法人の株式〔出資を含む。以下同じ。〕のみが交付されたものに限る。）に際して交付を受けた株式	当該法人の株式の当該組織変更の直前の帳簿価額に相当する金額（当該法人の株式の交付を受けるために要した費用がある場合には、その費用の額を加算した金額）
⑮	二の１の(18)《取得請求権付株式の権利行使等により株式のみの交付を受けた場合の譲渡対価の額》の表の(一)に掲げる取得請求権付株式に係る同(一)に掲げる請求権の行使による当該取得請求権付株式の取得の対価として交付を受けた当該取得をする法人の株式（同(18)の適用を受ける場合の当該取得をする法人の株式に限る。）	当該取得請求権付株式の当該請求権の行使の直前の帳簿価額に相当する金額（その交付を受けるために要した費用がある場合には、その費用の額を加算した金額）
⑯	二の１の(18)の表の(二)に掲げる取得条項付株式に係る同(二)の左欄に掲げる取得事由の発生（その取得の対価として当該取得をされる同(二)の株主等に当該取得をする法人の株式のみが交付されたものに限る。）による当該取得条項付株式の取得の対価として交付を受け	当該取得条項付株式の当該取得事由の発生の直前の帳簿価額に相当する金額（その交付を受けるために要した費用がある場合には、その費用の額を加算した金額）

	た当該取得をする法人の株式（同(18)の適用を受ける場合の当該取得をする法人の株式に限る。）		
⑰	二の1の(18)の表の(二)に掲げる取得条項付株式に係る同(二)の左欄に掲げる取得事由の発生（その取得の対象となった種類の株式の全てが取得され、かつ、その取得の対価として当該取得をされる同(二)の株主等に当該取得をする法人の株式及び新株予約権のみが交付されたものに限る。）による当該取得条項付株式の取得の対価として交付を受けた当該取得をする法人の株式及び新株予約権（同(18)の適用を受ける場合の当該取得をする法人の株式及び新株予約権に限る。）	次の表の左欄に掲げる株式及び新株予約権の区分に応じそれぞれ同表の右欄に掲げる金額	
		イ　当該取得をする法人の株式	当該取得条項付株式の当該取得事由の発生の直前の帳簿価額に相当する金額（その交付を受けるために要した費用がある場合には、その費用の額を加算した金額）
		ロ　当該取得をする法人の新株予約権	零
⑱	二の1の(18)の表の(三)に掲げる全部取得条項付種類株式に係る同(三)の左欄に掲げる取得決議（その取得の対価として当該取得をされる同(三)の株主等に当該取得をする法人の株式以外の資産〔当該取得の価格の決定の申立てに基づいて交付される金銭その他の資産を除く。〕が交付されなかったものに限る。）による当該全部取得条項付種類株式の取得の対価として交付を受けた当該取得をする法人の株式（同(18)の適用を受ける場合の当該取得をする法人の株式に限る。）	当該全部取得条項付種類株式の当該取得決議の直前の帳簿価額に相当する金額（その交付を受けるために要した費用がある場合には、その費用の額を加算した金額）	
⑲	二の1の(18)の表の(三)の左欄に掲げる全部取得条項付種類株式に係る同(三)に掲げる取得決議	次の表の左欄に掲げる株式及び新株予約権の区分に応じそれぞれ同表の右欄に掲げる金額	
		イ　当該取得をする法人の株式	当該全部取得条項付種類株式の当該取得決議の直前の帳簿価額に相当する金額（その交付を受けるために要した

			費用がある場合には、その費用の額を加算した金額)
		ロ　当該取得をする法人の新株予約権	零

	(その取得の対価として当該取得をされる同(三)の株主等に当該取得をする法人の株式及び新株予約権が交付され、かつ、これら以外の資産〔当該取得の価格の決定の申立てに基づいて交付される金銭その他の資産を除く。〕が交付されなかったものに限る。)による当該全部取得条項付種類株式の取得の対価として交付を受けた当該取得をする法人の株式及び新株予約権（同(18)の適用を受ける場合の当該取得をする法人の株式及び新株予約権に限る。)	
⑳	二の1の(18)の表の(四)の新株予約権付社債についての社債に係る同(四)に掲げる新株予約権の行使による当該社債の取得の対価として交付を受けた当該取得をする法人の株式（同(18)の適用を受ける場合の当該取得をする法人の株式に限る。)	その行使の直前の当該新株予約権付社債の帳簿価額に相当する金額（その交付を受けるために要した費用がある場合には、その費用の額を加算した金額)
㉑	二の1の(18)の表の(四)の新株予約権の行使により取得（同(18)に掲げる場合に該当する場合の当該取得に限る。)をした自己の社債	当該取得をした社債に係る新株予約権付社債の帳簿価額に相当する金額（その取得のために要した費用がある場合には、その費用の額を加算した金額)
㉒	二の1の(18)の表の(五)に掲げる取得条項付新株予約権又は取得条項付新株予約権が付された新株予約権付社債についての新株予約権に係る同(五)の左欄に掲げる取得事由の発生による当該取得条項付新株予約権又は当該新株予約権付社債の取得の対価として交付を受けた当該取得をする法人の株式（同(18)の適用を受ける場合の当該取得をす	当該取得条項付新株予約権又は当該新株予約権付社債の当該取得事由の発生の直前の帳簿価額に相当する金額（その交付を受けるために要した費用がある場合には、その費用の額を加算した金額)

	る法人の株式に限る。)	
㉓	二の１の(18)の表の(五)の左欄に掲げる取得事由の発生（その取得の対価として当該取得をされる新株予約権者に当該取得をする法人の株式のみが交付されたものに限る。）により取得（同(18)に掲げる場合に該当する場合の当該取得に限る。）をした自己の取得条項付新株予約権又は取得条項付新株予約権が付された自己の新株予約権付社債	当該取得をした取得条項付新株予約権又は新株予約権付社債の帳簿価額に相当する金額（その取得のために要した費用がある場合には、その費用の額を加算した金額）
㉔	集団投資信託についての信託の併合（当該信託の併合に係る従前の信託の受益者に当該信託の併合に係る新たな信託の受益権以外の資産〔信託の併合に反対する当該受益者に対するその買取請求に基づく対価として交付される金銭その他の資産を除く。〕が交付されなかったものに限る。）により交付を受けた当該新たな信託の受益権	当該従前の信託の受益権の当該信託の併合の直前の帳簿価額に相当する金額（当該新たな信託の受益権の交付を受けるために要した費用がある場合には、その費用の額を加算した金額）
㉕	集団投資信託についての信託の分割（当該信託の分割に係る分割信託〔二の１の(23)《集団投資信託の分割の場合の譲渡対価の額及び譲渡原価の額》に掲げる分割信託をいう。以下㉕において同じ。〕の受益者に当該信託の分割に係る承継信託〔同(23)に掲げる承継信託をいう。以下㉕において同じ。〕の受益権以外の資産〔信託の分割に反対する当該受益者に対するその買取請求に基づく対価として交付される金銭その他の資産を除く。〕が交付されなかったものに限る。）により交付を受け	当該分割信託の受益権の当該信託の分割の直前の帳簿価額に当該信託の分割に係る二の１の(23)に掲げる割合を乗じて計算した金額（当該承継信託の受益権の交付を受けるために要した費用がある場合には、その費用の額を加算した金額）

	た当該承継信託の受益権	
㉖	適格合併に該当しない合併で第三十三款の一《譲渡損益調整資産に係る譲渡利益額又は譲渡損失額の繰延べ》の適用があるものにより移転を受けた有価証券で同一に掲げる譲渡損益調整資産（第三十三款の一の（1）《譲渡損益調整資産の意義》の表の（三）に掲げる通算法人株式を除く。）に該当するもの	その取得の時におけるその有価証券の取得のために通常要する価額からその有価証券に係る第三十三款の**四**の**3**の①《非適格合併により譲渡損益調整資産の移転があった場合》に掲げる譲渡利益額に相当する金額を減算し、又はその通常要する価額にその有価証券に係る同①に掲げる譲渡損失額に相当する金額を加算した金額
㉗	①から㉖までに掲げる有価証券以外の有価証券	その取得の時におけるその有価証券の取得のために通常要する価額

注　上表の左欄に掲げる有価証券が資産再評価法の一部を改正する法律（昭和28年法律第175号）による改正前の資産再評価法の規定による再評価を行った株式（同法の規定により再評価を行ったものとみなされたものを含む。）である場合には、昭和32年12月31日の属する事業年度終了の日における当該株式の帳簿価額に相当する金額をもって当該株式の上表の右欄に掲げる取得価額とみなす。（令119②）

　　　（取得から除かれるもの）
（1）　**2**の表に掲げる取得には、次に掲げるものを含まないものとする。（法61の2㉔、令119③）

（一）	第三十四款の一の**2**の③の《適格分社型分割における分割承継法人の資産及び負債の取得価額》、同**2**の④の《適格現物出資における被現物出資法人の資産及び負債の取得価額》又は同**2**の⑤の（3）《適格現物分配における被現物分配法人の資産の取得価額》の適用がある有価証券の取得
（二）	第三十四款の一の**1**の①《合併又は分割による資産等の時価による譲渡》により取得したものとされる同**1**の①の後段に掲げる新株等又は分割対価資産に該当する有価証券のその取得及び適格分割型分割に係る分割法人による分割承継法人の株式又は第二章第一節の**二**の表の**12**の**11**《適格分割》に掲げる分割承継親法人の株式の取得（**3**の①《有価証券の一単位当たりの帳簿価額の算出の方法》において「**被合併法人等の新株等の取得**」という。）

　　　（有価証券の購入のための付随費用）
（2）　**2**の表の①の右欄に掲げる「その他その有価証券の購入のために要した費用」には、有価証券を取得するために要した通信費、名義書換料の額を含めないことができる。
　　外国有価証券の取得に際して徴収される有価証券取得税その他これに類する税についても、同様とする。（基通2－3－5）

　　　（通常要する価額に比して有利な金額）
（3）　**2**の表の④の左欄に掲げる「払い込むべき金額の額又は給付すべき金銭以外の資産の価額を定める時におけるその有価証券の取得のために通常要する価額に比して有利な金額」とは、当該株式の払込み又は給付の金額（(3)において「払込金額等」という。）を決定する日の現況における当該発行法人の株式の価額に比して社会通念上相当と認められる価額を下回る価額をいうものとする。（基通2－3－7）
　　注1　社会通念上相当と認められる価額を下回るかどうかは、当該株式の価額と払込金額等の差額が当該株式の価額のおおむね10％相当額以上であるかどうかにより判定する。
　　注2　払込金額等を決定する日の現況における当該株式の価額とは、決定日の価額のみをいうのではなく、決定日前1か月間の平均株価等、払込金額等を決定するための基礎として相当と認められる価額をいう。

(他の株主等に損害を及ぼすおそれがないと認められる場合)
(4)　2の表の④の左欄に掲げる「他の株主等に損害を及ぼすおそれがないと認められる場合」とは、株主等である法人が有する株式の内容及び数に応じて株式又は新株予約権が平等に与えられ、かつ、その株主等とその内容の異なる株式を有する株主等との間においても経済的な衡平が維持される場合をいうことに留意する。(基通2－3－8)

　　注　他の株主等に損害を及ぼすおそれがないと認められる場合に該当するか否かについては、例えば、新株予約権無償割当てにつき会社法第322条《ある種類の種類株主に損害を及ぼすおそれがある場合の種類株主総会》の種類株主総会の決議があったか否かのみをもって判定するのではなく、その発行法人の各種類の株式の内容、当該新株予約権無償割当ての状況などを総合的に勘案して判定する必要がある。

(通常要する価額に比して有利な金額で新株等が発行された場合における有価証券の価額)
(5)　2の表の④の右欄に掲げる有価証券の取得の時におけるその有価証券の取得のために通常要する価額は、次の表の左欄に掲げる場合の区分に応じ、それぞれ同表の右欄による。(基通2－3－9)

(一)	新株が三の1の表の①《売買目的有価証券》のイからハまでに掲げる有価証券(以下(5)において「市場有価証券等」という。)である場合	その新株の払込み又は給付に係る期日(払込み又は給付の期間を定めたものにあっては、その払込み又は給付をした日。以下(5)において「払込期日」という。)における当該新株の第九款の一の3の(8)《市場有価証券等の価額》に掲げる価額
(二)	旧株は市場有価証券等であるが、新株は市場有価証券等でない場合	新株の払込期日における旧株の第九款の一の3の(8)に掲げる価額を基準として当該新株につき合理的に計算される価額
(三)	(一)及び(二)以外の場合	その新株又は出資の払込期日において当該新株につき第九款の一の3の(9)《市場有価証券等以外の株式の価額》及び同3の(10)《市場有価証券等以外の株式の価額の特例》に準じて合理的に計算される当該払込期日の価額

(公社債の経過利子)
(6)　法人が国債又は地方債若しくは社債(いわゆる金融債等会社以外の法人が特別の法律により発行する債券で利付きのものを含む。)をその利子の計算期間の中途において購入し、直前の利払期からその購入の時までの期間に応じてその債券の発行条件たる利率により計算される経過利子に相当する金額を支払った場合において、当該金額をこれらの債券の取得価額に含めないで当該債券の購入後最初に到来する利払期まで前払金として経理したときは、これを認める。(基通2－3－10)

(政府保証債の応募予約料に相当する金額)
(7)　法人が新たに発行される政府保証債を引き受ける場合(証券業者等の募集に応じて引き受ける場合を含む。)において、その収入する応募予約料に相当する金額を発行価額から差し引いて払い込み、その払い込んだ金額を当該政府保証債の取得価額として経理しているときは、これを認める。(基通2－3－11)

　　注　金融機関等が政府保証債を引き受けたことにより収入する引受責任料及び募集取扱料に相当する金額又は国債を引き受けたことにより収入する手数料の額は、その収入すべき日(引受契約の締結日を含む。)の属する事業年度の益金の額に算入する。

(新株予約権付社債に付された新株予約権を行使した場合の経過利子の取得価額算入)
(8)　法人が、新株予約権付社債をその利子の計算期間の中途において購入したため、(6)の取扱いを適用して経過利子に相当する金額を前払金として経理している場合において、その購入後最初に到来する利払期前に、当該新株予約権付社債についての社債を出資の目的とする方法により当該新株予約権付社債に係る新株予約権を行使して株式を取得したときは、当該前払金を株式の取得価額に算入する。ただし、当該経過利子に対応する期間について益金の額に算入されるべき利子の支払を受ける場合における当該前払金については、この限りでない。(基通2－3－12)

　　注　同一銘柄の新株予約権付社債をその利子の計算期間の中途において2回以上にわたって購入し、それぞれの経過利子に相当する金額を前払金として経理している場合において、その購入後最初に到来する利払期前にその新株予約権付社債に係る新株予約権の一部を行使することにより株式を取得し、又は他に譲渡したときは、次の算式により当該前払金の合計額のうち株式の取得価額に算入し、又は譲渡に伴って損金の額に算入する金額を計算することができる。

　　(算式)

$$当該前払金の合計額 \times \frac{その新株予約権を行使し又は譲渡した新株予約権付社債の額面金額の合計額}{その購入した新株予約権付社債の額面金額の合計額}$$

第三章　第一節　第二十三款《有価証券に係る損益》

(信用取引等及びデリバティブ取引に係る契約に基づいて取得される有価証券の取得価額)
(9)　四の3《信用取引等による有価証券の取得》又は第二十四款のニ《デリバティブ取引により資産を取得した場合の処理》の適用がある場合において、その取得した有価証券の取得価額は、2の表の㉗に基づき、当該取得の時におけるその有価証券の取得のために通常要する価額(当該有価証券の取得の時における価額に受渡決済に伴って新たに支出する委託手数料その他の費用の額を加算した金額をいう。)となることに留意する。(基通2－3－13・編者補正)

(債権の現物出資により取得した株式の取得価額)
(10)　子会社等に対して債権を有する法人が、合理的な再建計画等の定めるところにより、当該債権を現物出資(適格現物出資を除く。)することにより株式を取得した場合には、その取得した株式の取得価額は、2の表の㉒に基づき、当該取得の時における給付をした当該債権の価額となることに留意する。(基通2－3－14)
　　注　子会社等には、当該法人と資本関係を有する者のほか、取引関係、人的関係、資金関係等において事業関連性を有する者が含まれる。

(債権の弁済に代えて取得した株式若しくは新株予約権又は出資若しくは基金の取得価額)
(11)　更生会社等に対して債権を有する法人(以下「債権法人」という。)が、更生計画の定めるところにより、払込みをしたものとみなされ、又は権利の全部若しくは一部の消滅と引換えにして当該更生会社等の株式(新法人の株式を含む。)若しくは新株予約権又は出資若しくは基金(新法人の出資又は基金を含む。)の取得をした場合には、その取得の時における価額を当該株式若しくは新株予約権又は出資若しくは基金の取得価額とする。(基通14－3－6)
　　注　新法人とは、更生計画の定めるところにより設立された法人(合併法人、分割承継法人、被現物出資法人又は株式移転により設立された法人を除く。)をいう。(基通14－3－2参照)

3　有価証券の一単位当たりの帳簿価額の算出の方法

①　有価証券の一単位当たりの帳簿価額の算出の方法

有価証券の譲渡に係る原価の額を計算する場合におけるその一単位当たりの帳簿価額の算出の方法は、次に掲げる方法とする。(法61の2㉔、令119の2①)

イ	移動平均法	有価証券をその銘柄の異なるごとに区別し、その銘柄を同じくする有価証券の取得(適格合併又は適格分割型分割による被合併法人又は分割法人からの引継ぎを含むものとし、被合併法人等の新株等の取得を除く。以下①において同じ。)をする都度その有価証券のその取得の直前の帳簿価額とその取得をした有価証券の取得価額(当該引継ぎを受けた有価証券については、当該被合併法人又は分割法人の第三十四款の一の2の①《適格合併による資産等の帳簿価額による引継ぎ》に掲げる時又は当該適格分割型分割の直前の帳簿価額。ロにおいて同じ。)との合計額をこれらの有価証券の総数で除して平均単価を算出し、その算出した平均単価をもってその一単位当たりの帳簿価額とする方法をいう。
ロ	総平均法	有価証券をイと同様に区別し、その銘柄の同じものについて、当該事業年度開始の時において有していたその有価証券の帳簿価額と当該事業年度において取得をしたその有価証券の取得価額の総額との合計額をこれらの有価証券の総数で除して平均単価を算出し、その算出した平均単価をもってその一単位当たりの帳簿価額とする方法をいう。

(有価証券の目的別区分)
(1)　①の表に掲げる銘柄は、有価証券を売買目的有価証券、満期保有目的等有価証券又はその他有価証券のいずれかに区分した後のそれぞれの銘柄とする。(法61の2㉔、令119の2②)

(保険会社等の有する有価証券の目的別等区分)
(2)　①の表に掲げる銘柄は、(1)にかかわらず、保険会社又は農業協同組合連合会の有する有価証券にあっては次に掲げる有価証券のいずれかに区分した後のそれぞれの銘柄とし、共済水産業協同組合連合会の有する有価証券にあっては次の(二)から(五)までに掲げる有価証券のいずれかに区分した後のそれぞれの銘柄とする。(法61の2㉔、令119の2③、規26の14②③)
　(一)　特別勘定(保険業法第118条第1項《特別勘定》に規定する特別勘定又は農業協同組合法第11条の37第1項《特別勘定》に規定する特別勘定をいう。以下同じ。)に属する有価証券(特別勘定が2以上ある場合におけるその2以

上の特別勘定に属する有価証券については、更に特別勘定の異なるごとに区分した後のそれぞれの有価証券）
（二）　売買目的有価証券（（一）に掲げる有価証券に該当するものを除く。）
（三）　責任準備金対応有価証券（償還期限の定めのある有価証券〔（一）又は（二）に掲げる有価証券に該当するものを除く。〕のうち、保険業法第116条第1項《責任準備金》、農業協同組合法第11条の32《責任準備金》又は水産業協同組合法第105条第1項《準用規定》において準用する同法第15条の17《責任準備金》に規定する責任準備金を積み立てた保険契約又は共済契約に基づく将来における債務の履行に備えるための有価証券として、その取得の日において、有価証券に関する帳簿書類に当該責任準備金を積み立てた保険契約又は共済契約に基づく将来における債務の履行に備えるための有価証券である旨を記載し、かつ、その勘定科目を（一）、（二）、（四）及び（五）に掲げる有価証券に該当するものの勘定科目と区分したものをいう。）
（四）　満期保有目的等有価証券（（三）に掲げる有価証券に該当するものを除く。）
（五）　その他有価証券（（三）に掲げる有価証券に該当するものを除く。）

　　　（帳簿価額から減算する金額のあん分）
（3）　法人が子会社株式簿価減額特例の適用を受ける場合において、当該法人が有する他の法人の株式（4の①の（3）《2以上の種類の株式が発行されている場合の銘柄の意義》の取扱いによりそれぞれ異なる銘柄として①の適用を受けるものに限る。）の帳簿価額から減算する金額は、益金不算入相当額を対象配当等の額に係る基準時の直前におけるそれぞれの銘柄の帳簿価額の比によりあん分して計算した金額とする。（基通2－3－22の3）

②　移動平均法を適用する有価証券について評価換え等があった場合の一単位当たりの帳簿価額の算出の特例

　　　（移動平均法——会社更生等評価換えがあった場合の一単位当たりの帳簿価額の算出の特例）
（1）　内国法人がその有する有価証券（移動平均法〔①の表のイ《移動平均法》に掲げる移動平均法をいう。以下②において同じ。〕によりその一単位当たりの帳簿価額を算出するものに限る。以下（3）までにおいて同じ。）につき次の表の（一）又は（二）に掲げる評価換えをした場合には、その有価証券のこれらの評価換えの直後の移動平均法により算出した一単位当たりの帳簿価額は、次の表の左欄に掲げる評価換えの区分に応じそれぞれ同表の右欄に掲げる金額とする。（法61の2㉔、令119の3①）

（一）	第九款の一の2《会社更生等による評価換えを行った場合の資産の評価益の益金算入》の適用を受ける評価換え	その有価証券のその評価換えの直前の帳簿価額にその評価換えにより当該事業年度の益金の額に算入した金額に相当する金額を加算した金額をその有価証券の数で除して計算した金額
（二）	第九款の二の2《評価換えを行った場合の資産の評価損の損金算入》又は同二の3《会社更生等による評価換えを行った場合の資産の評価損の損金算入》の適用を受ける評価換え	その有価証券のその評価換えの直前の帳簿価額からその評価換えにより当該事業年度の損金の額に算入した金額に相当する金額を控除した金額をその有価証券の数で除して計算した金額

　　　（移動平均法——民事再生等評価換えがあった場合の一単位当たりの帳簿価額の算出の特例）
（2）　内国法人がその有する有価証券につき民事再生等評価換え（第九款の一の3《民事再生等による特定の事実が生じた場合の資産の評価益の益金算入》又は同款の二の4《民事再生等による特定の事実が生じた場合の資産の評価損の損金算入》に掲げる事実が生じた日の属する事業年度において、同款の一の3により同3に掲げる資産の評価益の額〔同3に掲げる評価益の額として同3の(5)《評価益の額》に掲げる金額をいう。以下(2)において同じ。〕又は同款の二の4により同4に掲げる資産の評価損の額〔同4に掲げる評価損の額として同4の(5)《評価損の額》に掲げる金額をいう。以下(2)において同じ。〕を当該事業年度の所得の金額の計算上益金の額又は損金の額に算入することをいう。）をした場合には、その有価証券の当該事実が生じた直後の移動平均法により算出した一単位当たりの帳簿価額は、その有価証券の当該事実が生じた日の前日における帳簿価額に同款の一の3により当該事業年度の益金の額に算入した評価益の額を加算し、又は当該前日における帳簿価額から同款の二の4により当該事業年度の損金の額に算入した評価損の額を減算した金額をその有価証券の数で除して計算した金額とする。（法61の2㉔、令119の3②）

　　　（移動平均法——非適格株式交換等を行った場合の一単位当たりの帳簿価額の算出の特例）
（3）　内国法人がその有する有価証券につき非適格株式交換等時価評価（第三十四款の二の1《非適格株式交換等に係

る株式交換完全子法人等の有する資産の時価評価損益》に掲げる非適格株式交換等を行った日の属する事業年度において、同1により同1に掲げる時価評価資産の評価益の額〔同1に掲げる評価益の額をいう。以下(3)において同じ。〕又は評価損の額〔同1に掲げる評価損の額をいう。以下(3)において同じ。〕を当該事業年度の所得の金額の計算上益金の額又は損金の額に算入することをいう。)をした場合には、その有価証券の当該非適格株式交換等の直後の移動平均法により算出した一単位当たりの帳簿価額は、その有価証券の当該非適格株式交換等の直前の帳簿価額に同1により当該事業年度の益金の額に算入した評価益の額を加算し、又は当該直前の帳簿価額から同1により当該事業年度の損金の額に算入した評価損の額を減算した金額をその有価証券の数で除して計算した金額とする。(法61の2㉔、令119の3③)

　　　(移動平均法──子法人株式について寄附修正事由が生じた場合の一単位当たりの帳簿価額の算出の特例)
（４）　内国法人の有する第二章第一節の二の表の**18**《利益積立金額》の表の⑦に掲げる子法人の株式（出資を含むものとし、移動平均法によりその１単位当たりの帳簿価額を算出するものに限る。(4)において同じ）について同⑦に掲げる寄附修正事由が生じた場合には、その株式の当該寄附修正事由が生じた直後の移動平均法により算出した一単位当たりの帳簿価額は、当該寄附修正事由が生じた時の直前の帳簿価額に同⑦に掲げる金額を加算した金額をその株式の数で除して計算した金額とする。(法61の2㉔、令119の3⑨)

　　　(移動平均法──特定支配関係がある他の法人の株式等の対象配当等の額に係る基準時における一単位当たりの帳簿価額の算出の特例)
（５）　内国法人が他の法人（当該内国法人が通算法人である場合には、④《通算終了事由が生じた時の直後の移動平均法の適用》に掲げる他の通算法人を除く。）から第二款の一《受取配当等の益金不算入》の表の①から③までに掲げる金額（以下②において「配当等の額」という。）を受ける場合（当該配当等の額に係る決議日等において当該内国法人と当該他の法人との間に**特定支配関係**がある場合に限る。）において、その受ける配当等の額（当該他の法人に同款の五《配当等の額とみなす金額》の１から７までに掲げる事由〔当該内国法人において二の1の(26)《完全支配関係がある他の内国法人からみなし配当の額が生ずる基因となる事由により金銭その他の資産の交付を受けた場合等の譲渡対価の額》の適用があるものに限る。〕が生じたことに基因して同五により同款の一の表の①又は②に掲げる金額とみなされる金額〔以下(5)において「完全支配関係内みなし配当等の額」という。〕を除く。以下②において「**対象配当等の額**」という。）及び**同一事業年度内配当等の額**（当該対象配当等の額を受ける日の属する事業年度開始の日〔同日後に当該内国法人が当該他の法人との間に最後に特定支配関係を有することとなった場合には、その有することとなった日〕からその受ける直前の時までの間に当該内国法人が当該他の法人から配当等の額を受けた場合〔当該配当等の額に係る決議日等において当該内国法人と当該他の法人との間に特定支配関係があった場合に限る。〕におけるその受けた配当等の額〔完全支配関係内みなし配当等の額を除く。〕をいう。以下②において同じ。）の合計額が当該対象配当等の額及び同一事業年度内配当等の額に係る各基準時の直前において当該内国法人が有する当該他の法人の株式等（株式又は出資をいい、移動平均法によりその一単位当たりの帳簿価額を算出するものに限る。以下(9)までにおいて同じ。）の帳簿価額のうち最も大きいものの$\frac{10}{100}$に相当する金額を超えるとき（次に掲げる要件のいずれかに該当するときを除く。）は、当該内国法人が有する当該他の法人の株式等の当該対象配当等の額に係る基準時における移動平均法により算出した一単位当たりの帳簿価額は、当該株式等の当該基準時の直前における帳簿価額から当該対象配当等の額のうち同款の一、同款の七の１《外国子会社から受ける配当等の益金不算入》又は第三十四款の一の２の⑤の(1)《適格現物分配により資産の移転を受けたことにより生ずる収益の額の益金不算入》(以下②において「益金不算入規定」という。)により益金の額に算入されない金額（同一事業年度内配当等の額のうちに(5)の適用を受けなかったものがある場合には、その適用を受けなかった同一事業年度内配当等の額のうち益金不算入規定により益金の額に算入されない金額の合計額を含む。）に相当する金額を減算した金額を当該株式等の数で除して計算した金額とする。(法61の2㉔、令119の3⑩)

(一)	当該他の法人の設立の時から当該内国法人が当該他の法人との間に最後に特定支配関係を有することとなった日（以下②において「特定支配日」という。）までの期間を通じて、当該他の法人の発行済株式又は出資（当該他の法人が有する自己の株式又は出資を除く。）の総数又は総額のうちに占める普通法人（外国法人を除く。）若しくは協同組合等又は所得税法第２条第１項第３号《定義》に規定する居住者が有する当該他の法人の株式又は出資の数又は金額の割合が$\frac{90}{100}$以上であること（当該他の法人が普通法人であり、かつ、外国法人でない場合に限るものとし、当該期間を通じて当該割合が$\frac{90}{100}$以上であることを証する書類を当該内国法人が保存していない場合を除く。）
(二)	特定支配日が当該対象配当等の額を受ける日の属する当該他の法人の事業年度開始の日前である場合におい

第三章　第一節　第二十三款《有価証券に係る損益》

て、次のイに掲げる金額からロに掲げる金額を減算した金額がハに掲げる金額以上であること（当該減算した金額がハに掲げる金額以上であることを証する書類を当該内国法人が保存していない場合を除く。）。

イ	\multicolumn{3}{l|}{当該他の法人の当該対象配当等の額に係る決議日等前に最後に終了した事業年度の貸借対照表に計上されている利益剰余金の額（当該事業年度終了の日の翌日から当該対象配当等の額を受ける直前の時までの期間〔イにおいて「対象期間」という。〕内に当該他の法人の利益剰余金の額が増加した場合において、当該翌日から当該対象配当等の額を受ける時までの期間内に当該他の法人から受ける配当等の額に係る基準時のいずれかが当該翌日以後であるとき〔当該直前の当該他の法人の利益剰余金の額から当該貸借対照表に計上されている利益剰余金の額を減算した金額及び次表の左欄に掲げる場合の区分に応じそれぞれ右欄に掲げる金額を証する書類を当該内国法人が保存している場合に限る。以下②において**「利益剰余金期中増加及び期中配当等があった場合」**という。〕は、当該直前の当該他の法人の利益剰余金の額から当該貸借対照表に計上されている利益剰余金の額を減算した金額と当該対象期間内に当該他の法人の株主等が当該他の法人から受ける配当等の額に対応して減少した当該他の法人の利益剰余金の額の合計額とを合計した金額を加算した金額）}		
	(イ)	当該他の法人の当該特定支配日の属する事業年度開始の日から当該特定支配日の前日までの期間内に当該他の法人の利益剰余金の額が増加した場合において、当該開始の日以後に当該他の法人の株主等が当該他の法人から受ける配当等の額に係る基準時のいずれかが当該期間内であったとき	当該特定支配日の前日の当該他の法人の利益剰余金の額から当該他の法人の当該特定支配日前に最後に終了した事業年度（当該特定支配日の属する事業年度が当該他の法人の設立の日の属する事業年度である場合には、その設立の時）の貸借対照表に計上されている利益剰余金の額を減算した金額
	(ロ)	当該他の法人が(10)の表の(一)に掲げる法人に該当することにより当該内国法人が同(一)の適用を受ける場合で、かつ、当該内国法人が同(一)の関係法人との間に最後に特定支配関係を有することとなった日の属する当該関係法人の事業年度開始の日から当該最後に特定支配関係を有することとなった日の前日までの期間内に当該関係法人の利益剰余金の額が増加した場合において、当該開始の日以後に当該関係法人の株主等が当該関係法人から受ける配当等の額に係る基準時のいずれかが当該期間内であったとき	当該最後に特定支配関係を有することとなった日の前日の当該関係法人の利益剰余金の額から当該最後に特定支配関係を有することとなった日前に最後に終了した当該関係法人の事業年度（同日の属する事業年度が当該関係法人の設立の日の属する事業年度である場合には、その設立の時）の貸借対照表に計上されている利益剰余金の額を減算した金額
ロ	\multicolumn{3}{l|}{イに掲げる事業年度終了の日の翌日から当該対象配当等の額を受ける時までの間に当該他の法人の株主等が当該他の法人から受ける配当等の額の合計額}		
ハ	\multicolumn{3}{l|}{当該他の法人の特定支配日前に最後に終了した事業年度（当該特定支配日の属する事業年度が当該他の法人の設立の日の属する事業年度である場合には、その設立の時）の貸借対照表に計上されている利益剰余金の額（(イ)に掲げる場合に該当する場合には(イ)に掲げる金額を減算した金額とし、(ロ)に掲げる場合に該当する場合には(ロ)に掲げる金額を加算した金額とする。）}		
	(イ)	\multicolumn{2}{l|}{当該他の法人の当該特定支配日の属する事業年度開始の日以後に当該他の法人の株主等が当該他の法人から受けた配当等の額（当該配当等の額に係る基準時が当該特定支配日前であるものに限る。ハにおいて「特定支配前配当等の額」という。）がある場合（(ロ)に掲げる場合を除く。）当該特定支配前配当等の額に対応して減少した当該他の法人の利益剰余金の額の合計額}	
	(ロ)	\multicolumn{2}{l|}{利益剰余金期中増加及び期中配当等があった場合において、イの(イ)に掲げる場合に該当するとき次表に掲げる金額の合計額から特定支配前配当等の額に対応して減少した当該他の法人の利益剰余金の額の合計額を減算した金額}	
		A	イの(イ)に掲げる金額

	B	当該他の法人の当該特定支配日の属する事業年度開始の日から当該特定支配日の前日までの期間内に当該他の法人の株主等が当該他の法人から受ける配当等の額に対応して減少した当該他の法人の利益剰余金の額の合計額
(三)	特定支配日から当該対象配当等の額を受ける日までの期間が10年を超えること。	
(四)	当該対象配当等の額及び同一事業年度内配当等の額の合計額が2,000万円を超えないこと。	

(移動平均法――確定申告書等に一定の書類を添付等している場合の対象配当等の額に係る基準時における一単位当たりの帳簿価額の算出の特例)

(6) (5)の内国法人が、その受ける対象配当等の額に係る基準時の属する事業年度の確定申告書、修正申告書又は更正請求書に当該対象配当等の額及び同一事業年度内配当等の額並びに特定支配後増加利益剰余金額超過額(特定支配日から当該対象配当等の額を受ける時までの間に(5)に掲げる他の法人の株主等が当該他の法人から受ける配当等の額〔当該配当等の額に係る基準時が特定支配日以後であるものに限る。以下(6)において「支配後配当等の額」という。〕の合計額が特定支配後増加利益剰余金額〔次の表の左欄に掲げる場合の区分に応じそれぞれ同表の右欄に掲げる金額をいう。〕を超える部分の金額〔当該支配後配当等の額のうちに当該内国法人以外の者が受ける配当等の額がある場合には、当該超える部分の金額に当該支配後配当等の額のうち当該内国法人が受ける配当等の額の合計額が当該支配後配当等の額の合計額のうちに占める割合を乗じて計算した金額〕に相当する金額から当該内国法人が当該対象配当等の額を受ける前に当該他の法人から受けた配当等の額のうち(5)の適用に係る金額を控除した金額をいう。)及びその計算に関する明細を記載した書類を添付し、かつ、(7)に掲げる書類を保存している場合には、(5)による当該他の法人の株式等の当該対象配当等の額に係る基準時における移動平均法により算出した一単位当たりの帳簿価額の計算上当該株式等の当該基準時の直前における帳簿価額から減算する金額は、(5)にかかわらず、当該対象配当等の額及び同一事業年度内配当等の額((5)の適用に係るものを除く。)の合計額のうち当該特定支配後増加利益剰余金額超過額に達するまでの金額(益金不算入規定により益金の額に算入されない金額に限る。)とする。(法61の2㉔、令119の3⑪、規27③)

		イに掲げる金額にロに掲げる金額を加算した金額からハに掲げる金額を減算した金額	
(一)	(二)に掲げる場合以外の場合	イ	(5)の表の(二)のイに掲げる金額
		ロ	特定支配日から当該対象配当等の額に係る決議日等の属する当該他の法人の事業年度開始の日の前日までの間に当該他の法人の株主等が当該他の法人から受けた配当等の額(当該配当等の額に係る基準時が当該特定支配日以後であるものに限る。)に対応して減少した当該他の法人の利益剰余金の額の合計額
		ハ	(5)の表の(二)のハに掲げる金額
(二)	当該対象配当等の額を受ける日の属する当該他の法人の事業年度(以下(二)において「対象事業年度」という。)の期間内に特定支配日がある場合(利益剰余金期中増加及び期中配当等があった場合〔当該対象事業年度が当該他の法人の設立の日の属する事業年度である場合にあっては、(5)の表の(二)のイ中「当該対象配当等の額に係る決議日等前に最後に終了した事業年度」とあるのを「設立の時」と、	イに掲げる金額からロに掲げる金額を減算した金額	
		イ	当該対象配当等の額を受ける直前の当該他の法人の利益剰余金の額から当該対象事業年度の前事業年度(当該対象事業年度が当該他の法人の設立の日の属する事業年度である場合には、その設立の時。ロにおいて同じ。)の貸借対照表に計上されている利益剰余金の額を減算した金額と当該対象事業年度開始の日から当該直前の時までの期間内に当該他の法人の株主等が当該他の法人から受ける配当等の額に対応して減少した当該他の法人の利益剰余金の額の合計額とを合計した金額
		ロ	当該特定支配日の前日の当該他の法人の利益剰余金の額から当該前事業年度の貸借対照表に計上されている利益剰余金の額を減算した金額と当該対象事業年度開始の日から当該前日までの期間内に当該他の法人の株主等が当該他の法人から受ける配当等の額に対応して減少した当該他の法人の利益剰余金の額の合計額とを合計した金額

「事業年度終了の日の翌日」とあるのを「設立の日」と、「当該翌日」とあるのを「同日」と読み替えた場合におけるイに掲げる利益剰余金期中増加及び期中配当等があった場合。(10)及び(11)において同じ。〕に限る。)	

注 ――線部分は、令和6年度改正により改正された部分で、改正規定は、令和6年4月1日以後に開始する事業年度について適用され、令和6年3月31日以前に開始した事業年度については、本文中「対象配当等の額」とあるのは「対象配当等の額（特定支配日の属する事業年度に受けるものを除く。)」と、「次の表の左欄に掲げる場合の区分に応じそれぞれ同表の右欄に掲げる」とあるのは「旧㈠に掲げる金額に旧㈡に掲げる金額を加算した金額から旧㈢に掲げる金額を減算した」とし、上表は次による。(令6改令附7、1、令6改規附1)

旧㈠	(5)の表の㈡のイに掲げる金額
旧㈡	特定支配日から当該対象配当等の額に係る決議日等の属する当該他の法人の事業年度開始の日の前日までの間に当該他の法人の株主等が当該他の法人から受けた配当等の額（当該対象配当等の額に係る基準時が当該特定支配日以後であるものに限る。）に対応して減少した当該他の法人の利益剰余金の額の合計額
旧㈢	(5)の表の㈡のハに掲げる金額

(移動平均法――支配後配当等の額を明らかにする書類等の保存)
(7) (6)に掲げる書類は、次に掲げる書類とする。(規27②)

㈠	他の法人（(5)に掲げる他の法人をいう。以下②において同じ。）の(5)の表の㈠に掲げる特定支配日前に最後に終了した事業年度（当該特定支配日の属する事業年度が当該他の法人の設立の日の属する事業年度である場合には、その設立の時）から(5)に掲げる対象配当等の額に係る(8)の表の㈠に掲げる決議日等前に最後に終了した事業年度までの各事業年度の貸借対照表、損益計算書及び株主資本等変動計算書、社員資本等変動計算書、損益金の処分に関する計算書その他これらに類する書類
㈡	(6)に掲げる支配後配当等の額を明らかにする書類（㈠に掲げる書類を除く。）
㈢	(6)に掲げる特定支配後増加利益剰余金額の計算の基礎となる書類（㈠に掲げる書類を除く。）
㈣	㈠から㈢までに掲げるもののほか、(6)に掲げる特定支配後増加利益剰余金額超過額の計算の基礎となる書類

(移動平均法――用語の意義)
(8) (5)及び(6)において、次に掲げる用語の意義は、それぞれ次に掲げるところによる。(法61の2㉔、令119の3⑫)

㈠	**決議日等**		次の表の左欄に掲げる区分に応じ、それぞれ同表の右欄に掲げる日をいう。	
		イ	剰余金の配当若しくは利益の配当若しくは剰余金の分配、投資信託及び投資法人に関する法律第137条《金銭の分配》の金銭の分配又は資産の流動化に関する法律第115条第1項《中間配当》に規定する金銭の分配（以下㈠において「剰余金の配当等」という。）で当該剰余金の配当等に係る決議の日又は決定の日があるもの	これらの日
		ロ	剰余金の配当等で当該剰余金の配当等に係る決議の日又は決定の日がないもの	当該剰余金の配当等がその効力を生ずる日（その効力を生ずる日の定めがない場合には、当該剰余金の配当等がされる日）

		ハ	第二款の五《配当等の額とみなす金額》の表の1から7までに掲げる事由が生じたことに基因する金銭その他の資産の交付（剰余金の配当等に該当するものを除く。）	当該事由が生じた日
(二)	特定支配関係	第二章第一節の二の表の12の7の5《支配関係》中「の発行済株式」とあるのを「の発行済株式若しくは剰余金の配当、利益の配当若しくは剰余金の分配に関する決議、第二款の五の表の1から7までに掲げる事由に関する決議若しくは役員の選任に関する決議に係る議決権（以下12の7の5において「配当等議決権」という。）」と、「自己の株式」とあるのを「自己の株式若しくは配当等議決権」と、「金額の株式」とあるのを「金額の株式若しくは配当等議決権」と、同12の7の5の(1)《当事者間の支配の関係の意義》中「、その」とあるのを「その」と、「個人）」とあるのを「個人とし、その者が法人である場合にはその者並びにその役員及びこれと同表の(一)に掲げる特殊の関係のある個人とする。）」と、「株式又は」とあるのを「株式若しくは12の7の5に掲げる配当等議決権又は」と読み替えた場合における支配関係をいう。	
(三)	基準時	次の表の左欄に掲げる区分に応じ、それぞれ同表の右欄に掲げる時をいう。	
		イ 第二款の一の(2)《用語の意義》の表の(二)のイに掲げる剰余金の配当又は同(二)のロに掲げる剰余金の配当等	それぞれ同(二)のイ又は同(二)のロに掲げる日が経過した時
		ロ 第二款の一の(2)の表の(二)のハに掲げる剰余金の配当等	当該剰余金の配当等がその効力を生ずる時（その効力を生ずる時の定めがない場合には、当該剰余金の配当等がされる時）
		ハ 第二款の一の(2)の表の(二)のニに掲げるもの	同款の五《配当等の額とみなす金額》の表の1から7に掲げる事由が生じた時

　　　　（移動平均法——適格合併等の前後に他の法人との間に特定支配関係がある場合の特定支配日）
(9)　(5)の内国法人が適格合併、適格分割又は適格現物出資（以下(9)において「適格合併等」という。）により当該適格合併等に係る被合併法人、分割法人又は現物出資法人（以下(9)において「被合併法人等」という。）から(5)に掲げる他の法人の株式等の移転を受けた場合において、当該適格合併等の直前に当該被合併法人等と当該他の法人との間に特定支配関係（(8)の表の(二)に掲げる特定支配関係をいう。以下(9)及び(10)において同じ。）があり、かつ、当該適格合併等の直後に当該内国法人と当該他の法人との間に特定支配関係があるとき（当該適格合併等の直前に当該内国法人と当該他の法人との間に特定支配関係があった場合において、その特定支配日が当該被合併法人等が当該他の法人との間に最後に特定支配関係を有することとなった日以前であるときを除く。）における(5)及び(6)の適用については、当該被合併法人等が当該他の法人との間に最後に特定支配関係を有することとなった日を特定支配日とみなす。（法61の2㉔、令119の3⑬）

　　　　（移動平均法——合併法人等に該当する他の法人から受ける株式等の対象配当等の額に係る基準時における一単位当たりの帳簿価額の算出の特例）
(10)　(5)に掲げる他の法人が次の表の左欄に掲げる法人に該当する場合（対象配当等の額に係る基準時〔(8)の表の(三)に掲げる基準時をいう。以下(10)及び(12)において同じ。〕以前10年以内に当該他の法人との間に当該他の法人による特定支配関係があった関係法人〔(5)の内国法人との間に特定支配関係がある法人をいう。(10)及び(11)において同じ。〕の全てがその設立の時から当該基準時〔当該基準時前に当該他の法人との間に当該他の法人による特定支配関係を有しなくなった関係法人にあっては、最後に当該特定支配関係を有しなくなった時の直前〕まで継続して当該他の法人との間に当該他の法人による特定支配関係がある関係法人〔以下(10)において「継続関係法人」という。〕である場合〔当該他の法人又は継続関係法人を合併法人又は分割承継法人とする合併又は分割型分割で、継続関係法人でない法人を被合併法人又は分割法人とするものが行われていた場合を除く。〕を除く。）には、(5)の内国法人が当該他の法人から受ける配当等の額に係る(5)及び(6)の適用については、それぞれ同表の右欄に掲げるところによる。（法61の2㉔、令119の3⑭）

(一)	関係法人を被合併	当該関係法人の設立の時から当該内国法人が当該関係法人との間に最後に特定支配関係

第三章　第一節　第二十三款《有価証券に係る損益》

法人又は分割法人とする合併又は分割型分割（特定支配日と対象配当等の額を受ける日の10年前の日とのうちいずれか遅い日以後に行われたものに限る。）に係る合併法人又は分割承継法人	\multicolumn{2}{l}{を有することとなった日までの期間を通じて内国株主割合（その関係法人の発行済株式又は出資〔自己が有する自己の株式又は出資を除く。〕の総数又は総額のうちに占める普通法人若しくは協同組合等又は所得税法第2条第1項第3号に規定する居住者が有するその関係法人の株式又は出資の数又は金額の割合をいう。以下(一)及び(二)において同じ。）が$\frac{90}{100}$以上である場合（当該関係法人が普通法人であり、かつ、外国法人でない場合に限るものとし、当該期間を通じて当該内国株主割合が$\frac{90}{100}$以上であることを証する書類を当該内国法人が保存していない場合を除く。）若しくは同日から当該対象配当等の額を受ける日までの期間が10年を超える場合又は当該内国法人と当該関係法人との間に当該関係法人の設立の時から当該合併若しくは分割型分割の直前の時（以下(一)において「直前時」という。）まで継続して当該内国法人による特定支配関係があり、かつ、当該直前時以前10年以内に当該関係法人との間に当該関係法人による特定支配関係があった他の関係法人の全てがその設立の時から当該直前時（当該直前時以前に当該特定支配関係を有しなくなった他の関係法人にあっては、最後に当該特定支配関係を有しなくなった時の直前）まで継続して当該関係法人との間に当該関係法人による特定支配関係がある他の関係法人（以下(一)において「継続関係子法人」という。）である場合（当該関係法人又は継続関係子法人を合併法人又は分割承継法人とする合併又は分割型分割で、継続関係子法人でない法人を被合併法人又は分割法人とするものが行われていた場合を除く。）のいずれかに該当する場合を除き、次に掲げるところによる。	

	イ	当該関係法人を被合併法人又は分割法人とする合併又は分割型分割が二の1の(4)《合併の場合の有価証券の譲渡対価の額》に掲げる金銭等不交付合併又は同1の(6)《分割型分割により新株等の交付を受けた場合の譲渡対価の額及び譲渡原価の額》に掲げる金銭等不交付分割型分割に該当する場合には、(5)の表の(一)及び(三)に掲げる要件に該当しないものとする。
	ロ	当該関係法人を被合併法人又は分割法人とする合併又は分割型分割が当該他の法人の当該対象配当等の額に係る決議日等（(8)の表の(一)に掲げる決議日等をいう。(二)のロ及び(11)において同じ。）の属する事業年度開始の日前（利益剰余金期中増加及び期中配当等があった場合には、当該対象配当等の額を受ける時の直前まで）に行われたものである場合には、当該内国法人が当該関係法人との間に最後に特定支配関係を有することとなった日前に最後に終了した当該関係法人の事業年度（同日の属する事業年度が当該関係法人の設立の日の属する事業年度である場合には、その設立の時）の貸借対照表に計上されている利益剰余金の額（(イ)に掲げる場合に該当する場合には(イ)に掲げる金額を減算した金額とし、(ロ)に掲げる場合に該当する場合には(ロ)に掲げる金額を加算した金額とする。ロにおいて「関係法人支配関係発生日利益剰余金額」という。）のうち当該合併により当該関係法人から当該他の法人に引き継がれた利益剰余金の額に達するまでの金額（当該分割型分割にあっては、関係法人支配関係発生日利益剰余金額のうち当該分割型分割の直前の当該関係法人の利益剰余金の額に達するまでの金額に当該分割型分割により当該関係法人から当該他の法人に引き継がれた利益剰余金の額が当該分割型分割の直前の当該関係法人の利益剰余金の額のうちに占める割合を乗じて計算した金額）を、(5)の表の(二)のハ又は(6)の表の(二)のロに掲げる金額に加算する。

		(イ)	当該関係法人の当該最後に特定支配関係を有することとなった日の属する事業年度開始の日以後に当該関係法人の株主等が当該関係法人から受けた配当等の額（当該配当等の額に係る基準時が当該最後に特定支配関係を有することとなった日前であるも	当該特定支配前配当等の額に対応して減少した当該関係法人の利益剰余金の額の合計額

-1142-

			のに限る。ロにおいて「特定支配前配当等の額」という。）がある場合（（ロ）に掲げる場合を除く。）	
		(ロ)	利益剰余金期中増加及び期中配当等があった場合で、かつ、当該関係法人の当該最後に特定支配関係を有することとなった日の属する事業年度開始の日から当該最後に特定支配関係を有することとなった日の前日までの期間内に当該関係法人の利益剰余金の額が増加した場合において、当該開始の日以後に当該関係法人の株主等が当該関係法人から受ける配当等の額に係る基準時のいずれかが当該期間内であったとき	次に掲げる金額の合計額から特定支配前配当等の額に対応して減少した当該関係法人の利益剰余金の額の合計額を減算した金額
				A 当該最後に特定支配関係を有することとなった日の前日の当該関係法人の利益剰余金の額から当該貸借対照表に計上されている利益剰余金の額を減算した金額
				B 当該期間内に当該関係法人の株主等が当該関係法人から受ける配当等の額に対応して減少した当該関係法人の利益剰余金の額の合計額
	ハ		イ及び（二）のイを適用しないものとしたならば（5）の表の（一）又は（三）に掲げる要件に該当する場合には、ロ及び（二）のロを適用しない場合の(5)の表の(二)のハ又は(6)の表の(二)のロに掲げる金額は零とし、当該関係法人を被合併法人又は分割法人とする合併又は分割型分割の日を(6)の特定支配日とみなす。	
（二）	関係法人から配当等の額を受けた法人（特定支配日、当該内国法人が当該関係法人との間に最後に特定支配関係を有することとなった日又は対象配当等の額を受ける日の10年前の日のうち最も遅い日以後に当該配当等の額〔当該配当等の額及び当該法人が当該配当等の額を受けた日の属する事業年度において当該関係法人から受けた他の配当等の額の合計額が2,000万円を超え、かつ、当該合計額がこれらの配当等の額に係る各基準時の直前にお		当該関係法人及び当該関係法人が発行済株式若しくは出資を直接若しくは間接に保有する他の関係法人（以下(二)において「他の関係法人」という。）の全てがその設立の時から当該内国法人との間に最後に特定支配関係を有することとなった日までの期間を通じて内国株主割合が$\frac{90}{100}$以上である場合（当該関係法人又は他の関係法人が外国法人である場合及び当該期間を通じて当該内国株主割合が$\frac{90}{100}$以上であることを証する書類を当該内国法人が保存していない場合を除く。）若しくは同日から当該対象配当等の額を受ける日までの期間が10年を超える場合のいずれかに該当するもの（ロにおいて「除外要件該当法人」という。）である場合又は当該内国法人と当該関係法人との間に当該関係法人の設立の時から当該関係法人配当等の額に係る基準時まで継続して当該内国法人による特定支配関係があり、かつ、当該基準時以前10年以内に当該関係法人との間に当該関係法人による特定支配関係があった他の関係法人の全てがその設立の時から当該基準時（当該基準時前に当該特定支配関係を有しなくなった他の関係法人にあっては、最後に当該特定支配関係を有しなくなった時の直前）まで継続して当該関係法人との間に当該関係法人による特定支配関係がある他の関係法人（以下(二)において「継続関係子法人」という。）である場合（当該関係法人又は継続関係子法人を合併法人又は分割承継法人とする合併又は分割型分割で、継続関係子法人でない法人を被合併法人又は分割法人とするものが行われていた場合を除く。）を除き、次に掲げるところによる。	
		イ	(5)の表の(一)及び(三)に掲げる要件に該当しないものとする。	
		ロ	当該他の法人が当該関係法人から特定支配日等（特定支配日と当該内国法人が当該関係法人又は他の関係法人〔それぞれ除外要件該当法人を除く。〕との間に最後に特定支配関係を有することとなった日のうち最も早い日とのうちいずれか遅い日をいう。ハにおいて同じ。）以後に配当等の額（当該他の法人の当該対象配当等の額に係る決議日等の属する事業年度開始の日前（利益剰余金期中増加及び期中配当等があった場合には、当該対象配当等の額を受ける時の直前まで）に受けた	

いて当該法人が有する当該関係法人の株式又は出資の帳簿価額のうち最も大きいものの$\frac{10}{100}$に相当する金額を超える場合における配当等の額に限る。以下(二)において「関係法人配当等の額」という。〕を受けたもので、当該法人の当該関係法人配当等の額を受けた日の属する事業年度の前事業年度〔同日の属する事業年度が当該法人の設立の日の属する事業年度である場合には、その設立の時〕の貸借対照表に計上されている総資産の帳簿価額のうちに占める当該各基準時の直前において当該法人が有する当該関係法人の株式又は出資の帳簿価額のうち最も大きいものの割合が$\frac{50}{100}$を超えるものに限る。)		ものに限る。)を受けたことにより生じた収益の額の合計額を、(5)の表の(二)のハ又は(6)の表の(二)のロに掲げる金額に加算する。
	ハ	イ及び(一)のイを適用しないものとしたならば(5)の表の(一)又は同表の(三)に掲げる要件に該当する場合には、ロ及び(一)の表のロを適用しない場合の(5)の表の(二)のハ又は(6)の表の(二)のロに掲げる金額は零とし、当該他の法人が当該関係法人から特定支配日等以後最初に配当等の額を受けた日を(6)の特定支配日とみなす。

注　──線部分は、令和6年度改正により改正された部分で、改正規定は、令和6年4月1日以後に開始する事業年度から適用され、令和6年3月31日以前に開始した事業年度の適用については、「(5)の表の(二)のハ又は(6)の表の(二)のロ」とあるのは、「(5)の表の(二)のハ」とする。(令6改令附7、1)

（移動平均法──分割法人に該当する他の法人から受ける株式等の対象配当等の額に係る基準時における一単位当たりの帳簿価額の算出の特例）

(11)　(5)に掲げる他の法人が関係法人を分割承継法人とする分割型分割（特定支配日と対象配当等の額を受ける日の10年前の日とのうちいずれか遅い日から当該他の法人の当該対象配当等の額に係る決議日等の属する事業年度開始の日の前日（利益剰余金期中増加及び期中配当等があった場合には、当該対象配当等の額を受ける時の直前）までの間に行われたものに限る。）に係る分割法人である場合（当該分割型分割により当該他の法人から当該関係法人に引き継がれた利益剰余金の額がある場合に限る。）における(5)の内国法人が当該他の法人から受ける配当等の額に係る(5)及び(6)の適用については、次に掲げるところによる。（法61の2㉔、令119の3⑮）

(一)	当該分割型分割に係る(10)の表の(一)のロにより当該関係法人の(5)の表の(二)のハ又は(6)の表の(二)のロに掲げる金額に加算される金額に相当する金額を当該他の法人の(5)の表の(二)のハ又は(6)の表の(二)のロに掲げる金額から減算する。

| (二) | 当該分割型分割が適格分割型分割に該当しない場合には、当該分割型分割に対応して減少した利益剰余金の額は、ないものとする。 |

　　注　——線部分は、令和6年度改正により改正された部分で、改正規定は、令和6年4月1日以後に開始する事業年度から適用され、令和6年3月31日以前に開始した事業年度の適用については、「(5)の表の(二)のハ又は(6)の表の(二)のロ」とあるのは「(5)の表の(二)のハ」とする。（令6改令附7、1）

　　（移動平均法——対象配当等の額が他の法人の株式等の帳簿価額の一定金額を超える場合の確定申告書への書類の添付）

(12)　内国法人が受ける対象配当等の額及び同一事業年度内配当等の額の合計額が当該対象配当等の額及び同一事業年度内配当等の額に係る各基準時の直前において当該内国法人が有する(5)に掲げる他の法人の株式又は出資の帳簿価額のうち最も大きいものの$\frac{10}{100}$に相当する金額を超える場合（(5)の表の(三)又は同表の(四)に掲げる要件のいずれかに該当する場合並びに当該対象配当等の額及び同一事業年度内配当等の額のいずれについても益金不算入規定の適用を受けない場合を除く。）には、当該内国法人は、当該対象配当等の額に係る基準時の属する事業年度の確定申告書に当該対象配当等の額及び同一事業年度内配当等の額その他次に掲げる事項を記載した書類を添付しなければならない。（法61の2㉔、令119の3⑯、規27④）

(一)	各基準時の直前において内国法人が有する他の法人の株式又は出資の帳簿価額のうち最も大きいもの
(二)	(5)の表の(一)又は同表の(二)に掲げる要件に該当する場合には、その旨
(三)	(5)（⑤《評価換え等があった場合の総平均法の適用の特例》の後段においてその例による場合を含む。）により他の法人の株式又は出資の(5)に掲げる基準時の直前における帳簿価額から減算される金額
(四)	その他参考となるべき事項

　　（移動平均法——併合があった場合の一単位当たりの帳簿価額の算出の特例）

(13)　内国法人の有する旧株（当該内国法人の有する株式〔出資を含むものとし、移動平均法によりその一単位当たりの帳簿価額を算出するものに限る。以下(13)において同じ。〕をいう。以下同じ。）について併合があった場合には、所有株式（その旧株を発行した法人の株式で、その併合の直後にその内国法人が有するものをいう。以下(13)において同じ。）のその併合の直後の移動平均法により算出した一単位当たりの帳簿価額は、その旧株のその併合の直前の帳簿価額をその所有株式の数で除して計算した金額とする。（法61の2㉔、令119の3⑰）

　　（移動平均法——集団投資信託の受益権の分割又は併合により受益権を取得した場合の一単位当たりの帳簿価額の算出の特例）

(14)　内国法人の有する集団投資信託の受益権（移動平均法によりその一単位当たりの帳簿価額を算出するものに限る。以下②において同じ。）について分割又は併合があった場合には、所有受益権（その集団投資信託の受益権で、その分割又は併合の直後にその内国法人が有するものをいう。以下同じ。）のその分割又は併合の直後の移動平均法により算出した一単位当たりの帳簿価額は、その内国法人がその分割又は併合の直前に有していたその集団投資信託の受益権のその分割又は併合の直前の帳簿価額をその所有受益権の数で除して計算した金額とする。（法61の2㉔、令119の3⑱）

　　（移動平均法——追加型証券投資信託の受益権につき元本の払戻しに相当する金銭の交付を受けた場合の一単位当たりの帳簿価額の算出の特例）

(15)　内国法人がその有する元本の追加信託をすることができる証券投資信託の受益権につきその元本の払戻しに相当する金銭の交付を受けた場合には、その受益権のその交付の直後の移動平均法により算出した一単位当たりの帳簿価額は、その受益権のその交付の直前の帳簿価額からその金銭の額を控除した金額をその受益権の数で除して計算した金額とする。（法61の2㉔、令119の3⑲）

　　（追加型株式投資信託に係る特別分配金の取扱い）

(16)　(15)に掲げる「元本の払戻しに相当する金銭の交付」とは、いわゆる個別元本方式による公社債投資信託以外の追加型証券投資信託に係る特別分配金の支払をいうのであるから留意する。（基通2-3-23）

　　注　当該特別分配金は、元本の払戻しとしての性質を有するものであり、第二款の一《受取配当等の益金不算入》の適用の対象とならない。

(移動平均法——旧株を発行した法人を合併法人とする合併が行われた場合の所有株式の一単位当たりの帳簿価額の算出の特例)

(17) 内国法人の有する株式（以下(17)において「旧株」という。）を発行した法人を合併法人とする合併（第二章第一節の二の表の**12の8**の表の①の（１）《合併当事者間の完全支配関係の意義》に掲げる無対価合併に該当するもので同①の（２）《同一の者による完全支配関係・継続見込の意義》の表の（二）に掲げる関係があるものに限る。）が行われた場合には、所有株式（その旧株を発行した法人の株式で、その合併の直後にその内国法人が有するものをいう。以下(17)において同じ。）のその合併の直後の移動平均法により算出した一単位当たりの帳簿価額は、その旧株のその合併の直前の帳簿価額にその合併に係る被合併法人の株式でその内国法人がその合併の直前に有していたものの当該直前の帳簿価額（第二款の**五**《配当等の額とみなす金額》の表の**1**により同款の**一**《受取配当等の益金不算入》の表の①に掲げる金額とみなされた金額がある場合には、当該金額を加算した金額）を加算した金額をその所有株式の数で除して計算した金額とする。（法61の２㉔、令119の３⑳）

(移動平均法——分割型分割により分割承継法人の株式その他の資産の交付を受けた場合の一単位当たりの帳簿価額の算出の特例)

(18) 内国法人の有する株式（以下(18)において「旧株」という。）を発行した法人を分割法人とする分割型分割が行われた場合において、その内国法人がその分割型分割により分割承継法人の株式その他の資産の交付を受けたとき、又はその分割型分割が第二章第一節の**二**の表の**12の11**の表の①の（１）《分割当事者間の完全支配関係・継続見込の意義》の表の（一）の左欄に掲げる無対価分割に該当する分割型分割で同①の（２）《同一の者による完全支配関係・継続見込の意義》の表の（一）の左欄のイ若しくはロに掲げる関係があるものであるときは、所有株式（その旧株を発行した法人の株式で、その分割型分割の直後にその内国法人が有するものをいう。以下(18)において同じ。）のその分割型分割の直後の移動平均法により算出した一単位当たりの帳簿価額は、その旧株のその分割型分割の直前の帳簿価額からその旧株に係る**二**の**1**の（６）《分割型分割により新株等の交付を受けた場合の譲渡対価の額及び譲渡原価の額》に掲げる分割純資産対応帳簿価額を控除した金額をその所有株式の数で除して計算した金額とする。（法61の２㉔、令119の３㉑）

(移動平均法——旧株を発行した法人を分割承継法人とする分割型分割が行われた場合の所有株式の一単位当たりの帳簿価額の算出の特例)

(19) 内国法人の有する株式（以下(19)において「旧株」という。）を発行した法人を分割承継法人とする分割型分割（第二章第一節の**二**の表の**12の11**の表の①の（１）の表の（一）の左欄に掲げる無対価分割に該当する分割型分割で同①の（２）《同一の者による完全支配関係・継続見込の意義》の表の（一）の左欄のロに掲げる関係があるものに限る。）が行われた場合には、所有株式（その旧株を発行した法人の株式で、その分割型分割の直後にその内国法人が有するものをいう。以下(19)において同じ。）のその分割型分割の直後の移動平均法により算出した一単位当たりの帳簿価額は、その旧株のその分割型分割の直前の帳簿価額にその分割型分割に係る分割法人の株式でその内国法人がその分割型分割の直前に有していたものに係る**二**の**1**の（６）《分割型分割により新株等の交付を受けた場合の譲渡対価の額及び譲渡原価の額》に掲げる分割純資産対応帳簿価額を加算した金額（第二款の**五**《配当等の額とみなす金額》の表の**1**により同款の**一**《受取配当等の益金不算入》の表の①に掲げる金額とみなされた金額がある場合には、当該金額を加算した金額）をその所有株式の数で除して計算した金額とする。（法61の２㉔、令119の３㉒）

(移動平均法——旧株を発行した法人を分割承継法人とする分社型分割を行った場合の所有株式の一単位当たりの帳簿価額の算出の特例)

(20) 内国法人が当該内国法人を分割法人とし、当該内国法人の有する株式（以下(20)において「旧株」という。）を発行した法人を分割承継法人とする分社型分割（第二章第一節の**二**の表の**12の11**の表の①の（１）の表の（一）の左欄に掲げる無対価分割に該当する分社型分割で同**12の11**の表の③に掲げる全部を保有する関係があるものに限る。）を行った場合には、所有株式（その旧株を発行した法人の株式で、その分社型分割の直後にその内国法人が有するものをいう。以下(20)において同じ。）のその分社型分割の直後の移動平均法により算出した一単位当たりの帳簿価額は、その旧株のその分社型分割の直前の帳簿価額に次の表の左欄に掲げる場合の区分に応じ当該右欄に定める金額を加算した金額をその所有株式の数で除して計算した金額とする。（法61の２㉔、令119の３㉓）

| （一） | その分社型分割が適格分社型分割に該当しない場合 | 移転資産（その分社型分割により分割承継法人に移転した資産をいう。（二）において同じ。）（営業権にあっては、第三十四款の**一**の**1**の③《非適格合併 |

		等により移転を受ける資産等に係る調整勘定の損金算入等》のイの(イ)に掲げる独立取引営業権に限る。）の価額（同(イ)に掲げる資産調整勘定の金額を含む。）から移転負債（その分社型分割により分割承継法人に移転した負債をいう。(二)において同じ。）の価額（第三十四款の一の1の③のイの(ロ)に掲げる負債調整勘定の金額を含む。）を控除した金額
(二)	その分社型分割が適格分社型分割に該当する場合	当該分社型分割の直前の移転資産の帳簿価額から移転負債の帳簿価額を減算した金額

　　（移動平均法――旧株を発行した法人を現物分配法人とする株式分配が行われた場合の所有株式の一単位当たりの帳簿価額の算出の特例）

(21)　内国法人の有する株式（以下(21)において「旧株」という。）を発行した法人を現物分配法人とする株式分配が行われた場合には、所有株式（その旧株を発行した法人の株式で、その株式分配の直後にその内国法人が有するものをいう。以下(21)において同じ。）のその株式分配の直後の移動平均法により算出した一単位当たりの帳簿価額は、その旧株のその株式分配の直前の帳簿価額からその旧株に係る二の1の(11)《株式分配により完全子法人株式の交付を受けた場合の譲渡対価の額及び譲渡原価の額》に掲げる完全子法人株式対応帳簿価額を控除した金額をその所有株式の数で除して計算した金額とする。（法61の2㉔、令119の3㉔）

　　（移動平均法――旧株を発行した法人を株式交換完全親法人とする株式交換が行われた場合の所有株式の一単位当たりの帳簿価額の算出の特例）

(22)　内国法人の有する株式（以下(22)において「旧株」という。）を発行した法人を株式交換完全親法人とする株式交換（第二章第一節の二の表の12の17の表の①の(1)《株式交換完全親法人による完全支配関係・継続見込の意義》に掲げる無対価株式交換に該当するもので同①の(2)《同一の者による完全支配関係・継続見込の意義》に掲げる株主均等割合保有関係があるものに限る。）が行われた場合には、所有株式（その旧株を発行した法人の株式で、その株式交換の直後にその内国法人が有するものをいう。以下(22)において同じ。）のその株式交換の直後の移動平均法により算出した一単位当たりの帳簿価額は、その旧株のその株式交換の直前の帳簿価額にその株式交換に係る株式交換完全子法人の株式でその内国法人がその株式交換の直前に有していたものの当該直前の帳簿価額を加算した金額をその所有株式の数で除して計算した金額とする。（法61の2㉔、令119の3㉕）

　　（移動平均法――有償減資・残余財産の一部の分配があった場合の一単位当たりの帳簿価額の算出の特例）

(23)　内国法人がその有する株式（以下(23)において「旧株」という。）を発行した法人の二の1の(27)《資本の払戻し等の場合の有価証券の譲渡原価の額》に掲げる資本の払戻し又は解散による残余財産の一部の分配として金銭その他の資産を取得した場合には、所有株式（その旧株を発行した法人の株式で、その取得の直後にその内国法人が有するものをいう。以下(23)において同じ。）のその取得の直後の移動平均法により算出した一単位当たりの帳簿価額は、その旧株のその取得の直前の帳簿価額から同(27)により計算した金額を控除した金額をその所有株式の数で除して計算した金額とする。（法61の2㉔、令119の3㉖）

　　（移動平均法――集団投資信託の分割により承継信託の受益権等の交付を受けた場合の一単位当たりの帳簿価額の算出の特例）

(24)　内国法人がその有する集団投資信託の受益権（以下(24)において「旧受益権」という。）に係る信託の分割により当該信託の分割に係る二の1の(23)《集団投資信託の分割の場合の譲渡対価の額及び譲渡原価の額》に掲げる承継信託の受益権その他の資産の交付を受けた場合には、所有受益権（当該集団投資信託の受益権で、その信託の分割の直後にその内国法人が有するものをいう。以下(24)において同じ。）の当該信託の分割の直後の移動平均法により算出した一単位当たりの帳簿価額は、その旧受益権のその信託の分割の直前の帳簿価額からその旧受益権に係る同(23)に掲げる分割純資産対応帳簿価額を控除した金額をその所有受益権の数で除して計算した金額とする。（法61の2㉔、令119の3㉗）

　　（対象配当等の額が資本の払戻しによるものである場合の譲渡原価の計算）

(25)　法人が、第二款の五《配当等の額とみなす金額》（同五の表の4に係る部分に限る。）により同款の一《受取配当等の益金不算入》の表の①に掲げる金額とみなされる金額を受ける場合において、そのみなされる金額が(5)《移動

平均法——特定支配関係がある他の法人の株式等の対象配当等の額に係る基準時における一単位当たりの帳簿価額の算出の特例》に掲げる対象配当等の額（以下「対象配当等の額」という。）に該当することにより(5)（⑤《評価換え等があった場合の総平均法の適用の特例》においてその例による場合を含む。）(以下「子会社株式簿価減額特例」という。)の適用を受けるときは、そのみなされる金額の基因となった二の1の(27)《資本の払戻し等の場合の有価証券の譲渡原価の額》に掲げる払戻し等に係る同(27)に掲げる払戻し等の直前の当該所有株式の帳簿価額は、(5)によりそのみなされる金額に係る基準時((8)《移動平均法——用語の意義》の表の(三)に掲げる基準時をいう。以下同じ。)の直前における帳簿価額から(5)に掲げる益金の額に算入されない金額(以下「益金不算入相当額」という。)を減算した金額となる。（基通2－3－4の2・編者補正）

注　(25)の取扱いは、二の1の(6)《分割型分割により新株等の交付を受けた場合の譲渡対価の額及び譲渡原価の額》、同1の(11)《株式分配により完全子法人株式の交付を受けた場合の譲渡対価の額及び譲渡原価の額》及び同1の(29)《出資の払戻しを受けた場合の譲渡減価の額》の譲渡原価の計算の基礎となる帳簿価額についても、同様とする。

（対象配当等の額が自己株式の取得によるものである場合の譲渡原価の計算）

(26)　法人が、第二款の五《配当等の額とみなす金額》（同五の表の5に係る部分に限る。）により同款の一《受取配当等の益金不算入》の表の①に掲げる金額とみなされる金額を受ける場合において、そのみなされる金額が対象配当等の額に該当することにより子会社株式簿価減額特例の適用を受けるときは、当該対象配当等の額の基因となった株式又は出資の譲渡に係る二の1の表の②の「その有価証券の譲渡に係る原価の額（……）」は、(5)によりそのみなされる金額に係る基準時の直前における帳簿価額から益金不算入相当額を減算した金額をその有する株式等の数で除して計算した金額にその譲渡をした有価証券の数を乗じて計算した金額による。（基通2－3－4の3）

（帳簿価額のうち最も大きいものの意義）

(27)　法人が対象配当等の額及び(5)に掲げる同一事業年度内配当等の額（以下(32)までにおいて「同一事業年度内配当等の額」という。）を受ける場合における(5)の「帳簿価額のうち最も大きいもの」とは、それぞれの配当等の額に係る基準時の直前における帳簿価額のうち最も大きいものをいうことに留意する。（基通2－3－22）

注　法人が他の法人（(5)に掲げる他の法人をいう。以下(33)までにおいて同じ。）の発行する株式で4の①の(3)《2以上の種類の株式が発行されている場合の銘柄の意義》の取扱いによりそれぞれ異なる銘柄として①《有価証券の一単位当たりの帳簿価額の算出の方法》の適用を受けるものを有する場合には、当該対象配当等の額及び同一事業年度内配当等の額に係る各基準時の直前における帳簿価額は、それぞれの銘柄の帳簿価額を合計した金額によることに留意する。

（外国子会社から受ける配当等がある場合の益金不算入相当額）

(28)　法人が他の法人から受ける対象配当等の額又は同一事業年度内配当等の額が第三十二款の三の1の(1)《剰余金の配当等の額がある場合の計算》の適用を受けるものである場合の益金不算入相当額は、同(1)の適用を受けないものとして第二款の七の1《外国子会社から受ける配当等の益金不算入》により計算した場合の益金不算入相当額となることに留意する。（基通2－3－22の2）

（基準時事業年度後に対象配当等の額を受ける場合の取扱い）

(29)　法人が他の法人から受ける対象配当等の額について、当該対象配当等の額に係る基準時の属する事業年度（以下(29)において「基準時事業年度」という。）終了の日後にこれを受ける場合には、その受ける対象配当等の額に基づき当該基準時事業年度に遡って子会社株式簿価減額特例の適用があることに留意する。ただし、当該対象配当等の額を受けることが確実であると認められる場合には、その受けることが確実であると認められる対象配当等の額に基づき当該基準時事業年度の確定申告において(5)《移動平均法——特定支配関係がある他の法人の株式等の対象配当等の額に係る基準時における一単位当たりの帳簿価額の算出の特例》又は(6)《移動平均法——確定申告書等に一定の書類を添付等している場合の対象配当等の額に係る基準時における一単位当たりの帳簿価額の算出の特例》の適用を受けることとしても差し支えない。（基通2－3－22の4）

（内国株主割合が90％以上であることを証する書類）

(30)　(5)の表の(一)の「当該期間を通じて当該割合が$\frac{90}{100}$以上であることを証する書類」とは、設立の時の株主の状況及び当該設立の時から特定支配日（同(一)に掲げる特定支配日をいう。）までの株主の異動の状況が確認できる書類のそれぞれをいうことから、例えば、これらの状況が確認できる商業登記簿謄本、株主名簿の写し、株式譲渡契約書又は有価証券台帳等はこれに該当する。（基通2－3－22の5）

第三章　第一節　第二十三款《有価証券に係る損益》

　　　　（対象期間内に利益剰余金の額が増加した場合のその増加額を証する書類）
　（31）　（5）の表の（二）のイの「当該直前の当該他の法人の利益剰余金の額から当該貸借対照表に計上されている利益剰余金の額を減算した金額」を証する書類とは、同イの他の法人の同イの決議日等前に最後に終了した事業年度終了の日現在の利益剰余金の額及び同イの対象配当等の額を受ける直前の時の利益剰余金の額がそれぞれ明らかとなる書類をいうのであるから、当該他の法人の当該最後に終了した事業年度の貸借対照表の写しのほか、例えば、当該他の法人の同イの対象期間における利益の額を計算した書類（当該利益の額を一定の期間に分割して計算している場合には、各月の月次決算書等のその分割した各期間に係る利益又は損失の額を計算した書類）の写し（当該他の法人が当該対象期間において利益剰余金の処分を行っている場合には、当該写しのほか、損益金の処分表等のその処分の内容が明らかとなる書類の写し）は、これに該当する。
　　　同イの（イ）又は（ロ）に掲げる金額を証する書類についても、同様とする。（基通2－3－22の6）

　　　　（他の法人等が外国法人である場合の円換算）
　（32）　法人が（5）の表の（二）、（6）及び（10）《移動平均法──合併法人等に該当する他の法人から受ける株式等の対象配当等の額に係る基準時における一単位当たりの帳簿価額の算出の特例》の適用を受ける場合において、他の法人又は（10）に掲げる関係法人が外国法人であるときにおけるこれらの計算の基礎となる金額の円換算については、当該計算の基礎となる金額につき全て外貨建ての金額に基づき計算した金額について円換算を行う方法又は当該計算の基礎となる金額につき全て円換算後の金額に基づき計算する方法など、合理的な方法により円換算を行っている場合には、これを認める。（基通2－3－22の7）

　　　　（特定支配後増加利益剰余金額超過額に達するまでの金額）
　（33）　法人が（6）の適用を受ける場合において、対象配当等の額及び同一事業年度内配当等の額の合計額が特定支配後増加利益剰余金額超過額（（6）に掲げる特定支配後増加利益剰余金額超過額をいう。以下(33)において同じ。）を超えているときは、当該特定支配後増加利益剰余金額超過額に達するまでの金額に当該対象配当等の額及び同一事業年度内配当等の額のいずれを優先して充てるかは、当該法人の選択による。（基通2－3－22の8）

　　　　（総平均法による場合の帳簿価額の減額の判定）
　（34）　法人が対象配当等の額を受領することにより⑤《評価換え等があった場合の総平均法の適用の特例》の適用を受ける場合において、（5）の例により当該対象配当等の額に係る株式等（株式又は出資をいう。以下(34)において同じ。）の帳簿価額を減算するかどうかを判定するときは、その判定の基礎となる帳簿価額は、⑤により評価換え等（⑤に掲げる評価換え等をいう。以下(34)において同じ。）の直前の帳簿価額とみなされる金額によることに留意する。（基通2－3－22の9）
　　　注　当該対象配当等の額につき、⑤の後段においてその例によるものとされる（5）が適用されないため当該対象配当等の額に係る株式等の帳簿価額が減額されない場合には、当該対象配当等の額の受領による評価換え等のあった時の属する事業年度については、⑤に掲げる評価換前期間及び⑤に掲げる評価換後期間をそれぞれ一事業年度とみなさないこととして総平均法によりその一単位当たりの帳簿価額を算出して差し支えない。

③　通算開始直前事業年度等における移動平均法の適用
　内国法人がその有する有価証券につき時価評価（時価評価事業年度（第三十五款の三の1《通算制度の開始に伴う資産の時価評価損益》に掲げる通算開始直前事業年度、同1の（3）《株式等保有法人における株式等の評価損益》に掲げる事業年度、同三の2《通算制度への加入に伴う資産の時価評価損益》に掲げる通算加入直前事業年度、同2の（6）《株式等保有法人における株式等の評価損益》に掲げる事業年度又は同三の3《通算制度からの離脱等に伴う資産の時価評価損益》に掲げる通算終了直前事業年度をいう。以下③において同じ。）において、これらにより次に掲げる資産のこれらに掲げる評価益の額又は評価損の額を当該時価評価事業年度の所得の金額の計算上益金の額又は損金の額に算入することをいう。以下③において同じ。）をした場合には、その有価証券の当該時価評価事業年度終了の時の移動平均法により算出した一単位当たりの帳簿価額は、その有価証券の当該時価評価の直前の帳簿価額に第三十五款の三の1若しくは同1の（3）、同三の2若しくは同2の（6）若しくは同三の3により当該時価評価事業年度の益金の額に算入したこれらに掲げる評価益の額を加算し、又は当該直前の帳簿価額からこれらにより当該時価評価事業年度の損金の額に算入したこれらに掲げる評価損の額を減算した金額をその有価証券の数で除して計算した金額とする。（法61の2㉔、令119の3④）

（一）	第三十五款の三の1、同三の2又は同三の3に掲げる時価評価資産
（二）	第三十五款の三の1の（3）又は同三の2の（6）に掲げる株式又は出資

④ 通算終了事由が生じた時の直後の移動平均法の適用

　内国法人の有する株式（出資を含むものとし、移動平均法によりその一単位当たりの帳簿価額を算出するものに限る。(三)を除き、以下④において同じ。）を発行した他の通算法人（第九款の一の4《通算法人である場合の不適用》に掲げる初年度離脱通算子法人及び通算親法人を除く。）について通算終了事由（第三十五款の二の1《通算承認》による承認がその効力を失うことをいう。以下④において同じ。）が生じた場合には、その株式の当該通算終了事由が生じた時の直後の移動平均法により算出した一単位当たりの帳簿価額は、当該通算終了事由が生じた時の直前の帳簿価額に簿価純資産不足額（当該帳簿価額が簿価純資産価額〔(一)に掲げる金額から(二)に掲げる金額を減算した金額に(三)に掲げる割合を乗じて計算した金額をいう。以下④において同じ。〕に満たない場合におけるその満たない部分の金額をいう。）を加算し、又は当該直前の帳簿価額から簿価純資産超過額（当該帳簿価額が簿価純資産価額を超える場合におけるその超える部分の金額をいう。）を減算した金額をその株式の数で除して計算した金額とする。（法61の2㉔、令119の3⑤）

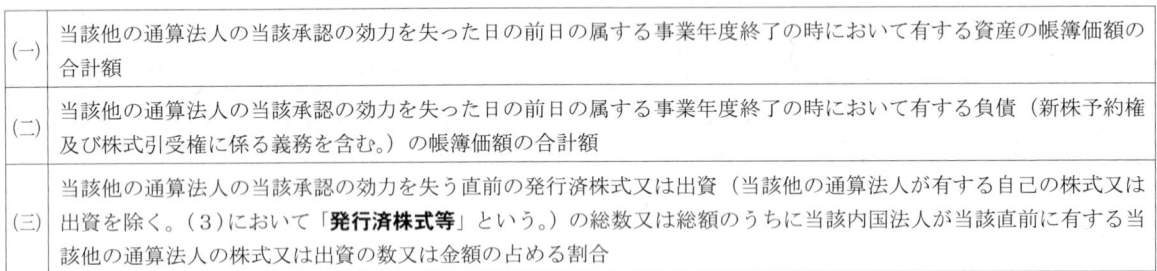

(一)	当該他の通算法人の当該承認の効力を失った日の前日の属する事業年度終了の時において有する資産の帳簿価額の合計額
(二)	当該他の通算法人の当該承認の効力を失った日の前日の属する事業年度終了の時において有する負債（新株予約権及び株式引受権に係る義務を含む。）の帳簿価額の合計額
(三)	当該他の通算法人の当該承認の効力を失う直前の発行済株式又は出資（当該他の通算法人が有する自己の株式又は出資を除く。(3)において「**発行済株式等**」という。）の総数又は総額のうちに当該内国法人が当該直前に有する当該他の通算法人の株式又は出資の数又は金額の占める割合

（通算終了事由が生じた時の直後の移動平均法の適用がある場合の他の通算法人の株式の一単位当たりの帳簿価額の算出の特例）

（1）④の場合において、④の内国法人が④の通算終了事由が生じた時の属する事業年度の確定申告書、修正申告書又は更正請求書に次に掲げる金額の計算に関する明細を記載した書類を添付し、かつ、④の他の通算法人以外の通算法人（当該内国法人を除く。）で当該通算終了事由が生じた時の直前において当該他の通算法人の株式（出資を含む。以下(1)及び(3)において同じ。）を有するもの（以下(1)において「他の株式等保有法人」という。）の全てが当該通算終了事由が生じた時の属する事業年度の確定申告書、修正申告書又は更正請求書に当該明細を記載した書類を添付しているとき（当該内国法人又は他の株式等保有法人のうち、いずれかの法人が(2)に掲げる書類を保存している場合に限るものとし、当該他の通算法人が第三十五款の三の**3**に掲げる通算法人で同**3**の表の(一)に掲げる要件に該当するものである場合を除く。）は、④の規定による当該他の通算法人の株式の当該通算終了事由が生じた時の直後の移動平均法により算出した一単位当たりの帳簿価額の計算における④の簿価純資産価額は、④にかかわらず、次に掲げる金額の合計額に④の表の(三)に掲げる割合を乗じて計算した金額とする。（法61の2㉔、令119の3⑥）

(一)		④の表の(一)に掲げる金額から同表の(二)に掲げる金額を減算した金額
(二)		イ及びロに掲げる金額の合計額からハ及びニに掲げる金額の合計額を減算した金額（当該他の通算法人を合併法人とする通算内適格合併に係る被合併法人調整勘定対応金額がある場合には当該被合併法人調整勘定対応金額に相当する金額を加算した金額とし、通算完全支配関係発生日から当該通算終了事由が生じた時の直前までの間に当該他の通算法人を第三十四款の一の③の**イ**の**(イ)**《資産調整勘定の金額》に掲げる被合併法人等とする同**(イ)**に掲げる非適格合併等が行われた場合には零とする。）
	イ	当該内国法人が通算完全支配関係発生日以前に取得をした当該他の通算法人の対象株式に係る各取得の時における資産調整勘定対応金額の合計額（当該内国法人が通算完全支配関係発生日以前に当該他の通算法人の株式の譲渡（適格分割型分割による分割承継法人への移転を含む。以下(二)において同じ。）をした場合には、当該合計額から当該譲渡の直前の時において当該内国法人が有する当該他の通算法人の対象株式に係る資産調整勘定対応金額の合計額を当該直前の時において当該内国法人が有する当該他の通算法人の株式の数又は金額で除し、これに当該譲渡をした当該他の通算法人の株式の数又は金額を乗じて計算した金額の合計額を控除した金額）
	ロ	通算完全支配関係発生日において当該他の通算法人の株式を有する法人（当該内国法人を除く。）が通算完全支配関係発生日以前に取得をした当該他の通算法人の対象株式に係る各取得の時における資産調整勘定対応金額の合計額（当該法人が通算完全支配関係発生日以前に当該他の通算法人の株式の譲渡をした場合には、当該合計額から当該譲渡の直前の時において当該法人が有する当該他の通算法人の対象株

	式に係る資産調整勘定対応金額の合計額を当該直前の時において当該法人が有する当該他の通算法人の株式の数又は金額で除し、これに当該譲渡をした当該他の通算法人の株式の数又は金額を乗じて計算した金額の合計額を控除した金額）を合計した金額
ハ	当該内国法人が通算完全支配関係発生日以前に取得をした当該他の通算法人の対象株式に係る各取得の時における負債調整勘定対応金額の合計額（当該内国法人が通算完全支配関係発生日以前に当該他の通算法人の株式の譲渡をした場合には、当該合計額から当該譲渡の直前の時において当該内国法人が有する当該他の通算法人の対象株式に係る負債調整勘定対応金額の合計額を当該直前の時において当該内国法人が有する当該他の通算法人の株式の数又は金額で除し、これに当該譲渡をした当該他の通算法人の株式の数又は金額を乗じて計算した金額の合計額を控除した金額）
ニ	通算完全支配関係発生日において当該他の通算法人の株式を有する法人（当該内国法人を除く。）が通算完全支配関係発生日以前に取得をした当該他の通算法人の対象株式に係る各取得の時における負債調整勘定対応金額の合計額（当該法人が通算完全支配関係発生日以前に当該他の通算法人の株式の譲渡をした場合には、当該合計額から当該譲渡の直前の時において当該法人が有する当該他の通算法人の対象株式に係る負債調整勘定対応金額の合計額を当該直前の時において当該法人が有する当該他の通算法人の株式の数又は金額で除し、これに当該譲渡をした当該他の通算法人の株式の数又は金額を乗じて計算した金額の合計額を控除した金額）を合計した金額

（資産調整勘定対応金額及び負債調整勘定対応金額の計算の基礎となる事項を記載した書類等の保存）
（2）（1）に掲げる書類は、次に掲げる書類とする。（規27①）

（一）			（1）の適用に係る（3）の表の（三）に掲げる資産調整勘定対応金額又は同表の（四）に掲げる負債調整勘定対応金額についての次に掲げる書類
	イ		当該資産調整勘定対応金額又は負債調整勘定対応金額の計算の基礎となる（1）の他の通算法人の（3）の表の（二）に掲げる対象株式に関する次に掲げる事項を記載した書類
		（イ）	当該対象株式の取得ごとのその取得の時におけるその取得価額、その取得をした数又は金額及びその取得をした日
		（ロ）	当該他の通算法人の当該対象株式の各取得の時における発行済株式又は出資（当該他の通算法人が有する自己の株式又は出資を除く。）の総数又は総額
	ロ		当該他の通算法人がイの対象株式の各取得の時において有する資産及び負債のその取得の時における価額を記載した書類
	ハ		次に掲げるいずれかの書類でロの資産及び負債のロの価額を明らかにするもの
		（イ）	その資産の価額が継続して一般に公表されているものであるときは、その公表された価額が示された書類の写し
		（ロ）	その取得をした法人が、その取得の時における価額を算定し、これをその取得の時における価額としているときは、その算定の根拠を明らかにする事項を記載した書類及びその算定の基礎とした事項を記載した書類
		（ハ）	（イ）又は（ロ）に掲げるもののほかその資産及び負債の価額を明らかにする事項を記載した書類
（二）			（1）の適用に係る（1）の他の通算法人を合併法人とする（3）の表の（五）に掲げる通算内適格合併に係る同表の（六）に掲げる被合併法人調整勘定対応金額に係る同（六）の被合併法人の株式についての（1）の適用に係る（1）に掲げる明細を記載した書類の写しその他当該被合併法人調整勘定対応金額の計算に関する明細を記載した書類

（用語の意義）
（3）（1）及び（3）における用語の意義は、それぞれ次に掲げるところによる。（法61の2㉔、令119の3⑦）

—1151—

(一)	通算完全支配関係発生日	(1)の他の通算法人が当該他の通算法人に係る通算親法人との間に通算完全支配関係を有することとなった日をいう。
(二)	対象株式	**2**の適用がある**2**の表の**①**又は**㉗**に掲げる有価証券に該当する株式(合併、分割、第二章第一節の**二**の表の**12の5の2**《現物分配法人》に掲げる現物分配、株式交換又は株式移転(以下(二)において「組織再編成」という。)により当該組織再編成に係る被合併法人の株主等、分割法人若しくはその株主等、被現物分配法人、株式交換完全子法人の株主又は株式移転完全子法人の株主が交付を受けたものを除く。)をいう。
(三)	資産調整勘定対応金額	(1)の他の通算法人の対象株式の取得の時において、当該他の通算法人を被合併法人とし、その取得をした法人を合併法人とし、その取得に係る対象株式の取得価額を当該対象株式の数又は金額で除し、これに当該他の通算法人のその取得の時における発行済株式等の総数又は総額を乗じて計算した金額に相当する金額を第三十四款の**一**の**1**の**③**の**イ**の**(イ)**《資産調整勘定の金額》に掲げる非適格合併等対価額とする非適格合併(適格合併に該当しない合併をいう。(四)において同じ。)が行われたものとみなして同**(イ)**を適用する場合に同**(イ)**に掲げる資産調整勘定の金額として計算される金額(その取得の時において当該他の通算法人が次に掲げる資産又は負債を有する場合には、次に掲げる金額の合計額(当該合計額が零に満たない場合には、その満たない部分の金額)を同**(イ)**に掲げる資産の取得価額の合計額〔当該満たない場合には、同**(イ)**に掲げる負債の額の合計額〕に加算するものとした場合の当該計算される金額)に当該総数又は総額のうちに当該数又は金額の占める割合を乗じて計算した金額(その取得の時から通算完全支配関係発生日の前日までの間に当該他の通算法人を同**(イ)**に掲げる被合併法人等とする同**(イ)**に掲げる非適格合併等が行われた場合には、零)をいう。

イ	第三十四款の**一**の**1**の**③**の**イ**の**(イ)**に掲げる資産調整勘定の金額又は同**イ**の**(ロ)**《負債調整勘定の金額》に掲げる負債調整勘定の金額に係る資産又は負債	当該資産調整勘定の金額から当該負債調整勘定の金額を減算した金額
ロ	営業権(同**(イ)**に掲げる独立取引営業権を除く。)	当該営業権の帳簿価額

(四)	負債調整勘定対応金額	(1)の他の通算法人の対象株式の取得の時において、当該他の通算法人を被合併法人とし、その取得をした法人を合併法人とし、その取得に係る対象株式の取得価額を当該対象株式の数又は金額で除し、これに当該他の通算法人のその取得の時における発行済株式等の総数又は総額を乗じて計算した金額に相当する金額を第三十四款の**一**の**1**の**③**の**イ**の**(イ)**《資産調整勘定の金額》に掲げる非適格合併等対価額とする非適格合併が行われたものとみなして同**イ**の**(ロ)**の《当該被合併法人等から移転を受けた資産及び負債の時価純資産価額に満たない場合の負債調整勘定》を適用する場合に同**(ロ)**の《当該被合併法人等から移転を受けた資産及び負債の時価純資産価額に満たない場合の負債調整勘定》に掲げる負債調整勘定の金額として計算される金額(その取得の時において当該他の通算法人が(三)のイ又はロに掲げる資産又は負債を有する場合には、(三)のイ及びロに掲げる金額の合計額〔当該合計額が零に満たない場合には、その満たない部分の金額〕を第三十四款の**一**の**1**の**③**の**イ**の**(イ)**に掲げる資産の取得価額の合計額〔当該満たない場合には、同**(イ)**に掲げる負債の額の合計額〕に加算するものとした場合の当該計算される金額)に当該総数又は総額のうちに当該数又は金額の占める割合を乗じて計算した金額(その取得の時から通算完全支配関係発生日の前日までの間に当該他の通算法人を同**(イ)**に掲げる被合併法人等とする同**(イ)**に掲げる非適格合併等が行われた場合には、零)をいう。
(五)	通算内適格合併	(1)の通算終了事由が生じた時前に行われた適格合併のうち、その適格合併の直前の時において(1)の他の通算法人に係る通算親法人との間に通算完全支配関係がある法人を被合併法人及び合併法人とするもの並びに当該通算親法人との間に通算完全支配関係がある法人のみを被合併法人とする合併で法人を設立するものをいう。
(六)	被合併法人調整勘定対応金額	通算内適格合併に係る被合併法人の株式につき(1)の適用を受けた場合におけるその適用に係る(1)の表の(二)に掲げる金額に相当する金額をいう。

(書類の保存がないことにつきやむを得ない事由がある場合の適用)
(4) 税務署長は、(2)に掲げる書類の保存がない場合においても、その書類の保存がなかったことについてやむを得ない事情があると認めるときは、(1)を適用することができる。(法61の2㉔、令119の3⑧)

(通算子法人の通算離脱の時価評価と通算子法人株式の投資簿価修正の順序)
(5) ④の適用に当たっては、④の適用の対象となる株式を発行した④の他の通算法人(以下(9)までにおいて「他の通算法人」という。)が第三十五款の三の3《通算制度からの離脱等に伴う資産の時価評価損益》の適用を受ける場合には、同3が適用されたことに基因して同三の4の(2)《通算制度の開始に伴う資産の時価評価損益等の適用を受けた資産の帳簿価額》等により増額又は減額がされた後の当該他の通算法人の資産及び負債(新株予約権及び株式引受権に係る義務を含む。)の帳簿価額を基礎として当該株式の一単位当たりの帳簿価額の計算を行うのであるから留意する。(基通2-3-21の2)

(2以上の通算法人が通算子法人株式を有する場合の投資簿価修正の順序)
(6) 通算終了事由(④に掲げる通算終了事由をいう。以下同じ。)が生じたことに伴い2以上の通算法人がその有する④の適用の対象となる他の通算法人の株式につき④により一単位当たりの帳簿価額の計算を行うこととなる場合には、これらの通算法人のうち、通算親法人から連鎖する資本関係が最も下位であるものについてこれを行い、順次、その上位のものについてこれを行うことに留意する。(基通2-3-21の3)

(資産調整勘定対応金額等の計算が困難な場合の取扱い)
(7) (1)を適用する場合には、他の通算法人の対象株式((3)の表の(二)に掲げる対象株式をいう。以下(11)までにおいて同じ。)の取得ごとに資産調整勘定対応金額((3)の表の(三)に掲げる資産調整勘定対応金額をいう。以下(11)までにおいて同じ。)又は負債調整勘定対応金額((3)の表の(四)に掲げる負債調整勘定対応金額をいう。以下(11)までにおいて同じ。)を計算し、当該内国法人又は(1)に掲げる他の株式等保有法人(以下(7)において「他の株式等保有法人」という。)のうち、いずれかの法人がその計算された資産調整勘定対応金額及び負債調整勘定対応金額の計算の基礎となる事項を記載した書類を保存していることが必要となるのであるが、その取得後における当該対象株式の保有割合が低い又はその取得の時期が古いなどの理由により、当該取得の時における資産調整勘定対応金額又は負債調整勘定対応金額の計算が困難であると認められる場合において、当該取得の時において計算される資産調整勘定対応金額又は負債調整勘定対応金額を零とし、当該取得後に追加取得した当該他の通算法人の対象株式で資産調整勘定対応金額又は負債調整勘定対応金額の計算が困難であると認められる場合以外のものについて各追加取得の時における資産調整勘定対応金額又は負債調整勘定対応金額を計算し、これらの計算された資産調整勘定対応金額及び負債調整勘定対応金額の計算の基礎となる事項を記載した書類を保存しているとき((1)に掲げる他の要件を満たす場合に限る。)は、課税上弊害がない限り、(1)の適用を受けることができるものとする。(基通2-3-21の4)
注1 負債調整勘定対応金額が計算されることが見込まれる場合に、その計算が困難であるとして、これを零としているときには、課税上弊害があるため、本文の取扱いの適用はないことに留意する。
注2 本文の取扱いを適用する場合には、零とする資産調整勘定対応金額又は負債調整勘定対応金額の計算の基礎となる事項を記載した書類を当該内国法人及び他の株式等保有法人のいずれにおいても保存していない場合であっても、同項に規定する他の要件を満たすときは、(1)の適用があることに留意する。

(資産調整勘定対応金額等がある場合の加算措置の対象となる対象株式の取得)
(8) 資産調整勘定対応金額又は負債調整勘定対応金額は、当該内国法人又は通算完全支配関係発生日((3)の表の(一)に掲げる通算完全支配関係発生日をいう。以下(8)において同じ。)において他の通算法人の株式を有する法人(当該内国法人を除く。以下(8)において「他の取得法人」という。)が通算完全支配関係発生日以前に取得をした当該他の通算法人の対象株式について計算するのであるから、通算終了事由が生じた時において、当該内国法人又は他の取得法人が通算完全支配関係発生日以前に取得をした当該他の通算法人の株式を有していない場合であっても、その取得をした対象株式は、資産調整勘定対応金額又は負債調整勘定対応金額の計算の対象となることに留意する。(基通2-3-21の5)

(資産調整勘定対応金額等の計算における負債調整勘定の金額の取扱い)
(9) 資産調整勘定対応金額又は負債調整勘定対応金額は、他の通算法人の対象株式の取得の時において、当該他の通算法人を被合併法人とし、その取得をした法人を合併法人とする非適格合併(適格合併に該当しない合併をいう。)が行われたものとみなして第三十四款の一の1の③のイの(イ)《資産調整勘定の金額》を適用する場合に同(イ)の資産

調整勘定の金額として計算される金額又は同**イ**の**(ロ)**の《当該被合併法人等から移転を受けた資産及び負債の時価純資産価額に満たない場合の負債調整勘定》を適用する場合に同**(ロ)**に掲げる負債調整勘定の金額（以下（9）において「差額負債調整勘定の金額」という。）として計算される金額を基礎として計算するのであるが、これらの金額の計算上、同**(イ)**の時価純資産価額の計算の基礎となる負債の額には、同**(ロ)**の表のAに掲げる退職給与債務引受額及び同表のBに掲げる短期重要債務見込額の金額を含まないことに留意する。（基通2－3－21の6）

　　　（資産調整勘定対応金額等の計算の基礎となる資産及び負債）
(10)　資産調整勘定対応金額又は負債調整勘定対応金額は、原則として、他の通算法人の対象株式を取得した時に当該他の通算法人が有する資産及び負債の価額を基礎として計算するのであるが、例えば、当該取得した時の直前の月次決算期間又は会計期間の終了の日に当該他の通算法人が有する資産及び負債の同日における価額を基礎として計算している場合には、同日に有する資産及び負債の内訳と当該対象株式の取得時に有する資産及び負債の内訳に著しい差異があるなどの課税上弊害がない限り、これを認める。（基通2－3－21の7）

　　　（資産調整勘定対応金額等の計算の基礎となる対象株式の取得価額）
(11)　資産調整勘定対応金額又は負債調整勘定対応金額の計算の基礎となる対象株式（**2**の表の①に掲げる有価証券に限る。）の取得価額は、同①により計算することに留意する。
　　　この場合において、当該対象株式の取得の時期が古いなどの理由により、購入手数料その他当該対象株式の購入のために要した費用の把握が困難であると認められるときには、その購入の代価を当該対象株式の取得価額として資産調整勘定対応金額又は負債調整勘定対応金額を計算することができる。（基通2－3－21の8）

⑤　評価換え等があった場合の総平均法の適用の特例

　内国法人の有する有価証券（総平均法〔①の表の**ロ**《総平均法》に掲げる総平均法をいう。以下⑤において同じ。〕によりその一単位当たりの帳簿価額を算出するものに限る。以下⑤において同じ。）又はその有価証券を発行した法人について、当該事業年度において②の(1)の表の(一)若しくは(二)に掲げる評価換え、②の(2)に掲げる民事再生等評価換え、②の(3)に掲げる非適格株式交換等時価評価、③に掲げる時価評価、④に掲げる通算終了事由の発生、②の(4)に掲げる寄附修正事由の発生、②の(5)に掲げる対象配当等の額の受領、②の(13)に掲げる併合、②の(14)に掲げる分割若しくは併合、②の(15)に掲げる交付、②の(17)に掲げる合併、②の(18)若しくは(19)に掲げる分割型分割、②の(20)に掲げる分社型分割、②の(21)に掲げる株式分配、②の(22)に掲げる株式交換、②の(23)に掲げる資本の払戻し若しくは分配又は②の(24)に掲げる交付（以下⑤において「**評価換え等**」という。）があった場合には、当該事業年度開始の時（その時からその評価換え等があった時までの間に他の評価換え等があった場合には、その評価換え等の直前の他の評価換え等があった時）からその評価換え等の直前の時までの期間（以下⑤において「評価換前期間」という。）及びその評価換え等があった時から当該事業年度終了の時までの期間（以下⑤において「評価換後期間」という。）をそれぞれ一事業年度とみなして、総平均法によりその一単位当たりの帳簿価額を算出するものとする。この場合において、当該評価換後期間の開始の時において有するその有価証券の帳簿価額は、当該評価換前期間を一事業年度とみなして総平均法により算出したその有価証券のその一単位当たりの帳簿価額に当該評価換前期間の終了の時において有するその有価証券の数を乗じて計算した金額をその有価証券のその評価換え等の直前の帳簿価額とみなして②の(1)から(24)までの例により算出したその評価換え等の直後のその一単位当たりの帳簿価額に、その評価換え等の直後にその内国法人の有するその有価証券の数を乗じて計算した金額とする。（法61の2㉔、令119の4①②）

　　　（対象配当等の額の受領に係る基準時）
(1)　⑤に掲げる対象配当等の額の受領は、当該対象配当等の額に係る②の(8)《移動平均法―用語の意義》の表の(三)に掲げる基準時にあったものとする。（法61の2㉔、令119の4③）

　　　（株式等無償交付により取得した場合の総平均法の適用の特例の準用）
(2)　⑤は、内国法人が**2**の表の③に掲げる有価証券の取得をした場合について、準用する。（法61の2㉔、令119の4④）

　　　（分社型分割等が行われた場合の総平均法の適用の特例の準用）
(3)　⑤は、内国法人が適格分割、適格現物出資又は適格現物分配によりその有する有価証券を分割承継法人、被現物出資法人又は被現物分配法人に移転した場合について準用する。この場合において、⑤中「帳簿価額に当該評価換前

期間の終了の時において有するその有価証券の数を乗じて計算した金額をその有価証券のその評価換え等の直前の帳簿価額とみなして②の(1)から(24)までの例により算出したその評価換え等の直後のその一単位当たりの帳簿価額に、」とあるのは「帳簿価額に」と読み替えるものとする。（法61の2㉔、令119の4⑤）

4 有価証券の一単位当たりの帳簿価額の算出の方法の選定及びその手続

① 有価証券の一単位当たりの帳簿価額の算出の方法の選定

　有価証券の一単位当たりの帳簿価額の算出の方法は、3の①の(1)《有価証券の目的別区分》又は同①の(2)《保険会社等の有する有価証券の目的別等区分》の有価証券の区分ごとに、かつ、その種類ごとに選定しなければならない。（法61の2㉔、令119の5①）

　　　　（有価証券の種類）
（1）　①に掲げる有価証券の種類は、おおむね金融商品取引法第2条第1項第1号から第21号まで（第17号を除く。）の各号の区分によるものとし、外国又は外国法人の発行するもので同項第1号から第9号まで及び第12号から第16号までの性質を有するものは、これに準じて区分する。
　　ただし、新株予約権付社債は、同項第5号の社債とはそれぞれ種類の異なる有価証券として区分することとし、外貨建ての有価証券と円貨建ての有価証券又は外国若しくは外国法人の発行する有価証券と国若しくは内国法人の発行する有価証券は、それぞれ種類の異なる有価証券として区分することができる。（基通2－3－15）
　　　注　法人が、新株予約権付社債に係る取得価額につき社債と新株予約権とに合理的に区分して経理しているときは、当該社債及び新株予約権については、それぞれ同項第5号の社債及び同項第9号の新株予約権に含まれる。

　　　　（信託をしている有価証券）
（2）　法人が信託（金銭の信託及び退職給付信託を除く。）をしている財産のうちに当該法人が有する有価証券と種類及び銘柄を同じくする有価証券がある場合には、当該信託に係る有価証券と当該法人が有する有価証券とを区分しないで3《有価証券の一単位当たりの帳簿価額の算出の方法》を適用するのであるから留意する。（基通2－3－16）
　　　注　金銭の信託に係る有価証券には、次のようなものがある。
　　　　イ　合同運用信託及び証券投資信託に係る有価証券
　　　　ロ　指定単独運用の金銭信託に係る有価証券

　　　　（2以上の種類の株式が発行されている場合の銘柄の意義）
（3）　法人が、他の法人の発行する一の種類の株式と他の種類の株式とを有する場合には、それぞれ異なる銘柄として3の①《有価証券の一単位当たりの帳簿価額の算出の方法》を適用するのであるが、それらの権利内容等からみて、その一の種類の株式と他の種類の株式が同一の価額で取引が行われるものと認められるときには、当該一の種類の株式と他の種類の株式は同一の銘柄の株式として、同①を適用することに留意する。（基通2－3－17）

　　　　（棚卸資産の評価方法の選定に係る取扱いの準用）
（4）　売買目的有価証券を保有する場合の当該売買目的有価証券に係る①の適用に当たっては、第五款の四の1の《評価方法の選定単位の細分》の取扱い（事業所別の評価方法の選定に係る取扱いに限る。）を準用する。（基通2－3－21・編者補正）

② 有価証券の一単位当たりの帳簿価額の算出の方法の選定の手続

　内国法人は、有価証券の取得（適格合併又は適格分割型分割による被合併法人又は分割法人からの引継ぎを含む。以下②において同じ。）をした場合（次の表の左欄に掲げる場合を含む。）にはその取得をした日（同表の左欄に掲げる場合にあっては、それぞれ同表の右欄に掲げる日。以下②において「取得日等」という。）の属する事業年度に係る確定申告書の提出期限（当該取得日等の属する第二節第三款の一の3《仮決算をした場合の中間申告書の記載事項等》に掲げる期間〔当該内国法人が通算子法人である場合には、同3の(8)《通算法人である場合の適用》の表の(一)に掲げる期間〕について同3の表に掲げる事項を記載した中間申告書を提出する場合には、その中間申告書の提出期限）までに、その有価証券と区分及び種類を同じくする有価証券につき、3の①の表のイ《移動平均法》又はロ《総平均法》に掲げる方法のうちそのよるべき方法を書面により納税地の所轄税務署長に届け出なければならない。ただし、当該取得日等の属する事業年度前の事業年度においてその有価証券と①に掲げる区分及び種類を同じくする有価証券につき②による届出をすべき場合並びに内国法人である公益法人等又は人格のない社団等が収益事業以外の事業に属する有価証券の取得をした場合は、この限

りではない。（法61の2㉔、令119の5②）

(イ)	内国法人である公益法人等又は人格のない社団等につき、収益事業以外の事業に属していた有価証券が収益事業に属する有価証券となった場合	その収益事業に属する有価証券となった日
(ロ)	公共法人に該当していた収益事業を行う公益法人等につき、当該公益法人等に該当することとなった時の直前において有価証券を有していた場合（当該有価証券が当該公益法人等の収益事業に属するものである場合に限る。）	その該当することとなった日
(ハ)	公共法人又は公益法人等に該当していた普通法人又は協同組合等につき、当該普通法人又は協同組合等に該当することとなった時の直前において有価証券を有していた場合（公益法人等に該当していた普通法人又は協同組合等にあっては、当該有価証券が当該直前において収益事業以外の事業に属していたものである場合に限る。）	その該当することとなった日

③ **有価証券の一単位当たりの帳簿価額の法定算出方法**

　内国法人が有価証券の一単位当たりの帳簿価額の算出の方法を選定しなかった場合又は選定した方法により算出しなかった場合における法定算出方法は、**3**の①の表の**イ**《移動平均法》に掲げる**移動平均法**とする。（法61の2①Ⅱ、令119の7①）

　　（法定算出方法の特例）
　　税務署長は、内国法人が有価証券につき選定した一単位当たりの帳簿価額の算出の方法（その方法を届け出なかった内国法人がよるべきこととされている③に掲げる方法《移動平均法》を含む。）によりその一単位当たりの帳簿価額を算出しなかった場合において、その内国法人が行った算出の方法が**3**の①の表の**イ**《移動平均法》又は**ロ**《総平均法》に掲げる方法のうちいずれかの方法に該当し、かつ、その行った方法によってもその内国法人の各事業年度の所得の金額の計算を適正に行うことができると認めるときは、その方法により計算した各事業年度の所得の金額を基礎として更正又は決定をすることができる。（法61の2㉔、令119の7②）

④ **有価証券の一単位当たりの帳簿価額の算出の方法の変更の手続**

　内国法人は、有価証券につき選定した一単位当たりの帳簿価額の算出の方法（その方法を届け出なかった内国法人がよるべきこととされている③に掲げる方法《移動平均法》を含む。(6)において同じ。）を変更しようとするときは、納税地の所轄税務署長の承認を受けなければならない。（法61の2㉔、令119の6①）

　　（有価証券の一単位当たりの帳簿価額の算出方法の変更承認申請書の提出）
（1）　④に掲げる承認を受けようとする内国法人は、その新たな一単位当たりの帳簿価額の算出の方法を採用しようとする事業年度開始の日の前日までに、次に掲げる事項を記載した変更承認申請書を納税地の所轄税務署長に提出しなければならない。（法61の2㉔、令119の6②、規27の2）
　　（一）　申請をする内国法人の名称、納税地及び法人番号（行政手続における特定の個人を識別するための番号の利用等に関する法律第2条第15項に規定する法人番号をいう。）並びに代表者（人格のない社団等で代表者の定めがなく、管理人の定めがあるものについては、管理人）の氏名
　　（二）　選定した一単位当たりの帳簿価額の算出の方法を変更しようとする旨
　　（三）　その一単位当たりの帳簿価額の算出の方法を変更しようとする理由
　　（四）　その一単位当たりの帳簿価額の算出の方法を変更しようとする有価証券の**3**の①の(1)《有価証券の目的別区分》又は同①の(2)《保険会社等の有する有価証券の目的別等区分》に掲げる区分及び種類
　　（五）　現によっている一単位当たりの帳簿価額の算出の方法及びその方法を採用した日
　　（六）　採用しようとする新たな一単位当たりの帳簿価額の算出の方法
　　（七）　その他参考となるべき事項

　　（申請の却下）
（2）　税務署長は、(1)に掲げる変更承認申請書の提出があった場合において、その申請書を提出した内国法人が現によっている一単位当たりの帳簿価額の算出の方法を採用してから相当期間を経過していないとき、又は変更しようと

する一単位当たりの帳簿価額の算出の方法によってはその内国法人の各事業年度の所得の金額の計算が適正に行われ難いと認めるときは、その申請を却下することができる。（法61の2㉔、令119の6③）

（棚卸資産の評価方法の選定に係る取扱いの準用）
（3）　有価証券の一単位当たりの帳簿価額の算出の方法について変更承認申請書の提出があった場合における（2）《申請の却下》の適用に当たっては、第五款の**四**の**4**の（3）《評価方法の変更申請があった場合の「相当期間」》の取扱いを準用する。（基通2－3－21・編者補正）

（承認又は却下の通知）
（4）　税務署長は、（1）に掲げる変更承認申請書の提出があった場合において、その申請につき承認又は却下の処分をするときは、その申請をした内国法人に対し、書面によりその旨を通知する。（法61の2㉔、令119の6④）

（みなし承認）
（5）　（1）に掲げる変更承認申請書の提出があった場合において、（1）に掲げる事業年度終了の日（当該事業年度について中間申告書を提出すべき内国法人については、当該事業年度〔当該内国法人が通算子法人である場合には、当該事業年度開始の日の属する当該内国法人に係る通算親法人の事業年度〕開始の日以後6か月を経過した日の前日）までにその申請につき承認又は却下の処分がなかったときは、その日においてその承認があったものとみなす。（法61の2㉔、令119の6⑤）

（公益法人等の有価証券の帳簿価額の算出方法の変更の届出）
（6）　内国法人である公益法人等若しくは人格のない社団等が新たに収益事業を開始した日の属する事業年度において有価証券につき選定した一単位当たりの帳簿価額の算出の方法を変更しようとする場合又は公益法人等（収益事業を行っていないものに限る。）に該当していた普通法人若しくは協同組合等が当該普通法人若しくは協同組合等に該当することとなった日の属する事業年度において有価証券につき選定した一単位当たりの帳簿価額の算出の方法を変更しようとする場合において、これらの事業年度に係る確定申告書の提出期限までに、その旨並びに（1）の（一）及び（四）から（七）までに掲げる事項を記載した届出書を納税地の所轄税務署長に提出したときは、当該届出書をもって（1）の申請書とみなし、当該届出書の提出をもって④の承認があったものとみなす。この場合においては、（4）は適用しない。（法61の2㉔、令119の6⑥）

（評価方法の変更に関する届出書の提出）
（7）　（6）に掲げる届出書は、公益法人等又は人格のない社団等が収益事業の廃止等の事情により法人税の納税義務を有しなくなった後に、次に掲げる事情により再び法人税の納税義務が生じた場合において、既に選定していた評価方法を変更しようとするときに提出することに留意する。（基通5－2－14・編者補正）
（一）　公益法人等又は人格のない社団等が収益事業を開始したこと
（二）　公益法人等（収益事業を行っていないものに限る。）が普通法人又は協同組合等に該当することとなったこと

二　有価証券の譲渡益又は譲渡損の益金又は損金算入

1　有価証券の譲渡益又は譲渡損の益金又は損金算入

　内国法人が有価証券の譲渡をした場合には、その譲渡に係る**譲渡利益額**（次の表の①に掲げる金額が②に掲げる金額を超える場合におけるその超える部分の金額をいう。以下同じ。）又は**譲渡損失額**（次の表の②に掲げる金額が①に掲げる金額を超える場合におけるその超える部分の金額をいう。以下同じ。）は、第三十四款の**一**の**1**《適格組織再編成に該当しない組織再編成における移転資産等の譲渡損益》の①、同**1**の②、同**1**の④又は同款の**一**の**2**《適格組織再編成の場合の移転資産等の譲渡損益の計上の繰延べ》の適用がある場合を除き、その**譲渡に係る契約をした日**（（1）《有価証券の譲渡損益の発生する日》に掲げる場合には、（1）に掲げる日）の属する事業年度の所得の金額の計算上、益金の額又は損金の額に算入する。（法61の2①、令119の7①）

①	その有価証券の譲渡の時における有償によるその有価証券の譲渡により通常得べき対価の額（第二款の**五**《配当等の額とみなす金額》により同款の**一**《受取配当等の益金不算入》の表の①又は同表の②に掲げる金額とみなされる金額がある場合には、そのみなされる金額に相当する金額を控除した金額）
②	その有価証券の譲渡に係る原価の額（その有価証券についてその内国法人が選定した一単位当たりの帳簿価額の算

> 出の方法により算出した金額〔算出の方法を選定しなかった場合又は選定した方法により算出しなかった場合には、一の**4**の③《有価証券の一単位当たりの帳簿価額の法定算出方法》に掲げる方法《移動平均法》により算出した金額〕にその譲渡をした有価証券の数を乗じて計算した金額をいう。)

　　(有価証券の譲渡損益の発生する日)
（１）　**1**に掲げる「譲渡に係る契約をした日」については、次の表の左欄に掲げる事由がある場合には、それぞれ同表の右欄に掲げる日とする。（規27の３）

(一)	剰余金の配当若しくは利益の配当又は剰余金の分配（分割型分割によるもの及び株式分配を除く。）	これらの効力が生ずる日
(二)	解散による残余財産の一部の分配又は引渡し	当該分配又は引渡しの日
(三)	自己の株式（出資及び新株予約権を含む。）の取得の対価としての交付	その取得の日
(四)	出資の消却、出資の払戻し、社員その他内国法人の出資者の退社又は脱退による持分の払戻しその他株式又は出資を取得することなく消滅させることによる対価としての交付	これらの事由が生じた日
(五)	自己の組織変更	当該組織変更の日
(六)	自己を合併法人、分割承継法人、株式交換等完全親法人又は会社法第774条の３第１項第１号《株式交付計画》に規定する株式交付親会社とする合併、分割、株式交換等又は株式交付	当該合併、分割、株式交換等又は株式交付の日
(七)	自己を現物出資法人とする適格現物出資に該当しない現物出資（新株予約権又は社債と引換えにする給付を含む。）	当該現物出資の日
(八)	自己を現物分配法人とする適格株式分配に該当しない株式分配	当該株式分配の日
(九)	自己を第三十四款の一の１の③のイの**(イ)**《資産調整勘定の金額》に掲げる譲受け法人又は同**(イ)**に掲げる移転法人とする同**(イ)**の(1)《非適格合併等の意義》に掲げる非適格合併等に該当する事業の譲受け（(六)に掲げるものを除く。）	当該事業の譲受けの日
(十)	その有していた株式（出資及び新株予約権〔投資信託及び投資法人に関する法律第２条第17項《定義》に規定する新投資口予約権を含む。〕を含む。以下(十五)までにおいて同じ。）を発行した法人を被合併法人とする合併	当該合併の日
(十一)	その有していた株式を発行した法人を分割法人とする分割型分割	当該分割型分割の日
(十二)	その有していた株式を発行した法人を現物分配法人とする株式分配	当該株式分配の日
(十三)	その有していた株式を発行した法人を株式交換等完全子法人とする株式交換等	当該株式交換等の日
(十四)	その有していた株式を発行した法人を株式移転完全子法人とする株式移転	当該株式移転の日
(十五)	その有していた株式を発行した法人を会社法第774条の３第１項第１号に規定する株式交付子会社とする株式交付	当該株式交付の日
(十六)	その有していた(18)の表の(一)から(五)までに掲げる有価証券についての同表の(一)から(五)までに掲げる事由	当該事由の生じた日
(十七)	その有していた株式又は出資を発行した法人の第二款の**五**《配当等の額とみなす金額》の表の**4**から**7**までに掲げる事由により金銭その他の資産の交付を受け、又は当該株式若しくは出資を有しないこととなったこと（当該法人の残余財産の分配を受けないことが確定したことを含む。）	当該事由が生じた日又は残余財産の分配を受けないことが確定した日

　　(売却及び購入の同時の契約等のある有価証券の取引)
（２）　同一の有価証券（売買目的有価証券を除く。）が売却の直後に購入された場合において、その売却先から売却をした有価証券の買戻し又は再購入（証券業者等に売却の媒介、取次ぎ若しくは代理の委託をしている場合の当該証券業者等からの購入又は当該証券業者等に購入の媒介、取次ぎ若しくは代理の委託をしている場合の当該購入を含む。）を

する同時の契約があるときは、当該売却をした有価証券のうち当該買戻し又は再購入をした部分は、その売却がなかったものとして取り扱う。（基通２－１－23の４）

注１　同時の契約でない場合であっても、これらの契約があらかじめ予定されたものであり、かつ、売却価額と購入価額が同一となるよう売買価額が設定されているとき又はこれらの価額が売却の決済日と購入の決済日との間に係る金利調整のみを行った価額となるよう設定されているときは、同時の契約があるものとして取り扱う。
注２　本文の適用を受ける取引に伴い支出する委託手数料その他の費用は、当該有価証券の取得価額に含めない。
注３　購入の直後に売却が行われた場合の当該購入についても同様に取り扱う。

（低廉譲渡等の場合の譲渡の時における有償によるその有価証券の譲渡により通常得べき対価の額）

（３）　法人が無償又は低い価額で有価証券を譲渡した場合における１の表の①に掲げる譲渡の時における有償によるその有価証券の譲渡により通常得べき対価の額の算定に当たっては、第九款の一の３の(8)《市場有価証券等の価額》並びに同一の３の(9)《市場有価証券等以外の株式の価額》及び同一の３の(10)《市場有価証券等以外の株式の価額の特例》の取扱いを準用する。（基通２－３－４）

（合併の場合の有価証券の譲渡対価の額）

（４）　内国法人が、旧株（当該内国法人が有していた株式〔出資を含む。以下同じ。〕をいう。以下（４）において同じ。）を発行した法人の合併（当該法人の株主等に合併法人又は合併法人との間に当該合併法人の発行済株式若しくは出資〔自己が有する自己の株式又は出資を除く。以下「発行済株式等」という。〕の全部を直接若しくは間接に保有する関係として、合併の直前に当該合併に係る合併法人と当該合併法人以外の法人との間に当該法人による完全支配関係がある法人のうちいずれか一の法人の株式以外の資産〔当該株主等に対する第二章第一節の二の表の**12の8**《適格合併》に掲げる剰余金の配当等として交付された金銭その他の資産及び合併に反対する当該株主等に対するその買取請求に基づく対価として交付される金銭その他の資産を除く。〕が交付されなかったものに限る。以下（４）及び（９）において「**金銭等不交付合併**」という。）により当該株式の交付を受けた場合又は旧株を発行した法人の特定無対価合併（当該法人の株主等に合併法人の株式その他の資産が交付されなかった合併で、当該法人の株主等に対する合併法人の株式の交付が省略されたと認められる合併として第二章第一節の二の表の**12の8**の①の(2)《同一の者による完全支配関係・継続見込の意義》に掲げる関係がある合併をいう。以下（４）において同じ。）により当該旧株を有しないこととなった場合における１の適用については、１の表の①に掲げる譲渡に係る対価の額は、これらの旧株の当該金銭等不交付合併又は特定無対価合併の直前の帳簿価額に相当する金額とする。（法61の２②、令119の７の２①②）

（抱合株式の譲渡に係る対価の額）

（５）　合併法人の第二款の五の（３）《合併法人から抱合株式に対し株式その他の資産の交付がない場合におけるみなし配当の適用》に掲げる抱合株式（（４）の適用があるものを除く。）に係る１の適用については、１の表の①に掲げる金額は、当該抱合株式の合併の直前の帳簿価額に相当する金額とする。（法61の２③）

（分割型分割により新株等の交付を受けた場合の譲渡対価の額及び譲渡原価の額）

（６）　内国法人が所有株式（当該内国法人が有する株式をいう。以下（６）において同じ。）を発行した法人の行った分割型分割により分割承継法人の株式その他の資産の交付を受けた場合には、当該所有株式のうち当該分割型分割により当該分割承継法人に移転した資産及び負債に対応する部分の譲渡を行ったものとみなして、１を適用する。この場合において、その分割型分割（第二章第一節の二の表の**12の9**《分割型分割》のイに掲げる分割対価資産として分割承継法人又は分割承継法人との間に当該分割承継法人の発行済株式等の全部を直接若しくは間接に保有する関係として分割型分割の直前に当該分割型分割に係る分割承継法人と当該分割承継法人以外の法人との間に当該法人による完全支配関係がある法人〔（６）において「親法人」という。〕のうちいずれか一の法人の株式以外の資産が交付されなかったもの〔当該株式が分割法人の発行済株式等の総数又は総額のうちに占める当該分割法人の各株主等の有する当該分割法人の株式の数又は金額の割合に応じて交付されたものに限る。以下（６）において「金銭等不交付分割型分割」という。〕を除く。）により分割承継法人の株式その他の資産の交付を受けたときにおける１の適用については、１の表の②に掲げる譲渡に係る原価の額は、その所有株式の当該分割型分割の直前の**分割純資産対応帳簿価額**（所有株式を発行した法人の行った分割型分割の直前の当該所有株式の帳簿価額に当該分割型分割に係る（一）に掲げる金額のうちに（二）に掲げる金額の占める割合〔（二）に掲げる金額が零を超え、かつ、（一）に掲げる金額が零以下である場合には１とし、当該割合に小数点以下３位未満の端数があるときは、これを切り上げる。〕を乗じて計算した金額をいう。以下（６）において同じ。）とし、その分割型分割（金銭等不交付分割型分割に限る。）により分割承継法人又は親法人の株式の交付を受けたときにおける１の適用については、１の表の①に掲げる譲渡に係る対価の額及び同表の②に掲げ

る譲渡に係る原価の額は、いずれもその所有株式の当該分割型分割の直前の分割純資産対応帳簿価額とする。（法61の２④、令119の７の２③、119の８①、23①Ⅱ）

（一）	分割型分割の日の属する事業年度の前事業年度（当該分割型分割の日以前６か月以内に第二節第三款の**一の3**《仮決算をした場合の中間申告書の記載事項等》に掲げる期間について同3の表に掲げる事項を記載した中間申告書を提出し、かつ、その提出の日から当該分割型分割の日までの間に確定申告書を提出していなかった場合には、当該中間申告書に係る同3に掲げる期間）終了の時の資産の帳簿価額から負債（新株予約権に係る義務を含む。）の帳簿価額を減額した金額（当該終了の時から当該分割型分割の直前の時までの間に資本金等の額又は利益積立金額〔第二章第一節の**二**の表の**18**《利益積立金額》の表の①に掲げる金額を除く。〕が増加し、又は減少した場合には、その増加した金額を加算し、又はその減少した金額を減算した金額）
（二）	分割型分割の直前の移転資産（当該分割型分割により当該分割法人から分割承継法人に移転した資産をいう。）の帳簿価額から移転負債（当該分割型分割により当該分割法人から当該分割承継法人に移転した負債をいう。）の帳簿価額を控除した金額（当該金額が（一）に掲げる金額を超える場合〔（一）に掲げる金額が零に満たない場合を除く。〕には、（一）に掲げる金額）

　　　　（所有株式を有していた内国法人に対する割合の通知）
（７）（６）に掲げる所有株式を発行した法人は、分割型分割を行った場合には、当該所有株式を有していた法人に対し、当該分割型分割に係る（６）に掲げる割合を通知しなければならない。（法61の２㉔、令119の８②）

　　　　（適格分割型分割により分割法人の株主に分割承継法人の株式等を交付した場合における譲渡対価の額等）
（８）内国法人が自己を分割法人とする適格分割型分割により当該適格分割型分割に係る分割承継法人又は第二章第一節の**二**の表の**12の11**《適格分割》に掲げる分割承継親法人株式（以下「**分割承継親法人**」という。）の株式を当該内国法人の株主等に交付した場合における**1**の適用については、**1**の表の①に掲げる譲渡に係る対価の額及び同表の②に掲げる譲渡に係る原価の額は、いずれも第二章第一節の**二**の表の**16**の表の⑥に掲げる純資産価額に相当する金額とする。（法61の２⑤、62の２③、令123の３②、８①Ⅵ）

　　　　（適格合併により合併親法人の株式を交付した場合の譲渡対価の額）
（９）内国法人が自己を合併法人とする適格合併（金銭等不交付合併に限る。）により第二章第一節の**二**の表の**12の8**《適格合併》に掲げる合併親法人の株式を交付した場合における**1**の適用については、**1**の表の①に掲げる譲渡に係る対価の額は、当該合併親法人の株式の当該適格合併の直前の帳簿価額に相当する金額とする。（法61の２⑥）

　　　　（適格分割により分割承継親法人の株式を交付した場合の譲渡対価の額）
（10）内国法人が自己を分割承継法人とする適格分割により分割承継親法人の株式を交付した場合における**1**の適用については、**1**の表の①に掲げる譲渡に係る対価の額は、当該分割承継親法人の株式の当該適格分割の直前の帳簿価額に相当する金額とする。（法61の２⑦）

　　　　（株式分配により完全子法人株式の交付を受けた場合の譲渡対価の額及び譲渡原価の額）
（11）内国法人が所有株式（当該内国法人が有する株式をいう。以下(11)及び(12)において同じ。）を発行した法人の行った株式分配により第二章第一節の**二**の表の**12の15の2**に掲げる完全子法人（以下(11)において「完全子法人」という。）の株式その他の資産の交付を受けた場合には、当該所有株式のうち当該完全子法人の株式に対応する部分の譲渡を行ったものとみなして、**二の1**《有価証券の譲渡益又は譲渡損失の益金又は損金算入》を適用する。この場合において、その株式分配（完全子法人の株式以外の資産が交付されなかったもの〔当該株式が現物分配法人の発行済株式等の総数又は総額のうちに占める当該現物分配法人の各株主等の有する当該現物分配法人の株式の数又は金額の割合に応じて交付されたものに限る。以下(11)において「**金銭等不交付株式分配**」という。〕を除く。）により完全子法人の株式その他の資産の交付を受けたときにおける**二の1**の適用については、同**1**の表の②に掲げる譲渡に係る原価の額は、その所有株式の当該株式分配の直前の帳簿価額を基礎として所有株式を発行した法人の行った株式分配の直前の当該所有株式の帳簿価額に（一）に掲げる金額のうちに（二）に掲げる金額の占める割合（（二）に掲げる金額が零を超え、かつ、（一）に掲げる金額が零以下である場合には1とし、当該割合に小数点以下3位未満の端数があるときは、これを切り上げる。）を乗じて計算した金額（以下(11)において「**完全子法人株式対応帳簿価額**」という。）とし、その株式分配（金銭等不交付株式分配に限る。）により完全子法人の株式の交付を受けたときにおける同**1**の適用につい

ては、同1の表の①に掲げる譲渡に係る対価の額及び同表の②に掲げる原価の額は、いずれもその所有株式の当該株式分配の直前の完全子法人株式対応帳簿価額とする。（法61の2⑧、令119の8の2①、令23①三）

(一)	当該株式分配を(6)の表の(一)の分割型分割とみなした場合における同(一)に掲げる金額
(二)	当該現物分配法人の当該株式分配の直前の完全子法人の株式の帳簿価額に相当する金額（当該金額が零以下である場合には零とし、当該金額が(一)に掲げる金額を超える場合〔(一)に掲げる金額が零に満たない場合を除く。〕には(一)に掲げる金額とする。）

（所有株式を有していた法人に対する割合の通知）
(12) (11)に掲げる所有株式を発行した法人は、株式分配を行った場合には、当該所有株式を有していた法人に対し、当該株式分配に係る(11)に掲げる割合を通知しなければならない。（令119の8の2②）

（株式交換により株式交換完全親法人の株式等以外の資産が交付されなかった場合の譲渡対価の額）
(13) 内国法人が、旧株（当該内国法人が有していた株式をいう。以下(13)において同じ。）を発行した法人の行った株式交換（当該法人の株主に株式交換完全親法人又は株式交換完全親法人との間に当該株式交換完全親法人の発行済株式等の全部を直接若しくは間接に保有する関係として株式交換の直前に当該株式交換に係る株式交換完全親法人と当該株式交換完全親法人以外の法人との間に当該法人による完全支配関係がある法人のうちいずれか一の法人の株式以外の資産〔当該株主に対する剰余金の配当として交付された金銭その他の資産及び株式交換に反対する当該株主に対するその買取請求に基づく対価として交付される金銭その他の資産を除く。〕が交付されなかったものに限る。以下(13)及び(14)において「金銭等不交付株式交換」という。）により当該株式の交付を受けた場合又は旧株を発行した法人の行った特定無対価株式交換（当該法人の株主に株式交換完全親法人の株式その他の資産が交付されなかった株式交換で、当該法人の株主に対する株式交換完全親法人の株式の交付が省略されたと認められる株式交換として第二章第一節の二の表の12の17の表の①の(2)《同一の者による完全支配関係・継続見込の意義》に掲げる株主均等割合保有関係がある株式交換をいう。以下(13)において同じ。）により当該旧株を有しないこととなった場合における1の適用については、1の表の①に掲げる譲渡に係る対価の額は、これらの旧株の当該金銭等不交付株式交換又は特定無対価株式交換の直前の帳簿価額に相当する金額とする。（法61の2⑨、令119の7の2④⑤）

（適格株式交換等により株式交換完全支配親法人の株式を交付した場合の譲渡対価の額）
(14) 内国法人が自己を株式交換完全親法人とする適格株式交換等（金銭等不交付株式交換に限る。）により第二章第一節の二の表の12の17《適格株式交換等》に掲げる株式交換完全支配親法人の株式を交付した場合における1の適用については、1の表の①に掲げる譲渡に係る対価の額は、当該株式交換完全支配親法人の株式の当該適格株式交換等の直前の帳簿価額に相当する金額とする。（法61の2⑩）

（株式移転により株式移転完全親法人の株式以外の資産が交付されなかった場合の譲渡対価の額）
(15) 内国法人が旧株（当該内国法人が有していた株式をいう。）を発行した法人の行った株式移転（当該法人の株主に株式移転完全親法人の株式以外の資産〔株式移転に反対する当該株主に対するその買取請求に基づく対価として交付される金銭その他の資産を除く。〕が交付されなかったものに限る。）により当該株式の交付を受けた場合における1の適用については、1の表の①に掲げる譲渡に係る対価の額は、当該旧株の当該株式移転の直前の帳簿価額に相当する金額とする。（法61の2⑪）

（合併等により旧新株予約権に代えて合併法人等の新株予約権のみの交付を受けた場合の譲渡対価の額）
(16) 内国法人がその有する新株予約権（新株予約権付社債を含む。以下(16)において「旧新株予約権等」という。）を発行した法人を被合併法人、分割法人、株式交換完全子法人又は株式移転完全子法人とする合併、分割、株式交換又は株式移転（以下(16)において「合併等」という。）により当該旧新株予約権等に代えて当該合併等に係る合併法人、分割承継法人、株式交換完全親法人又は株式移転完全親法人の新株予約権（新株予約権付社債を含む。）のみの交付を受けた場合における1の適用については、1の表の①に掲げる譲渡に係る対価の額は、当該旧新株予約権等の当該合併等の直前の帳簿価額に相当する金額とする。（法61の2⑫）

（発行法人が組織変更した際に当該法人の株式のみの交付を受けた場合の譲渡対価の額）
(17) 内国法人が旧株（当該内国法人が有していた株式をいう。）を発行した法人の行った組織変更（当該法人の株主等

(取得請求権付株式の権利行使等により株式のみの交付を受けた場合の譲渡対価の額)
(18) 内国法人が次の表の左欄に掲げる有価証券をそれぞれ同表の右欄に掲げる事由により譲渡をし、かつ、当該事由によりそれぞれ右欄に掲げる取得をする法人の株式又は新株予約権の交付を受けた場合(当該交付を受けた株式又は新株予約権の価額が当該譲渡をした有価証券の価額とおおむね同額となっていないと認められる場合を除く。)における1の適用については、1の表の①に掲げる譲渡に係る対価の額は、それぞれ同表の左欄に掲げる有価証券の当該譲渡の直前の帳簿価額((四)に掲げる有価証券にあっては、当該新株予約権付社債の当該譲渡の直前の帳簿価額)に相当する金額とする。(法61の2⑭)

(一)	**取得請求権付株式**(法人がその発行する全部又は一部の株式の内容として株主等が当該法人に対して当該株式の取得を請求することができる旨の定めを設けている場合の当該株式をいう。)	当該取得請求権付株式に係る請求権の行使によりその取得の対価として当該取得をする法人の株式のみが交付される場合の当該請求権の行使
(二)	**取得条項付株式**(法人がその発行する全部又は一部の株式の内容として当該法人が一定の事由〔以下(二)において「取得事由」という。〕が発生したことを条件として当該株式の取得をすることができる旨の定めを設けている場合の当該株式をいう。)	当該取得条項付株式に係る取得事由の発生によりその取得の対価として当該取得をされる株主等に当該取得をする法人の株式のみが交付される場合(その取得の対象となった種類の株式のすべてが取得をされる場合には、その取得の対価として当該取得をされる株主等に当該取得をする法人の株式及び新株予約権のみが交付される場合を含む。)の当該取得事由の発生
(三)	**全部取得条項付種類株式**(ある種類の株式について、これを発行した法人が株主総会その他これに類するものの決議〔以下(三)において「取得決議」という。〕によってその全部の取得をする旨の定めがある場合の当該種類の株式をいう。)	当該全部取得条項付種類株式に係る取得決議によりその取得の対価として当該取得をされる株主等に当該取得をする法人の株式(当該株式と併せて交付される当該取得をする法人の新株予約権を含む。)以外の資産(当該取得の価格の決定の申立てに基づいて交付される金銭その他の資産を除く。)が交付されない場合の当該取得決議
(四)	**新株予約権付社債についての社債**	当該新株予約権付社債に付された新株予約権の行使によりその取得の対価として当該取得をする法人の株式が交付される場合の当該新株予約権の行使
(五)	**取得条項付新株予約権**(新株予約権について、これを発行した法人が一定の事由〔以下(五)において「取得事由」という。〕が発生したことを条件としてこれを取得することができる旨の定めがある場合の当該新株予約権をいう。以下(五)において同じ。)又は**取得条項付新株予約権が付された新株予約権付社債**	左欄の取得条項付新株予約権に係る取得事由の発生によりその取得の対価として当該取得をされる新株予約権者に当該取得をする法人の株式のみが交付される場合の当該取得事由の発生

(1株に満たない端数の処理)
(19) 会社法第167条第3項《効力の発生》又は第283条《一に満たない端数の処理》に規定する1株に満たない端数(これに準ずるものを含む。)に相当する部分は、(18)の表の(一)又は(四)に掲げる取得をする法人の株式(出資を含む。)に含まれるものとする。(令119の8の3)

(取得条項付株式の取得等に際し1株未満の株式の代金を株主等に交付した場合の取扱い)
(20) (18)の表の(二)に掲げる取得条項付株式に係る取得事由の発生によりその取得条項付株式を有する株主等に金銭が交付される場合において、その金銭が、その取得の対価として交付すべき当該取得をする法人の株式(出資を含む。

以下(20)において同じ。)に１株未満の端数が生じたためにその１株未満の株式の合計数に相当する数の株式を譲渡し、又は買い取った代金として交付されたものであるときは、当該株主等に対してその１株未満の株式に相当する株式を交付したこととなることに留意する。ただし、その交付された金銭が、その取得の状況その他の事由を総合的に勘案して実質的に当該株主等に対して支払う当該取得条項付株式の取得の対価であると認められるときは、当該取得の対価として金銭が交付されたものとして取り扱う。

　　同表の(三)又は(五)に掲げる全部取得条項付種類株式又は取得条項付新株予約権に係る株式に１株未満の端数が生じた場合についても、同様とする。(基通２－３－１・編者補正)

　　　(１株に満たない株式等を譲渡した場合等の原価)
(21)　法人が、(19)に掲げる１株に満たない端数に相当する部分、第二十七款の**六の１**《益金不算入の特例》の表の①及び②に掲げる１株に満たない端数又は同**六の３**《合併等により交付する株式に一に満たない端数がある場合の所得計算》に掲げる１株に満たない端数につき代わり金の交付を受けたときの譲渡に係る原価の額は、当該法人が当該１株に満たない端数に相当する株式等の交付を受け直ちに譲渡したものとして**二**を適用する。ただし、当該法人が当該代わり金に相当する金額を益金の額に算入している場合は、これを認める。(基通２－３－25・編者補正)

　　　(集団投資信託の併合の場合の譲渡対価の額)
(22)　内国法人が旧受益権(当該内国法人が有していた集団投資信託の受益権をいう。)に係る信託の併合(当該集団投資信託の受益者に当該信託の併合に係る新たな信託の受益権以外の資産〔信託の併合に反対する当該受益者に対するその買取請求に基づく対価として交付される金銭その他の資産を除く。〕が交付されなかったものに限る。)により当該受益権の交付を受けた場合における**１**の適用については、**１**の表の①に掲げる譲渡に係る対価の額は、当該旧受益権の当該信託の併合の直前の帳簿価額に相当する金額とする。(法61の２⑮)

　　　(集団投資信託の分割の場合の譲渡対価の額及び譲渡原価の額)
(23)　内国法人が旧受益権(当該内国法人が有していた集団投資信託の受益権をいう。以下(23)において同じ。)に係る信託の分割により**承継信託**(信託の分割により受託者を同一とする他の信託からその信託財産の一部の移転を受ける信託をいう。以下(24)までにおいて同じ。)の受益権その他の資産の交付を受けた場合には、当該旧受益権のうち当該信託の分割により当該承継信託に移転した資産及び負債に対応する部分の譲渡を行ったものとみなして、**１**を適用する。この場合において、その信託の分割(**分割信託**〔信託の分割によりその信託財産の一部を受託者を同一とする他の信託又は新たな信託の信託財産として移転する信託をいう。以下(24)までにおいて同じ。〕の受益者に承継信託の受益権以外の資産〔信託の分割に反対する当該受益者に対するその買取請求に基づく対価として交付される金銭その他の資産を除く。〕が交付されたもの〔以下(24)までにおいて「**金銭等交付分割**」という。〕に限る。)により承継信託の受益権その他の資産の交付を受けたときにおける**１**の適用については、**１**の表の②に掲げる譲渡原価の額は、その旧受益権に係る集団投資信託の当該信託の分割の直前の当該旧受益権の帳簿価額に次の表の(一)に掲げる金額のうちに同表の(二)に掲げる金額の占める割合を乗じて計算した金額(以下(23)において「**分割純資産対応帳簿価額**」という。)とし、その信託の分割(金銭等交付分割を除く。)により承継信託の受益権の交付を受けたときにおける**１**の適用については、**１**の表の①に掲げる譲渡対価の額及び同表の②に掲げる譲渡原価の額は、いずれもその旧受益権の当該信託の分割の直前の分割純資産対応帳簿価額とする。(法61の２⑯、令119の８の４①)

(一)	当該信託の分割に係る分割信託の当該信託の分割前に終了した計算期間のうち最も新しいものの終了の時の資産の価額として当該分割信託の貸借対照表その他の帳簿に記載された金額の合計額からその時の負債の価額として当該分割信託の貸借対照表その他の帳簿に記載された金額の合計額を控除した金額
(二)	当該信託の分割に係る承継信託が当該信託の分割により移転を受けた資産の価額として当該承継信託の帳簿に記載された金額の合計額から当該信託の分割により移転を受けた負債の価額として当該承継信託の帳簿に記載された金額の合計額を控除した金額(当該金額が(一)に掲げる金額を超える場合には、(二)に掲げる金額)

　　　(金銭等交付分割に含まれるもの)
(24)　(23)に掲げる信託の分割に係る承継信託の受益権が当該信託の分割に係る分割信託の受益者の有する当該分割信託の受益権の数又は価額の割合に応じて交付されない場合には、当該信託の分割は、金銭等交付分割に含まれるものとする。(法61の２㉔、令119の８の４②)

(旧受益権を有していた法人に対する割合の通知)
(25) (23)に掲げる旧受益権に係る集団投資信託の受託者は、信託の分割を行った場合には、当該旧受益権を有していた法人に対し、当該信託の分割に係る(23)に掲げる割合を通知しなければならない。(法61の2㉔、令119の8の4③)

(完全支配関係がある他の内国法人からみなし配当の額が生ずる基因となる事由により金銭その他の資産の交付を受けた場合等の譲渡対価の額)
(26) 内国法人が、所有株式(当該内国法人が有していた株式をいう。)を発行した他の内国法人(当該内国法人との間に完全支配関係があるものに限る。)の第二款の**五**《配当等の額とみなす金額》の表の**1**から**7**までに掲げる事由((4)の適用がある合併及び(6)に掲げる金銭等不交付分割型分割及び(11)に掲げる金銭等不交付株式分配を除く。)により金銭その他の資産の交付を受けた場合(当該他の内国法人の同**五**の表の**2**に掲げる分割型分割、同**五**の表の**3**に掲げる株式分配、同**五**の表の**4**に掲げる資本の払戻し若しくは解散による残余財産の一部の分配又は口数の定めがない出資についての出資の払戻しに係るものである場合にあっては、その交付を受けた時において当該所有株式を有する場合に限る。)又は当該事由により当該他の内国法人の株式を有しないこととなった場合(当該他の内国法人の残余財産の分配を受けないことが確定した場合を含む。)における**1**の適用については、**1**の表の①に掲げる譲渡対価の額は、同表の②に掲げる譲渡原価の額((6)、(11)、(27)又は(29)の適用がある場合には、(6)、(11)、(27)又は(29)により**1**の表の②に掲げる譲渡原価の額とされる金額)に相当する金額とする。(法61の2⑰)

(資本の払戻し等の場合の有価証券の譲渡原価の額)
(27) 内国法人が所有株式(当該内国法人が有する株式をいう。)を発行した法人の第二款の**五**《配当等の額とみなす金額》の表の**4**に掲げる資本の払戻し又は解散による残余財産の一部の分配(以下(28)までにおいて「**払戻し等**」という。)として金銭その他の資産の交付を受けた場合における**1**の適用については、**1**の表の②に掲げる譲渡原価の額は、所有株式を発行した法人の行った払戻し等の直前の当該所有株式の帳簿価額に当該払戻し等に係る第二款の**五**の表の**4**に掲げる割合(次の表の左欄に掲げる場合には、当該払戻し等に係る右欄に掲げる割合。(28)において「払戻等割合」という。)を乗じて計算した金額とする。(法61の2⑱、令119の9①、規8の5の2)

(一)	当該払戻し等が2以上の種類の株式又は出資を発行していた法人が行った(27)に掲げる資本の払戻しである場合	当該所有株式に係る第二款の**五**の表の**4**《出資等減少分配を除く資本の払い戻し又は解散による残余財産の分配の配当等とみなす金額》のロに掲げる種類払戻割合
(二)	当該払戻し等が第二款の**一**《受取配当等の益金不算入》の表の②に掲げる出資等減少分配である場合	第二款の**五**の表の**5**に掲げる割合

(減資等による所有株式を有していた内国法人に対する通知)
(28) (27)に掲げる所有株式を発行した法人は、(27)に掲げる払戻し等を行った場合には、当該所有株式を有していた法人に対し、当該払戻し等に係る払戻等割合を通知しなければならない。(法61の2㉔、令119の9②)

(出資の払戻しを受けた場合の譲渡原価の額)
(29) 内国法人がその出資(口数の定めがないものに限る。以下(29)において「所有出資」という。)を有する法人の出資の払戻し(以下(29)において「払戻し」という。)として金銭その他の資産の交付を受けた場合における**1**の適用については、**1**の表の②に掲げる譲渡原価の額は、当該払戻しの直前の当該所有出資の帳簿価額に当該払戻しの直前の当該所有出資の金額のうちに当該払戻しに係る出資の金額の占める割合を乗じて計算した金額に相当する金額とする。(法61の2⑲)

(有価証券の空売りをした場合の譲渡利益額又は譲渡損失額の計算)
(30) 内国法人が、**有価証券の空売り**の方法により、有価証券の売付けをし、その後にその有価証券と銘柄を同じくする有価証券の買戻しをして決済をした場合における**1**の適用については、**譲渡利益額**は次の表の(一)に掲げる金額が(二)に掲げる金額を超える場合におけるその超える部分の金額とし、**譲渡損失額**は(二)に掲げる金額が(一)に掲げる金額を超える場合におけるその超える部分の金額とし、譲渡に係る契約をした日はその**決済に係る買戻しの契約をした日**とする。(法61の2⑳)

(一)	その売付けをした有価証券の一単位当たりの譲渡に係る対価の額を算出する方法として次に掲げる方法によ

り算出した金額にその買戻しをした有価証券の数を乗じて計算した金額

　　　　（空売りをした有価証券の一単位当たりの譲渡対価の額の算出の方法）
　　イ　上記の方法は、有価証券の空売りの方法により売付けをした有価証券(以下イにおいて「空売有価証券」という。)を銘柄の異なるごとに区別し、その銘柄の同じものについて、その売付け(適格合併若しくは適格分割型分割による被合併法人若しくは分割法人からの空売有価証券の引継ぎ又は適格分社型分割若しくは適格現物出資による分割法人若しくは現物出資法人〔以下イにおいて「分割法人等」という。〕からの空売有価証券の取得を含む。以下イにおいて同じ。)をする都度その空売有価証券のその売付けの直前の帳簿価額とその売付けをした空売有価証券のその売付けの時におけるその売付けにより通常得べき対価の額(適格合併により被合併法人から引継ぎを受けた空売有価証券については当該被合併法人の第三十四款の一の2の①《適格合併による資産等の帳簿価額による引継ぎ》に掲げる時の帳簿価額とし、適格分割又は適格現物出資により分割法人等から引継ぎを受け、又は取得をした空売有価証券については当該分割法人等の当該適格分割又は適格現物出資の直前の帳簿価額とする。)との合計額をこれらの空売有価証券の総数で除して平均単価を算出し、その算出した平均単価をもってその空売有価証券の一単位当たりの譲渡に係る対価の額とする方法とする。(令119の10①)
　　ロ　内国法人を合併法人、分割承継法人又は株式交換完全親法人とする合併、分割型分割又は株式交換(それぞれ第二十七款の六の3《合併等により交付する株式に一に満たない端数がある場合の所得計算》の①に掲げる合併親法人株式等、同3の②に掲げる分割承継親法人若しくは親法人の株式若しくは出資又は同3の④に掲げる株式交換完全支配親法人株式等〔以下ロにおいて「合併親法人株式等」という。〕を交付するものに限る。以下(一)において「合併等」という。)が同3の①、②又は④までに掲げる場合に該当する場合において、当該内国法人が当該合併等の直前においてこれらに掲げる一に満たない端数の合計数に相当する合併親法人株式等の全部又は一部を有していないときは、当該内国法人がその有していない数に相当する合併親法人株式等(ハにおいて「不保有合併親法人株式等」という。)に係る有価証券の空売りを行ったものとみなして、(30)を適用する。この場合においてイに掲げる金額は当該合併親法人株式等の一単位当たり当該合併等の時の価額(当該合併等が(4)に掲げる金銭等不交付合併に該当する適格合併、適格分割型分割又は(13)に掲げる金銭等不交付株式交換に該当する適格株式交換等〔ニにおいて「適格合併等」という。〕に該当する場合には、(9)、(10)又は(14)に掲げる直前の帳簿価額を当該合併等により交付した合併親法人株式等〔第二十七款の六の3の①、②又は④までにより当該合併親法人株式等に含まれるものとされるものを除く。〕の数で除して計算した金額)にその有していない数を乗じて計算した金額(ニにおいて「みなし対価額」という。)と(二)に掲げる金額は同3の①、②又は④までに掲げる金銭の額と、(30)の買戻しを契約した日は当該合併等の日とする。(令119の10②)
　　ハ　内国法人が不保有合併親法人株式等につきロによりロに掲げる有価証券の空売りを行ったものとみなされた場合には、当該不保有合併親法人株式等については、ロの合併に係る(9)、(10)又は(14)は、適用しない。(令119の10③)
　　ニ　適格合併等に該当する合併等に係るみなし対価額は、第二章第一節の二の表の**16**《資本金等の額》の⑤の(1)《合併による増加資本金額等》に掲げる合併親法人株式の適格合併の直前の帳簿価額、同表の**16**の⑥の(1)《分割型分割による増加資本金額等》に掲げる分割承継親法人株式の適格分割型分割の直前の帳簿価額又は同表の**16**の⑩の《株式交換による増加資本金額等》に掲げる株式交換完全支配親法人株式の適格株式交換等の直前の帳簿価額に含まれるものとする。(令119の10④)

(二)　その買戻しをした有価証券のその買戻しに係る対価の額

　　　（有価証券の信用取引又は発行日取引をした場合の譲渡利益額又は譲渡損失額の計算）
(31)　内国法人が、**信用取引**又は**発行日取引**の方法により、株式の売付け又は買付けをし、その後にその株式と銘柄を同じくする株式の買付け又は売付けをして決済をした場合における**1**の適用については、**譲渡利益額**は次の(一)に掲げる金額が(二)に掲げる金額を超える場合におけるその超える部分の金額とし、譲渡損失額は(二)に掲げる金額が(一)に掲げる金額を超える場合におけるその超える部分の金額とし、譲渡に係る契約をした日はその**決済に係る買付け又は売付けの契約をした日**とする。(法61の2㉑)
(一)　その売付けをした株式のその売付けに係る対価の額
(二)　その買付けをした株式のその買付けに係る対価の額

(信用取引等に係る売付け及び買付けに係る対価の額)
(32)　(31)に掲げる譲渡利益額又は譲渡損失額の計算に当たり、信用取引又は発行日取引（以下(33)までにおいて「**信用取引等**」という。）の方法により株式の売付け又は買付けを行った者が、当該信用取引等に関し、証券業者等に支払う又は証券業者等から支払を受ける次に掲げるものは、それぞれ次による。ただし、売買委託手数料の額及び権利処理価額に相当する金額を除き、これらのものを売付けに係る対価の額（(31)の(一)に掲げる売付けに係る対価の額をいう。以下(32)において同じ。）又は買付けに係る対価の額（(31)の(二)に掲げる買付けに係る対価の額をいう。以下(32)において同じ。）に含めず、その発生に応じ収益又は費用として益金の額又は損金の額に算入している場合には、継続適用を条件としてこれを認める。（基通２－３－２・編者補正）
　(一)　売付けを行った者が証券業者等から支払を受ける金利に相当する額は、売付けに係る対価の額に含める。
　(二)　売付けを行った者が証券業者等に支払う買委託手数料及び品貸料の額は、買付けに係る対価の額に含める。
　(三)　買付けを行った者が証券業者等に支払う買委託手数料、名義書換料及び金利に相当する額は、買付けに係る対価の額に含める。
　(四)　買付けを行った者が証券業者等から支払を受ける品貸料の額は、売付けに係る対価の額に含める。
　(五)　買付けを行った者が証券業者等から支払を受ける配当落調整額及び権利処理価額に相当する額は、買付けに係る対価の額から控除し、売付けを行った者が証券業者等に支払う配当落調整額及び権利処理価額に相当する額は、売付けに係る対価の額から控除する。
　　　注　配当落調整額とは、信用取引等に係る株式につき配当が付与された場合において、証券業者等が売付けを行った者から徴収し又は買付けを行った者に支払う当該配当に相当する金銭の額をいい、権利処理価額とは、信用取引等に係る株式につき、株式分割、株式無償割当て及び会社分割による株式を受ける権利、新株予約権（投資信託及び投資法人に関する法律第２条第17項《定義》に規定する新投資口予約権を含む。以下(32)において同じ。）又は新株予約権の割当てを受ける権利（以下(32)において「株式を受ける権利等」という。）が付与された場合において、証券業者等が売付けを行った者から徴収し又は買付けを行った者に支払う当該株式を受ける権利等に相当する金銭の額をいう。

(信用取引等の決済約定日後に授受される配当落調整額)
(33)　信用取引等の決済に係る約定が成立した日後に配当落調整額の授受が行われると見込まれる場合における(32)本文の適用は、次による。（基通２－３－３）
　(一)　当該配当落調整額は、当該決済に係る約定が成立した日の現況により適正に見積もった金額とする。
　(二)　(一)により見積もった配当落調整額と実際に授受された配当落調整額とが異なることとなった場合には、当該実際に授受された配当落調整額との差額は、当該差額を授受する日の属する事業年度の益金の額又は損金の額に算入する。

２　有価証券の区分変更によるみなし譲渡

①　売買目的有価証券の区分変更によるみなし譲渡

　内国法人が売買目的有価証券を有する場合において、当該売買目的有価証券について次の表の左欄に掲げる事実が生じた場合には、その事実が生じた時において、当該有価証券をその時における価額により譲渡し、かつ、同表の左欄に掲げる事実の区分に応じそれぞれ同表の右欄に掲げる有価証券を当該価額により取得したものとみなして、その内国法人の各事業年度の所得の金額を計算する。（法61の２㉒、令119の11①②）

イ	一の１の⑤《企業支配株式等》に掲げる場合に該当することとなったこと。	満期保有目的等有価証券
ロ	一の１の②《売買目的有価証券》に掲げる短期売買目的で有価証券の売買を行う業務の全部を廃止したこと。	満期保有目的等有価証券（その事実が生じた時において取得するものとした場合に満期保有目的等有価証券に該当することとなるもの〔以下ロにおいて「満期保有目的該当有価証券」という。〕に限る。）又はその他有価証券（満期保有目的該当有価証券を除く。）

(短期売買業務の廃止に伴う売買目的有価証券から満期保有目的等有価証券又はその他有価証券への区分変更)
　①の表のロに掲げる短期売買業務の全部を廃止したことという事実は、反復継続して行う有価証券の売買を主たる業務として又は従たる業務として営んでいる法人が、その業務を行っている事業所、部署等の撤収、廃止等をし、当該法人が当該業務そのものを行わないこととしたことをいうのであるから、単に、保有する①に掲げる売買目的有価証券の売却を行わないこととしたことは上記の事実に該当しないことに留意する。（基通２－１－23の２）

注　本文の適用は、事業所ごと、かつ、**一**の1の表の②《売買目的有価証券》の**イ**の(イ)に掲げる「専担者売買有価証券」、同表の②の**イ**の(ロ)に掲げる「短期売買有価証券」又は同表の②の**ロ**に掲げる「信託財産に属する有価証券」の区分ごとに判定する。

②　企業支配株式等の区分変更によるみなし譲渡

内国法人が企業支配株式等を有する場合において、当該企業支配株式等について次の表の左欄に掲げる事実が生じた場合には、その事実が生じた時において、その事実が生じた時の直前におけるその有価証券の帳簿価額により譲渡し、かつ、同表の左欄に掲げる事実に応じ同表の右欄に掲げる有価証券を当該価額により取得したものとみなして、その内国法人の各事業年度の所得の金額を計算する。（法61の2㉒、令119の11①②）

一の1の⑤《企業支配株式等》に掲げる場合に該当しなくなったこと	売買目的有価証券（その事実が生じた時において取得するものとした場合に売買目的有価証券に該当することとなるもの〔以下②において「売買目的該当有価証券」という。〕に限る。）又はその他有価証券（売買目的該当有価証券を除く。）

③　その他有価証券の区分変更によるみなし譲渡

内国法人がその他有価証券を有する場合において、当該その他有価証券について次の表の左欄に掲げる事実が生じた場合には、その事実が生じた時において、当該有価証券をその時における価額（**イ**に掲げる事実が生じた場合のその有価証券については、その事実が生じた時の直前におけるその有価証券の帳簿価額）により譲渡し、かつ、同表の左欄に掲げる事実の区分に応じそれぞれ同表の右欄に掲げる有価証券を当該価額により取得したものとみなして、その内国法人の各事業年度の所得の金額を計算する。（法61の2㉒、令119の11①②）

イ	**一**の1の⑤《企業支配株式等》に掲げる場合に該当することとなったこと。	満期保有目的等有価証券
ロ	法令の規定に従って新たに短期売買業務を行うこととなったことに伴い、当該その他有価証券を**一**の1の②《売買目的有価証券》に掲げる短期売買目的で有価証券の売買を行う業務に使用することとなったこと。	売買目的有価証券

④　分離適格振替有価証券の元利分離によるみなし譲渡

内国法人が社債、株式等の振替に関する法律第90条第1項《定義》に規定する分離適格振替国債である有価証券（以下⑤までにおいて「**分離適格振替有価証券**」という。）を有する場合において、当該分離適格振替有価証券について同項に規定する元利分離が行われた場合には、当該事実が生じた時において、当該分離適格振替有価証券を当該事実が生じた時の直前の帳簿価額により譲渡し、かつ、当該分離適格振替有価証券に係る**分離元本振替有価証券**（同条第2項に規定する分離元本振替国債である有価証券をいう。以下⑤までにおいて同じ。）及び**分離利息振替有価証券**（同条第3項に規定する分離利息振替国債である有価証券をいう。以下⑤までにおいて同じ。）をそれぞれ**分離元本簿価**（当該分離適格振替有価証券の当該帳簿価額に次の表の**イ**に掲げる金額のうちに同表の**ロ**に掲げる金額の占める割合を乗じて計算した金額をいう。）及び分離利息簿価（当該分離適格振替有価証券の当該帳簿価額に同表の**イ**に掲げる金額のうちに同表の**ハ**に掲げる金額の占める割合を乗じて計算した金額をいう。）により取得したものとみなして、その内国法人の各事業年度の所得の金額を計算する。（法61の2㉒、令119の11①③）

イ	当該分離適格振替有価証券について社債、株式等の振替に関する法律第93条第1項《元利分離手続》の申請（同法第48条《日本銀行が国債の振替に関する業務を営む場合の特例》の規定による読替え後の同法第93条第8項の規定による元利分離の決定を含む。）が行われた時（**ロ**及び**ハ**において「分離請求時」という。）における分離元本振替有価証券の価額と分離利息振替有価証券の価額の総額との合計額
ロ	分離請求時における当該分離元本振替有価証券の価額
ハ	分離請求時における当該分離利息振替有価証券の価額

注　④において、当該分離元本振替有価証券及び分離利息振替有価証券は、当該分離適格振替有価証券と区分（**一**の3の①の(1)《有価証券の目的別区分》又は同①の(2)《保険会社等の有する有価証券の目的別等区分》の有価証券の区分をいう。⑤において同じ。）を同じくする有価証券とみなす。（令119の11③後段）

⑤　分離適格振替有価証券の統合によるみなし譲渡

内国法人が分離元本振替有価証券及び分離利息振替有価証券（当該分離元本振替有価証券と区分を同じくするものに限

る。以下⑤において同じ。）について社債、株式等の振替に関する法律第94条第1項《元利統合手続》に規定する統合（以下⑤において「統合」という。）が行われた場合には、当該事実が生じた時において、当該分離元本振替有価証券及び分離利息振替有価証券をそれぞれ当該事実が生じた時の直前の帳簿価額により譲渡し、かつ、当該分離元本振替有価証券及び分離利息振替有価証券に係る分離適格振替有価証券を当該分離元本振替有価証券及び分離利息振替有価証券の当該帳簿価額の合計額により取得したものとみなして、その内国法人の各事業年度の所得の金額を計算する。（法61の2㉒、令119の11①④）

注　⑤において、当該分離適格振替有価証券は、当該分離元本振替有価証券及び分離利息振替有価証券と区分を同じくする有価証券とみなす。（令119の11④後段）

⑥　合併等により親法人株式を交付しようとする場合のみなし譲渡

内国法人が、自己を合併法人、分割承継法人又は株式交換完全親法人とする合併、分割又は株式交換（以下⑥において「**合併等**」という。）により**親法人株式**（その内国法人との間に当該内国法人の発行済株式又は出資〔自己が有する自己の株式又は出資を除く。以下同じ。〕の全部を直接又は間接に保有する関係として合併等の直前に当該内国法人と当該内国法人以外の法人との間に当該法人による完全支配関係がある法人に該当することが当該合併等に係る契約をする日〔以下⑥において「**契約日**」という。〕において見込まれる法人の株式をいう。以下⑥において同じ。）を交付しようとする場合において、契約日に親法人株式を有していたとき、又は契約日後に（1）に掲げる事由により親法人株式の移転を受けたときは、当該契約日又は当該移転を受けた日（以下⑥において「**契約日等**」という。）において、これらの親法人株式（その交付しようとすることが見込まれる数を超える部分の数として(2)に掲げるものを除く。以下⑥において同じ。）を当該契約日等における価額により譲渡し、かつ、これらの親法人株式をその価額により取得したものとみなして、当該内国法人の各事業年度の所得の金額を計算する。（法61の2㉓、令119の11の2①）

注　内国法人が契約日後に(1)に掲げる事由により親法人株式の移転を受けた場合における当該親法人株式で⑥の適用を受ける前のものについては、当該内国法人の当該移転前から有していた親法人株式と銘柄が異なる株式(出資を含む。)として、一《有価証券の意義等》及び二《有価証券の譲渡益又は譲渡損の益金又は損金算入》を適用する。（令119の11の2④）

（親法人株式の移転事由）
(1)　⑥に掲げるみなし譲渡の適用がある事由は、次に掲げる事由（これらの事由により⑥に掲げる見込まれる法人〔当該見込まれる法人が分割承継法人となる(三)に掲げる事由のうち第二章第一節の二《定義》の表の**12の9**《分割型分割》の表のイに掲げる分割対価資産の全てが分割法人の株主等に直接に交付される分割型分割以外の事由にあっては、当該事由に係る分割法人〕から親法人株式の移転を受ける場合におけるこれらの事由を除く。）とする。（法61の2㉓、令119の11の2②）

(一)　当該内国法人を合併法人、分割承継法人、被現物出資法人又は被現物分配法人とする適格合併若しくは適格合併に該当しない合併で第三十三款の一《譲渡損益調整資産に係る譲渡利益額又は譲渡損失額の繰延べ》の適用があるもの（適格合併に該当しない合併にあっては、当該親法人株式が同一の(1)《譲渡損益調整資産の意義》に掲げる譲渡損益調整資産に該当する場合における当該合併に限る。）、適格分割、適格現物出資又は適格現物分配

(二)　当該内国法人が旧株（当該内国法人が有していた株式〔出資を含む。以下(1)において同じ。〕をいう。）を発行した法人の1の(4)《合併の場合の有価証券の譲渡対価の額》に掲げる金銭等不交付合併により当該金銭等不交付合併に係る合併法人から親法人株式の交付を受けた場合における当該金銭等不交付合併

(三)　当該内国法人が所有株式（当該内国法人が有する株式をいう。）を発行した法人の1の(6)《分割型分割により新株等の交付を受けた場合の譲渡対価の額及び譲渡原価の額》に掲げる金銭等不交付分割型分割により第二章第一節の二の表の**12の9**《分割型分割》のイに掲げる分割対価資産の交付を受けた場合で当該分割対価資産が親法人株式であるときにおける当該金銭等不交付分割型分割

(四)　当該内国法人を分割法人とする適格分社型分割により親法人株式の交付を受けた場合における当該適格分社型分割

(五)　当該内国法人が所有株式（当該内国法人が有する株式をいう。）を発行した法人の1の(11)《株式分配により完全子法人株式の交付を受けた場合の譲渡対価の額及び譲渡原価の額》に掲げる金銭等不交付株式分配により第二章第一節の二の表の**12の15の2**に掲げる完全子法人の株式の交付を受けた場合で当該完全子法人の株式が親法人株式であるときにおける当該金銭等不交付株式分配

(六)　当該内国法人が旧株（当該内国法人が有していた株式をいう。）を発行した法人の1の(13)《株式交換により株式交換完全親法人の株式等以外の資産が交付されなかった場合の譲渡対価の額》に掲げる金銭等不交付株式交換により当該金銭等不交付株式交換に係る株式交換完全親法人から親法人株式の交付を受けた場合における当該金銭等不交付株式交換

(交付しようとすることが見込まれる数を超える部分の数)

（2）⑥に掲げる親法人株式の交付しようとすることが見込まれる数を超える部分の数は、当該内国法人の契約日等において有していた親法人株式の数（出資にあっては、金額。以下（2）において同じ。）及び当該契約日等において移転を受けた親法人株式の数の合計数（出資にあっては、合計額）が⑥に掲げる契約に基づき合併等により交付しようとする親法人株式の数を超える場合におけるその超える部分の数とする。（法61の2㉓、令119の11の2③）

三　売買目的有価証券の評価益又は評価損の益金又は損金算入等

1　有価証券の期末評価額

内国法人が事業年度終了の時において有する有価証券については、次の表の左欄に掲げる有価証券の区分に応じ同表の右欄に掲げる金額をもって、その時における評価額とする。（法61の3①）

①	売買目的有価証券	\multicolumn{2}{l	}{当該売買目的有価証券を**時価法**（事業年度終了の時において有する有価証券を銘柄の異なるごとに区別し、その銘柄の同じ有価証券について、その時における価額として次に掲げるところにより計算した金額をもって当該有価証券のその時における評価額とする方法をいう。）により評価した金額（以下1において「**時価評価金額**」という。）}
		\multicolumn{2}{l	}{（売買目的有価証券の時価評価金額） （1）時価評価金額は、事業年度終了の時において有する有価証券を銘柄の異なるごとに区分し、その銘柄を同じくする有価証券について、次の表の左欄に掲げる有価証券の区分に応じそれぞれ右欄に掲げる金額にその有価証券の数を乗じて計算した金額とする。（令119の13①）}
		イ	**取引所売買有価証券**（その売買が主として金融商品取引法第2条第16項《定義》に規定する金融商品取引所〔これに類するもので外国の法令に基づき設立されたものを含む。以下イ及びニにおいて「金融商品取引所」という。〕の開設する市場において行われている有価証券をいう。以下イにおいて同じ。）	金融商品取引所において公表された当該事業年度終了の日におけるその取引所売買有価証券の**最終の売買の価格**（公表された同日における最終の売買の価格がない場合には公表された同日における最終の気配相場の価格とし、その最終の売買の価格及びその最終の気配相場の価格のいずれもない場合にはその取引所売買有価証券の同日における売買の価格に相当する金額として同日前の最終の売買の価格又は最終の気配相場の価格が公表された日で当該事業年度終了の日に最も近い日におけるその最終の売買の価格又はその最終の気配相場の価格を基礎とした合理的な方法により計算した金額とする。）
		ロ	**店頭売買有価証券**（金融商品取引法第2条第8項第10号ハに規定する店頭売買有価証券をいう。以下ロにおいて同じ。）及び**取扱有価証券**（同法第67条の18第4号《認可協会への報告》に規定する取扱有価証券をいう。以下ロにおいて同じ。）	金融商品取引法第67条の19《売買高、価格等の通知等》の規定により公表された当該事業年度終了の日におけるその店頭売買有価証券又は取扱有価証券の**最終の売買の価格**（公表された同日における最終の売買の価格がない場合には公表された同日における最終の気配相場の価格とし、その最終の売買の価格及びその最終の気配相場の価格のいずれもない場合にはその店頭売買有価証券又は取扱有価証券の同日における売買の価格に相当する金額として同日前の最終の売買の価格又は最終の気配相場の価格が公表された日で当該事業年度終了の日に最も近い日におけるその最終の売買の価格又はその最終の気配相場の価格を基礎とした合理的な方法により計算した金額とする。）
		ハ	**その他価格公表有価証券**（イ又はロに掲げる有	価格公表者によって公表された当該事業年度終了の日におけるその当該その他価格公表有価証券の**最終の売買の価格**（公表

		価証券以外の有価証券のうち、価格公表者〔有価証券の売買の価格又は気配相場の価格を継続的に公表し、かつ、その公表する価格がその有価証券の売買の価格の決定に重要な影響を与えている場合におけるその公表をする者をいう。以下ハ及びニにおいて同じ。〕によって公表された売買の価格又は気配相場の価格があるものをいう。以下ハにおいて同じ。）	された同日における最終の売買の価格がない場合には公表された同日における最終の気配相場の価格とし、その最終の売買の価格及びその最終の気配相場の価格のいずれもない場合には当該その他価格公表有価証券の同日における売買の価格に相当する金額として同日前の最終の売買の価格又は最終の気配相場の価格が公表された日で当該事業年度終了の日に最も近い日におけるその最終の売買の価格又はその最終の気配相場の価格を基礎とした合理的な方法により計算した金額とする。）
	ニ	イからハまでに掲げる有価証券以外の有価証券（株式又は出資を除く。）	その有価証券に類似する有価証券について公表（金融商品取引所における公表、金融商品取引法第67条の19の規定による公表又は価格公表者による公表に限る。）がされた当該事業年度終了の日における最終の売買の価格又は利率その他の価格に影響を及ぼす指標に基づき合理的な方法により計算した金額
	ホ	イからニまでに掲げる有価証券以外の有価証券	その有価証券の当該事業年度終了の時における帳簿価額
②	**売買目的外有価証券**	当該売買目的外有価証券を**原価法**（事業年度終了の時において有する有価証券〔以下②において「期末保有有価証券」という。〕について、その時における**帳簿価額**〔償還期限及び償還金額の定めのある売買目的外有価証券〈償還期限に償還されないと見込まれる新株予約権付社債その他これに準ずるものを除く。以下②において「**償還有価証券**」という。〉にあっては、その償還有価証券を銘柄〈満期保有目的等有価証券とその他有価証券に区分した後のそれぞれの銘柄とする。〉の異なるごとに区別し、その銘柄の同じものについて、その償還有価証券の**当期末調整前帳簿価額**〈この原価法により評価する前の帳簿価額をいう。〉にその償還有価証券の当該事業年度に係る**五の(1)**《調整差益又は調整差損の意義》に掲げる調整差益又は調整差損に相当する金額を加算し、又は減算した金額〕をもって当該期末保有有価証券のその時における評価額とする方法をいう。）により評価した金額（令119の14）	

（償還有価証券の範囲）
（1） 償還有価証券とは、その有価証券を保有する法人にとって当該有価証券の償還期限が確定しており、かつ、その償還期限における償還金額が確定しているものをいうのであるから、当該有価証券が償還有価証券に該当するか否かの判定に当たり、次に掲げるものは、それぞれ次による。（基通2-1-33）
　（一）　抽選償還条項が付されている債券等のように期限前償還の可能性のあるものであっても、そのような期限前償還は考慮しないところにより、償還有価証券か否かを判定する。
　（二）　コマーシャル・ペーパー、譲渡性預金証書並びに取得期限及び取得金額の定めのある取得条項付株式又は全部取得条項付種類株式は、償還有価証券に該当する。
　（三）　第二十四款の一の(11)《有価証券等に組み込まれたデリバティブ取引の取扱い》に掲げる複合有価証券等（有価証券に限る。）であっても、同(11)に掲げる組込デリバティブ取引と区分された部分（償還期限及び償還金額があるものに限り、当該組込デリバティブ取引について同(11)の注3の適用を受ける場合を除く。）は、償還有価証券に該当する。

(四) 確定した償還期限の定めのないいわゆる永久債（償還権を発行者が有し契約条項等からみて償還の実行の可能性が極めて高いもので、かつ、償還時期及び償還金額が合理的に予測可能なものを除く。）は、償還有価証券に該当しない。

(五) 償還金額が変動する株価リンク債、他社株償還条項付社債等は、償還有価証券に該当しない。

(六) 次に掲げるものは、償還有価証券に該当しないものとして取り扱うことができる。

  イ 第一款の**四**の**8**の①の(1)《相当期間未収が継続した場合等の貸付金利子等の帰属時期の特例》に掲げる事実が生じている場合の有価証券又は発行者の経営状態・資産状態の悪化等に伴い償還金額の一部の償還が明らかに見込まれないものとなっている場合の有価証券

  ロ その償還の全部又は一部が6か月以上延滞している場合の定時償還条項付債券（債券発行後一定期間据え置いた後、一定期間ごとに一定額以上の償還を規則的に行い、償還期限に未償還残高を償還することが定められている債券をいう。）

  注1 転換社債型新株予約権付社債（募集事項において、社債と新株予約権がそれぞれ単独で存在し得ないこと及び新株予約権が付された社債を当該新株予約権の行使時における出資の目的とすることをあらかじめ明確にしている新株予約権付社債をいう。）は原則として償還有価証券に該当しない。

  ただし、いわゆる転換価額がその新株予約権の行使の対象となる株式の相場を大きく上回り、将来的にも全くその行使の可能性がないと認められる場合には、1の②《売買目的外有価証券》に掲げる「償還期限に償還されないと見込まれる新株予約権付社債」に当たらないため、償還有価証券に該当する。

  注2 上記(六)は、これらに掲げる事実がその有価証券の取得後に生じた場合における当該事実が生じた事業年度以後の当該有価証券の判定について、同様とする。

(合理的な方法により計算した場合の書類の保存)

(2) 内国法人は、**1**の表の①《売買目的有価証券》の本文に掲げるところにより計算した金額を計算する場合において、(1)の表の**イ**から**二**までの合理的な方法によったときは、その方法を採用した理由及びその方法による計算の基礎とした事項を記載した書類を保存しなければならない。（令119の13②）

(原価法——期末時評価による評価損益を純資産の部に計上している場合の期末帳簿価額)

(3) 事業年度終了の時（以下(3)において「期末時」という。）に有する**1**の表の②の左欄に掲げる売買目的外有価証券（**一**の**1**《用語の意義》の表の④に掲げる「その他有価証券」に限る。以下(3)において同じ。）について、期末時における価額をもって当該売買目的外有価証券の当該期末時における評価額とし、かつ、当該評価によって生じた評価損益の金額（当該評価額と**1**の表の②の右欄に掲げる帳簿価額との差額をいう。）の全額をいわゆる洗替方式により純資産の部に計上している場合であっても、当該有価証券の同表の②の右欄に掲げる帳簿価額は、当該期末時の評価を行う前の金額となることに留意する。（基通2－3－19）

  注 上記の評価を行っている場合における次に掲げる事項は、それぞれ次によることに留意する。

  イ 純資産の部に計上した評価損益に相当する金額は、第二章第一節の**二**の表の**16**《資本金等の額》及び**18**《利益積立金額》に掲げる資本金等の額及び利益積立金額に該当しない。

  ロ 「評価損益の金額の全額をいわゆる洗替方式により純資産の部に計上している場合」には、税効果会計に基づき、当該評価損益の金額の一部に相当する金額を繰延税金資産又は繰延税金負債として計上している場合が含まれる。

(市場有価証券等の区分及び時価評価金額)

(4) 売買目的有価証券に係る**1**の表の①の(1)の表の**イ**から**ハ**までの左欄に掲げる有価証券の区分及び**1**の表の①に掲げる時価評価金額の算定に当たっては、それぞれ次のことに留意する。（基通2－3－29）

(一) **1**の表の①の(1)の表の**イ**の左欄に掲げる「その売買が主として金融商品取引法第2条第16項《定義》に規定する金融商品取引所……の開設する市場において行われている有価証券」であるかどうかは、その有価証券の売買取引が金融商品取引所（金融商品取引所に類するもので外国の法令に基づき設立されたものを含む。以下(4)において同じ。）の開設する市場において最も活発に行われているかどうかにより判定する。この場合、当該市場において最も活発に行われているかどうか明らかでないものは、原則として、我が国における売買取引の状況により判定するものとするが、その有価証券が金融商品取引所に類するもので外国の法令に基づき設立されたものの開設する市場において実際に取得されたものであるときは、同表の**イ**の左欄に掲げる有価証券として取り扱って差し支えない。

(二) **1**の表の①の(1)の表の**ハ**の左欄に掲げる「その公表する価格がその有価証券の売買の価格の決定に重要な影響を与えている場合」とは、基本的には、**ブローカー**（銀行、証券会社等のように、金融資産の売買の媒介、取次ぎ若しくは代理の受託をする業者又は自己が買手若しくは売手となって店頭で金融資産の売買を成立させる業者を

いう。(6)、(8)及び(9)において同じ。)の公表する価格又は取引システムその他の市場において成立した価格がその時における価額を表すものとして一般的に認められている状態にあることをいうのであるから、単に売買実例があることのみでは、当該重要な影響を与えている場合に該当しない。

(三) 1の表の①の(1)の表の**イ**又は**ハ**の左欄に掲げる同一の区分に属する同一銘柄の有価証券について、同表の右欄に掲げる価格が2以上の活発な市場に存する場合には、主要な市場(当該有価証券の取引の数量及び頻度が最も大きい市場をいう。以下(4)において同じ。)における価格をもって時価評価金額とする。ただし、これら2以上の活発な市場のうちいずれの市場が主要な市場に該当するかどうかが明らかでない場合には、これら2以上の活発な市場のうち最も有利な市場(取引に係る付随費用を考慮した上で、売却価格を最大化できる市場をいう。)の価格をもって時価評価金額とする。

(取引所売買有価証券の気配相場)
(5) 1の表の①の(1)の表の**イ**の左欄に掲げる「取引所売買有価証券」の同表の**イ**の右欄に掲げる「最終の気配相場の価格」は、その日における最終の売り気配と買い気配の仲値とする。ただし、当該売り気配又は買い気配のいずれか一方のみが公表されている場合には、当該公表されている最終の売り気配又は買い気配とする。(基通2-3-30)
  注1 法人が、転換社債型新株予約権付社債(募集事項において、社債と新株予約権がそれぞれ単独で存在し得ないこと及び新株予約権が付された社債を当該新株予約権の行使時における出資の目的とすることをあらかじめ明確にしている新株予約権付社債をいう。)に係る最終の気配相場の価格として、取引所の定める基準値段(当該転換社債型新株予約権付社債について事業年度終了の日の翌日の呼値の制限値幅の基準となる価格をいう。)を使用しているときは、これを認める。
  注2 当該売り気配と買い気配の間の適切な価格を用いることとする旨及びその内容を予め定め、会計処理方針その他のものにより明らかにしている場合で、本文に定める方法に代えて当該予め定められた内容により決定される価格を継続して「最終の気配相場の価格」としているときは、これを認める。

(公表する価格の意義)
(6) 1の表の①の(1)の表の**ハ**の右欄に掲げる「当該事業年度終了の日における当該その他価格公表有価証券の最終の売買の価格」又は「最終の気配相場の価格」とは、同表の**ハ**の左欄に掲げる価格公表者によって公表される次に掲げる価格をいうことに留意する。この場合、当該価格は、法人が、各事業年度において同一の方法により入手又は算出する価格によるものとし、その入手価格は通常の方法により入手可能なもので差し支えないものとする。(基通2-3-31)
  (一) 複数の店頭市場の情報を集計し、提供することを目的として組織化された業界団体が公表した事業年度終了の日における最終の売買の価格(事業年度終了の日の社債の取引情報により証券業協会が公表する約定単価を基に当該法人が算定した平均値又は中央値を含む。)又は最終の気配相場の価格(事業年度終了の日の気配値に基づいて証券業協会が公表する公社債店頭売買参考統計値の平均値又は中央値を含む。)
  (二) 金融機関又は証券会社間の市場、ディーラー間の市場、電子媒体取引市場のように、当該法人が随時売買又は換金を行うことができる取引システムにおいて成立する事業年度終了の日における最終の売買の価格又は最終の気配相場の価格
  (三) ブローカーによって継続的に提示されている時価情報等のうち当該事業年度終了の日における最終の売買の価格又は最終の気配相場の価格(株式以外の有価証券については、当該ブローカーによって提示された合理的な方法により計算した価格を含む。)
    注 気配相場に係る価格の取扱いは、(5)を準用する。

(合理的な方法による価額の計算)
(7) 1の表の①の(1)の表に**イ**から**ニ**までに掲げる合理的な方法(以下(9)までにおいて「合理的な方法」という。)による同(1)の表の**イ**から**ホ**までに掲げる有価証券の当該事業年度終了の時の価額は、令和元年7月4日付企業会計基準第30号「時価の算定に関する会計基準」に定める算定方法などにより計算するのであるが、それぞれの方法による計算の基礎とする事項として用いられる市場価格、利率、信用度、株価変動性又は市場の需給動向等の経済指標などの指標は、客観的なものを最大限使用し、最も適切な金額となるよう計算することに留意する。(基通2-3-32)

(第三者から入手した価格)
(8) 法人(金融機関等に該当するもの及び当該法人が属する企業集団の総資産の大部分を金融資産が占め、かつ、総負債の大部分を金融負債及び保険契約から生じる負債が占める場合の当該法人を除く。)が、1の表の①の(1)の表に**イ**から**ニ**までにより有価証券の価額を計算する場合において、取引金融機関、ブローカー又は情報ベンダー(投資に

関する情報を提供することを業としている者で、時価情報等の提供を行っている者をいう。以下(9)において同じ。)等の第三者から入手する価格が(7)の取扱いの例により計算されたものと認められるときは、**1**の表の①の(1)の表に**イ**から**ニ**に掲げる合理的な方法により計算した金額に該当するものとする。(基通2-3-33)

(売買目的有価証券の時価評価金額に関する書類の保存)
(9) (2)《合理的な方法により計算した場合の書類の保存》に掲げる書類は、合理的な方法に当たるものとして採用した方法についてその採用に係る意思決定に関する資料及び合理的な方法による計算の基礎となる事項として用いられた市場価格、利率、信用度、株価変動性又は市場の需給動向等の経済指標などの指標が記載された資料が該当する。
なお、法人が(8)の取扱いを適用する場合における(2)に掲げる書類は、取引金融機関、ブローカー又は情報ベンダー等の第三者から入手する価格が記載された書類が該当する。(基通2-3-34)

2 売買目的有価証券の評価益又は評価損の益金又は損金算入

内国法人が事業年度終了の時において売買目的有価証券を有する場合には、当該売買目的有価証券に係る**評価益**(当該売買目的有価証券の時価評価金額が当該売買目的有価証券のその時における帳簿価額〔以下**2**において「期末帳簿価額」という。〕を超える場合におけるその超える部分の金額をいう。以下**3**までにおいて同じ。)又は**評価損**(当該売買目的有価証券の期末帳簿価額が当該売買目的有価証券の時価評価金額を超える場合におけるその超える部分の金額をいう。以下**3**までにおいて同じ。)は、第九款の**一**の**1**《資産の評価益の益金不算入》又は同款の**二**の**1**《資産の評価損の損金不算入》にかかわらず、当該事業年度の所得の金額の計算上、益金の額又は損金の額に算入する。(法61の3②)

注 上記の期末帳簿価額とは、第九款の一の2《会社更生等による評価換えを行った場合の資産の評価益の益金算入》に掲げる評価換えをしてその帳簿価額を増額した場合にはその増額をした後の帳簿価額とし、同款の二の2《評価換えを行った場合の資産の評価損の損金算入》に掲げる評価換えをして損金経理によりその帳簿価額を減額した場合には同二の2に掲げる差額に達するまでの金額の減額をした後の帳簿価額とし、同款の二の3《会社更生等による評価換えを行った場合の資産の評価損の損金算入》に掲げる評価換えをしてその帳簿価額を減額した場合にはその減額をした後の帳簿価額とする。(法61の3④、令119の15⑥)

(売買目的有価証券の評価益又は評価損の翌事業年度における処理)
(1) 内国法人が**2**により当該事業年度の益金の額又は損金の額に算入した金額に相当する金額は、当該事業年度の翌事業年度の所得の金額の計算上、損金の額又は益金の額に算入する。(法61の3④、令119の15①)

(評価益又は評価損を計上した売買目的有価証券の翌事業年度首における帳簿価額)
(2) **2**により評価益又は評価損を当該事業年度の益金の額又は損金の額に算入した売買目的有価証券の当該事業年度の翌事業年度開始の時における帳簿価額は、その売買目的有価証券の**2**を適用した後の当該事業年度終了の時における帳簿価額から(1)により損金の額に算入される金額に相当する金額を減算し、又はその帳簿価額に(1)により益金の額に算入される金額に相当する金額を加算した金額とする。(法61の3④、令119の15④)

3 適格分割等により移転する売買目的有価証券の評価益又は評価損の益金又は損金算入

内国法人が適格分割、適格現物出資又は適格現物分配(適格現物分配にあっては、残余財産の全部の分配を除く。以下**3**において「**適格分割等**」という。)により分割承継法人、被現物出資法人又は被現物分配法人に売買目的有価証券を移転する場合には、当該適格分割等の日の前日を事業年度終了の日とした場合に**2**《売買目的有価証券の評価益又は評価損の益金又は損金算入》により計算される当該売買目的有価証券に係る評価益又は評価損に相当する金額は、第九款の**一**の**1**《資産の評価益の益金不算入》又は同款の**二**の**1**《資産の評価損の損金不算入》にかかわらず、当該適格分割等の日の属する事業年度の所得の金額の計算上、益金の額又は損金の額に算入する。(法61の3③)

(適格分割等により移転する売買目的有価証券の当該適格分割等の直前の帳簿価額)
(1) 内国法人が**3**の適用を受ける場合には、**3**に掲げる適格分割等により分割承継法人、被現物出資法人又は被現物分配法人に移転する売買目的有価証券の当該適格分割等の直前の帳簿価額は、当該売買目的有価証券につき**3**により評価益又は評価損に相当する金額を計算する場合の**2**《売買目的有価証券の評価益又は評価損の益金又は損金算入》の時価評価金額とする。(法61の3④、令119の15②)

(適格合併若しくは適格現物分配又は適格分割等により移転を受けた売買目的有価証券の評価益又は評価損の戻入れ)
(2) 内国法人が適格合併若しくは適格現物分配(残余財産の全部の分配に限る。以下(2)及び(3)において同じ。)又

は適格分割等により売買目的有価証券の移転を受けたときは、当該適格合併に係る被合併法人の最後事業年度（第三十四款の一の1の②《譲渡利益額又は譲渡損失額の最後事業年度の益金又は損金算入》に掲げる最後事業年度をいう。（3）において同じ。）若しくは当該適格現物分配に係る現物分配法人の当該残余財産の確定の日の属する事業年度又は当該適格分割等に係る分割法人、現物出資法人若しくは現物分配法人（（3）において「分割法人等」という。）の当該適格分割等の日の属する事業年度において当該移転を受けた売買目的有価証券につき**2**《売買目的有価証券の評価益又は評価損の益金又は損金算入》又は**3**により益金の額又は損金の額に算入された金額に相当する金額は、当該内国法人の当該適格合併の日の属する事業年度若しくは当該残余財産の確定の日の翌日の属する事業年度又は当該適格分割等の日の属する事業年度の所得の金額の計算上、損金の額又は益金の額に算入する。（法61の3④、令119の15③）

　　　（適格合併若しくは適格現物分配又は適格分割等により移転を受けた売買目的有価証券の移転時における帳簿価額）
（3）　内国法人が適格合併若しくは適格現物分配又は適格分割等により移転を受けた売買目的有価証券で、当該適格合併若しくは適格現物分配に係る被合併法人若しくは現物分配法人が**2**《売買目的有価証券の評価益又は評価損の益金又は損金算入》により評価益若しくは評価損を最後事業年度若しくは当該適格現物分配に係る残余財産の確定の日の属する事業年度の益金の額若しくは損金の額に算入したもの又は当該適格分割等に係る分割法人等が**3**により評価益若しくは評価損に相当する金額を当該適格分割等の日の属する事業年度の益金の額若しくは損金の額に算入したもののその移転を受けた時における帳簿価額は、その売買目的有価証券につき当該被合併法人若しくは現物分配法人において**2**を適用した後の当該最後事業年度終了の時若しくは当該残余財産の確定の時の帳簿価額若しくは当該分割法人等における当該適格分割等の直前の帳簿価額から（2）により損金の額に算入される金額に相当する金額を減算し、又はこれらの帳簿価額に（2）により益金の額に算入される金額に相当する金額を加算した金額とする。（法61の3④、令119の15⑤）

四　有価証券の空売り等に係る利益相当額又は損失相当額の益金又は損金算入等

1　有価証券の空売り等に係る利益相当額又は損失相当額の益金又は損金算入

　内国法人が**有価証券の空売り、信用取引、発行日取引**又は**有価証券の引受け**（売買目的外有価証券の取得を目的とするものを除く。**2**において同じ。）を行った場合において、これらの取引のうち事業年度終了の時において決済されていないものがあるときは、その時においてこれらの取引を決済したものとみなして（1）に掲げるところにより算出した利益の額又は損失の額に相当する金額（**2**において「みなし決済損益額」という。）は、当該事業年度の所得の金額の計算上、益金の額又は損金の額に算入する。（法61の4①）

　　　（有価証券の空売り等に係る利益相当額又は損失相当額）
（1）　**1**に掲げる利益の額又は損失の額に相当する金額は、次の表の左欄に掲げる取引の区分に応じそれぞれ同表の右欄に掲げる金額とする。（規27の6）

取引の区分		金　　額	
（一）	有価証券の空売り		その有価証券の空売りの方法により売付けをした有価証券（事業年度終了の時において決済されていないものに限る。）の当該事業年度終了の時における帳簿価額から当該有価証券の**三の1**の表の①の(1)《売買目的有価証券の時価評価金額》の表の**イ**から**ハ**までに掲げる金額に相当する金額（（二）において「時価評価額」という。）に当該有価証券の数を乗じて計算した金額を減算した金額
（二）	信用取引及び発行日取引		次の表の左欄に掲げる場合の区分に応じそれぞれ同表の右欄に掲げる金額	
		イ	信用取引又は発行日取引の方法により有価証券の売付けをしている場合	その売付けをした有価証券（事業年度終了の時において決済されていないものに限る。）のその売付けに係る対価の額から当該有価証券の時価評価額に当該有価証券の数を乗じて計算した金額を減算した金額
		ロ	信用取引又は発行日取引の方法により有価証券の買付けをしている場合	その買付けをした有価証券（事業年度終了の時において決済されていないものに限る。）の時価評価額に当該有価証券の数を乗じて計算した金額から当該有価証券のその

		買付けに係る対価の額を減算した金額
(三)	有価証券の引受け	その有価証券の引受けに係る有価証券（事業年度終了の時において決済されていないものに限る。）の三の1の表の①の(1)《売買目的有価証券の時価評価金額》の表のイからニまでに掲げる金額に相当する金額に当該有価証券の数を乗じて計算した金額から当該有価証券のその引受けに係る対価の額を減算した金額

（有価証券の空売りに係る利益相当額等の外貨換算）
（2）　1に掲げる利益の額又は損失の額に相当する金額の円換算は、当該事業年度終了の日の第二十六款の二の(1)《外貨建取引及び発生時換算法の円換算》に掲げる電信売買相場の仲値による。ただし、継続適用を条件として、当該利益の額に相当する金額については同(1)に掲げる電信買相場、当該損失の額に相当する金額については同(1)に掲げる電信売相場によることができるものとする。（基通2－1－48・編者補正）

（有価証券の空売り等に係る利益相当額又は損失相当額の翌事業年度における処理）
（3）　内国法人が1により当該事業年度の益金の額又は損金の額に算入した金額に相当する金額は、当該事業年度の翌事業年度の所得の金額の計算上、損金の額又は益金の額に算入する。（法61の4④、令119の16①）

2　適格分割等により空売り等に係る契約を移転する場合の当該空売り等に係るみなし決済損益額に相当する金額の益金又は損金算入

　内国法人が適格分割又は適格現物出資（以下2において「適格分割等」という。）により空売り等（有価証券の空売り、信用取引、発行日取引及び有価証券の引受けをいう。以下2において同じ。）に係る契約を分割承継法人又は被現物出資法人に移転する場合には、当該適格分割等の日の前日を事業年度終了の日とした場合に1《有価証券の空売り等に係る利益相当額又は損失相当額の益金又は損金算入》により計算される当該空売り等に係るみなし決済損益額に相当する金額は、当該適格分割等の日の属する事業年度の所得の金額の計算上、益金の額又は損金の額に算入する。（法61の4②）

（適格合併又は適格分割等により移転を受けた有価証券の空売り等に係る契約のみなし決済損益額に相当する金額の戻入れ）

　内国法人が適格合併又は適格分割等により空売り等に係る契約の移転を受けたときは、当該適格合併に係る被合併法人の第三十四款の一の1の②《譲渡利益額又は譲渡損失額の最後事業年度の益金又は損金算入》に掲げる最後事業年度又は当該適格分割等に係る分割法人若しくは現物出資法人の当該適格分割等の日の属する事業年度において当該移転を受けた空売り等に係る契約につき1《有価証券の空売り等に係る利益相当額又は損失相当額の益金又は損金算入》又は2により益金の額又は損金の額に算入された金額に相当する金額は、当該内国法人の当該適格合併又は適格分割等の日の属する事業年度の所得の金額の計算上、損金の額又は益金の額に算入する。（法61の4④、令119の16②）

3　信用取引等による有価証券の取得

　内国法人が信用取引等（信用取引〔買付けに限る。〕及び発行日取引〔買付けに限る。〕をいう。以下3において同じ。）に係る契約に基づき有価証券を取得した場合（第二十五款の一の1《繰延ヘッジ処理による利益額又は損失額の繰延べ》の適用を受ける信用取引等に係る契約に基づき当該有価証券を取得した場合を除く。）には、その取得の時における当該有価証券の価額とその取得の基因となった信用取引等に係る契約に基づき当該有価証券の取得の対価として支払った金額との差は、当該取得の日の属する事業年度の所得の金額の計算上、益金の額又は損金の額に算入する。（法61の4③）

五　償還有価証券の調整差益又は調整差損の益金又は損金算入

　内国法人が事業年度終了の時において**償還有価証券**（三の1《有価証券の期末評価額》の表の②の右欄に掲げる償還有価証券をいう。以下同じ。）を有する場合には、その償還有価証券に係る**調整差益**又は**調整差損**は、当該事業年度の所得の金額の計算上、益金の額又は損金の額に算入する。（法65、令139の2①）

（調整差益又は調整差損の意義）
（1）　**五**に掲げる調整差益とは、内国法人が当該事業年度終了の時において有する償還有価証券（満期保有目的等有価証券とその他有価証券に区分した後のそれぞれの銘柄を同じくする償還有価証券とする。以下同じ。）の当期末額面合計額がその償還有価証券の当期末調整前帳簿価額を超える場合のその超える部分の金額に次の表の左欄に掲げる場合

の区分に応じそれぞれ同表の右欄に掲げる割合を乗じて計算した金額をいい、**五**に掲げる調整差損とは、その償還有価証券の当期末調整前帳簿価額がその償還有価証券の当期末額面合計額を超える場合のその超える部分の金額に次の表の左欄に掲げる場合の区分に応じそれぞれ同表の右欄に掲げる割合を乗じて計算した金額をいう。(法65、令139の2②)

		次に掲げる割合を合計した割合	
(一)	当期末額面合計額が前期末額面合計額を超える場合	イ	その当期末額面合計額からその前期末額面合計額を控除した金額をその当期末額面合計額で除して計算した割合に取得後日数割合(当該事業年度の日数を2で除して計算した数〔以下(一)において「当期保有日数」という。〕をその当期保有日数に当該事業年度の翌事業年度開始の日からその償還有価証券の償還日までの期間の日数〔ロにおいて「翌期以降の日数」という。〕を加算した数で除して計算した割合をいう。)を乗じて計算した割合
		ロ	その前期末額面合計額をその当期末額面合計額で除して計算した割合に当期日数割合(当該事業年度の日数をその日数と翌期以降の日数との合計数で除して計算した割合をいう。以下(二)において同じ。)を乗じて計算した割合
(二)	当期末額面合計額が前期末額面合計額以下の場合	当期日数割合	

注1 「当期末額面合計額」とは、当該事業年度終了の時におけるその償還有価証券の償還金額の合計額をいい、「前期末額面合計額」とは、当該事業年度の前事業年度終了の時におけるその償還有価証券と銘柄を同じくする償還有価証券の償還金額の合計額をいう。
注2 「当期末調整前帳簿価額」とは、三の1《有価証券の期末評価額》の表の②の右欄に掲げる当期末調整前帳簿価額(調整差益又は調整差損を帳簿価額に加減算する前の帳簿価額)をいう。

(当期保有日数の実日数計算)
(2) 内国法人が償還有価証券を取得した日の属する事業年度(以下(2)において「取得事業年度」という。)におけるその償還有価証券に係る調整差益又は調整差損の金額の計算をする場合において、その償還有価証券と銘柄を同じくする有価証券を当該取得事業年度の前事業年度終了の時において有しておらず、かつ、当該取得事業年度においてその償還有価証券と銘柄を同じくする有価証券の他の取得がないときは、(1)の表の(一)の右欄のイ中「当該事業年度の日数を2で除して計算した数」とあるのは、「その償還有価証券の取得の日から当該事業年度終了の日までの期間の日数」と読み替えて、(1)を適用することができる。(法65、令139の2③)

(適格分割等を行った場合の償還有価証券の調整差益又は調整差損)
(3) 内国法人が当該事業年度において適格分割、適格現物出資又は適格現物分配(適格現物分配にあっては、残余財産の全部の分配を除く。以下(3)において「適格分割等」という。)によりその有する償還有価証券の全部又は一部を分割承継法人、被現物出資法人又は被現物分配法人に移転した場合には、当該償還有価証券については、当該事業年度開始の日から当該適格分割等の日の前日までの期間及び当該適格分割等の日から当該事業年度終了の日までの期間をそれぞれ1事業年度とみなして、**五**を適用する。(法65、令139の2④)

(月数計算の特例)
(4) (1)((2)により読み替えて適用する場合を含む。)の適用については、(1)中「日数」とあるのは、「月数」とすることができる。この場合において、月数は暦に従って計算し、1か月に満たない端数を生じたときは、これを1か月とする。(法65、令139の2⑤)

(償還有価証券に係る調整差損益の計上)
(5) 償還有価証券をその償還金額に満たない価額で取得した場合又は償還金額を超える価額で取得した場合における**五**の適用に当たっては、次のことに留意する。(基通2-1-32)
　(一) 調整差益又は調整差損(以下(5)において「調整差損益」という。)は、償還有価証券の銘柄の異なるごとに(1)から(4)までに掲げる方法《定額法》により計算し、益金の額又は損金の額に算入する。
　(二) (4)は継続適用を前提としてこれを適用する。

(三) 外貨建ての償還有価証券については、外国通貨表示の金額により算出した調整差損益を継続適用を条件として次のいずれかの外国為替の売買相場（以下(三)において「為替相場」という。）により円換算を行う。ただし、第二十六款の三の2《先物外国為替契約等により決済時の外国通貨の円換算額を確定させた外貨建資産等の換算》の適用がある場合には、当該償還有価証券の円換算に使用した為替相場により円換算を行う。

　イ　当該事業年度における期中平均相場（当該事業年度の当該償還有価証券の保有期間又は当該事業年度における第二十六款の二の(1)《外貨建取引及び発生時換算法の円換算》に掲げる電信売買相場の仲値の平均値又は同二の(1)に掲げる電信買相場の平均値をいう。）

　ロ　第二十六款の四の1の(3)《期末時換算法——事業年度終了の時における為替相場》に掲げる為替相場

　　注　三の1《有価証券の期末評価額》の表の②に掲げる帳簿価額は、外国通貨表示の金額により算出した調整差損益を第二十六款の四の1《外貨建資産等の期末換算》の表の②のロの右欄に掲げる「発生時換算法又は期末時換算法」により円換算した金額を加減算して算出する。

(四)　第九款の一の2《会社更生等による評価換えを行った場合の資産の評価益の益金算入》の表に掲げる評価換え又は同款の二の2《評価換えを行った場合の資産の評価損の損金算入》及び同二の3《会社更生等による評価換えを行った場合の資産の評価損の損金算入》に掲げる評価換えは、三の1《有価証券の期末評価額》の表の②の右欄を適用した後の金額に基づき行う。

(五)　調整差損益を帳簿価額に加算又は減算した場合には、その有価証券の一単位当たりの帳簿価額についても、加算又は減算を行う。

(六)　第二十六款の三の2《先物外国為替契約等により決済時の外国通貨の円換算額を確定させた外貨建資産等の換算》の適用がある場合において、当該償還有価証券（一の1の表の③《満期保有目的等有価証券》のイに掲げる有価証券に限る。）に係る調整差損益を第二十六款の五の1《為替予約差額の配分》に掲げる為替予約差額の直先差額に含めて各事業年度の益金の額又は損金の額に配分しているときは、継続適用を条件としてこれを認める。

第二十四款　デリバティブ取引

第二十五款　ヘッジ処理

　については収録を割愛し、本書Web版にのみ収録しているので、そちらを参照されたい。

第二十六款　外貨建取引の換算等

一　用語の意義

第二十六款《外貨建取引の換算等》における用語の意義は、それぞれ次に掲げるところによる。

1	外貨建取引	外国通貨で支払が行われる資産の販売及び購入、役務の提供、金銭の貸付け及び借入れ、剰余金の配当その他の取引をいう。（法61の8①）
2	円換算額	外国通貨で表示された金額を本邦通貨表示の金額に換算した金額をいう。（法61の8①）
3	先物外国為替取引	外国通貨をもって表示される支払手段（外国為替及び外国貿易法第6条第1項第7号《定義》に規定する支払手段をいう。）又は外貨債権（外国通貨をもって支払を受けることができる債権をいう。）の売買契約に基づく債権の発生、変更又は消滅に係る取引をその売買契約の締結の日後の一定の時期に一定の外国為替の売買相場により実行する取引をいう。（規27の7①Ⅵ）
4	先物外国為替契約	先物外国為替取引に係る契約のうち外貨建資産・負債の取得又は発生の基因となる外貨建取引に伴って支払い、又は受け取る外国通貨の金額の円換算額を確定させる契約をいう。（法61の8④、令122①、規27の10①） 注　「外貨建資産・負債」については、三の3《先物外国為替契約により発生時の外国通貨の円換算額を確定させた外貨建資産・負債の換算》を参照。
5	先物外国為替契約等	**先物外国為替契約**又は金融商品取引法第2条第20項《定義》に規定するデリバティブ取引に係る契約のうちその取引の当事者が元本及び利息として定めた外国通貨の金額についてその当事者間で取り決めた外国為替の売買相場に基づき金銭の支払を相互に約する取引に係る契約（次に掲げるいずれかの要件を満たすものに限る。）をいう。（法61の8②、規27の11①）

	①	その契約の締結に伴って支払い、又は受け取ることとなる外貨元本額（その取引の当事者がその取引の元本として定めた外国通貨の金額をいう。以下5において同じ。）の円換算額が満了時円換算額（その契約の期間の満了に伴って受け取り、又は支払うこととなる外貨元本額の円換算額をいう。以下5において同じ。）と同額となっていること。
	②	その契約に係る満了時円換算額がその契約の期間の満了の日を外国為替の売買の日とする先物外国為替契約に係る外国為替の売買相場により外貨元本額を円換算額に換算した金額に相当する金額となっていること。

6	外貨建資産等	次の表の掲げる資産及び負債をいう。（法61の9①、規27の12）

	①	**外貨建債権**（外国通貨で支払を受けるべきこととされている金銭債権をいう。以下同じ。）及び**外貨建債務**（外国通貨で支払を行うべきこととされている金銭債務をいう。以下同じ。）	
	②	外貨建有価証券（次に掲げる有価証券をいう。）	
		イ	その償還が外国通貨で行われる債券
		ロ	残余財産の分配が外国通貨で行われる株式
		ハ	イ又はロに掲げる有価証券に準ずる有価証券
	③	外貨預金	
	④	外国通貨	

第三章　第一節　第二十六款《外貨建取引の換算等》

　　　　（いわゆる外貨建て円払いの取引）
（1）　外貨建取引は、その取引に係る支払が外国通貨で行われるべきこととされている取引をいうのであるから、例えば、債権債務の金額が外国通貨で表示されている場合であっても、その支払が本邦通貨により行われることとされているものは、ここでいう外貨建取引には該当しないことに留意する。（基通13の2－1－1）

　　　　（前渡金、未収収益等）
（2）　外貨建取引に関して支払った前渡金又は収受した前受金で資産の売買代金に充てられるものは、**外貨建債権債務**（外貨建債権又は外貨建債務をいう。以下同じ。）に含まれない。ただし、外貨建取引に係る未収収益又は未払費用は、外貨建債権債務に該当するものとして取り扱う。（基通13の2－2－1）

　　　　（先物外国為替契約等の範囲──選択権付為替予約）
（3）　法人が、選択権付為替予約をしている場合において、当該選択権付為替予約に係る選択権の行使をしたときは、その選択権の行使をした日が**三の2**《先物外国為替契約等により決済時の外国通貨の円換算額を確定させた外貨建資産等の換算》に掲げる先物外国為替契約等の締結の日となることに留意する。この場合、オプション料に相当する金額は、**五の1**《為替予約差額の配分》に掲げる為替予約差額の直先差額に含めて各事業年度の益金の額又は損金の額として配分する。（基通13の2－2－3）

二　外貨建取引に係る会計処理等

　　法人の各事業年度において生じた外貨建取引に係る会計処理等については、次によるものとする。

　　　　（外貨建取引及び発生時換算法の円換算）
（1）　**三の1**《外貨建取引の換算》及び**四の1の(1)の表の(一)**《発生時換算法》に基づく円換算（**三の2**《先物外国為替契約等により決済時の外国通貨の円換算額を確定させた外貨建資産等の換算》の適用を受ける場合の円換算を除く。）は、その取引を計上すべき日（以下「**取引日**」という。）における対顧客直物電信売相場（以下「**電信売相場**」という。）と対顧客直物電信買相場（以下「**電信買相場**」という。）の仲値（以下「**電信売買相場の仲値**」という。）による。ただし、継続適用を条件として、売上その他の収益又は資産については取引日の電信買相場、仕入その他の費用（原価及び損失を含む。以下同じ。）又は負債については取引日の電信売相場によることができるものとする。（基通13の2－1－2）
　　　注1　(1)の本文の電信売相場、電信買相場及び電信売買相場の仲値については、原則として、その法人の主たる取引金融機関のものによることとするが、法人が、同一の方法により入手等をした合理的なものを継続して使用している場合には、これを認める。
　　　注2　上記の円換算に当たっては、継続適用を条件として、当該外貨建取引の内容に応じてそれぞれ合理的と認められる次のような外国為替の売買相場（以下「**為替相場**」という。）も使用することができる。
　　　　イ　取引日の属する月若しくは週の前月若しくは前週の末日又は当月若しくは当週の初日の電信買相場若しくは電信売相場又はこれらの日における電信売買相場の仲値
　　　　ロ　取引日の属する月の前月又は前週の平均相場のように1か月以内の一定期間における電信売買相場の仲値、電信買相場又は電信売相場の平均値
　　　注3　円換算に係る当該日（為替相場の算出の基礎とする日をいう。以下同じ。）の為替相場については、次に掲げる場合には、それぞれ次によるものとする。
　　　　イ　当該日に為替相場がない場合には、同日前の最も近い日の為替相場による。
　　　　ロ　当該日に為替相場が2以上ある場合には、その当該日の最終の相場（当該日が取引日である場合には、取引発生時の相場）による。ただし、取引日の相場については、取引日の最終の相場によっているときもこれを認める。
　　　注4　本邦通貨により外国通貨を購入し直ちに資産を取得し若しくは発生させる場合の当該資産、又は外国通貨による借入金（社債を含む。以下同じ。）に係る当該外国通貨を直ちに売却して本邦通貨を受け入れる場合の当該借入金については、現にその支出し、又は受け入れた本邦通貨の額をその円換算額とすることができる。
　　　注5　外貨建資産等の取得又は発生に係る取引は、当該取得又は発生の時における支払が本邦通貨により行われている場合であっても、(1)の本文及び注2から注4までを適用し、当該外貨建資産等の円換算を行う。
　　　注6　いわゆる外貨建て円払いの取引は、当該取引の円換算額を外貨建取引の円換算の例に準じて見積もるものとする。この場合、その見積額と当該取引に係る債権債務の実際の決済額との間に差額が生じたときは、その差額は、(10)《製造業者等が負担する為替損失相当額等》により益金の額又は損金の額に算入される部分の金額を除き、当該債権債務の決済をした日（同日前にその決済額が確定する場合には、その確定した日）の属する事業年度の益金の額又は損金の額に算入する。

　　　　（多通貨会計を採用している場合の外貨建取引の換算）
（2）　法人が、外貨建取引を取引発生時には外国通貨で記録し、各月末、事業年度終了の時等一定の時点において本邦

通貨に換算するといういわゆる多通貨会計を採用している場合において、三の**1**《外貨建取引の換算》の適用に当たり、各月末等の規則性を有する1か月以内の一定期間ごとの一定の時点において本邦通貨への換算を行い、当該一定の時点を当該外貨建取引に係る取引発生時であるものとして(1)の取扱いを適用しているときは、これを認める。この場合、円換算に係る為替相場については、当該一定期間を基礎として計算した平均値も使用することができるものとする。(基通13の2－1－3)

注　**四**の**1**の(1)《発生時換算法及び期末時換算法の意義》の表の(二)に掲げる期末時換算法を選定している場合の事業年度終了の時において有する外貨建資産等の円換算は、**四**の**1**の(3)《期末時換算法——事業年度終了の時における為替相場》の為替相場による。

（前渡金等の振替え）

(3)　(1)により円換算を行う場合において、その取引に関して受け入れた前受金又は支払った前渡金があるときは、当該前受金又は前渡金に係る部分については、(1)にかかわらず、当該前受金又は前渡金の帳簿価額をもって収益又は費用の額とし、改めてその収益又は費用の計上日における為替相場による円換算を行わないことができるものとする。(基通13の2－1－5)

（先物外国為替契約等がある場合の収益、費用の換算等）

(4)　外貨建取引に係る売上その他の収益又は仕入その他の費用につき円換算を行う場合において、その計上を行うべき日までに、当該収益又は費用の額に係る本邦通貨の額を先物外国為替契約等により確定させているとき（当該先物外国為替契約等の締結の日において、当該法人の帳簿書類に**三**の**2**《先物外国為替契約等により決済時の外国通貨の円換算額を確定させた外貨建資産等の換算》の表の右欄に掲げる記載事項に準ずる事項の記載があるときに限る。）は、その収益又は費用の額については、(1)((2)により準用して適用する場合を含む。以下同じ。)にかかわらず、その確定させている本邦通貨の額をもってその円換算額とすることができる。この場合、その収益又は費用の額が先物外国為替契約等により確定しているかどうかは、原則として個々の取引ごとに判定するのであるが、外貨建取引の決済約定の状況等に応じ、包括的に先物外国為替契約等を締結してその予約額の全部又は一部を個々の取引に比例配分するなど合理的に振り当てているときは、これを認める。(基通13の2－1－4)

注1　事業年度終了の時において、この取扱いの適用を受けた外貨建取引に係る外貨建資産等で決済時の円換算額を確定させたものを有する場合には、当該外貨建資産等に係る**五**の**1**《為替予約差額の配分》に掲げる為替予約差額に相当する金額を**五**の**1**、同**1**の(1)《適格分割等を行った場合の為替予約差額の配分計算》及び**五**の**2**《短期外貨建資産等に係る為替予約差額の一括計上》に基づき各事業年度に配分することに留意する。この場合、当該事業年度終了の日における当該為替予約差額に相当する金額の計上は、課税上弊害がない限り、為替差損益の調整勘定として処理することができるものとする。

注2　第二十五款の**一**《繰延ヘッジ処理による利益額又は損失額の繰延べ》又は同款の**二**《時価ヘッジ処理による売買目的外有価証券の評価益又は評価損の計上》の適用を受ける場合には、当該法人の帳簿書類に**三**の**2**に掲げる記載を行わず、第二十五款の**一**の**1**《繰延ヘッジ処理による利益額又は損失額の繰延べ》又は同款の**二**の**1**《時価ヘッジ処理による売買目的外有価証券の評価益又は評価損の計上》に掲げる記載を行うことになる。

（延払基準の適用）

(5)　第一款の**五**の**1**の①のイの(7)による延払基準の方法を適用するリース譲渡（以下(5)及び(6)において「**リース譲渡**」という。）の対価の一部につき前受金を受け入れている場合において、その対価の全額につき(1)により円換算を行い、これを基として延払基準を適用しているときは、当該前受金の帳簿価額と当該前受金についての円換算額との差額に相当する金額は、当該リース譲渡に係る目的物の引渡し又は役務の提供の日の属する事業年度の益金の額又は損金の額に算入し、同**イ**の(10)《賦払金割合の意義》に掲げる賦払金割合の算定に含めることに留意する。(基通13の2－1－6)

（リース譲渡に係る債権等につき為替差損益を計上した場合の未実現利益繰延額の修正）

(6)　リース譲渡について債権総額を計上するとともにその未実現利益を繰延計上する経理を行っている法人が、当該リース譲渡に係る外貨建債権を当該事業年度終了の時の為替相場により円換算を行った場合において、その円換算による為替差損益を計上しているときは、繰延経理をした当該未実現利益の額を調整するものとする。(基通13の2－1－7)

注　リース譲渡に係る短期外貨建債権（**四**の**3**《外貨建資産等の期末換算方法の選定の方法》の表の①に掲げる短期外貨建債権をいう。以下同じ。）につき計上した為替差損益に対応する未実現利益の額を法人が継続して調整しないこととしているときは、本文にかかわらずこれを認める。

(海外支店等の資産等の換算の特例)
(7) 法人が国外に支店等を有する場合において、当該支店等の外国通貨で表示されている財務諸表を本店の財務諸表に合算する場合における円換算額については、当該支店等の財務諸表項目の全てについて当該事業年度終了の時の為替相場による円換算額を付することができるものとする。(基通13の2－1－8)
   注　上記の円換算に当たっては、継続適用を条件として、収益及び費用(前受金等の収益性負債の収益化額及び前払金等の費用性資産の費用化額を除く。)の換算につき、取引日の属する月若しくは半期又は当該事業年度の一定期間内における電信売買相場の仲値、電信買相場又は電信売相場の平均値も使用することができる。この場合、当該国外支店等に係る当期利益の額又は当期損失の額の円換算額は、当該国外支店等に係る貸借対照表に計上されている金額の円換算額となることに留意する。

(為替差益を計上した場合の資産の取得価額の不修正)
(8) 資産の取得に要した外貨建債務を当該事業年度終了の時の為替相場により円換算を行ったため為替差益が生じた場合であっても、当該資産の取得価額を減額することはできないことに留意する。(基通13の2－1－9)

(外貨建てで購入した原材料の受入差額)
(9) 法人が、外貨建てで購入した原材料についての仕入金額の換算を社内レートによって行う等(1)及び(4)に掲げる方法によって行っていない場合には、(1)又は(4)に掲げる方法によって換算した金額と当該法人が計上した金額との差額は、原材料受入差額に該当する。(基通13の2－1－10)
   注　当該差額については第五款の**六**の(10)《原材料受入差額の処理の簡便計算方式》を適用することができる。

(製造業者等が負担する為替損失相当額等)
(10) 製造業者等が商社等を通じて行った輸出入等の取引に関して生ずる為替差損益の全部又は一部を製造業者等に負担させ又は帰属させる契約を締結している場合における商社等及び製造業者等の取扱いについては、次による。(基通13の2－1－11)

(一)	商社等	外貨建債権債務について**四**1の(1)《発生時換算法及び期末時換算法の意義》の表の(二)に掲げる期末時換算法を選定している場合(同表の(一)に掲げる発生時換算法を選定している外貨建債権債務につき**三**1の(2)《外国為替の売買相場が著しく変動した場合の外貨建資産等の期末時換算》の適用を受けたときを含む。)において、当該契約に係る外貨建債権債務につき当該事業年度終了の時にその決済が行われたものと仮定した場合において製造業者等に負担させ又は帰属させることとなる金額(当該外貨建債権債務に係る換算差額又は**五**の1《為替予約差額の配分》、同1の(1)《適格分割等を行った場合の為替予約差額の配分計算》若しくは**五**の2《短期外貨建資産等に係る為替予約差額の一括計上》に掲げる各事業年度に配分すべき金額に相当する金額のうち、負担させ又は帰属させることとなる金額に限る。)を当該事業年度の益金の額又は損金の額に算入する。
(二)	製造業者等	全ての商社等に対する当該契約に係る金銭債権及び金銭債務につき当該事業年度終了の時にその決済が行われたものと仮定した場合において負担し又は帰属することとなる金額(当該金銭債権及び金銭債務につき外貨建債権債務を有するとした場合において当該外貨建債権債務に係る換算差額又は**五**の1、同1の(1)若しくは**五**の2に掲げる各事業年度に配分すべき金額に相当する金額のうち、負担し又は帰属することとなる金額に限る。)を当該事業年度の損金の額又は益金の額に算入しているときは、継続適用を条件として、これを認める。

三　外貨建取引の換算

1　外貨建取引の換算

　内国法人が**外貨建取引**を行った場合には、当該外貨建取引の金額の**円換算額**は、当該外貨建取引を行った時における外国為替の売買相場により換算した金額とする。(法61の8①)

(外貨建資産等の評価換え等をした場合のみなし取得による換算)
(1) 内国法人がその有する**一**の表の**6**に掲げる外貨建資産等(次の表の(一)から(三)までに掲げる資産又は負債を除

く。以下（3）までにおいて「**外貨建資産等**」という。）につき、評価換え等（第九款の一の２《会社更生等による評価換えを行った場合の資産の評価益の益金算入》若しくは同款の二の２《評価換えを行った場合の資産の評価損の損金算入》若しくは同二の３《会社更生等による評価換えを行った場合の資産の評価損の損金算入》の適用を受ける評価換え又は民事再生等評価換え〔第二十三款の一の３の②の（2）《移動平均法――民事再生等評価換えがあった場合の一単位当たりの帳簿価額の算出の特例》に掲げる民事再生等評価換えをいう。以下（1）において同じ。〕をいう。）又は非適格株式交換等時価評価（第二十三款の一の３の②の（3）《移動平均法――非適格株式交換等を行った場合の一単位当たりの帳簿価額の算出の特例》に掲げる非適格株式交換等時価評価をいう。）若しくは時価評価（第二十三款の一の３の③《通算開始直前事業年度等における移動平均法の適用》に掲げる時価評価をいう。）をした場合には、その外貨建資産等の取得又は発生の基因となった外貨建取引は、当該評価換え等又は非適格株式交換等時価評価に係る評価の時（当該評価換え等が民事再生等評価換えである場合には、第九款の一の３《民事再生等による特定の事実が生じた場合の資産の評価益の益金算入》に掲げる事実又は同款の二の４《民事再生等による特定の事実が生じた場合の資産の評価損の損金算入》に掲げる事実が生じた時）において行ったものとみなして、**1**を適用する。（法61の８④、令122の２）

（一）	**2**《先物外国為替契約等により決済時の外国通貨の円換算額を確定させた外貨建資産等の換算》の適用を受けた資産又は負債
（二）	第二十五款の一の２の表の①《ヘッジ対象資産等損失額》の**イ**に掲げる資産又は負債につき外国為替の売買相場の変動による価額の変動に伴って生ずるおそれのある損失の額を減少させるため同表の②《デリバティブ取引等》に掲げるデリバティブ取引等を行った場合（当該デリバティブ取引等につき同**一**の**1**《繰延ヘッジ処理による利益額又は損失額の繰延べ》の適用を受けている場合に限る。）における当該資産又は負債
（三）	第二十五款の**二**の**1**《時価ヘッジ処理による売買目的外有価証券の評価益又は評価損の計上》に掲げる売買目的外有価証券につき外国為替の売買相場の変動による価額の変動に伴って生ずるおそれのある損失の額を減少させるため同**二**の**1**に掲げるデリバティブ取引等を行った場合（当該デリバティブ取引等につき同**二**の**1**の適用を受けている場合に限る。）における当該売買目的外有価証券

　（外国為替の売買相場が著しく変動した場合の外貨建資産等の期末時換算）
（2）　内国法人が事業年度終了の時において有する外貨建資産等（当該事業年度において（1）を適用したもの及び第二十三款の一の１の表の⑤《企業支配株式等》に該当するものを除く。以下（2）及び（3）において同じ。）につき当該事業年度においてその外貨建資産等に係る外国為替の売買相場が著しく変動した場合には、その外貨建資産等と通貨の種類を同じくする外貨建資産等のうち外国為替の売買相場が著しく変動したものの全てにつきこれらの取得又は発生の基因となった外貨建取引を当該事業年度終了の時において行ったものとみなして、**1**を適用することができる。（法61の８④、令122の３①）

　（外国為替の売買相場が著しく変動した場合の適格分割等により移転する外貨建資産等の換算）
（3）　（2）は、内国法人が適格分割、適格現物出資又は適格現物分配（適格現物分配にあっては、残余財産の全部の分配を除く。以下（3）において「適格分割等」という。）により分割承継法人、被現物出資法人又は被現物分配法人に移転する外貨建資産等につき当該事業年度開始の日から当該適格分割等の直前の時までの間においてその外貨建資産等に係る外国為替の売買相場が著しく変動した場合について準用する。この場合において、（2）中「当該事業年度終了の時」とあるのは、「（3）に掲げる適格分割等の直前の時」と読み替えるものとする。（法61の８④、令122の３②）

　（為替相場の著しい変動があった場合の外貨建資産等の換算）
（4）　事業年度終了の時において有する個々の外貨建資産等（（2）に掲げる外貨建資産等に限る。以下（4）において同じ。）につき次の算式により計算した割合がおおむね15％に相当する割合以上となるものがあるときは、当該外貨建資産等については、（2）に掲げる「外国為替の売買相場が著しく変動した場合」に該当するものとして当該外貨建資産等の額（帳簿価額として付されている金額の外貨表示金額をいう。）につき（2）に基づく円換算を行うことができる。（基通13の２－２－10）

第三章　第一節　第二十六款《外貨建取引の換算等》

(算式)

$$\frac{当該外貨建資産等の額につき当該事業年度終了の日の為替相場により換算した本邦通貨の額}{当該事業年度終了の日における当該外貨建資産等の帳簿価額（同日における(2)の適用前の帳簿価額をいう。）} - 当該外貨建資産等の額につき当該事業年度終了の日の為替相場により換算した本邦通貨の額$$

- 注1　算式中の「当該事業年度終了の日の為替相場」は、四の1の(3)《期末時換算法──事業年度終了の時における為替相場》に掲げるところによる。
- 注2　多数の外貨建資産等を有するため、個々の外貨建資産等ごとに算式による割合の計算を行うことが困難である場合には、外国通貨の種類を同じくする外貨建債権、外貨建債務、外貨建有価証券、外貨預金又は外国通貨のそれぞれの合計額を基礎としてその計算を行うことができるものとする。
- 注3　外国通貨の種類を同じくする外貨建資産等につき上記の算式により計算した割合がおおむね15％に相当する割合以上となるものが2以上ある場合には、その一部についてのみ(2)による円換算を行うことはできないことに留意する。
- 注4　本文の取扱いは、(3)に掲げる適格分割等により分割承継法人、被現物出資法人又は被現物分配法人に移転する外貨建資産等について準用する。この場合、算式中「当該事業年度終了の日」とあるのは、「当該適格分割等のあった日の前日」とする。

2　先物外国為替契約等により決済時の外国通貨の円換算額を確定させた外貨建資産等の換算

内国法人が**先物外国為替契約等**により外貨建取引（第二十二款の二の2《短期売買商品等の時価評価損益の益金又は損金算入》に掲げる短期売買商品等又は第二十三款の一の1《用語の意義》の表の②に掲げる売買目的有価証券の取得及び譲渡を除く。(1)《適格合併等により先物外国為替等が移転した場合の外貨建取引の換算の引継ぎ》において同じ。）によって取得し、又は発生する資産又は負債の金額の円換算額を確定させた場合において、当該先物外国為替契約等の締結の日において次の表の①又は②の左欄に掲げる帳簿書類に右欄に掲げる事項を記載したときは、当該資産又は負債については、当該円換算額をもって、1《外貨建取引の換算》により換算した金額とする。（法61の8②、規27の11②）

帳簿書類	記載事項
①　その資産若しくは負債の取得又は発生に関する帳簿書類	イ　円換算額を確定させた旨 ロ　先物外国為替契約等の契約金額、締結の日及び履行の日 ハ　その他参考となるべき事項
②　その先物外国為替契約等の締結等に関する帳簿書類	イ　円換算額を確定させた旨 ロ　その外貨建取引の種類及び金額 ハ　その他参考となるべき事項

注　──線部分は、令和6年度改正により改正された部分で、改正規定は、令和6年4月1日から適用され、令和6年3月31日以前の適用については、「第二十二款の二の2《短期売買商品等の時価評価損益の益金又は損金算入》」とあるのは「第二十二款の二の1《短期売買商品等の期末評価額》」とする。（令6改法附1）

(適格合併等により先物外国為替等が移転した場合の外貨建取引の換算の引継ぎ)

(1)　内国法人が、適格合併、適格分割又は適格現物出資（以下(1)において「適格合併等」という。）により被合併法人、分割法人又は現物出資法人（以下(1)において「被合併法人等」という。）から外貨建取引によって取得し、又は発生する資産又は負債の金額の円換算額を確定させるために当該被合併法人等が行った2に掲げる先物外国為替契約等の移転を受け、かつ、当該適格合併等により当該外貨建取引（当該先物外国為替契約等によりその金額の円換算額を確定させようとする当該資産又は負債の取得又は発生の基因となるものに限る。）を当該内国法人が行うこととなった場合において、当該被合併法人等が当該先物外国為替契約等につきその締結の日において2の表の①又は②の左欄に掲げる帳簿書類に同表の①又は②の右欄に掲げる事項を記載していたときは、当該適格合併等の日の属する事業年度以後の各事業年度における三《外貨建取引の換算》の適用については、当該内国法人が当該資産又は負債の金額の円換算額を確定させるために当該先物外国為替契約等を締結し、かつ、当該記載をしていたものとみなす。（法61の8③）

注　適格合併等により被合併法人等から先物外国為替契約等（外貨建取引によって取得し、又は発生する資産又は負債の金額の円換算額を確定させるために被合併法人等が行ったもの）の移転を受け、かつ、その外貨建取引（その先物外国為替契約等によりその金額の円換算額を確定させようとする資産又は負債の発生の基因となるもの）を行うこととなった場合には、外貨建取引の換算はその確定させた円換算額により行う。（編者）

(先物外国為替契約等がある外貨建資産・負債の換算)

(2)　2に掲げる「資産又は負債の金額」又は3《先物外国為替契約により発生時の外国通貨の円換算額を確定させた

外貨建資産・負債の換算》に掲げる「外貨建取引に伴って支払い、又は受け取る外国通貨の金額」の円換算額が先物外国為替契約等により確定しているときは、**2**又は**3**に基づき、当該先物外国為替契約等により確定している円換算額をもって**2**又は**3**に掲げる資産又は負債（以下「**外貨建資産・負債**」という。）の円換算額とするのであるが、当該外貨建資産・負債につき先物外国為替契約等を締結しているかどうかは、原則として個々の外貨建資産・負債ごとに判定することに留意する。ただし、法人が、その取引の決済約定の状況等に応じ、包括的に先物外国為替契約等を締結しているような場合には、当該外貨建資産・負債に係る**2**に掲げる円換算額は、その予約額の全部又は一部を個々の取引に比例配分するなど合理的に振り当てて算出するものとする。（基通13の2－2－6）

注　**2**は、**3**に優先して適用されることに留意する。

（外貨建資産等につき通貨スワップ契約を締結している場合の取扱い）

（3）　外貨建資産等につき**一**の表の**5**《先物外国為替契約等》の右欄の①又は②のいずれかの要件を満たす同表の**5**の右欄に掲げる「金銭の支払を相互に約する取引に係る契約」（以下（3）において「通貨スワップ契約」という。）を締結している場合の当該外貨建資産等に係る先物外国為替契約等により確定している円換算額（以下（3）において「通貨スワップ換算元本額」という。）は、当該通貨スワップ契約により元本の額として授受すべき本邦通貨の額とする。この場合、通貨スワップ契約により授受をする契約上の受取利子又は支払利子の総額は、利息法又は定額法に基づき各事業年度に配分する。ただし、当該受取利子又は支払利子に係るスワップレート（当該受取利子又は支払利子に係る本邦通貨の額を当該利子の外国通貨表示の金額で除して計算した金額をいう。）が、当該法人が当該法人の主たる取引金融機関との間で為替予約をするとした場合のものと同等と認められるときは、当該通貨スワップ契約により授受をする契約上の受取利子又は支払利子の額を上記の配分額に代わる各事業年度の利子相当額とすることができる。（基通13の2－2－7）

注　外貨建資産等につき通貨スワップ契約によって生ずる換算差額相当額（当該外貨建資産等の取得時又は発生時の為替相場による円換算額と通貨スワップ換算元本額との差額をいう。）は、**五**の**1**《為替予約差額の配分》、同**1**の（1）《適格分割等を行った場合の為替予約差額の配分計算》及び**五**の**2**《短期外貨建資産等に係る為替予約差額の一括計上》により各事業年度に配分することに留意する。

（期末時換算法──為替差損益の一括表示）

（4）　法人が外貨建資産等につき期末時換算法を選定している場合の為替差損益を個々の外貨建資産等の額に加算又は減算しないで、いわゆる洗替方式により売掛金、借入金等のそれぞれの項目に一括して加算又は減算している場合であっても、その計算を認めるものとする。この場合、貸倒引当金の計算の基礎となる金銭債権の額は、当該金銭債権の額に対応する為替差損益に相当する金額を加算又は減算して計算することに留意する。（基通13の2－2－9）

（適正な円換算をしていない場合の処理）

（5）　法人が当該事業年度終了の時において有する外貨建資産等につきそのよるべきものとされる方法による円換算を行っていない場合には、当該事業年度の所得の金額の計算上そのよるべきものとされる方法により換算した金額とその帳簿価額との差額は、益金の額又は損金の額に算入する。ただし、その差額を損金の額に算入しなかったことにつき第二章第三節の**一**の**2**《仮装経理に基づく過大申告の場合の更正の特例》の適用があると認められる場合には、この限りでない。（基通13の2－2－11）

3　先物外国為替契約により発生時の外国通貨の円換算額を確定させた外貨建資産・負債の換算

内国法人が**先物外国為替契約**により**外貨建資産・負債**（外貨建取引によって取得し、又は発生する資産又は負債をいい、**2**《先物外国為替契約等により決済時の外国通貨の円換算額を確定させた外貨建資産等の換算》の適用を受ける資産又は負債を除く。以下**3**において同じ。）の取得又は発生の基因となる外貨建取引に伴って支払い、又は受け取る外国通貨の金額の円換算額を確定させ、かつ、その先物外国為替契約の締結の日において、次の表の**イ**に掲げる帳簿書類に**ロ**に掲げる事項を記載した場合には、その外貨建資産・負債については、その円換算額をもって、**1**《外貨建取引の換算》により換算した金額とする。（法61の8④、令122①、規27の10①②）

イ 帳簿書類	その先物外国為替契約の締結等に関する帳簿書類

記載事項	（イ）円換算額を確定させた旨 （ロ）その外貨建取引の種類及び金額 （ハ）その他参考となるべき事項

（適格合併等により先物外国為替契約を移転した場合の外貨建資産等と換算の引継ぎ）
　　内国法人が、適格合併、適格分割又は適格現物出資（以下3において「適格合併等」という。）により被合併法人、分割法人又は現物出資法人（以下3において「被合併法人等」という。）から外貨建資産・負債の取得又は発生の基因となる外貨建取引に伴って支払い、又は受け取る外国通貨の金額の円換算額を確定させるために当該被合併法人等が行った先物外国為替契約の移転を受け、かつ、当該適格合併等により当該外貨建取引を当該内国法人が行うこととなった場合において、当該被合併法人等が当該先物外国為替契約につきその締結の日において3《先物外国為替契約により発生時の外国通貨の円換算額を確定させた外貨建資産・負債の換算》の表のイに掲げる帳簿書類に同表のロに掲げる事項を記載していたときは、当該適格合併等の日の属する事業年度以後の各事業年度における3の適用については、当該内国法人が当該外国通貨の金額の円換算額を確定させるために当該先物外国為替契約を締結し、かつ、当該記載をしていたものとみなす。（法61の8④、令122②）

四　外貨建資産等の期末換算差益又は期末換算差損の益金又は損金算入等

1　外貨建資産等の期末換算

　　内国法人が事業年度終了の時において次の表の左欄に掲げる**外貨建資産等**を有する場合には、その時における当該外貨建資産等の金額の円換算額は、当該外貨建資産等の次の表の左欄に掲げる区分に応じ、それぞれ同表の右欄に掲げる方法（①、②のロ及び③に掲げる外貨建資産等にあっては、右欄に掲げる方法のうち当該内国法人が選定した方法とし、当該内国法人がその方法を選定しなかった場合には、**6**《外貨建資産等の法定の期末換算方法》に掲げる方法とする。）により換算した金額とする。（法61の9①）

①	外貨建債権及び外貨建債務	発生時換算法又は期末時換算法	
②	外貨建有価証券	次の表の左欄に掲げる有価証券の区分に応じ、それぞれ同表の右欄に掲げる方法	
		イ　第二十三款の**一**の**1**《用語の意義》の表の②に掲げる売買目的有価証券	期末時換算法
		ロ　同表の⑥に掲げる売買目的外有価証券（償還期限及び償還金額の定めのあるものに限る。）	発生時換算法又は期末時換算法
		ハ　イ及びロに掲げる有価証券以外の有価証券	発生時換算法
③	外　貨　預　金	発生時換算法又は期末時換算法	
④	外　国　通　貨	期末時換算法	

（発生時換算法及び期末時換算法の意義）
（1）　第二十六款《外貨建取引の換算等》において、発生時換算法及び期末時換算法とは、次に掲げる方法をいう。（法61の9①Ⅰ）

（一）	**発生時換算法**	事業年度終了の時（以下（2）までにおいて「**期末時**」という。）において有する外貨建資産等について、三の**1**《外貨建取引の換算》により当該外貨建資産等の取得又は発生の基因となった外貨建取引の金額の円換算額への換算に用いた外国為替の売買相場により換算した金額（当該外貨建資産等のうち、その取得又は発生の基因となった外貨建取引の金額の円換算額への換算に当たって三の**2**《先物外国為替契約等により決済時の外国通貨の円換算額を確定させた外貨建資産等の換算》の適用を受けたものについては、先物外国為替契約等により確定させた円換算額）をもって当該外貨建資産等の当該期末時における円換算額とする方法をいう。

(二)	**期末時換算法**	期末時において有する外貨建資産等について、当該期末時における外国為替の売買相場により換算した金額（当該外貨建資産等のうち、その取得又は発生の基因となった外貨建取引の金額の円換算額への換算に当たって三の**2**の適用を受けたものについては、先物外国為替契約等により確定させた円換算額）をもって当該外貨建資産等の当該期末時における円換算額とする方法をいう。

　　（発生時換算法──期末時換算による換算差額を純資産の部に計上している場合の取扱い）
（２）　期末時に有する**1**の表の②のロ及びハに掲げる有価証券について、期末時における為替相場により換算した金額をもって当該有価証券の当該期末時における円換算額とし、かつ、当該換算によって生じた換算差額の金額の全額をいわゆる洗替方式により純資産の部に計上している場合の当該換算の方法は、発生時換算法として取り扱うのであるから留意する。（基通13の２−２−４）
　　　注　上記の円換算を行っている場合における次に掲げる事項は、それぞれ次によることに留意する。
　　　　イ　純資産の部に計上した換算差額に相当する金額は、第二章第一節の二の表の**16**に掲げる資本金等の額のうち資本金の額又は出資金の額以外の金額及び同表の**18**に掲げる利益積立金額に該当しない。
　　　　ロ　「換算差額の金額の全額をいわゆる洗替方式により純資産の部に計上している場合」には、税効果会計に基づき、当該換算差額の金額の一部に相当する金額を繰延税金資産又は繰延税金負債として計上している場合が含まれる。

　　（期末時換算法──事業年度終了の時における為替相場）
（３）　法人が期末時換算法により円換算を行う場合（三の**2**《先物外国為替契約等により決済時の外国通貨の円換算額を確定させた外貨建資産等の換算》の適用を受ける場合を除く。）の為替相場は、事業年度終了の日の電信売買相場の仲値による。ただし、継続適用を条件として、外国通貨の種類の異なるごとに当該外国通貨に係る外貨建資産等の全てについて、外貨建ての資産については電信買相場により、外貨建ての負債については電信売相場によることができる。（基通13の２−２−５）
　　　注１　当該事業年度終了の日の電信売買相場の仲値、電信買相場又は電信売相場は、継続適用を条件として、当該事業年度終了の日を含む１か月以内の一定期間におけるそれぞれの平均値によることができる。
　　　注２　当該事業年度終了の日の電信買相場又は電信売相場が異常に高騰し、又は下落しているため、これらの相場又はその仲値によることが適当でないと認められる場合も、注１の平均値を使用することができる。

　　（外貨建資産等の評価換え等をした場合のみなし取得による換算）
（４）　内国法人がその有する一の表の**6**に掲げる外貨建資産等（三の**1**の(1)の表の(一)から(三)までに掲げる資産又は負債を除く。以下(6)までにおいて「**外貨建資産等**」という。）につき、評価換え等（第九款の一の**2**《会社更生等による評価換えを行った場合の資産の評価益の益金算入》若しくは同款の二の**2**《評価換えを行った場合の資産の評価損の損金算入》若しくは同二の**3**《会社更生等による評価換えを行った場合の資産の評価損の損金算入》の適用を受ける評価換え又は民事再生等評価換え〔第二十三款の一の**3**の②の(2)《移動平均法──民事再生等評価換えがあった場合の一単位当たりの帳簿価額の算出の特例》に掲げる民事再生等評価換えをいう。以下(4)において同じ。〕をいう。）又は非適格株式交換等時価評価（第二十三款の一の**3**の②の(3)《移動平均法──非適格株式交換等を行った場合の一単位当たりの帳簿価額の算出の特例》に掲げる非適格株式交換等時価評価をいう。）をした場合には、その外貨建資産等の取得又は発生の基因となった外貨建取引は、当該評価換え等又は非適格株式交換等時価評価に係る評価の時（当該評価換え等が民事再生等評価換えである場合には、第九款の一の**3**《民事再生等による特定の事実が生じた場合の資産の評価益の益金算入》に掲げる事実又は同款の二の**4**《民事再生等による特定の事実が生じた場合の資産の評価損の損金算入》に掲げる事実が生じた時）において行ったものとみなして、**1**を適用する。（法61の９④、令122の２）

　　（外国為替の売買相場が著しく変動した場合の外貨建資産等の期末時換算）
（５）　内国法人が事業年度終了の時において有する外貨建資産等（当該事業年度において(4)を適用したもの及び第二十三款の一の**1**の表の⑤《企業支配株式等》に該当するものを除く。以下(5)及び(6)において同じ。）につき当該事業年度においてその外貨建資産等に係る外国為替の売買相場が著しく変動した場合には、その外貨建資産等と通貨の種類を同じくする外貨建資産等のうち外国為替の売買相場が著しく変動したものの全てにつきこれらの取得又は発生の基因となった外貨建取引を当該事業年度終了の時において行ったものとみなして、**1**を適用することができる。（法61の９④、令122の３①）

(外国為替の売買相場が著しく変動した場合の適格分割等により移転する外貨建資産等の換算)
（６）　（５）は、内国法人が適格分割、適格現物出資又は適格現物分配（適格現物分配にあっては、残余財産の全部の分配を除く。以下（６）において「適格分割等」という。）により分割承継法人、被現物出資法人又は被現物分配法人に移転する外貨建資産等につき当該事業年度開始の日から当該適格分割等の直前の時までの間においてその外貨建資産等に係る外国為替の売買相場が著しく変動した場合について準用する。この場合において、（５）中「当該事業年度終了の時」とあるのは、「（６）に掲げる適格分割等の直前の時」と読み替えるものとする。（法61の９④、令122の３②）

２　外貨建資産等の期末換算差益又は期末換算差損の益金又は損金算入

内国法人が事業年度終了の時において**外貨建資産等**（**期末時換算法**によりその金額の円換算額への換算をするものに限る。以下２において同じ。）を有する場合には、当該外貨建資産等の金額を期末時換算法により換算した金額と当該外貨建資産等のその時の帳簿価額との差額に相当する金額（（２）において「**為替換算差額**」という。）は、当該事業年度の所得の金額の計算上、益金の額又は損金の額に算入する。（法61の９②）

(外貨建資産等の為替換算差額の翌事業年度における処理)
（１）　内国法人が２により当該事業年度の益金の額又は損金の額に算入した金額に相当する金額は、当該事業年度の翌事業年度の所得の金額の計算上、損金の額又は益金の額に算入する。（法61の９④、令122の８①）

(適格分割等により外貨建資産等を移転する場合の為替換算差額の益金又は損金算入)
（２）　内国法人が適格分割、適格現物出資又は適格現物分配（適格現物分配にあっては、残余財産の全部の分配を除く。以下２において「**適格分割等**」という。）により分割承継法人、被現物出資法人又は被現物分配法人に外貨建資産等（当該適格分割等の日の前日を事業年度終了の日とした場合に期末時換算法によりその金額の円換算額への換算をすることとなるものに限る。以下（２）において同じ。）を移転する場合には、当該適格分割等の日の前日を事業年度終了の日とした場合に２により計算される当該外貨建資産等に係る為替換算差額に相当する金額は、当該適格分割等の日の属する事業年度の所得の金額の計算上、益金の額又は損金の額に算入する。（法61の９③）

(適格分割等により外貨建資産等を移転する場合の当該適格分割等の直前の帳簿価額)
（３）　内国法人が（２）の適用を受ける場合には、適格分割等により分割承継法人、被現物出資法人又は被現物分配法人に移転する外貨建資産等の当該適格分割等の直前の帳簿価額は、当該外貨建資産等につき（２）により為替換算差額に相当する金額を計算する場合の２に掲げる期末時換算法により換算した金額とする。（法61の９④、令122の８②）

(適格合併若しくは適格現物分配又は適格分割等により移転を受けた期末時換算法の適用対象外貨建資産等に係る期末換算差損益の戻入れ又は損金算入)
（４）　内国法人が適格合併若しくは適格現物分配（残余財産の全部の分配に限る。以下（４）及び（６）において同じ。）又は適格分割等により外貨建資産等の移転を受けたときは、当該適格合併に係る被合併法人の最後事業年度（第三十四款の一の１の②《譲渡利益額又は譲渡損失額の最後事業年度の益金又は損金算入》に掲げる最後事業年度をいう。（６）において同じ。）若しくは当該適格現物分配に係る現物分配法人の当該残余財産の確定の日の属する事業年度又は当該適格分割等に係る分割法人、現物出資法人若しくは現物分配法人（（６）において「分割法人等」という。）の当該適格分割等の日の属する事業年度において当該移転を受けた外貨建資産等につき２又は（２）により益金の額又は損金の額に算入された金額に相当する金額は、当該内国法人の当該適格合併の日の属する事業年度若しくは当該残余財産の確定の日の翌日の属する事業年度又は当該適格分割等の日の属する事業年度の所得の金額の計算上、損金の額又は益金の額に算入する。（法61の９④、令122の８③）

(為替換算差額を計上した外貨建資産等の翌事業年度首における帳簿価額)
（５）　２により為替換算差額を当該事業年度の益金の額又は損金の額に算入した外貨建資産等の当該事業年度の翌事業年度開始の時における帳簿価額は、その外貨建資産等の２を適用した後の当該事業年度終了の時における帳簿価額から（１）により損金の額に算入される金額に相当する金額を減算し、又はその帳簿価額に（１）により益金の額に算入される金額に相当する金額を加算した金額とする。（法61の９④、令122の８④）

(適格合併若しくは適格現物出資又は適格分割等により移転を受けた外貨建資産等の移転時における帳簿価額)
（６）　内国法人が適格合併若しくは適格現物分配又は適格分割等により移転を受けた外貨建資産等で、当該適格合併若

しくは適格現物分配に係る被合併法人若しくは現物分配法人が**2**により**2**に掲げる為替換算差額を最後事業年度若しくは当該適格現物分配に係る残余財産の確定の日の属する事業年度の益金の額若しくは損金の額に算入したもの又は当該適格分割等に係る分割法人等が（2）により（2）に掲げる為替換算差額に相当する金額を当該適格分割等の日の属する事業年度の益金の額若しくは損金の額に算入したもののその移転を受けた時における帳簿価額は、その外貨建資産等につき当該被合併法人若しくは現物分配法人において**2**を適用した後の当該最後事業年度終了の時若しくは当該残余財産の確定の時の帳簿価額若しくは当該分割法人等における当該適格分割等の直前の帳簿価額から（4）により損金の額に算入される金額に相当する金額を減算し、又はこれらの帳簿価額に（4）により益金の額に算入される金額に相当する金額を加算した金額とする。（法61の9④、令122の8⑤）

3　外貨建資産等の期末換算方法の選定の方法

内国法人が事業年度終了の時において有する**外貨建資産等**（**1**《外貨建資産等の期末換算》の表の①、②のロ及び③に掲げるものに限る。以下**4**までにおいて「**外貨建資産等**」という。）の金額を円換算額に換算する方法は、その外国通貨の種類ごとに、かつ、次の表の①から⑥までに掲げる外貨建資産等の区分ごとに選定しなければならない。この場合において、2以上の事業所を有する内国法人は、事業所ごとに換算の方法を選定することができる。（法61の9④、令122の4）

①	**短期外貨建債権**（外貨建債権のうちその決済により外国通貨を受け取る期限が当該事業年度終了の日の翌日から1年を経過した日の前日までに到来するものをいう。②において同じ。）及び**短期外貨建債務**（外貨建債務のうちその決済により外国通貨を支払う期限が当該事業年度終了の日の翌日から1年を経過した日の前日までに到来するものをいう。②において同じ。）
②	外貨建債権のうち短期外貨建債権以外のもの及び外貨建債務のうち短期外貨建債務以外のもの
③	**1**の表の②のロに掲げる有価証券のうち第二十三款の**一**の**1**の表の③《満期保有目的等有価証券》の**イ**に掲げるものに該当するもの
④	**1**の表の②のロに掲げる有価証券のうち③に掲げるもの以外のもの
⑤	短期外貨預金（外貨預金のうちその満期日が当該事業年度終了の日の翌日から1年を経過した日の前日までに到来するものをいう。⑥において同じ。）
⑥	外貨預金のうち⑤に掲げる短期外貨預金以外のもの

（期限徒過の外貨建債権）

外貨建債権で既にその支払期限を経過し支払が延滞しているものは、短期外貨建債権に該当しないものとして取り扱う。（基通13の2－2－12）

4　外貨建資産等の期末換算の方法の選定の手続

内国法人は、外貨建資産等の取得（適格合併又は適格分割型分割による被合併法人又は分割法人からの引継ぎを含む。以下**4**において同じ。）をした場合（次の表の左欄に掲げる場合を含む。）には、その取得をした日（同表の左欄に掲げる場合にあっては、それぞれ同表の右欄に掲げる日。以下**4**において「取得日等」という。）の属する事業年度に係る確定申告書の提出期限（当該取得日等の属する第二節第三款の**一**の**3**《仮決算をした場合の中間申告書の記載事項等》に掲げる期間（当該内国法人が通算子法人である場合には、同**3**の(8)《通算法人である場合の適用》の表の(一)に掲げる期間）について同**3**の表の①から③に掲げる事項を記載した中間申告書を提出する場合には、その中間申告書の提出期限）までに、その外貨建資産等と外国通貨の種類及び**3**《外貨建資産等の期末換算方法の選定の方法》の表の①から⑥までに掲げる区分を同じくする外貨建資産等につき、**1**の(1)の表の(一)《発生時換算法》及び同表の(二)《期末時換算法》に掲げる換算の方法のうちそのよるべき方法を書面により納税地の所轄税務署長に届け出なければならない。ただし、当該取得日等の属する事業年度前の事業年度においてその外貨建資産等と外国通貨の種類及び**3**の表の①から⑥までに掲げる区分を同じくする外貨建資産等につき**4**による届出をすべき場合並びに内国法人である公益法人等又は人格のない社団等が収益事業以外の事業に属する外貨建資産等の取得をした場合は、この限りでない。（法61の9④、令122の5）

①	内国法人である公益法人等又は人格のない社団等につき、収益事業以外の事業に属していた外貨建資産等が収益事業に属する外貨建資産等となった場合	その収益事業に属する外貨建資産等となった日
②	公共法人に該当していた収益事業を行う公益法人等につき、当該公益法人等に該当することとなった時の直前において外貨建資産等を有していた場合（当該	その該当することとなった日

	外貨建資産等が当該公益法人等の収益事業に属するものである場合に限る。）	
③	公共法人又は公益法人等に該当していた普通法人又は協同組合等につき、当該普通法人又は協同組合等に該当することとなった時の直前において外貨建資産等を有していた場合（公益法人等に該当していた普通法人又は協同組合等にあっては、当該外貨建資産等が当該直前において収益事業以外の事業に属していたものである場合に限る。）	その該当することとなった日

　　　（届出の効力）
　　　　法人が**3**に基づき、**3**の表の①から⑥までに掲げる外貨建資産等の区分ごとに外貨建資産等の換算の方法を届け出ている場合において、その届出後届出をしたいずれかの区分に属する外貨建資産等を有しないこととなっても、当該区分に属する外貨建資産等の換算方法に係る届出は引き続きその効力を有することに留意する。
　　　　五の2の（2）《為替予約差額の一括計上の方法の選定》に基づき、**五の2**《短期外貨建資産等に係る為替予約差額の一括計上》の方法を外国通貨の種類の異なるごとに届け出ている場合も同様とする。（基通13の2－2－14）
　　　　　注　その後当該区分又は当該外国通貨の種類に属する外貨建資産等の取得又は発生があった場合において、その外貨建資産等につき当該届出による方法以外の方法により円換算等をしようとするときは、**5**《外貨建資産等の期末換算の方法の変更の手続》又は**五の2の（4）**《為替予約差額の一括計上の方法の変更の手続》の適用がある。

5　外貨建資産等の期末換算の方法の変更の手続

　内国法人は、**3**《外貨建資産等の期末換算方法の選定の方法》に掲げる**外貨建資産等**（（6）において「外貨建資産等」という。）につきその金額の事業年度終了の時における円換算額への換算の方法として選定した方法（その方法を届け出なかった内国法人がよるべきこととされている**6**《外貨建資産等の法定の期末換算方法》に掲げる方法を含む。（6）において同じ。）を変更しようとするときは、納税地の所轄税務署長の承認を受けなければならない。（法61の9④、令122の6①）

　　　（期末換算の方法の変更承認申請書の提出）
（1）　**5**の変更の承認を受けようとする内国法人は、新たな換算の方法を採用しようとする事業年度開始の日の前日までに、次に掲げる事項を記載した変更承認申請書を納税地の所轄税務署長に提出しなければならない。（法61の9④、令122の6②、規27の13）
　（一）　申請をする内国法人の名称、納税地及び法人番号（行政手続における特定の個人を識別するための番号の利用等に関する法律第2条第15項に規定する法人番号をいう。）並びに代表者（人格のない社団等で代表者の定めがなく、管理人の定めがあるものについては、管理人）の氏名
　（二）　選定した換算の方法を変更しようとする旨
　（三）　その変更しようとする理由
　（四）　その換算の方法を変更しようとする**3**に掲げる外貨建資産等の外国通貨の種類及び同**3**の表の①から⑥までの区分（事業所ごとに換算の方法を選定しようとする場合には事業所の名称）
　（五）　現によっている換算の方法及びその換算の方法を採用した日
　（六）　新たに採用しようとする換算の方法
　（七）　その他参考となるべき事項

　　　（申請の却下）
（2）　税務署長は、（1）に掲げる変更承認申請書の提出があった場合において、その申請書を提出した内国法人が現によっている換算の方法を採用してから相当期間を経過していないとき、又は変更しようとする換算の方法によってはその内国法人の各事業年度の所得の金額の計算が適正に行われ難いと認めるときは、その申請を却下することができる。（法61の9④、令122の6③）

　　　（換算方法の変更申請があった場合等の「相当期間」）
（3）　一旦採用した外貨建資産等の換算の方法は特別の事情がない限り継続して適用すべきものであるから、法人が現によっている換算の方法を変更するために（1）に基づいてその変更承認申請書を提出した場合において、その現によっている換算の方法を採用してから3年を経過していないときは、その変更が合併や分割に伴うものである等その変更することについて特別な理由があるときを除き、（2）に掲げる相当期間を経過していないときに該当するものとす

る。
　　五の**2**の（４）《為替予約差額の一括計上の方法の変更の手続》に基づきその選定した方法を変更する場合も同様とする。（基通13の２－２－15）
　　　注　その変更承認申請書の提出がその現によっている換算の方法を採用してから３年を経過した後になされた場合であっても、その変更することについて合理的な理由がないと認められるときは、その変更を承認しないことができる。

　　　（承認又は却下の通知）
（４）　税務署長は、（１）に掲げる変更承認申請書の提出があった場合において、その申請につき承認又は却下の処分をするときは、その申請をした内国法人に対し、書面によりその旨を通知する。（法61の９④、令122の６④）

　　　（みなし承認）
（５）　（１）に掲げる変更承認申請書の提出があった場合において、その新たな換算の方法を採用しようとする事業年度終了の日（当該事業年度について中間申告書を提出すべき内国法人については、当該事業年度〔当該内国法人が通算子法人である場合には、当該事業年度開始の日の属する当該内国法人に係る通算親法人の事業年度〕開始の日以後６か月を経過した日の前日）までにその申請につき承認又は却下の処分がなかったときは、その日においてその承認があったものとみなす。（法61の９④、令122の６⑤）

　　　（公益法人等の円換算額への換算の方法の変更の届出）
（６）　内国法人である公益法人等若しくは人格のない社団等が新たに収益事業を開始した日の属する事業年度において外貨建資産等につきその金額の事業年度終了の時における円換算額への換算の方法として選定した方法を変更しようとする場合又は公益法人等（収益事業を行っていないものに限る。）に該当していた普通法人若しくは協同組合等が当該普通法人若しくは協同組合等に該当することとなった日の属する事業年度において外貨建資産等につきその金額の事業年度終了の時における円換算額への換算の方法として選定した方法を変更しようとする場合において、これらの日の属する事業年度に係る第二節第三款の**二**《確定申告》による申告書の提出期限までに、その旨及び（１）に掲げる事項を記載した届出書を納税地の所轄税務署長に提出したときは、当該届出書をもって（１）の申請書とみなし、当該届出書をもって**5**の承認があったものとみなす。この場合において、（４）は適用しない。（法61の９④、令122の６⑥）

　　　（評価方法の変更に関する届出書の提出）
（７）　（６）に掲げる届出書は、公益法人等又は人格のない社団等が収益事業の廃止等の事情により法人税の納税義務を有しなくなった後に、次に掲げる事情により再び法人税の納税義務が生じた場合において、既に選定していた評価方法を変更しようとするときに提出することに留意する。（基通５－２－14、編者補正）
　　（一）　公益法人等又は人格のない社団等が収益事業を開始したこと
　　（二）　公益法人等（収益事業を行っていないものに限る。）が普通法人又は協同組合等に該当することとなったこと

6　外貨建資産等の法定の期末換算方法

　1　《外貨建資産等の期末換算》に掲げる法定の期末換算方法は、次の表の左欄に掲げる外貨建資産等（**3**《外貨建資産等の期末換算方法の選定の方法》に掲げる外貨建資産等をいう。）の区分に応じ、それぞれ同表の右欄に掲げる方法とする。（法61の９④、令122の７）

①	**3**の表の①に掲げる短期外貨建債権及び短期外貨建債務並びに**3**の表の⑤に掲げる短期外貨預金	期末時換算法
②	**3**に掲げる外貨建資産等のうち上記①に掲げるもの以外のもの	発生時換算法

(参考)
外貨建資産等の換算方法についてとりまとめると、次のようになる。(編者)

外貨建資産等の区分		換算方法
外貨建債権債務	短期外貨建債権債務	発生時換算法又は期末時換算法(※)
	上記以外のもの	発生時換算法(※)又は期末時換算法
外貨建有価証券	売買目的有価証券	期末時換算法
	売買目的外有価証券 償還期限及び償還金額の定めのあるもの	発生時換算法(※)又は期末時換算法
	上記以外のもの	発生時換算法
外貨預金	短期外貨預金	発生時換算法又は期末時換算法(※)
	上記以外のもの	発生時換算法(※)又は期末時換算法
外国通貨		期末時換算法

注　換算方法の選定に関する届出がない場合には、※を付した法定の期末換算方法により換算することになる。

五　為替予約差額の配分

1　為替予約差額の配分

　内国法人が事業年度終了の時において有する**外貨建資産等**（第二十三款の一の1《用語の意義》の表の②に掲げる売買目的有価証券を除く。以下五において同じ。）について、その取得又は発生の基因となった外貨建取引の金額の円換算額への換算に当たって三の2《先物外国為替契約等により決済時の外国通貨の円換算額を確定させた外貨建資産等の換算》の適用を受けたときは、当該外貨建資産等に係る先物外国為替契約等の締結の日（その日が当該外貨建資産等の取得又は発生の基因となった外貨建取引を行った日前である場合には、当該外貨建取引を行った日）の属する事業年度から当該外貨建資産等の決済による本邦通貨の受取又は支払をする日の属する事業年度までの各事業年度の所得の金額の計算上、**為替予約差額**（当該外貨建資産等の金額を先物外国為替契約等により確定させた円換算額と当該金額を当該外貨建資産等の取得又は発生の基因となった外貨建取引を行った時における外国為替の売買相場により換算した金額との差額をいう。）のうち当該各事業年度に配分すべき金額として（3）に掲げるところにより計算した金額（（1）において「**為替予約差額配分額**」という。）は、益金の額又は損金の額に算入する。（法61の10①）

　　　（適格分割等を行った場合の為替予約差額の配分計算）
（1）　内国法人が、適格分割又は適格現物出資（以下（1）において「適格分割等」という。）により分割承継法人又は被現物出資法人に外貨建資産等（その取得又は発生の基因となった外貨建取引の金額の円換算額への換算に当たって三の2《先物外国為替契約等により決済時の外国通貨の円換算額を確定させた外貨建資産等の換算》の適用を受けたものに限る。以下同じ。）及び当該外貨建資産等の金額の円換算額を確定させた先物外国為替契約等を移転する場合には、当該適格分割等の日の前日を事業年度終了の日とした場合に1により計算される当該先物外国為替契約等に係る為替予約差額配分額に相当する金額は、当該適格分割等の日の属する事業年度の所得の金額の計算上、益金の額又は損金の額に算入する。（法61の10②）

　　　（適格合併等における為替予約差額の配分計算の引継ぎ）
（2）　内国法人が、適格合併、適格分割又は適格現物出資（以下（2）において「適格合併等」という。）により被合併法人、分割法人又は現物出資法人（以下（2）において「被合併法人等」という。）から外貨建資産等（その取得又は発生の基因となった外貨建取引の金額の円換算額への換算に当たって当該被合併法人等が三の2《先物外国為替契約等により決済時の外国通貨の円換算額を確定させた外貨建資産等の換算》の適用を受けたものに限る。）及び当該外貨建資産等の金額の円換算額を確定させた先物外国為替契約等の移転を受けた場合には、当該適格合併等の日の属する事業年度以後の各事業年度における**五**の適用については、当該内国法人が当該外貨建資産等の取得又は発生の基因となった外貨建取引の金額の円換算額への換算に当たって三の2の適用を受けていたものとみなす。（法61の10④）

　　　（為替予約差額配分額等）
（3）　1に掲げる為替予約差額配分額は、次の表の左欄に掲げる場合の区分に応じ、それぞれ同表の中欄に掲げる金額

とし、その金額を益金の額又は損金の額に算入すべき事業年度は、その金額の中欄に掲げる区分に応じ、それぞれ同表の右欄に掲げる事業年度とする。(法61の10⑤、令122の9①)

区　　　分	金　　額	事 業 年 度
(一) 外貨建資産等の取得又は発生の基因となった外貨建取引を行った時以後にその外貨建取引に係る先物外国為替契約等を締結した場合	イ　その外貨建資産等の金額につきその外貨建取引を行った時における外国為替の売買相場（以下(3)において「**取引時為替相場**」という。）により換算した円換算額と先物外国為替契約等を締結した時における外国為替の売買相場（以下(3)において「**締結時為替相場**」という。）により換算した円換算額との差額に相当する金額	その先物外国為替契約等の締結の日の属する事業年度
	ロ　その外貨建資産等の金額につき締結時為替相場により換算した円換算額と先物外国為替契約等により確定させた円換算額との差額をその先物外国為替契約等の締結の日からその外貨建資産等の決済による本邦通貨の受取又は支払の日（以下(3)において「**決済日**」という。）までの期間の日数で除し、これに当該事業年度の日数（当該事業年度がその先物外国為替契約等の締結の日〔その外貨建資産等が(2)に掲げる適格合併等により(2)に掲げる被合併法人等から移転を受けたものである場合にあっては、当該適格合併等の日。以下同じ。〕の属する事業年度である場合には、同日から当該事業年度終了の日までの期間の日数）を乗じて計算した金額（当該事業年度がその外貨建資産等の決済日の属する事業年度である場合には、その差額から当該事業年度の前事業年度までの各事業年度の所得の金額の計算上益金の額又は損金の額に算入された金額〔その外貨建資産等が当該適格合併等により当該被合併法人等から移転を受けたものである場合にあっては、当該外貨建資産等について当該被合併法人等の各事業年度の所得の金額の計算上益金の額又は損金の額に算入された金額を含む。〕を控除して得た金額）に相当する金額	その先物外国為替契約等の締結の日の属する事業年度からその外貨建資産等の決済日の属する事業年度までの各事業年度
(二) 外貨建資産等の取得又は発生の基因となった外貨建取引に係る先物外国為替契約等を締結した後にその外貨建取引を行った場合	その外貨建資産等の金額につき取引時為替相場により換算した円換算額とその先物外国為替契約等により確定させた円換算額との差額をその外貨建取引を行った日からその外貨建資産等の決済日までの期間の日数で除し、これに当該事業年度の日数（当該事業年度がその外貨建取引を行った日〔その外貨建資産等が(2)に掲げる適格合併等により(2)に掲げる被合併法人等から移転を受けたものである場合にあっては、当該適格合併等の日。以下(二)において同じ。〕の属する事業年度である場合には、同日から当該事業年度終了の日までの期間の日数）を乗じて計算した金額（当該事業年度がその外貨建資産等の決済日の属する事業年度である場合には、その差額から当該事業年度の前事業年度までの各事業年度の所得の金額の計算上益金の額又は損金の額に算入された金額〔その外貨建資産等が当該適格合併等により当該被合併法人等から移転を受けたものである場合	その外貨建取引を行った日の属する事業年度からその外貨建資産等の決済日の属する事業年度までの各事業年度

| | | にあっては、当該外貨建資産等について当該被合併法人等の各事業年度の所得の金額の計算上益金の額又は損金の額に算入された金額を含む。〕を控除して得た金額）に相当する金額 | |

　　注　上表中「日数」とあるのは、「月数」とすることができる。この場合において、月数は暦に従って計算し、1か月に満たない端数を生じたときは、これを1か月とする。（法61の10⑤、令122の9③）

　　（2以上の先物外国為替契約等を締結している場合の契約締結日の特例）
（4）法人が当該事業年度において外貨建資産等につき2以上の先物外国為替契約等を締結した場合において、当該2以上の先物外国為替契約等の締結した日の属する月が異なるときは、当該2以上の先物外国為替契約等の全てにつき当該事業年度開始の日以後6か月（当該事業年度の月数が12か月に満たない場合には、6に当該事業年度の月数を乗じてこれを12で除して計算した月数）を経過した日において締結したものとして**1**、（1）及び**2**《短期外貨建資産等に係る為替予約差額の一括計上》を適用することができるものとする。（基通13の2－2－8）
　　注1　当該月数は、暦に従って計算し、1か月に満たない端数を生じたときは、これを1か月とする。
　　注2　（3）の注に基づく月数による按分は継続適用を前提として認められているものであるが、本文の適用は、同注の適用を受けている場合に限られないことに留意する。

　　（先物外国為替契約等の解約等があった場合の取扱い）
（5）**三の2**《先物外国為替契約等により決済時の外国通貨の円換算額を確定させた外貨建資産等の換算》の適用を受けた外貨建資産等に係る先物外国為替契約等につき解約（解除を含む。以下（5）において同じ。）があった場合には、その解約があった日の属する事業年度（以下（5）において「解約事業年度」という。）の所得の金額の計算上、当該外貨建資産等に係る為替予約差額（**1**に掲げる為替予約差額をいう。〔（7）において「**為替予約差額**」という。〕をいい、（3）の表の（一）の「区分」欄に掲げる場合にあっては、当該為替予約差額から同表の（一）の「金額」欄のイに掲げる差額に相当する金額を控除した金額をいう。）を当該先物外国為替契約等の締結の日（その日が当該外貨建資産等の取得の日又は発生の日前である場合には、その取得の日又は発生の日）から当該外貨建資産等に係る債権債務の当初の支払の日までの期間の月数又は日数で除し、これに解約事業年度開始の日から当該先物外国為替契約等の解約の日までの期間の月数又は日数を乗じて計算した金額に相当する金額を益金の額又は損金の額に算入する。（基通13の2－2－16）
　　注　月数又は日数は、暦に従って計算し、月数につき1か月に満たない端数を生じたときは、これを1か月とする。

　　（外貨建資産等に係る契約の解除があった場合の調整）
（6）**三の2**《先物外国為替契約等により決済時の外国通貨の円換算額を確定させた外貨建資産等の換算》の適用を受けた外貨建資産等の取得又は発生に係る契約につき解除があった場合（再売買と認められる場合を除く。）には、その解除があった日の属する事業年度（以下「契約解除事業年度」という。）の所得の金額の計算上、当該契約解除事業年度の前事業年度までの間に当該外貨建資産等につき**1**、（1）及び**2**《短期外貨建資産等に係る為替予約差額の一括計上》により益金の額又は損金の額に算入した金額の合計額を損金の額又は益金の額に算入する。（基通13の2－2－17）

　　（外貨建資産等の支払の日等につき繰延べ等があった場合の取扱い）
（7）（3）の適用を受ける外貨建資産等に係る債権債務の支払の日又は当該外貨建資産等に係る先物外国為替契約等の履行の日につき繰延べ（繰上げを含む。以下（7）において「繰延べ等」という。）が行われた場合においても当該外貨建資産等につき円換算額（当該繰延べ等により円換算額に異動が生じたときは、異動後の円換算額）が確定しているときは、その繰延べ等が行われた日の属する事業年度（以下（7）において「繰延事業年度」という。）以後の事業年度の所得の金額の計算上、当該外貨建資産等に係る為替予約差額の残額（当該外貨建資産等に係る為替予約差額から当該繰延事業年度の前事業年度までの各事業年度において益金の額又は損金の額に算入した金額を控除して得た残額をいい、その繰延べ等に伴い当該外貨建資産等に係る先物外国為替契約等の内容が変更されたことにより、その円換算額に異動が生じたときは、異動後の円換算額に基づく再計算後の残額をいう。以下（7）において同じ。）を当該繰延事業年度開始の日から当該外貨建資産等に係る債権債務の繰延べ等後の支払の日までの期間の月数又は日数で除し、これに当該事業年度の月数又は日数を乗じて計算した金額に相当する金額を益金の額又は損金の額に算入する。（基通13の2－2－18）

注1 当該事業年度が当該外貨建資産等に係る債権債務の支払の日を含む事業年度である場合には、当該為替予約差額の残額から当該事業年度の前事業年度（繰延事業年度以後の事業年度に限る。）までの間に益金の額又は損金の額に算入した金額を控除して得た金額に相当する金額を益金の額又は損金の額に算入することに留意する。
注2 月数又は日数は、暦に従って計算し、月数につき1か月に満たない端数を生じたときは、これを1か月とする。
注3 外貨建資産等に係る債権債務の支払の日又は当該外貨建資産等に係る先物外国為替契約等の履行の日につき繰延べ等が行われたことに伴い、当該外貨建資産等に係る円換算額が確定しないこととなった場合には、（5）の取扱いによる。

2　短期外貨建資産等に係る為替予約差額の一括計上

外貨建資産等が**短期外貨建資産等**（当該外貨建資産等のうち、その決済による本邦通貨の受取又は支払の期限が当該事業年度終了の日〔当該外貨建資産等が適格分割又は適格現物出資〈以下「適格分割等」という。〉により分割承継法人又は被現物出資法人〈以下「分割承継法人等」という。〉に移転するものである場合にあっては、当該適格分割等の日の前日〕の翌日から1年を経過した日の前日までに到来するものをいう。以下2において同じ。）である場合には、1《為替予約差額の配分》に掲げる為替予約差額は、1にかかわらず、当該事業年度の所得の金額の計算上、益金の額又は損金の額に算入することができる。（法61の10③）

（短期外貨建資産に該当することとなった場合の取扱い）
（1）　1《為替予約差額の配分》の適用を受けた外貨建資産等については、短期外貨建資産等に該当することとなった場合においても、引き続き1を適用する。（法61の10⑤、令122の9②）

（為替予約差額の一括計上の方法の選定）
（2）　2により為替予約差額を当該事業年度の益金の額又は損金の額に算入する方法は、外国通貨の種類を異にする短期外貨建資産等ごとに選定することができる。（法61の10⑤、令122の10①）

（為替予約差額の一括計上の方法の選定の手続）
（3）　内国法人は、その有する短期外貨建資産等につき（2）の方法を選定しようとする場合には、その選定をしようとする事業年度に係る確定申告書の提出期限（当該事業年度の中間申告書で仮決算による中間申告書を提出する場合には、その中間申告書の提出期限）までに、その旨を記載した書面を納税地の所轄税務署長に届け出なければならない。（法61の10⑤、令122の10②）

（為替予約差額の一括計上の方法の変更の手続）
（4）　内国法人は、（3）により選定した方法を変更しようとするときは、納税地の所轄税務署長の承認を受けなければならない。（法61の10⑤、令122の11①）
　　注　四の5《外貨建資産等の期末換算の方法の変更の手続》の（1）、（2）、（4）及び（5）は、内国法人が（4）に掲げる承認を受けようとする場合について準用する。この場合において、同5の（1）《期末換算の方法の変更承認申請書の提出》中「新たな換算の方法を採用」とあるのは**「五の2の（2）に掲げる方法を変更」**と、四の5の（2）《申請の却下》中「現によっている換算の方法」とあるのは**「五の2の（2）に掲げる方法」**と、「変更しようとする換算の方法」とあるのは**「同（2）に掲げる方法以外の方法」**と読み替えるものとする。（法61の10⑤、令122の11②）

第二十七款　その他の所得計算規定

一　確定給付企業年金等の掛金等の損金算入

　内国法人が、各事業年度において、次の表に掲げる掛金、保険料、事業主掛金、信託金等又は信託金等若しくは預入金等の払込みに充てるための金銭を支出した場合には、その支出した金額（2に掲げる掛金又は保険料の支出を金銭に代えて株式をもって行った場合として、（1）《掛金又は保険金の支出を金銭に代えて株式をもって行った場合》の表の左欄に掲げる場合には、それぞれ同表の右欄に掲げる金額）は、当該事業年度の所得の金額の計算上、損金の額に算入する。（令135）

1	退職金共済の掛金	独立行政法人勤労者退職金共済機構又は所得税法施行令第74条第5項《特定退職金共済団体の承認》に規定する特定退職金共済団体が行う退職金共済に関する制度に基づいてその被共済者（事業主が退職金共済事業を行う団体に掛金を納付し、その団体がその事業主の雇用する使用人の退職について退職給付金を支給することを約する退職金共済契約に基づき、その退職給付金の支給を受けるべき者をいう。）のために支出した掛金（所得税法施行令第76条第1項第2号ロからへまで《退職金共済制度等に基づく一時金で退職手当等とみなさないもの》に掲げる掛金を除くものとし、中小企業退職金共済法第53条《従前の積立事業についての取扱い》の規定により独立行政法人勤労者退職金共済機構に納付する金額を含む。）
2	確定給付企業年金の掛金等	確定給付企業年金法第3条第1項《確定給付企業年金の実施》に規定する確定給付企業年金に係る規約に基づいて同法第2条第4項《定義》に規定する加入者のために支出した同法第55条第1項《掛金》の掛金（同法第63条《積立不足に伴う掛金の拠出》、第78条第3項《実施事業所の増減》、第78条の2第3号《確定給付企業年金を実施している事業主が2以上である場合等の実施事業所の減少の特例》及び第87条《終了時の掛金の一括拠出》の掛金を含む。）又はこれに類する掛金若しくは保険料 （確定給付企業年金の掛金等に類するもの） 　上記に掲げる「これに類する掛金若しくは保険料」とは、次の表に掲げるものをいう。（規27の20②） {| (一) | 確定給付企業年金法施行令第54条の4《資産の移換をする場合の掛金の一括拠出》の規定により支出した同条の掛金 || (二) | 確定給付企業年金法第3条第1項に規定する確定給付企業年金に係る規約に基づいて同法第82条の5第1項《確定給付企業年金から独立行政法人勤労者退職金共済機構への積立金等の移換》の加入者であった者のために支出した確定給付企業年金法施行令第54条の8第3号《独立行政法人勤労者退職金共済機構への積立金等の移換の基準》の掛金 || (三) | 確定給付企業年金法施行規則第64条《積立金の額が給付に関する事業に要する費用に不足する場合の取扱い》の規定により支出した同条の掛金 || (四) | （4）《退職年金等積立金に対する法人税の特例》に掲げる適格退職年金契約に基づいて（4）の表の（二）に掲げる受益者等のために支出した掛金又は保険料（同表の（三）に掲げる要件に反してその役員について支出した掛金又は保険料を除く。） |} 　注──線部分は、令和6年度改正により改正された部分で、改正規定は、令和6年4月1日から適用され、令和6年3月31日以前の適用については、「第82条の5第1項」とあるのは「第82条の4第1項」とする。（令6改規附1）
3	企業型確定拠出年金の掛金等	確定拠出年金法第4条第3項《承認の基準等》に規定する企業型年金規約に基づいて同法第2条第8項《定義》に規定する企業型年金加入者のために支出した同法第3条第3項第7号《規約の承認》に規定する事業主掛金（同法第54条第1項《他の制度の資産の移換》の規定により移換した確定拠出年金法施行令第22条第1項第5号《他の制度の資産の移換の基準》に掲げる資産を含む。）

4	個人型確定拠出年金の掛金	確定拠出年金法第56条第3項《承認の基準等》に規定する個人型年金規約に基づいて同法第68条の2第1項《中小事業主掛金》の個人型年金加入者のために支出した同項の掛金
5	勤労者財産形成給付金契約の信託金等	勤労者財産形成促進法第6条の2第1項《勤労者財産形成給付金契約等》に規定する勤労者財産形成給付金契約に基づいて同項第2号に規定する信託の受益者等（**6**において「**信託の受益者等**」という。）のために支出した同項第1号に規定する信託金等（**6**において「**信託金等**」という。）
6	勤労者財産形成基金契約の拠出金等	勤労者財産形成促進法第6条の3第2項《勤労者財産形成基金契約》に規定する第一種勤労者財産形成基金契約に基づいて信託の受益者等のために支出する信託金等又は同条第3項に規定する第二種勤労者財産形成基金契約に基づいて同項第2号に規定する勤労者について支出する同項第1号に規定する預入金等の払込みに充てるために同法第7条の20第1項《拠出》の規定により支出した金銭

（掛金又は保険金の支出を金銭に代えて株式をもって行った場合）
（1）**一**に掲げる掛金又は保険金の支出を金銭に代えて株式をもって行った場合として、次の表の左欄に掲げる場合には、同表の左欄の区分に応じそれぞれ同表の右欄に掲げる金額とする。（規27の20①）

(一)	確定給付企業年金法第56条第2項《掛金の納付》の規定に基づき同法第3条第1項《確定給付企業年金の実施》に規定する確定給付企業年金に係る規約に基づく掛金の支出を金銭に代えて同法第56条第2項に規定する株式をもって行った場合	その時における当該株式の価額
(二)	（4）《退職年金等積立金に対する法人税の特例》の表の(二)の《過去勤務債務等の額に係る掛金等の上場株式による払込み》に基づき**一**の表の**2**の《確定給付企業年金の掛金等に類するもの》の表の(四)に掲げる掛金又は保険料の支出を金銭に代えて（4）の表の(二)の《過去勤務債務等の額に係る掛金等の上場株式による払込み》に掲げる株式をもって行った場合	その時における当該株式の価額

（退職金共済掛金等の損金算入の時期）
（2）法人が支出する**一**の表の**1**から**6**までに掲げる掛金、保険料、事業主掛金、信託金等又は預入金等の額は、現実に納付（中小企業退職金共済法第2条第5項《定義》に規定する特定業種退職金共済契約に係る掛金については共済手帳への退職金共済証紙の貼付けを含む。）又は払込みをしない場合には、未払金として損金の額に算入することができないことに留意する。（基通9－3－1）
　　注　独立行政法人勤労者退職金共済機構の退職金共済契約の場合にも、その契約に係る被共済者には、その法人の役員で部長、支店長、工場長等のような使用人としての職務を有している者が含まれる。

（厚生年金基金の掛金等の損金算入の時期）
（3）法人が納付する公的年金制度の健全性及び信頼性の確保のための厚生年金保険法等の一部を改正する法律（平成25年法律第63号）附則第5条第1項《存続厚生年金基金に係る改正前厚生年金保険法等の効力等》の規定によりなおその効力を有するものとされる同法第1条《厚生年金保険法の一部改正》の規定による改正前の厚生年金保険法第138条《掛金》の規定により徴収される掛金（同条第5項《設立事業所の減少に係る掛金の一括徴収》又は第6項《解散時の掛金の一括徴収》の規定により徴収される掛金を除く。）又は同法第140条《徴収金》の規定により徴収される徴収金のうち当該法人が負担すべき部分の金額は、当該掛金又は徴収金の額の計算の対象となった月の末日の属する事業年度の損金の額に算入することができる。（基通9－3－2・編者補正）
　　注　同法第138条第5項又は第6項の規定により徴収される掛金については、納付義務の確定した日の属する事業年度の損金の額に算入することができる。

（退職年金等積立金に対する法人税の特例）
（4）適格退職年金契約とは、退職年金に関する信託、生命保険又は生命共済の契約（平成14年3月31日以前に締結されたもの〔（5）《実質的に平成14年3月31日以前に締結されたもの》に掲げるものを含む。〕に限る。）で、その契約に係る掛金又は保険料及び給付の額が適正な年金数理に基づいて算定されていること、その契約の内容が次の表に掲げる要件に該当するものとして国税庁長官の承認を受けたものをいう。（法附20③、令附16①③、規附5③④）

なお、これらの要件を満たすことについてあらかじめ国税庁長官の認定を受けた定型的な契約書（その附属明細書を含む。）によるものについては、所定の事項を記載した届出書の提出をもって国税庁長官の承認があったものとみなされる。（令附17⑥）

(一)	**退職年金**（退職年金の支給要件が満たされないため、又は退職年金に代えて支給する退職一時金を含む。以下（4）において同じ。）の支給のみを目的とするものであること。
(二)	事業主が信託会社（金融機関の信託業務の兼営等に関する法律により同法第1条第1項《兼営の認可》に規定する信託業務を営む銀行を含む。以下同じ。）、生命保険会社（保険業法第2条第3項《定義》に規定する生命保険会社及び同条第8項に規定する外国生命保険会社等をいう。以下同じ。）又は農業協同組合連合会（農業協同組合法第10条第1項第10号《共済に関する施設》の事業を行う農業協同組合連合会のうちその業務が全国の区域に及ぶものに限る。以下同じ。）と締結した信託契約、生命保険契約又は生命共済契約で、事業主がその使用人（第十款の一の**4**《使用人兼務役員の意義》に掲げる使用人としての職務を有する役員を含み、日々雇い入れられる者及び臨時に期間を定めて雇い入れられる者を除く。）を受益者、保険金受取人又は共済金受取人（以下（4）において**「受益者等」**という。）として掛金又は保険料（以下**「掛金等」**という。）を払い込み、信託会社、生命保険会社又は農業協同組合連合会が当該受益者等の退職について退職年金を支給することを約したものであること。 （過去勤務債務等の額に係る掛金等の上場株式による払込み） 　当該契約に係る当該掛金等の払込みは、（七）に掲げる過去勤務債務等の額に係るものに限り、当該払込みを金銭に代えて金融商品取引法第2条第16項《定義》に規定する金融商品取引所に上場されている株式をもって行うことができる。この場合において、事業主が行う当該払込みは、（十三）に掲げる指示に該当しないものとする。（令附16②）
(三)	受益者等（当該契約に基づきその者につき掛金等が払い込まれる期間中における受益者等に限る。）のうちに当該契約を締結した事業主（以下（4）において**「事業主」**という。）である個人若しくはこれと生計を一にする親族又は事業主である法人の役員（（二）に掲げる使用人としての職務を有する役員を除く。）を含まないものであること。
(四)	**予定利率**（掛金等の額及び給付の額の算定の基礎とする利率をいう。（五）において同じ。）は、**財政再計算**（当該契約の締結の時から5年以内の一定の期間が経過するごとに、その算定の基礎とする予定死亡率、予定昇給率、予定脱退率等の見直しに基づき、当該契約に基づく退職年金の給付に充てるために留保すべき金額、掛金等の額その他年金財政に係る再計算を行うことをいう。（五）及び（八）において同じ。）の時以外には変更を行わないものであること。
(五)	掛金等の額及び給付の額が次に掲げる基準に合致するほか適正な年金数理に基づいて算定されているものであること。 　イ　予定利率は、基準利率（国債の金利水準の動向を勘案して年1.1パーセントとする。以下同じ。）以上で設定されており、かつ、それが財政再計算の時における基準利率を下回る場合には、当該財政再計算の時に当該基準利率以上に変更されるものであること。 　ロ　掛金等の額及び給付の額の算定の基礎とする予定死亡率、予定昇給率又は予定脱退率は、その算定の時の現況において合理的に計算されていること。
(六)	掛金等（（七）に掲げる掛金等を除く。）について定額又は給与に一定の割合を乗ずる方法その他これに類する方法により算出した額によるべきことがあらかじめ定められているものであること。
(七)	**過去勤務債務等の額**（契約の締結若しくは変更、受益者等の加入若しくは給与水準の改定があったこと又はあらかじめ定められた一定の期間が経過するごとに当該契約に基づき退職年金の給付に充てるために留保すべき金額の再計算がされたことに伴い、その契約に基づき退職年金の給付に充てるために新たに留保すべき金額が計算される場合における当該留保すべき金額をいう。以下同じ。）に係る掛金等について、（九）のハ及びトに掲げる場合において事業主から払い込まれる金額その他（6）《過去勤務債務等の額に係る掛金等から除かれる金額》に掲げる金額を除き、次のいずれかによるべきことがあらかじめ定められているものであること。 　イ　おおむね一定額の掛金等（当該掛金等の1年当たりの額が過去勤務債務等の額の合計額の$\frac{35}{100}$に相当する金額以下であるものに限る。）

		ロ 給与におおむね一定の割合を乗じて計算する掛金等(当該掛金等の1年当たりの額が当該契約につきその締結又は変更の時において計算したイに掲げる金額以下であるものに限る。)
		ハ **過去勤務債務等の現在額**(過去勤務債務等の額のうちまだ払い込まれていない金額に相当する金額をいう。以下同じ。)におおむね一定の割合を乗じて計算する掛金等(当該掛金等の1年当たりの額が過去勤務債務等の現在額の$\frac{50}{100}$に相当する金額以下であるものに限るものとし、過去勤務債務等の現在額が当該法人の当該事業年度の(六)に掲げる掛金等の額以下となるときは、当該過去勤務債務等の現在額に相当する金額を掛金等とするものを含む。)
(八)		財政再計算の時において当該契約に係る信託財産の価額、保険料積立金に相当する金額又は共済掛金積立金に相当する金額が当該契約に基づき退職年金の給付に充てるため留保すべき金額を超える場合におけるその超える部分の金額の全額を掛金等に充て、又は事業主に返還するものであること。 注 「当該契約に係る信託財産の価額」の計算は、法人税法施行令附則第13条第1項第1号及び第2号《信託に係る退職年金等積立金額の計算の特例》の規定に準じて行う。
(九)		当該契約に係る(八)に掲げる留保すべき金額から当該契約に係る過去勤務債務等の現在額を控除した金額に相当する金額(以下(4)において「**要留保額**」という。)は、次に掲げる金額を除き、事業主に返還しないものであること。
	イ	受益者等が厚生年金基金の加入員となったため、又は既に厚生年金基金の加入員である当該受益者等に係る当該契約に基づく給付の額の全部又は一部を当該厚生年金基金に係る給付の額に含めるため、事業主が当該契約の全部又は一部を解除したことにより返還される金額(受益者等が負担した掛金の額に相当する金額を除く。)のうち、当該事業主が当該厚生年金基金の加入員となった当該受益者等の過去の勤務に係る掛金として負担する額を直ちに払い込む場合のその払込金額に相当する金額
	ロ	受益者等が確定給付企業年金法第2条第4項《定義》に規定する加入者(以下ロにおいて「加入者」という。)となったため、又は既に加入者である当該受益者等に係る当該契約に基づく給付の額の全部又は一部を同法第3条第1項《確定給付企業年金の実施》に規定する確定給付企業年金に係る規約に基づく給付の額に含めるため、事業主が当該契約の全部又は一部を解除したことにより返還される金額のうち、当該事業主が当該規約に係る加入者となった当該受益者等の過去の勤務に係る掛金として負担する額を直ちに払い込む場合のその払込金額に相当する金額
	ハ	受益者等が他の適格退職年金契約に係る受益者等となったため、事業主が当該契約の全部又は一部を解除したことにより返還される金額のうち、当該事業主が当該他の適格退職年金契約における当該受益者等の過去勤務債務等の額に係る掛金等として負担する額を直ちに払い込む場合のその払込金額に相当する金額
	ニ	当該受益者等に係る適格退職年金契約を締結している法人が(6)《過去勤務債務等の額に係る掛金等から除かれる金額》の表の(一)のイからハまでに掲げる合併又は同表の(一)のニに掲げる事業譲渡を行うこととなった場合において、受益者等が、所得税法施行令第73条第1項第1号《特定退職金共済団体の要件》に規定する退職金共済契約に係る同項第2号に規定する被共済者となったため、事業主が当該契約の全部又は一部を解除したことにより返還される金額(受益者等が負担した掛金の額に相当する金額を除く。)のうち、当該事業主が当該退職金共済契約における当該被共済者の同項第7号に規定する合併等前勤務期間に係る同号に規定する過去勤務等通算期間に対応する掛金として負担する額を直ちに払い込む場合のその払込金額に相当する金額
	ホ	要留保額の全部又は一部を当該契約に係る信託会社等(信託会社、生命保険会社又は農業協同組合連合会をいう。以下(4)において同じ。)から他の信託会社等へ移管するため、当該移管に係る金銭その他の資産の返還を受け、これを直ちに当該他の信託会社等に引き渡す場合における当該引き渡す資産の価額に相当する金額
	ヘ	受益者等が確定拠出年金法第2条第8項《定義》に規定する企業型年金加入者(以下ヘにおいて「**企業型年金加入者**」という。)となったため、又は既に企業型年金加入者である当該受益者等に係る当該契約に基づく給付の額の全部又は一部を当該企業型年金加入者の同条第12項に規定する個人別管理資産(以下ヘにおいて「**個人別管理資産**」という。)に充てるため、事業主が当該契約の全部又は一部を解除したことにより返還される金額(以下ヘにおいて「返還金額」という。)のうち、当該事業主が各企業型年金加入者の個人別管理資産に充てるものの額を直ちに払い込む場合のその払込金額に相当する金

		額
	ト	事業主がへの払込みを行う場合において、返還金額のうち過去勤務債務等の現在額に充てるものの額を直ちに払い込むときのその払込金額に相当する金額
(十)		当該契約の全部又は一部が解除された場合には、当該契約に係る要留保額は、次の表に掲げる金額を除き、受益者等に帰属するものであること。
	イ	確定給付企業年金法附則第25条第3項《適格退職年金契約に係る権利義務の確定給付企業年金への移転》の規定により当該契約に係る信託会社等から同法第30条第3項《裁定》に規定する資産管理運用機関等に移換する金額
	ロ	確定給付企業年金法附則第26条第3項《適格退職年金契約に係る権利義務の厚生年金基金への移転》の規定により当該契約に係る信託会社等から厚生年金基金に移換する金額
	ハ	当該契約に係る信託会社等から独立行政法人勤労者退職金共済機構に引き渡す確定給付企業年金法附則第28条第1項《適格退職年金契約に係る資産の独立行政法人勤労者退職金共済機構への移換》に規定する引渡金額
	ニ	(九)のイからトまでに掲げる金額
(十一)		給付の額は、その減額を行わなければ掛金等の払込みが困難になると見込まれることその他の相当の事由があると認められる場合を除くほか、その減額を行うことができるものでないこと。
(十二)		掛金等の額又は給付の額その他退職年金の受給要件について、受益者等のうち特定の者につき不当に差別的な取扱いをしないものであること。
(十三)		当該契約が締結されていることにより、事業主が信託会社等から通常の条件に比し有利な条件による貸付けその他これに類する利益を受けないものであり、かつ、事業主が当該契約に係る信託財産又は払込保険料若しくは払込共済掛金に係る資産の運用に関し個別に指示を行わないものであること。 注1　(二)に掲げる信託契約に係る信託財産の運用に関して当該信託契約に係る事業主が締結した投資一任契約(金融商品取引法第2条第8項第12号ロに規定する投資一任契約をいう。(4)の注7において同じ。)の内容が、次に掲げる要件を満たしていない場合には、当該信託契約の内容は、(十三)に該当しないものとする。(令附16④) 　　イ　金融商品取引法第2条第8項第12号ロに規定する投資判断の全部を一任するものであること。 　　ロ　信託財産である有価証券に係る議決権及び会社法の規定に基づく株主の権利その他これに類する権利の行使について事業主がその指図を行うものでないこと。 注2　(九)のホの移管を有価証券その他の金銭以外の資産(以下注2において「有価証券等」という。)をもって行う場合における当該移管に係る有価証券等に係る事業主の指図は、(十三)に掲げる指示に該当しないものとする。(令附16⑤)
(十四)		当該契約が相当期間継続すると認められるものであること。

注1　信託会社等は、その締結した退職年金に関する信託、生命保険又は生命共済の契約につき国税庁長官の承認を受けようとするときは、所定の事項を記載した申請書に当該契約の契約書の写しその他参考となるべき書類を添付し、これを国税庁長官に提出しなければならない。(令附17①)

注2　国税庁長官は、注1に掲げる申請書の提出があった場合において、当該契約の内容が(4)の表の(一)から(十四)までに該当していると認められるときは、その申請を承認するものとする。(令附17②)

注3　国税庁長官は、注2に掲げる承認をするときは、その申請をした信託会社等に対し、書面によりその旨を通知する。(令附17③)

注4　承認を受けた信託会社等は、その締結した適格退職年金契約につき給付の額又は掛金等の額その他(4)の表の(一)から(十四)までに掲げる要件に係る事項を変更しようとするときは、その変更について国税庁長官の承認を受けなければならない。(令附17④)

注5　注1から注3までは、注4に掲げる変更に係る承認について準用する。(令附17⑤)

注6　信託会社等がその締結した適格退職年金契約で(4)の本文のなお書の適用を受けたものにつき、当該適格退職年金契約の基礎となった定型的な契約書(その附属明細書を含む。)の範囲内において給付の額又は掛金の額その他(4)の表の(一)から(十四)までに掲げる要件に係る事項を変更しようとする場合において、所定の事項を記載した届出書を国税庁長官に提出したときは、当該届出書をもって、注4の承認の申請書とみなし、その届出書の提出をもって変更承認があったものとみなす。(令附17⑦)

注7　信託会社が注1に掲げる退職年金に関する信託の契約につき注1の承認を受けようとする場合において、当該信託の契約に係る信託財産の運用に関して投資一任契約が締結されているときは、当該信託会社は、当該投資一任契約の内容が(4)の表の(十三)の注1に掲げる要件を満たしていることを証する書類で当該投資一任契約に係る金融商品取引業者(金融商品取引法第2条第9項《定義》に規定する金融商品取引業者をいう。)により作成されたものの写しを注1に掲げる申請書に添付しなければならない。注5において準用する注1に掲げる申請書又は(4)の本文のなお書若しくは注6に掲げる届出書の提出をする場合においても、同様とする。(令附17⑧)

注8　国税庁長官は、信託会社等の締結した適格退職年金契約につき次のいずれかに該当する事実があると認めるときは、当該契約に係る注2に掲げる承認を取り消すことができる。(令附18①)

第三章　第一節　第二十七款　一《確定給付企業年金等の掛金等》

　　　(一)　当該契約のうち給付の額又は掛金等の額その他(4)の表の(一)から(十四)までに掲げる要件に係る事項について注4に掲げる承認を受けないで変更したこと。
　　　(二)　当該契約のうち(4)の表の(一)から(十四)までに掲げる要件に係る事項のいずれかに反する事実があること。
　　注9　国税庁長官は、注8により承認の取消しの処分をするときは、その信託会社等に対し、書面によりその旨を通知する。（令附18②）

　　（実質的に平成14年3月31日以前に締結されたもの）
（5）　(4)に掲げる契約で、実質的に平成14年3月31日以前に締結されたものとは、平成14年4月1日以後に締結された退職年金に関する信託、生命保険又は生命共済の契約のうち次の表に掲げるものとする。（規附5①）

(一)	適格退職年金契約に係る要留保額の全部又は一部を当該適格退職年金契約に係る信託会社等から他の信託会社等へ移管する場合又は適格退職年金契約に係る掛金等の払込先の全部若しくは一部を当該適格退職年金契約に係る信託会社等から他の信託会社等に変更する場合におけるこれらの他の信託会社等と締結した退職年金に関する契約
(二)	適格退職年金契約を締結している法人である事業主と他の適格退職年金契約を締結している法人である事業主との合併（法人を設立する合併に限る。）が行われた場合において、当該合併により設立された法人がこれらの適格退職年金契約に係る受益者等を受益者等とする退職年金に関する契約を締結したときにおける当該退職年金に関する契約
(三)	適格退職年金契約を締結している法人である事業主が分割（法人を設立する分割に限る。）を行った場合において、当該分割により設立された法人が当該適格退職年金契約に係る受益者等を受益者等とする退職年金に関する契約を締結したとき（(4)の表の(九)のハに掲げる場合に該当する場合に限る。）における当該退職年金に関する契約
(四)	事業主が他の事業主と共同で信託会社等と適格退職年金契約を締結していた場合において、当該事業主が当該適格退職年金契約を解除し、当該他の事業主が新たに単独又は共同で退職年金に関する契約を締結したとき（(4)の表の(九)のハに掲げる場合に該当する場合に限る。）における当該退職年金に関する契約
(五)	事業主が信託会社と締結している適格退職年金契約に係る信託財産の運用に関して(4)の表の(十三)の注1に掲げる投資一任契約の締結又は解除を行った場合において、当該締結又は解除により当該適格退職年金契約に係る受益者等を受益者等とする退職年金に関する契約を締結したときにおける当該適格退職年金契約に関する契約
(六)	事業主がその営む事業の廃止に伴いその締結していた適格退職年金契約の全部を解除し、当該事業主と実質的に同一である者が当該適格退職年金契約に係る信託会社等と当該適格退職年金契約に係る受益者等を受益者等とする退職年金に関する契約を締結した場合（(4)の表の(九)のハに掲げる場合に該当する場合に限る。）における当該退職年金に関する契約

　　（過去勤務債務等の額に係る掛金等から除かれる金額）
（6）　(4)《退職年金等積立金に対する法人税の特例》の表の(七)に掲げる金額は、次の表の左欄に掲げる場合の区分に応じ、それぞれ同表の右欄に掲げる金額とする。（規附5②）

(一)	所得税法施行令第73条第1項《特定退職金共済団体の要件》に規定する特定退職金共済団体が行う同項第1号に規定する退職金共済契約を締結している法人の次の表に掲げる合併又は事業譲渡に伴い、当該退職金共済契約に係る同項第2号に規定する被共済者が適格退職年金契約に係る受益者等となったため、又は既に適格退職年金契約に係る受益者等である当該被共済者に係る当該退職金共済契約に基づく給付の額の全部又は一部を適格退職年金契約に基づく給付の額に含めるため、当該法人が当該退職金共済契約の全部又は一部を解除した場合	当該適格退職年金契約に係る当該受益者等の過去勤務債務等の額に係る掛金等に相当する金額として当該特定退職金共済団体から引き渡される金額
	イ　農業協同組合が農業協同組合合併助成法第2条第1項《合併経営計画の樹立》の規定により	

		同法第4条第2項《合併経営計画の適否の認定》の認定を受けて行う合併又は農業協同組合法第10条第1項第3号《貯金又は定期積金の受入れ》の事業を行う農業協同組合が同法第65条第2項《合併の要件》の認可を受けて行う合併（農業協同組合及び農業協同組合連合会の信用事業に関する命令第57条第2項《合併の認可の申請等》において準用する同令第50条第2項《信用事業の全部又は一部の譲渡の認可の申請等》に規定する審査を受けて行うものに限る。）	
	ロ	農林中央金庫及び特定農水産業協同組合等による信用事業の再編及び強化に関する法律（以下（一）において「再編強化法」という。）第8条《合併》の規定による農林中央金庫と信用農水産業協同組合連合会（同法第2条第2項《定義》に規定する信用農水産業協同組合連合会をいう。以下（一）において同じ。）との合併	
	ハ	全国の区域を地区とする農業協同組合連合会とその会員たる農業協同組合連合会（信用農業協同組合連合会〔再編強化法第2条第1項第2号に規定する信用農業協同組合連合会をいう。以下（一）において同じ。〕を除く。）との合併	
	ニ	再編強化法第2条第4項に規定する事業譲渡のうち次に掲げるもの （イ）　信用農水産業協同組合連合会が農林中央金庫に対して行う信用事業（再編強化法第2条第3項に規定する信用事業をいう。（ロ）及び（ハ）において同じ。）の全部又は一部の譲渡 （ロ）　再編強化法第2条第1項第1号に規定する特定農業協同組合が農林中央金庫又は信用農業協同組合連合会に対して行う信用事業の全部の譲渡 （ハ）　再編強化法第2条第1項第3号に規定する特定漁業協同組合又は同項第5号に規定する特定水産加工業協同組合が農林中央金庫、同項第4号に規定する信用漁業協同組合連合会又は同項第6号に規定する信用水産加工業協同組合連合会に対して行う信用事業の全部の譲渡	
（二）		企業型年金加入者となった受益者等又は既に企業型年金加入者である受益者等に係る適格退職年金契約に基づく給付の額の全部又は一部をこれらの企業型年金加入者の個人別管理資産に充てる場合において、当該適格退職年金契約を締結している事業主が過去勤務債務等の現在額を掛金等として払い込んだとき	その払い込んだ金額

(平成24年4月1日以後の取扱い)
(7)　(4)《退職年金等積立金に対する法人税の特例》において、平成24年4月1日以後(4)の契約が継続しているときは、同日以後の法人税法その他租税に関する法令の規定の適用については、当該契約は、(4)に掲げる適格退職年金契約に含まれないものとみなす。ただし、当該契約について同日において次の表の(一)及び(二)又は(一)及び(三)に掲げる事実が生じている場合は、この限りでない。(法附20④、規附8)

(一)	当該契約に係る退職年金の給付を受けている者又は給付を受ける権利を有している者のみが当該契約に係る信託の受益者（法人税法附則第20条第2項第1号ロ《退職年金等積立金に対する法人税の特例》の信託の受益者をいう。）、保険金受取人（同項第2号ロの保険金受取人をいう。(二)において同じ。）又は共済金受取人（同項第3号ロの共済金受取人をいう。(二)において同じ。）となっていること。
(二)	当該契約を締結していた事業主のその営む事業の廃止その他これに類する事由によって当該契約に係る保険金受取人又は共済金受取人が当該事業主が有していた当該契約に係る契約者の地位を承継していること。
(三)	確定給付企業年金法第2条第2項《定義》に規定する厚生年金適用事業所以外の事業所（(4)の(九)の表のホに掲げる信託会社等が、平成24年4月30日までに、国税庁長官に対して、日本年金機構の当該信託会社等と(4)の契約を締結している事業主の事業所が同年4月1日において同項に規定する厚生年金適用事業所以外の事業所に該当することを確認した書類の写しを提出することにより証明がされた事業所に限る。）の事業主が締結していること。

(契約者配当)
(8)　法人が適格退職年金契約に基づいて支払を受ける契約者配当の額については、その通知を受けた日の属する事業年度の益金の額に算入する。(基通9－3－8参照)

二　特定の損失、基金の負担金等の損金算入

1　特定の損失等に充てるための負担金の損金算入

　内国法人が、各事業年度において、農畜産物の価格の変動による損失、漁船が遭難した場合の救済の費用その他の特定の損失又は費用を補塡するための業務を主たる目的とする公益法人等又は一般社団法人若しくは一般財団法人の当該業務に係る資金のうち短期間に使用されるもので次に掲げる要件の全てに該当するものとして国税庁長官が指定したものに充てるための負担金を支出した場合には、その支出した金額は、当該事業年度の所得の金額の計算上、損金の額に算入する。
（令136）

①	当該資金に充てるために徴収される負担金の額が当該業務の内容からみて適正であること。
②	当該資金の額が当該業務に必要な金額を超えることとなるときは、その負担金の徴収の停止その他必要な措置が講じられることとなっていること。
③	当該資金が当該業務の目的に従って適正な方法で管理されていること。

（負担金の使用期間）
（1）　1に掲げる「公益法人等又は一般社団法人若しくは一般財団法人の当該業務に係る資金のうち短期間に使用されるもの」とは、当該公益法人等又は一般社団法人又は一般財団法人の定款、業務方法書等において、5年以内の期間を業務計画期間とし、当該期間内に使用されることが予定されている資金をいうものとする。（基通9－6の2－1）
　　注1　業務計画期間が経過した場合において、引き続き1の適用を受けようとするときは、改めて1に掲げる指定を受ける必要があることに留意する。
　　注2　5年を超える期間に使用されることが予定されているものについては、2《特定の基金に対する負担金等の損金算入の特例》により財務大臣の指定を必要とすることに留意する。

（特定の損失又は費用を補塡するための業務の範囲）
（2）　1に掲げる「その他の特定の損失又は費用を補塡するための業務」には、例えば次のようなものが含まれることに留意する。（基通9－6の2－2）
　（一）　水産物又は配合飼料の価格の変動による損失の補塡に係る業務
　（二）　行政指導等に基づき公益法人等又は一般社団法人若しくは一般財団法人が行う構造改善事業
　（三）　海面の油濁による損失の補塡に係る業務

（負担金の損金算入時期）
（3）　法人が1に掲げる負担金を支出した場合における当該負担金の損金算入時期は、当該法人が当該負担金を現実に支払った日（国税庁長官の指定前に支払ったものについては、その指定のあった日）の属する事業年度となることに留意する。（基通9－6の2－3）
　　注1　当該負担金の支払のための手形の振出し（裏書譲渡を含む。）の日は、現実に支払った日に該当しない。
　　注2　国税庁長官の指定前に支払ったものについては、当該指定の日までの間は仮払金として処理することとなる。

2　特定の基金に対する負担金等の損金算入の特例

　法人が、各事業年度において、長期間にわたって使用され、又は運用される基金又は信託財産に係る負担金又は掛金で次の表に掲げるものを支出した場合には、その支出した金額は、当該事業年度の所得の金額の計算上、損金の額に算入する。（措法66の11①、措令39の22①②）

①	中小企業者又は農林漁業者（農林漁業者の組織する団体を含む。）に対する信用の保証をするための業務を法令の規定に基づいて行うことを主たる目的とする信用保証協会、農業信用基金協会及び漁業信用基金協会に対する当該信用の保証をするための業務に係る基金に充てるための負担金
②	独立行政法人中小企業基盤整備機構が行う中小企業倒産防止共済法の規定による中小企業倒産防止共済事業に係る基金に充てるための同法第2条第2項《定義》に規定する共済契約に係る掛金
③	独立行政法人石油天然ガス・金属鉱物資源機構に設けられた金属鉱業等鉱害対策特別措置法第12条《鉱害防止事業基金》の規定による鉱害防止事業基金に充てるための負担金
④	社債、株式等の振替に関する法律第2条第11項《定義》に規定する加入者保護信託の信託財産とするための同法第

		62条第1項《振替機関等の加入者保護信託への負担金の支払》に規定する負担金
⑤		次に掲げる業務（（4）《特定の業務を行う公益法人等の要件》の（一）に掲げる要件を満たす基金として財務大臣が指定する基金に係る業務であって、当該基金に充てるために財務大臣が指定する期間内に徴収される負担金に係る業務に限る。）を行うことを主たる目的とする公益法人等若しくは一般社団法人若しくは一般財団法人で、当該特定の業務が国若しくは地方公共団体の施策の実施に著しく寄与し、かつ、公的に運営されていることにつき（4）に掲げる要件を満たすもの又は当該特定の業務を行う公共法人で政令で定めるものに対する当該特定の業務に係る基金に充てるための負担金
	イ	公害の発生による損失を補塡するための業務又は公害の発生の防止に資するための業務
	ロ	商品の価格の安定に資するための業務
	ハ	商品の価格の変動による異常な損失を補塡するための業務
	ニ	金融商品取引法第79条の21に規定する基金が行う同法第79条の49第1項第1号から第6号《基金の業務》までに掲げる業務
	ホ	保険業法第259条《目的》に規定する機構が行う同法第265条の28第1項第1号から第8号《業務》まで及び同条第2項第1号から第3号までに掲げる業務
	ヘ	農林中央金庫及び特定農水産業協同組合等による信用事業の再編及び強化に関する法律第32条第2項《指定》に規定する指定支援法人が行う同法第33条第1号から第3号《業務》までに掲げる業務
	ト	商品先物取引法第270条の委託者保護基金が行う同法第300条第1号及び第2号並びに金融商品取引法等の一部を改正する法律（平成24年法律第86号）附則第4条第1項第1号及び第2号に掲げる業務

　　（長期間にわたって使用等される基金）
（1）　**2**に掲げる「長期間にわたって使用され、又は運用される基金」とは、当該基金が設置される公益法人等の定款、業務方法書等においてその業務に関し5年を超える期間を業務計画期間として定めている場合の当該業務に使用され、又は運用される基金及びその業務に関し業務計画期間を特に定めないで設置される基金でその業務の性格からみておおむね5年を超えて使用され、又は運用されることが予定されるものをいうものとする。（措通66の11-1）

　　（負担金の損金算入時期）
（2）　**2**に掲げる負担金の損金算入時期は、法人が当該負担金を現実に支払った日（財務大臣の指定前に支払ったものについては、その指定のあった日）を含む事業年度となることに留意する。（措通66の11-2）
　　　注1　当該負担金の支払のための手形の振出し（裏書譲渡を含む。）の日は、現実に支払った日に該当しない。
　　　注2　財務大臣の指定前に支払ったものについては、当該指定の日までの間は仮払金として処理することとなる。

　　（中小企業倒産防止共済事業の前払掛金）
（3）　中小企業倒産防止共済法の規定による共済契約を締結した法人が独立行政法人中小企業基盤整備機構に前納した共済契約に係る掛金は、前納の期間が1年以内であるものを除き、**2**の表の②に掲げる掛金に該当しない。（措通66の11-3）

　　（特定の業務を行う公益法人等の要件）
（4）　**2**の表の⑤に掲げる要件を満たすものは、次に掲げる要件の全てを備えているものとして財務大臣が指定する公益法人等（一般社団法人又は一般財団法人を含む。以下（4）において同じ。）とする。（措令39の22③）
　（一）　当該公益法人等の業務に係る基金が法令の規定に基づいて行われる業務に係るものであること又は当該基金の額の相当部分が国若しくは地方公共団体により交付されているものであること。
　（二）　当該公益法人等の業務に係る基金が当該業務の目的以外の目的に使用してはならない旨が当該公益法人等の定款等（第二章第一節の**七**の**1**《事業年度の意義》に掲げる定款等をいう。（三）において同じ。）において定められていることその他適正な方法で管理されていること。
　（三）　当該公益法人等が解散した場合にその残余財産の額（出資の金額に相当する金額を除く。）が国若しくは地方公共団体又は**2**の表の⑤のイからトまでに掲げる業務を行うことを主たる目的とする他の公益法人等に帰属する旨が法令又は当該公益法人等の定款等において定められていること。

(財務大臣の指定)
(5) 財務大臣は、**2**の表の⑤に掲げる基金及び期間並びに(4)に掲げる公益法人等を指定したときは、これを告示する。(措令39の22④)

(財務大臣が指定した基金及び期間並びに公益法人等)
(6) (5)により財務大臣が告示したもの(最終改正分)を次に掲げる。(平成27年財務省告示第313号〔最終改正令和6年第122号〕)

公益法人等(所在地)	基　　金	期　　間	告示年月日・告示番号
生命保険契約者保護機構 (東京都千代田区丸の内3丁目4番1号 新国際ビル9階)	保険契約者保護資金	平成27年8月7日から 令和4年3月31日まで	平27.12.28　第408号 (平28.9.23第275号改正) (平29.9.19第263号改正) (平30.9.14第242号改正) (令元.9.13第114号改正) (令2.9.14第230号改正) (令3.9.14第243号改正)
公益社団法人配合飼料供給安定機構 (東京都中野区中央5丁目8番1号)	異常補填積立基金	令和4年4月28日から令和5年3月31日まで、同年4月28日から令和6年3月31日まで及び同年4月30日から令和7年3月31日まで	平27.9.30　第313号 (平28.9.30第284号改正) (平29.4.26第124号改正) (令4.4.28第124号改正) (令5.4.28第119号改正) (令6.4.30第122号改正)

(共済契約の解除後に支出する掛金の不適用)
(7) **2**(表の②に係る部分に限る。)は、法人の締結していた同②に掲げる共済契約につき解除があった後同②に掲げる共済契約を締結した当該法人がその解除の日から同日以後2年を経過する日までの間に当該共済契約について支出する同②に掲げる掛金については、適用しない。(措法66の11②)
　　注　(7)は、令和6年度改正により追加された部分で、改正規定は、法人の締結していた**2**に掲げる共済契約につき令和6年10月1日以後に解除があった後**2**に掲げる共済契約を締結した当該法人が当該共済契約について支出する**2**に掲げる掛金について適用される。(令6改法附53、1Ⅲチ)

(負担金等の損金算入の申告)
(8) **2**は、確定申告書等にその損金算入に関する明細書《別表十(七)》の添付がない場合には、適用しない。ただし、当該添付がない確定申告書等の提出があった場合においても、その添付がなかったことにつき税務署長がやむを得ない事情があると認める場合において、当該明細書の提出があったときは、この限りでない。(措法66の11③)

三　金銭債務の償還差損益

1　金銭債務の償還差損益

　内国法人が社債の発行その他の事由により金銭債務に係る債務者となった場合（適格合併、適格分割又は適格現物出資〔以下三において「**適格合併等**」という。〕により被合併法人、分割法人又は現物出資法人〔以下**3**において「**被合併法人等**」という。〕から当該金銭債務の償還等に係る義務の引継ぎを受けた場合を除く。）において、当該金銭債務に係る収入額がその債務額を超え、又はその収入額がその債務額に満たないときは、当該債務者となった日の属する事業年度からその償還の日の属する事業年度までの各事業年度の所得の金額の計算上、その超える部分の金額又はその満たない部分の金額を当該金銭債務の償還期間（当該金銭債務に係る債務者となった日から当該金銭債務に係る償還の日までの期間をいう。**3**において同じ。）の月数で除し、これに当該事業年度の月数（当該事業年度が当該債務者となった日の属する事業年度である場合には、同日から当該事業年度終了の日までの期間の月数）を乗じて計算した金額（当該事業年度がその償還の日の属する事業年度である場合には、その超える部分の金額又はその満たない部分の金額から当該事業年度の前事業年度までの各事業年度の所得の金額の計算上益金の額又は損金の額に算入された金額を控除して得た金額）を益金の額又は損金の額に算入する。（令136の2①）

　　注　**1**に掲げる月数は暦に従って計算し、1か月に満たない端数を生じたときは、これを1か月とする。（令136の2④）

2　適格合併等により合併法人等に金銭債務の償還等に係る義務を引き継ぐ場合の益金又は損金算入

　内国法人が適格合併等により合併法人等（合併法人、分割承継法人又は被現物出資法人をいう。）に金銭債務（当該金銭債務に係る収入額がその債務額を超え、又はその収入額がその債務額に満たないものに限る。以下**2**において同じ。）の償還等に係る義務を引き継ぎ、債務者となった場合において、当該債務者となった日の属する事業年度からその償還の日の属する事業年度（適格合併等により合併法人等に金銭債務の償還等に係る義務を引き継ぐ場合には、当該適格合併等が適格合併に該当するときは当該適格合併の日の前日の属する事業年度とし、当該適格合併等が適格分割又は適格現物出資〔以下**2**において「**適格分割等**」という。〕に該当するときは当該適格分割等の日の属する事業年度とする。）までの各事業年度の所得の金額の計算上、その超える部分の金額又はその満たない部分の金額を当該金銭債務の償還期間（当該金銭債務に係る債務者となった日から当該金銭債務に係る償還の日までの期間をいう。）の月数で除し、これに当該事業年度の月数（当該事業年度が当該債務者となった日の属する事業年度〔適格分割等により当該金銭債務の償還等に係る義務を分割承継法人又は被現物出資法人に引き継いだ日の属する事業年度を除く。〕である場合には、当該債務者となった日から当該事業年度終了の日までの期間の月数とし、当該事業年度が適格分割等により当該金銭債務の償還等に係る義務を分割承継法人又は被現物出資法人に引き継いだ日の属する事業年度である場合には当該事業年度開始の日〔当該事業年度が当該債務者となった日の属する事業年度である場合には、同日〕から当該適格分割等の日の前日までの期間の月数とする。）を乗じて計算した金額を益金の額又は損金の額に算入する。（令136の2②①）

　　注　**2**に掲げる月数は暦に従って計算し、1か月に満たない端数を生じたときは、これを1か月とする。（令136の2④）

3　適格合併等により合併法人等が金銭債務の償還等に係る義務を承継した場合の益金又は損金算入

　内国法人が適格合併等により被合併法人等から当該被合併法人等が債務者である金銭債務（当該金銭債務に係る当該被合併法人等における収入額がその債務額を超え、又は当該収入額がその債務額に満たないものに限る。以下**3**において同じ。）の償還等に係る義務を承継したときは、当該適格合併等の日の属する事業年度からその償還の日の属する事業年度までの各事業年度の所得の金額の計算上、その超える部分の金額又はその満たない部分の金額を当該金銭債務の償還期間の月数で除し、これに当該事業年度の月数（当該事業年度が当該適格合併等により当該金銭債務の償還等に係る義務を承継した日の属する事業年度である場合には、その日から当該事業年度終了の日までの期間の月数）を乗じて計算した金額（当該事業年度がその償還の日の属する事業年度である場合には、その超える部分の金額又はその満たない部分の金額から当該事業年度前の各事業年度の所得の金額の計算上益金の額又は損金の額に算入された金額〔当該金銭債務につき当該被合併法人等の各事業年度の所得の金額の計算上益金の額又は損金の額に算入された金額を含む。〕を控除して得た金額）を、益金の額又は損金の額に算入する。（令136の2③）

　　注　**3**に掲げる月数は暦に従って計算し、1か月に満たない端数を生じたときは、これを1か月とする。（令136の2④）

4　公益法人等の金銭債務に係る収入額等の特例

　1、**2**又は**3**の金銭債務が次の表に掲げる金銭債務である場合には、次の表に掲げる事実が生じた日におけるその金銭債務の帳簿価額をその金銭債務に係る収入額とし、当該事実が生じた日をその金銭債務に係る債務者となった日として、**1**、**2**又は**3**を適用する。（令136の2⑤）

①	公益法人等又は人格のない社団等の収益事業以外の事業に属していた金銭債務がその収益事業に属する金銭債務となった場合における当該金銭債務
②	金銭債務に係る債務者である公共法人が収益事業を行う公益法人等に該当することとなった場合における当該金銭債務（その収益事業に属するものに限る。）
③	金銭債務に係る債務者である公共法人又は公益法人等が普通法人又は協同組合等に該当することとなった場合における当該金銭債務（公益法人等が普通法人又は協同組合等に該当することとなった場合にあっては、その収益事業以外の事業に属していたものに限る。）
④	適格合併又は適格現物出資により被合併法人又は現物出資法人である公益法人等又は人格のない社団等の収益事業以外の事業に属していた金銭債務の償還等に係る義務の承継をした場合における当該金銭債務

四　医療法人の設立に係る資産の受贈益等

1　医療法人が設立について贈与等を受けた場合の所得計算の特例
　医療法人がその設立について贈与又は遺贈を受けた金銭の額又は金銭以外の資産の価額は、その医療法人の各事業年度の所得の金額の計算上、益金の額に算入しない。（令136の3①）

2　医療法人が持分の払戻しをしなかった場合の所得計算の特例
　社団である医療法人で持分の定めのあるものが持分の定めのない医療法人となる場合において、持分の全部又は一部の払戻しをしなかったときは、その払戻しをしなかったことにより生ずる利益の額は、その医療法人の各事業年度の所得の金額の計算上、益金の額に算入しない。（令136の3②）

五　借 地 権 等

1　土地の使用に伴う対価についての所得の計算

　借地権（地上権又は土地の賃借権をいう。以下同じ。）若しくは地役権の設定により土地を使用させ、又は借地権の転貸その他他人に借地権に係る土地を使用させる行為をした内国法人については、その使用の対価として通常権利金その他の一時金（以下「**権利金**」という。）を収受する取引上の慣行がある場合においても、当該権利金の収受に代え、当該土地（借地権者にあっては、借地権。以下同じ。）の価額（通常収受すべき権利金に満たない金額を権利金として収受している場合には、当該土地の価額からその収受した金額を控除した金額）に照らし当該使用の対価として相当の地代を収受しているときは、当該土地の使用に係る取引は正常な取引条件でされたものとして、その内国法人の各事業年度の所得の金額を計算するものとする。（令137）

　注1　「借地権若しくは地役権の設定」には、借地権又は地役権の設定契約に基づく場合のほか、土地の賃貸期間、地代の額等についての明確な取決めをしないで、他人の建物を建てさせた場合、又は自己の土地の上に存する自己の建物等を他人に譲渡した場合も含まれることに留意する。（編者）
　注2　借地権には、何らの施設を設けないで物品置場、駐車場としての土地を更地のまま使用するものも含まれる。（編者）

　　　　（他人に借地権に係る土地を使用させる行為の範囲）
（1）　1に掲げる「他人に借地権に係る土地を使用させる行為」には、例えば、借地権に係る土地の地下に地下鉄等の構築物の建設をさせるためその土地の地下を使用させる行為又は特別高圧架空電線の架設等をさせるためその土地の上の空間を使用させる行為が該当する。（基通13−1−1）

　　　　（使用の対価としての相当の地代）
（2）　法人が**借地権の設定等**（借地権又は地役権の設定により土地を使用させ、又は借地権の転貸その他他人に借地権に係る土地を使用させる行為をいう。以下**五**において同じ。）により他人に土地を使用させた場合において、これにより収受する地代の額が当該土地の更地価額（権利金を収受しているとき又は特別の経済的な利益の額があるときは、これらの金額を控除した金額）に対しておおむね年6％程度のものであるときは、その地代は1に掲げる相当の地代に該当するものとする。（基通13−1−2、平元直法2−2、平3課法2−4）

（算式）
$$\text{相当の地代の年額} = \left[\text{土地の更地価額} - \text{収受した権利金の額又は特別の経済的な利益の額}\right] \times \text{おおむね年6\%}$$

　注1　「土地の更地価額」は、その借地権の設定等の時における当該土地の更地としての通常の取引価額をいうのであるが、この取扱いの適用上は、課税上弊害がない限り、当該土地につきその近傍類地の公示価格等（地価公示法第8条《不動産鑑定士の土地についての鑑定評価の準則》に規定する公示価格又は国土利用計画法施行令第9条第1項《基準地の標準価格》に規定する標準価格をいう。）から合理的に算定した価額又は昭和29年4月25日付 直審56 直審(資)17「財産評価基本通達」第2章《土地及び土地の上に存する権利》の例により計算した価額若しくは当該価額の過去3年間（借地権を設定し、又は地代を改訂する年以前3年間をいう。）における平均額によることができるものとする。この場合において、本文の括弧書により土地の更地価額から控除すべき金額があるときは、当該金額は、次の算式により計算した金額によるものとする。

（算式）
$$\text{その権利金又は特別の経済的な利益の額} \times \frac{\text{当該算定し、又は計算した価額}}{\text{当該土地の更地としての通常の取引価額}}$$

　注2　借地権の転貸の場合には、「土地の更地価額」とあるのは「借地権の価額」と、「当該土地の更地としての通常の取引価額」とあるのは「当該借地権の通常の取引価額」と、それぞれ読み替えるものとする。

　　　　（相当の地代に満たない地代を収受している場合の権利金の認定）
（3）　法人が借地権の設定等により他人に土地を使用させた場合において、これにより収受する地代の額が（2）に掲げる相当の地代の額に満たないときは、（7）《権利金の認定見合せ》の取扱いによる場合を除き、次の算式により計算した金額から実際に収受している権利金の額及び特別の経済的な利益の額を控除した金額を借地人等に対して贈与（当該借地人等が当該法人の役員又は使用人である場合には、給与の支給とする。以下**五**において同じ。）したものとする。（基通13−1−3）

（算式）
$$\text{土地の更地価額} \times \left(1 - \frac{\text{実際に収受している地代の年額}}{\text{（2）に掲げる相当の地代の年額}}\right)$$

　注1　算式の「（2）に掲げる相当の地代の年額」は、実際に収受している権利金の額又は特別の経済的な利益の額がある場合であっても、これらの金額がないものとして計算した金額による。

第三章　第一節　第二十七款　五《借地権等》

　　注2　算式により計算した金額が通常収受すべき権利金の額を超えることとなる場合には、当該権利金の額にとどめる。

　　　（相当の地代を引き下げた場合の権利金の認定）
（4）　法人が借地権の設定等により他人に土地を使用させ、これにより相当の地代を収受した場合においても、その後その地代を引き下げたときは、その引き下げたことについて相当の理由があると認められるときを除き、原則としてその引き下げた時においてその時における当該土地の価額を基礎として（3）に掲げる算式に準じて計算した金額（既に権利金の一部を収受している場合又は（3）により贈与があったものとして計算された金額がある場合には、これらの金額を控除した金額）に相当する金額を借地人等に対して贈与したものとする。（基通13－1－4）

　　　（通常権利金を授受しない土地の使用）
（5）　法人が権利金を収受することなしに他人に土地を使用させた場合において、これにより収受する地代の額が（2）に掲げる相当の地代の額に満たないときにおいても、その土地の使用の目的が単に物品置場、駐車場等として土地を更地のまま使用し、又は仮営業所、仮店舗等の簡易な建物の敷地として使用するものであるなどその土地の使用が通常権利金の授受を伴わないものであると認められるときは、（3）にかかわらず、権利金の認定は行わないことに留意する。（基通13－1－5）
　　注1　この場合、法人が実際に収受している地代の額がその土地の使用の目的に照らして通常収受すべき地代の額に満たないときは、その満たないことにつき相当の理由があると認められるときを除き、その満たない部分の金額を借地人等に対して贈与したものとする。
　　注2　「その土地の使用が通常権利金の授受を伴わないもの」には、インドアのゴルフ練習場、プレハブの車庫の敷地等として使用するための土地の貸付け、工場構内の専属下請業者に対する当該工場構内の土地の貸付け、労働組合に対する組合事務所等の敷地の貸付け等が含まれる。（編者）

　　　（共同ビルの建築の場合）
（6）　一団の土地の区域内に土地を有する2以上の者が、当該一団の土地の上に共同で建物を建築し、当該建物を区分所有する場合において、各人の所有する部分の床面積の比（当該建物の階その他の部分ごとに利用の効用が異なるときは、当該部分ごとに、その異なる効用に係る適正な割合を勘案して算定した床面積の比とする。以下（6）において同じ。）が当該各人の所有地の面積の比又は価額の比とおおむね等しいときは、相互に借地権の設定等はなかったものとして取り扱う。当該2以上の者が当該建物を共有する場合についても、同様とする。（基通13－1－6）
　　注　各人の所有する部分の床面積の比が当該各人の所有地の面積の比又は価額の比と相当程度以上異なる場合には、その差に対応する部分の土地につき借地権の設定等があったものとして取り扱うのであるから留意する。

　　　（権利金の認定見合せ）
（7）　法人が借地権の設定等により他人に土地を使用させた場合（権利金を収受した場合又は特別の経済的な利益を受けた場合を除く。）において、これにより収受する地代の額が（2）に掲げる相当の地代の額に満たないとき（（5）の取扱いの適用があるときを除く。）であっても、その借地権の設定等に係る契約書において将来借地人等がその土地を無償で返還することが定められており、かつ、その旨を借地人等との連名の書面により遅滞なく当該法人の納税地の所轄税務署長（国税局の調査部〔課〕所管法人にあっては、所轄国税局長。以下同じ。）に届け出たときは、（3）にかかわらず、当該借地権の設定等をした日の属する事業年度以後の各事業年度において、（2）に準じて計算した相当の地代の額から実際に収受している地代の額を控除した金額に相当する金額を借地人等に対して贈与したものとして取り扱うものとする。
　　使用貸借契約により他人に土地を使用させた場合（（5）の取扱いの適用がある場合を除く。）についても、同様とする。（基通13－1－7）
　　注1　本文の取扱いを適用する場合における相当の地代の額は、おおむね3年以下の期間ごとにその見直しを行うものとする。この場合において、（2）の注1中「借地権の設定等の時」とあるのは「当該事業年度開始の時」と読み替えるものとする。
　　注2　（7）の届出は、「土地の無償返還に関する届出書」の様式による。（昭56直法2－2）

　　　（相当の地代の改訂）
（8）　法人が、借地権の設定等により他人に土地を使用させた場合（（5）又は（7）の取扱いの適用がある場合を除く。）において、これにより（2）に掲げる相当の地代を収受することとしたときは、その借地権の設定等に係る契約書においてその後当該土地を使用させている期間内に収受する地代の額の改訂方法につき次の（一）又は（二）のいずれかによることを定めるとともに、その旨を借地人等との連名の書面により遅滞なく当該法人の納税地の所轄税務署長に届け出るものとする。この場合において、その届出がないときは、（二）に掲げる方法を選択したものとする。（基通13－1－8）

(一) その借地権の設定等に係る土地の価額の上昇に応じて順次その収受する地代の額を相当の地代の額（上昇した後の当該土地の価額を基礎として(2)に掲げるところに準じて計算した金額をいう。）に改訂する方法
(二) (一)以外の方法
　注1　(7)の注1は、法人が(一)に掲げる方法を選択した場合について準用する。
　注2　(8)の届出は、「相当の地代の改訂方法に関する届出書」の様式による。（平13課法3－57）

（借地権の無償譲渡等）
(9) 法人が借地の上に存する自己の建物等を借地権の価額の全部又は一部に相当する金額を含めない価額で譲渡した場合又は借地の返還に当たり、通常当該借地権の価額に相当する立退料その他これに類する一時金（以下「立退料等」という。）を授受する取引上の慣行があるにもかかわらず、その額の全部又は一部に相当する金額を収受しなかった場合には、原則として通常収受すべき借地権の対価の額又は立退料等の額と実際に収受した借地権の対価の額又は立退料等の額との差額に相当する金額を相手方に贈与したものとして取り扱うのであるが、その譲渡又は借地の返還に当たり通常収受すべき借地権の対価の額又は立退料等の額に相当する金額を収受していないときであっても、その収受をしないことが次に掲げるような理由によるものであるときは、これを認める。（基通13－1－14）
(一) 借地権の設定等に係る契約書において将来借地を無償で返還することが定められていること又はその土地の使用が使用貸借契約によるものであること（いずれも(7)に掲げるところによりその旨が所轄税務署長に届け出られている場合に限る。）。
(二) 土地の使用の目的が、単に物品置場、駐車場等として土地を更地のまま使用し、又は仮営業所、仮店舗等の簡易な建物の敷地として使用するものであること。
(三) 借地上の建物が著しく老朽化したことその他これに類する事由により、借地権が消滅し、又はこれを存続させることが困難であると認められる事情が生じたこと。

（相当の地代で賃借した土地に係る借地権の価額）
(10) (9)に掲げる場合において、借地人である法人が(2)に掲げる相当の地代により賃借した土地に係る借地権を譲渡し、又は当該土地を地主へ返還したときに通常収受すべき借地権の対価の額又は立退料等の額は、原則として次の表の左欄に掲げる場合の区分に応じ、それぞれ同表の右欄に掲げる金額によるものとする。（基通13－1－15）

(一)	その支払うべき地代の額の改訂方法につき(8)の(一)に掲げる方法によっている場合	零。ただし、当該借地権の設定等に当たり支払った権利金又は供与した特別の経済的な利益がある場合には、当該権利金の額又は特別の経済的な利益の額に相当する金額とする。		
(二)	(一)以外の場合	次の表の左欄に掲げる区分に応じ、それぞれ同表の右欄に掲げる金額		
		イ	その支払っている地代の額が一般地代の額（通常支払うべき権利金を支払った場合に当該土地の価額の上昇に応じて通常支払うべき地代の額をいう。）に相当する金額となる時前にその譲渡又は返還が行われたとき	その譲渡又は返還の時における当該土地の更地価額を基礎として(3)に掲げる算式に準じて計算した金額
		ロ	イ以外のとき	その譲渡又は返還のときにおける当該土地の更地価額を基礎として通常取引される借地権の価額

注　この取扱いは、法人が借地人から貸地の返還を受けるに当たり、(一)又は(二)に掲げる金額の立退料等のほかにその返還に伴い借地人において生ずる費用又は損失の補塡に充てるために合理的な金額を支払うことを妨げるものではないことに留意する。

(**参考**) 借地権の課税関係を一覧表で示すと、次の表のようになる。

権利金	地代の授受	無償返還の届出	課税処理	相当の地代の改訂	借地権価額の有無
通常受けるべき権利金を授受	通常の権利金を授受	通常地代	—	是認	（通常地代）	有
	不十分な権利金を授受	相当の地代なし	—	権利金認定 (13-1-3)	（通常地代）	有
		相当の地代あり	—	是認 (13-1-2)	改訂する (13-1-8(1))	有（権利金見合いのみ）(13-1-15)
					改訂しない (13-1-8(2))	有 (13-1-15)
	権利金の授受なし	相当の地代なし	無	権利金認定 (13-1-3)	（通常地代）	有
			有 (13-1-7)	相当の地代認定 (13-1-7)	改訂する(強制) (13-1-7)	無 (13-1-14)
		相当の地代あり	無	是認 (13-1-2)	改訂する (13-1-8(1))	無 (13-1-15)
					改訂しない (13-1-8(2))	有 (13-1-15)
その他	権利金なし（一時使用等）	通常地代	—	是認 (13-1-5)	（通常地代）	無 (13-1-14)

2 借地権の設定等により地価が著しく低下する場合の土地等の帳簿価額の一部の損金算入

内国法人が借地権（建物又は構築物の所有を目的とする地上権又は土地の賃借権をいう。以下**4**までにおいて同じ。）又は地役権（特別高圧架空電線の架設、特別高圧地中電線若しくはガス事業法第2条第12項《定義》に規定するガス事業者が供給する高圧のガスを通ずる導管の敷設、飛行場の設置、懸垂式鉄道若しくは跨座式鉄道の敷設又は砂防法第1条《定義》に規定する砂防設備である導流堤及び（1）《導流堤に類するもの》に掲げるこれに類するもの〔①の**イ**において「導流堤等」という。〕の設置、都市計画法第4条第14項《定義》に規定する公共施設の設置若しくは同法第8条第1項第4号《地域地区》の特定街区内における建築物の建築のために設定されたもので、建造物の設置を制限するものに限る。以下**4**までにおいて同じ。）の設定（借地権に係る土地の転貸その他他人に当該土地を使用させる行為を含む。以下**4**までにおいて同じ。）により他人に土地を使用させる場合において、その借地権又は地役権の設定により、次の表の左欄に掲げる場合の区分に応じ、それぞれ同表の右欄に掲げる割合が $\frac{5}{10}$ 以上となるときは、その設定の直前におけるその土地（借地権者にあっては、借地権）の帳簿価額に、その設定の直前におけるその土地（借地権者にあっては、借地権）の価額のうちに借地権（他人に借地権に係る土地を使用させる場合にあっては、当該使用に係る権利）又は地役権の価額の占める割合を乗じて計算した金額は、その設定があった日の属する事業年度の所得の金額の計算上、損金の額に算入する。（令138①、規27の21②③）

①	土地の所有者が借地権又は地役権の設定により土地を使用させた場合（②又は④に該当する場合を除く。）	その設定の直前におけるその土地の価額のうちに、当該価額からその設定の直後におけるその土地の価額を控除した残額（次の表の左欄に掲げる場合の区分に応じ、それぞれ右欄に掲げる金額。④において同じ。）の占める割合		
			イ	その設定が、地下若しくは空間について上下の範囲を定めた借地権若しくは地役権の設定である場合又は導流堤等若しくは河川法第6条第1項第3号《河川区域》に規定する遊水地その他ダムによって貯留される流水に係る同法第16条第1項《河川整備基本方針》に規定する計画高水流量を低減するために設置される施設で、同法第6条第1	当該直前におけるその土地の価額から当該直後におけるその土地の価額を控除した残額に2を乗じて計算した金額

			項第3号に規定する遊水地に相当するもの（同法第79条第1項《国土交通大臣の認可》の規定による国土交通大臣の認可を受けて設置されるものに限る。）の設置を目的とした地役権の設定である場合（ロに掲げる場合を除く。）	
		ロ	その設定が、施設又は工作物（大深度地下の公共的使用に関する特別措置法第16条《使用の認可の要件》の規定により使用の認可を受けた事業〔ロにおいて「認可事業」という。〕と一体的に施行される事業として当該認可事業に係る同法第14条第2項第2号《使用認可申請書》の事業計画書に記載されたものにより設置されるもののうち事業計画書に係る大深度地下の公共的使用に関する特別措置法施行規則第8条第1号イ《使用認可申請書の添付書類の様式等》に掲げる事業計画の概要に記載された同号ロの施設又は工作物に限る。）の全部の所有を目的とする地下について上下の範囲を定めた借地権の設定である場合	当該直前におけるその土地の価額から当該直後におけるその土地の価額を控除した残額に2を乗じて計算した金額に、その土地における地表から同法第2条第1項各号《定義》に掲げる深さのうちいずれか深い方の深さ（ロにおいて「大深度」という。）までの距離を当該借地権の設定される範囲のうち最も浅い部分の深さから当該大深度（当該借地権の設定される範囲より深い地下であって当該大深度よりも浅い地下において既に地下について上下の範囲を定めた他の借地権が設定されている場合には、当該他の借地権の範囲のうち最も浅い部分の深さ）までの距離で除して得た数を乗じて計算した金額
②	土地の所有者が建物又は構築物の一部の所有を目的とする借地権の設定により土地を使用させた場合		イに掲げる金額のうちにロに掲げる金額の占める割合 イ　その土地の価額に、その建物又は構築物の床面積（その設定の対価の額が当該建物又は構築物の階その他利用の効用の異なる部分ごとに、その異なる効用に係る適正な割合を勘案して算定されるときは、当該割合による調整後の床面積。以下②において同じ。）のうちに当該借地権に係る建物又は構築物の一部の床面積の占める割合を乗じて計算した金額 ロ　その設定の直前におけるその土地の価額からその設定の直後におけるその土地の価額を控除した残額
③	借地権者が借地権に係る土地を転貸した場合		その転貸の直前におけるその借地権の価額のうちに、当該価額からその転貸の直後におけるその借地権の価額を控除した残額の占める割合
④	他人に借地権に係る土地を使用させる場合のうち、その土地の使用により、その使用の直前におけるその土地の利用状況に比し、その土地の所有者及びその借地権者がともにその土地の利用を制限されることとなる場合		その使用させた直前におけるその土地の更地としての価額のうちに、当該価額からその使用させた直後におけるその土地の価額とその借地権の価額との合計額を控除した残額（その設定が、地下若しくは空間について上下の範囲を定めた借地権若しくは地役権の設定である場合又は導流堤等若しくは河川法第6条第1項第3号に規定する遊水地その他ダムによって貯留される流水に係る同法第16条第1項《河川整備基本方針》に規定する計画高水流量を低減するために設置される施設で、同法第6条第1項第3号に規定する遊水地に相当するもの（同法第79条第1項《国土交通大臣の認可》の規定による国土交通大臣の認可を受けて設置されるものに限る。）の設置を目的とした地役権の設定である場合には、当該残額に2を乗じて計算した金額）の占める割合

（導流堤に類するもの）
（1）　2に掲げる導流堤に類するものは、砂防法第1条《定義》に規定する砂防設備である遊砂地（流出した土砂、土石又は泥流〔以下（1）において「土砂等」という。〕が下流域に流出することを防止するために設置される施設で、当

該土砂等を捕捉し、かつ、当該施設の区域内において人為的に当該土砂等を氾濫させるものをいう。）とする。（規27の21①）

　　　（建物等の区分所有に係る借地権割合の計算）
（２）　**2**の表の②に掲げる割合は、法人が建物又は構築物の区分所有を目的とする借地権の設定によりその所有する土地を使用させた場合のその区分所有部分の借地権割合をいうのであるから、同表の②のロに掲げる残額は、その区分所有部分に対応する土地について計算することに留意する。（基通13－１－９）

　　　（土地の賃貸をした場合の評価損）
（３）　法人がその有する土地の賃貸に際して賃借人から権利金その他の一時金（賃借人に返還する旨の特約のあるものを除く。）を収受するとともに長期間にわたって当該土地を使用させることとしたため、当該賃貸後の価額がその帳簿価額に満たないこととなった場合には、**2**の適用がないときであっても、その満たない部分に相当する金額をその賃貸をした日の属する事業年度においてその帳簿価額から減額することができる。（基通９－１－18）

3　借地権の対価とされる特別の経済的な利益

　2《借地権の設定等により地価が著しく低下する場合の土地等の帳簿価額の一部の損金算入》に該当する場合において、借地権又は地役権の設定に伴い、通常の場合の金銭の貸付けの条件に比し特に有利な条件による金銭の貸付け（いずれの名義をもってするかを問わず、これと同様の経済的性質を有する金銭の交付を含む。以下同じ。）その他特別の経済的な利益を受けるときは、当該金銭の貸付けにより通常の条件で金銭の貸付けを受けた場合に比して受ける利益その他当該特別の経済的な利益の額をその設定の対価の額に加算した金額をもってその借地権又は地役権の設定の対価として支払を受ける金額とする。（令138②）

　この場合において、その受けた金銭の貸付けにより通常の条件で金銭の貸付けを受けた場合に比して受ける利益の額は、当該貸付けを受けた金額から、当該金額について通常の利率（当該貸付けを受けた金額につき利息を付する旨の約定がある場合には、その利息に係る利率を控除した利率）の $\frac{5}{10}$ に相当する利率による複利の方法で計算した現在価値に相当する金額（当該金銭の貸付けを受ける期間がその設定に係る借地権又は地役権の存続期間に比して著しく短い期間として約定がされている場合において、長期間にわたって地代を据え置く旨の約定がされていることその他当該権利に係る土地の上に存する建物又は構築物の状況、地代に関する条件等に照らし、当該金銭の貸付けを受けた期間が将来更新されるものと推測するに足りる明らかな事実があるときは、借地権又は地役権の設定を受けた者がその設定により受ける利益から判断して当該金銭の貸付けが継続されるものと合理的に推定される期間を基礎として当該方法により計算した場合の現在価値に相当する金額）を控除した金額によるものとする。（令138③）

　　　（借地権の設定等に伴う保証金等）
（１）　法人が借地権の設定等に当たり保証金、敷金等の名義による金銭を受け入れた場合においても、その受け入れた金額がその土地の存する地域において通常収受される程度の保証金等の額（その額が明らかでないときは、借地権の設定契約による地代の３か月分相当額とする。）以下であるときは、当該受け入れた金額は、**3**の前段に掲げる「特に有利な条件による金銭の貸付け」には該当しないものとする。（基通13－１－10）

　　　（複利の方法による現在価値に相当する金額の計算）
（２）　**3**の後段に掲げる「通常の利率」は昭和39年４月25日付直資56・直審（資）17「財産評価基本通達」（法令解釈通達）の４－４に定める基準年利率（**3**の前段に掲げる金銭の貸付けを受けた日を含む月に適用される基準年利率とする。）、「貸付けを受ける期間」は１年を単位として計算した期間（１年未満の端数があるときは切り捨てて計算した期間）、複利の方法で現在価値を計算する場合の「複利現価率」は小数点以下第３位まで計算した率（第４位を切り上げる。）による。（基通13－１－11）
　　　注　**3**の前段に掲げる金銭の貸付けを受けた日を含む月に適用される基準年利率が事業年度終了の日において公表されていない場合は、公表されている直近の月の利率によって差し支えないものとする。

4　特別の経済的な利益とみなされた借入金等を返済した場合の経理

　内国法人が**3**《借地権の対価とされる特別の経済的な利益》の前段に掲げる貸付けを受けた金額のうち借地権又は地役権の設定の対価の額に加算された金額の全部又は一部の返済その他特別の経済的な利益の全部又は一部の返還をした場合において、その返還により当該借地権又は地役権に係る土地の地代の引上げ、その土地の上に存する建物又は構築物の除

去その他土地（借地権者にあっては、借地権）の価値の増加があったときは、その返還をした利益の額に相当する金額は、当該土地（借地権者にあっては、借地権）の帳簿価額に加算する。（令138④）

　　　（土地の価額が増加する事由）
（１）　４に掲げる「その他土地等の価値の増加があったとき」には、その土地に係る賃貸借契約に基づく借地権の存続期間の満了等による建物等の買取り又は地役権の解除等の事実が該当する。（基通13－１－12）

　　　（貸地の返還を受けた場合の処理）
（２）　法人が貸地の返還を受けた場合には、次の表の左欄のいずれの場合に該当するかに応じ、それぞれ同表の右欄に掲げる金額をその返還を受けた土地の帳簿価額に加算する。（基通13－１－16）

(一)	無償で返還を受けた場合	その土地について借地権の設定等に当たり**２**《借地権の設定等により地価が著しく低下する場合の土地等の帳簿価額の一部の損金算入》又は第九款の**二**の**２**《評価換えを行った場合の資産の評価損の損金算入》により損金の額に算入した金額があるときは、その損金の額に算入した金額
(二)	立退料等（その立退きに要する費用を含む。以下（２）において同じ。）だけを支払った場合	その支払った立退料等と（一）に掲げる金額とのうちいずれか多い金額
(三)	立退料等を支払うとともに土地の上に存する建物等を買い取った場合	その支払った立退料等と当該建物等の買取価額のうち当該建物等の価額を超える部分の金額との合計額と（一）に掲げる金額とのいずれか多い金額

　　注　法人が貸地の返還を受けるに当たり通常支払うべき立退料等の額の全部又は一部に相当する金額を支払わなかった場合においても、原則としてこれによる経済的利益の額はないものとして取り扱う。

５　更新料を支払った場合の借地権等の帳簿価額の一部の損金算入等

　内国法人が、その有する借地権（地上権若しくは土地の賃借権又はこれらの権利に係る土地の転借に係る権利をいう。）又は地役権の存続期間の更新をする場合において、その更新の対価（以下「更新料」という。）の支払をしたときは、その更新の直前における当該借地権又は地役権の帳簿価額に、その更新の時における当該借地権又は地役権の価額のうちに当該更新料の額の占める割合を乗じて計算した金額に相当する金額は、その更新のあった日の属する事業年度の所得の金額の計算上、損金の額に算入する。この場合において、その更新料の額は、当該借地権又は地役権の帳簿価額に加算するものとする。（令139）

（算式）

$$\text{借地権又は地役権の帳簿価額のうち損金の額に算入する金額} = \text{借地権又は地役権の更新直前の帳簿価額} \times \frac{\text{更新料の額}}{\text{更新の時における当該借地権又は地役権の価額}}$$

　　　（更新料等）
　　　法人が、借地権の設定等に係る契約の更新又は更改をする場合において、当該借地権に係る土地の存する地域において通常いわゆる更新料又は更改料を授受する取引上の慣行があることが明らかでないためその授受をしなかったときは、これを認める。（基通13－１－13）

六　1株未満の株式等の処理の場合等の所得計算の特例

1　益金不算入の特例

内国法人が次に掲げる規定によりその株主等又はその新株予約権者に交付すべきものとして収入する金額は、その内国法人の各事業年度の所得の金額の計算上、益金の額に算入しない。（令139の3①）

①	会社法第234条第1項若しくは第2項《一に満たない端数の処理》（同条第6項又は同法第235条第2項において準用する場合を含む。）又は同法第235条第1項（これらの規定を他の法律において準用する場合を含む。）
②	投資信託及び投資法人に関する法律第88条第1項又は第149条の17第1項《一に満たない端数の処理》

2　損金不算入の特例

内国法人が**1**の表の①及び②に掲げる規定によりその株主等又はその新株予約権者に交付した金額は、その内国法人の各事業年度の所得の金額の計算上、損金の額に算入しない。（令139の3②）

3　合併等により交付する株式に一に満たない端数がある場合の所得計算

①　合併の場合の所得計算

合併に係る合併法人が当該合併により当該合併に係る被合併法人の株主等に交付すべき合併親法人株式等（第二章第一節の二の表の**12の8**《適格合併》に掲げる合併親法人又は第二十三款の二の1の(4)《合併の場合の有価証券の譲渡対価の額》に掲げる関係がある法人の株式〔出資を含む。以下**3**において同じ。〕をいう。以下①において同じ。）の数に一に満たない端数が生ずる場合において、当該端数に応じて金銭が交付されるときは、当該端数に相当する部分は、当該合併親法人株式等に含まれるものとして、当該合併法人、当該被合併法人及び当該株主等の各事業年度の所得の金額を計算する。（令139の3の2①）

②　分割型分割の場合の所得計算

分割型分割に係る分割法人が当該分割型分割によりその株主等に交付すべき分割承継法人株式等（当該分割型分割に係る分割承継法人、第二章第一節の二の表の**12の11**《適格分割》に掲げる分割承継親法人又は第二十三款の二の1の(6)《分割型分割により新株等の交付を受けた場合の譲渡対価の額及び譲渡原価の額》に掲げる親法人の株式をいう。以下②において同じ。）の数に一に満たない端数が生ずる場合において、当該端数に応じて金銭が交付されるときは、当該端数に相当する部分は、当該分割承継法人株式等に含まれるものとして、当該分割法人、当該分割承継法人及び当該株主等の各事業年度の所得の金額を計算する。（令139の3の2②）

③　株式分配の場合の所得計算

株式分配に係る現物分配法人が当該株式分配によりその株主等に交付すべき当該株式分配に係る第二章第一節の二の表の**12の15の2**《株式分配》に規定する完全子法人の株式の数に一に満たない端数が生ずる場合において、当該端数に応じて金銭が交付されるときは、当該端数に相当する部分は、当該完全子法人の株式に含まれるものとして、当該現物分配法人及び当該株主等の各事業年度の所得の金額を計算する。（令139の3の2③）

④　株式交換の場合の所得計算

株式交換に係る株式交換完全親法人が当該株式交換により当該株式交換に係る株式交換完全子法人の株主に交付すべき株式交換完全支配親法人株式等（第二章第一節の二の表の**12の17**《適格株式交換等》に掲げる株式交換完全支配親法人又は第二十三款の二の1の(13)《株式交換により株式交換完全親法人の株式等以外の資産が交付されなかった場合の譲渡対価の額》に掲げる関係がある法人の株式をいう。以下④において同じ。）の数に一に満たない端数が生ずる場合において、当該端数に応じて金銭が交付されるときは、当該端数に相当する部分は、当該株式交換完全支配親法人株式等に含まれるものとして、当該株式交換完全親法人、当該株式交換完全子法人及び当該株主の各事業年度の所得の金額を計算する。（令139の3の2④）

七　資産に係る控除対象外消費税額等の損金算入

1　発生事業年度における資産に係る控除対象外消費税額等の損金算入

　内国法人の当該事業年度において**資産に係る控除対象外消費税額等**が生じた場合において、その生じた資産に係る控除対象外消費税額等の合計額につき、その内国法人が当該事業年度において損金経理をしたときは、当該損金経理をした金額のうち次の表の左欄に掲げる場合の区分に応じ、それぞれ同表の右欄に掲げる金額は、当該事業年度の所得の金額の計算上、損金の額に算入する。（令139の4①②③）

①	当該事業年度の**課税売上割合**（消費税法第30条第2項《仕入れに係る消費税額の控除》に規定する課税売上割合に準ずる割合として（3）《課税売上割合の意義》に掲げるところにより計算した割合をいう。以下同じ。）が$\frac{80}{100}$以上である場合	当該損金経理をした金額
②	当該事業年度の課税売上割合が$\frac{80}{100}$未満である場合において生じた資産に係る控除対象外消費税額等が次に掲げる場合に該当する場合 イ　棚卸資産に係るものである場合 ロ　消費税法第5条第1項《納税義務者》に規定する特定課税仕入れに係るものである場合 ハ　20万円未満である場合	左欄に掲げる資産に係る控除対象外消費税額等の合計額につき損金経理をした金額
③	資産に係る控除対象外消費税額等の合計額（①及び②により損金の額に算入される金額を除く。以下「**繰延消費税額等**」という。）がある場合	当該繰延消費税額等を60で除しこれに当該事業年度の月数を乗じて計算した金額の$\frac{1}{2}$に相当する金額に達するまでの金額 発生事業年度の損金算入限度額 $= \frac{繰延消費税額等}{60} \times 発生事業年度の月数 \times \frac{1}{2}$ （月数の計算） 　上記の月数は、暦に従って計算し、1か月に満たない端数を生じたときは、これを1か月とする。 （令139の4⑪）

注　経費に係る控除対象外消費税額等については、損金の額に算入されることに留意する。（編者）

（資産に係る控除対象外消費税額等の意義）

（1）　1に掲げる資産に係る控除対象外消費税額等とは、内国法人が消費税法第19条第1項《課税期間》に規定する課税期間につき同法第30条第1項《仕入れに係る消費税額の控除》の規定の適用を受ける場合で、当該課税期間中に行った同法第2条第1項第9号《定義》に規定する課税資産の譲渡等につき課されるべき消費税の額及び当該消費税の額を課税標準として課されるべき地方消費税の額に相当する金額並びに同法第30条第2項に規定する課税仕入れ等の税額及び当該課税仕入れ等の税額に係る地方消費税の額に相当する金額をこれらに係る取引の対価と区分する経理（当該課税資産の譲渡等につき課されるべき消費税の額及び当該消費税の額を課税標準として課されるべき地方消費税の額に相当する金額並びに課税仕入れ等の税額及び当該課税仕入れ等の税額に係る地方消費税の額に相当する金額を、それぞれ仮受消費税等及び仮払消費税等としてこれらに係る取引の対価と区分する会計処理の方法その他これに準ずる会計処理の方法による経理をいう。）をしたときにおける当該課税仕入れ等の税額及び当該課税仕入れ等の税額に係る地方消費税の額に相当する金額の合計額のうち、同条第1項の規定による控除をすることができない金額及び当該控除をすることができない金額に係る地方消費税の額に相当する金額の合計額でそれぞれの資産に係るものをいう。（令139の4⑤、規28②）

注1　所得税法等の一部を改正する法律（平成28年法律第15号。**七**において「平成28年改正法」という。）附則第52条第1項《適格請求書発行事業者以外の者から行った課税仕入れに係る税額控除に関する経過措置》（消費税法施行令等の一部を改正する政令〔平成30年政令第135号。**七**において「30年改正令」という。〕附則第22条第2項又は第3項《適格請求書発行事業者以外の者から行った課税仕入れに係る消費税額の計算に関する経過措置》の規定により読み替えて適用する場合を含む。）の規定の適用を受ける事業年度に係る1の適用については、（1）中「第30条第2項」とあるのは「第30条第2項（所得税法等の一部を改正する法律〔平成28年法律第15号。**七**において「平

第三章　第一節　第二十七款　七《資産に係る控除対象外消費税額等の損金算入》

成28年改正法」という。〕附則第52条第１項《適格請求書発行事業者以外の者から行った課税仕入れに係る税額控除に関する経過措置》(消費税法施行令等の一部を改正する政令〔平成30年政令第135号。七において「30年改正令」という。〕附則第22条第２項又は第３項《適格請求書発行事業者以外の者から行った課税仕入れに係る消費税額の計算に関する経過措置》の規定により読み替えて適用する場合を含む。以下(1)において同じ。)の規定によりみなして適用する場合を含む。(2)において同じ。)」と、「同条第１項」とあるのは「消費税法第30条第１項(平成28年改正法附則第52条第１項の規定によりみなして適用する場合を含む。(2)において同じ。)」とする。(平30改令附14③、１Ⅵ)

注２　平成28年改正法附則第53条第１項《適格請求書発行事業者以外の者から行った課税仕入れに係る税額控除に関する経過措置》(30年改正令附則第23条第２項又は第３項《適格請求書発行事業者以外の者から行った課税仕入れに係る消費税額の計算に関する経過措置》の規定により読み替えて適用する場合を含む。)の規定の適用を受ける事業年度に係る１の適用については、(1)中「第30条第２項」とあるのは「第30条第２項(平成28年改正法附則第53条第１項《適格請求書発行事業者以外の者から行った課税仕入れに係る税額控除に関する経過措置》(30年改正令附則第23条第２項又は第３項《適格請求書発行事業者以外の者から行った課税仕入れに係る消費税額の計算に関する経過措置》の規定により読み替えて適用する場合を含む。)の規定によりみなして適用する場合を含む。(2)において同じ。)」と、「同条第１項」とあるのは「消費税法第30条第１項(平成28年改正法附則第53条第１項の規定によりみなして適用する場合を含む。(2)において同じ。)」とする。(平30改令附14④、１Ⅵ)

注３　法人が旧平成27年改正法附則第38条第１項本文《国外事業者から受けた電気通信利用役務の提供に係る税額控除に関する経過措置》の規定の適用を受ける場合において、当該法人の平成27年度改正後の消費税法(以下注３において「新消費税法」という。)第19条第１項《課税期間》に規定する課税期間中に行った新消費税法第２条第１項第12号《定義》に規定する課税仕入れの全てが旧平成27年改正法附則第38条第１項に規定する国外事業者から受けた同項に規定する電気通信利用役務の提供であるときにおける１の適用については、(1)中「課税期間につき同法第30条第１項《仕入れに係る消費税額の控除》の規定の適用を受ける場合で、当該課税期間」とあるのは、「課税期間」とする。(旧平27改令附7②)

　　　なお、平成28年度改正により、平成27年改正法附則第38条は削除されているが、令和５年９月30日以前については、なおその適用がある。(平28改法附１Ⅸハ、社会保障の安定財源の確保等を図る税制の抜本的な改革を行うための消費税法の一部を改正する等の法律等の一部を改正する法律〔平成28年法律第85号〕２、同法附１)

(課税仕入れ等の税額に係る地方消費税の額に相当する金額の意義)
(２)　(1)に掲げる課税仕入れ等の税額に係る地方消費税の額に相当する金額又は控除をすることができない金額に係る地方消費税の額に相当する金額とは、それぞれ地方消費税を税率が<u>$\frac{2.2}{100}$(当該課税仕入れ等の税額に係る消費税法第２条第１項第12号に規定する課税仕入れが他の者から受けた同項第９号の２に規定する軽減対象課税資産の譲渡等に係るものである場合及び当該課税仕入れ等の税額に係る同項第11号に規定する課税貨物が同項第11号の２に規定する軽減対象課税貨物に該当するものである場合には、$\frac{1.76}{100}$)</u>の消費税であると仮定して消費税に関する法令の規定の例により計算した場合における同法第30条第２項《仕入れに係る消費税額の控除》に規定する課税仕入れ等の税額に相当する金額又は同条第１項の規定による控除をすることができない金額に相当する金額をいう。(令139の4⑥)

注１　――線部分は、平成30年度改正により改正された部分で、改正規定は、令和５年10月１日以後に行う消費税法第２条第１項第12号《定義》に規定する課税仕入れ及び同日以後に同項第２号に規定する保税地域から引き取る同項第11号に規定する課税貨物について適用され、令和５年９月30日以前に行った同項第12号に規定する課税仕入れ及び同日以前に同項第２号に規定する保税地域から引き取った同項第11号に規定する課税貨物の適用については、「$\frac{2.2}{100}$(当該課税仕入れ等の税額に係る消費税法第２条第１項第12号に規定する課税仕入れが他の者から受けた同項第９号の２に規定する軽減対象課税資産の譲渡等に係るものである場合及び当該課税仕入れ等の税額に係る同項第11号に規定する課税貨物が同項第11号の２に規定する軽減対象課税貨物に該当するものである場合には、$\frac{1.76}{100}$)」とあるのは「$\frac{2.2}{100}$」とする。(平30改令附14①、１Ⅵイ)

注２　令和元年10月１日から令和５年９月30日までの間に行う消費税法第２条第１項第12号に規定する課税仕入れ及び法人が令和元年10月１日から令和５年９月30日までの間に同項第２号に規定する保税地域から引き取る同項第11号に規定する課税貨物に係る１の適用については、(2)中「$\frac{2.2}{100}$」とあるのは「$\frac{2.2}{100}$(当該課税仕入れ等の税額に係る消費税法第２条第１項第12号に規定する課税仕入れが他の者から受けた平成28年改正法附則第34条第１項《元年軽減対象資産の譲渡等に係る税率等に関する経過措置》に規定する元年軽減対象資産の譲渡等に係るものである場合及び当該課税仕入れ等の税額に係る消費税法第２条第１項第11号に規定する課税貨物が平成28年改正法附則第34条第１項第１号に規定する飲食料品に該当するものである場合には、$\frac{1.76}{100}$)」と、「同法」とあるのは「消費税法」とする。(平30改令附14②、１Ⅲ)

注３　平成28年改正法附則第52条第１項《適格請求書発行事業者以外の者から行った課税仕入れに係る税額控除に関する経過措置》(平成30年改正令附則第22条第２項又は第３項《適格請求書発行事業者以外の者から行った課税仕入れに係る消費税額の計算に関する経過措置》の規定により読み替えて適用する場合を含む。)の規定の適用を受ける事業年度に係る１の適用については、(2)中「$\frac{1.76}{100}$」とあるのは「$\frac{1.76}{100}$とし、当該課税仕入れ等の税額に係る同項第12号に規定する課税仕入れが他の者から受けた30年改正令附則第７条第２項《旧税率が適用された課税資産の譲渡等に係る課税仕入れに係る消費税額の計算に関する経過措置》に規定する26年経過措置資産の譲渡等に係るものである場合には、$\frac{1}{100}$とし、当該課税仕入れ等の税額に係る同号に規定する課税仕入れが他の者から受けた同条第３項に規定する元年経過措置資産の譲渡等に係るものである場合には、$\frac{1.7}{100}$とする。」とする。(平30改令附14③、１Ⅵイ)

注４　平成28年改正法附則第53条第１項《適格請求書発行事業者以外の者から行った課税仕入れに係る税額控除に関する経過措置》(30年改正令附則第23条第２項又は第３項《適格請求書発行事業者以外の者から行った課税仕入れに係る消費税額の計算に関する経過措置》の規定により読み替えて適用する場合を含む。)の規定の適用を受ける事業年度に係る１の適用については、(2)中「$\frac{1.76}{100}$」とあるのは「$\frac{1.76}{100}$とし、当該課税仕入れ等の税額に係る同項第12号に規定する課税仕入れが他の者から受けた30年改正令附則第７条第２項《旧税率が適用

第三章 第一節 第二十七款 七《資産に係る控除対象外消費税額等の損金算入》

された課税資産の譲渡等に係る課税仕入れに係る消費税額の計算に関する経過措置》に規定する26年経過措置資産の譲渡等に係るものである場合には、$\frac{1}{100}$とし、当該課税仕入れ等の税額に係る同号に規定する課税仕入れが他の者から受けた同条第３項に規定する元年経過措置資産の譲渡等に係るものである場合には、$\frac{1.7}{100}$とする。」とする。（平30改令附14④、１Ⅵイ）

（課税売上割合の意義）

（３） １の表の①に掲げる課税売上割合とは、消費税法施行令第48条第１項《課税売上割合の計算方法》の規定により計算される割合をいう。この場合において、同項中「課税期間中」とあるのは、「事業年度中」と読み替えるものとする。（令139の４⑯、規28①）

（資産の範囲）

（４） １に掲げる資産には、棚卸資産、固定資産のほか繰延資産が含まれるが、前払費用（一定の契約に基づき継続的に役務の提供を受けるために支出した費用のうち当該事業年度終了の時においてまだ提供を受けていない役務に対応するものをいう。）は含まれないことに留意する。（平元直法２－１「14」）

（資産に係る控除対象外消費税額等の処理）

（５） （１）に掲げる資産に係る控除対象外消費税額等の合計額（以下「資産に係る控除対象外消費税額等」という。）については、**七**《資産に係る控除対象外消費税額等の損金算入》の適用を受け、又は受けないことを選択することができるが、**七**の適用を受ける場合には、資産に係る控除対象外消費税額等の全額について**七**を適用しなければならないことに留意する。したがって、法人が資産に係る控除対象外消費税額等の一部について**七**の適用を受けなかった場合（資産に係る控除対象外消費税額等を資産の取得価額に算入した場合を含む。）には、その適用を受けなかった控除対象外消費税額等については、当該事業年度後の事業年度において**２**《発生事業年度後の各事業年度における繰延消費税額等の損金算入》を適用するのであるから留意する。（平元直法２－１「13」、平９課法２－１）

　注　この取扱いの後段の適用を受ける場合には、資産の取得価額に算入した資産に係る控除対象外消費税額等は、資産の取得価額から減額することになる。

２　発生事業年度後の各事業年度における繰延消費税額等の損金算入

① **発生事業年度後の各事業年度における繰延消費税額等の損金算入**

内国法人の当該事業年度前の各事業年度において生じた**繰延消費税額等**（適格合併、適格分割、適格現物出資又は適格現物分配〔以下**七**において「適格組織再編成」という。〕により被合併法人、分割法人、現物出資法人又は現物分配法人〔以下①において「被合併法人等」という。〕から引継ぎを受けた当該被合併法人等の各事業年度において生じた繰延消費税額等〔以下①において「承継繰延消費税額等」という。〕を含むものとし、適格分割、適格現物出資又は適格現物分配〔適格現物分配にあっては、残余財産の全部の分配を除く。以下**２**において「適格分割等」という。〕により分割承継法人、被現物出資法人又は被現物分配法人〔以下**２**において「**分割承継法人等**」という。〕に引き継いだ繰延消費税額等を除く。以下**２**において同じ。）につき当該事業年度の所得の金額の計算上損金の額に算入する金額は、その内国法人が当該繰延消費税額等につき当該事業年度において損金経理をした金額（以下**２**において「**損金経理額**」という。）のうち、当該繰延消費税額等を60で除しこれに当該事業年度の月数を乗じて計算した金額（承継繰延消費税額等につき当該適格組織再編成の日の属する事業年度において当該金額を計算する場合にあっては、当該承継繰延消費税額等を60で除しこれにその日から当該事業年度終了の日までの期間の月数を乗じて計算した金額）に達するまでの金額とする。（令139の４④）

$$\text{発生事業年度後の損金算入限度額} = \frac{\text{繰延消費税額等}}{60} \times \text{事業年度の月数}$$

（繰越損金算入限度超過額の処理）

（１）　損金経理額には、繰延消費税額等につき①に掲げる内国法人が損金経理をした事業年度（以下（１）において「損金経理事業年度」という。）前の各事業年度における当該繰延消費税額等に係る損金経理額（当該繰延消費税額等が適格合併又は適格現物分配〔残余財産の全部の分配に限る。〕により被合併法人又は現物分配法人〔以下（１）において「被合併法人等」という。〕から引継ぎを受けたものである場合にあっては当該被合併法人等の当該適格合併の日の前日又は当該残余財産の確定の日の属する事業年度以前の各事業年度の損金経理額のうち当該各事業年度の所得の金額の計算上損金の額に算入されなかった金額を、当該繰延消費税額等が適格分割等により分割法人、現物出資法人又は現物分配法人〔以下（１）において「分割法人等」という。〕から引継ぎを受けたものである場合にあっては当該分割法人等

の**分割等事業年度**〔当該適格分割等の日の属する事業年度をいう。以下（1）及び②のイにおいて同じ。〕の同イに掲げる期中損金経理額として帳簿に記載した金額及び分割等事業年度前の各事業年度の損金経理額のうち分割等事業年度以前の各事業年度の所得の金額の計算上損金の額に算入されなかった金額を含む。以下（1）において同じ。）のうち当該損金経理事業年度前の各事業年度の所得の金額の計算上損金の額に算入されなかった金額を含むものとし、期中損金経理額には、同イに掲げる内国法人の分割等事業年度前の各事業年度における同イに掲げる繰延消費税額等に係る損金経理額のうち当該各事業年度の所得の金額の計算上損金の額に算入されなかった金額を含むものとする。（令139の4⑭）

（月数の計算）
（2）　①に掲げる月数は、暦に従って計算し、1か月に満たない端数を生じたときは、これを1か月とする。（令139の4⑪）

② **適格組織再編成により移転する資産に係る繰延消費税額等の引継ぎ等**

イ　適格分割等により移転する資産に係る繰延消費税額等の分割法人等における期中損金経理額の損金算入
　　内国法人が、適格分割等により分割承継法人等に当該適格分割等の日の属する事業年度前の各事業年度において生じた繰延消費税額等（（1）《適格分割等により移転する資産に係る繰延消費税額等の引継ぎに関する要件》に掲げる要件に該当するものに限る。）を引き継ぐ場合において、当該繰延消費税額等について損金経理額に相当する金額を費用の額としたときは、当該費用の額とした金額（イにおいて「**期中損金経理額**」という。）のうち、当該繰延消費税額等を60で除しこれに当該事業年度開始の日から当該適格分割等の日の前日までの期間の月数を乗じて計算した金額に達するまでの金額は、分割等事業年度の所得の金額の計算上、損金の額に算入する。（令139の4⑦）

（適格分割等により移転する資産に係る繰延消費税額等の引継ぎに関する要件）
（1）　イに掲げる要件は、次に掲げる要件とする。（令139の4⑯、規28の2）

（一）	イに掲げる移転する資産に係るものであること。
（二）	（一）に掲げる要件を満たすことを明らかにする書類を保存していること。

（適格分割等により引き継ぐ繰延消費税額等に係る期中損金経理額の損金算入に関する届出）
（2）　イは、イに掲げる内国法人が適格分割等の日以後2か月以内に次の表に掲げる事項を記載した書類を納税地の所轄税務署長に提出した場合に限り、適用する。（令139の4⑧、規28の3）

（一）	イの適用を受けようとする内国法人の名称、納税地及び法人番号（行政手続における特定の個人を識別するための番号の利用等に関する法律第2条第15項に規定する法人番号をいう。以下**七**において同じ。）並びに代表者の氏名
（二）	適格分割等に係る分割承継法人等の名称及び納税地並びに代表者の氏名
（三）	適格分割等の日
（四）	適格分割等により分割承継法人等に引継ぎをする繰延消費税額等に係る期中損金経理額及びイに掲げる計算した金額並びにこれらの金額の計算に関する明細
（五）	その他参考となるべき事項

　　注　（四）に掲げる事項の記載については、別表十六（十）の書式によらなければならない。（規27の14）

（非適格合併の場合の損金算入）
（3）　内国法人が適格合併に該当しない合併により解散した場合又は内国法人の残余財産が確定した場合（当該残余財産の分配が適格現物分配に該当する場合を除く。）には、当該合併の日の前日又は当該残余財産の確定の日の属する事業年度終了の時における繰延消費税額等（1の表の③、2の①及びイにより損金の額に算入された金額を除く。）は、当該事業年度の所得の金額の計算上、損金の額に算入する。（令139の4⑨）

第三章　第一節　第二十七款　**七**《資産に係る控除対象外消費税額等の損金算入》

（月数の計算）
（４）　**イ**に掲げる月数は、暦に従って計算し、１か月に満たない端数を生じたときは、これを１か月とする。（令139の4⑪）

ロ　適格組織再編成により移転する資産に係る繰延消費税額等の引継ぎ
　内国法人が適格組織再編成を行った場合には、次の表の左欄に掲げる適格組織再編成の区分に応じそれぞれ同表の右欄に掲げる繰延消費税額等（１の表の③、２の①及び２の②の**イ**により損金の額に算入された金額を除く。以下**ロ**において同じ。）は、当該適格組織再編成に係る合併法人、分割承継法人、被現物出資法人又は被現物分配法人に引き継ぐものとする。（令139の4⑫）

（イ）	適格合併又は適格現物分配（残余財産の全部の分配に限る。）	当該適格合併の直前又は当該適格現物分配に係る残余財産の確定の時の繰延消費税額等	
（ロ）	適格分割等	次に掲げる繰延消費税額等	
		A	当該適格分割等の直前の繰延消費税額等のうち２の②の**イ**の適用を受けたもの
		B	当該適格分割等の直前の繰延消費税額等のうち（１）《適格分割等により移転する資産に係る繰延消費税額等の引継ぎに関する要件》に掲げる要件に該当するもの（Aに掲げるものを除く。）

（適格分割等により移転する資産に係る繰延消費税額等の引継ぎに関する要件）
（１）　**ロ**の表の（ロ）の右欄のBに掲げる要件は、次に掲げる要件とする。（令139の4⑯、規28の2）

（一）	**ロ**の表の（ロ）の右欄のBに掲げる移転する資産に係るものであること。
（二）	（一）に掲げる要件を満たすことを明らかにする書類を保存していること。

（適格分割等により移転する資産に係る繰延消費税額等の引継ぎに関する届出）
（２）　**ロ**（**ロ**の表の（ロ）の右欄のBに係る部分に限る。）は、**ロ**に掲げる内国法人が適格分割等の日以後２か月以内に次の表に掲げる事項を記載した書類を納税地の所轄税務署長に提出した場合に限り、適用する。（令139の4⑬、規28の4）

（一）	**ロ**の表の（ロ）の右欄のBの適用を受けようとする内国法人の名称、納税地及び法人番号並びに代表者の氏名
（二）	適格分割等に係る分割承継法人等の名称、納税地及び法人番号並びに代表者の氏名
（三）	適格分割等の日
（四）	適格分割等により分割承継法人等に引き継ぐ**ロ**の表の（ロ）の右欄のBに掲げる繰延消費税額等（（五）において「繰延消費税額等」という。）
（五）	繰延消費税額等の生じた事業年度開始の日及び終了の日
（六）	その他参考となるべき事項

ハ　適格組織再編成により移転を受けた資産に係る繰延消費税額等の損金算入限度超過額の引継ぎ
　損金経理額には、２の①《発生事業年度後の各事業年度における繰延消費税額等の損金算入》に掲げる繰延消費税額等につき同①の内国法人が損金経理をした事業年度（以下**ハ**において「**損金経理事業年度**」という。）前の各事業年度における当該繰延消費税額等に係る損金経理額（当該繰延消費税額等が適格合併又は適格現物分配〔残余財産の全部の分配に限る。〕により被合併法人又は現物分配法人〔以下**ハ**において「被合併法人等」という。〕から引継ぎを受けたものである場合にあっては当該被合併法人等の当該適格合併の日の前日又は当該残余財産の確定の日の属する事業年度以前の各事業年度の損金経理額のうち当該各事業年度の所得の金額の計算上損金の額に算入されなかった金額を、当該繰延消費税額等が適格分割等により分割法人、現物出資法人又は現物分配法人〔以下**ハ**において「分割法人等」という。〕から引継ぎを受けたものである場合にあっては当該分割法人等の分割等事業年度の期中損金経理額として帳簿に記載した金額及び分割等事

業年度前の各事業年度の損金経理額のうち分割等事業年度以前の各事業年度の所得の金額の計算上損金の額に算入されなかった金額を含む。以下ハにおいて同じ。）のうち当該損金経理事業年度前の各事業年度の所得の金額の計算上損金の額に算入されなかった金額を含むものとし、期中損金経理額には、イに掲げる内国法人の分割等事業年度前の各事業年度における同イに掲げる繰延消費税額等に係る損金経理額のうち当該各事業年度の所得の金額の計算上損金の額に算入されなかった金額を含むものとする。（令139の4⑭）

（適格組織再編成により移転を受けた資産に係る繰延消費税額等の簿価下げ額のみなし損金経理額）
ハの場合において、内国法人が適格組織再編成により被合併法人、分割法人、現物出資法人又は現物分配法人（以下ハにおいて「被合併法人等」という。）から引継ぎを受けた繰延消費税額等につき帳簿に記載した金額が当該被合併法人等が当該繰延消費税額等につき当該適格組織再編成の直前に帳簿に記載していた金額に満たない場合には、当該満たない部分の金額は、当該繰延消費税額等の当該適格組織再編成の日の属する事業年度前の各事業年度の損金経理額とみなす。（令139の4⑮）

③　**特定普通法人が公益法人等に該当することとなる場合の損金算入**
普通法人又は協同組合等が公益法人等に該当することとなる場合には、その該当することとなる日の前日の属する事業年度終了の時における繰延消費税額等（**1**の表の③、**2**の①及び**2**の②のイにより損金の額に算入された金額を除く。）は、当該事業年度の所得の金額の計算上、損金の額に算入する。（令139の4⑩）

3　明細書の添付

内国法人は、各事業年度において **1**《発生事業年度における資産に係る控除対象外消費税額等の損金算入》に掲げる資産に係る控除対象外消費税額等の合計額又は **1** の表の③若しくは **2** の①《発生事業年度後の各事業年度における繰延消費税額等の損金算入》に掲げる繰延消費税額等につき損金経理をした金額がある場合には、**1** 及び **2** の①により損金の額に算入される金額の計算に関する明細書《別表十六（十）》を当該事業年度の確定申告書に添付しなければならない。（令139の5）

注　第二節第三款の一の3《仮決算をした場合の中間申告書の記載事項等》に掲げる期間に係る課税標準である所得の金額又は欠損金額の計算については、「確定申告書」とあるのは「中間申告書」とする。（令150の2①）

八 対外船舶運航事業を営む法人の日本船舶による収入金額の課税の特例

1 対外船舶運航事業を営む法人の日本船舶による収入金額の課税の特例

　青色申告書を提出する法人で、海上運送法及び船員法の一部を改正する法律の施行の日（平成20年7月17日）から令和7年3月31日までの間に海上運送法第35条第1項《日本船舶・船員確保計画》に規定する日本船舶・船員確保計画（以下1において「**日本船舶・船員確保計画**」という。）について同条第3項第5号（同条第5項において準用する場合を含む。）に掲げる基準に適合するものとして同条第3項又は第4項の認定（同項の認定にあっては、当該認定により当該基準に適合することとなったものに限る。）を受けた同法第34条第2項第3号《基本方針》に規定する船舶運航事業者等（**日本船舶**〔同法第37条の2に規定する日本船舶をいう。以下1において同じ。〕を用いて**対外船舶運航事業**〔同法第35条第3項第5号に規定する対外船舶運航事業をいう。〕を営むものに限る。以下1において「**船舶運航事業者等**」という。）に該当するものが、同法第35条第3項の認定を受けた日本船舶・船員確保計画（同条第4項の規定による変更の認定があったときは、その変更後のもの。以下八において「**認定計画**」という。）に記載された計画期間（同法第35条第2項第3号に掲げる計画期間をいう。（5）において同じ。）内の日を含む各事業年度終了の時において当該認定計画に従って同法第34条第1項に規定する日本船舶及び船員の確保を実施している場合において、当該事業年度における次の表の「区分」欄の区分に応じ、①の「金額」欄に掲げる金額が②の「金額」欄に掲げる金額を超えるときは、その超える部分の金額は、当該事業年度の所得の金額の計算上損金の額に算入し、当該事業年度における①の「金額」欄に掲げる金額が②の「金額」欄に掲げる金額に満たないときは、その満たない部分の金額は、当該事業年度の所得の金額の計算上益金の額に算入する。（措法59の2①）

区　　分	金　　額
① 当該法人の当該事業年度における日本船舶（**特定準日本船舶**を含む。②において同じ。）を用いた対外船舶運航事業等（海上運送法第37条の2《課税の特例》に規定する対外船舶運航事業等をいう。）による収入金額に係る所得の金額	まず船舶運航事業者等の当該事業年度の収益の額並びに原価の額、費用の額及び損失の額（以下①の「金額」欄において「**収益の額等**」という。）を（2）に掲げるところにより①の「区分」欄に掲げる対外船舶運航事業等（以下1において「**対外船舶運航事業等**」という。）による収益の額等と対外船舶運航事業等以外の事業による収益の額等とに区分し、次にその区分された対外船舶運航事業等による収益の額等を（3）に掲げるところにより日本船舶を用いた対外船舶運航事業等（1に掲げる認定計画に記載された1に掲げる計画期間内において営むものに限る。以下八において「**日本船舶外航事業**」という。）による収益の額等と日本船舶外航事業以外の対外船舶運航事業等による収益の額等とに区分し、その区分された日本船舶外航事業による収益の額等に基づき八を適用しないで計算した所得の金額とする。（措令35の2①）
② 当該法人の当該事業年度における日本船舶の純トン数（船舶のトン数の測度に関する法律第6条に規定する純トン数をいう。）に応じた利益の金額	船舶運航事業者等の当該事業年度において日本船舶外航事業の用に供した①に掲げる日本船舶ごとに当該日本船舶の1日当たり利益金額に当該日本船舶の稼働日数（日本船舶外航事業の用に供した日数をいい、当該日本船舶が特定準日本船舶である場合には、1に掲げる日本船舶の確保に関連して実施される措置としての海上運送法第39条の5第7項《準日本船舶の認定》に規定する準日本船舶〔以下1において「**準日本船舶**」という。〕の確保を実施する期間として海上運送法第35条の規定に基づく日本船舶・船員確保計画の認定等に関する省令第12条第4項の規定により国土交通大臣が当該法人の当該事業年度ごとに当該法人に対して交付する同項に規定する確認証に記載された同項第3号に掲げる期間の日数とする。）を乗じて計算し、これを合計した金額とする。（措令35の2②、措規21の17④）

注1　1の表の①に掲げる**特定準日本船舶**とは、準日本船舶のうち安定的な海上輸送の確保に資するものとして、当該法人の当該事業年度において1に掲げる日本船舶の確保に関連して実施される措置としての準日本船舶の確保の対象となる準日本船舶に該当するものであることにつき、海上運送法第35条の規定に基づく日本船舶・船員確保計画の認定等に関する省令第12条第4項の規定により国土交通大臣の確認を受けた準日本船舶をいう。（措法59の2①、措規21の17①）

注2　──線部分は、令和5年度改正により改正された部分で、改正規定は、海上運送法等の一部を改正する法律（令和5年法律第24号）附則第1条第3号に掲げる規定の施行の日（令和5年7月1日）から適用され、令和5年6月30日以前の適用については、「第37条の2」とあるのは「第38条」とする。（令5改法附1Ⅻ、令和5年政令第196号）

　　　（1日当たりの利益金額の計算）
（1）　1の表②の「金額」欄に掲げる1日当たり利益金額とは、船舶運航事業者等の当該事業年度において日本船舶外

第三章　第一節　第二十七款　八《対外船舶運航事業を営む法人の日本船舶による収入金額の課税の特例》

航事業の用に供した次の表の「船舶」欄に掲げる船舶ごとに、当該船舶の同表②の「区分」欄に掲げる純トン数（以下（1）において「純トン数」という。）を同表の「純トン数」欄に掲げる純トン数に区分して、それぞれの純トン数を100で除して得た数に同表の「金額」欄に掲げる金額を乗じて計算した金額の合計額とする。（措令35の2③）

船　　舶	純トン数	金　　額
日本船舶	1,000トン以下の純トン数	130円
	1,000トンを超え10,000トン以下の純トン数	110円
	10,000トンを超え25,000トン以下の純トン数	70円
	25,000トンを超える純トン数	40円
特定準日本船舶	1,000トン以下の純トン数	195円
	1,000トンを超え10,000トン以下の純トン数	165円
	10,000トンを超え25,000トン以下の純トン数	105円
	25,000トンを超える純トン数	60円

（収益の額等の区分）
（2）　船舶運航事業者等の1の表の①の右欄に掲げる収益の額等（以下（2）及び（3）において「**収益の額等**」という。）は、次の表の左欄に掲げる収益の額等の区分に応じ、それぞれ同表の右欄に掲げるところにより対外船舶運航事業等による収益の額等と対外船舶運航事業等以外の事業による収益の額等とに区分する。（措規21の17②）

（一）	船舶運航事業者等が営む事業による収益の額	当該収益の額を海上運送法第2条第1項《定義》に規定する海上運送事業（以下（一）及び（二）において「**海上運送事業**」という。）により運賃（運航する船舶の貨物の積載スペースの一部の貸渡しに係る収益を含む。以下（一）及び（3）の表の（一）のイにおいて同じ。）、貸船料（運航する船舶の貨物の積載スペースの一部の貸渡しに係る収益を除く。以下（一）及び（3）の表の（一）のロにおいて同じ。）及びその他海運業収益として得られた収益の額と海上運送事業以外の事業（以下（2）において「**その他事業**」という。）により得られた収益の額とに区分し、その区分された海上運送事業による収益の額を対外船舶運航事業等により運賃、貸船料及びその他海運業収益として得られた収益の額と対外船舶運航事業等以外の海上運送事業（以下（2）において「**その他海上運送事業**」という。）により運賃、貸船料及びその他海運業収益として得られた収益の額とに区分する。
（二）	船舶運航事業者等が営む事業に直接要する費用の額	当該費用の額を運航費（貨物費、燃料費、港費及びその他運航費並びに運航する船舶の貨物の積載スペースの一部の借受けに要する費用をいう。（3）の表の（二）のイにおいて同じ。）、船費（船員費、船舶消耗品費、船舶保険料、船舶修繕費、船舶減価償却費及びその他船費をいう。（3）の表の（二）のロにおいて同じ。）、借船料（運航する船舶の貨物の積載スペースの一部の借受けに要する費用を除く。（3）の表の（二）のハにおいて同じ。）及びその他海運業費用（以下（二）及び（3）の表の（二）において「**運航費等**」という。）として海上運送事業にのみ直接要した費用の額とその他事業にのみ直接要した費用の額とに区分し、その区分された海上運送事業による費用の額を運航費等として対外船舶運航事業等にのみ直接要した費用の額と運航費等としてその他海上運送事業にのみ直接要した費用の額とに区分する。
（三）	一般管理費の額	次の表の左欄に掲げる一般管理費の額の区分に応じ、それぞれ同表の右欄に掲げるところにより区分する。

イ	対外船舶運航事業等、その他海上運送事業及びその他事業のうちいずれかの事業にのみ要する一般管理費の額	当該一般管理費の額をそれぞれの事業に要する費用の額に区分する。
ロ	イに掲げる一般管理費の額以外の金額	対外船舶運航事業等、その他海上運送事業及びその他事業のうちいずれかの事業に要する費用の額として、当該一般管理費の額をこれらの事業の（一）により区分された収益の額に応じて按分する。

(四)	営業外収益の額	次の表の左欄に掲げる営業外収益の額の区分に応じ、それぞれ同表の右欄に掲げるところにより区分する。	
		イ	対外船舶運航事業等、その他海上運送事業及びその他事業のうちいずれかの事業に関係することが明らかな営業外収益の額	当該営業外収益の額をその関係することが明らかな事業による収益の額に区分する。
		ロ	イに掲げる営業外収益の額以外の金額	対外船舶運航事業等、その他海上運送事業及びその他事業のうちいずれかの事業による収益の額として、当該営業外収益の額をこれらの事業の(一)により区分された収益の額に応じて按分する。
(五)	営業外費用の額	次の表の左欄に掲げる営業外費用の額の区分に応じ、それぞれ同表の右欄に掲げるところにより区分する。	
		イ	対外船舶運航事業等、その他海上運送事業及びその他事業のうちいずれかの事業にのみ要する営業外費用の額	当該営業外費用の額をそれぞれの事業に要する費用の額に区分する。
		ロ	イに掲げる営業外費用の額以外の金額	対外船舶運航事業等、その他海上運送事業及びその他事業のうちいずれかの事業に要する費用の額として、当該営業外費用の額をこれらの事業の(一)により区分された収益の額に応じて按分する。
(六)	特別利益の額	次の表の左欄に掲げる特別利益の額の区分に応じ、それぞれ同表の右欄に掲げるところにより区分する。	
		イ	船舶の譲渡に係る特別利益の額、前期の収益の額等の修正に係る特別利益の額その他の対外船舶運航事業等、その他海上運送事業及びその他事業のうちいずれかの事業に関係することが明らかな特別利益の額	当該特別利益の額をその関係することが明らかな事業による収益の額に区分する。
		ロ	イに掲げる特別利益の額以外の金額	対外船舶運航事業等以外の事業の収益の額とする。
(七)	特別損失の額	次の表の左欄に掲げる特別損失の額の区分に応じ、それぞれ同表の右欄に掲げるところにより区分する。	
		イ	船舶の譲渡に係る特別損失の額、前期の収益の額等の修正に係る特別損失の額その他の対外船舶運航事業等、その他海上運送事業及びその他事業のうちいずれかの事業に関係することが明らかな特別損失の額	当該特別損失の額をその関係することが明らかな事業による損失の額に区分する。
		ロ	イに掲げる特別損失の額以外の金額	対外船舶運航事業等以外の事業の損失の額とする。

　(対外船舶運航事業等による収益の額等の区分)
(3)　(2)により区分された対外船舶運航事業等による収益の額等は、次の表の左欄に掲げる収益の額等の区分に応じ、それぞれ右欄に掲げるところにより日本船舶外航事業による収益の額等と日本船舶外航事業以外の対外船舶運航事業等(以下(3)において「**その他外航事業**」という。)による収益の額等とに区分する。(措規21の17③)

| (一) | (2)の表の(一)に掲げ | 次の表の左欄に掲げる収益の額の区分に応じ、それぞれ同表の右欄に掲げるところにより区分する。 |

第三章　第一節　第二十七款　**八**《対外船舶運航事業を営む法人の日本船舶による収入金額の課税の特例》

	るところにより区分された対外船舶運航事業等による収益の額	イ　運賃の額及びその他海運業収益の額	日本船舶外航事業による収益の額とその他外航事業による収益の額とにこれらの事業の用に供した船舶（貸渡し〔海上運送法第２条第７項の定期傭船を含む。以下（一）及び（二）のイにおいて同じ。〕をした船舶を除く。）の稼働延ベトン数（船舶の（1）に掲げる純トン数に、日本船舶外航事業の用に供する船舶にあっては**1**の表の②の「金額」欄に掲げる稼働日数を、その他外航事業の用に供する船舶にあってはその他外航事業の用に供した日数を、それぞれ乗じたものをいう。以下（3）において同じ。）に応じて按分する。
		ロ　貸船料の額	日本船舶外航事業による収益の額とその他外航事業による収益の額とに貸渡しをした船舶を用いた事業に応じて区分する。
（二）	（2）の表の（二）に掲げるところにより区分された対外船舶運航事業等に直接要する費用の額	次の表の左欄に掲げる運航費等の額の区分に応じ、それぞれ同表の右欄に掲げるところにより区分する。	
		イ　運航費の額及びその他海運業費用の額	日本船舶外航事業に要する費用の額とその他外航事業に要する費用の額とにこれらの事業の用に供した船舶（貸渡しをした船舶を除く。）の稼働延ベトン数に応じて按分する。
		ロ　船費の額	日本船舶外航事業に要する費用の額とその他外航事業に要する費用の額とにその船舶を用いた事業に応じて区分する。
		ハ　借船料の額	日本船舶外航事業に要する費用の額とその他外航事業に要する費用の額とに借受け（海上運送法第２条第７項の定期傭船を含む。）をした船舶を用いた事業に応じて区分する。
（三）	（2）の表の（三）に掲げるところにより区分された対外船舶運航事業等に要する一般管理費の額	日本船舶外航事業に要する費用の額とその他外航事業に要する費用の額とにこれらの事業の用に供した船舶の稼働延ベトン数に応じて按分する。	
（四）	（2）の表の（四）に掲げるところにより区分された対外船舶運航事業等による営業外収益の額	次の表の左欄に掲げる営業外収益の額の区分に応じ、それぞれ同表の右欄に掲げるところにより区分する。	
		イ　日本船舶外航事業及びその他外航事業のうちいずれかの事業に関係することが明らかな営業外収益の額	その関係することが明らかな事業による収益の額に区分する。
		ロ　イに掲げる営業外収益の額以外の金額	日本船舶外航事業による収益の額とその他外航事業による収益の額とにこれらの事業の用に供した船舶の稼働延ベトン数に応じて按分する。
（五）	（2）の表の（五）に掲げるところにより区分された対外船舶運航事業	次の表の左欄に掲げる営業外費用の額の区分に応じ、それぞれ同表の右欄に掲げるところにより区分する。	
		イ　日本船舶外航事業及びその他外航事業のうちいずれかの事業に関係することが明らかな営業外費用の額	その関係することが明らかな事業に要する費用の額に区分する。

第三章　第一節　第二十七款　八《対外船舶運航事業を営む法人の日本船舶による収入金額の課税の特例》

	等に要する営業外費用の額	ロ	イに掲げる営業外費用の額以外の金額	日本船舶外航事業に要する費用の額とその他外航事業に要する費用の額とにこれらの事業の用に供した船舶の稼働延ベトン数に応じて按分する。
（六）	（2）の表の（六）に掲げるところにより区分された対外船舶運航事業等に関係する特別利益の額		次の表の左欄に掲げる特別利益の額の区分に応じ、それぞれ同表の右欄に掲げるところにより区分する。	
		イ	船舶の譲渡に係る特別利益の額その他の日本船舶外航事業及びその他外航事業のうちいずれかの事業に関係することが明らかな特別利益の額	その関係することが明らかな事業による収益の額に区分する。
		ロ	イに掲げる特別利益の額以外の金額	当該特別利益の額の生ずる事由が（一）又は（四）に掲げる収益の額の生ずる事由のいずれに類するかに応じて（一）又は（四）に準じて区分する。
（七）	（2）の表の（七）に掲げるところにより区分された対外船舶運航事業等に関係する特別損失の額		次の表の左欄に掲げる特別損失の額の区分に応じ、それぞれ同表の右欄に掲げるところにより区分する。	
		イ	船舶の譲渡に係る特別損失の額その他の日本船舶外航事業及びその他外航事業のうちいずれかの事業に関係することが明らかな特別損失の額	その関係することが明らかな事業による損失の額に区分する。
		ロ	イに掲げる特別損失の額以外の金額	当該特別損失の額の生ずる事由が（二）、（三）又は（五）に掲げる費用の額の生ずる事由のいずれに類するかに応じて（二）、（三）又は（五）に準じて区分する。

（届出書の提出）

（4）　1は、1に掲げる法人が、その適用を受けようとする最初の事業年度開始の日の前日までに、次の表に掲げる事項を記載した届出書に1に掲げる日本船舶・船員確保計画の写し及び海上運送法第35条の規定に基づく日本船舶・船員確保計画の認定等に関する省令第3条第2項に規定する認定通知書の写しを添付して、これを納税地の所轄税務署長に提出した場合に限り、適用する。（措法59の2②、措規21の17⑤⑥）

（一）	1の適用を受けようとする法人の名称、納税地及び法人番号並びに代表者の氏名
（二）	1の適用を受けようとする最初の事業年度
（三）	1に掲げる計画期間
（四）	その他参考となるべき事項

注　令和5年4月1日以後に海上運送法第35条第3項の認定を受ける法人の令和5年4月1日から令和6年3月31日までの間に開始する事業年度における1の適用については、（4）に掲げる「開始の日」とあるのは、「開始の日以後2か月を経過した日」とする。（令5改法附44、1）

（認定を取り消された場合の所得の金額の計算）

（5）　認定計画に記載された計画期間内の日を含む各事業年度（以下（5）において「適用対象年度」という。）において1の適用を受けた法人が、海上運送法第37条の4第2項の規定によりその認定を取り消された場合には、当該適用対象年度において1により損金の額に算入された金額の合計額は、当該認定を取り消された日を含む事業年度の所得の金額の計算上、益金の額に算入する。（措法59の2④）

注　──線部分は、令和5年度改正により改正された部分で、改正規定は、海上運送法等の一部を改正する法律（令和5年法律第24号）附則第1条第3号に掲げる規定の施行の日（令和5年7月1日）から適用され、令和5年6月30日以前の適用については、「第37条の4第2項」とあるのは「第39条の2第2項」とする。（令5改法附1Ⅻ、令和5年政令第196号）

(特定同族会社の特別税率の計算)
（6） **1**の適用を受けた法人の**1**により損金の額に算入された金額は、第二節第一款の**二の2**《各事業年度の留保金額》及び同**二の3**《留保控除額》の適用については、これらに規定する所得等の金額に含まれるものとし、**1**又は（5）により益金の額に算入された金額は、同**二の2**及び同**二の3**の適用については、これらに規定する所得等の金額に含まれないものとする。（措法59の2⑤）

(法人が有する外航船舶のうち日本船舶に該当するもの及び子会社が有する外航船舶のうち日本船舶に該当しないものの規定の不適用)
（7） **1**の適用を受ける法人が有する外航船舶（本邦と外国との間又は外国と外国との間を往来する船舶をいう。以下（7）において同じ。）のうち日本船舶（船舶法第1条に規定する日本船舶をいう。以下（7）において同じ。）に該当するもの及び当該法人の子会社（海上運送法<u>第38条第1項</u>《準日本船舶の認定》に規定する子会社をいう。）に該当する法人が有する外航船舶のうち日本船舶に該当しないものについては、**1**の適用を受ける法人の**1**の適用を受ける事業年度（当該子会社に該当する法人にあっては、当該事業年度内の日を含む事業年度）においては、次の表に掲げる規定は適用しない。（措法59の2⑥、措令35の2④）

注 ──線部分は、令和5年度改正により改正された部分で、改正規定は、海上運送法等の一部を改正する法律（令和5年法律第24号）附則第1条第3号に掲げる規定の施行の日（令和5年7月1日）から適用され、令和5年6月30日以前の適用については、「第38条第1項」とあるのは「第39条の5第1項」とする。（令5改法附1 XII、令和5年政令第196号）

(一)	租税特別措置法第43条……第七款の**九**《特定船舶の特別償却》
(二)	租税特別措置法第57条の8（第1項及び第9項に係る部分に限る。）……第十八款の**三の1**《特別修繕準備金積立額の損金算入》及び同**三の4**《適格分割等があった場合の期中特別修繕準備金の損金算入》
(三)	租税特別措置法第65条の7（第1項及び第9項に係る部分に限る。）……第十五款の**七の1**《特定の資産の買換えの場合の圧縮記帳》及び同**七の4**《適格分割等を行った場合の分割法人等における買換資産の圧縮額の損金算入》
(四)	租税特別措置法第65条の8（第1項、第2項、第7項及び第8項に係る部分に限る。）……第十五款の**七の6の①**《譲渡益の特別勘定経理》、同**6の②**《適格分割等を行った場合の分割法人等における譲渡益の期中特別勘定経理》、同**6の④**《特別勘定を設けている法人の圧縮記帳》及び同**6の⑤**《特別勘定を設けている法人が適格分割等を行った場合の圧縮記帳》
(五)	租税特別措置法施行令第39条の15第1項第1号（租税特別措置法施行令第25条の20第1項〔租税特別措置法施行令第25条の26第16項においてその例による場合を含む。〕の規定により適用する場合を含む。）の規定により同号に掲げる金額を同号に規定する本邦法令の規定の例により計算する場合（租税特別措置法施行令第39条の20の3第16項において租税特別措置法施行令第39条の15第1項の規定の例により計算する場合を含む。）における次に掲げる規定……<u>第三十二款の**一の4の①**《本邦の法令により計算する場合の適用対象金額の計算》</u>
	イ 租税特別措置法第43条の規定
	ロ 租税特別措置法第57条の8（第1項及び第9項に係る部分に限る。）の規定
	ハ 租税特別措置法第65条の7（第1項及び第9項に係る部分に限る。）の規定
	ニ 租税特別措置法第65条の8（第1項、第2項、第7項及び第8項に係る部分に限る。）の規定

(利益積立金額の計算)
（8） **1**又は（5）の適用を受けた法人の利益積立金額の計算については、**1**により損金の額に算入される金額は、第二章第一節の**二**の表の**18**《利益積立金額》の加算欄の**①のイ**に掲げる所得の金額に含まれるものとし、**1**又は（5）により益金の額に算入される金額は、同**イ**に掲げる所得の金額に含まれないものとする。（措法59の2⑦、措令35の2⑤）

2 明細書の添付
1の適用を受ける法人は、その適用を受ける各事業年度の確定申告書等に**1**により損金の額又は益金の額に算入される金額の計算に関する明細書《別表十(四)》を添付しなければならない。（措法59の2③）

九　特許権等の譲渡等による所得の課税の特例（創設）

注　**九**は、令和6年度改正及び租税特別措置法施行令の一部を改正する政令（令和6年政令第213号）により創設されたもので、改正規定は、令和7年4月1日から適用される。（令6改法附1Ⅴ、同政令附1）

1　用語の意義

九《特許権等の譲渡等による所得の課税の特例》における用語の意義は、それぞれ次に掲げるところによる。（措法59の3②⑱、措令35の3③⑧⑨⑩）

①	関連者	法人で、青色申告書を提出する法人との間に（1）の表に掲げる特殊の関係のあるものをいう。 （関連者に該当するかどうかの判定） ⑤のロ、2、2の(8)から(12)、2の(21)又は2の(22)を適用する場合において、①に掲げる関連者に該当するかどうかの判定は、それぞれの取引が行われた時の現況によるものとする。（措令35の3⑥）
②	特定特許権等	次に掲げるもののうち我が国の国際競争力の強化に資するものとして財務省令で定めるもの（以下⑤のイにおいて「適格特許権等」という。）であって、青色申告書を提出する法人が令和6年4月1日以後に取得又は製作をしたものをいう。 イ　特許権 ロ　官民データ活用推進基本法（平成28年法律第103号）第2条第2項に規定する人工知能関連技術を活用した著作権法（昭和45年法律第48号）第2条第1項第10号の2に規定するプログラムの同項第1号に規定する著作物
③	研究開発	次に掲げる行為をいう。 イ　新たな知識の発見を目的とした計画的な調査及び探究（ロにおいて「研究」という。） ロ　新たな製品若しくは役務若しくは製品の新たな生産の方式についての計画若しくは設計又は既存の製品若しくは役務若しくは製品の既存の生産の方式を著しく改良するための計画若しくは設計として研究の成果その他の知識を具体化する行為
④	研究開発費の額	次に掲げる金額の合計額（当該金額に係る費用に充てるため他の者から支払を受ける金額がある場合には、当該金額を控除した金額）をいう。 イ　研究開発に要した費用の額（次に掲げる金額を除く。）のうち各事業年度において研究開発費として損金経理をした金額 　(イ)　資産の償却費、除却による損失及び譲渡による損失の額 　(ロ)　負債の利子の額、手形の割引料、**三**の1《金銭債務の償還差損益》に掲げる満たない部分の金額その他経済的な性質が利子に準ずるものの額 ロ　各事業年度において事業の用に供した資産のうち研究開発の用に供するものの第六款**六**の1の表により計算した取得価額（当該取得価額のうちにイの(ロ)に掲げる金額が含まれている場合には、当該金額を控除した金額）に相当する金額（研究開発の用に供しない部分がある資産にあっては、当該金額のうち研究開発の用に供する部分の金額として財務省令で定めるところにより計算した金額）
⑤	適格研究開発費の額	研究開発費の額のうち、次に掲げる金額以外の金額をいう。 イ　特許権譲受等取引（他の者からの適格特許権等の譲受け又は借受け〔適格特許権等に該当する特許権に係る専用実施権の他の者による設定、特許を受ける権利に基づいて取得すべき適格特許権等に該当する特許権に係る仮専用実施権の他の者による設定その他他の者が青色申告書を提出する法人に適格特許権等を独占的に使用させる行為を含む。〕をいう。以下**九**において同じ。）によって生じた研究開発費の額（特許権譲受等取引以外の取引とあわせて特許権譲受等取引を行った場合において、その契約において特許権譲受等取引の対価の額が

			明らかにされていないときは、これらの取引によって生じた研究開発費の額）
		ロ	次の表に掲げる研究開発（委任契約その他の財務省令で定めるものに該当する契約又は協定により委託する研究開発で、その委託に基づき行われる業務が研究開発に該当するものに限る。以下1において同じ。）に係る研究開発費の額（当該研究開発が次の表の国外関連者から非国外関連者（国外関連者以外の者をいう。(ロ)において同じ。）に再委託される場合には、当該研究開発費の額からそれぞれ同表の国外関連者のその再委託する研究開発に係る研究開発費の額に相当する額を控除した額）
			(イ)	青色申告書を提出する法人に係る国外関連者に委託する研究開発
			(ロ)	青色申告書を提出する法人に係る非国外関連者に委託する研究開発のうち、その研究開発が当該法人に係る国外関連者に再委託されることがその委託の時において契約その他によりあらかじめ定まっている場合で、かつ、その再委託に係る対価の額が当該法人と当該国外関連者との間で実質的に決定されていると認められる場合におけるその研究開発
		ハ	青色申告書を提出する法人が内国法人である場合の当該法人の第二節第二款の二の1の②のイ《国外源泉所得》の表の(一)に掲げる国外事業所等を通じて行う事業に係る研究開発費の額（イ及びロに掲げる金額を除く。）

注　上表の財務省令は、令和6年7月1日現在制定されていない。（編者）

（特殊の関係の意義）
（1）　1の表の①に掲げる特殊の関係は、次に掲げる関係とする。（措令35の3⑦、39の12①）

(一)	二の法人のいずれか一方の法人が他方の法人の発行済株式又は出資（自己が有する自己の株式又は出資を除く。）の総数又は総額（以下「**発行済株式等**」という。）の$\frac{50}{100}$以上の数又は金額の株式又は出資を直接又は間接に保有する関係		
(二)	二の法人が同一の者（当該者が個人である場合には、当該個人及びこれと第二章第一節の**二**の表の10の（1）《同族関係者の範囲》の表の(一)に掲げる特殊の関係のある個人。(五)において同じ。）によってそれぞれその発行済株式等の$\frac{50}{100}$以上の数又は金額の株式又は出資を直接又は間接に保有される場合における当該二の法人の関係（(一)に掲げる関係に該当するものを除く。）		
(三)	次に掲げる事実その他これに類する事実（(四)及び(五)において「**特定事実**」という。）が存在することにより二の法人のいずれか一方の法人が他方の法人の事業の方針の全部又は一部につき実質的に決定できる関係（(一)及び(二)に掲げる関係に該当するものを除く。）		
	イ	当該他方の法人の役員の$\frac{1}{2}$以上又は代表する権限を有する役員が、当該一方の法人の役員若しくは使用人を兼務している者又は当該一方の法人の役員若しくは使用人であった者であること。	
	ロ	当該他方の法人がその事業活動の相当部分を当該一方の法人との取引に依存して行っていること。	
	ハ	当該他方の法人がその事業活動に必要とされる資金の相当部分を当該一方の法人からの借入れにより、又は当該一方の法人の保証を受けて調達していること。	
(四)	一の法人と次に掲げるいずれかの法人との関係（(一)から(三)までに掲げる関係に該当するものを除く。）		
	イ	当該一の法人が、その発行済株式等の$\frac{50}{100}$以上の数若しくは金額の株式若しくは出資を直接若しくは間接に保有し、又は特定事実が存在することによりその事業の方針の全部若しくは一部につき実質的に決定できる関係にある法人	
	ロ	イ又はハに掲げる法人が、その発行済株式等の$\frac{50}{100}$以上の数若しくは金額の株式若しくは出資を直接若しくは間接に保有し、又は特定事実が存在することによりその事業の方針の全部若しくは一部につき実質的に決定できる関係にある法人	
	ハ	ロに掲げる法人が、その発行済株式等の$\frac{50}{100}$以上の数若しくは金額の株式若しくは出資を直接若しくは間接に保有し、又は特定事実が存在することによりその事業の方針の全部若しくは一部につき実質的に	

		決定できる関係にある法人
（五）		二の法人がそれぞれ次に掲げるいずれかの法人に該当する場合における当該二の法人の関係（イに掲げる一の者が同一の者である場合に限るものとし、（一）から（四）までに掲げる関係に該当するものを除く。）
	イ	一の者が、その発行済株式等の$\frac{50}{100}$以上の数若しくは金額の株式若しくは出資を直接若しくは間接に保有し、又は特定事実が存在することによりその事業の方針の全部若しくは一部につき実質的に決定できる関係にある法人
	ロ	イ又はハに掲げる法人が、その発行済株式等の$\frac{50}{100}$以上の数若しくは金額の株式若しくは出資を直接若しくは間接に保有し、又は特定事実が存在することによりその事業の方針の全部若しくは一部につき実質的に決定できる関係にある法人
	ハ	ロに掲げる法人が、その発行済株式等の$\frac{50}{100}$以上の数若しくは金額の株式若しくは出資を直接若しくは間接に保有し、又は特定事実が存在することによりその事業の方針の全部若しくは一部につき実質的に決定できる関係にある法人

（直接又は間接保有の株式等の保有割合の計算）

（2） （1）の表の（一）の場合において、一方の法人が他方の法人の発行済株式等の$\frac{50}{100}$以上の数又は金額の株式又は出資を直接又は間接に保有するかどうかの判定は、当該一方の法人の当該他方の法人に係る直接保有の株式等の保有割合（当該一方の法人の有する当該他方の法人の株式又は出資の数又は金額が当該他方の法人の発行済株式等のうちに占める割合をいう。）と当該一方の法人の当該他方の法人に係る間接保有の株式等の保有割合とを合計した割合により行うものとする。（措令35の3⑦、39の12②）

（間接保有の株式等の保有割合の意義）

（3） （2）に掲げる間接保有の株式等の保有割合とは、次の表の左欄に掲げる場合の区分に応じ、それぞれ同表の右欄に掲げる割合（左欄に掲げる場合のいずれにも該当する場合には、右欄に掲げる割合の合計割合）をいう。（措令35の3⑦、39の12③）

（一）	（2）に掲げる他方の法人の株主等（第二章第一節の二の表の14《株主等》をいう。（二）において同じ。）である法人の発行済株式等の$\frac{50}{100}$以上の数又は金額の株式又は出資が（2）に掲げる一方の法人により所有されている場合	当該株主等である法人の有する当該他方の法人の株式又は出資の数又は金額が当該他方の法人の発行済株式等のうちに占める割合（当該株主等である法人が2以上ある場合には、当該2以上の株主等である法人につきそれぞれ計算した割合の合計割合）
（二）	（2）に掲げる他方の法人の株主等である法人（（一）に掲げる場合に該当する（一）に掲げる株主等である法人を除く。）と（2）に掲げる一方の法人との間にこれらの者と発行済株式等の所有を通じて連鎖関係にある1又は2以上の法人（以下（二）において「出資関連法人」という。）が介在している場合（出資関連法人及び当該株主等である法人がそれぞれその発行済株式等の$\frac{50}{100}$以上の数又は金額の株式又は出資を当該一方の法人又は出資関連法人〔その発行済株式等の$\frac{50}{100}$以上の数又は金額の株式又は出資が当該一方の法人又は他の出資関連法人によって所有されているものに限る。〕によって所有されている場合に限る。）	当該株主等である法人の有する当該他方の法人の株式又は出資の数又は金額が当該他方の法人の発行済株式等のうちに占める割合（当該株主等である法人が2以上ある場合には、当該2以上の株主等である法人につきそれぞれ計算した割合の合計割合）

（直接又は間接保有の株式等の保有割合の計算の準用）

（4） （2）は、（1）の表の（二）、（四）及び（五）に掲げる直接又は間接に保有される関係の判定について準用する。（措令35の3⑦、39の12④）

2　特許権等の譲渡等による所得の課税の特例

　青色申告書を提出する法人が、令和7年4月1日から令和14年3月31日までの間に開始する各事業年度（以下**2**において「**対象事業年度**」という。）において、特許権譲渡等取引（居住者〔租税特別措置法第2条第1項第1号の2に規定する居住者をいう。〕若しくは内国法人〔関連者であるものを除く。〕に対する特定特許権等の譲渡又は他の者〔関連者であるものを除く。以下**2**において同じ。〕に対する特定特許権等の貸付け〔特定特許権等に係る権利の設定その他他の者に特定特許権等を使用させる行為を含む。〕をいう。以下**2**において同じ。）を行った場合には、次の表に掲げる金額のうちいずれか少ない金額の$\frac{30}{100}$に相当する金額は、当該対象事業年度の所得の金額の計算上、損金の額に算入する。（措法59の3①⑱、措令35の3①④）

	次の表の左欄に掲げる場合の区分に応じそれぞれ同表の右欄に掲げる金額			
①	（一）	当該法人が当該対象事業年度において行った特許権譲渡等取引（特許権譲渡等取引以外の取引とあわせて行った特許権譲渡等取引にあっては、その契約において特許権譲渡等取引の対価の額が明らかにされている場合における当該特許権譲渡等取引に限る。以下①において同じ。）に係る特定特許権等のいずれについてもその特定特許権等に関連する**1**の表の③に掲げる研究開発として財務省令で定める研究開発に係る**1**の表の④に掲げる研究開発費の額のうち建物及びその附属設備に係る額以外の額が当該法人の令和7年4月1日前に開始した事業年度において生じていない場合又は当該対象事業年度が令和9年4月1日以後に開始する事業年度である場合	当該対象事業年度において行った特許権譲渡等取引ごとに、イに掲げる金額にロに掲げる金額のうちにハに掲げる金額の占める割合（ロに掲げる金額が零である場合には、零）を乗じて計算した金額を合計した金額	
			イ	当該特許権譲渡等取引に係る所得の金額として(1)に掲げる金額
			ロ	当該対象事業年度及び当該対象事業年度前の各事業年度（令和7年4月1日以後に開始する事業年度に限る。）において生じた研究開発費の額のうち、当該特許権譲渡等取引に係る特定特許権等に関連する**1**の表の③に掲げる研究開発として財務省令で定める研究開発に係る**1**の表の④に掲げる研究開発費の額のうち建物及びその附属設備に係る額以外の額の合計額
			ハ	ロに掲げる金額に含まれる適格研究開発費の額の合計額
	（二）	（一）に掲げる場合以外の場合	イに掲げる金額にロに掲げる金額のうちにハに掲げる金額の占める割合（ロに掲げる金額が零である場合には、零）を乗じて計算した金額	
			イ	当該対象事業年度において行った特許権譲渡等取引に係る所得の金額として(2)に掲げる金額の合計額
			ロ	当該対象事業年度及び当該対象事業年度開始の日前2年以内に開始した各事業年度において生じた研究開発費の額の合計額
			ハ	ロに掲げる金額に含まれる適格研究開発費の額の合計額
②	**2**を適用しないで計算した場合の当該対象事業年度の所得の金額から（一）に掲げる金額が（二）に掲げる金額を超える部分の金額を控除した金額			
	（一）	第二十一款の**一**の1の①《前10年以内の繰越欠損金の損金算入》のただし書を適用しないものとした場合に同①の本文により当該対象事業年度の所得の金額の計算上損金の額に算入されることとなる同①に掲げる欠損金額（同款の**四**の1の①《被合併法人等の未処理欠損金額の引継ぎ》により当該法人の欠損金額とみなされたものを含む。）		
	（二）	同款の**一**の1の①により当該対象事業年度の所得の金額の計算上損金の額に算入される欠損金額		

　注1　上表の①の（一）に掲げる金額又は①の（二）のイに掲げる金額が零に満たない場合には、これらの金額は零であるものとして、**2**を適用する。

第三章　第一節　第二十七款　**九**《特許権等の譲渡等による所得の課税の特例》

(措令35の3⑤)

注2　所得税法等の一部を改正する法律（令和2年法律第8号）附則第20条第1項の規定の適用がある場合における**九**の適用については、「同款の**四の1の①**《被合併法人等の未処理欠損金額の引継ぎ》」とあるのは「同款の**四の1の①**《被合併法人等の未処理欠損金額の引継ぎ》又は所得税法等の一部を改正する法律（令和2年法律第8号）附則第20条第1項」とする。（令和6年政令第213号附則2）

注3　上表の財務省令は、令和6年7月1日現在制定されていない。（編者）

（特許権譲渡等取引に係る所得の金額）

(1)　**2**の表の①の(一)のイに掲げる金額は、**2**の法人が当該対象事業年度において行った同(一)に掲げる特許権譲渡等取引（以下(1)及び(2)において「**特許権譲渡等取引**」という。）に係る収益の額として当該対象事業年度の所得の金額の計算上益金の額に算入される金額から、次の表の左欄に掲げる当該特許権譲渡等取引の区分に応じそれぞれ同表の右欄に掲げる金額を減算した金額（当該対象事業年度前の各事業年度〔令和7年4月1日以後に開始する事業年度に限るものとし、当該対象事業年度開始の日前に開始し、かつ、**2**の適用を受けた事業年度のうちその終了の日が最も遅い事業年度以前の各事業年度を除く。〕において行った特許権譲渡等取引に係る所得の金額の計算上生じた損失の合計額として財務省令で定める金額がある場合には、当該金額に当該対象事業年度において行った特許権譲渡等取引に係る所得の金額が当該対象事業年度において行った各特許権譲渡等取引に係る所得の金額の合計額のうちに占める割合として財務省令で定める割合を乗じて計算した金額を控除した金額）とする。（措令35の3②）

	次に掲げる額として当該対象事業年度の所得の金額の計算上損金の額に算入される金額の合計額	
(一) 特定特許権等（**1**の表の②に掲げる特定特許権等をいう。以下(一)及び(二)において同じ。）の譲渡	イ	当該特定特許権等の譲渡に係る原価の額
	ロ	当該特定特許権等の出願、審査、登録又は維持に要する費用（当該特定特許権等が当該対象事業年度において行った(二)に掲げる特許権譲渡等取引に係るものに該当する場合には、当該特定特許権等の他の者に対する移転の登録に要する費用に限る。）の額
	ハ	当該特定特許権等に関して弁護士その他の専門家に支払う費用（当該特定特許権等が当該対象事業年度において行った(二)に掲げる特許権譲渡等取引に係るものに該当する場合には、当該特定特許権等の譲渡に伴い支払う費用に限る。）の額
	ニ	当該特定特許権等の譲渡に係る対価を回収することができないことにより受ける損失を填補する保険の保険料の額
	ホ	当該特定特許権等の譲渡に関する事務に要する人件費その他の費用の額
(二) (一)に掲げるもの以外の特許権譲渡等取引	次に掲げる額として当該対象事業年度の所得の金額の計算上損金の額に算入される金額（当該特許権譲渡等取引に係る特定特許権等が当該対象事業年度において行った他の特許権譲渡等取引〔特定特許権等の譲渡を除く。〕に係るものに該当する場合には、当該他の特許権譲渡等取引に係る部分の金額として財務省令で定めるところにより計算した金額を除く。）の合計額	
	イ	当該特許権譲渡等取引に係る特定特許権等の償却費の額
	ロ	当該特許権譲渡等取引に係る特定特許権等の出願、審査、登録又は維持に要する費用（当該特定特許権等が当該対象事業年度において行った(一)に掲げる特許権譲渡等取引に係るものに該当する場合には、当該特定特許権等の他の者に対する移転の登録に要する費用を除く。）の額
	ハ	当該特許権譲渡等取引に係る特定特許権等に関して弁護士その他の専門家に支払う費用（当該特定特許権等が当該対象事業年度において行った(一)に掲げる特許権譲渡等取引に係るものに該当する場合には、当該特定特許権等の譲渡に伴い支払う費用を除く。）の額
	ニ	当該特許権譲渡等取引に係る特許権に係る特許法（昭和34年法律第121号）第2条第1項に規定する発明が共同でされた場合における当該特許権に係る他の発明者に対して支払う当該発明の使用料の額

		ホ	当該特許権譲渡等取引に係る1の表の②のロに掲げるもの（ホにおいて「著作物」という。）が著作権法（昭和45年法律第48号）第2条第1項第12号に規定する共同著作物である場合における当該著作物の創作をした他の者に対して支払う当該著作物の使用料の額
		ヘ	当該特許権譲渡等取引に係る対価を回収することができないことにより受ける損失を塡補する保険の保険料の額
		ト	当該特許権譲渡等取引に関する事務に要する人件費その他の費用の額

注　上記の財務省令は、令和6年7月1日現在制定されていない。（編者）

（対象事業年度において行った特許権譲渡等取引に係る所得の金額）
（2）　2の表の①の（二）のイに掲げる金額は、2の法人が当該対象事業年度において行った特許権譲渡等取引ごとに、当該特許権譲渡等取引に係る収益の額として当該対象事業年度の所得の金額の計算上益金の額に算入される金額から、（1）の表の左欄に掲げる当該特許権譲渡等取引の区分に応じそれぞれ同表の右欄に掲げる金額を減算した金額（当該対象事業年度前の各事業年度〔令和7年4月1日以後に開始する事業年度に限るものとし、当該対象事業年度開始の日前に開始し、かつ、2の適用を受けた事業年度のうちその終了の日が最も遅い事業年度以前の各事業年度を除く。〕において行った特許権譲渡等取引に係る所得の金額の計算上生じた損失の合計額として財務省令で定める金額がある場合には、当該金額に当該対象事業年度において行った特許権譲渡等取引に係る所得の金額が当該対象事業年度において行った各特許権譲渡等取引に係る所得の金額の合計額のうちに占める割合として財務省令で定める割合を乗じて計算した金額を控除した金額）とする。（措令35の3③）

注　上記の財務省令は、令和6年7月1日現在制定されていない。（編者）

（通算法人の所得の金額の計算）
（3）　青色申告書を提出する法人である通算法人の各事業年度（当該通算法人に係る通算親法人の事業年度終了の日に終了するものに限る。）について2を適用する場合には、2の表の②に掲げる金額は、当該通算法人及び他の通算法人（同日において当該通算法人との間に通算完全支配関係があるものに限る。）の当該事業年度又は同日に終了する事業年度の第三十五款の一の1の①《所得事業年度の通算対象欠損金額の損金算入》に掲げる通算前所得金額及び通算前欠損金額を基礎として同1《通算法人の損益通算》及び同一の3《欠損金の通算》により計算した（4）に掲げる金額とする。（措法59の3③）

（通算法人の所得の金額の意義）
（4）　通算法人の所得の金額は、（3）の通算法人の2を適用しないで計算した場合の当該事業年度（当該通算法人に係る通算親法人の事業年度終了の日に終了するものに限る。以下2において「**対象年度**」という。）の所得の金額のうち通算所得基準額（（一）に掲げる金額に（二）に掲げる金額が（二）及び（三）に掲げる金額の合計額のうちに占める割合を乗じて計算した金額をいう。）に達するまでの金額とする。（措令35の3⑪）

		イに掲げる金額からロに掲げる金額を控除した金額	
（一）	イ	当該通算法人の対象年度及び他の通算法人（対象年度終了の日において当該通算法人との間に通算完全支配関係があるものに限る。以下（4）及び（5）において同じ。）の同日に終了する事業年度（以下（4）及び（5）において「**他の事業年度**」という。）の通算前所得金額（第三十五款の一の1の①《所得事業年度の通算対象欠損金額の損金算入》に掲げる通算前所得金額をいう。以下2において同じ。）の合計額から他の通算法人の他の事業年度において生ずる通算前欠損金額（同①に掲げる通算前欠損金額をいう。（5）において同じ。）の合計額を控除した金額	
	ロ	次に掲げる金額の合計額	
		(イ)	第二十一款の一の1の①《前10年以内の繰越欠損金の損金算入》のただし書き及び第三十五款の一の3《欠損金の通算》を適用しないものとした場合に第二十一款の一の1の①の本文により当該通算法人の対象年度の所得の金額の計算上損金の額に算入されることとなる同①に掲げる欠損金額（同款の四の1の①《被合併法人等の未処理欠損金額の引継ぎ》により当該通算法人の欠損金額とみなされたものを含む。(5)及び(6)の表の（二）において「**控除未済欠損金額**」という。）

第三章　第一節　第二十七款　九《特許権等の譲渡等による所得の課税の特例》

	(ロ)	第二十一款の一の1の①のただし書及び第三十五款の一の3を適用しないものとした場合に第二十一款の一の1の①の本文により他の通算法人の他の事業年度の所得の金額の計算上損金の額に算入されることとなる同①に掲げる欠損金額（同款の四の1の①により当該他の通算法人の欠損金額とみなされたものを含む。（5）において「**他の控除未済欠損金額**」という。）の合計額
(二)		当該通算法人の対象年度の通算前所得金額
(三)		他の通算法人の他の事業年度の通算前所得金額の合計額

　　注　所得税法等の一部を改正する法律（令和2年法律第8号）附則第20条第1項の規定の適用がある場合における**九**の適用については、「同款の**四**の1の①」とあるのは「同款の**四**の1の①又は所得税法等の一部を改正する法律（令和2年法律第8号）附則第20条第1項」とする。（令和6年政令第213号附則2）

　　（他の事業年度の通算前所得金額等とみなすもの）
（5）（4）の場合において、（4）の通算法人の対象年度の通算前所得金額若しくは控除未済欠損金額が当初通算前所得金額若しくは当初控除未済欠損金額（それぞれ当該対象年度の確定申告書等に添付された書類に当該対象年度の通算前所得金額又は控除未済欠損金額として記載された金額をいう。以下（5）及び（6）において同じ。）と異なり、又は他の通算法人の他の事業年度の通算前所得金額、通算前欠損金額若しくは他の控除未済欠損金額が当初他の通算前所得金額、当初他の通算前欠損金額若しくは当初他の控除未済欠損金額（それぞれ当該他の事業年度の確定申告書等〔期限後申告書を除く。〕に添付された書類に当該他の事業年度の通算前所得金額、通算前欠損金額又は他の控除未済欠損金額として記載された金額をいう。以下（5）において同じ。）と異なるときは、当初通算前所得金額若しくは当初控除未済欠損金額又は当初他の通算前所得金額、当初他の通算前欠損金額若しくは当初他の控除未済欠損金額を当該通算法人の当該対象年度の通算前所得金額若しくは控除未済欠損金額又は当該他の通算法人の当該他の事業年度の通算前所得金額、通算前欠損金額若しくは他の控除未済欠損金額とみなす。（措令35の3⑫）

　　（通算所得基準額の計算）
（6）（4）に掲げる通算所得基準額は、次に掲げる金額の合計額が零を超える場合には、当該通算所得基準額から当該合計額を控除した金額とする。（措令35の3⑬）

(一)	対象年度に係る当初通算前所得金額から当該対象年度の通算前所得金額を減算した金額
(二)	対象年度に係る控除未済欠損金額から当該対象年度に係る当初控除未済欠損金額を減算した金額

　　（みなし金額の否認がある場合の不適用）
（7）（4）の通算法人の対象年度において、第三十五款の一の**1**の③の（3）《みなし金額の否認》の適用がある場合には、（5）及び（6）は、当該対象年度については、適用しない。（措令35の3⑭）

　　（関連者との間で特許権譲受等取引を行った場合）
（8）青色申告書を提出する法人が、各事業年度において、当該法人に係る関連者との間で特許権譲受等取引を行った場合に、当該特許権譲受等取引につき当該法人が当該関連者に支払う対価の額が独立企業間価格（特許権譲受等取引の対価の額について第三十款の一の**2**《独立企業間価格》に掲げる方法に準じて算定した金額〔当該特許権譲受等取引が同**一**の**1**《国外関連者との取引に係る課税の特例》に掲げる国外関連取引である場合には、同**1**に掲げる独立企業間価格〕）に満たないときは、当該法人の当該事業年度以後の各事業年度における**2**の適用については、当該特許権譲受等取引は、独立企業間価格で行われたものとみなす。（措法59の3④⑤）

　　（非関連者を通じて行う取引への適用）
（9）青色申告書を提出する法人が当該法人に係る関連者と他の者（当該法人に係る他の関連者を除く。以下（9）及び（10）において「**非関連者**」という。）との間で行う特許権譲受等取引（**1**の表の⑤のイに掲げる特許権譲受等取引をいう。（12）を除き、以下**2**において同じ。）に係る**1**の表の②に掲げる適格特許権等が法人に特許権譲受等取引によって移転又は提供をされることが当該関連者と非関連者との間で特許権譲受等取引を行った時において契約その他によりあらかじめ定まっている場合で、かつ、当該移転又は提供に係る対価の額が当該法人と当該関連者との間で実質的に決定されていると認められる場合における当該法人と当該非関連者との特許権譲受等取引は、当該法人と当該関連者

との間で行われた特許権譲受等取引とみなして、(8)を適用する。(措法59の3⑥、措令35の3⑮)

　　　(特許権譲受等取引とみなされた取引の独立企業間価格)
(10)　(9)により(9)の法人と(9)の当該法人に係る関連者との間で行われた特許権譲受等取引とみなされた取引に係る(8)に掲げる独立企業間価格は、(8)にかかわらず、当該取引が当該法人と当該関連者との間で行われたものとみなして(8)を適用した場合に算定される金額に、当該法人と当該関連者との取引が非関連者を通じて行われることにより生ずる対価の額の差につき必要な調整を加えた金額とする。(措令35の3⑯)

　　　(特許権譲受等取引に係る同時文書化)
(11)　2の適用を受けようとする法人が、当該事業年度において、当該法人に係る関連者との間で特許権譲受等取引(第三十款の一の1《国外関連者との取引に係る課税の特例》に掲げる国外関連取引に該当するものを除く。以下(15)までにおいて同じ。)を行った場合には、当該特許権譲受等取引に係る(8)に掲げる独立企業間価格を算定するために必要と認められる書類として財務省令で定める書類(その作成に代えて電磁的記録〔電子的方式、磁気的方式その他人の知覚によっては認識することができない方式で作られる記録であって、電子計算機による情報処理の用に供されるものをいう。以下九において同じ。〕の作成がされている場合における当該電磁的記録を含む。)を、当該事業年度(当該特許権譲受等取引を行った事業年度が令和7年4月1日前に開始した事業年度である場合には、同日以後最初に開始する事業年度)の第二節第三款の二の1《確定申告》に掲げる申告書の提出期限までに作成し、又は取得し、財務省令で定めるところにより保存しなければならない。(措法59の3⑦)

　　注　上記の財務省令は、令和6年7月1日現在制定されていない。(編者)

　　　(特許権譲受等取引に係る同時文書化の除外規定)
(12)　2の適用を受けようとする法人が当該事業年度の前事業年度において当該法人に係る一の関連者との間で行った特許権譲受等取引(次の表に掲げる場合には、当該事業年度において当該法人と当該一の関連者との間で行った特許権譲受等取引)につき当該一の関連者に支払う対価の額の合計額が3億円未満である場合又は2の適用を受けようとする法人の当該事業年度の前事業年度において当該法人に係る一の関連者との間で行った特許権譲受等取引((11)に掲げる特許権譲受等取引をいう。以下(12)において同じ。)がない場合(同表に掲げる場合に該当することにより当該事業年度の前事業年度において当該一の関連者との間で行った特許権譲受等取引がない場合を除く。)における当該法人が当該事業年度において当該一の関連者との間で行った特許権譲受等取引に係る(8)に掲げる独立企業間価格を算定するために必要と認められる書類及び2の適用を受けようとする法人が当該事業年度において当該法人に係る関連者との間で行った特許権譲受等取引により研究開発費の額が生じない場合又は当該特許権譲受等取引により生ずる研究開発費の額が2により損金の額に算入される金額の計算の基礎となることが見込まれない場合における当該特許権譲受等取引に係る(8)に掲げる独立企業間価格を算定するために必要と認められる書類については、(11)は、適用しない。(措法59の3⑧、措令35の3⑰⑱)

(一)	法人の当該事業年度の前事業年度がない場合
(二)	一の関連者が法人の当該事業年度において当該法人に係る1の表の①に掲げる関連者((21)において「**関連者**」という。)に該当することとなった場合((一)に掲げる場合を除く。)

　　　(同時文書化対象特許権譲受等取引に係る事業と同種の事業を営む者に対する質問検査権)
(13)　国税庁の当該職員又は法人の納税地の所轄税務署若しくは所轄国税局の当該職員は、法人に各事業年度における同時文書化対象特許権譲受等取引((12)の適用がある特許権譲受等取引以外の特許権譲受等取引をいう。以下(13)において同じ。)に係る(11)に掲げる財務省令で定める書類(その作成又は保存に代えて電磁的記録の作成又は保存がされている場合における当該電磁的記録を含む。以下(13)において同じ。)若しくはその写しの提示若しくは提出を求めた場合においてその提示若しくは提出を求めた日から45日を超えない範囲内においてその求めた書類若しくはその写しの提示若しくは提出の準備に通常要する日数を勘案して当該職員が指定する日までにこれらの提示若しくは提出がなかったとき、又は法人に各事業年度における同時文書化対象特許権譲受等取引に係る(8)に掲げる独立企業間価格((21)において準用する第三十款の五《特定無形資産国外関連取引に係る独立企業間価格の更正又は決定》により当該独立企業間価格とみなされる金額を含む。)を算定するために重要と認められる書類として財務省令で定める書類(その作成又は保存に代えて電磁的記録の作成又は保存がされている場合における当該電磁的記録を含む。以下(13)において同じ。)若しくはその写しの提示若しくは提出を求めた場合においてその提示若しくは提出を求めた日から60日を

第三章　第一節　第二十七款　九《特許権等の譲渡等による所得の課税の特例》

超えない範囲内においてその求めた書類若しくはその写しの提示若しくは提出の準備に通常要する日数を勘案して当該職員が指定する日までにこれらの提示若しくは提出がなかったときに、当該法人の各事業年度における同時文書化対象特許権譲受等取引に係る(8)に掲げる独立企業間価格を算定するために必要があるときは、その必要と認められる範囲内において、当該法人の当該同時文書化対象特許権譲受等取引に係る事業と同種の事業を営む者に質問し、当該事業に関する帳簿書類（その作成又は保存に代えて電磁的記録の作成又は保存がされている場合における当該電磁的記録を含む。以下**九**において同じ。）を検査し、又は当該帳簿書類（その写しを含む。）の提示若しくは提出を求めることができる。（措法59の3⑨）

　　注　上記の財務省令は、令和6年7月1日現在制定されていない。（編者）

　　　　（同時文書化免除特許権譲受等取引に係る事業と同種の事業を営む者に対する質問検査権）
(14)　国税庁の当該職員又は法人の納税地の所轄税務署若しくは所轄国税局の当該職員は、法人に各事業年度における同時文書化免除特許権譲受等取引（(12)の適用がある特許権譲受等取引をいう。以下(14)において同じ。）に係る(8)に掲げる独立企業間価格（(21)において準用する第三十款の**五**《特定無形資産国外関連取引に係る独立企業間価格の更正又は決定》により当該独立企業間価格とみなされる金額を含む。）を算定するために重要と認められる書類として財務省令で定める書類（その作成又は保存に代えて電磁的記録の作成又は保存がされている場合における当該電磁的記録を含む。以下(14)において同じ。）又はその写しの提示又は提出を求めた場合において、その提示又は提出を求めた日から60日を超えない範囲内においてその求めた書類又はその写しの提示又は提出の準備に通常要する日数を勘案して当該職員が指定する日までにこれらの提示又は提出がなかったときに、当該法人の各事業年度における同時文書化免除特許権譲受等取引に係る(8)に掲げる独立企業間価格を算定するために必要があるときは、その必要と認められる範囲内において、当該法人の当該同時文書化免除特許権譲受等取引に係る事業と同種の事業を営む者に質問し、当該事業に関する帳簿書類を検査し、又は当該帳簿書類（その写しを含む。）の提示若しくは提出を求めることができる。（措法59の3⑩）

　　注　上記の財務省令は、令和6年7月1日現在制定されていない。（編者）

　　　　（帳簿書類の留置き）
(15)　国税庁の当該職員又は法人の納税地の所轄税務署若しくは所轄国税局の当該職員は、法人の特許権譲受等取引に係る(8)に掲げる独立企業間価格を算定するために必要があるときは、(13)及び(14)に基づき提出された帳簿書類（その写しを含む。）を留め置くことができる。（措法59の3⑪）

　　　　（預り書面の交付）
(16)　国税庁、国税局若しくは税務署（以下(18)までにおいて「国税庁等」という。）の当該職員は、(15)により物件を留め置く場合には、次の表に掲げる事項を記載した書面を作成し、当該物件を提出した者にこれを交付しなければならない。（措令35の3⑲、通令30の3①）

(一)	当該物件の名称又は種類及びその数量
(二)	当該物件の提出年月日
(三)	当該物件を提出した者の氏名及び住所又は居所
(四)	その他当該物件の留置きに関し必要な事項

　　　　（提出物件の返還）
(17)　国税庁等の当該職員は、(15)により留め置いた物件につき留め置く必要がなくなったときは、遅滞なく、これを返還しなければならない。（措令35の3⑲、通令30の3②）

　　　　（提出物件の善管注意義務）
(18)　国税庁等の当該職員は、(15)により留め置いた物件を善良な管理者の注意をもって管理しなければならない。（措令35の3⑲、通令30の3③）

　　　　（国税庁職員等の権限）
(19)　(13)、(14)及び(15)による当該職員の権限は、犯罪捜査のために認められたものと解してはならない。（措法59

の3⑫)

(国税庁職員等の身分証明書の携行等)
(20) 国税庁、国税局又は税務署の当該職員は、(13)又は(14)による質問、検査又は提示若しくは提出の要求をする場合には、その身分を示す証明書を携帯し、関係人の請求があったときは、これを提示しなければならない。(措法59の3⑬)

(関連規定の読替え)
(21) 第三十款の**五**《特定無形資産国外関連取引に係る独立企業間価格の更正又は決定》、同款の**六**《独立企業間価格の推定による更正又は決定》、同款の**八**《当初申告に係る更正の請求の特例》及び同款の**九**《更正・決定等の期間制限の特例》は、法人が当該法人に係る関連者との間で行った特許権譲受等取引につき、(8)を適用する場合について準用する。この場合において、次の表の左欄に掲げる規定中同表の中欄に掲げる字句は、それぞれ同表の右欄に掲げる字句に読み替えるものとする。(措法59の3⑭、措令35の3⑳)

租税特別措置法第66条の4第8項	特定無形資産国外関連取引	特定特許権譲受等取引
	の譲渡若しくは貸付け(特定無形資産に係る権利の設定その他他の者に特定無形資産を使用させる一切の行為を含む。)又はこれらに類似する	に係る
	第2項各号	第2項各号(第59条の3第5項の規定により準じて算定する場合を含む。)
	を第1項	を同条第4項
	事業年度の	事業年度以後の各事業年度の
	ならば第1項	ならば第59条の3第4項
租税特別措置法第66条の4第9項	特定無形資産国外関連取引	特定特許権譲受等取引
	第25項の規定により各事業年度において	第59条の3第15項の規定により
	当該事業年度の確定申告書(法人税法第2条第31号に規定する確定申告書をいう。同項において同じ。)	確定申告書等
租税特別措置法第66条の4第10項	特定無形資産国外関連取引	特定特許権譲受等取引
租税特別措置法第66条の4第11項	同時文書化対象国外関連取引(第7項の規定の適用がある国外関連取引以外の国外関連取引	同時文書化対象特許権譲受等取引(国外関連取引に該当する第59条の3第2項第5号イに規定する特許権譲受等取引のうち第7項の規定の適用がないもの及び同条第9項に規定する同時文書化対象特許権譲受等取引
	第6項	第6項若しくは同条第7項
租税特別措置法第66条の4第12項	同時文書化対象国外関連取引	同時文書化対象特許権譲受等取引
	第6項	第6項若しくは第59条の3第7項
	第1項	同条第4項
	事業年度の	事業年度以後の各事業年度の
租税特別措置法第66条の4第12項第1号	若しくはハ	若しくはハ(第59条の3第5項の規定により準じて算定する場合を含む。以下この号において同じ。)
	同項第2号	第2項第2号

第三章 第一節 第二十七款 九《特許権等の譲渡等による所得の課税の特例》

租税特別措置法第66条の4第12項第2号	第2項第1号ニ	第2項第1号ニ（第59条の3第5項の規定により準じて算定する場合を含む。）
	同項第2号	第2項第2号
租税特別措置法第66条の4第13項	同時文書化対象国外関連取引	同時文書化対象特許権譲受等取引
租税特別措置法第66条の4第14項	同時文書化免除国外関連取引	同時文書化免除特許権譲受等取引
	第7項の規定の適用がある国外関連取引	国外関連取引に該当する第59条の3第2項第5号イに規定する特許権譲受等取引のうち第7項の規定の適用があるもの及び同条第10項に規定する同時文書化免除特許権譲受等取引
	第1項	同条第4項
	事業年度の	事業年度以後の各事業年度の
租税特別措置法第66条の4第15項	同時文書化免除国外関連取引	同時文書化免除特許権譲受等取引
租税特別措置法第66条の4第26項	同項の	第59条の3第4項の
租税特別措置法第66条の4第27項	租税特別措置法第66条の4第27項（	租税特別措置法第59条の3第14項（特許権等の譲渡等による所得の課税の特例）において準用する同法第66条の4第27項（
	及び租税特別措置法第66条の4第27項の	及び租税特別措置法第59条の3第14項において準用する同法第66条の4第27項の
	及び同法	及び同法第59条の3第14項において準用する同法
	「前条及び租税特別措置法	「前条及び租税特別措置法第59条の3第14項において準用する同法
	（租税特別措置法	（租税特別措置法第59条の3第14項において準用する同法
	並びに租税特別措置法	並びに租税特別措置法第59条の3第14項において準用する同法
	、租税特別措置法	、租税特別措置法第59条の3第14項において準用する同法
租税特別措置法第66条の4第27項第1号及び第28項	を第1項	を第59条の3第4項
租税特別措置法第66条の4第30項	租税特別措置法	租税特別措置法第59条の3第14項（特許権等の譲渡等による所得の課税の特例）において準用する同法
	同法第66条の4第27項	同法第59条の3第14項において準用する同法第66条の4第27項
租税特別措置法施行令第39条の12第14項	無形資産国外関連取引（国外関連取引のうち、無形資産（同条第7項第2号に規定する無形資産において同じ。）の譲渡若しくは貸付け（無形資産に係る権利の設定その他の者に無形資産を使用させる一切の行為を含む。）又はこれらに類似	特許権譲受等取引（法第59条の3第2項第5号イに規定する特許権譲受等取引をいい、適格特許権等（同項第2号に規定する適格特許権等及び第18項第1号において同じ。）に係る取引に限る

第三章　第一節　第二十七款　**九**《特許権等の譲渡等による所得の課税の特例》

	する取引をいう	
	同条第1項	法第59条の3第4項
	無形資産国外関連取引を	特許権譲受等取引を
	無形資産の	適格特許権等の
	当該無形資産に	当該適格特許権等に
租税特別措置法施行令第39条の12第15項第1号	特定無形資産国外関連取引	特定特許権譲受等取引
租税特別措置法施行令第39条の12第16項	同項の法人が、同項の特定無形資産国外関連取引の対価の額の支払を受ける場合には第1号に掲げる場合とし、当該対価の額を支払う場合には第2号	第1号
租税特別措置法施行令第39条の12第16項第1号	当該特定無形資産国外関連取引につき法第66条の4第8項本文	法第59条の3第14項において読み替えて準用する法第66条の4第8項の特定特許権譲受等取引につき同項本文
	同条第1項	法第59条の3第4項
	特定無形資産国外関連取引の	特定特許権譲受等取引の
租税特別措置法施行令第39条の12第17項第1号	特定無形資産国外関連取引	特定特許権譲受等取引
租税特別措置法施行令第39条の12第18項	同項の法人が、同項の特定無形資産国外関連取引（その対価の額につき、当該特定無形資産国外関連取引を行った時に当該特定無形資産国外関連取引に係る特定無形資産（同条第8項に規定する特定無形資産をいう。以下この項において同じ。）の使用その他の行為による利益（これに準ずるものを含む。以下この項において同じ。）が生ずることが予測された期間内の日を含む各事業年度の当該利益の額として当該特定無形資産国外関連取引を行った時に予測された金額を基礎として算定したものに限る。以下この項において同じ。）の対価の額の支払を受ける場合には第1号に掲げる場合とし、当該対価の額を支払う場合には第2号	第1号
租税特別措置法施行令第39条の12第18項第1号	当該特定無形資産国外関連取引に係る判定期間	法第59条の3第14項において読み替えて準用する法第66条の4第10項の特定特許権譲受等取引（その対価の額につき、当該特定特許権譲受等取引を行った時に当該特定特許権譲受等取引に係る適格特許権等の使用その他の行為による利益（これに準ずるものを含む。以下この号において同じ。）が生ずることが予測された期間内の日を含む各事業年度の当該利益の額として当該特定特許権譲受等取引を行った時に予測

第三章　第一節　第二十七款　九《特許権等の譲渡等による所得の課税の特例》

		された金額を基礎として算定したものに限る。以下この号において同じ。）に係る判定期間
	特定無形資産国外関連取引に係る特定無形資産	適格特許権等
	特定無形資産国外関連取引を	特定特許権譲受等取引を
	当該特定無形資産の	当該適格特許権等の
租税特別措置法施行令第39条の12第20項	同条第2項第1号ニ	同条第2項第1号ニ（法第59条の3第5項の規定により準じて算定する場合を含む。）
	同項第2号	法第66条の4第2項第2号
租税特別措置法施行令第39条の12第20項第2号	第66条の4第1項に規定する特殊の関係	第59条の3第2項第1号に規定する政令で定める特殊の関係

　（確定申告書等の添付書類等）
(22)　**2**は、**2**の適用を受けようとする事業年度の確定申告書等に**2**により損金の額に算入される金額の損金算入に関する申告の記載があり、かつ、当該確定申告書等にその損金の額に算入される金額の計算に関する明細書、その損金の額に算入される金額の計算の基礎となった取引に当該法人に係る関連者との間で行った特許権譲受等取引がある場合における当該関連者の名称及び本店又は主たる事務所の所在地その他財務省令で定める事項を記載した書類その他財務省令で定める書類（(23)において「明細書等」という。）の添付がある場合に限り、適用する。この場合において、**2**により損金の額に算入される金額は、当該申告に係るその損金の額に算入されるべき金額に限るものとする。（措法59の3⑮）
　　注　上記の財務省令は、令和6年7月1日現在制定されていない。（編者）

　（書類の保存がない場合におけるゆうじょ規定）
(23)　税務署長は、(22)の申告の記載又は添付がない確定申告書等の提出があった場合においても、その記載又は添付がなかったことについてやむを得ない事情があると認めるときは、当該記載をした書類及び明細書等の提出があった場合に限り、**2**を適用することができる。（措法59の3⑯）

　（損金算入金額と留保金額等との関係）
(24)　**2**の適用を受けた法人の**2**により損金の額に算入された金額は、第二節第一款の二の**2**《各事業年度の留保金額》及び同二の**3**《留保控除額》の適用については、同**2**及び同**3**に掲げる所得等の金額に含まれるものとする。（措法59の3⑰）

　（利益積立金額との関係）
(25)　**2**の適用を受けた法人の利益積立金額の計算については、**2**により損金の額に算入される金額は、第二章第一節の二の表の**18**《利益積立金額》の①のイに掲げる所得の金額に含まれるものとする。（措令35の3㉑）

　（関連規定の読替え）
(26)　**2**の適用がある場合における法人税法及び法人税法施行令の一部を改正する政令（昭和42年政令第106号）の規定の適用については、第二十一款の一の**1**の①《前10年以内の繰越欠損金の損金算入》ただし書に掲げる計算した場合における当該各事業年度の所得の金額、同款の三の**2**《民事再生等による債務免除があった場合の損金算入》及び同**2**の(2)《民事再生等に準ずる事実により債務免除等があった場合の欠損金の損金算入》に掲げる計算した場合における当該適用年度の所得の金額、同**2**の(9)《通算法人において民事再生等による債務免除があった場合の損金算入の読替え》の規定により読み替えられた同款の三の**2**に掲げる調整前所得金額及び調整前欠損金額、第三十五款の一の**1**の①《所得事業年度の通算対象欠損金額の損金算入》に掲げる通算前所得金額及び通算前欠損金額、同一の**3**の①の(2)の(一)《通算法人の繰越欠損金の損金算入限度額》に掲げる欠損控除前所得金額、同(一)のハに掲げる他の欠損控除前所得金額並びに同**3**の③の口の(5)の(一)《非特定欠損金額の益金算入の適用がある場合における適用事業年度の損金算入限度額が当初申告と異なる場合の損金算入限度額》に掲げる益金算入後所得金額は、**2**を適用しな

いで計算するものとし、法人税法施行令の一部を改正する政令（昭和42年政令第106号）附則第５条第１項第２号に規定する所得の金額は、**2**を適用しないで計算するものとする。（措令35の３㉒、33の４⑥）

十 沖縄の認定法人の課税の特例

1 沖縄の認定法人の所得の特別控除

　青色申告書を提出する内国法人で各事業年度終了の日において次の表の「法人」欄に掲げる法人に該当するもの（当該「法人」欄に掲げる提出の日以後に設立されたもので、同表の「地区」欄に掲げる区域内に本店又は主たる事務所を有するものに限る。以下1において**対象内国法人**という。）が、当該各事業年度（当該対象内国法人の設立の日から同日以後10年を経過する日までの期間〔（1）《適用対象期間》の表の左欄に掲げる場合には、同表の右欄に掲げる期間〕内に終了する事業年度に限る。以下十において**特定対象事業年度**という。）において当該区域内において行われる次の表のそれぞれ「事業」欄に掲げる事業（当該区域以外の地域において行われる（2）《特定事業等に含まれる事業》に掲げる事業を含む。以下十において**特定事業等**という。）に係る所得の金額として（6）《特定事業等に係る所得の金額》に掲げる金額を有する場合には、当該金額の$\frac{40}{100}$に相当する金額は、当該特定対象事業年度の所得の金額の計算上、損金の額に算入する。（措法60①）

	法　人	区　域	事　業
①	沖縄復興特別措置法第31条第2項《課税の特例》に規定する認定法人（同項に規定する主務大臣の確認を同法第28条第4項《情報通信産業振興計画の作成等》の規定による提出の日から令和7年3月31日までの間に受けたものに限る。）	同法第29条第1項《情報通信産業振興計画の実施状況の報告等》提出情報通信産業振興計画に定められた同法第28条第2項第3号に規定する情報通信産業特別地区の区域	同法第30条第2項《特定情報通信事業の認定等》に規定する認定特定情報通信事業
②	沖縄振興特別措置法第50条第2項《課税の特例》に規定する認定法人（同項に規定する主務大臣の確認を同法第41条第4項《国際物流拠点産業集積計画の作成等》の規定による提出の日から令和7年3月31日までの間に受けたものに限る。）	同法第42条第1項《国際物流拠点産業集積計画の実施状況の報告等》に規定する提出国際物流拠点産業集積計画に定められた同法第41条第2項第2号に規定する国際物流拠点産業集積地域の区域	同法第44条第2項《特定国際物流拠点事業の認定等》に規定する認定特定国際物流拠点事業

注1　令和4年3月31日以前に沖縄振興特別措置法第31条第2項に規定する認定法人又は同法第50条第2項に規定する認定法人の適用等の経過措置については、本書令和5年版1239ページ参照。（編者）

注2　平成26年3月31日以前に沖縄振興特別措置法第31条第2項に規定する認定法人又は同法第50条第2項に規定する認定法人の適用等の経過措置については、本書令和4年版1263ページ参照。（編者）

注3　平成24年3月31日以前に沖縄振興特別措置法第30条第1項の規定による認定又は同法第44条第1項の規定による認定を受けた法人の適用等の経過措置については、本書平成24年版1270ページ参照。（編者）

（適用対象期間）

（1）　1に掲げる「当該対象内国法人の設立の日から同日以後10年を経過する日までの期間」は、次の表の左欄に掲げる場合には、当該内国法人の設立の日から適用月数（120か月から同表の左欄の区分に応じそれぞれ同表の右欄に掲げる期間の月数を控除した月数をいう。）を経過する日までの期間とする。（措令36①、措規21の17の2①）

(一)	対象内国法人（1の表の①の「法人」欄に掲げる法人に該当するものに限る。）が合併により設立された法人であり、かつ、当該合併に係る各被合併法人のうちいずれかの法人が認定時情報通信産業特別地区の区域（当該対象内国法人が沖縄振興特別措置法第30条第1項の認定を受けた時〔以下(一)において「認定時」という。〕において同表の①の「区域」欄に掲げる区域に該当していた区域をいう。以下(一)及び(三)において同じ。）内において同表の①の「事業」欄に掲げる事業（同表の①「法人」欄に掲げる法人に該当しない期間にあっては、当該認定時において沖縄振興特別措置法第3条第7号に規定する特定情報通信事業に該当していた事業。以下(一)及び(三)において「対象特定情報通信事業」という。）を行っていた場合	当該被合併法人のうち当該認定時情報通信産業特別地区の区域内において当該対象特定情報通信事業を開始した日が最も早い法人が当該対象特定情報通信事業を行っていた期間の月数
(二)	対象内国法人（1の表の②の「法人」欄に掲げる法人に該当するものに限る。）が合併により設立された法人であり、かつ、当該合併に係る各	当該被合併法人のうち当該認定時国際物流拠点産業集積地域の区域

	被合併法人のうちいずれかの法人が認定時国際物流拠点産業集積地域の区域（当該対象内国法人が沖縄振興特別措置法第44条第1項の認定を受けた時〔以下(二)において「認定時」という。〕において同表の②の「区域」欄に掲げる区域に該当していた区域をいう。以下(二)及び(四)において同じ。）内において同表の②の「事業」欄に掲げる事業（同表の②の「法人」欄に掲げる法人に該当しない期間にあっては、当該認定時において沖縄振興特別措置法第3条第12号に規定する特定国際物流拠点事業に該当していた事業。以下この(二)及び(四)において「対象特定国際物流拠点事業」という。）を行っていた場合	内において当該対象特定国際物流拠点事業を開始した日が最も早い法人が当該対象特定国際物流拠点事業を行っていた期間の月数
(三)	対象内国法人（1の表の①の「法人」欄に掲げる法人に該当するものに限る。）と実質的に同一であると認められる者が当該対象内国法人の設立前に認定時情報通信産業特別地区の区域内において対象特定情報通信事業を行っていた場合（(一)に掲げる場合を除く。）	当該実質的に同一であると認められる者が当該認定時情報通信産業特別地区の区域内において当該対象特定情報通信事業を行っていた期間の月数
(四)	対象内国法人（1の表の②の「法人」欄に掲げる法人に該当するものに限る。）と実質的に同一であると認められる者が当該対象内国法人の設立前に認定時国際物流拠点産業集積地域の区域内において対象特定国際物流拠点事業を行っていた場合（(二)に掲げる場合を除く。）	当該実質的に同一であると認められる者が当該認定時国際物流拠点産業集積地域の区域内において当該対象特定国際物流拠点事業を行っていた期間の月数

注　(1)の月数は、暦に従って計算し、1か月に満たない端数が生じたときは、これを切り捨てる。（措規21の17の2③）

（特定事業等に含まれる事業）

（2）　1の表の①及び②の「事業」欄に掲げる事業に含まれる事業は、次の表の左欄に掲げる事業の区分に応じそれぞれ同表の右欄に掲げる事業とする。（措令36②）

(一)	1の表の①の「区域」欄に掲げる区域内において行われる同①の「事業」欄に掲げる事業	当該区域以外の地域において行われる沖縄振興特別措置法施行令第11条第2項第4号《事業認定の要件等》イからトまでに掲げる業務に係る事業
(二)	1の表の②の「区域」欄に掲げる区域内において行われる同②の「事業」欄に掲げる事業	当該事業が沖縄振興特別措置法施行令第21条第2項第6号《特別事業認定の要件等》イからハまでに掲げる事業のいずれに該当するかに応じそれぞれ当該区域以外の地域において行われる同号イからハまでに定める業務に係る事業

（実質的に同一であると認められる者の意義）

（3）　(1)の表の(三)又は(四)に掲げる「対象内国法人と実質的に同一であると認められる者」とは、例えば、支店形態で営業開始の後に別法人を設立した場合の当該支店や個人事業者がいわゆる法人成りをした場合の当該個人事業者をいう。（措通60－1・編者補正）

（他の税額控除等の適用を受ける場合の不適用）

（4）　1《沖縄の認定法人の所得の特別控除》は、次に掲げる規定の適用を受ける事業年度については、適用しない。（措法60③）

(一)	第二節第二款の**七**の**1**《法人税額の特別控除》又は同**2**《繰越税額控除限度超過額の4年間繰越控除》
(二)	第七款の**十六**《特定地域における工業用機械等の特別償却》
(三)	(二)に係る第七款の**二十三**の**1**《特別償却不足額がある場合の償却限度額の計算》又は同**2**《合併等特別償却不足額がある場合の償却限度額の計算》
(四)	(二)に係る第七款の**二十四**の**1**の①《特別償却準備金積立額の損金算入》、同②《特別償却準備金積立不足額

第三章　第一節　第二十七款　十《沖縄の認定法人の課税の特例》

	の１年間繰越し》、同③《適格合併等の場合の移転特別償却資産に係る合併等特別償却準備金積立不足額の引継ぎ》又は同⑤《適格分割等により特別償却対象資産を移転する場合の分割法人等における特別償却準備金の期中積立て等》
(五)	**九の２**《特許権等の譲渡等による所得の課税の特例》

　注　上表の(五)は、令和６年度改正により追加された部分で、改正規定は、令和７年４月１日以後に開始する事業年度から適用される。(令６改法附38、１Ⅴ)

（区域に変更があった場合）
(５)　１の表の「区域」欄に掲げる区域に変更があった場合における当該変更により新たにこれらの区域に該当することとなった区域に係る１の適用については、１に掲げる提出の日は、次の表の左欄に掲げる区域の区分に応じ同表の右欄に掲げる日とする。(措法60⑫、措令36⑰)

(一)	沖縄振興特別措置法第28条第７項《情報通信産業振興計画の作成等》の変更により新たに１の表の①の「区域」欄に掲げる区域に該当することとなった区域	当該変更に係る沖縄振興特別措置法第28条第７項において準用する同条第４項の規定による提出の日
(二)	沖縄振興特別措置法第41条第７項《国際物流拠点産業集積計画の作成等》の変更により新たに１の表の②の「区域」欄に掲げる区域に該当することとなった区域	当該変更に係る沖縄振興特別措置法第41条第７項において準用する同条第４項の規定による提出の日

（特定事業等に係る所得の金額）
(６)　１に掲げる特定事業等に係る所得の金額は、当該特定事業等により生じた所得のみについて法人税を課するものとした場合に課税標準となるべき対象内国法人の特定対象事業年度の所得の金額((7)において「軽減対象所得金額」という。)に相当する金額とする。ただし、当該軽減対象所得金額が当該特定対象事業年度の所得の金額(以下(6)及び(7)において「**全所得金額**」という。)を超える場合には、当該全所得金額に相当する金額を限度とする。(措法60①、措令36③)

（特定事業に係る所得の金額の計算）
(７)　軽減対象所得金額及び全所得金額は、次の表に掲げる規定を適用せず、かつ、当該事業年度において支出した寄附金の額の全額を損金の額に算入して計算するものとする。(措令36⑮)

(一)	法人税法第27条……第四款の**六**《中間申告における繰戻し還付に係る災害損失欠損金額の益金算入》
(二)	法人税法第40条……第十一款の**一**の４《法人税額から控除する所得税額の損金不算入》
(三)	法人税法第41条……第十一款の**一**の５《法人税額から控除する外国税額の損金不算入》
(四)	法人税法第41条の２……第十一款の**一**の７《分配時調整外国税相当額の損金不算入》
(五)	法人税法第57条第１項……第二十一款の**一**の１の①《前10年以内の繰越欠損金の損金算入》
(六)	法人税法第59条第１項……第二十一款の**三**の１《会社更生等による債務免除等があった場合の欠損金の損金算入》
(七)	同条第２項……同**三**の２《民事再生等による債務免除があった場合の損金算入》
(八)	同条第４項……同**三**の３《解散の場合の期限切れ欠損金の損金算入》
(九)	法人税法第61条の11第１項……第三十三款の**一**《譲渡損益調整資産に係る譲渡利益額又は譲渡損失額の繰延べ》(適格合併に該当しない合併による合併法人への資産の移転に係る部分に限る。)
(十)	法人税法第62条第２項……第三十四款の**一**の１の②《譲渡利益額又は譲渡損失額の最後事業年度の益金又は損金算入》
(十一)	法人税法第62条の５第２項……第三十四款の**一**の１の④の《残余財産の全部の分配又は引渡しによる譲渡に係る譲渡利益額又は譲渡損失額の益金又は損金算入》
(十二)	同条第５項……第十一款の**二**の２の②《残余財産の確定の日の属する事業年度に係る事業税等の損金算入》

(十三)	法人税法第62条の9第1項……第三十四款の二の1《非適格株式交換等に係る株式交換完全子法人等の有する資産の時価評価損益》
(十四)	法人税法施行令の一部を改正する政令（昭和42年政令第106号）附則第5条第1項及び第2項《契約者配当に関する経過規定》
(十五)	租税特別措置法第57条の7第1項……第十八款の四の表の9《関西国際空港用地整備準備金》
(十六)	租税特別措置法第57条の7の2第1項……第十八款の四の表の10《中部国際空港整備準備金》
(十七)	租税特別措置法第59条第1項……第二十九款の二の1《新鉱床探鉱費の特別控除》
(十八)	同条第2項……同二の2《海外新鉱床探鉱費の特別控除》
(十九)	租税特別措置法第59条の2第1項……八の1《対外船舶運航事業を営む法人の日本船舶による収入金額の課税の特例》
(二十)	同条第4項……同1の(5)《認定を取り消された場合の所得の金額の計算》
(二十一)	租税特別措置法第59条の3第1項……九の2《特許権等の譲渡等による所得の課税の特例》
(二十二)	租税特別措置法第60条第1項……1《沖縄の認定法人の所得の特別控除》
(二十三)	同条第2項……2《金融業務特別地区に係る課税の特例》
(二十四)	租税特別措置法第61条第1項……十一の1《国家戦略特別区域における指定法人の所得の特別控除》
(二十五)	租税特別措置法第61条の2第1項……第十八款の四の表の11《農業経営基盤強化準備金》
(二十六)	租税特別措置法第61条の3第1項……第十五款の六の1《農用地等を取得した場合の圧縮額の損金算入》
(二十七)	租税特別措置法第66条の7第2項……第三十二款の二の1の(11)《法人税額から控除する外国関係会社の外国法人税額の益金算入》
(二十八)	同条第6項……同二の3の(4)《法人税額から控除する外国関係会社の所得税等の額の益金算入》
(二十九)	租税特別措置法第66条の9の3第2項……第三十二款の五の1の(6)《法人税額から控除する外国関係法人の外国法人税額の益金算入》
(三十)	同条第5項……同五の2の(4)《法人税額から控除する外国関係法人の所得税等の額の益金算入》
(三十一)	租税特別措置法第66条の13第1項、第5項から第11項まで……十三の3《特定株式に係る特別勘定の金額の取崩し》

注 ──線部分は、租税特別措置法施行令の一部を改正する政令（令和6年政令第213号）により追加された部分で、改正規定は、令和7年4月1日から適用される。（令6改措令附1）

（軽減対象所得金額に係る益金の額）
（8） 軽減対象所得金額を計算する場合の益金の額は、特定事業等に係る収入金額の合計額によるから、次に掲げるような金額はこれに含まれないことに留意する。ただし、貸倒引当金等の引当金又は準備金の益金算入額のうちその引当金又は準備金を繰り入れた事業年度において軽減対象所得金額の計算上損金の額に算入された繰入金額に相当する金額は当該益金の額に算入する。（措通60－1の2）
　(一)　国庫補助金、補償金、保険金その他これらに準ずるものの収入による益金の額
　(二)　固定資産又は有価証券の譲渡又は評価に係る益金の額
　(三)　受取配当金、受取利子、固定資産の賃貸料等営業外収益の額

（軽減対象所得金額に係る損金の額）
（9） 軽減対象所得金額を計算する場合の損金の額は、特定事業等に係る収入金額に対応する売上原価の額並びに販売費、一般管理費その他の費用及び損失の額のうち特定事業等に係る金額によるのであるから、次に掲げる金額はこれに含まれることに留意する。（措通60－2）
　(一)　特定事業等に属する棚卸資産の評価換えによる損失の額
　(二)　特定事業等に専属して使用される減価償却資産又は繰延資産の償却費の額
　(三)　特定事業等に専属して使用される減価償却資産の除却、滅失、評価換え又は譲渡による損失の額（保険金、補償金その他これらに類するものにより補填される部分の金額を除く。）

(販売費、一般管理費その他の費用の配分)
(10) (6)を適用する場合において、当該事業年度の所得の金額の計算上損金の額に算入された金額のうちに第一款の**三の2**《損金の額に算入すべき金額》の表の②に掲げる販売費、一般管理費その他の費用で特定事業等に係る所得を生ずべき業務と当該特定事業等に係る所得以外の所得を生ずべき業務との双方に関連して生じたものの額(以下(10)において「共通費用の額」という。)があるときは、当該共通費用の額は、収入金額、資産の価額その他の基準のうち当該法人の行う業務の内容及び費用の性質に照らして合理的と認められる基準により特定事業等に係る所得及び当該特定事業等に係る所得以外の所得の金額の計算上の損金の額として配分するものとする。(措法60⑫、措令36⑯)

(災害損失の区分の特例)
(11) 特定事業等に専属して使用される減価償却資産の滅失損その他の特定事業等に係る損失の額で災害その他やむを得ない事由により生じた臨時巨額なものについては、特定事業等に係る収入金額と特定事業等に係る収入金額以外の収入金額の比その他合理的と認められる基準により区分した金額を特定事業等に係る損金の額として計算することができるものとする。(措通60-3)

(支払利子の区分の特例)
(12) 支払利子の額で特定事業等に係るものの金額は、(10)により合理的と認められる基準により配分するのであるが、各事業年度における支払利子の額のうちに次に掲げる金額があるときは、当該金額は支払利子の額に含めないことができるものとする。(措通60-4)
(一) 受取配当金の益金不算入額の計算上益金不算入額から控除した支払利子の額として合理的に計算した金額
(二) 子会社等のために借り入れて子会社等へひも付融資をしている負債の支払利子の額で子会社等からの受取利子の額に相当する金額

(共通費用の額の配分基準の継続)
(13) (10)に掲げる共通費用の額について適用した合理的と認められる基準は、その後の事業年度においても継続して適用しなければならないものとする。(措通60-5)

2 金融業務特別地区に係る課税の特例

青色申告書を提出する内国法人で各事業年度終了の日において沖縄振興特別措置法第56条第2項《特定経済金融活性化事業の認定等》に規定する認定法人(同法第1項の認定を同法第55条第1項《経済金融活性化特別地区の指定》の規定による指定の日から令和7年3月31日までの間に受けたものに限る。)に該当するもの(当該指定の日以後に設立された法人で、同法第55条第1項の規定により**経済金融活性化特別地区**として指定された地区〔同条第4項又は第5項の規定により変更があったときは、その変更後の地区〕の区域内に本店又は主たる事務所を有するものに限る。以下2において「特例対象内国法人」という。)が、当該各事業年度(当該特例対象内国法人の設立の日から同日以後10年を経過する日までの期間〔当該特例対象内国法人が次の表の左欄に掲げる場合に該当する場合にはそれぞれ同表の右欄に掲げる期間〕内に終了する事業年度に限るものとし、1の適用を受ける事業年度を除く。以下**九**において「**特例対象事業年度**」という。)において、当該特例対象事業年度の所得の金額を有する場合には、当該金額の$\frac{40}{100}$に相当する金額に当該特例対象事業年度終了の日における当該特例対象内国法人の当該区域内の事業所で当該特例対象内国法人の事業に従事する者の数の当該特例対象内国法人の事業に従事する者の総数に対する割合として(1)に掲げるところにより計算した割合を乗じて計算した金額は、当該特例対象事業年度の所得の金額の計算上、損金の額に算入する。(措法60②、措令36④⑤、措規21の17の2②)

(一)	当該特例対象内国法人が合併により設立された法人であり、かつ、当該合併に係る各被合併法人のうちいずれかの法人が認定時経済金融活性化特別地区の区域(当該特例対象内国法人が沖縄振興特別措置法第56条第1項の認定を受けた時(以下(一)において「認定時」という。)において2に掲げる経済金融活性化特別地区として指定された地区の区域に該当していた区域をいう。(以下同じ。))内において当該認定時において沖縄振興特別措置法第56条第1項《特定経済金融活性化事業の認定等》に規定する特定経済金融活性	当該特例対象内国法人の設立の日から適用月数(120月から当該被合併法人のうち当該認定時経済金融活性化特別地区の区域内において当該対象特定経済金融活性化事業を開始した日が最も早い法人が当該対象特定経済金融活性化事業を行っていた期間の月数を控除した月数をいう。)を経過するまでの期間

	化事業に該当していた事業（以下「対象特定経済金融活性化事業」という。）を行っていた場合	
(二)	当該特例対象内国法人と実質的に同一であると認められる者が当該特例対象内国法人の設立前に認定時経済金融活性化特別地区の区域内において対象特定経済金融活性化事業を行っていた場合（(一)に掲げる場合を除く。）	当該特例対象内国法人の設立の日から適用月数（120月から当該実質的に同一であると認められる者が当該認定時経済金融活性化特別地区の区域内において当該対象特定経済金融活性化事業を行っていた期間の月数を控除した月数をいう。）を経過するまでの期間

注　上表の右欄に掲げる月数は、暦に従って計算し、1か月に満たない端数を生じたときは、これを切り捨てる。（措規21の17の2③）

（内国法人の事業に従事する者の数の事業に従事する者の総数に対する割合）

（1）　**2**《金融業務特別地区に係る課税の特例》に掲げる割合は、**2**の内国法人の当該事業年度終了の日における経済金融活性化特別地区の区域内において常時使用する従業員（当該内国法人の役員〔第二章第一節の**二**の表の**15**《役員》に掲げる役員をいう。以下（1）において同じ。〕と次の表に掲げる特殊の関係のある者、当該内国法人の使用人としての職務を有する役員及び（2）《常時使用する従業員に含まない者》に掲げる者を除く。以下（1）において同じ。）の数の当該内国法人の同日における常時使用する従業員の総数に対する割合とする。（措令36⑥、措規21の17の2④）

(一)	役員の親族
(二)	役員と婚姻の届出をしていないが事実上婚姻関係と同様の事情にある者
(三)	(一)及び(二)に掲げる者以外の者で役員から生計の支援を受けているもの
(四)	(二)及び(三)に掲げる者と生計を一にするこれらの者の親族

（常時使用する従業員に含まない者）

（2）　（1）に掲げる常時使用する従業員には、次に掲げるものを含まないものとする。（措令36⑲、措規21の17の2⑤）

(一)	日々雇い入れられる者（1か月を超えて引き続き使用されるに至った者を除く。）
(二)	2か月以内の期間を定めて使用される者（2か月を超えて引き続き使用されるに至った者を除く。）
(三)	季節的業務に4か月以内の期間を定めて使用される者（4か月を超えて引き続き使用されるに至った者を除く。）
(四)	試みの使用期間中の者（14日を超えて引き続き使用されるに至った者を除く。）

（区域に変更があった場合）

（3）　**2**に掲げる経済金融活性化特別地区の区域に変更があった場合における当該変更により新たに当該区域に該当することとなった区域に係る**2**の適用については、**2**に掲げる指定の日は、次の表の左欄に掲げる区域の区分に応じ同表の右欄に掲げる日とする。（措法60⑫、措令36⑰）

沖縄振興特別措置法第55条第4項《経済金融活性化特別地区の指定》の変更により新たに経済金融活性化特別地区の区域に該当することとなった区域	その新たに該当することとなった日

（特定事業に係る所得の金額の計算）

（4）　**2**に掲げる所得の金額は、次の表に掲げる規定を適用せず、かつ、当該事業年度において支出した寄附金の額の全額を損金の額に算入して計算するものとする。（措令36⑮）

(一)	法人税法第27条……第四款の**六**《中間申告における繰戻し還付に係る災害損失欠損金額の益金算入》
(二)	法人税法第40条……第十一款の一の**4**《法人税額から控除する所得税額の損金不算入》
(三)	法人税法第41条……第十一款の一の**5**《法人税額から控除する外国税額の損金不算入》
(四)	法人税法第41条の2……第十一款の一の**7**《分配時調整外国税相当額の損金不算入》

(五)	法人税法第57条第1項……第二十一款の一の1の①《前10年以内の繰越欠損金の損金算入》
(六)	法人税法第59条第1項……第二十一款の三の1《会社更生等による債務免除等があった場合の欠損金の損金算入》
(七)	同条第2項……同三の2《民事再生等による債務免除があった場合の損金算入》
(八)	同条第4項……同三の3《解散の場合の期限切れ欠損金の損金算入》
(九)	法人税法第61条の11第1項……第三十三款の一《譲渡損益調整資産に係る譲渡利益額又は譲渡損失額の繰延べ》（適格合併に該当しない合併による合併法人への資産の移転に係る部分に限る。）
(十)	法人税法第62条第2項……第三十四款の一の1の②《譲渡利益額又は譲渡損失額の最後事業年度の益金又は損金算入》
(十一)	法人税法第62条の5第2項……第三十四款の一の1の④《残余財産の全部の分配又は引渡しによる譲渡に係る譲渡利益額又は譲渡損失額の益金又は損金算入》
(十二)	同条第5項……第十一款の二の2の②《残余財産の確定の日の属する事業年度に係る事業税等の損金算入》
(十三)	法人税法第62条の9第1項……第三十四款の二の1《非適格株式交換等に係る株式交換完全子法人等の有する資産の時価評価損益》
(十四)	法人税法施行令の一部を改正する政令（昭和42年政令第106号）附則第5条第1項及び第2項《契約者配当に関する経過規定》
(十五)	租税特別措置法第57条の7第1項……第十八款の四の表の9《関西国際空港用地整備準備金》
(十六)	租税特別措置法第57条の7の2第1項……第十八款の四の表の10《中部国際空港整備準備金》
(十七)	租税特別措置法第59条第1項……第二十九款の二の1《新鉱床探鉱費の特別控除》
(十八)	同条第2項……同二の2《海外新鉱床探鉱費の特別控除》
(十九)	租税特別措置法第59条の2第1項……八の1《対外船舶運航事業を営む法人の日本船舶による収入金額の課税の特例》
(二十)	同条第4項……同1の(5)《認定を取り消された場合の所得の金額の計算》
(二十一)	租税特別措置法第59条の3第1項……九の2《特許権等の譲渡等による所得の課税の特例》
(二十二)	租税特別措置法第60条第1項……1《沖縄の認定法人の所得の特別控除》
(二十三)	同条第2項……2《金融業務特別地区に係る課税の特例》
(二十四)	租税特別措置法第61条第1項……十一の1《国家戦略特別区域における指定法人の所得の特別控除》
(二十五)	租税特別措置法第61条の2第1項……第十八款の四の表の11《農業経営基盤強化準備金》
(二十六)	租税特別措置法第61条の3第1項……第十五款の六の1《農用地等を取得した場合の圧縮額の損金算入》
(二十七)	租税特別措置法第66条の7第2項……第三十二款の二の1の(11)《法人税額から控除する外国関係会社の外国法人税額の益金算入》
(二十八)	同条第6項……同二の3の(4)《法人税額から控除する外国関係会社の所得税等の額の益金算入》
(二十九)	租税特別措置法第66条の9の3第2項……第三十二款の五の1の(6)《法人税額から控除する外国関係法人の外国法人税額の益金算入》
(三十)	同条第5項……同五の2の(4)《法人税額から控除する外国関係法人の所得税等の額の益金算入》
(三十一)	租税特別措置法第66条の13第1項、第5項から第11項まで……十三の3《特定株式に係る特別勘定の金額の取崩し》

　注──線部分は、租税特別措置法施行令の一部を改正する政令（令和6年政令第213号）により追加された部分で、改正規定は、令和7年4月1日から適用される。（令6改措令附1）

　（実質的に同一であると認められる者の意義）
(5)　2の表の(二)に掲げる「対象内国法人と実質的に同一であると認められる者」とは、例えば、支店形態で営業開始の後に別法人を設立した場合の当該支店や個人事業者がいわゆる法人成りをした場合の当該個人事業者をいう。

(措通60-1・編者補正)

3 通算法人における沖縄の認定法人の課税の特例の取扱い

① 通算法人に係る沖縄の認定法人の所得の特別控除等

通算法人に係る**1**《沖縄の認定法人の所得の特別控除》又は**2**《金融業務特別地区に係る課税の特例》の適用については、次に掲げるところによる。(措法60④、措令36⑦)

(一)	対象内国法人である通算法人について次に掲げる場合に該当する場合には、当該通算法人の特定対象事業年度(当該通算法人に係る通算親法人の事業年度終了の日に終了するものに限る。以下(一)及び(5)《特定事業等に係る所得の金額の意義》において同じ。)の特定事業等に係る**1**に掲げる所得の金額として**1**の(6)《特定事業等に係る所得の金額》に掲げる金額は、特定事業等欠損控除前所得金額(当該通算法人及び対象内国法人である他の通算法人〔当該特定対象事業年度終了の日において当該通算法人との間に通算完全支配関係があるものに限る。イにおいて「他の対象通算法人」という。〕の特定事業等により生じた所得のみについて法人税を課するものとした場合における特定対象事業年度又は同日に終了する事業年度(以下(一)において「特定対象事業年度等」という。)の通算法人が第三十五款の一《損益通算及び欠損金の通算》を適用する場合における通算前所得金額(同款一の**1**の①《所得事業年度の通算対象欠損金額の損金算入》に掲げる通算前所得金額をいう。以下**3**において同じ。)及び通算前欠損金額(同①に掲げる通算前欠損金額をいい、同款の一の**2**《損益通算の対象となる欠損金額の特例》によりないものとされるものを除く。以下**3**において同じ。)(以下①及び(5)《特定事業等に係る所得の金額の意義》においてそれぞれ「**通算前所得金額**」及び「**通算前欠損金額**」という。)並びに特例対象内国法人である他の通算法人(同日において当該通算法人との間に通算完全支配関係があるものに限る。以下(一)において同じ。)の同日に終了する事業年度(イ及びロにおいて「他の事業年度」という。)の通算前所得金額及び通算前欠損金額を基礎として同款の一により計算した当該通算法人の特定事業等に係る所得の金額として(1)に掲げる金額をいう。)に相当する金額(当該金額が当該通算法人及び他の通算法人の当該特定対象事業年度等の通算前所得金額及び通算前欠損金額を基礎として同一により計算した当該通算法人の所得の金額として(2)に掲げる金額(以下(一)において「欠損控除前所得金額」という。)を超える場合には、当該欠損控除前所得金額に相当する金額)とする。
イ	他の対象通算法人の他の事業年度において特定事業等に係る通算前欠損金額が生ずる場合
ロ	他の通算法人の他の事業年度において通算前欠損金額が生ずる場合
(二)	特例対象内国法人である通算法人について次に掲げる場合に該当する場合には、当該通算法人の特例対象事業年度(当該通算法人に係る通算親法人の事業年度終了の日に終了するものに限る。以下(二)及び(5)において同じ。)の**2**に掲げる特例対象事業年度の所得の金額は、特例事業者欠損控除前所得金額(当該通算法人及び特例対象内国法人である他の通算法人〔当該特例対象事業年度終了の日において当該通算法人との間に通算完全支配関係があるものに限る。以下(二)において同じ。〕の特例対象事業年度又は同日に終了する事業年度〔以下(二)において「特例対象事業年度等」という。〕の通算前所得金額及び通算前欠損金額並びに対象内国法人である他の通算法人〔ロにおいて「他の対象通算法人」という。〕の特定事業等により生じた所得のみについて法人税を課するものとした場合における同日に終了する事業年度〔イ及びロにおいて「他の事業年度」という。〕の通算前所得金額及び通算前欠損金額を基礎として第三十五款の一により計算した当該通算法人の特定の所得の金額として(3)に掲げる金額をいう。)に相当する金額(当該金額が当該通算法人及び他の通算法人の当該特例対象事業年度等の通算前所得金額及び通算前欠損金額を基礎として同一により計算した当該通算法人の所得の金額として(4)に掲げる金額〔以下(二)において「欠損控除前所得金額」という。〕を超える場合には、当該欠損控除前所得金額に相当する金額)とする。
イ	他の通算法人の他の事業年度において通算前欠損金額が生ずる場合
ロ	他の対象通算法人の他の事業年度において特定事業等に係る通算前欠損金額が生ずる場合

(特定事業等に係る所得の金額の意義)

(1) ①の表の(一)に掲げる当該通算法人の特定事業等に係る所得の金額は、当該通算法人の特定対象事業年度(当該通算法人に係る通算親法人の事業年度終了の日に終了するものに限る。以下(1)及び(2)において同じ。)に係る軽減対象所得金額から、次の表の(一)に掲げる金額に同表の(二)に掲げる金額が同表の(二)及び(三)に掲げる金額の合計

額のうちに占める割合を乗じて計算した金額を控除した金額とする。(措令36⑧)

（一）	イ	他の対象通算法人（①の表の（一）に掲げる他の対象通算法人をいう。イ及び（三）のイにおいて同じ。）の特定事業等欠損金額（当該他の対象通算法人の特定事業等により生じた所得のみについて法人税を課するものとした場合における当該特定対象事業年度終了の日に終了する事業年度〔以下（1）及び（2）において「**他の事業年度**」という。〕において生ずる通算前欠損金額をいう。）の合計額
	ロ	特例対象内国法人である他の通算法人（当該特定対象事業年度終了の日において当該通算法人との間に通算完全支配関係があるものに限る。（三）のロ及び（2）において同じ。）の他の事業年度において生ずる通算前欠損金額の合計額
（二）		当該通算法人の当該特定対象事業年度に係る軽減対象所得金額
（三）	イ	他の対象通算法人の他の軽減対象所得金額（当該他の対象通算法人の特定事業等により生じた所得のみについて法人税を課するものとした場合に課税標準となるべき他の事業年度の所得の金額をいう。）の合計額
	ロ	特例対象内国法人である他の通算法人の他の事業年度の通算前所得金額の合計額

（所得の金額の意義）
（2） ①の表の（一）に掲げる当該通算法人の所得の金額は、当該通算法人の特定対象事業年度の通算前所得金額から、次の表の（一）に掲げる金額に同表の（二）に掲げる金額が同表の（二）及び（三）に掲げる金額の合計額のうちに占める割合を乗じて計算した金額を控除した金額とする。(措令36⑨)

（一）	他の通算法人の他の事業年度において生ずる通算前欠損金額の合計額
（二）	当該通算法人の当該特定対象事業年度の通算前所得金額
（三）	他の通算法人の他の事業年度の通算前所得金額の合計額

（特定の所得の金額の意義）
（3） ①の表の（二）に掲げる当該通算法人の特定の所得の金額は、当該通算法人の特例対象事業年度（当該通算法人に係る通算親法人の事業年度終了の日に終了するものに限る。以下（3）及び（4）において同じ。）の通算前所得金額から、次の表の（一）に掲げる金額に同表の（二）に掲げる金額が同表の（二）及び（三）に掲げる金額の合計額のうちに占める割合を乗じて計算した金額を控除した金額とする。(措令36⑩)

（一）	イ	特例対象内国法人である他の通算法人（当該特例対象事業年度終了の日において当該通算法人との間に通算完全支配関係があるものに限る。（三）のイ及び（4）において同じ。）の同日に終了する事業年度（以下（3）及び（4）において「**他の事業年度**」という。）において生ずる通算前欠損金額の合計額
	ロ	他の対象通算法人（①の表の（二）に掲げる他の対象通算法人をいう。以下（一）及び（三）のロにおいて同じ。）の特定事業等欠損金額（当該他の対象通算法人の特定事業等により生じた所得のみについて法人税を課するものとした場合における他の事業年度において生ずる通算前欠損金額をいう。）の合計額
（二）		当該通算法人の当該特例対象事業年度の通算前所得金額
（三）	イ	特例対象内国法人である他の通算法人の他の事業年度の通算前所得金額の合計額
	ロ	他の対象通算法人の他の軽減対象所得金額（当該他の対象通算法人の特定事業等により生じた所得のみについて法人税を課するものとした場合に課税標準となるべき他の事業年度の所得の金額をいう。）の合計額

　　　　（通算法人の所得の金額の意義）
（４）　①の表の（二）に掲げる当該通算法人の所得の金額は、当該通算法人の特例対象事業年度の通算前所得金額から次の表の（一）に掲げる金額に同表の（二）に掲げる金額が同表の（二）及び（三）に掲げる金額の合計額のうちに占める割合を乗じて計算した金額を控除した金額とする。（措令36⑪）

（一）	他の通算法人の他の事業年度において生ずる通算前欠損金額の合計額
（二）	当該通算法人の当該特例対象事業年度の通算前所得金額
（三）	他の通算法人の他の事業年度の通算前所得金額の合計額

　　　　（通算前所得金額若しくは通算前欠損金額とみなすもの）
（５）　①の場合において、他の対象通算法人（①の表の（一）及び（二）に掲げる他の対象通算法人をいう。以下（５）において同じ。）の特定事業等により生じた所得のみについて法人税を課するものとした場合における①の通算法人の特定対象事業年度若しくは特例対象事業年度終了の日に終了する事業年度（以下（５）において「他の事業年度」という。）の通算前所得金額若しくは通算前欠損金額として（６）に掲げる金額又は他の通算法人（同日において当該通算法人との間に通算完全支配関係があるものに限る。以下（５）において同じ。）の他の事業年度の通算前所得金額若しくは通算前欠損金額が当初特定事業等通算前所得金額若しくは当初特定事業等通算前欠損金額又は当初通算前所得金額若しくは当初通算前欠損金額（それぞれ他の対象通算法人の他の事業年度の確定申告書等〔期限後申告書を除く。以下（５）において同じ。〕に添付された書類に当該他の対象通算法人の特定事業等により生じた所得のみについて法人税を課するものとした場合における当該他の事業年度の通算前所得金額若しくは通算前欠損金額として（６）に掲げる金額として記載された金額又は他の通算法人の他の事業年度の確定申告書等に添付された書類に当該他の通算法人の当該他の事業年度の通算前所得金額若しくは通算前欠損金額として記載された金額をいう。以下（５）において同じ。）と異なるときは、当初特定事業等通算前所得金額若しくは当初特定事業等通算前欠損金額又は当初通算前所得金額若しくは当初通算前欠損金額を当該他の対象通算法人の特定事業等により生じた所得のみについて法人税を課するものとした場合における他の事業年度の通算前所得金額若しくは通算前欠損金額として（６）に掲げる金額又は他の通算法人の他の事業年度の通算前所得金額若しくは通算前欠損金額とみなす。（措法60⑤）

　　　　（通算前欠損金額）
（６）　（５）に掲げる通算前欠損金額は、他の対象通算法人（（５）に掲げる他の対象通算法人をいう。以下（６）において同じ。）の（１）の表の（三）のイに掲げる他の軽減対象所得金額若しくは他の対象通算法人の同表の（一）のイに掲げる特定事業等欠損金額又は他の対象通算法人の（３）の表の（三）のロに掲げる他の軽減対象所得金額若しくは他の対象通算法人の同表の（一）ロに掲げる特定事業等欠損金額とする。（措令36⑫）

　　　　（特定事業に係る通算前所得金額及び通算前欠損金額の計算）
（７）　①の表の（一）に掲げる通算前所得金額及び通算前欠損金額、（１）の表（一）のイに掲げる特定事業等欠損金額、同表（三）のイに掲げる他の軽減対象所得金額、（３）の表の（一）のロに掲げる特定事業等欠損金額、並びに同表（三）のロに掲げる他の軽減対象所得金額は、次の表に掲げる規定を適用せず、かつ、対象内国法人の特定対象事業年度若しくは当該特定対象事業年度終了の日において当該対象内国法人との間に通算完全支配関係がある他の通算法人の同日に終了する事業年度又は特例対象内国法人の特例対象事業年度若しくは当該特例対象事業年度終了の日において当該特例対象内国法人との間に通算完全支配関係がある他の通算法人の同日に終了する事業年度において支出した寄附金の額の全額を損金の額に算入するものとして計算した金額とする。（措法60⑫、措令36⑮）

（一）	法人税法第27条……第四款の**六**《中間申告における繰戻し還付に係る災害損失欠損金額の益金算入》
（二）	法人税法第40条……第十一款の**一**の**4**《法人税額から控除する所得税額の損金不算入》
（三）	法人税法第41条……第十一款の**一**の**5**《法人税額から控除する外国税額の損金不算入》
（四）	法人税法第41条の2……第十一款の**一**の**7**《分配時調整外国税相当額の損金不算入》
（五）	法人税法第57条第1項……第二十一款の**一**の**1**の①《前10年以内の繰越欠損金の損金算入》
（六）	法人税法第59条第1項……第二十一款の**三**の**1**《会社更生等による債務免除等があった場合の欠損金の損金算入》

(七)	同条第2項……同三の2《民事再生等による債務免除があった場合の損金算入》
(八)	同第3項……同2の(2)《民事再生等に準ずる事実により債務免除等があった場合の欠損金の損金算入》
(九)	同条第4項……同三の3《解散の場合の期限切れ欠損金の損金算入》
(十)	法人税法第61条の11第1項……第三十三款の一《譲渡損益調整資産に係る譲渡利益額又は譲渡損失額の繰延べ》（適格合併に該当しない合併による合併法人への資産の移転に係る部分に限る。）
(十一)	法人税法第62条第2項……第三十四款の一の1の②《譲渡利益額又は譲渡損失額の最後事業年度の益金又は損金算入》
(十二)	法人税法第62条の5第2項……第三十四款の一の1の④の《残余財産の全部の分配又は引渡しによる譲渡に係る譲渡利益額又は譲渡損失額の益金又は損金算入》
(十三)	同条第5項……第十一款の二の2の②《残余財産の確定の日の属する事業年度に係る事業税等の損金算入》
(十四)	法人税法第62条の9第1項……第三十四款の二の1《非適格株式交換等に係る株式交換完全子法人等の有する資産の時価評価損益》
(十五)	法人税法第64条の5第1項……第三十五款の一の1の①《所得事業年度の通算対象欠損金額の損金算入》
(十六)	同条第3項……同1の②《欠損事業年度の通算対象所得金額の益金算入》
(十七)	法人税法第64条の7第6項……第三十五款の一の3の③のロの(4)《非特定欠損金額の益金算入》
(十八)	法人税法第64条の8……第三十五款の一の4《通算法人の合併等があった場合の欠損金の損金算入》
(十九)	法人税法第64条の11第1項……第三十五款の三の1《通算制度の開始に伴う資産の時価評価損益》
(二十)	同条第2項……同1の(3)《株式等保有法人における株式等の評価損益》
(二十一)	法人税法第64条の12第1項……第三十五款の三の2《通算制度への加入に伴う資産の時価評価損益》
(二十二)	同条第2項……同2の(6)《株式等保有法人における株式等の評価損益》
(二十三)	法人税法第64条の13第1項……第三十五款の三の3《通算制度からの離脱等に伴う資産の時価評価損益》
(二十四)	法人税法施行令の一部を改正する政令（昭和42年政令第106号）附則第5条第1項及び第2項《契約者配当に関する経過規定》
(二十五)	租税特別措置法第57条の7第1項……第十八款の四の表の9《関西国際空港用地整備準備金》
(二十六)	租税特別措置法第57条の7の2第1項……第十八款の四の表の10《中部国際空港整備準備金》
(二十七)	租税特別措置法第59条第1項……第二十九款の二の1《新鉱床探鉱費の特別控除》
(二十八)	同条第2項……同二の2《海外新鉱床探鉱費の特別控除》
(二十九)	租税特別措置法第59条の2第1項……八の1《対外船舶運航事業を営む法人の日本船舶による収入金額の課税の特例》
(三十)	同条第4項……同1の(5)《認定を取り消された場合の所得の金額の計算》
(三十一)	租税特別措置法第59条の3第1項……九の2《特許権等の譲渡等による所得の課税の特例》
(三十二)	租税特別措置法第60条第1項……1《沖縄の認定法人の所得の特別控除》
(三十三)	同条第2項……2《金融業務特別地区に係る課税の特例》
(三十四)	同条第6項……3の①の(5)《通算前所得金額若しくは通算前欠損金額とみなすもの》
(三十五)	租税特別措置法第61条第1項……十一の1《国家戦略特別区域における指定法人の所得の特別控除》
(三十六)	同条第5項……同十の3《通算法人に係る要加算調整額の益金算入》
(三十七)	租税特別措置法第61条の2第1項……第十八款の四の表の11《農業経営基盤強化準備金》
(三十八)	租税特別措置法第61条の3第1項……第十五款の六の1《農用地等を取得した場合の圧縮額の損金算入》
(三十九)	租税特別措置法第66条の7第2項……第三十二款の二の1の(11)《法人税額から控除する外国関係会社の外国法人税額の益金算入》
(四十)	同条第6項……同二の3の(4)《法人税額から控除する外国関係会社の所得税等の額の益金算入》

(四十一)	租税特別措置法第66条の9の3第2項……第三十二款の**五**の**1**の（6）《法人税額から控除する外国関係法人の外国法人税額の益金算入》	
(四十二)	同条第5項……同**五**の**2**の（4）《法人税額から控除する外国関係法人の所得税等の額の益金算入》	
(四十三)	租税特別措置法第66条の13第1項、第5項から第11項まで……**十三**の**3**《特定株式に係る特別勘定の金額の取崩し》	
(四十四)	同条第15項……同**3**の⑤の（1）《他の適用事業年度において生じた通算前欠損金額とみなすもの》	

注 ──線部分は、租税特別措置法施行令の一部を改正する政令（令和6年政令第213号）により追加された部分で、改正規定は、令和7年4月1日から適用される。（令6改措令附1）

（販売費、一般管理費その他の費用の配分）

（8）（1）、（3）又は（6）を適用する場合において、（1）の特定対象事業年度、（1）の表の（一）のイ若しくは同表の（三）のイ若しくは（3）の表の（一）のロ若しくは同表の（三）のロの他の事業年度の所得の金額の計算上損金の額に算入された金額のうちに第一款の**三**の**2**《損金の額に算入すべき金額》に掲げる販売費、一般管理費その他の費用で特定事業等に係る所得を生ずべき業務と当該特定事業等に係る所得以外の所得を生ずべき業務との双方に関連して生じたものの額（以下（8）において「共通費用の額」という。）があるときは、当該共通費用の額は、収入金額、資産の価額その他の基準のうち、（1）の通算法人、（1）の表の（一）のイ若しくは同表の（三）のイ、（3）の表の（一）のロ若しくは同表の（三）のロ若しくは（6）の他の対象通算法人の行う業務の内容及び費用の性質に照らして合理的と認められる基準により特定事業等に係る所得及び当該特定事業等に係る所得以外の所得の金額の計算上の損金の額として配分するものとする。（措令36⑯）

② **通算法人に係る要加算調整額の益金算入**

　内国法人の**1**又は**2**の適用を受けた事業年度（当該内国法人に係る通算親法人の事業年度終了の日に終了するものに限る。以下②において「適用事業年度」という。）後の各事業年度（以下②において「調整事業年度」という。）終了の時において、他の通算法人（当該内国法人の当該適用事業年度終了の日〔以下②において「基準日」という。〕において当該内国法人との間に通算完全支配関係がある他の内国法人をいう。以下②において同じ。）のいずれかの基準日に終了する事業年度（以下②において「他の適用事業年度」という。）において生じた通算前欠損金額（第三十五款**一**の**1**の①《所得事業年度の通算対象欠損金額の損金算入》に掲げる通算前欠損金額をいい、同款の**一**の**2**《損益通算の対象となる欠損金額の特例》によりないものとされたものを除く。以下②及び（1）において同じ。）が当該他の通算法人の当該他の適用事業年度の確定申告書等に添付された書類に通算前欠損金額として記載された金額を超える場合（その超える部分の金額〔以下②において「通算不足欠損金額」という。〕のうちに事実を仮装して経理したところに基づくものがある場合に限る。以下②において「過大申告の場合」という。）又は他の通算法人のいずれかの他の適用事業年度の確定申告書等（期限後申告書に限る。）に添付された書類に通算前欠損金額として記載された金額（以下②において「期限後欠損金額」という。）がある場合（以下②において「期限後欠損金額の場合」という。）において、次の表の左欄に掲げる場合の区分に応じそれぞれ同表の右欄に掲げる金額（同表の右欄に掲げる金額につき当該調整事業年度前の各事業年度において②により益金の額に算入された金額がある場合には、その算入された金額の合計額を控除した金額。以下②において「要加算調整額」という。）があるときは、当該要加算調整額は、当該調整事業年度の所得の金額の計算上、益金の額に算入する。（措法60⑥、措令36⑬⑭）

(一)	②の内国法人が第三十五款の**一**の**1**を適用する場合における通算前所得金額（以下（一）及び（二）において「通算前所得金額」という。）が当該内国法人の特定事業等により生じた所得のみについて法人税を課するものとした場合における②の内国法人の②に掲げる適用事業年度に係る軽減対象所得金額（（二）において「特定事業等通算前所得金額」という。）以下である場合（（三）に掲げる場合を除く。）	当該適用事業年度において**1**により損金の額に算入した金額のうち、他の通算法人（過大申告の場合又は期限後欠損金額の場合に係るものに限る。以下（一）において「事由該当通算法人」という。）に係る通算不足欠損金額又は期限後欠損金額の合計額に欠損分配割合（事由該当通算法人につき第三十五款の**一**の**1**の③《添付書類に記載された金額と異なる場合の取扱い》を適用しないものとした場合の当該内国法人の当該適用事業年度の同③を適用した同**1**の①の（1）《通算対象欠損金額の意義》に掲げる割合をいう。）を乗じて計算した金額（（二）及び（三）において「通算不足欠損控除額」という。）の$\frac{40}{100}$に相当する金額に達するまでの金額

-1256-

(二)	当該内国法人の当該適用事業年度の通算前所得金額が特定事業等通算前所得金額を超える場合（(三)に掲げる場合を除く。）	当該適用事業年度において**1**により損金の額に算入した金額のうち、通算不足欠損控除額からその超える部分の金額を控除した金額の$\frac{40}{100}$に相当する金額に達するまでの金額
(三)	当該内国法人の当該適用事業年度が**2**の適用を受けた事業年度である場合	当該適用事業年度において**2**により損金の額に算入した金額のうち、通算不足欠損控除額の$\frac{40}{100}$に相当する金額に同**2**の(1)《内国法人の事業に従事する者の数の事業に従事する者の総数に対する割合》に掲げるところにより計算した割合を乗じて計算した金額に達するまでの金額

　　　　（他の適用事業年度において生じた通算前欠損金額とみなすもの）
（１）　②の内国法人の②に掲げる調整事業年度の②の適用において、②の表の(一)に掲げる事由該当通算法人の②に掲げる他の適用事業年度において生じた通算前欠損金額が既確定通算前欠損金額（当該調整事業年度終了の日以前に提出された当該他の適用事業年度の確定申告書等若しくは修正申告書に添付された書類又は同日以前にされた第二章第三節の一の**1**の表の①《更正》若しくは③《再更正》による更正に係る同**1**の(3)《更正通知書の記載事項》に掲げる更正通知書に添付された書類のうち、最も新しいものに通算前欠損金額として記載された金額をいう。以下（１）において同じ。）と異なる場合には、当該既確定通算前欠損金額を当該他の適用事業年度において生じた通算前欠損金額とみなす。（措法60⑦）

　　　　（通算法人に係る要加算調整額の益金算入等の適用がないものとする場合）
（２）　①の通算法人の特定対象事業年度又は特例対象事業年度において、第三十五款の一の**1**の③の(3)《みなし金額の否認》の適用がある場合には、①の(5)は、当該特定対象事業年度又は特例対象事業年度については、適用しない。この場合において、当該特定対象事業年度又は特例対象事業年度を②に掲げる適用事業年度とする②の内国法人の②に掲げる調整事業年度については、②及び(1)は、適用がないものとする。（措法60⑧）

　　　　（販売費、一般管理費その他の費用の配分）
（３）　②の表の(一)を適用する場合において、同(一)の適用事業年度の所得の金額の計算上損金の額に算入された金額のうちに第一款の三の**2**《損金の額に算入すべき金額》に掲げる販売費、一般管理費その他の費用で特定事業等に係る所得を生ずべき業務と当該特定事業等に係る所得以外の所得を生ずべき業務との双方に関連して生じたものの額（以下（３）において「共通費用の額」という。）があるときは、当該共通費用の額は、収入金額、資産の価額その他の基準のうち、同(一)の内国法人の行う業務の内容及び費用の性質に照らして合理的と認められる基準により特定事業等に係る所得及び当該特定事業等に係る所得以外の所得の金額の計算上の損金の額として配分するものとする。（措令36⑯）

4　特別控除額の損金算入の申告

　1《沖縄の認定法人の所得の特別控除》又は**2**《金融業務特別地区に係る課税の特例》は、特別控除の適用を受けようとする事業年度の確定申告書等に当該特別控除により損金の額に算入される金額の損金算入に関する申告《別表十（一）→別表四》の記載があり、かつ、当該確定申告書等にその損金の額に算入される金額の計算に関する明細書《別表十（一）》の添付がある場合に限り、適用する。この場合において、損金の額に算入される金額は、当該申告に係るその損金の額に算入されるべき金額に限るものとする。（措法60⑨）

　　　　（申告の記載等がない場合のゆうじょ規定）
（１）　税務署長は、**4**に掲げる記載又は添付がない確定申告書等の提出があった場合においても、その記載又は添付がなかったことについてやむを得ない事情があると認めるときは、当該記載をした書類及び**2**に掲げる明細書の提出があった場合に限り、**1**又は**2**を適用することができる。（措法60⑩）

　　　　（特別控除額と留保金額等との関係）
（２）　**1**又は**2**に掲げる損金の額に算入された金額は、第二節第一款の**二**の**2**《各事業年度の留保金額》及び同**二**の**3**《留保控除額》に掲げる所得等の金額に含まれるものとし、**3**の②《通算法人に係る要加算調整額の益金算入》により益金の額に算入された金額は、同**二**の**2**及び同**二**の**3**に掲げる所得等の金額に含まれないものとする。（措法60⑪）

（特別控除額と利益積立金額との関係）
（３）　**１**、**２**又は**３**の**②**の適用を受けた法人の利益積立金額の計算については、**１**又は**２**の特別控除により損金の額に算入される金額は、第二章第一節の**二**の表の**18**《利益積立金額》の加算欄の**①**の**イ**に掲げる所得の金額に含まれるものとし、**３**の**②**により益金の額に算入される金額は、同**イ**に掲げる所得の金額に含まれないものとする。（措法60⑫、措令36⑱）

　　　（申告に係る損金の額に算入されるべき金額の意義）
（４）　**４**に掲げる「申告に係るその損金の額に算入されるべき金額」とは、確定申告書等に記載された損金算入額そのものをいうのではなく、当該確定申告書等に記載された事項を基礎として計算する場合に損金の額に算入することができる正当額をいうものとする。したがって、所得金額等の更正の結果、損金の額に算入することができる金額が当該正当額を超えても、損金の額に算入すべき金額には影響を及ぼさないことに留意する。（措通60－6）

十一　国家戦略特別区域における指定法人の課税の特例（適用期限の延長等）

1　国家戦略特別区域における指定法人の所得の特別控除

　青色申告書を提出する内国法人で各事業年度終了の日において国家戦略特別区域法第27条の3《課税の特例》に規定する法人に該当するもの（国家戦略特別区域法の一部を改正する法律〔平成28年法律第55号〕の施行の日（平成28年9月1日）から令和8年3月31日までの間に同条の指定を受けたものに限る。以下1及び2《通算法人における国家戦略特別区域における指定法人の所得の特別控除》において「**対象内国法人**」という。）が、当該各事業年度（当該対象内国法人の設立の日から同日以後5年を経過する日までの期間〔次の表の左欄に掲げる場合には、当該期間のうち左欄に掲げる場合の区分に応じ同表の右欄に掲げる期間〕内に終了する事業年度に限る。以下**十一**において「**対象事業年度**」という。）において、国家戦略特別区域法第2条第1項《定義等》に規定する**国家戦略特別区域**（以下1において同じ。）内において行われる同法第27条の3に規定する特定事業（当該国家戦略特別区域以外の地域において行われる当該特定事業に関連する事業として国家戦略特別区域法施行規則第11条の3《法第27条の3の内閣府令で定める要件》第4号イからヘまでに掲げる業務〔特定事業の内容に照らして必要かつ補助的なものに限る。〕に係る事業を含む。以下1及び2において「**特例事業等**」という。）に係る所得の金額として(2)に掲げる金額を有する場合には、当該金額の$\frac{18}{100}$に相当する金額は、当該各対象事業年度の所得の金額の計算上、損金の額に算入する。（措法61①、措令37①、措規21の18①②）

(一)	当該対象内国法人が合併に係る合併法人であり、かつ、当該合併に係る被合併法人が指定を受けていた場合	当該対象内国法人の設立の日から当該被合併法人（当該合併に係る被合併法人のうち2以上の法人が指定を受けていた場合には、その指定を受けていた被合併法人のうち設立の日が最も早い法人）の設立の日（同日が当該対象内国法人の設立の日後である場合には、当該対象内国法人の設立の日）以後5年を経過する日までの期間
(二)	当該対象内国法人が分割に係る分割承継法人であり、かつ、当該分割に係る分割法人が指定を受けていた場合	当該対象内国法人の設立の日から当該分割法人（当該分割に係る分割法人のうち2以上の法人が指定を受けていた場合には、その指定を受けていた分割法人のうち設立の日が最も早い法人）の設立の日（同日が当該対象内国法人の設立の日後である場合には、当該対象内国法人の設立の日）以後5年を経過する日までの期間
(三)	当該対象内国法人が合併により設立された法人であり、かつ、当該合併に係る各被合併法人のうちいずれかの法人が国家戦略特別区域内において特定事業等を行っていた場合（(一)に掲げる場合を除く。）	当該対象内国法人の設立の日から当該被合併法人のうち当該国家戦略特別区域内において当該特定事業等を開始した日が最も早い法人の当該開始した日以後5年を経過する日までの期間
(四)	当該対象内国法人と実質的に同一であると認められる者が当該対象内国法人の設立前に国家戦略特別区域内において特定事業等を行っていた場合（(一)から(三)までに掲げる場合を除く。）	当該対象内国法人の設立の日から当該実質的に同一であると認められる者が当該国家戦略特別区域内において当該特定事業等を開始した日以後5年を経過する日までの期間

　注1　――線部分（適用期限に係る部分を除く。）は、令和6年度改正により改正された部分で、改正規定は、令和6年4月1日以後に1の指定を受ける第二章第一節の二の(2)に掲げる内国法人（1の指定に係る国家戦略特別区域法〔平成25年法律第107号〕第27条の3の認定区域計画に定められている同条に規定する特定事業に係る国家戦略特別区域法施行規則〔平成26年内閣府令第20号〕第3条の2第1項の事業実施計画を令和6年3月31日以前に同法第7条第1項第1号に規定する国家戦略特別区域担当大臣に提出したもの〔以下注1及び3の注において「**経過内国法人**」という。〕を除く。）の各事業年度について適用され、令和6年3月31日以前に1の指定を受けた第二章第一節の二の(2)に掲げる内国法人（経過内国法人を含む。）の各事業年度の適用については、「$\frac{18}{100}$」とあるのは「$\frac{20}{100}$」とする。（令6改法附50①、1、令6改措規附16、1）

　注2　令和4年3月31日以前に終了した事業年度の適用等の経過措置については、本書令和5年版1256ページ参照。

　　　（他の税額控除等の適用を受ける場合の不適用）
(1)　1は、次に掲げる規定の適用を受ける事業年度については、適用しない。（措法61②）

(一)	第七款の二の1《国家戦略特別区域において機械等を取得した場合の初年度特別償却》

第三章　第一節　第二十七款　**十一**《国家戦略特別区域における指定法人の課税の特例》

(二)	第二節第二款の**八**の1《法人税額の特別控除》
(三)	第七款の**三**の1《国際戦略総合特別区域において機械等を取得した場合の初年度特別償却》
(四)	第二節第二款の**九**の1《法人税額の特別控除》
(五)	(一)又は(三)に係る第七款の**二十三**の1《特別償却不足額がある場合の償却限度額の計算》又は同2《合併等特別償却不足額がある場合の償却限度額の計算》
(六)	(一)又は(三)に係る第七款の**二十四**の1の①《特別償却準備金積立額の損金算入》、同②《特別償却準備金積立不足額の1年間繰越し》、同③《適格合併等の場合の移転特別償却資産に係る合併等特別償却準備金積立不足額の引継ぎ》又は同⑤《適格分割等により特別償却対象資産を移転する場合の分割法人等における特別償却準備金の期中積立て等》
(七)	**九**の2《特許権等の譲渡等による所得の課税の特例》
(八)	**十**の1《沖縄の認定法人の所得の特別控除》
(九)	**十**の2《金融業務特別地区に係る課税の特例》

注　──線部分は、令和6年度改正により改正された部分で、改正規定は、令和7年4月1日から適用され、令和7年3月31日以前の適用については、上表の(七)から(九)は次による。(令6改法附38、1Ⅴ)

旧(七)	**十**《沖縄の認定法人の課税の特例》

(特定事業等に係る所得の金額)
(2)　1に掲げる特定事業等に係る所得の金額は、特定事業により生じた所得のみについて法人税を課するものとした場合に課税標準となるべき対象内国法人の対象事業年度の所得の金額(2の(1)《通算法人に係る特定事業等に係る所得の金額》において「**軽減対象所得金額**」という。)に相当する金額とする。ただし、当該金額が当該対象事業年度の所得の金額(以下(2)において「全所得金額」という。)を超える場合には、当該全所得金額に相当する金額を限度とする。(措令37②)

2　通算法人における国家戦略特別区域における指定法人の所得の特別控除

対象内国法人である通算法人について次に掲げる場合に該当する場合には、当該通算法人の対象事業年度(当該通算法人に係る通算親法人の事業年度終了の日に終了するものに限る。以下2において同じ。)の特定事業等に係る1《国家戦略特別区域における指定法人の所得の特別控除》に掲げる同1の(2)《特定事業等に係る所得の金額》に掲げる金額は、特定事業等欠損控除前所得金額(当該通算法人及び対象内国法人である他の通算法人〔当該対象事業年度終了の日において当該通算法人との間に通算完全支配関係があるものに限る。次の表の(一)及び(3)において「**他の対象通算法人**」という。〕の特定事業等により生じた所得のみについて法人税を課するものとした場合における対象事業年度又は同日に終了する事業年度〔以下2において「対象事業年度等」という。〕の第三十五款の**一**の1の①《所得事業年度の通算対象欠損金額の損金算入》に掲げる通算法人が同1を適用する場合における通算前所得金額〔同1の①に掲げる通算前所得金額をいう。2、(2)及び(3)において「**通算前所得金額**」という。〕及び通算前欠損金額〔同1の①に掲げる通算前欠損金額をいい、同一の2《損益通算の対象となる欠損金額の特例》によりないものとされるものを除く。2、(1)、(2)及び(3)において「**通算前欠損金額**」という。〕を基礎として同一の**1**により計算した当該通算法人の特定事業等に係る所得の金額として(1)に掲げる金額)に相当する金額(当該金額が当該通算法人及び他の通算法人〔同日において当該通算法人との間に通算完全支配関係があるものに限る。次の表の(二)及び(3)において「**他の通算法人**」という。〕の当該対象事業年度等の通算前所得金額及び通算前欠損金額を基礎として同一の**1**により計算した当該通算法人の所得の金額として(2)に掲げる金額〔以下2において「欠損控除前所得金額」という。〕を超える場合には、当該欠損控除前所得金額に相当する金額)とする。(措法61③、措令37③)

(一)	他の対象通算法人の他の事業年度(当該通算法人の対象事業年度終了の日に終了する事業年度をいう。(二)及び(3)において同じ。)において特定事業等に係る通算前欠損金額が生ずる場合
(二)	他の通算法人の他の事業年度において通算前欠損金額が生ずる場合

第三章　第一節　第二十七款　十一《国家戦略特別区域における指定法人の課税の特例》

　　（通算法人に係る特定事業等に係る所得の金額）
（1）　**2**に掲げる通算法人の特定事業等に係る所得の金額は、当該通算法人の対象事業年度（当該通算法人に係る通算親法人の事業年度終了の日に終了するものに限る。次の表の（二）及び（2）において同じ。）に係る軽減対象所得金額から、次の表の（一）に掲げる金額に同表の（二）に掲げる金額が同表の（二）及び（三）に掲げる金額の合計額のうちに占める割合を乗じて計算した金額を控除した金額とする。（措令37④）

（一）	他の対象通算法人（**2**に掲げる他の対象通算法人をいう。以下（1）及び（4）において同じ。）の特定事業等欠損金額（当該他の対象通算法人の特定事業等により生じた所得のみについて法人税を課するものとした場合における他の事業年度〔**2**の表の（一）に掲げる他の事業年度をいう。（三）及び（2）において同じ。〕において生ずる通算前欠損金額をいう。）の合計額
（二）	当該通算法人の当該対象事業年度に係る軽減対象所得金額
（三）	他の対象通算法人の他の軽減対象所得金額（当該他の対象通算法人の特定事業等により生じた所得のみについて法人税を課するものとした場合に課税標準となるべき他の事業年度の所得の金額をいう。）の合計額

　　（通算法人の所得の金額）
（2）　**2**に掲げる当該通算法人の所得の金額は、当該通算法人の対象事業年度の通算前所得金額から、次の表の（一）に掲げる金額に同表の（二）に掲げる金額が同表の（二）及び（三）に掲げる金額の合計額のうちに占める割合を乗じて計算した金額を控除した金額とする。（措令37⑤）

（一）	他の通算法人（**2**に掲げる他の通算法人をいう。（三）において同じ。）の他の事業年度において生ずる通算前欠損金額の合計額
（二）	当該通算法人の当該対象事業年度の通算前所得金額
（三）	他の通算法人の他の事業年度の通算前所得金額の合計額

　　（みなす金額）
（3）　**2**の場合において、他の対象通算法人の特定事業等により生じた所得のみについて法人税を課するものとした場合における他の事業年度の（4）に掲げる金額又は他の通算法人の他の事業年度の通算前所得金額若しくは通算前欠損金額が当初特定事業等通算前所得金額若しくは当初特定事業等通算前欠損金額又は当初通算前所得金額若しくは当初通算前欠損金額（それぞれ他の対象通算法人の他の事業年度の確定申告書等〔期限後申告書を除く。以下（3）において同じ。〕に添付された書類に当該他の対象通算法人の特定事業等により生じた所得のみについて法人税を課するものとした場合における当該他の事業年度の（4）に掲げる金額として記載された金額又は他の通算法人の他の事業年度の確定申告書等に添付された書類に当該他の通算法人の当該他の事業年度の通算前所得金額若しくは通算前欠損金額として記載された金額をいう。以下（3）において同じ。）と異なるときは、当初特定事業等通算前所得金額若しくは当初特定事業等通算前欠損金額又は当初通算前所得金額若しくは当初通算前欠損金額を当該他の対象通算法人の特定事業等により生じた所得のみについて法人税を課するものとした場合における他の事業年度の（4）に掲げる金額又は他の通算法人の他の事業年度の通算前所得金額若しくは通算前欠損金額とみなす。（措法61④）

　　（他の通算法人の他の軽減対象所得金額又は特定事業等欠損金額）
（4）　（3）に掲げる金額は、他の対象通算法人の（1）の表の（三）に掲げる他の軽減対象所得金額又は他の対象通算法人の同表の（一）に掲げる特定事業等欠損金額とする。（措令37⑥）

3　通算法人に係る要加算調整額の益金算入

　内国法人の**1**《国家戦略特別区域における指定法人の所得の特別控除》の適用を受けた事業年度（当該内国法人に係る通算親法人の事業年度終了の日に終了するものに限る。以下**3**において「**適用事業年度**」という。）後の各事業年度（以下**3**において「**調整事業年度**」という。）終了の時において、他の通算法人（当該内国法人の当該適用事業年度終了の日〔以下**3**において「**基準日**」という。〕において当該内国法人との間に通算完全支配関係がある他の内国法人をいう。以下**3**において同じ。）のいずれかの基準日に終了する事業年度（以下**3**において「**他の適用事業年度**」という。）において生じた通算前欠損金額（第三十五款の一の**1**の①《所得事業年度の通算対象欠損金額の損金算入》に掲げる通算前欠損金額をいい、同一の**2**《損益通算の対象となる欠損金額の特例》によりないものとされたものを除く。以下**3**及び（1）において同

じ。)が当該他の通算法人の当該他の適用事業年度の確定申告書等に添付された書類に通算前欠損金額として記載された金額を超える場合（その超える部分の金額〔以下**3**において「通算不足欠損金額」という。〕のうちに事実を仮装して経理したところに基づくものがある場合に限る。以下**3**において「過大申告の場合」という。）又は他の通算法人のいずれかの他の適用事業年度の確定申告書等（期限後申告書に限る。）に添付された書類に通算前欠損金額として記載された金額（以下**3**において「期限後欠損金額」という。）がある場合（以下**3**において「期限後欠損金額の場合」という。）において、当該適用事業年度において**1**により損金の額に算入した金額のうち次の表の(一)に掲げる金額に同表の(二)に掲げる割合を乗じて計算した金額の$\frac{18}{100}$に相当する金額に達するまでの金額(当該相当する金額につき当該調整事業年度前の各事業年度において**3**により益金の額に算入された金額がある場合には、その算入された金額の合計額を控除した金額。以下**3**において「要加算調整額」という。）があるときは、当該要加算調整額は、当該調整事業年度の所得の金額の計算上、益金の額に算入する。（措法61⑤）

(一)	他の通算法人（過大申告の場合又は期限後欠損金額の場合に係るものに限る。(二)において「事由該当通算法人」という。）に係る通算不足欠損金額又は期限後欠損金額の合計額
(二)	事由該当通算法人につき第三十五款の一の**1**の③《添付書類に記載された金額と異なる場合の取扱い》を適用しないものとした場合の当該内国法人の当該適用事業年度の同③を適用した同**1**の①の(1)《通算対象欠損金額の意義》に掲げる割合

注――線部分は、令和6年度改正により改正された部分で、改正規定は、令和6年4月1日以後に**1**の指定を受ける第二章第一節の二の表の(2)に掲げる内国法人（経過内国法人を除く。）の**3**に掲げる適用事業年度において**1**により損金の額に算入した金額について適用され、令和6年3月31日以前に**1**の指定を受けた第二章第一節の二の(2)に掲げる内国法人（経過内国法人を含む。）の**3**に掲げる適用事業年度において**1**により損金の額に算入した金額の適用については、「$\frac{18}{100}$」とあるのは「$\frac{20}{100}$」とする。（令6改法附50②、1）

（他の適用事業年度において生じた通算前欠損金額とみなすもの）
（1）　**3**の内国法人の**3**に掲げる調整事業年度の**3**の適用において、**3**の表の(一)に掲げる事由該当通算法人の**3**に掲げる他の適用事業年度において生じた通算前欠損金額が既確定通算前欠損金額（当該調整事業年度終了の日以前に提出された当該他の適用事業年度の確定申告書等若しくは修正申告書に添付された書類又は同日以前にされた第二章第三節の一の**1**《更正、決定、再更正》の表の①若しくは同表の③による更正に係る同**1**の(3)《更正通知書の記載事項》に掲げる更正通知書に添付された書類のうち、最も新しいものに通算前欠損金額として記載された金額をいう。以下（1）において同じ。）と異なる場合には、当該既確定通算前欠損金額を当該他の適用事業年度において生じた通算前欠損金額とみなす。（措法61⑥）

（通算法人に係る要加算調整額の益金算入等の適用がないものとする場合）
（2）　**2**《通算法人における国家戦略特別区域における指定法人の所得の特別控除》の通算法人の対象事業年度において、第三十五款の一の**1**の③の(3)《みなし金額の否認》の適用がある場合には、**2**の(3)は、当該対象事業年度については、適用しない。この場合において、当該対象事業年度を**3**に掲げる適用事業年度とする**3**の内国法人の**3**に掲げる調整事業年度については、**3**及び（1）は、適用がないものとする。（措法61⑦）

4　その他の取扱い

（共通費用の額）
（1）　**1**の(2)、**2**の(1)又は**2**の(4)を適用する場合において、**1**の(2)若しくは**2**の(1)の対象事業年度又は同(1)の表の(一)若しくは同表の(三)の他の事業年度の所得の金額の計算上損金の額に算入された金額のうちに第一款の三の**2**《損金の額に算入すべき金額》の表の②に掲げる販売費、一般管理費その他の費用で特定事業等に係る所得を生ずべき業務と当該特定事業等に係る所得以外の所得を生ずべき業務との双方に関連して生じたものの額（以下(3)において「共通費用の額」という。）があるときは、当該共通費用の額は、収入金額、資産の価額その他の基準のうち**1**の(2)の対象内国法人、**2**の(1)の通算法人又は同(1)の表の(一)若しくは同表の(三)若しくは**2**の(4)の他の対象通算法人の行う業務の内容及び費用の性質に照らして合理的と認められる基準により特定事業等に係る所得及び当該特定事業等に係る所得以外の所得の金額の計算上の損金の額として配分するものとする。（措令37⑧）

第三章　第一節　第二十七款　十一《国家戦略特別区域における指定法人の課税の特例》

(特定事業等に係る所得の金額の計算)
(2)　1の(2)の軽減対象所得金額及び2に掲げる通算前所得金額及び通算前欠損金額並びに2の(1)の表の(一)に掲げる特定事業等欠損金額及び同表の(三)に掲げる他の軽減対象所得金額は、次の表に掲げる規定を適用せず、かつ、対象内国法人の対象事業年度又は当該対象事業年度終了の日において当該対象内国法人との間に通算完全支配関係がある他の通算法人の同日に終了する事業年度において支出した寄附金の額の全額を損金の額に算入して計算するものとする。(措令37⑦)

(一)	法人税法第27条……第四款の六《中間申告における繰戻し還付に係る災害損失欠損金額の益金算入》
(二)	法人税法第40条……第十一款の一の4《法人税額から控除する所得税額の損金不算入》
(三)	法人税法第41条……第十一款の一の5《法人税額から控除する外国税額の損金不算入》
(四)	法人税法第41条の2……第十一款の一の7《分配時調整外国税相当額の損金不算入》
(五)	法人税法第57条第1項……第二十一款の一の1の①《前10年以内の繰越欠損金の損金算入》
(六)	法人税法第59条第1項……第二十一款の三の1《会社更生等による債務免除等があった場合の欠損金の損金算入》
(七)	同条第2項……同三の2《民事再生等による債務免除があった場合の損金算入》
(八)	同第3項……同2の(2)《民事再生等に準ずる事実により債務免除等があった場合の欠損金の損金算入》
(九)	同条第4項……同三の3《解散の場合の期限切れ欠損金の損金算入》
(十)	法人税法第61条の11第1項……第三十三款の一《譲渡損益調整資産に係る譲渡利益額又は譲渡損失額の繰延べ》(適格合併に該当しない合併による合併法人への資産の移転に係る部分に限る。)
(十一)	法人税法第62条第2項……第三十四款の一の1の②《譲渡利益額又は譲渡損失額の最後事業年度の益金又は損金算入》
(十二)	法人税法第62条の5第2項……第三十四款の一の1の④の《残余財産の全部の分配又は引渡しによる譲渡に係る譲渡利益額又は譲渡損失額の益金又は損金算入》
(十三)	同条第5項……第十一款の二の2の②《残余財産の確定の日の属する事業年度に係る事業税等の損金算入》
(十四)	法人税法第62条の9第1項……第三十四款の二の1《非適格株式交換等に係る株式交換完全子法人等の有する資産の時価評価損益》
(十五)	法人税法第64条の5第1項……第三十五款の一の1の①《所得事業年度の通算対象欠損金額の損金算入》
(十六)	同条第3項……同1の②《欠損事業年度の通算対象所得金額の益金算入》
(十七)	法人税法第64条の7第6項……第三十五款の一3の③のロの(4)《非特定欠損金額の益金算入》
(十八)	法人税法第64条の8……第三十五款の一4《通算法人の合併等があった場合の欠損金の損金算入》
(十九)	法人税法第64条の11第1項……第三十五款の三の1《通算制度の開始に伴う資産の時価評価損益》
(二十)	同条第2項……同1の(3)《株式等保有法人における株式等の評価損益》
(二十一)	法人税法第64条の12第1項……第三十五款の三の2《通算制度への加入に伴う資産の時価評価損益》
(二十二)	同条第2項……同2の(6)《株式等保有法人における株式等の評価損益》
(二十三)	法人税法第64条の13第1項……第三十五款の三の3《通算制度からの離脱等に伴う資産の時価評価損益》
(二十四)	法人税法施行令の一部を改正する政令(昭和42年政令第106号)附則第5条第1項及び第2項《契約者配当に関する経過規定》
(二十五)	租税特別措置法第57条の7第1項……第十八款の四の表の9《関西国際空港用地整備準備金》
(二十六)	租税特別措置法第57条の7の2第1項……第十八款の四の表の10《中部国際空港整備準備金》
(二十七)	租税特別措置法第59条第1項……第二十九款の二の1《新鉱床探鉱費の特別控除》
(二十八)	同条第2項……同二の2《海外新鉱床探鉱費の特別控除》
(二十九)	租税特別措置法第59条の2第1項……八の1《対外船舶運航事業を営む法人の日本船舶による収入金額の課税の特例》

第三章　第一節　第二十七款　**十一**《国家戦略特別区域における指定法人の課税の特例》

(三十)	同条第4項……同**1**の（5）《認定を取り消された場合の所得の金額の計算》
(三十一)	租税特別措置法第59条の3第1項……**九**の**2**《特許権等の譲渡等による所得の課税の特例》
(三十二)	租税特別措置法第60条第1項……**十**の**1**《沖縄の認定法人の所得の特別控除》
(三十三)	同条第2項……**2**《金融業務特別地区に係る課税の特例》
(三十四)	同条第6項……**3**の①の（5）《通算前所得金額若しくは通算前欠損金額とみなすもの》
(三十五)	租税特別措置法第61条第1項……**1**《国家戦略特別区域における指定法人の所得の特別控除》
(三十六)	同条第5項……**3**《通算法人に係る要加算調整額の益金算入》
(三十七)	租税特別措置法第61条の2第1項……第十八款の**四**の表の**11**《農業経営基盤強化準備金》
(三十八)	租税特別措置法第61条の3第1項……第十五款の**六**の**1**《農用地等を取得した場合の圧縮額の損金算入》
(三十九)	租税特別措置法第66条の7第2項……第三十二款の**二**の**1**の（11）《法人税額から控除する外国関係会社の外国法人税額の益金算入》
(四十)	同条第6項……同**二**の**3**の（4）《法人税額から控除する外国関係会社の所得税等の額の益金算入》
(四十一)	租税特別措置法第66条の9の3第2項……第三十二款の**五**の**1**の（6）《法人税額から控除する外国関係法人の外国法人税額の益金算入》
(四十二)	同条第5項……同**五**の**2**の（4）《法人税額から控除する外国関係法人の所得税等の額の益金算入》
(四十三)	租税特別措置法第66条の13第1項、第5項から第11項まで……**十三**の**3**《特定株式に係る特別勘定の金額の取崩し》
(四十四)	同条第15項……同**3**の⑤の（1）《他の適用事業年度において生じた通算前欠損金額とみなすもの》

　注──線部分は、租税特別措置法施行令の一部を改正する政令（令和6年政令第213号）により追加された部分で、改正規定は、令和7年4月1日から適用される。（令6改措令附1）

（軽減対象所得金額に係る益金の額）
（3）　軽減対象所得金額を計算する場合の益金の額は、**1**に掲げる特定事業等（以下「特定事業等」という。）に係る収入金額の合計額によるから、次に掲げるような金額はこれに含まれないことに留意する。
　　ただし、引当金又は準備金の益金算入額のうちその引当金又は準備金を繰り入れた事業年度において軽減対象所得金額の計算上損金の額に算入された繰入金額に相当する金額は当該益金の額に算入する。（措通61－1）
　（一）　国庫補助金、補償金、保険金その他これらに準ずるものの収入による益金の額
　（二）　固定資産又は有価証券の譲渡又は評価に係る益金の額
　（三）　受取配当金、受取利子等の営業外収益の額

（軽減対象所得金額に係る損金の額）
（4）　軽減対象所得金額を計算する場合の損金の額は、特定事業等に係る収入金額に対応する売上原価の額並びに販売費、一般管理費その他の費用及び損失の額によるのであるから、次に掲げる金額はこれに含まれることに留意する。（措通61－2・編者補正）
　（一）　特定事業等に属する棚卸資産の評価換えによる損失の額
　（二）　特定事業等に専属して使用される減価償却資産又は繰延資産の償却費の額
　（三）　特定事業等に専属して使用される減価償却資産の除却、滅失、評価換え又は譲渡による損失の額（保険金、補償金その他これらに類するものにより補填される部分の金額を除く。）

（災害損失の区分の特例）
（5）　特定事業等に専属して使用される減価償却資産の滅失損その他の特定事業等に係る損失の額で災害その他やむを得ない事由により生じた臨時巨額なものについては、特定事業等に係る収入金額と特定事業等に係る収入金額以外の収入金額の比その他合理的と認められる基準により区分した金額を特定事業等に係る損金の額として計算することができるものとする。（措通61－3・編者補正）

－1264－

(支払利子の区分の特例)
(6) 支払利子の額で特定事業等に係るものの金額は、(1)により合理的と認められる基準により配分するのであるが、各事業年度における支払利子の額のうちに次に掲げる金額があるときは、当該金額は支払利子の額に含めないことができるものとする。(措通61－4・編者補正)
(一) 受取配当金の益金不算入額の計算上益金不算入額から控除した支払利子の額として合理的に計算した金額
(二) 子会社等のために借り入れて子会社等へひも付融資をしている負債の支払利子の額で子会社等からの受取利子の額に相当する金額

(共通費用の額の配分基準の継続)
(7) (1)に掲げる共通費用の額について適用した(1)に掲げる合理的と認められる基準は、その後の事業年度においても継続して適用しなければならないものとする。(措通61－5)

5　特別控除額の損金算入の申告

 1 《国家戦略特別区域における指定法人の所得の特別控除》は、特別控除の適用を受けようとする事業年度の確定申告書等に当該特別控除により損金の額に算入される金額の損金算入に関する申告の記載があり、かつ、当該確定申告書等にその損金の額に算入される金額の計算に関する明細書の添付がある場合に限り、適用する。この場合において、損金の額に算入される金額は、当該申告に係るその損金の額に算入されるべき金額に限るものとする。(措法61⑧)

(申告の記載等がない場合のゆうじょ規定)
(1) 税務署長は、5に掲げる記載又は添付がない確定申告書等の提出があった場合においても、その記載又は添付がなかったことについてやむを得ない事情があると認めるときは、当該記載をした書類及び5に掲げる明細書の提出があった場合に限り、1を適用することができる。(措法61⑨)

(特別控除額と留保金額等との関係)
(2) 1の適用を受けた法人の当該特別控除により損金の額に算入された金額は、第二節第一款の二の2《各事業年度の留保金額》及び同二の3《留保控除額》に掲げる所得等の金額に含まれるものとし、3《通算法人に係る要加算調整額の益金算入》により益金の額に算入された金額は、同二の2及び同二の3に掲げる所得等の金額に含まれないものとする。(措法61⑩)

(特別控除額と利益積立金額との関係)
(3) 1又は3の適用を受けた法人の利益積立金額の計算については、1により損金の額に算入される金額は、第二章第一節の二の表の18《利益積立金額》の加算欄の①のイに掲げる所得の金額に含まれるものとし、3により益金の額に算入される金額は、同①のイに掲げる所得の金額に含まれないものとする。(措法61⑪、措令37⑨)

(申告に係る損金の額に算入されるべき金額の意義)
(4) 5に掲げる「申告に係るその損金の額に算入されるべき金額」とは、確定申告書等に記載された損金算入額そのものをいうのではなく、当該確定申告書等に記載された事項を基礎として計算する場合に損金の額に算入することができる正当額をいうものとする。したがって、所得金額等の更正の結果、損金の額に算入することができる金額が当該正当額を超えても、損金の額に算入すべき金額には影響を及ぼさないことに留意する。(措通61－6、60－6参照)

十二　株式等を対価とする株式の譲渡に係る所得の計算の特例

　法人が、その有する株式（以下十二において「所有株式」という。）を発行した他の法人を会社法第774条の3第1項第1号に規定する株式交付子会社とする株式交付により当該所有株式を譲渡し、当該株式交付に係る株式交付親会社（同号に規定する株式交付親会社をいう。以下十二において同じ。）の株式の交付を受けた場合（当該株式交付により交付を受けた当該株式交付親会社の株式の価額が当該株式交付により交付を受けた金銭の額及び金銭以外の資産の価額の合計額のうちに占める割合が$\frac{80}{100}$に満たない場合並びに当該株式交付の直後の当該株式交付親会社が第二章第一節の二の表の**10**に掲げる同族会社〔**10**に掲げる同族会社であることについての判定の基礎となった株主のうちに同**10**に掲げる同族会社でない法人がある場合には、当該法人をその判定の基礎となる株主から除外して判定するものとした場合においても同**10**に掲げる同族会社となるものに限る。〕に該当する場合を除く。）における第二十三款の**二の1**《有価証券の譲渡益又は譲渡損の益金又は損金算入》の適用については、同**1**の表の①に掲げる金額は、当該所有株式の当該株式交付の直前の帳簿価額に相当する金額に株式交付割合（当該株式交付により交付を受けた当該株式交付親会社の株式の価額が当該株式交付により交付を受けた金銭の額及び金銭以外の資産の価額の合計額〔剰余金の配当として交付を受けた金銭の額及び金銭以外の資産の価額の合計額を除く。〕のうちに占める割合をいう。）を乗じて計算した金額と当該株式交付により交付を受けた金銭の額及び金銭以外の資産の価額の合計額（当該株式交付親会社の株式の価額並びに剰余金の配当として交付を受けた金銭の額及び金銭以外の資産の価額の合計額を除く。）とを合計した金額とする。（措法66の2①）

　　注　――線部分は、令和5年度改正により改正された部分で、改正規定は、令和5年10月1日以後に行われる株式交付について適用され、令和5年9月30日以前に行われた株式交付の適用については、「並びに当該株式交付の直後の当該株式交付親会社が第二章第一節の二の表の**10**に掲げる同族会社〔**10**に掲げる同族会社であることについての判定の基礎となった株主のうちに同**10**に掲げる同族会社でない法人がある場合には、当該法人をその判定の基礎となる株主から除外して判定するものとした場合においても同**10**に掲げる同族会社となるものに限る。〕に該当する場合を除く。」とあるのは「を除く。」とする。（令5改法附1Ⅱロ、47）

　（株式等を対価とする株式の譲渡に係る法人税法等の規定の適用）
（1）　**十二**の適用がある場合におけるその適用に係る法人に対する法人税法その他法人税に関する法令の規定の適用については、次に定めるところによる。（措法66の2②、措令39の10の2③）

（一）	**十二**の適用がある株式交付により交付を受けた当該株式交付に係る株式交付親会社の株式の取得価額は、第二十三款の**一の2**《有価証券の取得価額》にかかわらず、当該株式交付により譲渡した所有株式（（二）及び（三）において「譲渡株式」という。）のその譲渡の直前の帳簿価額に当該株式交付に係る**十二**に掲げる株式交付割合を乗じて計算した金額（当該株式交付親会社の株式の交付を受けるために要した費用がある場合には、その費用の額を加算した金額）とする。
（二）	**十二**の適用がある株式交付により交付を受けた当該株式交付に係る株式交付親会社の株式で、その交付の基因となった譲渡株式が第二十三款の**一の1**《用語の意義》の表の②の**イ**から**ハ**までに掲げる有価証券とされていたもの（同表の③の**ロ**に掲げる株式に該当するものを除く。）は、第二十三款の**三の1**《有価証券の期末評価額》の表の②に掲げる売買目的有価証券とする。
（三）	**十二**の適用がある株式交付による譲渡株式の譲渡に係る第三十三款の**一**《譲渡損益調整資産に係る譲渡利益額又は譲渡損失額の繰延べ》については、**十二**により当該譲渡に係る第二十三款の**二の1**《有価証券の譲渡益又は譲渡損の益金又は損金算入》の表の①に掲げる金額とされる金額を当該譲渡に係る第三十三款の**一**に掲げる収益の額とする。

　（株式交付親会社が株式交付子会社の株式を取得した場合に係る法人税法等の規定の適用）
（2）　株式交付親会社が株式交付により当該株式交付に係る株式交付子会社（**十二**に掲げる株式交付子会社をいう。以下（2）において同じ。）の株式を取得した場合（当該株式交付により当該株式交付子会社の株主に交付した自己の株式の価額が当該株式交付により当該株主に交付した金銭の額及び金銭以外の資産の価額の合計額のうちに占める割合が$\frac{80}{100}$に満たない場合並びに当該株式交付の直後の当該株式交付親会社が第二章第一節の二の表の**10**に掲げる同族会社〔同**10**に掲げる同族会社であることについての判定の基礎となった株主のうちに同**10**に掲げる同族会社でない法人がある場合には、当該法人をその判定の基礎となる株主から除外して判定するものとした場合においても同**10**に掲げる同族会社となるものに限る。〕に該当する場合を除く。）における法人税法その他法人税に関する法令の規定の適用については、次に定めるところによる。（措法66の2②、措令39の10の2④、措規22の9の2）

（一）	当該株式交付により当該株式交付子会社の株主から取得した当該株式交付子会社の株式の取得価額は、第二十三款の**一の2**《有価証券の取得価額》にかかわらず、次の表の左欄に掲げる場合の区分に応じそれぞれ同表の

右欄に掲げる金額（当該株式の取得をするために要した費用がある場合には、その費用の額を加算した金額）とする。

	イ	当該株式交付により当該株式交付子会社の株式を50人未満の当該株式交付子会社の株主から取得をした場合	当該株主が有していた当該株式の当該取得の直前における帳簿価額（当該株主が公益法人等又は人格のない社団等であり、かつ、当該株式がその収益事業以外の事業に属するものであった場合には当該株式の価額として当該株式交付親会社の帳簿に記載された金額とし、当該株主が個人である場合には当該個人が有していた当該株式の当該取得の直前における取得価額とする。）に相当する金額
	ロ	当該株式交付により当該株式交付子会社の株式を50人以上の当該株式交付子会社の株主から取得をした場合	次の表に掲げる方法により計算した金額
			(イ) 当該株式交付子会社の前期期末時（当該株式交付子会社の当該取得の日を含む事業年度の前事業年度〔同日以前6か月以内に第二節第三款の一の**3**《仮決算をした場合の中間申告書の記載事項等》に掲げる期間（当該株式交付子会社が通算法人である場合には、同**3**の（8）《通算法人である場合の適用》の表の（一）に掲げる期間。ロにおいて同じ。）について同**3**に掲げる事項を記載した第二章第一節の二の表の**30**《中間申告書》に掲げる中間申告書を提出し、かつ、その提出の日から当該取得の日までの間に同表の**31**《確定申告書》に掲げる確定申告書を提出していなかった場合には、当該中間申告書に係る第二節第三款の一の**3**に掲げる期間〕終了の時をいう。）の資産の帳簿価額から負債（新株予約権及び株式引受権に係る義務を含む。）の帳簿価額を減算した金額（当該前期期末時から当該取得の日までの間に第二章第一節の二の表の**16**《資本金等の額》に掲げる資本金等の額又は利益積立金額〔同表の**18**の①に掲げる金額を除く。〕が増加し、又は減少した場合には、その増加した金額を加算し、又はその減少した金額を減算した金額）に相当する金額に当該株式交付子会社の当該取得の日における発行済株式（当該株式交付子会社が有する自己の株式を除く。）の総数のうちに当該取得をした当該株式交付子会社の株式の数の占める割合を乗ずる方法
			(ロ) 次の表のAに掲げる金額に相当する金額をBに掲げる数で除し、これにCに掲げる数を乗じて計算する方法その他合理的な方法（措規22の9の2）

A	ロに掲げる前期期末時の資産の帳簿価額から負債（新株予約権及び株式引受権に係る義務を含む。）の帳簿価額を減算した金額
B	ロの株式交付子会社のロの取得の日における基準株式数（会社法施行規則〔平成18年法務省令第12号〕第25条第4項に規定する基準株式数をいう。）
C	Bの取得をしたBの株式交付子会社の各種類の株式の数に当該種類の株式に係る株式係数（会社法施行規則第25条第5項に規定する株式係数をいう。）を乗じて得た数の合計数

(二) 当該株式交付により当該株式交付子会社の株主に当該株式交付親会社の株式以外の資産を交付した場合には、当該株式交付により当該株主から取得した当該株式交付子会社の株式の取得価額は、第二十三款の一の**2**《有価証券の取得価額》及び(一)にかかわらず、次に掲げる金額の合計額（当該株式の取得をするために要した費用がある場合には、その費用の額を加算した金額）とする。

	イ	（一）のイ又はロに掲げる場合の区分に応じそれぞれ（一）のイ又はロに定める金額に株式交付割合（当該株式交付により当該株主に交付した当該株式交付親会社の株式の価額が当該株式交付により当該株主に交付した金銭の額及び金銭以外の資産の価額の合計額〔剰余金の配当として交付した金銭の額及び金銭以外の資産の価額の合計額を除く。〕のうちに占める割合をいう。）を乗じて計算した金額
	ロ	当該株式交付により当該株主に交付した金銭の額及び金銭以外の資産の価額の合計額（当該株式交付親会社の株式の価額並びに剰余金の配当として交付した金銭の額及び金銭以外の資産の価額の合計額を除く。）
（三）		当該株式交付による当該株式交付親会社の株式の交付に係る第二章第一節の二の表の16《資本金等の額》の①に掲げる金額は、当該株式交付により移転を受けた当該株式交付子会社の株式の取得価額（当該株式の取得をするために要した費用の額が含まれている場合には、当該費用の額を控除した金額）から当該株式交付に係る増加資本金額等（当該株式交付により増加した資本金の額及び（二）のロに掲げる金額をいう。）を減算した金額とする。
（四）		当該株式交付親会社が当該株式交付の直後に２以上の種類の株式を発行している場合には、当該株式交付により増加した資本金の額及び当該株式交付に係る（三）に掲げる減算した金額の合計額を当該株式交付により交付した当該株式交付親会社の株式のその交付の直後の価額の合計額で除し、これにその交付した株式のうち当該種類の株式のその交付の直後の価額の合計額を乗じて計算した金額を、当該種類の株式に係る第二章第一節の二の表の16の⑳の（１）《対価株式が交付される合併等が行われた場合の種類資本金額》の種類資本金額に加算する。

注　——線部分は、令和５年度改正により改正された部分で、改正規定は、令和５年10月１日以降に行われる株式交付について適用され、令和５年９月30日以前に行われた株式交付の適用については、「並びに当該株式交付の直後の当該株式交付親会社が第二章第一節の二の表の**10**に掲げる同族会社〔同**10**に掲げる同族会社であることについての判定の基礎となった株主のうちに同**10**に掲げる同族会社でない法人がある場合には、当該法人をその判定の基礎となる株主から除外して判定するものとした場合においても同**10**に掲げる同族会社となるものに限る。〕に該当する場合を除く。）における法人税法」とあるのは「を除く。）における法人税法」とする。（令５改措令附１Ⅱ、11）

　　（株式の占める割合が８割以上となる場合の本制度の適用）

（３）　**十二**を適用するかどうかは、法人が任意に選択できるものではないため、**十二**の「当該株式交付により交付を受けた当該株式交付親会社の株式の価額が当該株式交付により交付を受けた金銭の額及び金銭以外の資産の価額の合計額のうちに占める割合が$\frac{80}{100}$に満たない」かどうかの判定（以下「８割要件の判定」という。）において、その割合が$\frac{80}{100}$以上となる場合（当該株式交付の直後の株式交付親会社〔会社法第774条の３第１項第１号に規定する株式交付親会社をいう。以下同じ。〕が第二章第一節の二の表の**10**《同族会社》に掲げる同族会社〔同表の**10**に掲げる同族会社であることについての判定の基礎となった株主のうちに同表の**10**に掲げる同族会社でない法人がある場合には、当該法人をその判定の基礎となる株主から除外して判定するものとした場合においても同表の**10**に掲げる同族会社となるものに限る。〕に該当する場合を除く。）には、**十二**を適用して**十二**に掲げる所有株式に係る譲渡対価の額を算定することになることに留意する。（措通66の２－１）

　　（株式の占める割合の判定等における株式交付親会社の株式の価額）

（４）　**十二**の適用上、８割要件の判定及び**十二**に掲げる株式交付割合の算定（以下「株式交付割合の算定」という。）における株式交付親会社の株式の価額は、原則として当該株式交付の日における価額となるのであるが、８割要件の判定における株式交付親会社の株式の価額は、課税上弊害がない限り、当該株式交付に係る会社法第774条の３第１項の株式交付計画に定められた同項第３号に規定する算定方法における算定基準日の株価を基礎として合理的な手法により算定される価額によることとしても差し支えない。（措通66の２－２）

　　（１株未満の株式の譲渡代金を交付した場合の株式の占める割合の判定等）

（５）　**十二**の適用上、８割要件の判定及び株式交付割合の算定は、その適用を受ける株式交付に係る会社法第774条の３第１項第１号に規定する株式交付子会社の株主ごとに判定をし、又は算定をすることになることに留意する。この場合において、当該株主に交付された金銭が、その株式交付に際して交付すべき株式交付親会社の株式に１株未満の端数が生じたためにその１株未満の株式の合計数に相当する数の株式を他に譲渡し、又は買い取った代金として交付されるものであるときは、その交付された金銭が、その交付の状況その他の事由を総合的に勘案して実質的に当該株主に対して支払う株式交付の対価であると認められるときを除き、当該株主に対してその１株未満の株式に相当する株

式が交付されたものとして、8割要件の判定をし、又は株式交付割合の算定をすることになる。(措通66の2－3)

　　　(本制度の適用対象から除外されない同族会社の範囲)
(6)　**十二**及び(2)に掲げる「同族会社でない法人」には、同族会社(第二章第一節の**二**の表の**10**《同族会社》に掲げる同族会社をいう。以下同じ。)でない法人を同族会社であるかどうかの判定の基礎となる株主に選定したことによって同族会社となる場合のその同族会社(以下「非同族会社の子会社」という。)、当該非同族会社の子会社を同族会社であるかどうかの判定の基礎となる株主に選定したために同族会社となる場合のその同族会社(以下「非同族会社の孫会社」という。)、当該非同族会社の孫会社を同族会社であるかどうかの判定の基礎となる株主に選定したために同族会社となる場合のその同族会社等、同族会社でない法人の直接又は間接の同族会社も含まれる。(措通66の2－4)

十三　特定事業活動として特別新事業開拓事業者の株式の取得をした場合の課税の特例

1　特定事業活動として特別新事業開拓事業者の株式の取得をした場合の損金算入（適用期限の延長）

　青色申告書を提出する法人で**新事業開拓事業者**（産業競争力強化法第2条第6項《定義》に規定する新事業開拓事業者をいう。以下1において同じ。）と共同して特定事業活動（同条第27項に規定する特定事業活動をいう。以下1及び3の④《オープンイノベーションが行われていることが産業競争力強化法の調査に基づき明らかにされた一定の場合に該当しない場合》において同じ。）を行うものとして国内外における経営資源活用の共同化に関する調査に関する省令第2条第1項《定義》に規定する経営資源活用共同化推進事業者に該当するもの（以下**十三**において「**対象法人**」という。）が、令和2年4月1日から令和8年3月31日までの期間（以下1において「指定期間」という。）内の日を含む各事業年度（解散の日を含む事業年度及び清算中の各事業年度並びに被合併法人の合併〔適格合併を除く。〕の日の前日を含む事業年度を除く。）の指定期間内において**特定株式**（**特別新事業開拓事業者**〔新事業開拓事業者のうち特定事業活動に資する事業を行うものとして国内外における経営資源活用の共同化に関する調査に関する省令第2条第2項に規定する特別新事業開拓事業者に該当する法人をいう。以下1において同じ。〕の株式のうち、(1)《特定株式に該当する要件》に掲げる要件を満たすものをいう。以下**十三**において同じ。）を取得し、かつ、これをその取得の日を含む事業年度（以下**十三**において「**対象事業年度**」という。）終了の日まで引き続き有している場合において、当該特定株式の取得価額（当該取得価額が次の表の左欄に掲げる当該特定株式の区分に応じ同表の右欄に掲げる金額を超える場合には、当該金額）の$\frac{25}{100}$に相当する金額（当該対象事業年度において当該特定株式の帳簿価額を減額した場合には、その減額した金額のうち当該対象事業年度の所得の金額の計算上損金の額に算入された金額に、その減額に係る特定株式の取得価額〔次の表の左欄に掲げる当該特定株式の区分に応じ同表の右欄に掲げる金額を超える場合には、当該金額〕を乗じてこれを当該特定株式の取得価額で除して計算した金額を控除した金額）以下の金額を当該対象事業年度の確定した決算において各特別新事業開拓事業者別及び次の表に掲げる特定株式の種類別に特別勘定を設ける方法（当該対象事業年度の決算の確定の日までに剰余金の処分により積立金として積み立てる方法を含む。）により経理したときは、その経理した金額に相当する金額は、当該対象事業年度の所得の金額の計算上、損金の額に算入する。この場合において、当該相当する金額が当該対象事業年度の所得の金額として(2)《所得基準額の計算》に掲げるところにより計算した金額（当該計算した金額が125億円を超える場合には、125億円。以下1において「所得基準額」という。）を超えるときは、その損金の額に算入する金額は、当該所得基準額を限度とする。（措法66の13①、措令39の24の2②、措規22の13①②）

	区　　分	金　　額
①	資本金の額の増加に伴う払込みにより交付された特定株式（以下**十三**において「**増資特定株式**」という。）	50億円
②	①に掲げる特定株式以外の特定株式	200億円

　注　――線部分（適用期限に係る部分を除く。）は、令和6年度改正により改正された部分で、改正規定は、新たな事業の創出及び産業への投資を促進するための産業競争力強化法等の一部を改正する法律（令和6年法律第45号）の施行の日から適用され、同日前の適用については、「同条第27項」とあるのは「同条第25項」とする。（令6改法附1ⅩⅢイ）
　　　なお、同法の施行期日を定める政令は、令和6年7月1日現在制定されていない。（編者）

　（特定株式に該当する要件）
（1）　1に掲げる特定株式に該当する要件を満たすものは、特別新事業開拓事業者の株式のうち、次の表に掲げる要件の全てを満たすことにつき産業競争力強化法第46条第2号《調査等》の規定に基づく調査（以下**十三**において「共同化調査」という。）により明らかにされたものとして、(2)に掲げるところにより証明されたものとする。（措令39の24の2①）

(一)	当該株式が当該特別新事業開拓事業者の資本金の額の増加に伴う払込みにより交付されるものであること又は当該株式がその取得（購入による取得に限る。）により当該特別新事業開拓事業者の総株主の議決権の$\frac{50}{100}$を超える議決権を有することとなるものであること。
(二)	当該株式の保有が次の表の左欄に掲げる株式の区分に応じそれぞれ右欄に掲げる期間継続する見込みであること。 <table><tr><td>イ</td><td>資本金の額の増加に伴う払込みにより交付される株式</td><td>その取得の日から3年を超える期間</td></tr><tr><td>ロ</td><td>イに掲げる株式以外の株式</td><td>その取得の日から5年を超える期間</td></tr></table>
(三)	(一)及び(二)に掲げるもののほか、当該株式の取得が1に掲げる対象法人及び当該特別新事業開拓事業者の産

第三章　第一節　第二十七款　十三《特定事業活動として特別新事業開拓事業者の株式の取得をした場合の課税の特例》

業競争力強化法第２条第27項に規定する特定事業活動に特に有効なものとなると認められるものであること。

　　注　──線部分は、令和６年度改正により改正された部分で、改正規定は、新たな事業の創出及び産業への投資を促進するための産業競争力強化法等の一部を改正する法律（令和６年法律第45号）の施行の日から適用され、同日前の適用については、「第２条第27項」とあるのは「第２条第25項」とする。（令６改措令附１Ⅳ）
　　　　なお、同法の施行期日を定める政令は、令和６年７月１日現在制定されていない。（編者）

（共同化調査により明らかにされた株式）

（２）　（１）に掲げる共同化調査により明らかにされたものとは、国内外における経営資源活用の共同化に関する調査に関する省令第４条第１項《経営資源活用の共同化に関する事項の証明の申請》の規定による経済産業大臣の証明に係る書類に記載された特別新事業開拓事業者の株式（次の表に掲げる株式のいずれかに該当するものを除く。）とする。（措令22の13③）

（一）	当該特別新事業開拓事業者の総株主の議決権の$\frac{50}{100}$を超える議決権を有している法人が当該特別新事業開拓事業者の株式の取得をする場合における当該取得をする株式
（二）	当該特別新事業開拓事業者の株式につき**1**に掲げる特別勘定を設けている又は設けていた法人が当該特別新事業開拓事業者の株式の取得をする場合（当該取得により当該特別新事業開拓事業者の総株主の議決権の$\frac{50}{100}$を超える議決権を有することとなる場合を除く。）における当該取得をする株式
（三）	当該特別新事業開拓事業者の**1**に掲げる増資特定株式でその取得の日（当該増資特定株式が**2**に掲げる引継ぎを受けた特別勘定の金額に係るものである場合にあっては、当該増資特定株式につき**1**の適用を受けた法人における当該増資特定株式の取得の日）が令和５年４月１日以後であるものにつき**1**に掲げる特別勘定を設けている又は設けていた法人が当該特別新事業開拓事業者の株式の取得（購入による取得に限る。）をする場合における当該取得をする株式

（所得基準額の計算）

（３）　**1**に掲げる所得基準額として計算した金額は、**1**及び**3**並びに**九の2**《特許権等の譲渡等による所得の課税の特例》を適用せず、かつ、当該対象事業年度において支出した寄附金の額の全額を損金の額に算入するものとして計算した場合の当該対象事業年度の所得の金額から次の表の（一）に掲げる金額が（二）に掲げる金額を超える部分の金額を控除した金額とする。（措令39の24の２③）

（一）	第二十一款の**一**の**1**の①《前10年以内の繰越欠損金の損金算入》のただし書を適用しないものとした場合に同**1**本文により当該対象事業年度の所得の金額の計算上損金の額に算入されることとなる同**1**に掲げる欠損金額（同款の**四**の**1**《被合併法人等の未処理欠損金額の引継ぎ及び引継ぎ等に係る制限》により当該対象法人の欠損金額とみなされたものを含む。）
（二）	第二十一款の**一**の**1**により当該対象事業年度の所得の金額の計算上損金の額に算入される欠損金額

　　注　──線部分は、租税特別措置法施行令の一部を改正する政令（令和６年政令第213号）により追加された部分で、改正規定は、令和７年４月１日から適用される。（同政令附１）

（通算法人の所得基準金額）

（４）　対象法人である通算法人の各対象事業年度（当該通算法人に係る通算親法人の事業年度終了の日に終了する事業年度に限る。）について**1**《特定事業活動として特別新事業開拓事業者の株式の取得をした場合の損金算入》を適用する場合には、当該通算法人の当該対象事業年度の**1**に掲げる所得基準額は、調整前通算所得基準額（当該通算法人及び他の通算法人〔当該対象事業年度終了の日において当該通算法人との間に通算完全支配関係があるものに限る。（９）において同じ。〕の当該対象事業年度又は同日に終了する事業年度〔（９）において「**他の事業年度**」という。〕の第三十五款の**一**の**1**の①《所得事業年度の通算対象欠損金額の損金算入》に掲げる通算前所得金額及び通算前欠損金額として同①に掲げる通算前所得金額〔（５）及び（９）において「**通算前所得金額**」という。〕及び同①に掲げる通算前欠損金額〔（９）において「**通算前欠損金額**」という。〕を基礎として同①及び同**一**の**3**《欠損金の通算》により計算した当該通算法人の所得の金額として（４）に掲げるところにより計算した金額をいう。）に相当する金額（当該金額が125億円を超える場合には、125億円）とする。（措法66の13⑬、措令39の24の２⑭）

（通算法人の所得の金額の意義）

（５）　（４）に掲げる金額は、（４）の通算法人の**1**及び**3**並びに**九の2**《特許権等の譲渡等による所得の課税の特例》を

第三章　第一節　第二十七款　**十三**《特定事業活動として特別新事業開拓事業者の株式の取得をした場合の課税の特例》

適用せず、かつ、当該対象事業年度において支出した寄附金の額の全額を損金の額に算入するものとして計算した場合の当該対象事業年度の所得の金額のうち基準通算所得等金額((一)に掲げる金額に(二)に掲げる金額が(二)及び(三)に掲げる金額の合計額のうちに占める割合を乗じて計算した金額をいう。)に達するまでの金額とする。(措令39の24の2⑮)

　注──線部分は、租税特別措置法施行令の一部を改正する政令（令和6年政令第213号）により追加された部分で、改正規定は、令和7年4月1日から適用される。（同政令附1）

(一)	\multicolumn{3}{l|}{イに掲げる金額からロに掲げる金額を控除した金額}		
	イ	\multicolumn{2}{l|}{当該通算法人の当該対象事業年度及び他の通算法人((4)に掲げる他の通算法人をいう。以下**十三**において同じ。)の他の事業年度((4)に掲げる他の事業年度をいう。以下**十三**において同じ。)の通算前所得金額の合計額から他の通算法人の他の事業年度において生ずる通算前欠損金額の合計額を控除した金額}	
	ロ	\multicolumn{2}{l|}{次に掲げる金額の合計額}	
		(イ)	第二十一款の**一**の1の①《前10年以内の繰越欠損金の損金算入》のただし書き及び第三十五款の**一**の**3**《欠損金の通算》を適用しないものとした場合に第二十一款の**一**の1の①の本文により当該通算法人の当該対象事業年度の所得の金額の計算上損金の額に算入されることとなる同①に掲げる欠損金額（同款の**四**の1の①《被合併法人等の未処理欠損金額の引継ぎ》により当該通算法人の欠損金額とみなされたものを含む。）
		(ロ)	同款の**一**の1の①のただし書及び第三十五款の**一**の**3**を適用しないものとした場合に第二十一款の**一**の1の①の本文により他の通算法人の他の事業年度の所得の金額の計算上損金の額に算入されることとなる同①に掲げる欠損金額（欠損金額（同款の**四**の1の①当該他の通算法人の欠損金額とみなされたものを含む。(7)において「控除未済欠損金額」という。）の合計額
(二)	\multicolumn{3}{l|}{当該通算法人の当該対象事業年度の通算前所得金額}		
(三)	\multicolumn{3}{l|}{他の通算法人の他の事業年度の通算前所得金額の合計額}		

　（通算前所得金額及び通算前欠損金額）

(6) (4)に掲げる通算前所得金額及び通算前欠損金額は、第十八款の**四**の表の**9**《関西国際空港用地整備準備金》、同表の**10**《中部国際空港整備準備金》、第二十九款の**二**の**1**《新鉱床探鉱費の特別控除》若しくは同**二**の**2**《海外新鉱床探鉱費の特別控除》、第十八款の**四**の**11**《農業経営基盤強化準備金》又は第十五款の**六**の**1**《農用地等を取得した場合の圧縮額の損金算入》により(4)の通算法人の対象事業年度又は他の通算法人の他の事業年度の所得の金額の計算上損金の額に算入される金額、第二十一款の**三**の**2**の(2)《民事再生等に準ずる事実により債務免除等があった場合の欠損金の損金算入》により当該対象事業年度又は他の通算法人の他の事業年度の所得の金額の計算上損金の額に算入される金額（同款の**四**の**3**の②の(12)《通算法人の適用年度後の各事業年度の所得金額の計算の特例》により同(12)に掲げるないものとされた欠損金額とみなされる金額を除く。）、同款の**三**の**3**《解散の場合の期限切れ欠損金の損金算入》により他の通算法人の他の事業年度の所得の金額の計算上損金の額に算入される金額（同款の**一**の①の(1)《会社更生等による債務免除等があった場合の適用対象となる欠損金額の範囲》によりないものとされる金額を除く。）及び当該対象事業年度又は他の通算法人の他の事業年度において支出した寄附金の額の全額を損金の額に算入するものとして計算した金額とする。(措法66の13㉑、措令39の24の2⑯)

　（当初控除未済欠損金額と異なるとき）

(7) (5)の場合において、他の通算法人の他の事業年度の控除未済欠損金額が当初控除未済欠損金額（他の通算法人の他の事業年度の確定申告書等〔期限後申告書を除く。〕に添付された書類に当該他の通算法人の当該他の事業年度の控除未済欠損金額として記載された金額をいう。以下(7)において同じ。）と異なるときは、当初控除未済欠損金額を他の通算法人の他の事業年度の控除未済欠損金額とみなす。(措法66の13㉑、措令39の24の2⑰)

　（みなし金額の否認がある場合の不適用）

(8) (5)の通算法人の対象事業年度において、第三十五款の**一**の1の③の(3)《みなし金額の否認》の適用がある場合には、(6)は、当該対象事業年度については、適用しない。(措法66の13㉑、措令39の24の2⑱)

第三章　第一節　第二十七款　**十三**《特定事業活動として特別新事業開拓事業者の株式の取得をした場合の課税の特例》

　　　(他の事業年度の通算前所得金額等とみなすもの)
(9)　(4)の場合において、他の通算法人の他の事業年度の通算前所得金額又は通算前欠損金額が当初通算前所得金額又は当初通算前欠損金額（それぞれ他の通算法人の他の事業年度の確定申告書等〔期限後申告書を除く。〕に添付された書類に当該他の通算法人の当該他の事業年度の通算前所得金額又は通算前欠損金額として記載された金額をいう。以下(9)において同じ。）と異なるときは、当初通算前所得金額又は当初通算前欠損金額を他の通算法人の他の事業年度の通算前所得金額又は通算前欠損金額とみなす。（措法66の13⑭）

　　　(海外投資等損失準備金及び中小企業事業再編投資損失準備金の適用を受けた特定株式の不適用)
(10)　**1**は、第十八款の**一**の**1**《投融資に係る海外投資等損失準備金積立額の損金算入》又は第十八款の**二**の**1**《中小企業事業再編投資損失準備金積立額の損金算入》の適用を受けた特定株式については、適用しない。（措法66の13⑲）

　　　(特定株式に係る特別勘定と留保金額等との関係)
(11)　**1**の適用を受けた法人の**1**により損金の額に算入された金額（増資特定株式に係る部分の金額に限る。）は、第二節第一款の**二**の**2**《各事業年度の留保金額》及び同**二**の**3**《留保控除額》の適用については、これらに掲げる所得等の金額に含まれるものとし、**3**《特定株式に係る特別勘定の金額の取崩し》により益金の額に算入された金額（増資特定株式に係る部分の金額に限る。）は、同**2**及び同**3**の適用については、これらに掲げる所得等の金額に含まれないものとする。（措法66の13⑳）

　　　(特定株式に係る特別勘定と利益積立金額との関係)
(12)　**1**又は**3**の適用を受けた法人の利益積立金額の計算については、**1**により損金の額に算入される金額（増資特定株式（**1**に掲げる増資特定株式をいう。以下(12)において同じ。）に係る部分の金額に限る。）は、第二章第一節の**二**の表の**18**《利益積立金額》の①の**イ**に掲げる所得の金額に含まれるものとし、**3**により益金の額に算入される金額（増資特定株式に係る部分の金額に限る。）は、同**イ**に掲げる所得の金額に含まれないものとする。（措法66の13㉑、措令39の24の2⑲）

　　　(同一銘柄の特定株式を2以上有する場合の有価証券の1単位当たりの帳簿価額及び時価評価金額の取扱い)
(13)　法人が有する同一銘柄の株式で次の表に掲げる株式が2以上ある場合には、これらの株式については、それぞれその銘柄が異なるものとして、第二十三款《有価証券に係る損益》を適用する。（措法66の13㉑、措令39の24の2⑳）

(一)	当該対象事業年度において取得をした各特定株式
(二)	各特別勘定（**1**の特別勘定をいう。）に係る特定株式
(三)	(一)及び(二)に掲げる株式以外の株式

　　　(特定株式の取得の日の判定)
(14)　**1**に掲げる特定株式（以下「特定株式」という。）の取得の日の判定は、次による。ただし、外国法人の発行した(一)又は(二)の特定株式について、その本店又は主たる事務所の所在する国の法令にこれと異なる定めがある場合には、当該法令に定めるところによる。（措通66の13－1）

(一)	金銭の払込みによる増資により取得した特定株式は、当該払込みの期日（当該払込みの期間が定められている場合には当該払込みを行った日）による。
(二)	新株予約権の行使（新株予約権付社債に係る新株予約権の行使を含む。）により取得した特定株式は、当該新株予約権を行使した日による。
(三)	購入により取得した特定株式は、その引渡しの日による。

　　　(特定株式の評価減をした場合の帳簿価額の減額)
(15)　法人がその有する特定株式について帳簿価額を減額した場合において、**1**の適用に当たっては、(13)の表に掲げる各株式のいずれの帳簿価額からその減額をした金額を減額するかは、法人の計算によるものとする。（措通66の13－2・編者補正）

第三章　第一節　第二十七款　十三《特定事業活動として特別新事業開拓事業者の株式の取得をした場合の課税の特例》

(特別勘定繰入限度超過額の区分計算)
(16)　法人が同一事業年度において、1の適用を受け、特定株式のいずれについても1に掲げる特別勘定(以下「特別勘定」という。)として経理した金額がある場合において、1に掲げる所得基準額を超えることにより損金の額に算入されない金額(以下「特別勘定繰入限度超過額」という。)があるときは、当該特別勘定繰入限度超過額がいずれの特定株式について生じたものとするかは、法人の計算によるものとする。(措通66の13-3)

2　適格合併又は適格分割等を行った場合の特別勘定の金額の引継ぎ

　法人が、適格合併又は適格分割等(適格分割又は適格現物出資をいう。以下**十三**において同じ。)を行った場合には、次の表の左欄に掲げる適格合併又は適格分割等の区分に応じ当該同表の右欄に掲げる特別勘定の金額は、当該適格合併又は適格分割等に係る合併法人、分割承継法人又は被現物出資法人に引き継ぐものとする。(措法66の13②、措令39の24の2④、措規22の13④)

(一)	適格合併	当該適格合併直前において有する特別勘定の金額(1の特別勘定の金額のうち損金の額に算入されたもの〔既に益金の額に算入された、又は益金の額に算入されるべき金額がある場合には、これらの金額を控除した金額〕をいう。以下**十三**において同じ。)
(二)	適格分割等	当該適格分割等により分割承継法人又は被現物出資法人に1の特別勘定に係る特定株式の全部又は一部(当該特定株式が増資特定株式でない場合には、当該特定株式の全部)を移転した場合における当該適格分割等の直前において有する当該特定株式に係る特別勘定の金額のうちその移転することとなった特定株式に係るものとして、当該特別勘定の金額に、適格分割等により移転することとなった特定株式(その移転することとなったものとして共同化調査により明らかにされたものとして、国内外における経営資源活用の共同化に関する調査に関する省令第4条《経営資源活用の共同化に関する事項の証明の申請》第1項又は第2項の規定による経済産業大臣の証明に係る書類に適格分割等により引き継ぐ特別勘定の金額に係る1に掲げる特定株式として記載されたものに限る。)の数がその移転することとなった時の直前において有していた特別勘定に係る特定株式の数のうちに占める割合を乗じて計算した金額(当該適格分割等により1の特別勘定に係る特定株式の全部を移転した場合には、その適格分割等の直前における当該特定株式に係る特別勘定の金額)

(適格分割等に係る特別勘定の金額の引継ぎに関する届出)
(1)　2は、1の特別勘定を設けている法人で適格分割等を行ったものにあっては、当該特別勘定を設けている法人が当該適格分割等の日以後2か月以内に次に掲げる事項を記載した書類を納税地の所轄税務署長に提出した場合に限り、適用する。(措法66の13③、措規22の13⑤)

(一)	2の適用を受けようとする法人の名称、納税地及び法人番号並びに代表者の氏名
(二)	2に掲げる分割承継法人又は被現物出資法人(以下(二)及び(五)において「分割承継法人等」という。)の名称及び納税地並びに代表者の氏名
(三)	2に掲げる適格分割等の年月日
(四)	2の表の(二)の特別勘定に係る特定株式を発行した法人の名称
(五)	2により分割承継法人等に引き継ぐ2の表の(二)に掲げる特別勘定の金額
(六)	その他参考となるべき事項

(適格合併又は適格分割等により引き継ぎを受けた特別勘定の合併法人等における取扱い)
(2)　2により合併法人、分割承継法人又は被現物出資法人が引継ぎを受けた特別勘定の金額は、当該合併法人、分割承継法人又は被現物出資法人が1に掲げるところにより設けている特別勘定の金額とみなす。(措法66の13④)

3　特定株式に係る特別勘定の金額の取崩し

①　適格合併又は適格分割等により引き継いだ合併法人等が青色申告法人でない場合

　2の(2)の場合において、同(2)の合併法人、分割承継法人又は被現物出資法人がその適格合併又は適格分割等の日を含む事業年度の確定申告書等を青色申告書により提出することができる者でないときは、当該事業年度終了の日における

第三章　第一節　第二十七款　**十三**《特定事業活動として特別新事業開拓事業者の株式の取得をした場合の課税の特例》

特別勘定の金額は、当該事業年度の所得の金額の計算上、益金の額に算入する。(措法66の13⑤)

② **特別勘定を設けている法人が青色申告法人でなくなった場合**

1の特別勘定を設けている法人が青色申告書の提出の承認を取り消され、又は青色申告書による申告をやめる旨の届出書の提出をした場合には、その承認の取消しの基因となった事実のあった日(次の表の左欄に掲げる場合に該当する場合には、それぞれ同表の右欄に掲げる日)又はその届出書の提出をした日(その届出書の提出をした日が青色申告書による申告をやめた事業年度終了の日後である場合には、同日)における特別勘定の金額は、その日を含む事業年度の所得の金額の計算上、益金の額に算入する。この場合においては、2、③、④、⑤、⑦及び⑧は、適用しない。(措法66の13⑥)

(一)	通算法人がその取消しの処分に係る第二章第二節の**四**の(1)《青色申告の承認の取消しの通知》の通知を受けた場合	その通知を受けた日の前日(当該前日が当該通算法人に係る通算親法人の事業年度終了の日であるときは、当該通知を受けた日)
(二)	通算法人であった法人がその取消しの処分に係る同(1)の通知を受けた場合	その承認の取消しの基因となった事実のあった日又は第三十五款の**二**の1《通算承認》による承認の効力を失った日の前日(当該前日が当該法人に係る通算親法人の事業年度終了の日であるときは、当該効力を失った日)のいずれか遅い日

③ **自己を子法人とする非適格株式交換等を行った場合**

1の特別勘定を設けている法人が、自己を株式交換等完全子法人又は株式移転完全子法人とする第三十四款の**二**の1《非適格株式交換等に係る株式交換等完全子法人等の有する資産の時価評価損益》に掲げる非適格株式交換等(以下③において「非適格株式交換等」という。)を行った場合において、当該非適格株式交換等の直前の時に特別勘定の金額(1,000万円未満のものを除く。)を有しているときは、当該特別勘定の金額は、当該非適格株式交換等の日を含む事業年度の所得の金額の計算上、益金の額に算入する。(措法66の13⑦、措令39の24の2⑤)

(特別勘定の金額が1,000万円未満のものであるかどうかの判定)

③を適用する場合において、特別勘定の金額が1,000万円未満のものであるかどうかは、その特別勘定の対象となる特定株式のそれぞれの特別勘定の金額ごとに判定することに留意する。(措通66の13－6)

④ **通算法人に該当することとなった場合**

1の特別勘定を設けている法人が、第三十五款の**三**の1《通算制度の開始に伴う資産の時価評価損益》に掲げる内国法人、同**三**の2《通算制度への加入に伴う資産の時価評価損益》に掲げる他の内国法人又は同**三**の3《通算制度からの離脱等に伴う資産の時価評価損益》に掲げる通算法人(同3の表の(一)に掲げる要件に該当するものに限る。)に該当することとなった場合において、同**三**の1に掲げる通算開始直前事業年度、同**三**の2に掲げる通算加入直前事業年度又は同**三**の3に掲げる通算終了直前事業年度終了の時に特別勘定の金額(1,000万円未満のものを除く。)を有しているときは、当該特別勘定の金額は、当該通算開始直前事業年度、当該通算加入直前事業年度又は当該通算終了直前事業年度の所得の金額の計算上、益金の額に算入する。(措法66の13⑧、措令39の24の2⑥)

(特別勘定残額を有する場合の不適用)

④に掲げる法人が④に掲げる通算開始直前事業年度又は通算加入直前事業年度終了の時に④に掲げる特別勘定の金額(以下「特別勘定残額」という。)を有する場合において、当該特別勘定残額が次の表の左欄に掲げる法人の区分に応じそれぞれ右欄に掲げる特別勘定の金額に該当するときは、当該特別勘定残額については、④は、適用しない。(措令39の24の2⑦)

(一)	第三十五款の**三**の1に掲げる内国法人(同1に掲げる親法人を除く。)	同款の**二**の1の(13)《時価評価資産その他のもの》の表の(四)のロに掲げる特別勘定の金額
(二)	同款の**三**の2に掲げる他の内国法人	同款の**二**の1の(16)《他の内国法人における時価評価資産その他のもの》の表の(四)のロに掲げる特別勘定の金額

第三章　第一節　第二十七款　**十三**《特定事業活動として特別新事業開拓事業者の株式の取得をした場合の課税の特例》

⑤　通算法人に係る要加算調整額の益金算入

　内国法人の**1**の適用を受けた事業年度（当該内国法人に係る通算親法人の事業年度終了の日に終了するものに限る。以下⑤において「適用事業年度」という。）後の各事業年度（以下⑤において「調整事業年度」という。）終了の時において、他の通算法人（当該内国法人の当該適用事業年度終了の日（以下⑤において「基準日」という。）において当該内国法人との間に通算完全支配関係がある他の内国法人をいう。以下⑤において同じ。）のいずれかの基準日に終了する事業年度（以下⑤において「他の適用事業年度」という。）において生じた第三十五款の一の**1**の①《所得事業年度の通算対象欠損金額の損金算入》に掲げる通算前欠損金額（同一の**2**《損益通算の対象となる欠損金額の特例》によりないものとされたものを除く。以下⑤及び（1）において「**通算前欠損金額**」という。）が当該他の通算法人の当該他の適用事業年度の確定申告書等に添付された書類に通算前欠損金額として記載された金額を超える場合（その超える部分の金額〔以下⑤において「通算不足欠損金額」という。〕のうちに事実を仮装して経理したところに基づくものがある場合に限る。以下⑤において「過大申告の場合」という。）又は他の通算法人のいずれかの他の適用事業年度の確定申告書等（期限後申告書に限る。）に添付された書類に通算前欠損金額として記載された金額（以下⑤において「期限後欠損金額」という。）がある場合（以下⑤において「期限後欠損金額の場合」という。）において、当該適用事業年度において**1**により損金の額に算入した金額に係る当該調整事業年度終了の日における特別勘定の金額のうち次の表の（一）に掲げる金額に同表の（二）に掲げる割合を乗じて計算した金額から調整前通算所得基準不足額（当該損金の額に算入した金額が当該適用事業年度の**1**の（4）に掲げる調整前通算所得基準額に満たない場合におけるその満たない部分の金額をいう。）を控除した金額（当該控除した金額につき当該調整事業年度前の各事業年度において⑤により益金の額に算入された金額がある場合には、その算入された金額の合計額を控除した金額）に達するまでの金額（以下⑤において「要加算調整額」という。）があるときは、当該要加算調整額は、当該調整事業年度の所得の金額の計算上、益金の額に算入する。（措法66の13⑮）

（一）	他の通算法人（過大申告の場合又は期限後欠損金額の場合に係るものに限る。（二）において「事由該当通算法人」という。）に係る通算不足欠損金額又は期限後欠損金額の合計額
（二）	事由該当通算法人につき第三十五款の一の**1**の③《添付書類に記載された金額と異なる場合の取扱い》を適用しないものとした場合の当該内国法人の当該適用事業年度の同③を適用した同**1**の①の（1）《通算対象欠損金額の意義》に掲げる割合

　（他の適用事業年度において生じた通算前欠損金額とみなすもの）

（1）　⑤の内国法人の⑤に掲げる調整事業年度の⑤の適用において、⑤の表の（一）に掲げる事由該当通算法人の⑤に掲げる他の適用事業年度において生じた通算前欠損金額が既確定通算前欠損金額（当該調整事業年度終了の日以前に提出された当該他の適用事業年度の確定申告書等若しくは修正申告書に添付された書類又は同日以前にされた第二章第三節の一の**1**の表の①《更正》若しくは③《再更正》による更正に係る同**1**の（3）《更正通知書の記載事項》に掲げる更正通知書に添付された書類のうち、最も新しいものに通算前欠損金額として記載された金額をいう。以下（1）において同じ。）と異なる場合には、当該既確定通算前欠損金額を当該他の適用事業年度において生じた通算前欠損金額とみなす。（措法66の13⑯）

　（みなし金額の否認がある場合の不適用）

（2）　**1**の（4）の通算法人の対象事業年度において、第三十五款の一の**1**の③の（3）《みなし金額の否認》がある場合には、**1**の（9）は、当該対象事業年度については、適用しない。この場合において、当該対象事業年度を⑤に掲げる適用事業年度とする⑤の内国法人の⑤に掲げる調整事業年度については、⑤及び（1）は、適用がないものとする。（措法66の13⑰）

⑥　オープンイノベーションが行われていることが産業競争力強化法の調査に基づき明らかにされた一定の場合に該当しない場合

　1の特別勘定を設けている法人の各事業年度について、当該特別勘定に係る特定株式（**2**により合併法人、分割承継法人又は被現物出資法人に引き継ぐこととされた特別勘定の金額に係るものを除く。以下⑥において同じ。）を発行した法人と共同して特定事業活動が行われていることにつき産業競争力強化法第46条第2号《調査等》の規定に基づく調査その他の方法により明らかにされた場合として、特定株式に係る国内外における経営資源活用の共同化に関する調査に関する省令第4条第2項《経営資源活用の共同化に関する事項の証明の申請》の規定による経済産業大臣の証明がされた場合に該当しない場合には、当該特定株式に係る特別勘定の金額は、当該事業年度の所得の金額の計算上、益金の額に算入する。この場合においては、②、③、④、⑤及び⑦は、適用しない。（措法66の13⑨、措規22の13⑥）

—1276—

第三章　第一節　第二十七款　**十三**《特定事業活動として特別新事業開拓事業者の株式の取得をした場合の課税の特例》

⑦　**特定株式の取得の日から起算して５年を経過した場合**
　1の特別勘定を設けている法人（以下⑦において「設定法人」という。）の各事業年度終了の日において、前事業年度から繰り越された特定株式（増資特定株式を除く。）に係る特別勘定の金額のうちに当該特定株式の取得の日から起算して５年を経過した日を含む当該特定株式を発行した法人の第二章第一節**七**の**1**《事業年度の意義》に掲げる会計期間の末日が到来したもの（以下⑦において「５年経過特別勘定の金額」という。）がある場合（当該末日を含む当該設定法人の事業年度以前の各事業年度について、当該特定株式を発行した法人の事業の成長発展が図られたことにつき産業競争力強化法第46条第２号《調査等》の規定に基づく調査その他の方法により明らかにされた場合として特定株式に係る国内外における経営資源活用の共同化に関する調査に関する省令第４条第３項《経営資源活用の共同化に関する事項の証明の申請》の規定による経済産業大臣の証明がされた場合を除く。）には、当該５年経過特別勘定の金額は、当該末日を含む当該設定法人の事業年度の所得の金額の計算上、益金の額に算入する。この場合においては、③から⑤は、適用しない。（措法66の13⑩、措規22の13⑦）

　　　（適格合併又は適格分割等により引継ぎを受けた特別勘定の金額を有する場合）
　　2により引継ぎを受けた特別勘定の金額（⑦の特定株式（次表において「特定株式」という。）に係るものに限る。以下「引継特別勘定の金額」という。）を有する⑦の設定法人の⑦の適用については、次に掲げるところによる。（措令39の24の２⑧）

(一)	前事業年度から繰り越された⑦の特別勘定の金額（(四)において「特別勘定の金額」という。）には、引継特別勘定の金額を含むものとする。
(二)	引継特別勘定の金額に係る特定株式の⑦の取得の日は、当該特定株式につき**1**の適用を受けた法人における当該特定株式の取得の日とする。
(三)	⑦に掲げる末日を含む当該設定法人の事業年度以前の各事業年度には、引継特別勘定の金額に係る特定株式を有していた法人の各事業年度を含むものとする。
(四)	引継特別勘定の金額が**2**に掲げる適格分割等に基因して**2**により引継ぎを受けた特別勘定の金額である場合において、当該適格分割等の日が当該設定法人の⑦に掲げる末日後に開始した事業年度の期間内の日であるときは、当該事業年度は当該末日を含む当該設定法人の事業年度とみなす。

⑧　**その他一定の要件に該当する場合**
　1の特別勘定を設けている法人（以下⑧において「設定法人」という。）が次の表の左欄に掲げる場合（**2**により合併法人、分割承継法人又は被現物出資法人に当該特別勘定を引き継ぐこととなった場合及び当該特別勘定につき⑥の適用があった場合を除く。）に該当することとなった場合には、特別勘定の金額のうちそれぞれ同表の右欄に掲げる金額は、その該当することとなった日を含む事業年度（(二)に掲げる場合にあっては、その合併の日の前日を含む事業年度）の所得の金額の計算上、益金の額に算入する。（措法66の13⑪、措令39の24の２⑨⑩⑪、措規22の13⑧⑨、令119の８①、119の８の２①、令23①ⅡⅢ）

(一)	**1**の特別勘定に係る特定株式の全部又は一部を有しないこととなった場合（(二)から(四)まで又は(八)に該当する場合及び当該設定法人を合併法人とする合併により当該特定株式（増資特定株式に限る。）を発行した法人が解散した場合を除く。）	その有しないこととなった日における当該特定株式に係る特別勘定の金額のうちその有しないこととなった株式に係るものとして次の表の左欄に掲げる場合の区分に応じ、それぞれ同表の右欄に掲げる金額（**1**の特別勘定に係る特定株式の全部を有しないこととなった場合には、その有しないこととなった日における当該特定株式に係る特別勘定の金額）（措令39の24の２⑨）	
		イ　特定株式の一部を有しないこととなった場合（ロに掲げる場合を除く。）	特別勘定の金額にその有しないこととなった特定株式の数がその有しないこととなった時の直前において有していた特定株式の数のうちに占める割合を乗じて計算した金額
		ロ　特定株式の一部を有しないこととなったことにより益金の額に算入すべき金額と	当該金額

第三章　第一節　第二十七款　**十三**《特定事業活動として特別新事業開拓事業者の株式の取得をした場合の課税の特例》

		して共同化調査により明らかにされた金額として国内外における経営資源活用の共同化に関する調査に関する省令第4条第2項の規定による経済産業大臣の証明に係る書類（以下、**十三**において「共同化継続証明書」という。）に(一)に掲げる特別勘定の金額のうち(一)により取り崩すべきこととなった金額として記載された金額がある場合（措規22の13⑧）	
(二)	合併により合併法人に(一)に掲げる特定株式を移転した場合	その合併の直前における当該特定株式に係る特別勘定の金額	
(三)	(一)に掲げる特定株式のうち投資事業有限責任組合契約に関する法律第2条第2項《定義》に規定する投資事業有限責任組合又は民法第667条第1項《組合契約》に規定する組合契約（以下(三)において「民法組合契約」という。）による組合の組合財産であるものに係る投資事業有限責任組合契約に関する法律第3条第1項《投資事業有限責任組合契約》に規定する投資事業有限責任組合契約又は民法組合契約に基づく当該設定法人の出資の価額がこれらの契約に基づく各組合員の出資の価額を合計した金額のうちに占める割合の変更があった場合（⑦に掲げる特定株式に係る国内外における経営資源活用の共同化に関する調査に関する省令第4条第3項《経営資源活用の共同化に関する事項の証明の申請》の規定による経済産業大臣の証明がされた場合を除く。）	その変更があった日における当該特定株式に係る特別勘定の金額	
(四)	(一)に掲げる特定株式を発行した法人が解散した場合（当該設定法人を合併法人とする合併により当該特定株式（増資特定株式に限る。）を発行した法人が解散した場合を除く。）	その解散の日における当該特定株式に係る特別勘定の金額	
(五)	(一)に掲げる特定株式につき剰余金の配当（分割型分割によるもの及び第二章第一節の**二**の表の**12の15の2**《株式分配》に掲げる株式分配（(六)において「株式分配」という。）を除く。）を受けた場合	その受けた日における当該特定株式に係る特別勘定の金額のうち、当該剰余金の配当として交付された金銭の額及び金銭以外の資産の価額の合計額のうち当該剰余金の配当により減少した資本剰余金の額に係るものその他の金額として次の表の左欄に掲げる場合の区分に応じ、それぞれ同表の右欄に掲げる金額（⑦に掲げる特定株式に係る国内外における経営資源活用の共同化に関する調査に関する省令第4条第3項の規定による経済産業大臣の証明がされた場合には、当該合計額）に$\frac{25}{100}$を乗じて計算した金額に相当する金額（措令39の24の2⑩）	
		イ	剰余金の配当が資本剰余金の額の減少に伴うものであ	当該剰余金の配当により減少した資本剰余金の額を特定株式（当

-1278-

第三章　第一節　第二十七款　十三《特定事業活動として特別新事業開拓事業者の株式の取得をした場合の課税の特例》

		る場合（ロに掲げる場合を除く。）	該剰余金の配当に係る特定株式をいう。以下(五)において同じ。）を発行した法人の当該剰余金の配当に係る株式の総数で除し、これに当該剰余金の配当を受けた⑤に掲げる設定法人が当該剰余金の配当を受けた日において有していた特定株式の数を乗じて計算した金額
		ロ　剰余金の配当を受けたことにより益金の額に算入すべき金額の計算の基礎となる金額として共同化調査により明らかにされた金額として共同化継続証明書に(五)に掲げる特別勘定の金額のうち(五)に掲げる剰余金の配当を受けたことにより取り崩すべき金額の計算の基礎となる金額として記載された金額がある場合（措規22の13⑨）	当該金額
(六)	(一)に掲げる特定株式についてその帳簿価額を減額した場合	その減額した日における当該特定株式に係る特別勘定の金額のうちその減額をした金額で同日を含む事業年度の所得の金額の計算上損金の額に算入された金額（分割型分割又は株式分配により減額した場合には、第二十三款の二の1の(6)《分割型分割により新株等の交付を受けた場合の譲渡対価の額及び譲渡原価の額》又は同1の(11)《株式分配により完全子法人株式の交付を受けた場合の譲渡対価の額及び譲渡原価の額》により同1《有価証券の譲渡益又は譲渡損の益金又は損金算入》の②に掲げる金額とされる金額）に係るものとして次の表の左欄に掲げる場合の区分に応じ、それぞれ同表の右欄に定める金額（措令39の24の2⑪）	
		イ　ロ及びハに掲げる場合以外の場合	特別勘定の金額に、特定株式の帳簿価額を減額した金額のうちその減額した日を含む事業年度の所得の金額の計算上損金の額に算入された金額がその減額をした時の直前において有していた特定株式の帳簿価額のうちに占める割合を乗じて計算した金額
		ロ　特定株式の帳簿価額を分割型分割により減額した場合	特別勘定の金額に当該分割型分割に係る第二十三款の二の1の(6)の(一)に掲げる金額のうちに同(6)の(二)に掲げる金額の占める割合（同(6)の(二)に掲げる金額が零を超え、かつ、同(6)の(一)に掲げる金額が零以下である場合には1とし、当該割合に小数点以下3位未満の端数があるときは、これを切り上げる。）

			を乗じて計算した金額
		ハ 特定株式の帳簿価額を株式分配により減額した場合	特別勘定の金額に当該株式分配に係る第二十三款の二の1の(11)の(一)に掲げる金額のうちに同(11)の(二)に掲げる金額の占める割合（同(11)の(二)に掲げる金額が零を超え、かつ、同(11)の(一)に掲げる金額が零以下である場合には1とし、当該割合に小数点以下3位未満の端数があるときは、これを切り上げる。）を乗じて計算した金額
(七)	当該設定法人が解散した場合（合併により解散した場合を除く。）		その解散の日における特別勘定の金額
(八)	当該設定法人が(一)に掲げる特定株式（増資特定株式を除く。）を発行した法人の総株主の議決権の$\frac{50}{100}$を超える議決権を有しないこととなった場合（(二)に該当する場合を除く。）		その有しないこととなった日における当該特定株式に係る特別勘定の金額
(九)	⑥、⑦及び(一)から(八)までに掲げる場合以外の場合において(一)に掲げる特定株式に係る特別勘定の金額を取り崩した場合（当該設定法人を合併法人とする合併により当該特定株式（増資特定株式に限る。）を発行した法人が解散した場合を除く。）		その取り崩した日における当該特定株式に係る特別勘定の金額のうちその取り崩した金額に相当する金額

　　　（特定株式の全部又は一部を有しないこととなった場合の意義）
（１）　⑧の表の(一)に掲げる「特定株式の全部又は一部を有しないこととなった場合」には、特定株式の併合によりその株式数が減少したことは含まれないことに留意する。（措通66の13－7）

　　　（特定株式の評価減をした場合の帳簿価額の減額）
（２）　法人がその有する特定株式について帳簿価額を減額した場合において、⑧の表の(六)の適用に当たっては、1の(13)の表に掲げる各株式のいずれの帳簿価額からその減額をした金額を減額するかは、法人の計算によるものとする。（措通66の13－2・編者補正）

　　　（特定株式の評価減を否認した場合の特別勘定の取扱い）
（３）　法人が、特別勘定に係る特定株式についてその帳簿価額を減額したため、⑧の表の(六)により当該特別勘定の金額を取り崩して益金の額に算入した場合において、当該特定株式に係る当該減額後の帳簿価額が時価を下回るため当該減額が認められないこととなる金額があり、かつ、その取り崩した金額が帳簿価額の減額が認められた金額を基礎として同(六)により取り崩すべきこととなる金額を超えるときは、その超える部分の金額は、⑧の表の(九)により取り崩した金額に該当することに留意する。（措通66の13－8）

　　　（換算差損を計上した場合の特別勘定の取崩し）
（４）　法人が特別勘定を設けている場合において、当該特別勘定に係る特定株式で外貨建てのものにつき当該事業年度終了の時において第二十六款の三の1の(2)《外国為替の売買相場が著しく変動した場合の外貨建資産等の期末時換算》又は同1の(3)《外国為替の売買相場が著しく変動した場合の適格分割等により移転する外貨建資産等の換算》により換算を行ったため換算差損が生じたときは、当該特別勘定の金額のうち、当該換算差損の金額に相当する金額

を取り崩して益金の額に算入することに留意する。
　この場合において、当該換算差損の金額に相当する金額については、⑧の表の(六)のイにより計算することに留意する。(措通66の13－9)

4　特定株式に係る特別勘定の金額の取扱い

　次の表の左欄に掲げる特別勘定の金額については、同表の右欄に掲げる規定は、適用しない。(措法66の13⑫、措令39の24の2⑫⑬、措規22の13⑩⑪)

(一)	1の特別勘定に係る増資特定株式のうちその取得の日から3年(令和4年3月31日以前に取得をした特定増資株式にあっては、5年)を経過した増資特定株式であることにつき共同化調査により明らかにされたものとして共同化継続証明書にその取得の日から3年(令和4年3月31日以前に取得をした増資特定株式にあっては、5年)を経過した増資特定株式として記載されたものに係る特別勘定の金額	2及び3（3の⑦を除く）
(二)	1に掲げる特別勘定に係る特定株式（増資特定株式を除く。）のうちその取得の日から5年を経過した特定株式であることにつき共同化調査により明らかにされたものとして共同化継続証明書にその取得の日から5年を経過した特定株式として記載されたものに係る特別勘定の金額	3の⑥

（取得の日から3年を経過した増資特定株式に係る特別勘定を取り崩した場合の取扱い）
　4の適用を受ける特別勘定の金額については、2及び3の適用がないのであるから、その後、当該特別勘定の金額を取り崩した場合であっても、その取り崩した金額は益金の額に算入しないことに留意する。(措通66の13－10)

5　特定株式に係る特別勘定の損金算入の申告

　1は、確定申告書等に1の適用により損金の額に算入される金額の損金算入に関する申告の記載があり、かつ、当該確定申告書等にその損金の額に算入される金額の計算に関する明細書及び1に掲げる特定株式に係る国内外における経営資源活用の共同化に関する調査に関する省令第4条第1項《経営資源活用の共同化に関する事項の証明の申請》の規定による経済産業大臣の証明に係る書類の添付がある場合に限り、適用する。(措法66の13⑱、措規22の13⑫)

6　関連規定の読み替え

　第二十一款の一の1の①《前10年以内の繰越欠損金の損金算入》の適用がある場合における法人税法の規定の適用については、同①のただし書（同1の②により読み替えて適用する場合を含む。）に掲げる損金算入限度額、同款の三の2《民事再生等による債務免除があった場合の損金算入》により計算した場合における当該適用年度の所得の金額は、3を適用しないで計算するものとし、法人税法施行令の一部を改正する政令（昭和42年政令第106号。以下6において「昭和42年法人税法施行令改正令」という。）附則第5条第1項第2号に規定する所得の金額は、3を適用しないで計算するものとする。(措法66の13㉑、措令39の24の2㉑)

十四　社会保険診療報酬の所得の計算の特例

1　社会保険診療報酬に係る経費として損金の額に算入する金額の特例

　医療法人が、各事業年度（第五章第二節の**二**の**3**《公益社団法人又は公益財団法人が公益認定を取り消されたことにより普通法人等に該当することとなった場合等の所得の金額の計算》の適用を受けた法人の同**3**に掲げる救急医療等確保事業に係る業務を実施する事業年度として（1）に掲げる事業年度を除く。）において**社会保険診療**につき支払を受けるべき金額を有する場合において、当該各事業年度の当該支払を受けるべき金額が5,000万円以下であり、かつ、当該各事業年度の総収入金額（当該医療法人の営む医業又は歯科医業に係る総収入金額〔経常的に生ずるもの以外の収益の額とされるべきものを除く。〕に限る。）が7,000万円以下であるときは、当該各事業年度の所得の金額の計算上、当該社会保険診療に係る経費として損金の額に算入する金額は、当該支払を受けるべき金額を次の表の左欄に掲げる金額に区分してそれぞれの金額に同表の右欄に掲げる率を乗じて計算した金額の合計額とする。（措法67①、26①、措令39の24の3②）

社　会　保　険　診　療　報　酬	経　費　割　合
2,500万円以下の金額	$\frac{72}{100}$
2,500万円を超え3,000万円以下の金額	$\frac{70}{100}$
3,000万円を超え4,000万円以下の金額	$\frac{62}{100}$
4,000万円を超え5,000万円以下の金額	$\frac{57}{100}$

　　　　　　　（救急医療等確保事業に係る業務を実施する事業年度）
（1）　救急医療等確保事業に係る業務を実施する事業年度は、第五章第二節の**二**の**3**《公益社団法人又は公益財団法人が公益認定を取り消されたことにより普通法人等に該当することとなった場合等の所得の金額の計算》の適用を受けた法人（同**3**の適用を受けた法人〔**3**の(10)《救急医療等確保事業用資産の意義》に掲げる救急医療等確保事業用資産取得未済残額を有するものに限る。〕を被合併法人とする合併〔同**3**の(10)に掲げる実施期間内に行われたものに限る。以下（1）において「特定合併」という。〕に係る合併法人及び同**3**の(10)の適用を受けた資産〔次の表の(一)から(五)までに掲げる事実のいずれかが生じたものを除く。〕を移転する適格合併〔特定合併を除く。〕又は適格分割型分割〔以下（1）において「適格合併等」という。〕に係る合併法人又は分割承継法人〔以下（1）において「合併法人等」という。〕を含み、医療法第42条の2第1項に規定する社会医療法人を除く。）の同**3**の適用を受けた事業年度開始の日（当該特定合併に係る合併法人にあっては、当該特定合併の日）から同**3**の(10)に掲げる救急医療等確保事業用資産取得未済残額を有しないこととなった日（当該救急医療等確保事業用資産取得未済残額を有しないこととなる前に同**3**の(10)に掲げる実施期間が終了した場合には、その終了した日）以後の日で同**3**の(10)の適用を受けた資産の全てについて次の表の(一)から(五)までに掲げる事実のいずれかが生じた日までの期間（当該合併法人等にあっては、当該適格合併等の日から当該適格合併等により移転を受けた資産で同**3**の(10)の適用を受けたものの全てについて次の表の(一)から(五)までに係る事実〔(二)に掲げる事実にあっては、当該合併法人等を分割法人とする適格分割型分割によるものに限る。〕のいずれかが生じた日までの期間）内の日を含む各事業年度とする。（措令39の24の3①）

(一)	譲渡又は除却をしたこと
(二)	適格分割型分割により分割承継法人へ移転をしたこと
(三)	その帳簿に記載された金額が1円となり、又はその帳簿に記載されなくなったこと
(四)	第九款の**一**の**3**《民事再生等による特定の事実が生じた場合の資産の評価益の益金算入》に掲げる資産に該当し、当該資産の同**3**に掲げる評価益の額として同**3**の(5)《評価益の額》に掲げる金額が益金の額に算入されたこと
(五)	同款の**二**の**2**《評価換えを行った場合の資産の評価損の損金算入》に掲げる評価換えによりその帳簿価額を減額され、当該資産の同**2**に掲げる差額に達するまでの金額が損金の額に算入されたこと又は同**二**の**4**《民事再生等による特定の事実が生じた場合の資産の評価損の損金算入》に掲げる資産に該当し、当該資産の同**4**に掲げる評価損の額として同**4**の(5)《評価損の額》に掲げる金額が損金の額に算入されたこと

第三章　第一節　第二十七款　**十四**《社会保険診療報酬の特例》

(社会保険診療の範囲)
(2)　**1**に掲げる社会保険診療とは、次に掲げる給付又は医療、介護、助産若しくはサービスをいう。(措法26②、措令18②)

(一)	健康保険法、国民健康保険法、高齢者の医療の確保に関する法律、船員保険法、国家公務員共済組合法(防衛省の職員の給与等に関する法律第22条第1項《療養等》においてその例によるものとされる場合を含む。以下同じ。)、地方公務員等共済組合法、私立学校教職員共済法、戦傷病者特別援護法、母子保健法、児童福祉法又は原子爆弾被爆者に対する援護に関する法律の規定に基づく療養の給付(健康保険法、国民健康保険法、高齢者の医療の確保に関する法律、船員保険法、国家公務員共済組合法、地方公務員等共済組合法若しくは私立学校教職員共済法の規定によって入院時食事療養費、入院時生活療養費、保険外併用療養費、家族療養費若しくは特別療養費〔国民健康保険法第54条の3第1項《特別療養費》又は高齢者の医療の確保に関する法律第82条第1項に規定する特別療養費をいう。以下同じ。〕を支給することとされる被保険者、組合員若しくは加入者若しくは被扶養者に係る療養のうち、当該入院時食事療養費、入院時生活療養費、保険外併用療養費、家族療養費若しくは特別療養費の額の算定に係る当該療養に要する費用の額としてこれらの法律の規定により定める金額に相当する部分〔特別療養費に係る当該部分にあっては、当該部分であることにつき下記の証明がされたものに限る。〕又はこれらの法律の規定によって訪問看護療養費若しくは家族訪問看護療養費を支給することとされる被保険者、組合員若しくは加入者若しくは被扶養者に係る指定訪問看護を含む。)、更生医療の給付、養育医療の給付、療育の給付又は医療の給付 (社会保険診療に係る特別療養費の証明) 　上記の証明がされた特別療養費に係る部分は、当該部分が(一)に掲げる療養に要する費用の額として(一)に掲げる法律の規定により定める金額に相当する部分であることにつき国民健康保険法施行規則第27条の6第4項《特定療養費に係る療養に関する届出等》の保険者の同項の規定による通知に係る同項の書面又は高齢者の医療の確保に関する法律施行規則第55条第4項《特別療養費に係る療養に関する届出等》の後期高齢者医療広域連合の同項の規定による通知に係る同項の書面の写しを**1**の社会保険診療報酬の所得計算の特例の適用を受けようとする事業年度の確定申告書等に添付することにより証明がされた(一)に掲げる特別療養費に係る部分とする。(措規22の14、9の7)
(二)	生活保護法の規定に基づく医療扶助のための医療、介護扶助のための介護(同法第15条の2第1項第1号《介護扶助》に掲げる居宅介護のうち同条第2項に規定する訪問看護、訪問リハビリテーション、居宅療養管理指導、通所リハビリテーション若しくは短期入所療養介護、同条第1項第5号に掲げる介護予防のうち同条第5項に規定する介護予防訪問看護、介護予防訪問リハビリテーション、介護予防居宅療養管理指導、介護予防通所リハビリテーション若しくは介護予防短期入所療養介護又は同条第1項第4号に掲げる施設介護のうち同条第4項に規定する介護保健施設サービス若しくは介護医療院サービスに限る。)若しくは<u>出産扶助のための助産</u>又は中国残留邦人等の円滑な帰国の促進並びに永住帰国した中国残留邦人等及び特定配偶者の自立の支援に関する法律の規定(中国残留邦人等の円滑な帰国の促進及び永住帰国後の自立の支援に関する法律の一部を改正する法律(平成19年法律第127号)附則第4条第2項において準用する場合を含む。)に基づく医療支援給付のための医療、介護支援給付のための介護(中国残留邦人等支援法第14条第4項の規定によりその例によることとされる生活保護法の規定に基づく介護扶助のための介護〔この(二)の前段に掲げる生活保護法の規定に基づく<u>介護扶助のための介護</u>をいう。〕に係るものに限る。)又は出産支援給付(中国残留邦人等の円滑な帰国の促進並びに永住帰国した中国残留邦人等及び特定配偶者の自立の支援に関する法律施行令第20条に規定する出産支援給付をいう。)のための助産
(三)	精神保健及び精神障害者福祉に関する法律、麻薬及び向精神薬取締法、感染症の予防及び感染症の患者に対する医療に関する法律又は心神喪失等の状態で重大な他害行為を行った者の医療及び観察等に関する法律の規定に基づく医療
(四)	介護保険法の規定によって居宅介護サービス費を支給することとされる被保険者に係る指定居宅サービス(訪問看護、訪問リハビリテーション、居宅療養管理指導、通所リハビリテーション又は短期入所療養介護に限る。)のうち当該居宅介護サービス費の額の算定に係る当該指定居宅サービスに要する費用の額として同法の規定により定める金額に相当する部分、同法の規定によって介護予防サービス費を支給することとされる被保険者に係る指定介護予防サービス(介護予防訪問看護、介護予防訪問リハビリテーション、介護予防居宅療養管理指

	導、介護予防通所リハビリテーション又は介護予防短期入所療養介護に限る。）のうち当該介護予防サービス費の額の算定に係る当該指定介護予防サービスに要する費用の額として同法の規定により定める金額に相当する部分若しくは同法の規定によって施設介護サービス費を支給することとされる被保険者に係る介護保健施設サービス若しくは介護医療院サービスのうち当該施設介護サービス費の額の算定に係る当該介護保健施設サービス若しくは介護医療院サービスに要する費用の額として同法の規定により定める金額に相当する部分又は健康保険法等の一部を改正する法律（平成18年法律第83号）附則第130条の２第１項の規定によりなおその効力を有するものとされる同法第26条の規定による改正前の介護保険法の規定によって施設介護サービス費を支給することとされる被保険者に係る指定介護療養施設サービスのうち当該施設介護サービス費の額の算定に係る当該指定介護療養施設サービスに要する費用の額として同法の規定により定める金額に相当する部分
（五）	障害者の日常生活及び社会生活を総合的に支援するための法律の規定によって自立支援医療費を支給することとされる支給認定に係る障害者等に係る指定自立支援医療のうち当該自立支援医療費の額の算定に係る当該指定自立支援医療に要する費用の額として同法の規定により定める金額に相当する部分若しくは同法の規定によって療養介護医療費を支給することとされる支給決定に係る障害者に係る指定療養介護医療（療養介護に係る指定障害福祉サービス事業者等から提供を受ける療養介護医療をいう。）のうち当該療養介護医療費の額の算定に係る当該指定療養介護医療に要する費用の額として同法の規定により定める金額に相当する部分又は児童福祉法の規定によって肢体不自由児通所医療費を支給することとされる通所給付決定に係る障害児に係る肢体不自由児通所医療のうち当該肢体不自由児通所医療費の額の算定に係る当該肢体不自由児通所医療に要する費用の額として同法の規定により定める金額に相当する部分若しくは同法の規定によって障害児入所医療費を支給することとされる入所給付決定に係る障害児に係る障害児入所医療のうち当該障害児入所医療費の額の算定に係る当該障害児入所医療に要する費用の額として同法の規定により定める金額に相当する部分
（六）	難病の患者に対する医療等に関する法律（平成26年法律第50号）の規定によって特定医療費を支給することとされる支給認定を受けた指定難病の患者に係る指定特定医療のうち当該特定医療費の額の算定に係る当該指定特定医療に要する費用の額として同法の規定により定める金額に相当する部分又は児童福祉法の規定によって小児慢性特定疾病医療費を支給することとされる医療費支給認定に係る小児慢性特定疾病児童等に係る指定小児慢性特定疾病医療支援のうち当該小児慢性特定疾病医療費の額の算定に係る当該指定小児慢性特定疾病医療支援に要する費用の額として同法の規定により定める金額に相当する部分

注１ ──線部分は、令和６年度改正により改正された部分で、改正規定は、令和６年４月１日から適用され、令和６年３月31日以前の適用については、「出産扶助のための助産」とあるのは「出産扶助のための助産若しくは健康保険法等の一部を改正する法律（平成18年法律第83号）附則第130条の２第１項《健康保険法等の一部改正に伴う経過措置》の規定によりなおその効力を有するものとされる同法附則第91条の規定による改正前の生活保護法の規定に基づく介護扶助のための介護（同法第15条の２第１項第４号に掲げる施設介護のうち同条第４項に規定する介護療養施設サービスに限る。）」と、「介護扶助のための介護」とあるのは「介護扶助のための介護及び改正前の生活保護法の規定に基づく介護扶助のための介護」とする。（令６改正附１、令６改措令附１）
注２ （六）に掲げる指定難病は、平成26年厚生労働省告示第393号（最終改正令和５年第294号）により告示されている。

（社会保険診療報酬の範囲）
（３）　１に掲げる医療法人が支払を受けるべき金額には、次に掲げる金額を含むことに留意する。（措通67－１）
　（一）　健康保険法、船員保険法、国家公務員共済組合法、地方公務員等共済組合法又は私立学校教職員共済法の規定に基づいてした療養の給付について、医療法人が当該被保険者又はその被扶養者から直接収受するいわゆる自己負担額
　（二）　国民健康保険法又は高齢者の医療の確保に関する法律の規定に基づいてした療養の給付について、医療法人が当該被保険者から直接収受するいわゆる自己負担額
　（三）　生活保護法又は中国残留邦人等の円滑な帰国の促進並びに永住帰国した中国残留法人等及び特定配偶者の自立の支援に関する法律の規定に基づいてした医療、介護又は助産の給付について、医療法人が当該被保護者又は当該特定中国残留邦人等から直接収受するいわゆる本人支払額
　（四）　感染症の予防及び感染症の患者に対する医療に関する法律の規定に基づいてした医療について、医療法人が当該患者から直接収受するいわゆる自己負担額
　（五）　介護保険法の規定に基づいてした指定居宅サービス、指定介護予防サービス、介護保健施設サービス若しくは介護医療院サービス又は指定介護療養施設サービス（（２）の表の（四）において社会保険診療報酬とされるサービスに限る。）について、医療法人が当該利用者から直接収受するいわゆる自己負担額
　（六）　障害者の日常生活及び社会生活を総合的に支援するための法律の規定に基づいてした指定自立支援医療又は指

第三章　第一節　第二十七款　**十四**《社会保険診療報酬の特例》

定療養介護医療について、医療法人が当該支給認定障害者等又は当該支給決定障害者等から直接収受するいわゆる自己負担額
- （七）　児童福祉法に規定する肢体不自由児通所医療又は障害児入所医療について、医療法人が通所給付決定保護者又は入所給付決定保護者から直接収受するいわゆる自己負担額
- （八）　難病の患者に対する医療等に関する法律の規定に基づいてした指定特定医療について、医療法人が当該支給認定患者等から直接収受するいわゆる自己負担額
- （九）　児童福祉法の規定に基づいてした指定小児慢性特定疾病医療支援について、医療法人が医療費支給認定保護者又は医療費支給認定患者から直接収受するいわゆる自己負担額

　　　（社会保険類似の診療報酬についての不適用）
（４）　**1**は、（２）の表の（一）から（六）までに掲げる給付等につき支払を受けるべき金額（以下「社会保険診療報酬」という。）がある場合に適用されるのであって、医療法人が事業者その他の団体等との任意の契約等に基づいて行っている社会保険類似の行為に対して支払を受ける金額については、**1**の適用はないことに留意する。（措通67－2）

　　　（社会保険診療報酬に係る損金の額が特例経費額に満たない場合の損金算入）
（５）　**1**は、医療法人の各事業年度における法人税法（第二十一款の**一**《欠損金の繰越し》、同款の**二**《青色申告書を提出しなかった事業年度の欠損金の特例》、同款の**三**《会社更生等による債務免除等があった場合の欠損金の損金算入》を除く。以下（６）において同じ。）又は租税特別措置法（この**十四**を除く。以下（６）において同じ。）の規定に基づいて計算した社会保険診療報酬に係る損金の額が当該報酬に係る経費として**1**により計算した金額の合計額に満たない場合に、当該満たない金額に相当する金額を当該事業年度の確定申告書等において損金の額に算入するものであることに留意する。この場合において、当該確定申告書等において損金の額に算入する金額は、第二章第一節の**二**の表の**18**《利益積立金額》の加算欄の①の**イ**に掲げる所得の金額に含まれるものとする。（措通67－3）

　　　（社会保険診療報酬に係る損金の額の計算）
（６）　法人税法又は租税特別措置法の規定に基づいて計算した社会保険診療報酬に係る損金の額が当該報酬に係る経費として**1**により計算した金額の合計額に満たないかどうかを判定する場合における当該損金の額の計算は、おおむね次に掲げるところによるものとする。（措通67－4）
- （一）　社会保険診療報酬に係ることが明らかな費用又は損失に係る損金算入額はそれにより区分し、社会保険診療報酬とその他の収入とに共通する費用又は損失に係る損金算入額は、（二）に掲げるものを除き、使用薬価の比、延べ患者数の比その他当該費用又は損失の性質に応じ合理的な基準により配賦する。
- （二）　一括評価金銭債権に係る貸倒引当金勘定への繰入額（第十七款の**一**の**1**の③《一括評価金銭債権に係る貸倒引当金》により損金の額に算入した金額をいう。）は、当該事業年度終了の時における同③による貸倒引当金の繰入れの対象となる金銭債権の額の比により配賦する。
    - 注　配賦の対象となる引当金勘定への繰入額又は準備金の積立額は、当該事業年度において益金の額に算入される引当金勘定又は準備金の取崩額に相当する金額を控除した金額による。

　　　（医師等が医薬品等の仕入れに関し支払を受ける仕入割戻し）
（７）　医療法人が、社会保険診療報酬について**1**の適用を受けて各事業年度の所得の金額を計算する場合において、当該医療法人が使用医薬品等の仕入れに関し仕入割戻し（金銭によるもののほか、現物によるものも含む。）の支払を受けているときは、当該仕入割戻しの金額は、社会保険診療報酬に係る所得の金額の計算に関係なく益金の額に算入する。（措通67－5）

　　　（総収入金額の範囲）
（８）　**1**に掲げる総収入金額とは、医療法人の営む医業活動から生ずる収益の額をいうのであるから、例えば、次の金額は含まれないことに留意する。（措通67－2の2）

（一）	国庫補助金、補償金、保険金その他これらに準ずるものの収入金額
（二）	固定資産又は有価証券の譲渡に係る収益の額
（三）	受取配当金、受取利子、固定資産の賃貸料等営業外収益の額
（四）	貸与寝具、貸与テレビ、洗濯代等の収入金額

(五)	医薬品の仕入れ割戻しの金額
(六)	電話使用料、自動販売機等の手数料に係る収入金額
(七)	マスク、歯ブラシ等の物品販売収入の額

2　仮決算をした場合の社会保険診療報酬に係る経費として損金の額に算入する金額の特例

　1《社会保険診療報酬に係る経費として損金の額に算入する金額の特例》の医療法人が第二節第三款の一の 3《仮決算をした場合の中間申告書の記載事項等》の表の①に掲げる金額を計算する場合における 1 の適用については、1 中「5,000万円」とあるのは「2,500万円」と、「7,000万円」とあるのは「3,500万円」と、「2,500万円」とあるのは「1,250万円」と、「3,000万円」とあるのは「1,500万円」と、「4,000万円」とあるのは「2,000万円」とする。（措法67②）

3　損金算入の申告

　1《社会保険診療報酬に係る経費として損金の額に算入する金額の特例》は、確定申告書等に 1 により損金の額に算入される経費の損金算入に関する申告《別表十(七)→別表四》の記載がない場合には、適用しない。（措法67③）

　　　（申告の記載がない場合のゆうじょ規定）
（1）　税務署長は、3 に掲げる記載がない確定申告書等の提出があった場合においても、その記載がなかったことについてやむを得ない事情があると認めるときは、当該記載をした書類の提出があった場合に限り、1 を適用することができる。（措法67④）

　　　（社会保険診療報酬に係る損金の額の計算明細書の添付）
（2）　1 の適用を受ける場合には、3 の損金算入の申告により、損金算入に関する申告の記載及び明細書の添付が必要であるが、この場合における明細書には社会保険診療報酬に係る損金の額及び当該損金の額の計算の基礎並びに 1 により計算した金額を記載するものとする。（措通67－6）

十五　農地所有適格法人の肉用牛の売却に係る所得の課税の特例

1　肉用牛の売却に係る利益相当金額の損金算入

　農地法第2条第3項《定義》に規定する農地所有適格法人が、昭和56年4月1日から令和9年3月31日までの期間内の日を含む各事業年度において、当該期間内に(1)《適用対象となる売却の方法及び肉用牛》の表の左欄に掲げる売却の方法によりそれぞれ同表の右欄に掲げる**肉用牛**(種雄牛及び乳牛の雌のうち子牛の生産の用に供されたもの以外の牛をいう。以下同じ。)を売却した場合において、その売却した肉用牛のうちに**免税対象飼育牛**(家畜改良増殖法第32条の9第1項《家畜登録事業に係る承認》の規定による農林水産大臣の承認を受けた同項に規定する登録規程に基づく登録のうち、肉用牛の改良増殖に著しく寄与するものとして農林水産大臣が財務大臣と協議して指定する登録がされている肉用牛又はその売却価額が100万円未満〔その売却した肉用牛が、牛の個体識別のための情報の管理及び伝達に関する特別措置法施行規則第3条第2項第11号《法第3条第1項第9号の農林水産省令で定める事項》に掲げる種別である交雑牛に該当する場合には80万円未満とし、同項第8号から第10号までに掲げる種別である乳牛に該当する場合には、50万円未満とする。〕である肉用牛に該当するものをいう。以下**十五**において同じ。)があるときは、当該農地所有適格法人の当該免税対象飼育牛の当該売却による利益の額(当該売却をした日を含む事業年度において免税対象飼育牛に該当する肉用牛の頭数の合計が1,500頭を超える場合には、1,500頭を超える部分の売却による利益の額を除く。)に相当する金額は、当該売却をした日を含む事業年度の所得の金額の計算上、損金の額に算入する。(措法67の3①②、措令39の26①、措規22の16①)

　注　農地所有適格法人とは、農事組合法人、合名会社、合資会社、合同会社又は株式会社で一定の要件を満たしているものをいう。(編者)

(適用対象となる売却の方法及び肉用牛)
(1)　**1**に掲げる売却の方法及び肉用牛は、次に掲げる売却の方法及び当該売却の方法により売却されるそれぞれ次の肉用牛とする。(措法67の3①、措令39の26②③)

		売却の方法	対象となる肉用牛
(一)		次に掲げる市場において行う売却	当該農地所有適格法人が飼育した肉用牛
	イ	家畜取引法第2条第3項《定義》に規定する家畜市場	
	ロ	中央卸売市場	
	ハ	家畜取引法第27条第1項《臨時市場》の規定による届出に係る市場	
	ニ	地方卸売市場で食用肉の卸売取引のために定期に又は継続して開設されるもののうち、都道府県がその市場における食用肉の卸売取引に係る業務の適正かつ健全な運営を確保するため、その業務につき必要な規制を行うものとして農林水産大臣の認定を受けたもの	
	ホ	条例に基づき食用肉の卸売取引のために定期に又は継続して開設される市場のうち、当該条例に基づき地方公共団体がその市場における業務の適正かつ健全な運営を確保するため、その開設及び業務につき必要な規制を行うものとして農林水産大臣の認定を受けたもの	
	ヘ	農業協同組合、農業協同組合連合会又は地方公共団体(これらの法人の設立に係る法人でその発行済株式若しくは出資〔その有する自己の株式又は出資を除く。〕の総数若しくは総額又は拠出された金額の$\frac{1}{2}$以上がこれらの法人により所有され、若しくは出資され、又は拠出をされているものを含む。)により食用肉の卸売取引のために定期に又は継続して開設される市場のうち、当該市場における取引価格が中央卸売市場において形成される価格に準拠して適正に形成されるものとして農林水産大臣の認定を受けたもの	
(二)		肉用子牛生産安定等特別措置法第6条第2項《生産者補給交付金等の交付》に規定する指定協会から同法第7条第2項《協定の指定》に規定する生産者補給金交付業務に関する事務の委託を受けている農業協同組合又は農業協同組合連合会で農林水産大臣が指定したものに委託して行う売却	当該農地所有適格法人が飼育した生産後1年未満の肉用牛

第三章 第一節 第二十七款 **十五**《農地所有適格法人の肉用牛の売却に係る課税の特例》

　　（免税対象飼育牛の売却による利益の額）
（２）　１に掲げる免税対象飼育牛の売却による利益の額は、（１）の表の左欄に掲げる売却の方法により売却した免税対象飼育牛に係る収益の額から当該収益に係る原価の額と当該売却に係る経費の額との合計額を控除した金額とする。（措令39の26④）

　　（免税対象飼育牛の売却利益の額の計算）
（３）　１に掲げる免税対象飼育牛に該当する肉用牛の頭数の合計が年1,500頭を超える場合において、１により損金の額に算入される年1,500頭までの売却による利益の額がいずれの肉用牛の売却による利益の額の合計額であるかは、法人の計算による。（措通67の３－１）

　　（事業年度が１年に満たない場合の特例）
（４）　事業年度が１年に満たない１に掲げる農地所有適格法人に対する１の適用については、１中「が1,500頭」とあるのは「が1,500頭に当該事業年度の月数を乗じてこれを12で除して計算した頭数」と、「、1,500頭」とあるのは「、当該計算した頭数」とする。（措法67の３⑤）

　　（月数の計算）
（５）　（４）の月数は、暦に従って計算し、１か月に満たない端数を生じたときは、これを１か月とする。（措法67の３⑥）

　　（農林水産大臣が指定した登録）
（６）　１に掲げる農林水産大臣が指定した登録は次のとおりである。

登録の名称	指定年月日	農林水産省告示番号
公益社団法人全国和牛登録協会（昭和23年12月28日に社団法人全国和牛登録協会という名称で設立された法人をいう。）の登録規程に基づく高等登録	昭56．4．1	昭56農告第449号（令5農告第783号改正）
一般社団法人日本あか牛登録協会（昭和27年5月30日に社団法人日本あか牛登録協会という名称で設立された法人をいう。）の登録規程に基づく高等登録	〃	〃
一般社団法人日本短角種登録協会（昭和32年10月5日に社団法人日本短角種登録協会という名称で設立された法人をいう。）の登録規程に基づく高等登録	〃	〃
一般社団法人北海道酪農畜産協会（平成10年4月1日に社団法人北海道酪農畜産協会という名称で設立された法人をいう。）のアンガス・ヘレフォード種登録規程に基づく高等登録	〃	昭56農告第449号（平11農告第173号改正）（令5農告第783号改正）

　　注　（６）の表は令和６年７月１日現在のものである。（編者）

　　（農林水産大臣の認定を受けた市場）
（７）　（１）の表の（一）のニからヘに掲げる農林水産大臣の認定を受けた市場は次のとおりである。

市場の名称	市場の所在地	認定年月日	農林水産省告示番号
坂出食肉センター	香川県坂出市昭和町２丁目１番９号	昭45．8．31	昭45農告第1329号
栃木県経済農業協同組合連合会ミートセンター	栃木県栃木市城内町２丁目55番11号	昭62．12．2	昭63農告第1497号
株式会社上田食肉センター	長野県上田市常盤城３丁目３番19号	平5．2．24	平5農告第156号
株式会社北海道畜産公社函館工場	北海道函館市西桔梗町555番地の５	平16．9．30	平16農告第1779号（平17農告第365号改正）（平31農告第715号改正）
株式会社北海道畜産公社上川工場	北海道旭川市東鷹栖６線12号5135番地	〃	平16農告第1779号（平25農告第1909号改正）（平31農告第715号改正）

第三章　第一節　第二十七款　**十五**《農地所有適格法人の肉用牛の売却に係る課税の特例》

株式会社北海道畜産公社十勝工場	北海道帯広市西二十四条北２丁目１番地の１	平16. 9. 30	平16農告第1779号 （平31農告第715号改正） （令２農告第1125号改正）
株式会社北海道チクレンミート北見食肉センター	北海道北見市豊田192番地	〃	平16農告第1779号 （令２農告第1125号改正）
名古屋食肉市場株式会社道南市場	北海道茅部郡森町字姫川121番地１	平27. 8. 24	平16農告第1779号 （平27農告第2016号改正で追加）
株式会社北海道畜産公社北見工場	北海道網走郡大空町東藻琴千草72番地の１	平16. 9. 30	平16農告第1779号 （平18農告第393号改正） （平25農告第1909号改正） （平31農告第715号改正）
株式会社北海道畜産公社早来工場	北海道勇払郡安平町遠浅695番地	〃	〃
北海道池田町食肉センター	北海道中川郡池田町字西一条７丁目11番地の１	〃	平16農告第1779号
全国農業協同組合連合会青森県本部十和田食肉駐在事務所	青森県十和田市大字三本木字野崎１番地	〃	平16農告第1779号 （令３農告第1090号改正）
全国開拓農業協同組合連合会十和田販売事業所	青森県十和田市大字三本木字野崎１番地	〃	平16農告第1779号
全国畜産農業協同組合連合会十和田食肉事業所	青森県十和田市大字三本木字野崎１番地	令６. 6. 3	平16農告第1779号 （令６農告第1081号改正）
全国農業協同組合連合会青森県本部百石駐在事務所	青森県上北郡おいらせ町松原２丁目132番地の１	平16. 9. 30	平16農告第1779号 （平18農告第211号改正）
全国開拓農業協同組合連合会八戸販売事業所	青森県上北郡おいらせ町松原２丁目132番地の１	〃	〃
全国酪農業協同組合連合会三戸食肉事業所	青森県三戸郡三戸町大字斗内字中堤９番地の１	〃	平16農告第1779号
株式会社いわちく	岩手県紫波郡紫波町犬渕字南谷地120番地	〃	平16農告第1779号 （平30農告第1626号改正）
株式会社宮城県食肉流通公社	宮城県登米市米山町字桜岡今泉314番地	〃	平16農告第1779号 （平17農告第449号改正）
株式会社秋田県食肉流通公社	秋田県秋田市河辺神内字堂坂２番地の１	〃	平16農告第1779号 （平17農告第56号改正）
山形県牛枝肉市場	山形県山形市大字中野字的場936番地	〃	平16農告第1779号
全国農業協同組合連合会山形県本部畜産部（庄内食肉流通センター）	山形県東田川郡庄内町家根合字中荒田21番地の２	平16. 12. 14	平16農告第1779号 （平16農告第2165号追加） （平17農告第1232号改正） （平20農告第538号改正） （平21農告第30号改正）
株式会社福島県食肉流通センター	福島県郡山市富久山町久保田字古坦50番地	平16. 9. 30	平16農告第1779号
茨城県畜産農業協同組合連合会水戸食肉事業所	茨城県水戸市見川町大山台1822番地１	平29. 5. 17	平16農告第1779号 （平29農告第870号追加）

第三章　第一節　第二十七款　**十五**《農地所有適格法人の肉用牛の売却に係る課税の特例》

株式会社全日本農協畜産公社食肉処理センター	茨城県結城市大字結城字大水川原3984番地の1	平16．9．30	平16農告第1779号
全国畜産農業協同組合連合会下妻食肉事業所	茨城県下妻市二本紀1142番地	平26．7．14	平16農告第1779号 （平26農告第949号改正）
全国畜産農業協同組合連合会高崎食肉事業所	群馬県高崎市中里見町1729番地	〃	平16農告第1779号 （平18農告第1313号改正）
都城農業協同組合関東事業所	埼玉県本庄市杉山115番地	〃	平16農告第1779号 （平18農告第17号改正）
全国畜産農業協同組合連合会越谷食肉事業所	埼玉県越谷市増森１丁目12番地	平21．1．15	平16農告第1779号 （平21農告第30号追加）
ＪＡ全農ミートフーズ株式会社東日本営業本部牛肉営業部	埼玉県戸田市早瀬１丁目12番７号	平16．9．30	平16農告第1779号 （平18農告第1219号改正） （平28農告第452号改正） （平29農告第1364号改正） （平30農告第972号改正） （平31農告第715号改正）
全国開拓農業協同組合連合会和光販売事業所	埼玉県和光市下新倉６丁目９番20号	〃	平16農告第1779号 （平17農告第61号改正）
株式会社千葉県食肉公社	千葉県旭市鎌数6354番地の３	〃	平16農告第1779号
全国農業協同組合連合会神奈川県本部畜産部食肉販売所	神奈川県厚木市酒井900番地	平16．12．14	平16農告第1779号 （平16農告第2165号追加）
新潟市食肉センター	新潟県新潟市西区中野小屋字三角野1631番地	平16．9．30	平16農告第1779号 （平19農告第412号改正）
ＪＡ全農にいがた長岡食肉市場	新潟県長岡市新開町2988番地６	〃	平16農告第1779号 （平31農告第621号改正）
株式会社富山食肉総合センター	富山県射水市新堀28番４号	〃	平16農告第1779号 （平17農告第1624号改正）
全国農業協同組合連合会石川県本部金沢食肉流通センター駐在事務所	石川県金沢市才田町戊337番地	〃	平16農告第1779号
福井県経済農業協同組合連合会食肉センター	福井県福井市大手３丁目２番18号	〃	〃
全国農業協同組合連合会長野県本部松本肉畜販売所	長野県松本市島内9842番地	〃	〃
静岡県経済農業協同組合連合会小笠食肉センター	静岡県菊川市赤土1787番地の２	〃	平16農告第1779号 （平17農告第71号改正）
愛知経済連半田食肉市場	愛知県半田市住吉町３の195の１	〃	平16農告第1779号
全国農業協同組合連合会三重県本部松阪食肉センター	三重県松阪市市場庄町塔田1172番地の１	〃	平16農告第1779号 （平16農告第2225号改正）
全国畜産農業協同組合連合会三田食肉事業所	兵庫県神戸市北区長尾町宅原11番地	〃	平16農告第1779号

第三章　第一節　第二十七款　**十五**《農地所有適格法人の肉用牛の売却に係る課税の特例》

全国農業協同組合連合会兵庫県本部三田事業所	兵庫県神戸市北区長尾町宅原11番地	平21．4．15	平16農告第1779号 （平21農告第515号追加）
ＪＡ全農ミートフーズ株式会社西日本営業本部牛肉営業部	兵庫県西宮市鳴尾浜３丁目16番	平16．9．30	平16農告第1779号 （平18農告第1219号改正） （平31農告第620号改正）
株式会社鳥取県食肉センター	鳥取県西伯郡大山町小竹1291番地の１	〃	平16農告第1779号 （平17農告第449号改正）
株式会社島根県食肉公社	島根県大田市朝山町仙山1677番地の２	〃	平16農告第1779号
全国畜産農業協同組合連合会三好食肉事業所	徳島県三好郡東みよし町足代890番地３	平28．11．11	平16農告第1779号 （平28農告第2271号追加） （平29農告第870号改正）
高松市食肉卸売市場	香川県高松市郷東町587番地の197	平16．9．30	平16農告第1779号
ＪＡえひめアイパックス株式会社	愛媛県大洲市春賀甲410番地	〃	〃
全国開拓農業協同組合連合会北九州販売事業所	福岡県北九州市小倉北区末広２丁目３番７号	〃	平16農告第1779号 （平20農告第201号）
ＪＡ全農ミートフーズ株式会社九州営業本部	福岡県太宰府市都府楼南５丁目15番２号	〃	平16農告第1779号 （平18農告第1219号改正） （平31農告第620号改正）
一般社団法人佐賀県畜産公社	佐賀県多久市南多久町大字下多久4127番地	〃	平16農告第1779号 （平26農告第1433号改正）
全国開拓農業協同組合連合会長崎販売事業所	長崎県諫早市幸町79番35号	〃	平16農告第1779号
株式会社熊本畜産流通センター	熊本県菊池市七城町林原９番地	〃	平16農告第1779号 （平17農告第449号改正）
豊野食肉卸売市場株式会社	熊本県宇城市豊野町巣林548番地	平25．12．26	平16農告第1779号 （平25農告第3219号追加）
全国開拓農業協同組合連合会人吉販売事業所	熊本県球磨郡錦町大字木土西2180番地１	平16．9．30	平16農告第1779号 （平26農告第473号改正） （令５農告第1133号改正）
株式会社大分県畜産公社	大分県豊後大野市犬飼町田原1580番地の29	〃	平16農告第1779号 （平17農告第449号改正）
株式会社ミヤチク高崎工場	宮崎県都城市高崎町大牟田4268番地の１	〃	平16農告第1779号 （平17農告第1942号改正） （令２農告第1125号改正）
全国開拓農業協同組合連合会宮崎販売事業所	宮崎県延岡市塩浜町２丁目2052番地の１	〃	平16農告第1779号 （令２農告第1125号改正）
全国畜産農業協同組合連合会小林食肉事業所	宮崎県小林市細野2516番地	〃	平16農告第1779号 （平27農告第1358号改正） （令２農告第1125号改正）
宮崎県経済農業協同組合連合会ＳＥミート宮崎駐在事務所	宮崎県西都市大字富岡1500番地	令６．２．１	平16農告第1779号 （令６農告第205号追加）

第三章　第一節　第二十七款　**十五**《農地所有適格法人の肉用牛の売却に係る課税の特例》

全国畜産農業協同組合連合会えびの食肉事業所	宮崎県えびの市大字大河平4633番地	平16．9．30	平16農告第1779号
株式会社ミヤチク都農工場	宮崎県児湯郡都農町大字川北15530番地	〃	〃
全国開拓農業協同組合連合会鹿児島販売事業所	鹿児島県鹿児島市下福元町7852番地	〃	〃
株式会社ＪＡ食肉かごしま鹿屋工場	鹿児島県鹿屋市川西町3874番地の7	〃	〃
株式会社阿久根食肉流通センター	鹿児島県阿久根市塩浜町1丁目10番地	〃	〃
株式会社ナンチク食肉処理施設	鹿児島県曽於市末吉町二之方1828番地	〃	平16農告第1779号 （平28農告1890号改正） （令2農告第1125号改正）
株式会社南さつま食肉流通センター	鹿児島県南さつま市加世田内山田123番地1	令2．6．8	令2農告第1125号
全国畜産農業協同組合連合会南九州食肉事業所	鹿児島県志布志市有明町野井倉6965番地	平16．9．30	平16農告第1779号 （平17農告1942号改正） （令2農告第1125号改正）
株式会社ＪＡ食肉かごしま南薩摩工場	鹿児島県南九州市知覧町南別府22361番地	〃	平16農告第1779号 （平19農告第1505号改正） （令2農告第1125号改正）
全国開拓農業協同組合連合会南九州販売事業所	鹿児島県伊佐市大口宮人字大住519番地の1	〃	平16農告第1779号 （平21農告第30号改正） （令2農告第1125号改正）
沖縄県農業協同組合八重山地区畜産振興センター（株式会社八重山食肉センター内）	沖縄県石垣市字大浜1368番地3	令元．9．26	令元農告第944号
沖縄県農業協同組合農業事業本部畜産部（株式会社宮古食肉センター内）	沖縄県宮古島市上野字野原1190番地187	〃	〃
沖縄県農業協同組合農業事業本部畜産部（株式会社沖縄県食肉センター内）	沖縄県南城市大里字大城1927番地	〃	〃
名寄市立食肉センター	北海道名寄市字日進105番地14	平30．9．20	平30農告第2098号
米沢市営食肉市場	山形県米沢市万世町片子5379番地の15	〃	〃
羽曳野市立南食ミートセンター	大阪府羽曳野市向野2丁目4番14号	〃	〃
徳島市立食肉センター	徳島県徳島市不動本町3丁目1724番地の2	〃	〃
株式会社茨城県中央食肉公社食肉地方卸売市場	茨城県東茨城郡茨城町大字下土師字高山1975番地	令2．6．22	令2農告第1202号
栃木県食肉地方卸売市場	栃木県芳賀郡芳賀町大字稲毛田1921番地7	〃	〃
群馬県食肉地方卸売市場	群馬県佐波郡玉村町大字上福島1189番地	〃	〃
川口食肉地方卸売市場	埼玉県川口市領家4丁目7番18号	〃	〃
山梨食肉地方卸売市場	山梨県笛吹市石和町唐柏1028番地	〃	〃
岐阜市食肉地方卸売市場	岐阜県岐阜市境川5丁目148番地	〃	〃

第三章　第一節　第二十七款　**十五**《農地所有適格法人の肉用牛の売却に係る課税の特例》

飛騨ミート地方卸売市場	岐阜県高山市八日町327番地	令2．6．22	令2農告第1202号
浜松市食肉地方卸売市場	静岡県浜松市東区上西町986番地	〃	〃
地方卸売市場東三河食肉流通センター	愛知県豊橋市明海町16番地の1	〃	〃
愛知経済連豊田食肉地方卸売市場	愛知県豊田市秋葉町6の50	〃	〃
四日市市食肉地方卸売市場	三重県四日市市新正4丁目19番3号	〃	〃
滋賀食肉センター地方卸売市場	滋賀県近江八幡市長光寺町1089番地4	〃	〃
姫路市食肉地方卸売市場	兵庫県姫路市東郷町1451番地5	〃	〃
西宮市食肉地方卸売市場	兵庫県西宮市西宮浜2丁目32番地の1	〃	〃
兵庫県加古川食肉地方卸売市場	兵庫県加古川市志方町533番地	〃	〃
奈良県食肉地方卸売市場	奈良県大和郡山市丹後庄町475番地の1	〃	〃
岡山県営食肉地方卸売市場	岡山県岡山市中区桜橋1丁目2番43号	〃	〃
香川県坂出食肉地方卸売市場	香川県坂出市昭和町2丁目1番9号	〃	〃
高知県食肉センター地方卸売市場	高知県高知市海老ノ丸13番58号	令5．4．1	令2農告第1202号 （令5農告第504号追加）
佐世保市地方卸売市場食肉市場	長崎県佐世保市千尽町3番地42	令2．6．22	令2農告第1202号

注1　平成30年9月20日農林水産省告示第2098号は、畜産経営の安定に関する法律施行令等の一部を改正する政令（平成29年政令第7号）の施行の日（平成30年12月30日）から施行する。（同令附）

注2　平成16年9月30日農林水産省告示第1778号《租税特別措置法施行令第17条第2項第3号及び第39条の26第2項第3号の規定に基づき、農林水産大臣が認定する市場として認定した件》は、注1により廃止されている。

注3　上表から次のものが除かれているが、令和3年3月19日以前については、なおその適用がある。（令和3年農林水産省告示第664号）

市場の名称	市場の所在地	認定年月日	農林水産省告示番号
一般社団法人佐久広域食肉公社	長野県佐久市長土呂1番地1	平16．9．30	平16農告第1779号 （平26農告第1575号改正）

注4　上表から次のものが除かれているが、令和2年6月7日以前については、なおその認定がある。（令和2年農林水産省告示第1124号）

市場の名称	市場の所在地	認定年月日	農林水産省告示番号
南さつま市食肉センター	鹿児島県南さつま市加世田内山田123番地	平30．9．20	平30農告第2098号

注5　上表の「市場の名称」欄の「株式会社茨城県中央食肉公社食肉地方卸売市場」から「佐世保市地方卸売市場食肉市場」までについては、令和2年6月21日以前については、認定年月日を平成30年9月20日として、（1）の表の（一）のホに基づく認定（平30農告第2098号）を受けている。（令2農告第1201号）

　　なお、同欄の「栃木県食肉地方卸売市場」については、令和2年6月1日以前については、その名称を「宇都宮市食肉地方卸売市場」と、その所在地を「栃木県宇都宮市川田町220番地」とする。（令2農告第1072号）

注6　上表から次のものが除かれているが、令和5年3月30日以前については、なおその認定がある。（令和5年農林水産省告示第505号）

市場の名称	市場の所在地	認定年月日	農林水産省告示番号
高知県中央食肉公社	高知県高知市海老ノ丸13番58号	平16．9．30	平16農告第1779号 （平20農告第201号）

注7　（7）の表は令和6年7月1日現在のものである。（編者）

　　　（農林水産大臣が指定した農業協同組合又は農業協同組合連合会）
（8）　（1）の表の（二）に掲げる農林水産大臣が指定した農業協同組合又は農業協同組合連合会は次のとおりである。
（平成14年農林水産省告示第333号〔最終改正令和6年第698号〕）

農林水産大臣が指定する農業協同組合又は農業協同組合連合会に対して肉用子牛生産安定等特別措置法第7条第2項に規定する生産者補給金交付業務に関する事務を委託している同法第6条第2項に規定する指定協会が所在する都道府県の地域	農林水産大臣が指定する農業協同組合又は農業協同組合連合会の名称	農林水産大臣が指定する農業協同組合又は農業協同組合連合会に対して肉用子牛生産安定等特別措置法第7条第2項に規定する生産者補給金交付業務に関する事務を委託している同法第6条第2項に規定する指定協会が所在する都道府県の地域	農林水産大臣が指定する農業協同組合又は農業協同組合連合会の名称
岩手県、宮城県、山形県、福島県、栃木県、群馬県、東京都、山梨県、長野県、岐阜県、三重県、滋賀県、兵庫県、岡山県、広島県及び愛媛県	全国農業協同組合連合会	北海道	みついし農業協同組合 音更町農業協同組合 士幌町農業協同組合 上士幌町農業協同組合 鹿追町農業協同組合 新得町農業協同組合 十勝清水町農業協同組合 芽室町農業協同組合 更別村農業協同組合
北海道	ホクレン農業協同組合連合会 北海道チクレン農業協同組合連合会 サツラク農業協同組合 阿寒農業協同組合 帯広市川西農業協同組合 帯広大正農業協同組合 きたみらい農業協同組合 オホーツクはまなす農業協同組合 北ひびき農業協同組合 ふらの農業協同組合 道央農業協同組合 新函館農業協同組合 上川中央農業協同組合 北はるか農業協同組合 るもい農業協同組合 東宗谷農業協同組合 美幌町農業協同組合 津別町農業協同組合 小清水町農業協同組合 佐呂間町農業協同組合 えんゆう農業協同組合 湧別町農業協同組合 北オホーツク農業協同組合 とうや湖農業協同組合 門別町農業協同組合 新冠町農業協同組合 ひだか東農業協同組合 しずない農業協同組合		大樹町農業協同組合 幕別町農業協同組合 十勝畜産農業協同組合 忠類農業協同組合 十勝池田町農業協同組合 豊頃町農業協同組合 本別町農業協同組合 足寄町農業協同組合 陸別町農業協同組合 浦幌町農業協同組合 浜中町農業協同組合 標茶町農業協同組合 道東あさひ農業協同組合 中春別農業協同組合 中標津町農業協同組合 標津町農業協同組合
		岩手県	岩手中央酪農業協同組合 新岩手農業協同組合
		宮城県	みやぎ仙南農業協同組合
		秋田県	秋田たかのす農業協同組合
		山形県	庄内たがわ農業協同組合
		福島県	福島県酪農業協同組合
		栃木県	宇都宮農業協同組合 栃木県酪農業協同組合 栃木県開拓農業協同組合

第三章　第一節　第二十七款　**十五**《農地所有適格法人の肉用牛の売却に係る課税の特例》

群馬県	赤城酪農業協同組合連合会 榛名酪農業協同組合連合会 邑楽館林農業協同組合 北群渋川農業協同組合 甘楽富岡農業協同組合 佐波伊勢崎農業協同組合 新田みどり農業協同組合 東毛酪農業協同組合	岐阜県	岐阜県酪農業協同組合連合会
		三重県	三重県酪農業協同組合
		滋賀県	レーク滋賀農業協同組合 甲賀農業協同組合 グリーン近江農業協同組合
		京都府	京都農業協同組合
		奈良県	奈良県農業協同組合
		鳥取県	鳥取中央農業協同組合 大山乳業農業協同組合
埼玉県	埼玉酪農業協同組合	島根県	島根県農業協同組合 三瓶開拓酪農業協同組合 邑智郡酪農業協同組合
千葉県	ちばみどり農業協同組合 千葉北部酪農農業協同組合		
神奈川県	横浜農業協同組合 秦野市農業協同組合	岡山県	おかやま酪農業協同組合 晴れの国岡山農業協同組合
長野県	松本ハイランド農業協同組合 あづみ農業協同組合	広島県	広島県酪農業協同組合
		徳島県	東とくしま農業協同組合
静岡県	静岡県経済農業協同組合連合会 静岡県開拓農業協同組合連合会	香川県	香川県農業協同組合
		福岡県	ふくおか県酪農業協同組合 三潴町農業協同組合 筑紫農業協同組合 筑前あさくら農業協同組合 筑紫農業協同組合 糸島農業協同組合 粕屋農業協同組合
新潟県	新潟県酪農業協同組合連合会 新潟かがやき農業協同組合 えちご中越農業協同組合 北新潟農業協同組合 魚沼農業協同組合 佐渡農業協同組合		
		佐賀県	佐賀県農業協同組合
		長崎県	開拓ながさき農業協同組合
富山県	富山市農業協同組合 なのはな農業協同組合 氷見市農業協同組合 となみ野農業協同組合 いなば農業協同組合 アルプス農業協同組合 みな穂農業協同組合 あおば農業協同組合 いみず野農業協同組合 なんと農業協同組合 福光農業協同組合 魚津市農業協同組合 高岡市農業協同組合	熊本県	熊本県経済農業協同組合連合会 熊本県酪農業協同組合連合会 熊本県畜産農業協同組合連合会 肥後開拓農業協同組合
		大分県	大分県酪農業協同組合
		宮崎県	宮崎県経済農業協同組合連合会 宮崎県乳用牛肥育事業農業協同組合 霧島ビーフ農業協同組合
		鹿児島県	薩州開拓農業協同組合 鹿児島県酪農業協同組合
石川県	松任市農業協同組合 石川かほく農業協同組合 能登農業協同組合 内浦町農業協同組合		
福井県	福井県経済農業協同組合連合会		

注　(8)の表は令和6年7月1日現在のものである。(編者)

2　損金算入の申告

1　《肉用牛の売却に係る利益相当金額の損金算入》は、確定申告書等に**1**により損金の額に算入される金額の損金算入に関する申告《別表十（七）→別表四》の記載があり、かつ、当該確定申告書等にその損金の額に算入する金額の計算に関する明細書《別表十（七）》及び次に掲げる事項を証する書類の添付がある場合に限り、適用する。この場合において、**1**により損金の額に算入される金額は、当該申告に係るその損金の額に算入されるべき金額に限るものとする。（措法67の3③、措規22の16②）

①	免税対象飼育牛の売却が**1**の（1）《適用対象となる売却の方法及び肉用牛》に掲げる売却の方法により行われたこと		
②	その売却価額		
③	次の表の左欄に掲げる場合の区分に応じ、それぞれ同表の右欄に掲げる事項		
	イ	肉用牛の売却が**1**の（1）の表の（一）に掲げる市場において行われた場合	（イ）当該肉用牛の売却をした農地所有適格法人の名称、納税地及び代表者の氏名並びにその売却年月日 （ロ）当該市場の名称及び所在地（当該市場が**1**の（1）の表の（一）のハからホまでに掲げる市場である場合には、その旨及び同表の（一）のハからホまでに掲げる市場に該当することとなった年月日を含む。） （ハ）当該肉用牛の種別、生年月日、雌雄の別その他の事項で当該肉用牛が**1**の（1）の表の（一）の右欄に掲げる肉用牛に該当することを明らかにする事項
	ロ	肉用牛の売却が**1**の（1）の表の（二）に掲げる農業協同組合又は農業協同組合連合会に委託して行われた場合	（イ）当該肉用牛の売却の委託をした農地所有適格法人の名称、納税地及び代表者の氏名並びにその売却年月日 （ロ）当該農業協同組合又は農業協同組合連合会の名称及び所在地並びに**1**の（1）の表の（二）に掲げる農林水産大臣の指定があった年月日 （ハ）当該肉用牛の種別、生年月日、雌雄の別その他の事項で当該肉用牛が**1**の（1）の表の（二）の右欄に掲げる生産後1年未満の肉用牛に該当することを明らかにする事項

　（登録肉用牛の証明事項）

（1）　**2**の表に掲げる肉用牛が、免税対象飼育牛のうち**1**に掲げる登録がされているものである場合には、**2**の表の③の右欄に掲げる事項は、同欄に掲げる事項のほか、当該登録の名称並びに登録機関（家畜改良増殖法第32条の9第3項《家畜登録事業に係る承認》に規定する家畜登録機関をいう。以下（1）において同じ。）の名称及び所在地とする。（措規22の16③）

　　この場合において、当該登録に係る事項は、当該登録に係る登録機関の長が証するものとする。ただし、**2**の表の③のイに掲げる市場の代表者その他の責任者又は同③のロに掲げる農業協同組合若しくは農業協同組合連合会の代表者が当該登録に係る事項を確認したときは、当該登録に係る事項については、これらの者が交付する**2**の表に掲げる事項を証する書類に当該登録に係る事項を記載する方法により証することができるものとする。（措規22の16④）

　（申告の記載等がない場合のゆうじょ規定）

（2）　税務署長は、**2**に掲げる記載又は添付がない確定申告書等の提出があった場合においても、その記載又は添付がなかったことについてやむを得ない事情があると認めるときは、当該記載をした書類並びに明細書及び証する書類の提出があった場合に限り、**1**を適用することができる。（措法67の3④）

　（農業協同組合連合会に委託して売却した場合）

（3）　農林水産大臣の指定を受けた農業協同組合連合会については、その会員たる農業協同組合が農家を代理して委託した場合も**1**の対象とすることとする。

　　なお、この場合の証明は、農林水産大臣の指定した農業協同組合連合会が行うこととなるが、この場合にあっては、農家を代理した農業協同組合を明らかにすることとする。（昭56直法2－10）

第三章　第一節　第二十七款　**十五**《農地所有適格法人の肉用牛の売却に係る課税の特例》

　　　（損金算入額と留保金額等との関係）
（４）　**１**の適用を受けた農地所有適格法人の**１**により損金の額に算入された金額は、第二節第一款の**二**《特定同族会社の特別税率》の**２**《各事業年度の留保金額》及び同**二**の**３**《留保控除額》に掲げる所得等の金額に含まれるものとする。（措法67の３⑦）

　　　（損金算入額と利益積立金額との関係）
（５）　**１**の適用を受けた法人の利益積立金額の計算については、**１**により損金の額に算入される金額は、第二章第一節の**二**の表の**18**《利益積立金額》の加算欄の①の**イ**に掲げる所得の金額に含まれるものとする。（措法67の３⑧、措令39の26⑤）

-1297-

十六　組合事業等による損失がある場合の課税の特例

1　特定組合員等に係る組合等損失超過額の損金不算入等

①　組合契約の特定組合員等である法人の組合等損失超過額の損金不算入

　法人が**特定組合員**（（1）に掲げるものをいう。以下同じ。）又は**特定受益者**（（2）に掲げる信託の受益者をいう。以下同じ。）に該当する場合で、かつ、その**組合契約**に係る**組合事業**又は当該信託につき、その債務を弁済する責任の限度が実質的に**組合財産**（匿名組合契約等にあっては、組合事業に係る財産。以下同じ。）又は信託財産の価額とされている場合その他の場合（（3）に掲げる場合をいう。）には、当該法人の当該事業年度の**組合等損失額**（当該法人の当該組合事業又は当該信託による損失の額として（4）に掲げる金額をいう。以下同じ。）のうち当該法人の当該組合事業に係る出資の価額又は当該信託の信託財産の帳簿価額を基礎として（5）に掲げるところにより計算した金額を超える部分の金額（当該組合事業又は当該信託財産に帰せられる損益が実質的に欠損とならないと見込まれるものとして（8）に掲げる場合に該当する場合には、当該組合等損失額）に相当する金額（③の表のハにおいて「**組合等損失超過額**」という。）は、当該事業年度の所得の金額の計算上、損金の額に算入しない。（措法67の12①）

　　　　　（特定組合員の意義）
（1）　①において特定組合員とは、組合契約に係る**組合員**（これに類する者で③の表のイの（ハ）に掲げる外国におけるこれらに類する契約を締結している者を含むものとし、匿名組合契約等にあっては、匿名組合契約等に基づいて出資をする者及びその者の当該匿名組合契約等に係る地位の承継をする者とする。以下同じ。）のうち、次の表に掲げるもの以外のものをいう。（措法67の12①、措令39の31①②）

（一）	**組合事業**に係る重要な財産の処分若しくは譲受け又は組合事業に係る多額の借財に関する業務（以下（一）において「**重要業務**」という。）の執行の決定に関与し、かつ、当該重要業務のうち契約を締結するための交渉その他の重要な部分（以下（一）において「**重要執行部分**」という。）を自ら執行する組合員（既に行われた重要業務の執行の決定〔新たにその組合契約に係る組合員となった者及び当該組合契約に係る組合員たる地位の承継により当該組合契約に係る組合員となった者については、これらの組合員となった後に行われたものに限る。〕に関与せず、又は当該重要業務のうち重要執行部分を自ら執行しなかったもの及び（二）に掲げるものを除く。）
（二）	その組合員（③の表のイの（二）に掲げる匿名組合契約等を締結している組合員を除くものとし、組合員のいずれかに組合事業に係る業務の執行の委任をしている場合にあっては当該委任を受けた組合員に、投資事業有限責任組合契約に関する法律第3条第1項に規定する投資事業有限責任組合契約の場合にあっては無限責任組合員に、それぞれ限るものとする。）の全てが組合契約が効力を生ずる時（新たに当該組合契約に係る組合員となった者及び当該組合契約に係る組合員たる地位の承継により当該組合契約に係る組合員となった者については、これらの組合員となった時）から組合契約に定める計算期間（これに類する期間を含むものとし、これらの期間が1年を超える場合は当該期間をその開始の日以後1年ごとに区分した各期間〔最後に1年未満の期間が生じたときは、その1年未満の期間〕とする。（3）及び（6）において同じ。）で既に終了したもののうち最も新しいものの終了の時まで組合事業と同種の事業（当該組合事業を除く。）を主要な事業として営んでいる場合におけるこれらの組合員

　　　　　（特定受益者の意義）
（2）　①に掲げる特定受益者とは、信託（集団投資信託及び法人課税信託を除く。以下**1**において同じ。）の法人税法第12条第1項《信託財産に属する資産及び負債並びに信託財産に帰せられる収益及び費用の帰属》に規定する受益者（同条第2項の規定により同条第1項に規定する受益者とみなされる者を含む。）をいう。（措法67の12①）

　　　　　（債務を弁済する責任の限度が実質的に組合財産とされている場合等の意義）
（3）　①において、組合契約に係る組合事業又は当該信託につき、その債務を弁済する責任の限度が実質的に組合財産又は信託財産の価額とされている場合その他の場合とは、次の表に掲げる場合をいう。（措法67の12①、措令39の31③）

（一）	組合事業に係る債務（以下（3）において「**組合債務**」という。）の額のうちに占める責任限定特約債務（組合

	債務のいずれかにつきその弁済の責任が、特定の組合財産に限定されている場合、組合財産の価額が限度とされている場合その他これらに類する場合における当該債務をいう。(四)において同じ。)の額の割合、組合事業の形態、組合財産の種類、組合債務の弁済に関する契約の内容その他の状況からみて、組合債務を弁済する責任が実質的に組合財産となるべき資産に限定され、又はその価額が限度とされていると認められる場合
(二)	組合事業について損失が生じた場合にこれを補塡することを約し、又は一定額の収益が得られなかった場合にこれを補足することを約する契約その他これに類する契約(以下(3)において「**損失補塡等契約**」という。)が締結され、かつ、当該損失補塡等契約が履行される場合には、当該組合事業による累積損失額(当該組合事業の各計算期間の損失の額の合計額が当該各計算期間の利益の額〔当該補塡し、又は補足される金額を含む。〕の合計額を超える場合のその超える部分の金額をいう。以下(二)において同じ。)がおおむね出資金合計額(各組合員が出資をした金銭の額及び金銭以外の資産の価額の合計額をいう。)以下の金額となり、又は当該累積損失額がなくなると見込まれるとき。
(三)	その組合員又は特定受益者が組合債務又は信託債務(その信託〔①に掲げる信託に限る。以下1において同じ。〕の特定受益者が信託財産に属する財産をもって履行する責任を負う債務〔当該特定受益者の債務を除く。〕をいう。以下1において同じ。)を直接に負担するものでない場合
(四)	その組合員に係る組合契約又は損益分配割合の定めの内容、組合債務(当該組合員に帰せられるものに限るものとし、**組合員持分担保債務**〔組合員となる者がその組合契約に基づく出資を履行するために組合財産に対する自己の持分その他組合員が有することとなる権利を担保として行った借入れに係る債務をいう。以下1において同じ。〕を含む。以下(四)において同じ。)の額のうちに占める責任限定特約債務(当該組合員に帰せられるものに限るものとし、当該組合員持分担保債務のうち責任限定特約債務に相当するものを含む。)の額の割合、組合事業の形態、当該組合員に帰せられる組合財産の種類、組合債務の弁済に関する契約の内容その他の状況からみて、当該組合員が組合債務を弁済する責任が実質的に当該組合員に帰せられる組合財産となるべき資産に限定され、又はその価額が限度とされていると認められる場合
(五)	その組合員につき、組合事業に係る損失補塡等契約が締結され、かつ、当該損失補塡等契約が履行される場合には、その組合員の当該組合事業による**組合員累積損失額**(当該組合事業の各計算期間の損失の額のうち当該組合員に帰せられるものの合計額が当該各計算期間の利益の額のうち当該組合員に帰せられるもの〔損失補塡等契約により補塡し、又は補足される金額を含む。〕の合計額を超える場合のその超える部分の金額をいう。以下(五)において同じ。)がおおむね出資金額(当該組合員が出資をした金銭の額及び金銭以外の資産の価額の合計額〔組合員持分担保債務の額に相当する金額を除く。〕をいう。)以下の金額となり、又は当該組合員累積損失額がなくなると見込まれるとき。
(六)	(一)から(五)までに掲げる場合に準ずる場合

注1 旧信託の旧受託者たる地位の承継を受ける者について1を適用する場合における(3)の適用については、上表(三)中「特定受益者」とあるのは「特定受益者((2)の注により読み替えられた①に掲げる特定受益者をいう。)」とする。(平19改措令附31)

注2 (3)における計算期間には、これに類する期間を含むものとし、これらの期間が1年を超える場合は当該期間をその開始の日以後1年ごとに区分した各期間(最後に1年未満の期間が生じたときは、その1年未満の期間)をいう。(措令39の31②Ⅱ)

(組合契約による損失の額の意義)
(4) ①において、組合契約による損失の額とは、①の法人の組合事業又は信託による組合等損金額((一)に掲げる組合等損金額をいう。②において同じ。)が当該組合事業又は当該信託による組合等益金額((二)に掲げる組合等益金額をいう。②において同じ。)を超える場合のその超える部分の金額(以下1において「**組合等損失額**」という。)をいう。(措法67の12①、措令39の31④)

(一) 組合等損金額

組合等損金額とは、当該事業年度の所得の金額の計算上損金の額に算入される金額(次の表のイからアまでを適用しないで計算した場合の当該事業年度の所得の金額の計算上損金の額に算入される金額のうち、当該組合事業に帰せられる部分の金額又は当該信託の信託費用帰属額〔法人税法第12条第1項《信託財産に属する資産及び負債並びに信託財産に帰せられる収益及び費用の帰属》の規定により当該法人の費用とみなされる当該信託の信託財産に帰せられる費用の額をいう。〕に係る部分の金額をいう。)

イ	法人税法第57条第1項…第二十一款の**一**の1の①《前10年以内の繰越欠損金の損金算入》
ロ	法人税法第59条第1項…同款の**三**の1《会社更生等による債務免除等があった場合の欠損金の損金算入》

第三章　第一節　第二十七款　**十六**《組合事業等による損失がある場合の課税の特例》

ハ	同条第2項及び第3項…同**三**の**2**《民事再生等による債務免除があった場合の損金算入》
ニ	同条第4項…同**三**の**3**《解散の場合の期限切れ欠損金の損金算入》
ホ	法人税法第61条の11第1項（適格合併に該当しない合併による合併法人への資産の移転に係る部分に限る。）…第三十三款の**一**《譲渡損益調整資産に係る譲渡利益額又は譲渡損失額の繰延べ》
ヘ	法人税法第62条第2項…第三十四款の**一**の**1**の②《譲渡利益額又は譲渡損失額の最後事業年度の益金又は損金算入》
ト	法人税法第62条の5第2項…第三十四款の**一**の**1**の④《残余財産の全部の分配又は引渡しによる譲渡に係る譲渡利益額又は譲渡損失額の益金又は損金算入》
チ	同条第5項…同**一**の**2**の⑤の(2)《事業税の損金算入》
リ	法人税法第64条の5第1項…第三十五款の**一**の**1**の①《所得事業年度の通算対象欠損金額の損金算入》
ヌ	法人税法第64条の8…第三十五款の**一**の**4**《通算法人の合併等があった場合の欠損金の損金算入》
ル	租税特別措置法第59条第1項…第二十九款の**二**の**1**《新鉱床探鉱費の特別控除》
ヲ	同条第2項…同**二**の**2**《海外新鉱床探鉱費の特別控除》
ワ	租税特別措置法第59条の2第1項…**八**の**1**《対外船舶運航事業を営む法人の日本船舶による収入金額の課税の特例》
カ	租税特別措置法第59条の3第1項…**九**の**2**《特許権等の譲渡等による所得の課税の特例》
ヨ	租税特別措置法第60条第1項…**十**の**1**《沖縄の認定法人の所得の特別控除》
タ	同条第2項…**十**の**2**《金融業務特別地区に係る課税の特例》
レ	租税特別措置法第61条第1項…**十一**の**1**《国家戦略特別区域における指定法人の所得の特別控除》
ソ	租税特別措置法第66条の13第1項……**十三**の**1**《特定事業活動として特別新事業開拓事業者の株式の取得をした場合の課税の特例》
ツ	租税特別措置法第67条の13第1項…①《組合契約の特定組合員等である法人の組合等損失超過額の損金不算入》
ネ	同条第2項…②《前事業年度以前の組合等損失超過合計額の損金算入》
ナ	租税特別措置法第67条の14第1項…**2**の①《有限責任事業組合契約の組合員である法人の組合損失超過額の損金不算入》
ラ	租税特別措置法第67条の15第1項…**十七**の**1**《特定目的会社の支配配当の損金算入》
ム	租税特別措置法第68条の3の2第1項《特定目的信託に係る受託法人の課税の特例》
ウ	租税特別措置法第68条の3の3第1項《特定投資信託に係る受託法人の課税の特例》

(二)　組合等益金額

　組合等益金額とは、当該事業年度の所得の金額の計算上益金の額に算入される金額（次の表のイからルまでを適用しないで計算した場合の当該事業年度の所得の金額の計算上益金の額に算入される金額のうち、当該組合事業に帰せられる部分の金額又は当該信託の信託収益帰属額〔法人税法第12条第1項《信託財産に属する資産及び負債並びに信託財産に帰せられる収益及び費用の帰属》の規定により当該法人の収益とみなされる当該信託の信託財産に帰せられる収益の額をいう。〕に係る部分の金額をいう。）

イ	法人税法第27条…第四款の**六**《中間申告における繰戻し還付に係る災害損失欠損金額の益金算入》
ロ	法人税法第61条の11第1項（適格合併に該当しない合併による合併法人への資産の移転に係る部分に限る。）…第三十三款の**一**《譲渡損益調整資産に係る譲渡利益額又は譲渡損失額の繰延べ》
ハ	法人税法第62条第2項…第三十四款の**一**の**1**の②《譲渡利益額又は譲渡損失額の最後事業年度の益金又は損金算入》
ニ	法人税法第62条の5第2項…第三十四款の**一**の**1**の④《残余財産の全部の分配又は引渡しによる譲渡に係る譲渡利益額又は譲渡損失額の益金又は損金算入》

第三章　第一節　第二十七款　十六《組合事業等による損失がある場合の課税の特例》

ホ	法人税法第64条の５第３項…<u>第三十五款の**一**の**1**の②《欠損事業年度の通算対象所得金額の益金算入》</u>	
ヘ	法人税法第64条の７第６項…<u>第三十五款の**一**の**3**の③の口の（４）《非特定欠損金額の益金算入》</u>	
ト	租税特別措置法第59条の２第１項…**八**の**1**《対外船舶運航事業を営む法人の日本船舶による収入金額の課税の特例》	
チ	同条第４項…同**1**の（５）《認定を取り消された場合の所得の金額の計算》	
リ	租税特別措置法60条第６項…**十**の**3**の②《通算法人に係る要加算調整額の益金算入》	
ヌ	租税特別措置法第61条第５項…**十一**の**3**《通算法人に係る要加算調整額の益金算入》	
ル	租税特別措置法第66条の13第５項から第11項まで及び第15項……**十三**の**3**《特定株式に係る特別勘定の金額の取崩し》	

注──線部分は、租税特別措置法施行令の一部を改正する政令（令和６年政令第213号）により追加された部分で、改正規定は、令和７年４月１日から適用される。（同政令附１）

（組合事業等に係る出資の価額等を基礎として計算した金額の意義）

（５）　①において、組合事業に係る出資の価額又は信託財産の帳簿価額を基礎として計算した金額とは、組合契約に係る組合員又は信託の受益者である法人のその組合事業又は信託に係る次の表の（一）及び（二）に掲げる金額の合計額から同表の（三）に掲げる金額を減算した金額（（６）及び④の口において「**調整出資等金額**」という。）をいう。（措法67の12①、措令39の31⑤）

（一）	当該事業年度にその終了の日が属する**組合損益計算期間**（組合等損失額又は組合等利益額〔②に掲げる金額をいう。〕の計算の基礎となる当該組合事業に係る損益が計算される期間をいう。（６）において同じ。）のうち最も新しいものの終了の時（信託にあっては、当該事業年度終了の時。（三）において「**最終組合損益計算期間等終了時**」という。）までに当該組合契約又は信託行為に基づいて出資又は信託をした金銭の額に金銭以外の資産（以下（５）において「**現物資産**」という。）に係る次に掲げる金額の合計額（当該組合契約が匿名組合契約等〔③の表の**イ**の（二）に掲げる「匿名組合契約等」をいう。〕である場合には、当該現物資産の価額）を加算した金額（組合員持分担保債務がある場合にはその額に相当する金額を控除した金額とし、金銭若しくは現物資産と負債を併せて出資をした場合又は資産の信託と併せて委託者の負債を信託財産に属する負債とした場合にはこれらの負債の額を減算した金額とする。） イ　当該現物資産の価額に当該組合契約に係る他の組合員（（三）のイにおいて「他の組合員」という。）の当該組合事業に係る**組合財産持分割合**（組合財産に対する各組合員の持分の割合をいう。以下**1**において同じ。）を合計した割合又は当該信託の他の受益者の当該現物資産に係る**信託財産持分割合**（現物資産の価額に対する各受益者が法人税法第12条第１項《信託財産に属する資産及び負債並びに信託財産に帰せられる収益及び費用の帰属》の規定により有するものとみなされる部分の価額の割合をいう。以下**1**において同じ。）を合計した割合を乗じて計算した金額 ロ　当該法人の当該出資又は当該信託の直前の当該現物資産の帳簿価額に当該法人の当該組合事業に係る組合財産持分割合又は当該現物資産に係る信託財産持分割合を乗じて計算した金額
（二）	当該法人の当該事業年度前の各事業年度における第二章第一節の**二**の表の**18**《利益積立金額》の①の**イ**から**ニ**まで、**ト**から**ル**に掲げる金額の合計額から同①の**ワ**及び**ヨ**から**ネ**までに掲げる金額を減算した金額（当該金額のうちに留保していない金額がある場合には、当該留保していない金額を減算した金額）のうち、当該組合事業に帰せられる部分の金額又は当該信託の信託損益帰属額（法人税法第12条第１項の規定により当該法人の収益及び費用とみなされる当該信託の信託財産に帰せられる収益及び費用に係る損益の額をいう。）に係る部分の金額の合計額
（三）	最終組合損益計算期間等終了時までに分配等（当該組合事業に係る利益の分配若しくは出資の払戻し〔組合員持分担保債務に相当する払戻しを除く。〕又は信託財産からの給付をいう。以下（三）において同じ。）として交付を受けた金銭の額に現物資産に係る次に掲げる金額の合計額（当該組合契約が匿名組合契約等である場合には、当該現物資産の価額）を加算した金額（金銭又は現物資産と負債を併せて分配等として交付を受けた場合には、当該負債の額を減算した金額） イ　当該現物資産の価額に当該分配等の直前の他の組合員の当該組合事業に係る組合財産持分割合を合計した割合又は当該信託の他の受益者の当該現物資産に係る信託財産持分割合を合計した割合を乗じて計算し

	た金額
	ロ　当該法人の当該分配等の直前の当該現物資産の帳簿価額

　　　　（適格合併等による承継以外の承継により組合員たる地位の承継をした場合等における調整出資金額の計算）
（6）法人が組合契約に係る組合員又は信託の受託者からその地位の承継（信託にあっては、（7）《信託に関する権利の移転》に掲げるものを含む。以下（6）において同じ。）を受けた場合の当該法人についての（5）の適用については、（5）の表の（一）から（三）までに掲げる金額のうち当該承継を受けた日を含む組合損益計算期間又は事業年度前の各組合損益計算期間又は各事業年度に対応する部分の金額は、次の表の左欄に掲げる承継の区分に応じそれぞれ右欄に掲げる金額（当該法人が当該承継の直前において既に当該組合契約に係る組合員又は当該信託の受益者であった場合には、当該金額に当該法人の当該組合損益計算期間又は当該事業年度の直前の組合損益計算期間又は事業年度終了の時の調整出資等金額を加算した金額）とする。（措法67の12④、措令39の31⑥）

（一）	適格合併、適格分割、適格現物出資又は適格現物分配（②の（2）及び②の（3）において「**適格合併等**」という。）による承継以外の承継	当該承継を受けた日を含む組合損益計算期間若しくは計算期間又は信託行為に定める信託の計算期間（以下（6）において「計算期間等」という。）の直前の計算期間等の終了の時におけるその組合事業又は信託に係る貸借対照表その他これに準ずる書類に計上されている資産の帳簿価額の合計額から負債の帳簿価額の合計額を減算した金額に、当該承継をした組合員の組合財産持分割合又は受益者の信託財産持分割合を乗じて計算した金額（当該法人が当該承継に併せて当該組合員の組合員持分担保債務の移転を受けている場合には、当該金額から当該組合員持分担保債務の額を減算した金額）
（二）	適格合併による承継	当該適格合併に係る被合併法人の適格合併前事業年度（当該適格合併の日の前日を含む事業年度をいう。②の（3）の表の（一）において同じ。）の終了の時の調整出資等金額
（三）	適格分割、適格現物出資又は適格現物分配（以下1において「**適格分割等**」という。）による承継	当該承継をした組合員又は受益者が当該適格分割等により移転をした当該組合員の組合事業に係る資産又は当該受益者の信託財産に属する資産の当該移転の直前の帳簿価額から当該移転をした当該組合事業に係る負債（組合員持分担保債務を含む。）又は当該受益者の信託財産に属する負債の当該移転の直前の帳簿価額を減算した金額に相当する金額（当該組合員又は当該受益者が（一）に掲げる承継により組合員たる地位又は受益者たる地位を有することとなったものである場合には、投資勘定差額〔当該承継に係る対価の額から当該承継に係る（一）に掲げる金額を減算した金額をいう。〕を減算した金額）

　　注　（6）における計算期間には、これに類する期間を含むものとし、これらの期間が1年を超える場合は当該期間をその開始の日以後1年ごとに区分した各期間（最後に1年未満の期間が生じたときは、その1年未満の期間）をいう。（措令39の31②Ⅱ）

（信託に関する権利の移転）
（7）（6）の組合契約に係る組合員又は信託の受益者からその地位の承継には、信託に関する権利の移転として次に掲げるものを含む。（措令39の31⑥、措規22の18の2⑤）

（一）	法人課税信託（法人税法第2条第29号の2ロ《定義》に掲げる信託に限る。）の受益者（①《組合契約の特定組合員等である法人の組合等損失超過額の損金不算入》に掲げる受益者をいう。（二）において同じ。）たる地位の取得
（二）	受益者を指定し、又はこれを変更する権利の行使による受益者の指定又は変更、信託行為において一定の事由が生じた場合に受益権を取得する旨の定めがある信託（①に掲げる信託に限る。以下（二）において同じ。）について当該事由が生じたこと、信託の変更により信託財産の給付を受ける権利が変更されたこと、信託の他の受益者が当該信託の受益者でなくなったことその他これらに類する事由による信託の受益者たる地位又は信託に関する権利の取得

（組合事業等が実質的に欠損とならないと見込まれる場合）
（8）①において、当該組合事業又は信託財産に帰せられる損益が実質的に欠損とならないと見込まれる場合とは、組

合事業又は信託の最終的な損益の見込みが実質的に欠損となっていない場合において、当該組合事業又は当該信託の形態、組合債務又は信託債務の弁済に関する契約、損失補塡等契約（組合事業について損失が生じた場合にこれを補塡することを約し、又は一定額の収益が得られなかった場合にこれを補足することを約する契約その他これに類する契約をいい、信託にあっては、当該信託について損失が生じた場合にこれを補塡することを約し、又は一定額の収益が得られなかった場合にこれを補足することを約する契約その他これに類する契約）その他の契約の内容その他の状況からみて、当該組合事業又は当該信託の信託財産に帰せられる損益が明らかに欠損とならないと見込まれるときをいう。（措法67の12①、措令39の31⑦）

（組合債務を弁済する責任が実質的に組合財産となるべき資産に限定され、又は価額が限度とされていると認められる場合）

（9）　組合事業に係る（3）の表の（一）に掲げる組合債務（組合事業に係る債務をいう。）の額のうちに占める責任限定特約債務の額の割合がおおむね$\frac{80}{100}$以上となる場合には、当該組合事業は、同表の（一）に掲げる場合に該当するものとする。（措法67の12④、措令39の31⑱、措規22の18の2①）

（損失補塡等契約が履行される場合で債務を弁済する限度が実質的に組合財産とされている場合）

（10）　組合事業について（3）の表の（二）に掲げる損失補塡等契約が締結されている場合で、かつ、当該損失補塡等契約が履行される場合に、その履行後の同表の（二）に掲げる累積損失額が同表の（二）に掲げる出資金合計額のおおむね$\frac{120}{100}$に相当する金額以下となると見込まれるときは、当該組合事業は、同表の（二）に掲げる場合に該当するものとする。（措法67の12④、措令39の31⑱、措規22の18の2②）

（組合債務を弁済する責任が実質的に組合員に帰せられる組合財産となるべき資産に限定され、又は価額が限度とされていると認められる場合）

（11）　①に掲げる組合員に係る（3）の表の（四）に掲げる組合債務の額のうちに占める同表の（四）に掲げる責任限定特約債務の額の割合がおおむね$\frac{80}{100}$以上となる場合には、当該組合員につきその組合事業は、同表の（四）に掲げる場合に該当するものとする。（措法67の12④、措令39の31⑱、措規22の18の2③）

（損失補塡等契約が履行される場合で債務を弁済する限度が実質的に組合財産とされている場合）

（12）　組合員につき、（3）の表の（五）に掲げる損失補塡等契約が締結されている場合で、かつ、当該損失補塡等契約が履行される場合に、その履行後の同表の（五）に掲げる組合員累積損失額が同表の（五）に掲げる出資金額のおおむね$\frac{120}{100}$に相当する金額以下となると見込まれるときは、当該組合員につきその組合事業は、同表の（五）に掲げる場合に該当するものとする。（措法67の12④、措令39の31⑱、措規22の18の2④）

（重要な財産の処分若しくは譲受けの判定）

（13）　（1）に掲げる「組合事業に係る重要な財産の処分若しくは譲受け」に該当するかどうかは、組合事業に係る当該財産の価額、当該財産が組合財産に占める割合、当該財産の保有又は譲受けの目的、処分又は譲受けの行為の態様及びその組合事業における従来の取扱い等の状況などを総合的に勘案して判定する。（措通67の12－1）

（多額の借財の判定）

（14）　（1）に掲げる「組合事業に係る多額の借財」に該当するかどうかは、組合事業に係る当該借財の額、当該借財が組合財産及び経常利益等に占める割合、当該借財の目的並びにその組合事業における従来の取扱い等の状況などを総合的に勘案して判定する。（措通67の12－2）

（重要業務の執行の決定に関与し、かつ、重要執行部分を自ら執行する場合）

（15）　組合事業に係る重要業務（（1）の表の（一）に掲げる重要業務をいう。以下同じ。）の執行の決定に関与し、かつ、重要執行部分（同（一）に掲げる重要執行部分をいう。以下同じ。）を自ら執行する組合員は特定組合員に該当しないのであるが、法人が組合員となった時から当該事業年度終了の時までの間において、組合事業に係る重要業務の執行の決定及び重要執行部分の執行が行われていない場合には、同表の（二）に掲げる組合員に該当しない限り、当該法人は特定組合員であることに留意する。（措通67の12－3）

第三章　第一節　第二十七款　**十六**《組合事業等による損失がある場合の課税の特例》

(明らかに欠損とならないと見込まれるときの判定)
(16)　組合事業又は受益者等課税信託（法人税法第12条第1項に規定する受益者〔同条第2項の規定により同条第1項に規定する受益者とみなされる者を含む。〕がその信託財産に属する資産及び負債を有するものとみなされる信託をいう。）に係る信託財産に帰せられる損益が(8)に掲げる「明らかに欠損とならないと見込まれるとき」に該当するかどうかは、当該組合事業又は当該信託の形態、組合債務又は信託債務の弁済に関する契約、損失補塡等契約（信託にあっては、当該信託について損失が生じた場合にこれを補塡することを約し、又は一定額の収益が得られなかった場合にこれを補足することを約する契約その他これに類する契約）その他の契約の内容その他の状況から判断するのであることから、例えば、損失のうち少額の求償を受ける可能性があることや、相対的に発生の蓋然性の低い事由により生ずる損失が補塡されないこと等の事実のみをもって、当該組合事業又は当該信託財産に帰せられる損益が「明らかに欠損とならないと見込まれるとき」には該当しないこととなるものではないことに留意する。（措通67の12－4）

(組合契約の終了等により組合契約に係る組合員でなくなった場合の組合損失額)
(17)　組合契約に係る組合員又は信託の受益者である法人が、当該組合契約の終了、脱退、その地位の承継その他の事由により当該組合契約に係る組合員でなくなった場合又は当該信託の清算結了その他の事由により当該信託の受益者でなくなった場合には、これらの事由が生じた日を含む事業年度の当該組合契約に係る組合事業又は当該信託による組合等損失額については、①は、適用しない。（措法67の12④、措令39の31⑧）
　　注　(17)に掲げる組合員の地位の承継には、③の表の**イ**に掲げる組合契約に係る組合員と当該組合契約に係る他の組合員との間又は信託の受益者と当該信託の他の受益者との間で行うその地位の承継を含むものとする。（措法67の12④、措令39の31⑮、措規22の18の2⑥）

②　前事業年度以前の組合等損失超過合計額の損金算入

確定申告書等を提出する法人が、各事業年度において組合等損失超過合計額を有する場合には、当該組合等損失超過合計額のうち当該事業年度の当該法人の組合事業又は信託（当該組合等損失超過合計額に係るものに限る。）による組合等益金額が当該組合事業又は当該信託による組合等損金額を超える場合のその超える部分の金額（④の**ロ**において「**組合等利益額**」という。）に達するまでの金額は、当該事業年度の所得の金額の計算上、損金の額に算入する。（措法67の12②、措令39の31⑨）

(組合契約の組合員たる地位の承継をした場合等の組合等損失超過合計額)
(1)　組合契約に係る組合員又は信託の受益者である法人が、他の者に当該組合員たる地位又は当該受益者たる地位の承継をした場合には、当該法人の当該承継の日を含む事業年度後の各事業年度（当該承継が適格分割等による承継である場合には、当該承継の日を含む事業年度以後の各事業年度）においては、当該法人の当該承継をした当該組合契約に係る組合事業又は当該信託の**組合等損失超過合計額**（③の表の**ハ**に掲げる組合損失超過合計額をいう。(3)において同じ。）は、ないものとする。（措法67の12④、措令39の31⑩）

(適格合併等により組合契約の特定組合員たる地位の承継をした場合等のみなし組合等損失超過額)
(2)　法人が適格合併等により当該適格合併等に係る被合併法人、分割法人、現物出資法人又は現物分配法人（以下(2)及び(3)において「被合併法人等」という。）が締結していた組合契約に係る組合員たる地位又は信託の受益者たる地位の承継を受けた場合（当該法人が既に当該組合契約に係る組合員又は当該信託の受益者であった場合を除く。）において、当該被合併法人等が特定組合員（①に掲げる特定組合員をいう。以下(2)において同じ。）又は特定受益者（同①の(2)《特定受益者の意義》に掲げる特定受益者をいう。以下同じ。）に該当していたときは、当該法人が当該承継の時から特定組合員又は特定受益者に該当するものとみなして①を適用する。（措法67の12④、措令39の31⑬）

(適格合併等により組合契約の組合員たる地位の承継をした場合等のみなし組合損失超過合計額)
(3)　法人が適格合併等により当該適格合併等に係る被合併法人等が締結していた組合契約に係る組合員たる地位又は信託の受益者たる地位の承継を受けた場合には、次の表の左欄に掲げる適格合併等の区分に応じそれぞれ同表の右欄に掲げる金額は、当該法人の当該適格合併等の日を含む事業年度開始の時において有する組合等損失超過合計額とみなす。ただし、当該法人又は同表に掲げる金額を有する被合併法人等が明らかに法人税を免れる目的で当該適格合併等により当該承継を受け、又は当該承継をしたと認められる場合は、この限りでない。（措法67の12④、措令39の31⑭）

| (一) | 適格合併 | 当該適格合併に係る被合併法人が適格合併前事業年度の終了の時において有する当該 |

		組合契約に係る組合事業又は当該信託の組合等損失超過合計額
(二)	適格分割等	当該適格分割等に係る分割法人、現物出資法人又は現物分配法人が当該適格分割等の日を含む事業年度開始の日の前日を含む事業年度終了の時において有する当該組合契約に係る組合事業又は当該信託の組合等損失超過合計額

(組合員たる地位の承継等)
(4) (1)から(3)までに掲げる組合員たる地位又は受益者たる地位の承継には、③の表のイ《組合契約》に掲げる組合契約に係る組合員と当該組合契約に係る他の組合員との間又は信託（①《組合契約の特定組合員等である法人の組合等損失超過額の損金不算入》に掲げる信託に限る。以下同じ。）の受益者（①に掲げる受益者をいう。以下同じ。）と当該信託の他の受益者との間で行うその地位の承継を含むものとする。（措法67の12④、措令39の31⑮、措規22の18の2⑥）

③ 用語の意義
次の表の左欄に掲げる用語の意義は、それぞれ同表の右欄に掲げるところによる。（措法67の12③、措令39の31⑪⑫）

		次に掲げるものをいう。	
イ	組合契約	(イ)	民法第667条第1項《組合契約》に規定する組合契約
		(ロ)	投資事業有限責任組合契約に関する法律第3条第1項《投資事業有限責任組合契約》に規定する投資事業有限責任組合契約
		(ハ)	外国におけるこれらに類する契約（外国における有限責任事業組合契約〔有限責任事業組合契約に関する法律第3条第1項に規定する有限責任事業組合契約をいう。〕に類する契約を含む。）
		(ニ)	匿名組合契約等（匿名組合契約〔これに準ずる契約として当事者の一方が相手方の事業のために出資をし、相手方がその事業から生ずる利益を分配することを約する契約を含む。〕及び外国におけるこれに類する契約をいう。）
ロ	組合事業	組合契約に基づいて営まれる事業（匿名組合契約等にあっては、匿名組合契約等に基づいて出資を受ける者の事業であって当該匿名組合契約等の目的であるもの）をいう。	
ハ	組合等損失超過合計額	②《前事業年度以前の組合等損失超過合計額の損金算入》の法人の当該事業年度の前事業年度以前の各事業年度における組合等損失超過額のうち、当該組合等損失超過額につき①《組合契約の特定組合員等である法人の組合等損失超過額の損金不算入》の適用を受けた事業年度（ハにおいて「適用年度」という。）から前事業年度まで連続して確定申告書の提出をしている場合（適用年度が前事業年度である場合には、当該適用年度の確定申告書の提出をしている場合）における当該組合等損失超過額を、各組合事業又は各信託ごとに合計した金額（②により前事業年度までの各事業年度の所得の金額の計算上損金の額に算入された金額がある場合には、当該損金の額に算入された金額を控除した金額）をいう。	

④ 明細書の添付

イ 組合等損失超過合計額の損金算入の計算に関する明細書
②《前事業年度以前の組合等損失超過合計額の損金算入》の適用を受ける法人は、当該適用を受ける事業年度の確定申告書等に②により損金の額に算入される金額の計算に関する明細書を添付しなければならない。（措法67の12④、措令39の31⑯）

ロ 特定組合員等の組合等損失額等の計算に関する明細書
法人が各事業年度終了の時において特定組合員又は特定受益者（当該信託に係る調整出資等金額を超える組合等損失額が生ずるおそれがないと見込まれ、かつ、①の(8)《組合事業等が実質的に欠損とならないと見込まれる場合》に掲げる損失補塡等契約が締結されていない場合における当該特定受益者を除く。）に該当する場合には、当該法人は、当該事業年

度の確定申告書にその組合事業又は信託に係る組合等損失額又は組合等利益額、①に掲げる組合等損失超過額及び組合等損失超過合計額並びに調整出資等金額の計算に関する明細書を添付しなければならない。（措法67の12④、措令39の31⑰）

2 有限責任事業組合契約に係る組合損失超過額の損金不算入等

① 有限責任事業組合契約の組合員である法人の組合損失超過額の損金不算入

有限責任事業組合契約に関する法律第3条第1項《有限責任事業組合契約》に規定する有限責任事業組合契約を締結している組合員である法人の当該事業年度の組合事業（当該有限責任事業組合契約に基づいて営まれる事業をいう。以下2において同じ。）による損失の額として(1)に掲げる金額が当該法人の当該組合事業に係る出資の価額を基礎として(2)に掲げるところにより計算した金額を超える場合には、その超える部分の金額に相当する金額（②の(1)において「**組合損失超過額**」という。）は、当該事業年度の所得の金額の計算上、損金の額に算入しない。（措法67の13①）

（有限責任事業組合契約に基づく組合事業による損失の額）
(1) ①において有限責任事業組合契約を締結している組合員である法人の組合事業による損失の額とは、当該法人の組合事業（①に掲げる組合事業をいう。以下2において同じ。）による**組合損金額**（（一）に掲げる組合損金額をいう。②において同じ。）が当該組合事業による**組合益金額**（（二）に掲げる組合益金額をいう。②において同じ。）を超える場合のその超える部分の金額（（4）及び③のロにおいて「**組合損失額**」という。）をいう。（措法67の13①、措令39の32①）

（一）組合損金額

組合損金額とは、当該事業年度の所得の金額の計算上損金の額に算入される金額（次の表のイからナまでを適用しないで計算した場合の当該事業年度の所得の金額の計算上損金の額に算入される金額のうち、当該組合事業に帰せられる部分の金額をいう。②において同じ。）

イ	法人税法第57条第1項…第二十一款の一の1の①《前10年以内の繰越欠損金の損金算入》
ロ	法人税法第59条第1項…同款の三の1《会社更生等による債務免除等があった場合の欠損金の損金算入》
ハ	同条第2項及び第3項…同三の2《民事再生等による債務免除があった場合の損金算入》
ニ	同条第4項…同三の3《解散の場合の期限切れ欠損金の損金算入》
ホ	法人税法第61条の11第1項（適格合併に該当しない合併による合併法人への資産の移転に係る部分に限る。）…第三十三款の一《譲渡損益調整資産に係る譲渡利益額又は譲渡損失額の繰延べ》
ヘ	法人税法第62条第2項…第三十四款の一の1の②《譲渡利益額又は譲渡損失額の最後事業年度の益金又は損金算入》
ト	法人税法第62条の5第2項…第三十四款の一の1の④《残余財産の全部の分配又は引渡しによる譲渡に係る譲渡利益額又は譲渡損失額の益金又は損金算入》
チ	同条第5項…同一の2の⑤の(2)《事業税の損金算入》
リ	法人税法第64条の5第1項…第三十五款の一の1の①《所得事業年度の通算対象欠損金額の損金算入》
ヌ	法人税法第64条の8…第三十五款の一の4《通算法人の合併等があった場合の欠損金の損金算入》
ル	租税特別措置法第59条第1項…第二十九款の二の1《新鉱床探鉱費の特別控除》
ヲ	同条第2項…同二の2《海外新鉱床探鉱費の特別控除》
ワ	租税特別措置法第59条の2第1項…八の1《対外船舶運航事業を営む法人の日本船舶による収入金額の課税の特例》
カ	租税特別措置法第59条の3第1項……九の2《特許権等の譲渡等による所得の課税の特例》
ヨ	租税特別措置法第60条第1項…十の1《沖縄の認定法人の所得の特別控除》
タ	同条第2項…十の2《金融業務特別地区に係る課税の特例》
レ	租税特別措置法第61条第1項…十一の1《国家戦略特別区域における指定法人の所得の特別控除》
ソ	租税特別措置法第67条の12第1項…1の①《組合契約の特定組合員等である法人の組合等損失超過額の損金不算入》

第三章　第一節　第二十七款　**十六**《組合事業等による損失がある場合の課税の特例》

ツ	同条第2項…**1**の② 《前事業年度以前の組合等損失超過合計額の損金算入》
ネ	租税特別措置法第67条の13第1項…① 《有限責任事業組合契約の組合員である法人の組合損失超過額の損金不算入》
ナ	同条第2項…② 《前事業年度以前の組合損失超過合計額の損金算入》

（二）　組合益金額

組合益金額とは、当該事業年度の所得の金額の計算上益金の額に算入される金額（次の表のイからヌまでを適用しないで計算した場合の当該事業年度の所得の金額の計算上益金の額に算入される金額に限る。）のうち、当該組合事業に帰せられる部分の金額又は当該信託の信託収益帰属額（法人税法第12条第1項《信託財産に属する資産及び負債並びに信託財産に帰せられる収益及び費用の帰属》の規定により当該法人の収益とみなされる当該信託の信託財産に帰せられる収益の額をいう。）に係る部分の金額をいう。

イ	法人税法第27条…**第四款の六**《中間申告における繰戻し還付に係る災害損失欠損金額の益金算入》
ロ	法人税法第61条の11第1項（適格合併に該当しない合併による合併法人への資産の移転に係る部分に限る。）…第三十三款の**一**《譲渡損益調整資産に係る譲渡利益額又は譲渡損失額の繰延べ》
ハ	法人税法第62条第2項…第三十四款の**一**の**1**の②《譲渡利益額又は譲渡損失額の最後事業年度の益金又は損金算入》
ニ	法人税法第62条の5第2項…第三十四款の**一**の**1**の④の《残余財産の全部の分配又は引渡しによる譲渡に係る譲渡利益額又は譲渡損失額の益金又は損金算入》
ホ	法人税法第64条の5第3項…第三十五款の**一**の**1**の②《欠損事業年度の通算対象所得金額の益金算入》
ヘ	法人税法第64条の7第6項…第三十五款の**一**の**3**の③の**ロ**の（4）《非特定欠損金額の益金算入》
ト	租税特別措置法第59条の2第1項…**八**の**1**《対外船舶運航事業を営む法人の日本船舶による収入金額の課税の特例》
チ	同条第4項…同**1**の（5）《認定を取り消された場合の所得の金額の計算》
リ	租税特別措置法第60条第6項…**十**の**3**の②《通算法人に係る要加算調整額の益金算入》
ヌ	租税特別措置法第61条第5項…**十一**の**3**《通算法人に係る要加算調整額の益金算入》

注　──線部分は、租税特別措置法施行令の一部を改正する政令（令和6年政令第213号）により追加された部分で、改正規定は、令和7年4月1日から適用される。（同政令附1）

（組合事業に係る出資の価額を基礎として計算した金額の意義）

（2）　①において、組合契約に係る出資の価額を基礎として計算した金額とは、法人の組合事業に係る次の表の（一）及び（二）に掲げる金額の合計額から同表の（三）に掲げる金額を減算した金額（（3）及び③の**ロ**において「**調整出資金額**」という。）をいう。（措法67の13①、措令39の32②）

（一）	当該事業年度にその終了の日が属する**組合計算期間**（当該組合事業に係る有限責任事業組合契約に関する法律第4条第3項第8号に掲げる組合の事業年度をいう。（3）において同じ。）のうち最も新しいもの（（三）において「**最終組合計算期間**」という。）の終了の時までに当該組合事業に係る有限責任事業組合契約（①に掲げる有限責任事業組合契約をいう。以下**2**において同じ。）に基づいて出資をした金銭の額及び金銭以外の資産（以下（2）において「現物資産」という。）の調整価額（次に掲げる金額の合計額をいう。）の合計額（組合員持分担保債務〔組合員となる者がその有限責任事業組合契約に基づく出資を履行するために組合財産に対する自己の持分その他組合員が有することとなる権利を担保として行った借入れに係る債務をいう。（三）及び（3）において同じ。〕がある場合にはその額に相当する金額を控除した金額とし、金銭又は現物資産と負債を併せて出資をした場合には当該負債の額を減算した金額とする。） イ　当該現物資産の価額に当該有限責任事業組合契約を締結している他の組合員（（三）のイにおいて「他の組合員」という。）の当該組合事業に係る組合財産に対する持分の割合を合計した割合を乗じて計算した金額 ロ　当該法人の当該出資の直前の当該現物資産の帳簿価額に当該組合事業に係る組合財産に対する当該法人の持分の割合を乗じて計算した金額
（二）	当該法人の当該事業年度前の各事業年度における第二章第一節の二の表の**18**《利益積立金額》の①のイからニ

	まで、**ト**から**ル**までに掲げる金額の合計額から同①の**ワ**及び**ヨ**から**ネ**までに掲げる金額を減算した金額（当該金額のうちに留保していない金額がある場合には、当該留保していない金額を減算した金額）のうち当該組合事業に帰せられるものの合計額
(三)	最終組合計算期間終了の時までに当該組合事業に係る組合財産の分配として交付を受けた金銭の額及び現物資産の調整価額（次に掲げる金額の合計額をいう。）の合計額（組合員持分担保債務の払戻しに相当する部分の金額が含まれている場合には当該金額を控除した金額とし、金銭又は現物資産と負債を併せて分配を受けた場合には当該負債の額を減算した金額とする。） イ　当該現物資産の価額に当該分配の直前の他の組合員の当該組合財産に対する持分の割合を合計した割合を乗じて計算した金額 ロ　当該法人の当該分配の直前の当該現物資産の帳簿価額

（適格合併等による承継以外の承継により有限責任事業組合契約に係る組合員から地位の承継をした場合等における調整出資金額の計算）

（３）　法人が有限責任事業組合契約を締結している組合員からその地位の承継を受けた場合の当該法人についての（２）の適用については、同（２）の表の（一）から（三）までに掲げる金額のうち当該承継を受けた日を含む組合計算期間前の各組合計算期間に対応する部分の金額は、次の表の左欄に掲げる承継の区分に応じそれぞれ右欄に掲げる金額（当該法人が当該承継の直前において既に当該有限責任事業組合契約を締結していた場合には、当該金額に当該法人の当該組合計算期間の直前の組合計算期間終了の時の調整出資金額を加算した金額）とする。（措法67の13④、措令39の32③）

(一)	適格合併、適格分割、適格現物出資又は適格現物分配（②の(3)において「適格合併等」という。）による承継以外の承継	当該承継を受けた日の直前におけるその組合事業に係る貸借対照表（これに準ずるものを含む。）に計上されている資産の帳簿価額の合計額から負債の帳簿価額の合計額を減算した金額に、当該組合事業に係る組合財産に対する当該組合員の持分の割合を乗じて計算した金額（当該法人が当該承継に併せて当該組合員の組合員持分担保債務の移転を受けている場合には、当該金額から当該組合員持分担保債務の額を減算した金額）
(二)	適格合併による承継	当該適格合併に係る被合併法人の適格合併前事業年度（当該適格合併の日の前日を含む事業年度をいう。②の(3)の表の(一)において同じ。）終了の時の調整出資金額
(三)	適格分割、適格現物出資又は適格現物分配（以下2において「**適格分割等**」という。）による承継	当該組合員が当該適格分割等により移転をした当該組合員の組合事業に係る資産の当該移転の直前の帳簿価額から当該移転をした当該組合事業に係る負債（組合員持分担保債務を含む。）の当該移転の直前の帳簿価額を減算した金額に相当する金額（当該組合員が(一)に掲げる承継により組合員たる地位を有することとなったものである場合には、投資勘定差額〔当該承継に係る対価の額から当該承継に係る(一)に掲げる金額を減算した金額をいう。〕を減算した金額）

（有限責任事業組合契約の組合員でなくなった場合の組合損失額）

（４）　有限責任事業組合契約を締結している組合員である法人が、有限責任事業組合契約に関する法律第63条の清算結了、脱退、その地位の承継その他の事由により当該組合員でなくなった場合には、当該事由が生じた日を含む事業年度の当該有限責任事業組合契約に係る組合事業による組合損失額については、①は、適用しない。（措法67の13④、措令39の32④）

（組合員たる地位の承継）

（５）　（３）及び（４）に掲げる組合員たる地位の承継には、①に掲げる有限責任事業組合契約を締結している組合員と当該有限責任事業組合契約を締結している他の組合員との間で行うその地位の承継を含むものとする。（措法67の13④、措令39の32⑧⑪、措規22の18の３）

② 前事業年度以前の組合損失超過合計額の損金算入

確定申告書等を提出する法人が、各事業年度において**組合損失超過合計額**を有する場合には、当該組合損失超過合計額

のうち当該事業年度の当該法人の組合事業（当該組合損失超過合計額に係るものに限る。）による組合益金額が当該組合事業による組合損金額を超える場合のそのえる部分の金額（③の口において「**組合利益額**」という。）に達するまでの金額は、当該事業年度の所得の金額の計算上、損金の額に算入する。（措法67の13②、措令39の32⑤）

　　（組合損失超過合計額の意義）
（１）　②に掲げる組合損失超過合計額とは、当該法人の当該事業年度の前事業年度以前の各事業年度における組合損失超過額のうち、当該組合損失超過額につき①の適用を受けた事業年度（以下「**適用年度**」という。）から前事業年度まで連続して確定申告書の提出をしている場合（適用年度が前事業年度である場合には、当該適用年度の確定申告書の提出をしている場合）における当該組合損失超過額を、各組合事業ごとに合計した金額（②により前事業年度までの各事業年度の所得の金額の計算上損金の額に算入された金額がある場合には、これらの損金の額に算入された金額を控除した金額）をいう。（措法67の13③）

　　（有限責任事業組合契約の組合員たる地位の承継をした場合の組合損失超過合計額）
（２）　有限責任事業組合契約を締結している組合員である法人が、他の者に当該組合員たる地位の承継をした場合には、当該法人の当該承継の日を含む事業年度後の各事業年度（当該承継が適格分割等による承継である場合には、当該承継の日を含む事業年度以後の各事業年度）においては、当該法人の当該承継をした当該有限責任事業組合契約に係る組合事業の組合損失超過合計額（（１）に掲げる組合損失超過合計額をいう。（３）及び③の口において同じ。）は、ないものとする。（措法67の13④、措令39の32⑥）

　　（適格合併等により有限責任事業組合契約の組合員たる地位の承継をした場合のみなし組合損失超過合計額）
（３）　法人が適格合併等により当該適格合併等に係る被合併法人、分割法人、現物出資法人又は現物分配法人（以下（３）において「被合併法人等」という。）が締結していた有限責任事業組合契約に係る組合員たる地位の承継を受けた場合には、次の表の左欄に掲げる適格合併等の区分に応じそれぞれ同表の右欄に掲げる金額は、当該法人の当該適格合併等の日を含む事業年度開始の時において有する組合損失超過合計額とみなす。ただし、当該法人又は同表の右欄に掲げる金額を有する被合併法人等が明らかに法人税を免れる目的で当該適格合併等により当該承継を受け、又は当該承継をしたと認められる場合は、この限りでない。（措法67の13④、措令39の32⑦）

(一)	適格合併	当該適格合併に係る被合併法人が適格合併前事業年度の終了の時において有する当該有限責任事業組合契約に係る組合事業の組合損失超過合計額
(二)	適格分割等	当該適格分割等に係る分割法人、現物出資法人又は現物分配法人が適格分割等前事業年度（当該適格分割等の日を含む事業年度開始の日の前日を含む事業年度をいう。）の終了の時において有する当該有限責任事業組合契約に係る組合事業の組合損失超過合計額

　　（組合員たる地位の承継）
（４）　（２）及び（３）に掲げる組合員たる地位の承継には、①に掲げる有限責任事業組合契約を締結している組合員と当該有限責任事業組合契約を締結している他の組合員との間で行うその地位の承継を含むものとする。（措法67の13④、措令39の32⑧⑪、措規22の18の3）

③　明細書の添付

イ　組合損失超過額の損金算入の計算に関する明細書
　②の適用を受ける法人は、当該適用を受ける事業年度の確定申告書等に②により損金の額に算入される金額の計算に関する明細書を添付しなければならない。（措法67の13④、措令39の32⑨）

ロ　有限責任事業組合契約を締結している組合員の組合損失額等の損金算入の計算に関する明細書
　法人が各事業年度終了の時において有限責任事業組合契約を締結している組合員である場合には、当該法人は、当該事業年度の確定申告書にその組合事業に係る組合損失額又は組合利益額、①に掲げる組合損失超過額及び組合損失超過合計額並びに調整出資金額の計算に関する明細書を添付しなければならない。（措法67の13④、措令39の32⑩）

十七　特定目的会社に係る課税の特例

1　特定目的会社の支払配当の損金算入

　資産の流動化に関する法律（以下1において「**資産流動化法**」という。）第2条第3項《定義》に規定する特定目的会社（以下1において「**特定目的会社**」という。）のうち次の表の①に掲げる要件を満たすものが支払う利益の配当（資産流動化法第115条第1項《中間配当》に規定する金銭の分配を含む。以下1において同じ。）の額（当該特定目的会社の第二款の**五**《配当等の額とみなす金額》の表の**4**から**6**までに掲げる事由によりその出資者に対して交付する金銭の額が当該特定目的会社の第二章第一節の**二**の表の**16**《資本金等の額》に掲げる資本金等の額のうちその交付の基因となった当該特定目的会社の出資に対応する部分の金額として(1)に掲げる金額を超える場合におけるその超える部分の金額を含む。以下1及び4において同じ。）で次の表の②に掲げる要件を満たす事業年度（以下1において「**適用事業年度**」という。）に係るものは、当該適用事業年度の所得の金額の計算上、損金の額に算入する。ただし、その利益の配当の額が当該適用事業年度の所得の金額として(2)に掲げる金額を超える場合には、その損金の額に算入する金額は、(2)に掲げる金額を限度とする。（措法67の14①）

①	次に掲げる全ての要件		
	イ		資産流動化法第8条第1項《特定目的会社名簿》の特定目的会社名簿に登載されているものであること。
	ロ		次のいずれかに該当するものであること。
		(イ)	その発行（当該発行に係る金融商品取引法第2条第3項《定義》に規定する有価証券の募集が、同項に規定する取得勧誘であって同項第1号に掲げる場合に該当するものに限る。）をした**特定社債**（資産流動化法第2条第7項に規定する特定社債〔同条第8項に規定する特定短期社債を除く。〕をいう。以下1において同じ。）の発行価額の総額が1億円以上であるもの
		(ロ)	その発行をした特定社債が**機関投資家**（(3)に掲げるものをいう。以下1において同じ。）その他これに類するものとして(4)に掲げるもののみによって保有されることが見込まれているもの
		(ハ)	その発行をした**優先出資**（資産流動化法第2条第5項に規定する優先出資をいう。以下①において同じ。）が50人以上の者によって引き受けられたもの
		(ニ)	その発行をした優先出資が機関投資家のみによって引き受けられたもの
	ハ		その発行をした優先出資及び**基準特定出資**（特定社員〔資産流動化法第2条第5項《定義》に規定する特定社員をいう。〕があらかじめその有する特定出資〔同条第6項に規定する特定出資をいう。以下ハにおいて同じ。〕に係る同法第27条第2項第1号及び第2号《社員の責任及び権利等》に掲げる権利の全部を放棄する場合におけるその旨の記載がない資産流動化計画〔同法第2条第4項に規定する資産流動化計画をいう。②のイにおいて同じ。〕に係る特定出資をいう。以下①において同じ。）に係るそれぞれの募集（基準特定出資にあっては、同法第17条第1項第1号《設立時発行特定出資に関する事項の決定等》又は第36条第1項《募集特定出資の発行等》の規定による割当て又は募集）が主として国内において行われるものとして資産流動化計画（資産流動化法第5条第1項《資産流動化計画》に規定する資産流動化計画をいう。以下ハにおいて同じ。）においてその発行をする優先出資又は基準特定出資の発行価額の総額のうちに国内において募集又は割当て若しくは募集がされる優先出資又は基準特定出資の発行価額の占める割合（以下ハにおいて「国内募集割合」という。）がそれぞれ$\frac{50}{100}$を超える旨（2以上の種類の優先出資を発行する場合における資産流動化計画にあっては、それぞれの種類の優先出資ごとに国内募集割合が$\frac{50}{100}$を超える旨）の記載又は記録があるものに該当するものであること。（措令39の32の2③、措規22の18の4③）
	ニ		特定目的会社の会計期間が1年を超えないものであること。（措令39の32の2④）
②	次に掲げる全ての要件		
	イ		資産流動化法第195条第1項《他業禁止等》に規定する資産の流動化に係る業務及びその附帯業務を資産流動化計画に従って行っていること。
	ロ		資産流動化法第195条第1項に規定する他の業務を営んでいる事実がないこと。
	ハ		資産流動化法第200条第1項《業務の委託》に規定する特定資産を信託財産として信託していること又は当該特定資産（同条第2項各号に掲げる資産に限る。）の管理及び処分に係る業務を他の者に委託していること

	と。		
ニ	当該事業年度終了の時において第二章第一節の二の表の10《同族会社》に掲げる同族会社のうち次の(イ)又は(ロ)に該当するもの（①の口の(イ)又は(ロ)に該当するものを除く。）でないこと。(措令39の32の2⑤)		
	(イ)	特定目的会社の出資者の3人以下並びにこれらと第二章第一節の二の表の10に掲げる特殊の関係のある個人及び法人（(ロ)において「特殊の関係のある者」という。）がその特定目的会社の出資の総数の$\frac{50}{100}$を超える数の出資を有する場合における当該特定目的会社	
	(ロ)	特定目的会社の出資者の3人以下及びこれらと特殊の関係のある者（議決権を有する資産流動化法第26条《社員》に規定する優先出資社員に限る。）がその特定目的会社の第二章第一節の二の表の10の(2)《他の会社を支配している場合》の表の(二)のイからニまでに掲げる議決権のいずれかにつきその総数（当該議決権を行使することができない出資者が有する当該議決権の数を除く。）の$\frac{50}{100}$を超える数を有する場合における当該特定目的会社	
ホ	当該事業年度に係る利益の配当の支払額が当該事業年度の配当可能利益の額（資産流動化法第114条第1項《社員に対する利益の配当》の規定によりその限度とされる金額〔特定目的会社の計算に関する規則〈以下**ホ**において「計算規則」という。〉第42条第1項《税引前当期純損益金額》の規定により同項の税引前当期純利益金額として表示された金額〈次の表の左欄に掲げる金額がある場合には、それぞれ同表の右欄に掲げる金額を控除した金額〉〕)（当該特定目的会社が特定社債を発行している場合には、当該金額から(5)《特定社債を発行している場合の配当可能所得の金額の計算》に掲げる金額を控除した金額）の$\frac{90}{100}$に相当する金額を超えていること。(措令39の32の2⑥、措規22の18の4④)		
	(イ)	計算規則第45条第1項第1号《当期未処分利益又は当期未処理損失》に掲げる前期繰越損失の額	当該前期繰越損失の額
	(ロ)	計算規則第39条第3項《損益計算書の区分》の規定により同項の減損損失に細分された金額	当該細分された金額の$\frac{70}{100}$に相当する金額
ヘ	資産流動化法第195条第2項に規定する無限責任社員となっていないこと。		
ト	次に掲げる全ての要件（措令39の32の2⑧）		
	(イ)	①のハに掲げる資産流動化計画に記載されたハに掲げる特定資産以外の資産（資産流動化法第195条第1項に規定する資産の流動化に係る業務及びその附帯業務を行うために必要と認められる資産並びに資産流動化法第214条各号《余裕金の運用の制限》に掲げる方法による余裕金の運用に係る資産を除く。）を保有していないこと。	
	(ロ)	特定目的会社が(4)の表の(二)に掲げる**特定借入れ**を行っている場合には、その特定借入れが機関投資家又は(4)に掲げる**特定債権流動化特定目的会社**からのものであり、かつ、当該特定目的会社に対して資産流動化法第2条第6項に規定する特定出資をした者からのものでないこと。	

（出資に対応する部分の金額）

(1) **1**に掲げる出資に対応する部分の金額は、**1**に掲げる事由の次の表の左欄に掲げる区分に応じ同表の右欄に掲げる金額とする。(措令39の32の2⑪)

(一)	第二款の**五**《配当等の額とみなす金額》の表の**4**に掲げる事由	当該事由に係る第二章第一節の二の表の**16**《資本金等の額》の表の⑱に掲げる金額（残余財産の全部の分配を行う場合には、当該分配の直前の同表の**16**に掲げる資本金等の額）
(二)	第二款の**五**の表の**5**又は**6**に掲げる事由	当該事由に係る同表の**16**の表の⑳に掲げる金額

（支払配当の損金算入限度額）

(2) **1**に掲げる支払配当の損金算入限度額は、この**1**並びに第四款の**六**《中間申告における繰戻し還付に係る災害損失欠損金額の益金算入》、第二十一款の**一**の**1**《前10年以内の繰越欠損金の損金算入》及び同款の**三**の**2**《民事再生等

による債務免除があった場合の損金算入》を適用しないで計算した場合の所得の金額とする。（措法67の14⑧、措令39の32の2①）

(機関投資家の範囲)
（3） 1の表の①のロの(ロ)に掲げる機関投資家は、次に掲げるものに限るものとする。ただし、(二)に掲げる者以外の者については金融商品取引法第2条に規定する定義に関する内閣府令（以下1において「定義内閣府令」という。）第10条第1項ただし書の規定により金融庁長官が指定する者を除き、(二)に掲げる者については同項ただし書の規定により金融庁長官が指定する者に限る。（措法67の14①、措規22の18の4①）

(一)		定義内閣府令第10条第1項第1号から第9号まで、第11号から第14号まで、第16号から第22号まで、第25号から第27号までに掲げる者
(二)		定義内閣府令第10条第1項第15号に掲げる者
(三)		定義内閣府令第10条第1項第23号に掲げる者（同号イに掲げる要件に該当する者に限る。）のうち次に掲げる者
	イ	有価証券報告書（金融商品取引法第24条第1項に規定する有価証券報告書をいう。以下イにおいて同じ。）を提出している者で、定義内閣府令第10条第1項第23号の届出を行った日以前の直近に提出した有価証券報告書に記載された当該有価証券報告書に係る事業年度及び当該事業年度の前事業年度の貸借対照表（企業内容等の開示に関する内閣府令第1条第20号の4に規定する外国会社〔以下イにおいて「外国会社」という。〕である場合には、財務諸表等の用語、様式及び作成方法に関する規則〔以下イにおいて「財務諸表等規則」という。〕第1条第1項に規定する財務書類）における財務諸表等規則第17条第1項第6号に掲げる有価証券（外国会社である場合には、同号に掲げる有価証券に相当するもの）の金額及び財務諸表等規則第32条第1項第1号に掲げる投資有価証券（外国会社である場合には、同号に掲げる投資有価証券に相当するもの）の金額の合計額が100億円以上であるもの
	ロ	海外年金基金（企業年金基金又は企業年金連合会に類するもので次に掲げる要件のすべてを満たすものをいう。）によりその発行済株式の全部を保有されている内国法人（資産流動化法第2条第3項に規定する特定目的会社及び投資信託及び投資法人に関する法律第2条第12項に規定する投資法人を除く。ハにおいて同じ。）
		(イ) 外国の法令に基づいて組織されていること。
		(ロ) 外国において主として退職年金、退職手当その他これらに類する報酬を管理し、又は給付することを目的として運営されること。
	ハ	定義内閣府令第10条第1項第26号に掲げる者によりその発行済株式の全部を保有されている内国法人

(機関投資家に類するものの範囲)
（4） 1の表の①のロの(ロ)に掲げる機関投資家に類するものは、金融商品取引法第2条第3項第1号に規定する適格機関投資家である資産流動化法第2条第3項に規定する特定目的会社で、資産流動化法第2条第1項に規定する特定資産（(一)及び(5)の(一)において「**特定資産**」という。）が次に掲げる資産のみであるもの（1の表の②のトの(ロ)において「**特定債権流動化特定目的会社**」という。）とする。（措令39の32の2②、措規22の18の4②）

(一)	特定資産が不動産等（資産流動化法第200条第2項第1号《業務の委託》に規定する不動産〔以下(4)において「**不動産**」という。〕及び不動産のみを信託する信託の受益権をいう。(三)において同じ。）のみである特定目的会社（(二)において「**不動産等流動化特定目的会社**」という。）が発行する特定社債
(二)	不動産等流動化特定目的会社が資産流動化法第2条第12項に規定する特定借入れを行う場合の当該不動産等流動化特定目的会社に対する貸付金
(三)	匿名組合契約（その出資された財産を不動産等のみに対する投資として運用することを定めたものに限る。）の営業者が当該匿名組合契約に係る事業のために借入れを行う場合の当該営業者に対する貸付金

(特定社債を発行している場合の配当可能所得の金額の計算)
(5) 特定目的会社が特定社債を発行している場合に配当可能利益の額から控除される金額は、当該特定目的会社が発行した特定社債の当該事業年度終了の日における残高の$\frac{5}{100}$に相当する金額から当該事業年度開始の日における利益積立金額に相当する金額を控除した残額(次の表の左欄に掲げる場合の区分に応じ、それぞれ同表の右欄に掲げる金額が当該事業年度の所得の金額の計算上損金の額に算入される減価償却資産に係る償却費の額を超えるときには、当該残額と当該超える部分の金額に相当する金額に2を乗じて計算した金額との合計額)とする。(措法67の14⑧、措令39の32の2⑦)

(一)	当該事業年度において特定資産の譲渡(地上権又は賃借権の設定その他契約により他人に土地を長期間使用させる行為で、五の2《借地権の設定等により地価が著しく低下する場合の土地等の帳簿価額の一部の損金算入》に該当する行為を含む。)又は特定社債の発行、資産流動化法第2条第10項《定義》に規定する特定約束手形の発行若しくは借入れ(右欄において「特定譲渡等」という。)が行われた場合(措法62の3②Ⅰイ(2)、措令38の4④①)	当該事業年度において償還をした特定社債の額の合計額から当該特定譲渡等より調達された資金のうち特定社債の償還に充てられた金額を控除した金額
(二)	(一)に掲げる場合以外の場合	当該事業年度において償還をした特定社債の額の合計額

(変更登録を受けた特定目的会社の要件の判定時期)
(6) 資産流動化法第11条第2項《新たな資産流動化計画の届出》に規定する新計画届出又は資産流動化法第151条第1項若しくは第3項《資産流動化計画の変更》の規定による資産流動化法第2条第4項《定義》に規定する資産流動化計画の変更を行った特定目的会社についての1の表の①に掲げる要件の判定は、当該新計画届出後又は当該資産流動化計画の変更後の状況によるものとする。(措法67の14⑧、措令39の32の2⑨)

2 関連規定の読替え

特定目的会社に対する法人税法、租税特別措置法及び法人税法施行令の規定の適用については、次の表の左欄に掲げる法人税法、租税特別措置法及び法人税法施行令の規定中同表の中欄に掲げる字句は、同表の右欄に掲げる字句とする。(措法67の14②③⑧、措令39の32の2⑩)

法人税法第23条第1項	内国法人が	内国法人(特定目的会社を除く。以下この項において同じ。)が 注 上記により特定目的会社が受ける配当等の額については、受取配当等の益金不算入の適用がないことに留意する。(編者)
法人税法第23条の2第1項	内国法人が外国子会社	内国法人(特定目的会社を除く。以下この項において同じ。)が外国子会社 注 上記により特定目的会社については、外国子会社から受ける配当等の益金不算入の適用がないことに留意する。(編者)
法人税法第57条第1項ただし書	所得の金額の$\frac{50}{100}$	所得の金額の$\frac{50}{100}$(租税特別措置法第67条の14第1項第1号〔1の表の①〕に掲げる要件を満たす特定目的会社にあっては、当該所得の金額の$\frac{100}{100}$) 注 上記により1の表の①の要件を満たす特定目的会社は、青色欠損金の繰越控除の制限がないことに留意する。(編者)
法人税法第69条第1項	内国法人が各事業年度	内国法人(特定目的会社を除く。以下この条において同じ。)が各事業年度 注 上記により特定目的会社については、外国税額控除の適用がないことに留意する。(編者)
租税特別措置法第62条の3第3項	該当する	該当するもの及び資産の流動化に関する法律第2条第3項に規定する特定目的会社が行う譲渡で第67条の14第1項第2号(ホを除く。)に掲げる要件を満たす事業年度において行う 注 上記により特定目的会社が1の表の②(ホを除く。)の要件を満たす事業年度に行う土地の譲渡等については、土地の譲渡等がある場合の特別税率は適用しないことに留意する。(編者)

租税特別措置法第66条の8第1項	外国法人（法人税法第23条の2第1項に規定する外国子会社に該当するものを除く。以下この項において同じ。）	外国法人
	同法	法人税法
租税特別措置法第66条の8第7項	外国法人（法人税法第23条の2第1項に規定する外国子会社に該当するものを除く。以下この項において同じ。）	外国法人
租税特別措置法第66条の9の4第1項	外国法人（法人税法第23条の2第1項に規定する外国子会社に該当するものを除く。以下この項において同じ。）	外国法人
	同法	法人税法
租税特別措置法第66条の9の4第6項	外国法人（法人税法第23条の2第1項に規定する外国子会社に該当するものを除く。以下この項において同じ。）	外国法人
法人税法施行令第9条第1項第8号	金額を除く。）	金額を除く。）から当該合計額のうち租税特別措置法第67条の14第1項《特定目的会社に係る課税の特例》の規定により所得の金額の計算上損金の額に算入される金額を控除した金額 注　上記により特定目的会社の利益積立金額の計算上、損金算入された支払配当の額を控除することに留意する。（編者）
法人税法施行令第9条第1項第12号及び第14号	の金額	の金額（当該金額のうち租税特別措置法第67条の14第1項《特定目的会社に係る課税の特例》の規定により所得の金額の計算上損金の額に算入される金額を除く。） 注　上記により特定目的会社の利益積立金額の計算上、取得資本金額を超える部分の金額から算入された支払配当の額を控除することに留意する。（編者）

3　受取配当等の益金不算入の不適用

　法人が特定目的会社から支払を受ける利益の配当の額については、第二款の一《受取配当等の益金不算入》は、適用しない。（措法67の14④）

4　現物出資に係る課税の特例の不適用

　法人の特定目的会社に対する現物出資による資産又は負債の移転については、第三十四款の一の2の④《適格現物出資による資産等の帳簿価額による譲渡》は、適用しない。（措法67の14⑤）

5　損金算入の申告

　1《特定目的会社の支払配当の損金算入》は、1の適用を受けようとする事業年度の確定申告書等に、1により損金の額に算入される金額の損金算入に関する申告《別表十（八）》の記載及びその損金の額に算入される金額の計算に関する明細書《別表十（八）》の添付があり、かつ、1の表の①のロ及びハに掲げる要件を満たしていることを明らかにする書類を保存している場合に限り、適用する。（措法67の14⑥）

　（申告記載等がない場合の税務署長のゆうじょ規定）
　税務署長は、5の記載若しくは明細書の添付がない確定申告書等の提出があった場合又は5の書類の保存がない場合においても、その記載若しくは明細書の添付又は書類の保存がなかったことについてやむを得ない事情があると認めるときは、1《特定目的会社の支払配当の損金算入》の損金算入を適用することができる。（措法67の14⑦）

十八　投資法人に係る課税の特例

1　投資法人の支払配当の損金算入

　投資信託及び投資法人に関する法律（以下1及び2において「**投資法人法**」という。）第2条第12項《定義》に規定する投資法人（次の表の①に掲げる要件を満たすものに限る。）が支払う第二款の一《受取配当等の益金不算入》の表の②に掲げる金額（当該投資法人の第二款の五《配当等の額とみなす金額》の表〔2、3及び7を除く。〕に掲げる事由によりその**投資主**〔投資法人法第2条第16項に規定する投資主をいう。以下十八において同じ。〕に対して交付する金銭の額が当該投資法人の第二章第一節の二の表の16《資本金等の額》に掲げる資本金等の額のうちその交付の基因となった当該投資法人の**投資口**〔投資法人法第2条第14項に規定する投資口をいう。以下十八において同じ。〕に対応する部分の金額として(1)に掲げる金額を超える場合におけるその超える部分の金額及び合併に際して当該合併に係る被合併法人の投資主に対する利益の配当として交付された金銭の額〔(6)において「合併交付配当額」という。〕を含む。以下1及び4において「**配当等の額**」という。）で次の表の②に掲げる要件を満たす事業年度（以下1において「**適用事業年度**」という。）に係るものは、当該適用事業年度の所得の金額の計算上、損金の額に算入する。ただし、その配当等の額が当該適用事業年度の所得の金額として(2)に掲げる金額を超える場合には、その損金の額に算入する金額は、(2)に掲げる金額を限度とする。（措法67の15①、措令39の32の3①）

①	次に掲げる全ての要件		
	イ	投資法人法第187条《登録》の登録を受けているものであること。	
	ロ	次のいずれかに該当するものであること。	
		(イ)	その設立に際して発行（当該発行に係る金融商品取引法第2条第3項《定義》に規定する有価証券の募集が、同項に規定する取得勧誘であって同項第1号に掲げる場合に該当するものに限る。）をした投資口の発行価額の総額が1億円以上であるもの
		(ロ)	当該事業年度終了の時において、その発行済投資口が50人以上の者によって所有されているもの又は機関投資家（(3)に掲げるものをいう。以下1において同じ。）のみによって所有されているもの
	ハ	その発行した投資口に係る募集が主として国内において行われるものとして投資法人法第67条第1項《規約の記載又は記録事項》に規定する規約（(10)において「**規約**」という。）において投資口の発行価額の総額のうちに国内において募集される投資口の発行価額の占める割合が$\frac{50}{100}$を超える旨の記載又は記録があるものに該当するものであること。（措令39の32の3③）	
	ニ	投資法人の会計期間が1年を超えないものであること。（措令39の32の3④）	
②	次に掲げる全ての要件		
	イ	投資法人法第63条《能力の制限》の規定に違反している事実がないこと。	
	ロ	その資産の運用に係る業務を投資法人法第198条第1項《資産運用会社への資産の運用に係る業務の委託》に規定する資産運用会社に委託していること。	
	ハ	その資産の保管に係る業務を投資法人法第208条第1項《資産保管会社への資産の保管に係る業務の委託等》に規定する資産保管会社に委託していること。	
	ニ	当該事業年度終了の時において第二章第一節の二の表の10《同族会社》に掲げる同族会社のうち(4)に掲げるものに該当していないこと。	
	ホ	当該事業年度に係る配当等の額の支払額が当該事業年度の配当可能利益の額（投資法人法第136条第1項《利益の出資総額への組入れ》に規定する利益の額として(5)に掲げるところにより計算した金額）の$\frac{90}{100}$に相当する金額を超えていること。（措令39の32の3⑥）	
	ヘ	他の法人（当該投資法人につき投資法人法第194条第2項《資産の運用の制限》に規定する場合に該当する場合における当該投資法人に代わって専ら投資法人法第193条第1項第3号から第5号まで《資産の運用の範囲》に掲げる取引〔国外において行われるものに限る。〕を行うことを目的とするものとして投資信託及び投資法人に関する法律施行規則第221条の2第1号イ《資産運用の制限の例外となる法人》に掲げる要件の全てを満たす法人〔計算規則第58条の規定により当該事業年度に係る同条の注記表に表示された計算規則第66条の4第2号に掲げる割合が$\frac{50}{100}$を超えるものに限る。〕を除く。（イ）において同じ。）の株式若し	

	は出資を有している場合又は匿名組合契約等（匿名組合契約〔これに準ずる契約として当事者の一方が相手方の事業のために出資をし、相手方がその事業から生ずる利益を分配することを約する契約を含む。〕及び外国におけるこれに類する契約をいう。(イ)及び(ロ)において同じ。)に基づく出資をしている場合には、次に掲げる割合のいずれもが$\frac{50}{100}$以上でないこと。（措令39の32の3⑧、措規22の19⑧）	
	(イ)	当該投資法人が有している他の法人の株式又は出資の数又は金額（当該匿名組合契約等に基づいて出資を受けている者の事業であって当該匿名組合契約等の目的である事業に係る財産である当該他の法人の株式又は出資の数又は金額のうち、当該投資法人の当該匿名組合契約等に基づく出資の金額に対応する部分の数又は金額として(10)《匿名組合契約等に基づく出資の金額に対応する部分の数又は金額として計算した数又は金額》により計算した数又は金額を含む。）が当該他の法人の発行済株式又は出資（当該他の法人が有する自己の株式又は出資を除く。）の総数又は総額のうちに占める割合
	(ロ)	当該投資法人の当該匿名組合契約等に基づく出資の金額が当該金額及び当該匿名組合契約等に基づいて出資を受けている者の当該匿名組合契約等とその目的である事業を同じくする他の匿名組合契約等に基づいて受けている出資の金額の合計額のうちに占める割合
ト	当該事業年度終了の時において有する投資法人法第2条第1項《定義》に規定する特定資産のうち投資信託及び投資法人に関する法律施行令第3条第1号から第10号までに掲げる資産（同条第1号に掲げる資産のうち匿名組合契約等に基づく権利及び同条第8号に掲げる資産にあっては、主として対象資産〔同条第1号に掲げる資産のうち匿名組合契約等に基づく権利以外のもの及び同条第2号から第7号までに掲げる資産をいう。〕に対する投資として運用することを約する契約に係るものに限る。）の当該事業年度の確定した決算（第二節第三款の一の3《仮決算をした場合の中間申告書の記載事項等》の表の①に掲げる金額を計算する場合にあっては、同3に掲げる期間に係る決算）に基づく貸借対照表に計上されている当該資産の帳簿価額の合計額がその時において有する当該貸借対照表に計上されている総資産の帳簿価額の合計額の$\frac{1}{2}$に相当する金額を超えていること。（措令39の32の3⑩）	
チ	投資法人が機関投資家以外の者から借入れを行っていないこと。（措令39の32の3⑪）	

（配当等の額に含まれる金額）

（1） **1**に掲げる投資口に対応する部分の金額は、**1**に掲げる事由の次の表の左欄に掲げる区分に応じ同表の右欄に掲げる金額とする。（措令39の32の3①）

(一)	第二款の**五**《配当等の額とみなす金額》の表の**1**に掲げる合併	投資法人の当該合併の日の前日を含む事業年度終了の時の第二章第一節の**二**の表の**16**《資本金等の額》に掲げる資本金の額
(二)	同款の**一**《受取配当等の益金不算入》の表の①に掲げる出資等減少分配	当該出資等減少分配に係る**2**《関連規定の読替え》により読み替えて適用される同**二**の表の**16**の表の⑲に掲げる金額
(三)	同款の**五**の表の**5**又は**6**に掲げる事由	当該事由に係る同**16**の表の⑳に掲げる金額

（支払配当の損金算入限度額）

（2） **1**に掲げる支払配当の損金算入限度額は、この**1**並びに第四款の**六**《中間申告における繰戻し還付に係る災害損失欠損金額の益金算入》、第二十一款の**一**の**1**《前10年以内の繰越欠損金の損金算入》及び同款の**三**の**2**《民事再生等による債務免除があった場合の損金算入》を適用しないで計算した場合の所得の金額とする。（措令39の32の3②）

（機関投資家の範囲）

（3） **1**の表の①の**ロ**の(ロ)に掲げる機関投資家は、次に掲げるものに限るものとする。ただし、(二)に掲げる者以外の者については金融商品取引法第2条に規定する定義に関する内閣府令（以下**1**において「定義内閣府令」という。）第10条第1項ただし書の規定により金融庁長官が指定する者を除き、(二)に掲げる者については同項ただし書の規定により金融庁長官が指定する者に限る。（措法67の15①、措規22の19①、22の18の4①）

(一)	定義内閣府令第10条第1項第1号から第9号まで、第11号から第14号まで、第16号から第22号まで及び第25号から第27号までに掲げる者

(二)	定義内閣府令第10条第1項第15号に掲げる者	
(三)	定義内閣府令第10条第1項第23号に掲げる者（同号イに掲げる要件に該当する者に限る。）のうち次に掲げる者	
	イ	有価証券報告書（金融商品取引法第24条第1項に規定する有価証券報告書をいう。以下イにおいて同じ。）を提出している者で、定義内閣府令第10条第1項第23号の届出を行った日以前の直近に提出した有価証券報告書に記載された当該有価証券報告書に係る事業年度及び当該事業年度の前事業年度の貸借対照表（企業内容等の開示に関する内閣府令第1条第20号の4に規定する外国会社〔以下イにおいて「外国会社」という。〕である場合には、財務諸表等の用語、様式及び作成方法に関する規則（以下イにおいて「財務諸表等規則」という。）第1条第1項に規定する財務書類）における財務諸表等規則第17条第1項第6号に掲げる有価証券（外国会社である場合には、同号に掲げる有価証券に相当するもの）の金額及び財務諸表等規則第32条第1項第1号に掲げる投資有価証券（外国会社である場合には、同号に掲げる投資有価証券に相当するもの）の金額の合計額が100億円以上であるもの
	ロ	海外年金基金（企業年金基金又は企業年金連合会に類するもので次に掲げる要件の全てを満たすものをいう。）によりその発行済株式の全部を保有されている内国法人（資産の流動化に関する法律第2条第3項に規定する特定目的会社及び投資法人法第2条第12項に規定する投資法人を除く。ハにおいて同じ。）
		(イ) 外国の法令に基づいて組織されていること。
		(ロ) 外国において主として退職年金、退職手当その他これらに類する報酬を管理し、又は給付することを目的として運営されること。
	ハ	定義内閣府令第10条第1項第26号に掲げる者によりその発行済株式の全部を保有されている内国法人

(同族会社のうち適用除外となるものの範囲)
（4）　1の表の②の二に掲げる同族会社は、次に掲げるものとする。（措令39の32の3⑤）

(一)	投資法人の投資主（その投資法人が自己の投資口を有する場合のその投資法人を除く。（二）において同じ。）の一人並びにこれと第二章第一節の二の表の10《同族会社》に掲げる特殊の関係のある個人及び法人（（二）において「特殊の関係のある者」という。）がその投資法人の投資法人法第77条の2第1項に規定する発行済投資口（その投資法人が有する自己の投資口を除く。）の総数の$\frac{50}{100}$を超える数の投資口を有する場合における当該投資法人
(二)	投資法人の投資主の一人及びこれと特殊の関係のある者がその投資法人の第二章第一節の二の表の10の(2)《他の会社を支配している場合》の表の(二)のイからニまでに掲げる議決権のいずれかにつきその総数（当該議決権を行使することができない投資主が有する当該議決権の数を除く。）の$\frac{50}{100}$を超える数を有する場合における当該投資法人

(配当可能利益の額の計算)
（5）　投資法人法第136条第1項《利益の出資総額への組入れ》に規定する利益の額として計算した金額は、投資法人の計算に関する規則（以下「**計算規則**」という。）第51条第1項《税引前当期純損益金額》の規定により同項の税引前当期純利益金額として表示された金額（次の表の左欄に掲げる金額がある場合には、それぞれ同表の右欄に掲げる金額を控除した金額。以下**十八**において「**配当可能利益の額**」という。）とする。（措規22の19②）

(一)	計算規則第54条第1項第1号に掲げる前期繰越損失の額	当該前期繰越損失の額
(二)	当該事業年度に係る計算規則第76条第1項《金銭の分配に係る計算》の金銭の分配に係る計算書（以下**十八**において「**金銭分配計算書**」という。）において計算規則第78条第3項《分配金等の表示方法》の規定により計算規則第76条第3項の買換特例圧縮積立金の積立額に細分された金額	当該細分された金額の計算の基礎となった不動産（計算規則第37条第3項第2号イ、ロ及びホ並びに第3号イ《資産の部の区分》に掲げる資産をいう。以下（6）及び（7）において同じ。）ごとに当該細分された金額のうち当該不動産に係る金

		額に**控除限度割合**を乗じて計算した金額（(7)において「**買換特例圧縮積立金個別控除額**」という。）を合計した金額
(三)	当該事業年度に係る金銭分配計算書において計算規則第78条第3項の規定により計算規則第76条第3項の一時差異等調整積立金の積立額に細分された金額	当該細分された金額
(四)	当該事業年度の繰越利益等超過純資産控除項目額（計算規則第3編第2章の貸借対照表〔以下1において「貸借対照表」という。〕において計算規則第39条第1項の規定により同項第3号に掲げる新投資口予約権に区分された金額、同条第2項の規定により同項第2号に掲げる新投資口申込証拠金に区分された金額及び同項の規定により同項第4号に掲げる自己投資口に区分された金額の合計額が零を下回る場合のその下回る部分の金額〔(9)において「純資産控除項目額」という。〕から次の表のイからハまでに掲げる金額の合計額〔当該事業年度において(7)及び(8)により加算される金額を除く。〕を控除した金額をいう。以下(四)において同じ。）	当該繰越利益等超過純資産控除項目額
	イ	計算規則第54条第1項第1号に掲げる前期繰越利益の額
	ロ	当該事業年度終了の日における貸借対照表において計算規則第39条第4項の規定により同項第2号に掲げる任意積立金に区分された金額（当該事業年度に係る計算規則第3編第3章の損益計算書〔以下1において「損益計算書」という。〕において計算規則第54条第1項の規定により同項第2号に掲げる金額として表示された金額がある場合には、当該金額を加算した金額）
	ハ	(二)及び(三)に掲げる金額

注1 ――線部分は、租税特別措置法施行規則及び法人税法施行規則の一部を改正する省令（令和6年財務省令第3号）により改正された部分で、改正規定は、投資法人の令和6年2月1日以後に開始する事業年度について適用され、投資法人の令和6年1月31日以前に開始した事業年度の適用については、「第39条第1項」とあるのは「第39条第1項の規定により同項第2号に掲げる評価・換算差額等に区分された金額、同項」とする。（同省令附２①、１）

注2　上表の(二)に掲げる**控除限度割合**とは、当該事業年度において譲渡をした不動産の当該譲渡に係る対価の額を合計した金額から当該不動産の譲渡直前の帳簿価額（当該譲渡に要した経費がある場合には、当該経費の額〔当該各不動産が適格合併により被合併法人から移転を受けた資産である場合には、当該被合併法人が支出した当該経費の額を含む。〕を加算した金額）を合計した金額を控除した金額（当該金額が当該事業年度に係る同(二)に掲げる金額〔以下注において「買換特例圧縮積立金積立額」という。〕を超える場合には、その超える部分の金額を控除した金額）の当該事業年度に係る買換特例圧縮積立金積立額に対する割合をいう。（措規22の19③）

（利益を超えて投資主に分配した場合における金銭の分配の額の要件）

(6)　当該事業年度において次の表の(一)に掲げる金額がある場合における当該事業年度以後の各事業年度の1の表の②の**ホ**に掲げる要件は、当該各事業年度に係る投資法人法第137条《金銭の分配》の金銭の分配の額（1に掲げる超える部分の金額〔第二款の一《受取配当等の益金不算入》の表の②に掲げる出資等減少分配に係る部分の金額を除く。〕及び合併交付配当金を含む。）が配当可能額（(5)に掲げるところにより計算した金額に次の表の(一)に掲げる金額を加算し、これから同表の(二)に掲げる金額を減算した金額をいう。以下(6)において同じ。）の$\frac{90}{100}$に相当する金額を超えていることとする。（措令39の32の3⑦）

(一)	当該各事業年度に係る投資法人法第137条《金銭の分配》の規定による金銭の分配の額のうち同条第3項に規定する利益を超えて投資主に分配された金額

| (二) | 当該事業年度前の各事業年度に係る(一)に掲げる金額（当該各事業年度において配当可能額の計算上既に控除された金額に相当する金額を除く。）のうち当該事業年度において出資総額に戻し入れた金額として計算規則第78条第2項《分配金等の表示方法》の規定により、同項に規定する組入額の全部又は一部をもって計算規則第39条第3項の出資総額控除額を減算した場合における計算規則第78条第2項に規定する減算額（計算規則第2条第2項第30号に規定する一時差異等調整引当額の戻入れの額がある場合には、当該戻入れの額のうち金銭分配計算書において計算規則第78条第2項後段の一時差異等調整引当額の戻入額から成る部分の金額として表示された金額に相当する金額を超える部分の金額を含む。）（措規22の19⑦） |

　　　（買換特例圧縮積立金を取り崩した場合の配当可能利益の額への加算）
（7）　1に掲げる投資法人の事業年度において(5)により控除された(5)の表の(二)に掲げる金額がある場合における当該事業年度後の各事業年度において当該金額の計算の基礎となった不動産に係る計算規則第2条第2項第28号《定義》に掲げる買換特例圧縮積立金を取り崩したときは、当該取り崩した事業年度（金銭分配計算書において同(二)に掲げる買換特例圧縮積立金を取り崩した場合にあっては、当該金銭分配計算書の属する事業年度。以下(7)において「取崩事業年度」という。）の配当可能利益の額は、(5)にかかわらず、(5)により計算した配当可能利益の額に、当該不動産に係る買換特例圧縮積立金個別控除額（当該取崩事業年度前の各事業年度において配当可能利益の額の計算上既にこの(7)により加算された金額に相当する金額を除く。）に次の表の(一)に掲げる金額のうち当該不動産に係る金額が同表の(二)に掲げる金額のうち当該不動産に係る金額のうちに占める割合を乗じて計算した金額を加算するものとする。（措規22の19④）

| (一) | 当該取崩事業年度に係る損益計算書において計算規則第54条第3項《当該未処分利益又は当期未処理損失》の規定により同項の買換特例圧縮積立金の取崩しの額として表示された金額（(二)において「目的取崩額」という。）及び当該取崩事業年度に係る金銭分配計算書において計算規則第76条第2項《金銭の分配に係る計算》の規定により任意積立金の取崩高として表示された金額のうち計算規則第18条の2第1項第3号《買換特例圧縮積立金》に定める金額のうち取崩高として表示された金額 |
| (二) | 当該取崩事業年度終了の日における貸借対照表において計算規則第39条第5項ただし書《純資産の部の区分》の規定により同項ただし書の買換特例圧縮積立金として表示された金額（当該取崩事業年度に係る目的取崩額を含む。） |

　　　（一時差異等調整積立金の積立額に細分された金額がある場合の加算額）
（8）　投資法人の事業年度において(5)により控除された(5)の表の(三)に掲げる金額がある場合における当該事業年度後の各事業年度において次に掲げる金額がある場合には、当該事業年度の配当可能利益の額は、(5)及び(7)にかかわらず、これにより計算した配当可能利益の額に、次に掲げる金額の合計額を加算するものとする。（措規22の19⑤）

| (一) | 当該各事業年度に係る損益計算書において計算規則第54条第3項《当期未処分利益又は当期未処理損失》の規定により同項の一時差異等調整積立金の取崩しの額として表示された金額 |
| (二) | 当該各事業年度に係る金銭分配計算書において計算規則第76条第2項《金銭の分配に係る計算》の規定により任意積立金の取崩高として表示された金額のうち同項の一時差異等調整積立金の取崩高として表示された金額 |

　　　（繰越利益等超過純資産控除項目控除額がある場合の配当可能利益の額への加算額）
（9）　投資法人の事業年度において(5)により控除された(5)の表の(四)に掲げる金額（以下(9)において「繰越利益等超過純資産控除項目控除額」という。）がある場合における当該事業年度後の各事業年度において、純資産控除項目減少額（期末純資産控除項目額〔当該各事業年度の純資産控除項目額をいう。以下(9)において同じ。〕が当該各事業年度の前事業年度の純資産控除項目額を下回る場合のその下回る部分の金額をいう。以下(9)において同じ。）があり、かつ、純資産控除項目超過繰越利益額（次の表に掲げる金額の合計額〔(5)の表の(二)及び(三)に掲げる金額を含み、当該各事業年度において(7)及び(8)により加算される金額を除く。〕が期末純資産控除項目額を超える場合のその超える部分の金額をいう。以下(9)において同じ。）があるときは、当該各事業年度の配当可能利益の額は、(5)、(7)及び(8)にかかわらず、これらにより計算した配当可能利益の額に、純資産控除項目減少額（当該純資産控除項目減

第三章　第一節　第二十七款　十八《投資法人に係る課税の特例》

少額が純資産控除項目超過繰越利益額を超える場合には、その超える部分の金額を除く。)のうち、次の表の(一)に掲げる金額に達するまでの金額（当該金額が繰越利益等超過純資産控除項目控除額〔当該各事業年度前の事業年度において配当可能利益の額の計算上既に(9)により加算された金額に相当する金額を除く。〕を超える場合には、その超える部分の金額を控除した金額）を加算するものとする。(措規22の19⑥)

(一)	当該各事業年度の(5)の表の(四)の左欄のイ及びロに掲げる金額の合計額（(二)又は(三)に掲げる金額がある場合には、これらに掲げる金額の合計額を減算した金額）
(二)	当該各事業年度前の事業年度において(5)により控除された(5)の表の(二)に掲げる金額（当該各事業年度前の事業年度において配当可能利益の額の計算上既に(7)により加算された金額に相当する金額を除く。）
(三)	当該各事業年度前の事業年度において(5)により控除された(5)の表の(三)に掲げる金額（当該各事業年度前の事業年度において配当可能利益の額の計算上既に(8)により加算された金額に相当する金額を除く。）

　　注1　投資法人の令和6年2月1日以後に開始する事業年度における(9)の適用については、(9)に掲げる繰越利益等超過純資産控除項目控除額には、(5)の注1による改正前の(5)により控除された(5)の表の(四)に掲げる金額を含むものとする。(令和6年財務省令第3号附2②、1)

　　注2　投資法人の令和6年2月1日以後最初に開始する事業年度における(9)の適用については、(9)に掲げる前事業年度の純資産控除項目額は、当該最初に開始する事業年度の前事業年度の(5)の注1による改正前の(5)の表の(四)に掲げる純資産控除項目額とする。(令和6年財務省令第3号附2③、1)

　　（匿名組合契約等に基づく出資の金額に対応する部分の数又は金額として計算した数又は金額）
(10)　1の表の②のへの(イ)に掲げるところにより計算した数又は金額は、当該投資法人の匿名組合契約等（1の表の②のへに掲げる匿名組合契約等をいう。以下十八において同じ。）に基づいて出資を受けている者の事業であって当該匿名組合契約等の目的である事業に係る財産である他の法人（同表の②のへに掲げる他の法人をいう。以下(10)において同じ。）の株式又は出資の数又は金額に、当該投資法人の当該匿名組合契約等に基づく出資の金額が当該金額及び当該匿名組合契約等に基づいて出資を受けている者の当該匿名組合契約等とその目的である事業を同じくする他の匿名組合契約等に基づいて受けている出資の金額の合計額のうちに占める割合を乗じて計算した数又は金額（当該投資法人の匿名組合契約等〔その目的である事業に係る財産に当該他の法人の株式又は出資が含まれるものに限る。〕が2以上ある場合には、それぞれの当該計算した数又は金額を合計した数又は金額）とする。(措令39の32の3⑨)

　　（投資信託及び特定資産とみなす資産）
(11)　投資法人で次に掲げる要件を満たすものが、投資信託及び投資法人に関する法律施行令の一部を改正する政令の施行の日（平成26年9月3日）から令和8年3月31日までの期間内に特例特定資産（投資信託及び投資法人に関する法律施行令第3条第11号《特定資産の範囲》に掲げる資産をいう。以下同じ。）の取得（当該投資法人が締結している匿名組合契約等の目的である事業に係る財産としての当該匿名組合契約等に基づいて出資を受ける者による取得及び匿名組合契約等〔その目的である事業に係る財産のうちに特例特定資産を含むものに限る。〕に基づいて出資をした者からの当該匿名組合契約等に係る地位の承継を含み、合併による取得を除く。以下同じ。）をした場合には、その取得の日（当該期間内に2以上の特例特定資産の取得をした場合には、当該期間内に取得をした各特例特定資産の取得の日のうち最も早い日）からその取得をした特例特定資産を貸付けの用に供した日（当該期間内に取得をした2以上の特例特定資産を貸付けの用に供した場合には、その貸付けの用に供した日のうち最も早い日）以後20年を経過した日までの間に終了する各事業年度（(11)の適用がないものとした場合に1の表の②のトに掲げる要件を満たす事業年度を除く。）に係る1の適用については、特例特定資産は、1の表の②のトに掲げる投資信託及び投資法人に関する法律施行令第3条第1号から第10号までに掲げる特定資産及び同トに掲げる対象資産とみなす。(措令39の32の3⑫)

(一)	その投資口が金融商品取引法第2条第16項《定義》に規定する金融商品取引所に上場されていること。
(二)	その規約に特例特定資産の運用の方法（その締結する匿名組合契約等の目的である事業に係る財産に含まれる特例特定資産の運用の方法を含む。）が賃貸のみである旨の記載又は記録があること。

　　（資産の貸付けをした場合における当該資産の帳簿価額）
(12)　投資法人が資産の貸付けをした場合において、当該資産の売却を行ったものとして当該売却の対価の額に係る金銭債権を1の表の②のトに掲げる貸借対照表に計上しているときは、当該貸借対照表に計上されている当該金銭債権の帳簿価額は当該資産の帳簿価額とみなして、同表の②のト（(11)において適用する場合を含む。）を適用する。(措

令39の32の3⑬)

2　関連規定の読替え

投資法人に対する法人税法、租税特別措置法及び法人税法施行令の規定の適用については、次の表の左欄に掲げる法人税法、租税特別措置法及び法人税法施行令の規定中同表の中欄に掲げる字句は、同表の右欄に掲げる字句とする。（措法67の15②③⑦、措令39の32の3⑭⑮）

法人税法第23条第1項	内国法人が	内国法人（投資法人を除く。）が 注　上記により投資法人が受ける配当等の額については、受取配当等の益金不算入の適用がないことに留意する。（編者）
法人税法第23条の2第1項	内国法人が外国子会社	内国法人（投資法人を除く。以下この項において同じ。）が外国子会社 注　上記により投資法人については、外国子会社から受ける配当等の益金不算入の適用がないことに留意する。（編者）
法人税法第57条第1項ただし書	所得の金額の$\frac{50}{100}$	所得の金額の$\frac{50}{100}$（租税特別措置法第67条の15第1項第1号〔**1**の表の①〕に掲げる要件を満たす投資法人にあっては、当該所得の金額の$\frac{100}{100}$） 注　上記により**1**の表の①の要件を満たす投資法人は、青色欠損金の繰越控除の制限がないことに留意する。（編者）
法人税法第69条第1項	内国法人が各事業年度	内国法人（投資法人を除く。以下この条において同じ。）が各事業年度 注　上記により投資法人については、外国税額控除の適用がないことに留意する。（編者）
租税特別措置法第62条の3第3項	該当する	該当するもの及び投資信託及び投資法人に関する法律第2条第12項に規定する投資法人が行う譲渡で同項第2号（同号ホを除く。）に掲げる要件を満たす事業年度において行う 注　上記により投資法人が**1**の表の②（**ホ**を除く。）の要件を満たす事業年度に行う土地の譲渡等については、土地の譲渡等がある場合の特別税率は適用しないことに留意する。
租税特別措置法第66条の8第1項	外国法人（法人税法第23条の2第1項に規定する外国子会社に該当するものを除く。以下この項において同じ。）	外国法人
	同法	法人税法
租税特別措置法第66条の8第7項	外国法人（法人税法第23条の2第1項に規定する外国子会社に該当するものを除く。以下この項において同じ。）	外国法人
租税特別措置法第66条の9の4第1項	外国法人（法人税法第23条の2第1項に規定する外国子会社に該当するものを除く。以下この項において同じ。）	外国法人
	同法	法人税法
租税特別措置法第66条の9の4第6項	外国法人（法人税法第23条の2第1項に規定する外国子	外国法人

		会社に該当するものを除く。以下この項において同じ。)	
法人税法施行令第8条第1項第19号イ	前事業年度		前々事業年度
	資本金等の額又は利益積立金額（次条第1項第1号に掲げる金額を除く。）		資本金等の額
法人税法施行令第9条第8号	金額を除く。)		金額を除く。）から当該合計額のうち租税特別措置法第67条の15第1項《投資法人に係る課税の特例》の規定により所得の金額の計算上損金の額に算入される金額を控除した金額
法人税法施行令第9条第13号及び第14号	の金額		の金額（当該金額のうち租税特別措置法第67条の15第1項の規定により所得の金額の計算上損金の額に算入される金額を除く。）
法人税法施行令第23条第1項第5号イ	前事業年度		前々事業年度
	資本金等の額又は利益積立金額（第9条第1項第1号に掲げる金額を除く。）		資本金等の額

3 受取配当等の益金不算入の不適用

法人が投資法人から支払を受ける配当等の額については、第二款の一《受取配当等の益金不算入》は、適用しない。（措法67の15④）

4 損金算入の申告

1《投資法人の支払配当の損金算入》は、1の適用を受けようとする事業年度の確定申告書等に、1により損金の額に算入される金額の損金算入に関する申告《別表十(九)》の記載及びその損金の額に算入される金額の計算に関する明細書《別表十(九)》の添付があり、かつ、1の表の①の**ロ**及び**ハ**に掲げる要件を満たしていることを明らかにする書類を保存している場合に限り、適用する。（措法67の15⑤）

（申告記載等がない場合の税務署長のゆうじょ規定）

税務署長は、4の記載若しくは明細書の添付がない確定申告書等の提出があった場合又は4の書類の保存がない場合においても、その記載若しくは明細書の添付又は書類の保存がなかったことについてやむを得ない事情があると認めるときは、1《投資法人の支払配当の損金算入》を適用することができる。（措法67の15⑥）

第二十八款　協同組合等の所得計算の特例

一　協同組合等の特別の賦課金

　協同組合等が、組合員に対し教育事業又は指導事業の経費の支出に充てるために賦課金を賦課した場合において、その賦課の目的となった事業の全部又は一部が翌事業年度に繰り越されたため当該賦課金につき剰余が生じたときにおいても、その剰余の額の全部又は一部をその目的に従って翌事業年度中に支出することが確実であるため、その支出することが確実であると認められる部分の金額を当該事業年度において仮受金等として経理したときは、これを認める。（基通14－2－9）

二　協同組合等の事業分量配当等の損金算入

　協同組合等が各事業年度の決算の確定の時にその支出すべき旨を決議する次に掲げる金額は、当該事業年度の所得の金額の計算上、損金の額に算入する。（法60の2）

1	その組合員その他の構成員に対しその者が当該事業年度中に取り扱った物の数量、価額その他その協同組合等の事業を利用した分量に応じて分配する金額
2	その組合員その他の構成員に対しその者が当該事業年度中にその協同組合等の事業に従事した程度に応じて分配する金額

　　　　（事業分量配当の対象となる剰余金）
（1）　二の表の1に掲げる事業分量に応ずる分配は、その剰余金が協同組合等と組合員その他の構成員との取引及びその取引を基礎として行われた取引により生じた剰余金から成る部分の分配に限るのであるから、固定資産の処分等による剰余金、自営事業を営む協同組合等の当該自営事業から生じた剰余金のように組合員その他の構成員との取引に基づかない取引による剰余金の分配は、これに該当しないことに留意する。（基通14－2－1）
　　　注　事業分量配当又は従事分量配当に該当しない剰余金の分配は、組合員等については配当に該当する。

　　　　（従事分量配当の対象となる剰余金）
（2）　二の表の2に掲げる従事分量に応ずる分配は、その剰余金が農業、漁業又は林業の経営により生じた剰余金から成る部分の分配に限るのであるから、固定資産の処分等により生じた剰余金の分配は、これに該当しないことに留意する。（基通14－2－2）

　　　　（漁業協同組合等の組合員以外の者に対する剰余金の分配）
（3）　漁業協同組合、漁業協同組合連合会、水産加工業協同組合及び水産加工業協同組合連合会が組合員以外の者に対して支出する剰余金の分配については、二の適用がないのであるが、その分配金が、当該者の事業の利用量に応じ、かつ、組合員に対する分配金とおおむね同様の基準により計算されている等のため、事業の利用者に対する利用料等の割戻しと認められる場合には、当該分配金相当額は、その計算の基礎となった剰余金の生じた事業年度の損金の額に算入することができる。（基通14－2－3）

　　　　（農業協同組合の組合員の家族等に対する剰余金の分配）
（4）　農業協同組合が農業協同組合法第10条第1項第3号《組合員の貯金等の受入》に掲げる事業に関し、同条第22項《利用制限の除外》の規定により組合員とみなされる者に対し当該者の事業の利用量に応じて行う剰余金の分配については、組合員に対して事業の利用量に応じて行う剰余金の分配と同様に二の適用があるものとする。（基通14－2－3の2）

　　　　（漁業生産組合等のうち協同組合等となるものの判定）
（5）　漁業生産組合、生産組合である森林組合又は農事組合法人で協同組合等として二の適用があるものは、これらの組合又は法人の事業に従事する組合員に対し、給料、賃金、賞与その他これらの性質を有する給与を支給しないものに限られるのであるが、その判定に当たっては、次に掲げることについては、次による。（基通14－2－4）

(一) その事業に従事する組合員には、これらの組合の役員又は事務に従事する使用人である組合員を含まないから、これらの役員又は使用人である組合員に対し給与を支給しても、協同組合等に該当するかどうかの判定には関係がない。

(二) その事業に従事する組合員に対し、その事業年度において当該事業年度分に係る従事分量配当金として確定すべき金額を見合いとして金銭を支給し、当該事業年度の剰余金処分によりその従事分量配当金が確定するまでの間仮払金、貸付金等として経理した場合には、当該仮払金等として経理した金額は、給与として支給されたものとはしない。

(三) その事業に従事する組合員に対し、通常の自家消費の程度を超えて生産物等を支給した場合において、その支給が給与の支払に代えてされたものと認められるときは、これらの組合又は法人は、協同組合等に該当しない。

(消費生活協同組合剰余金割戻積立金の損金算入)

(6) 消費生活協同組合及び消費生活協同組合連合会（以下(9)までにおいて「消費生活協同組合等」という。）が消費生活協同組合法施行規則（以下(9)までにおいて「消費生協法規則」という。）第207条第8項《利用分量割戻金の積立》の規定により積み立てた利用分量割戻金（以下(9)までにおいて「割戻積立金」という。）は、当該割戻積立金が各組合員別に計算されているといないとにかかわらず、その積み立てた事業年度の損金の額に算入する。ただし、その積み立てた金額のうちに同条第11項《割戻積立金の利益算入》の規定により利益金に算入した割戻積立金から成る部分の金額が含まれている場合には、当該含まれている部分の金額は、損金の額に算入しない。（基通14－2－5）

(割戻積立金の益金算入)

(7) 割戻積立金を積み立てている消費生活協同組合等が次の表の左欄に掲げる場合に該当することとなった場合には、その積み立てている割戻積立金のうちそれぞれ同表の右欄に掲げる金額に相当する金額は、その該当することとなった日の属する事業年度の益金の額に算入する。（基通14－2－6）

(一)	消費生協法規則第207条第9項《割戻しの期限》の規定による割戻積立金の取崩しを行わずに利用分量割戻しを行った場合	その利用分量割戻しをした金額
(二)	割戻積立金を利用分量割戻しの支出以外の目的で取り崩した場合	その取り崩した金額
(三)	割戻積立金を積み立てた事業年度終了の日の翌日から2年を経過した日の前日において当該割戻積立金残額がある場合	その割戻積立金残額

(利用分量割戻しの基準に該当するかどうかの判定)

(8) 消費生協法規則第207条第7項《利用分量割戻しの基準》に規定する「領収書等によって確認することのできる利用分量の総額が当該組合の事業総額の5割以上」であるかどうかは、その事業（同項括弧書に規定する事業別に計算する場合には、それぞれの事業）のうちの一部について割戻しをしないものがあっても、その割戻しをしない部分の利用分量を利用分量の総額及び事業総額に含めて判定するのであるが、その事業のうち米穀類の販売業又はたばこの販売業についてその利用分量分配をしない場合には、その部分の利用量を利用分量の総額及び事業総額の双方から除外して計算することができる。（基通14－2－7）

(領収書等の交付の省略)

(9) 組合員の利用の対価を組合員の勤務先の給与から差引決済する等掛売りの方法を採用している等のため、領収書等を組合員に交付しないでも組合員の利用量が確認できることとなっている消費生活協同組合等については、売掛台帳等により確認された利用分量により消費生協法規則第207条第7項《利用分量割戻しの基準》の基準の判定及び第207条第10項《利用分量の確認》の利用分量の確認を行うことができる。（基通14－2－8）

(預貯金につき支払う事業分量配当等)

(10) 協同組合等で預貯金の受入れをするものがその預貯金につき支払う二の表の1に掲げる金額は、所得税法第23条第1項《利子所得》に規定する預貯金の利子に該当する。（所基通23－1(1)参照）

(生産森林組合の従事分量分配金)
(11)　二の表の**2**に掲げる分配金は、生産森林組合（その事業に従事する組合員に対し、給料、賃金、賞与その他これらの性質を有する給与を支給するものを除く。以下(11)において同じ。）については山林の伐採又は譲渡による所得発生の事業年度における組合員の従事分量に応じて分配されるものであり、したがって、その算定の基礎は、当該事業年度における従事日数及び労務内容に求めることになるが、給料、賃金、賞与その他これらの性質を有する給与というような意味での労働の対価ではないので、その額の多少にかかわらず当該生産森林組合の当該事業年度の所得の金額の計算上、損金の額に算入される。（昭43直審（法）69）

　　注１　土地の譲渡による所得を従事分量分配の原資とすることは認められない。（編者）
　　注２　生産森林組合が行う次の事業から生じた剰余金を原資とする従事分量分配金についても、二の適用がある。この場合において、各組合員の従事状況が毎年ほぼ一定しており、かつ、毎年継続的に出荷されるものである限り、(11)を適用することができる。（編者）
　　　（一）　森林を利用して行う農業（具体的には、わさび、しいたけ、くり等の林産物の生産を目的とする農業）
　　　（二）　環境緑化木の生産（具体的には、苗木、街路樹等の生産）

(事業分量配当金と利益配当金の区分)
(12)　構成員に対し、構成員が利用した事業の分量に応じて分配する金額（以下(12)において「事業分量配当金」という。）を、未処分利益剰余金の処分として分配するにあたり、その未処分利益剰余金に、その事業年度の法人税法上の所得の金額のほか、利益積立金額の取崩額が含まれている場合には、次により取り扱う。（昭44直審（法）29）

（一）　分配した事業分量配当金が、その事業年度の所得の金額を超えないときは、その事業分量配当金は、協同組合等の所得の金額の計算上損金の額に算入される。

（二）　分配した事業分量配当金が、その事業年度の所得の金額を超えるときは、その超える金額は、協同組合等の所得の金額の計算上損金の額に算入されないが、分配を受けた法人については、第二款の一《受取配当等の益金不算入》に掲げる配当等の額を受けたものとみなされる。
　　この場合、分配を受けた法人の配当等の額とみなされる金額は、その分配を受けた事業分量配当金に、協同組合等が分配した事業分量配当金のうち、協同組合等の所得の金額の計算上損金の額に算入されない金額の占める割合を乗じた金額とする。

> 第二十九款　鉱業所得の課税の特例
>
> 第 三 十 款　国外関連者との取引に係る課税の特例等
> 　　　　　　　―移転価格税制―
>
> 第三十一款　支払利子等に係る課税の特例
>
> 第三十二款　内国法人の外国関係会社に係る所得の課税の特例
> 　　　　　　―外国子会社合算税制―
>
> 　については収録を割愛し、本書Web版にのみ収録しているので、そちらを参照されたい。

第三十三款　完全支配関係がある法人の間の取引の損益
―グループ税制―

一　譲渡損益調整資産に係る譲渡利益額又は譲渡損失額の繰延べ

　内国法人（普通法人又は協同組合等に限る。）がその有する**譲渡損益調整資産**（（1）《譲渡損益調整資産の意義》に掲げるものをいう。以下同じ。）を**他の内国法人**（当該内国法人との間に完全支配関係がある普通法人又は協同組合等に限る。以下同じ。）に譲渡した場合には、当該譲渡損益調整資産に係る**譲渡利益額**（その譲渡に係る収益の額が原価の額を超える場合におけるその超える部分の金額をいう。以下同じ。）又は**譲渡損失額**（その譲渡に係る原価の額が収益の額を超える場合におけるその超える部分の金額をいう。以下同じ。）に相当する金額は、その譲渡した事業年度（その譲渡が適格合併に該当しない合併による合併法人への移転である場合には、第三十四款の**一**の1の②《譲渡利益額又は譲渡損失額の最後事業年度の益金又は損金算入》に掲げる最後事業年度）の所得の金額の計算上、損金の額又は益金の額に算入する。（法61の11①）

（譲渡損益調整資産の意義）
（1）　譲渡損益調整資産とは、固定資産、土地（土地の上に存する権利を含み、固定資産に該当するものを除く。）、有価証券、金銭債権及び繰延資産で次の（一）から（三）までに掲げるもの以外のものをいう。（法61の11①、令122の12①、123の8②Ⅰ、規27の13の2、27の15①）

（一）	第二十三款の**一**の1の表の②《売買目的有価証券》に掲げる売買目的有価証券（（二）において「売買目的有価証券」という。）		
（二）	その譲渡を受けた他の内国法人において売買目的有価証券とされる有価証券（（一）又は（三）に掲げるものを除く。）		
（三）	その譲渡の直前の帳簿価額（その譲渡した資産を次の表の左欄に掲げる区分に応じそれぞれ同表の右欄に掲げる単位に区分した後のそれぞれの資産の帳簿価額とする。）が1,000万円に満たない資産（（一）に掲げるもの及び**一**の内国法人が通算法人である場合における**五**の2《通算法人の不適用》に掲げる他の通算法人の株式又は出資（当該他の通算法人以外の通算法人に譲渡されたものに限る。**六**の1《譲受法人への通知》及び**六**の2の②《戻入事由が生じた旨の通知》において「通算法人株式」という。）を除く。）		
	イ	金銭債権	一の債務者ごと
	ロ	減価償却資産	次の表の左欄に掲げる区分に応じ、それぞれ同表の右欄に掲げる単位ごと
			（イ）建物：一棟（建物の区分所有等に関する法律第1条《建物の区分所有》の規定に該当する建物にあっては、同法第2条第1項《定義》に規定する建物の部分）ごと
			（ロ）機械及び装置：一の生産設備又は1台若しくは1基（通常1組又は1式をもって取引の単位とされるものにあっては、1組又は1式）ごと
			（ハ）その他の減価償却資産：（イ）又は（ロ）に準ずる単位ごと
	ハ	土地（土地の上に存する権利を含む。以下ハにおいて「土地等」という。）	土地等を一筆（一体として事業の用に供される一団の土地等にあっては、その一団の土地等）ごと
	ニ	有価証券	その銘柄の異なるごと
	ホ	資金決済に関する	その種類の異なるごと

	法律第2条第5項《定義》に規定する暗号資産	
ヘ	その他の資産	通常の取引の単位ごと

(譲渡に係る対価の額とされる金額)

(2) 一の内国法人が譲渡損益調整資産を一に掲げる他の内国法人に譲渡した場合において、その譲渡につき次の(一)から(十四)までに掲げるものの適用があるときは、これらによりその譲渡に係る収益の額とされる金額を、それぞれ一に掲げる収益の額として、一を適用する。(法61の11⑨、令122の12②)

(一)	第二十三款の二の1《有価証券の譲渡益又は譲渡損の益金又は損金算入》
(二)	同1の(9)《適格合併により合併親法人の株式を交付した場合の譲渡対価の額》
(三)	同1の(10)《適格分割により分割承継親法人の株式を交付した場合の譲渡対価の額》
(四)	同1の(13)《株式交換により株式交換完全親法人の株式等以外の資産が交付されなかった場合の譲渡対価の額》
(五)	同1の(14)《適格株式交換等により株式交換完全支配親法人の株式を交付した場合の譲渡対価の額》
(六)	同1の(15)《株式移転により株式移転完全親法人の株式以外の資産が交付されなかった場合の譲渡対価の額》
(七)	同1の(18)《取得請求権付株式の権利行使等により株式のみの交付を受けた場合の譲渡対価の額》
(八)	同1の(26)《完全支配関係がある他の内国法人からみなし配当の額が生ずる基因となる事由により金銭その他の資産の交付を受けた場合等の譲渡対価の額》
(九)	第三十四款の一の1の①《合併又は分割による資産等の時価による譲渡》
(十)	同1の②《譲渡利益額又は譲渡損失額の最後事業年度の益金又は損金算入》
(十一)	同1の④《現物分配による資産の譲渡》
(十二)	同一の2の③《適格分社型分割による資産等の帳簿価額による譲渡》
(十三)	同2の④《適格現物出資による資産等の帳簿価額による譲渡》
(十四)	同2の⑤《適格現物分配又は適格株式分配による資産の帳簿価額による譲渡》

(圧縮記帳等の適用を受けた場合の譲渡利益額)

(3) 一の内国法人が譲渡損益調整資産を他の内国法人に譲渡した場合において、その譲渡につき(一)に掲げる規定によりその譲渡した事業年度の所得の金額の計算上損金の額に算入される金額((二)に掲げる規定により損金の額に算入されない金額がある場合には、当該金額を控除した金額。以下(3)において「損金算入額」という。)があるときは、当該譲渡損益調整資産に係る譲渡利益額は、当該損金算入額を控除した金額とする。(法61の11⑨、令122の12③)

	次のイからヌまでに掲げる規定	
(一)	イ	第十五款の五《交換資産の圧縮記帳》
	ロ	同款の七《特定の資産の買換えの場合等の課税の特例》
	ハ	同款の八《特定の交換分合により土地等を取得した場合の課税の特例》
	ニ	第十六款の一《収用等に伴い代替資産を取得した場合の課税の特例》
	ホ	同款の二《換地処分等に伴い資産を取得した場合の課税の特例》
	ヘ	同款の四《収用換地等の場合の所得の特別控除》
	ト	同款の五《特定土地区画整理事業等のために土地等を譲渡した場合の所得の特別控除》
	チ	同款の六《特定住宅地造成事業等のために土地等を譲渡した場合の所得の特別控除》
	リ	同款の七《農地保有の合理化のために農地等を譲渡した場合の所得の特別控除》

	ヌ	同款の**八**《特定の長期所有土地等の所得の特別控除》
(二)	次のイからホまでに掲げる規定	
	イ	第十六款の**四**の**5**《特別控除額の特例》
	ロ	同款の**五**の**3**《特別控除額の特例》
	ハ	同款の**六**の**3**《特別控除額の特例》
	ニ	同款の**七**の**3**《特別控除額の特例》
	ホ	同款の**八**の**5**《特別控除額の特例》

　　　（譲渡損益調整額の計算における「原価の額」の意義）
（4）　**一**に掲げる「原価の額」とは、譲渡損益調整資産の譲渡直前の帳簿価額をいうのであるから、例えば、不動産売買又は有価証券の譲渡に係る手数料など譲渡に付随して発生する費用は、これに含まれないことに留意する。（基通12の4－1－1）

　　　（完全支配関係法人間取引の損益の調整を行わない取引）
（5）　法人が譲渡損益調整資産を完全支配関係法人（当該法人との間に完全支配関係がある普通法人又は協同組合等をいう。以下同じ。）に譲渡した場合には、例えば、当該完全支配関係法人を借地権者とする借地権の設定（第二十七款の**五**の**2**《借地権の設定等により地価が著しく低下する場合の土地等の帳簿価額の一部の損金算入》の適用があるものを除く。）は含まれない。（基通12の4－2－1）

　　　（譲渡損益調整資産の譲渡に伴い特別勘定を設定した場合の譲渡損益調整額の計算）
（6）　法人が譲渡損益調整資産の譲渡に伴い次に掲げる規定に基づき特別勘定を設定した場合には、譲渡利益額は、当該特別勘定の金額に相当する金額を控除した後の金額となるのであるが、代替資産を取得できなかったこと等の理由により当該事業年度開始の時に有する当該特別勘定の金額の全部又は一部が益金の額に算入されることとなった場合であっても、当該益金の額に算入される特別勘定の金額について譲渡損益調整額（**一**により譲渡損益調整資産に係る譲渡利益額又は譲渡損失額に相当する金額が損金の額又は益金の額に算入される場合のその算入される金額をいう。以下同じ）として損金の額に算入しないのであるから留意する。（基通12の4－2－2）

(一)	第十六款の**一**の**8**《補償金等の特別勘定経理》
(二)	同款の**二**《換地処分等に伴い資産を取得した場合の課税の特例》
(三)	第十五款の**七**の**6**《特定の資産の譲渡に伴い特別勘定を設けた場合の課税の特例》

二　譲渡損益調整資産に係る譲渡利益額又は譲渡損失額の戻入れ

1　譲受法人において譲渡損益調整資産の譲渡があった場合等の戻入れ

　内国法人が譲渡損益調整資産に係る譲渡利益額又は譲渡損失額につき**一**《譲渡損益調整資産に係る譲渡利益額又は譲渡損失額の繰延べ》の適用を受けた場合において、その譲渡を受けた法人（以下「譲受法人」という。）において**三**《譲渡損益調整資産に係る譲渡利益額又は譲渡損失額のうち益金の額又は損金の額に戻し入れる金額の計算等》の表の左欄に掲げる事由が生じたときは、当該譲渡損益調整資産に係る譲渡利益額又は譲渡損失額に相当する金額は、**三**により、当該内国法人の各事業年度（当該譲渡利益額又は譲渡損失額につき**2**《譲受法人との間に完全支配関係を有しないこととなった場合の戻入れ》の適用を受ける事業年度以後の事業年度を除く。）の所得の金額の計算上、益金の額又は損金の額に算入する。（法61の11②、令122の12④）

　　　（換地処分等の場合の圧縮記帳の適用を受けた場合の譲渡損益調整資産等の取扱い）
（1）　内国法人が譲渡損益調整資産に係る譲渡利益額につき**一**《譲渡損益調整資産に係る譲渡利益額又は譲渡損失額の繰延べ》の適用を受けた場合において、譲受法人の有するその適用に係る譲渡損益調整資産（以下**1**において「適用譲渡損益調整資産」という。）である第十六款の**二**の**1**《換地処分等により交換取得した資産の圧縮記帳》の表の③か

ら⑦まで（同表の③にあっては新都市基盤整備法による土地整理に係る部分を、同表の④にあっては都市再開発法による第二種市街地再開発事業に係る部分を、それぞれ除く。）に該当する資産（第十六款の二の6《市街地再開発事業の施行により変換清算金等又は施設建築物等を取得した場合の特例》の施設建築物の一部を取得する権利又は施設建築物の一部についての借家権を取得する権利、同二の7《密集市街地における防災街区の整備の促進に関する法律により防災変換金又は防災施設建築物等を取得した場合の特例》の防災施設建築物の一部を取得する権利又は防災施設建築物の一部についての借家権を取得する権利及び同二の8《マンションの建替え等の円滑化に関する法律のマンション建替事業により施行再建マンションに関する権利を取得した場合の特例》の施行再建マンションに関する権利を取得する権利を含む。）の譲渡につき同二の1又は同二の4《適格分割等を行った場合の分割法人等における交換取得資産の圧縮額の損金算入》の適用を受けたときは、この款の適用については、次の表の左欄に掲げる場合の区分に応じそれぞれ右欄に掲げるところによる。（措法65⑩、措令39の2⑭⑮）

①	交換取得資産とともに補償金等又は保留地の対価を取得した場合（変換清算金又は防災変換清算金の交付を受けることとなった場合その他当該譲渡資産の価額が当該交換取得資産の概算額を超える場合を含む。）	当該譲渡に基因して1により益金の額に算入する金額は、当該譲渡利益額のうち当該補償金等若しくは保留地の対価又は変換清算金若しくは防災変換清算金の額に相当する部分の金額として譲渡利益額（当該譲渡利益額に係る三《譲渡損益調整資産に係る譲渡利益額又は譲渡損失額のうち益金の額又は損金の額に戻し入れる金額の計算等》に掲げる調整済額がある場合には、当該調整済額を控除した金額）に第十六款の二の2《譲渡資産の帳簿価額のうち交換取得資産に対応する金額》の表の①（同二の2の(1)《マンションに係る敷地利用権の価額が施行再建マンションの敷地利用権の概算額と異なる場合の譲渡資産の譲渡直前の帳簿価額》により準じて計算する場合を含む。）、同二の6の表の（一）又は同二の7に掲げる割合を乗じて計算した金額とする。
②	①に掲げる場合以外の場合	当該譲渡は、1については、三の表の左欄に掲げる事由に該当しないものとみなす。

(換地処分等により取得した資産の適用譲渡損益調整資産へのみなし規定)
（2）　(1)の適用がある場合には、譲渡法人が譲渡に係る換地処分等により取得した資産を適用譲渡損益調整資産とみなして、この款を適用する。（措法65⑪）

2　譲受法人との間に完全支配関係を有しないこととなった場合の戻入れ

内国法人が譲渡損益調整資産に係る譲渡利益額又は譲渡損失額につき一《譲渡損益調整資産に係る譲渡利益額又は譲渡損失額の繰延べ》の適用を受けた場合（当該譲渡損益調整資産の適格合併に該当しない合併による合併法人への移転により一の適用を受けた場合を除く。）において、当該内国法人が当該譲渡損益調整資産に係る譲受法人との間に完全支配関係を有しないこととなったとき（次の①又は②に掲げる事由に基因して完全支配関係を有しないこととなった場合を除く。）は、当該譲渡損益調整資産に係る譲渡利益額又は譲渡損失額に相当する金額（その有しないこととなった日の前日の属する事業年度前の各事業年度の所得の金額の計算上益金の額又は損金の額に算入された金額を除く。）は、当該内国法人の当該前日の属する事業年度の所得の金額の計算上、益金の額又は損金の額に算入する。（法61の11③）

①	当該内国法人の適格合併（合併法人〔法人を設立する適格合併にあっては、他の被合併法人の全て。②において同じ。〕が当該内国法人との間に完全支配関係がある内国法人であるものに限る。）による解散
②	当該譲受法人の適格合併（合併法人が当該譲受法人との間に完全支配関係がある内国法人であるものに限る。）による解散

三　譲渡損益調整資産に係る譲渡利益額又は譲渡損失額のうち益金の額又は損金の額に戻し入れる金額の計算等

内国法人が譲渡損益調整資産に係る譲渡利益額又は譲渡損失額につき一《譲渡損益調整資産に係る譲渡利益額又は譲渡損失額の繰延べ》の適用を受けた場合において、当該譲渡損益調整資産に係る譲受法人において次の表の左欄に掲げる事由（四の2《譲受法人が適格合併等により譲渡損益調整資産を移転した場合》の適用があるものを除く。）が生じたときは、当該事由の区分に応じそれぞれ同表の右欄に掲げる金額（同欄に掲げる金額と当該譲渡利益額又は譲渡損失額に係る**調整**

済額〔譲渡損益調整資産に係る譲渡利益額又は譲渡損失額に相当する金額につき、既に内国法人の各事業年度の所得の金額の計算上益金の額又は損金の額に算入された金額の合計額をいう。以下三において同じ。〕とを合計した金額が当該譲渡利益額又は譲渡損失額に相当する金額を超える場合には、その超える部分の金額を控除した金額）は、当該事由が生じた日の属する当該譲受法人の事業年度終了の日の属する当該内国法人の事業年度（当該譲渡損益調整資産につき二の**2**《譲受法人との間に完全支配関係を有しないこととなった場合の戻入れ》の適用を受ける事業年度以後の事業年度を除く。）の所得の金額の計算上、益金の額又は損金の額に算入する。（法61の11②、令122の12④⑤）

1	次の①から③までに掲げる事由 ① 当該譲渡損益調整資産の譲渡、貸倒れ、除却その他これらに類する事由（**2**から**7**までの左欄に掲げる事由を除く。） ② 当該譲渡損益調整資産の適格分割型分割による分割承継法人への移転 ③ 普通法人又は協同組合等である当該譲受法人が公益法人等に該当することとなったこと。	当該譲渡利益額又は譲渡損失額に相当する金額
2	当該譲渡損益調整資産が譲受法人において、第九款の**一**の**2**《会社更生等による評価換えを行った場合の資産の評価益の益金算入》に掲げる評価換えによりその帳簿価額を増額され、その増額された部分の金額が益金の額に算入されたこと又は同**一**の**3**《民事再生等による特定の事実が生じた場合の資産の評価益の益金算入》に掲げる資産に該当し、当該譲渡損益調整資産の同**3**の(5)《評価益の額》に掲げる金額が益金の額に算入されたこと	当該譲渡利益額又は譲渡損失額に相当する金額
3	当該譲渡損益調整資産が譲受法人において減価償却資産に該当し、その償却費が損金の額に算入されたこと	当該譲渡利益額又は譲渡損失額に相当する金額に、当該譲受法人における当該譲渡損益調整資産の取得価額のうちに当該損金の額に算入された金額の占める割合を乗じて計算した金額
4	当該譲渡損益調整資産が譲受法人において繰延資産に該当し、その償却費が損金の額に算入されたこと	当該譲渡利益額又は譲渡損失額に相当する金額に、当該譲受法人における当該譲渡損益調整資産の額のうちに当該損金の額に算入された金額の占める割合を乗じて計算した金額
5	当該譲渡損益調整資産が譲受法人において、第九款の**二**の**2**《評価換えを行った場合の資産の評価損の損金算入》に掲げる評価換えによりその帳簿価額を減額され、当該譲渡損益調整資産の同**2**に掲げる差額に達するまでの金額が損金の額に算入されたこと、同**二**の**3**《会社更生等による評価換えを行った場合の資産の評価損の損金算入》に掲げる評価換えによりその帳簿価額を減額され、その減額された部分の金額が損金の額に算入されたこと又は同**二**の**4**《民事再生等による特定の事実が生じた場合の資産の評価損の損金算入》に掲げる資産に該当し、当該譲渡損益調整資産の同**4**の(5)《評価損の額》に掲げる金額が損金の額に算入されたこと	当該譲渡利益額又は譲渡損失額に相当する金額
6	有価証券である当該譲渡損益調整資産と銘柄を同じくする有価証券（第二十三款の**一**の**1**の表の②《売買目的有価証券》に掲げる売買目的有価証券を除く。）の譲渡（当該譲受法人が取得した当該銘柄を同じくする有価証券である譲渡損益調整資産の数に達するまでの譲渡に限る。）	当該譲渡利益額又は譲渡損失額に相当する金額のうちその譲渡をした数に対応する部分の金額
7	当該譲渡損益調整資産が譲受法人において第二十三款の**三**の**1**の表の②《売買目的外有価証券》に掲げる償還有価証券（以下**7**において「償還有価証券」という。）に該当し、当該譲渡損益調整資産につき同款の**五**《償	当該譲渡利益額又は譲渡損失額に相当する金額（既にこの**7**の左欄に掲げる事由が生じたことによる調整済額がある場合

	還有価証券の調整差益又は調整差損の益金又は損金算入》に掲げる調整差益又は調整差損が益金の額又は損金の額に算入されたこと	には、当該調整済額を控除した金額）に、当該内国法人の当該事業年度開始の日から当該償還有価証券の償還日までの期間の日数のうちに当該内国法人の当該事業年度の日数の占める割合を乗じて計算した金額
8	当該譲渡損益調整資産が譲受法人において第三十五款の三の1《通算制度の開始に伴う資産の時価評価損益》に掲げる時価評価資産、同1の（3）《株式等保有法人における株式等の評価損益》に掲げる株式若しくは出資、同三の2《通算制度への加入に伴う資産の時価評価損益》に掲げる時価評価資産、同2の（6）《株式等保有法人における株式等の評価損益》に掲げる株式若しくは出資又は同三の3《通算制度からの離脱等に伴う資産の時価評価損益》に掲げる時価評価資産に該当し、当該譲渡損益調整資産につきこれらの規定に規定する評価益の額又は評価損の額が益金の額又は損金の額に算入されたこと	当該譲渡利益額又は譲渡損失額に相当する金額

(譲渡損益調整資産が減価償却資産又は繰延資産である場合の簡便法)
（1） 内国法人が譲渡をした譲渡損益調整資産に係る譲渡利益額又は譲渡損失額につき一《譲渡損益調整資産に係る譲渡利益額又は譲渡損失額の繰延べ》の適用を受けた場合において、当該譲渡損益調整資産が譲受法人において減価償却資産又は繰延資産（第八款の一《繰延資産の意義》の6に掲げるものに限る。次の表の（二）において同じ。）に該当する場合には、当該譲渡損益調整資産の次の表の左欄に掲げる区分に応じそれぞれ同表の右欄に掲げる金額を三の表の3の右欄又は4の右欄に掲げる金額とみなして、三（3及び4に係る部分に限る。）を適用する。（法61の11⑨、令122の12⑥）

（一）	減価償却資産	当該譲渡利益額又は譲渡損失額に相当する金額にイに掲げる月数をロに掲げる数で除して得た割合を乗じて計算した金額	
		イ	当該内国法人の当該事業年度開始の日からその終了の日までの期間（当該譲渡の日〔四の1《譲渡法人が適格合併により解散した場合》により同1に掲げる適格合併に係る合併法人を当該譲渡損益調整資産に係る譲渡利益額又は譲渡損失額につき一の適用を受けた法人とみなしてこの款を適用する場合において、当該適格合併に係る被合併法人が当該譲渡損益調整資産につき（1）の適用を受けていたときにおける当該合併法人の当該適格合併の日の属する事業年度の当該譲渡損益調整資産については、当該適格合併の日。（二）のイにおいて同じ。〕の前日までの期間を除く。）の月数
		ロ	当該譲受法人が当該譲渡損益調整資産について適用する耐用年数に12を乗じて得た数
（二）	繰延資産	当該譲渡利益額又は譲渡損失額に相当する金額にイに掲げる月数をロに掲げる月数で除して得た割合を乗じて計算した金額	
		イ	当該内国法人の当該事業年度開始の日からその終了の日までの期間（当該譲渡の日の前日までの期間を除く。）の月数
		ロ	当該繰延資産となった費用の支出の効果の及ぶ期間の月数

(月数の計算)
（2） （1）の月数は、暦に従って計算し、1か月に満たない端数を生じたときは、これを1か月とする。（法61の11⑨、令122の12⑦）

(簡便法の適用要件)
（3） （1）は、譲渡損益調整資産の譲渡の日の属する事業年度の確定申告書に（1）の適用を受けて三により益金の額又は損金の額に算入する金額及びその計算に関する明細の記載がある場合に限り、適用する。（法61の11⑨、令122の12

第三章　第一節　第三十三款《完全支配関係がある法人の間の取引の損益》

⑧
　　注　第二節第三款の一の3《仮決算をした場合の中間申告書の記載事項等》に掲げる期間に係る課税標準である所得の金額又は欠損金額の計算については、（3）中「確定申告書」とあるのは「中間申告書」とする（（4）において同じ。）。（令150の2①）

（明細の記載がない場合のゆうじょ規定）
（4）　税務署長は、（3）の記載がない確定申告書の提出があった場合においても、その記載がなかったことについてやむを得ない事情があると認めるときは、（1）を適用することができる。（法61の11⑨、令122の12⑨）

（戻入事由の生じた日）
（5）　内国法人が三を適用する場合には、三の表の左欄に掲げる事由は、譲受法人において同表の1の左欄に掲げる事由が生じた日の属する当該譲受法人の事業年度終了の日、譲受法人において同表の2から5まで若しくは7の左欄に掲げる益金の額若しくは損金の額に算入された事業年度終了の日又は同表の6の左欄の譲渡の日の属する譲受法人の事業年度終了の日に生じたものとする。（法61の11⑨、令122の12⑩）

（譲渡損益調整の適用を受けた法人の負債又は資産）
（6）　内国法人が譲渡損益調整資産に係る譲渡利益額又は譲渡損失額につき一《譲渡損益調整資産に係る譲渡利益額又は譲渡損失額の繰延べ》の適用を受けた場合（当該譲渡損益調整資産の適格合併に該当しない合併による合併法人への移転により一の適用を受けた場合を除く。）には、当該内国法人の負債又は資産には、当該譲渡利益額又は譲渡損失額（三に掲げる調整済額を除く。）に相当する調整勘定を含むものとする。（法61の11⑨、令122の12⑭）

（適用譲渡損益調整資産とみなされた減価償却資産の取得価額及び耐用年数）
（7）　二の1の（2）《換地処分等により取得した資産の適用譲渡損益調整資産へのみなし規定》により同1の（1）《換地処分等の場合の圧縮記帳の適用を受けた場合の譲渡損益調整資産等の取扱い》に掲げる適用譲渡損益調整資産（以下（7）及び五の2の②の《適用譲渡損益調整資産の譲渡により戻入事由が生じた旨の通知》において「適用譲渡損益調整資産」という。）とみなされた減価償却資産につき三を適用する場合には、同三の表の3に掲げる取得価額は二の1の（2）を適用する前の適用譲渡損益調整資産の取得価額とし、（1）の表の（一）のロに掲げる耐用年数は二の1の（2）を適用する前の適用譲渡損益調整資産について適用する耐用年数とする。（措令39の2⑮）

（譲渡損益調整額の戻入れ事由）
（8）　三の表の1の①に掲げる「その他これらに類する事由」には、例えば、次の表の左欄に掲げる譲渡損益調整資産につきそれぞれ同表の右欄に掲げる事由が該当する。（基通12の4-3-1）

(一)	金銭債権	その譲渡を受けた法人（以下（8）において「譲受法人」という。）においてその全額が回収されたこと又は第一款の四の11の（8）《債権の取得差額に係る調整差損益の計上》の取扱いの適用を受けたこと
(二)	償還有価証券	譲受法人においてその全額が償還期限前に償還されたこと
(三)	固定資産	譲受法人において災害等により滅失したこと

　　注　同イに掲げる「譲渡」には、第二十三款の二の2《有価証券の区分変更によるみなし譲渡》の②から⑤までに掲げる有価証券について、同②から⑤までに掲げる事実が生じたことにより譲受法人が当該有価証券を譲渡したものとみなされた事由が含まれる。

（契約の解除等があった場合の譲渡損益調整額）
（9）　法人が当該事業年度前の各事業年度において行った譲渡損益調整資産の譲渡について、当該事業年度に次の表の左欄に掲げる事由が生じた場合には、それぞれ同表の右欄による。（基通12の4-3-2）

(一)	契約の解除若しくは取消し又は返品		これらの事由が生じた資産に係る当該事業年度開始の時における**期首譲渡損益調整額**を益金の額又は損金の額に算入する。
(二)	譲渡利益額が生じた譲渡に係る値引き	イ	値引額が当該事業年度開始の時における期首譲渡損益調整額以内の場合	期首譲渡損益調整額のうち値引額に相当する金額を益金の額に算入する。
		ロ	値引額が当該事業年度開始の時にお	当該期首譲渡損益調整額の全額を益金の額に算

		ける期首譲渡損益調整額を超える場合	入するとともに、当該超える部分の金額を新たに譲渡損益調整額として益金の額に算入する。
(三)	譲渡損失額が生じた譲渡に係る値引き	値引額に相当する金額を新たに譲渡損益調整額として益金の額に算入する。	

注　期首譲渡損益調整額とは、譲渡損益調整額から既に三により益金の額又は損金の額に算入された金額を控除した金額をいう。以下同じ。

(債権の取得差額に係る調整差損益を計上した場合の譲渡損益調整額の戻入れ計算)
(10) 法人が譲渡した金銭債権につき譲受法人において第一款の四の11の(8)《債権の取得差額に係る調整差損益の計上》の取扱いを適用している場合に、当該法人が三により益金の額又は損金の額に算入する金額は、例えば、次の表の左欄に掲げる当該法人の事業年度の区分に応じ、それぞれ同表の右欄により計算した金額とする等合理的な方法により計算した金額とする。(基通12の4－3－3)

(一)	当該金銭債権を譲渡した事業年度	当該金銭債権に係る譲渡損益調整額に当該譲渡した日から当該金銭債権の最終の支払期日までの期間のうちに当該譲渡した日から当該事業年度終了の日までの期間の占める割合を乗じて計算した金額
(二)	当該金銭債権の最終の支払期日の属する事業年度	当該事業年度開始の時における期首譲渡損益調整額
(三)	(一)及び(二)以外の事業年度	当該金銭債権に係る譲渡損益調整額に当該譲渡した日から当該金銭債権の最終の支払期日までの期間のうちに当該事業年度の期間の占める割合を乗じて計算した金額

(金銭債権の一部が貸倒れとなった場合の譲渡損益調整額の戻入れ計算)
(11) 法人が完全支配関係法人に対して譲渡した譲渡損益調整資産である金銭債権について、当該完全支配関係法人において第十四款の一の1の(1)《金銭債権の全部又は一部の切捨てをした場合の貸倒れ》の取扱いにより当該金銭債権の一部が貸倒れとなった場合の当該法人における三により損金の額に算入する金額は、例えば、当該金銭債権に係る譲渡損益調整額に当該完全支配関係法人の当該金銭債権の取得価額のうちに当該貸倒れによる損失の額の占める割合を乗じて計算した金額とする等合理的な方法により計算した金額とする。(基通12の4－3－4)

注　債権金額に満たない価額で取得した債権の一部について第十四款の一の1の(1)の事実が生じたことにより貸倒れとして損金の額に算入される金額は、この事実が生じた後においてなお有することとなる債権金額が取得価額を下回る場合のその下回る部分の金額となる。

(土地の一部譲渡に係る譲渡損益調整額の戻入れ計算)
(12) 法人が完全支配関係法人に譲渡した譲渡損益調整資産である土地について、当該完全支配関係法人がその一部を譲渡した場合の当該法人における三により益金の額又は損金の額に算入する金額は、当該土地に係る譲渡損益調整額のうち当該完全支配関係法人が譲渡した土地に係るものとして、例えば、当該譲渡損益調整額を当該法人が譲渡した土地の面積と当該完全支配関係法人が譲渡した土地の面積の比に応じて区分する等合理的な方法により計算した金額とする。(基通12の4－3－5)

(同一銘柄の有価証券を2回以上譲渡した後の譲渡に伴う譲渡損益調整額の戻入れ計算)
(13) 法人が譲渡損益調整資産である銘柄を同じくする有価証券を2回以上にわたって完全支配関係法人に対し譲渡した後に当該完全支配関係法人が当該有価証券を譲渡した場合には、当該法人における譲渡損益調整額の戻入れ計算は、当該完全支配関係法人が当該法人から最も早く取得したものから順次譲渡したものとみなして、三の表の6を適用する。(基通12の4－3－6)

(譲渡損益調整額の戻入れ計算における簡便法の選択適用)
(14) (1)の適用については、法人が当該事業年度において完全支配関係法人に対し複数の減価償却資産(当該完全支配関係法人において減価償却資産に該当することとなるものに限る。以下(14)において同じ。)を譲渡した場合であっても、個々の減価償却資産ごとに(1)を適用することができる。
　　法人が当該事業年度において完全支配関係法人に対し複数の繰延資産の譲渡を行った場合についても、同様とする。(基通12の4－3－8)

(譲渡損益調整資産の耐用年数を短縮した場合の簡便法による戻入れ計算)
(15) 法人が（1）を適用するに当たり、（1）に掲げる譲渡損益調整資産を譲り受けた完全支配関係法人が当該譲渡損益調整資産についてその譲受日の属する事業年度後の事業年度において、第六款の**八**の**3**《耐用年数の短縮》により当該減価償却資産の耐用年数を短縮することの承認を受けたときには、当該承認を受けた日の属する当該法人の事業年度及びその後の事業年度における（1）の表の（一）の表のロの耐用年数は、当該承認に基づく耐用年数として差し支えない。（基通12の4－3－10）

四　組織再編成が行われた場合の処理

1　譲渡法人が適格合併により解散した場合

内国法人が譲渡損益調整資産に係る譲渡利益額又は譲渡損失額につき**一**《譲渡損益調整資産に係る譲渡利益額又は譲渡損失額の繰延べ》の適用を受けた場合において、当該内国法人が適格合併（合併法人〔法人を設立する適格合併にあっては、他の被合併法人の全て〕が当該内国法人との間に完全支配関係がある内国法人であるものに限る。）により解散したときは、当該適格合併に係る合併法人の当該適格合併の日の属する事業年度以後の各事業年度においては、当該合併法人を当該譲渡利益額又は譲渡損失額につき**一**の適用を受けた法人とみなして、この款《完全支配関係がある法人の間の取引の損益》を適用する。（法61の11⑤）

(譲渡法人が適格合併により解散した場合の益金算入額又は損金算入額の引継ぎ)
（1）　**1**により**1**の適格合併に係る合併法人を譲渡損益調整資産に係る譲渡利益額又は譲渡損失額につき**一**《譲渡損益調整資産に係る譲渡利益額又は譲渡損失額の繰延べ》の適用を受けた法人とみなしてこの款《完全支配関係がある法人の間の取引の損益》を適用する場合には、**二**の**2**《譲受法人との間に完全支配関係を有しないこととなった場合の戻入れ》に掲げる益金の額又は損金の額に算入された金額には、当該譲渡損益調整資産に係る譲渡利益額又は譲渡損失額に相当する金額で当該適格合併に係る被合併法人の当該適格合併の日の前日の属する事業年度以前の各事業年度の所得の金額の計算上益金の額又は損金の額に算入された金額を含むものとする。（法61の11⑨、令122の12⑬）

(適格合併により合併法人に引き継がれる負債又は資産)
（2）　内国法人を被合併法人とする適格合併につき**1**の適用があるときは、当該適格合併により合併法人に引き継がれる負債又は資産には、**1**により当該合併法人が譲渡利益額又は譲渡損失額につき**一**《譲渡損益調整資産に係る譲渡利益額又は譲渡損失額の繰延べ》の適用を受けたものとみなされる場合の当該譲渡利益額又は譲渡損失額（当該内国法人における**三**《譲渡損益調整資産に係る譲渡利益額又は譲渡損失額のうち益金の額又は損金の額に戻し入れる金額の計算等》に掲げる調整済額を除く。）に相当する調整勘定を含むものとする。（法61の11⑨、令122の12⑭）

(簡便法を適用した完全支配関係法人を被合併法人とする適格合併をした場合の譲渡損益調整額の戻入れ計算)
（3）　**1**により法人が**一**《譲渡損益調整資産に係る譲渡利益額又は譲渡損失額の繰延べ》の適用を受けた法人とみなされた場合における譲渡損益調整資産のうち、**1**の当該内国法人が**三**の（1）《譲渡損益調整資産が減価償却資産又は繰延資産である場合の簡便法》の適用を受けたものについては、合併法人である当該法人において同（1）の適用があることに留意する。（基通12の4－3－9）

2　譲受法人が適格合併等により譲渡損益調整資産を移転した場合

内国法人が譲渡損益調整資産に係る譲渡利益額又は譲渡損失額につき**一**《譲渡損益調整資産に係る譲渡利益額又は譲渡損失額の繰延べ》の適用を受けた場合において、当該譲渡損益調整資産に係る譲受法人が適格合併、適格分割、適格現物出資又は適格現物分配（合併法人、分割承継法人、被現物出資法人又は被現物分配法人〔法人を設立する適格合併、適格分割又は適格現物出資にあっては、他の被合併法人、他の分割法人又は他の現物出資法人の全て〕が当該譲受法人との間に完全支配関係がある内国法人であるものに限る。）により合併法人、分割承継法人、被現物出資法人又は被現物分配法人（以下**2**において「合併法人等」という。）に当該譲渡損益調整資産を移転したときは、その移転した日以後に終了する当該内国法人の各事業年度においては、当該合併法人等を当該譲渡損益調整資産に係る譲受法人とみなして、この款《完全支配関係がある法人の間の取引の損益》を適用する。（法61の11⑥）

3 非適格組織再編成により譲渡損益調整資産の移転があった場合

① 非適格合併により譲渡損益調整資産の移転があった場合

適格合併に該当しない合併に係る被合併法人が当該合併による譲渡損益調整資産の移転につき一《譲渡損益調整資産に係る譲渡利益額又は譲渡損失額の繰延べ》の適用を受けた場合には、当該譲渡損益調整資産に係る譲渡利益額に相当する金額は当該合併に係る合併法人の当該譲渡損益調整資産の取得価額に算入しないものとし、当該譲渡損益調整資産に係る譲渡損失額に相当する金額は当該合併法人の当該譲渡損益調整資産の取得価額に算入するものとする。（法61の11⑦）

② 非適格分割型分割により分割法人の株主等に対して分割対価資産が交付された場合

適格分割型分割に該当しない分割型分割に係る分割承継法人により第二章第一節の二の表の12の9《分割型分割》のイに掲げる分割対価資産が交付された場合には、当該分割承継法人から当該分割型分割に係る分割法人の株主等に対して当該分割対価資産が譲渡されたものとみなして、一《譲渡損益調整資産に係る譲渡利益額又は譲渡損失額の繰延べ》を適用する。（法61の11⑨、令122の12⑮）

五 通算法人における処理

1 譲渡損益調整資産に係る譲渡利益額又は譲渡損失額の益金又は損金算入

第三十五款の三の1《通算制度の開始に伴う資産の時価評価損益》に掲げる内国法人、同三の2《通算制度への加入に伴う資産の時価評価損益》に掲げる他の内国法人又は同三の3《通算制度からの離脱等に伴う資産の時価評価損益》に掲げる通算法人が時価評価事業年度（同三の1に掲げる通算開始直前事業年度、同三の2に掲げる通算加入直前事業年度又は同三の3に掲げる通算終了直前事業年度をいう。以下1において同じ。）以前の各事業年度において譲渡損益調整資産に係る譲渡利益額又は譲渡損失額につき一の適用を受けた法人である場合には、当該譲渡損益調整資産に係る譲渡利益額又は譲渡損失額に相当する金額（当該時価評価事業年度前の各事業年度の所得の金額の計算上益金の額又は損金の額に算入された金額を除く。以下1において「譲渡損益調整額」という。）は、譲渡損益調整資産のうち(1)に掲げるものに係る譲渡損益調整額（第三十五款の三の3に掲げる通算法人のうち同3の表の(二)に掲げる要件に該当するものにあっては、(1)に掲げるものに係る譲渡損益調整額及び次に掲げる要件のいずれかに該当しない譲渡損益調整額）を除き、当該時価評価事業年度の所得の金額の計算上、益金の額又は損金の額に算入する。（法61の11④⑨、令122の12⑫）

(一)	10億円を超えること。
(二)	譲渡損失額に係るものであること。
(三)	当該譲渡損益調整資産に係る譲受法人において三《譲渡損益調整資産に係る譲渡利益額又は譲渡損失額のうち益金の額又は損金の額に戻し入れる金額の計算等》の表の1、2、5、6及び8に掲げる事由（同三の(1)《譲渡損益調整資産が減価償却資産又は繰延資産である場合の簡便法》の適用があるものを除く。）が生ずることが見込まれていること又は当該通算法人が当該譲渡損益調整資産に係る譲受法人との間に完全支配関係を有しないこととなること（(1)の表の(一)又は(二)に掲げる事由に基因して完全支配関係を有しないこととなることを除く。）が見込まれていること。

（譲渡損益調整額が少額であるもの等）
(1) 1に掲げるものは、次に掲げるものとする。（法61の11⑨、令122の12⑪）

(一)	譲渡損益調整資産に係る譲渡利益額又は譲渡損失額から当該譲渡損益調整資産に係る三に掲げる調整済額を控除した金額が1,000万円に満たない場合における当該譲渡損益調整資産	
(二)	次に掲げる法人の区分に応じそれぞれ次に定める譲渡損益調整額に係る譲渡損益調整資産	
	イ 第三十五款の三の1に掲げる内国法人（同1に掲げる親法人を除く。）	同款の二の1の(13)《時価評価資産その他のもの》の表の(二)のロに掲げる譲渡損益調整額
	ロ 同款の三の2に掲げる他の内国法人	同款の二の1の(16)《他の内国法人における時価評価資産その他のもの》の表の(二)のロに掲げる譲渡損益調整額

2 通算法人の不適用

　通算法人が譲渡損益調整資産に係る譲渡利益額又は譲渡損失額につき**一**《譲渡損益調整資産に係る譲渡利益額又は譲渡損失額の繰延べ》の適用を受けた場合において、当該譲渡損益調整資産の譲渡が他の通算法人(第三十五款の**一**の**1**《通算法人の損益通算》の適用を受けない法人として第九款の**一**の**4**《通算法人である場合の不適用》に掲げる初年度離脱通算子法人及び通算親法人を除く。)の株式又は出資の当該他の通算法人以外の通算法人に対する譲渡であるときは、当該譲渡損益調整資産については、**二**《譲渡損益調整資産に係る譲渡利益額又は譲渡損失額の戻入れ》、**1**、**四**《組織再編成が行われた場合の処理》は、適用しない。（法61の11⑧⑨、令122の12⑯）

六 譲渡損益調整資産を譲渡した場合の通知

1 譲受法人への通知

　内国法人（普通法人又は協同組合等に限る。）がその有する**譲渡損益調整資産該当資産**（次の①から⑤までに掲げるもの〔**一**の(1)《譲渡損益調整資産の意義》の表の(一)又は(三)に掲げるものを除く。〕をいう。以下**1**において同じ。）を他の内国法人（当該内国法人との間に完全支配関係がある普通法人又は協同組合等に限る。）に譲渡した場合（その譲渡した資産が通算法人株式である場合を除く。）には、その譲渡の後遅滞なく、当該他の内国法人に対し、その譲渡した資産が譲渡損益調整資産該当資産である旨（当該資産につき**三**の(1)《譲渡損益調整資産が減価償却資産又は繰延資産である場合の簡便法》の適用を受けようとする場合には、その旨を含む。）を通知しなければならない。（法61の11⑨、令122の12⑰）

①	固定資産
②	土地（土地の上に存する権利を含み、固定資産に該当するものを除く。）
③	有価証券
④	金銭債権
⑤	繰延資産

2 譲渡法人への通知

① 売買目的有価証券に該当する旨等の通知

　1の通知を受けた**1**の他の内国法人（適格合併に該当しない合併により**1**の資産の移転を受けたものを除く。）は、次の表の左欄に掲げる場合の区分に応じそれぞれ同表の右欄に掲げる事項を、当該通知を受けた後遅滞なく、当該通知をした内国法人（当該内国法人が**四**の**1**《譲渡法人が適格合併により解散した場合》に掲げる適格合併により解散した後は、当該適格合併に係る合併法人）に通知しなければならない。（法61の11⑨、令122の12⑱）

イ	**1**の通知に係る資産が**一**の(1)《譲渡損益調整資産の意義》の表の(二)に掲げる資産に該当する場合	その旨
ロ	**1**の通知に係る資産が当該他の内国法人において減価償却資産又は**三**の(1)《譲渡損益調整資産が減価償却資産又は繰延資産である場合の簡便法》に掲げる繰延資産に該当する場合において、当該資産につき同(1)の適用を受けようとする旨の通知を受けたとき	当該資産について適用する耐用年数又は当該資産の支出の効果の及ぶ期間

② 戻入事由が生じた旨の通知

　譲受法人は、譲渡損益調整資産（通算法人株式を除く。以下②において同じ。）につき**三**《譲渡損益調整資産に係る譲渡利益額又は譲渡損失額のうち益金の額又は損金の額に戻し入れる金額の計算等》の表の左欄に掲げる事由（当該譲渡損益調整資産につき**三**の(1)《譲渡損益調整資産が減価償却資産又は繰延資産である場合の簡便法》の適用を受けようとする旨の通知を受けていた場合には、**三**の表の**3**の左欄又は**4**の左欄に掲げる事由を除く。）が生じたときは、その旨（当該事由が同表の**3**の左欄又は**4**の左欄に掲げる事由である場合にあっては、損金の額に算入された同表の**3**又は**4**の償却費の額を含む。）及びそのの生じた日を、当該事由が生じた事業年度終了後遅滞なく、その譲渡損益調整資産の譲渡をした内国法人（当該内国法人が**四**の**1**《譲渡法人が適格合併により解散した場合》に掲げる適格合併により解散した後は、当該適格合併に係る合併法人）に通知しなければならない。（法61の11⑨、令122の12⑲）

(適用譲渡損益調整資産の譲渡により戻入事由が生じた旨の通知)
　二の1の(1)《換地処分等の場合の圧縮記帳の適用を受けた場合の譲渡損益調整資産等の取扱い》に掲げる譲受法人の有する適用譲渡損益調整資産の譲渡により内国法人に同(1)の適用があるときは、当該譲受法人が当該譲渡につき②により通知しなければならない事項は、②に掲げるもののほか、当該譲渡につき二の1の(1)の適用がある旨及び当該譲渡に係る同1の(2)《換地処分等により取得した資産の適用譲渡損益調整資産へのみなし規定》に掲げる換地処分等により取得した資産の種類(同1の(1)の表の①の左欄に掲げる場合には、同表の右欄に掲げる割合を含む。)とする。(措令39の2⑯)

第三十四款　組織再編成の所得金額の計算

一　組織再編成における移転資産等の譲渡損益の取扱い

1　適格組織再編成に該当しない組織再編成における移転資産等の譲渡損益

①　合併又は分割による資産等の時価による譲渡

　内国法人が合併又は分割により合併法人又は分割承継法人にその有する資産又は負債の移転をしたときは、当該合併法人又は分割承継法人に当該移転をした資産及び負債の当該合併又は分割の時の**価額**による譲渡をしたものとして、当該内国法人の各事業年度の所得の金額を計算する。この場合においては、当該合併又は当該分割（第二章第一節の二の表の**12の9**《分割型分割》の**イ**に掲げる分割対価資産〔以下①において「分割対価資産」という。〕の全てが分割法人の株主等に直接に交付される分割型分割及び同**12の9**の**ロ**に掲げる無対価分割に該当する分割型分割で分割法人の株主等に対する分割承継法人の株式〔出資を含む。以下①及び2の②の（1）《適格分割型分割を行った場合に交付を受けた株式の価額》において同じ。〕の交付が省略されたと認められる分割型分割として第二章第一節の二の**12の11**の①の（2）《同一の者による完全支配関係・継続見込の意義》の表の（一）の左欄のロに掲げる関係がある分割型分割に限る。以下①において「特定分割型分割」という。）により当該資産又は負債の移転をした当該内国法人（資本又は出資を有しないものを除く。）は、当該合併法人又は当該特定分割型分割に係る分割承継法人から**新株等**（当該合併法人が当該合併により交付した当該合併法人の**株式**その他の資産〔第二款の**五**の（3）《合併法人から抱合株式に対し株式その他の資産の交付がない場合におけるみなし配当の適用》に掲げる場合において同（3）により交付を受けたものとみなされる当該合併法人の株式その他の資産及び同**五**の（5）《合併法人又は分割法人から被合併法人の株主等又は分割法人の株主等に対し株式その他の資産の交付がない場合におけるみなし配当の適用》に掲げる場合において同（5）により交付を受けたものとみなされる当該合併法人の株式を含む。〕をいう。）又は当該特定分割型分割に係る分割対価資産（第二款の**五**の（5）に掲げる場合において同（5）により交付を受けたものとみなされる分割承継法人の株式を含む。）をその時の価額により取得し、直ちに当該新株等又は当該分割対価資産を当該内国法人の株主等に交付したものとする。（法62①、令122の13）

②　譲渡利益額又は譲渡損失額の最後事業年度の益金又は損金算入

　合併により合併法人に移転をした資産及び負債の当該移転による譲渡に係る**譲渡利益額**（当該合併の時の価額が当該譲渡に係る原価の額を超える場合におけるその超える部分の金額をいう。）又は**譲渡損失額**（当該譲渡に係る原価の額が当該合併の時の価額を超える場合におけるその超える部分の金額をいう。）は、当該合併に係る**最後事業年度**（被合併法人の合併の日の前日の属する事業年度をいう。以下一において同じ。）の所得の金額の計算上、益金の額又は損金の額に算入する。（法62②）

　　　　　（合併により移転をする資産に含まれる他の被合併法人の株式）

（1）　内国法人が法人を設立する合併により合併法人に移転する資産には、当該合併に係る他の被合併法人の株式（出資を含む。以下（1）において同じ。）を含むものとして、**1**《適格組織再編成に該当しない組織再編成における移転資産等の譲渡損益》を適用する。この場合において、当該株式に係る②《譲渡利益額又は譲渡損失額の最後事業年度の益金又は損金算入》の価額は、当該合併が次の表の左欄に掲げる場合のいずれに該当するかに応じ、それぞれ同表の右欄に掲げる金額とする。（法62③、令123①）

（一）	当該合併に係る被合併法人の株主等に合併法人の株式以外の資産（合併に反対する当該株主等に対するその買取請求の対価として交付される金銭その他の資産を除く。）が交付されない場合	当該他の被合併法人の株式の当該合併の直前の帳簿価額に相当する金額
（二）	（一）に掲げる場合以外の場合	当該他の被合併法人の株式の当該合併の時の価額（第二款の**五**《配当等の額とみなす金額》により同款の**一**《受取配当等の益金不算入》の表の①又は②に掲げる

		金額とみなされる金額がある場合には、そのみなされる金額に相当する金額を控除した金額)

　　　　（合併により移転をする負債に含まれる未納法人税等）
　（２）　内国法人が合併により合併法人に移転をする負債には、当該内国法人の法人税（各事業年度の所得に対する法人税に限るものとし、第十一款の**一**の１の①《法人税の額の損金不算入》の表の**ロ**に掲げる法人税及び附帯税を除く。）及び地方法人税（第六章第二節の**五**《基準法人税額等》の表の２の基準法人税額に対する地方法人税に限るものとし、第十一款の**一**の１の①の表のニ及びホに掲げる地方法人税並びに附帯税を除く。）として納付する金額並びに地方税法の規定により当該法人税に係る道府県民税及び市町村民税（都民税及びこれらの税に係る均等割を含む。）として納付する金額でその申告書の提出期限が当該合併の日以後であるものを含むものとして、１を適用する。（法62③、令123②）

　　　　（合併又は分割により移転をする負債に含まれる新株予約権）
　（３）　内国法人が合併又は分割により合併法人又は分割承継法人に移転をする負債には、当該内国法人の当該合併又は分割により消滅する新株予約権又は株式引受権に代えて当該新株予約権又は株式引受権を有する者に交付すべき資産の交付に係る債務を含むものとして、１を適用する。この場合において、適格合併又は適格分割に係るその交付すべき資産が当該合併法人又は分割承継法人の新株予約権又は株式引受権であるときは、当該債務の帳簿価額は、その消滅する新株予約権の当該内国法人におけるその消滅の直前の帳簿価額に相当する金額とする。（法62③、令123③）

　　　　（合併による移転資産等の譲渡利益額又は譲渡損失額の計算における原価の額）
　（４）　②に掲げる原価の額を計算する場合において、②に掲げる資産及び負債に次の（一）から（七）までに掲げる資産及び負債が含まれていたときは、これらの資産及び負債の金額は、②に掲げる最後事業年度終了の時の帳簿価額によるものとする。（法62③、令123の２）

（一）	棚卸資産（第五款の**三**の１の表の②《低価法》に掲げる低価法を適用するものに限る。）
（二）	第二十二款の**二**の**2**《短期売買商品等の時価評価損益の益金又は損金算入》に掲げる短期売買商品等
（三）	第二十二款の**三**の**1**《未決済暗号資産信用取引に係る利益相当額又は損失相当額の益金又は損金算入》に掲げる暗号資産信用取引に係る契約
（四）	第二十三款の**一**の１の表の②《売買目的有価証券》に掲げる売買目的有価証券
（五）	同款の**四**の１《有価証券の空売り等に係る利益相当額又は損失相当額の益金又は損金算入》に掲げる有価証券の空売り、信用取引、発行日取引又は有価証券の引受けに係る契約
（六）	第二十四款の**一**《デリバティブ取引に係る利益相当額又は損失相当額の益金又は損金算入》に掲げるデリバティブ取引に係る契約
（七）	第二十五款の**二**の１《時価ヘッジ処理による売買目的外有価証券の評価益又は評価損の計上》の適用を受けた同**1**に掲げる売買目的外有価証券
（八）	第二十六款の**四**の２《外貨建資産等の期末換算差益又は期末換算差損の益金又は損金算入》に掲げる外貨建資産等

　　注　──線部分は、令和６年度改正により改正された部分で、改正規定は、令和６年４月１日から適用され、令和６年３月31日以前の適用については、「**2**《短期売買商品等の時価評価損益の益金又は損金算入》」とあるのは「**1**《短期売買商品等の期末評価額》」とする。（令６改令附１）

③　非適格合併等により移転を受ける資産等に係る調整勘定の損金算入等
イ　資産調整勘定及び負債調整勘定の意義
（イ）　資産調整勘定の金額
　内国法人が**非適格合併等**（（１）に掲げるものをいう。以下③において同じ。）により当該非適格合併等に係る**被合併法人等**（被合併法人、分割法人、現物出資法人又は事業の譲受けに係る**移転法人**〔事業の譲受けをした法人《（１）において「譲受け法人」という。》に対して当該事業の移転をした法人をいう。〕〔以下③において同じ。〕）から資産又は負債の移転を受けた場合において、当該内国法人が当該非適格合併等により交付した金銭の額及び金銭以外の資産（適格合併に該当しな

い合併にあっては、①《合併又は分割による資産等の時価による譲渡》に掲げる新株等）の価額の合計額（当該非適格合併等において当該被合併法人等から支出を受けた第十二款の四の1《寄附金の意義》に掲げる寄附金の額に相当する金額を含み、当該被合併法人等に対して支出をした同1に掲げる寄附金の額に相当する金額を除く。**(ロ)**において「**非適格合併等対価額**」という。）が当該移転を受けた資産及び負債の**時価純資産価額**（当該資産〔営業権にあっては、営業権のうち独立した資産として取引される慣習のあるもの（ニの表の(イ)及び(ロ)において「独立取引営業権」という。）に限る。以下**(イ)**において同じ。〕の取得価額〔第三十三款の四の3の①《非適格合併により譲渡損益調整資産の移転があった場合》の適用がある場合には、同①の適用がないものとした場合の取得価額。以下**(イ)**において同じ。〕の合計額から当該負債の額〔**(ロ)**に掲げる負債調整勘定の金額を含む。以下**(イ)**において同じ。〕の合計額を控除した金額をいう。**(ロ)**において同じ。）を超えるときは、その超える部分の金額（当該資産の取得価額の合計額が当該負債の額の合計額に満たない場合には、その満たない部分の金額を加算した金額）のうち**資産等超過差額**（（2）に掲げる金額をいう。）に相当する金額以外の金額は、**資産調整勘定の金額**とする。（法62の8①、令123の10①②③④）

(非適格合併等の意義)
(1) **(イ)**に掲げる非適格合併等とは、次の(一)又は(二)に掲げるものをいう。（法62の8①、令123の10①）

(一)	適格合併に該当しない合併
(二)	分割、現物出資又は事業の譲受け（適格分割又は適格現物出資に該当するものを除く。以下(二)において「**非適格分割等**」という。）のうち、当該非適格分割等に係る分割法人、現物出資法人又は移転法人の当該非適格分割等の直前において行う事業及び当該事業に係る主要な資産又は負債のおおむね全部が当該非適格分割等により当該非適格分割等に係る分割承継法人、被現物出資法人又は譲受け法人に移転するもの

(資産等超過差額)
(2) **(イ)**に掲げる資産等超過差額とは、次の表の左欄に掲げる場合の区分に応じそれぞれ同表の右欄に掲げる金額（同表の左欄に掲げる場合のいずれにも該当する場合には、同表の当該右欄に掲げる金額の合計額）に相当する金額をいう。（法62の8①、令123の10④、規27の16①）

(一)	非適格合併等により交付された**(イ)**の内国法人の株式その他の資産（以下(一)において「非適格合併等対価資産」という。）の当該非適格合併等の時における価額（以下(一)において「交付時価額」という。）が当該非適格合併等により当該非適格合併等対価資産を交付することを約した時の価額（以下(一)において「約定時価額」という。）と著しい差異を生じている場合（当該非適格合併等対価資産の交付時価額が約定時価額の2倍を超える場合に限る。）	次のイ又はロに掲げる金額（当該内国法人がイに掲げる金額の算定をしていない場合又はその算定の根拠を明らかにする事項を記載した書類及びその算定の基礎とした事項を記載した書類を保存していない場合にあっては、ロに掲げる金額）	
		イ	当該非適格合併等対価資産の交付時価額から当該非適格合併等により移転を受けた事業の価値に相当する金額として当該事業により見込まれる収益の額を基礎として合理的に見積もられる金額を控除した金額
		ロ	当該非適格合併等対価資産の交付時価額から約定時価額を控除した金額（時価純資産価額が当該約定時価額を超える場合にあっては、当該交付時価額から当該時価純資産価額を控除した金額）
(二)	非適格合併等が適格合併に該当しない合併又は適格分割に該当しない分割である場合において**(イ)**に掲げる超える部分の金額が当該合併又は分割により移転を受ける事業により見込まれる収益の額の状況その他の事情からみて実質的に当該合併又は分割に係る被合併法人又は分割法人の欠損金額（当該移転を受ける事業による収益の額によって補填されると見込まれるものを除く。）に相当する部分から成ると認められる金額があるとき	当該欠損金額に相当する部分から成ると認められる金額	

(適格合併を行った場合の資産等超過差額の引継ぎ)
 (3) 資産等超過差額を有する内国法人が自己を被合併法人とする適格合併を行った場合には、当該資産等超過差額は、当該適格合併に係る合併法人に引き継ぐものとする。(法62の8⑫、令123の10⑤)

(ロ) 負債調整勘定の金額

内国法人が非適格合併等により当該非適格合併等に係る被合併法人等から資産又は負債の移転を受けた場合において、次の表の左欄に掲げる場合に該当するときは、同欄に掲げる場合の区分に応じそれぞれ同表の右欄に掲げる金額を**負債調整勘定の金額**とする。(法62の8②、令123の10⑦⑧)

A	当該内国法人が当該非適格合併等に伴い当該被合併法人等から引継ぎを受けた従業者につき**退職給与債務引受け**(非適格合併等後の退職その他の事由により当該非適格合併等に伴い引継ぎを受けた従業者に支給する退職給与の額につき、非適格合併等前における在職期間その他の勤務実績等を勘案して算定する旨を約し、かつ、これに伴う負担の引受けをすることをいう。以下③において同じ。)をした場合	左欄の内国法人の非適格合併等の時における左欄の従業者に係る退職給付引当金の額(一般に公正妥当と認められる会計処理の基準に従って算定され、かつ、その額につき**ホ**に掲げる明細書に記載がある場合の当該退職給付引当金の額に限る。ロの(1)及びハの(2)において「退職給付引当金額」という。)に相当する金額(ロの(ロ)の表のAにおいて「**退職給与債務引受額**」という。)
B	当該内国法人が当該非適格合併等により当該被合併法人等から移転を受けた事業に係る将来の債務(当該事業の利益に重大な影響を与えるものに限るものとし、Aの退職給与債務引受けに係るもの及び既にその履行をすべきことが確定しているものを除く。)で、その履行が当該非適格合併等の日からおおむね3年以内に見込まれるものについて、当該内国法人がその履行に係る負担の引受けをした場合	左欄の債務の額(当該債務の額に相当する金額として左欄の事業につき生ずるおそれのある損失の額として見込まれる金額が当該非適格合併等により移転を受けた**(イ)**に掲げる資産の取得価額の合計額の$\frac{20}{100}$に相当する金額を超える場合における当該債務の額に限る。)に相当する金額(ロの(ロ)の表のBにおいて「**短期重要債務見込額**」という。)

(当該被合併法人等から移転を受けた資産及び負債の時価純資産価額に満たない場合の負債調整勘定)
内国法人が非適格合併等により当該非適格合併等に係る被合併法人等から資産又は負債の移転を受けた場合において、当該非適格合併等に係る非適格合併等対価額が当該被合併法人等から移転を受けた資産及び負債の時価純資産価額に満たないときは、その満たない部分の金額は、負債調整勘定の金額とする。(法62の8③)

(ハ) 非適格合併等により移転を受ける資産等に係る調整勘定の損金算入等

内国法人が、非適格合併等により**(イ)**《資産調整勘定の金額》に掲げる被合併法人等から資産又は負債の移転を受けた場合において、当該被合併法人等の株主等が特定報酬株式(役務の提供の対価として当該被合併法人等により交付された当該被合併法人等の株式〔出資を含むものとし、その役務の提供後に交付されたものを除く。〕のうち、当該株式と引換えに給付された債権〔その役務の提供の対価として生じた債権に限る。〕がない場合における当該株式をいう。以下**(ハ)**において同じ。)を有していたときは、当該非適格合併等に係る**(イ)**に掲げる資産調整勘定の金額及び**(ロ)**の《当該被合併法人等から移転を受けた資産及び負債の時価純資産価額に満たない場合の負債調整勘定》に掲げる負債調整勘定の金額の計算については、当該非適格合併等に係る**(イ)**に掲げる非適格合併等対価額には、当該非適格合併等に際して当該株主等に交付した金銭の額及び金銭以外の資産の価額の合計額のうち、(一)に掲げる金額から(二)に掲げる金額を控除した金額に相当する金額を含まないものとする。(法62の8⑫、令123の10⑮)

(一)	当該特定報酬株式の交付された時の価額(次表の左欄に掲げる場合には、それぞれ次表の右欄に定める金額)		
	イ	当該特定報酬株式が第十款の一の1の②の(15)《確定した数の株式を交付する旨の定めに基づいて支給する給与に係る費用の額》に掲げる確定数給与の支給として交付されたものである場合(ロに掲げる場合を除く。)	同(15)に掲げる交付決議時価額
	ロ	当該特定報酬株式の交付が正常な取引条件で行われたものでない場合	その役務の提供に係る費用の額
(二)	その役務の提供に係る費用の額のうち当該被合併法人等の当該非適格合併等の日前に終了した各事業年度において		

受けた役務の提供に係る部分の金額（当該特定報酬株式が第十九款の**一**の**1**《給与等課税額が生じたときの役務の提供に係る費用》に掲げる特定譲渡制限付株式である場合には、同**1**の適用がないものとした場合の当該金額）

（非適格合併等が分割型分割に該当する場合における負債調整勘定の金額の計算）
　(ハ)の非適格合併等が分割型分割に該当する場合における**(ハ)**の適用については、**(ハ)**の表の**(二)**に掲げる金額は、**(ハ)**の表の**(一)**に掲げる金額に次の**(一)**に掲げる割合を乗じて計算した金額と**(ハ)**の表の**(一)**に掲げる金額から当該計算した金額を控除した金額に次の**(二)**に掲げる割合を乗じて計算した金額との合計額その他の合理的な方法により計算した金額とする。（規27の16②）

(一)	1から当該非適格合併等に係る第二款の**五**《配当等の額とみなす金額《みなし配当金額》》の表の2に掲げる割合を控除した割合
(二)	**(ハ)**の表の**(一)**の特定報酬株式の交付の日から当該特定報酬株式に係る役務の提供の終了の日（当該特定報酬株式が第十九款の**一**の**1**《給与等課税額が生じたときの役務の提供に係る費用》に掲げる特定譲渡制限付株式である場合には、同**1**の**(1)**《譲渡制限付株式》の表の①に掲げる譲渡制限期間終了の日）までの期間の日数のうちに当該交付の日から当該非適格合併等の日の前日までの期間の日数の占める割合（当該割合が1を超える場合には、1）

ロ　調整勘定の損金算入等
(イ)　資産調整勘定の損金算入

　イの**(イ)**《資産調整勘定の金額》の資産調整勘定の金額を有する内国法人は、各資産調整勘定の金額に係る当初計上額（非適格合併等の時に**イ**の**(イ)**により当該資産調整勘定の金額とするものとされた金額をいう。）を60で除して計算した金額に当該事業年度の月数（当該事業年度が当該資産調整勘定の金額に係る非適格合併等の日の属する事業年度である場合には、同日から当該事業年度終了の日までの期間の月数）を乗じて計算した金額（当該内国法人が自己を被合併法人とする合併〔適格合併を除く。〕を行う場合又は当該内国法人の残余財産が確定した場合にあっては、当該合併の日の前日又は当該残余財産の確定の日の属する事業年度終了の時の金額）に相当する金額を、当該事業年度（当該内国法人が当該合併を行う場合又は当該内国法人の残余財産が確定した場合にあっては、当該合併の日の前日又は当該残余財産の確定の日の属する事業年度）において減額しなければならない。（法62の8④）
　なお、当該減額すべきこととなった資産調整勘定の金額に相当する金額は、その減額すべきこととなった日の属する事業年度の所得の金額の計算上、損金の額に算入する。（法62の8⑤）

（月数の計算）
　(イ)の月数は、暦に従って計算し、1か月に満たない端数を生じたときは、これを1か月とする。（法62の8⑪）

(ロ)　負債調整勘定の益金算入

　イの**(ロ)**《負債調整勘定の金額》に掲げる負債調整勘定の金額を有する内国法人は、次の表の左欄に掲げる場合に該当する場合には、当該負債調整勘定の金額につき、その該当することとなった日の属する事業年度（その該当することとなった日が自己を被合併法人とする合併の日である場合には、当該合併の日の前日の属する事業年度）において同欄に掲げる場合の区分に応じそれぞれ同表の右欄に掲げる金額を減額しなければならない。（法62の8⑥、令123の10⑩）
　なお、当該減額すべきこととなった負債調整勘定の金額に相当する金額は、その減額すべきこととなった日の属する事業年度の所得の金額の計算上、益金の額に算入する。（法62の8⑧）

A	**退職給与引受従業者**（退職給与債務引受けの対象とされた**イ**の**(ロ)**の表のAに掲げる従業者をいう。以下**(ロ)**及び**ハ**において同じ。）が退職その他の事由により当該内国法人の従業者でなくなった場合（当該退職給与引受従業者が、**ハ**《適格合併等を行った場合の調整勘定の引継ぎ》の表の**(イ)**のA又は同表の**(ロ)**のAに掲げる場合に該当する場合を除く。）又は退職給与引受従業者に対して退職給与を支給する場合	退職給与債務引受額に係る負債調整勘定の金額（以下**(ロ)**及びハにおいて「**退職給与負債調整勘定の金額**」という。）のうち減額対象従業者（退職給与引受従業者のうち、**(ロ)**の事業年度において**(ロ)**の内国法人の従業者でなくなったもの〔**(ロ)**の事業年度終了の日の翌日に行われた**(ロ)**の内国法人を被合併法人とする合併に伴い当該内国法人の従業者でなくなったものを含む。〕又は退職給与の支給を受けたものをいう。）に係る退職給与負債調整勘定の金額のうち当該減額対象従業者に係る**退職**

		給与負債相当額（当該退職給与負債調整勘定の金額に係る当初計上額〔非適格合併等の時に**イ**の**(ロ)**により当該退職給与負債調整勘定の金額とするものとされた金額をいい、既に**(ロ)**により減額した金額を除く。〕を当該退職給与引受従業者〔既に**(ロ)**の内国法人の従業者でなくなったもの及び退職給与の支給を受けたものを除く。〕の数で除して計算した金額をいう。）の合計額
B	短期重要債務見込額に係る損失が生じ、若しくは非適格合併等の日から3年が経過した場合又は自己を被合併法人とする合併（適格合併を除く。）を行う場合若しくはその残余財産が確定した場合	当該短期重要債務見込額に係る負債調整勘定の金額（以下1において「**短期重要負債調整勘定の金額**」という。）のうち当該損失の額に相当する金額（当該3年が経過した場合又は当該合併を行う場合若しくは当該残余財産が確定した場合にあっては、当該短期重要負債調整勘定の金額）

（退職給与引受従業者ごとの退職給付引当金額の計算に関する明細を記載した書類を保存している場合の退職給与負債相当額）

（１）　**(ロ)**の内国法人が退職給与引受従業者ごとの退職給付引当金額の計算に関する明細を記載した書類を保存している場合には、**(ロ)**に掲げる退職給与負債相当額は、**(ロ)**にかかわらず、当該退職給与引受従業者ごとの退職給付引当金額に相当する金額とすることができる。ただし、**(ロ)**の表の**A**に掲げる場合に該当することとなった日の属する事業年度（以下（１）において「退職事業年度」という。）前の同**A**に掲げる場合に該当することとなった日の属する事業年度若しくは当該退職事業年度終了の日前の**ハ**の表の**(ロ)**に掲げる適格分割等（以下（１）において「適格分割等」という。）又は同表の**(イ)**に掲げる適格合併若しくは適格分割等（以下（１）において「適格合併等」という。）の日前に終了した**(ロ)**の表の**A**に掲げる場合に該当することとなった日の属する事業年度若しくは当該適格合併等の日前の適格分割等につきこの（１）を適用しなかった場合は、この限りでない。（法62の8⑫、令123の10⑫）

（被合併法人等から移転を受けた資産及び負債の時価純資産価額に満たない場合の負債調整勘定の金額の益金算入）

（２）　**イ**の**(ロ)**の《当該被合併法人等から移転を受けた資産及び負債の時価純資産価額に満たない場合の負債調整勘定》の負債調整勘定の金額（以下1において「**差額負債調整勘定の金額**」という。）を有する内国法人は、各差額負債調整勘定の金額に係る当初計上額（非適格合併等の時に同**(ロ)**により当該差額負債調整勘定の金額とするものとされた金額をいう。）を60で除して計算した金額に当該事業年度の月数（当該事業年度が当該差額負債調整勘定の金額に係る非適格合併等の日の属する事業年度である場合には、同日から当該事業年度終了の日までの期間の月数）を乗じて計算した金額（当該内国法人が自己を被合併法人とする合併〔適格合併を除く。〕を行う場合又は当該内国法人の残余財産が確定した場合にあっては、当該合併の日の前日又は当該残余財産の確定の日の属する事業年度終了の時の金額）に相当する金額を、当該事業年度（当該内国法人が当該合併を行う場合又は当該内国法人の残余財産が確定した場合にあっては、当該合併の日の前日又は当該残余財産の確定の日の属する事業年度）において減額しなければならない。（法62の8⑦）

　なお、当該減額すべきこととなった負債調整勘定の金額に相当する金額は、その減額すべきこととなった日の属する事業年度の所得の金額の計算上、益金の額に算入する。（法62の8⑧）

（月数の計算）

（３）　（２）の月数は、暦に従って計算し、1か月に満たない端数を生じたときは、これを1か月とする。（法62の8⑪）

ハ　適格合併等を行った場合の調整勘定の引継ぎ

　内国法人が自己を被合併法人、分割法人又は現物出資法人とする適格合併、適格分割又は適格現物出資（以下**ハ**において「**適格合併等**」という。）を行った場合には、次の表の左欄に掲げる適格合併等の区分に応じそれぞれ同表の右欄に掲げる資産調整勘定の金額及び負債調整勘定の金額は、当該適格合併等に係る合併法人、分割承継法人又は被現物出資法人（以下**ハ**において「**合併法人等**」という。）に引き継ぐものとする。（法62の8⑨、令123の10⑪⑬）

(イ) 適格合併	当該適格合併の直前における資産調整勘定の金額及び次のAからCまでに掲げる負債調整勘定の金額		
		A	退職給与負債調整勘定の金額のうち、当該内国法人が当該適格合併を行ったことに伴いその退職給与引受従業者が当該適格合併に係る合併法人の業務に従事することとなった場合（当該合併法人において退職給与債務引受けがされた場合に限る。）の当該退職給与引受従業者に係る**ロ**の**(ロ)**《負債調整勘定の益金算入》の表の**A**に掲げる退職給与負債相当額の合計額
		B	短期重要負債調整勘定の金額
		C	差額負債調整勘定の金額
(ロ) 適格分割又は適格現物出資（以下**(ロ)**において「**適格分割等**」という。）	当該適格分割等の直前における次のA及びBに掲げる負債調整勘定の金額		
		A	退職給与負債調整勘定の金額のうち、当該内国法人が当該適格分割等を行ったことに伴いその退職給与引受従業者が当該適格分割等に係る分割承継法人又は被現物出資法人（以下Aにおいて「分割承継法人等」という。）の業務に従事することとなった場合（当該分割承継法人等において退職給与債務引受けがされた場合に限る。）の当該退職給与引受従業者に係る**ロ**の**(ロ)**の表の**A**に掲げる退職給与負債相当額の合計額
		B	ハの内国法人の適格分割等の直前における短期重要負債調整勘定の金額に係る移転事業（**イ**の**(ロ)**の表のBの左欄に掲げる事業をいう。）が当該適格分割等により移転をする場合（当該内国法人において当該適格分割等以後も当該移転事業に相当する事業が行われることが見込まれる場合にあっては、当該移転事業が当該適格分割等により移転をする場合で、かつ、当該移転事業に係る資産及び負債のおおむね全部が当該適格分割等により移転をするときに限る。）における当該短期重要負債調整勘定の金額

（引継ぎを受けた資産調整勘定の金額等のみなし規定）
（１）　ハにより合併法人等が引継ぎを受けた資産調整勘定の金額並びに退職給与負債調整勘定の金額、短期重要負債調整勘定の金額及び差額負債調整勘定の金額は、それぞれ当該合併法人等がハの適格合併等の時において有する資産調整勘定の金額並びに退職給与負債調整勘定の金額、短期重要負債調整勘定の金額及び差額負債調整勘定の金額とみなす。（法62の8⑩）

（退職給与引受従業者ごとの退職給付引当金額の計算に関する明細を記載した書類を保存している場合の退職給与負債相当額）
（２）　ハの内国法人が退職給与引受従業者ごとの退職給付引当金額の計算に関する明細を記載した書類を保存している場合には、ハに掲げる退職給与負債相当額は、ハにかかわらず、当該退職給与引受従業者ごとの退職給付引当金額に相当する金額とすることができる。ただし、ロの**(ロ)**《負債調整勘定の益金算入》の表の**A**に掲げる場合に該当することとなった日の属する事業年度（以下（２）において「退職事業年度」という。）前の同**A**に掲げる場合に該当することとなった日の属する事業年度若しくは当該退職事業年度終了の日前のハの表の**(ロ)**に掲げる適格分割等（以下（２）において「適格分割等」という。）又は同表の**(イ)**に掲げる適格合併若しくは適格分割等（以下（２）において「適格合併等」という。）の日前に終了したロの**(ロ)**の表の**A**に掲げる場合に該当することとなった日の属する事業年度若しくは当該適格合併等の日前の適格分割等につきこの（２）を適用しなかった場合は、この限りでない。（法62の8⑫、令123の10⑫）

（引継ぎを受けた資産調整勘定の金額等の当初計上額）
（３）　ハによりイの**(イ)**《資産調整勘定の金額》に掲げる資産調整勘定の金額又はイの**(ロ)**の《当該被合併法人等から移転を受けた資産及び負債の時価純資産価額に満たない場合の負債調整勘定》に掲げる負債調整勘定の金額の引継ぎを受けた内国法人のロの**(イ)**《資産調整勘定の損金算入》又はロの**(ロ)**の（２）《被合併法人等から移転を受けた資産及び負債の時価純資産価額に満たない場合の負債調整勘定の金額の益金算入》の適用については、これらに掲げる当初計上額はハの表の**(イ)**に掲げる適格合併に係る被合併法人におけるロの**(イ)**又はロの**(ロ)**の（２）に掲げる当初計上額とし、当該内国法人の当該適格合併の日の属する事業年度におけるこれらに掲げる当該事業年度の月数は当該適格

第三章　第一節　第三十四款《組織再編成の所得金額の計算》

合併の日から当該事業年度終了の日までの期間の月数とする。（法62の8⑫、令123の10⑭）

二　無対価の非適格合併等における調整勘定の金額の計算

内国法人が、非適格合併等によりイの**(イ)**《資産調整勘定の金額》に掲げる被合併法人等から資産又は負債の移転を受けた場合において、当該内国法人の株式（出資を含む。）その他の資産を交付しなかったときは、当該非適格合併等に係る同**(イ)**に掲げる資産調整勘定の金額及びイの**(ロ)**《当該被合併法人等から移転を受けた資産及び負債の時価純資産価額に満たない場合の負債調整勘定》に掲げる負債調整勘定の金額の計算については、次の表の左欄に掲げる場合の区分に応じ、それぞれ同表の右欄に掲げるところによる。（法62の8⑫、令123の10⑯）

(イ)	当該非適格合併等が第二章第一節の**二**の表の**12の8**の表の①の（1）《合併当事者間の完全支配関係の意義》に掲げる無対価合併で同①の（2）《同一の者による完全支配関係・継続見込の意義》の表の（二）に掲げる関係があるもの又は同**二**の表の**12の11**の表の①の（1）《分割当事者間の完全支配関係・継続見込の意義》の表の（一）の左欄に掲げる無対価分割で同①の（2）《同一の者による完全支配関係・継続見込の意義》の表の（一）の左欄のロに掲げる関係若しくは分割法人が分割承継法人の発行済株式若しくは出資（当該分割承継法人が有する自己の株式又は出資を除く。）の全部を保有する関係があるものである場合において、当該非適格合併等に際して（1）に掲げる資産評定が行われたとき（**(ロ)**に掲げる場合を除く。）		Aに掲げる金額がBに掲げる金額を超える場合におけるその超える部分の金額を当該非適格合併等に係るイの**(イ)**に掲げる資産調整勘定の金額とし、Bに掲げる金額がAに掲げる金額を超える場合におけるその超える部分の金額を当該非適格合併等に係るイの**(ロ)**の《当該被合併法人等から移転を受けた資産及び負債の時価純資産価額に満たない場合の負債調整勘定》に掲げる負債調整勘定の金額とする。
		A	当該非適格合併等により移転を受けた事業に係る営業権（独立取引営業権を除く。）の当該資産評定による価額
		B	当該非適格合併等により移転を受けた事業に係る将来の債務（**イ**の**(ロ)**の表のAの左欄に掲げる退職給与債務引受け又は同表のBに掲げる負担の引受けに係るもの及び既にその履行をすべきことが確定しているものを除く。）で当該内国法人がその履行に係る負担の引受けをしたものの（2）に掲げる金額
(ロ)	当該非適格合併等により移転を受けた資産（営業権にあっては、独立取引営業権に限る。）のイの**(イ)**に掲げる取得価額（当該非適格合併等に際して（1）に掲げる資産評定を行っている場合には、**(イ)**の右欄のAに掲げる金額を含む。）の合計額が当該非適格合併等により移転を受けた負債の額（**イ**の**(ロ)**に掲げる負債調整勘定の金額及び**(イ)**の右欄のBに掲げる金額を含む。）の合計額に満たない場合		当該非適格合併等に係るイの**(イ)**に掲げる資産調整勘定の金額及びイの**(ロ)**の《当該被合併法人等から移転を受けた資産及び負債の時価純資産価額に満たない場合の負債調整勘定》に掲げる負債調整勘定の金額は、ないものとする。

（資産評定の意義）
（1）　**二**の表の**(イ)**の左欄に掲げる資産評定は、非適格合併等により移転する資産及び負債の価額の評定（公正な価額によるものに限る。）で、当該非適格合併等の後に当該資産及び負債の譲渡を受ける者、当該資産及び負債を有する法人の株式若しくは出資の譲渡を受ける者その他の利害関係を有する第三者又は公正な第三者が関与して行われるものとする。（規27の16③）

（負担の引受けをしたものの金額）
（2）　**二**の表の**(イ)**の右欄のBに掲げる履行に係る負担の引受けをしたものの金額は、**二**の内国法人がその履行に係る負担の引受けをした同Bに掲げる将来の債務のうち次に掲げるものの額とする。（規27の16④）

（一）	**二**の表の**(イ)**の左欄に掲げる資産評定による価額が当該資産評定を基礎として作成された貸借対照表に計上されている負債に係るもの
（二）	その額、その算定の根拠を明らかにする事項及びその算定の基礎とした事項を記載した書類を保存している場合のその書類に記載されているもの

ホ　明細書の添付

イの(イ)《資産調整勘定の金額》に掲げる資産調整勘定の金額又はイの(ロ)《負債調整勘定の金額》若しくは同(ロ)の《当該被合併法人等から移転を受けた資産及び負債の時価純資産価額に満たない場合の負債調整勘定》に掲げる負債調整勘定の金額を有する内国法人は、その有することとなった事業年度（ハ《適格合併等を行った場合の調整勘定の引継ぎ》に掲げる適格合併等によりこれらの金額の引継ぎを受けた事業年度を含む。）及びロの(イ)《資産調整勘定の損金算入》、ロの(ロ)《負債調整勘定の益金算入》又は同(ロ)の(2)《被合併法人等から移転を受けた資産及び負債の時価純資産価額に満たない場合の負債調整勘定の金額の益金算入》によりこれらの金額を減額する事業年度の確定申告書に、その有することとなった金額（その引継ぎを受けた金額を含む。）の計算又はロの(イ)若しくはロの(ロ)により損金の額若しくは益金の額に算入される金額の計算に関する明細書を添付しなければならない。（法62の8⑫、令123の10⑨）

④　現物分配による資産の譲渡

内国法人が残余財産の全部の分配又は引渡し（適格現物分配を除く。以下④において同じ。）により被現物分配法人その他の者にその有する資産の移転をするときは、当該被現物分配法人その他の者に当該移転をする資産の当該残余財産の確定の時の価額による譲渡をしたものとして、当該内国法人の各事業年度の所得の金額を計算する。（法62の5①）

（残余財産の全部の分配又は引渡しによる譲渡に係る譲渡利益額又は譲渡損失額の益金又は損金算入）

残余財産の全部の分配又は引渡しにより被現物分配法人その他の者に移転をする資産の当該移転による譲渡に係る譲渡利益額（当該残余財産の確定の時の価額が当該譲渡に係る原価の額を超える場合におけるその超える部分の金額をいう。）又は譲渡損失額（当該譲渡に係る原価の額が当該残余財産の確定の時の価額を超える場合におけるその超える部分の金額をいう。）は、その残余財産の確定の日の属する事業年度の所得の金額の計算上、益金の額又は損金の額に算入する。（法62の5②）

⑤　株式等を分割法人と分割法人の株主等とに交付する分割

イ　1の法人を分割法人とする分割

分割法人が分割により交付を受ける第二章第一節の二の表の**12の9のイ**に掲げる分割対価資産（⑤において「分割対価資産」という。）の一部のみを当該分割法人の株主等に交付をする分割（2以上の法人を分割法人とする分割で法人を設立するものを除く。）が行われたときは、分割型分割と分社型分割の双方が行われたものとみなす。（法62の6①）

（株式等を分割法人と分割法人の株主等とに交付する分割における移転資産等の按分）

⑤に掲げる分割について⑤を適用する場合には、イの分割型分割により分割承継法人に移転した分割法人の資産及び負債の金額とイの分社型分割により分割承継法人に移転した当該分割法人の資産及び負債の金額とは、当該分割により分割承継法人に移転した当該分割法人の資産及び負債の金額を当該分割法人の株主等に交付した分割承継法人の株式又は出資の数又は金額と当該分割法人の株主等に交付しなかった分割承継法人の株式又は出資の数又は金額との割合に応じて按分する方法その他の合理的な方法によって按分したそれぞれの金額とする。（法62の6③、令123の7）

ロ　2以上の法人を分割法人とする分割で法人を設立する分割

2以上の法人を分割法人とする分割で法人を設立するものが行われた場合において、分割法人のうちに、次の(イ)から(ハ)の左欄のうち2以上のものに掲げる法人があるとき、又は(ハ)の左欄に掲げる法人があるときは、それぞれ当該法人を分割法人とするそれぞれ次の右欄に掲げる分割がそれぞれ行われたものとみなす。（法62の6②）

(イ)	当該分割により交付を受けた分割対価資産の全部をその株主等に交付した法人	分割型分割
(ロ)	当該分割により交付を受けた分割対価資産をその株主等に交付しなかった法人	分社型分割
(ハ)	当該分割により交付を受けた分割対価資産の一部のみをその株主等に交付した法人	分割型分割及び分社型分割の双方

（株式等を分割法人と分割法人の株主等とに交付する分割における移転資産等の按分）

⑤に掲げる分割について⑤を適用する場合には、イ又はロの(ハ)の分割型分割により分割承継法人に移転した分割法人の資産及び負債の金額とイ又はロの(ハ)の分社型分割により分割承継法人に移転した当該分割法人の資産及び負債の金額とは、当該分割により分割承継法人に移転した当該分割法人の資産及び負債の金額を当該分割法人の株主等に交付した分割承継法人の株式又は出資の数又は金額と当該分割法人の株主等に交付しなかった分割承継法人の株式

又は出資の数又は金額との割合に応じて按分する方法その他の合理的な方法によって按分したそれぞれの金額とする。（法62の6③、令123の7）

2　適格組織再編成の場合の移転資産等の譲渡損益の計上の繰延べ

①　適格合併による資産等の帳簿価額による引継ぎ

　内国法人が適格合併により合併法人にその有する資産及び負債の移転をしたときは、1の①《合併又は分割による資産等の時価による譲渡》及び1の②《譲渡利益額又は譲渡損失額の最後事業年度の益金又は損金算入》にかかわらず、当該合併法人に当該移転をした資産及び負債の当該適格合併に係る最後事業年度終了の時の帳簿価額（（1）に掲げる金額をいう。）による引継ぎをしたものとして、当該内国法人の各事業年度の所得の金額を計算する。（法62の2①）

　　　　（適格合併に係る最後事業年度終了の時の帳簿価額）
（1）　①に掲げる適格合併に係る最後事業年度終了の時の帳簿価額は、①の適格合併に係る合併法人に移転をした資産及び負債の当該適格合併に係る①に掲げる最後事業年度終了の時の帳簿価額（当該適格合併に基因して第二十三款の一の3の④《通算終了事由が生じた時の直後の移動平均法の適用》に掲げる通算終了事由が生ずる場合には、同④に掲げる簿価純資産不足額に相当する金額を加算し、又は同④に掲げる簿価純資産超過額に相当する金額を減算した金額）とする。（令123の3①）

　　　　（合併により移転をする資産に含まれる他の被合併法人の株式）
（2）　内国法人が法人を設立する合併により合併法人に移転する資産には、当該合併に係る他の被合併法人の株式（出資を含む。）を含むものとして、①を適用する。（法62の2④、令123①）

　　　　（合併により移転をする負債に含まれる未納法人税等）
（3）　内国法人が合併により合併法人に移転をする負債には、当該内国法人の法人税（各事業年度の所得に対する法人税に限るものとし、第十一款の一の1の①《法人税の額の損金不算入》の表の口に掲げる法人税及び附帯税を除く。）及び地方法人税（第六章第二節の五《基準法人税額等》の表の2の基準法人税額に対する地方法人税に限るものとし、第十一款の一の1の①の表のニ及びホに掲げる地方法人税並びに附帯税を除く。）として納付する金額並びに地方税法の規定により当該法人税に係る道府県民税及び市町村民税（都民税及びこれらの税に係る均等割を含む。）として納付する金額でその申告書の提出期限が当該合併の日以後であるものを含むものとして、①を適用する。（法62の2④、令123②）

　　　　（合併及び分割により移転する負債に含まれる新株予約権）
（4）　内国法人が合併又は分割により合併法人又は分割承継法人に移転をする負債には、当該内国法人の当該合併又は分割により消滅する新株予約権又は株式引受権に代えて当該新株予約権又は株式引受権を有する者に交付すべき資産の交付に係る債務を含むものとして、2を適用する。この場合において、適格合併又は適格分割に係るその交付すべき資産が当該合併法人又は分割承継法人の新株予約権又は株式引受権であるときは、当該債務の帳簿価額は、その消滅する新株予約権の当該内国法人におけるその消滅の直前の帳簿価額に相当する金額とする。（法62の2④、令123③）

　　　　（適格合併における合併法人の資産及び負債の引継価額）
（5）　内国法人が適格合併により被合併法人から資産及び負債の移転を受けた場合には、当該移転を受けた資産及び負債の①に掲げる帳簿価額（当該資産又は負債が当該被合併法人〔公益法人等に限る。〕の収益事業以外の事業に属する資産又は負債であった場合には、当該移転を受けた資産及び負債の価額として当該内国法人の帳簿に記載された金額）による引継ぎを受けたものとする。（法62の2④、令123の3③）

　　　　（被合併法人等から引継ぎ等を受けた帳簿価額の修正）
（6）　適格合併により合併法人が被合併法人から移転を受けた資産又は負債につき、合併後被合併法人の合併の日の前日の属する事業年度以前の各事業年度分の調査により税務上の否認金の額があることが判明した場合には、当該合併法人の当該合併の日の資産及び負債の帳簿価額は当該否認金に相当する金額を加算又は減算した金額となることに留意する。

　　適格分割、適格現物出資又は適格現物分配により分割法人、現物出資法人又は現物分配法人から移転を受けた資産

又は負債についても、同様とする。（基通12の２－１－１・編者補正）
　　注　適格合併又は適格分割に係る被合併法人又は分割法人に繰越欠損金がある場合において、合併法人又は分割承継法人がその繰越欠損金の全部又は一部に相当する金額を営業権として受け入れているときであっても、当該営業権については移転がなかったことになるのであるから留意する。

②　適格分割型分割による資産等の帳簿価額による引継ぎ

　内国法人が適格分割型分割により分割承継法人にその有する資産又は負債の移転をしたときは、１の①《合併又は分割による資産等の時価による譲渡》にかかわらず、当該分割承継法人に当該移転をした資産及び負債の当該適格分割型分割の直前の帳簿価額による引継ぎをしたものとして、当該内国法人の各事業年度の所得の金額を計算する。（法62の２②）

　　　（適格分割型分割を行った場合に交付を受けた株式の価額）
（１）　②の場合においては、②の内国法人が②の分割承継法人から交付を受けた当該分割承継法人の株式又は第二章第一節の二の表の**12の11**《適格分割》に掲げる分割承継親法人の株式の当該交付の時の価額は、②の適格分割型分割に係る同表の**16**《資本金等の額》の⑥に掲げる純資産価額に相当する金額とする。（法62の２③、令123の３②）

　　　（適格分割型分割における分割承継法人の資産及び負債の引継価額）
（２）　内国法人が適格分割型分割により分割法人から資産又は負債の移転を受けた場合には、当該移転を受けた資産及び負債の②に掲げる帳簿価額による引継ぎを受けたものとする。（法62の２④、令123の３③）
　　注　税務上の否認金がある場合の帳簿価額については、①の（６）《被合併法人等から引継ぎ等を受けた帳簿価額の修正》を参照。（編者）

③　適格分社型分割による資産等の帳簿価額による譲渡

　内国法人が適格分社型分割により分割承継法人にその有する資産又は負債の移転をしたときは、１の①《合併又は分割による資産等の時価による譲渡》にかかわらず、当該分割承継法人に当該移転をした資産及び負債の当該適格分社型分割の直前の帳簿価額による譲渡をしたものとして、当該内国法人の各事業年度の所得の金額を計算する。（法62の３①）

　　　（適格分社型分割における分割承継法人の資産及び負債の取得価額）
　内国法人が適格分社型分割により分割法人から資産又は負債の移転を受けた場合には、当該移転を受けた資産及び負債の取得価額は、③に掲げる帳簿価額に相当する金額（その取得のために要した費用がある場合には、その費用の額を加算した金額）とする。（法62の３②、令123の４）
　　注　税務上の否認金がある場合の帳簿価額については、①の（６）《被合併法人等から引継ぎ等を受けた帳簿価額の修正》を参照。（編者）

④　適格現物出資による資産等の帳簿価額による譲渡

　内国法人が適格現物出資により被現物出資法人にその有する資産の移転をし、又はこれと併せてその有する負債の移転をしたときは、当該被現物出資法人に当該移転をした資産及び負債の当該適格現物出資の直前の帳簿価額による譲渡をしたものとして、当該内国法人の各事業年度の所得の金額を計算する。（法62の４①）

　　　（適格現物出資における被現物出資法人の資産及び負債の取得価額）
　内国法人が適格現物出資により現物出資法人から資産の移転を受け、又はこれと併せて負債の移転を受けた場合には、当該移転を受けた資産及び負債の取得価額は、④に掲げる帳簿価額に相当する金額（その取得のために要した費用がある場合にはその費用の額を加算した金額とし、当該資産又は負債が当該現物出資法人〔公益法人等又は人格のない社団等に限る。〕の収益事業以外の事業に属する資産又は負債であった場合には当該移転を受けた資産及び負債の価額として当該内国法人の帳簿に記載された金額とする。）とする。（法62の４②、令123の５）
　　注　税務上の否認金がある場合の帳簿価額については、①の（６）《被合併法人等から引継ぎを受けた帳簿価額の修正》を参照。（編者）

⑤　適格現物分配又は適格株式分配による資産の帳簿価額による譲渡

　内国法人が適格現物分配又は適格株式分配により被現物分配法人その他の株主等にその有する資産の移転をしたときは、当該被現物分配法人その他の株主等に当該移転をした資産の当該適格現物分配又は適格株式分配の直前の帳簿価額（当該適格現物分配が残余財産の全部の分配である場合には、その残余財産の確定の時の帳簿価額）による譲渡をしたものとして、当該内国法人の各事業年度の所得の金額を計算する。（法62の５③）

(適格現物分配により資産の移転を受けたことにより生ずる収益の額の益金不算入)
(1) 内国法人が適格現物分配により資産の移転を受けたことにより生ずる収益の額は、その内国法人の各事業年度の所得の金額の計算上、益金の額に算入しない。(法62の5④)

(事業税の損金算入)
(2) 内国法人の残余財産の確定の日の属する事業年度に係る地方税法の規定による事業税の額及び特別法人事業税及び特別法人事業譲与税に関する法律(平成31年法律第4号)の規定による特別法人事業税の額は、当該内国法人の当該事業年度の所得の金額の計算上、損金の額に算入する。(法62の5⑤)

(適格現物分配における被現物分配法人の資産の取得価額)
(3) 内国法人が適格現物分配により現物分配法人から資産の移転を受けた場合には、当該資産の取得価額は、⑤に掲げる帳簿価額に相当する金額とする。(法62の5⑥、令123の6①)
注 税務上の否認額がある場合の帳簿価額については、①の(6)《被合併法人等から引継ぎ等を受けた帳簿価額の修正》を参照。(編者)

(適格現物分配として残余財産の全部の分配が行われた場合の適用)
(4) 適格現物分配(残余財産の全部の分配に限る。)は、当該残余財産の確定の日の翌日に行われたものとして、法人税法の規定を適用する。(法62の5⑥、令123の6②)

二 株式交換完全子法人等の有する資産の時価評価損益及び株式交換等における一定の株式のみの交付を受けた場合等の課税の繰延べ

1 非適格株式交換等に係る株式交換完全子法人等の有する資産の時価評価損益

内国法人が自己を株式交換等完全子法人又は株式移転完全子法人とする株式交換等又は株式移転(適格株式交換等及び適格株式移転並びに株式交換又は株式移転の直前に当該内国法人と当該株式交換に係る株式交換完全親法人又は当該株式移転に係る他の株式移転完全子法人との間に完全支配関係があった場合における当該株式交換及び株式移転を除く。以下1において「**非適格株式交換等**」という。)を行った場合には、当該内国法人が当該非適格株式交換等の直前の時において有する**時価評価資産**(固定資産、土地〔土地の上に存する権利を含み、固定資産に該当するものを除く。〕、有価証券、金銭債権及び繰延資産で(1)《時価評価資産から除かれるもの》に掲げるもの以外のものをいう。以下1において同じ。)の評価益の額(当該非適格株式交換等の直前の時の価額がその時の帳簿価額を超える場合のその超える部分の金額をいう。)又は評価損の額(当該非適格株式交換等の直前の時の帳簿価額がその時の価額を超える場合のその超える部分の金額をいう。)は、当該非適格株式交換等の日の属する事業年度の所得の金額の計算上、益金の額又は損金の額に算入する。(法62の9①)

(時価評価資産から除かれるもの)
(1) 1に掲げる時価評価資産から除かれるものは、次の表に掲げる資産とする。(令123の11①、規27の16の2、27の15①)

(一)		1の内国法人が非適格株式交換等の日の属する事業年度開始の日前5年以内に開始した各事業年度(以下(一)及び(五)において「前5年内事業年度」という。)において次のイからへまでの適用を受けた減価償却資産(当該減価償却資産が適格合併、適格分割、適格現物出資又は適格現物分配により被合併法人、分割法人、現物出資法人又は現物分配法人〔以下(一)において「被合併法人等」という。〕から移転を受けたものである場合には、当該被合併法人等の当該前5年内事業年度において次のイからへまでの適用を受けたものを含む。)
	イ	第十五款の一の1《国庫補助金等で取得した固定資産の圧縮額の損金算入》、同一の2《国庫補助金等に代えて交付を受けた固定資産の圧縮額の損金算入》、同一の3の①《適格分割等を行った場合の分割法人等における固定資産の圧縮額の損金算入》又は同3の②《国庫補助金等に代えて交付を受けた固定資産の圧縮額の損金算入》
	ロ	同一の7の①《特別勘定を設けた場合の国庫補助金等で取得した固定資産の圧縮額の損金算入》又は同7の②《特別勘定を設けた場合の適格分割等に係る国庫補助金等で取得した固定資産の圧縮額の損金算入》

	ハ	同款の**二**の**1**《工事負担金で取得した固定資産の圧縮額の損金算入》、同**二**の**2**《受益者から交付を受けた固定資産の圧縮額の損金算入》、同**二**の**3**の①《適格分割等を行った場合の分割法人等における固定資産の圧縮額の損金算入》又は同**3**の②《受益者から交付を受けた固定資産の圧縮額の損金算入》
	ニ	同款の**四**の**1**《保険金等で取得した固定資産の圧縮額の損金算入》、同**四**の**4**《保険金等に代えて交付を受けた代替資産の圧縮額の損金算入》、同**四**の**5**の①《適格分割等を行った場合の分割法人等における固定資産の圧縮額の損金算入》、同**5**の②《保険金等に代えて交付を受けた代替資産の圧縮額の損金算入》
	ホ	同**四**の**8**の①《特別勘定を設けた場合の保険金等で取得した代替資産の圧縮額の損金算入》又は同**8**の②《特別勘定を設けた場合の適格分割等に係る保険金等で取得した固定資産等の圧縮額の損金算入》
	ヘ	同款の**十一**の**1**《機械等の減価補塡金の交付を受けた場合の対象機械等の圧縮記帳》若しくは同**十一**の**2**の①《転廃業助成金により取得した固定資産の圧縮額の損金算入》（同**2**の⑥《特別勘定を設けている法人が転廃業助成金により取得した固定資産の圧縮記帳》で準用する場合を含む。）又は同**2**の②《適格分割等を行った場合の分割法人等における固定資産の圧縮額の損金算入》（同**2**の⑦《特別勘定を設けている法人が適格分割等を行った場合の圧縮記帳》で準用する場合を含む。）
(二)		第二十三款の**一**の**1**の表の②《売買目的有価証券》に掲げる売買目的有価証券
(三)		同款の**三**の**1**の表の②《売買目的外有価証券》に掲げる償還有価証券
(四)		資産の帳簿価額（資産を次の表の左欄に掲げる区分に応じ、それぞれ同表の右欄に掲げる単位に区分した後のそれぞれの資産の帳簿価額とする。(五)及び(2)において同じ。）が1,000万円に満たない場合の当該資産

(四)	イ	金銭債権		一の債務者ごと
	ロ	減価償却資産		次の表の左欄に掲げる区分に応じ、それぞれ同表の右欄に掲げる単位ごと
			(イ)	建物	一棟（建物の区分所有等に関する法律第1条《建物の区分所有》の規定に該当する建物にあっては、同法第2条第1項《定義》に規定する建物の部分）ごと
			(ロ)	機械及び装置	一の生産設備又は1台若しくは1基（通常1組又は1式をもって取引の単位とされるものにあっては、1組又は1式）ごと
			(ハ)	その他の減価償却資産	(イ)又は(ロ)に準ずる単位ごと
	ハ	土地（土地の上に存する権利を含む。以下ハにおいて「土地等」という。）		土地等を一筆（一体として事業の用に供される一団の土地等にあっては、その一団の土地等）ごと
	ニ	有価証券		その銘柄の異なるごと
	ホ	資金決済に関する法律第2条第14項《定義》に規定する暗号資産		その種類の異なるごと
	ヘ	その他の資産		通常の取引の単位ごと

注　──線部分は、令和5年度改正により改正された部分で、改正規定は、安定的かつ効率的な資金決済制度の構築を図るための資金決済に関する法律等の一部を改正する法律（令和4年法律第61号）の施行の日（令和5年6月1日）から適用され、同日前の適用については、「第14項」とあるのは「第5項」とする。（令5改規附1Ⅲ、令和5年政令第185号）

(五)	資産の価額（資産を(四)に掲げる単位に区分した後のそれぞれの資産の価額とする。以下(五)及び(2)において同じ。）とその帳簿価額との差額（前5年内事業年度において(一)の適用を受けた固定資産〔(一)に掲げる減価償却資産を除く。〕で、その価額がその帳簿価額を超えるものについては、当該前5年内事業年度におい

		て(一)により損金の額に算入された金額又はその超える部分の金額のいずれか少ない金額を控除した金額）が(一)の内国法人の資本金等の額の$\frac{1}{2}$に相当する金額又は1,000万円のいずれか少ない金額に満たない場合の当該資産
(六)		1の内国法人との間に完全支配関係がある他の内国法人（次のイからハまでに掲げるものに限る。）の株式又は出資で、その価額がその帳簿価額に満たないもの
	イ	清算中のもの
	ロ	解散（合併による解散を除く。）をすることが見込まれるもの
	ハ	当該他の内国法人との間に完全支配関係がある内国法人との間で適格合併を行うことが見込まれるもの
(七)		1の内国法人が通算法人である場合における当該内国法人が有する他の通算法人（第九款の一の4《通算法人である場合の不適用》に掲げる初年度離脱通算子法人及び通算親法人を除く。）の株式又は出資

　　　（繰延ヘッジ処理を行っている場合の時価評価資産から除かれるものの取扱い）
（2）　（1）の表の(五)の資産に係る同(五)に掲げる差額を計算する場合において、当該資産が、第二十五款の一の1《繰延ヘッジ処理による利益額又は損失額の繰延べ》に掲げるデリバティブ取引等（以下(2)において「デリバティブ取引等」という。）により同1に掲げるヘッジ対象資産等損失額を減少させようとする同一の2の①《ヘッジ対象資産等損失額》のイに掲げる資産で同一の1の適用を受けているものであるときは、当該差額は、（1）の表の(五)にかかわらず、当該資産の価額と非適格株式交換等の日の属する事業年度開始の日の前日の属する事業年度終了の時の修正帳簿価額（当該資産の帳簿価額に同一の3の①《繰延ヘッジ処理におけるヘッジの有効性判定》に掲げる期末時又は決済時の有効性判定〔同①に掲げる有効性判定をいう。以下(2)において同じ。〕における当該デリバティブ取引等に係る損失額〔同3の③《デリバティブ取引等に係る利益額又は損失額のうちヘッジとして有効である部分の金額》に掲げる損失額をいう。以下(2)において同じ。〕に相当する金額を加算し、又は当該資産の帳簿価額から当該有効性判定における当該デリバティブ取引等に係る利益額〔同③に掲げる利益額をいう。以下(2)において同じ。〕に相当する金額を減算した金額をいい、当該有効性判定における有効性割合〔同3の②《繰延ヘッジ処理に係るヘッジが有効であると認められる場合》に掲げる有効性割合をいう。以下(2)において同じ。〕がおおむね$\frac{80}{100}$から$\frac{125}{100}$までとなっていない場合は、当該資産の帳簿価額に有効性割合がおおむね$\frac{80}{100}$から$\frac{125}{100}$までとなっていた直近の有効性判定における当該デリバティブ取引等に係る損失額に相当する金額を加算し、又は当該資産の帳簿価額から当該有効性判定における当該デリバティブ取引等に係る利益額に相当する金額を減算した金額とする。）との差額によるものとする。（法62の9②、令123の11②）

　　　（非適格株式交換等の日の属する事業年度における資産の評価益の益金不算入等の不適用）
（3）　内国法人の非適格株式交換等の日の属する事業年度においては、当該非適格株式交換等の時に有する時価評価資産（1により当該事業年度において1に掲げる評価益の額又は評価損の額を益金の額又は損金の額に算入するものに限る。）については、第九款の一の1《資産の評価益の益金不算入》及び同款の二の1《資産の評価損の損金不算入》は適用しない。（法62の9②、令123の11③）

　　　（評価損又は評価益計上後の帳簿価額）
（4）　1の適用を受けた場合において、1に掲げる評価益の額又は評価損の額を益金の額又は損金の額に算入された資産については、1の適用を受けた事業年度以後の各事業年度の所得の金額の計算上、当該資産の帳簿価額は、別段の定めがあるものを除き、非適格株式交換等の時において、当該益金の額に算入された金額に相当する金額の増額がされ、又は当該損金の額に算入された金額に相当する金額の減額がされたものとする。（法62の9②、令123の11④）

　　　（時価評価資産の判定における資本金等の額）
（5）　法人が1に掲げる時価評価資産を有するかどうかを判定する場合における（1）《時価評価資産から除かれるもの》の表の(五)に掲げる「資本金等の額」は、非適格株式交換等の直前の時の資本金等の額となることに留意する。（基通12の2－3－1）

2　株式交換等に係る完全子法人の株主が一定の株式のみの交付を受けた場合等の課税の繰延べ

①　株式交換に係る完全子法人の株主が一定の株式のみの交付を受けた場合等の課税の繰延べ

　内国法人が、旧株（当該内国法人が有していた株式をいう。以下①において同じ。）を発行した法人の行った**株式交換**（当該法人の株主に株式交換完全親法人又は株式交換完全親法人との間に当該株式交換完全親法人の発行済株式等の全部を直接若しくは間接に保有する関係として株式交換の直前に当該株式交換に係る株式交換完全親法人と当該株式交換完全親法人以外の法人との間に当該法人による完全支配関係がある法人のうちいずれか一の法人の株式以外の資産〔当該株主に対する剰余金の配当として交付された金銭その他の資産及び株式交換に反対する当該株主に対するその買取請求に基づく対価として交付される金銭その他の資産を除く。〕が交付されなかったものに限る。以下①において「金銭等不交付株式交換」という。）により当該株式の交付を受けた場合又は旧株を発行した法人の行った特定無対価株式交換（当該法人の株主に株式交換完全親法人の株式その他の資産が交付されなかった株式交換で、当該法人の株主に対する株式交換完全親法人の株式の交付が省略されたと認められる第二章第一節の二の表の**12の17**の表の①の（2）《同一の者による完全支配関係・継続見込の意義》に掲げる株主均等割合保有関係がある株式交換をいう。以下①において同じ。）により当該旧株を有しないこととなった場合における第二十三款の二の**1**《有価証券の譲渡益又は譲渡損の益金又は損金算入》の適用については、同**1**の表の①に掲げる金額は、これらの旧株の当該金銭等不交付株式交換又は特定無対価株式交換の直前の帳簿価額に相当する金額とする。（法61の2⑨、令119の7の2④⑤）

②　株式移転に係る完全子法人の株主が完全親法人の株式のみの交付を受けた場合の課税の繰延べ

　内国法人が旧株（当該内国法人が有していた株式をいう。）を発行した法人の行った**株式移転**（当該法人の株主に株式移転完全親法人の株式以外の資産〔株式移転に反対する当該株主に対するその買取請求に基づく対価として交付される金銭その他の資産を除く。〕が交付されなかったものに限る。）により当該株式の交付を受けた場合における第二十三款の二の**1**《有価証券の譲渡益又は譲渡損の益金又は損金算入》の適用については、同**1**の表の①に掲げる金額は、当該旧株の当該株式移転の直前の帳簿価額に相当する金額とする。（法61の2⑪）

三　特定株主等によって支配された欠損等法人の資産の譲渡等損失額の損金不算入

　第二十一款の一の**3**《特定株主等によって支配された欠損等法人の欠損金の繰越しの不適用》に掲げる欠損等法人（以下三において「**欠損等法人**」という。）の同**3**に掲げる適用事業年度（以下三において「**適用事業年度**」という。）開始の日から同日以後3年を経過する日（その経過する日が同**3**に掲げる支配日〔（1）において「**支配日**」という。〕以後5年を経過する日後となる場合にあっては、同日）までの期間（当該期間に終了する各事業年度において、二の**1**《非適格株式交換等に係る株式交換完全子法人等の有する資産の時価評価損益》、第三十五款の三の**1**《通算制度の開始に伴う資産の時価評価損益》、同三の**2**《通算制度への加入に伴う資産の時価評価損益》又は同三の**3**《通算制度からの離脱等に伴う資産の時価評価損益》〔同**3**の表の（一）に係る部分に限る。〕の適用を受ける場合には、当該適用事業年度開始の日からその適用を受ける事業年度終了の日までの期間。以下三において「**適用期間**」という。）において生ずる**特定資産**〔（1）《特定資産の意義》に掲げる資産をいう。以下三において同じ。〕の譲渡、評価換え、貸倒れ、除却その他の事由〔以下三において「**譲渡等特定事由**」という。〕による損失の額として（3）に掲げる金額（当該譲渡等特定事由が生じた日の属する事業年度の適用期間において生ずる特定資産の譲渡、評価換えその他の事由による利益の額として（3）に掲げる金額がある場合には、当該金額を控除した金額。（4）において「**譲渡等損失額**」という。）は、当該欠損等法人の各事業年度の所得の金額の計算上、損金の額に算入しない。（法60の3①）

　　　　（特定資産の意義）
（1）　三《特定株主等によって支配された欠損等法人の資産の譲渡等損失額の損金不算入》に掲げる特定資産は、欠損等法人が支配日の属する事業年度開始の日（以下（1）において「支配事業年度開始日」という。）において有し、又は適格分割等（第二十一款の一の**3**《特定株主等によって支配された欠損等法人の欠損金の繰越しの不適用》に掲げる他の者を分割法人若しくは現物出資法人とする適格分割若しくは適格現物出資又は同**3**の表の③に掲げる関連者を被合併法人、分割法人、現物出資法人若しくは現物分配法人とする適格組織再編成等〔適格合併若しくは適格合併に該当しない合併で第三十三款の一《譲渡損益調整資産に係る譲渡利益額又は譲渡損失額の繰延べ》の適用があるもの、適格分割、適格現物出資若しくは適格現物分配をいう。以下三において同じ。〕をいう。）により移転を受けた固定資産、土地（土地の上に存する権利を含み、固定資産に該当するものを除く。）、有価証券（第二十三款の三の**1**の表の①《売買目的有価証券》に掲げる売買目的有価証券及び同表の②《売買目的外有価証券》に掲げる償還有価証券を除く。）、金銭債権及び繰延資産（適格合併に該当しない合併により移転を受けた資産にあっては、第三十三款の一の適

用があるものに限る。）並びに同款の三の(6)《譲渡損益調整の適用を受けた法人の負債又は資産》に掲げる調整勘定の金額に係る資産及び一の1の③のイの(イ)《資産調整勘定の金額》に掲げる資産調整勘定の金額に係る資産（これらの資産のうち、当該支配事業年度開始日又は当該適格分割等の日における価額〔資産を次の表の左欄に掲げる区分に応じ、それぞれ同表の右欄に掲げる単位に区分した後のそれぞれの資産の価額とする。〕とその帳簿価額〔資産を当該単位に区分した後のそれぞれの帳簿価額とする。〕との差額が当該支配事業年度開始日又は当該適格分割等の日における当該欠損等法人の資本金等の額の$\frac{1}{2}$に相当する金額と1,000万円とのいずれか少ない金額に満たないものを除く。）とする。（法60の3①、令118の3①、113の3⑥、規26の5①、27の15①）

(一)	金銭債権		一の債務者ごと
(二)	減価償却資産		次の表の左欄に掲げる区分に応じ、それぞれ同表の右欄に掲げる単位ごと
		イ　建物	一棟（建物の区分所有等に関する法律第1条《建物の区分所有》の規定に該当する建物にあっては、同法第2条第1項《定義》に規定する建物の部分）ごと
		ロ　機械及び装置	一の生産設備又は1台若しくは1基（通常1組又は1式をもって取引の単位とされるものにあっては、1組又は1式）ごと
		ハ　その他の減価償却資産	イ又はロに準ずる単位ごと
(三)	土地（土地の上に存する権利を含む。以下(三)において「土地等」という。）		土地等を一筆（一体として事業の用に供される一団の土地等にあっては、その一団の土地等）ごと
(四)	有価証券		その銘柄の異なるごと
(五)	資金決済に関する法律第2条第14項《定義》に規定する暗号資産		その種類の異なるごと
(六)	その他の資産		通常の取引の単位ごと

注　──線部分は、令和5年度改正により改正された部分で、改正規定は、安定的かつ効率的な資金決済制度の構築を図るための資金決済に関する法律等の一部を改正する法律（令和4年法律第61号）の施行の日（令和5年6月1日）から適用され、施行日前の適用については、「第14項」とあるのは「第5項」とする。（令5改規附1Ⅲ、令和5年政令第185号）

（欠損等法人が被合併法人等となる適格組織再編成等を行った場合の欠損等法人）
（2）　欠損等法人がその適用期間内に自己を被合併法人、分割法人、現物出資法人又は現物分配法人とする適格組織再編成等によりその有する特定資産（第二十一款の一の3《特定株主等によって支配された欠損等法人の欠損金の繰越しの不適用》に掲げる評価損資産に該当するものに限る。）を当該適格組織再編成等に係る合併法人、分割承継法人、被現物出資法人又は被現物分配法人（以下三において「合併法人等」という。）に移転した場合には、当該合併法人等を三の適用を受ける欠損等法人とみなして、三を適用する。（法60の3②）

（特定資産に係る譲渡等特定事由による譲渡等損失額の計算）
（3）　次の(一)及び(二)に掲げるものは三に掲げる特定資産の同三に掲げる損失の額について、次の(三)及び(四)に掲げるものは同三に掲げる特定資産の同三に掲げる利益の額について、それぞれ準用する。この場合において、四の1の③のイの(4)の表の(四)中「特定適格組織再編成等に係る」とあるのは「三の(2)に掲げる適格組織再編成等に係る同(2)に掲げる欠損等法人等である」と、「同一の1の②《適格分割等により移転する個別評価金銭債権に係る期中個別貸倒引当金勘定の損金算入》」とあるのは「第十七款の一の1の②《適格分割等により移転する個別評価金銭債権に係る期中個別貸倒引当金勘定の損金算入》」と、同イの(5)の表の(三)中「特定適格組織再編成等の日前に第九款の二の2《評価換えを行った場合の資産の評価損の損金算入》」とあるのは「三に掲げる支配日又は(1)に掲げる適格分割等の日前に同2の表の①から③まで」と、同イの(5)の表の(五)中「特定適格組織再編成等に係る被合併法人、分

割法人、現物出資法人又は現物分配法人の取得」とあるのは「その取得」と読み替えるものとする。（令118の3②、123の8④〜⑦）

(一)	**四**の1の③の**イ**の(4)《譲渡等特定事由による損失の額》
(二)	同**イ**の(5)《損失の額に係る除外特定事由》
(三)	同**イ**の(6)《特定引継資産の譲渡等による利益の額》
(四)	同**イ**の(7)《除外特定事由の意義》

　　（欠損等法人が被合併法人等となる適格組織再編成等を行った場合の譲渡等損失額）
（4）　合併法人等が適格組織再編成等により(2)の欠損等法人から移転を受けた(2)に掲げる特定資産に係る**三**《特定株主等によって支配された欠損等法人の資産の譲渡等損失額の損金不算入》の適用については、当該特定資産を**三**に掲げる特定資産と、当該欠損等法人の適用事業年度の開始の日を当該合併法人等の当該適用事業年度の開始の日と、当該欠損等法人の支配日を当該合併法人等の当該支配日として譲渡等損失額を計算する。（法60の3③、令118の3③）

四　特定資産に係る譲渡等損失額の損金不算入

1　特定資産譲渡等損失額の損金不算入

　内国法人と**支配関係法人**（当該内国法人との間に**支配関係**がある法人をいう。以下1及び3から5において同じ。）との間で当該内国法人を合併法人、分割承継法人、被現物出資法人又は被現物分配法人とする**特定適格組織再編成等**（適格合併若しくは適格合併に該当しない合併で第三十三款の一《譲渡損益調整資産に係る譲渡利益額又は譲渡損失額の繰延べ》の適用があるもの、適格分割、適格現物出資又は適格現物分配〔以下1及び3から5において「**適格組織再編成等**」という。〕のうち、第二十一款の**四**の2の①《合併法人等の青色欠損金額の繰越額の制限》に掲げる共同で事業を行うための適格組織再編成等として①《共同で事業を行うための適格組織再編成等の意義》に掲げるものに該当しないものをいう。以下1及び3から5において同じ。）が行われた場合（当該内国法人の当該特定適格組織再編成等の日〔当該特定適格組織再編成等が残余財産の全部の分配である場合には、その残余財産の確定の日の翌日〕の属する事業年度〔以下1及び3から5において「**特定適格組織再編成事業年度**」という。〕開始の日の5年前の日、当該内国法人の設立の日又は当該支配関係法人の設立の日のうち最も遅い日から継続して当該内国法人と当該支配関係法人との間に支配関係がある場合として②《適用除外となる継続して支配関係がある場合》に掲げる場合を除く。）には、当該内国法人の当該特定適格組織再編成事業年度開始の日から同日以後3年を経過する日（その経過する日が当該内国法人が当該支配関係法人との間に最後に支配関係を有することとなった日以後5年を経過する日後となる場合にあっては、その5年を経過する日）までの期間（当該期間に終了する各事業年度において**二**の**1**《非適格株式交換等に係る株式交換完全子法人等の有する資産の時価評価損益》、**第三十五款の三の1**《通算制度の開始に伴う資産の時価評価損益》、**同三の2**《通算制度への加入に伴う資産の時価評価損益》**又は同三の3**《通算制度からの離脱等に伴う資産の時価評価損益》〔同3の表の（一）に係る部分に限る。〕の適用を受ける場合には、当該特定適格組織再編成事業年度開始の日からその適用を受ける事業年度終了の日までの期間。**5**の**(2)**《合併法人等が特定適格組織再編成後に欠損等法人となった場合の譲渡等損失額の損金不算入の不適用》において「**対象期間**」という。）において生ずる**特定資産譲渡等損失額**（③《特定資産譲渡等損失額の意義》に掲げる金額をいう。以下1及び3から5において同じ。）は、当該内国法人の各事業年度の所得の金額の計算上、損金の額に算入しない。（法62の7①）

　　注　適用期間の属する事業年度の特定資産譲渡等損失額が損金不算入となるが、その事業年度が適用期間の末日の属する事業年度であるときは、その事業年度開始の日から適用期間の末日までの期間に係る特定資産譲渡等損失額が損金不算入となる。（編者）

①　共同で事業を行うための適格組織再編成等の意義

　1に掲げる共同で事業を行うための適格組織再編成等とは、適格組織再編成等（適格現物分配を除く。以下①において同じ。）のうち、次の(一)から(四)までに掲げる要件又は(一)及び(五)に掲げる要件に該当するものとする。（法57④、令112⑩③）

(一)	適格合併（当該適格組織再編成等が適格合併に該当しない合併、適格分割又は適格現物出資である場合には、当該合併、適格分割又は適格現物出資。以下①において同じ。）に係る被合併法人（当該適格組織再編成等が適格分割又は適格現物出資である場合には、分割法人又は現物出資法人。以下(2)までにおいて同じ。）の**被合併事業**（当該被合併法人の当該適格合併の前に行う主要な事業のうちいずれかの事業をいい、当該適格組織再編成等が適格分割又は適格現物出資である場合には当該分割法人の当該適格組織再編成等に係る第二章第一節の**二**の表の**12の11**《適格分割》の②の表の(一)に掲げる分割事業又は当該現物出資法人の当該適格組織再編成等に係る同表の**12の14**《適格現物出資》の②の表の(一)に掲げる現物出資事業とする。以下(2)までにおいて同じ。）と当該適格合併に係る合併法人（当該適格組織再編成等が適格分割又は適格現物出資である場合には、分割承継法人又は被現物出資法人とし、当該合併法人、分割承継法人又は被現物出資法人が当該適格合併により設立された法人である場合にあっては、当該適格合併に係る他の被合併法人。以下(2)までにおいて同じ。）の**合併事業**（当該合併法人の当該適格合併の前に行う事業〔当該合併法人が当該適格合併により設立された法人である場合にあっては、当該適格合併に係る他の被合併法人の被合併事業〕のうちのいずれかの事業をいう。以下(2)までにおいて同じ。）とが相互に関連するものであること。
(二)	被合併事業と合併事業（当該被合併事業と関連する事業に限る。以下(二)及び(四)において同じ。）のそれぞれの売上金額、当該被合併事業と当該合併事業のそれぞれの従業者の数、適格合併に係る被合併法人と合併法人のそれぞれの資本金の額若しくは出資金の額又はこれらに準ずるものの規模（適格分割又は適格現物出資にあっては、被合併事業と合併事業のそれぞれの売上金額、当該被合併事業と当該合併事業のそれぞれの従業者の数又はこれらに準ずるものの規模）の割合がおおむね**5倍**を超えないこと。
(三)	被合併事業が当該適格合併に係る被合併法人が合併法人との間に最後に支配関係を有することとなった時（当該被

	合併法人がその時から当該適格合併の直前の時までの間に当該被合併法人を合併法人、分割承継法人又は被現物出資法人〔(四)において「**合併法人等**」という。〕とする適格合併、適格分割又は適格現物出資〔以下(三)及び(四)において「**適格合併等**」という。〕により被合併事業の全部又は一部の移転を受けている場合には、当該適格合併等の時。以下(三)において「被合併法人支配関係発生時」という。)から当該適格合併の直前の時まで継続して行われており、かつ、当該被合併法人支配関係発生時と当該適格合併の直前の時における当該被合併事業の規模((二)に掲げる規模の割合の計算の基礎とした指標に係るものに限る。)の割合がおおむね**2倍**を超えないこと。
(四)	合併事業が当該適格合併に係る合併法人が被合併法人との間に最後に支配関係を有することとなった時(当該合併法人がその時から当該適格合併の直前の時までの間に当該合併法人を合併法人等とする適格合併等により合併事業の全部又は一部の移転を受けている場合には、当該適格合併等の時。以下(四)において「合併法人支配関係発生時」という。)から当該適格合併の直前の時まで継続して行われており、かつ、当該合併法人支配関係発生時と当該適格合併の直前の時における当該合併事業の規模((二)に掲げる規模の割合の計算の基礎とした指標に係るものに限る。)の割合がおおむね**2倍**を超えないこと。
(五)	適格合併に係る次のイに掲げる者とロに掲げる者とが当該適格合併の後に当該適格合併法人(当該適格合併が法人を設立するものである場合には、当該適格合併により設立された法人)の特定役員となることが見込まれていること。

(五)	イ	被合併法人の当該適格合併の前における特定役員等(合併にあっては社長、副社長、代表取締役、代表執行役、専務取締役若しくは常務取締役又はこれらに準ずる者で法人の経営に従事している者〔以下(五)において「**特定役員**」という。〕をいい、適格分割又は適格現物出資にあっては役員又は当該これらに準ずる者で法人の経営に従事している者をいう。)である者のいずれかの者(当該被合併法人が当該適格合併に係る合併法人との間に最後に支配関係を有することとなった日前〔当該支配関係が当該被合併法人となる法人又は当該合併法人となる法人の設立により生じたものである場合には、同日。以下(五)において同じ。〕において当該被合併法人の役員又は当該これらに準ずる者〔同日において当該被合併法人の経営に従事していた者に限る。〕であった者に限る。)
	ロ	当該合併法人の当該適格合併の前における特定役員である者のいずれかの者(当該最後に支配関係を有することとなった日前において当該合併法人の役員又は当該これらに準ずる者〔同日において当該合併法人の経営に従事していた者に限る。〕であった者に限る。)

(事業関連性の判定の準用)

(1) ①に掲げる適格組織再編成等が、次に掲げる要件の全てに該当するものである場合には、当該適格組織再編成等に係る①の表の(一)の被合併法人の被合併事業と当該適格組織再編成等に係る合併法人の合併事業とは、同(一)の相互に関連するものに該当するものとする。(規26、3①)

(一)	当該被合併法人及び合併法人が当該適格組織再編成等の直前においてそれぞれ次のイからハまでに掲げる要件の全てに該当すること。		
	イ	事務所、店舗、工場その他の固定施設(その本店又は主たる事務所の所在地がある国又は地域にあるこれらの施設に限る。ハの(ヘ)において「固定施設」という。)を所有し、又は賃借していること。	
	ロ	従業者(役員にあっては、その法人の業務に専ら従事するものに限る。)があること。	
	ハ	自己の名義をもって、かつ、自己の計算において次の(イ)から(ト)までに掲げるいずれかの行為を行っていること。	
		(イ)	商品販売等(商品の販売、資産の貸付け又は役務の提供で、継続して対価を得て行われるものをいい、その商品の開発若しくは生産又は役務の開発を含む。以下(一)において同じ。)
		(ロ)	広告又は宣伝による商品販売等に関する契約の申込み又は締結の勧誘
		(ハ)	商品販売等を行うために必要となる資料を得るための市場調査
		(ニ)	商品販売等を行うに当たり法令上必要となる行政機関の許認可等(行政手続法第2条第3号《定義》に規定する許認可等をいう。)についての同号に規定する申請又は当該許認可等に係る権利の保有
		(ホ)	知的財産権(特許権、実用新案権、育成者権、意匠権、著作権、商標権その他の知的財産に関して法令により定められた権利又は法律上保護される利益に係る権利をいう。以下(ホ)におい

		て同じ。）の取得をするための出願若しくは登録（移転の登録を除く。）の請求若しくは申請（これらに準ずる手続を含む。）、知的財産権（実施権及び使用権を含むものとし、商品販売等を行うために必要となるものに限る。以下(ホ)及び(ニ)のロにおいて「知的財産権等」という。）の移転の登録（実施権及び使用権にあっては、これらの登録を含む。）の請求若しくは申請（これらに準ずる手続を含む。）又は知的財産権若しくは知的財産権等の所有
	(ヘ)	商品販売等を行うために必要となる資産（固定施設を除く。）の所有又は賃借
	(ト)	(イ)から(ヘ)までに掲げる行為に類するもの
(ニ)	\multicolumn{2}{l|}{当該被合併事業と合併事業との間に当該適格組織再編成等の直前において次のイからハまでに掲げるいずれかの関係があること。}
	イ	当該被合併事業と合併事業とが同種のものである場合における当該被合併事業と合併事業との間の関係
	ロ	当該被合併事業に係る商品、資産若しくは役務（それぞれ販売され、貸し付けられ、又は提供されるものに限る。以下(ニ)及び(2)において同じ。）又は経営資源（事業の用に供される設備、事業に関する知的財産権等、生産技術又は従業者の有する技能若しくは知識、事業に係る商品の生産若しくは販売の方式又は役務の提供の方式その他これらに準ずるものをいう。以下(ニ)及び(2)において同じ。）と当該合併事業に係る商品、資産若しくは役務又は経営資源とが同一のもの又は類似するものである場合における当該被合併事業と合併事業との間の関係
	ハ	当該被合併事業と合併事業とが当該適格組織再編成等後に当該被合併事業に係る商品、資産若しくは役務又は経営資源と当該合併事業に係る商品、資産若しくは役務又は経営資源とを活用して行われることが見込まれている場合における当該被合併事業と合併事業との間の関係

（商品等を活用して一体として行われている場合の推定）

（2）　適格組織再編成等に係る被合併法人の被合併事業と当該適格組織再編成等に係る合併法人の合併事業とが、当該適格組織再編成等後に当該被合併事業に係る商品、資産若しくは役務又は経営資源と当該合併事業に係る商品、資産若しくは役務又は経営資源とを活用して一体として行われている場合には、当該被合併事業と合併事業とは、(1)《事業関連性の判定の準用》の表の(ニ)に掲げる要件に該当するものと推定する。（規26の3②）

（共同で事業を行うための適格組織再編成等の判定）

（3）　(1)に掲げる「共同で事業を行うための適格組織再編成等」に該当するかどうかの判定に当たっては、次の(一)から(四)までの取扱いを準用する。（基通12の2－2－2・編者補正）

(一)	第二章第一節の二の表の**12の8**の③の(4)《特定役員の範囲》
(二)	同二の(9)《従業者の範囲》
(三)	同二の(10)《主要な事業の判定》
(四)	同二の(11)《事業規模を比較する場合の売上金額等に準ずるもの》

②　適用除外となる継続して支配関係がある場合

1に掲げる継続して当該内国法人と当該支配関係法人との間に支配関係がある場合は、次の(一)又は(二)に掲げる場合のいずれかに該当する場合とする。（令123の8①）

(一)	1に掲げる内国法人と支配関係法人との間に特定組織再編成事業年度開始の日の5年前の日（(二)において「5年前の日」という。）から継続して支配関係がある場合
(二)	1に掲げる内国法人又は支配関係法人が5年前の日後に設立された法人である場合（次のイ又はロに掲げる場合を除く。）であって当該内国法人と当該支配関係法人との間に当該内国法人の設立の日又は当該支配関係法人の設立の日のいずれか遅い日から継続して支配関係があるとき。
	イ	当該内国法人との間に支配関係がある他の法人を被合併法人、分割法人、現物出資法人又は現物分配法人とする適格組織再編成等で、当該支配関係法人を設立するもの又は当該内国法人が当該他の法人との間に最後

	に支配関係を有することとなった日以後に設立された当該支配関係法人を合併法人、分割承継法人、被現物出資法人若しくは被現物分配法人とするものが行われていた場合（同日が当該5年前の日以前である場合を除く。）
ロ	当該支配関係法人との間に支配関係がある他の法人を被合併法人、分割法人、現物出資法人又は現物分配法人とする適格組織再編成等で、当該内国法人を設立するもの又は当該支配関係法人が当該他の法人との間に最後に支配関係を有することとなった日以後に設立された当該内国法人を合併法人、分割承継法人、被現物出資法人若しくは被現物分配法人とするものが行われていた場合（同日が当該5年前の日以前である場合を除く。）

（最後に支配関係を有することとなった日）

　②の表の(二)の「最後に支配関係を有することとなった日」とは、内国法人又は支配関係法人と他の法人との間において、適格組織再編成等の日の直前まで継続して支配関係がある場合のその支配関係を有することとなった日をいうことに留意する。（基通12の2－2－5、12－1－5参照・編者補正）

③　**特定資産譲渡等損失額の意義**

　特定資産譲渡等損失額とは、次の(一)及び(二)に掲げる金額の合計額をいう。（法62の7②）

(一)	1の内国法人が支配関係法人から特定適格組織再編成等により移転を受けた資産（棚卸資産、当該特定適格組織再編成等の日における帳簿価額が少額であるものその他のイの(1)《特定引継資産の意義》に掲げるものを除く。）で当該支配関係法人が当該内国法人との間に最後に支配関係を有することとなった日（以下1及び3から5において「**支配関係発生日**」という。）の属する事業年度開始の日前から有していたもの（これに準ずるものとしてイの(3)《支配関係発生日の属する事業年度開始の日前から有していた資産に準ずるもの》に掲げるものを含む。以下1及び3から5において「**特定引継資産**」という。）の譲渡、評価換え、貸倒れ、除却その他の事由（以下①及び3から5において「譲渡等特定事由」という。）による損失の額としてイの(4)《譲渡等特定事由による損失の額》に掲げる金額の合計額から特定引継資産の譲渡、評価換えその他の事由による利益の額としてイの(6)《特定引継資産の譲渡等による利益の額》に掲げる金額の合計額を控除した金額
(二)	1の内国法人が有する資産（棚卸資産、特定適格組織再編成等の日の属する事業年度開始の日における帳簿価額が少額であるものその他のロの(2)により読み替えられたイの(1)に掲げるものを除く。）で支配関係発生日の属する事業年度開始の日前から有していたもの（これに準ずるものとしてロの(2)により読み替えられたイの(3)に掲げるものを含む。以下1及び3から5において「**特定保有資産**」という。）の譲渡等特定事由による損失の額としてロの(2)により読み替えられたイの(4)に掲げる金額の合計額から特定保有資産の譲渡、評価換えその他の事由による利益の額としてロの(2)により読み替えられたイの(6)に掲げる金額の合計額を控除した金額

注1　1の内国法人について特定適格組織再編成等後に第三十五款の二の1《通算承認》による承認の効力が生じ、かつ、同款の三の5《特定資産に係る譲渡等損失額の損金不算入》に掲げる適用期間が開始したときは、当該適用期間の開始の日以後に開始する事業年度においては、当該特定適格組織再編成等に係る上表の(二)の金額は、ないものとする。（法62の7⑦）

注2　特定資産譲渡等損失額は、(一)及び(二)に区分した上でそれぞれ計算するが、仮にその計算された金額のいずれかがマイナスとなる場合には、そのマイナスとなる金額は零として、それぞれの金額を合計することになる。（編者）

イ　特定引継資産に係る譲渡等損失額の計算

（特定引継資産の意義）

（1）　特定引継資産とは、1《特定資産譲渡等損失額の損金不算入》の内国法人が支配関係法人から特定適格組織再編成等により移転を受けた資産で当該支配関係法人が支配関係発生日前から有していたもののうち、次の(一)から(六)までに掲げるものを除いたものをいう。（法62の7②Ⅰ、令123の8②、規27の15①）

(一)	棚卸資産（土地〔土地の上に存する権利を含む。(四)の表のハ及び(5)の表の(三)において「土地等」という。〕を除く。）
(二)	第二十二款の二の2《短期売買商品等の時価評価損益の益金又は損金算入》に掲げる短期売買商品等
(三)	第二十三款の一の1の表の②《売買目的有価証券》に掲げる売買目的有価証券

(四)	1に掲げる特定適格組織再編成等の日における帳簿価額又は取得価額（資産を次の表の左欄に掲げる資産の区分に応じ、それぞれ同表の右欄に掲げる単位に区分した後のそれぞれの資産の帳簿価額又は取得価額とする。）が1,000万円に満たない資産		
	イ	金銭債権		一の債務者ごと
	ロ	減価償却資産		次の表の左欄に掲げる区分に応じ、それぞれ同表の右欄に掲げる単位ごと
			(イ) 建物	一棟（建物の区分所有等に関する法律第1条《建物の区分所有》の規定に該当する建物にあっては、同法第2条第1項《定義》に規定する建物の部分）ごと
			(ロ) 機械及び装置	一の生産設備又は1台若しくは1基（通常1組又は1式をもって取引の単位とされるものにあっては、1組又は1式）ごと
			(ハ) その他の減価償却資産	(イ)又は(ロ)に準ずる単位ごと
	ハ	土地等		土地等を一筆（一体として事業の用に供される一団の土地等にあっては、その一団の土地等）ごと
	ニ	有価証券		その銘柄の異なるごと
	ホ	資金決済に関する法律第2条第14項《定義》に規定する暗号資産		その種類の異なるごと
	ヘ	その他の資産		通常の取引の単位ごと
(五)	支配関係発生日の属する事業年度開始の日における価額が同日における帳簿価額を下回っていない資産（1の内国法人の特定適格組織再編成事業年度の確定申告書、修正申告書又は更正請求書に同日における当該資産の価額及びその帳簿価額に関する明細を記載した書類の添付があり、かつ、当該資産に係る(2)《支配関係発生日の属する事業年度開始の日の価額の算定の基礎となる事項等を記載した書類》に掲げる書類を保存している場合における当該資産に限る。）			
(六)	適格合併に該当しない合併により移転を受けた資産で第三十三款の一《譲渡損益調整資産に係る譲渡利益額又は譲渡損失額の繰延べ》に掲げる譲渡損益調整資産（以下1及び3から5において「譲渡損益調整資産」という。）以外のもの			

注1　──線部分（「**2**《短期売買商品等の時価評価損益の益金又は損金算入》」に係る部分に限る。）は、令和6年度改正により改正された部分で、改正規定は、令和6年4月1日から適用され、令和6年3月31日以前の適用については、「**2**《短期売買商品等の時価評価損益の益金又は損金算入》」とあるのは「**1**《短期売買商品等の期末評価額》」とする。（令6改附1）

注2　──線部分（「第14項」に係る部分に限る。）は、令和5年度改正により改正された部分で、改正規定は、安定的かつ効率的な資金決済制度の構築を図るための資金決済に関する法律等の一部を改正する法律（令和4年法律第61号）の施行の日（令和5年6月1日）から適用され、施行日前の適用については、「第14項」とあるのは「第5項」とする。（令5改規附1Ⅲ、令和5年政令第185号）

（支配関係発生日の属する事業年度開始の日の価額の算定の基礎となる事項等を記載した書類）
（2）　(1)の(五)の支配関係発生日の属する事業年度開始の日における価額の算定の基礎となる事項等を記載した書類は、次の(一)及び(二)に掲げる書類をいう。（規27の15②）

(一)	資産の種類、名称、構造、取得価額、その取得をした日、支配関係発生日の属する事業年度開始の日における帳簿価額その他その資産の内容を記載した書類	
(二)	次に掲げるいずれかの書類で(一)に掲げる資産の支配関係発生日の属する事業年度開始の日における価額を明らかにするもの	
	イ	その資産の価額が継続して一般に公表されているものであるときは、その公表された価額が示された書類の写し
	ロ	(1)の表の(五)の内国法人が、当該支配関係発生日の属する事業年度開始の日における価額を算定し、

第三章　第一節　第三十四款《組織再編成の所得金額の計算》

		これを同日における価額としているときは、その算定の根拠を明らかにする事項を記載した書類及びその算定の基礎とした事項を記載した書類
	ハ	イ又はロに掲げるもののほかその資産の価額を明らかにする事項を記載した書類

（支配関係発生日の属する事業年度開始の日前から有していた資産に準ずるもの）
（3）③の表の（一）に掲げる支配関係発生日の属する事業年度開始の日前から有していた資産に準ずるものは、1の内国法人が支配関係法人から特定適格組織再編成等により移転を受けた資産（（1）の表に掲げるものを除く。）のうち、当該特定適格組織再編成等の日以前2年以内の期間（②の表の（二）のイに掲げる場合に該当しない場合には、支配関係発生日以後の期間に限る。次の表の（一）及び（二）において「前2年以内期間」という。）内に行われた一又は二以上の前特定適格組織再編成等（特定適格組織再編成等で関連法人〔当該内国法人及び当該支配関係法人との間に支配関係がある法人をいい、②の表の（二）のイに掲げる場合に該当する場合には同イの他の法人を含む。以下（3）において同じ。〕を被合併法人、分割法人、現物出資法人又は現物分配法人とし、当該支配関係法人又は他の関連法人を合併法人、分割承継法人、被現物出資法人又は被現物分配法人とする他の特定適格組織再編成等をいう。）により移転があった資産で関連法人のいずれかが関連法人支配関係発生日（当該内国法人及び当該支配関係法人が当該関連法人との間に最後に支配関係を有することとなった日〔当該他の法人にあっては、当該内国法人が当該他の法人との間に最後に支配関係を有することとなった日〕をいう。次の表の（三）において同じ。）の属する事業年度開始の日前から有していたもの（次の表の（一）から（三）までに掲げるものを除く。）とする。（令123の8③、規27の15③④②）

（一）			前2年以内期間内に行われた適格組織再編成等で特定適格組織再編成等に該当しないものにより移転があった資産
（二）			前2年以内期間内に行われた適格合併に該当しない合併により移転があった資産で譲渡損益調整資産以外のもの
（三）	\multicolumn{3}{l}{（一）及び（二）に掲げる資産以外の資産で次に掲げるもの}
	イ		資産を(1)の表の（四）のイからへの左欄に掲げる資産の区分に応じそれぞれ右欄に掲げるところにより区分した後の単位に区分した後のそれぞれの資産の当該関連法人支配関係発生日の属する事業年度開始の日における帳簿価額又は取得価額が1,000万円に満たない資産
	ロ		当該関連法人支配関係発生日の属する事業年度開始の日における価額が同日における帳簿価額を下回っていない資産（1の内国法人の特定組織再編成事業年度の確定申告書、修正申告書又は更正請求書に同日における当該資産の価額及びその帳簿価額に関する明細を記載した書類の添付があり、かつ、当該資産に係る同日の価額の算定の基礎となる事項を記載した書類その他の次の表に掲げる書類を保存している場合における当該資産に限る。）
		(イ)	資産の種類、名称、構造、取得価額、その取得をした日、関連法人支配関係発生日の属する事業年度開始の日における帳簿価額その他その資産の内容を記載した書類
		(ロ)	次に掲げるいずれかの書類で（一）に掲げる資産の関連法人支配関係発生日の属する事業年度開始の日における価額を明らかにするもの
			A　その資産の価額が継続して一般に公表されているものであるときは、その公表された価額が示された書類の写し
			B　(1)の表の（五）の内国法人が、当該関連法人支配関係発生日の属する事業年度開始の日における価額を算定し、これを同日における価額としているときは、その算定の根拠を明らかにする事項を記載した書類及びその算定の基礎とした事項を記載した書類
			C　A又はBに掲げるもののほかその資産の価額を明らかにする事項を記載した書類

（譲渡等特定事由による損失の額）
（4）③の表の（一）に掲げる損失の額は、次の表の左欄に掲げる事由（除外特定事由を除く。）が生じた場合におけるそれぞれ同表の右欄に掲げる金額（当該事業年度の損金の額に算入されないものを除く。）とする。（令123の8④）

(一)		譲渡その他の移転（(五)又は(六)に掲げる事由に該当するものを除く。以下(一)において「譲渡等」という。）	当該譲渡等をした資産の当該譲渡等の直前の帳簿価額が当該譲渡等に係る収益の額を超える場合におけるその超える部分の金額
(二)		次に掲げる事由（以下(二)において「評価換え等」という。）	当該評価換え等に係る資産の当該評価換え等の直前の帳簿価額から当該評価換え等の直後の帳簿価額を控除した金額
	イ	内国法人が有する資産の評価換えにより生じた損失の額につき第九款の二の2《評価換えを行った場合の資産の評価損の損金算入》の適用がある場合の当該評価換え	
	ロ	内国法人が事業年度終了の時に有する第二十六款の三の1(2)《外国為替の売買相場が著しく変動した場合の外貨建資産等の期末時換算》に掲げる外貨建資産等（ロ及び(6)の表の(二)のイにおいて「外貨建資産等」という。）又は適格分割等（同1の(3)《外国為替の売買相場が著しく変動した場合の適格分割等により移転する外貨建資産等の換算》に掲げる適格分割等をいう。ロ及び(6)の表の(二)のイにおいて同じ。）により分割承継法人、被現物出資法人若しくは被現物分配法人に移転する外貨建資産等につき同1の(2)（同1の(3)において準用する場合を含む。）に基づき当該終了の時又は当該適格分割等の直前の時に外貨建資産等の取得又は発生の基因となった外貨建取引（同1の(2)に掲げる外貨建取引をいう。ロ及び(6)の表の(二)のイにおいて同じ。）を行ったものとみなして同1《外貨建取引の換算》又は第二十六款の四の1《外貨建資産等の期末換算》の適用を受ける場合の当該外貨建取引（当該外貨建取引を行ったものとみなしたことにより当該外貨建資産等の帳簿価額がその直前の帳簿価額を下回ることとなるものに限る。）	
	ハ	内国法人が有する二の1《非適格株式交換等に係る株式交換完全子法人等の有する資産の時価評価損益》に掲げる時価評価資産、第三十五款の三の1《通算制度の開始に伴う資産の時価評価損益》に掲げる時価評価資産、同1の(3)《株式等保有法人における株式等の評価損益》に掲げる株式若しくは出資、同三の2《通算制度への加入に伴う資産の時価評価損益》に掲げる時価評価資産、同2の(6)《株式等保有法人における株式等の評価損益》に掲げる株式若しくは出資又は同三の3《通算制度からの離脱等に伴う資産の時価評価損益》に掲げる時価評価資産（(6)の表の(二)のロにおいて「時価評価資産」という。）のこれらの規定に掲げる評価損の額につきこれらの規定の適用を受ける場合の当該評価損の額が損金の額に算入されることとなったこと。	
(三)		貸倒れ、除却その他これらに類する事由（(四)に掲げる事由に該当するものを除く。以下(三)において「貸倒れ等」という。）	当該貸倒れ等による損失の額
(四)		第十七款の一の1の①《個別評価金銭債権に係る貸倒引当金》	当該個別評価金銭債権の貸倒れによる損失の額

	に掲げる個別評価金銭債権のうち当該個別評価金銭債権に対応する貸倒引当金勘定の金額（当該事業年度の前事業年度の所得の金額の計算上損金の額に算入された貸倒引当金勘定の金額〔同一の3《適格組織再編成における貸倒引当金の引継ぎ》により特定適格組織再編成等に係る被合併法人、分割法人、現物出資法人又は現物分配法人から引継ぎを受けた貸倒引当金勘定の金額又は同一の1の②《適格分割等により移転する個別評価金銭債権に係る期中個別貸倒引当金勘定の損金算入》に掲げる期中個別貸倒引当金勘定の金額を含む。〕に限る。以下（四）において同じ。）があるものの貸倒れ	から当該事業年度の所得の金額の計算上益金の額に算入される当該貸倒引当金勘定の金額を控除した金額
（五）	第二十五款の一の1《繰延ヘッジ処理による利益額又は損失額の繰延べ》に掲げるデリバティブ取引等（以下（五）において「デリバティブ取引等」という。）により同1に掲げるヘッジ対象資産等損失額を減少させようとする同1の表の①に掲げる資産で同1の適用を受けているものの譲渡	当該資産の譲渡により生じた損失の額から当該デリバティブ取引等に係る第二十五款の一の3の③《デリバティブ取引等に係る利益額又は損失額のうちヘッジとして有効である部分の金額》に掲げる有効性割合がおおむね$\frac{80}{100}$から$\frac{125}{100}$までとなっていた直近の同3の①《繰延ヘッジ処理におけるヘッジの有効性判定》に掲げる有効性判定における当該デリバティブ取引等に係る同3の③の（2）《ヘッジ有効性割合がおおむね$\frac{80}{100}$から$\frac{125}{100}$までとなっていない場合の処理》に掲げる利益額に相当する金額を控除した金額（当該デリバティブ取引等に係る同（2）に掲げる損失額に相当する金額がある場合にあっては、当該資産の譲渡により生じた損失の額に当該損失額に相当する金額を加算した金額）
（六）	第二十五款の二の1《時価ヘッジ処理による売買目的外有価証券の評価益又は評価損の計上》の適用を受けている第二十三款の一の1の表の⑥《売買目的外有価証券》に掲げる売買目的外有価証券の譲渡	当該売買目的外有価証券の譲渡直前の帳簿価額を当該事業年度の前事業年度における第二十五款の二の2《時価ヘッジ処理における売買目的外有価証券の評価額と円換算額等》に掲げる帳簿価額とした場合に当該帳簿価額が当該譲渡に係る第二十三款の二の1《有価証券の譲渡益又は譲渡損の益金又は損金算入》に掲げる金額を超えるときのその超える部分の金額
（七）	内国法人が譲渡損益調整資産に係る譲渡損失額（第三十三款の一《譲渡損益調整資産に係る譲渡利益額又は譲渡損失額の繰延べ》に掲げる譲渡損失額をいう。）に相当する金額につき同一の適用を受け、かつ、同款の二の1《譲受法人において譲渡損益調整資産の譲渡があった場合等の戻入れ》、同二の2《譲受法人との間に完全支配関係を有しないこととなった場合の戻入れ》及び同款の三《譲渡損益調整資産に係る譲渡利益額又は譲渡損失額のうち益金の額又は損金の額に戻し入れる金額の計算等》により各事業年度の所得の金額の計算上損金の額に算入されていない金額がある場合において、同款の二の1に掲げる事由が生じたこと又は同二の2に掲げる場合に該当することとなったこと	当該事由が生じたこと又はその該当することとなったことに基因して第三十三款の二の1、同二の2及び同款の三により損金の額に算入されることとなる金額に相当する金額
（八）	一の1の③のイの（イ）《資産調整勘定の金額》に掲げる資産調整勘定の金額（以下（八）において「資産調整勘定の金額」という。）を有する内国法人が当該内国法人を被合併法人とする適格合併に該当しない合併（以下（八）において「非適格	一の1の③のロの（イ）により減額すべきこととなった資産調整勘定の金額に相当する金額（その減額すべきこととなった金額が当該事業年度が非適格合併の日の前日又は残余財産の確定の

「合併」という。)を行った場合又は当該内国法人の残余財産が確定した場合において、同③のロの**(イ)**《資産調整勘定の損金算入》により当該非適格合併の日の前日又は当該残余財産の確定の日の属する事業年度において当該資産調整勘定の金額を減額すべきこととなったこと(その減額すべきこととなった金額が当該事業年度が非適格合併の日の前日又は残余財産の確定の日の属する事業年度でなかったとした場合に同**(イ)**により減額すべきこととなる資産調整勘定の金額に満たない場合を除く。)

日の属する事業年度でなかったとした場合に同**(イ)**により減額すべきこととなる資産調整勘定の金額を超える部分の金額に限る。)から次に掲げる金額の合計額を控除した金額

イ	当該非適格合併に伴い一の1の③のロの**(ロ)**《負債調整勘定の益金算入》の表の**A**に掲げる退職給与引受従業者が当該内国法人の従業者でなくなったこと(当該退職給与引受従業者に対して退職給与を支給する場合を除く。)に基因して同**A**に掲げる退職給与負債調整勘定の金額を有する当該内国法人が同**(ロ)**により減額すべきこととなった同**A**に掲げる金額に相当する金額
ロ	当該非適格合併又は当該残余財産の確定に基因して一の1の③のロの**(ロ)**の表の**B**に掲げる短期重要負債調整勘定の金額を有する当該内国法人が同**(ロ)**により減額すべきこととなった同**B**に定める金額に相当する金額
ハ	一の1の③のロの**(ロ)**の**(2)**《被合併法人等から移転を受けた資産及び負債の時価純資産価額に満たない場合の負債調整勘定の金額の益金算入》により同**(2)**に掲げる差額負債調整勘定の金額(ハにおいて「差額負債調整勘定の金額」という。)を有する当該内国法人が当該非適格合併の日の前日又は当該残余財産の確定の日の属する事業年度に同**(2)**により減額すべきこととなった差額負債調整勘定の金額(その減額すべきこととなった金額が当該事業年度が非適格合併の日の前日又は残余財産の確定の日の属する事業年度でなかったとした場合に同**(2)**により減額すべきこととなる差額負債調整勘定の金額を超える部分の金額に限る。)
ニ	当該非適格合併により当該非適格合併に係る合併法人が有することとなった資産調整勘定の金額に相当する金額

(損失の額に係る除外特定事由)
(5) (4)に掲げる除外特定事由とは、次に掲げるものをいう。(法62の7⑧、令123の8⑤)

(一)	災害による資産の滅失又は損壊
(二)	更生手続開始の決定があった場合における会社更生法又は金融機関等の更生手続の特例等に関する法律に規定する更生会社又は更生協同組織金融機関の当該更生手続開始の決定の時から当該更生手続開始の決定に係る更生手続の終了の時までの期間((7)の表の(一)において「更生期間」という。)において資産について生じた(4)の表の(一)から(八)の左欄に掲げる事由

第三章　第一節　第三十四款《組織再編成の所得金額の計算》

(三)	固定資産（土地等を除く。）又は繰延資産（以下(三)において「評価換対象資産」という。）につき行った評価換えで第九款の二の2《評価換えを行った場合の資産の評価損の損金算入》の適用があるもの（当該評価換対象資産につき特定適格組織再編成等の日前に同2の表の①から③までに掲げる事実が生じており、かつ、当該事実に基因して当該評価換対象資産の価額がその帳簿価額を下回ることとなっていることが明らかである場合における当該評価換えを除く。）
(四)	再生手続開始の決定があった場合（第九款の二の4《民事再生等による特定の事実が生じた場合の資産の評価損の損金算入》の表の②に掲げる事実が生じた場合を含む。）における民事再生法に規定する再生債務者（当該事実が生じた場合にあっては、その債務者）である内国法人の当該再生手続開始の決定の時から当該再生手続開始の決定に係る再生手続の終了の時まで（当該事実が生じた場合にあっては、当該事実が生じた日の属する事業年度開始の日から当該事実が生じた日まで）の期間（(7)の(二)において「再生等期間」という。）において資産について生じた(4)の表の(一)から(八)の左欄に掲げる事由
(五)	減価償却資産（当該減価償却資産の当該事業年度開始の日における帳簿価額が、当該減価償却資産につき特定適格組織再編成等に係る被合併法人、分割法人、現物出資法人又は現物分配法人の取得の日から当該事業年度において採用している償却の方法により償却を行ったものとした場合に計算される当該事業年度開始の日における帳簿価額に相当する金額のおおむね2倍を超える場合における当該減価償却資産を除く。）の除却
(六)	譲渡損益調整資産の譲渡で第三十三款の一《譲渡損益調整資産に係る譲渡利益額又は譲渡損失額の繰延べ》の適用があるもの
(七)	第十六款の一の1《収用等のあった事業年度において取得した代替資産の圧縮記帳》に掲げる収用等（以下(七)において「収用等」という。）による資産の譲渡（同一の2《使用補償金及び譲渡対価等に対する特例の適用》により収用等による資産の譲渡があったものとみなされるものを含む。）及び同款の二の1《換地処分等により交換取得した資産の圧縮記帳》に掲げる換地処分等（以下(七)において「換地処分等」という。）による資産の譲渡（同款の二の6《市街地再開発事業の施行により変換清算金等又は施設建築物等を取得した場合の特例》、同二の7《密集市街地における防災街区の整備の促進に関する法律により防災変換金又は防災施設建築物等を取得した場合の特例》及び同二の8《マンションの建替え等の円滑化に関する法律のマンション建替事業により施行再建マンションに関する権利を取得した場合の特例》により収用等又は換地処分等による資産の譲渡があったものとみなされるものを含む。）
(八)	第十五款の十一の1《機械等の減価補塡金の交付を受けた場合の対象機械等の圧縮記帳》に掲げる法令の制定等があったことに伴い、その営む事業の廃止又は転換をしなければならないこととなった法人のその廃止又は転換をする事業の用に供していた資産の譲渡、除却その他の処分
(九)	(一)から(八)までに掲げるもののほか財務省令で定めるもの

　　注　上記(九)の財務省令は、令和6年7月1日現在制定されていない。（編者）

（特定引継資産の譲渡等による利益の額）
(6)　③の表の(一)に掲げる利益の額は、次の表の左欄に掲げる事由（除外特定事由を除く。）が生じた場合におけるそれぞれ右欄に掲げる金額（当該事業年度の益金の額に算入されないものを除く。）とする。（令123の8⑥）

(一)	譲渡（(四)に掲げる事由に該当するものを除く。）		当該譲渡をした資産の当該譲渡に係る収益の額が当該譲渡の直前の帳簿価額を超える場合におけるその超える部分の金額
(二)	次に掲げる事由（以下(二)において「外貨建取引等」という。）		当該外貨建取引等をした資産の当該外貨建取引等の直後の帳簿価額が当該外貨建取引等の直前の帳簿価額を超える場合におけるその超える部分の金額
	イ	内国法人が事業年度終了の時に有する外貨建資産等又は適格分割等により分割承継法人、被現物出資法人若しくは被現物分配法人に移転する外貨建資産等につき第二十六款の三の1の(2)《外国為替の売買相場が著しく変動した場合の外貨建資産等の期末時換算》（同1の(3)《外国為替の売買相場が著しく変動した場合の適格分割等により移転する外貨建資産等の換算》において準用する場合を含む。）	

	に基づき当該終了の時又は当該適格分割等の直前の時に外貨建資産等の取得又は発生の基因となった外貨建取引を行ったものとみなして同**1**《外貨建取引の換算》又は同款の**四**の**1**《外貨建資産等の期末換算》の適用を受ける場合の当該外貨建取引（当該外貨建取引を行ったものとみなしたことにより当該外貨建資産等の帳簿価額がその直前の帳簿価額を超えることとなるものに限る。）	
ロ	内国法人が有する時価評価資産の**二**の**1**《非適格株式交換等に係る株式交換完全子法人等の有する資産の時価評価損益》、第三十五款の**三**の**1**《通算制度の開始に伴う資産の時価評価損益》若しくは同**1**の（**3**）《株式等保有法人における株式等の評価損益》、同**三**の**2**《通算制度への加入に伴う資産の時価評価損益》若しくは同**2**の（**6**）《株式等保有法人における株式等の評価損益》又は同**三**の**3**《通算制度からの離脱等に伴う資産の時価評価損益》に掲げる評価益の額につきこの適用を受ける場合の当該評価益の額が益金の額に算入されることとなったこと。	
(三)	内国法人が譲渡損益調整資産に係る譲渡利益額（第三十三款の**一**《譲渡損益調整資産に係る譲渡利益額又は譲渡損失額の繰延べ》に掲げる譲渡利益額をいう。）に相当する金額につき同**一**の適用を受け、かつ、同款の**二**の**1**《譲受法人において譲渡損益調整資産の譲渡があった場合等の戻入れ》、同**二**の**2**《譲受法人との間に完全支配関係を有しないこととなった場合の戻入れ》により各事業年度の所得の金額の計算上益金の額に算入されていない金額がある場合において、同款の**三**《譲渡損益調整資産に係る譲渡利益額又は譲渡損失のうち益金の額又は損金の額に戻し入れる金額の計算等》の表の左欄に掲げる事由が生じたこと又は同款の**二**の**2**に掲げる場合に該当することとなったこと	当該事由が生じたこと又はその該当することとなったことに基因して第三十三款の**二**及び同款の**三**により益金の額に算入されることとなる金額に相当する金額
(四)	資産の譲渡につき第十五款の**七**《特定の資産の買換えの場合等の課税の特例》から同款の**九**《特定普通財産とその隣接する土地等の交換の場合の課税の特例》まで又は第十六款の**一**《収用等に伴い代替資産を取得した場合の課税の特例》から同款の**四**《収用換地等の場合の所得の特別控除》により当該譲渡をした事業年度の所得の金額の計算上損金の額に算入される金額（同款の**四**の**5**、同款の**五**の**3**、同款の**六**の**3**、同款の**七**の**3**及び同款の**八**の**5**《特別控除額の特例》により損金の額に算入されない金額がある場合には、当該金額を控除した金額。以下(四)において「損金算入額」という。）がある場合の当該譲渡	当該資産の譲渡に係る収益の額から当該資産の譲渡直前の帳簿価額及び当該損金算入額に相当する金額の合計額を控除した金額
(五)	内国法人が資産の譲渡に伴い設けた第十六款の**一**の**11**の②《自己を株式交換完全子法人又は株式移転完全子法人とする非適格株式交換等を行った場合の特別勘定の益金算入》若しくは同**一**の**10**の③《通算法人等が特別勘定を有する場合の益金算入》又は第十五款の**七**の**6**の⑦《自己を株式交換完全子法人又は株式移転完全子法人とする非適格株式交換等を行った場合の特別勘定の益金算入》若しくは同**6**の⑧《通算法人等を有している場合の特別勘定の益金算入》に掲げる特別勘定の金額がこれらにより**二**の**1**に掲げる非適格株式交換等の日の属する事業年度、第三十五款の**三**の**1**に掲げる通算開始直前事業年度、同**三**の**2**に掲げる通算加入直	その益金の額に算入される金額

	前事業年度又は同三の**3**に掲げる通算終了直前事業年度の所得の金額の計算上益金の額に算入されることとなったこと

　　　（除外特定事由の意義）
（7）　（6）に掲げる除外特定事由とは、次に掲げるものをいう。（法62の7⑧、令123の8⑦）

(一)	更生期間において資産について生じた（6）の表の(一)から(五)までの左欄に掲げる事由
(二)	再生等期間において資産について生じた（6）の表の(一)から(五)までの左欄に掲げる事由
(三)	第十五款の**五**の**1**《交換により取得した資産の圧縮額の損金算入》の適用を受けた同**1**に掲げる譲渡資産の交換による譲渡
(四)	譲渡損益調整資産の譲渡で第三十三款の**一**《譲渡損益調整資産に係る譲渡利益額又は譲渡損失額の繰延べ》の適用があるもの
(五)	(一)から(四)までに掲げるもののほか財務省令で定めるもの

　　注　上記の(五)の財務省令は、令和6年7月1日現在制定されていない。（編者）

　　　（圧縮記帳を適用している資産に係る帳簿価額又は取得価額）
（8）　合併法人等（合併法人、分割承継法人、被現物出資法人又は被現物分配法人をいう。）が特定適格組織再編成等により支配関係法人において圧縮記帳の適用を受けた資産の移転を受けた場合において、当該資産が（1）の表の(四)に掲げる帳簿価額又は取得価額が1,000万円に満たない資産に該当するかどうかの判定を行うときは、当該資産に係る積立金の金額の引継ぎを受けたかどうかにかかわらず、当該固定資産の帳簿価額又は取得価額は、圧縮記帳に係る規定の適用を受けた後の金額になることに留意する。（基通12の2－2－3）

　　　（新たな資産の取得とされる資本的支出がある場合の帳簿価額又は取得価額）
（9）　（1）の表の(四)の取得価額については、次による。（基通12の2－2－6、7－8－4参照）
　(一)　前事業年度前の各事業年度において、第六款の**六**の**7**の②の（2）《定率法を採用している場合の資本的支出額と取得価額との合算の特例》の適用を受けた場合における当該固定資産の取得価額とは、同（2）に掲げる一の減価償却資産の取得価額をいうのではなく、同（2）に掲げる旧減価償却資産の取得価額と同（2）に掲げる追加償却資産（(二)において「追加償却資産」という。）の取得価額との合計額をいうことに留意する。
　(二)　固定資産には、当該固定資産についてした資本的支出が含まれるのであるから、当該資本的支出が第六款の**六**の**7**の②の（3）《同一事業年度内に行われた複数の資本的支出の特例》の適用を受けた場合であっても、当該固定資産に係る追加償却資産の取得価額は当該固定資産の取得価額に含まれることに留意する。

　　　（最後に支配関係を有することとなった日）
（10）　（3）の「最後に支配関係を有することとなった日」とは、内国法人又は支配関係法人と他の法人との間において、適格組織再編成等の日の直前まで継続して支配関係がある場合のその支配関係を有することとなった日をいうことに留意する。（基通12の2－2－5、12－1－5参照・編者補正）

　　　（資産の評価損の規定の適用がある場合の帳簿価額）
（11）　法人がその有する資産の評価換えにより生じた損失の額について法第33条第2項の規定の適用を受けている場合に、当該損失の額につき**1**が適用されたときであっても、当該資産の帳簿価額は当該評価換え後の帳簿価額となることに留意する。
　　　二の**1**《非適格株式交換等に係る株式交換完全子法人等の有する資産の時価評価損益》、第三十五款の**三**の**1**《通算制度の開始に伴う資産の時価評価損益》若しくは同**1**の（3）《株式等保有法人における株式等の評価損益》、同**三**の**2**《通算制度への加入に伴う資産の時価評価損益》若しくは同**2**の（6）《株式等保有法人における株式等の評価損益》又は同**三**の**3**《通算制度からの離脱等に伴う資産の時価評価損益》により損金の額に算入した評価損の金額につき**1**が適用された場合についても、同様とする。（基通12の2－2－4）

ロ　**特定保有資産に係る譲渡等損失額の計算**

　　　（特定保有資産の意義）
（1）　特定保有資産とは、**1**《特定資産譲渡等損失額の損金不算入》の内国法人が有する資産（棚卸資産、特定適格組織再編成等の日の属する事業年度開始の日における帳簿価額が少額であるものその他の(2)で読み替えられる**イ**の(1)《特定引継資産の意義》の表の(一)から(五)までに掲げるものを除く。）で支配関係発生日の属する事業年度開始の日前から有していたもの（これに準ずるものとして(2)で読み替えられる**イ**の(3)《支配関係発生日の属する事業年度開始の日前から有していた資産に準ずるもの》に掲げるものを含む。）をいう。（法62の7②Ⅱ）

　　　（特定保有資産に係る譲渡等損失額の計算における特定引継資産の規定の準用）
（2）　**イ**の(1)《特定引継資産の意義》、**イ**の(3)《支配関係発生日の属する事業年度開始の日前から有していた資産に準ずるもの》から**イ**の(7)《除外特定事由の意義》までは、③《特定資産譲渡等損失額の意義》の表の(二)に掲げるその他のもの、同(二)に掲げる支配関係発生日の属する事業年度開始の日前から有していた資産に準ずるもの、同(二)に掲げる損失の額として掲げる金額及び同(二)に掲げる利益の額として掲げる金額について準用する。この場合において、**イ**の(1)中「次の(一)から(六)までに」とあるのは「次の(一)から(五)までに」と、同(1)の表の(四)中「日に」とあるのは「日の属する事業年度開始の日に」と、**イ**の(3)中「支配関係法人から特定適格組織再編成等により移転を受けた資産（(1)の表」とあるのは「特定適格組織再編成等の日の属する事業年度開始の日から当該特定適格組織再編成等の直前の時までの間のいずれかの時において有する資産（(1)の表の(一)から(五)まで」と、「②の表の(二)のイ」とあるのは「②の表の(二)のロ」と、「同イ」とあるのは「同ロ」と、「とし、当該支配関係法人」とあるのは「とし、当該内国法人」と、「当該内国法人が」とあるのは「当該支配関係法人が」と、**イ**の(5)の表の(五)中「特定適格組織再編成等に係る被合併法人、分割法人、現物出資法人又は現物分配法人の」とあるのは「その」とする。（法62の7⑧、令123の8⑨）

　　　なお、(1)に掲げる支配関係発生日の属する事業年度開始の日前から有していた資産に準ずるもののうち当該内国法人が①に掲げる特定適格組織再編成等の日の属する事業年度開始の日後に有することとなったものについて(2)において準用する**イ**の(1)の表の(四)を適用する場合には、その有することとなった日を同(四)に掲げる特定適格組織再編成等の日の属する事業年度開始の日とみなす。（規27の15⑤）

　　　　注　ロについては、**2**の《資産の評価損の損金算入の規定の適用がある場合の帳簿価額》についても適用がある。（編者）

2　特定資産譲渡等損失額から控除することができる金額等

①　特定資産譲渡等損失額から控除することができる金額等

　特定適格組織再編成等に係る合併法人、分割承継法人、被現物出資法人又は被現物分配法人である内国法人は、特定適格組織再編成事業年度以後の各事業年度（**1**《特定資産譲渡等損失額の損金不算入》に掲げる対象期間〔以下**2**において「**対象期間**」という。〕内の日の属する事業年度に限る。）における当該対象期間内の特定引継資産に係る特定資産譲渡等損失額は、当該特定資産譲渡等損失額から次の表の左欄に掲げる場合の区分に応じ、それぞれ同表の右欄に掲げる金額を控除した金額とすることができる。（法62の7⑧、令123の9①）

イ	支配関係法人の**支配関係事業年度**（当該支配関係法人が当該内国法人との間に最後に支配関係を有することとなった日の属する事業年度をいう。ロにおいて同じ。）の前事業年度終了の時における**時価純資産価額**（その有する資産の価額の合計額からその有する負債〔新株予約権及び株式引受権に係る義務を含む。以下イにおいて同じ。〕の価額の合計額を減算した金額をいう。ロ及び(1)において同じ。）が**簿価純資産価額**（その有する資産の帳簿価額の合計額からその有する負債の帳簿価額の合計額を減算した金額をいう。ロにおいて同じ。）以上である場合	当該対象期間内の当該特定引継資産に係る特定資産譲渡等損失額に相当する金額
ロ	支配関係法人の支配関係事業年度の前事業年度終了の時における時価純資産価額が簿価純資産価額に満たな	対象期間内の日の属する事業年度における当該事業年度の対象期間内の特定引継資産に係る特定資産譲渡等損失額の

第三章　第一節　第三十四款《組織再編成の所得金額の計算》

	い場合		うち、その満たない部分の金額から次の(イ)及び(ロ)に掲げる金額の合計額を控除した金額を超える部分の金額
		(イ)	当該内国法人が当該支配関係法人に係る第二十一款の**四**の**1**の②《被合併法人等の未処理欠損金額の引継額の制限》の表の**イ**及び**ロ**に掲げる欠損金額につき同②の(9)《引継対象外未処理欠損金額の計算に係る特例》の適用を受けた場合に同(9)の表の(三)の右欄の(ロ)において同②の表の**ロ**の(イ)に掲げる金額とみなした金額の合計額
		(ロ)	当該事業年度前の対象期間内の日の属する各事業年度の特定引継資産に係る特定資産譲渡等損失額の合計額

（特定資産譲渡等損失額の特例の適用要件）
（１）①は、①の内国法人の特定適格組織再編成事業年度（①の表の**ロ**に掲げる場合には、特定適格組織再編成事業年度後の対象期間内の日の属する事業年度〔同**ロ**に掲げる控除した金額が零を超える事業年度に限る。〕を含む。）の確定申告書、修正申告書又は更正請求書に同表の**イ**及び**ロ**に掲げる金額の計算に関する明細を記載した書類の添付があり、かつ、次の(一)及び(二)に掲げる書類を保存している場合に限り、適用する。（法62の７⑧、令123の９②、規27の15の２①）

(一)		支配関係事業年度の前事業年度終了の時において有する資産及び負債の当該終了の時における価額及び帳簿価額を記載した書類
(二)		次に掲げるいずれかの書類で(一)に掲げる資産及び負債の(一)の前事業年度終了の時における価額を明らかにするもの
	イ	その資産の価額が継続して一般に公表されているものであるときは、その公表された価額が示された書類の写し
	ロ	①の内国法人が、当該終了の時における価額を算定し、これを当該終了の時における価額としているときは、その算定の根拠を明らかにする事項を記載した書類及びその算定の基礎とした事項を記載した書類
	ハ	イ又はロに掲げるもののほかその資産及び負債の価額を明らかにする事項を記載した書類

注　第二節第三款の**一**の**3**《仮決算をした場合の中間申告書の記載事項等》に掲げる期間に係る課税標準である所得の金額又は欠損金額の計算については、(1)中「確定申告書」とあるのは「中間申告書」とする（(2)において同じ。）。（令150の２①）

（書類の保存がない場合等におけるゆうじょ規定）
（２）税務署長は、(1)に掲げる書類の保存がない場合においても、その書類の保存がなかったことについてやむを得ない事情があると認められるときは、①を適用することができる。（法62の７⑧、令123の９③）

（みなし特定引継資産に係る損失の額の特例）
（３）特定適格組織再編成等に係る合併法人、分割承継法人、被現物出資法人又は被現物分配法人である内国法人の特定組織再編成事業年度以後の各事業年度（対象期間内の日の属する事業年度に限る。）における当該対象期間内の特定引継資産に係る特定資産譲渡等損失額の計算において、１の③《特定資産譲渡等損失額の意義》の表の(一)に掲げる支配関係発生日の属する事業年度開始の日前から有していた資産に準ずるものとして１の③の**イ**の(3)《支配関係発生日の属する事業年度開始の日前から有していた資産に準ずるもの》に掲げるもの（以下(3)において「前特定適格組織再編成等移転資産」という。）の同表の(一)に掲げる損失の額として１の③の**イ**の(4)《譲渡等特定事由による損失の額》に掲げる金額（以下(3)において「損失額」という。）又は同(一)に掲げる利益の額として１の③の**イ**の(6)《特定引継資産の譲渡等による利益の額》に掲げる金額（以下(3)において「利益額」という。）がある場合には、当該損失額及び利益額については、当該前特定適格組織再編成等移転資産を関連法人支配関係発生日（１の③の**イ**の(3)

第三章　第一節　第三十四款《組織再編成の所得金額の計算》

に掲げる関連法人支配関係発生日をいう。以下(3)において同じ。)の属する事業年度開始の日前から有する1の③のイの(3)に掲げる前特定適格組織再編成等に係る被合併法人、分割法人、現物出資法人又は現物分配法人である関連法人(同(3)に掲げる関連法人をいう。以下(3)において同じ。)ごとに次の表の左欄に掲げる場合の区分に応じそれぞれ同表の右欄に掲げるところによることができる。(令123の9④)

(一)	当該関連法人の関連法人支配関係事業年度(当該関連法人支配関係発生日の属する事業年度をいう。(二)において同じ。)の前事業年度終了の時における時価純資産価額(その有する資産の価額の合計額からその有する負債〔新株予約権及び新株引受権に係る義務を含む。以下(一)において同じ。〕の価額の合計額を減算した金額をいう。(二)及び注2において同じ。)が簿価純資産価額(その有する資産の帳簿価額の合計額からその有する負債の帳簿価額の合計額を減算した金額をいう。(二)において同じ。)以上である場合	当該対象期間内における当該関連法人に係る前特定適格組織再編成等移転資産の損失額及び利益額は、ないものとする。	
(二)	当該関連法人の関連法人支配関係事業年度の前事業年度終了の時における時価純資産価額が簿価純資産価額に満たない場合	対象期間内の日の属する事業年度における当該事業年度の対象期間内の当該関連法人に係る前特定適格組織再編成等移転資産の損失額は当該損失額から当該前特定適格組織再編成等移転資産の利益額を控除した金額のうちその満たない部分の金額から次の表のイ及びロに掲げる金額の合計額を控除した金額に達するまでの金額とし、当該前特定適格組織再編成等移転資産の利益額はないものとする。	
		イ	当該関連法人の関連法人支配関係発生日以後の各事業年度に生じた欠損金額に係る第二十一款の**四**の1の②の(6)《合併等前2年以内適格合併等が行われていた場合の特定資産譲渡等損失相当欠損金額がある場合の特例》に掲げる特定資産譲渡等損失相当欠損金額につき同②の(12)《特定資産譲渡等損失相当額の計算に係る特例》の適用を受けた場合に同(12)の表の(二)において同②の(6)の表の(一)に掲げる金額となる金額の合計額
		ロ	当該内国法人の当該事業年度前の対象期間内の日の属する各事業年度の当該関連法人に係る前特定適格組織再編成等移転資産の損失額から利益額を控除した金額の合計額

注1　(3)は、(3)の内国法人の特定組織再編成事業年度(上表の(二)に掲げる場合には、特定組織再編成事業年度の対象期間内の日の属する事業年度〔同(二)に掲げる合計額を控除した金額が零を超える事業年度に限る。〕を含む。)の確定申告書、修正申告書又は更正請求書に上表に掲げるところによる(3)に掲げる損失額及び利益額の計算に関する明細を記載した書類の添付があり、かつ、時価純資産価額の算定の基礎となる事項を記載した書類その他の注2に掲げる書類を保存している場合に限り、適用する。(令123の9⑤)

注2　(1)《特定資産譲渡等損失額の特例の適用要件》は、注1(②《特定保有資産に係る譲渡等損失額の計算の特例》、**3**の(5)《被合併法人等特定引継資産に係る特定資産譲渡等損失額の計算規定の準用》及び**3**の(6)《他の被合併法人等特定保有資産に係る特定譲渡等損失額の計算規定の準用》において準用する場合を含む。)に掲げる書類について準用する。この場合において、同(1)の表の(一)中「支配関係事業年度」とあるのは「(3)の表の(一)に掲げる関係法人支配関係事業年度」と、同表の(二)のロ中「①の内国法人」とあるのは「①の(3)の内国法人」と読み替えるものとする。(規27の15の2②)

　(書類の保存がない場合等のゆうじょ規定)

(4)　税務署長は、(3)の注2に掲げる書類の保存がない場合においても、その書類の保存がなかったことについてやむを得ない事情があると認められるときは、(3)を適用することができる。(令123の9⑥)

第三章　第一節　第三十四款《組織再編成の所得金額の計算》

② **特定保有資産に係る譲渡等損失額の計算の特例**

①《特定資産譲渡等損失額から控除することができる金額等》は、①の内国法人と支配関係法人との間で行われた特定適格組織再編成等に係る特定適格組織再編成事業年度以後の各事業年度（対象期間内の日の属する事業年度に限る。）における当該対象期間内の1の③《特定資産譲渡等損失額の意義》の（二）に掲げる特定保有資産に係る特定資産譲渡等損失額の計算について準用する。この場合において、①の表の**イ**の左欄中「支配関係法人の」とあるのは「当該内国法人の」と、「当該支配関係法人」とあるのは「支配関係法人」と、①の表の**ロ**の左欄中「支配関係法人の」とあるのは「内国法人の」と、同**ロ**の右欄の(イ)中「当該内国法人が当該支配関係法人に係る第二十一款の**四**の1の②《被合併法人等の未処理欠損金額の引継額の制限》の表の**イ**及び**ロ**」とあるのは「当該内国法人が第二十一款の**四**の2の①《合併法人等の青色欠損金額の繰越額の制限》の表の**イ**及び**ロ**」と、「同1の②の(9)《引継対象外未処理欠損金額の計算に係る特例》」とあるのは「同2の①の(9)《繰越青色欠損金額に係る制限の対象となる金額の計算に係る特例》」と、「同②の表の**ロ**の(イ)」とあるのは「同2の①の表の**ロ**の(イ)」と、①の(3)中「1の③《特定資産譲渡等損失額の意義》の表の（一）」とあるのは「1の③《特定資産譲渡等損失額の意義》の表の（二）」と、「1の③の**イ**の(3)《支配関係発生日の属する事業年度開始の日前から有していた資産に準ずるもの》」とあるのは「1の③の**ロ**の(2)《特定保有資産に係る譲渡等損失額の計算における特定引継資産の規定の準用》において準用する1の③の**イ**の(3)」と、①の(3)の表の（二）のイ中「第二十一款の**四**の1の②の(6)《合併等前2年以内適格合併等が行われていた場合の特定資産譲渡等損失相当欠損金額がある場合の特例》」とあるのは「第二十一款の**四**の2の①の(6)《合併等前2年以内適格合併等が行われていた場合の特定資産譲渡等損失相当欠損金額がある場合の特例》」と、「同**四**の1の②の(12)《特定資産譲渡等損失相当額の計算に係る特例》」とあるのは「同①の(12)《特定資産譲渡等損失相当額の計算に係る特例》」と、「同②の(6)の表の（一）」とあるのは「同①の(6)の表の（一）」と読み替えるものとする。（法62の7⑧、令123の9⑦）

注1　②により読み替えて適用する①は、次のとおり。（編者）

特定適格組織再編成等に係る合併法人、分割承継法人、被現物出資法人又は被現物分配法人である内国法人は、特定適格組織再編成事業年度以後の各事業年度（1《特定資産譲渡等損失額の損金不算入》に掲げる対象期間〔以下2において「**対象期間**」という。〕内の日の属する事業年度に限る。）における当該対象期間内の特定保有資産に係る特定資産譲渡等損失額は、当該特定資産譲渡等損失額から次の表の左欄に掲げる場合の区分に応じ、それぞれ同表の右欄に掲げる金額を控除した金額とすることができる。（法62の7⑧、令123の9⑥①）

イ	当該内国法人の支配関係事業年度（支配関係法人と当該内国法人との間に最後に支配関係を有することとなった日の属する事業年度をいう。**ロ**において同じ。）の前事業年度終了の時における時価純資産価額（その有する資産の価額の合計額からその有する負債〔新株予約権に係る義務を含む。以下**イ**において同じ。〕の価額の合計額を減算した金額をいう。**ロ**及び(1)において同じ。）が簿価純資産価額（その有する資産の帳簿価額の合計額からその有する負債の帳簿価額の合計額を減算した金額をいう。**ロ**において同じ。）以上である場合	当該対象期間内の当該特定引継資産に係るみなし特定保有資産の損失額に相当する金額	
ロ	内国法人の支配関係事業年度の前事業年度終了の時における時価純資産価額が簿価純資産価額に満たない場合	対象期間内の日の属する事業年度における当該事業年度の対象期間の特定引継資産に係る特定資産譲渡等損失額のうち、その満たない部分の金額から次の(イ)及び(ロ)に掲げる金額の合計額を控除した金額を超える部分の金額	
		(イ)	当該内国法人が第二十一款の**四**の2の①《合併法人等の青色欠損金額の繰越額の制限》の表の**イ**及び**ロ**に掲げる欠損金額につき同①の(9)《繰越青色欠損金額に係る制限の対象となる金額の計算に係る特例》の適用を受けた場合に同(9)の表の（三）の右欄の(ロ)において同①の表の**ロ**の(イ)に掲げる金額とみなした金額の合計額
		(ロ)	当該事業年度前の対象期間内の日の属する各事業年度の特定保有資産に係る特定資産譲渡等損失額の合計額

注2　②により読み替えて適用する①の(3)《みなし特定引継資産に係る損失の額の特例》は、次のとおり。（編者）

特定適格組織再編成等に係る合併法人、分割承継法人、被現物出資法人又は被現物分配法人である内国法人の特定組織再編成事業年度以後の各事業年度（対象期間内の日の属する事業年度に限る。）における当該対象期間内の特定引継資産に係る特定資産譲渡等損失額の計算において、1の③《特定資産譲渡等損失額の意義》の表の（二）に掲げる支配関係発生日の属する事業資産に準ずるもの（以下②において「前

第三章　第一節　第三十四款《組織再編成の所得金額の計算》

特定適格組織再編成移転資産」という。）の同表の(二)に掲げる損失の額として1の③のイの(4)《譲渡等特定事由による損失の額》に掲げる金額（以下②において「損失額」という。）又は同(二)に掲げる利益の額として1の③のイの(6)《特定引継資産の譲渡等による利益の額》に掲げる金額（以下②において「利益額」という。）がある場合には、当該前特定適格組織再編成等移転資産を関連法人支配関係発生日（同1の③のロの(2)において準用する1の③のイの(3)に掲げる関連法人支配関係発生日をいう。以下②において同じ。）の属する事業年度開始の日前から有する1の③のロの(2)において準用する1の③のイの(3)に掲げる前特定適格組織再編成等に係る被合併法人、分割法人、現物出資法人又は現物分配法人である関連法人（同(3)に掲げる関連法人をいう。以下②において同じ。）ごとに次の表の左欄に掲げる場合の区分に応じそれぞれ同表の右欄に掲げるところによることができる。（令123の9⑦④）

イ	当該関連法人の関連法人支配関係事業年度（当該関連法人支配関係発生日の属する事業年度をいう。ロにおいて同じ。）の前事業年度終了の時における時価純資産価額（その有する負債〔新株予約権に係る義務を含む。以下イにおいて同じ。〕の価額の合計額を減算した金額をいう。ロにおいて同じ。）が簿価純資産価額（その有する資産の帳簿価額の合計額からその有する負債の帳簿価額の合計額を減算した金額をいう。ロにおいて同じ。）以上である場合		当該対象期間内の当該関連法人に係る前特定適格組織再編成等移転資産の損失額及び利益額は、ないものとする。
ロ	当該関連法人の関連法人支配関係事業年度の前事業年度終了の時における時価純資産価額が簿価純資産価額に満たない場合		対象期間内の日の属する事業年度における当該事業年度の対象期間の当該関連法人に係る前特定適格組織再編成等移転資産の損失額は当該前特定適格組織再編成等移転資産の利益額を控除した金額のうちその満たない部分の金額から次の表の(イ)及び(ロ)に掲げる金額の合計額を控除した金額に達するまでの金額とし、当該前特定適格組織再編成等移転資産の利益額はないものとする。
		(イ)	当該関連法人の関連法人支配関係発生日以後の各事業年度に生じた欠損金額に係る第二十一款の四2の①の(6)《合併等前2年以内適格合併等が行われていた場合の特定資産譲渡等損失相当欠損金額がある場合の特例》に掲げる特定資産譲渡等損失相当欠損金額につき同①の(12)《特定資産譲渡等損失相当額の計算に係る特例》の適用を受けた場合に同(12)の表の(二)において同①の(6)の表の(一)に掲げる金額となる金額の合計額
		(ロ)	当該内国法人の当該事業年度前の適用期間内の日の属する各事業年度の当該関連法人に係るみなし特定保有資産の損失額から利益額を控除した金額の合計額

（通算法人における特定保有資産に係る譲渡等損失額の計算の特例）
第三十五款の三5の(13)《特定適格組織再編成等が行われた場合の適用期間の終了の日》の適用がある場合における②において準用する①及び①の(3)の適用については、次の表の左欄に掲げる金額には、それぞれ同表の右欄に掲げる金額を含むものとする。（令123の9⑬）

(一)	②において準用する①の表のロの(ロ)に掲げる金額	第三十五款の三5の(13)の通算承認に係る同5の(3)《特定資産譲渡等損失額の意義》に掲げる特定資産譲渡等損失額につき同5の(9)《特定資産譲渡等損失額から控除することができる金額等の準用》の適用を受けていた場合におけるその適用に係る同5の(3)に掲げる特定資産譲渡等損失額の合計額
(二)	②において準用する①の(3)の表の(二)のロに掲げる金額	第三十五款の三5の(13)の通算承認に係る同5の(9)に掲げる特定移転資産（当該関連法人に係るものに限る。以下(二)において同じ。）の①の(3)に掲げる損失額及び利益額につき①の(3)の適用を受けていた場合におけるその適用に係る①の(3)に掲げる特定移転資産の①の(3)に掲げる損失額から①の(3)に掲げる利益額を控除した金額の合計額

③　事業を移転しない適格分割である場合等の特定保有資産に係る譲渡等損失額の計算の特例
　特定適格組織再編成等が事業を移転しない適格分割若しくは適格現物出資又は適格現物分配である場合には、当該特定

適格組織再編成等に係る分割承継法人、被現物出資法人又は被現物分配法人である内国法人は、特定組織再編成事業年度以後の各事業年度（対象期間内の日の属する事業年度に限る。）における当該対象期間内の特定保有資産に係る特定資産譲渡等損失額は、当該特定資産譲渡等損失額から次の表の左欄に掲げる場合の区分に応じそれぞれ同表の右欄に掲げる金額を控除した金額とすることができる。この場合においては、②《特定保有資産に係る譲渡等損失額の計算の特例》において準用する①《特定資産譲渡等損失額から控除することができる金額等》は、適用しない。（法62の7⑧、令123の9⑩）

イ	当該内国法人が当該特定適格組織再編成等により移転を受けた資産の当該移転の直前（適格現物分配〔残余財産の全部の分配に限る。〕にあっては、その残余財産の確定の時。以下（1）までにおいて同じ。）の移転時価資産価額（その移転を受けた資産〔当該内国法人の株式又は出資を除く。以下イにおいて同じ。〕の価額の合計額をいう。以下③及び（1）において同じ。）が当該直前の移転簿価資産価額（その移転を受けた資産の帳簿価額の合計額をいう。以下イ及びロにおいて同じ。）以下である場合又は当該移転時価資産価額が当該移転簿価資産価額を超え、かつ、その超える部分の金額が当該内国法人の第二十一款の**四の2**の①《合併法人等の青色欠損金額の繰越額の制限》の表のイ及びロに掲げる欠損金額につき同2の②《事業を移転しない適格分割である場合等の欠損金額に係る制限対象金額の計算の特例》により同表のイからハまでの右欄に掲げる欠損金額とされた金額（ロにおいて「特例切捨欠損金額」という。）以下である場合	当該対象期間内の当該特定保有資産に係る特定資産譲渡等損失額に相当する金額
ロ	当該内国法人が当該特定適格組織再編成等により移転を受けた資産の当該移転の直前の移転時価資産価額が当該直前の移転簿価資産価額を超える場合（その超える部分の金額〔以下ロにおいて「移転時価資産超過額」という。〕が特例切捨欠損金額以下である場合を除く。）	対象期間内の日の属する事業年度における当該事業年度の対象期間内の特定保有資産に係る特定資産譲渡等損失額は、当該特定資産譲渡等損失額のうち、移転時価資産超過額から特例切捨欠損金額及び実現済額（当該事業年度前の適用期間内の日の属する各事業年度の特定保有資産に係る特定資産譲渡等損失額の合計額をいう。）の合計額を控除した金額を超える部分の金額

（事業を移転しない適格分割である場合等の特定資産譲渡等損失額の特例の適用要件）
（1）　③は、③の内国法人が③の特定適格組織再編成等により移転を受けた資産が当該内国法人の株式又は出資のみである場合を除き、当該内国法人の特定組織再編成事業年度（③の表のロ左欄に掲げる場合には、特定組織再編成事業年度後の対象期間内の日の属する事業年度〔同ロの右欄に掲げる控除した金額が零を超える事業年度に限る。〕を含む。）の確定申告書、修正申告書又は更正請求書に、同表のイ及びロに掲げる金額の計算に関する明細を記載した書類の添付があり、かつ、次の(一)及び(二)に掲げる書類を保存している場合に限り、適用する。（法62の7⑧、令123の9⑪、規27の15の2③）

(一)	③の特定適格組織再編成等により移転を受けた資産（③の内国法人の株式又は出資を除く。）の当該移転の直前（適格現物分配〔残余財産の全部の分配に限る。〕にあっては、その残余財産の確定の時。以下（1）において同じ。）における価額及び帳簿価額を記載した書類	
(二)	次のイからハまでに掲げるいずれかの書類で(一)の資産の(一)の移転の直前における価額を明らかにするもの	
	イ	その資産の価額が継続して一般に公表されているものであるときは、その公表された価額が示された書類の写し
	ロ	③の内国法人が、当該移転の直前における価額を算定し、これを当該移転の直前における価額としているときは、その算定の根拠を明らかにする事項を記載した書類及びその算定の基礎とした事項を記載した書類
	ハ	イ又はロに掲げるもののほかその資産の価額を明らかにする事項を記載した書類

第三章　第一節　第三十四款《組織再編成の所得金額の計算》

　　注　第二節第三款の一の3《仮決算をした場合の中間申告書の記載事項等》に掲げる期間に係る課税標準である所得の金額又は欠損金額の計算については、（1）中「確定申告書」とあるのは「中間申告書」とする（（2）において同じ。）。（令150の2①）

　　（書類の保存がない場合等のゆうじょ規定）
（2）　税務署長は、（1）に掲げる書類の保存がない場合においても、その書類の保存がなかったことについてやむを得ない事情があると認められるときは、③《事業を移転しない適格分割である場合等の特定保有資産に係る譲渡等損失額の計算の特例》を適用することができる。（法62の7⑧、令123の9⑫）

　　（事業を移転しない適格分割等）
（3）　分割法人又は現物出資法人が分割承継法人又は被現物出資法人に対してその有する株式のみを移転する適格分割又は適格現物出資は、③に掲げる「事業を移転しない適格分割若しくは適格現物出資」に該当する。（基通12の2－2－7）

3　新設合併における特定資産譲渡等損失額の損金不算入

　1《特定資産譲渡等損失額の損金不算入》は、支配関係がある被合併法人等（被合併法人、分割法人又は現物出資法人をいう。以下3において同じ。）と他の被合併法人等との間で法人を設立する特定適格組織再編成等が行われた場合（当該特定適格組織再編成等の日の5年前の日、当該被合併法人等の設立の日又は当該他の被合併法人等の設立の日のうち最も遅い日から継続して当該被合併法人等と当該他の被合併法人等との間に支配関係がある場合として（1）《新設合併における適用除外となる継続して支配関係がある場合》に掲げる場合を除く。）について準用する。この場合において、1中「には、当該内国法人」とあるのは「には、当該特定適格組織再編成等により設立された内国法人」と、「当該内国法人が当該支配関係法人」とあるのは「3《新設合併における特定資産譲渡等損失額の損金不算入》に掲げる被合併法人等が他の被合併法人等」と読み替えるものとする。（法62の7③①、令123の8①）

注1　3により読み替えて適用する1は、次のとおり。（編者）

> 　支配関係がある被合併法人等（被合併法人、分割法人及び現物出資法人をいう。以下四において同じ。）と他の被合併法人等との間で法人を設立する特定適格組織再編成等（適格合併若しくは適格合併に該当しない合併で第三十三款の一《譲渡損益調整資産に係る譲渡利益額又は譲渡損失額の繰延べ》の適用があるもの、適格分割、適格現物出資又は適格現物分配（以下四において「適格組織再編成等」という。）のうち、第二十一款の四の2の①《合併法人等の青色欠損金額の繰越額の制限》に掲げる共同で事業を行うための適格組織再編成等として①《共同で事業を行うための適格組織再編成等の意義》に掲げるものに該当しないものをいう。以下四において同じ。）が行われた場合（当該特定適格組織再編成等の日の5年前の日、当該被合併法人等の設立の日又は当該他の被合併法人等の設立の日のうち最も遅い日から継続して当該被合併法人等と当該他の被合併法人等との間に支配関係がある場合として3の（1）《新設合併における適用除外となる継続して支配関係がある場合》に掲げる場合を除く。）には、当該特定適格組織再編成等により設立された内国法人の当該特定適格組織再編成事業年度（当該特定適格組織再編成等の日〔当該特定適格組織再編成等が残余財産の全部の分配である場合には、その残余財産の確定の日の翌日〕の属する事業年度をいう。以下四において同じ。）開始の日から同日以後3年を経過する日（その経過する日が3《新設合併における特定資産譲渡等損失額の損金不算入》に掲げる被合併法人等が他の被合併法人等との間に最後に支配関係を有することとなった日以後5年を経過する日後となる場合にあっては、その5年を経過する日）までの期間〔当該期間に終了する各事業年度において二の1《非適格株式交換等に係る株式交換完全子法人等の有する資産の時価評価損益》の適用を受ける場合には、当該特定適格組織再編成事業年度開始の日から同1の適用を受ける事業年度終了の日までの期間〕をいう。）において生ずる特定資産譲渡等損失額は、当該内国法人の各事業年度の所得の金額の計算上、損金の額に算入しない。（法62の7③①）

注2　次の表の（一）及び（二）に掲げる判定等については、3において読み替えて準用される場合も含まれる。

（一）	1の①の（3）《共同で事業を行うための適格組織再編成等の判定》
（二）	1の③のイの(12)《圧縮記帳を適用している資産に係る帳簿価額又は取得価額》

　　（新設合併における適用除外となる継続して支配関係がある場合）
（1）　1の②《適用除外となる継続して支配関係がある場合》は、3に掲げる継続して当該被合併法人等と当該他の被合併法人等との間に支配関係がある場合について準用する。この場合において、1の②の表の（一）中「1に掲げる内国法人」とあるのは「3《新設合併における特定資産譲渡等損失額の損金不算入》に掲げる被合併法人等」と、「支配関係法人」とあるのは「他の被合併法人等」と、「特定組織再編成事業年度開始の日」とあるのは「特定適格組織再編成等の日」と、同（4）の（二）中「1に掲げる内国法人」とあるのは「3《新設合併における特定資産譲渡等損失額の損金不算入》に掲げる被合併法人等」と、「支配関係法人」とあるのは「他の被合併法人等」と、「当該内国法人」とあるのは「当該被合併法人等」と読み替えるものとする。（法62の7③、令123の8①⑩）

　　注　（1）により読み替えて準用する1の②は次のとおり。（編者）

第三章　第一節　第三十四款《組織再編成の所得金額の計算》

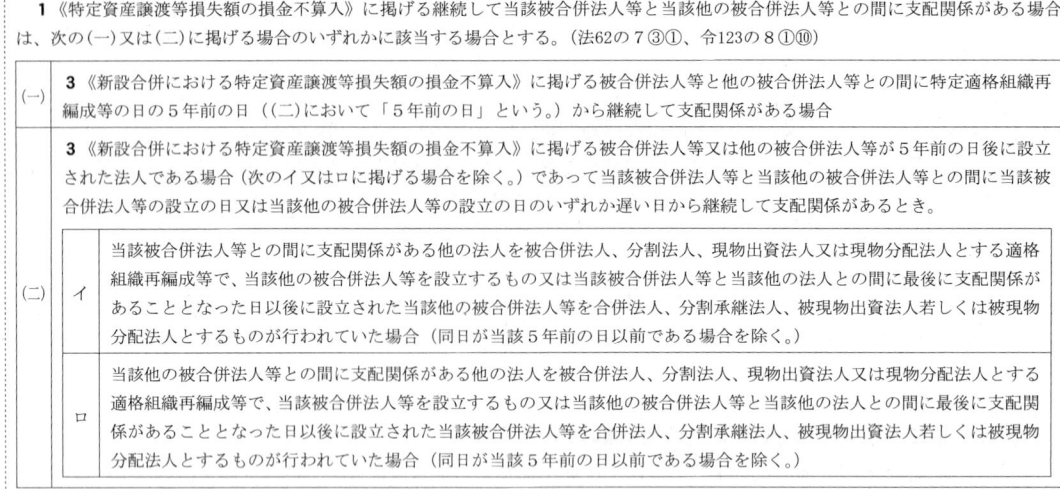

（新設合併における特定資産譲渡等損失額の意義）
（２）　１の③《特定資産譲渡等損失額の意義》は、支配関係がある被合併法人等と他の被合併法人等との間で法人を設立する特定適格組織再編成等が行われた場合（当該特定適格組織再編成等の日の５年前の日、当該被合併法人等の設立の日又は当該他の被合併法人等の設立の日のうち最も遅い日から継続して当該内国法人と当該支配関係法人との間に支配関係がある場合として(1)に掲げる場合を除く。）について準用する。この場合において、１の③の(一)中「が支配関係法人から特定適格組織再編成等」とあるのは「が特定適格組織再編成等に係る３《新設合併における特定資産譲渡等損失額の損金不算入》に掲げる被合併法人等（(二)に掲げる他の被合併法人等を除く。）から当該特定適格組織再編成等」と、「当該支配関係法人が当該内国法人」とあるのは「当該被合併法人等が当該他の被合併法人等」と、同③の(二)中「有する資産（棚卸資産、」とあるのは「特定適格組織再編成等に係る３に掲げる他の被合併法人等から当該特定適格組織再編成等により移転を受けた資産（棚卸資産、当該」と、「の属する事業年度開始の日における」とあるのは「における」と、「支配関係発生日」とあるのは「当該他の被合併法人等が支配関係発生日」と読み替えるものとする。（法62の7③②）

注　(2)により読み替えて適用する１の③は次のとおり。（編者）

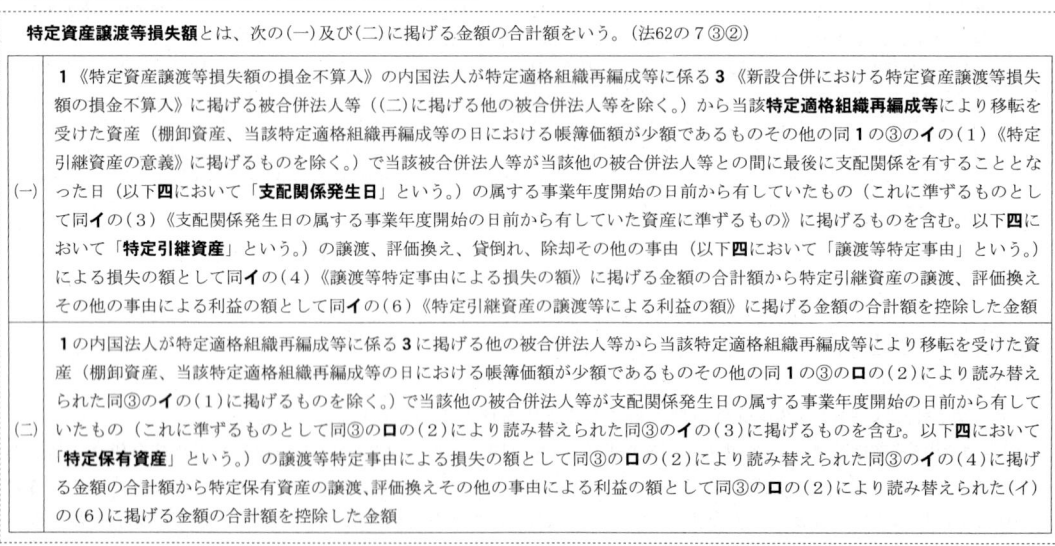

（特定引継資産に係る特定資産譲渡等損失額の計算規定の準用）
（３）　１の③のイ《特定引継資産に係る譲渡等損失額の計算》は、(2)の注１の表の(一)に掲げるその他のもの、同(一)に掲げる支配関係発生日の属する事業年度開始の日前から有していた資産に準ずるもの、同(一)に掲げる損失の額と

-1376-

して掲げる金額及び同(一)に掲げる利益の額として掲げる金額について準用する。

この場合において、1の③のイの(3)中「支配関係法人から」とあるのは「3の被合併法人等から」と、「1の②《適用除外となる継続して支配関係がある場合》の表の(二)のイ」とあるのは「3の(1)において準用する1の②《適用除外となる継続して支配関係がある場合》の表の(二)のロ」と、「当該内国法人及び当該支配関係法人との間に」とあるのは「当該被合併法人等及び3の他の被合併法人等との間に」と、「②の表の(二)のイ」とあるのは「3の(1)において準用する1の②の表の(二)のロ」と、「同イ」とあるのは「同ロ」と、「当該支配関係法人又は」とあるのは「当該被合併法人等又は」と、「当該内国法人及び当該支配関係法人が当該関連法人」とあるのは「当該被合併法人等及び当該他の被合併法人等が当該関連法人」と、「当該内国法人が」とあるのは「当該他の被合併法人等が」と読み替えるものとする。(法62の7⑧、令123の8⑪)

(特定保有資産に係る特定資産譲渡等損失額の計算規定の準用)

(4)　1の③のイ《特定引継資産に係る譲渡等損失額の計算》は、(2)の表の(二)に掲げるその他のもの、同(二)に掲げる支配関係発生日の属する事業年度開始の日前から有していた資産に準ずるもの、同(二)に掲げる損失の額として掲げる金額及び同(二)に掲げる利益の額として掲げる金額について準用する。この場合において、1の③のイの(3)中「支配関係法人から」とあるのは「3の他の被合併法人等から」と、「②《適用除外となる継続して支配関係がある場合》の表の(二)のイ」とあるのは「3の(1)において準用する1の②《適用除外となる継続して支配関係がある場合》の表の(二)のイ」と、「当該内国法人及び当該支配関係法人との間に」とあるのは「3の被合併法人等及び当該他の被合併法人等との間に」と、「②の表の(二)のイ」とあるのは「3の(1)において準用する1の②の表の(二)のイ」と、「当該支配関係法人又は」とあるのは「当該他の被合併法人等又は」と、「当該内国法人及び当該支配関係法人が当該関連法人」とあるのは「当該被合併法人等及び当該他の被合併法人等が当該関連法人」と、「当該内国法人が」とあるのは「当該被合併法人等が」と、1の③のイの(5)《損失の額に係る除外特定事由》の(五)中「被合併法人、分割法人、現物出資法人又は現物分配法人」とあるのは「3の他の被合併法人等」と読み替えるものとする。(法62の7⑧、令123の8⑫)

(被合併法人等特定引継資産に係る特定資産譲渡等損失額の計算規定の準用)

(5)　2の①《特定資産譲渡等損失額から控除することができる金額等》は、被合併法人等と他の被合併法人等との間で行われた特定適格組織再編成等により設立された内国法人が特定適格組織再編成事業年度以後の各事業年度（対象期間内の日の属する事業年度に限る。）における当該対象期間内の当該被合併法人等の被合併法人等特定引継資産に係る特定資産譲渡等損失額について3を適用する場合における当該被合併法人等特定引継資産に係る特定資産譲渡等損失額の計算について準用する。この場合において、2の①の表のロの右欄の(イ)中「当該支配関係法人」とあるのは、「3の(5)《被合併法人等特定引継資産に係る特定資産譲渡等損失額の計算規定の準用》に掲げる被合併法人等」とし、2の①の(3)中「1の③《特定資産譲渡等損失額の意義》の表の(一)」とあるのは「(2)《新設合併における特定資産譲渡等損失額の意義》において準用する1の③の表の(一)」と、「1の③のイの(3)《支配関係発生日の属する事業年度開始の日前から有していた資産に準ずるもの》」とあるのは「3の(3)《特定引継資産に係る特定資産譲渡等損失額の計算規定の準用》において準用する1の③のイの(3)」と読み替えるものとする。(法62の7⑧、令123の9⑧)

(他の被合併法人等特定保有資産に係る特定譲渡等損失額の計算規定の準用)

(6)　2の①《特定資産譲渡等損失額から控除することができる金額等》は、被合併法人等と他の被合併法人等との間で行われた特定適格組織再編成等により設立された内国法人が特定適格組織再編成事業年度以後の各事業年度（対象期間内の日の属する事業年度に限る。）における当該対象期間の当該他の被合併法人等の他の被合併法人等特定保有資産に係る特定資産譲渡等損失額について3を適用する場合における当該他の被合併法人等特定保有資産に係る特定資産譲渡等損失額の計算について準用する。この場合において、2の①の表のロの右欄の(イ)中「当該支配関係法人」とあるのは、「3の(6)《他の被合併法人等特定保有資産に係る特定譲渡等損失額の計算規定の準用》の他の被合併法人等」とし、2の①の(3)中「1の③《特定資産譲渡等損失額の意義》の表の(一)」とあるのは「3の(2)《新設合併における特定資産譲渡等損失額の意義》において準用する1の③の表の(二)」と、「1の③のイの(3)《支配関係発生日の属する事業年度開始の日前から有していた資産に準ずるもの》」とあるのは「3の(4)《特定保有資産に係る特定資産譲渡等損失額の計算規定の準用》において準用する1の③のイの(3)」と読み替えるものとする。(法62の7⑧、令123の9⑨)

4 支配関係法人等が特定適格組織再編成等の直前において欠損等法人である場合の譲渡等損失額の損金不算入の不適用

1《特定資産譲渡等損失額の損金不算入》に掲げる支配関係法人又は**3**《新設合併における特定資産譲渡等損失額の損金不算入》に掲げる被合併法人等が特定適格組織再編成等の直前において**三**《特定株主等によって支配された欠損等法人の資産の譲渡等損失額の損金不算入》に掲げる欠損等法人（以下**4**において「**欠損等法人**」という。）であり、かつ、当該特定適格組織再編成等が**三**に掲げる適用期間内に行われるものであるときは、**1**の内国法人が当該支配関係法人又は当該被合併法人等から当該特定適格組織再編成等により移転を受けた資産については、当該特定適格組織再編成等に係る同**1**（**3**において準用する場合を含む。（2）において同じ。）は、適用しない。（法62の7④）

（合併法人等が欠損等法人である場合の譲渡等損失額の損金不算入の不適用）

（1） **1**の内国法人が欠損等法人であり、かつ、特定適格組織再編成等が**三**に掲げる適用期間内に行われるものであるときは、当該内国法人が有する資産については、当該特定適格組織再編成等に係る**1**は、適用しない。（法62の7⑤）

（合併法人等が特定適格組織再編成等後に欠損等法人となった場合の譲渡等損失額の損金不算入の不適用）

（2） **1**の内国法人が特定適格組織再編成等後に欠損等法人となり、かつ、**三**に掲げる適用期間が開始したときは、対象期間は、**三**に掲げる適用期間開始の日の前日に終了するものとする。（法62の7⑥）

五 組織再編成に関する課税の特例

1 農業協同組合等の合併に係る課税の特例

次の①から④までに掲げる合併（当該合併に係る被合併法人及び合併法人〔当該合併が法人を設立する合併である場合にあっては、当該被合併法人及び他の被合併法人の全て〕が出資を有しない法人であるものを除く。）で平成13年４月１日から令和７年３月31日までの間に行われるものが**共同事業合併**（（1）《共同事業合併の要件》に掲げる要件を満たすものをいう。）に該当する場合における第二章第一節の**二**の表の**12の8**《適格合併》の適用については、同**12の8**の③中「共同で事業を行うための合併（……次に掲げる要件……の全てに該当するものをいう。）」とあるのは、「行う第三章第一節第三十四款の**五**の**1**《農業協同組合等の合併に係る課税の特例》に掲げる共同事業合併に該当する合併」とする。（措法68の２）

①	農業協同組合と農業協同組合との合併
②	森林組合と森林組合との合併
③	漁業協同組合と漁業協同組合との合併

（共同事業合併の要件）

（1） 農業協同組合等の合併に係る共同事業合併の要件は、次の（一）から（三）までの要件の全てを満たすこととする。（措令39の34の２、措規22の19の５）

（一）	合併に係る被合併法人の被合併事業と当該合併に係る合併法人の合併事業とが相互に関連するものであることの要件として、被合併法人の被合併事業と合併法人の合併事業とが同種の事業であること。
（二）	合併に係る被合併法人の当該合併の直前の従業者のうち、その総数のおおむね$\frac{80}{100}$以上に相当する数の者が当該合併後に当該合併に係る合併法人の業務に従事することが見込まれていること。
（三）	合併に係る被合併法人の被合併事業（当該合併に係る合併法人の合併事業と関連する事業に限る。）が当該合併法人において当該合併後に引き続き行われることが見込まれていること。

（被合併事業の意義）

（2） （1）に掲げる被合併事業とは、当該被合併法人の当該合併前に行う主要な事業のうちいずれかの事業をいう。（措令39の34の２Ⅰ）

（合併事業の意義）

（3） （1）に掲げる合併事業とは、当該合併法人の当該合併前に行う事業のうちいずれかの事業をいい、当該合併が新

設合併（法人を設立する合併をいう。）である場合にあっては、他の被合併法人の被合併事業（（2）に掲げる被合併事業をいう。）をいう。（措令39の34の2Ⅰ）

2 認定株式分配に係る課税の特例

　産業競争力強化法第23条第1項《事業計画の認定》の認定を令和5年4月1日から令和10年3月31日までの間に受けた法人が行う第二章第一節の二の表の**12の5の2**《現物分配法人》に掲げる現物分配が認定株式分配（当該認定に係る産業競争力強化法第24条第2項《事業計画の変更等》に規定する認定事業再編計画に従ってする同法第31条第1項《剰余金の配当に関する特例》に規定する特定剰余金配当をいう。）に該当する場合（この項の規定を適用しないものとした場合に当該認定株式分配が第二章第一節の二の表の**12の15の2**に掲げる株式分配に該当する場合を除く。）における同法その他の法令の規定の適用については、同**12の15の2**中「の全部が移転する」とあるのは「が移転する」と、同表の**12の15の3**《適格株式分配》中「完全子法人と現物分配法人とが独立して事業を行うための株式分配として同**12の15の3**の《独立して事業を行うための株式分配の要件》に掲げるもの（当該」とあるのは「第三章第一節第三十四款の**五の2**《認定株式分配に係る課税の特例》に掲げる認定株式分配で当該認定株式分配の直後に現物分配法人が有する完全子法人の株式の数（出資にあっては、金額）の当該完全子法人の発行済株式等の総数又は総額のうちに占める割合が$\frac{20}{100}$未満となることその他同**2**の（1）《認定株式分配の要件》に該当するもの（当該完全子法人の」とする。（措法68の2の2①）

（認定株式分配の要件）
（1）　**2**《認定株式分配に係る課税の特例》により読み替えて適用する第二章第一節の二の表の**12の15の3**《適格株式分配》の要件は、次に掲げる要件の全てを満たすこととする。（措令39の34の3①）

（一）	**2**に掲げる認定株式分配（以下**2**において「**認定株式分配**」という。）の直後に当該認定株式分配に係る現物分配法人が有する当該認定株式分配に係る完全子法人（第二章第一節の二の表の**12の15の2**に掲げる完全子法人をいう。以下（1）において同じ。）の株式又は出資の数又は金額の当該完全子法人の発行済株式又は出資（当該完全子法人が有する自己の株式又は出資を除く。）の総数又は総額のうちに占める割合が$\frac{20}{100}$未満となること。
（二）	認定株式分配の直前に当該認定株式分配に係る現物分配法人と他の者（その者〔その者が個人である場合には、その個人との間に第二章第一節の二の表の**10**《同族会社》に掲げる特殊の関係のある者を含む。イにおいて同じ。〕が締結している組合契約〔同表**12の11**《適格分割》の④の（一）に掲げる組合契約をいう。以下（二）において同じ。〕及び次に掲げる組合契約に係る他の組合員である者を含む。以下（二）において同じ。）との間に当該他の者による支配関係（第二章第一節の二の表の**12の7の5**《支配関係》に掲げる支配関係をいう。以下（二）において同じ。）がなく、かつ、当該認定株式分配後に当該認定株式分配に係る完全子法人と他の者との間に当該他の者による支配関係があることとなることが見込まれていないこと。
	<table><tr><td>イ</td><td>その者が締結している組合契約による組合（これに類するものを含む。以下（二）において同じ。）が締結している組合契約</td></tr><tr><td>ロ</td><td>イ又はハに掲げる組合契約による組合が締結している組合契約</td></tr><tr><td>ハ</td><td>ロに掲げる組合契約による組合が締結している組合契約</td></tr></table>
（三）	認定株式分配前の当該認定株式分配に係る完全子法人の第二章第一節の二の表の**12の11**《適格分割》の③の（二）に掲げる特定役員の全てが当該認定株式分配に伴って退任をするものでないこと。
（四）	認定株式分配に係る完全子法人の当該認定株式分配の直前の従業者のうち、その総数のおおむね$\frac{90}{100}$以上に相当する数の者が当該完全子法人の業務に引き続き従事することが見込まれていること。
（五）	認定株式分配に係る完全子法人の当該認定株式分配前に行う主要な事業が当該完全子法人において引き続き行われることが見込まれていること。
（六）	認定株式分配に係る完全子法人が事業の成長発展が見込まれるものとして経済産業大臣が定める要件を満たすものであること。

　注1　経済産業大臣は、上表（六）に掲げるところにより要件を定めたときは、これを告示する。（措令39の34の3③）
　注2　（六）に掲げる経済産業大臣が定める要件は、令和5年経済産業省告示第50号（最終改正令和6年第62号）により定められている。（編者）

　　　　　（株主等に係る法人税法施行令の適用）
（2）　2の適用がある場合におけるその適用に係る2に掲げる法人及びその株主等（第二章第一節の二の表の14に掲げる株主等をいう。）に対する法人税法施行令の規定の適用については、次の表の左欄に掲げる規定中同表の中欄に掲げる字句は、同表の右欄に掲げる字句とする。（措令39の34の3②）

第二章第一節の二の表の16《資本金等の額》の⑯	によりその株主等に交付した	に係る
	⑰	以下⑯及び⑰
	金額（	金額を当該現物分配法人が当該直前に有していた当該完全子法人株式の数（出資にあっては、金額。以下⑯及び⑰において同じ。）で除し、これに当該適格株式分配により当該現物分配法人の株主等に交付した当該完全子法人株式の数を乗じて計算した金額
第二章第一節の二の表の16《資本金等の額》の⑰	金額（	金額を当該現物分配法人が当該直前に有していた当該完全子法人株式の数で除し、これに当該株式分配により当該現物分配法人の株主等に交付した当該完全子法人株式の数を乗じて計算した金額（
第二款の五の3のロ	金額（	金額を当該現物分配法人が当該株式分配の直前に有していた当該完全子法人の株式の数で除し、これに当該株式分配により当該現物分配法人の株主等に交付した当該完全子法人の株式の数を乗じて計算した金額（
第二十三款の一の3の⑤の（3）《分社型分割等が行われた場合の総平均法の適用の特例の準用》	又は適格現物分配	、適格現物分配又は株式分配
	又は被現物分配法人	、被現物分配法人又は当該株式分配に係る現物分配法人の株主等

　　　　　（認定株式分配に係る規定の適用）
（3）　2の適用がある場合における法人税法その他の法令の規定の適用に関し必要な事項は、政令で定める。（措法68の2の2②）
　　　注　（3）の政令は令和6年7月1日現在制定されていない。（編者）

　　　　　（認定株式分配の場合の適格株式分配の要件に係る従業者の範囲等）
（4）　2により読み替えて適用する第二章第一節の二の表の12の15の3《適格株式分配》に掲げる「その他（1）《認定株式分配の要件》」に該当するかどうかの判定に当たり、（1）の表の(四)の「従業者」及び同表の(五)の「主要な事業」については、第二章第一節の二の(9)《従業者の範囲》及び同二の(10)《主要な事業の判定》の取扱いを準用する。（措通68の2の2－1）

3　適格合併等の範囲に関する特例

① 適格合併等の範囲に関する特例
イ　適格合併の範囲に関する特例
　内国法人の行う合併が**特定グループ内合併**（次の(イ)及び(ロ)のいずれにも該当する合併をいい、（1）《特定グループ内合併から除かれる合併の要件》に掲げる要件に該当するものを除く。）に該当する場合における第二章第一節の二の表の**12の8**《適格合併》の適用については、同**12の8**の①から③中「その合併」とあるのは、「その合併（第三章第一節第三十四款の**五**の3の①の**イ**《適格合併の範囲に関する特例》に掲げる特定グループ内合併に該当するものを除く。）」とする。（措法68の2の3①）

(イ)	被合併法人と合併法人との間に特定支配関係があること。
(ロ)	被合併法人の株主等に第二章第一節の二の表の**12の8**《適格合併》に掲げる合併親法人のうちいずれか一の法人（特

定軽課税外国法人等に該当するものに限る。）の株式（出資を含む。**3**において同じ。）が交付されること。

　　（特定グループ内合併から除かれる合併の要件）
（１）　**イ**《適格合併の範囲に関する特例》に掲げる特定グループ内合併から除かれる合併は、次の(一)から(五)までに掲げる要件の全てに該当する合併とする。（措法68の２の３①、措令39の34の４①）

(一)		被合併法人の合併前に行う主要な事業のうちのいずれかの事業と合併法人の当該合併前に行う事業のうちのいずれかの事業とが相互に関連すること。
(二)		合併法人が合併前に継続して行う事業に係る売上金額、収入金額その他の収益の額の合計額が、被合併法人が合併前に継続して行う事業に係るこれらの額の合計額のおおむね$\frac{1}{2}$を下回るものでないこと。
(三)		合併法人の合併前に行う主たる事業が次のイ又はロのいずれにも該当しないこと。
	イ	株式又は債券の保有
	ロ	工業所有権その他の技術に関する権利、特別の技術による生産方式若しくはこれらに準ずるもの（これらの権利に関する使用権を含む。）又は著作権（出版権及び著作隣接権その他これに準ずるものを含む。）の提供
(四)		合併法人が合併前に我が国においてその主たる事業を行うに必要と認められる事務所、店舗、工場その他の固定施設を有し、かつ、その事業の管理、支配及び運営を自ら行っていること。
(五)		合併法人の合併前の特定役員（第二章第一節の**二**の表の**12の8**の③の表の(二)に掲げる特定役員をいう。以下①において同じ。）の過半数が次のイからハまでに掲げる者でないこと。
	イ	被合併法人の役員若しくは使用人を兼務している者又は当該被合併法人の役員若しくは使用人であった者
	ロ	合併法人に係る外国親法人（第二章第一節の**二**の表の**12の8**に掲げる合併親法人〔外国法人に限る。〕をいう。以下ロにおいて同じ。）の役員若しくは使用人を兼務している者又は当該外国親法人の役員若しくは使用人であった者
	ハ	イ又はロに掲げる者と第二章第一節の**二**の表の**10**の(1)《同族関係者の範囲》の(一)に掲げる特殊の関係のある者

　　（適格合併等の範囲に関する特例に係る事業関連性の判定）
（２）　第二章第一節の**二**の表の**12の8**の③の(1)《事業関連性の判定》及び同③の(2)《商品等を活用して一体として行われている場合の推定》は、**イ**《適格合併の範囲に関する特例》の表の(イ)及び(ロ)のいずれにも該当する合併に係る(1)の表の(一)の被合併法人の当該合併前に行う主要な事業のうちのいずれかの事業と同(一)の合併法人の当該合併前に行う事業のうちのいずれかの事業とが同(一)の相互に関連することに該当するかどうかの判定について準用する。（措令39の34の４⑯、措規22の20）

　　（自ら事業の管理、支配等を行っていることの意義）
（３）　(1)の表の(四)の適用上、合併法人が合併前に我が国において、事業の管理、支配及び運営を自ら行っているかどうかの判定については、第三十二款の**一**の**3**の③の(20)《自ら事業の管理、支配等を行っていることの意義》及び同③の(21)《事業の管理、支配等を本店所在地国において行っていることの判定》の取扱いに準じて取り扱う。（措通68の２の３(1)－２・編者補正）

ロ　適格分割の範囲に関する特例

　内国法人の行う分割が**特定グループ内分割**（次の(イ)から(ハ)までのいずれにも該当する分割をいい、(1)《特定グループ内分割から除かれる分割の要件》に掲げる要件に該当するものを除く。）に該当する場合における第二章第一節の**二**の表の**12の11**《適格分割》の適用については、同**12の11**の①から③中「その分割」とあるのは、「その分割（第三章第一節第三十四款の**五**の**3**の①のロ《適格分割の範囲に関する特例》に掲げる特定グループ内分割に該当するものを除く。）」とする。（措法68の２の４②）

(イ)	分割法人の資産及び負債の大部分が分割承継法人に移転する分割（（２）《分割法人の資産及び負債の大部分が分割承継法人に移転する分割》に掲げるものをいう。）であること。
(ロ)	分割法人と分割承継法人との間に特定支配関係があること。
(ハ)	分割法人の株主等又は分割法人に第二章第一節の二の表の**12の11**《適格分割》に掲げる分割承継親法人のうちいずれか一の法人（特定軽課税外国法人等に該当するものに限る。）の株式が交付されること。

（特定グループ内分割から除かれる分割の要件）
（１）　ロ《適格分割の範囲に関する特例》に掲げる特定グループ内分割から除かれる分割は、次の（一）から（五）までに掲げる要件の全てに該当する分割とする。（措法68の２の３②、措令39の34の４②）

(一)	分割法人の分割前に行う事業のうち当該分割により分割承継法人において行われることとなるものと分割承継法人の当該分割前に行う事業のうちのいずれかの事業とが相互に関連すること。		
(二)	分割承継法人が分割前に継続して行う事業に係る売上金額、収入金額その他の収益の額の合計額が、分割法人が分割前に継続して行う事業に係るこれらの額の合計額のおおむね$\frac{1}{2}$を下回るものでないこと。		
(三)	分割承継法人の分割前に行う主たる事業が次のいずれにも該当しないこと。		
	イ	株式又は債券の保有	
	ロ	工業所有権その他の技術に関する権利、特別の技術による生産方式若しくはこれらに準ずるもの（これらの権利に関する使用権を含む。）又は著作権（出版権及び著作隣接権その他これに準ずるものを含む。）の提供	
(四)	分割承継法人が分割前に我が国においてその主たる事業を行うに必要と認められる事務所、店舗、工場その他の固定施設を有し、かつ、その事業の管理、支配及び運営を自ら行っていること。		
(五)	分割承継法人の分割前の特定役員の過半数が次に掲げる者でないこと。		
	イ	分割法人の役員若しくは使用人を兼務している者又は当該分割法人の役員若しくは使用人であった者	
	ロ	分割承継法人に係る外国親法人（第二章第一節の二の表の**12の11**に掲げる分割承継親法人〔外国法人に限る。〕をいう。以下ロにおいて同じ。）の役員若しくは使用人を兼務している者又は当該外国親法人の役員若しくは使用人であった者	
	ハ	イ又はロに掲げる者と第二章第一節の二の表の**10の（１）**《同族関係者の範囲》の（一）に掲げる特殊の関係のある者	

（分割法人の資産及び負債の大部分が分割承継法人に移転する分割）
（２）　ロ《適格分割の範囲に関する特例》の表の（イ）に掲げる分割法人の資産及び負債の大部分が分割承継法人に移転する分割は、その分割に係る分割法人の当該分割の直前の資産及び負債のおおむね全部が分割承継法人に移転する分割とする。（措令39の34の４③）

（適格分割の範囲に関する特例に係る事業関連性の判定）
（３）　第二章第一節の二の表の**12の８**の③の（１）《事業関連性の判定》及び同③の（２）《商品等を活用して一体として行われている場合の推定》は、ロ《適格分割の範囲に関する特例》の表の（イ）から（ハ）までのいずれにも該当する分割に係る（１）の表の（一）の分割法人の当該分割前に行う事業のうち当該分割により分割承継法人において行われることとなるものと同（一）の分割承継法人の当該分割前に行う事業のうちのいずれかの事業とが同（一）の相互に関連することに該当するかどうかの判定について準用する。（措令39の34の４⑯、措規22の20）

（自ら事業の管理、支配等を行っていることの意義）
（４）　（１）の表の（四）の適用上、分割承継法人が、分割前に我が国において、事業の管理、支配及び運営を自ら行っているかどうかの判定については、第三十二款の一の３の③の(20)《自ら事業の管理、支配等を行っていることの意義》及び同③の(21)《事業の管理、支配等を本店所在地国において行っていることの判定》の取扱いに準じて取り扱う。（措

通68の2の3（1）－2・編者補正

ハ 適格株式交換等の範囲に関する特例

　内国法人の行う株式交換が**特定グループ内株式交換**（次の(イ)及び(ロ)のいずれにも該当する株式交換をいい、(1)《特定グループ内株式交換から除かれる株式交換の要件》に掲げる要件に該当するものを除く。）に該当する場合における第二章第一節の**二**の表の**12の17**《適格株式交換等》の適用については、同**12の17**の①中「その株式交換」とあるのは、「その株式交換（第三章第一節第三十四款の**五**の**3**の①ハ《適格株式交換等の範囲に関する特例》に掲げる特定グループ内株式交換に該当するものを除く。）」と、同**12の17**の②中「その株式交換等」とあるのは「その株式交換等（第三章第一節第三十四款の**五**の**3**の①ハ《適格株式交換等の範囲に関する特例》に掲げる特定グループ内株式交換に該当するものを除く。）」と、同**12の7**の③中「その株式交換」とあるのは「その株式交換（第三章第一節第三十四款の**五**の**3**の①ハ《適格株式交換等の範囲に関する特例》に掲げる特定グループ内株式交換に該当するものを除く。）」と、**二**の**1**《非適格株式交換等に係る株式交換完全子法人等の有する資産の時価評価損益》中「おける当該株式交換」とあるのは「おける当該株式交換（第三章第一節第三十四款の**五**の**3**の①ハ《適格株式交換等の範囲に関する特例》に掲げる特定グループ内株式交換に該当するものを除く。）」とする。（措法68の2の3③）

(イ)	第二章第一節の**二**の表の**12の6**に掲げる株式交換完全子法人（以下ハにおいて同じ。）と同**二**の表の**12の6の3**に掲げる株式交換完全親法人（以下及び②において同じ。）との間に特定支配関係があること。
(ロ)	株式交換完全子法人の株主に第二章第一節の**二**の表の**12の17**《適格株式交換等》に掲げる株式交換完全支配親法人のうちいずれか一の法人（特定軽課税外国法人等に該当するものに限る。）の株式が交付されること。

（特定グループ内株式交換から除かれる株式交換の要件）

（1）　ハ《適格株式交換の範囲に関する特例》に掲げる特定グループ内株式交換から除かれる株式交換は、次の(一)から(五)までに掲げる要件の全てに該当する株式交換とする。（措令39の34の4④）

(一)		株式交換完全子法人の株式交換前に行う主要な事業のうちのいずれかの事業と株式交換完全親法人の当該株式交換前に行う事業のうちのいずれかの事業とが相互に関連すること。
(二)		株式交換完全親法人が株式交換前に継続して行う事業に係る売上金額、収入金額その他の収益の額の合計額が、株式交換完全子法人が株式交換前に継続して行う事業に係るこれらの額の合計額のおおむね$\frac{1}{2}$を下回るものでないこと。
(三)		株式交換完全親法人の株式交換前に行う主たる事業が次のいずれにも該当しないこと。
	イ	株式又は債券の保有
	ロ	工業所有権その他の技術に関する権利、特別の技術による生産方式若しくはこれらに準ずるもの（これらの権利に関する使用権を含む。）又は著作権（出版権及び著作隣接権その他これに準ずるものを含む。）の提供
(四)		株式交換完全親法人が株式交換前に我が国においてその主たる事業を行うに必要と認められる事務所、店舗、工場その他の固定施設を有し、かつ、その事業の管理、支配及び運営を自ら行っていること。
(五)		株式交換完全親法人の株式交換前の特定役員の過半数が次に掲げる者でないこと。
	イ	株式交換完全子法人の役員若しくは使用人を兼務している者又は当該株式交換完全子法人の役員若しくは使用人であった者
	ロ	株式交換完全親法人に係る外国親法人（第二章第一節の**二**の表の**12の17**に掲げる株式交換完全支配親法人（外国法人に限る。）をいう。以下ロにおいて同じ。）の役員若しくは使用人を兼務している者又は当該外国親法人の役員若しくは使用人であった者
	ハ	イ又はロに掲げる者と第二章第一節の**二**の表の**10**の(1)《同族関係者の範囲》の(一)に掲げる特殊の関係のある者

第三章　第一節　第三十四款《組織再編成の所得金額の計算》

(適格株式交換等の範囲に関する特例に係る事業関連性の判定)
（2）　第二章第一節の二の表の**12の8**の③の(1)《事業関連性の判定》及び同③の(2)《商品等を活用して一体として行われている場合の推定》は、ハ《適格株式交換等の範囲に関する特例》の(イ)及び(ロ)のいずれにも該当する株式交換に係る(1)の表の(一)の株式交換完全子法人の当該株式交換前に行う主要な事業のうちのいずれかの事業と同(一)の株式交換完全親法人の当該株式交換前に行う事業のうちのいずれかの事業とが同(一)の相互に関連することに該当するかどうかの判定について準用する。（措令39の34の4⑯、措規22の20）

(自ら事業の管理、支配等を行っていることの意義)
（3）　(1)の表の(四)の適用上、株式交換完全親法人が、株式交換前に我が国において、事業の管理、支配及び運営を自ら行っているかどうかの判定については、第三十二款の**一**の**3**の③の(20)《自ら事業の管理、支配等を行っていることの意義》及び同③の(21)《事業の管理、支配等を本店所在地国において行っていることの判定》の取扱いに準じて取り扱う。（措通68の2の3(1)-2・編者補正）

二　適格現物出資の範囲に関する特例

内国法人の有する資産又は負債を外国法人に対して移転する現物出資が特定現物出資（内国法人の有する特定外国子法人の株式を当該内国法人に係る特定外国親法人等に対して移転する現物出資をいう。）に該当する場合における第二章第一節の二の表の**12の14**《適格現物出資》の適用については、同**12の14**中「次の①から③までのいずれかに該当する現物出資（」とあるのは、「次の①から③までのいずれかに該当する現物出資（第三章第一節第三十四款の**五**の**3**の①の**ニ**《適格現物出資の範囲に関する特例》に掲げる特定現物出資、」とする。（措法68の2の3④）

②　用語の意義

2　《適格合併等の範囲に関する特例》における用語の意義は、それぞれ次に掲げるところによる。（措法68の2の3⑤）

イ	特定軽課税外国法人等	特定軽課税外国法人及び合併、分割又は株式交換（以下イにおいて「合併等」という。）の直前において特定軽課税外国法人（当該合併等の直前において合併法人、分割承継法人又は株式交換完全親法人の発行済株式又は出資〔自己が有する自己の株式を除く。以下②において「発行済株式等」という。〕の全部を直接又は間接に保有するものに限る。）の発行済株式等の全部を直接又は間接に保有する外国法人（特定軽課税外国法人に該当するものを除く。）をいう。
ロ	特定軽課税外国法人	その本店又は主たる事務所の所在する国又は地域におけるその所得に対して課される税の負担が本邦における法人の所得に対して課される税の負担に比して著しく低いものとして次の(イ)及び(ロ)に掲げる外国法人をいう。（措令39の34の4⑤）

(イ)		第三十二款の**一**の**5**の(2)《所得の金額に対して課される租税の割合の計算》の表の(一)のロに掲げる法人の所得に対して課される税が存在しない国又は地域に本店又は主たる事務所を有する外国法人
(ロ)		次の表の左欄に掲げる場合の区分に応じ、それぞれ同表の右欄に掲げる外国法人

A	①《適格合併等の範囲に関する特例》のイ、ロ、ハ、ニの合併、分割、株式交換又は現物出資（以下②において「合併等」という。）が行われる日を含む事業年度開始の日前2年以内に開始した各事業年度（以下②において「前2年内事業年度」という。）がある外国法人の場合	前2年内事業年度のうちいずれかの事業年度において、その事業年度の所得に対して課される租税の額が当該所得の金額の$\frac{20}{100}$未満であった外国法人
B	前2年内事業年度がない外国法人の場合	合併等が行われる日を含む事業年度において、その行うこととされている主たる事業に係る収入金額（当該収入金額がその本店又は主たる事務所の所在する国又は地域〔以下②において「本店所在

第三章　第一節　第三十四款《組織再編成の所得金額の計算》

				地国」という。〕の外国法人税〔第二節第二款の**二**の**1**の①《外国法人税を納付することとなる場合の外国税額控除》に掲げる外国法人税をいう。以下Bにおいて同じ。〕に関する法令〔当該外国法人税に関する法令が２以上ある場合には、そのうち主たる外国法人税に関する法令〕により外国法人税の課税標準に含まれないこととされる第二款の**一**《受取配当等の益金不算入》の表の①又は②に掲げる金額〔同款の**五**《配当等の額とみなす金額》の例によるものとした場合に同**五**の表の**1**から**7**に掲げる金額とみなされる金額に相当する金額を含む。〕である場合には、当該収入金額以外の収入金額）から所得が生じたとした場合にその所得に対して適用されるその本店所在地国の外国法人税の税率が$\frac{20}{100}$未満である外国法人
		注　第三十二款の**一**の**5**の(２)《所得の金額に対して課される租税の割合の計算》(同(２)の表の(一)の(ロ)、(三)の(ロ)及び(五)の(ロ)を除く。)は、外国法人が上表の(ロ)の表のAの外国法人に該当するかどうかの判定について、同(２)の表の(四)は外国法人が上表の(ロ)の表のBの外国法人に該当するかどうかの判定について、それぞれ準用する。(措法68の２の３⑥、措令39の34の４⑥)		
ハ	特定支配関係	次の(イ)及び(ロ)に掲げる関係をいう。(措令39の34の４⑩)		
		(イ)	２の内国法人のいずれか一方の内国法人が他方の内国法人の発行済株式等の総数又は総額の$\frac{50}{100}$を超える数又は金額の株式を直接又は間接に保有する関係がある場合における当該関係（(ロ)に掲げる関係に該当するものを除く。）	
		(ロ)	２の内国法人が同一の者（当該者が個人である場合には、当該個人及びこれと第二章第一節の**二**の表の**10**の(１)《同族関係者の範囲》の(一)に掲げる特殊の関係のある個人）によってそれぞれその発行済株式等の総数又は総額の$\frac{50}{100}$を超える数又は金額の株式を直接又は間接に保有される関係がある場合における当該２の内国法人の関係	
		注１　上表に掲げる関係があるかどうかの判定は、①《適格合併等の範囲に関する特例》のイからハまでの合併、分割又は株式交換の直前の現況による。(措法68の２の３⑥、措令39の34の４⑪) 注２　第三十款の**一**の**1**の(４)《直接又は間接保有の株式等の保有割合の計算》及び同**1**の(５)《間接保有の株式等の保有割合の意義》は、上表を適用する場合について準用する。この場合において、同(４)及び同(５)中「$\frac{50}{100}$以上の」とあるのは、「$\frac{50}{100}$を超える」と読み替えるものとする。(措法68の２の３⑥、措令39の34の４⑫)		
ニ	特定外国子法人	外国法人で、その現物出資の日を含む当該外国法人の事業年度開始の日前２年以内に開始した各事業年度のうち最も古い事業年度開始の日からその現物出資の日までの期間内のいずれかの時において、居住者（所得税法第２条第３号《定義》に掲げる居住者をいう。以下ニにおいて同じ。）、内国法人及び特殊関係非居住者（居住者又は内国法人と第三十二款の**一**の**1**の(５)《特殊の関係のある者の範囲》の表の(一)のイからヘまでに掲げるものをいう。）が、その発行済株式等の総数又は総額の$\frac{50}{100}$を超える数又は金額の株式を有するもののうち、特定軽課税外国法人に該当するものをいう。(措令39の34の４⑬)		
ホ	特定外国親法人等	外国法人で、内国法人との間に、次の(イ)又は(ロ)に掲げる関係のあるもののうち、特定軽課税外国法人に該当するものをいう。(措令39の34の４⑭)		
		(イ)	外国法人と内国法人との間に当該外国法人が当該内国法人の発行済株式等の総数又は総額の$\frac{80}{100}$以上の数又は金額の株式を直接又は間接に保有する関係がある場合における当該関係（(ロ)に掲げる関係に該当するものを除く。）	
		(ロ)	外国法人と内国法人が同一の者（当該者が個人である場合には、当該個人及びこれと第二章第一節の**二**の表の**10**の(１)《同族関係者の範囲》の(一)に掲げる特殊の関係のある個人）によってそれぞれその発行済株式等の総数又は総額の$\frac{80}{100}$以上の数又は金額の株式	

		を直接又は間接に保有される関係がある場合における当該外国法人と内国法人の関係
		注 第三十款の一の1の(4)《直接又は間接保有の株式等の保有割合の計算》及び同1の(5)《間接保有の株式等の保有割合の意義》は、上表を適用する場合について準用する。この場合において、同(4)及び同(5)中「$\frac{50}{100}$以上」とあるのは、「$\frac{80}{100}$以上」と読み替えるものとする。(措法68の2の3⑥、措令39の34の4⑮)

注 ──線部分は、令和6年度改正により改正された部分で、改正規定は、令和6年4月1日以後に行われる合併、分割、株式交換又は現物出資について適用し、令和6年3月31日以前に行われた合併、分割、株式交換又は現物出資については、「第三十二款の一の5の(2)《所得の金額に対して課される租税の割合の計算》の表の(一)のロに掲げる法人の所得に対して課される税」とあるのは「法人の所得に対して課される税」とする。(令6改措令附20、1)

(外国法人に含まれないもの)
(1) 外国法人が次に掲げる要件の全てに該当する場合には、②の表のロ《特定軽課税外国法人》の(イ)及び(ロ)に掲げる外国法人に含まれないものとする。(措法68の2の3⑥、措令39の34の4⑦)

(一)	株式若しくは債券の保有、工業所有権その他の技術に関する権利若しくは特別の技術による生産方式若しくはこれらに準ずるもの(これらの権利に関する使用権を含む。)若しくは著作権(出版権及び著作隣接権その他これに準ずるものを含む。)の提供又は船舶若しくは航空機の貸付けを主たる事業とするものでないこと。		
(二)	その本店所在地国においてその主たる事業を行うに必要と認められる事務所、店舗、工場その他の固定施設を有し、かつ、その事業の管理、支配及び運営を自ら行っていること。		
(三)	前2年内事業年度のうちいずれかの事業年度(前2年内事業年度がない外国法人の場合には、合併等が行われる日を含む事業年度開始の日から当該合併等が行われる日の前日までの期間。以下(三)において「**判定対象事業年度等**」という。)において、その行う主たる事業が次の表の左欄に掲げる事業のいずれに該当するかに応じそれぞれ同表の右欄に掲げる場合に該当すること。		
	イ 卸売業、銀行業、信託業、金融商品取引業、保険業、水運業又は航空運送業	その行う主たる事業が次の表の左欄に掲げる事業のいずれに該当するかに応じそれぞれ同表の右欄に掲げる場合	
		(イ) 卸売業	判定対象事業年度等の棚卸資産の販売に係る収入金額(棚卸資産の売買の代理又は媒介に関し受け取る手数料がある場合には、その手数料を受け取る基因となった売買の取引金額を含む。以下(イ)において「販売取扱金額」という。)の合計額のうちに関連者以外の者との間の取引に係る販売取扱金額の合計額の占める割合が$\frac{50}{100}$を超える場合又は判定対象事業年度等において取得した棚卸資産の取得価額(棚卸資産の売買の代理又は媒介に関し受け取る手数料がある場合には、その手数料を受け取る基因となった売買の取引金額を含む。以下(イ)において「仕入取扱金額」という。)の合計額のうちに関連者以外の者との間の取引に係る仕入取扱金額の合計額の占める割合が$\frac{50}{100}$を超える場合
		(ロ) 銀行業	判定対象事業年度等の受入利息の合計額のうちに当該受入利息で関連者以外の者から受けるものの占める割合が$\frac{50}{100}$を超える場合又は判定対象事業年度等の支払利息の合計額のうちに当該支払利息で関連者以外の者に対して支払うものの合計額が$\frac{50}{100}$を超える場合
		(ハ) 信託業	判定対象事業年度等の信託報酬の合計額のうちに当該信託報酬で関連者以外の者から受けるものの合計額の占める割合が$\frac{50}{100}$を超える場合
		(ニ) 金融商品取引業	判定対象事業年度等の受入手数料(有価証券の売買による利益を含む。)の合計額のうちに当該受入手数料で関連者以外の者から受けるものの合計額の占める割合が$\frac{50}{100}$を超える場合
		(ホ) 保険業	判定対象事業年度等の収入保険料の合計額のうちに当該収入保険料で関連者以外の者から収入するもの(当該収入保険料が再保険に係るものである場合には、関連者以外の者が有する資産又は関連者以外の者が負う損害賠償責任を保険の目的とする保険に係る収入保険料に限る。)の合計額の占め

第三章　第一節　第三十四款《組織再編成の所得金額の計算》

				る割合が$\frac{50}{100}$を超える場合
		(ヘ)	水運業又は航空運送業	判定対象事業年度等の船舶の運航及び貸付け又は航空機の運航及び貸付けによる収入金額の合計額のうちに当該収入金額で関連者以外の者から収入するものの合計額の占める割合が$\frac{50}{100}$を超える場合

		注　次に掲げる取引は、外国法人と当該外国法人に係る関連者との間で行われた取引とみなして、イを適用する。（措法68の２の３⑥、措令39の34の４⑧）	
	A	外国法人と当該外国法人に係る関連者以外の者（以下注において「非関連者」という。）との間で行う取引（以下注において「対象取引」という。）により当該非関連者に移転又は提供をされる資産、役務その他のものが当該外国法人に係る関連者に移転又は提供をされることが当該対象取引を行った時において契約その他によりあらかじめ定まっている場合における当該対象取引	
	B	外国法人に係る関連者と当該外国法人に係る非関連者との間で行う取引（以下Bにおいて「先行取引」という。）により当該非関連者に移転又は提供をされる資産、役務その他のものが当該外国法人に係る非関連者と当該外国法人との間の取引（以下Bにおいて「対象取引」という。）により当該外国法人に移転又は提供をされることが当該先行取引を行った時において契約その他によりあらかじめ定まっている場合における当該対象取引	

		その行う主たる事業が次の表の左欄に掲げる事業のいずれに該当するかに応じそれぞれ同表の右欄に掲げる場合	
ロ	イに掲げる事業以外の事業	(イ) 不動産業	主として本店所在地国にある不動産（不動産の上に存する権利を含む。以下(イ)において同じ。）の売買又は貸付け（当該不動産を使用させる行為を含む。）、当該不動産の売買又は貸付けの代理又は媒介及び当該不動産の管理を行っている場合
		(ロ) 物品賃貸業	主として本店所在地国において使用に供される物品の貸付けを行っている場合
		(ハ) イ並びに(イ)及び(ロ)に掲げる事業以外の事業	主として本店所在地国において行っている場合

（関連者の意義）

（２）　（１）の表の（三）のイに掲げる関連者とは、次の（一）及び（二）に掲げる者をいう。（措法68の２の３⑥、措令39の34の４⑨）

（一）	外国法人と他の法人との間にいずれか一方の法人が他方の法人の発行済株式等の総数又は総額の$\frac{50}{100}$を超える数又は金額の株式を直接又は間接に保有する関係がある場合における当該他の法人（（二）に掲げる者に該当するものを除く。）
（二）	外国法人と他の法人が同一の者（当該者が個人である場合には、当該個人及びこれと第二章第一節の二の表の10の（１）《同族関係者の範囲》の（一）に掲げる特殊の関係のある個人）によってそれぞれその発行済株式等の総数又は総額の$\frac{50}{100}$を超える数又は金額の株式を直接又は間接に保有される関係がある場合における当該他の法人

注　第三十款の一の１の（４）《直接又は間接保有の株式等の保有割合の計算》及び同１の（５）《間接保有の株式等の保有割合の意義》は、（２）を適用する場合について準用する。この場合において、同（４）及び同（５）中「$\frac{50}{100}$以上の」とあるのは、「$\frac{50}{100}$を超える」と読み替えるものとする。（措法68の２の３⑥、措令39の34の４⑫）

　　　　　　　　第三章　第一節　第三十四款《組織再編成の所得金額の計算》

　　　（名義株がある場合の特定支配関係の判定）
（３）　②の表のハ《特定支配関係》の適用上、一方の内国法人と他方の内国法人との間にいずれか一方の内国法人が他方の内国法人の株式を保有する関係があるかどうかは、株主名簿、社員名簿又は定款に記載又は記録されている株主等により判定するのであるが、その株主等が単なる名義人であって、当該株主等以外の者が実際の権利者である場合には、その実際の権利者が保有するものとして判定する。（措通68の２の３(1)－1・編者補正）

　　　（発行済株式）
（４）　②の表のイ《特定軽課税外国法人等》の「発行済株式」には、その株式の払込み又は給付の金額（以下(5)において「払込金額等」という。）の全部又は一部について払込み又は給付（以下(5)において「払込み等」という。）が行われていないものも含まれるものとする。（措通68の２の３(2)－1）

　　　（直接又は間接保有の株式）
（５）　②の表のイ《特定軽課税外国法人等》に掲げる特定軽課税外国法人等（以下(5)において「特定軽課税外国法人等」という。）であるかどうかを判定する場合の、外国法人が直接又は間接に保有する株式には、その払込金額等の全部又は一部について払込み等が行われていないものが含まれるものとする。（措通68の２の３(2)－2）
　　　注　名義株は、その実際の権利者が所有するものとして特定軽課税外国法人等であるかどうかを判定することに留意する。

　　　（特定軽課税外国法人に該当するかどうかの判定）
（６）　外国法人が②の表のロ《特定軽課税外国法人》の右欄の表の(ロ)に掲げる外国法人に該当するか否かの判定については、次の表の(一)から(八)までの取扱いに準じて取り扱う。（措通68の２の３(2)－3・編者補正）

(一)	第三十二款の一の**3**の③の(15)《主たる事業の判定》
(二)	同一の**5**の(3)《外国関係会社の事業年度と租税年度とが異なる場合の租税負担割合の計算》
(三)	同**5**の(4)《課税標準の計算がコストプラス方式による場合》
(四)	同**5**の(6)《租税負担割合の計算における企業集団等所得課税規定を除いた法令の規定による所得の金額の計算》
(五)	同**5**の(7)《企業集団等所得課税規定の適用がないものとした場合に計算される外国法人税の額の計算》
(六)	同**5**の(8)《非課税所得の範囲》
(七)	同**5**の(9)《外国法人税の額に加算される税額控除額》
(八)	同**5**の(10)《複数税率の場合の特例の適用》

　　　（船舶又は航空機の貸付けの意義）
（７）　(1)の表の(一)に掲げる「船舶若しくは航空機の貸付け」とは、いわゆる裸用船（機）契約に基づく船舶（又は航空機）の貸付けをいい、いわゆる定期用船（機）契約又は航海用船（機）契約に基づく船舶（又は航空機）の用船（機）は、これに該当しない。（措通68の２の３(2)－4）

　　　（自ら事業の管理、支配等を行っていることの意義）
（８）　(1)の表の(二)の適用上、外国法人が、その本店又は主たる事務所の所在する国又は地域において、事業の管理、支配及び運営を自ら行っているかどうかの判定については、第三十二款の一の**3**の③の(20)《自ら事業の管理、支配等を行っていることの意義》及び同③の(21)《事業の管理、支配等を本店所在地国において行っていることの判定》の取扱いに準じて取り扱う。（措通68の２の３(2)－5）

　　　（事業の判定）
（９）　外国法人の営む事業が(1)の表の(三)のイ《卸売業、銀行業、信託業、金融商品取引業、保険業、水運業又は航空運送業》又は同(三)のロの(イ)《不動産業》若しくは同ロの(ロ)《物品賃貸業》に掲げる事業のいずれに該当するかどうかは、原則として日本標準産業分類（総務省）の分類を基準として判定する。（措通68の２の３(2)－6）
　　　注　(1)の表の(三)を適用する場合において、外国法人が２以上の事業を営んでいるときは、そのいずれの事業が主たる事業であるかどうかの判定については、第三十二款の一の**3**の②の(8)《主たる事業の判定》に準ずる。

（金融商品取引業を営む外国法人が受けるいわゆる分与口銭）
(10)　金融商品取引業を営む内国法人（(2)に掲げる関連者に該当する法人に限る。以下(10)において同じ。）に係る(2)に掲げる外国法人で金融商品取引業を営むものが、その本店又は主たる事務所の所在する国又は地域においてその顧客から受けた有価証券の売買に係る注文（募集又は売出しに係る有価証券の取得の申込みを含む。以下(10)において同じ。）を当該内国法人に取り次いだ場合において、その取り次いだことにより当該内国法人からその注文に係る売買等の手数料（手数料を含む価額で売買が行われた場合における売買価額のうち手数料に相当する部分を含む。）の一部をいわゆる分与口銭として受け取ったときは、その分与口銭は(1)の表の(三)のイの(ニ)《金融商品取引業》に掲げる関係者以外の者から受ける受入手数料に該当するものとして取り扱う。（措通68の２の３(2)－７）

４　完全支配関係がある法人の間の譲渡損益の繰延べ等に関する特例

①　特定グループ内合併による移転が行われた場合の譲渡損益の繰延べの適用除外
　内国法人の行う合併が**特定グループ内合併**（３の①の**イ**《適格合併の範囲に関する特例》に掲げる特定グループ内合併をいう。）に該当する場合における第三十三款の**一**《譲渡損益調整資産に係る譲渡利益額又は譲渡損失額の繰延べ》の適用については、同一中「譲渡した場合には」とあるのは、「譲渡した場合（当該譲渡損益調整資産を第三十四款の**五**の３の①の**イ**《適格合併の範囲に関する特例》に掲げる特定グループ内合併により合併法人に移転した場合を除く。）には」とする。（措法68の２の３①）

②　特定グループ内分割による移転が行われた場合の譲渡損益の繰延べの適用除外
　内国法人の行う分割が**特定グループ内分割**（３の①の**ロ**《適格分割の範囲に関する特例》に掲げる特定グループ内分割をいう。）に該当する場合における第三十三款の**一**《譲渡損益調整資産に係る譲渡利益額又は譲渡損失額の繰延べ》の適用については、同一中「譲渡した場合には」とあるのは、「譲渡した場合（当該譲渡損益調整資産を第三十四款の**五**の３の①の**ロ**《適格分割の範囲に関する特例》に掲げる特定グループ内分割により分割承継法人に移転した場合を除く。）には」とする。（措法68の２の３②）

③　特定グループ内株式交換が行われた場合の時価評価損益の繰延べの適用除外
　内国法人の行う株式交換が**特定グループ内株式交換**（３の①の**ハ**《適格株式交換の範囲に関する特例》に掲げる特定グループ内株式交換をいう。）に該当する場合における二の１《非適格株式交換等に係る株式交換完全子法人等の有する資産の時価評価損益》の適用については、二の１中「おける当該株式交換」とあるのは、「おける当該株式交換〔**五**の３の①の**ハ**《適格株式交換の範囲に関する特例》に掲げる特定グループ内株式交換に該当するものを除く。〕」とする。（措法68の２の３③）

５　特定の合併等が行われた場合の株主等の課税の特例

①　特定の合併が行われた場合の株主等の課税の特例
　法人が**旧株**（当該法人が有していた株式〔出資を含む。以下５において同じ。〕をいう。）を発行した内国法人の合併（適格合併に該当しないものに限る。）により合併法人との間に当該合併法人の発行済株式又は出資（自己が有する自己の株式を除く。５において「発行済株式等」という。）の全部を直接又は間接に保有する関係があるとして(1)に掲げる関係外国法人のうちいずれか一の外国法人の株式の交付を受けた場合において、当該外国法人の株式が**特定軽課税外国法人等**（３の②の表の**イ**《特定軽課税外国法人等》に掲げる特定軽課税外国法人等をいう。以下５において同じ。）の株式に該当するときは、第二十三款の**二**の１の(4)《合併の場合の有価証券の譲渡対価の額》及び同１の(26)《完全支配関係がある他の内国法人からみなし配当の額が生ずる基因となる事由により金銭その他の資産の交付を受けた場合等の譲渡対価の額》は、適用しない。（措法68の３①）

　　　（特定の合併が行われた場合の合併の直前の株式等の保有関係）
(1)　①に掲げる関係は、合併の直前に当該合併に係る合併法人と当該合併法人以外の法人との間に当該法人による完全支配関係ある場合の当該完全支配関係とする。（措令39の35①、令119の７の２①）

　　　（特定の合併が行われた場合の株式の取得価額）
(2)　法人が旧株（当該法人が有していた株式をいう。）を発行した内国法人の合併（適格合併に該当しないものに限る。）

により①に掲げる関係がある外国法人のうちいずれか一の外国法人の株式の交付を受けた場合において、当該外国法人の株式が特定軽課税外国法人等の株式に該当するときは、その交付を受けた株式の取得価額については、第二十三款の**一**の**2**《有価証券の取得価額》の表の⑤は、適用しない。（措法68の3④、措令39の35②）

② **特定分割型分割が行われた場合の株主等の課税の特例**

　法人が所有株式（当該法人が有する株式をいう。）を発行した内国法人の行った**特定分割型分割**（第二章第一節の**二**の表の**12の9**《分割型分割》の**イ**に掲げる分割対価資産として分割承継法人に係る第二十三款の**二**の**1**の(6)《分割型分割により新株等の交付を受けた場合の譲渡対価の額及び譲渡原価の額》に掲げる親法人のうちいずれか一の法人〔特定軽課税外国法人等に該当するものに限る。以下②において「**特定外国親法人**」という。〕の株式以外の資産が交付されなかった分割型分割〔**3**の①の**ロ**《適格分割の範囲に関する特例》の表の(イ)に掲げる分割で、適格分割型分割に該当しないものに限る。〕をいう。以下②において同じ。）により分割承継法人に係る特定外国親法人の株式の交付を受けた場合における第二十三款の**二**の**1**の(6)及び同**1**の(26)《完全支配関係がある他の内国法人からみなし配当の額が生ずる基因となる事由により金銭その他の資産の交付を受けた場合等の譲渡対価の額》の適用については、同(6)中「ものに限る。」とあるのは「ものに限るものとし、第三十四款の**五**の**5**の②《特定分割型分割が行われた場合の株主等の課税の特例》に掲げる特定分割型分割に該当するものを除く。」と、同(26)中「及び(11)に掲げる金銭等不交付株式分配」とあるのは、「、(11)に掲げる金銭等不交付株式分配及び第三十四款の**五**の**5**の②《特定分割型分割が行われた場合の株主等の課税の特例》に掲げる特定分割型分割」とする。（措法68の3②）

　　（特定分割型分割が行われた場合の株式の取得価額）
　　法人が所有株式（当該法人が有する株式をいう。）を発行した内国法人の行った特定分割型分割により特定外国親法人の株式の交付を受けた場合には、その交付を受けた株式の取得価額については、第二十三款の**一**の**2**《有価証券の取得価額》の表の⑥は、適用しない。（措法68の3④、措令39の35③）

③ **特定の株式交換が行われた場合の株主等の課税の特例**

　法人が旧株（当該法人が有していた株式をいう。）を発行した内国法人の行った株式交換（第二章第一節の**二**の表の**12の17**《適格株式交換等》に掲げる適格株式交換等に該当しないものに限る。）により株式交換完全親法人との間に当該株式交換完全親法人の発行済株式等の全部を直接又は間接に保有する関係として(1)に掲げる関係がある外国法人のうちいずれか一の外国法人の株式の交付を受けた場合において、当該外国法人の株式が特定軽課税外国法人等の株式に該当するときは、当該旧株の譲渡については、第二十三款の**二**の**1**の(13)《株式交換により株式交換完全親法人の株式等以外の資産が交付されなかった場合の譲渡対価の額》及び第三十三款の**一**《譲渡損益調整資産に係る譲渡利益額又は譲渡損失額の繰延べ》は、適用しない。（措法68の3③）

　　（特定の株式交換が行われた場合の株式交換の直前の株式等の保有関係）
（１）　①に掲げる関係は、株式交換の直前に当該株式交換に係る株式交換完全親法人と当該株式交換完全法人以外の法人との間に当該法人による完全支配関係ある場合の当該完全支配関係とする。（措令39の35①、令119の7の2④）

　　（特定の株式交換が行われた場合の株式の取得価額）
（２）　法人が旧株（当該法人が有していた株式をいう。）を発行した内国法人の行った株式交換（第二章第一節の**二**の表の**12の17**に掲げる適格株式交換等に該当しないものに限る。）により株式交換の直前に当該株式交換に係る株式交換完全親法人との間に当該株式交換完全親法人の発行済株式等の全部を保有する関係がある外国法人のうちいずれか一の外国法人の株式の交付を受けた場合において、当該外国法人の株式が特定軽課税外国法人等の株式に該当するときは、その交付を受けた株式の取得価額については、第二十三款の**一**の**2**《有価証券の取得価額》の表の⑨は、適用しない。（措法68の3④、措令39の35④）

第三十五款　グループ通算制度

については収録を割愛し、本書Web版にのみ収録しているので、そちらを参照されたい。

第二節　税額の計算、申告、納付及び還付等

第一款　税　率

一　各事業年度の所得に対する法人税の税率

1　普通法人又は人格のない社団等

①　基本税率

　内国法人である普通法人、一般社団法人等（第二章第一節の**二**の**別表第二**《公益法人等の表》に掲げる一般社団法人、一般財団法人及び労働者協同組合並びに公益社団法人及び公益財団法人をいう。**1**及び**2**において同じ。）又は人格のない社団等に対して課する各事業年度の所得に対する法人税の額は、各事業年度の所得の金額に$\frac{23.2}{100}$の税率を乗じて計算した金額とする。（法66①）

　注1　マンションの建替え等の円滑化に関する法律第5条第1項《マンション建替事業の施行》に規定するマンション建替組合は、法人税法その他法人税に関する法令の規定の適用については公益法人等とみなされるが、①を適用する場合には、「普通法人」とあるのは「普通法人（マンション建替組合を含む。）」とする。（同法44①）

　注2　マンションの建替え等の円滑化に関する法律第116条《マンション敷地売却事業の実施》に規定するマンション敷地売却組合は、法人税法その他法人税に関する法令の規定の適用については公益法人等とみなされるが、①を適用する場合には、「普通法人」とあるのは「普通法人（マンション敷地売却組合を含む。）」とする。（同法139①）

　注3　マンションの建替え等の円滑化に関する法律第164条《敷地分割事業の実施》に規定する敷地分割組合は、法人税法その他の法人税に関する法令の規定の適用については、公益法人等とみなされるが、①を適用する場合には、「普通法人」とあるのは「普通法人（敷地分割組合を含む。）」とする。（同法188①）

　注4　特定非営利活動促進法第2条第2項《定義》に規定する特定非営利活動法人は、法人税法その他法人税に関する法令の規定の適用については公益法人等とみなされるが、①を適用する場合には、「普通法人」とあるのは「普通法人（特定非営利活動法人を含む。）」とする。（同法70①）

　注5　政党交付金の交付を受ける政党等に対する法人格の付与に関する法律第7条の2第1項《変更の登記》に規定する法人である政党等は、法人税法その他法人税に関する法令の規定の適用については公益法人等とみなされるが、①を適用する場合には、「普通法人」とあるのは「普通法人（法人である政党等を含む。）」とする。（同法13①）

　注6　地方自治法第260条の2第7項《地縁による団体》に規定する認可地縁団体は、法人税法その他法人税に関する法令の規定の適用については公益法人等とみなされるが、①を適用する場合には、「普通法人」とあるのは「普通法人（認可地縁団体を含む。）」とする。（同法260の2⑯）

　注7　建物の区分所有等に関する法律第47条第2項《成立等》に規定する管理組合法人及び同法第66条の規定により読み替えられた同項に規定する団地管理組合法人は、法人税法その他法人税に関する法令の規定の適用については公益法人等とみなされるが、①を適用する場合には、「普通法人」とあるのは「普通法人（管理組合法人及び団地管理組合法人を含む。）」とする。（同法47⑬、66）

　注8　密集市街地における防災街区の整備の促進に関する法律第133条第1項《法人格》に規定する防災街区整備事業組合は、法人税法その他法人税に関する法令の規定の適用については公益法人等とみなされるが、①を適用する場合には、「普通法人」とあるのは「普通法人（防災街区整備事業組合を含む。）」とする。（同法164の2①）

　注9　医療法人（**3**の①に掲げる特定の医療法人及び医療法第42条の2第1項に規定する社会医療法人を除く。）、企業組合及び協業組合は、普通法人に該当することに留意する。（編者）

　（法人税の課税標準の端数計算）

　　国税（附帯税を除く。）の課税標準を計算する場合において、その額に1,000円未満の端数があるとき、又はその全額が1,000円未満であるときは、その端数金額又はその全額を切り捨てる。（通法118①）

②　中小法人の年800万円以下の所得に対する軽減税率

　①の場合において、普通法人（通算法人を除く。）若しくは一般社団法人等のうち、各事業年度終了の時において資本金の額若しくは出資金の額が1億円以下であるもの若しくは資本若しくは出資を有しないもの又は人格のない社団等の各事業年度の所得の金額のうち**年800万円**以下の金額については、①にかかわらず、$\frac{19}{100}$の税率による。（法66②）

　注1　マンションの建替え等の円滑化に関する法律第5条第1項に規定するマンション建替組合は、法人税法その他法人税に関する法令の規定の

適用については公益法人等とみなされるが、②を適用する場合には、「普通法人」とあるのは「普通法人（マンション建替組合を含む。）」とする。（同法44①）

注２　マンションの建替え等の円滑化に関する法律116条に規定するマンション敷地売却組合は、法人税法その他法人税に関する法令の規定の適用については公益法人等とみなされるが、①を適用する場合には、「普通法人」とあるのは「普通法人（マンション敷地売却組合を含む。）」とする。（同法139①）

注３　マンションの建替え等の円滑化に関する法律164条《敷地分割事業の実施》に規定する敷地分割組合は、法人税法その他の法人税に関する法令の規定の適用については、公益法人等とみなされるが、②を適用する場合には、「普通法人」とあるのは「普通法人（敷地分割組合を含む。）」とする。（同法188①）

注４　特定非営利活動促進法第２条第２項《定義》に規定する特定非営利活動法人は、法人税法その他法人税に関する法令の規定の適用については公益法人等とみなされるが、②を適用する場合には、「普通法人」とあるのは「普通法人（特定非営利活動法人を含む。）」とする。（同法70①）

注５　政党交付金の交付を受ける政党等に対する法人格の付与に関する法律第７条の２第１項《変更の登記》に規定する法人である政党等は、法人税法その他法人税に関する法令の規定の適用については公益法人等とみなされるが、②を適用する場合には、「普通法人」とあるのは「普通法人（法人である政党等を含む。）」とする。（同法13①）

注６　地方自治法第260条の２第７項に規定する認可地縁団体は、法人税法その他法人税に関する法令の規定の適用については公益法人等とみなされるが、②を適用する場合には、「普通法人」とあるのは「普通法人（認可地縁団体を含む。）」とする。（同法260の２⑯）

注７　建物の区分所有等に関する法律第47条第２項に規定する管理組合法人及び同法第66条の規定により読み替えられた同項に規定する団地管理組合法人は、法人税法その他法人税に関する法令の規定の適用については公益法人等とみなされるが、②を適用する場合には、「普通法人」とあるのは「普通法人（管理組合法人及び団地管理組合法人を含む。）」とする。（同法47⑬、66）

注８　密集市街地における防災街区の整備の促進に関する法律第133条第１項《法人格》に規定する防災街区整備事業組合は、法人税法その他法人税に関する法令の規定の適用については公益法人等とみなされるが、②を適用する場合には、「普通法人」とあるのは「普通法人（防災街区整備事業組合を含む。）」とする。（同法164の２①）

注９　医療法人（３の①に掲げる特定の医療法人及び医療法第42条の２第１項に規定する社会医療法人を除く。）、企業組合及び協業組合は、普通法人に該当することに留意する。（編者）

（事業年度が１年に満たない法人の年800万円以下の所得金額）
（１）　事業年度が１年に満たない法人に対する②《中小法人の年800万円以下の所得に対する軽減税率》の適用については、②中「年800万円」とあるのは、「800万円を12で除し、これに当該事業年度の月数を乗じて計算した金額」とする。（法66④）

　　　注　上表の月数は、暦に従って計算し、１か月に満たない端数を生じたときは、これを１か月とする。（法66⑫）

（月数の計算）
（２）　（１）に掲げる月数は、暦に従って計算し、１か月に満たない端数を生じたときは、これを１か月とする。（法66⑫）

（法人の年800万円以下の所得金額の端数計算）
（３）　事業年度が１年に満たない法人が、②を適用する場合において、（１）に掲げる「800万円を12で除し、これに当該事業年度の月数を乗じて計算した金額」に1,000円未満の端数があるときは、これを切り捨てる。ただし、当該切り捨てられる端数の金額が当該事業年度の所得金額について切り捨てられる金額より多いときは、これを切り上げる。（基通16－４－１）

③　中小法人の年800万円以下の所得に対する軽減税率の不適用

内国法人である普通法人のうち各事業年度終了の時において次に掲げる法人に該当するものについては、②《中小法人の年800万円以下の所得に対する軽減税率》は、適用しない。（法66⑤、令139の６）

イ	保険業法に規定する相互会社（ロの表の（ロ）において「相互会社」という。）	
ロ	大法人（次に掲げる法人をいう。以下ロ及びハにおいて同じ。）との間に当該大法人による完全支配関係がある普通法人	
	（イ）	資本金の額又は出資金の額が５億円以上である法人
	（ロ）	相互会社（保険業法第２条第10項《定義》に規定する外国相互会社を含む。）
	（ハ）	法人税法第４条の３《受託法人等に関するこの法律の適用》に規定する受託法人（ヘにおいて「受託法人」という。）

ハ	普通法人との間に完全支配関係がある全ての大法人が有する株式及び出資の全部を当該全ての大法人のうちいずれか一の法人が有するものとみなした場合において当該いずれか一の法人と当該普通法人との間に当該いずれか一の法人による完全支配関係があることとなるときの当該普通法人（ロに掲げる法人を除く。）
ニ	投資法人
ホ	特定目的会社
ヘ	受託法人

　　　（大法人による完全支配関係）
（１）　③の表の**ロ**の「大法人」による完全支配関係とは、大法人が普通法人の発行済株式等の全部を直接又は間接に保有する関係をいうのであるから、例えば、普通法人の発行済株式等の全部を直接に保有する法人（以下(1)において「親法人」という。）が大法人以外の法人であり、かつ、当該普通法人の発行済株式等の全部を当該親法人を通じて間接に保有する法人が大法人である場合のように、当該普通法人の発行済株式等の全部を直接又は間接に保有する者のいずれかに大法人が含まれている場合には、当該普通法人と当該大法人との間に大法人による完全支配関係があることに留意する。（基通16－5－1）

　　　（資本金の額等の円換算）
（２）　普通法人が③の表の**ロ**に掲げる普通法人に該当するかどうかを判定する場合において、当該普通法人との間に完全支配関係がある法人が外国法人であるときは、当該外国法人が同**ロ**の表の(イ)に掲げる「資本金の額又は出資金の額が５億円以上である法人」に該当するかどうかは、当該普通法人の当該事業年度終了の時における当該外国法人の資本金の額又は出資金の額について、当該事業年度終了の日の電信売買相場の仲値により換算した円換算額により判定する。（基通16－5－2）

④　**中小法人（⑤に掲げる法人を除く。）の年800万円以下の所得に対する軽減税率の特例**
　普通法人のうち当該各事業年度終了の時において資本金の額若しくは出資金の額が１億円以下であるもの若しくは資本若しくは出資を有しないもの（**3**の②に掲げる法人を除く。）又は人格のない社団等（普通法人のうち各事業年度終了の時において③の表の**イ**から**ヘ**までに掲げる法人、⑥に掲げる大通算法人又は第二款の**五**の**3**の(7)《適用除外事業者の意義》に掲げる適用除外事業者に該当するもの（通算法人である普通法人の各事業年度終了の日において当該普通法人との間に通算完全支配関係がある他の通算法人のうちいずれかの法人が適用除外事業者に該当する場合における当該普通法人を含む。）を除く。）の平成24年4月1日から令和7年3月31日までの間に開始する各事業年度の所得に係る②及び③の適用については、②及び③中「$\frac{19}{100}$」とあるのは「$\frac{15}{100}$」とする。（措法42の3の2①Ⅰ）

⑤　**一般社団法人等又は公益法人等とみなされているものの年800万円以下の所得に対する軽減税率の特例**
　一般社団法人等又は法人税法以外の法律によって公益法人等とみなされているもので《法人税法以外の法律によって公益法人等とみなされているものの意義》に掲げるものの平成24年4月1日から令和7年3月31日までの間に開始する各事業年度の所得に係る②の適用については、②中「$\frac{19}{100}$」とあるのは「$\frac{15}{100}$」とする。（措法42の3の2①Ⅱ）

　　　（法人税法以外の法律によって公益法人等とみなされているものの意義）
　　　⑤に掲げる法人税法以外の法律によって公益法人等とみなされているものは、地方自治法第260条の2第7項に規定する認可地縁団体、建物の区分所有等に関する法律第47条第2項に規定する管理組合法人及び同法第66条の規定により読み替えられた同項に規定する団地管理組合法人、政党交付金の交付を受ける政党等に対する法人格の付与に関する法律第7条の2第1項に規定する法人である政党等、密集市街地における防災街区の整備の促進に関する法律第133条第1項に規定する防災街区整備事業組合、特定非営利活動促進法第2条第2項に規定する特定非営利活動法人並びにマンションの建替え等の円滑化に関する法律第5条第1項に規定するマンション建替組合、同法第116条に規定するマンション敷地売却組合及び同法第164条に規定する敷地分割組合とする。（措令27の3の2）

⑥　**中小通算法人の軽減対象所得金額以下の金額に対する税率**
　①の場合において、中小通算法人（大通算法人〔通算法人である普通法人又は当該普通法人の各事業年度終了の日において当該普通法人との間に通算完全支配関係がある他の通算法人のうち、いずれかの法人が次に掲げる法人に該当する場

合における当該普通法人をいう。〕以外の普通法人である通算法人をいう。以下**1**及び**2**において同じ。）の当該各事業年度の所得の金額のうち軽減対象所得金額以下の金額については、①にかかわらず、$\frac{19}{100}$の税率による。（法66⑥）

(一)	当該各事業年度終了の時における資本金の額又は出資金の額が１億円を超える法人
(二)	当該各事業年度終了の時において③の表の**イ**から**ハ**まで又は**ヘ**に掲げる法人に該当する法人

　　　（軽減対象所得金額の意義）
（１）　⑥に掲げる軽減対象所得金額とは、800万円に次の表の（一）に掲げる金額が同表の（二）に掲げる金額のうちに占める割合を乗じて計算した金額（⑥の中小通算法人が通算子法人である場合において、⑥の各事業年度終了の日が当該中小通算法人に係る通算親法人の事業年度終了の日でないときは、800万円を12で除し、これに当該中小通算法人の事業年度の月数を乗じて計算した金額）をいう。（法66⑦）

(一)	当該中小通算法人の当該各事業年度の所得の金額
(二)	当該中小通算法人の当該各事業年度及び当該各事業年度終了の日において当該中小通算法人との間に通算完全支配関係がある他の中小通算法人の同日に終了する事業年度の所得の金額の合計額

　　注　上表の月数は、暦に従って計算し、１か月に満たない端数を生じたときは、これを１か月とする。（法66⑫）

　　　（通算事業年度の所得の金額として記載された金額と異なるとき）
（２）　⑥及び（１）を適用する場合において、（１）の表の（一）又は（二）の所得の金額が（１）の中小通算法人の（１）の表の（一）の各事業年度又は同表の（二）の他の中小通算法人の同（二）に掲げる日に終了する事業年度（以下**1**及び**2**において「**通算事業年度**」という。）の第三款の**二**の**1**《確定申告》による申告書に当該通算事業年度の所得の金額として記載された金額（以下（２）及び（４）において「**当初申告所得金額**」という。）と異なるときは、当初申告所得金額を（１）の表に掲げる所得の金額とみなす。（法66⑧）

　　　（通算事業年度の所得の金額として記載された金額と異なるときにおけるみなし規定の不適用）
（３）　通算事業年度のいずれかについて修正申告書の提出又は更正がされる場合において、次に掲げる場合のいずれかに該当するときは、（１）の中小通算法人の（１）の表の（一）の各事業年度については、（２）は、適用しない。（法66⑨）

(一)	（２）を適用しないものとした場合における（１）の表の（二）に掲げる金額が800万円以下である場合
(二)	第一節第三十五款の**一**の**1**の③の（１）《修正申告又は更正がされる場合の適用除外》の適用がある場合
(三)	同③の（３）《みなし金額の否認》の適用がある場合

　　　（当初申告所得金額とみなす額）
（４）　通算事業年度について（３）（（三）に係る部分を除く。）を適用して修正申告書の提出又は更正がされた後における（２）の適用については、当該修正申告書又は当該更正に係る第二章第三節の**一**の**1**の（３）《更正通知書の記載事項》に掲げる更正通知書に当該通算事業年度の所得の金額として記載された金額を当初申告所得金額とみなす。（法66⑩）

　　　（通算親法人の事業年度が１年に満たない場合）
（５）　通算親法人の事業年度が１年に満たない場合における当該通算親法人及び他の通算法人に対する（１）及び（３）の適用については、（１）中「800万円に」とあるのは「800万円を12で除し、これに⑥の中小通算法人に係る通算親法人の事業年度の月数を乗じて計算した金額に」と、（３）の表の（一）中「800万円」とあるのは「800万円を12で除し、これに当該中小通算法人に係る通算親法人の事業年度の月数を乗じて計算した金額」とする。（法66⑪）
　　注　上表の月数は、暦に従って計算し、１か月に満たない端数を生じたときは、これを１か月とする。（法66⑫）

　　　（中小通算法人の年800万円以下の軽減対象所得金額の端数計算）
（６）　⑥に掲げる中小通算法人（以下（６）において「中小通算法人」という。）の次に掲げる金額に1,000円未満の端数が生じた場合の当該端数の取扱いについては、それぞれ②の（３）の例による。（基通16－4－2）

(一)	（１）を適用する場合における（１）に掲げる「800万円に次の表の（一）に掲げる金額が同表の（二）に掲げる金額のうちに占める割合を乗じて計算した金額」

(二)	イ	中小通算法人が通算子法人である場合において⑥の各事業年度終了の日が当該中小通算法人に係る通算親法人の事業年度終了の日でないときにおける(1)に掲げる「800万円を12で除し、これに当該中小通算法人の事業年度の月数を乗じて計算した金額」
	ロ	通算親法人の事業年度が1年に満たない場合における当該通算親法人及び他の通算法人に対して(5)により読み替えて適用する(1)に掲げる「800万円を12で除し、これに⑥の中小通算法人に係る通算親法人の事業年度の月数を乗じて計算した金額に次の表の(一)に掲げる金額が同表の(二)に掲げる金額のうちに占める割合を乗じて計算した金額」

注　当該中小通算法人及び他の中小通算法人の本文の取扱いを適用した後の(一)に掲げる金額の合計額が800万円を超える場合には、当該合計額が800万円を超えないこととなるまで、当該中小通算法人及び他の中小通算法人のうち切捨超過額（②の(3)のただし書の「当該切り捨てられる端数の金額」が「当該事業年度の所得金額について切り捨てられる金額」を超える場合の当該超える部分の金額をいう。）が最も少ないものから順次、同通達のただし書を適用しない。

当該中小通算法人及び他の中小通算法人の本文の取扱いを適用した後の(二)のロに掲げる金額の合計額が(二)のロの「800万円を12で除し、これに⑥の中小通算法人に係る通算親法人の事業年度の月数を乗じて計算した金額」を超える場合においても、同様とする。

（大通算法人であるかどうかの判定の時期）

（7）⑥に掲げる大通算法人に該当するかどうかの判定（以下（7）において「大通算法人判定」という。）は、当該通算法人及び他の通算法人（当該通算法人の⑥の適用を受けようとする事業年度（以下（7）において「適用事業年度」という。）終了の日において当該通算法人との間に通算完全支配関係がある法人に限る。）の適用事業年度終了の時の現況によるのであるが、通算親法人の事業年度の中途において通算承認の効力を失った通算法人のその効力を失った日の前日に終了する事業年度の大通算法人判定についても、同様とする。（基通16－5－3）

2　公益法人等又は協同組合等

①　基本税率

公益法人等（一般社団法人等を除く。）又は協同組合等に対して課する各事業年度の所得に対する法人税の額は、各事業年度の所得の金額に$\frac{19}{100}$の税率を乗じて計算した金額とする。（法66③）

注1　マンションの建替え等の円滑化に関する法律第5条第1項に規定するマンション建替組合は、法人税法その他法人税に関する法令の規定の適用については公益法人等とみなされるが、①を適用する場合には、「公益法人等（」とあるのは「公益法人等（マンション建替組合及び」とする。（同法44①）

注2　マンションの建替え等の円滑化に関する法律第116条に規定するマンション敷地売却組合は、法人税法その他法人税に関する法令の規定の適用については公益法人等とみなされるが、①を適用する場合には、「公益法人等（」とあるのは「公益法人等（マンション敷地売却組合及び」とする。（同法139①）

注3　マンションの建替え等の円滑化に関する法律第164条《敷地分割事業の実施》に規定する敷地分割組合は、法人税法その他の法人税に関する法令の規定の適用については公益法人等とみなされるが、①を適用する場合には、「公益法人等（」とあるのは「公益法人等（敷地分割組合及び」とする。（同法188①）

注4　特定非営利活動促進法第2条第2項に規定する特定非営利活動法人は、法人税法その他法人税に関する法令の規定の適用については公益法人等とみなされるが、①を適用する場合には、「公益法人等（」とあるのは「公益法人等（特定非営利活動法人及び」とする。（同法70①）

注5　政党交付金の交付を受ける政党等に対する法人格の付与に関する法律第7条の2第1項に規定する法人である政党等は、法人税法その他法人税に関する法令の規定の適用については公益法人等とみなされるが、①を適用する場合には、「公益法人等（」とあるのは「公益法人等（法人である政党等及び」とする。（同法13①）

注6　地方自治法第260条の2第7項に規定する認可地縁団体は、法人税法その他法人税に関する法令の規定の適用については公益法人等とみなされるが、①を適用する場合には、「公益法人等（」とあるのは「公益法人等（認可地縁団体及び」とする。（同法260の2⑯）

注7　建物の区分所有等に関する法律第47条第2項に規定する管理組合法人及び同法第66条の規定により読み替えられた同項に規定する団地管理組合法人は、法人税法その他法人税に関する法令の規定の適用については公益法人等とみなされるが、①を適用する場合には、「公益法人等（」とあるのは「公益法人等（管理組合法人、団地管理組合法人及び」とする。（同法47⑬、66）

注8　密集市街地における防災街区の整備の促進に関する法律第133条第1項に規定する防災街区整備事業組合は、法人税法その他法人税に関する法令の規定の適用については公益法人等とみなされるが、①を適用する場合には、「公益法人等（」とあるのは「公益法人等（防災街区整備事業組合及び」とする。（同法164の2①）

②　公益法人等又は協同組合等の年800万円以下の所得に対する軽減税率

公益法人等（1の⑤に掲げる法人を除く。）又は協同組合等（③に掲げる協同組合等を除く。）の平成24年4月1日から令和7年3月31日までの間に開始する各事業年度の所得に係る①の適用については、①中「$\frac{19}{100}$」とあるのは「$\frac{19}{100}$（各事

業年度の所得の金額のうち年800万円以下の金額については、$\frac{15}{100}$）」とする。（措法42の3の2①Ⅲ）

　　　（事業年度が1年に満たない法人の年800万円以下の所得金額）
（1）　事業年度が1年に満たない法人に対する②の適用については、②中「年800万円」とあるのは「800万円を12で除し、これに当該事業年度の月数を乗じて計算した金額」とする。（措法42の3の2④）

　　　（月数の計算）
（2）　（1）の月数は、暦に従って計算し、1か月に満たない端数を生じたときは、これを1か月とする。（措法42の3の2⑤）

　　　（中小企業者等の年800万円以下の所得金額の端数計算）
（3）　（1）に掲げる事業年度が1年に満たない②に掲げる法人が、②を適用する場合において、（1）に掲げる「800万円を12で除し、これに当該事業年度の月数を乗じて計算した金額」に1,000円未満の端数があるときは、これを切り捨てる。ただし、当該切り捨てられる端数の金額が当該事業年度の所得金額について切り捨てられる金額より多いときは、これを切り上げる。（措通42の3の2-1・編者補正）

③　特定の協同組合等の法人税率の特例

　協同組合等（特定の地区又は地域に係るものに限る。）の事業年度（清算中の事業年度を除く。）が、次の表に掲げる要件の全てに該当する場合における当該協同組合等の各事業年度の所得に係る①の適用については、①中「$\frac{19}{100}$」とあるのは「$\frac{19}{100}$（各事業年度の所得の金額のうち**10億円**〔事業年度が1年に満たない協同組合等については、10億円に当該事業年度の月数を乗じてこれを12で除して計算した金額とする。以下「基準所得金額」という。〕を超える部分の金額については、$\frac{22}{100}$）」とする。（措法68①、措令39の34②）

イ	当該事業年度の総収入金額（（2）に掲げる収入金額を除く。）のうちに当該事業年度の物品供給事業（当該協同組合等の組合員その他の利用者に物品〔動物、植物、気体又は液体状のもの、電気、商品券その他これらに類するものを含む。〕を供給する事業をいう。以下同じ。）に係る収入金額の占める割合が$\frac{50}{100}$を超えること。
ロ	当該事業年度終了の時における組合員その他の構成員の数が50万人以上であること。
ハ	当該事業年度における物品供給事業のうち店舗において行われるものに係る収入金額が1,000億円に当該事業年度の月数を乗じてこれを12で除して計算した金額以上であること。

　注――線部分は、令和6年度改正により追加された部分で、改正規定は、令和6年4月1日から適用される。（令6改措令附1）

　　　（月数の計算）
（1）　③により読み替えられた①及び③の表のハに掲げる月数は、暦に従って計算し、1か月に満たない端数を生じたときは、これを1か月とする。（措法68①②、法66⑫）

　　　（総収入金額から除かれる収入金額の範囲）
（2）　③の表のイに掲げる総収入金額から除かれる収入金額は、次に掲げる収入金額とする。（措令39の34①）
（一）　固定資産の譲渡による収入金額
（二）　有価証券の譲渡による収入金額
（三）　他の協同組合等から、その取り扱った物の数量、価額その他当該他の協同組合等の事業を利用した分量に応じて分配を受けた金額

　　　（損金算入事業分量配当額の控除）
（3）　③に掲げる協同組合等が当該事業年度において第一節第二十八款の二《協同組合等の事業分量配当等の損金算入》の適用を受ける金額（以下（3）において「損金算入事業分量配当額」という。）がある場合における③の表のイの適用については、損金算入事業分量配当額は当該事業年度の同イに掲げる総収入金額から控除するものとし、損金算入事業分量配当額のうち同イに掲げる物品供給事業に係る部分の金額は当該事業年度の当該物品供給事業に係る収入金額から控除するものとする。（措法68③、措令39の34③）

（店舗における物品供給事業の収入金額）
（4） ③に掲げる協同組合等の事業年度が③の表のイからハまでに掲げる要件を満たすかどうかを判定する場合において、当該事業年度に（3）に掲げる「損金算入事業分量配当額」があるときであっても、③の表のハに掲げる「物品供給事業のうち店舗において行われるものに係る収入金額」からは当該損金算入事業分量配当額を控除しないことに留意する。（措通68－1）

④ 特定の協同組合等の年800万円以下の所得に対する軽減税率

③に掲げる協同組合等の平成24年4月1日から令和7年3月31日までの間に開始する各事業年度の所得に係る③の適用については、③中「$\frac{19}{100}$（各事業年度の所得の金額のうち10億円〔事業年度が1年に満たない協同組合等については、10億円に当該事業年度の月数を乗じてこれを12で除して計算した金額とする。以下「基準所得金額」という。〕を超える部分の金額については、$\frac{22}{100}$）」とあるのは「$\frac{19}{100}$（各事業年度の所得の金額のうち、800万円〔事業年度が1年に満たない協同組合等については、800万円に当該事業年度の月数を乗じてこれを12で除して計算した金額とする。〕以下の部分の金額については$\frac{15}{100}$とし、10億円〔事業年度が1年に満たない協同組合等については、10億円に当該事業年度の月数を乗じてこれを12で除して計算した金額とする。〕を超える部分の金額については$\frac{22}{100}$とする。）」とする。（措法42の3の2②）

（基準所得金額の端数計算）
各事業年度の所得金額のうちに特例税率適用所得金額（④による読替え後の③により$\frac{22}{100}$の税率を適用するものとされる所得の金額をいう。）と当該特例税率適用所得金額以外の所得金額とがある場合において、③による読替え後の①に掲げる「10億円〔事業年度が1年に満たない協同組合等については、10億円に当該事業年度の月数を乗じてこれを12で除して計算した金額とする。〕」に1,000円未満の端数があるときは、これを切り捨てる。
なお、③による読替え後の①に掲げる「800万円〔事業年度が1年に満たない協同組合等については、800万円に当該事業年度の月数を乗じてこれを12で除して計算した金額とする。〕」に1,000円未満の端数があるときは、これを切り捨てる。ただし、当該切り捨てられる端数の金額が当該事業年度の所得金額について切り捨てられる端数の金額より多いときは、これを切り上げる。（措通68－2）

3 通算法人の法人税率の特例

通算法人（通算子法人にあっては、当該通算子法人に係る通算親法人の事業年度終了の日において当該通算親法人との間に通算完全支配関係があるものに限る。）に対する1、2（③を除く。）及び4の②の適用については、次に定めるところによる。（措法42の3の2③）

（一）	通算子法人の1の④及び2の②に掲げる各事業年度は、当該通算子法人に係る通算親法人の1の④及び2の②に掲げる各事業年度終了の日に終了する当該通算子法人の事業年度とする。
（二）	通算親法人である協同組合等に対する2の②及び2の④の適用については、2の②中「年800万円」とあるのは「軽減対象所得金額（当該協同組合等を1の⑥の（1）の中小通算法人とみなした場合に同⑥の（1）から同⑥の（5）までにより計算される同（1）に掲げる軽減対象所得金額に相当する金額をいう。）」と、2の④中「800万円〔事業年度が1年に満たない協同組合等については、800万円に当該事業年度の月数を乗じてこれを12で除して計算した金額とする〕とあるのは「軽減対象所得金額（当該協同組合等を1の⑥の（1）の中小通算法人とみなした場合に同⑥の（1）から同⑥の（5）までにより計算される同（1）に掲げる軽減対象所得金額に相当する金額をいう」とする。
（三）	（二）に掲げる協同組合等の2の②及び2の④各事業年度終了の日において当該協同組合等との間に通算完全支配関係がある他の通算法人に対する1の①～③、1の⑥及び2の①（1の④により適用する場合を含む。）の適用については、1の⑥の（1）の表の（二）及び同⑥の（2）の他の中小通算法人には、当該協同組合等を含むものとする。
（四）	通算親法人である4の②に掲げる法人に対する4の②の適用については、4の②中「年800万円」とあるのは、「軽減対象所得金額（4の②を適用しないものとした場合に1の⑥の（1）から同⑥の（5）までにより計算される同（1）に掲げる軽減対象所得金額に相当する金額をいう。）」とする。

4 特定の医療法人

① 特定の医療法人の法人税率の特例

財団たる医療法人又は社団たる医療法人で持分の定めがないもの（清算中のものを除く。）のうち、その事業が医療の普

及び向上、社会福祉への貢献その他公益の増進に著しく寄与し、かつ、公的に運営されていることにつき（１）《特定の医療法人の要件》に掲げる要件を満たすものとして、国税庁長官の承認を受けたもの（医療法第42条の２第１項に規定する社会医療法人を除く。）の当該承認を受けた後に終了した各事業年度の所得については、１にかかわらず、$\frac{19}{100}$ の税率により、法人税を課する。（措法67の２①）

注　法人の平成26年10月１日以後に開始する事業年度については、原則として法人税のほかに地方法人税を申告・納付する必要がある。

なお、地方法人税については、第六章《地方法人税》を参照。（編者）

（特定の医療法人の要件）
（１）　特定の医療法人の要件は、次の表に掲げる要件とする。（措令39の25①）

(一)		各事業年度においてその事業及び医療施設が医療の普及及び向上、社会福祉への貢献その他公益の増進に著しく寄与するものとして厚生労働大臣が財務大臣と協議して定める基準を満たすものである旨の厚生労働大臣の当該各事業年度に係る証明書の交付を受けること。
(二)		その運営組織が適正であるとともに、その理事、監事、評議員その他これらの者に準ずるもの（以下(二)及び(三)において「役員等」という。）のうち親族関係を有する者及びこれらと次に掲げる特殊の関係がある者（以下(三)において「親族等」という。）の数がそれぞれの役員等の数のうちに占める割合が、いずれも$\frac{1}{3}$以下であること。
	イ	当該親族関係を有する役員等と婚姻の届出をしていないが事実上婚姻関係と同様の事情にある者
	ロ	当該親族関係を有する役員等の使用人及び使用人以外の者で当該役員等から受ける金銭その他の財産によって生計を維持しているもの
	ハ	イ又はロに掲げる者の親族でこれらの者と生計を一にしているもの
(三)		その設立者、役員等若しくは社員又はこれらの者の親族等に対し、施設の利用、金銭の貸付け、資産の譲渡、給与の支給、役員等の選任その他財産の運用及び事業の運営に関して特別の利益を与えないこと。
(四)		その寄附行為又は定款において、当該法人が解散した場合にその残余財産が国若しくは地方公共団体又は他の医療法人（財団たる医療法人又は社団たる医療法人で持分の定めがないものに限る。）に帰属する旨の定めがあること。
(五)		その経理に関し次に掲げる基準に適合していること。
	イ	第二章第二節の三の１の①《青色申告法人の決算》から同１の⑧《帳簿書類の整理保存》までに準じて、帳簿書類を備え付けてこれにその取引を記録し、かつ、当該帳簿書類を保存していること。（措規22の15①）
	ロ	その支出した金銭でその費途が明らかでないものがあることその他の不適正な経理が行われていないこと。
(六)		当該法人につき法令に違反する事実、その帳簿書類に取引の全部又は一部を隠蔽し、又は仮装して記録又は記載をしている事実その他公益に反する事実がないこと。

注　厚生労働大臣は、（１）の表の(一)により基準を定めたときは、これを告示する。（措令39の25⑦）

（厚生労働大臣が財務大臣と協議して定める基準）
（２）　（１）の表の(一)に掲げる厚生労働大臣が財務大臣と協議して定める基準は、次の表の(一)及び(二)のいずれにも該当することとする。

（平成15年厚生労働省告示第147号〔最終改正平成31年第152号〕）

(一)		その医療法人の事業について、次のいずれにも該当すること。
	イ	社会保険診療（第一節第二十七款の十四の１の(２)《社会保険診療の範囲》に掲げる社会保険診療をいう。以下同じ。）に係る収入金額（労働者災害補償保険法に係る患者の診療報酬〔当該診療報酬が社会保険診療報酬と同一の基準によっている場合又は当該診療報酬が少額〈全収入金額のおおむね$\frac{10}{100}$以下の場合をいう。〉の場合に限る。〕を含む。）、健康増進法第６条各号に掲げる健康増進事業実施者が行う同法第４条に規定する健康増進事業（健康診査に係るものに限る。以下同じ。）に係る収入金額（当該収入

		金額が社会保険診療報酬と同一の基準によっている場合に限る。)、予防接種法第2条第6項に規定する定期の予防接種等及び医療法施行規則第30条の35の3第1項第2号ロの規定に基づき厚生労働大臣が定める予防接種（平成29年厚生労働省告示第314号）に定める予防接種に係る収入金額、助産（社会保険診療及び健康増進事業に係るものを除く。）に係る収入金額（一の分娩に係る助産に係る収入金額が50万円を超えるときは、50万円を限度とする。）、介護保険法の規定による保険給付に係る収入金額（租税特別措置法第26条第2項第4号に掲げるサービスに係る収入金額を除く。）並びに障害者の日常生活及び社会生活を総合的に支援するための法律（平成17年法律第123号）第6条に規定する介護給付費、特例介護給付費、訓練等給付費、特例訓練等給付費、特定障害者特別給付費、特例特定障害者特別給付費、地域相談支援給付費、特例地域相談支援給付費、計画相談支援給付費、特例計画相談支援給付費及び基準該当療養介護医療費、同法第77条及び第78条に規定する地域生活支援事業、児童福祉法（昭和22年法律第164号）第21条の5の2に規定する障害児通所給付費及び特例障害児通所給付費、同法第24条の2に規定する障害児入所給付費、同法第24条の7に規定する特定入所障害児食費等給付費並びに同法第24条の25に規定する障害児相談支援給付費及び特例障害児相談支援給付費に係る収入金額の合計額が、全収入金額の$\frac{80}{100}$を超えること。
	ロ	自費患者（社会保険診療に係る患者又は労働者災害補償保険法に係る患者以外の患者をいう。）に対し請求する金額が、社会保険診療報酬と同一の基準により計算されること。
	ハ	医療診療（社会保険診療、労働者災害補償保険法に係る診療及び自費患者に係る診療をいう。）により収入する金額が、医師、看護師等の給与、医療の提供に要する費用（投薬費を含む。）等患者のために直接必要な経費の額に$\frac{150}{100}$を乗じて得た額の範囲内であること。
	ニ	役職員1人につき年間の給与総額（俸給、給料、賃金、歳費及び賞与並びにこれらの性質を有する給与の総額をいう。）が3,600万円を超えないこと。
(二)		その医療法人の医療施設が次のいずれにも該当すること。
	イ	その医療施設のうち1以上のものが、病院を開設する医療法人にあっては(イ)又は(ロ)に、診療所のみを開設する医療法人にあっては(ハ)に該当すること。
		(イ) 40人以上（専ら皮膚泌尿器科、眼科、整形外科、耳鼻いんこう科又は歯科の診療を行う病院にあっては、30人以上）の患者を入院させるための施設を有すること。
		(ロ) 救急病院等を定める省令第2条第1項の規定に基づき、救急病院である旨を告示されていること。
		(ハ) 救急病院等を定める省令第2条第1項の規定に基づき、救急診療所である旨を告示され、かつ、15人以上の患者を入院させるための施設を有すること。
	ロ	各医療施設ごとに、特別の療養環境に係る病床数が当該医療施設の有する病床数の$\frac{30}{100}$以下であること。

（特定の医療法人の申請書の提出）
(3) ①の承認を受けようとする医療法人は、次に掲げる事項を記載した申請書を、納税地の所轄税務署長を経由して、国税庁長官に提出しなければならない。（措法67の2⑤、措令39の25②）

(一)	申請者の名称、納税地及び法人番号（行政手続における特定の個人を識別するための番号の利用等に関する法律第2条第15項に規定する法人番号をいう。以下**3**において同じ。）
(二)	代表者の氏名
(三)	その設立の年月日
(四)	申請者が現に行っている事業の概要
(五)	その他参考となるべき事項

注　(3)により提出する申請書には、副本2通を添えるものとする。（措規22の15④）

(申請書の添付書類)
(4) (3)に掲げる申請書には、次に掲げる書類を添付しなければならない。(措法67の2⑤、措令39の25③)

(一)	その寄附行為又は定款の写し
(二)	その申請時の直近に終了した事業年度に係る(1)の表の(一)に掲げる証明書
(三)	(1)の表の(二)、同(三)、同(五)及び同(六)に掲げる要件を満たす旨を説明する書類

　注　(4)により提出する添付書類には、副本2通を添えるものとする。(措規22の15④)

(申請書の提出をすることができない医療法人)
(5) 次の表の左欄に掲げる医療法人は、同表の右欄に掲げる日の翌日から3年を経過した日以後でなければ、(3)に掲げる申請書を提出することができない。(措法67の2⑤、措令39の25④)

(一)	(8)《承認の取消し》に基づく承認の取消しを受けた医療法人	当該取消しの日
(二)	(10)《法人税率の特例の適用の取りやめ》に掲げる届出書を提出した医療法人	当該届出書を提出した日

(厚生労働大臣の証明書の提出)
(6) ①の承認を受けた医療法人は、各事業年度終了の日の翌日から3か月以内に、当該各事業年度に係る(1)の表の(一)に掲げる証明書を、納税地の所轄税務署長を経由して、国税庁長官に提出しなければならない。ただし、当該終了の日において①に掲げる社会医療法人に該当する場合は、この限りでない。(措法67の2⑤、措令39の25⑤)
　注　(6)により提出する証明書には、副本2通を添えるものとする。(措規22の15④)

(証明書提出時の添付書類)
(7) ①の承認を受けた医療法人は、(6)により(1)の表の(一)に掲げる証明書を国税庁長官に提出する際に、同表の(二)及び(三)に掲げる要件を満たす旨を説明する書類を併せて提出しなければならない。(措規22の15③)
　注　(7)により提出する添付書類には、副本2通を添えるものとする。(措規22の15④)

(承認の取消し)
(8) 国税庁長官は、①に掲げる承認を受けた医療法人について(1)に掲げる要件を満たさないこととなったと認められる場合には、その満たさないこととなったと認められる時まで遡ってその承認を取り消すものとする。この場合においては、その満たさないこととなったと認められる時以後に終了した当該医療法人の各事業年度の所得については、①は、適用しない。(措法67の2②)

(処分の通知)
(9) 国税庁長官は、①の承認をしたとき、若しくは当該承認をしないことを決定したとき、又は当該承認を取り消したときは、その旨を当該承認を申請した医療法人又は当該承認を受けていた医療法人に通知しなければならない。(措法67の2③)

(法人税率の特例の適用の取りやめ)
(10) ①の承認を受けた医療法人は、当該承認に係る税率の適用をやめようとする場合には、次に掲げる事項を記載した届出書を、納税地の所轄税務署長を経由して、国税庁長官に提出しなければならない。この場合において、その届出書の提出があったときは、その提出の日以後に終了する各事業年度の所得については、その承認は、その効力を失うものとする。(措法67の2⑤、措令39の25⑥、措規22の15②)

(一)	①の承認に係る税率の適用をやめようとする旨
(二)	届出をする医療法人の名称、納税地及び法人番号
(三)	代表者の氏名
(四)	①の承認を受けた日
(五)	①の承認に係る税率の適用をやめようとする理由
(六)	その他参考となるべき事項

② **特定の医療法人の年800万円以下の所得に対する軽減税率**

①による承認を受けている医療法人の平成24年4月1日から令和7年3月31日までの間に開始する各事業年度の所得に係る①の適用については、①中「$\frac{19}{100}$」とあるのは「$\frac{19}{100}$（各事業年度の所得の金額のうち年800万円以下の金額については、$\frac{15}{100}$）」とする。（措法42の3の2①Ⅳ）

　　　（事業年度が1年に満たない法人の年800万円以下の所得金額）
（1）　事業年度が1年に満たない②に掲げる法人に対する②の適用については、②中「年800万円」とあるのは「800万円を12で除し、これに当該事業年度の月数を乗じて計算した金額」とする。（措法42の3の2④）

　　　（月数の計算）
（2）　（1）の月数は、暦に従って計算し、1か月に満たない端数を生じたときは、これを1か月とする。（措法42の3の2⑤）

　　　（中小企業者等の年800万円以下の所得金額の端数計算）
（3）　（1）に掲げる事業年度が1年に満たない②に掲げる法人が、②を適用する場合において、（1）に掲げる「800万円を12で除し、これに当該事業年度の月数を乗じて計算した金額」に1,000円未満の端数があるときは、これを切り捨てる。ただし、当該切り捨てられる端数の金額が当該事業年度の所得金額について切り捨てられる金額より多いときは、これを切り上げる。（措通42の3の2－1・編者補正）

二 特定同族会社の特別税率

1 特定同族会社の特別税率

　内国法人である**特定同族会社**（被支配会社で、被支配会社であることについての判定の基礎となった株主等のうちに被支配会社でない法人がある場合には、当該法人をその判定の基礎となる株主等から除外して判定するものとした場合においても被支配会社となるもの〔資本金の額又は出資金の額が1億円以下であるものにあっては、**一の1の③**《中小法人の年800万円以下の所得に対する軽減税率の不適用》の表の**ロ**から**ホ**に掲げるもの及び同1の⑥《中小通算法人の軽減対象所得金額以下の金額に対する税率》に掲げる大通算法人に限る。〕をいい、清算中のものを除く。以下**二**において同じ。）の各事業年度の**留保金額**が**留保控除額**を超える場合には、その特定同族会社に対して課する各事業年度の所得に対する法人税の額は、**一**《各事業年度の所得に対する法人税の税率》、**三の1**《使途秘匿金の支出がある場合の課税の特例》、**四の1**《土地の譲渡等がある場合の特別税率》、**四の2**《優良住宅地等のための譲渡に該当しなくなった場合の追加課税》又は**五**《短期所有に係る土地の譲渡等がある場合の特別税率》にかかわらず、これらにより計算した法人税の額に、その超える部分の留保金額《**課税留保金額**》を次の表の左欄に掲げる金額に区分してそれぞれの金額に右欄に掲げる割合を乗じて計算した金額の合計額を加算した金額とする。（法67①、措法62⑥、62の3⑫、63⑤）

イ	年3,000万円以下の金額	$\frac{10}{100}$
ロ	年3,000万円を超え、年1億円以下の金額	$\frac{15}{100}$
ハ	年1億円を超える金額	$\frac{20}{100}$

注1　申告書別表三（一）においては、留保金額から留保控除額を控除した金額を便宜上「**課税留保金額**」ということとしている。（編者）
注2　特定同族会社の特別税率は、株式会社、合名会社、合資会社又は合同会社のみに適用され、相互会社、医療法人及び協同組合等には適用されないことに留意する。（編者）

（被支配会社の意義）
（1）　1に掲げる被支配会社とは、会社（投資法人を含む。以下1において同じ。）の株主等（その会社が自己の株式又は出資を有する場合のその会社を除く。）の一人並びにこれと**特殊の関係のある個人及び法人**が次に掲げる場合におけるその会社をいう。（法67②、令139の7⑤）

（一）	その会社の発行済株式又は出資（その会社が有する自己の株式又は出資を除く。）の総数又は総額の$\frac{50}{100}$を超える数又は金額の株式又は出資を有する場合
（二）	その会社の（3）の（二）のイからニまでに掲げる議決権のいずれかにつきその総数（当該議決権を行使することができない株主等が有する当該議決権の数を除く。）の$\frac{50}{100}$を超える数を有する場合
（三）	その会社の株主等（合名会社、合資会社又は合同会社の社員〔その会社が業務を執行する社員を定めた場合にあっては、業務を執行する社員〕に限る。）の総数の半数を超える数を占める場合

（同族関係者の範囲）
（2）　（1）に掲げる「特殊の関係のある個人及び法人」の範囲は、次に掲げるところによる。（令139の7①②④）
　（一）　株主等と「特殊の関係のある個人」は、次に掲げる者とする。
　　イ　株主等の親族
　　ロ　株主等と婚姻の届出をしていないが事実上婚姻関係と同様の事情にある者
　　ハ　株主等（個人である株主等に限る。ニにおいて同じ。）の使用人
　　ニ　イからハまでに掲げる者以外の者で株主等から受ける金銭その他の資産によって生計を維持しているもの
　　ホ　ロからニまでに掲げる者と生計を一にするこれらの者の親族
　（二）　株主等と「特殊の関係のある法人」は、次に掲げる会社とする。
　　イ　被支配会社であるかどうかを判定しようとする会社の株主等（当該会社が自己の株式又は出資を有する場合の当該会社を除く。以下「**判定会社株主等**」という。）の一人（個人である判定会社株主等については、その一人及びこれと（一）に掲げる特殊の関係のある個人。ロ及びハにおいて同じ。）が**他の会社を支配している場合**における当該他の会社
　　ロ　判定会社株主等の一人及びこれとイに掲げる特殊の関係のある会社が他の会社を支配している場合における当該他の会社

ハ　判定会社株主等の一人及びこれとイ及びロに掲げる特殊の関係のある会社が他の会社を支配している場合における当該他の会社
　(三)　同一の個人又は法人と(二)に掲げる特殊の関係のある2以上の会社が、判定会社株主等である場合には、その2以上の会社は、相互に(二)に掲げる特殊の関係のある会社であるものとみなす。

　　（他の会社を支配している場合）
（3）　(2)の(二)のイからハまでに掲げる他の会社を支配している場合とは、次に掲げる場合のいずれかに該当する場合をいう。（令139の7③）
　(一)　他の会社の発行済株式又は出資（その有する自己の株式又は出資を除く。）の総数又は総額の$\frac{50}{100}$を超える数又は金額の株式又は出資を有する場合
　(二)　他の会社の次のイからニまでに掲げる議決権のいずれかにつき、その総数（当該議決権を行使することができない株主等が有する当該議決権の数を除く。）の$\frac{50}{100}$を超える数を有する場合
　　イ　事業の全部若しくは重要な部分の譲渡、解散、継続、合併、分割、株式交換、株式移転又は現物出資に関する決議に係る議決権
　　ロ　役員の選任及び解任に関する決議に係る議決権
　　ハ　役員の報酬、賞与その他の職務執行の対価として会社が供与する財産上の利益に関する事項についての決議に係る議決権
　　ニ　剰余金の配当又は利益の配当に関する決議に係る議決権
　(三)　他の会社の株主等（合名会社、合資会社又は合同会社の社員〔当該他の会社が業務を執行する社員を定めた場合にあっては、業務を執行する社員〕に限る。）の総数の半数を超える数を占める場合

　　（特別税率を適用されない特定同族会社の範囲）
（4）　1に掲げる「被支配会社でない法人」には、(1)に掲げる被支配会社（以下「被支配会社」という。）でない法人を被支配会社であるかどうかの判定の基礎となる株主等に選定したことによって被支配会社となる場合のその被支配会社（以下「被支配会社でない法人の子会社」という。）、当該被支配会社でない法人の子会社を被支配会社であるかどうかの判定の基礎となる株主等に選定したために被支配会社となる場合のその被支配会社（以下「被支配会社でない法人の孫会社」という。）、当該被支配会社でない法人の孫会社を被支配会社であるかどうかの判定の基礎となる株主等に選定したために被支配会社となる場合のその被支配会社等、被支配会社でない法人の直接又は間接の被支配会社も含まれる。（基通16－1－1）

　　（被支配会社の判定）
（5）　被支配会社であるかどうかの判定に当たっては、第二章第一節の二の表の10の(4)《同族会社の判定》から同10の(11)《同一の内容の議決権を行使することに同意している者がある場合の同族会社の判定》までの取扱いを準用する。（基通16－1－2）

　　（相互に株式を持ち合っている場合の留保金課税）
（6）　被支配会社である法人が他の法人と相互に株式又は出資を持ち合っており、当該他の法人を当該法人の被支配会社の判定の基礎となる株主等に含めて判定する場合において、次のいずれにも該当するときは、当該法人について1を適用する。（基通16－1－3）
　(一)　当該法人が当該他の法人以外の法人で1の「被支配会社でない法人」に該当するものを被支配会社の判定の基礎となる株主等から除外して判定した場合において被支配会社となること。
　(二)　当該他の法人が当該法人以外の法人で1の「被支配会社でない法人」に該当するものを被支配会社の判定の基礎となる株主等から除外して判定した場合において被支配会社となること。
　　　注　判定に当たっては、株式又は出資の数又は金額による判定のほか議決権による判定、社員又は業務を執行する社員の数による判定を行うことに留意する。

　　（同意している者がある場合の判定）
（7）　個人又は法人との間で当該個人又は法人の意思と同一の内容の議決権を行使することに同意している者がある場合には、当該者が有する議決権は当該個人又は法人が有するものとみなし、かつ、当該個人又は法人（当該議決権に係る会社の株主等であるものを除く。）は当該議決権に係る会社の株主等であるものとみなして、(1)及び(3)を適用

する。(令139の7⑥)

(特定同族会社に該当するかどうかの判定の時期)
(8) 会社が**1**の特定同族会社に該当するかどうかの判定は、当該会社の当該事業年度終了の時の現況による。(法67⑧)

(年3,000万円、年1億円の月数換算)
(9) 事業年度が1年に満たない特定同族会社に対する**1**の適用については、**1**中「年3,000万円」とあるのは「3,000万円を12で除し、これに当該事業年度の月数を乗じて計算した金額」と、「年1億円」とあるのは「1億円を12で除し、これに当該事業年度の月数を乗じて計算した金額」とする。(法67⑥)
 この場合の月数は、暦に従って計算し、1か月に満たない端数を生じたときは、これを1か月とする。(法67⑦)

(留保金額の端数計算)
(10) **1**の同族会社の特別税率を適用する場合における端数計算については、次による。(基通16−1−8)
 (一) 課税の対象となる留保金額に1,000円未満の端数があるときは、これを切り捨てる。
 (二) 事業年度の期間が1年に満たない場合において、年1億円に相当する金額に1,000円未満の端数があるときは、これを切り捨てる。ただし、当該切り捨てられる端数の金額が(一)により切り捨てられる端数の金額より多いときは、これを切り上げる。

2 各事業年度の留保金額

1《特定同族会社の特別税率》に掲げる留保金額とは、**所得等の金額**(次の表の**イ**から**ヘ**までに掲げる金額の合計額から**ト**に掲げる金額を減算した金額をいう。**2**において同じ。)のうち留保した金額から、当該事業年度の所得の金額につき**一**《各事業年度の所得に対する法人税の税率》、**三**の**1**《使途秘匿金の支出がある場合の課税の特例》、**四**の**1**《土地の譲渡等がある場合の特別税率》、**四**の**2**《優良住宅等のための譲渡に該当しなくなった場合の追加課税》又は**五**《短期所有に係る土地の譲渡等がある場合の特別税率》により計算した法人税の額と当該事業年度の第六章第三節の**二**《課税標準法人税額》に掲げる課税標準法人税額(同章第二節の**五**《基準法人税額》に掲げる基準法人税額に係るものに限る。)につき同章第四節の**一**《税率》により計算した地方法人税の額とを合計した金額(第二款《税額控除》並びに第六章第四節の**二**《外国税額の控除》及び同章同節の**四**《仮装経理に基づく過大申告の場合の更正に伴う地方法人税額の控除》に掲げる控除をされるべき金額がある場合には、当該金額を控除した金額)並びに当該法人税の額に係る地方税法の規定による道府県民税及び市町村民税(都民税を含む。)の額として(2)《留保金額の計算上控除する道府県民税及び市町村民税の額》により計算した金額の合計額を控除した金額をいう。(法67③⑨、令139の9、措法42の4㉓、42の6⑨、42の9⑥、42の10⑥、42の11⑦、42の11の2⑥、42の11の3⑥、42の12⑪、42の12の2③、42の12の4⑨、42の12の5⑩、42の12の6⑥、42の12の7㉑、42の13⑨、62⑥、62の3⑫、63⑤、措令27の13②)

イ	当該事業年度の所得の金額(第一節第三十四款の**一**の**1**の②《譲渡利益額又は譲渡損失額の最後事業年度の益金又は損金算入》に掲げる最後事業年度にあっては、同②に掲げる資産及び負債の同②に掲げる譲渡がないものとして計算した場合における所得の金額)
ロ	第一節第二款の**一**《受取配当等の益金不算入》により当該事業年度の所得の金額の計算上益金の額に算入されなかった金額(特定同族会社が通算法人である場合には、他の通算法人から受ける**1**に掲げる特定同族会社である通算法人が当該事業年度〔当該通算法人に係る通算親法人の事業年度終了の日に終了するものに限る。〕において受ける配当等の額のうちその基準日等及び当該事業年度終了の日において当該通算法人との間に通算完全支配関係がある他の通算法人から受けるものに係るものを除く。)
ハ	第一節第二款の**七**の**1**《外国子会社から受ける配当等の益金不算入》により当該事業年度の所得の金額の計算上益金の額に算入されなかった金額
ニ	第一節第三款の**一**《受贈益の益金不算入》により当該事業年度の所得の金額の計算上益金の額に算入されなかった金額
ホ	第一節第四款の**一**《租税公課の還付金等の益金不算入》に掲げる還付を受け又は充当される金額(同**一**の表の**1**に係る部分の金額を除く。)、同款の**二**《外国源泉税等の額が減額された場合の益金不算入》に掲げる減額された金額、同款の**三**《外国法人税の額が減額された場合の益金不算入》に掲げる減額された金額、その受け取る同款の**四**《通

	算税効果額の益金不算入》に掲げる通算税効果額（附帯税の額に係る部分の金額に限る。）及び同款の**五**《罰科金等の還付金の益金不算入》に掲げる還付を受ける金額
ヘ	第一節第二十一款の**一**《欠損金の繰越し》の**１**の①、同款の**二**の**１**《前10年以内の災害による繰越損失金の損金算入》又は同款の**三**《会社更生等による債務免除等があった場合の欠損金の損金算入》により当該事業年度の所得の金額の計算上損金の額に算入された金額
ト	第一節第四款の**六**《中間申告における繰戻し還付に係る災害損失欠損金額の益金算入》により当該事業年度の所得の金額の計算上益金の額に算入された金額

注　非適格合併又は非適格分割型分割の日の前日の属する事業年度《最終事業年度又は分割前事業年度》においては、所得等の金額には、非適格合併又は非適格分割型分割により移転した資産等に係る譲渡損益は含めない。
　　なお、法人税の額は、この移転した資産等に係る譲渡損益を含めて計算される法人税の額とする。（編者）

　　　　（通算法人が他の通算法人から配当等を受ける場合に留保金額から控除する金額）
（１）　**１**《特定同族会社の特別税率》に掲げる特定同族会社（以下（１）から（８）までにおいて「**特定同族会社**」という。）である通算法人が当該事業年度（当該通算法人に係る通算親法人の事業年度終了の日に終了するものに限る。）において第一節第二款の**一**《受取配当等の益金不算入》に掲げる配当等の額（同款の**五**《配当等の額とみなす金額》）の表の**１**から**４**まで（同表の**４**にあっては、解散による残余財産の分配に係る部分に限る。）に掲げる事由により同款の**一**の表の①に掲げる金額とみなされる金額を除く。以下（１）及び**２**において「**配当等の額**」という。）を他の通算法人（当該配当等の額に係る基準日等（同款の**一**の**１**の（２）《用語の意義》の表の（二）に掲げる基準日等をいう。（３）及び**２**において同じ。）及び当該事業年度終了の日において当該通算法人との間に通算完全支配関係があるものに限る。）から受ける場合には、当該通算法人における当該事業年度の**２**《各事業年度の留保金額》に掲げる留保金額は、**２**に掲げる合計額を控除した金額から当該配当等の額のうち当該事業年度の所得の金額の計算上益金の額に算入される金額に相当する金額を控除した金額とする。（令139の８①）

　　　　（通算法人が配当等を行った場合の留保金額）
（２）　特定同族会社である通算法人が当該事業年度（当該通算法人に係る通算親法人の事業年度終了の日に終了するものに限る。）において剰余金の配当若しくは利益の配当をし、又は特定同族会社である通算法人に当該事業年度（当該通算法人に係る通算親法人の事業年度終了の日に終了するものに限る。）において第一節第二款の**五**《配当等の額とみなす金額》の表に掲げる事由が生じた場合には、これらの通算法人における当該事業年度の**２**に掲げる留保金額は、**２**に掲げる合計額を控除した金額にこれらの通算法人の通算外配当等流出額及び通算内配当等の額を加算した金額からこれらの通算法人の通算外配当等流出配賦額を減算した金額とする。（令139の８②）

　　　　（用語の意義）
（３）　（２）及び（３）において、次の表の左欄に掲げる用語の意義は、それぞれ右欄に掲げるところによる。（令139の８③）

（一）	通算外配当等流出額	通算法人がした剰余金の配当又は利益の配当により減少した利益積立金額及び当該通算法人について生じた第一節第二款の**五**《配当等の額とみなす金額》の表に掲げる事由（剰余金の配当又は利益の配当に該当するものを除く。）により減少した利益積立金額の合計額のうち、その基準日等又は当該通算法人の事業年度（当該通算法人に係る通算親法人の事業年度終了の日に終了するものに限る。）終了の日において当該通算法人との間に通算完全支配関係がない者に対して交付した金銭その他の資産に係る部分の金額をいう。
（二）	通算内配当等の額	通算法人がした剰余金の配当又は利益の配当（第一節第二款の**五**の表の（二）から（四）までに掲げる事由が生じたことに基因する金銭その他の資産の交付に該当するものを除く。）により減少した利益積立金額及び当該通算法人について生じた同表の（四）から（七）まで（同表の（四）にあっては、解散による残余財産の分配に係る部分を除く。）に掲げる事由により減少した利益積立金額の合計額のうち、その基準日等及び当該通算法人の事業年度（当該通算法人に係る通算親法人の事業年度終了の日に終了するものに限る。）終了の日において当該通算法人との間に通算完全支配関係がある他の通算法人に対して交付した金銭その他の資産に係る部分の金額をいう。

第三章　第二節　第一款　二《特定同族会社の特別税率》

(三)	通算外配当等流出配賦額		イに掲げる金額にロに掲げる金額がハに掲げる金額のうちに占める割合を乗じて計算した金額とニに掲げる金額との合計額をいう。
		イ	各通算法人（前項の通算法人及び同項の事業年度終了の日において当該通算法人との間に通算完全支配関係がある他の通算法人〔以下(三)において「他の通算法人」という。〕に限る。イ及びハにおいて同じ。）の通算外配当等流出額のうち当該各通算法人が発行済株式又は出資を有する他の通算法人の通算内配当等の額（当該各通算法人が交付を受けた金銭その他の資産に係る部分の金額に限るものとし、当該各通算法人の通算内配当等の額がある場合には当該通算内配当等の額を控除した金額とする。）に達するまでの金額の合計額
		ロ	（2）《通算法人が配当等を行った場合の留保金額》の通算法人の純通算内配当等の額（通算法人の通算内配当等の額から当該通算法人が発行済株式又は出資を有する他の通算法人の通算内配当等の額〔当該通算法人が交付を受けた金銭その他の資産に係る部分の金額に限る。〕を控除した金額をいう。ハにおいて同じ。）
		ハ	各通算法人の純通算内配当等の額の合計額
		ニ	（2）の通算法人の通算外配当等流出額のうち当該通算法人が発行済株式又は出資を有する他の通算法人の通算内配当等の額（当該通算法人が交付を受けた金銭その他の資産に係る部分の金額に限るものとし、当該通算法人の通算内配当等の額がある場合には当該通算内配当等の額を控除した金額とする。）を超える部分の金額

（非特定欠損金額の益金算入の適用がある場合の留保金額等）

（4）　特定同族会社が当該事業年度において第一節第三十五款の一の3の(4)《非特定欠損金額の益金算入》の適用を受ける場合には、当該特定同族会社における当該事業年度の2に掲げる留保金額は、2に掲げる合計額を控除した金額から同3の(4)に掲げる満たない部分の金額に相当する金額を控除した金額とする。この場合において、3《留保控除額》の表の①及び③の所得等の金額は、当該所得等の金額から当該満たない部分の金額に相当する金額を控除した金額とする。（令139の8⑤）

（通算法人の合併等があった場合の欠損金の損金算入の適用がある場合の留保金額等）

（5）　特定同族会社が当該事業年度において第一節第三十五款の一の4《通算法人の合併等があった場合の欠損金の損金算入》の適用を受ける場合には、当該特定同族会社における当該事業年度の2に掲げる留保金額は、2に掲げる合計額を控除した金額に同一の3の(4)に掲げる欠損金額に相当する金額を加算した金額とする。この場合において、3の表の①及び③の所得等の金額は、当該所得等の金額に当該欠損金額に相当する金額を加算した金額とする。（令139の8⑥）

（適用関連法人配当等の額の益金算入の適用がある場合の留保金額等）

（6）　特定同族会社が当該事業年度において第一節第二款の一の(9)《適用関連法人配当等の額の益金算入の時期》の適用を受ける場合には、当該特定同族会社における当該事業年度の2に掲げる留保金額は、2に掲げる合計額を控除した金額から同一の(9)に掲げる満たない部分の金額に相当する金額を控除した金額とする。この場合において、3《留保控除額》の表の①及び③の所得等の金額は、当該所得等の金額から当該満たない部分の金額に相当する金額を控除した金額とする。（令139の8⑦）

（評価換え等があった場合の総平均法等の適用の特例等の適用があった場合の留保金額等）

（7）　特定同族会社が当該事業年度において第一節第二十三款の一の3の②の(5)《移動平均法—特定支配関係がある他の法人の株式等の対象配当等の額に係る基準時における一単位当たりの帳簿価額の算出の特例》又は同3の⑤《評価換え等があった場合の総平均法の適用の特例》（同(5)に掲げる対象配当等の額の受領があった場合に限る。）の適用を受ける場合には、当該特定同族会社における当該事業年度の2に掲げる留保金額は、2に掲げる合計額を控除した金額から同(5)（同③後段においてその例による場合を含む。）により同(5)に掲げる他の法人の株式又は出資の同(5)に掲げる基準時の直前における帳簿価額から減算される金額（第一節第三十四款の一の2の⑤の(1)《適格現物

分配により資産の移転を受けたことにより生ずる収益の額の益金不算入》により益金の額に算入されない金額に対応する部分の金額を除く。）を控除した金額とする。この場合において、3《留保控除額》の表の①及び③の所得等の金額は、当該所得等の金額から当該減算される金額を控除した金額とする。（令139の8⑧）

（配当が支払われたものとみなされる事業年度）
（8）　特定同族会社の2に掲げる留保した金額の計算については、当該特定同族会社による次の表の左欄に掲げる剰余金の配当、利益の配当又は金銭の分配（その決議の日が次の表の右欄に掲げる日〔以下（8）において「基準日等」という。〕の属する事業年度終了の日の翌日から当該基準日等の属する事業年度に係る決算の確定の日までの期間内にあるもの〔当該特定同族会社が通算法人である場合には、基準日等に1に掲げる特定同族会社との間に通算完全支配関係がある内国法人に対する剰余金の配当又は利益の配当を除く。〕に限る。以下（8）において「期末配当等」という。）により減少する利益積立金額に相当する金額（当該期末配当等が金銭以外の資産によるものである場合には、当該資産の価額が当該資産の当該基準日等の属する事業年度終了の時における帳簿価額〔当該資産が当該基準日等の属する事業年度終了の日後に取得したものである場合にあっては、その取得価額〕であるものとした場合における当該期末配当等により減少する利益積立金額に相当する金額）は、当該基準日等の属する事業年度の2に掲げる留保した金額から控除し、当該期末配当等がその効力を生ずる日（その効力を生ずる日の定めがない場合には、当該期末配当等をする日）の属する事業年度の2に掲げる留保した金額に加算するものとする。（法67④⑨、令140）

（一）	剰余金の配当で当該剰余金の配当を受ける者を定めるための会社法第124条第1項《基準日》に規定する基準日（以下（二）において「基準日」という。）の定めがあるもの	当該基準日
（二）	利益の配当又は投資信託及び投資法人に関する法律第137条《金銭の分配》の金銭の分配で、当該利益の配当又は金銭の分配を受ける者を定めるための基準日に準ずる日の定めがあるもの	同日

（留保金額の計算上控除する道府県民税及び市町村民税の額）
（9）　2に掲げる当該法人税の額に係る地方税法の規定による道府県民税及び市町村民税（都民税を含む。）として計算した金額は、法人税額から当該法人税額に係る税額控除額を控除した金額に$\frac{10.4}{100}$を乗じて計算した金額（特定同族会社が当該事業年度において支出した地方税法附則第8条の2の2第1項《法人の道府県民税及び市町村民税の特定寄附金税額控除》に規定する特定寄附金につき同項及び同条第4項〔同条第7項の規定により読み替えて適用する同法第734条第3項《都における普通税の特例》において準用する場合を含む。〕の規定により道府県民税及び市町村民税〔都民税を含む。〕の額から控除される金額がある場合には、当該特定寄附金の額〔当該事業年度の所得の金額の計算上損金の額に算入されるものに限る。〕の合計額の$\frac{40}{100}$に相当する金額と調整地方税額〔当該計算した金額に、次の表の（二）のイにより法人税の額から控除をされるべき金額に$\frac{10.4}{100}$を乗じて計算した金額を加算した金額をいう。〕に$\frac{20}{100}$を乗じて計算した金額とのうちいずれか少ない金額を控除した金額）とする。（令139の10①）
　なお、（9）において、次の表の左欄に掲げる用語の意義は、右欄に掲げるところによる。（令139の10②）

（一）	法人税額	一の1の①《基本税率》、同一の1の②《中小法人の年800万円以下の所得に対する軽減税率》及び同一の1の⑥《中小通算法人の軽減対象所得金額以下の金額に対する税率》により計算した法人税の額に次に掲げる金額を加算した金額をいう。
		イ　第二款の二の7の③の（1）《過去当初申告税額控除額が調整後過去税額控除額を超える場合》（同7の④の（1）《通算法人が合併により解散した場合等の準用》において準用する場合を含む。）により当該法人税の額に加算する金額
		ロ　第二款の五の5の①《試験研究費を行った場合又は中小企業者等の試験研究費に係る法人税額の特別控除》の表の（六）のロ若しくは（七）（当該事業年度又は同表の（三）のイの他の通算法人の同表の（二）に掲げる他の事業年度において同表の（五）に掲げる当初申告税額控除可能分配額〔同表の（三）の中小企業者等税額控除限度額に係るものに限る。〕がある場合に限る。）若しくは同5の④の（3）《通算法人に係る産学官連携の協同研究・委託研究に係る法人税額の特別控除の準用》において準用する同5の①の表の（六）のロ若しくは（七）（同款の十五の4①《中小企業者等の給与等の引上げを行った場合の法人税額の特別控除》に掲げる中小企業者等（（二）のロにおいて「中小企業者等」という。）が適用を受ける場合に限る。）又は同款の四の2の①《通算法人の仮装経理に基づく過大申告の場合等の法人税額の計算

			若しくは同2の②《通算法人の承認が効力を失う場合の取扱い》により当該法人税の額に加算する金額
(二)	税額控除額		イに掲げる規定により法人税の額から控除をされるべき金額並びにロ及びハに掲げる規定により法人税の額から控除する金額の合計額（第二款の**二十一**《法人税の額から控除される特別控除額の特例》により調整前法人税額超過額を構成することとされた部分を除く。）をいう。
		イ	第二款の**二**《外国税額の控除》又は同款の**四**《仮装経理に基づく過大申告の場合の更正に伴う法人税額の控除》
		ロ	第二款の**五**の3《中小企業者等の試験研究費に係る法人税額の特別控除》若しくは同**五**の4《産学官連携の共同研究・委託研究に係る法人税額の特別控除》（同**五**の3に掲げる中小企業者等が適用を受ける場合に限る。以下ロにおいて「中小企業者等」という。）、同款の**六**の1《法人税額の特別控除》若しくは同**六**の2《繰越税額控除限度超過額の1年間繰越控除》、同款の**七**の1《法人税額の特別控除》若しくは同**七**の2《繰越税額控除限度超過額の4年間繰越控除》、同款の**十**の1《法人税額の特別控除》（中小企業者等が適用を受ける場合に限る。）、同款の**十一**の1《法人税額の特別控除》（中小企業者等が適用を受ける場合に限る。）、同款の**十二**《地方活力向上地域等において雇用者の数が増加した場合の法人税額の特別控除》（中小企業者等が適用を受ける場合に限る。）、同款の**十四**の1《法人税額の特別控除》若しくは同**十四**の2《繰越税額控除限度超過額の1年間繰越控除》、同款の**十五**《給与等の支給額が増加した場合の法人税額の特別控除》（同**十五**の2又は3にあっては、中小企業者等が適用を受ける場合に限る。）、同款の**十六**の1《法人税額の特別控除》（中小企業者等が適用を受ける場合に限る。）、同款の**十七**の1の①《情報技術事業適応設備を取得した場合の法人税額の特別控除》（中小企業者等が適用を受ける場合に限る。）、同**十七**の1の②《事業適応繰延資産を取得した場合の法人税額の特別控除》（中小企業者等が適用を受ける場合に限る。）又は同**十七**の1の③《生産工程効率化等設備を取得した場合の法人税額の特別控除》（中小企業者等が適用を受ける場合に限る。）
		ハ	東日本大震災の被災者等に係る国税関係法律の臨時特例に関する法律第17条の2第2項若しくは第3項《特定復興産業集積区域において機械等を取得した場合の特別償却又は法人税額の特別控除》、第17条の2の2第2項若しくは第3項《企業立地促進区域等において機械等を取得した場合の特別償却又は法人税額の特別控除》、第17条の2の3第2項若しくは第3項《避難解除区域等において機械等を取得した場合の特別償却又は法人税額の特別控除》又は第17条の3から第17条の3の3まで《特定復興産業集積区域等において被災雇用者等を雇用した場合の法人税額の特別控除》の規定

注　――線部分は、令和6年度改正により追加された部分で、改正規定は、令和6年4月1日から適用される。（令6改令附1）

　　（租税特別措置法等の規定による所得の特別控除額等の所得等の金額への算入）
(10)　租税特別措置法等の規定により損金の額に算入された次に掲げる所得の特別控除額等は、留保金額を計算する場合における**2**及び**3**《留保控除額》の表の①に掲げる所得等の金額に含まれるものとする。（措法59⑥、59の2⑤、59の3⑰、60⑪、61⑩、65の2⑨、65の3⑦、65の4⑤、65の5④、66の13⑲、67の3⑦、租税条約等の実施に伴う所得税法、法人税法及び地方税法の特例等に関する法律7③）
（一）　新鉱床探鉱費又は海外新鉱床探鉱費の特別控除額
（二）　対外船舶運航事業を営む法人の日本船舶による収入金額の課税の特例
（三）　<u>特許権等の譲渡等による所得の課税の特例</u>
（四）　沖縄の認定法人の所得の特別控除額
（五）　国家戦略特別区域における指定法人の課税の特例
（六）　収用換地等の場合の5,000万円特別控除額
（七）　特定土地区画整理事業等のために土地等を譲渡した場合の2,000万円特別控除額
（八）　特定住宅地造成事業等のために土地等を譲渡した場合の1,500万円特別控除額
（九）　農地保有の合理化のために農地等を譲渡した場合の800万円特別控除額
（十）　特別新事業開拓事業者に対して特定事業活動として出資をした場合の課税の特例

(十一) 農地所有適格法人の肉用牛の売却に係る所得の特別控除額
(十二) 取引の対価の額につき租税条約に基づく合意があった場合の更正の特例により減額される所得の金額のうち、相手国居住者等に支払われない金額
> 注1 ──線部分は、令和6年度改正により追加されたもので、改正規定は、令和7年4月1日以後に開始する事業年度について適用される。(令6改法附1Ⅴ)
> 注2 阪神・淡路震災特例法の規定による被災市街地復興土地区画整理事業等のために土地等を譲渡した場合の所得の特別控除額についても、留保金額を計算する場合における**2**《各事業年度の留保金額》及び**3**《留保控除額》の表の①に掲げる所得等の金額に含まれるものとする。(同法19)

(租税特別措置法の規定により損金の額に算入された金額の所得等の金額への算入)
(11) 第一節第三十一款の**三の1**《超過利子額の損金算入》及び同**三の2**《調整対象超過利子額の損金算入》により損金の額に算入される金額は、留保金額を計算する場合における**2**の各事業年度の留保金額及び**3**《留保控除額》の留保控除額の表の①の所得等の金額に含まれるものとする。(措令39の13の3⑦)

(租税特別措置法の規定により益金の額に算入された金額の所得等の金額への不算入)
(12) 第一節第三十二款の**一の1**《内国法人に係る外国関係会社の課税対象金額の益金算入》、同**一の6の①**《内国法人に係る部分対象外国関係会社の部分課税対象金額の益金算入》又は同**一の7**《内国法人に係る部分対象外国関係会社の金融子会社等部分課税対象金額の益金算入》により益金の額に算入された金額は、留保金額を計算する場合における**2**の各事業年度の留保金額及び**3**《留保控除額》の留保控除額の表の①の所得等の金額に含まれないものとする。(措令39の20③)

(還付金額が所得等の金額に算入される時期)
(13) 留保金額を計算する場合において、第三款の**八の1**《所得税額等の還付》若しくは同**八の1の(5)**《更正等による所得税額等の還付》による所得税額等の還付金額、同**八の3**《欠損金の繰戻しによる還付》による法人税額の還付金額又は第六章第五節の**六の3**《欠損金の繰戻しによる法人税の還付があった場合の還付》による地方法人税額の還付金額は、その額が確定した日の属する事業年度の所得等の金額に含まれる。(基通16−1−5)
> 注 所得税額等の還付金額で、中間申告によるものはその中間申告書の提出の日、確定申告によるものはその確定申告書提出の日、更正によるものはその更正のあった日にその額が確定する。

3 留保控除額

1 《特定同族会社の特別税率》に掲げる留保控除額とは、次に掲げる金額のうち最も多い金額をいう。(法67⑤)

①	当該事業年度の所得等の金額(第一節第三十五款の**一の1の①**《所得事業年度の通算対象欠損金額の損金算入》により当該事業年度の所得の金額の計算上損金の額に算入される金額がある場合には当該金額を加算した金額とし、同**1の②**《欠損事業年度の通算対象所得金額の益金算入》により当該事業年度の所得の金額の計算上益金の額に算入される金額がある場合には当該金額を控除した金額とする。)の $\frac{40}{100}$ に相当する金額 注 申告書別表三(一)の「所得基準額の計算」の欄で計算する。(編者)
②	年2,000万円
③	当該事業年度終了の時における利益積立金額(当該事業年度の所得等の金額に係る部分の金額を除く。)がその時における資本金の額又は出資金の額の $\frac{25}{100}$ に相当する金額に満たない場合におけるその満たない部分の金額に相当する金額 注 申告書別表三(一)の「積立金基準額の計算」の欄で計算する。(編者)

(年2,000万円の月数換算)
(1) 事業年度が1年に満たない特定同族会社に対する**3**の適用については、**3**の表の②中「年2,000万円」とあるのは「2,000万円を12で除し、これに当該事業年度の月数を乗じて計算した金額」とする。(法67⑥)
 この場合の月数は、暦に従って計算し、1か月に満たない端数を生じたときは、これを1か月とする。(法67⑦)

(期末利益積立金額)
(2) 法人が事業年度の中途において剰余金の配当若しくは利益の配当又は剰余金の分配(みなし配当を含む。)を行い利益積立金額が減算した場合又は当該事業年度前の各事業年度において損金の額に算入されなかった償却超過額、引当金、

第三章　第二節　第一款　二《特定同族会社の特別税率》

準備金の繰入超過額等を当該事業年度において損金の額に算入した場合には、その減算した金額又は損金の額に算入した金額は、**3**の表の③《積立金基準額》に掲げる「当該事業年度の所得等の金額に係る部分の金額」に該当する。したがって、当該事業年度の留保所得金額がある場合において、当該事業年度終了の時の利益積立金額は、適格合併、適格分割型分割があったことにより第二章第一節の二の表の**18**《利益積立金額》に基づき加算又は減算する利益積立金額があるときを除き、当該事業年度開始の時の利益積立金額と同額となることに留意する。（基通16－1－6・編者補正）

　　　　（利益積立金額がマイナスである場合の留保金額の計算）
（3）　**3**により留保控除額を計算する場合において、当該事業年度終了の時における資本金の額又は出資金の額の25％相当額から控除すべきその時における利益積立金額が負（マイナス）であるときは、**3**の表の③に掲げる金額は当該資本金の額又は出資金の額の25％相当額とその負（マイナス）の金額との差額に相当する金額となることに留意する。（基通16－1－7）

　　　注　例えば、資本金の額の25％相当額が1,000万円で、利益積立金額がマイナスの500万円である場合には、**3**の表の③に掲げる金額は1,500万円となる。

三　使途秘匿金の支出がある場合の課税の特例

1　使途秘匿金の支出がある場合の課税の特例

　法人(公共法人を除く。以下1において同じ。)は、その**使途秘匿金の支出**について法人税を納める義務があるものとし、法人が平成6年4月1日以後に使途秘匿金の支出をした場合には、当該法人に対して課する各事業年度の所得に対する法人税の額は、次の表の①から⑧までに掲げる規定その他法人税に関する法令の規定にかかわらず、これらの規定により計算した法人税の額に、当該使途秘匿金の支出の額に$\frac{40}{100}$の割合を乗じて計算した金額を加算した金額とする。(措法62①、2ⅠのⅢ)

①	一の1の①《普通法人又は人格のない社団等の基本税率》
②	同1の②《中小法人の年800万円以下の所得に対する軽減税率》
③	一の2の①《公益法人等又は協同組合等の基本税率》
④	同2の③《特定の協同組合等の法人税率の特例》
⑤	1の⑥《中小通算法人の軽減対象所得金額以下の金額に対する税率》
⑥	第二款の二の7の③の(1)《過去当初申告税額控除額が調整後過去税額控除額を超える場合》(同7の④の(1)《通算法人が合併により解散した場合等の準用》又は(2)《通算法人が公益法人等に該当することとなった場合の準用》において準用する場合を含む。)
⑦	第二款の五の5の①《試験研究費を行った場合又は中小企業者等の試験研究費に係る法人税額の特別控除》の表の(六)のロ及び同表の(七)(これらを同5の④の(3)《通算法人に係る産学官連携の協同研究・委託研究に係る法人税額の特別控除の準用》において準用する場合を含む。)
⑧	第二款の四の2の①《通算法人の仮装経理に基づく過大申告の場合等の法人税額の計算》及び②《通算法人の承認が効力を失う場合の取扱い》
⑨	一の4の①《特定の医療法人の法人税率の特例》
⑩	四の1《土地の譲渡等がある場合の特別税率》
⑪	四の2《優良住宅地等のための譲渡に該当しなくなった場合の追加課税》
⑫	五《短期所有に係る土地の譲渡等がある場合の特別税率》

　　　　(使途秘匿金の支出の意義)
(1)　1に掲げる使途秘匿金の支出とは、法人がした金銭の支出(贈与、供与その他これらに類する目的のためにする金銭以外の資産の引渡しを含む。以下同じ。)のうち、相当の理由がなく、その相手方の氏名又は名称及び住所又は所在地並びにその事由(以下「**相手方の氏名等**」という。)を当該法人の帳簿書類に記載していないもの(資産の譲受けその他の取引の対価の支払としてされたもの〔当該支出に係る金銭又は金銭以外の資産が当該取引の対価として相当であると認められるものに限る。〕であることが明らかなものを除く。)をいう。(措法62②)

　　　　(税務署長の認定による適用除外)
(2)　税務署長は、法人がした金銭の支出のうちにその相手方の氏名等を当該法人の帳簿書類に記載していないものがある場合においても、その記載をしていないことが相手方の氏名等を秘匿するためでないと認めるときは、その金銭の支出を使途秘匿金の支出に含めないことができる。(措法62③)

　　　　(公益法人等又は人格のない社団等における適用範囲)
(3)　1は公益法人等又は人格のない社団等(国内に本店又は主たる事務所を有するものに限る。)の収益事業以外の事業に係る金銭の支出については、適用しない。(措法62④)

　　　　(帳簿書類への記載の判定時期)
(4)　1を適用する場合において、法人が金銭の支出の相手方の氏名等をその帳簿書類に記載しているかどうかの判定は、各事業年度の所得に対する法人税に係る金銭の支出については当該事業年度終了の日(中間申告書を提出すべき法人の当該事業年度開始の日から同日(当該法人が通算子法人である場合には、同日を含む当該法人に係る通算親法

人の事業年度開始の日）以後6か月を経過する日までの間の金銭の支出については、当該6か月を経過する日）の現況によるものとする。（措法62⑤、措令38①）

(確定申告書の提出期限までに帳簿書類に記載している場合等の取扱い)
（5）　法人がした金銭の支出の相手方の氏名等が、当該金銭の支出をした当該法人の各事業年度に係る第三款の**二**の**1**《確定申告》に掲げる確定申告書の提出期限（当該事業年度に係る同款の**一**の**3**《仮決算をした場合の中間申告書の記載事項等》に掲げる期間（当該法人が通算子法人である場合には、同**3**の(8)《通算法人である場合の適用》に掲げる期間）について同**3**の表に掲げる事項を記載した第二章第一節の**二**の表の**30**《中間申告書》に掲げる中間申告書を提出する場合は当該期間の金銭の支出については、当該中間申告書の提出期限）において当該法人の帳簿書類に記載されている場合には、（4）に掲げる終了の日においてその記載があったものとみなして、（4）を適用する。（措法62⑤、措令38②）

(他の者を通じた支出)
（6）　**1**を適用する場合において、法人が金銭の支出の相手方の氏名等をその帳簿書類に記載している場合においても、その金銭の支出がその記載された者を通じてその記載された者以外の者にされたと認められるものは、その相手方の氏名等が当該法人の帳簿書類に記載されていないものとする。（措法62⑤、措令38③）

(金銭以外の資産を引き渡した場合の使途秘匿金の支出の額)
（7）　法人が金銭以外の資産を引き渡した場合における当該金銭以外の資産に係る使途秘匿金の支出の額は、その引渡しの時における価額によるものとする。（措法62⑤、措令38④）

(使途秘匿金課税の適用がある場合の質問検査権等)
（8）　**1**《使途秘匿金の支出がある場合の課税の特例》は、法人がした金銭の支出について**1**の適用がある場合において、その相手方の氏名等に関して、第二章第五節の**六**の**1**《当該職員の質問検査権》(同**1**の表の**ロ**に係る部分に限る。)による質問、検査又は提示若しくは提出の要求をすることを妨げるものではない。（措法62⑨）

2　関連規定の読替え

　1《使途秘匿金の支出がある場合の課税の特例》の適用がある場合における法人税法の適用については、次の表に掲げるところによる。（措法62⑥⑦⑧）

①	法人税法第67条《特定同族会社の特別税率》の適用については、同条第1項中「前条第1項又は第2項」とあるのは「租税特別措置法第62条第1項《使途秘匿金の支出がある場合の課税の特例》」と、「これら」とあるのは「同項」と、同条第3項中「前条第1項又は第2項」とあるのは「租税特別措置法第62条第1項」とする。（措法62⑥） 　注　上記により、特定同族会社の特別税率について、留保金額から控除する法人税額にはこの使途秘匿金の支出がある場合の課税の特例による法人税額を含むことに留意する。（編者）
②	**1**の適用がある場合における法人税法第2編第1章《各事業年度の所得の金額及びその計算》(第2節《税額の計算、申告、納付及び還付等》を除く。)及び第4章《更正及び決定》の適用については、次に掲げるところによる。（措法62⑦） 　イ　第72条第1項第2号《仮決算をした場合の中間申告書の記載事項等》に掲げる金額は、同項に規定する期間（通算子法人にあっては、第三款の**一**の**3**の(8)《通算法人である場合の適用》の表の(一)に掲げる期間）を一事業年度とみなして同法第1項第1号に掲げる所得の金額につき同法第2編第1章第2節（第67条《特定同族会社の特別税率》、第68条第3項《仮決算の中間申告による所得税額の還付がある場合》及び第70条《仮装経理に基づく過大申告の場合の更正に伴う法人税額の控除》を除く。）及び**1**（ロにおいて「特別税額加算規定」という。）を適用するものとした場合に計算される法人税の額とする。 　ロ　第74条第1項第2号《確定申告》に掲げる金額は、同項第1号に掲げる所得の金額につき同法第2編第1章第2節及び特別税額加算規定を適用して計算した法人税の額とする。
③	①②に掲げるもののほか、**1**の適用がある場合における法人税法第2編第1章（第2節を除く。）及び第4章の適用については、次の表の左欄に掲げる金額は、当該金額から右欄に掲げる金額を控除した金額とする。（措法62⑧、措令38⑤）
	イ　第71条第1項第1号に掲げる金額　　　　　左欄の金額に含まれる租税特別措置法第62条第1項の規定

			（ハまでにおいて「特別税額加算規定」という。）により加算された金額
	ロ	第80条第1項に掲げる所得に対する法人税の額	左欄の金額に含まれる特別税額加算規定により加算された金額
	ハ	第135条第2項に掲げる所得に対する法人税の額	

注1　1の適用がある場合における地方法人税法の読替え規定については、第六章《地方法人税》を参照。（編者）
注2　外国税額控除限度額の計算の基礎となる法人税の額には、この使途秘匿金の支出がある場合の課税の特例による法人税額を含まない。（令142①）

四 土地の譲渡等がある場合の特別税率

1 土地の譲渡等がある場合の特別税率

　法人が**土地の譲渡**等をした場合には、当該法人に対して課する各事業年度の所得に対する法人税の額は、次の表の①から⑧までに掲げる規定その他法人税に関する法令の規定にかかわらず、これらにより計算した法人税の額に、当該土地の譲渡等（五《短期所有に係る土地の譲渡等がある場合の特別税率》の適用があるものを除く。）に係る**譲渡利益金額**の合計額に$\frac{5}{100}$の割合を乗じて計算した金額を加算した金額とする。（措法62の3①）

　ただし、1は、法人が**平成10年1月1日から令和8年3月31日までの間**にした土地の譲渡等については、適用しない。（措法62の3⑮）

①	一の1の①《普通法人又は人格のない社団等の基本税率》
②	同1の②《中小法人の年800万円以下の所得に対する軽減税率》
③	一の2の①《公益法人等又は協同組合等の基本税率》
④	同2の③《特定の協同組合等の法人税率の特例》
⑤	一の3の①《特定の医療法人の法人税率の特例》
⑥	三の1《使途秘匿金の支出がある場合の課税の特例》
⑦	2《優良住宅地等のための譲渡に該当しなくなった場合の追加課税》
⑧	五《短期所有に係る土地の譲渡等がある場合の特別税率》

　注　土地の譲渡等がある場合の特別税率制度は、令和8年3月31日までその適用が停止されているため詳細の掲載は省略した。（編者）

2 優良住宅地等のための譲渡に該当しなくなった場合の追加課税

　租税特別措置法第62条の3第5項《確定優良住宅地等予定地のための譲渡の適用除外》の適用を受けた土地（国内にあるものに限る。）又は土地の上に存する権利（以下「土地等」といい、棚卸資産に該当するものを除く。）の譲渡の全部又は一部が予定期間（同項に規定する予定期間をいう。）の末日において同条第4項第13号から第16号《優良住宅地等のための譲渡の適用除外》までに掲げる土地等の譲渡に該当しない場合には、当該法人（当該法人が合併により解散した場合には、当該合併に係る合併法人）に対して課する同日を含む事業年度の所得に対する法人税の額は、次の表の①から⑧までに掲げる規定その他法人税に関する法令の規定にかかわらず、これらにより計算した法人税の額に、予定期間の末日において同条第4項第13号から第16号までに掲げる土地等の譲渡に該当しないこととなった当該土地等の譲渡につき、当該土地等の譲渡をした事業年度において同条第5項の適用がなかったものとした場合に1《土地の譲渡等がある場合の特別税率》により計算される当該土地等の譲渡に係る1に掲げる譲渡利益金額（当該土地等の譲渡につき同条第10項《圧縮記帳、特別控除がある場合の譲渡利益金額の計算》により控除されるべき金額があるときは、当該金額を控除した金額とし、同項により加算されるべき金額があるときは、当該金額を加算した金額とする。）の合計額に$\frac{5}{100}$の割合を乗じて計算した金額を加算した金額とする。（措法62の3⑨、措令38の4㊲㊳）

①	一の1の①《普通法人又は人格のない社団等の基本税率》
②	同1の②《中小法人の年800万円以下の所得に対する軽減税率》
③	一の2の①《公益法人等又は協同組合等の基本税率》
④	同2の③《特定の協同組合等の法人税率の特例》
⑤	一の3の①《特定の医療法人の法人税率の特例》
⑥	三の1《使途秘匿金の支出がある場合の課税の特例》
⑦	1《土地の譲渡等がある場合の特別税率》
⑧	五《短期所有に係る土地の譲渡等がある場合の特別税率》

　注　2の優良住宅地等のための譲渡に該当しなくなった場合の追加課税の適用税率は、追加課税を行う時の税率でなく、土地等の譲渡をした時の税率によることに留意する。（編者）

五　短期所有に係る土地の譲渡等がある場合の特別税率

　法人が**短期所有に係る土地の譲渡等**をした場合には、当該法人に対して課する各事業年度の所得に対する法人税の額は、次の表の**1**から**8**までに掲げる規定その他法人税に関する法令の規定にかかわらず、これらにより計算した法人税の額に、当該短期所有に係る土地の譲渡等に係る**譲渡利益金額**の合計額に$\frac{10}{100}$の割合を乗じて計算した金額を加算した金額とする。（措法63①）

　ただし、五は、法人が**平成10年1月1日から令和8年3月31日までの間**にした短期所有に係る土地の譲渡等については、適用しない。（措法63⑧）

1	一の1の①《普通法人又は人格のない社団等の基本税率》
2	同1の②《中小法人の年800万円以下の所得に対する軽減税率》
3	一の2の①《公益法人等又は協同組合等の基本税率》
4	同2の③《特定の協同組合等の法人税率の特例》
5	一の3の①《特定の医療法人の法人税率の特例》
6	三の1《使途秘匿金の支出がある場合の課税の特例》
7	四の1《土地の譲渡等がある場合の特別税率》
8	四の2《優良住宅地等のための譲渡に該当しなくなった場合の追加課税》

　注　短期所有に係る土地の譲渡等がある場合の特別税率制度は、令和8年3月31日までその適用が停止されているため詳細の掲載は省略した。（編者）

第二款　税額控除

一　所得税額の控除

1　所得税額の控除

内国法人が各事業年度において**利子及び配当等**（次の表の①から⑧までに掲げるものをいう。以下同じ。）の支払を受ける場合には、これらにつき所得税法又は租税特別措置法の規定により課される所得税の額（当該所得税の額に係る三の**1**《分配時調整外国税相当額の控除》に掲げる分配時調整外国税相当額を除く。）は、**2**に掲げるところにより、当該事業年度の所得に対する法人税の額から控除する。（法68①、措法3の3⑤、6③、8の3⑤、9の2④、41の9④、41の12④、41の12の2⑦）

①	所得税法第174条各号《内国法人に係る所得税の課税標準》に規定する利子等、配当等、給付補塡金、利息、利益、差益、利益の分配又は賞金
②	租税特別措置法第3条の3第2項《国外で発行された公社債等の利子所得の分離課税等》に規定する国外公社債等の利子等
③	租税特別措置法第6条第1項《民間国外債等の利子の課税の特例》に規定する民間国外債につき支払を受けるべき利子
④	租税特別措置法第8条の3第2項《国外で発行された投資信託等の収益の分配に係る配当所得の分離課税等》に規定する国外投資信託等の配当等
⑤	租税特別措置法第9条の2第1項《国外で発行された株式の配当所得の源泉徴収等の特例》に規定する国外株式の配当等
⑥	租税特別措置法第41条の9第2項《懸賞金付預貯金等の懸賞金等の分離課税等》に規定する懸賞金付預貯金等の懸賞金等
⑦	租税特別措置法第41条の12第2項《償還差益に対する分離課税等》に規定する償還差益
⑧	租税特別措置法第41条の12の2第1項各号《割引債の差益金額に係る源泉徴収等の特例》に規定する割引債の償還金

注　預金保険法により預金者等がその有する預金等債権について支払を受ける概算払の金額若しくは精算払の金額のうち利子等若しくは給付補塡金の額とみなされて課される所得税の額又は農水産業協同組合貯金保険法により貯金者等がその有する支払対象貯金等債権のうち利子等若しくは給付補塡金の額とみなされて課される所得税の額についても、**1**の所得税額の控除が適用される。（預金保険法73、農水産業協同組合貯金保険法60の2）

（公益法人等又は人格のない社団等の収益事業以外の事業に属する所得税額の控除の不適用）
（1）　**1**の所得税額の控除は、内国法人である公益法人等又は人格のない社団等が支払を受ける利子及び配当等で収益事業以外の事業又はこれに属する資産から生ずるものにつき課される**1**の所得税の額については、適用しない。（法68②）

（仮決算の中間申告による所得税額の還付がある場合）
（2）　**1**の事業年度において第三款の**一**の**3**《仮決算をした場合の中間申告書の記載事項等》に掲げる事項を記載した中間申告書の提出により同款の**八**の**1**《所得税額等の還付》又は同**1**の（5）《更正等による所得税額等の還付》による還付金がある場合の**1**の所得税の額には、これらの還付金の額を含まないものとする。（法68③）

（名義書換え失念株の配当等に対する所得税の控除）
（3）　法人が、その有する株式又は出資（以下（3）において「株式等」という。）を譲渡した場合において、その名義書換えが行われなかったため、当該譲渡した株式等に係る剰余金の配当等（第一節第二款の**一**《受取配当等の益金不算入》の表の①に掲げる剰余金の配当又は利益の配当並びに同表の②及び③に掲げる金銭の分配をいう。以下（3）において同じ。）の額（当該譲渡後にその支払に係る基準日が到来するものに限る。）を受けたときは、当該剰余金の配当

等の額は、株主等たる地位に基づいて受けたものではないから、これについて課された所得税の額については、当該法人において**1**の所得税額の控除の適用はないものとする。ただし、剰余金の配当等の権利落後その支払に係る基準日までの間に譲渡した株式等について剰余金の配当等の額を受けたときにおける当該剰余金の配当等の額について課された所得税の額については、この限りでない。（基通16－2－1）

（未収利子又は未収配当等に対する所得税の控除）
（4） 法人が各事業年度終了の日までに支払を受けていない利子及び配当等を当該事業年度の確定した決算において収益として計上し、当該利子及び配当等（利子等については当該事業年度終了の日までにその利払期の到来しているものに、配当等についてはその支払のために通常要する期間内に支払を受けることが見込まれるものに限る。）につき納付すべき所得税の額（当該所得税の額に係る**三の1**《分配時調整外国税相当額の控除》に掲げる分配時調整外国税相当額を除く。以下(5)及び**2**の②の(4)において同じ。）を当該事業年度の法人税の額から控除し、又はその控除しきれない額に相当する所得税の還付を請求した場合には、その控除又は請求を認める。（基通16－2－2）

 注　利子及び配当等については、いわゆる確定ベースで収益に計上し、同時に所得税額の控除を適用する趣旨である。（編者）

（支払請求に基づき支払った所得税の控除）
（5） 法人がその事業年度開始の日前に支払を受けた利子及び配当等に対する所得税に相当する金額につき、所得税法第222条《不徴収税額の支払金額からの控除及び支払請求等》の規定による控除又は支払の請求を受けた場合におけるその控除された又はその請求に対し支払をした所得税の額については、その控除又は支払をした日の属する事業年度において、**1**の所得税額の控除を適用する。（基通16－2－3）

 注　法人が支払を受けた利子及び配当等につきその支払者が所得税の強制徴収をされたことに伴い、所得税相当額の支払の請求を受けこれを支払った場合等には、その支払をした日等の属する事業年度において所得税額の控除を認める趣旨である。（編者）

（法人税額から控除する所得税額の損金不算入）
（6） 内国法人が**1**に掲げる所得税の額につき**1**の所得税額の控除又は第三款の**八の1**《所得税額等の還付》若しくは同款の**八の1の(5)**《更正等による所得税額等の還付》の適用を受ける場合には、その控除又は還付をされる金額に相当する金額は、その内国法人の各事業年度の所得の金額の計算上、損金の額に算入しない。（法40）

 注　復興特別法人税に係る法人税法の適用については、同法第40条《法人税額から控除する所得税額の損金不算入》の規定中次の表の左欄に掲げる字句は、それぞれ右欄に掲げる字句とする。（復興財確法63①）

（一）	**1**の所得税額の控除又は	**1**の所得税額の控除若しくは
（二）	場合	場合又は復興特別所得税の額につき復興財確法第49条第1項《復興特別所得税額の控除》若しくは第56条第1項《復興特別所得税額の還付》若しくは第59条第1項《確定申告に係る更正等による復興特別所得税額の還付》の規定の適用を受ける場合

2　法人税額から控除する所得税額の計算

①　法人税額から控除する所得税額

法人税の額から控除する所得税の額（その所得税の額に係る**三の1**《分配時調整外国税相当額の控除》に掲げる分配時調整外国税相当額を除く。以下③《元本所有期間あん分の簡便計算》までにおいて同じ。）は、次の表の左欄に掲げる区分に応じそれぞれ右欄に掲げる金額とする。（令140の2①）

	配当等（次の(イ)及び(ロ)に掲げるものをいう。以下同じ。）に対する所得税		
イ	(イ)	法人から受ける剰余金の配当（特定公社債等運用投資信託〔所得税法第2条第1項第15号の3《定義》に規定する公募公社債等運用投資信託以外の同項第15号の2に規定する公社債等運用投資信託をいい、投資信託及び投資法人に関する法律第2条第24項《定義》に規定する外国投資信託を除く。以下**イ**及び③において同じ。〕の受益権及び資産の流動化に関する法律第230条第1項第2号《特定目的信託契約》に規定する社債的受益権に係るもの、資本剰余金の減少に伴うもの並びに分割型分割によるもの及び株式分配を除く。）若しくは利益の配当（分割型分割によるもの及び株式分配を除く。）若しくは剰余金の分配（第一節第二款の	その元本を所有していた期間に対応するものとして計算される所得税の額

	五《配当等の額とみなす金額》により同款の一《受取配当等の益金不算入》の表の①に掲げる金額とみなされるもの《みなし配当》を除く。）若しくは金銭の分配（投資信託及び投資法人に関する法律第137条《金銭の分配》の金銭の分配〔同表の②に掲げる金額とみなされるものを除く。〕）又は資産の流動化に関する法律第115条第1項《中間配当》に規定する金銭の分配	
(ロ)	集団投資信託（合同運用信託、所得税法第2条第1項第15号に規定する公社債投資信託及び同項第15号の2に規定する公社債等運用投資信託〔特定公社債等運用投資信託を除く。〕を除く。②の（1）及び③において同じ。）の収益の分配	
ロ	イに掲げるもの以外の所得税	その所得税の額の全額

注1 復興特別所得税に係る法人税法施行令の適用については、次の表の左欄に掲げる規定中、中欄に掲げる字句は、それぞれ右欄に掲げる字句とする。（復興所得税政令13②）

(一)	①の表のイの左欄	対する所得税	対する所得税及び当該所得税に係る復興特別所得税
(二)	①の表のロの左欄	所得税	所得税及び当該所得税に係る復興特別所得税

注2 預貯金の利子、貸付信託の収益分配金、みなし配当又はいわゆる金融類似商品に係る給付補塡金、利息、利益及び差益に対する所得税は、ロに該当するから、全額が法人税の額から控除される。（編者）

（国外投資信託等の配当等及び国外株式の配当等に係る所得税控除額の所有期間あん分）

租税特別措置法第8条の3第2項又は同法第9条の2第1項の規定により課された国外投資信託等の配当等（同法第8条の3第2項に規定する社債的受益権の剰余金の配当を除く。）及び国外株式の配当等に対する所得税の額について、1の所得税額の控除を適用する場合には、当該所得税の額のうち②《元本所有期間あん分の計算方法》又は③《元本所有期間あん分の簡便計算》により計算したその元本の所有期間に対応する部分の金額が控除の対象となることに留意する。（基通16-2-5）

② 元本所有期間あん分の計算方法

①の表のイに掲げる所得税の額は、配当等に対する所得税の額（その内国法人が元本を所有していなかった期間についてのみ課される所得税の額を除く。③において同じ。）に、当該配当等の計算の基礎となった期間（当該配当等が同表のイに掲げる剰余金の配当若しくは利益の配当若しくは剰余金の分配又は金銭の分配〔以下②において「**剰余金配当等**」という。〕である場合には、当該剰余金配当等〔以下②において「**判定対象配当等**」という。〕の前に最後に当該判定対象配当等をする法人によりされた剰余金配当等の基準日等（第一節第二款の一の(2)《用語の意義》の表の(二)に掲げる基準日をいう。以下「②」において同じ。）の翌日〔同日が当該判定対象配当等の基準日等から起算して1年前の日以前の日である場合又は当該判定対象配当等が当該1年前の日以前に設立された法人からその設立の日以後最初にされる剰余金配当等である場合には当該1年前の日の翌日とし、当該判定対象配当等が当該判定対象配当等の基準日等以前1年以内に設立された法人からその設立の日以後最初にされる剰余金配当等である場合には当該設立の日とし、当該判定対象配当等がその元本である株式又は出資を発行した法人から当該判定対象配当等の基準日等以前1年以内に取得した株式又は出資につきその取得の日以後最初にされる剰余金配当等である場合には当該取得の日とする。〕から当該判定対象配当等の基準日等までの期間。以下②及び③において同じ。）の月数のうちにその内国法人がその元本を所有していた期間の月数（株式移転により設立された株式移転完全親法人が当該株式移転に係る株式移転完全子法人からその設立の日後最初にされる剰余金の配当〔以下②及び③の表のロの(イ)において「**株式移転後の初回配当**」という。〕にあっては、当該株式移転後の初回配当の計算の基礎となった期間の開始の日から当該設立の日の前日までその元本の全てを所有していたものとみなして計算した月数）の占める割合（当該割合に小数点以下3位未満の端数があるときは、これを切り上げる。③において同じ。）を乗ずる方法により計算する。（令140の2②）

$$\text{元本所有期間に対応する所得税の額} = \text{配当等に対する所得税の額} \times \text{元本所有期間割合}$$

$$\text{元本所有期間割合} = \frac{\text{分母の月数のうち元本所有期間の月数}}{\text{配当等の計算期間の月数}} \quad \text{（小数点以下3位未満の端数は切上げ）}$$

注1　同一銘柄のものであっても、分子の元本の所有期間の月数の異なるごとに区分して、元本所有期間あん分の計算を行うことに留意する。（編者）
注2　株式移転には、保険業法第96条の8第1項《組織変更株式移転》の株式移転も含まれる。（編者）

　　　（月数の計算）
（1）　②に掲げる元本所有期間割合を計算する場合の月数は、暦に従って計算し、1か月に満たない端数を生じたときは、これを1か月とする。ただし、集団投資信託の終了又は集団投資信託の一部の解約による収益の分配により委託者又は集団投資信託の契約若しくは当該契約に係る約款に基づき委託者若しくは受託者が指定する金融商品取引法第28条第8項《通則》に規定する有価証券関連業を行う法人若しくは同法第33条第2項各号《金融機関の有価証券関連業の禁止等》に掲げる有価証券若しくは取引につき当該各号に定める行為を行う同条第1項に規定する金融機関の受ける収益の分配については、その所有した期間の全期間が15日以下であるときは、これを切り捨てる。（令140の2⑥）

　　　（元本所有期間あん分の計算上の留意事項）
（2）　②による元本所有期間あん分の計算に当たっては、次の点に留意する。（編者）
　（一）　「元本を所有していた期間」とは、配当等の計算期間のうちその配当等を受ける法人がその元本を所有していた期間をいうのであるから、控除を受けようとする事業年度に含まれる計算期間に限らない。
　（二）　株式の名義書換えの停止の日、配当の確定の日等は、配当の計算期間の月数の計算には関係がない。

　　　（割引債に係る利子の計算期間）
（3）　法人がその有する割引債の償還（買入消却を含む。）を受けた場合において、租税特別措置法第41条の12第4項《償還差益に対するみなし源泉所得税》の規定により償還時に徴収される所得税とみなされる額があるときは、**2**及び**3**により法人税の額から控除する所得税の額を計算するのであるが、この場合における当該割引債がいわゆる1年ものであるときは、②に掲げる「配当等の計算の基礎となった期間の月数」は、これを12か月として計算するものとする。（基通16－2－7）

　　　（証券投資信託の収益の分配の計算期間）
（4）　証券投資信託（日々決算を行い、その都度その決算収益の全額を未払収益分配金勘定に振り替えることとされているものを除く。）の収益の分配に対する所得税の額につき元本所有期間あん分の計算をする場合における②又は③《元本所有期間あん分の簡便計算》に掲げる配当等の計算の基礎となった期間は、次の期間をいう。この場合、（四）の追加型証券投資信託と他の証券投資信託とは区分して③を適用することができるものとする。（基通16－2－8）
　（一）　信託期間中における決算分配金の分配については、その計算期間。
　（二）　信託の一部の解約による収益の分配については、当該信託の開始の日からその解約の日までの期間。ただし、信託約款により、各計算期間ごとのいわゆる収益分配可能額（収益調整金の原資に相当する部分を除く。）の全額をそれぞれ各計算期間に係る決算分配金として分配することを定めている証券投資信託（以下（4）において「収益分配可能額全額分配の証券投資信託等」という。）の第2計算期間以後の解約による収益の分配については、直前の決算分配金に係る計算期間の末日の翌日から当該解約の日までの期間。
　（三）　信託の終了による収益の分配については、当該信託の開始の日から終了の日までの期間。ただし、収益分配可能額全額分配の証券投資信託等の終了による収益の分配については、直前の決算分配金に係る計算期間の末日の翌日から当該終了の日までの期間。
　（四）　追加型証券投資信託の収益の分配については、（一）から（三）までにかかわらず、（一）の分配は、当該信託の当該受益権に係る設定日（追加設定の日を含む。以下（4）において「元本の設定日」という。）からその決算分配金に係る計算期間の末日までの期間（元本の設定日が当該決算分配金の計算期間の開始の日前である場合には、当該計算期間）、（二）の分配は、元本の設定日から信託の解約の日までの期間、（三）の分配は、元本の設定日から信託の終了の日までの期間。
　　　注　日々決算を行い、その都度その決算収益の全額を未払収益分配金勘定に振り替えることとされている証券投資信託の収益の分配金について課された所得税の額は、常にその全額が①の表のイの右欄に掲げる「その元本を所有していた期間に対応するものとして計算される所得税の額」に該当する。

　　　（上場株式等の配当等に係る所得税額の控除の取扱い）
（5）　法人が交付又は支払を受ける次に掲げる配当等に係る**1**の適用に当たっては、**1**に掲げる法人税の額から控除される金額は、次に掲げる配当等に応じそれぞれ次に掲げる金額を基礎として計算することに留意する。（基通16－2－

11)

(一)	三の1の(10)《上場株式等の配当等に係る分配時調整外国税相当額の控除の取扱い》の表の(一)に掲げる上場株式等の配当等	所得税法の規定により課される所得税の額（当該上場株式等の配当等に係る租税特別措置法第9条の3の2第7項《上場株式等の配当等に係る源泉徴収義務等の特例》の規定により読み替えて適用される1に掲げる「所得税の額に対応する部分の金額として政令で定める金額」を加える。）
(二)	三の1の(10)の表の(二)に掲げる利益の配当	所得税法の規定により課される所得税の額（租税特別措置法第9条の6第4項《特定目的会社の利益の配当に係る源泉徴収等の特例》に規定する特定目的会社分配時調整外国税相当額を除く。）
(三)	三の1の(10)の表の(三)に掲げる配当等	所得税法の規定により課される所得税の額（租税特別措置法第9条の6の2第4項《投資法人の配当等に係る源泉徴収等の特例》に規定する投資法人分配時調整外国税相当額を除く。）
(四)	三の1の(10)の表の(四)に掲げる剰余金の配当	所得税法の規定により課される所得税の額（租税特別措置法第9条の6の3第4項《特定目的信託の剰余金の配当に係る源泉徴収等の特例》に規定する特定目的信託分配時調整外国税相当額を除く。）
(五)	三の1の(10)の表の(五)に掲げる剰余金の配当	所得税法の規定により課される所得税の額（租税特別措置法第9条の6の4第4項《特定投資信託の剰余金の配当に係る源泉徴収等の特例》に規定する特定投資信託分配時調整外国税相当額を除く。）

注　本文の取扱いは、1の(4)《未収利子又は未収配当等に対する所得税の控除》、1の(5)《支払請求に基づき支払った所得税の控除》及び(4)《証券投資信託の収益の分配の計算期間》の取扱いの適用に当たっても、同様とする。

③　元本所有期間あん分の簡便計算

内国法人は、①《法人税額から控除する所得税額》の表のイに掲げる所得税の額を②《元本所有期間あん分の計算方法》に掲げる方法により計算することに代えて、その所得税の額に係る配当等の元本を株式及び出資（特定公社債等運用投資信託の受益権及び社債的受益権を除く。）と集団投資信託の受益権とに区分し、さらにその元本を当該配当等の計算の基礎となった期間が1年を超えるものと1年以下のものとに区分し、その区分に属する全ての元本について、その銘柄ごとに、その所得税の額に、次の表のイに掲げる数のうちにロに掲げる数の占める割合を乗ずる方法により計算することができる。（令140の2③）

イ	その内国法人がその所得税の額に係る配当等の計算の基礎となった期間の終了の時において所有していたその元本の数（口数の定めがない出資については、金額。ロにおいて同じ。）
ロ	次の(イ)に掲げる数と(ロ)に掲げる数とを合計した数（イに掲げる数が(イ)に掲げる数に満たない場合には、イに掲げる数） (イ)　その内国法人がその所得税の額に係る配当等の計算の基礎となった期間の開始の時（株式移転後の初回配当に係る①の表のイに掲げる所得税の額を計算する場合にあっては、株式移転完全親法人の株式移転による設立の時）において所有していたその元本の数 (ロ)　イに掲げる数から(イ)に掲げる数を控除した数の$\frac{1}{2}$（その内国法人の所得税の額に係る配当等の計算の基礎となった期間が1年を超えるものについては、$\frac{1}{12}$）に相当する数

元本所有期間に対応する所得税の額 ＝ その銘柄に係る配当等に対する所得税の額 × 簡便計算による元本所有割合

簡便計算による元本所有割合 ＝ $\dfrac{A+(B-A)\times\frac{1}{2}（又は\frac{1}{12}）}{B}$ 　（小数点以下3位未満の端数は切上げ）

A……配当等の計算期間の開始の時における所有元本数（又は額面金額〔口数の定めがない出資については金額〕）
B……配当等の計算期間の終了の時における所有元本数（又は額面金額〔口数の定めがない出資については金額〕）
※　A≧Bのときは、所得税の全額が控除対象となる。

(信用取引等による買付株式がある場合の控除所得税額の簡便計算)

配当等に係る所得税につき③により控除すべき所得税の額を計算する場合において、法人の有する株式のうちに金融商品取引法第161条の2第1項《信用取引等における金銭の預託》の規定による信用取引又は発行日取引の方法により買付けをした株式でその決済が未了のものがあるときは、当該株式の数は③の表のイ及び口に掲げる「元本の数」に含めないものとする。(基通16−2−10)

注　法人が信用取引又は発行日取引の方法により買付けをした株式を現物で引き取ることによって決済をした場合には、当該株式をその買付けをした時から所有しているものとして②又は③を適用することができる。

④ **適格組織再編成等により利子・配当等の元本の移転を受けた場合の元本所有期間の通算**

内国法人が次の表の左欄に掲げる事由によりそれぞれ右欄に掲げる法人から配当等の元本の移転を受けた場合には、当該法人の当該元本を所有していた期間は当該内国法人の当該元本を所有していた期間とみなして、①《法人税額から控除する所得税額》から③《元本所有期間あん分の簡便計算》までを適用する。(令140の2④前段)

イ	適格合併	当該適格合併に係る被合併法人
ロ	適格分割	当該適格分割に係る分割法人
ハ	適格現物出資	当該適格現物出資に係る現物出資法人
ニ	適格現物分配	当該適格現物分配に係る現物分配法人
ホ	特別の法律に基づく承継	当該承継に係る被承継法人
ヘ	通算法人への他の通算法人からの移転(イからホの左欄に掲げる事由によるものを除く。)	当該他の通算法人

⑤ **分割承継法人等が簡便計算を適用する場合の調整計算**

④の場合において、当該内国法人が当該配当等の計算の基礎となった期間の中途で当該元本の移転を受けたときは、③の表の口の(イ)中「元本の数」とあるのは、「元本の数(④の表の左欄に掲げる事由によりそれぞれ右欄に掲げる法人が所有していた配当等の元本の全部又は一部の移転を受けた場合には、当該法人が当該開始の時において所有していたその元本の数に当該法人が当該事由の直前に所有していたその元本の数のうちに当該事由によりその内国法人に移転をしたその元本の数の占める割合を乗じて計算した数を加算した数)」とする。(令140の2④後段)

$$\text{分割承継法人等が配当等の計算期間の開始時に所有していた元本数} + \text{分割法人等が配当等の計算期間の開始時に所有していた元本数} \times \frac{\text{分母のうち分割承継法人等に移転した元本数}}{\text{分割法人等が適格分割等の直前に所有していた元本数}}$$

注　合併法人においても③の取扱いが適用されるが、この場合は、合併法人が配当等の計算期間の開始時に所有していた元本数に被合併法人が配当等の計算期間の開始時に所有していた元本数を加算して簡便計算を行うこととなる。(編者)

⑥ **分割法人等が簡便計算を適用する場合の調整計算**

内国法人が配当等の計算の基礎となった期間の中途で④の表の左欄の口からヘまでに掲げる事由により当該事由に係る分割承継法人、被現物出資法人、被現物分配法人、承継法人又は通算法人(当該内国法人との間に通算完全支配関係があるものに限る。)に当該配当等の元本の全部又は一部の移転をした場合における③の適用については、同③の表の口の(イ)中「元本の数」とあるのは、「元本の数(④の表の左欄の口からヘまでに掲げる事由により当該事由に係る分割承継法人、被現物出資法人、被現物分配法人、承継法人又は⑥に掲げる通算法人〔以下「分割承継法人等」という。〕に配当等の元本の全部又は一部の移転をした場合には、その内国法人が当該開始の時において所有していたその元本の数にその内国法人が当該事由の直前に所有していたその元本の数のうちに当該事由により当該分割承継法人等に移転をしたその元本の数の占める割合を乗じて計算した数を控除した数)」とする。(令140の2⑤)

分割法人等が配当等の計算期間の開始時に所有していた元本数 ー [分割法人等が配当等の計算期間の開始時に所有していた元本数 × 分母のうち分割承継法人等に移転した元本数 / 分割法人等が適格分割等の直前に所有していた元本数]

3　割引債の償還差益に対する所得税額の控除の計算等

　租税特別措置法第41条の12第4項《償還差益等に係る分離課税等》の規定により同項に規定する償還を受ける時に徴収される所得税とみなされたもののうち法人税の額から控除する所得税の額は、当該所得税の額（当該所得税の額が明らかでないときは、その割引債の券面金額から当該割引債に係る発行価額〔当該割引債が（1）の表に掲げる国債で（1）に掲げる短期公社債に該当する国債及び（2）に掲げる国債〈以下3において「短期国債等」という。〉でその発行価額が明らかでないもの以外の割引債であるときは当該割引債に係る最終発行日における発行価額とし、当該割引債が当該短期国債等であるときは当該割引債に係る当該発行価額に準ずるものとして（3）に掲げる価額とする。〕を控除した残額に、当該割引債の発行の際に（4）により当該割引債に係る償還差益について徴収された所得税の税率を乗じて計算した金額とし、その割引債が償還期限を繰り上げて償還をされたもの又は当該期限前に買入消却をされたものであるときは、その所得税の額から（5）により計算した還付する金額を控除した残額とする。）について、2《法人税額から控除する所得税額の計算》により計算した金額とする。

　この場合において、2の①の表のイの（イ）中「法人」とあるのは「割引債の償還差益、法人」と、2の②《元本所有期間あん分の計算方法》中「月数のうち」とあるのは「月数（当該配当等が短期公社債に係る償還差益であるときは、日数。以下②において同じ。）のうち」と、2の③《元本所有期間あん分の簡便計算》中「配当等に対する所得税の額」とあるのは「配当等に対する所得税の額（短期公社債の償還差益に対する所得税の額を除く。）」と、「株式及び」とあるのは「割引債、株式及び」と、「と集団投資信託の受益権と」とあるのは「又は集団投資信託の受益権の3種類」と、同2の③の表のイ中「の数（」とあるのは「の数（割引債については額面金額とし、」と、「は、金額」とあるのは「は金額とする」とする。（措令26の11①）

　　　（短期公社債の意義等）
（1）　3に掲げる短期公社債とは、割引の方法により発行される公社債で次に掲げるもののうち、その発行の日から償還期限までの期間が1年以下であるものをいう。（措令26の11③）

(一)	国債
(二)	社債、株式等の振替に関する法律第66条第1号に規定する短期社債又は同法附則第36条第1項に規定する振替外債
(三)	投資信託及び投資法人に関する法律第139条の12第1項に規定する短期投資法人債
(四)	信用金庫法第54条の4第1項に規定する短期債
(五)	保険業法第61条の10第1項に規定する短期社債
(六)	資産の流動化に関する法律第2条第8項に規定する特定短期社債
(七)	農林中央金庫法第62条の2第1項に規定する短期農林債

　　　注　上表の(二)に掲げる振替外債については、次に掲げる要件を満たすものに限る。（措規19の4⑤）
　　　　（一）　契約により振替外債（上表の(二)に掲げる振替外債をいう。以下この注において同じ。）の総額が引き受けられるものであること。
　　　　（二）　各振替外債の金額が1億円を下回らないこと。
　　　　（三）　元本の償還について、振替外債の総額の払込みのあった日から1年未満の日とする確定期限の定めがあり、かつ、分割払の定めがないこと。

　　　（短期国債等に含まれるもの）
（2）　3に掲げる短期国債等に含まれる国債は、割引の方法により発行される国債でその発行の日から償還期限までの期間が3年であるものとする。（措規19の4③）

(発行価額に準ずる価額)
(3) 3に掲げる発行価額に準ずる価額は、短期国債等の券面金額に、当該短期国債等に係る発行額に占める払込金の合計額の割合(当該短期国債等のその発行の日から償還期限までの期間が2か月以内又は3か月である場合において当該割合に小数点以下6位未満の端数があるときは、これを切り捨てるものとし、当該短期国債等の当該期間が6か月又は1年である場合において当該割合に小数点以下5位未満の端数があるときは、これを切り捨てるものとし、当該短期国債等が(2)に掲げる国債に該当する場合において当該割合に小数点以下4位未満の端数があるときは、これを切り捨てる。)を乗じて計算した金額とする。(措規19の4④)

(割引債の発行者の源泉徴収義務)
(4) 割引債の発行者は、当該割引債の発行の際これを取得する者からその割引債の券面金額から発行価額を控除した金額に次の税率を乗じて計算した金額の所得税を徴収し、これを国に納付しなければならない。(措法41の12③参照、旧措令26の10、昭45改正前の措法41の12③、改措法〔昭62法律第96号〕附48、昭60改措法附1Ⅰ、昭55改措法附15、昭45改措法附9②)

発 行 期 間 等	税 率
昭42.7.1から昭45.12.31まで(電信電話債券にあっては昭42.10.1から昭46.3.31まで)	5%
昭46.1.1から昭47.12.31まで(電信電話債券にあっては昭46.4.1から昭48.3.31まで)	8%
昭48.1.1から昭50.12.31まで(電信電話債券にあっては昭48.4.1から昭50.12.31まで)	10%
昭51.1.1から昭52.12.31まで	12%
昭53.1.1から昭63.3.31まで	16%
昭63.4.1以後 東京湾横断道路の建設に関する特別措置法第2条第1項《東京湾横断道路の建設及び管理》に規定する東京湾横断道路建設事業者が同法第10条第1項《社債及び借入金》の認可を受けて発行する社債	16%
昭63.4.1以後 民間都市開発の推進に関する特別措置法第3条第1項《民間都市開発推進機構の指定》に規定する民間都市開発推進機構が同法第8条第3項《借入金及び債券》の認可を受けて発行する債券	16%
昭63.4.1以後 上記以外のもの	18%

(繰上償還等の場合の所得税の還付)
(5) 3に掲げる還付する所得税の額は、割引債の券面金額から償還金額(買入消却が行われる場合には、その買入金額)を控除した金額に、当該割引債の発行の際に当該割引債に係る償還差益について徴収された所得税の税率を乗じて計算した金額とする。(措令26の12①)

(法人税額から控除する割引債の償還差益に係る所得税額の益金算入等)
(6) 法人が割引債を発行の際に取得した場合におけるその発行の際に徴収された所得税の額は、当該割引債の取得価額に含めるものとし、割引債の償還(買入消却を含む。)を受ける時に徴収される所得税とみなされた金額は、その償還を受ける時を含む事業年度の所得の金額の計算上、損金の額に算入しないものとし、一の所得税額の控除により法人税の額から控除される所得税の額は、その控除しようとする事業年度の所得の金額の計算上、益金の額に算入するものとする。(措令26の11②)
注 割引債の発行時に徴収された所得税額は、割引債の取得価額に算入され、法人の計算では償還差益に対する原価として実質的には損金に算入されているが、所得税額として損金算入されたものではないので、1の(6)《法人税額から控除する所得税の損金不算入》は当然のこととしては適用されないこととなる。そこで、所得税額控除が行われた場合には、改めてその控除される所得税の額を、その控除しようとする事業年度の益金の額に算入することとして、損金不算入と同様の効果を生ずるようにしている。(編者)

4 外国関係会社の課税対象金額等に係る所得税等の額の計算等《外国子会社合算税制の適用を受ける場合の所得税額等控除》

(1) 《対象となる内国法人の範囲》に掲げる内国法人が、第一節第三十二款の一の1《内国法人に係る外国関係会社の課税対象金額の益金算入》又は同一の6の①《内国法人に係る部分対象外国関係会社の部分課税対象金額の益金算入》若しくは同一の7《内国法人に係る部分対象外国関係会社の金融子会社等部分課税対象金額の益金算入》の適用を受ける場

合には、次の表に掲げる金額の合計額（4において「**所得税等の額**」という。）のうち、当該内国法人に係る外国関係会社の課税対象金額に対応するものとして（2）により計算した金額に相当する金額、当該外国関係会社の部分課税対象金額に対応するものとして（3）により計算した金額に相当する金額又は当該外国関係会社の金融子会社等部分課税対象金額に対応するものとして（4）により計算した金額に相当する金額（4において「**控除対象所得税額等相当額**」という。）は、当該内国法人の（6）に掲げる事業年度の所得に対する法人税の額（4、**1**《所得税額の控除》、二の1の①《外国法人税を納付することとなる場合の外国税額控除》、二の4の①《控除限度超過額が生じた場合の繰越控除限度額による外国税額の控除》、同4の②《控除余裕額が生じた場合の繰越控除対象外国法人税額の控除》及び四の1《仮装経理に基く過大申告の場合の更正に伴う法人税額の控除》を適用しないで計算した場合の法人税の額とし、附帯税〔国税通則法第2条第4号《附帯税》に規定する附帯税をいう。〕の額を除く。）から控除する。（措法66の7④）

（一）	当該外国関係会社に対して課される所得税の額（附帯税の額を除く。）、法人税（退職年金等積立金に対する法人税を除く。）の額（附帯税の額を除く。）及び地方法人税（第六章第二節の**五**《基準法人税額》の表の②に掲げる基準法人税額に対する地方法人税を除く。）の額（附帯税の額を除く。）
（二）	当該外国関係会社に対して課される地方税法第23条第1項第3号《道府県民税に関する用語の意義》に掲げる法人税割（同法第1条第2項《用語》において準用する同法第4条第2項《道府県が課することができる税目》（第1号に係る部分に限る。）又は同法第734条第2項《都における普通税の特例》（第2号に係る部分に限る。）の規定により都が課するものを含むものとし、退職年金等積立金に対する法人税に係るものを除く。）の額及び同法第292条第1項第3号《市町村民税に関する用語の意義》に掲げる法人税割（同法第734条第2項（第2号に係る部分に限る。）の規定により都が課するものを含むものとし、退職年金等積立金に対する法人税に係るものを除く。）の額

（対象となる内国法人の範囲）
（1）　4に掲げる内国法人とは、次の表の（一）から（四）までに掲げる内国法人のことをいう。（措法66の6①）

（一）	内国法人の外国関係会社に係る次の表に掲げる割合のいずれかが$\frac{10}{100}$以上である場合における当該内国法人	
	イ	その有する外国関係会社の株式等の数又は金額（当該外国関係会社と居住者〔第一節第三十二款の**一**の1の（1）《居住者の範囲》に掲げる居住者をいう。〕又は内国法人との間に実質支配関係がある場合には、零）及び他の外国法人を通じて間接に有するものとして同1の（2）《間接に有する外国関係会社の株式等の数又は金額》に掲げる当該外国関係会社の株式等の数又は金額の合計数又は合計額が当該外国関係会社の発行済株式又は出資（自己が有する自己の株式等を除く。）の総数又は総額のうちに占める割合
	ロ	その有する外国関係会社の議決権（剰余金の配当等に関する決議に係るものに限る。）の数（当該外国関係会社と居住者又は内国法人との間に実質支配関係がある場合には、零）及び他の外国法人を通じて間接に有するものとして同1の（3）《間接に有する外国関係会社の議決権の数》に掲げる当該外国関係会社の議決権の数の合計数が当該外国関係会社の議決権の総数のうちに占める割合
	ハ	その有する外国関係会社の株式等の請求権に基づき受けることができる剰余金の配当等の額（当該外国関係会社と居住者又は内国法人との間に実質支配関係がある場合には、零）及び他の外国法人を通じて間接に有する当該外国関係会社の株式等の請求権に基づき受けることができる剰余金の配当等の額として同1の（4）《間接に有する外国関係会社の株式等の請求権に基づき受けることができる剰余金の配当等の額》に掲げるものの合計額が当該外国関係会社の株式等の請求権に基づき受けることができる剰余金の配当等の総額のうちに占める割合
（二）	外国関係会社との間に実質支配関係がある内国法人	
（三）	外国関係会社（内国法人との間に実質支配関係があるものに限る。）の他の外国関係会社に係る（一）の表のイからハまでに掲げる割合のいずれかが$\frac{10}{100}$以上である場合における当該内国法人（（一）に掲げる内国法人を除く。）	
（四）	外国関係会社に係る（一）の表のイからハまでに掲げる割合のいずれかが$\frac{10}{100}$以上である一の同族株主グループ（外国関係会社の株式等を直接又は間接に有する者及び当該株式等を直接又は間接に有する者との間に実質支配関係がある者〔当該株式等を直接又は間接に有する者を除く。〕のうち、一の居住者又は内国法人、当該一の居住者又は内国法人との間に実質支配関係がある者及び当該一の居住者又は内国法人と第一節第三十二款の**一**の1の（5）《特殊の関係のある者の範囲》に掲げる特殊の関係のある者〔外国法人を除く。〕をいう。）に属する内国法人（外国関係会社に係る（一）の表のイからハまでに掲げる割合又は他の外国関係会社〔内国法人との間に実質支配関係が	

あるものに限る。]の当該外国関係会社に係る同(一)の表のイからハまでに掲げる割合のいずれかが零を超えるものに限るものとし、(一)及び(三)に掲げる内国法人を除く。)

(課税対象金額に対応する所得税等の額の計算)
(2) 4に掲げる当該外国関係会社の課税対象金額に対応するものとして計算した金額は、外国関係会社につきその課税対象年度の所得に対して課される所得税等の額(4に掲げる所得税等の額をいう。(3)及び(4)において同じ。)に、当該課税対象年度に係る調整適用対象金額のうちに4に掲げる内国法人に係る課税対象金額の占める割合を乗じて計算した金額とする。(措令39の18㉓)
(算式)

$$\text{外国関係会社の課税対象金額に対応する所得税等の額} = \text{課税対象年度の所得に対して課される所得税等の額} \times \frac{\text{課税対象金額}}{\text{二の3の(7)に掲げる調整適用対象金額}}$$

注 復興特別所得税に係る租税特別措置法施行令の適用については、(2)中次の表の左欄に掲げる字句は、右欄に掲げる字句とする。(平29改措令附35、復興特別所得税政令13①)

| 所得税等の額を | 所得税等の額及び復興特別所得税の額(国税通則法第2条第4号に規定する附帯税の額を除く。)を |

(部分課税対象金額に対応する所得税等の額の計算)
(3) 4に掲げる当該外国関係会社の部分課税対象金額に対応するものとして計算した金額は、外国関係会社につきその部分課税対象年度の所得に対して課される所得税等の額に、当該部分課税対象年度に係る調整適用対象金額のうちに4に掲げる内国法人に係る部分課税対象金額の占める割合(当該調整適用対象金額が当該部分課税対象金額を下回る場合には、当該部分課税対象年度に係る部分適用対象金額のうちに部分課税対象金額の占める割合)を乗じて計算した金額とする。(措令39の18㉔)
(算式)

$$\text{外国関係会社の部分課税対象金額に対応する所得税等の額} = \text{部分課税対象年度の所得に対して課される所得税等の額} \times \frac{\text{部分課税対象金額}}{\text{二の3の(7)に掲げる調整適用対象金額}}$$

※ ただし、調整適用対象金額が部分課税対象金額を下回る場合には、部分適用対象金額のうちに部分課税対象金額の占める割合とする。

(金融子会社等部分課税対象金額に対応する所得税等の額の計算)
(4) 4に掲げる当該外国関係会社の金融子会社等部分課税対象金額に対応するものとして計算した金額は、外国関係会社につきその金融子会社等部分課税対象年度の所得に対して課される所得税等の額に、当該金融子会社等部分課税対象年度に係る調整適用対象金額のうちに4に掲げる内国法人に係る金融子会社等部分課税対象金額の占める割合(当該調整適用対象金額が当該金融子会社等部分課税対象金額を下回る場合には、当該金融子会社等部分課税対象年度に係る金融子会社等部分適用対象金額のうちに当該金融子会社等部分課税対象金額の占める割合)を乗じて計算した金額とする。(措令39の18㉕)
(算式)

$$\text{外国関係会社の金融子会社等部分課税対象金額に対応する所得税等の額} = \text{金融子会社等部分課税対象年度の所得に対して課される所得税等の額} \times \frac{\text{金融子会社等部分課税対象金額}}{\text{二の3の(7)に掲げる調整適用対象金額}}$$

※ ただし、調整適用対象金額が金融子会社等部分課税対象金額を下回る場合には、金融子会社等部分課税対象年度に係る金融子会社等部分適用対象金額のうちに当該金融子会社等部分課税対象金額の占める割合とする。

(法人税額から控除する外国関係会社の所得税等の額の益金算入)
(5) 4の(1)の表の(一)から(四)までに掲げる内国法人が、第一節第三十二款の一の1の適用に係る外国関係会社の課税対象金額に相当する金額につき同1の適用を受ける場合、同一の6の①の適用に係る外国関係会社の部分課税対象金額に相当する金額につき同①の適用を受ける場合又は同一の7の適用に係る外国関係会社の金融子会社等部分課税対象金額に相当する金額につき同7の適用を受ける場合において、4の適用を受けるときは、当該内国法人に係る外国関係会社に係る控除対象所得税額等相当額は、当該内国法人の(6)に掲げる事業年度の所得の金額の計算上、益金の額に算入する。(措法66の7⑥)

第三章　第二節　第二款　一《所得税額控除》

(法人税額から控除する又は益金の額に算入する事業年度)
（６）　４及び（５）に掲げる事業年度は、４の（１）の表の（一）から（四）までに掲げる内国法人が、当該内国法人に係る外国関係会社の課税対象年度の課税対象金額に相当する金額、部分課税対象年度の部分課税対象金額に相当する金額又は金融子会社等部分課税対象年度の金融子会社等部分課税対象金額に相当する金額につき、第一節第三十二款の一の１又は同一の６の①若しくは同一の７の適用を受ける事業年度とする。(措令39の18㉖)

(確定申告書等の添付書類等)
（７）　４は、確定申告書等、修正申告書又は更正請求書に４による控除の対象となる所得税等の額、控除を受ける金額及び当該金額の計算に関する明細を記載した書類の添付がある場合に限り、適用する。この場合において、４により控除される金額の計算の基礎となる所得税等の額は、当該書類に当該所得税等の額として記載された金額を限度とする。(措法66の７⑤)

(税額控除の順序)
（８）　４の適用がある場合には、一《所得税額の控除》、二《外国税額の控除》、三《分配時調整外国税相当額の控除》及び四の１《仮装経理に基づく過大申告の場合の更正に伴う法人税額の控除》による法人税の額からの控除及び同４による法人税の額からの控除については、同４による控除は、三による控除をした後に、かつ、四の１による控除をする前に行うものとする。(措法66の７⑦)
　　　なお、４の適用がある場合における五《試験研究を行った場合の法人税額の特別控除》から二十一《法人税の額から控除される特別控除額の特例》（（８）において「特別税額控除規定」という。）の適用については、まず特別税額控除規定による控除をした後において、三による控除をし、同４による控除を行い、次に四の１による控除をした後において、一及び二による控除を行うものとする。(措法66の７⑨)

５　復興特別所得税額の控除

　内国法人が各課税事業年度において復興財源確保法第10条第４号イ及びロに掲げる所得につき同法の第四章の規定により課される復興特別所得税の額（以下「**復興特別所得税の額**」という。）は、（２）《所得税額控除規定の準用》により、当該課税事業年度の復興特別法人税の額から控除する。(復興財源確保法49①)

注１　復興財源確保法第10条第４号については、次のとおり。

> (基準所得税額)
> 第10条　この章において「基準所得税額」とは、次の各号に掲げる者の区分に応じ当該各号に定める所得税の額（附帯税の額を除く。）をいう。
> 　一　非永住者以外の居住者　省略
> 　二　非永住者　省略
> 　三　非居住者　省略
> 　四　内国法人　次に掲げる所得につき、所得税法、租税特別措置法その他の所得税の税額の計算に関する法令の規定（同法第９条の３の２第５項の規定により読み替えて適用される所得税法第175条の規定を除く。）により計算した所得税の額
> 　　イ　所得税法第７条第１項第４号に定める所得
> 　　ロ　租税特別措置法第３条の３第２項に規定する国外公社債等の利子等、同法第６条第１項に規定する民間国外債の利子、同条第13項に規定する外貨債の利子、同法第８条の３第２項に規定する国外投資信託等の配当等、同法第９条の２第１項に規定する国外株式の配当等、同法第41条の９第２項に規定する懸賞金付預貯金等の懸賞金等、同法第41条の12第２項に規定する償還差益及び同法第41条の12の２第１項に規定する差益金額
> 　五　外国法人　省略

注２　復興特別法人税は、一部を除き、平成24年４月１日から施行される。(復興財源確保法附１Ⅲ、復興特別法人税政令附１、復興特別法人税省令附１)
注３　復興特別法人税は、平成26年度改正により、１年前倒しで平成26年４月１日以後に終了する事業年度から廃止されており、平成26年３月31日以前に終了した事業年度については、従前の例による。(平26改法附１、155②、平26改正復興令附①②)
　　　なお、廃止前の復興特別法人税については、本書平成28年版の1936ページ以下を参照。(編者)

(所得税の額とみなされる復興特別所得税)
（１）　法人の各事業年度（復興財源確保法第40条第11号に規定する事業年度をいい、課税事業年度〔同法第45条に規定する課税事業年度をいう。以下（１）において同じ。〕を除く。以下（１）において同じ。）において復興財源確保法第10条第４号イ及びロに掲げる所得につき同法第四章《復興特別所得税》の規定により課される復興特別所得税の額がある場合には、当該法人に対する法人税法の規定の適用については、当該各事業年度における当該復興特別所得税の額

は、当該各事業年度における当該所得に係る**1**《所得税額の控除》に掲げる所得税の額とみなす。この場合において、当該復興所得税の額に係る法人税法その他法人税に関する法令の規定の適用に関し必要な事項は、**2**の①《法人税額から控除する所得税》の注2による。(復興財源確保法33②)

（所得税額控除規定の準用）
(2)　**2**《法人税額から控除する所得税額の計算》は、**5**により復興特別法人税の額から控除する復興特別所得税の額について準用する。(復興特別法人税政令5①)

（公益法人等又は人格のない社団等の収益事業以外の事業等に属する資産に係る復興特別所得税の控除の不適用）
(3)　**5**は、内国法人である公益法人等又は人格のない社団等が収益事業以外の事業又はこれに属する資産から生ずる所得につき課される復興特別所得税の額については、適用しない。(復興財源確保法49②)

（償還差益に対する所得税額の法人税額からの控除の準用）
(4)　租税特別措置法施行令第26条の11第1項《償還差益に対する所得税額の法人税額からの控除》の規定は、租税特別措置法第41条の12第7項《償還差益等に係る分離課税等》に規定する割引債に係る同条第3項の規定による所得税の徴収に併せて復興財源確保法第28条第1項《源泉徴収義務等》の規定により徴収される復興特別所得税の額のうち復興特別法人税の額から控除する復興特別所得税の額について準用する。この場合において、租税特別措置法施行令第26条の11第1項中「所得税の税率を乗じて計算した金額」とあるのは「所得税の税率を乗じて計算した金額に復興財源確保法第28条第1項の規定により当該所得税の徴収に併せて徴収された復興特別所得税の税率を乗じて計算した金額」と、「次条第1項」とあるのは「同条第3項（第2号に係る部分に限る。）」と、「法人税法施行令」とあるのは「復興特別法人税に関する政令第5条第1項において準用する法人税法施行令」と読み替えるものとする。(復興特別法人税政令5④)

（復興特別所得税額の控除の申告）
(5)　**5**は、復興特別法人税申告書、修正申告書又は更正請求書に**5**による控除を受けるべき金額及びその計算に関する明細を記載した書類の添付がある場合に限り、適用する。この場合において、**5**による控除をされるべき金額は、当該金額として記載された金額を限度とする。(復興財源確保法49⑤)

（清算所得に対する法人税が課される法人の復興特別所得税額の控除）
(6)　平成22年9月30日以前に解散した内国普通法人等が清算中に課された復興特別所得税の額については、所得税法等の一部を改正する法律（平成22年法律第6号）附則第29条の2《清算所得に対する法人税に関する経過措置》の規定により、当該内国普通法人等の清算所得に対する法人税の額から控除をされるべき所得税の額とみなされることから、清算中の所得に係る予納申告及び清算確定申告において、法人税の額から控除することができることに留意する。
（復興特別法人税通達4）
　　注1　清算確定申告において法人税の額から控除しきれなかった金額は、還付を受けることができる。
　　注2　所得税法等の一部を改正する法律（平成22年法律第6号）附則第29条の2については、次のとおり。

> （清算所得に対する法人税に関する経過措置）
> 　10月旧法人税法第92条第1項に規定する内国法人等であって、附則第10条第2項の規定によりなお従前の例によるものとされた清算所得に対する法人税を課されるものが、清算中に東日本大震災からの復興のための施策を実施するために必要な財源の確保に関する特別措置法（平成23年法律第117号）第10条第4項イ及びロに掲げる所得につき同法第4章の規定により復興特別所得税を課された場合には、10月旧法人税法第2編第3章、第129条第1項、第135条及び第137条の規定の適用については、その課された復興特別所得税の額は、当該内国普通法人等の当該清算所得に対する法人税（当該内国普通法人等の清算中の事業年度の所得に係る法人税を含む。）の額から控除されるべき所得税の額とみなす。

6　所得税額の控除の申告

　1の所得税額の控除は、確定申告書、修正申告書又は更正請求書に**1**の所得税額の控除による控除を受けるべき金額及びその計算に関する明細《別表六(一)→別表四→別表一》を記載した書類の添付がある場合に限り、適用する。この場合において、**1**の所得税額の控除による控除をされるべき金額は、当該金額として記載された金額を限度とする。(法68④)

二　外国税額の控除

1　直接外国税額控除

①　外国法人税を納付することとなる場合の外国税額控除

　内国法人（第一節第二十七款の**十七の1**《特定目的会社の支払配当の損金算入》に掲げる特定目的会社及び同款の**十八の1**《投資法人の支払配当の損金算入》に掲げる投資法人を除く。以下**二**において同じ。）が各事業年度において**外国法人税**（外国の法令により課される法人税に相当する税で③《外国法人税の範囲》に掲げるものをいう。以下**1**において同じ。）を納付することとなる場合には、当該事業年度の所得の金額につき第一款の**一**《各事業年度の所得に対する法人税の税率》（第一款の**一**の**4**の①《特定の医療法人の法人税率の特例》の適用を受ける特定医療法人にあっては、同**一**の**4**の①）を適用して計算した金額のうち当該事業年度の国外所得金額（国外源泉所得に係る所得のみについて各事業年度の所得に対する法人税を課するものとした場合に課税標準となるべき当該事業年度の所得の金額に相当するものとして次の表に掲げる国外源泉所得に係る所得の金額の合計額〔当該合計額が零を下回る場合には、零〕）に対応するものとして⑩《控除限度額の計算》に掲げるところにより計算した金額（以下**二**において「**控除限度額**」という。）を限度として、その外国法人税の額（その所得に対する負担が高率な部分として⑥《所得に対する負担が高率な部分の金額》に掲げる外国法人税の額、内国法人の通常行われる取引と認められないものとして⑦《通常行われる取引と認められない取引》に掲げる取引に基因して生じた所得に対して課される外国法人税の額、内国法人の法人税に関する法令の規定により法人税が課されないこととなる金額を課税標準として外国法人税に関する法令により課されるものとして⑧《内国法人の法人税法に関する法令の規定により法人税が課されないもの》に掲げる外国法人税の額その他⑨《その他外国税額控除の対象とならない外国法人税の額》に掲げる外国法人税の額を除く。以下**二**において「**控除対象外国法人税の額**」という。）を当該事業年度の所得に対する法人税の額から控除する。（法69①、令141の2、措法42の3の2①②、67の2④、67の14②、67の15②）

(一)	②《国外源泉所得》の**イ**の表の(一)に掲げる国外源泉所得
(二)	同②の**イ**の表の(二)から(十六)までに掲げる国外源泉所得（同表の(二)から(十三)まで、(十五)及び(十六)に掲げる国外源泉所得にあっては、同表の(一)に掲げる国外源泉所得に該当するものを除く。）

　注　外国税額の控除は、内国法人である公益法人等又は人格のない社団等が収益事業以外の事業又はこれに属する資産から生ずる所得について納付する控除対象外国法人税の額については、適用しない。（法69⑬）

②　国外源泉所得

イ　国外源泉所得

　①に掲げる国外源泉所得とは次に掲げるものをいう。（法69④）

(一)	内国法人が**国外事業所等**（国外にある恒久的施設に相当するものその他の我が国が租税条約〔第二章第一節の二の表の**12の19**《恒久的施設》ただし書に掲げる条約をいい、その条約の我が国以外の締約国又は締約者〈以下(一)において「**条約相手国等**」という。〉内にある恒久的施設に相当するものに帰せられる所得に対して租税を課すことができる旨の定めのあるものに限る。以下(一)において同じ。〕を締結している条約相手国等については当該租税条約の条約相手国等内にある当該租税条約に定める恒久的施設に相当するもの及びその他の国又は地域については当該国又は地域にある恒久的施設に相当するものをいう。以下**二**において同じ。）を通じて事業を行う場合において、当該国外事業所等が当該内国法人から独立して事業を行う事業者であるとしたならば、当該国外事業所等が果たす機能、当該国外事業所等において使用する資産、当該国外事業所等と当該内国法人の本店等（当該内国法人の本店、支店、工場その他これらに準ずるものとして次の表の(イ)から(ニ)に掲げるものであって当該国外事業所等以外のものをいう。以下**二**において同じ。）との間の内部取引その他の状況を勘案して、当該国外事業所等に帰せられるべき所得（当該国外事業所等の譲渡により生ずる所得を含み、(十四)に該当するものを除く。）（令145の2①②）
	（イ）　第二章第一節の二の表の**12の19**の表の①に掲げる事業を行う一定の場所に相当するもの
	（ロ）　第二章第一節の二の表の**12の19**の表の②に掲げる建設若しくは据付けの工事又はこれらの指揮監督の役務の提供を行う場所に相当するもの
	（ハ）　第二章第一節の二の表の**12の19**の表の③に掲げる自己のために契約を締結する権限のある者に相当する者

	(ニ)	(イ)から(ハ)に掲げるものに準ずるもの

(二)	国外にある資産の運用又は保有により生ずる所得 次の表の(イ)から(ハ)に掲げる資産の運用又は保有により生ずる所得は、(二)に掲げる国外源泉所得に含まれるものとする。（法69㉞、令145の3①） なお、金融商品取引法第2条第23項に規定する外国市場デリバティブ取引又は同条第22項に規定する店頭デリバティブ取引の決済により生ずる所得は、(二)に掲げる国外源泉所得に含まれないものとする。（令145の3②）		
	(イ)	外国の国債若しくは地方債若しくは外国法人の発行する債券又は外国法人の発行する金融商品取引法第2条第1項第15号《定義》に掲げる約束手形に相当するもの	
	(ロ)	所得税法第2条第1項第5号《定義》に規定する非居住者（以下「**非居住者**」という。）に対する貸付金に係る債権で当該非居住者の行う業務に係るもの以外のもの	
	(ハ)	国外にある営業所、事務所その他これらに準ずるもの又は国外において契約の締結の代理をする者を通じて締結した保険契約（保険業法第2条第6項《定義》に規定する外国保険業者、同条第3項に規定する生命保険会社、同条第4項に規定する損害保険会社又は同条第18項に規定する少額短期保険業者の締結した保険契約をいう。）その他これに類する契約に基づく保険金の支払又は剰余金の分配（これらに準ずるものを含む。）を受ける権利	

(三)	国外にある資産の譲渡（(ハ)に掲げる資産については、伐採又は譲渡）により生ずる所得として次の表の(イ)から(ト)に掲げるもの（令145の4①②）		
	(イ)	国外にある不動産	
	(ロ)	国外にある不動産の上に存する権利、国外における鉱業権又は国外における採石権	
	(ハ)	国外にある山林	
	(ニ)	外国法人の発行する株式又は外国法人の出資者の持分で、その外国法人の発行済株式又は出資の総数又は総額の一定割合以上に相当する数又は金額の株式又は出資を所有する場合にその外国法人の本店又は主たる事務所の所在する国又は地域においてその譲渡による所得に対して外国法人税が課されるもの	
	(ホ)	不動産関連法人（その有する資産の価額の総額のうちに次の表のAからDに掲げる資産の価額の合計額の占める割合が$\frac{50}{100}$以上である法人をいう。）の株式（出資を含む。(ヘ)において同じ。）	
		A	国外にある土地等（土地若しくは土地の上に存する権利又は建物及びその附属設備若しくは構築物をいう。以下(ホ)において同じ。）
		B	その有する資産の価額の総額のうちに国外にある土地等の価額の合計額の占める割合が$\frac{50}{100}$以上である法人の株式
		C	B又はDに掲げる株式を有する法人（その有する資産の価額の総額のうちに国外にある土地等並びにB、C及びDに掲げる株式の価額の合計額の占める割合が$\frac{50}{100}$以上であるものに限る。）の株式（Bに掲げる株式に該当するものを除く。）
		D	Cに掲げる株式を有する法人（その有する資産の価額の総額のうちに国外にある土地等並びにB、C及びDに掲げる株式の価額の合計額の占める割合が$\frac{50}{100}$以上であるものに限る。）の株式（B及びCに掲げる株式に該当するものを除く。）
	(ヘ)	国外にあるゴルフ場の所有又は経営に係る法人の株式を所有することがそのゴルフ場を一般の利用者に比して有利な条件で継続的に利用する権利を有する者となるための要件とされている場合における当該株式	
	(ト)	国外にあるゴルフ場その他の施設の利用に関する権利	

(四)	国外において人的役務の提供を主たる内容とする事業で次の表の(イ)から(ハ)に掲げるものを行う法人が受ける当該人的役務の提供に係る対価（令145の5）		
	(イ)	映画若しくは演劇の俳優、音楽家その他の芸能人又は職業運動家の役務の提供を主たる内容とする事業	
	(ロ)	弁護士、公認会計士、建築士その他の自由職業者の役務の提供を主たる内容とする事業	

	(ハ)	科学技術、経営管理その他の分野に関する専門的知識又は特別の技能を有する者の当該知識又は技能を活用して行う役務の提供を主たる内容とする事業（機械設備の販売その他事業を行う者の主たる業務に付随して行われる場合における当該事業及び第二章第一節の**二**の表の**12の19**の表の②に掲げる建設又は据付けの工事の指揮監督の役務の提供を主たる内容とする事業を除く。）
(五)	国外にある不動産、国外にある不動産の上に存する権利若しくは国外における採石権の貸付け（地上権又は採石権の設定その他他人に不動産、不動産の上に存する権利又は採石権を使用させる一切の行為を含む。）、国外における租鉱権の設定又は非居住者若しくは外国法人に対する船舶若しくは航空機の貸付けによる対価	
(六)	所得税法第23条第1項《利子所得》に規定する利子等及びこれに相当するもののうち次の表の(イ)から(ハ)までに掲げるもの（所令2）	
	(イ)	外国の国債若しくは地方債又は外国法人の発行する債券の利子
	(ロ)	国外にある営業所、事務所その他これらに準ずるもの（以下(六)において「営業所」という。）に預け入れられた預貯金（所得税法第2条第1項第10号に規定する次の表のAからCに掲げるものに相当するものを含む。）の利子
		A 労働基準法第18条《貯蓄金の管理等》又は船員法第34条《貯蓄金の管理等》の規定により管理される労働者又は船員の貯蓄金
		B 国家公務員共済法第98条《福祉事業》若しくは地方公務員等共済組合法第112条第1項《福祉事業》に規定する組合に対する組合員の貯金又は私立学校教職員共済法第26条第1項《福祉事業》に規定する事業団に対する加入者の貯金
		C 金融商品取引法第2条第9項《定義》に規定する金融商品取引業者（同法第28条第1項《通則》に規定する第一種金融商品取引業を行う者に限る。）に対する預託金で、勤労者財産形成促進法第6条第1項、第2項又は第4項《勤労者財産形成貯蓄契約等》に規定する勤労者財産形成貯蓄契約、勤労者財産形成年金貯蓄契約又は勤労者財産形成住宅貯蓄契約に基づく有価証券の購入のためのもの
	(ハ)	国外にある営業所に信託された合同運用信託若しくはこれに相当する信託、公社債投資信託又は公募公社債等運用投資信託（所得税法第2条第1項第15号の3に規定する公募公社債等運用投資信託をいう。(七)の表の(ロ)において同じ。）若しくはこれに相当する信託の収益の分配
(七)	所得税法第24条第1項《配当所得》に規定する配当等及びこれに相当するもののうち次の表の(イ)及び(ロ)に掲げるもの	
	(イ)	外国法人から受ける所得税法第24条第1項に規定する剰余金の配当、利益の配当若しくは剰余金の分配又は同項に規定する金銭の分配若しくは基金利息に相当するもの
	(ロ)	国外にある営業所に信託された所得税法第2条第1項第12号の2に規定する投資信託（公社債投資信託並びに公募公社債等運用投資信託及びこれに相当する信託を除く。）又は法人税法第2条第29号ハ《定義》に規定する特定受益証券発行信託若しくはこれに相当する信託の収益の分配
(八)	国外において業務を行う者に対する貸付金（これに準ずるものを含む。）で当該業務に係るものの利子（債券をあらかじめ約定した期日にあらかじめ約定した価格で〔あらかじめ期日及び価格を約定することに代えて、その開始以後期日及び価格の約定をすることができる場合にあっては、その開始以後約定した期日に約定した価格で〕買い戻し、又は売り戻すことを約定して譲渡し、又は購入し、かつ、当該約定に基づき当該債券と同種及び同量の債券を買い戻し、又は売り戻す取引〔(八)において「債券現先取引」という。〕から生ずる国外において業務を行う者との間で行う債券現先取引で当該業務に係るものにおいて、債券を購入する際の当該購入に係る対価の額を当該債券と同種及び同量の債券を売り戻す際の当該売戻しに係る対価の額が上回る場合における当該売戻しに係る対価の額から当該購入に係る対価の額を控除した金額に相当する差益を含む。）（令145の6①②） 注 内国法人の業務の用に供される船舶又は航空機の購入のためにその内国法人に対して提供された貸付金は、(八)に掲げる貸付金以外の貸付金とする。（令145の6③）	
(九)	国外において業務を行う者から受ける次の表の(イ)から(ハ)までに掲げる使用料又は対価で当該業務に係るもの（令145の7①）	

	(イ)	工業所有権その他の技術に関する権利、特別の技術による生産方式若しくはこれらに準ずるものの使用料又はその譲渡による対価
	(ロ)	著作権（出版権及び著作隣接権その他これに準ずるものを含む。）の使用料又はその譲渡による対価
	(ハ)	機械、装置、車両及び運搬具、工具並びに器具及び備品の使用料
	注	(九)に掲げる資産で内国法人の業務の用に供される船舶又は航空機において使用されるものの使用料は、(九)に掲げる使用料以外の使用料とする。（令145の7②）
(十)	国外において事業を行う者から当該事業の広告宣伝のために賞として支払を受ける金品その他の経済的な利益（令145の8）	
(十一)	国外にある営業所又は国外において契約の締結の代理をする者を通じて締結した保険業法第2条第6項《定義》に規定する外国保険業者の締結する保険契約その他の保険業法第2条第6項《定義》に規定する外国保険業者、同条第3項に規定する生命保険会社若しくは同条第4項に規定する損害保険会社の締結する保険契約又はこれに類する共済に係る契約であって、年金を給付する定めのあるものに基づいて受ける年金（年金の支払の開始の日以後に当該年金に係る契約に基づき分配を受ける剰余金又は割戻しを受ける割戻金及び当該契約に基づき年金に代えて支給される一時金を含む。）（令145の9）	
(十二)	次の表の(イ)から(ヘ)に掲げる給付補填金、利息、利益又は差益	
	(イ)	所得税法第174条第3号《内国法人に係る所得税の課税標準》に掲げる給付補填金のうち国外にある営業所が受け入れた定期積金に係るもの
	(ロ)	所得税法第174条第4号に掲げる給付補填金に相当するもののうち国外にある営業所が受け入れた同号に規定する掛金に相当するものに係るもの
	(ハ)	所得税法第174条第5号に掲げる利息に相当するもののうち国外にある営業所を通じて締結された同号に規定する契約に相当するものに係るもの
	(ニ)	所得税法第174条第6号に掲げる利益のうち国外にある営業所を通じて締結された同号に規定する契約に係るもの
	(ホ)	所得税法第174条第7号に掲げる差益のうち国外にある営業所が受け入れた預貯金に係るもの
	(ヘ)	所得税法第174条第8号に掲げる差益に相当するもののうち国外にある営業所又は国外において契約の締結の代理をする者を通じて締結された同号に規定する契約に相当するものに係るもの
(十三)	国外において事業を行う者に対する出資につき、匿名組合契約（これに準ずる契約として当事者の一方が相手方の事業のために出資をし、相手方がその事業から生ずる利益を分配することを約する契約を含む。）に基づいて受ける利益の分配（令145の10）	
(十四)	内国法人が国内及び国外にわたって船舶又は航空機による運送の事業を行うことにより生ずる所得のうち、船舶による運送の事業にあっては国外において乗船し又は船積みをした旅客又は貨物に係る収入金額を基準とし、航空機による運送の事業にあってはその国外業務（国外において行う業務をいう。以下(十四)において同じ。）に係る収入金額又は経費、その国外業務の用に供する固定資産の価額その他その国外業務が当該運送の事業に係る所得の発生に寄与した程度を推測するに足りる要因を基準として判定したその内国法人の国外業務につき生ずべき所得（令145の11）	
(十五)	第二章第一節の二の表の**12の19**ただし書に掲げる条約（以下(十五)において「租税条約」という。以下(2)から(4)において同じ。）の規定により当該租税条約の我が国以外の締約国又は締約者において租税を課すことができることとされる所得のうち相手国等において外国法人税が課される所得（令145の12）	
(十六)	(一)から(十五)までに掲げるもののほかその源泉が国外にある所得として次の表の(イ)から(ホ)に掲げるもの（令145の13）	
	(イ)	国外において行う業務又は国外にある資産に関し受ける保険金、補償金又は損害賠償金（これらに類するものを含む。）に係る所得
	(ロ)	国外にある資産の贈与を受けたことによる所得
	(ハ)	国外において発見された埋蔵物又は国外において拾得された遺失物に係る所得

	(ニ)	国外において行う懸賞募集に基づいて懸賞として受ける金品その他の経済的な利益に係る所得
	(ホ)	(イ)から(ニ)までに掲げるもののほか、国外において行う業務又は国外にある資産に関し供与を受ける経済的な利益に係る所得

　　　　(内部取引)
(1)　**イ**の表の(一)に掲げる内部取引とは、内国法人の国外事業所等と本店等との間で行われた資産の移転、役務の提供その他の事実で、独立の事業者の間で同様の事実があったとしたならば、これらの事業者の間で、資産の販売、資産の購入、役務の提供その他の取引(資金の借入れに係る債務の保証、保険契約に係る保険責任についての再保険の引受けその他資金の借入れその他の取引に係る債務の保証〔債務を負担する行為であって債務の保証に準ずるものを含む。〕を除く。)が行われたと認められるものをいう。(法69⑤、令145の14)

　　　　(租税条約において異なる定めがある場合の取扱い)
(2)　租税条約において国外源泉所得(①に掲げる国外源泉所得をいう。以下(2)において同じ。)につき**イ**の表及び(1)と異なる定めがある場合には、その租税条約の適用を受ける内国法人については、**イ**の表及び(1)にかかわらず、国外源泉所得は、その異なる定めがある限りにおいて、その租税条約に定めるところによる。(法69⑥)

　　　　(内部取引に含まれないもの)
(3)　内国法人の**イ**の表の(一)に掲げる所得を算定する場合において、当該内国法人の国外事業所等が、租税条約(当該内国法人の同(一)に掲げる所得に対して租税を課することができる旨の定めのあるものに限るものとし、同(一)に掲げる内部取引から所得が生ずる旨の定めのあるものを除く。)の相手国等に所在するときは、(一)に掲げる内部取引には、当該内国法人の国外事業所等と本店等との間の利子(手形の割引料、第一節第二十七款の**三**の**1**《金銭債務の償還差損益》に掲げる満たない部分の金額その他経済的な性質が利子に準ずるものを含む。以下(3)において同じ。)の支払に相当する事実(預金保険法第2条第1項《定義》に規定する金融機関、農水産業協同組合貯金保険法第2条第1項《定義》に規定する農水産業協同組合、保険業法第2条第2項《定義》に規定する保険会社、株式会社日本政策投資銀行又は金融商品取引法第2条第9項《定義》に規定する金融商品取引業者〔同法第28条第1項《通則》に規定する第一種金融商品取引業を行う者に限る。〕に該当する内国法人の国外事業所等と本店等との間の利子の支払に相当する事実を除く。)その他次の表の(一)及び(二)に掲げる事実は、含まれないものとする。(法69⑦、令145の15①②③)

		次の(イ)から(ハ)までに掲げるものの使用料の支払に相当する事実
(一)	(イ)	工業所有権その他の技術に関する権利、特別の技術による生産方式又はこれに準ずるもの
	(ロ)	著作権(出版権及び著作隣接権その他これに準ずるものを含む。)
	(ハ)	第二章第一節の**二**の表の**23**《減価償却資産》の表の⑧のイから<u>ネまで</u>に掲げる無形固定資産(国外における同⑧の<u>ヨからネまで</u>に掲げるものに相当するものを含む。)
(二)		(一)の(イ)から(ハ)までに掲げるものの譲渡又は取得に相当する事実

　　注　――線部分は、令和6年度改正により改正された部分で、改正規定は、令和6年4月1日から適用され、令和6年3月31日以前の適用については、「ネまで」とあるのは「ツまで」と、「ヨからネまで」とあるのは「カからツまで」とする。(令6改令附1)

　　　　(ないものとされる国外源泉所得)
(4)　内国法人の国外事業所等が、租税条約(内国法人の国外事業所等が本店等のために棚卸資産を購入する業務及びそれ以外の業務を行う場合に、その棚卸資産を購入する業務から生ずる所得が、その国外事業所等に帰せられるべき所得に含まれないとする定めのあるものに限る。)の相手国等に所在し、かつ、当該内国法人の国外事業所等が本店等のために棚卸資産を購入する業務及びそれ以外の業務を行う場合には、当該国外事業所等のその棚卸資産を購入する業務から生ずる**イ**の表の(一)に掲げる所得は、ないものとする。(法69⑧)

　　　　(国外事業所等帰属所得を認識する場合の準用)
(5)　法人税基本通達20-2-1《恒久的施設帰属所得の認識に当たり勘案されるその他の状況》から法人税基本通達20-2-4《恒久的施設において使用する資産の範囲》までの取扱いは、国外事業所等帰属所得を認識する場合につ

　　　　(振替公社債等の運用又は保有)
(6)　法人税基本通達20－2－6《振替公社債等の運用又は保有》は、イの表の(二)の(イ)に掲げる債権の範囲について準用する。(基通16－3－38)

　　　　(機械設備の販売等に付随して行う技術役務の提供)
(7)　法人税基本通達20－2－12《機械設備の販売等に付随して行う技術役務の提供》は、イの表の(四)の(ハ)に掲げる「科学技術、経営管理その他の分野に関する専門的知識又は特別の技能を有する者の当該知識又は技能を活用して行う役務の提供を主たる内容とする事業」から除かれる「機械設備の販売その他事業を行う者の主たる業務に付随して行われる場合における当該事業」の範囲について準用する。(基通16－3－39)

　　　　(船舶又は航空機の貸付け)
(8)　イの表の(五)に掲げる船舶又は航空機の貸付けによる対価とは、船体又は機体の賃貸借であるいわゆる裸用船(機)契約に基づいて支払を受ける対価をいい、乗組員とともに船体又は機体を利用させるいわゆる定期用船(機)契約又は航海用船(機)契約に基づいて支払を受ける対価は、これに該当しない。(基通16－3－40)
　　注1　いわゆる定期用船(機)契約又は航海用船(機)契約に基づいて支払を受ける対価は、イの表の(十四)の運送の事業に係る所得に該当する。
　　注2　内国法人が非居住者又は外国法人に対する船舶又は航空機の貸付け(いわゆる裸用船(機)契約によるものに限る。)に基づいて支払を受ける対価は、たとえ当該非居住者又は外国法人が当該貸付けを受けた船舶又は航空機を専ら国内において事業の用に供する場合であっても、イの表の(五)に掲げる国外源泉所得に該当することに留意する。

　　　　(振替公社債等の利子)
(9)　法人税基本通達20－2－6《振替公社債等の運用又は保有》は、イの表の(六)の(イ)に掲げる債券の範囲について準用する。(基通16－3－41)

　　　　(貸付金に準ずるもの)
(10)　イの表の(八)に掲げる「国外において業務を行う者に対する貸付金」に準ずるものには、国外において業務を行う者に対する債権で次の表に掲げるようなものが含まれることに留意する。(基通16－3－42)

(一)	預け金のうちイの表の(六)の(ロ)に掲げる預貯金以外のもの
(二)	保証金、敷金その他これらに類する債権
(三)	前渡金その他これに類する債権
(四)	他人のために立替払をした場合の立替金
(五)	取引の対価に係る延払債権
(六)	保証債務を履行したことに伴って取得した求償権
(七)	損害賠償金に係る延払債権
(八)	当座貸越に係る債権

　　　　(工業所有権等の意義)
(11)　法人税基本通達20－3－2《工業所有権等の意義》は、イの表の(九)の(イ)に掲げる「工業所有権その他の技術に関する権利、特別の技術による生産方式若しくはこれらに準ずるもの」(以下(12)において「工業所有権等」という。)の意義について準用する。(基通16－3－43)

　　　　(使用料の意義)
(12)　イの表の(九)の(イ)の工業所有権等の使用料とは、工業所有権等の実施、使用、採用、提供若しくは伝授又は工業所有権等に係る実施権若しくは使用権の設定、許諾若しくはその譲渡の承諾につき支払を受ける対価の一切をいい、同(九)の(ロ)の著作権の使用料とは、著作物(著作権法第2条第1項第1号《定義》に規定する著作物をいう。以下

(12)において同じ。)の複製、上演、演奏、放送、展示、上映、翻訳、編曲、脚色、映画化その他著作物の利用又は出版権の設定につき支払を受ける対価の一切をいうのであるから、これらの使用料には、契約を締結するに当たって支払を受けるいわゆる頭金、権利金等のほか、これらのものを提供し、又は伝授するために要する費用に充てるものとして支払を受けるものも含まれることに留意する。(基通16－3－44)

(備品の範囲)
(13) **イ**の表の(九)に掲げる器具及び備品には、美術工芸品、古代の遺物等のほか、観賞用、興行用その他これらに準ずる用に供される生物が含まれることに留意する。(基通16－3－45)

(利子の範囲)
(14) 第一節第二款の**一**の(30)((四)、(五)及び(七)を除く。)《支払利子等の額の範囲》は、(3)に掲げる利子の範囲について準用する。(基通16－3－46)

(国際海上運輸業における運送原価の計算)
(15) **イ**の表の(十四)の国内及び国外にわたって船舶による運送の事業((15)において「国際海上運輸業」という。)を行うことにより生ずる所得のうち国外において行う業務につき生ずべき所得に係る所得の金額を計算する場合におけるその原価の額は、原則として個々の運送ごとに計算するのであるが、その計算が困難であると認められる場合には、継続して次の算式により計算した金額を当該運送の原価の額とすることができる。(基通16－3－19の8)

(算式)

$$\text{国際海上運輸業に係る当該事業年度の運送の原価の額の合計額} \times \frac{\text{分母の金額のうちイの表の(十四)に掲げる「国外において行う業務」に係るもの}}{\text{国際海上運輸業に係る当該事業年度の運送収入の額の合計額}}$$

注　算式の「当該事業年度の運送の原価の額の合計額」には、その運送のために要した費用の額のうち内国法人が第一節第一款の**四**の**2**の⑧《運送収入に対応する原価の額》によりその支出の日の属する事業年度の損金として計算した金額が含まれる。

ロ　国外事業所等帰属所得に係る所得の金額の計算

内国法人の各事業年度の①の表の(一)に掲げる国外源泉所得(以下**二**において「**国外事業所等帰属所得**」という。)に係る所得の金額は、内国法人の当該事業年度の国外事業所等(**イ**の表の(一)に掲げる国外事業所等をいう。以下**二**において同じ。)を通じて行う事業に係る益金の額から当該事業年度の当該事業に係る損金の額を減算した金額とする。(令141の3①)

(益金の額又は損金の額に算入すべき金額)
(1) 内国法人の各事業年度の国外事業所等帰属所得に係る所得の金額の計算上当該事業年度の益金の額又は損金の額に算入すべき金額は、別段の定めがあるものを除き、内国法人の国外事業所等を通じて行う事業につき、内国法人の各事業年度の所得の金額の計算に関する法人税に関する法令の規定に準じて計算した場合に益金の額となる金額又は損金の額となる金額とする。(令141の3②)

(各事業年度の所得の金額の計算の規定に準じて計算する場合)
(2) 内国法人の各事業年度の国外事業所等帰属所得に係る所得の金額につき、(1)により第一節第一款の**二**《各事業年度の所得の金額》及び同款の**三**《各事業年度の所得の金額の計算の通則》に準じて計算する場合には、次に定めるところによる。(令141の3③)

(一)	第一節第一款の**三**の**2**《損金の額に算入すべき金額》の表の②に掲げる販売費、一般管理費その他の費用のうち内部取引(**イ**の表の(一)に掲げる内部取引をいう。以下②において同じ。)に係るものについては、債務の確定しないものを含むものとする。
(二)	同**三**の**4**《資本等取引》に掲げる資本等取引には、国外事業所等を開設するための内国法人の本店等(**イ**の表の(一)に掲げる本店等をいう。以下②において同じ。)から国外事業所等への資金の供与又は国外事業所等から本店等への剰余金の送金その他これらに類する事実を含むものとする。

(貸倒引当金の規定に準じて計算する場合)
(3) 内国法人の各事業年度の国外事業所等帰属所得に係る所得の金額につき、(1)により第一節第十七款の一《貸倒引当金》に準じて計算する場合には、第一節第十七款の一の**1**の①《個別評価金銭債権に係る貸倒引当金》及び同**1**の③《一括評価金銭債権に係る貸倒引当金》に掲げる金銭債権には、当該内国法人の国外事業所等と本店等との間の内部取引に係る金銭債権に相当するものは、含まれないものとする。(令141の3④)

(国外事業所等と本店等との間の内部取引の時期)
(4) 内国法人の国外事業所等と本店等との間で当該国外事業所等における資産の購入その他資産の取得に相当する内部取引がある場合には、その内部取引の時にその内部取引に係る資産を取得したものとして、(1)により準じて計算することとされる内国法人の各事業年度の所得の金額の計算に関する法人税に関する法令の規定を適用する。(令141の3⑤)

(共通費用の額の配分)
(5) ロを適用する場合において、内国法人の当該事業年度の所得の金額の計算上損金の額に算入された金額のうちに第一節第一款の三の**2**《損金の額に算入すべき金額》の表の②に掲げる販売費、一般管理費その他の費用で国外事業所等帰属所得に係る所得を生ずべき業務とそれ以外の業務の双方に関連して生じたものの額(以下②において「**共通費用の額**」という。)があるときは、当該共通費用の額は、これらの業務に係る収入金額、資産の価額、使用人の数その他の基準のうちこれらの業務の内容及び費用の性質に照らして合理的と認められる基準により国外事業所等帰属所得に係る所得の金額の計算上の損金の額として配分するものとする。(令141の3⑥)

(共通費用の額の配分に関する書類)
(6) (5)による共通費用の額の配分を行った内国法人は、次の表の(一)から(四)までに掲げる書類を作成しなければならない。(令141の3⑦、規28の5)

(一)	当該配分の計算の基礎となる事項を記載した書類
(二)	(5)に掲げる共通費用の額の配分の基礎となる費用の明細及び内容を記載した書類
(三)	(5)に掲げる合理的と認められる基準により配分するための計算方法の明細を記載した書類
(四)	(三)の計算方法が合理的であるとする理由を記載した書類

(国外事業所等帰属所得金額の計算に関する明細を記載した書類の添付)
(7) ①、**4**の①及び**4**の②又は**7**の③(**7**の④の(1)又は(2)において準用する場合を含む。)の適用を受ける内国法人は、確定申告書、修正申告書又は更正請求書に当該事業年度の国外事業所等帰属所得に係る所得の金額の計算に関する明細を記載した書類を添付しなければならない。(令141の3⑧)

(国外事業所等帰属所得に係る所得の金額の計算)
(8) 国外事業所等帰属所得に係る所得の金額の計算に当たり、(1)に基づき、内国法人の各事業年度の所得の金額の計算に関する法人税に関する法令の規定に準じて計算する場合には、次のことに留意する。(基通16-3-9)

(一)	減価償却費、引当金又は準備金の繰入額等の損金算入、延払基準の方法による収益及び費用の計上第一節第一款の三の**1**の②のロの(1)《公正処理基準に基づく資産の販売等に係る収益の額の益金の額に算入する時期》に準じて収益の額を益金算入しようとする場合に行われる収益の計上等については、法人税に関する法令の規定により、内国法人の仮決算又は確定した決算において経理することを要件として適用されることとなる。 注 内国法人が単に国外事業所等の帳簿に記帳するだけでは、これらの規定の適用がないことに留意する。
(二)	減価償却資産の償却限度額、資産の評価換えによる評価益の益金算入額又は評価損の損金算入額等を計算する場合で、国外事業所等における資産の購入その他資産の取得に相当する内部取引があるときのこれらの計算の基礎となる各資産の取得価額は、への適用があるときを除き、当該内部取引の時の価額により当該内部取引が行われたものとして計算した金額となる。 注 例えば、内国法人が国外事業所等に帰せられる減価償却資産につきその償却費を当該帳簿に記帳していない場合であっても、仮決算又は確定した決算において経理しているときは、当該経理した金額(当該金額が償却限度額を超える場合には、その超える部分の金額を控除した金額)は、国外事業所等帰属所得に係る所得の金額の計算上損金の額に算入されることに留意する。

(複数の国外事業所等を有する場合の取扱い)
（９）　内国法人の国外事業所等が複数ある場合には、当該国外事業所等ごとに国外事業所等帰属所得を認識し当該国外事業所等帰属所得に係る所得の金額の計算を行うことに留意する。(基通16－3－9の2)
　　注　一の外国に事業活動の拠点が複数ある場合には、当該一の外国の複数の事業活動の拠点全体を一の国外事業所等として(9)の認識及び計算を行うことに留意する。

(国外事業所等帰属所得に係る所得の金額を計算する場合の準用)
（10）　内国法人の国外事業所等帰属所得に係る所得の金額を計算するに当たっては、次の表の左欄に掲げる場合の区分に応じ、それぞれ同表の右欄に掲げる取扱いを準用する。(基通16－3－9の3・編者補正)

(一)	内部取引から生ずる国外事業所等帰属所得に係る所得の金額を計算する場合	法人税基本通達20－5－2《内部取引から生ずる恒久的施設帰属所得に係る所得の金額の計算》、同通達20－5－4《外国法人における短期保有株式等の判定》、同通達20－5－5《損金の額に算入できない保証料》、同通達20－5－7《損金の額に算入できない償却費等》、同通達20－5－8《販売費及び一般管理費等の損金算入》、同通達20－5－33《繰延ヘッジ処理等における負債の利子の額の計算》及び同通達20－5－34《資本等取引に含まれるその他これらに類する事実》の取扱い
(二)	(5)により共通費用の額を配分する場合	法人税基本通達20－5－9《本店配賦経費の配分の基礎となる費用の意義》の取扱い

(国外事業所等帰属所得に係る所得の金額の計算における共通費用の額の配賦)
（11）　当該事業年度における(5)に掲げる共通費用の額(法人税法に規定する引当金勘定への繰入額並びに租税特別措置法に規定する準備金の積立額及び特別勘定の金額並びに負債の利子の額を除く。)については、個々の業務ごと、かつ、個々の費目ごとに(5)に掲げる合理的と認められる基準により国外事業所等帰属所得に係る所得を生ずべき業務(以下(11)において「国外業務」という。)に配分するのであるが、個々の業務ごと、かつ、個々の費目ごとに計算をすることが困難であると認められるときは、全ての共通費用の額を一括して、当該事業年度の売上総利益の額(利子、配当等及び使用料については、その収入金額とする。以下(11)において同じ。)のうちに国外業務に係る売上総利益の額の占める割合を用いて国外事業所等帰属所得に係る所得の金額の計算上損金の額として配分すべき金額を計算することができる。(基通16－3－12)
　　注1　内国法人(金融及び保険業を主として営む法人を除く。)の国外業務に係る収入金額の全部又は大部分が利子、配当等又は使用料であり、かつ、当該事業年度の所得の金額のうちに⑩《控除限度額の計算》(通算法人にあっては、7の①の(1)《調整前控除限度額の意義》の表の(三))に掲げる調整国外所得金額の占める割合が低いなどのため課税上弊害がないと認められる場合には、当該事業年度の販売費、一般管理費その他の費用の額のうち国外業務に関連することが明らかな費用の額のみが共通費用の額であるものとして国外事業所等帰属所得に係る所得の金額の計算上損金の額として配分すべき金額を計算することができる。
　　注2　内国法人の国外業務に係る収入金額のうちに第一節第二款の七の1《外国子会社から受ける配当等の益金不算入》の適用を受ける配当等(以下(12)までにおいて「外国子会社配当等」という。)の収入金額がある場合における外国子会社配当等に係る「国外業務に係る売上総利益の額」は、外国子会社配当等の収入金額から当該事業年度において同七の1により益金の額に算入されない金額を控除した金額によることに留意する。

(国外事業所等帰属所得に係る所得の金額の計算における負債の利子の額の配賦)
（12）　当該事業年度における(5)に掲げる共通費用の額に含まれる負債の利子(第一節第二十七款の三《金銭債務の償還差損益》に掲げる満たない部分の金額のうち同三により当該事業年度の損金の額に算入すべき償還差損の額、手形の割引料、貿易商社における輸入決済手形借入金の利息等を含み、二《銀行等の資本に係る負債の利子》に掲げる負債の利子を除く。以下(12)において同じ。)の額(以下(13)までにおいて「共通利子の額」という。)については、内国法人の営む主たる事業が次の表の左欄のいずれに該当するかに応じ、それぞれ右欄により国外事業所等帰属所得に係る所得の金額の計算上損金の額として配分すべき金額を計算することができる。(基通16－3－13)

(一)	卸売業及び製造業	次の算式による方法 (算式) 当該事業年度における共通利子の額の合計額 × 分母の各事業年度終了の時における国外事業所等に係る資産の帳簿価額の合計額 / 当該事業年度終了の時及び当該事業年度の直前事業年度終了の時における総資産の帳簿価額の合計額

(二)	銀 行 業	次の算式による方法 （算式） 国外事業所等に係る貸付金、有価証券等の当該事業年度中の平均残高 × $\dfrac{当該事業年度における共通利子の額の合計額}{預金、借入金等の当該事業年度中の平均残高 + \left(\begin{array}{l}当該事業年度終了の時及び当該事業年度終了の時における自己資本の額の合計額\end{array} - \begin{array}{l}左の各事業年度の終了の時における固定資産の帳簿価額の合計額\end{array}\right) × \dfrac{1}{2}}$
(三)	その他の事業	その事業の性質に応じ、(一)又は(二)の方法に準ずる方法

注1　(一)の算式の「国外事業所等に係る資産」及び(二)の算式の「国外事業所等に係る貸付金、有価証券等」には、当該事業年度において収益に計上すべき利子、配当等の額がなかった貸付金、有価証券等を含めないことができる。

注2　(一)の算式の「国外事業所等に係る資産」及び(二)の算式の「国外事業所等に係る貸付金、有価証券等」に、外国子会社配当等に係る株式又は出資がある場合には、これらの算式における当該株式又は出資に係る「国外事業所等に係る資産の帳簿価額」及び「有価証券等の当該事業年度中の平均残高」の計算は、当該株式又は出資の帳簿価額から当該帳簿価額に当該事業年度における外国子会社配当等の収入金額のうちに第一節第二款の七の1《外国子会社から受ける配当等の益金不算入》により益金の額に算入されない金額の占める割合を乗じて計算した金額を控除した金額によるものとし、法人が税効果会計を適用している場合において、確定した決算に基づく貸借対照表に計上されている繰延税金資産の額があるときは、当該繰延税金資産の額を含むことに留意する。

注3　(一)の算式の「総資産の帳簿価額」は、令和2年度改正前の法人税法施行令第22条第1項第1号《株式等に係る負債の利子の額》の規定の例により計算した金額による。

注4　(二)の算式の「自己資本の額」は、当該貸借対照表の純資産の部に計上されている金額によるものとし、また、「固定資産の帳簿価額」は、当該貸借対照表に計上されている第二章第一節の二の表の22《固定資産》に掲げる固定資産の帳簿価額による。

（国外事業所等帰属所得に係る所得の金額の計算における確認による共通費用の額等の配賦方法の選択）

(13)　当該事業年度の共通費用の額又は共通利子の額のうち国外事業所等帰属所得に係る所得の金額の計算上損金の額として配分すべき金額を計算する場合において、(11)又は(12)によることがその内国法人の業務の内容等に適合しないと認められるときは、あらかじめ所轄税務署長（国税局の調査部〔課〕所管法人にあっては、所轄国税局長）の確認を受けて、当該共通費用の額又は共通利子の額の全部又は一部につき収入金額、直接経費の額、資産の価額、使用人の数その他の基準のうちその業務の内容等に適合すると認められる基準によりその計算をすることができるものとする。（基通16－3－14）

（繰延ヘッジ処理を適用している場合等における負債の利子の額の計算）

(14)　金利の変動に伴って生ずるおそれのある損失を減少させる目的で繰延ヘッジ処理を適用している場合又は特例金利スワップ取引等（第一節第二十四款の一の(1)《為替予約取引等の範囲》に掲げる取引をいう。以下(14)において同じ。）を行っている場合の(5)に掲げる共通費用の額に含まれる負債の利子の額の計算は、当該繰延ヘッジ処理を適用している場合のヘッジ処理に係る損益の額又は特例金利スワップ取引等に係る受払額のうち、支払利子の額に対応する部分の金額を加算又は減算した後の金額を基礎とするのであるから留意する。（基通2－3－60・編者補正）

（国外事業所等帰属所得に係る所得の金額の計算における引当金の繰入額等）

(15)　国外事業所等帰属所得に係る所得の金額の計算上、法人税法の規定に準じて計算した場合に損金の額となる引当金勘定への繰入額並びに租税特別措置法の規定に準じて計算した場合に損金の額となる準備金（特別償却準備金を含む。以下(15)において同じ。）の積立額及び特別勘定の金額は、国外事業所等ごとに計算を行うことに留意する。この場合において、次の表の左欄のことは右欄による。（基通16－3－15）

(一)	第一節第十七款の一の1の①《個別評価金銭債権に係る貸倒引当金》に掲げる個別評価金銭債権（以下(15)において「個別評価金銭債権」という。）に係る貸倒引当金勘定への繰入額のうち国外事業所等帰属所得に係る所得の金額の計算上損金の額に算入すべき金額	内国法人が国外事業所等に帰せられる個別評価金銭債権の損失の見込額として仮決算又は確定した決算において貸倒引当金勘定に繰り入れた金額（当該金額が当該個別評価金銭債権について同①の(5)《個別評価金銭債権に係る貸倒引当金を繰り入れる事実及び個別貸倒引当金繰入限度額》に準じて計算した金額を超える場合には、その超える部分の金額を控除した金額）
(二)	第一節第十七款の一の1の③《一括評価金銭債権に係る貸倒引当金》に掲げる一括評価金	内国法人が一括評価金銭債権の貸倒れによる損失の見込額として仮決算又は確定した決算において貸倒引当金勘定に繰り

銭債権（以下(15)において「一括評価金銭債権」という。）に係る貸倒引当金勘定への繰入額のうち国外事業所等帰属所得に係る所得の金額の計算上損金の額に算入すべき金額	入れた金額のうち国外事業所等に係るものとして合理的に計算された金額（当該金額が当該国外事業所等に帰せられる一括評価金銭債権の額の合計額に国外事業所等貸倒実績率〔当該国外事業所等が内国法人から独立して事業を行う事業者であるとして、同③の(1)《貸倒実績率による繰入限度額の計算》に掲げる貸倒実績率を計算した場合の当該貸倒実績率をいう。以下(15)において同じ。〕を乗じて計算した金額を超える場合には、その超える部分の金額を控除した金額）

注1　内国法人が単に国外事業所等の帳簿に記帳した金額は、仮決算又は確定した決算において貸倒引当金勘定に繰り入れた金額に該当しないことに留意する。
注2　内国法人が国外事業所等の帳簿において貸倒引当金を記帳していない場合であっても、国外事業所等に帰せられる金銭債権につき仮決算又は確定した決算において貸倒引当金勘定への繰入れを行っているときは、当該金銭債権について、(一)又は(二)の適用があることに留意する。
注3　内国法人が、全ての国外事業所等につき、国外事業所等貸倒実績率に代えて第一節第十七款の一の1の③の(1)に規定する貸倒実績率により計算を行っている場合には、継続適用を条件としてこれを認める。

（国外事業所等帰属所得に係る所得の金額の計算における引当金の取崩額等）
(16)　当該事業年度前の各事業年度においてその繰入額、積立額又は経理した金額を国外事業所等帰属所得に係る所得の金額の計算上損金の額に算入した引当金、準備金又は特別勘定の取崩し等による益金算入額がある場合には、当該益金算入額のうちその繰入れをし、積立てをし、又は経理をした事業年度において国外事業所等帰属所得に係る所得の金額の計算上損金の額に算入した金額に対応する部分の金額を当該取崩し等に係る事業年度の国外事業所等帰属所得に係る所得の金額の計算上益金の額に算入する。（基通16－3－16）

注　当該事業年度において適格合併、適格分割、適格現物出資又は適格現物分配により被合併法人等（被合併法人、分割法人、現物出資法人又は現物分配法人をいう。以下(16)において同じ。）から引継ぎを受けた引当金、準備金又は特別勘定の取崩し等による益金算入額がある場合には、当該益金算入額のうち当該被合併法人等においてその繰入れをし、積立てをし、又は経理をした事業年度の国外事業所等帰属所得に係る所得の金額の計算上損金の額に算入した金額に対応する部分の金額についても、同様とする。

（国外事業所等帰属所得に係る所得の金額の計算における寄附金、交際費等の損金算入限度額の計算）
(17)　国外事業所等帰属所得に係る所得の金額の計算に当たり、(1)に基づき、第一節第十二款の一《寄附金の損金不算入》若しくは同款の二《完全支配関係がある他の内国法人に対する寄附金の損金不算入》又は第一節第十三款の一の①《交際費等の損金不算入》若しくは同一の②《中小法人等の交際費等の損金不算入の特例》に準じて計算する場合には、各国外事業所等をそれぞれ一の法人とみなして計算することに留意する。この場合において、次のことは次による。（基通16－3－19）
(一)　第一節第十二款の一の表の1の①に掲げる資本金の額及び資本準備金の額の合計額又は出資金の額は、内国法人の当該事業年度終了の時における同①に掲げる資本金の額及び資本準備金の額の合計額又は出資金の額による。
(二)　第一節第十三款の一の②に掲げる資本金の額又は出資金の額は、内国法人の当該事業年度終了の日における同②に掲げる資本金の額又は出資金の額による。

ハ　国外事業所等に帰せられるべき資本に対応する負債の利子

　内国法人の各事業年度の国外事業所等を通じて行う事業に係る**負債の利子**（手形の割引料、第一節第二十七款の三の1《金銭債務の償還差損益》に掲げる満たない部分の金額その他経済的な性質が利子に準ずるものを含む。(1)において同じ。）の額のうち、当該国外事業所等に係る自己資本の額（当該事業年度の当該国外事業所等に係る資産の帳簿価額の平均的な残高として合理的な方法により計算した金額から当該事業年度の当該国外事業所等に係る負債の帳簿価額の平均的な残高として合理的な方法により計算した金額を控除した残額をいう。）が当該国外事業所等に帰せられるべき資本の額に満たない場合におけるその満たない金額に対応する部分の金額は、当該内国法人の当該事業年度の国外事業所等帰属所得に係る所得の金額の計算上、損金の額に算入しない。（令141の4①）

注　ハの帳簿価額は、当該内国法人がその会計帳簿に記載した資産又は負債の金額によるものとする。（令141の4⑨）

（負債の利子の額）
(1)　ハに掲げる負債の利子の額は、次の表の(一)から(三)までに掲げる金額の合計額から同表の(四)に掲げる金額を控除した残額とする。（令141の4②）

(一)	国外事業所等を通じて行う事業に係る負債の利子の額（(二)及び(三)に掲げる金額を除く。）
(二)	内部取引において内国法人の国外事業所等から当該内国法人の本店等に対して支払う利子に該当することとなるものの金額
(三)	共通費用の額のうちロの(5)により国外事業所等帰属所得に係る所得の金額の計算上の損金の額として配分した金額に含まれる負債の利子の額（(四)に掲げる金額を含む。）
(四)	ニにより内国法人の各事業年度の国外事業所等帰属所得に係る所得の金額の計算上損金の額に算入される金額

（国外事業所等に帰せられるべき資本の額）

（2）　ハに掲げる国外事業所等に帰せられるべき資本の額は、次の表の(一)又は(二)に掲げるいずれかの方法により計算した金額とする。（令141の4③⑫、規28の6、28の7①②③④）

(一)	資本配賦法（次の表の左欄に掲げる内国法人の区分に応じそれぞれ右欄に掲げる方法により計算した金額をもって国外事業所等に帰せられるべき資本の額とする方法をいう。）			
	(イ)	(ロ)に掲げる内国法人以外の内国法人	資本配賦原則法（次の表のAに掲げる金額からBに掲げる金額を控除した残額に、Cに掲げる金額のDに掲げる金額に対する割合を乗じて計算する方法をいう。）	
			A	当該内国法人の当該事業年度の総資産の帳簿価額の平均的な残高として合理的な方法により計算した金額
			B	当該内国法人の当該事業年度の総負債の帳簿価額の平均的な残高として合理的な方法により計算した金額
			C	当該内国法人の当該事業年度終了の時の当該国外事業所等に帰せられる資産の額について、次の表のaからdまでに掲げる危険（以下C及びDにおいて「発生し得る危険」という。）を勘案して計算した金額
				a　取引の相手方の契約不履行により発生し得る危険
				b　保有する有価証券等（有価証券その他の資産及び取引をいう。）の価格の変動により発生し得る危険
				c　事務処理の誤りその他日常的な業務の遂行上発生し得る危険
				d　aからcまでに掲げるものに類する危険
			D	当該内国法人の当該事業年度終了の時の総資産の額について、発生し得る危険を勘案して計算した金額
	(ロ)	ニに掲げる内国法人	規制資本配賦法（当該内国法人の当該事業年度の銀行法第14条の2第1号《経営の健全性の確保》に規定する自己資本の額に相当する金額、金融商品取引法第46条の6第1項《自己資本規制比率》に規定する自己資本規制比率に係る自己資本の額に相当する金額その他これらに準ずる自己資本の額に相当する金額（(二)の(ロ)の表のAにおいて「規制上の自己資本の額」という。）に、次の表のAに掲げる金額のBに掲げる金額に対する割合を乗じて計算する方法をいう。）	
			A	当該内国法人の当該事業年度終了の時の当該国外事業所等に帰せられる資産の額について、発生し得る危険を勘案して計算した金額
			B	当該内国法人の当該事業年度終了の時の総資産の額について、発生し得る危険を勘案して計算した金額
(二)	同業法人比準法（次の表の左欄に掲げる内国法人の区分に応じそれぞれ右欄に掲げる方法により計算した金額をもって国外事業所等に帰せられるべき資本の額とする方法をいう。）			
	(イ)	(ロ)に掲げる内国	リスク資産資本比率比準法（当該内国法人の当該事業年度終了の時の国外事業所	

	法人以外の内国法人	\multicolumn{2}{l	}{等に帰せられる資産の額について発生し得る危険を勘案して計算した金額に、次の表のAに掲げる金額のBに掲げる金額に対する割合を乗じて計算する方法をいう。) }
		A	当該内国法人の当該事業年度終了の日以前３年内に終了した比較対象法人（当該内国法人の国外事業所等を通じて行う主たる事業と同種の事業を国外事業所等所在地国〔当該国外事業所等が所在する国又は地域をいう。(イ)及び(5)の(二)において同じ。〕において行う法人〔当該法人が国外事業所等所在地国に本店又は主たる事務所を有する法人以外の法人である場合には、当該国外事業所等所在地国の国外事業所等を通じて当該同種の事業を行うものに限る。〕で、その同種の事業に係る事業規模その他の状況が類似するものをいう。(イ)及び(5)の(二)において同じ。）の各事業年度のうちいずれかの事業年度（当該比較対象法人の純資産の額の総資産の額に対する割合が当該同種の事業を行う法人の当該割合に比して著しく高い場合として次の表のaに掲げる割合がbに掲げる割合のおおむね２倍を超える場合に該当する事業年度を除く。(イ)及び(5)の(二)において「比較対象事業年度」という。）終了の時の貸借対照表に計上されている当該比較対象法人の純資産の額（当該比較対象法人が国外事業所等所在地国に本店又は主たる事務所を有する法人以外の法人である場合には、当該法人の国外事業所等〔当該国外事業所等所在地国に所在するものに限る。〕に係る純資産の額）

\multicolumn{3}{l	}{次の表の(a)に掲げる金額の(b)に掲げる金額に対する割合}
a	(a)	(イ)に掲げる内国法人に係る比較対象法人の当該事業年度終了の時の貸借対照表に計上されている純資産の額（当該比較対象法人が国外事業所等所在地国に本店又は主たる事務所を有する法人以外の法人である場合には、当該法人の国外事業所等〔**イ**の表の(一)に掲げる国外事業所等をいい、当該国外事業所等所在地国に所在するものに限る。以下Aにおいて同じ。〕に係る純資産の額）
	(b)	(a)の比較対象法人の当該事業年度終了の時の貸借対照表に計上されている総資産の額（当該比較対象法人が国外事業所等所在地国に本店又は主たる事務所を有する法人以外の法人である場合には、当該法人の当該国外事業所等に係る資産の額）
b	\multicolumn{2}{l	}{(イ)に掲げる内国法人の当該国外事業所等を通じて行う主たる事業と同種の事業を国外事業所等所在地国において行う法人の平均的な純資産の額の平均的な総資産の額に対する割合 注　bの平均的な純資産の額の平均的な総資産の額に対する割合は、同種の事業を国外事業所等所在地国において行う法人の貸借対照表（内国法人の事業年度終了の日以前３年内に終了した当該法人の事業年度に係るものに限る。）に基づき合理的な方法により計算するものとする。}

		B	比較対象法人の比較対象事業年度終了の時の総資産の額（当該比較対象法人が国外事業所等所在地国に本店又は主たる事務所を有する法人以外の法人である場合には、当該法人の国外事業所等〔当該国外事業所等所在地国に所在するものに限る。〕に係る資産の額）について、発生し得る危険を勘案して計算した金額
(ロ)	(一)の(ロ)に掲げる内国法人	\multicolumn{2}{l	}{リスク資産規制資本比率比準法（当該内国法人の当該事業年度終了の時の国外事業所等に帰せられる資産の額について発生し得る危険を勘案して計算した金額に、次の表のAに掲げる金額のBに掲げる金額に対する割合を乗じて計算する方}

法をいう。）

		当該内国法人の当該事業年度終了の日以前３年内に終了した比較対象法人（当該内国法人の国外事業所等を通じて行う主たる事業と同種の事業を国外事業所等所在地国〔当該国外事業所等が所在する国又は地域をいう。(ロ)において同じ。〕において行う法人〔当該法人が国外事業所等所在地国に本店又は主たる事務所を有する法人以外の法人である場合には、当該国外事業所等所在地国の国外事業所等を通じて当該同種の事業を行うものに限る。〕で、その同種の事業に係る事業規模その他の状況が類似するものをいう。(ロ)において同じ。）の各事業年度のうちいずれかの事業年度（当該比較対象法人の純資産の額の総資産の額に対する割合が当該同種の事業を行う法人の当該割合に比して著しく高い場合として次の表のａに掲げる割合がｂに掲げる割合のおおむね２倍を超える場合に該当する事業年度を除く。(ロ)において「比較対象事業年度」という。）終了の時の規制上の自己資本の額又は外国の法令の規定によるこれに相当するものの額（当該比較対象法人が国外事業所等所在地国に本店又は主たる事務所を有する法人以外の法人である場合には、これらの金額のうち当該法人の国外事業所等〔当該国外事業所等所在地国に所在するものに限る。〕に係る部分に限る。）

	A	\multicolumn{2}{l	}{次の表の(ａ)に掲げる金額の(ｂ)に掲げる金額に対する割合}
		a	(ａ) (ロ)に掲げる内国法人に係る比較対象法人の当該事業年度終了の時の貸借対照表に計上されている純資産の額（当該比較対象法人が国外事業所等所在地国に本店又は主たる事務所を有する法人以外の法人である場合には、当該法人の国外事業所等〔イの表の(一)に掲げる国外事業所等をいい、当該国外事業所等所在地国に所在するものに限る。以下Ａにおいて同じ。〕に係る純資産の額）
			(ｂ) (ａ)の比較対象法人の当該事業年度終了の時の貸借対照表に計上されている総資産の額（当該比較対象法人が国外事業所等所在地国に本店又は主たる事務所を有する法人以外の法人である場合には、当該法人の当該国外事業所等に係る資産の額）
		b	(ロ)に掲げる内国法人の当該国外事業所等を通じて行う主たる事業と同種の事業を国外事業所等所在地国において行う法人の平均的な純資産の額の平均的な総資産の額に対する割合 注　ｂの平均的な純資産の額の平均的な総資産の額に対する割合は、同種の事業を国外事業所等所在地国において行う法人の貸借対照表（内国法人の事業年度終了の日以前３年内に終了した当該法人の事業年度に係るものに限る。）に基づき合理的な方法により計算するものとする。
	B	\multicolumn{2}{l	}{比較対象法人の比較対象事業年度終了の時の総資産の額（当該比較対象法人が国外事業所等所在地国に本店又は主たる事務所を有する法人以外の法人である場合には、当該法人の国外事業所等〔当該国外事業所等所在地国に所在するものに限る。〕に係る資産の額）について、発生し得る危険を勘案して計算した金額}

　注　上表の(一)の(イ)の帳簿価額は、当該内国法人がその会計帳簿に記載した資産又は負債の金額によるものとする。（令141の４⑨）

　　（危険勘案資産額）
（３）　（２）の表の(一)の(イ)のＣ若しくは同(イ)のＤ若しくは同(一)の(ロ)のＡ若しくは同(ロ)のＢに掲げる金額又は同表の(二)の(イ)若しくは同(二)の(ロ)に掲げる内国法人の事業年度終了の時の国外事業所等に帰せられる資産の額

について発生し得る危険を勘案して計算した金額（以下（3）及び（4）において「危険勘案資産額」という。）に関し、内国法人の行う事業の特性、規模その他の事情により、当該事業年度以後の各事業年度の第三款の二の1《確定申告》による申告書の提出期限（当該各事業年度の中間申告書で同款の一の3《仮決算をした場合の中間申告書の記載事項等》に掲げる事項を記載したものを提出する場合には、その中間申告書の提出期限）までに当該危険勘案資産額を計算することが困難な常況にあると認められる場合には、当該各事業年度終了の日（当該各事業年度の中間申告書で同3の表の①から③までに掲げる事項を記載したものを提出する場合には、同3に掲げる期間終了の日）前6か月以内の一定の日における（2）の表の（一）の（イ）のC、同（一）の（ロ）のA若しくは同表の（二）の（イ）若しくは同（二）の（ロ）に掲げる内国法人の国外事業所等に帰せられる資産の額又は同（一）の（イ）のD若しくは同（一）の（ロ）のBに掲げる内国法人の総資産の額について発生し得る危険を勘案して計算した金額をもって当該危険勘案資産額とすることができる。（令141の4④）

（危険勘案資産額の計算日の特例の適用に関する届出書の提出）

（4）（3）は（3）の適用を受けようとする最初の事業年度の第三款の二の1による申告書の提出期限（当該事業年度の中間申告書で同款の一の3に掲げる事項を記載したものを提出する場合には、その中間申告書の提出期限）までに、納税地の所轄税務署長に対し、（3）に掲げる提出期限までに危険勘案資産額を計算することが困難である理由、（3）に掲げる一定の日その他の次の表に掲げる事項を記載した届出書を提出した場合に限り、適用する。（令141の4⑤、規28の8）

（一）	（3）の適用を受けようとする内国法人の名称、納税地及び法人番号（行政手続における特定の個人を識別するための番号の利用等に関する法律第2条第15項に規定する法人番号をいう。）
（二）	代表者の氏名
（三）	（3）の適用を受けようとする最初の事業年度の開始及び終了の日
（四）	（3）に掲げる一定の日
（五）	（3）に掲げる提出期限までに（3）に掲げる危険勘案資産額を計算することが困難である理由
（六）	その他参考となるべき事項

（国外事業所に帰せられるべき資本の額の計算の特例）

（5）（2）の表の（一）の（イ）又は同表の（二）の（イ）に掲げる内国法人（株式会社日本政策投資銀行〔株式会社日本政策投資銀行法第9条第1項《預金の受入れ等を開始する場合の特例》に規定する財務大臣の承認を受けたものを除く。〕及び保険業法第2条第2項《定義》に規定する保険会社を除く。）は、（2）にかかわらず、（2）の表の（一）の（イ）に掲げる方法は次の表の（一）に掲げる方法とし、（2）の表の（二）の（イ）に掲げる方法は次の表の（二）に掲げる方法とすることができる。（令141の4⑥）

（一）	資本配賦簡便法（（2）の表の（一）の（イ）のAに掲げる金額から同（イ）のBに掲げる金額を控除した残額に、次の表の（イ）に掲げる金額の同表の（ロ）に掲げる金額に対する割合を乗じて計算する方法をいう。）	
	（イ）	当該内国法人の当該事業年度終了の時の当該国外事業所等に帰せられる資産の帳簿価額
	（ロ）	当該内国法人の当該事業年度終了の時の貸借対照表に計上されている総資産の帳簿価額
（二）	簿価資産資本比準法（当該内国法人の当該事業年度の国外事業所等に帰せられる資産の帳簿価額の平均的な残高として合理的な方法により計算した金額に、次の表の（イ）に掲げる金額の同表の（ロ）に掲げる金額に対する割合を乗じて計算する方法をいう。）	
	（イ）	比較対象法人の比較対象事業年度終了の時の貸借対照表に計上されている純資産の額（当該比較対象法人が国外事業所等所在地国に本店又は主たる事務所を有する法人以外の法人である場合には、当該法人の国外事業所等〔当該国外事業所等所在地国に所在するものに限る。〕に係る純資産の額）
	（ロ）	比較対象法人の比較対象事業年度終了の時の貸借対照表に計上されている総資産の額（当該比較対象法人が国外事業所等所在地国に本店又は主たる事務所を有する法人以外の法人である場合には、当該法人の国外事業所等〔当該国外事業所等所在地国に所在するものに限る。〕に係る資産の額）

(資本の額の計算方法の変更)
(6) 当該事業年度の前事業年度の国外事業所等に帰せられるべき資本の額（ハに掲げる国外事業所等に帰せられるべき資本の額をいう。以下(6)において同じ。）を資本配賦法等（(2)の表の(一)又は(5)の表の(一)に掲げる方法をいう。以下(6)において同じ。）により計算した内国法人が当該事業年度の当該国外事業所等に帰せられるべき資本の額を計算する場合には、当該内国法人の当該国外事業所等を通じて行う事業の種類の変更その他これに類する事情がある場合に限り同業法人比準法等（(2)の表の(二)又は(5)の表の(二)に掲げる方法をいう。以下(6)において同じ。）により計算することができるものとし、当該事業年度の前事業年度の国外事業所等に帰せられるべき資本の額を同業法人比準法等により計算した内国法人が当該事業年度の当該国外事業所等に帰せられるべき資本の額を計算する場合には、当該内国法人の当該国外事業所等を通じて行う事業の種類の変更その他これに類する事情がある場合に限り資本配賦法等により計算することができるものとする。（令141の4⑦）

(満たない金額に対応する部分の金額)
(7) ハに掲げる満たない金額に対応する部分の金額は、ハに掲げる負債の利子の額に、ハに掲げる国外事業所等に帰せられるべき資本の額から次の表の(一)に掲げる金額を控除した残額（当該残額が次の表の(二)に掲げる金額を超える場合には、同(二)に掲げる金額）の次の表の(二)に掲げる金額に対する割合を乗じて計算した金額とする。（令141の4⑧）

(一)	当該内国法人の当該事業年度の当該国外事業所等に係るハに掲げる自己資本の額
(二)	当該内国法人の当該事業年度の当該国外事業所等に帰せられる負債（ハに掲げる利子の支払の基因となるものその他資金の調達に係るものに限る。）の帳簿価額の平均的な残高として合理的な方法により計算した金額

(外国税額控除の申告)
(8) ハは、確定申告書、修正申告書又は更正請求書にハにより損金の額に算入されない金額及びその計算に関する明細を記載した書類の添付があり、かつ、国外事業所等に帰せられるべき資本の額の計算の基礎となる事項を記載した書類その他の次の表の左欄に掲げる内国法人の区分に応じ、それぞれ右欄に掲げる書類の保存がある場合に限り、適用する。（令141の4⑩、規28の9）

(一)	(2)の表の(一)の(イ)に掲げる内国法人	次の表の(イ)から(ハ)までに掲げる書類	
		(イ)	当該内国法人が(2)の表の(二)の(イ)に掲げる方法又は(5)の表の(二)に掲げる方法を用いて当該事業年度の国外事業所等に帰せられるべき資本の額（ハに掲げる国外事業所等に帰せられるべき資本の額をいう。以下(8)において同じ。）を計算する場合における当該内国法人に係る(2)の表の(二)の(イ)のAに掲げる比較対象法人の選定に係る事項を記載した書類並びに当該比較対象法人の同(イ)のA及びBに掲げる金額又は(5)の表の(二)の(イ)及び(ロ)に掲げる金額の基礎となる書類
		(ロ)	当該事業年度の危険勘案資産額（(3)に掲げる危険勘案資産額をいう。(ハ)において同じ。）の計算の根拠を明らかにする事項を記載した書類
		(ハ)	(イ)及び(ロ)に掲げるもののほか国外事業所等に帰せられるべき資本の額の計算の基礎となる事項を記載した書類
(二)	(2)の表の(一)の(ロ)に掲げる内国法人	次の表の(イ)から(ニ)までに掲げる書類	
		(イ)	当該内国法人が(2)の表の(一)の(ロ)に掲げる方法を用いて当該事業年度の国外事業所等に帰せられるべき資本の額を計算する場合における同(ロ)に掲げる規制上の自己資本の額の計算の基礎となる書類
		(ロ)	当該内国法人が(2)の表の(二)の(ロ)に掲げる方法を用いて当該事業年度の国外事業所等に帰せられるべき資本の額を計算する場合における当該内国法人に掲げる内国法人に係る同(ロ)のAに掲げる比較対象法人の選定に係る事項を記載した書類並びに当該比較対象法人の同(ロ)のA及びBに掲げる金額の基礎となる書類

	(ハ)	当該事業年度の危険勘案資産額（（９）の表の（一）及び（二）に掲げる金額を含む。）の計算の根拠を明らかにする事項を記載した書類
	(ニ)	(イ)から(ハ)までに掲げるもののほか国外事業所等に帰せられるべき資本の額の計算の基礎となる事項を記載した書類

（危険勘案資産額の計算に関する特例）

（９）（２）の表の（一）の（ロ）に掲げる内国法人が同（ロ）のＡ又はＢに掲げる金額を計算する場合において、信用リスク額（当該内国法人の各事業年度終了の時の総資産の額について同（一）の（イ）のＣのａに掲げる危険を勘案して計算した金額をいう。以下（９）において同じ。）の全リスク額（当該内国法人の当該事業年度に係る同（一）の（ロ）のＢに掲げる金額をいう。）に対する割合が$\frac{80}{100}$を超え、かつ、貸出債権リスク額（当該内国法人の当該事業年度終了の時の貸出債権の額について同（一）の（イ）のＣのａに掲げる危険を勘案して計算した金額をいう。次の表の（二）において同じ。）の当該信用リスク額に対する割合が$\frac{50}{100}$を超えるときは、同（一）の（ロ）のＡに掲げる金額は次の表の（一）に掲げる金額と、（２）の表の（一）の（ロ）のＢに掲げる金額は次の表の（二）に掲げる金額とすることができる。（令141の4⑫、規28の10①）

(一)	当該内国法人の当該事業年度終了の時の②の表の（一）に掲げる当該国外事業所等に帰せられる貸出債権の額について、（２）の表の（一）の（イ）のＣのａに掲げる危険を勘案して計算した金額
(二)	貸出債権リスク額

　注　（９）の適用がある場合における（３）及び（４）の適用については、これらに掲げる危険勘案資産額には、上表の（一）及び（二）に掲げる金額を含むものとする。（規28の10②）

（書類の保存がない場合のゆうじょ規定）

（10）　税務署長は、**ハ**に掲げる金額の全部又は一部につき（８）の書類の保存がない場合においても、当該書類の保存がなかったことについてやむを得ない事情があると認めるときは、当該書類の提出があった場合に限り、**ハ**を適用することができる。（令141の4⑪）

（国外事業所等帰属所得に係る所得の金額を計算する場合の準用）

（11）　内国法人の国外事業所等帰属所得に係る所得の金額を計算するに当たっては、次の表の左欄に掲げる場合は、同表の右欄に掲げる取扱いを準用する。（基通16－3－9の3・編者補正）

ハにより、国外事業所等帰属所得に係る所得の金額の計算上損金の額に算入されないこととなる金額を計算する場合	法人税基本通達20－5－18《恒久的施設に係る資産等の帳簿価額の平均的な残高の意義》、同通達20－5－19《総資産の帳簿価額の平均的な残高及び総負債の帳簿価額の平均的な残高の意義》、同通達20－5－21《恒久的施設に帰せられる資産の意義》、同通達20－5－23《比較対象法人の純資産の額の意義》及び同通達20－5－26《金銭債務の償還差損等》から同通達20－5－30《原価に算入した負債の利子の額の調整》までの取扱い

（繰延ヘッジ処理を適用している場合等における負債の利子の額の計算）

（12）　金利の変動に伴って生ずるおそれのある損失を減少させる目的で繰延ヘッジ処理を適用している場合又は特例金利スワップ取引等（第一節第二十四款の**一**の（１）《為替予約取引等の範囲》に掲げる取引をいう。以下（12）において同じ。）を行っている場合の**ハ**に掲げる負債の利子の額の計算は、当該繰延ヘッジ処理を適用している場合のヘッジ処理に係る損益の額又は特例金利スワップ取引等に係る受払額のうち、支払利子の額に対応する部分の金額を加算又は減算した後の金額を基礎とするのであるから留意する。（基通2－3－60・編者補正）

ニ　銀行等の資本に係る負債の利子

　内国法人（預金保険法第２条第１項《定義》に規定する金融機関、農水産業協同組合貯金保険法第２条第１項《定義》に規定する農水産業協同組合、株式会社日本政策投資銀行〔株式会社日本政策投資銀行法第９条第１項《預金の受入れ等を開始する場合の特例》に規定する財務大臣の承認を受けたものに限る。〕及び金融商品取引法第２条第９項《定義》に規定する金融商品取引業者〔同法第28条第１項《通則》に規定する第一種金融商品取引業を行う者に限る。〕に限る。）の有する資本に相当するものに係る負債につき各事業年度において支払う負債の利子（第一節第二十七款の**三**の**１**《金銭債務

の償還差損益》に掲げる満たない部分の金額その他経済的な性質が利子に準ずるものを含む。）の額のうち、当該内国法人の当該国外事業所等に帰せられるべき資本の額に対応する部分の金額は、当該内国法人の当該事業年度の国外事業所等帰属所得に係る所得の金額の計算上、損金の額に算入する。（令141の5①）

　　（国外事業所等に帰せられるべき資本の額に対応する部分の金額）
（1）　**ニ**に掲げる国外事業所等に帰せられるべき資本の額に対応する部分の金額は、**ニ**に掲げる内国法人の当該事業年度の**ハ**の（2）の表の（一）の（ロ）に掲げる規制上の自己資本の額（次の表の（二）において「規制上の自己資本の額」という。）に係る負債につき当該内国法人が支払う**ニ**に掲げる負債の利子の額に、次の表の（一）に掲げる金額の同表の（二）に掲げる金額に対する割合を乗じて計算した金額とする。（令141の5②）

（一）	**ハ**の（2）の表の（一）の（ロ）又は同（2）の表の（二）の（ロ）に掲げる方法により計算した当該内国法人の当該事業年度の**ハ**に掲げる当該国外事業所等に帰せられるべき資本の額
（二）	当該内国法人の当該事業年度の規制上の自己資本の額

　　（国外事業所等帰属所得に係る所得の金額を計算する場合の準用）
（2）　内国法人の国外事業所等帰属所得に係る所得の金額を計算するに当たっては、次の表の左欄に掲げる場合は、同表の右欄に掲げる取扱いを準用する。（基通16－3－9の3・編者補正）

ニにより、国外事業所等帰属所得に係る所得の金額の計算上損金の額に算入されることとなる金額を計算する場合	法人税基本通達20－5－26《金銭債務の償還差損等》の取扱い

　　（繰延ヘッジ処理を適用している場合等における負債の利子の額の計算）
（3）　金利の変動に伴って生ずるおそれのある損失を減少させる目的で繰延ヘッジ処理を適用している場合又は特例金利スワップ取引等（第一節第二十四款の一の（1）《為替予約取引等の範囲》に掲げる取引をいう。以下（3）において同じ。）を行っている場合の**ニ**に掲げる負債の利子の額の計算は、当該繰延ヘッジ処理を適用している場合のヘッジ処理に係る損益の額又は特例金利スワップ取引等に係る受払額のうち、支払利子の額に対応する部分の金額を加算又は減算した後の金額を基礎とするのであるから留意する。（基通2－3－60・編者補正）

ホ　保険会社の投資資産及び投資収益

　内国法人（保険業法第2条第2項《定義》に規定する保険会社に限る。）の各事業年度の国外事業所等に係る投資資産（法人税法第142条の3第1項《保険会社の投資資産及び投資収益》に規定する投資資産をいう。以下**ホ**において同じ。）の額が当該国外事業所等に帰せられるべき投資資産の額を上回る場合のその上回る部分に相当する金額に係る収益の額は、当該内国法人の当該事業年度の国外事業所等帰属所得に係る所得の金額の計算上、益金の額に算入しない。（令141の6①）
　　注　**ホ**に掲げる投資資産は、保険料として収受した金銭その他の資産を保険契約に基づく将来の債務の履行に備えるために運用する場合のその運用資産として保険業法施行規則第47条各号《資産の運用方法の制限》に掲げる方法により運用を行う資産とする。（法142の3①、規60の5）

　　（投資資産の額）
（1）　**ホ**に掲げる国外事業所等に帰せられるべき投資資産の額は、**ホ**の内国法人の当該事業年度の投資資産の額に、次の表の（一）に掲げる金額の同表の（二）に掲げる金額に対する割合を乗じて計算した金額とする。（令141の6②）

（一）	当該内国法人の当該事業年度終了の時において保険業法に相当する外国の法令の規定により当該国外事業所等に係る同法第116条第1項《責任準備金》に規定する責任準備金に相当するものとして積み立てられている金額及び同法第117条第1項《支払備金》に規定する支払備金に相当するものとして積み立てられている金額の合計額
（二）	当該内国法人の当該事業年度終了の時において保険業法第116条第1項に規定する責任準備金として積み立てられている金額及び同法第117条第1項に規定する支払備金として積み立てられている金額の合計額

(上回る部分に相当する金額に係る収益の額)
（2） ホに掲げる上回る部分に相当する金額に係る収益の額は、ホの内国法人の当該事業年度の当該国外事業所等に係る投資資産の額から（1）により計算した金額を控除した残額に、当該内国法人の当該事業年度の投資資産から生じた収益の額の当該内国法人の当該事業年度の投資資産の額の平均的な残高に対する割合として合理的な方法により計算した割合を乗じて計算した金額とする。（令141の6③）

(益金不算入の不適用)
（3） ホは、次の表のいずれかに該当する場合には適用しない。（令141の6④）

(一)	ホに掲げる上回る部分に相当する金額が（1）により計算した当該国外事業所等に帰せられるべき投資資産の額の$\frac{10}{100}$以下であるとき。
(二)	当該事業年度の当該国外事業所等に係る投資資産の額が当該内国法人の当該事業年度の投資資産の額の$\frac{5}{100}$以下であるとき。
(三)	当該国外事業所等に係る（2）により計算した金額が1,000万円以下であるとき。

(書類の保存)
（4） （3）は、（3）の表の（一）から（三）までに掲げる場合のいずれかに該当する旨を記載した書類及びその計算に関する書類を保存している場合に限り、適用する。（令141の6⑤）

(書類の保存がない場合のゆうじょ規定)
（5） 税務署長は、（4）の書類を保存していなかった場合においても、その保存がなかったことについてやむを得ない事情があると認めるときは、当該書類の提出があった場合に限り、（3）を適用することができる。（令141の6⑥）

(投資資産の額の算定時期)
（6） （1）に掲げる当該事業年度の投資資産の額、（2）に掲げる当該事業年度の当該国外事業所等に係る投資資産の額及び（3）の表の（二）に掲げる投資資産の額は、当該内国法人の当該事業年度終了の時における貸借対照表に計上されている金額によるものとする。（令141の6⑦）

(国外事業所等帰属所得に係る所得の金額を計算する場合の準用)
（7） 内国法人の国外事業所等帰属所得に係る所得の金額を計算するに当たっては、次の表の左欄に掲げる場合は、同表の右欄に掲げる取扱いを準用する。（基通16-3-9の3・編者補正）

ホにより、国外事業所等帰属所得に係る所得の金額の計算上益金の額に算入されないこととなる金額を計算する場合	法人税基本通達20-5-15《外国保険会社等の投資資産の額の運用利回り》の取扱い

ヘ 特定の内部取引に係る国外事業所等帰属所得に係る所得の金額の計算

内国法人の国外事業所等と本店等との間で資産（イの表の（三）又は同表の（五）に掲げる国外源泉所得を生ずべき資産に限る。以下ヘにおいて同じ。）の当該国外事業所等による取得又は譲渡に相当する内部取引があった場合には、当該内部取引は当該資産の当該内部取引の直前の帳簿価額に相当する金額により行われたものとして、当該内国法人の各事業年度の国外事業所等帰属所得に係る所得の金額を計算する。（令141の7①）

(帳簿価額に相当する金額)
（1） ヘに掲げる帳簿価額に相当する金額とは、内国法人の国外事業所等と本店等との間の内部取引が次の表の左欄に掲げる内部取引の区分に応じ、それぞれ右欄に掲げる金額とする。（令141の7②）

(一)	国外事業所等による資産の取得に相	当該内部取引の時に当該内部取引に係る資産の他の者への譲渡があったものとみなして当該資産の譲渡により生ずべき当該内国法人の各事業年度の所得の金額を計算するとし

	当する内部取引	た場合に当該資産の譲渡に係る原価の額とされる金額に相当する金額
(二)	国外事業所等による資産の譲渡に相当する内部取引	当該内部取引の時に当該内部取引に係る資産の他の者への譲渡があったものとみなして当該資産の譲渡により生ずべき当該内国法人の各事業年度の国外事業所等帰属所得に係る所得の金額を計算するとした場合に当該資産の譲渡に係る原価の額とされる金額に相当する金額

(内部取引に係る資産の取得価額)
（２）　ヘの適用がある場合の内国法人の国外事業所等と本店等との間の内部取引（当該国外事業所等による資産の取得に相当する内部取引に限る。以下（２）において同じ。）に係る当該資産の当該国外事業所等における取得価額は、（１）の表の（一）に掲げる金額（当該内部取引による取得のために要した費用がある場合には、その費用の額を加算した金額）とする。（令141の７③）

ト　その他の国外源泉所得に係る所得の金額の計算
①　《外国法人税を納付することとなる場合の外国税額控除》の表の（二）に掲げる国外源泉所得に係る所得の金額は、同（二）に掲げる国外源泉所得に係る所得のみについて各事業年度の所得に対する法人税を課するものとした場合に課税標準となるべき当該事業年度の所得の金額に相当する金額とする。（令141の８①）

(共通費用の額の配分)
（１）　内国法人の当該事業年度の所得の金額の計算上損金の額に算入された金額のうちに第一節第一款の三の２《損金の額に算入すべき金額》の表の②に掲げる販売費、一般管理費その他の費用で①の表の（二）に掲げる国外源泉所得に係る所得を生ずべき業務とそれ以外の業務の双方に関連して生じたものの額（以下（１）及び（２）において「共通費用の額」という。）があるときは、当該共通費用の額は、これらの業務に係る収入金額、資産の価額、使用人の数その他の基準のうちこれらの業務の内容及び費用の性質に照らして合理的と認められる基準により同表の（二）に掲げる国外源泉所得に係る所得の金額の計算上の損金の額として配分するものとする。（令141の８②）

(共通費用の額の配分に関する書類)
（２）　（１）の共通費用の額の配分を行った内国法人は、次の表の（一）から（四）までに掲げる書類を作成しなければならない。（令141の８③、規28の11）

(一)	当該配分の計算の基礎となる事項を記載した書類
(二)	（１）に掲げる共通費用の額の配分の基礎となる費用の明細及び内容を記載した書類
(三)	（１）に掲げる合理的と認められる基準により配分するための計算方法の明細を記載した書類
(四)	（三）の計算方法が合理的であるとする理由を記載した書類

(国外所得金額の計算に関する明細を記載した書類の添付)
（３）　①、**４**の①及び**４**の②又は**７**の③（**７**の④の（２）又は（３）において準用する場合を含む。）の適用を受ける内国法人は、確定申告書、修正申告書又は更正請求書に当該事業年度の国外事業所等帰属所得及び①の表の（二）に掲げる国外源泉所得に係る所得の金額の計算に関する明細を記載した書類を添付しなければならない。（令141の８④）

(その他の国外源泉所得に係る所得の金額の計算)
（４）　**ト**に掲げる「国外源泉所得に係る所得のみについて各事業年度の所得に対する法人税を課するものとした場合に課税標準となるべき当該事業年度の所得の金額に相当する金額」とは、現地における外国法人税の課税上その課税標準とされた所得の金額そのものではなく、当該事業年度において生じた①の表の（二）に掲げる国外源泉所得（以下**ト**において「その他の国外源泉所得」という。）に係る所得の計算につき法人税法（租税特別措置法その他法人税に関する法令で法人税法以外のものを含む。）の規定を適用して計算した場合における当該事業年度の課税標準となるべき所得の金額をいう。（基通16－３－19の２）

第三章 第二節 第二款 二《外国税額の控除》

(その他の国外源泉所得に係る所得の金額の計算における共通費用の額の配賦)
(5) 当該事業年度における(1)に掲げる共通費用の額(法人税法に規定する引当金勘定への繰入額並びに租税特別措置法に規定する準備金の積立額及び特別勘定の金額並びに負債の利子の額を除く。以下(5)及び(7)において「共通費用の額」という。)については、個々の業務ごと、かつ、個々の費目ごとに同項に規定する合理的と認められる基準によりその他の国外源泉所得に係る所得を生ずべき業務(以下(5)において「国外業務」という。)に配分するのであるが、個々の業務ごと、かつ、個々の費目ごとに計算をすることが困難であると認められるときは、全ての共通費用の額を一括して、当該事業年度の売上総利益の額(利子、配当等及び使用料については、その収入金額とする。以下(5)において同じ。)のうちに国外業務に係る売上総利益の額の占める割合を用いてその他の国外源泉所得に係る所得の金額の計算上損金の額として配分すべき金額を計算することができる。(基通16−3−19の3)

　注1　内国法人(金融及び保険業を主として営む法人を除く。)の国外業務に係る収入金額の全部又は大部分が利子、配当等又は使用料であり、かつ、当該事業年度の所得の金額のうちに調整国外所得金額(⑩《控除限度額の計算》(通算法人にあっては、7の①の(1)《調整前控除限度額の意義》の表の(三))に掲げる調整国外所得金額をいう。)の占める割合が低いなどのため課税上弊害がないと認められる場合には、当該事業年度の販売費、一般管理費その他の費用の額のうち国外業務に関連することが明らかな費用の額のみが共通費用の額であるものとしてその他の国外源泉所得に係る所得の金額の計算上損金の額として配分すべき金額を計算することができる。

　注2　内国法人の国外業務に係る収入金額のうちに第一節第二款の7の1《外国子会社から受ける配当等の益金不算入》の適用を受ける配当等(以下(6)までにおいて「外国子会社配当等」という。)の収入金額がある場合における外国子会社配当等に係る「国外業務に係る売上総利益の額」は、外国子会社配当等の収入金額から当該事業年度において同項の規定により益金の額に算入されない金額を控除した金額によることに留意する。

(その他の国外源泉所得に係る所得の金額の計算における負債の利子の額の配賦)
(6) 当該事業年度における(1)に掲げる共通費用の額に含まれる負債の利子(第一節第二十七款の三の1《金銭債務の償還差損益》に掲げる満たない部分の金額のうち当該事業年度の損金の額に算入すべき償還差損の額、手形の割引料、貿易商社における輸入決済手形借入金の利息等を含む。以下(6)において同じ。)の額(以下(7)までにおいて「共通利子の額」という。)については、内国法人の営む主たる事業が次の表の左欄いずれに該当するかに応じ、それぞれ同表の右欄によりその他の国外源泉所得に係る所得の金額の計算上損金の額として配分すべき金額を計算することができる。(基通16−3−19の4)

(一)	卸売業及び製造業	次の算式による方法 (算式) 当該事業年度における共通利子の額の合計額 × 分母の各事業年度終了の時におけるその他の国外源泉所得の発生の源泉となる貸付金、有価証券等の帳簿価額の合計額 / 当該事業年度終了の時及び当該事業年度の直前事業年度終了の時における総資産の帳簿価額の合計額
(二)	銀行業	次の算式による方法 (算式) その他の国外源泉所得の発生の源泉となる貸付金、有価証券等の当該事業年度中の平均残高 × 当該事業年度における共通利子の額の合計額 / (預金、借入金等の当該事業年度中の平均残高 + (当該事業年度終了の時及び当該事業年度の直前事業年度終了の時における自己資本の額の合計額 − 左の各事業年度の終了の時における固定資産の帳簿価額の合計額) × $\frac{1}{2}$)
(三)	その他の事業	その事業の性質に応じ、(一)又は(二)の方法に準ずる方法

　注1　(一)及び(二)の算式の「その他の国外源泉所得の発生の源泉となる貸付金、有価証券等」には、当該事業年度において収益に計上すべき利子、配当等の額がなかった貸付金、有価証券等を含めないことができる。

　注2　(一)及び(二)の算式の「その他の国外源泉所得の発生の源泉となる貸付金、有価証券等」に、外国子会社配当等に係る株式又は出資がある場合には、これらの算式における当該株式又は出資に係る「有価証券等の帳簿価額」及び「有価証券等の当該事業年度中の平均残高」の計算は、当該株式又は出資の帳簿価額から当該帳簿価額に当該事業年度における外国子会社配当等の収入金額のうちに第一節第二款の7の1《外国子会社から受ける配当等の益金不算入》のより益金の額に算入されない金額の占める割合を乗じて計算した金額を控除した金額によるものとし、法人が税効果会計を適用している場合において、確定した決算に基づく貸借対照表に計上されている繰延税金資産の額があるときは、当該繰延税金資産の額を含むことに留意する。

　注3　(一)の算式の「総資産の帳簿価額」は、令和2年度改正前の法人税法施行令第22条第1項第1号《株式等に係る負債の利子の額》の規定の例により計算した金額による。

　注4　(二)の算式の「自己資本の額」は、当該貸借対照表の純資産の部に計上されている金額によるものとし、また、「固定資産の帳簿価額」は、当該貸借対照表に計上されている第二章第一節の二の表の22《固定資産》に掲げる固定資産の帳簿価額による。

(その他の国外源泉所得に係る所得の金額の計算における確認による共通費用の額等の配賦方法の選択)

（7） 当該事業年度の共通費用の額又は共通利子の額のうちその他の国外源泉所得に係る所得の金額の計算上損金の額として配分すべき金額を計算する場合において、(5)又は(6)によることがその内国法人の業務の内容等に適合しないと認められるときは、あらかじめ所轄税務署長（国税局の調査部〔課〕所管法人にあっては、所轄国税局長）の確認を受けて、当該共通費用の額又は共通利子の額の全部又は一部につき収入金額、直接経費の額、資産の価額、使用人の数その他の基準のうちその業務の内容等に適合すると認められる基準によりその計算をすることができるものとする。（基通16－3－19の5）

(繰延ヘッジ処理を適用している場合等における負債の利子の額の計算)

（8） 金利の変動に伴って生ずるおそれのある損失を減少させる目的で繰延ヘッジ処理を適用している場合又は特例金利スワップ取引等（第一節第二十四款の一の(1)《為替予約取引等の範囲》に掲げる取引をいう。以下(8)において同じ。）を行っている場合の(1)に掲げる共通費用の額に含まれる負債の利子の額の計算は、当該繰延ヘッジ処理を適用している場合のヘッジ処理に係る損益の額又は特例金利スワップ取引等に係る受払額のうち、支払利子の額に対応する部分の金額を加算又は減算した後の金額を基礎とするのであるから留意する。（基通2－3－60・編者補正）

(その他の国外源泉所得に係る所得の金額の計算における引当金の繰入額等)

（9） その他の国外源泉所得に係る所得の金額の計算上、損金の額に算入すべき法人税法に規定する引当金勘定への繰入額並びに租税特別措置法に規定する準備金（特別償却準備金を含む。以下(10)までにおいて同じ。）の積立額及び特別勘定の金額は、次による。（基通16－3－19の6）

(一)	第一節第十七款の一の1の①《個別評価金銭債権に係る貸倒引当金》に掲げる個別評価金銭債権（以下(9)において「個別評価金銭債権」という。）に係る貸倒引当金勘定への繰入額は、内国法人の当該事業年度の所得の金額の計算の対象となった個別評価金銭債権の額のうちその他の国外源泉所得の発生の源泉となるものの額に係る部分の金額とし、同1の③《一括評価金銭債権に係る貸倒引当金》に掲げる一括評価金銭債権（以下(9)において「一括評価金銭債権」という。）に係る貸倒引当金勘定への繰入額は、内国法人の当該事業年度の所得の金額の計算上、損金の額に算入した一括評価金銭債権に係る貸倒引当金勘定への繰入額に、その対象となった一括評価金銭債権の額のうちにその他の国外源泉所得の発生の源泉となるものの額の占める割合を乗じて計算した金額とする。 注　その他の国外源泉所得の発生の源泉となる金銭債権のうち当該事業年度において収益に計上すべき利子の額がないものに対応する貸倒引当金勘定への繰入額は、当該事業年度のその他の国外源泉所得に係る所得の金額の計算上損金の額に算入しないことができる。
(二)	(一)の引当金以外の引当金の繰入額、準備金の積立額又は特別勘定の金額については、その引当金、準備金特別勘定の性質又は目的に応ずる合理的な基準により計算した金額をその他の国外源泉所得に係る所得の金額の計算上損金の額とする

(その他の国外源泉所得に係る所得の金額の計算における引当金の取崩額等)

（10） 当該事業年度前の各事業年度においてその繰入額、積立額又は経理をした金額をその他の国外源泉所得に係る所得の金額の計算上損金の額に算入した引当金、準備金特別勘定の取崩し等による益金算入額がある場合には、当該益金算入額のうちその繰入れをし、積立てをし、又は経理をした事業年度においてその他の国外源泉所得に係る所得の金額の計算上損金の額に算入した金額に対応する部分の金額を当該取崩し等に係る事業年度のその他の国外源泉所得に係る所得の金額の計算上益金の額に算入する。（基通16－3－19の7）

注　当該事業年度において適格合併、適格分割、適格現物出資又は適格現物分配により被合併法人等（被合併法人、分割法人、現物出資法人又は現物分配法人をいう。以下(10)において同じ。）から引継ぎを受けた引当金、準備金又は特別勘定の取崩し等による益金算入額がある場合には、当該益金算入額のうち当該被合併法人等においてその繰入れをし、積立てをし、又は経理をした事業年度のその他の国外源泉所得に係る所得の金額の計算上損金の額に算入した金額に対応する部分の金額についても、同様とする。

(その他の国外源泉所得に係る所得の金額の計算における損金の額に算入されない寄附金、交際費等)

（11） 当該事業年度において支出した寄附金の額のうちに第一節第十二款の一《寄附金の損金不算入》又は同款の二《完全支配関係がある他の内国法人に対する寄附金の損金不算入》により損金の額に算入されない金額がある場合には、当該金額のうちその他の国外源泉所得に係る所得を生ずべき業務に係る寄附金の額に対応する部分の金額は、当該事業年度のその他の国外源泉所得に係る所得の金額の計算上も損金の額に算入しない。

当該事業年度の交際費等の額のうちに第一節第十三款の一の①《交際費等の損金不算入》又は同一の②《中小法人等の交際費等の損金不算入の特例》により損金の額に算入されない金額がある場合についても、同様とする。（基通16－3－19の7の2）

チ　本店等と国外事業所等との間の内部取引に係る国外所得金額の計算の特例
　内国法人の平成28年4月1日以後に開始する各事業年度において、当該内国法人の本店等と国外事業所等との間の**イ**の表の(一)に掲げる内部取引（以下**チ**において「内部取引」という。）の対価の額とした額が独立企業間価格と異なることにより、当該内国法人の当該事業年度の①《外国法人税を納付することとなる場合の外国税額控除》に掲げる国外所得金額の計算上、当該内部取引に係る収益の額が過大となるとき、又は損失等の額（当該内部取引に係る第一節第一款の三の2《損金の額に算入すべき金額》の表の①から③に掲げる額に相当するものをいう。）が過少となるときは、当該内国法人の当該事業年度の①に掲げる国外所得金額の計算については、当該内部取引は、独立企業間価格によるものとする。（措法67の18①）

　　（独立企業間価格）
（1）　**チ**に掲げる独立企業間価格とは、内部取引の対価の額とされるべき額について租税特別措置法第66条の4の3第2項《外国法人の内部取引に係る課税の特例》に規定する方法に準じて算定した金額をいう。（措法67の18②）

　　（内部取引に係る書類の保存）
（2）　当該事業年度において内部取引がある内国法人は、当該内部取引に係る**チ**に掲げる独立企業間価格を算定するために必要と認められる書類として(3)に掲げる書類（その作成に代えて電磁的記録〔電子的方式、磁気的方式その他の人の知覚によっては認識することができない方式で作られる記録であって、電子計算機による情報処理の用に供されるものをいう。以下**チ**において同じ。〕の作成がされている場合における当該電磁的記録を含む。）を、当該事業年度の第三款の二の**1**《確定申告》に掲げる申告書の提出期限までに作成し、又は取得し、(4)に掲げるところにより保存しなければならない。（措法67の18③）

　　（独立企業間価格を算定するために必要と認められる書類）
（3）　(2)に掲げる独立企業間価格を算定するために必要と認められる書類は、次に掲げる書類とする。（措規22の19の4①）

(一)		内部取引の内容を記載した書類として次に掲げる書類
	(イ)	当該内部取引に係る資産の明細及び役務の内容を記載した書類
	(ロ)	当該内部取引において**チ**の内国法人の本店等及び国外事業所等が果たす機能並びに当該内部取引において当該内国法人の本店等及び国外事業所等が負担するリスク（為替相場の変動、市場金利の変動、経済事情の変化その他の要因による当該内部取引に係る利益又は損失の増加又は減少の生ずるおそれをいう。(ロ)において同じ。）に係る事項（当該内国法人の事業再編〔合併、分割、事業の譲渡、事業上の重要な資産の譲渡その他の事由による事業の構造の変更をいう。(ロ)において同じ。〕により当該内部取引において当該内国法人の本店等若しくは国外事業所等が果たす機能又は当該内部取引において当該内国法人の本店等若しくは国外事業所等が負担するリスクに変更があった場合には、その事業再編の内容並びにその機能及びリスクの変更の内容を含む。）を記載した書類
	(ハ)	**チ**の内国法人の本店等又は国外事業所等が当該内部取引において使用した(6)の表の(二)に掲げる無形資産の内容を記載した書類
	(ニ)	当該内部取引に該当する資産の移転、役務の提供その他の事実を記載した契約書又はこれに相当する書類
	(ホ)	当該内部取引に係る対価の額とした額の明細、当該対価の額とした額の設定の方法及び当該設定に係る交渉の内容を記載した書類並びに当該対価の額とした額に係る独立企業間価格（**チ**に掲げる独立企業間価格をいう。）の算定の方法及び当該内部取引（当該内部取引と密接に関連する他の取引〔他の内部取引を含む。〕を含む。）に関する事項についての我が国以外の国又は地域の権限ある当局による確認がある場合（内国法人の納税地を所轄する国税局長又は税務署長による確認がある場合を除く。）における当該確認の内容を記載した書類

	(ヘ)	**チ**の内国法人の本店等及び国外事業所等の当該内部取引に係る損益の明細並びに当該損益の額の計算の過程を記載した書類
	(ト)	当該内部取引に係る市場に関する分析（当該市場の特性が当該内部取引に係る対価の額とした額又は損益の額に与える影響に関する分析を含む。）その他当該市場に関する事項を記載した書類
	(チ)	**チ**の内国法人の事業の方針及び組織の系統並びに当該内国法人の本店等及び国外事業所等の業務の内容を記載した書類
	(リ)	当該内部取引と密接に関連する他の取引（他の内部取引を含む。(リ)において同じ。）の有無及びその取引の内容並びにその取引が当該内部取引と密接に関連する事情を記載した書類
(ニ)	**チ**の内国法人が内部取引に係る独立企業間価格を算定するための書類として次に掲げる書類	
	(イ)	(1)により租税特別措置法第66条の4の3第2項に規定する方法に準じて独立企業間価格を算定する場合における当該内国法人が選定した同項に規定する算定の方法、その選定に係る重要な前提条件及びその選定の理由を記載した書類その他当該内国法人が独立企業間価格を算定するに当たり作成した書類（(ロ)に掲げる書類を除く。）
	(ロ)	第一節第三十款の**四**の**1**の(1)の表の(二)のロからトに掲げる書類に準ずる書類

（独立企業間価格を算定するために必要と認められる書類の保存）

（4）（2）の内国法人は、（3）に掲げる書類を整理し、起算日から7年間、当該書類を納税地又は当該内国法人の国内の事務所、事業所その他これらに準ずるものの所在地（以下（4）において「納税地等」という。）に保存しなければならない。この場合において、当該書類のうち納税地等に保存することを困難とする相当の理由があると認められるものについては、当該書類の写しを納税地等に保存していることをもって当該書類を納税地等に保存しているものとみなす。（措規22の19の4②）

（保存期間の起算日）

（5）（4）に掲げる起算日とは、（2）により（3）に掲げる書類を作成し、又は取得すべきこととされる事業年度の第三款の**二**の**1**に掲げる申告書の提出期限の翌日をいう。（措規22の19の4③）

（内部取引に係る同時文書化の免除）

（6）内国法人の当該事業年度の前事業年度の一の国外事業所等との間の内部取引（当該内国法人が当該事業年度において当該一の国外事業所等を有することとなった場合には、当該事業年度の当該一の国外事業所等との間の内部取引）が次の表のいずれにも該当する場合又は内国法人の前事業年度の一の国外事業所等との間の内部取引がない場合（当該内国法人が当該事業年度において当該一の国外事業所等を有することとなったことにより当該事業年度の前事業年度の当該一の国外事業所等との間の内部取引がない場合を除く。）には、当該内国法人の当該事業年度の当該一の国外事業所等との間の内部取引に係る**チ**に掲げる独立企業間価格を算定するために必要と認められる書類については、（2）は、適用しない。（措法67の18④、措令39の33の4①②、措規22の19の4④）

(一)	内部取引の対価の額とした額の合計額が50億円未満であること。	
(二)	内部取引（無形資産〔特許権、実用新案権その他の資産〈次に掲げる資産以外の資産に限る。〉で、これらの資産の譲渡若しくは貸付け〈資産に係る権利の設定その他他の者に資産を使用させる一切の行為を含む。〉又はこれらに類似する取引に相当するものが独立の事業者の間で通常の取引の条件に従って行われるとした場合にその対価の額とされるべき額があるものをいう。以下（二）において同じ。〕の譲渡若しくは貸付け〔無形資産に係る権利の設定その他他の者に無形資産を使用させる一切の行為を含む。〕又はこれらに類似する取引に相当するものに限る。）の対価の額とした額の合計額が3億円未満であること。	
	イ	有形資産（ロから掲げるものを除く。）
	ロ	現金
	ハ	預貯金、売掛金、貸付金その他の金銭債権

ニ	第二章第一節のニの表の21に掲げる有価証券
ホ	第一節第二十四款の一《デリバティブ取引にかかる利益相当額又は損失相当額の益金又は損金算入》に掲げるデリバティブ取引に係る権利
ヘ	ロからへに掲げる資産に類するもの

(同時文書化内部取引に係る比較対象企業に対する質問検査権)
(7) 国税庁の当該職員又は内国法人の納税地の所轄税務署若しくは所轄国税局の当該職員は、内国法人に各事業年度における同時文書化対象内部取引((6)の適用がある内部取引以外の内部取引をいう。以下(7)において同じ。)に係る(3)に掲げる書類(その作成又は保存に代えて電磁的記録の作成又は保存がされている場合における当該電磁的記録を含む。以下(7)において同じ。)若しくはその写しの提示若しくは提出を求めた場合においてその提示若しくは提出を求めた日から45日を超えない範囲内においてその求めた書類若しくはその写しの提示若しくは提出の準備に通常要する日数を勘案して当該職員が指定する日までにこれらの提示若しくは提出がなかったとき、又は内国法人に各事業年度における同時文書化対象内部取引に係るチに掲げる独立企業間価格((13)において読み替える第一節第三十款の五《特定無形資産国外関連取引に係る独立企業間価格の更正又は決定》により当該独立企業間価格とみなされる金額を含む。)を算定するために重要と認められる書類として(3)に掲げる書類に記載された内容の基礎となる事項を記載した書類、(3)に掲げる書類に記載された内容に関連する事項を記載した書類その他同時文書化対象内部取引に係る独立企業間価格((13)において読み替える第一節第三十款の五《特定無形資産国外関連取引に係る独立企業間価格の更正又は決定》により当該独立企業間価格とみなされる金額を含む。)を算定するために重要と認められる書類(その作成又は保存に代えて電磁的記録の作成又は保存がされている場合における当該電磁的記録を含む。以下(7)において同じ。)若しくはその写しの提示若しくは提出を求めた場合においてその提示若しくは提出を求めた日から60日を超えない範囲内においてその求めた書類若しくはその写しの提示若しくは提出の準備に通常要する日数を勘案して当該職員が指定する日までにこれらの提示若しくは提出がなかったときに、当該内国法人の各事業年度における同時文書化対象内部取引に係るチに掲げる独立企業間価格を算定するために必要があるときは、その必要と認められる範囲内において、当該内国法人の当該同時文書化対象内部取引に係る事業と同種の事業を営む者に質問し、当該事業に関する帳簿書類(その作成又は保存に代えて電磁的記録の作成又は保存がされている場合における当該電磁的記録を含む。以下(7)において同じ。)を検査し、又は当該帳簿書類(その写しを含む。)の提示若しくは提出を求めることができる。(措法67の18⑤、措規22の19の4⑤)

注1　(7)による当該職員の権限は、犯罪捜査のために認められたものと解してはならない。(措法67の18⑧)
注2　国税庁、国税局又は税務署の当該職員は、(7)による質問、検査又は提示若しくは提出の要求をする場合には、その身分を示す証明書を携帯し、関係人の請求があったときは、これを提示しなければならない。(措法67の18⑨)
注3　次の表のいずれかに該当する場合には、その違反行為をした者は、30万円以下の罰金に処する。(措法67の18⑩)

(一)	(7)による当該職員の質問に対して答弁せず、若しくは偽りの答弁をし、又は(7)による検査を拒み、妨げ、若しくは忌避したとき
(二)	(7)による帳簿書類の提示又は提出の要求に対し、正当な理由がなくこれに応じず、又は偽りの記載若しくは記録をした帳簿書類(その写しを含む。)を提示し、若しくは提出したとき

注4　法人の代表者(人格のない社団等の管理人を含む。)又は法人若しくは人の代理人、使用人その他の従業者が、その法人又は人の業務に関して注3の違反行為をしたときは、その行為者を罰するほか、その法人又は人に対して注3の刑を科する。(措法67の18⑪)
注5　人格のない社団等について注4の適用がある場合には、その代表者又は管理人がその訴訟行為につきその人格のない社団等を代表するほか、法人を被告人又は被疑者とする場合の刑事訴訟に関する法律の規定を準用する。(措法67の18⑫)

(同時文書化免除内部取引に係る比較対象企業に対する質問検査権)
(8) 国税庁の当該職員又は内国法人の納税地の所轄税務署若しくは所轄国税局の当該職員は、内国法人に各事業年度における同時文書化免除内部取引((6)の適用がある内部取引をいう。以下(8)において同じ。)に係るチに掲げる独立企業間価格((13)において読み替える第一節第三十款の五《特定無形資産国外関連取引に係る独立企業間価格の更正又は決定》により当該独立企業間価格とみなされる金額を含む。)を算定するために重要と認められる書類として(3)に掲げる書類に相当する書類、(3)に掲げる書類に相当する書類に記載された内容の基礎となる事項を記載した書類、(3)に掲げる書類に相当する書類に記載された内容に関連する事項を記載した書類その他同時文書化免除内部取引に係る独立企業間価格((13)において読み替える第一節第三十款の五《特定無形資産国外関連取引に係る独立企業間価格の更正又は決定》により当該独立企業間価格とみなされる金額を含む。)を算定するために重要と認められる

第三章　第二節　第二款　二《外国税額の控除》

書類（その作成又は保存に代えて電磁的記録の作成又は保存がされている場合における当該電磁的記録を含む。以下（8）において同じ。）又はその写しの提示又は提出を求めた場合において、その提示又は提出を求めた日から60日を超えない範囲においてその求めた書類又はその写しの提示又は提出の準備に通常要する日数を勘案して当該職員が指定する日までにこれらの提示又は提出がなかったときに、当該内国法人の各事業年度における同時文書化免除内部取引に係る**チ**に掲げる独立企業間価格を算定するために必要があるときは、その必要と認められる範囲内において、当該内国法人の当該同時文書化免除内部取引に係る事業と同種の事業を営む者に質問し、当該事業に関する帳簿書類を検査し、又は当該帳簿書類（その写しを含む。）の提示若しくは提出を求めることができる。（措法67の18⑥、措規22の19の4⑥）

注1　（8）による当該職員の権限は、犯罪捜査のために認められたものと解してはならない。（措法67の18⑧）

注2　国税庁、国税局又は税務署の当該職員は、（8）による質問、検査又は提示若しくは提出の要求をする場合には、その身分を示す証明書を携帯し、関係人の請求があったときは、これを提示しなければならない。（措法67の18⑨）

注3　次の表のいずれかに該当する場合には、その違反行為をした者は、30万円以下の罰金に処する。（措法67の18⑩）

(一)	（8）による当該職員の質問に対して答弁せず、若しくは偽りの答弁をし、又は（8）による検査を拒み、妨げ、若しくは忌避したとき
(二)	（8）による帳簿書類の提示又は提出の要求に対し、正当な理由がなくこれに応じず、又は偽りの記載若しくは記録をした帳簿書類（その写しを含む。）を提示し、若しくは提出したとき

注4　法人の代表者（人格のない社団等の管理人を含む。）又は法人若しくは人の代理人、使用人その他の従業者が、その法人又は人の業務に関して注3の違反行為をしたときは、その行為者を罰するほか、その法人又は人に対して注3の刑を科する。（措法67の18⑪）

注5　人格のない社団等について注4の適用がある場合には、その代表者又は管理人がその訴訟行為につきその人格のない社団等を代表するほか、法人を被告人又は被疑者とする場合の刑事訴訟に関する法律の規定を準用する。（措法67の18⑫）

（比較対象企業に係る提出物件の留置き）

(9)　国税庁の当該職員又は内国法人の納税地の所轄税務署若しくは所轄国税局の当該職員は、内国法人の内部取引に係る**チ**に掲げる独立企業間価格を算定するために必要があるときは、（7）及び（8）に基づき提出された帳簿書類（その写しを含む。）を留め置くことができる。（措法67の18⑦）

注1　（9）による当該職員の権限は、犯罪捜査のために認められたものと解してはならない。（措法67の18⑧）

注2　第二章第五節の**六の2**の(2)《預り書面の交付》、同(4)《提出物件の返還》及び同(5)《提出物件の善管注意義務》は、（9）により帳簿書類を留め置く場合について準用する。（措法67の18⑭、措令39の33の4③）

（国外所得金額の計算の特例）

(10)　租税特別措置法（法人税関係）通達66の4の3(1)－1から66の4の3(8)－4《災害に類するものの例示》までの取扱いは、内国法人の国外所得金額の計算上、**チ**を適用する場合について準用する。（措通67の18－1）

（独立企業間価格との差額の国外所得金額の調整）

(11)　**チ**に掲げる「当該内部取引は、独立企業間価格によるものとする」とは、内国法人の本店等とその国外事業所等との間の内部取引の対価の額とした額が独立企業間価格と異なることにより、当該内国法人の当該事業年度の国外所得金額の計算上、当該内部取引に係る収益の額が過大となる場合又は損失等の額が過少となる場合は、その差額を当該事業年度の国外所得金額の計算上減算することをいうことに留意する。（措通67の18－2）

注　この差額の調整が、当該国外所得金額の計算上、例えば、損金の額に算入されない寄附金の額のうち国外源泉所得（①に掲げる国外源泉所得をいう。）に係る所得を生ずべき業務に係る寄附金の額に対応する部分の金額に影響を及ぼす場合には、これについても再計算することに留意する。

（独立企業間価格との差額の国外所得金額への加算）

(12)　国外事業所等がその本店等に支払うこととされる内部取引の対価の額とした額が独立企業間価格を超える場合又は国外事業所等がその本店等から支払を受けることとされる内部取引の対価の額とした額が独立企業間価格に満たない場合における独立企業間価格との差額については、国外所得金額の計算上加算できないことに留意する。（措通67の18－3）

（関連規定の読替え）

(13)　第一節第三十款の**五**《特定無形資産国外関連取引に係る独立企業間価格の更正又は決定》、同款の**六**《独立企業間価格の推定による更正又は決定》及び同款の**八**《当初申告に係る更正の請求の特例》から同款の**十一**《国外関連者と

の取引に係る課税の特例により納付すべき法人税に係る延滞税の一部免除》は、国外事業所等を有する内国法人の内部取引につき、**チ**を適用する場合について準用する。この場合において、次の表の左欄に掲げる規定中、中欄に掲げる字句は、それぞれ右欄に掲げる字句に読み替えるものとする。（措法67の18⑬、措令39の33の4④）

　また、第一節第三十款の**五**の（5）《特定無形資産国外関連取引の対価の額を算定するための前提となった事項》は、(13)において準用する同**五**の（4）《特定無形資産国外関連取引に係る価格調整措置の不適用》の表の（一）に掲げる同**五**の（5）《特定無形資産国外関連取引の対価の額を算定するための前提となった事項》で掲げる事項について準用する。この場合において、同**五**の（5）の表の（一）中「（1）」とあるのは「第二節第二款の**二**の**1**の②の**チ**の(13)《関連規定の読替え》において準用する（1）」と、同表の（二）中「**四**の**1**の（1）」とあるのは「第二節第二款の**二**の**1**の②の**チ**の（3）《独立企業間価格を算定するために必要と認められる書類》の表の（一）の（ロ）」と、同表の（三）中「対価の額」とあるのは「対価の額とした額」と読み替えるものとする。（措規22の19の4⑦）

①	租税特別措置法第66条の4第8項	の対価の額	の対価の額とした額
		第2項各号	第67条の18第2項の規定により第66条の4の3第2項に規定する方法に準じて算定する場合における同項各号
		につき支払われるべき対価の額	の対価の額とされるべき額
		第1項	第67条の18第1項
		所得の金額又は欠損金額	法人税の額から控除する金額
②	租税特別措置法第66条の4第9項各号	対価の額	対価の額とした額
③	租税特別措置法第66条の4第11項	同時文書化対象国外関連取引（第7項の規定の適用がある国外関連取引以外の国外関連取引	同時文書化対象内部取引（第67条の18第5項に規定する同時文書化対象内部取引
		第6項	同条第3項
④	租税特別措置法第66条の4第12項	同時文書化対象国外関連取引	同時文書化対象内部取引
		第6項	第67条の18第3項
		第1項	同条第1項
		として財務省令	として同条第5項に規定する財務省令
		所得の金額又は欠損金額	法人税の額から控除する金額
⑤	租税特別措置法第66条の4第12項第1号	第2項第1号ロ	第67条の18第2項の規定により第66条の4の3第2項に規定する方法に準じて算定する場合における同項第1号ロ
⑥	租税特別措置法第66条の4第12項第2号	第2項第1号ニ	第67条の18第2項の規定により第66条の4の3第2項に規定する方法に準じて算定する場合における同項第1号ニ
⑦	租税特別措置法第66条の4第13項	同時文書化対象国外関連取引	同時文書化対象内部取引
⑧	租税特別措置法第66条の4第14項	同時文書化免除国外関連取引	同時文書化免除内部取引
		第7項の規定の適用がある国外関連取引	第67条の18第6項に規定する同時文書化免除内部取引
		第1項	同条第1項
		財務省令	同条第6項に規定する財務省令
		所得の金額又は欠損金額	法人税の額から控除する金額

⑨	租税特別措置法第66条の４第15項	同時文書化免除国外関連取引	同時文書化免除内部取引
⑩	租税特別措置法第66条の４第26項	同項の	第67条の18第１項の
⑪	租税特別措置法第66条の４第27項	租税特別措置法第66条の４第27項（	租税特別措置法第67条の18第13項《国外所得金額の計算の特例》において準用する同法第66条の４第27項（
		及び租税特別措置法第66条の４第27項の	及び租税特別措置法第67条の18第13項において準用する同法第66条の４第27項の
		及び同法	及び同法第67条の18第13項において準用する同法
		「前条及び租税特別措置法	「前条及び租税特別措置法第67条の18第13項において準用する同法
		租税特別措置法	租税特別措置法第67条の18第13項において準用する同法
		並びに租税特別措置法	並びに租税特別措置法第67条の18第13項において準用する同法
		、租税特別措置法	、租税特別措置法第67条の18第13項において準用する同法
⑫	租税特別措置法第66条の４第27項第１号及び第28項	当該法人に係る国外関連者との取引を第１項に規定する独立企業間価格と異なる対価の額で行った	第67条の18第１項に規定する内部取引の対価の額とした額を同項に規定する独立企業間価格と異なる額とした
⑬	租税特別措置法第66条の４第30項	租税特別措置法	租税特別措置法第67条の18第13項《国外所得金額の計算の特例》において準用する同法
		同法第66条の４第27項	同法第67条の18第13項において準用する同法第66条の４第27項
⑭	租税特別措置法第66条の４第31項	法人と当該法人に係る国外関連者	内国法人と当該内国法人の第67条の18第１項に規定する国外事業所等
		の居住者又は法人とされる	に所在する
		国外関連取引に係る第１項	第67条の18第１項に規定する内部取引に係る同項
⑮	租税特別措置法第66条の４の２第４項	第66条の４の２第１項（	第67条の18第13項《国外所得金額の計算の特例》において準用する同法第66条の４の２第１項（
		第66条の４の２第１項の	第67条の18第13項において準用する同法第66条の４の２第１項の
⑯	租税特別措置法第66条の４の２第６項	第66条の４の２第１項（	第67条の18第13項《国外所得金額の計算の特例》において準用する同法第66条の４の２第１項（
		第66条の４の２第１項の	第67条の18第13項において準用する同法第66条の４の２第１項の
		猶予の要件等）、	猶予の要件等）の規定、
		猶予）又は	猶予）の規定又は
		若しくは租税特別措置法	若しくは租税特別措置法第67条の18第13項において準用する同法

		含む。）又は租税特別措置法	含む。）又は租税特別措置法第67条の18第13項において準用する同法
⑰	租税特別措置法施行令39条の12第14項	同条第7項第2号	法第67条の18第4項第2号
		同条第1項	法第67条の18第1項
⑱	租税特別措置法施行令39条の12第16項	の支払を受ける	とした額が当該特定無形資産国外関連取引につき同項本文の規定を適用したならば法第67条の18第1項に規定する独立企業間価格とみなされる金額と異なることにより当該法人の各事業年度の法人税法第69条第1項に規定する国外所得金額の計算上当該特定無形資産国外関連取引に係る収益の額が過大となる
		を支払う	とした額が当該独立企業間価格とみなされる金額と異なることにより当該法人の各事業年度の当該国外所得金額の計算上当該特定無形資産国外関連取引に係る法第67条の18第1項に規定する損失等の額が過少となる
⑲	租税特別措置法施行令39条の12第16項各号	同条第1項	法第67条の18第1項
		対価の額	対価の額とした額
⑳	租税特別措置法施行令39条の12第18項	につき	とした額につき
		の支払いを受ける	とした額が当該特定無形資産国外関連取引につき同条第8項本文の規定を適用したならば法第67条の18第1項に規定する独立企業間価格とみなされる金額と異なることにより当該法人の各事業年度の法人税法第69条第1項に規定する国外所得金額の計算上当該特定無形資産国外関連取引に係る収益の額が過大となる
		を支払う	とした額が当該独立企業間価格とみなされる金額と異なることにより当該法人の各事業年度の当該国外所得金額の計算上当該特定無形資産国外関連取引に係る法第67条の18第1項に規定する損失等の額が過少となる
㉑	租税特別措置法施行令39条の12第20項	同条第2項第1号ニ	法第67条の18第2項の規定により法第66条の4の3第2項に規定する方法に準じて算定する場合における同項第1号ニ
㉒	租税特別措置法施行令39条の12第20項第1号	属する企業集団の財産	財産
		連結して記載した	記載した
		対価の額	対価の額とされるべき額
㉓	租税特別措置法施行令39条の12第20項第2号から第6号	の対価の額	の対価の額とされるべき額
㉔	租税特別措置法施行令39条の12第23項	同条第1項	法第67条の18第1項
		同条第31項	同条第13項において読み替えて準用する法第66条の4第31項
㉕	租税特別措置法施行	租税特別措置法	租税特別措置法第67条の18第13項《国外所得金額

	令39条の12の2第4項		の計算の特例》において準用する同法

③ 外国法人税の範囲

　外国税額の控除の適用対象となる外国法人税とは、外国の法令に基づき外国又はその地方公共団体により法人の所得を課税標準として課される税をいう。（令141①）

　（外国法人税に含まれるもの）
（1）　外国又はその地方公共団体により課される次に掲げる税は、外国法人税に含まれるものとする。（令141②）

(一)	超過利潤税その他法人の所得の特定の部分を課税標準として課される税
(二)	法人の所得又はその特定の部分を課税標準として課される税の附加税
(三)	法人の所得を課税標準として課される税と同一の税目に属する税で、法人の特定の所得につき、徴税上の便宜のため、所得に代えて収入金額その他これに準ずるものを課税標準として課されるもの
(四)	法人の特定の所得につき、所得を課税標準とする税に代え、法人の収入金額その他これに準ずるものを課税標準として課される税
(五)	法人税法第82条第31号《定義》に規定する自国内最低課税額に係る税

　注1　――線部分は、令和6年度改正により追加された部分で、改正規定は、令和6年4月1日以後に開始する事業年度から適用される。（令6改附8、1）
　注2　我が国における利子、配当等に対する所得税のように、所得に代えて収入金額又はこれに一定の割合を乗じて計算した金額を課税標準として源泉徴収される税は、上記の表の(三)に掲げる税に該当するが、外国法人から剰余金の配当若しくは利益の配当又は剰余金の分配（以下この注において「配当等」という。）の支払を受けるに当たり、当該外国法人の当該配当等の額の支払の基礎となった所得の金額に対して課される外国法人税の額に充てるために当該配当等の額から控除される金額は、同(三)に掲げる税に該当しないことに留意する。（基通16－3－4）

　（外国法人税に含まれないもの）
（2）　外国又はその地方公共団体により課される次に掲げる税は、外国法人税に含まれないものとする。（令141③）

(一)	税を納付する者が、当該税の納付後、任意にその金額の全部又は一部の還付を請求することができる税
(二)	税の納付が猶予される期間を、その税の納付をすることとなる者が任意に定めることができる税
(三)	複数の税率の中から税の納付をすることとなる者と外国若しくはその地方公共団体又はこれらの者により税率の合意をする権限を付与された者との合意により税率が決定された税（当該複数の税率のうち最も低い税率〔当該最も低い税率が当該合意がないものとした場合に適用されるべき税率を上回る場合には当該適用されるべき税率〕を上回る部分に限る。）
(四)	外国における各対象会計年度の国際最低課税額に対する法人税に相当する税
(五)	法人税法施行令第155条の34第2項第3号《対象租税の範囲》に掲げる税
(六)	外国法人税に附帯して課される附帯税に相当する税その他これに類する税

　注　――線部分は、令和6年度改正により追加された部分で、改正規定は、令和6年4月1日以後に開始する事業年度から適用される。（令6改令附8、1）

④ 外国法人税の換算

　外国税額の控除を適用する場合の外国法人税の額については、次の表の左欄に掲げる区分に応じ、それぞれ右欄に掲げる外国為替の売買相場（第一節第二十六款の二の(2)《多通貨会計を採用している場合の外貨建取引の換算》の適用を受ける場合の相場を含む。以下④において「**為替相場**」という。）により換算した円換算額による。（基通16－3－47）

			次の表の左欄に掲げる区分に応じ、それぞれ右欄に掲げる為替相場	
(一)	源泉徴収に係る外国法人税（(三)に該当するものを除く。）	イ	利子、配当等を収益に計上すべき日の属する事業年度終了の日までに当該利子、配当等に対	当該利子、配当等の額の換算に適用する為替相場（一の計算期間に係る利子を2以上の事業年度に

			して課された外国法人税（ロに該当するものを除く。）	わたって収益に計上する場合には、当該2以上の事業年度のうちその外国法人税を課された日の属する事業年度に係る利子の額の換算に適用する為替相場）
		ロ	利子、配当等に課された外国法人税でその課された日の属する事業年度において費用（仮払経理を含む。以下④において同じ。）の額として計上するもの	その課された日の属する事業年度において費用の額の換算に適用する為替相場
（二）	国内から送金する外国法人税（（三）に該当するものを除く。）			その納付すべきことが確定した日の属する事業年度において外貨建ての取引に係る費用の額として計上する金額の換算に適用する為替相場
（三）	**国外事業所等**において納付する外国法人税			その納付すべきことが確定した日の属する事業年度の本支店合併損益計算書の作成の基準とする為替相場
（四）	**租税条約**により納付したものとみなされる外国法人税			その外国法人税を納付したものとした場合に適用すべき（一）から（三）までに掲げる為替相場

⑤ **外国税額控除の適用時期等**

（外国税額控除の適用時期）

（１）①《外国法人税を納付することとなる場合の外国税額控除》又は**4**の①《控除限度超過額が生じた場合の繰越控除限度額による外国税額の控除》による外国税額の控除は、外国法人税を納付することとなる日の属する事業年度において適用があるのであるが、内国法人が継続してその納付することが確定した外国法人税の額を費用として計上した日（その計上した日が外国法人税を納付した日その他の税務上認められる合理的な基準に該当する場合に限る。）の属する事業年度においてこれらの外国税額の控除を適用している場合には、その計算を認める。（基通16－3－5）

（予定納付等をした外国法人税についての税額控除の適用時期）

（２）内国法人がいわゆる予定納付又は見積納付等（以下**二**において「**予定納付等**」という。）をした外国法人税の額についても（１）に掲げる事業年度において①又は**4**の①を適用することとなるのであるが、当該内国法人が、継続して、当該外国法人税の額をその予定納付等に係る事業年度の外国法人税について確定申告又は確定賦課等があるまでは仮払金等として経理し、その確定申告、確定賦課等があった日の属する事業年度においてこれらの外国税額の控除を適用することとしている場合には、その計算を認める。（基通16－3－6）

（国外からの利子、配当等について送金が許可されない場合の外国税額の控除）

（３）国外の者から支払を受ける利子、配当等又は使用料（以下（３）において「国外からの利子、配当等」という。）につき、その送金が許可されないため、第一節第一款の**四**の**8**の⑨《送金が許可されない利子、配当等の帰属の時期の特例》によりその送金が許可されるまで収益計上を見合わせることとしている場合には、当該国外からの利子、配当等につき課される外国法人税の額については、その後送金が許可されたことその他の理由により当該国外からの利子、配当等の額を収益として計上することとなる日までは損金の額に算入しないものとし、かつ、①及び**4**の①の適用はないものとする。（基通16－3－7）

⑥ **所得に対する負担が高率な部分の金額**

①《外国法人税を納付することとなる場合の外国税額控除》に掲げるその所得に対する負担が高率な部分の外国法人税の額（以下⑥において「**所得に対する負担が高率な部分の金額**」という。）とは、①の内国法人が納付することとなる外国法人税の額のうち当該外国法人税を課す国又は地域において当該外国法人税の課税標準とされる金額に$\frac{35}{100}$を乗じて計算した金額を超える部分の金額をいう。（令142の2①）

(外国法人税額の高率負担部分の判定)
（１）　内国法人が納付することとなる外国法人税の額のうちに所得に対する負担が高率な部分の金額があるかどうかは、一の外国法人税ごとに、かつ、当該外国法人税の課税標準とされる金額ごとに判定するのであるから留意する。(基通16－3－22)

(予定納付等をした場合の高率負担部分の判定)
（２）　内国法人が予定納付等をした外国法人税の額については、（１）にかかわらず、当該外国法人税の額に係る所得に対する負担が高率な部分の金額はないものとして①を適用するものとする。この場合において、当該予定納付等をした外国法人税（適格合併等〔適格合併、適格分割又は適格現物出資をいう。以下（２）において同じ。〕により事業の全部又は一部の移転を受けている場合にあっては、当該適格合併等に係る被合併法人等〔被合併法人、分割法人又は現物出資法人をいう。以下（２）において同じ。〕が当該事業に係る所得に基因して予定納付等をした外国法人税のうち①の税額控除を適用したものを含む。）に係る確定申告又は確定賦課等により納付する金額につき①の適用を受けるときは、当該確定申告又は確定賦課等により確定した外国法人税の額（予定納付等をした外国法人税の額を控除する前の金額をいう。以下（２）において同じ。）に基づき⑥に掲げる所得に対する負担が高率な部分の金額の計算をする。(基通16－3－23)

　　注　この取扱いを適用することにより、当該確定した外国法人税の額につき所得に対する負担が高率な部分の金額が生じ、かつ、当該所得に対する負担が高率な部分の金額が確定申告又は確定賦課等により納付する金額を超えるときは、当該超える部分の金額については、当該金額が５の②《外国法人税額が減額された場合》の表の(一)に掲げる減額控除対象外国法人税額であるものとして、同表の(一)から(四)までを適用する。

(利子・所得に対する外国法人税の特例)
（３）　次の表に掲げる内国法人が納付することとなる②の**イ**の表の(六)及び(八)に掲げる国外源泉所得（以下⑥において「利子等」という。）の収入金額を課税標準として所得税法第２条第１項第45号《定義》に規定する源泉徴収の方法に類する方法により課される外国法人税（当該外国法人税が課される国又は地域において、当該外国法人税以外の外国法人税の額から控除されるものを除く。）については、⑥にかかわらず、当該外国法人税の額のうち当該利子等の収入金額の$\frac{10}{100}$に相当する金額を超える部分の金額が所得に対する負担が高率な部分の金額に該当するものとする。ただし、当該内国法人の**所得率**（次の表の左欄に掲げる内国法人の区分に応じ、それぞれ右欄に掲げる割合をいう。以下⑥において同じ。）が$\frac{10}{100}$を超え$\frac{20}{100}$以下であるときは、当該外国法人税の額のうち当該利子等の収入金額の$\frac{15}{100}$に相当する金額を超える部分の金額が所得に対する負担が高率な部分の金額に該当するものとし、当該所得率が$\frac{20}{100}$を超えるときは、当該外国法人税の額のうち所得に対する負担が高率な部分の金額はないものとする。(令142の２②)

(一)	金融業（金融商品取引法第２条第８項《定義》に規定する金融商品取引業を含む。）を主として営む内国法人	当該外国法人税を納付することとなる事業年度（以下⑥において「**納付事業年度**」という。）及び納付事業年度開始の日前２年以内に開始した各事業年度（以下⑥において「**前２年内事業年度**」という。）の**調整所得金額**（(18)に掲げる調整所得金額をいう。以下(四)までにおいて同じ。）の合計額を納付事業年度及び前２年内事業年度の総収入金額（当該総収入金額のうちに有価証券及び固定資産〔以下(一)において「**資産**」という。〕の譲渡に係る収入金額がある場合には、当該収入金額から当該資産の譲渡の直前の帳簿価額を控除した残額を当該資産の譲渡に係る収入金額とみなして、当該総収入金額を算出するものとする。(四)において同じ。）の合計額で除して計算した割合 （算式） $\frac{\text{納付事業年度及び前２年内事業年度の調整所得金額の合計額}}{\text{納付事業年度及び前２年内事業年度の総収入金額の合計額（資産の譲渡に係る収入金額がある場合には、当該収入金額からその資産の譲渡の直前の帳簿価額を控除した残額を収入金額とみなして算出）}}$
(二)	生命保険業を主として営む内国法人	納付事業年度及び前２年内事業年度の調整所得金額の合計額を(一)に掲げる総収入金額の合計額に相当する金額として(4)《生命保険業を営む内国法人の総収入金額の合計額に相当する金額》に掲げる金額で除して計算した割合

		(算式) $\dfrac{\text{納付事業年度及び前2年内事業年度の調整所得金額の合計額}}{\text{(4)に掲げる総収入金額の合計額に相当する金額}}$
(三)	損害保険業を主として営む内国法人	納付事業年度及び前2年内事業年度の調整所得金額の合計額を(一)に掲げる総収入金額の合計額に相当する金額として(7)《損害保険業を営む内国法人の総収入金額の合計額に相当する金額》に掲げる金額で除して計算した割合 (算式) $\dfrac{\text{納付事業年度及び前2年内各事業年度の調整所得金額の合計額}}{\text{(7)に掲げる総収入金額の合計額に相当する金額}}$
(四)	(一)から(三)までに掲げる事業以外の事業を主として営む内国法人(納付事業年度及び前2年内事業年度の利子等の収入金額の合計額を当該合計額にこれらの事業年度の売上総利益の額の合計額として(8)《売上総利益の額の合計額》に掲げる金額を加算した金額で除して計算した割合〔以下⑥において「**利子収入割合**」という。〕が$\dfrac{20}{100}$以上である内国法人に限る。)	納付事業年度及び前2年内事業年度の調整所得金額の合計額をこれらの事業年度の総収入金額の合計額から当該これらの事業年度の売上総原価の額の合計額として(11)《売上総原価の額の合計額》に掲げる金額を控除した残額で除して計算した割合 (算式) $\dfrac{\text{納付事業年度及び前2年内事業年度の調整所得金額の合計額}}{\text{納付事業年度及び前2年内事業年度の総収入金額の合計額(資産の譲渡に係る収入金額がある場合は、当該収入金額からその資産の譲渡の直前の帳簿価額を控除した残額を収入金額とみなして算出)} - \text{(11)に掲げる売上総原価の額の合計額}}$ 注 (一)から(三)までに掲げる事業以外の事業を主として営む内国法人で利子収入割合が$\dfrac{20}{100}$未満のものは(3)の特例はなく、⑥を適用することとなる。(編者)

(生命保険業を営む内国法人の総収入金額の合計額に相当する金額)
(4) (3)の表の(二)の右欄に掲げる総収入金額の合計額に相当する金額は、次の表の(一)に掲げる金額と(二)に掲げる金額との合計額から(三)に掲げる金額を控除した金額とする。(規29①)

(一)	納付事業年度及び前2年内事業年度の総収入金額(当該総収入金額のうちに資産〔(3)の表の(一)の右欄に掲げる資産をいう。以下(一)において同じ。〕の譲渡に係る収入金額がある場合には、当該収入金額から当該資産の譲渡の直前の帳簿価額を控除した残額を当該資産に係る収入金額とみなして、当該総収入金額を算出するものとする。)の合計額
(二)	納付事業年度及び前2年内事業年度の責任準備金の戻入額及び支払備金の戻入額の合計額
(三)	納付事業年度及び前2年内事業年度の支払保険金、支払年金、支払給付金、解約その他の返戻金、支払再保険料、保険金据置支払金、責任準備金の繰入額(当該繰入額のうち第一節第二款の一の(6)《経済的な性質が利子に準ずるものとされるものの範囲》の(一)のイに掲げる保険料積立金に係る利子に相当する部分の金額を除く。)、支払備金の繰入額及び保険契約者配当準備金の繰入額(当該繰入額のうち同(一)のロに掲げる利子、配当その他の資産の収益から成る部分の金額を除く。)の合計額

(高率負担部分の判定をする場合の総収入金額の計算における投資簿価修正が行われた通算子法人株式の帳簿価額の取扱い)
(5) (3)の表の(一)及び(4)の表の(一)に掲げる当該資産の譲渡の直前の帳簿価額は、当該資産の譲渡が第一節第二十三款の一の**3**の④《通算終了事由が生じた時の直後の移動平均法の適用》の他の通算法人の株式の通算終了事由が生ずる基因となった譲渡に該当するときには、同④又は同**3**の⑤《評価換え等があった場合の総平均法の適用の特例》により算出される金額にその譲渡をした株式の数を乗じた金額となることに留意する。(基通16−3−24)

(高率負担部分の判定をする場合の総収入金額の計算における譲渡損益調整額の取扱い)
(6) (3)の表の(一)の右欄の譲渡に係る収入金額とみなされる金額の計算上、第一節第三十三款の**一**《譲渡損益調整資産に係る譲渡利益額又は譲渡損失額の繰延べ》の適用がある有価証券又は固定資産の譲渡に係る譲渡損益調整額は、

影響しないことに留意する。

(4)の表の(一)の計算についても、同様とする。（基通16－3－25）

　　注　譲渡損益調整額とは、第一節第三十三款の一の(6)《譲渡損益調整資産の譲渡に伴い特別勘定を設定した場合の譲渡損益調整額の計算》に掲げる譲渡損益調整額をいう。

　　（損害保険業を営む内国法人の総収入金額の合計額に相当する金額）
(7)　(3)の表の(三)の右欄に掲げる総収入金額の合計額に相当する金額は、次の表の(一)に掲げる金額と(二)に掲げる金額との合計額から(三)に掲げる金額を控除した金額とする。（規29②）

(一)	納付事業年度及び前２年内事業年度の総収入金額（当該総収入金額のうちに資産〔(3)の表の(一)の右欄に掲げる資産をいう。以下(一)において同じ。〕の譲渡に係る収入金額がある場合には、当該収入金額から当該資産の譲渡の直前の帳簿価額を控除した残額を当該資産に係る収入金額とみなして、当該総収入金額を算出するものとする。）の合計額
(二)	納付事業年度及び前２年内事業年度の責任準備金の戻入額及び支払備金の戻入額の合計額
(三)	納付事業年度及び前２年内事業年度の支払保険金、満期返戻金、解約その他の返戻金、支払再保険料、責任準備金の繰入額（当該繰入額のうち第一節第二款の一の(6)《経済的な性質が利子に準ずるものとされるものの範囲》の(一)のイに掲げる保険料積立金に係る利子に相当する部分の金額に準ずる金額を除く。）及び支払備金の繰入額の合計額

　　（売上総利益の額の合計額）
(8)　(3)の表の(四)の左欄に掲げる売上総利益の額の合計額は、納付事業年度及び前２年内事業年度の棚卸資産の販売による収入金額の合計額（棚卸資産の販売に係る事業以外の事業の場合には、当該事業に係る収入金額の合計額）から同(四)の右欄に掲げる売上総原価の額の合計額を控除した金額とする。（規29③）

　　（棚卸資産の販売による収入金額）
(9)　(8)に掲げる「棚卸資産の販売による収入金額」には、棚卸資産の販売に係る契約が解除されたことにより収受する違約金の額は含まれないことに留意する。（基通16－3－34）

　　（棚卸資産の販売以外の事業に係る収入金額）
(10)　(8)の括弧書に掲げる「当該事業に係る収入金額」は、(8)に掲げる売上総利益の額の計算の基礎となる収入金額に限られるのであるから、営業外損益及び特別損益に属する収入金額は、これに含まれない。（基通16－3－35）

　　（売上総原価の額の合計額）
(11)　(3)の表の(四)の右欄に掲げる売上総原価の額の合計額は、納付事業年度及び前２年内事業年度の棚卸資産の原価の額の合計額（棚卸資産の販売に係る事業以外の事業の場合には、これに準ずる原価の額又は費用の額の合計額）とする。（規29④）

　　（外国法人税の額から控除されるもの）
(12)　(3)に掲げる利子等の収入金額を課税標準として源泉徴収の方法に類する方法により課される外国法人税（以下(12)において「源泉徴収外国法人税」という。）のうち、当該源泉徴収外国法人税が課される国又は地域において一《所得税額の控除》に類する制度により税額控除又は損金算入のいずれかを選択適用することとされているものについては、当該源泉徴収外国法人税につき損金の額に算入しているときであっても、(3)の利子所得に対する外国法人税の特例は適用しないものとする。（基通16－3－28）

　　（事業の区分）
(13)　内国法人の主として営む事業が(3)の表の(一)から(三)までの左欄に掲げる事業に該当するかどうかは、おおむね日本標準産業分類（総務省）の分類を基準として判定する。この場合において、当該法人が２以上の事業を兼営しているときは、それぞれの事業に属する収入金額等事業の規模を表す事実によって判定する。（基通16－3－29）

　　注　日本標準産業分類の「大分類Ｊ　金融業、保険業」の「中分類67　保険業（保険媒介代理業、保険サービス業を含む。）」の「673　共済事業，少額短期保険業」のうち共済事業を営む法人は、生命共済事業及び損害共済事業に属する収入金額の合計額等、これらの共済事業の

第三章　第二節　第二款　二《外国税額の控除》

規模を表す事実によって(3)の表の(二)及び(三)に掲げる生命保険業及び損害保険業を主として営む内国法人であるかどうかを判定する。この場合において、当該法人が生命共済事業及び損害共済事業を兼営しているときは、当該法人に係る同表の(一)に掲げる総収入金額の合計額に相当する金額は、次により計算する。

$$\begin{pmatrix}(4)の表の(一)、(二)及び(7)の\\表の(二)に掲げる金額の合計額\end{pmatrix} - \begin{pmatrix}(4)の表の(三)及び(7)の表の\\(三)に掲げる金額の合計額\end{pmatrix}$$

(所得率等が変動した場合の取扱い)

(14)　内国法人が外国法人税の額につき①《外国法人税を納付することとなる場合の外国税額控除》、4の①《控除限度超過額が生じた場合の繰越控除限度額による外国税額の控除》及び②《控除余裕額が生じた場合の繰越控除対象外国法人税額の控除》の外国税額の控除の適用を受けた場合において、その適用を受けた事業年度(以下(14)において「適用事業年度」という。)に係る所得率又は利子収入割合について異動が生じたこと等により当該外国法人税の額に係る控除対象外国法人税額に異動が生じたとき(5の①《外国法人税額に増額等があった場合》の適用がある場合を除く。)は、当該適用事業年度において当該外国法人税の額につき、その異動後の控除対象外国法人税額に基づいて外国税額の控除を適用することに留意する。(基通16-3-30)

注1　本文の所得率とは(3)に掲げる所得率をいい(以下(16)までにおいて同じ。)、利子収入割合とは(3)の表(四)に掲げる割合をいう。

注2　通算法人の7の③《過去適用事業年度における税額控除額が過去当初申告税額控除額を超える場合》(7の④の(2)《通算法人が公益法人等に該当することとなった場合の準用》において準用する場合を含む。)の適用に係る本文の取扱いの適用に当たっては、「、4の①《控除限度超過額が生じた場合の繰越控除限度額による外国税額の控除》及び②《控除余裕額が生じた場合の繰越控除対象外国法人税額の控除》」とあるのは「、4の①《控除限度超過額が生じた場合の繰越控除限度額による外国税額の控除》、②《控除余裕額が生じた場合の繰越控除対象外国法人税額の控除》及び③《過去適用事業年度における税額控除額が過去当初申告税額控除額を超える場合》(④の(2)において準用する場合を含む。)」と、「事業年度(」とあるのは「事業年度(③(④の(2)において準用する場合を含む。)の規定の適用を受けた場合には、③(④の(2)において準用する場合を含む。)に規定する過去適用事業年度。」と、それぞれ読み替える。

通算法人が7の③(7の④において準用する場合を含む。)に掲げる過去適用事業年度につき7の③の(1)《過去当初申告税額控除額が調整後過去税額控除額を超える場合》(7の④において準用する場合を含む。)の適用を受ける場合についても、同様とする。

(総収入金額)

(15)　所得率の計算の基礎となる納付事業年度及び前2年内事業年度の総収入金額(以下(16)において「総収入金額」という。)とは、(3)及び(4)若しくは(7)並びに二《外国税額の控除》において別段の定めのあるものを除き、当該納付事業年度及び前2年内事業年度において益金の額に算入されるべき収入金額の合計額をいうことに留意する。(基通16-3-31)

(引当金勘定の取崩し等による益金の額の総収入金額からの除外)

(16)　所得率を計算する場合において、引当金勘定、準備金勘定又は特別勘定の取崩しによる益金算入額、第一節第九款の一の2《会社更生等による評価換えを行った場合の資産の評価益の益金算入》又は同一の3《民事再生等による特定の事実が生じた場合の資産の評価益の益金算入》による評価益の益金算入額、同節第十五款の四の7《保険差益等に係る特別勘定の金額の取崩し》による特別勘定の益金算入額及び同款の七の10《買換資産を事業の用に供しない場合の圧縮額の益金算入》による益金算入額等の益金算入額は、(4)又は(7)に掲げるものを除き、総収入金額に算入しない。(基通16-3-32)

注　第一節第十五款の七の10の②《圧縮記帳適用買換資産の移転を受けた合併法人等が買換資産を事業の用に供しない場合の圧縮額の益金算入》による益金算入額についても、総収入金額に算入しないものとする。(編者)

(資産の売却に係る収入金額)

(17)　(3)の表の(一)、(4)の表の(一)及び(7)の表の(一)に掲げる資産の売却に係る収入金額には、次のものが含まれる。(基通16-3-33・編者補正)

(一)　第一節第十五款の五《交換資産の圧縮記帳》に掲げる取得資産の価額(当該取得資産とともに取得した同五の2の(1)《交換差金等の意義》に掲げる交換差金等の金額を含む。)

(二)　第一節第十六款の一《収用等に伴い代替資産を取得した場合の課税の特例》若しくは同款の二《換地処分等に伴い資産を取得した場合の課税の特例》に掲げる補償金若しくは清算金(収用等の対価に該当するものに限る。)の金額又は代替資産若しくは交換取得資産の価額

(三)　第一節第十五款の七の7《特定の資産を交換した場合の課税の特例》により交換の日におけるその資産の価額に相当する金額をもって譲渡したものとみなされる交換譲渡資産の価額

(四)　借地権の譲渡対価の額

(五) 第一節第二十七款の**五の2**《借地権の設定等により地価が著しく低下する場合の土地等の帳簿価額の一部の損金算入》に該当する場合における借地権の設定等に伴って収受する権利金等の金額

注1 第一節第十五款の**四**《保険金等による圧縮記帳》に掲げる保険金等の金額は、資産の売却に係る収入金額に含まれない。
注2 不動産売買業を営む法人の有する土地又は建物であっても、当該法人が使用し若しくは他に貸し付けているもの(販売の目的で所有しているもので一時的に使用し又は他に貸し付けているものを除く。)又は当該法人が使用することを予定して長期間にわたり所有していることが明らかなものは、固定資産に該当する。

(所得率の計算における調整所得金額)
(18) (3)の表の(一)から(四)までに掲げる調整所得金額とは、次に掲げる規定を適用しないで計算した場合における所得の金額に外国法人税の額(損金経理をしたものに限るものとし、⑧《内国法人の法人税法に関する法令の規定により法人税が課されないもの》の表のイ及びロに掲げるものを除く。)を加算した金額をいう。(令142の2④、73②Ⅰ、Ⅲ～ⅩⅩⅦ)

(一) 法人税法第23条《受取配当等の益金不算入》
(二) 法人税法第23条の2《外国子会社から受ける配当等の益金不算入》
(三) 法人税法第27条《中間申告における繰戻しによる還付に係る災害損失欠損金額の益金算入》
(四) 法人税法第37条《寄附金の損金不算入》
(五) 法人税法第39条の2《外国子会社から受ける配当等に係る外国源泉税等の損金不算入》
(六) 法人税法第41条《法人税額から控除する外国税額の損金不算入》
(七) 法人税法第41条の2《分配時調整外国税相当額の損金不算入》
(八) 法人税法第57条第1項《欠損金の繰越し》
(九) 法人税法第59条《会社更生等による債務免除等があった場合の欠損金の損金算入》
(十) 法人税法第61条の11第1項《完全支配関係がある法人の間の取引の損益》(適格合併に該当しない合併による合併法人への資産の移転に係る部分に限る。)
(十一) 法人税法第62条第2項《合併及び分割による資産等の時価による譲渡》
(十二) 法人税法第62条の5第2項及び第5項《現物分配による資産の譲渡》
(十三) 法人税法第64条の5第1項及び第3項《損益通算》
(十四) 法人税法第64条の7第6項《欠損金の通算》
(十五) 法人税法第64条の8《通算法人の合併等があった場合の欠損金の損金算入》
(十六) 租税特別措置法第57条の7第1項《関西国際空港用地整備準備金》
(十七) 租税特別措置法第57条の7の2第1項《中部国際空港整備準備金》
(十八) 租税特別措置法第59条第1項及び第2項《新鉱床探鉱費又は海外新鉱床探鉱費の特別控除》
(十九) 租税特別措置法第59条の2第1項及び第4項《対外船舶運航事業を営む法人の日本船舶による収入金額の課税の特例》
(二十) 租税特別措置法第59条の3第1項《特許権等の譲渡等による所得の課税の特例》
(二十一) 租税特別措置法第60条第1項、第2項及び第6項《沖縄の認定法人の所得の課税の特例》
(二十二) 租税特別措置法第61条第1項及び第5項《国家戦略特別区域における指定法人の課税の特例》
(二十三) 租税特別措置法第61条の2第1項《農業経営基盤強化準備金》及び第61条の3第1項《農用地等を取得した場合の課税の特例》
(二十四) 租税特別措置法第66条の4第3項《国外関連者との取引に係る課税の特例》
(二十五) 租税特別措置法第66条の7第2項及び第6項《内国法人の外国関係会社に係る所得の課税の特例》
(二十六) 租税特別措置法第66条の8第1項、第3項、第7項及び第9項《内国法人の外国関係会社に係る所得の課税の特例》
(二十七) 租税特別措置法第66条の9の3第2項及び第5項《特殊関係株主等である内国法人に係る外国関係法人に係る所得の課税の特例》
(二十八) 租税特別措置法第66条の9の4第1項、第3項、第6項及び第8項《特殊関係株主等である内国法人に係る外国関係法人に係る所得の課税の特例》
(二十九) 租税特別措置法第66条の13第1項、第5項から第11項まで及び第15項《特定事業活動として特別新事業開拓事業者の株式の取得をした場合の課税の特例》
(三十) 租税特別措置法第67条の12第1項及び第2項並びに第67条の13第1項及び第2項《組合事業等による損失がある場合の課税の特例》
(三十一) 租税特別措置法第67条の14第1項《特定目的会社に係る課税の特例》

(三十二)　租税特別措置法第67条の15第１項《投資法人に係る課税の特例》
(三十三)　租税特別措置法第68条の３の２第１項《特定目的信託に係る受託法人の課税の特例》
(三十四)　租税特別措置法第68条の３の３第１項《特定投資信託に係る受託法人の課税の特例》
　　注――線部分は、法人税法施行令の一部を改正する政令（令和６年政令第212号）により追加された部分で、改正規定は、令和７年４月１日から適用される。（同政令附）

（みなし納付外国法人税の額がある場合の所得に対する負担が高率な部分の金額）
(19)　外国法人税の額に我が国が租税条約（第二章第一節の二の表の**12の19**《恒久的施設》ただし書に掲げる条約をいう。以下(19)及び⑨の表のホにおいて同じ。）を締結している締約国又は締約者（以下(19)において「条約相手国等」という。）の法律又は当該租税条約の規定により軽減され、又は免除された当該条約相手国等の租税の額で当該租税条約の規定により内国法人が納付したものとみなされるものの額（以下(19)において「みなし納付外国法人税の額」という。）が含まれているときは、当該外国法人税の額のうち所得に対する負担が高率な部分の金額は、まずみなし納付外国法人税の額から成るものとする。（令142の２③）

⑦　**通常行われる取引と認められない取引**
　①に掲げる通常行われると認められない取引は、次に掲げる取引とする。（令142の２⑤）

イ	内国法人が、当該内国法人が金銭の借入れをしている者又は預入を受けている者と**特殊の関係のある者**に対し、その借り入れられ、又は預入を受けた金銭の額に相当する額の金銭の貸付けをする取引（当該貸付けに係る利率その他の条件が、その借入れ又は預入に係る利率その他の条件に比し、特に有利な条件であると認められる場合に限る。）
ロ	貸付債権その他これに類する債権を譲り受けた内国法人が、当該債権に係る債務者（当該内国法人に対し当該債権を譲渡した者〔以下ロにおいて「譲渡者」という。〕と**特殊の関係のある者**に限る。）から当該債権に係る利子の支払を受ける取引（当該内国法人が、譲渡者に対し、当該債権から生ずる利子の額のうち譲渡者が当該債権を所有していた期間に対応する部分の金額を支払う場合において、その支払う金額が、次に掲げる額の合計額に相当する額であるときに限る。）

	(イ)	当該債権から生ずる利子の額から当該債務者が住所又は本店若しくは主たる事務所を有する国又は地域において当該内国法人が当該利子につき納付した外国法人税の額を控除した額のうち、譲渡者が当該債権を所有していた期間に対応する部分の額
	(ロ)	当該利子に係る外国法人税の額（⑥の(19)に掲げるみなし納付外国法人税の額を含む。）のうち、譲渡者が当該債権を所有していた期間に対応する部分の額の全部又は一部に相当する額

（特殊の関係のある者の範囲）
　⑦に掲げる特殊の関係のある者とは、次に掲げる者をいう。（令142の２⑥）

(一)	第二章第一節の**二**の表の**10の(１)**《同族関係者の範囲》に掲げる個人又は法人	
(二)	次に掲げる事実その他これに類する事実が存在することにより二の者のいずれか一方の者が他方の者の事業の方針の全部又は一部につき実質的に決定できる関係にある者	
	イ	当該他方の者の役員の$\frac{1}{2}$以上又は代表する権限を有する役員が、当該一方の者の役員若しくは使用人を兼務している者又は当該一方の者の役員若しくは使用人であった者であること。
	ロ	当該他方の者がその事業活動の相当部分を当該一方の者との取引に依存して行っていること。
	ハ	当該他方の者がその事業活動に必要とされる資金の相当部分を当該一方の者からの借入れにより、又は当該一方の者の保証を受けて調達していること。
(三)	その者の⑦に掲げる内国法人に対する債務の弁済につき、⑦の表のイに掲げる内国法人が金銭の借入れをしている者若しくは預入を受けている者が保証をしている者又は同表のロに掲げる譲渡者が保証をしている者	

⑧　**内国法人の法人税法に関する法令の規定により法人税が課されないもの**
　①に掲げる内国法人の法人税に関する法令の規定により法人税が課されないこととなる金額を課税標準として外国法人税に関する法令により課される外国法人税の額は、次に掲げる外国法人税の額とする。（令142の２⑦）

イ	第一節第二款の**五**《配当等の額とみなす金額》の表に掲げる事由により交付を受ける金銭の額及び金銭以外の資産の価額に対して課される外国法人税の額（当該交付の基因となった同**五**に掲げる法人の株式又は出資の取得価額を超える部分の金額に対して課される部分を除く。）
ロ	法人の所得の金額が租税条約等の実施に伴う所得税法、法人税法及び地方税法の特例等に関する法律第7条第1項《租税条約に基づく合意があった場合の更正の特例》（外国居住者等の所得に対する相互主義による所得税等の非課税等に関する法律〔昭和37年法律第144号〕第32条第2項《国税庁長官の確認があった場合の更正の請求の特例等》において準用する場合を含む。）により減額される場合において、租税条約等の実施に伴う所得税法、法人税法及び地方税法の特例等に関する法律第7条第3項に規定する相手国居住者等に支払われない金額又は外国居住者等の所得に対する相互主義による所得税等の非課税等に関する法律第32条第4項に規定する外国居住者等に支払われない金額に対し、これらを第一節第二款の**一**《受取配当等の益金不算入》の表の①に掲げる金額に相当する金銭の支払いとみなして課される外国法人税の額
ハ	第一節第二款の**七**の**1**《外国子会社から受ける配当等の益金不算入》に掲げる外国子会社から受ける同**1**に掲げる剰余金の配当等の額（以下ハにおいて「剰余金の配当等の額」といい、同**2**《外国子会社の損金の額に算入される配当等の額及び自己株式としての取得が予定されている株式を取得した場合のみなし配当の額の益金算入》の適用を受ける部分の金額を除く。）に係る外国法人税の額（剰余金の配当等の額を課税標準として課される外国法人税の額に限るものとし、剰余金の配当等の額〔同**2**の適用を受ける部分の金額を除く。〕の計算の基礎となった第一節第二款の**七**の**1**に掲げる外国子会社の所得のうち内国法人に帰せられるものとして計算される金額を課税標準として当該内国法人に対して課される外国法人税の額を含む。）
ニ	国外事業所等（②の**イ**の表の（一）に掲げる国外事業所等をいう。以下ニ及びヘにおいて同じ。）から本店等（②の**イ**の表の（一）に掲げる本店等をいう。ヘにおいて同じ。）への支払につき当該国外事業所等の所在する国及び地域において当該支払に係る金額を課税標準として課される外国法人税の額
ホ	内国法人が有する株式又は出資を発行した外国法人の本店又は主たる事務所の所在する国又は地域の法令に基づき、当該外国法人に係る租税の課税標準等（第二章第一節の**二**の（1）の表の（六）のイからハまでに掲げる事項をいう。）又は税額等（同（6）のニからヘまでに掲げる事項をいう。）につき更正又は決定（第二章第三節の**一**の**1**の表の②による決定をいう。）に相当する処分（当該内国法人との間の取引に係るものを除く。）があった場合において、当該処分が行われたことにより増額された当該外国法人の所得の金額に相当する金額に対し、これを第一節第二款の**一**《受取配当等の益金不算入》の表の①に掲げる金額に相当する金銭の支払とみなして課される外国法人税の額その他の他の者の所得の金額に相当する金額に対し、これを内国法人（当該内国法人と当該他の者との間に（3）《他の者の所得の金額に相当する金額を内国法人の所得の金額としてみなして課される外国法人税の額の範囲》に掲げる関係がある場合における当該内国法人に限る。）の所得の金額とみなして課される外国法人税の額
ヘ	内国法人の国外事業所等の所在する国又は地域（以下ヘにおいて「**国外事業所等所在地国**」という。）において課される外国法人税（当該国外事業所等所在地国において当該内国法人の国外事業所等〔当該国外事業所等所在地国に所在するものに限る。以下ヘにおいて同じ。〕を通じて行う事業から生ずる所得に対して課される他の外国法人税の課税標準となる所得の金額に相当する金額に、（4）《内国法人の国外事業所等の所在する国又は地域において課される外国法人税の額の範囲》に掲げる関係がある場合における当該他の者〔当該国外事業所等所在地国に住所若しくは居所、本店若しくは主たる事務所その他これらに類するもの又は当該国外事業所等所在地国の国籍その他これに類するものを有するものを除く。〕及び当該内国法人の本店等〔当該国外事業所等所在地国に所在するものを除く。〕〔以下ヘにおいて「関連者等」という。〕への支払に係る金額並びに当該内国法人の国外事業所等が当該内国法人の関連者等から取得した資産に係る償却費の額のうち当該他の外国法人税の課税標準となる所得の金額の計算上損金の額に算入される金額を加算することその他これらの金額に関する調整を加えて計算される所得の金額につき課されるものに限る。）の額（当該他の外国法人税の課税標準となる所得の金額に相当する金額に係る部分を除く。）

　　（内国法人に帰せられるものとして計算される金額を課税標準として当該内国法人に対して課される外国法人税の額）
（1）　⑧の表のハ及び⑨の表のイからニまでに掲げる「内国法人に帰せられるものとして計算される金額を課税標準として当該内国法人に対して課される外国法人税の額」には、例えばその所在地国でいわゆるパス・スルー課税が適用

される事業体で、我が国においては外国法人に該当するものの所得のうち、その所在地国において構成員である内国法人に帰せられるものとして計算される金額に対して課される外国法人税の額が該当する。(基通16－3－36)

（外国子会社から受ける剰余金の配当等の額に係る外国法人税の額の計算）
（２）　内国法人が外国子会社（第一節第二款の**七**の**1**《外国子会社から受ける配当等の益金不算入》に掲げる「外国子会社」をいう。以下（２）において同じ。）から受ける剰余金の配当等（同款の**一**《受取配当等の益金不算入》に掲げる剰余金の配当若しくは利益の配当又は剰余金の分配をいう。以下（２）において同じ。）の額の一部について同款の**七**の**2**《外国子会社の損金の額に算入される配当等の額及び自己株式としての取得が予定されている株式を取得した場合のみなし配当の額の益金算入》の（１）の適用を受ける場合には、控除対象外国法人税額の計算の基礎となる当該剰余金の配当等の額に係る外国法人税の額は、当該内国法人が受ける当該剰余金の配当等の額を課税標準として課される外国法人税の額に次の（一）に掲げる金額の（二）に掲げる金額に対する割合を乗じて計算する等合理的な方法により計算した額とする。(基通16－3－36の2)
　（一）　（二）に掲げる剰余金の配当等の額のうち当該外国子会社の所得の金額の計算上損金の額に算入された金額
　（二）　当該内国法人が当該外国子会社から受けた剰余金の配当等の額の元本である株式又は出資の総数又は総額につき当該外国子会社により支払われた剰余金の配当等の額

（他の者の所得の金額に相当する金額を内国法人の所得の金額としてみなして課される外国法人税の額の範囲）
（３）　⑧の表のホに掲げる関係は、同ホの内国法人と同ホの他の者との間に次表に掲げる関係がある場合における当該関係とする。(規29の2①)

（一）	一方の者が他方の者（法人に限る。（二）において同じ。）の株式又は出資を保有する関係
（二）	一方の者が他方の者の残余財産について分配を請求する権利を保有する関係（（一）に掲げる関係に該当するものを除く。）
（三）	一方の者が他方の者の財産の処分の方針を決定することができる旨の契約その他の取決めを締結している関係がある場合における当該一方の者と当該他方の者との間の関係（（一）及び（二）に掲げる関係に該当するものを除く。）
（四）	一方の者と他方の者（次表に掲げる者のいずれかに該当するものに限る。）との間の関係（（一）から（三）に掲げる関係に該当するものを除く。）<table><tr><td>イ</td><td>当該一方の者が、その株式若しくは出資を保有する関係、その残余財産について分配を請求する権利を保有する関係又はその財産の処分の方針を決定することができる旨の契約その他の取決めを締結している関係にある者</td></tr><tr><td>ロ</td><td>イ又はハに掲げる者が、その株式若しくは出資を保有する関係、その残余財産について分配を請求する権利を保有する関係又はその財産の処分の方針を決定することができる旨の契約その他の取決めを締結している関係にある者</td></tr><tr><td>ハ</td><td>ロに掲げる者が、その株式若しくは出資を直接若しくは間接に保有する関係、その残余財産について分配を請求する権利を保有する関係又はその財産の処分の方針を決定することができる旨の契約その他の取決めを締結している関係にある者</td></tr></table>
（五）	一方の者が他方の者と資産の販売等（資産の販売、資産の購入、役務の提供その他の取引をいう。以下（五）において同じ。）に係る取引関係（当該一方の者と当該他方の者との間にこれらの者と資産の販売等に係る取引関係を通じて連鎖関係にある一又は二以上の者が介在している場合における当該取引関係を含む。以下（五）において同じ。）にある場合（当該他方の者が当該取引関係を通じて行う資産の販売等から生ずる所得のうちに当該一方の者が当該取引関係を通じて行った資産の販売等から生ずる所得に係る部分がある場合に限る。）における当該一方の者と当該他方の者との間の関係（（一）から（四）に掲げる関係に該当するものを除く。）
（六）	連鎖関係者（一方の者との間に（四）中「他方の者」とあるのを「他の者」と、「関係（（一）から（三）に掲げる関係に該当するものを除く。）」とあるのを「関係」と読み替えた場合に（四）に掲げる関係がある者をいう。）と他方の者との間に（五）中「一方の者が他方の者」とあるのを「（六）に規定する連鎖関係者が他方の者」と、「当該一方の者」とあるのを「当該連鎖関係者」と読み替えた場合に（五）に掲げる関係があるときにおける当該一方の者と当該他方の者との間の関係

(七) その他(一)から(六)に掲げる関係に準ずる関係

(内国法人の国外事業所等の所在する国又は地域において課される外国法人税の額の範囲)
（４） ⑧の表のヘに掲げる関係は、同ヘの内国法人と同ヘの他の者との間に当該他の者が当該内国法人の総株主、総社員若しくは総出資者の議決権の総数又は当該内国法人の発行可能株式総数の$\frac{25}{100}$以上の数を有する関係その他の関係がある場合に、当該内国法人の国外事業所等（②のイの表の(一)に掲げる国外事業所等をいう。以下（４）において同じ。）の所在する国又は地域（以下（４）において「国外事業所等所在地国」という。）の外国法人税（①に掲げる外国法人税をいう。以下（４）において同じ。）に関する法令の規定により、当該内国法人の国外事業所等（当該国外事業所等所在地国に所在するものに限る。以下（４）において同じ。）から当該内国法人の関連者等（当該他の者〔当該国外事業所等所在地国に住所若しくは居所、本店若しくは主たる事務所その他これらに類するもの又は当該国外事業所等所在地国の国籍その他これに類するものを有するものを除く。〕及び当該内国法人の②のイの表の(一)に掲げる本店等〔当該国外事業所等所在地国に所在するものを除く。〕をいう。以下（４）において同じ。）への支払に係る金額及び当該内国法人の国外事業所等が当該内国法人の関連者等から取得した資産に係る償却費の額のうち当該国外事業所等所在地国において当該内国法人の国外事業所等を通じて行う事業から生ずる所得に対して課される他の外国法人税の課税標準となる所得の金額の計算上損金の額に算入される金額を当該他の外国法人税の課税標準となる所得の金額に相当する金額に加算することその他これらの金額に関する調整を加えて当該国外事業所等所在地国の外国法人税の課税標準となる所得の金額を計算することとされているときにおける当該関係とする。（規29の２②）

⑨ その他外国税額控除の対象とならない外国法人税の額
①に掲げるその他外国法人税の額は、次に掲げる外国法人税の額とする。（令142の２⑧）

イ	外国法人（第一節第三十二款の**三の１**《外国法人から受ける剰余金の配当等の益金不算入（特定課税対象金額）》又は同**三の３**《外国法人から受ける剰余金の配当等の益金不算入（間接特定課税対象金額）》に掲げる外国法人に限る。以下イにおいて同じ。）から受ける同**１**又は同**３**に掲げる剰余金の配当等の額（以下イにおいて「剰余金の配当等の額」といい、同**１**又は同**３**の適用を受ける部分の金額に限る。）に係る外国法人税の額（剰余金の配当等の額を課税標準として課される外国法人税の額及び剰余金の配当等の額の計算の基礎となった外国法人の所得のうち内国法人に帰せられるものとして計算される金額を課税標準として当該内国法人に対して課される外国法人税の額に限る。）
ロ	外国法人から受ける第一節第三十二款の**三の１の（２）**又は同**三の３の（２）**に掲げる剰余金の配当等の額（以下ロにおいて「剰余金の配当等の額」といい、同**１の（２）**又は同**３の（２）**の適用を受ける部分の金額に限る。）に係る外国法人税の額（剰余金の配当等の額を課税標準として課される外国法人税の額及び剰余金の配当等の額の計算の基礎となった外国法人の所得のうち内国法人に帰せられるものとして計算される金額を課税標準として当該内国法人に対して課される外国法人税の額に限る。）
ハ	外国法人（第一節第三十二款の**六の１**《外国法人から受ける剰余金の配当等の益金不算入（特定課税対象金額）》又は同**六の３**《外国法人から受ける剰余金の配当等の益金不算入（間接特定課税対象金額）》に掲げる外国法人に限る。以下このハにおいて同じ。）から受ける同**１**又は同**３**に掲げる剰余金の配当等の額（以下ハにおいて「剰余金の配当等の額」といい、同**１**又は同**３**の適用を受ける部分の金額に限る。）に係る外国法人税の額（剰余金の配当等の額を課税標準として課される外国法人税の額及び剰余金の配当等の額の計算の基礎となった外国法人の所得のうち内国法人に帰せられるものとして計算される金額を課税標準として当該内国法人に対して課される外国法人税の額に限る。）
ニ	外国法人から受ける第一節第三十二款の**六の１の（２）**又は同**六の３の（２）**に掲げる剰余金の配当等の額（以下ニにおいて「剰余金の配当等の額」といい、同**１の（２）**又は同**３の（２）**の適用を受ける部分の金額に限る。）に係る外国法人税の額（剰余金の配当等の額を課税標準として課される外国法人税の額及び剰余金の配当等の額の計算の基礎となった外国法人の所得のうち内国法人に帰せられるものとして計算される金額を課税標準として当該内国法人に対して課される外国法人税の額に限る。）
ホ	我が国が租税条約を締結している条約相手国等又は外国（外国居住者等の所得に対する相互主義による所得税等の非課税等に関する法律第２条第３号《定義》に規定する外国をいい、同法第５条各号《相互主義》のいずれかに該当しない場合における当該外国を除く。以下ホにおいて同じ。）において課される外国法人税の額のうち、当該租税条約の規定（当該外国法人税の軽減又は免除に関する規定に限る。）により当該条約相手国等において課するこ

とができることとされる額を超える部分に相当する金額若しくは免除することとされる額に相当する金額又は当該外国において、同条第1号に規定する所得税等の非課税等に関する規定により当該外国に係る同法第2条第3号に規定する外国居住者等の同法第5条第1号に規定する対象国内源泉所得に対して所得税若しくは法人税を軽減し、若しくは課さないこととされる条件と同等の条件により軽減することとされる部分に相当する金額若しくは免除することとされる額に相当する金額

⑩ 控除限度額の計算

外国税額の控除限度額は、内国法人の各事業年度の所得に対する法人税の額（第一款の**二**《特定同族会社の特別税率》、**四の2**の①《通算法人の仮装経理に基づく過大申告の場合等の法人税額の計算》、同款の**三の1**《使途秘匿金の支出がある場合の課税の特例》、同款の**四の1**《土地の譲渡等がある場合の特別税率》、同**四の2**《優良住宅地等のための譲渡に該当しなくなった場合の追加課税》、同款の**五**《短期所有に係る土地の譲渡等がある場合の特別税率》及びこの款の**一、二**及び**四**並びに第一節第三十二款の**五の2**《外国関係法人の課税対象金額等に係る所得税等の額の計算等》を適用しないで計算した場合の法人税の額から**三**《分配時調整外国税相当額の控除》、**一の4**《外国関係会社の課税対象金額等に係る所得税等の額の計算等》及び第一節第三十二款の**五の2**により控除されるべき金額の合計額を控除した金額とし、附帯税の額を除く。）に、当該事業年度の所得金額のうちに**当該事業年度の調整国外所得金額**の占める割合を乗じて計算した金額とする。（令142①）

（算式）

$$控除限度額 = 事業年度の所得に対する法人税の額 \times \frac{当該事業年度の調整国外所得金額}{当該事業年度の所得金額}$$

（当該事業年度の所得金額の計算）

（1） 控除限度額を計算する場合の当該事業年度の所得金額とは、第一節第二十一款の**一の1**《前10年以内の繰越欠損金の損金算入》、第五章第二節の**二**《公共法人等が普通法人等に移行する場合の所得の金額の計算》、第一節第二十七款の**八**《対外船舶運航事業を営む法人の日本船舶による収入金額の課税の特例》及び同款の**十六**《組合事業等による損失がある場合の課税の特例》を適用しないで計算した場合の当該事業年度の所得の金額（以下⑩において「**当該事業年度の所得金額**」という。）をいう。（令142②）

（当該事業年度の調整国外所得金額の計算）

（2） 控除限度額を計算する場合の当該事業年度の調整国外所得金額とは、第一節第二十一款の**一の1**《前10年以内の繰越欠損金の損金算入》及び第五章第二節の**二**《公共法人等が普通法人等に移行する場合の所得の金額の計算》並びに第一節第二十七款の**八**《対外船舶運航事業を営む法人の日本船舶による収入金額の課税の特例》並びに同款の**十六**《組合事業等による損失がある場合の課税の特例》を適用しないで計算した場合の当該事業年度の①に掲げる国外所得金額から外国法人税が課されない国外源泉所得に係る所得の金額を控除した金額をいう。ただし、当該金額が当該事業年度の所得金額の$\frac{90}{100}$に相当する金額を超える場合には、当該$\frac{90}{100}$に相当する金額とする。（令142③）

（外国法人税が課されない国外源泉所得）

（3） （2）に掲げる外国法人税が課されない国外源泉所得とは、内国法人の次の表の左欄に掲げる国外源泉所得の区分に応じそれぞれ右欄に掲げる要件を満たすものをいう。（令142④）

国外源泉所得の区分	要　件
（一） 当該内国法人の国外事業所等（②の**イ**の表の（一）に掲げる国外事業所等をいう。以下（3）において同じ。）に帰せられる国外源泉所得	当該国外源泉所得を生じた国又は地域及び当該国外事業所等の所在する国又は地域が当該国外源泉所得につき外国法人税を課さないこととしていること（当該国外源泉所得につき⑥の(19)《みなし納付外国法人税の額がある場合の所得に対する負担が高率な部分の金額》に掲げるみなし納付外国法人税の額がある場合を除く。）。
（二） （一）に掲げる国外源泉所得以外の国外源泉所得	当該国外源泉所得を生じた国又は地域が当該国外源泉所得につき外国法人税を課さないこととしていること（当該国外源泉所得につき⑥の(19)に掲げるみなし納付外国法人税の額がある場合を除く。）。

　　　　　(外国法人税を課さないことの意義)
（４）　（３）の表の(一)及び(二)に掲げる「外国法人税を課さないこととしていること」には、⑥の(19)《みなし納付外国法人税の額がある場合の所得に対する負担が高率な部分の金額》に掲げるみなし納付外国法人税の額がある場合を除き、租税条約等の規定により外国法人税が課されないこととされている場合が含まれることに留意する。（基通16－３－21）

　　　　　(外国法人税が課されない場合の共通費用の配賦)
（５）　（２）を適用する場合において、外国法人税が課されない国外源泉所得があるときは、②のロの(5)《共通費用の額の配分》又は②のトの(1)《共通費用の額の配分》により国外源泉所得に係る所得の金額の計算上の損金の額に配分されるこれらの共通費用の額は、②のロの(5)又は②のトの(1)に掲げる合理的と認められる基準に準じて外国法人税が課されない国外源泉所得に係る所得とそれ以外の国外源泉所得に係る所得の金額の計算上の損金の額として配分するものとする。（令142⑤）

⑪　**外国税額控除の選択と所得計算**

　　　　　(法人税額から控除する外国税額の損金不算入)
（１）　内国法人が控除対象外国法人税の額（二の１の①に掲げる控除対象外国法人税の額をいう。以下（１）において同じ。）につき外国税額の控除又は第三款の八の１《所得税額等の還付》若しくは同１の(5)《更正等による所得税額等の還付》の適用を受ける場合には、当該控除対象外国法人税の額は、その内国法人の各事業年度の所得の金額の計算上、損金の額に算入しない。（法41①）
　　　注　納付することとなった外国法人税について、損金の額に算入せず外国税額控除の適用を受けるかそれとも外国税額の控除の適用を受けずに損金算入するかは、法人の任意によることとなる。(編者)

　　　　　(通算法人等の法人税額から控除する外国税額の損金不算入)
（２）　通算法人又は当該通算法人の各事業年度（当該通算法人に係る通算親法人の事業年度終了の日に終了するものに限る。）終了の日において当該通算法人との間に通算完全支配関係がある他の通算法人が、控除対象外国法人税の額につき１《直接外国税額控除》又は同節第三款の八の１《所得税額等の還付》若しくは同１の(5)《更正等による所得税額等の還付》の適用を受ける場合には、当該通算法人が納付することとなる控除対象外国法人税の額は、当該通算法人の各事業年度の所得の金額の計算上、損金の額に算入しない。（法41②）

　　　　　(外国法人税の一部につき控除申告をした場合の取扱い)
（３）　内国法人（通算法人にあっては、当該通算法人又は（２）《通算法人等の法人税額から控除する外国税額の損金不算入》の他の通算法人）が、当該事業年度において納付する外国法人税の額（１の①《外国法人税を納付することとなる場合の外国税額控除》に掲げる控除対象外国法人税の額（以下二において「控除対象外国法人税額」という。）に限る。）の一部につき１の適用を受ける場合には、当該内国法人が次の表の左欄に掲げる法人のいずれに該当するかに応じ、それぞれ右欄に掲げる取扱いとなることに留意する。（基通16－３－１）

(一)	通算法人以外の法人	（１）により、当該控除対象外国法人税額の全部が損金の額に算入されない。
(二)	通算法人	（２）により、全ての通算法人が当該事業年度において納付する控除対象外国法人税額の全部が損金の額に算入されない。

２　租税条約によるみなし外国税額の控除《タックス・スペアリング・クレジット》

　内国法人の外国に源泉がある所得のうち、特定の所得について、我が国がこれらの外国と締結した租税条約に、当該条約又はこれらの外国の法令に基づき当該外国がその課すべき外国法人税を軽減又は免除した場合におけるその軽減又は免除された額をその内国法人が納付したものとみなして外国税額の控除を行う旨の定めがある場合には、内国法人が二《外国税額の控除》に掲げる外国税額控除を受けようとする場合において、１に掲げる外国法人税の額のうちに相手国等の法律の規定又は当該相手国等との間の租税条約の規定により軽減され又は免除された当該相手国等の租税の額で、当該租税条約の規定に基づき納付したものとみなされるもの（以下２において「みなし外国税額」という。）があるときは、６《外国税額の控除の申告》に掲げる確定申告書等（中間申告書で第三款の一の３《仮決算をした場合の中間申告書の記載事項等》の表の①から③に掲げる事項を記載したものを含む。）、修正申告書又は更正請求書に添付すべき書類には、控除を受

けるべきみなし外国税額の計算の明細を記載した書類及び当該みなし外国税額を証明する書類を含むものとする。（租税条約等の実施に伴う所得税法、法人税法及び地方税法の特例等に関する法律の施行に関する省令10、1Ⅸ）

3 外国関係会社の課税対象金額等に係る外国法人税額の計算《外国子会社合算税制の適用を受ける場合の外国税額控除》

次の表の（一）から（四）までに掲げる内国法人（資産の流動化に関する法律第2条第3項《定義》に規定する特定目的会社、投資信託及び投資法人に関する法律第2条第12項《定義》に規定する投資法人、法人税法第2条第29号の2ホ《定義》に掲げる特定目的信託に係る同法第4条の3《受託法人等に関するこの法律の適用》に規定する受託法人又は特定投資信託〔投資信託及び投資法人に関する法律第2条第3項に規定する投資信託のうち、法人課税信託に該当するものをいう。〕に係る法人税法第4条の3に規定する受託法人〔(10)において「特定目的会社等」という。〕を除く。以下同じ。）が、第一節第三十二款の一の1又は同一の6の①《内国法人に係る部分対象外国関係会社の部分課税対象金額の益金算入》若しくは同一の7《内国法人に係る部分対象外国関係会社の金融子会社等部分課税対象金額の益金算入》の適用を受ける場合には、当該内国法人に係る外国関係会社（第一節第三十二款の一の2の表の①《外国関係会社》に掲げる外国関係会社をいう。以下二において同じ。）の所得に対して課される外国法人税（1の③《外国法人税の範囲》に掲げる外国法人税をいう。以下同じ。）の額（(1)《企業集団等所得課税規定がある場合の外国法人税の金額》に掲げる外国法人税にあっては、同(1)に掲げる金額）のうち、当該外国関係会社の課税対象金額に対応するものとして(4)により計算した金額（当該金額が当該課税対象金額を超える場合には、当該課税対象金額に相当する金額）、当該外国関係会社の部分課税対象金額に対応するものとして(5)により計算した金額（当該金額が当該部分課税対象金額を超える場合には、当該部分課税対象金額に相当する金額）又は当該外国関係会社の金融子会社等部分課税対象金額に対応するものとして(6)により計算した金額（当該金額が当該金融子会社等部分課税対象金額を超える場合には、当該金融子会社等部分課税対象金額に相当する金額）は、(9)に掲げるところにより、当該内国法人が納付する控除対象外国法人税の額（1の①《外国法人税を納付することとなる場合の外国税額控除》に掲げる控除対象外国法人税の額をいう。以下同じ。）とみなして、1の①及び1の②、4《控除限度超過額の繰越控除と控除余裕額の繰越使用》の外国税額の控除、5の②《外国法人税額が減額された場合》並びに6《外国税額の控除の申告》及び第六章第四節の二《外国税額の控除》を適用する。この場合において、5の②中「外国法人税の額につき」とあるのは、「外国法人税の額（第一節第三十二款の二の1に掲げる外国関係会社の所得に対して課される外国法人税の額のうち同1により当該内国法人が納付するものとみなされる部分の金額を含む。以下この②において同じ。）につき」とする。（措法66の7①、66の6①）

（一）		内国法人の外国関係会社に係る次の表に掲げる割合のいずれかが$\frac{10}{100}$以上である場合における当該内国法人
	イ	その有する外国関係会社の株式等の数又は金額（当該外国関係会社と居住者〔第一節第三十二款の一の1の(1)《居住者の範囲》に掲げる居住者をいう。〕又は内国法人との間に実質支配関係がある場合には、零）及び他の外国法人を通じて間接に有するものとして同1の(2)《間接に有する外国関係会社の株式等の数又は金額》に掲げる当該外国関係会社の株式等の数又は金額の合計数又は合計額が当該外国関係会社の発行済株式又は出資（自己が有する自己の株式等を除く。）の総数又は総額のうちに占める割合
	ロ	その有する外国関係会社の議決権（剰余金の配当等に関する決議に係るものに限る。）の数（当該外国関係会社と居住者又は内国法人との間に実質支配関係がある場合には、零）及び他の外国法人を通じて間接に有するものとして同1の(3)《間接に有する外国関係会社の議決権の数》に掲げる当該外国関係会社の議決権の数の合計数が当該外国関係会社の議決権の総数のうちに占める割合
	ハ	その有する外国関係会社の株式等の請求権に基づき受けることができる剰余金の配当等の額（当該外国関係会社と居住者又は内国法人との間に実質支配関係がある場合には、零）及び他の外国法人を通じて間接に有する当該外国関係会社の株式等の請求権に基づき受けることができる剰余金の配当等の額として同1の(4)《間接に有する外国関係会社の株式等の請求権に基づき受けることができる剰余金の配当等の額》に掲げるものの合計額が当該外国関係会社の株式等の請求権に基づき受けることができる剰余金の配当等の総額のうちに占める割合
（二）		外国関係会社との間に実質支配関係がある内国法人
（三）		外国関係会社（内国法人との間に実質支配関係があるものに限る。）の他の外国関係会社に係る（一）の表のイからハまでに掲げる割合のいずれかが$\frac{10}{100}$以上である場合における当該内国法人（（一）に掲げる内国法人を除く。）
（四）		外国関係会社に係る（一）の表のイからハまでに掲げる割合のいずれかが$\frac{10}{100}$以上である一の同族株主グループ（外

国関係会社の株式等を直接又は間接に有する者及び当該株式等を直接又は間接に有する者との間に実質支配関係がある者〔当該株式等を直接又は間接に有する者を除く。〕のうち、一の居住者又は内国法人、当該一の居住者又は内国法人との間に実質支配関係がある者及び当該一の居住者又は内国法人と同1の(5)《特殊の関係のある者の範囲》に掲げる特殊の関係のある者〔外国法人を除く。〕をいう。)に属する内国法人（外国関係会社に係る(一)の表のイからハまでに掲げる割合又は他の外国関係会社〔内国法人との間に実質支配関係があるものに限る。〕の当該外国関係会社に係る同表のイからハまでに掲げる割合のいずれかが零を超えるものに限るものとし、(一)及び(三)に掲げる内国法人を除く。)

注　外国関係法人の課税対象金額等に係る外国税額の取扱いについては、第一節第三十二款の五の1《外国関係法人の課税対象金額等に係る外国税額の計算等》を参照。（編者）

（企業集団等所得課税規定がある場合の外国法人税の金額）

（1）　3に掲げる外国法人税は、外国法人税に関する法令に企業集団等所得課税規定（第一節第三十二款の一の4の②の(1)《企業集団等所得課税規定の意義》に掲げる企業集団等所得課税規定をいう。以下3において同じ。）がある場合の当該外国法人税とし、同3に掲げる金額は、当該企業集団等所得課税規定の適用がないものとした場合に当該外国法人税に関する法令の規定により計算される外国法人税の額（以下3において「**個別計算外国法人税額**」という。）とする。（措令39の18①）

　　注　個別計算外国法人税額は、企業集団等所得課税規定の適用がないものとした場合に当該個別計算外国法人税額に係る外国法人税に関する法令の規定により当該個別計算外国法人税額を納付すべきものとされる期限の日に課されるものとして3を適用する。（措令39の18②）

（外国法人税の範囲）

（2）　3に掲げる外国法人税の額には、外国関係会社が法人税法第138条《国内源泉所得》第1項又は所得税法第161条《国内源泉所得》第1項に規定する国内源泉所得に係る所得について課された法人税及び所得税並びに地方法人税及び第一節第十一款の一の1の②《その他の租税公課の損金不算入》の表のロに掲げるものの額を含めることができる。（措通66の6−24・編者補正）

（課税対象金額等に係る外国法人税額の計算）

（3）　3を適用する場合における(4)《課税対象金額に対応する外国法人税額の計算》に掲げる課税対象金額又は(5)《部分課税対象金額に対応する外国法人税額の計算》に掲げる部分課税対象金額又は(6)《金融子会社等部分課税対象金額に対応する外国法人税額の計算》に掲げる金融子会社等部分課税対象金額に係る控除対象外国法人税の額の計算並びに5の②の(4)《外国関係会社の所得に対して課された外国法人税額が減額された場合の取扱い》に掲げる減額されたとみなされる控除対象外国法人税の額の計算は、その外国関係会社がその会計帳簿の作成に当たり使用する外国通貨表示の金額により行うものとし、その計算されたこれらの控除対象外国法人税の額の円換算については、第一節第三十二款の一の1の(11)《課税対象金額等の円換算》に準ずる。（措通66の6−30・編者補正）

（課税対象金額に対応する外国法人税額の計算）

（4）　3に掲げる外国法人税の額のうち当該外国関係会社の課税対象金額に対応するものとして計算した金額は、外国関係会社につきその適用対象金額（第一節第三十二款の一の2の表の④《適用対象金額》に掲げる適用対象金額をいう。以下(4)において同じ。）を有する事業年度（以下3において「**課税対象年度**」という。）の所得に対して課される外国法人税の額（外国法人税に関する法令に企業集団等所得課税規定がある場合の当該外国法人税にあっては、個別計算外国法人税額。以下3において同じ。）に、当該課税対象年度に係る適用対象金額（同一の4の①〔(四)に係る部分に限る。〕若しくは同4の②〔(十七)に係る部分に限る。〕により控除される同①の表の(四)に掲げる金額（当該外国法人税の課税標準に含まれるものに限る。）又は同4の③《控除対象配当等の控除》により控除される控除対象配当等の額（当該外国法人税の課税標準に含まれるものに限る。）がある場合には、これらの金額を加算した金額。3において「**調整適用対象金額**」という。）のうちに3に掲げる内国法人に係る課税対象金額の占める割合を乗じて計算した金額とする。（措令39の18③）

(算式)

外国関係会社の課税対象金額に対応する外国法人税の額 ＝ 課税対象年度の所得に対する外国法人税の額 × 課税対象金額 / 適用対象金額（第一節第三十二款の一一の4の①の(四)若しくは同4の②の(十七)により控除される同①の(四)に掲げる金額〔当該外国法人税の課税標準に含まれるものに限る。〕又は同4の③により控除される控除対象配当等の額〔当該外国法人税の課税標準に含まれるものに限る。〕がある場合には、当該金額を加算した金額）

　※　ただし、当該課税対象金額に相当する金額を限度とする。

（部分課税対象金額に対応する外国法人税額の計算）

（5）　3に掲げる外国法人税額のうち当該外国関係会社の部分課税対象金額に対応するものとして計算した金額は、外国関係会社につきその部分適用対象金額（第一節第三十二款の一一の6の①《内国法人に係る部分対象外国関係会社の部分課税対象金額の益金算入》に掲げる部分適用対象金額をいう。）を有する事業年度（以下3において「**部分課税対象年度**」という。）の所得に対して課される外国法人税の額に、当該部分課税対象年度に係る調整適用対象金額のうちに3に掲げる内国法人に係る部分課税対象金額（同款の一一の6の①に掲げる部分課税対象金額をいう。3において同じ。）の占める割合（当該調整適用対象金額が当該部分課税対象金額を下回る場合には、当該部分課税対象年度に係る部分適用対象金額のうちに当該部分課税対象金額の占める割合）を乗じて計算した金額とする。（措令39の18④）

(算式)

外国関係会社の部分課税対象金額に対応する外国法人税の額 ＝ 部分課税対象年度の所得に対して課される外国法人税の額 × 部分課税対象金額 / (7)に掲げる調整適用対象金額

　※　ただし、当該部分課税対象金額に相当する金額を限度とする。

（金融子会社等部分課税対象金額に対応する外国法人税額の計算）

（6）　3に掲げる外国法人税額のうち当該外国関係会社の金融子会社等部分課税対象金額に対応するものとして計算した金額は、外国関係会社につきその金融子会社等部分適用対象金額（第一節第三十二款の一一の7に掲げる金融子会社等部分適用対象金額をいう。以下3までにおいて同じ。）を有する事業年度（以下3において「**金融子会社等部分課税対象年度**」という。）の所得に対して課される外国法人税の額に、当該金融子会社等部分課税対象年度に係る調整適用対象金額のうちに3に掲げる内国法人に係る金融子会社等部分課税対象金額（同款の一一の7に掲げる金融子会社等部分課税対象金額をいう。以下3において同じ。）の占める割合（当該調整適用対象金額が当該金融子会社等部分課税対象金額を下回る場合には、当該金融子会社等部分課税対象年度に係る金融子会社等部分適用対象金額のうちに当該金融子会社等部分課税対象金額の占める割合）を乗じて計算した金額とする。（措令39の18⑤）

(算式)

外国関係会社の金融子会社等部分課税対象金額に対応する外国法人税の額 ＝ 金融子会社等部分課税対象年度の所得に対して課される外国法人税の額 × 金融子会社等部分課税対象金額 / (7)に掲げる調整適用対象金額

　※　ただし、当該金融子会社等部分課税対象金額に相当する金額を限度とする。

（調整適用対象金額の意義）

（7）　（5）及び（6）に掲げる調整適用対象金額とは、（5）及び（6）に掲げる外国関係会社が第一節第三十二款の一一の2の表の②《特定外国関係会社》に掲げる特定外国関係会社又は同表の③《対象外国関係会社》に掲げる対象外国関係会社に該当するものとして同表の④《適用対象金額》を適用した場合に計算される同④に掲げる金額（同一一の4の①〔同①の表の(四)に係る部分に限る。〕若しくは同一一の4の②〔同②の表の(十七)に係る部分に限る。〕により控除される同①の表の(四)に掲げる金額〔当該外国関係会社の部分課税対象年度又は金融子会社等部分課税対象年度の所得に対して課される外国法人税の課税標準に含まれるものに限る。〕又は同一一の4の③により控除される同③に掲げる控除対象配当等の額〔当該外国関係会社の部分課税対象年度又は金融子会社等部分課税対象年度の所得に対して課される外国法人税の課税標準に含まれるものに限る。〕がある場合には、これらの金額を加算した金額）をいう。（措令39の18⑥）

(課税対象年度、部分課税対象年度又は金融子会社等部分課税対象年度の所得に対して2以上の外国法人税が課され、又は2回以上外国法人税が課された場合の計算)

(8) 外国関係会社につきその課税対象年度、部分課税対象年度又は金融子会社等部分課税対象年度の所得に対して2以上の外国法人税が課され、又は2回以上にわたって外国法人税が課された場合において、当該外国関係会社に係る内国法人がその2以上の事業年度において当該外国法人税の額につき3の適用を受けるときは、当該2以上の事業年度のうち最初の事業年度後の事業年度に係る3の適用については、(一)に掲げる金額から(二)に掲げる金額を控除した金額をもって(4)から(6)までに掲げる計算した金額とする。(措令39の18⑦)

(一)	3の適用を受ける事業年度((8)において「適用事業年度」という。)終了の日までに当該課税対象年度、部分課税対象年度又は金融子会社等部分課税対象年度の所得に対して課された外国法人税の額((11)《2以上の外国法人税が課された場合等の特例》により3の適用を受けることを選択したものに限る。(8)において同じ。)の合計額について(4)から(6)までにより計算した金額
(二)	適用事業年度開始の日の前日までに当該課税対象年度、部分課税対象年度又は金融子会社等部分課税対象年度の所得に対して課された外国法人税の額の合計額について(4)から(6)までにより計算した金額

(課税対象年度、部分課税対象年度又は金融子会社等部分課税対象年度の所得に係る外国法人税額の納付事業年度等)

(9) 外国関係会社につきその課税対象年度、部分課税対象年度又は金融子会社等部分課税対象年度の所得に対して課された外国法人税の額のうち、当該外国関係会社に係る内国法人が納付する控除対象外国法人税の額とみなされる金額は、次の表の左欄に掲げる外国法人税の区分に応じ、それぞれその内国法人の同表の右欄に掲げる事業年度においてその内国法人が納付することとなるものとみなす。(措令39の18⑧)

(一)	その内国法人が当該外国関係会社の当該課税対象年度の課税対象金額に相当する金額、当該部分課税対象年度の部分課税対象金額に相当する金額又は当該金融子会社等部分課税対象年度の金融子会社等部分対象金額に相当する金額につき第一節三十二款の一の1《内国法人に係る外国関係会社の課税対象金額の益金算入》、同一の6の①《内国法人に係る部分対象外国関係会社の部分課税対象金額の益金算入》又は同一の7《内国法人に係る部分対象外国関係会社の金融子会社等部分課税対象金額の益金算入》の適用を受ける事業年度終了の日以前に当該課税対象年度、部分課税対象年度又は金融子会社等部分課税対象年度の所得に対して課された外国法人税	その適用を受ける事業年度
(二)	その内国法人が当該外国関係会社の当該課税対象年度の課税対象金額に相当する金額、当該部分課税対象年度の部分課税対象金額に相当する金額又は当該金融子会社等部分課税対象年度の金融子会社等部分対象金額に相当する金額につき第一節三十二款の一の1、同一の6の①又は同一の7の適用を受ける事業年度終了の日後に当該課税対象年度、部分課税対象年度又は金融子会社等部分課税対象年度の所得に対して課された外国法人税	その課された日の属する事業年度

(法人税額から控除する外国関係会社の外国法人税額の益金算入)

(10) 3の表の(一)から(四)までに掲げる内国法人が、第一節第三十二款の一の1の適用に係る外国関係会社の課税対象金額に相当する金額につき同1の適用を受ける場合、同一の6の①の適用に係る外国関係会社の部分課税対象金額に相当する金額につき同6の適用を受ける場合又は同一の7の適用に係る外国関係会社の金融子会社等部分課税対象金額に相当する金額につき同7の適用を受ける場合において、3により1の①《外国法人税を納付することとなる場合の外国税額控除》及び4《控除限度超過額の繰越控除と控除余裕額の繰越使用》又は7の③《過去適用事業年度における税額控除額が過去当初申告税額控除額を超える場合》(7の④の(1)《通算法人が合併により解散した場合等の準用》又は同④の(2)《通算法人が公益法人等に該当することとなった場合の準用》において準用する場合を含む。)の外国税額の控除の適用を受けるときは、3により控除対象外国法人税の額とみなされた金額は、当該内国法人の事業年度(外国関係会社の所得に対して課された外国法人税の額が(9)の表の(一)又は(二)のいずれに該当するかに応じ、それぞれ同表の(一)又は(二)に掲げる事業年度をいう。)の所得の金額の計算上、益金の額に算入する。(措法66の7②、措令39の18⑮)

（2以上の外国法人税が課された場合等の特例）
(11)　外国関係会社につきその課税対象年度、部分課税対象年度又は金融子会社等部分課税対象年度の所得に対して2以上の外国法人税が課され、又は2回以上にわたって外国法人税が課された場合には、当該外国関係会社の当該課税対象年度の課税対象金額に相当する金額、当該部分課税対象年度の部分課税対象金額に相当する金額又は当該金融子会社等部分課税対象年度の金融子会社等部分課税対象金額に相当する金額につき第一節第三十二款の一の**1**、同一の**6**の①又は同一の**7**の適用を受ける内国法人は、その適用を受ける課税対象金額、部分課税対象金額又は金融子会社等部分課税対象金額に係るそれぞれの外国法人税の額につき、**3**の適用を受け、又は受けないことを選択することができる。（措令39の18⑨）

（益金の額に算入された課税対象金額がある場合の国外所得金額の計算）
(12)　**3**の表の（一）から（四）までに掲げる内国法人の各事業年度の所得の金額の計算上第一節第三十二款の一の**1**又は同一の**6**の①若しくは同一の**7**により益金の額に算入された金額（以下(12)において「益金算入額」という。）がある場合には、当該益金算入額は、当該内国法人の当該各事業年度に係る**1**の⑩《控除限度額の計算》に掲げる控除限度額の計算については、同⑩の（2）《当該事業年度の調整国外所得金額の計算》の本文に掲げる調整国外所得金額（当該内国法人が通算法人である場合には、**7**の①の（3）《調整前国外所得金額の意義》に掲げる加算前国外所得金額）に含まれるものとする。
　　ただし、その所得に対して**1**の③《外国法人税の範囲》に掲げる外国法人税（以下(12)において「外国法人税」という。）を課さない国又は地域に本店又は主たる事務所を有する外国関係会社に係る益金算入額（当該外国関係会社の本店所在地国以外の国又は地域において、当該益金算入額の計算の基礎となった当該外国関係会社の所得に対して課される外国法人税の額がある場合の当該外国関係会社の所得に係る益金算入額を除く。）については、この限りでない。（措令39の18⑫）

（納付するものとみなす外国関係会社に係る外国法人税額がある場合の国外所得金額の計算）
(13)　（9）の表の（一）又は（二）に掲げる外国法人税の額のうち**3**により外国関係会社に係る内国法人が納付する控除対象外国法人税の額とみなされる金額は、その内国法人の同表の（一）又は（二）に掲げる事業年度に係る**1**の⑩《控除限度額の計算》に掲げる控除限度額の計算については、同⑩の（2）《当該事業年度の調整国外所得金額の計算》の本文に掲げる調整国外所得金額（当該内国法人が通算法人である場合には、**7**の①の（3）に掲げる加算前国外所得金額）に含まれるものとする。（措令39の18⑬）

(参考) 我が国の外国税額控除制度は、外国法人税額の納付の態様等から次の図のようになっている。(編者)

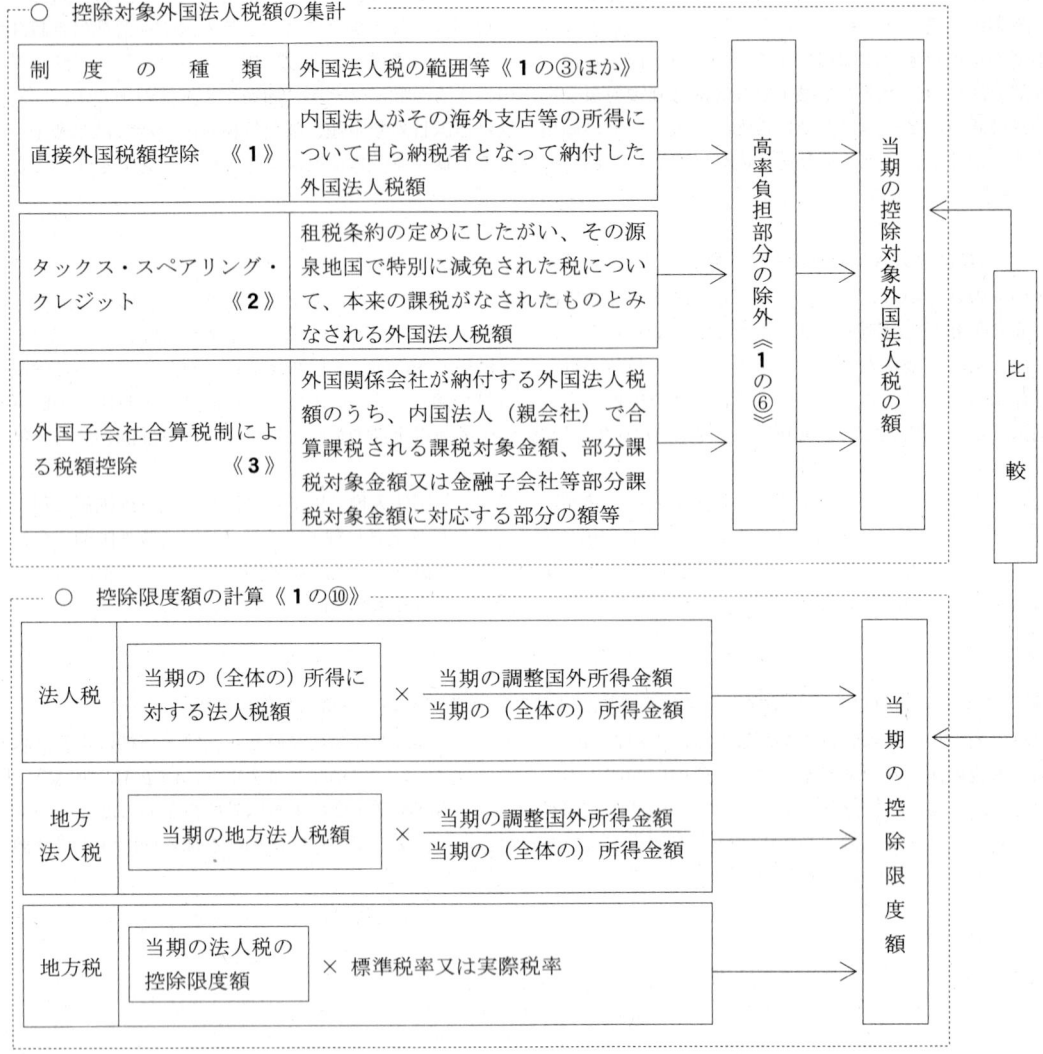

4　控除限度超過額の繰越控除と控除余裕額の繰越使用

①　控除限度超過額が生じた場合の繰越控除限度額による外国税額の控除

　内国法人が各事業年度において納付することとなる控除対象外国法人税の額（1の①《外国法人税を納付することとなる場合の外国税額控除》に掲げる控除対象外国法人税の額をいう。以下4において同じ。）が当該事業年度の1の⑩に掲げる控除限度額、第六章第四節の二の1《外国税額の控除》に掲げる地方法人税控除限度額（以下①において「地方法人税の控除限度額」という。）及び**地方税控除限度額**（地方税法施行令第9条の7第6項《外国の法人税等の額の控除》の規定による限度額と同令第48条の13第7項《外国の法人税等の額の控除》の規定による限度額との合計額〔同令第57条の2《法人の市町村民税に関する規定の都への準用等》の規定の適用がある場合には、同条において準用する同令第48条の13第7項の規定による限度額〕をいう。以下①において同じ。）の合計額を超える場合において、**前3年内事業年度**（当該事業年度開始の日前3年以内に開始した各事業年度をいう。以下二において同じ。）の控除限度額のうち当該事業年度に繰り越される部分として（1）に掲げる金額（以下4及び6において「**繰越控除限度額**」という。）があるときは、その繰越控除限度額を限度として、その超える部分の金額《**控除限度超過額**》を当該事業年度の所得に対する法人税の額から控除する。（法69②、令143）

　　注1　適格組織再編成を行った場合における①については、③を参照。（編者）
　　注2　繰越控除限度額による外国税額の控除は、各事業年度において外国税額の控除を適用する場合に、当該事業年度において納付することとなる控除対象外国法人税の額が当該事業年度の控除限度額に満たないときは、その満たない金額を控除余裕額として3年間繰り越すことを認め、その納付した事業年度後の事業年度において控除対象外国法人税の額に控除限度超過額が生じたときにその繰り越された控除余裕額《繰越控除限度額》の範囲内で法人税の額から控除することができることとしたものである。（編者）

（繰越控除限度額の計算）
（1）　①に掲げる繰越控除限度額は、内国法人の前3年内事業年度の**国税の控除余裕額**又は**地方税の控除余裕額**を、最も古い事業年度のものから順次に、かつ、同一事業年度のものについては国税の控除余裕額及び地方税の控除余裕額の順に、当該事業年度の控除限度超過額に充てるものとした場合に当該控除限度超過額に充てられることとなる当該国税の控除余裕額の合計額に相当する金額とする。（令144①）

　　注　繰越控除限度額による外国法人税額の控除の概要は、次のとおりである。
　　　　図の場合、当期の控除対象外国法人税の額に相当する金額が、当期の外国税額控除の金額となる。（編者）

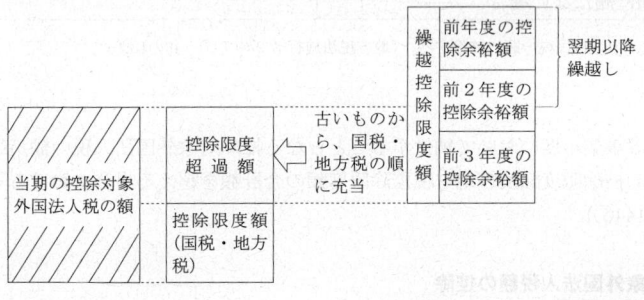

（控除対象外国法人税の額につき損金算入を選択した場合の控除余裕額の繰越しの打切り）
（2）　内国法人が前3年内事業年度のうちいずれかの事業年度において納付することとなった控除対象外国法人税の額をその納付することとなった事業年度の所得の金額の計算上損金の額に算入した場合には、当該内国法人の当該事業年度以前の各事業年度の国税の控除余裕額及び地方税の控除余裕額は、（1）に掲げる国税の控除余裕額及び地方税の控除余裕額に含まれないものとして、（1）を適用する。（令144②）

　　注　控除余裕額は、控除対象外国法人税の額につき外国税額の控除の適用を継続する間は繰越しが認められるが、途中で控除対象外国法人税の額につき損金算入を選択したときは、以後その繰越しは認められない。（編者）

（通算法人における控除対象外国法人税額の計算）
（3）　通算法人（通算法人であった内国法人を含む。以下（3）において同じ。）の前3年内事業年度のうちいずれかの事業年度（当該通算法人に係る通算親法人の事業年度終了の日に終了するものに限る。）終了の日において当該通算法人との間に通算完全支配関係がある他の通算法人が、当該終了の日に終了する事業年度において納付することとなった控除対象外国法人税の額をその納付することとなった事業年度の所得の金額の計算上損金の額に算入した場合には、

当該事業年度終了の日に終了する当該通算法人の事業年度以前の各事業年度の国税の控除余裕額及び地方税の控除余裕額は、（１）に掲げる国税の控除余裕額及び地方税の控除余裕額に含まれないものとして、（１）を適用する。（令144③）

　　　（控除余裕額の繰越しの計算）
（４）　内国法人の①に掲げる繰越控除限度額による外国税額の控除の適用を受けることができる事業年度後の各事業年度に係る（１）及び②の（１）《繰越控除対象外国法人税額の計算》の適用については、（１）により当該内国法人の当該適用を受けることができる事業年度の控除限度超過額に充てられることとなる国税の控除余裕額及び地方税の控除余裕額並びにこれらの金額の合計額に相当する金額の当該控除限度超過額は、ないものとみなす。（令144④）
　　　　注　当該事業年度において繰越控除限度額による外国税額の控除の適用を受けることができる金額の全部又は一部につきその適用を受けなかった場合でも、その適用を受けることができた金額を翌事業年度以後に繰り越すことはできない。（編者）

　　　（国税の控除余裕額の意義）
（５）　国税の控除余裕額とは、内国法人が各事業年度において納付することとなる控除対象外国法人税の額が当該事業年度の法人税の控除限度額に満たない場合における当該法人税の控除限度額から当該控除対象外国法人税の額を控除した金額に相当する金額をいう。（令144⑤）
　　　　注　国税の控除余裕額が生じた事業年度においては、地方税の控除限度額の全額が地方税の控除余裕額として残ることになる。（編者）

　　　（地方税の控除余裕額の意義）
（６）　地方税の控除余裕額とは、次の表の左欄に掲げる場合の区分に応じそれぞれ右欄に掲げる金額をいう。（令144⑥）

（一）	内国法人が各事業年度において納付することとなる控除対象外国法人税の額が当該事業年度の法人税の控除限度額及び地方法人税の控除限度額の合計額を超えない場合	当該事業年度の地方税控除限度額に相当する金額
（二）	内国法人が各事業年度において納付することとなる控除対象外国法人税の額が当該事業年度の法人税の控除限度額及び地方法人税の控除限度額の合計額を超え、かつ、その超える部分の金額が当該事業年度の地方税の控除限度額に満たない場合	当該地方税控除限度額から当該超える部分の金額を控除した金額に相当する金額

　　　　注　外国税額の控除は、法人税、道府県民税、市町村民税の順に控除する。（地方税法施行令９の７⑦、48の13⑧）

　　　（控除限度超過額の意義）
（７）　控除限度超過額とは、内国法人が各事業年度において納付することとなる控除対象外国法人税の額が当該事業年度の法人税の控除限度額、地方法人税の控除限度額及び地方税控除限度額の合計額を超える場合におけるその超える部分の金額に相当する金額をいう。（令144⑦）

② **控除余裕額が生じた場合の繰越控除対象外国法人税額の控除**
　内国法人が各事業年度において納付することとなる控除対象外国法人税の額が当該事業年度の控除限度額に満たない場合において、その前３年内事業年度において納付することとなった控除対象外国法人税の額のうち当該事業年度に繰り越される部分として（１）に掲げる金額（以下②及び**6**において「**繰越控除対象外国法人税額**」という。）があるときは、当該控除限度額から当該事業年度において納付することとなる控除対象外国法人税の額を控除した残額を限度として、その繰越控除対象外国法人税額を当該事業年度の所得に対する法人税の額から控除する。（法69③）
　　　注　繰越控除対象外国法人税額の控除は、各事業年度において納付することとなる控除対象外国法人税の額が当該事業年度の国税及び地方税の控除限度額並びに前３年以内の繰越控除限度額により控除しきれなかった場合に、その控除しきれなかった部分の金額を繰越控除対象外国法人税額として３年間繰り越し、その間に控除余裕額が生じた事業年度において控除できることとしたものである。（編者）

　　　（繰越控除対象外国法人税額の計算）
（１）　②に掲げる繰越控除対象外国法人税額は、内国法人の前３年内事業年度の**控除限度超過額**（①の（７）に掲げる控除限度超過額をいう。以下②において同じ。）を、最も古い事業年度のものから順次、当該事業年度の国税の控除余裕額（①の（５）に掲げる国税の控除余裕額をいう。以下②において同じ。）に充てるものとした場合に当該国税の控除余裕額に充てられることとなる当該控除限度超過額の合計額に相当する金額とする。（令145①）
　　　注　繰越控除対象外国法人税額の控除の概要は、次のとおりである。

図の場合、控除限度額に相当する金額が、当期の外国税額控除の金額となる。（編者）

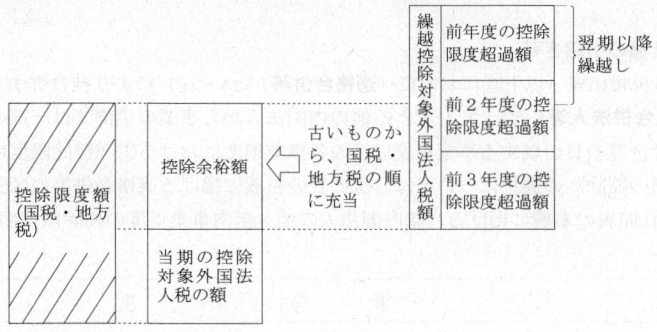

（控除対象外国法人税の額につき損金算入を選択した場合の控除限度超過額の繰越しの打切り）
（２）　内国法人が前３年内事業年度のうちいずれかの事業年度において納付することとなった控除対象外国法人税の額をその納付することとなった事業年度の所得の金額の計算上損金の額に算入した場合には、当該内国法人の当該事業年度以前の各事業年度の控除限度超過額は、（１）に掲げる控除限度超過額に含まれないものとして、（１）を適用する。（令145②、144②）
　　注　①の(2)《控除対象外国法人税の額につき損金算入を選択した場合の控除余裕額の繰越しの打切り》と同様に、途中で控除対象外国法人税の額につき損金算入を選択したときは、以後控除限度超過額の繰越しは認められない。（編者）

（通算法人における控除対象外国法人税額の計算）
（３）　通算法人（通算法人であった内国法人を含む。以下（３）において同じ。）の前３年内事業年度のうちいずれかの事業年度（当該通算法人に係る通算親法人の事業年度終了の日に終了するものに限る。）終了の日において当該通算法人との間に通算完全支配関係がある他の通算法人が、当該終了の日に終了する事業年度において納付することとなった控除対象外国法人税の額をその納付することとなった事業年度の所得の金額の計算上損金の額に算入した場合には、当該事業年度終了の日に終了する当該通算法人の事業年度以前の各事業年度の控除限度超過額は、（１）に掲げる控除限度超過額に含まれないものとして、（１）を適用する。（令145②、令144③）

（控除限度超過額の繰越しの計算）
（４）　内国法人の②に掲げる繰越控除対象外国法人税額の控除の適用を受けることができる事業年度後の各事業年度に係る（１）及び①の（１）《繰越控除限度額の計算》の適用については、（１）により当該内国法人の当該適用を受けることができる事業年度の国税の控除余裕額に充てられることとなる控除限度超過額及びこれに相当する金額の当該国税の控除余裕額は、ないものとみなす。（令145③）
　　注　当該事業年度において繰越控除対象外国法人税額（又は繰越外国法人税額）として控除の適用を受けることができる金額の全部又は一部につきその適用を受けなかった場合でも、その適用を受けることができた金額は翌事業年度以後に繰り越すことはできない。（編者）

（地方税における繰越控除対象外国法人税額等の控除の適用を受けた後の事業年度の控除余裕額の繰越計算）
（５）　内国法人の地方税法施行令第９条の７第２項《外国の法人税等の控除》の規定の適用を受けることができる事業年度（同令第48条の13第２項《外国の法人税等の控除》の適用をも受けることができる事業年度を除く。）又は同令第48条の13第２項（同令第57条の２《法人の市町村民税に関する規定の都への準用等》において準用する場合を含む。以下（５）において同じ。）の規定の適用を受けることができる事業年度後の各事業年度に係る（１）及び①の（１）の適用については、それぞれ、当該内国法人が同令第９条の７第２項又は同令第48条の13第２項の規定により当該適用を受けることができる事業年度において課された外国の法人税等の額とみなされる金額（当該適用を受けることができる事業年度の①の（５）に掲げる法人税の控除限度額と地方法人税の控除限度額との合計額から当該適用を受けることができる事業年度の控除対象外国法人税の額を控除した残額に相当する金額を除く。）に相当する控除限度超過額及びこれに相当する金額の当該適用を受けることができる事業年度の①の（６）に掲げる地方税の控除余裕額は、ないものとみなす。（令145④）

③ **適格合併等による繰越控除限度額及び繰越控除対象外国法人税額の引継ぎ**《適格合併・適格分割・適格現物出資》

イ 適格合併等が行われた場合の控除限度額の引継ぎ等

　内国法人が適格合併、適格分割又は適格現物出資（以下③において「**適格合併等**」という。）により被合併法人、分割法人又は現物出資法人（以下③において「**被合併法人等**」という。）である他の内国法人から事業の全部又は一部の移転を受けた場合には、当該内国法人の当該適格合併等の日の属する事業年度以後の各事業年度における①《控除限度超過額が生じた場合の繰越控除限度額による外国税額の控除》の適用については、次の表の左欄に掲げる適格合併等の区分に応じそれぞれ同表の中欄に掲げる金額は、それぞれ同表の右欄に掲げる当該内国法人の前3年内事業年度の控除限度額とみなす。（法69⑨）

区分	控除限度額の金額	事　業　年　度
（イ）適格合併	当該適格合併に係る被合併法人の**合併前3年内事業年度**（適格合併の日前3年以内に開始した各事業年度をいう。以下③において同じ。）の控除限度額	イの適用がある場合の当該内国法人の適格合併の日の属する事業年度以後の各事業年度における①の適用については、当該適格合併に係る被合併法人である他の内国法人の合併前3年内事業年度（当該被合併法人が当該合併前3年内事業年度のうちいずれかの事業年度において納付することとなった控除対象外国法人税の額をその納付することとなった事業年度の所得の金額の計算上損金の額に算入した場合には当該事業年度以前の各事業年度を、当該合併前3年内事業年度のうちいずれかの事業年度〔当該被合併法人に係る通算親法人の事業年度終了の日に終了するものに限る。〕終了の日において当該被合併法人との間に通算完全支配関係がある他の通算法人が当該終了の日に終了する事業年度において納付することとなった控除対象外国法人税の額をその納付することとなった事業年度の所得の金額の計算上損金の額に算入した場合には当該事業年度終了の日に終了する当該被合併法人の事業年度以前の各事業年度を除くものとする。以下③において同じ。）の控除限度額（当該被合併法人の合併前3年内事業年度において1の①、⑪及び⑫による控除をされるべき控除対象外国法人税の額に相当する部分の金額を除く。）は、当該被合併法人の次の表の左欄に掲げる合併前3年内事業年度の区分に応じ、当該内国法人のそれぞれ同表の右欄に掲げる事業年度の控除限度額とみなす。（令146①）
		A　適格合併に係る被合併法人の合併前3年内事業年度（Bに掲げる合併前3年内事業年度を除く。） ／ 当該被合併法人の合併前3年内事業年度開始の日の属する当該内国法人の各事業年度
		B　適格合併に係る被合併法人の合併前3年内事業年度のうち当該内国法人の当該適格合併の日の属する事業年度（Bにおいて「合併事業年度」という。）開始の日以後に開始したもの ／ 当該内国法人の合併事業年度開始の日の前日の属する事業年度
（ロ）適格分割等	適格分割又は適格現物出資（以下③において「**適格分割等**」という。）に係る分割法人又は現物出資法人（以下③において「**分割法人等**」という。）の**分割等前3年内事業年度**（適格分割等の日の属する事業年度開始の日前3年以内に開始した各事業年度をいう。以下③において同じ。）の控除限度額のうち、当該適	イの適用がある場合の当該内国法人の適格分割等の日の属する事業年度以後の各事業年度における①の適用については、当該適格分割等に係る分割法人等である他の内国法人の分割等前3年内事業年度（当該分割法人等が当該分割等前3年内事業年度のうちいずれかの事業年度において納付することとなった控除対象外国法人税の額を当該事業年度の所得の金額の計算上損金の額に算入した場合にはその納付することとなった事業年度以前の各事業年度を、当該分割等前3年内事業年度のうちいずれかの事業年度〔当該分割法人等に係る通算親法人の事業年度終了の日に終了するものに限る。〕終了の日において当該分割法人等との

	格分割等により当該内国法人が移転を受けた事業に係る部分の金額として(1)に掲げる金額	間に通算完全支配関係がある他の通算法人が当該終了の日に終了する事業年度において納付することとなった控除対象外国法人税の額をその納付することとなった事業年度の所得の金額の計算上損金の額に算入した場合には当該事業年度終了の日に終了する当該分割法人等の事業年度以前の各事業年度を除くものとする。以下③において同じ。)の控除限度額のうち、(ロ)の中欄に掲げる金額は、当該分割法人等の次の表の左欄に掲げる分割等前3年内事業年度の区分に応じ、当該内国法人のそれぞれ同表の右欄に掲げる事業年度の控除限度額とみなす。(令146②)	
		A	適格分割等に係る分割法人等の分割等前3年内事業年度(Bに掲げる場合に該当するときの分割等前3年内事業年度及びCに掲げる分割等前3年内事業年度を除く。)	当該分割法人等の分割等前3年内事業年度開始の日の属する当該内国法人の各事業年度
		B	適格分割等に係る分割法人等の当該適格分割等の日の属する事業年度開始の日が当該内国法人の当該適格分割等の日の属する事業年度開始の日前である場合の当該分割法人等の分割等前3年内事業年度	当該分割法人等の分割等前3年内事業年度終了の日の属する当該内国法人の各事業年度
		C	適格分割等に係る分割法人等の分割等前3年内事業年度のうち当該内国法人の当該適格分割等の日の属する事業年度(Cにおいて「分割承継等事業年度」という。)開始の日以後に開始したもの	当該内国法人の分割承継等事業年度開始の日の前日の属する事業年度

(適格分割等により内国法人が引継ぎを受けた事業に係る部分の金額)
（１）　**イ**の表の(ロ)の中欄に掲げる分割法人等の分割等前3年内事業年度の控除限度額のうち、当該適格分割等により当該内国法人が移転を受けた事業に係る部分の金額は、適格分割等に係る分割法人等である他の内国法人の分割等前3年内事業年度の控除限度額（当該分割等前3年内事業年度において1の①《外国法人税を納付することとなる場合の外国税額控除》、①《控除限度超過額が生じた場合の繰越控除限度額による外国税額の控除》及び②《控除余裕額が生じた場合の繰越控除対象外国法人税額の控除》による控除をされるべき控除対象外国法人税の額に相当する部分の金額を除く。)に当該分割等前3年内事業年度における次の表の(一)に掲げる金額のうちに同表の(二)に掲げる金額の占める割合をそれぞれ乗じて計算した金額とする。(令146⑥Ⅰ)

(一)	当該分割法人等の1の⑩《控除限度額の計算》に掲げる調整国外所得金額(当該分割法人等が通算法人である場合には、7の①の(1)《調整前控除限度額の意義》の表の(三)に掲げる調整国外所得金額)
(二)	(一)に掲げる金額のうち当該分割法人等から移転を受ける事業に係る部分の金額

(合併法人等に該当事業年度がない場合の特例)
（２）　**イ**の内国法人の適格合併等の日の属する事業年度開始の日前3年以内に開始した各事業年度のうち最も古い事業年度開始の日（以下(2)において「**内国法人3年前事業年度開始日**」という。)が当該適格合併等に係る被合併法人等である他の内国法人の合併前3年内事業年度又は分割等前3年内事業年度（以下(2)において「被合併法人等前3年内事業年度」という。)のうち最も古い事業年度開始の日（2以上の被合併法人等が行う適格合併等にあっては、当該

開始の日が最も早い被合併法人等の当該事業年度開始の日。以下(2)において「**被合併法人等3年前事業年度開始日**」という。)後である場合には、当該被合併法人等3年前事業年度開始日から当該内国法人3年前事業年度開始日(当該適格合併等が当該内国法人を設立するものである場合にあっては、当該内国法人の当該適格合併等の日の属する事業年度開始の日。以下(2)において同じ。)の前日までの期間を当該期間に対応する当該被合併法人等3年前事業年度開始日に係る被合併法人等である他の内国法人の被合併法人等前3年内事業年度ごとに区分したそれぞれの期間(当該前日の属する期間にあっては、当該被合併法人等の当該前日の属する事業年度開始の日から当該内国法人3年前事業年度開始日の前日までの期間)は、当該内国法人のそれぞれの事業年度とみなして、**イ**を適用する。(令146⑤)

(適格合併等により控除限度額とみなされた金額がある場合の国税の控除余裕額)
(3)　内国法人が適格合併等により被合併法人等である他の内国法人から事業の全部又は一部の移転を受けた場合において、**イ**の表の(イ)又は(ロ)により当該内国法人の同表の(イ)又は(ロ)の右欄に掲げる表に掲げる事業年度((2)の適用がある場合には、(2)により当該内国法人の事業年度とみなされた期間。以下(3)において同じ。)の控除限度額とみなされた金額があるときは、当該金額は、当該内国法人のこれらの表に掲げる事業年度の国税の控除余裕額(①の(5)《国税の控除余裕額の意義》に掲げる国税の控除余裕額をいう。以下③において同じ。)として、①の(1)《繰越控除限度額の計算》から①の(4)《控除余裕額の繰越しの計算》までを適用する。(令146⑦)

(適格合併等により控除限度額とみなされた金額がある場合の地方税の控除余裕額)
(4)　内国法人が適格合併等により被合併法人等である他の内国法人から事業の全部又は一部の移転を受けた場合において、地方税法施行令第9条の7第8項《外国の法人税等の額の控除》の規定により当該内国法人の同条第9項各号若しくは第10項各号に定める事業年度(同条第13項の規定の適用がある場合には、同項の規定により当該内国法人の事業年度とみなされた期間。以下(4)において同じ。)の道府県民税の控除余裕額とみなされた金額又は同令第48条の13第9項《外国の法人税等の額の控除》(同令第57条の2《法人の市町村民税に関する規定の都への準用等》において準用する場合を含む。)の規定により当該内国法人の同令第48条の13第10項各号若しくは第11項各号(これらの規定を同令第57条の2において準用する場合を含む。以下(4)において同じ。)に定める事業年度(同令第48条の13第14項〔同令第57条の2において準用する場合を含む。〕の規定の適用がある場合には、同項の規定により当該内国法人の事業年度とみなされた期間。以下(4)において同じ。)の市町村民税の控除余裕額若しくは都民税の控除余裕額とみなされた金額があるときは、これらの金額は、当該内国法人の同令第9条の7第9項各号若しくは第10項各号に定める事業年度又は同令第48条の13第10項各号若しくは第11項各号に定める事業年度の地方税の控除余裕額(①の(6)《地方税の控除余裕額の意義》に掲げる地方税の控除余裕額をいう。以下③において同じ。)として、①の(1)《繰越控除限度額の計算》から①の(4)《控除余裕額の繰越しの計算》までを適用する。(令146⑧)

(適格分割等が行われた場合の特例の適用に関する届出)
(5)　**イ**は、適格分割等により当該適格分割等に係る分割法人等である他の内国法人から事業の移転を受けた内国法人にあっては、当該内国法人が当該適格分割等の日以後3か月以内に次の表に掲げる事項を記載した書類を納税地の所轄税務署長に提出した場合に限り、適用する。(法69⑩、規29の3)

(一)	**イ**の適用を受けようとする内国法人の名称、納税地及び法人番号(行政手続における特定の個人を識別するための番号の利用等に関する法律第2条第15項に規定する法人番号をいう。以下**ニ**において同じ。)並びに代表者の氏名
(二)	適格分割等に係る分割法人等の名称及び納税地又は本店若しくは主たる事務所の所在地並びに代表者の氏名
(三)	適格分割等の日
(四)	**イ**(イの表の(ロ)に係る部分に限る。)により当該内国法人の同表の(ロ)の右欄の表に掲げる事業年度の控除限度額とみなされる金額及びその金額の計算に関する明細
(五)	その他参考となるべき事項

ロ　適格合併等が行われた場合の控除対象外国法人税の額の引継ぎ等

内国法人が適格合併等により被合併法人等である他の内国法人から事業の全部又は一部の移転を受けた場合には、当該内国法人の当該適格合併等の日の属する事業年度以後の各事業年度における②《控除余裕額が生じた場合の繰越控除対象外国法人税額の控除》の適用については、次の表の左欄に掲げる適格合併等の区分に応じそれぞれ同表の中欄に掲げる金

額は、それぞれ同表の右欄に掲げる当該内国法人が当該前3年内事業年度において納付することとなった控除対象外国法人税の額とみなす。（法69⑨）

	区分	控除対象外国法人税の額	事業年度		
（イ）	適格合併	当該適格合併に係る被合併法人の合併前3年内事業年度の控除対象外国法人税の額	ロの適用がある場合の当該内国法人の適格合併の日の属する事業年度以後の各事業年度における②の適用については、当該適格合併に係る被合併法人である他の内国法人の合併前3年内事業年度において納付することとなった控除対象外国法人税の額（当該被合併法人の合併前3年内事業年度において、1の①、①及び②又は第六章第四節の二《外国税額の控除》による控除をされるべき金額並びに地方税法第53条第38項《法人の道府県民税の申告納付》又は第321条の8第38項《法人の市町村民税の申告納付》〔同法第734条第3項《都における普通税の特例》において準用する場合を含む。以下ロにおいて同じ。〕の規定による控除をされるべき金額を除く。）は、当該被合併法人の次の表の左欄に掲げる合併前3年内事業年度の区分に応じ、当該内国法人のそれぞれ同表の右欄に掲げる事業年度において納付することとなった控除対象外国法人税の額とみなす。（令146③）		
			A	適格合併に係る被合併法人の合併前3年内事業年度（Bに掲げる合併前3年内事業年度を除く。）	当該被合併法人の合併前3年内事業年度開始の日の属する当該内国法人の各事業年度
			B	適格合併に係る被合併法人の合併前3年内事業年度のうち当該内国法人の当該適格合併の日の属する事業年度（Bにおいて「合併事業年度」という。）開始の日以後に開始したもの	当該内国法人の合併事業年度開始の日の前日の属する事業年度
（ロ）	適格分割等	当該適格分割等に係る分割法人等の分割等前3年内事業年度の控除対象外国法人税の額のうち、当該適格分割等により当該内国法人が移転を受けた事業に係る部分の金額として（1）に掲げる金額	ロの適用がある場合の当該内国法人の適格分割等の日の属する事業年度以後の各事業年度における②の適用については、当該適格分割等に係る分割法人等である他の内国法人の分割等前3年内事業年度において納付することとなった控除対象外国法人税の額のうち、（ロ）の中欄に掲げる金額は、当該分割法人等の次の表の左欄に掲げる分割等前3年内事業年度の区分に応じ、当該内国法人のそれぞれ同表の右欄に掲げる事業年度において納付することとなった控除対象外国法人税の額とみなす。（令146④）		
			A	適格分割等に係る分割法人等の分割等前3年内事業年度（Bに掲げる場合に該当するときの分割等前3年内事業年度及びCに掲げる分割等前3年内事業年度を除く。）	当該分割法人等の分割等前3年内事業年度開始の日の属する当該内国法人の各事業年度
			B	適格分割等に係る分割法人等の当該適格分割等の日の属する事業年度開始の日が当該内国法人の当該適格分割等の日の属する事業年度開始の日前である場合の当該分割法人等	当該分割法人等の分割等前3年内事業年度終了の日の属する当該内国法人の各事業年度

			の分割等前3年内事業年度	
		C	適格分割等に係る分割法人等の分割等前3年内事業年度のうち当該内国法人の当該適格分割等の日の属する事業年度（Cにおいて「分割承継等事業年度」という。）開始の日以後に開始したもの	当該内国法人の分割承継等事業年度開始の日の前日の属する事業年度

（適格分割等により内国法人が引継ぎを受けた事業に係る部分の金額）
（１）　■の表の(ロ)の中欄に掲げる控除対象外国法人税の額のうち、当該適格分割等により当該内国法人が移転を受けた事業に係る部分の金額は、適格分割等に係る分割法人等である他の内国法人の分割等前3年内事業年度において納付することとなった控除対象外国法人税の額（以下（１）において「分割等前3年内納付控除対象外国法人税額」という。）のうち当該分割法人等から移転を受ける事業に係る所得に基因して当該分割法人等が納付することとなった金額に相当する金額に当該分割等前3年内事業年度における次の表の(一)に掲げる金額のうちに同表の(二)に掲げる金額の占める割合をそれぞれ乗じて計算した金額とする。（令146⑥Ⅱ）

(一)	当該分割法人等の当該分割等前3年内納付控除対象外国法人税額
(二)	(一)に掲げる金額から、当該金額のうち当該分割法人等の当該分割等前3年内事業年度において1の①、①及び②又は第六章第四節の二による控除をされるべき金額並びに地方税法第53条第38項又は第321条の8第38項の規定による控除をされるべき金額を控除した金額

（合併法人等に該当事業年度がない場合の特例）
（２）　■の内国法人の適格合併等の日の属する事業年度開始の日前3年以内に開始した各事業年度のうち最も古い事業年度開始の日（以下（２）において「内国法人3年前事業年度開始日」という。）が当該適格合併等に係る被合併法人等である他の内国法人の合併前3年内事業年度又は分割等前3年内事業年度（以下（２）において「被合併法人等前3年内事業年度」という。）のうち最も古い事業年度開始の日（2以上の被合併法人等が行う適格合併等にあっては、当該開始の日が最も早い被合併法人等の当該事業年度開始の日。以下（２）において「被合併法人等3年前事業年度開始日」という。）後である場合には、当該被合併法人等3年前事業年度開始日から当該内国法人3年前事業年度開始日（当該適格合併等が当該内国法人を設立するものである場合にあっては、当該内国法人の当該適格合併等の日の属する事業年度開始の日。以下（２）において同じ。）の前日までの期間を当該期間に対応する当該被合併法人等3年前事業年度開始日に係る被合併法人等である他の内国法人の被合併法人等前3年内事業年度ごとに区分したそれぞれの期間（当該前日の属する期間にあっては、当該被合併法人等の当該前日の属する事業年度開始の日から当該内国法人3年前事業年度開始日の前日までの期間）は、当該内国法人のそれぞれの事業年度とみなして、■を適用する。（令146⑤）

（適格合併等により控除対象外国法人税の額とみなされた金額がある場合の控除限度超過額）
（３）　内国法人が適格合併等により被合併法人等である他の内国法人から事業の全部又は一部の移転を受けた場合において、■の表の(イ)又は(ロ)により当該内国法人の同表の(イ)又は(ロ)の右欄の表に掲げる事業年度（（２）の適用がある場合には、（２）により当該内国法人の事業年度とみなされた期間。以下（３）において同じ。）において納付することとなった控除対象外国法人税の額とみなされた金額があるときは、当該金額は、当該内国法人のこれらの表に掲げる事業年度の控除限度超過額（①の(7)《控除限度超過額の意義》に掲げる控除限度超過額をいう。以下③において同じ。）として、②の(1)《繰越控除対象外国法人税額の計算》から(5)《地方税における繰越控除対象外国法人税額等の控除の適用を受けた後の事業年度の控除余裕額の繰越計算》までを適用する。（令146⑨）

（適格分割等が行われた場合の特例の適用に関する届出）
（４）　■は、適格分割等により当該適格分割等に係る分割法人等である他の内国法人から事業の移転を受けた内国法人にあっては、当該内国法人が当該適格分割等の日以後3か月以内に次の表に掲げる事項を記載した書類を納税地の所轄税務署長に提出した場合に限り、適用する。（法69⑩、規29の3）

第三章　第二節　第二款　二《外国税額の控除》

（一）	ロの適用を受けようとする内国法人の名称、納税地及び法人番号並びに代表者の氏名
（二）	適格分割等に係る分割法人等の名称及び納税地又は本店若しくは主たる事務所の所在地並びに代表者の氏名
（三）	適格分割等の日
（四）	ロ（ロの表の(ロ)に係る部分に限る。）により当該内国法人が同表の(ロ)の右欄の表に掲げる事業年度において納付することとなった控除対象外国法人税の額とみなされる金額及びその金額の計算に関する明細
（五）	その他参考となるべき事項

ハ　適格分割等が行われた場合の分割法人等における控除限度額及び控除対象外国法人税の額の処理

　適格分割等に係る分割承継法人又は被現物出資法人（以下ハにおいて「分割承継法人等」という。）がイ《適格合併等が行われた場合の控除限度額の引継ぎ等》又はロ《適格合併等が行われた場合の控除対象外国法人税の額の引継ぎ等》の適用を受ける場合には、当該適格分割等に係る分割法人等の当該適格分割等の日の属する事業年度以後の各事業年度における①《控除限度超過額が生じた場合の繰越控除限度額による外国税額の控除》及び②《控除余裕額が生じた場合の繰越控除対象外国法人税額の控除》の適用については、当該分割法人等の分割等前3年内事業年度の控除限度額及び控除対象外国法人税の額のうち、イにより当該分割承継法人等の前3年内事業年度の控除限度額とみなされる金額及びロにより当該分割承継法人等が当該前3年内事業年度において納付することとなった控除対象外国法人税の額とみなされる金額は、ないものとする。（法69⑪）

　　　（適格分割等以後における分割法人等の控除余裕額の取扱い）
（1）　適格分割等に係る分割承継法人等においてイの(3)《適格合併等により控除限度額とみなされた金額がある場合の国税の控除余裕額》又はイの(4)《適格合併等により控除限度額とみなされた金額がある場合の地方税の控除余裕額》の適用がある場合には、当該適格分割等に係る分割法人等の当該適格分割等の日の属する事業年度以後の各事業年度における①の(1)《繰越控除限度額の計算》から①の(4)《控除余裕額の繰越しの計算》までの適用については次の表の(一)及び(二)に掲げる金額はないものとする。（令146⑩Ⅰ、Ⅱ）

（一）	当該分割法人等の分割等前3年内事業年度の国税の控除余裕額のうち、イの(3)により当該分割承継法人等の同(3)に掲げる事業年度の国税の控除余裕額とされる金額
（二）	当該分割法人等の分割等前3年内事業年度の地方税の控除余裕額のうち、イの(4)により当該分割承継法人等の同(4)に掲げる事業年度の地方税の控除余裕額とされる金額

　　　（適格分割等以後における分割法人等の限度超過額の取扱い）
（2）　適格分割等に係る分割承継法人等においてロの(3)《適格合併等により控除対象外国法人税の額とみなされた金額がある場合の控除限度超過額》の適用がある場合には、当該適格分割等に係る分割法人等の当該適格分割等の日の属する事業年度以後の各事業年度における②の(1)《繰越控除対象外国法人税額の計算》から②の(5)《地方税における繰越控除対象外国法人税額等の控除の適用を受けた後の事業年度の控除余裕額の繰越計算》までの適用については次に掲げる金額はないものとする。（令146⑩Ⅲ）

当該分割法人等の分割等前3年内事業年度の控除限度超過額のうち、ロの(3)により当該分割承継法人等の同(3)に掲げる事業年度の控除限度超過額とされる金額

　　　（通算法人における適格分割等が行われた場合の特例の適用に関する届出）
（3）　内国法人が適格分割等により分割法人等である他の内国法人から事業の移転を受けた場合において、当該適格分割等が当該適格分割等の日の属する当該分割法人等の事業年度開始の日から1か月以内に行われたものであるとき（当該事業年度の前事業年度が当該分割法人等に係る通算親法人の事業年度終了の日に終了するものであるときに限る。）は、イの(5)《適格分割等が行われた場合の特例の適用に関する届出》及びロの(4)《適格分割等が行われた場合の特例の適用に関する届出》中「以後3か月」とあるのは、「の属する当該分割法人等の事業年度開始の日以後4か月」として同(5)及び同(4)を適用する。（令146⑪）

5　外国法人税が増額又は減額された場合の調整

①　外国法人税額に増額等があった場合

　内国法人が外国法人税の額につき**1**の**①**《外国法人税を納付することとなる場合の外国税額控除》、**4**の**①**《控除限度超過額が生じた場合の繰越控除限度額による外国税額の控除》、**4**の**②**《控除余裕額が生じた場合の繰越控除対象外国法人税額の控除》、**4**の**③**の**イ**《適格合併等が行われた場合の控除限度額の引継ぎ等》及び**4**の**③**の**ロ**《適格合併等が行われた場合の控除対象外国法人税の額の引継ぎ等》の外国税額の控除の適用を受けた場合（適格合併等〔適格合併、適格分割又は適格現物出資をいう。以下**5**において同じ。〕により事業の全部又は一部の移転を受けている場合にあっては、当該適格合併等に係る被合併法人等〔被合併法人、分割法人又は現物出資法人をいう。以下**5**において同じ。〕が当該事業に係る所得に基因して納付した外国法人税の額につき**1**の**①**、**4**の**①**、**4**の**②**、**4**の**③**の**イ**及び**4**の**③**の**ロ**の適用を受けたものを含む。）において、その適用を受けた事業年度後の事業年度において、当該外国法人税の額の増額があり、かつ、**1**の**①**、**4**の**①**及び**4**の**②**の外国税額の控除の適用を受けるときは、当該外国法人税につき、その増額後の金額に基づいて控除対象外国法人税の額の再計算を行うものとし、増額した控除対象外国法人税の額は、当該外国法人税の額の増額のあった日の属する事業年度において新たに生じたものとして外国税額の控除を適用する。この場合において、次の表の左欄に掲げる場合にあっては、それぞれ同表の右欄による。（基通16－3－26）

(一)	増加することとなった控除対象外国法人税の額が増加した外国法人税の額以下である場合	増加することとなった控除対象外国法人税の額に相当する金額は、当該事業年度の所得の金額の計算上損金の額に算入しない。
(二)	増加することとなった控除対象外国法人税の額が増加した外国法人税の額を超える場合	増加することとなった控除対象外国法人税の額のうち、増加した外国法人税の額に相当する金額は当該事業年度の所得の金額の計算上損金の額に算入しないものとし、当該増加した外国法人税の額に相当する金額を超える部分の金額については、当該事業年度の所得の金額の計算上益金の額に算入する。

注1　外国法人税の額の減額があった場合において、当該外国法人税につき、減額された外国法人税の額を超えて控除対象外国法人税の額を減額することとなるときは、当該超える部分の控除対象外国法人税の額に相当する金額については、当該事業年度の所得の金額の計算上損金の額に算入する。

注2　通算法人の**7**の**③**《過去適用事業年度における税額控除額が過去当初申告税額控除額を超える場合》（**7**の**④**の**(2)**《通算法人が公益法人等に該当することとなった場合の準用》において準用する場合を含む。）の適用に係る本文の取扱いの適用に当たっては、「及び**4**の**③**の**ロ**《適格合併等が行われた場合の控除対象外国法人税の額の引継ぎ等》」とあるのは「、**4**の**③**の**ロ**及び**7**の**③**（**7**の**④**の**(2)**において準用する場合を含む。）」と読み替える。

②　外国法人税額が減額された場合

　内国法人が納付することとなった外国法人税の額につき**1**の**①**《外国法人税を納付することとなる場合の外国税額控除》、**4**の**①**《控除限度超過額が生じた場合の繰越控除限度額による外国税額の控除》及び**4**の**②**《控除余裕額が生じた場合の繰越控除対象外国法人税額の控除》又は**7**の**③**《過去適用事業年度における税額控除額が過去当初申告税額控除額を超える場合》（**7**の**④**の**(2)**《通算法人が公益法人等に該当することとなった場合の準用》において準用する場合を含む。）の外国税額の控除の適用を受けた事業年度（以下**②**において「適用事業年度」という。）開始の日後7年以内に開始する当該内国法人の各事業年度において当該外国法人税の額が減額された場合（当該内国法人が適格合併等により被合併法人等である他の内国法人から事業の全部又は一部の移転を受けた場合にあっては、当該被合併法人等が納付することとなった外国法人税の額のうち当該内国法人が移転を受けた事業に係る所得に基因して納付することとなった外国法人税の額に係る当該被合併法人等の適用事業年度開始の日後7年以内に開始する当該内国法人の各事業年度において当該外国法人税の額が減額された場合を含む。）におけるこれらの適用については、次の表に掲げるところによる。（法69⑫）

(一)	内国法人が納付することとなった外国法人税の額に係る当該内国法人の適用事業年度開始の日後7年以内に開始する当該内国法人の各事業年度において当該外国法人税の額が減額された場合（当該内国法人が**4**の**③**の**イ**に掲げる適格合併等〔以下**②**において「適格合併等」という。〕により同**③**の**イ**に掲げる被合併法人等〔以下**②**において「被合併法人等」という。〕である他の内国法人から事業の全部又は一部の移転を受けた場合にあっては、当該適格合併等に係る被合併法人等が納付することとなった外国法人税の額のうち当該内国法人が移転を受けた事業に係る所得に基因して納付することとなった外国法人税の額に係る当該被合併法人等の適用事業年度開始の日後7年以内に開始する当該内国法人の各事業年度において当該外国法人税の額が減額された場合を含む。）には、当該内

	国法人のその減額されることとなった日の属する事業年度（以下②において「**減額に係る事業年度**」という。）以後の各事業年度については、当該減額に係る事業年度において当該内国法人が納付することとなる控除対象外国法人税の額（以下②において「**納付控除対象外国法人税額**」という。）から減額控除対象外国法人税額に相当する金額を控除し、その控除後の金額につき1の①、4の①及び4の②の外国税額の控除を適用する。（令147①） （減額控除対象外国法人税額の意義） 　　減額控除対象外国法人税額とは、内国法人の減額に係る事業年度において外国法人税の額の減額がされた金額（当該内国法人が適格合併等により被合併法人等である他の内国法人から事業の全部又は一部の移転を受けた場合には、当該被合併法人等が納付することとなった外国法人税の額のうち当該内国法人が移転を受けた事業に係る所得に基因して納付することとなった外国法人税の額の減額がされた金額を含む。）のうち、第一節第四款の**三**《外国法人税の額が減額された場合の益金不算入》により控除対象外国法人税の額が減額された部分とされる金額（以下②において「減額控除対象外国法人税額」という。）をいう。（令147②）
（二）	（一）の場合において、減額に係る事業年度の納付控除対象外国法人税額がないとき、又は当該納付控除対象外国法人税額が減額控除対象外国法人税額に満たないときは、減額に係る事業年度開始の日前3年以内に開始した各事業年度の控除限度超過額（4の③の**ロ**の(3)《適格合併等により控除対象外国法人税の額とみなされた金額がある場合の控除限度超過額》により当該控除限度超過額とされる金額を含むものとし、4の①の(4)《控除余裕額の繰越しの計算》又は4の②の(4)《控除限度超過額の繰越しの計算》若しくは同②の(5)《地方税における繰越控除対象外国法人税額等の控除の適用を受けた後の事業年度の控除余裕額の繰越計算》により減額に係る事業年度前の各事業年度においてないものとみなされた部分の金額を除く。以下②において「**控除限度超過額**」という。）から、それぞれ当該減額控除対象外国法人税額の全額又は当該減額控除対象外国法人税額のうち当該納付控除対象外国法人税額を超える部分の金額に相当する金額を控除し、その控除後の金額につき4の②《控除余裕額が生じた場合の繰越控除対象外国法人税額の控除》を適用する。この場合において、2以上の事業年度につき控除限度超過額があるときは、まず最も古い事業年度の控除限度超過額から当該控除を行い、なお控除しきれない金額があるときは順次新しい事業年度の控除限度超過額から当該控除を行う。（令147③） 　注　減額控除対象外国法人税額は、まず減額に係る事業年度の納付控除対象外国法人税額と相殺し、次に前3年以内の控除限度超過額と（最も古いものから順に）相殺する。（編者）
（三）	内国法人が各事業年度の納付控除対象外国法人税額につきこの**二**の適用を受ける場合において、当該事業年度開始の日前2年以内に開始した各事業年度（その内国法人が適格合併等に係る合併法人、分割承継法人又は現物出資法人である場合には、その適格合併等に係る被合併法人等の適格合併の日の前日の属する事業年度以前の各事業年度又は4の③の**イ**の(ロ)に掲げる適格分割等の日の属する事業年度前の各事業年度を含むものとし、当該2年以内に開始した各事業年度のうちいずれかの事業年度の納付控除対象外国法人税額を当該いずれかの事業年度の所得の金額の計算上損金の額に算入した場合には、その損金の額に算入した事業年度以前の各事業年度を除く。以下②において「**前2年内事業年度**」という。）において生じた減額控除対象外国法人税額のうち（一）による納付控除対象外国法人税額からの控除又は（二）による控除限度超過額からの控除に充てることができなかった部分の金額があるときは、当該金額のうち当該事業年度の納付控除対象外国法人税額に達するまでの金額（当該減額控除対象外国法人税額が前2年内事業年度のうち異なる事業年度において生じたものであるときは、最も古い事業年度において生じた減額控除対象外国法人税額から順次計算して当該納付控除対象外国法人税額に達するまでの金額）を当該事業年度において生じた減額控除対象外国法人税額とみなして、（一）を適用する。（令147④） 　注　減額控除対象外国法人税額のうち（一）及び（二）により相殺しきれなかった金額は、以後2年間繰り越し、納付控除対象外国法人税額と相殺する趣旨である。（編者）
（四）	（三）の適用がある場合において、前2年内事業年度において生じた減額控除対象外国法人税額で（三）により当該事業年度において生じた減額控除対象外国法人税額とみなされる金額と当該事業年度において新たに生じた減額控除対象外国法人税額とがあるときは、（一）による納付控除対象外国法人税額からの控除は、まず、（三）により当該事業年度において生じた減額控除対象外国法人税額とみなされる金額から行うものとする。（令147⑤）

（外国税額の還付金の益金不算入）
(1)　内国法人が納付することとなった外国法人税（1の①に掲げる外国法人税をいう。以下(1)において同じ。）の額につき1の①、4の①及び4の②又は7の③（7の④の(2)において準用する場合を含む。）の適用を受けた事業年度（以下(1)において「**適用事業年度**」という。）開始の日後7年以内に開始する当該内国法人の各事業年度において、

当該外国法人税の額が減額された場合（当該内国法人が適格合併等により被合併法人等である他の内国法人から事業の全部又は一部の移転を受けた場合にあっては、当該被合併法人等が納付することとなった外国法人税の額のうち当該内国法人が移転を受けた事業に係る所得に基因して納付することとなった外国法人税の額に係る当該被合併法人等の適用事業年度開始の日後7年以内に開始する当該内国法人の各事業年度において当該外国法人税の額が減額された場合を含む。）には、その減額された金額のうち減額控除対象外国法人税額の額が減額された部分として、次の表の（一）に掲げる金額から（二）に掲げる金額を控除した残額に相当する金額（益金の額に算入する額として（2）に掲げる金額を除く。）は、当該内国法人の各事業年度の所得の金額の計算上、益金の額に算入しない。（法26③、令25①）

（一）	当該外国法人税の額のうち内国法人の適用事業年度において控除対象外国法人税の額とされた部分の金額
（二）	当該減額がされた後の当該外国法人税の額につき当該内国法人の適用事業年度において1の①を適用したならば控除対象外国法人税の額とされる部分の金額

注　内国法人が適格合併等により被合併法人等である他の内国法人から事業の全部又は一部の移転を受けた場合において、当該被合併法人等が納付することとなった外国法人税の額のうち当該内国法人が移転を受けた事業に係る所得に基因して納付することとなったものが減額されたときは、次の表の（一）から（二）に掲げる金額を控除した残額に相当する金額は、（1）に掲げる残額に相当する金額に含まれるものとする。（令25②）

（一）	当該外国法人税の額のうち当該被合併法人等の適用事業年度（当該被合併法人等の適格合併の日の前日に属する事業年度以前の事業年度又は適格分割等の日の属する事業年度前の事業年度に限る。）において控除対象外国法人税の額とされた部分の金額
（二）	当該減額がされた後の当該外国法人税の額につき当該被合併法人等の適用事業年度において1の①の外国税額の控除を適用したならば控除対象外国法人税の額とされる部分の金額

（減額控除対象外国法人税額のうち益金の額に算入するもの及び益金算入事業年度）

（2）　（1）の外国法人税の額が減額された場合の益金不算入において益金の額に算入する金額は、次の表の左欄に掲げる場合の区分に応じ、それぞれ中欄に掲げる金額をそれぞれ右欄の事業年度の所得の金額の計算上益金の額に算入する。（令26①②）

（一）	当該内国法人が、外国法人税の額が減額されることとなった日の属する事業年度において納付することとなった控除対象外国法人税の額を当該事業年度の所得の金額の計算上損金の額に算入した場合	減額控除対象外国法人税額	外国法人税の額が減額されることとなった日の属する事業年度
（二）	当該内国法人が、外国法人税の額が減額されることとなった日の属する事業年度又はその翌事業年度開始の日以後2年以内に開始する各事業年度において、控除対象外国法人税額の全部又は一部を②の表の（一）に掲げる納付控除対象外国法人税額からの控除又は同表の（二）に掲げる控除限度超過額からの控除に充てることができない場合	減額控除対象外国法人税額のうちこれらの控除に充てることができなかった部分の金額	外国法人税の額が減額されることとなった日の属する事業年度の翌事業年度開始の日以後2年以内に開始する各事業年度のうち最後の事業年度（当該各事業年度のうちいずれかの事業年度において納付することとなった控除対象外国法人税の額を当該いずれかの事業年度の所得の金額の計算上損金の額に算入した場合には、その損金の額に算入した事業年度）

注　（2）の内国法人が通算法人である場合（（1）に掲げる外国法人税の額が減額されることとなった日の属する事業年度終了の日が当該内国法人に係る通算親法人の事業年度終了の日である場合に限る。）における（2）の適用については、上表（一）中「場合」とあるのは、「場合又は当該事業年度終了の日において当該内国法人との間に通算完全支配関係がある他の通算法人が、当該終了の日に終了する事業年度において納付することとなった控除対象外国法人税の額を当該事業年度の所得の金額の計算上損金の額に算入した場合」とする。（令26③）

（欠損金の繰戻しによる還付があった場合の処理）

（3）　当該事業年度前の事業年度において1の①、4の①、4の②、4の③のイ及び4の③のロの外国税額の控除の適用の対象とした外国法人税の額（適格合併等により事業の全部又は一部の移転を受けている場合にあっては、当該適格合併等に係る被合併法人等が当該事業に基因して納付した外国法人税の額のうち1の①、4の①、4の②、4の③

のイ及び4の③のロの適用の対象としたものを含む。)の全部又は一部が第三款の八の3《欠損金の繰戻しによる還付》に類する制度に基づいて還付された場合には、その還付されることとなった日の属する事業年度において当該外国法人税の額につき減額があったものとして(1)及び②を適用する。(基通16－3－20)

(外国関係会社の所得に対して課された外国法人税額が減額された場合の取扱い)

(4) 内国法人がその内国法人に係る外国関係会社の所得に対して課された外国法人税の額につき3《外国関係会社の課税対象金額等に係る外国法人税額の計算》の適用を受けた場合において、その適用を受けた事業年度(以下(4)において「適用事業年度」という。)開始の日後7年以内に開始するその内国法人の各事業年度において当該外国法人税の額が減額されたときは、当該外国法人税の額のうち3によりその内国法人が納付する控除対象外国法人税の額とみなされた部分の金額につき、その減額されることとなった日において、(一)に掲げる金額から(二)に掲げる金額を控除した残額に相当する金額の減額があったものとみなす。(措令39の18⑩)

(一)	当該外国法人税の額のうち適用事業年度においてその内国法人が納付する控除対象外国法人税の額とみなされた部分の金額
(二)	当該減額があった後の当該外国法人税の額につき適用事業年度において3を適用したならばその内国法人が納付する控除対象外国法人税の額とみなされる部分の金額

注 3の適用を受けた後に外国法人税の額が減額された場合には、(4)により控除対象外国法人税の額が減額されたものとみなされた金額《減額控除対象外国法人税額》のうち、(5)により②の表の(一)に掲げる納付控除対象外国法人税額からの控除又は同表の(二)に掲げる控除限度超過額からの控除に充てられることとなる部分の金額に相当する金額は、(4)に掲げる内国法人のこれらの控除をすることとなる事業年度の所得の金額の計算上、損金の額に算入する。この場合において、当該損金の額に算入する金額は、1の⑩の(2)《当該事業年度の調整国外所得金額の計算》の本文の調整国外所得金額の計算上の損金の額として配分するものとする。(措令39の18⑭)

(控除対象外国法人税の額が減額されたとみなす場合の調整)

(5) (4)により控除対象外国法人税の額が減額されたものとみなされた場合における②の適用については、②の表の(一)から(四)までによる。この場合において、同表の(一)中「外国法人税の額に係る当該内国法人」とあるのは「外国法人税の額(第一節第三十二款の二の1《外国関係会社の課税対象金額等に係る外国税額の計算等》に掲げる外国関係会社の所得に対して課される外国法人税の額のうち当該内国法人が納付するものとみなされる部分の金額を含む。以下(一)において同じ。)に係る当該内国法人」と、「控除対象外国法人税の額」とあるのは「控除対象外国法人税の額(3《外国関係会社の課税対象金額等に係る外国法人税額の計算》により当該内国法人が納付するものとみなされる金額を含む。)」と、「減額控除対象外国法人税額」とあるのは「減額控除対象外国法人税額((4)《外国関係会社の所得に対して課された外国法人税額が減額された場合の取扱い》により減額があったものとみなされる控除対象外国法人税の額を含む。)」とする。(措令39の18⑪)

6 外国税額の控除の申告

①	外国税額の控除の申告及び添付書類	\multicolumn{2}{l}{1の①に掲げる外国税額の控除は、確定申告書、修正申告書又は更正請求書(②において「申告書等」という。)に1の①による控除を受けるべき金額及びその計算に関する明細を記載した書類並びに控除対象外国法人税の額の計算に関する明細《別表六(二)～(五の二)・別表十七(三の五)→別表四→別表一》及び次の表の(一)に掲げる事項を記載した書類(以下「明細書」という。)の添付があり、かつ、控除対象外国法人税の額を課されたことを証する書類及び次の表の(二)に掲げる書類を保存している場合に限り、適用する。 この場合において、1の①による控除をされるべき金額の計算の基礎となる控除対象外国法人税の額(ただし、5の②《外国法人税額が減額された場合》の適用がある場合には、同②の表の(一)に掲げる控除後の金額とする。)は、税務署長において特別の事情があると認める場合を除くほか、当該明細書に当該金額として記載された金額を限度とする。(法69㉕、規29の4①②③)
		(一) イ 1の①《外国法人税を納付することとなる場合の外国税額控除》の適用を受ける場合	(イ) その適用を受けようとする外国の法令により課される税が外国法人税に該当することについての説明を記載した書類 (ロ) 控除対象外国法人税の額の計算に関する明細を記載した書類

			ロ	5の②《外国法人税額が減額された場合》の適用がある場合（ハに掲げる場合を除く。）	（イ） 当該事業年度において減額された外国法人税の額につきその減額された金額及びその減額されることとなった日並びに当該外国法人税の額が当該事業年度前の事業年度において1の①、4の①及び4の②又は7の③（7の④の（2）において準用する場合を含む。）の外国税額の控除による控除をされるべき金額の計算の基礎となったことについての説明を記載した書類 （ロ） 5の②《外国法人税額が減額された場合》の表の（一）に掲げる減額控除対象外国法人税額の計算に関する明細を記載した書類
			ハ	適格合併等（4の③のイに掲げる適格合併等をいう。ハにおいて同じ。）に係る被合併法人等（同イに掲げる被合併法人等をいう。ハにおいて同じ。）である他の内国法人において生じた減額控除対象外国法人税額につき、5の②の表の（三）の適用がある場合	（イ） 当該被合併法人等である他の内国法人の適格合併の日の前日の属する事業年度以前の事業年度又は4の③のイの(ロ)に掲げる適格分割等の日の属する事業年度前の事業年度（以下ハにおいて「適格合併等前の事業年度」という。）において減額された外国法人税の額につきその減額された金額及びその減額されることとなった日を記載した書類 （ロ） 当該外国法人税の額が当該被合併法人等の当該適格合併等前の事業年度において1の①、4の①及び4の②又は7の③《過去適用事業年度における税額控除額が過去当初申告税額控除額を超える場合》（7の④の（2）《通算法人が公益法人等に該当することとなった場合の準用》において準用する場合を含む。）の外国税額の控除による控除をされるべき金額の計算の基礎となったことについての説明を記載した書類 （ハ） 5の②の表の(三)に掲げる減額控除対象外国法人税額の計算に関する明細を記載した書類
			ニ	3《外国関係会社の課税対象金額等に係る外国法人税額の計算》の適用を受ける場合	（イ） その適用を受けようとする外国の法令により課される税が外国法人税に該当することについての説明を記載した書類 （ロ） 個別計算外国法人税額（3の(1)《企業集団等所得課税規定がある場合の外国法人税の金額》に掲げる個別計算外国法人税額をいう。ホにおいて同じ。）に関する計算の明細を記載した書類 （ハ） 控除対象外国法人税の額とみなされる金額の計算に関する明細を記載した書類 （ニ） （イ）に掲げる外国法人税を課されたことを証するその税に係る申告書の写し又はこれに代わるべきその税に係る書類及びその税が既に納付されている場合にはその納付を証する書類 （ホ） 個別計算外国法人税額に関する計算の基礎となる書類
			ホ	当該事業年度開始の日前7年以内に開始した事業年度において3の適用を受けた場合において、その適用に係る外国関係会社の所得に対して課される外国法人税の額（外国法人	（イ） 当該外国法人税の額につきその減額された金額及びその減額されることとなった日を記載した書類 （ロ） 5の②の(4)《外国関係会社の所得に対して課された外国法人税額が減額された場合の取扱い》による減額があったものとみなされる金額の計算に関する明細を記載した書類

			税に関する法令に企業集団等所得課税規定〔第一節第三十二款の**一**の**4**の②の（1）《企業集団等所得課税規定の意義》に掲げる企業集団等所得課税規定をいう。トにおいて同じ。〕がある場合の当該外国法人税にあっては、個別計算外国法人税額。以下ホにおいて同じ。）で当該事業年度において減額されたものがあるとき		
		ヘ	第一節第三十二款の**五**の**1**《外国関係法人の課税対象金額等に係る外国税額の計算等》の適用を受ける場合	（イ）　同款の**五**の**1**の適用を受けようとする外国の法令により課される税が外国法人税に該当することについての説明を記載した書類 （ロ）　個別計算外国法人税額（第一節第三十二款の**五**の**1**の（1）《企業集団等所得課税規定がある場合の外国法人税の金額》において準用する**3**の（1）に掲げる個別計算外国法人税額をいう。トにおいて同じ。）に関する計算の明細を記載した書類 （ハ）　同款の**五**の**1**による控除対象外国法人税の額とみなされる金額の計算に関する明細を記載した書類 （ニ）　（イ）に掲げる外国法人税を課されたことを証するその税に係る申告書の写し又はこれに代わるべきその税に係る書類及びその税が既に納付されている場合にはその納付を証する書類 （ホ）　個別計算外国法人税額に関する計算の基礎となる書類
		ト	当該事業年度開始の日前7年以内に開始した事業年度において第一節第三十二款の**五**の**1**の適用を受けた場合において、その適用に係る外国関係法人（同款の**四**の**1**《特殊関係株主等である内国法人に係る外国関係法人の課税対象金額の益金算入》に掲げる外国関係法人をいう。）の所得に対して課される外国法人税の額（外国法人税に関する法令に企業集団等所得課税規定がある場合の当該外国法人税にあっては、個別計算外国法人税額。以下トにおいて同じ。）で当該事業年度において減額されたも	（イ）　当該外国法人税の額につきその減額された金額及びその減額されることとなった日を記載した書類 （ロ）　第一節第三十二款の**五**の**1**の（5）《外国税額控除の適用》によりその例によることとされる**5**の②の（4）《外国関係会社の所得に対して課された外国法人税額が減額された場合の取扱い》による減額があったものとみなされる金額の計算に関する明細を記載した書類

				のがあるとき	
		(ニ)	イ	(イ) (一)のイに掲げる税を課されたことを証する当該税に係る申告書の写し又はこれに代わるべき当該税に係る書類 (ロ) 当該税が既に納付されている場合にはその納付を証する書類並びに当該税が控除対象外国法人税の額に該当する旨を証する書類 (ハ) 控除対象外国法人税の額を課されたことを証する書類	
			ロ	地方税法施行令第9条の7第6項ただし書《外国の法人税等の額の控除》又は第48条の13第7項ただし書《外国の法人税等の額の控除》(同令第57条の2《法人の市町村民税に関する規定の都への準用等》において準用する場合を含む。)の適用を受ける場合には、これらの規定による限度額の計算の基礎を証する地方税に係る申告書の写し又はこれに代わるべき書類	
②	繰越控除限度額又は繰越控除対象外国法人税額による外国税額の控除の申告及び添付書類			4の①《控除限度超過額が生じた場合の繰越控除限度額による外国税額の控除》及び同②《控除余裕額が生じた場合の繰越控除対象外国法人税額の控除》は、繰越控除限度額又は繰越控除対象外国法人税額に係る事業年度のうち最も古い事業年度以後の各事業年度の申告書等に当該各事業年度の控除限度額及び当該各事業年度において納付することとなった控除対象外国法人税の額を記載した書類の添付があり、かつ、これらの適用を受けようとする事業年度の申告書等にこれらによる控除を受けるべき金額を記載した書類《別表六(二)→別表一》及び次の表の(一)に掲げる事項を記載した書類の添付があり、かつ、同表の(二)に掲げる書類を保存している場合に限り、適用する。 　この場合において、これらによる控除をされるべき金額の計算の基礎となる《控除額の計算の基礎となる金額》に掲げる金額は、税務署長において特別の事情があると認める場合を除くほか、当該各事業年度の申告書等にこの②の前段により添付された書類に当該計算の基礎となる金額として記載された金額を限度とする。(法69㉖、規30①②③)	
		(一)	イ	繰越控除限度額又は繰越控除対象外国法人税額の計算の基礎となるべき事項を記載した書類	
			ロ	1の①により控除を受けるべき金額がない場合において4の①の適用を受けようとするときにおける①の(一)のイからトに掲げる書類に相当する書類	
		(二)	イ	1の①による控除を受けるべき金額がない場合において4の①の適用を受けようとするときにおける①の(二)のイに掲げる書類に相当する書類	
			ロ	4の②による控除を受けるべき金額に係る控除対象外国法人税の額を課されたことを証する書類	
				(控除額の計算の基礎となる金額) 控除をされるべき金額の計算の基礎となる金額は、次に掲げる金額とする。(規30③)	
		(一)		繰越控除限度額又は繰越控除対象外国法人税額に係る事業年度のうち最も古い事業年度以後の各事業年度((二)において「繰越控除限度額等に係る各事業年度」という。)の1の①に掲げる控除限度額	
		(二)		繰越控除限度額等に係る各事業年度において納付することとなった控除対象外国法人税の額(当該繰越控除限度額等に係る各事業年度において5の②の適用があった場合には、同②の表の(一)に掲げる控除後の金額)	

(申告記載等がない場合のゆうじょ規定)
（1）　税務署長は、1の①、4の①及び4の②又は7の③の外国税額の控除による控除をされるべきこととなる金額の全部又は一部につき6の表の①及び②に掲げる書類の保存がない場合においても、その書類の保存がなかったことについてやむを得ない事情があると認めるときは、その書類の保存がなかった金額につき1の①、4の①及び4の②又は7の③の外国税額の控除を適用することができる。（法69㉘）

(国外事業所等に帰せられる取引に係る明細書の作成)
（２）　1の①、4の①及び4の②又は7の③の適用を受ける内国法人は、当該内国法人が他の者との間で行った取引のうち、当該内国法人の各事業年度の1の①に掲げる国外所得金額の計算上、当該取引から生ずる所得が当該内国法人の国外事業所等（1の②のイの表の(一)に掲げる国外事業所等をいう。以下(2)及び(3)において同じ。）に帰せられるものについては、次の表の(一)から(四)に掲げる書類を作成しなければならない。（法69㉙、規30の３）

(一)	内国法人の国外事業所等に帰せられる取引（以下(2)において「国外事業所等帰属外部取引」という。）の内容を記載した書類
(二)	内国法人の国外事業所等及び本店等（1の②のイの表の(一)に掲げる本店等をいう。以下(2)において同じ。）が国外事業所等帰属外部取引において使用した資産の明細並びに当該国外事業所等帰属外部取引に係る負債の明細を記載した書類
(三)	内国法人の国外事業所等及び本店等が国外事業所等帰属外部取引において果たす機能（リスク〔為替相場の変動、市場金利の変動、経済事情の変化その他の要因による当該国外事業所等帰属外部取引に係る利益又は損失の増加又は減少の生ずるおそれをいう。以下(三)において同じ。〕の引受け及び管理に関する人的機能、資産の帰属に係る人的機能その他の機能をいう。(四)において同じ。）並びに当該機能に関連するリスクに係る事項を記載した書類
(四)	内国法人の国外事業所等及び本店等が国外事業所等帰属外部取引において果たした機能に関連する部門並びに当該部門の業務の内容を記載した書類

(内部取引に該当する事実に係る明細書の作成)
（３）　1の①、4の①及び4の②又は7の③の適用を受ける内国法人は、当該内国法人の本店等と国外事業所等との間の資産の移転、役務の提供その他の事実が1の②のイの表の(一)に掲げる内部取引に該当するときは、次の表の(一)から(五)に掲げる書類を作成しなければならない。（法69㉚、規30の４）

(一)	内国法人の国外事業所等と本店等との間の1の②のイの表の(一)に掲げる内部取引に該当する資産の移転、役務の提供その他の事実を記載した注文書、契約書、送り状、領収書、見積書その他これらに準ずる書類若しくはこれらに相当する書類又はその写し
(二)	内国法人の国外事業所等及び本店等が内部取引において使用した資産の明細並びに当該内部取引に係る負債の明細を記載した書類
(三)	内国法人の国外事業所等及び本店等が内部取引において果たす機能（リスク〔為替相場の変動、市場金利の変動、経済事情の変化その他の要因による当該内部取引に係る利益又は損失の増加又は減少の生ずるおそれをいう。以下(三)において同じ。〕の引受け及び管理に関する人的機能、資産の帰属に係る人的機能その他の機能をいう。(四)において同じ。）並びに当該機能に関連するリスクに係る事項を記載した書類
(四)	内国法人の国外事業所等及び本店等が内部取引において果たした機能に関連する部門並びに当該部門の業務の内容を記載した書類
(五)	その他内部取引に関連する事実（資産の移転、役務の提供その他内部取引に関連して生じた事実をいう。）が生じたことを証する書類

(外国法人税を課されたことを証する書類)
（４）　6の表の①の(一)のニの(ハ)、ヘの(ハ)及び同①の(二)のイに掲げる「税を課されたことを証する………その納付を証する書類」には、申告書の写し又は現地の税務官享が発行する納税証明書等のほか、更正若しくは決定に係る通知書、賦課決定通知書、納税告知書、源泉徴収の外国法人税に係る源泉徴収票その他これらに準ずる書類又はこれらの書類の写しが含まれる。（基通16－３－48）

7　通算法人の外国税額の控除

①　通算法人に係る控除限度額の計算

通算法人の1の①の各事業年度(当該通算法人に係る通算親法人の事業年度終了の日に終了するものに限る。以下①において「通算事業年度」という。)の1の①の控除限度額は、当該通算法人の当該通算事業年度の所得の金額につき第一款の

一の1の①《基本税率》、同一の2の①《基本税率》及び同一の1の⑥《中小通算法人の軽減対象所得金額以下の金額に対する税率》を適用して計算した金額並びに当該通算事業年度終了の日において当該通算法人との間に通算完全支配関係がある他の通算法人の当該終了の日に終了する各事業年度の所得の金額につき同一の1の①、同一の2の①及び同一の1の⑥を適用して計算した金額の合計額のうち、当該通算法人の通算事業年度の調整前控除限度額から当該通算事業年度の控除限度調整額を控除した金額（当該調整前控除限度額が零を下回る場合には、零）とする。（法69⑭㉞、令148①）

（調整前控除限度額の意義）
（１）　①に掲げる調整前控除限度額とは、次の表の（一）に掲げる金額に（二）に掲げる金額のうちに（三）に掲げる金額の占める割合を乗じて計算した金額（（６）において「**調整前控除限度額**」という。）をいう。（法69㉞、令148②）

（一）	次に掲げる金額の合計額	
	イ	①の通算法人の当該通算事業年度の所得に対する法人税の額（第一款の**二**《特定同族会社の特別税率》、並びに**五の5**《通算法人の試験研究費に係る法人税額の特別控除》の表の（六）のロ及び同表の（七）（これらを同**五の5**の④の（３）《通算法人に係る産学官連携の協同研究・委託研究に係る法人税額の特別控除の準用》において準用する場合を含む。）、**四の2**《通算法人の仮装経理に基づく過大申告の場合等の法人税額》、第一款の**三の1**《使途秘匿金の支出がある場合の課税の特例》、同款の**四の1**《土地の譲渡等がある場合の特別税率》、同**2**《優良住宅地等のための譲渡に該当しなくなった場合の追加課税》、同款の**五**《短期所有に係る土地の譲渡等がある場合の特別税率》、一の**4**《外国関係会社の課税対象金額等に係る所得税等の額の計算等》並びに第一節第三十二款の**五の2**《外国関係法人の課税対象金額等に係る所得税等の額の計算等》（ロにおいて「税額関係規定」という。）を適用しないで計算した場合の法人税の額から、**三**《分配時調整外国税相当額の控除》並びに一の**4**及び第一節第三十二款の**五の2**による控除をされるべき金額の合計額を控除した金額とし、附帯税の額を除く。）
	ロ	①の通算法人の当該通算事業年度終了の日において当該通算法人との間に通算完全支配関係がある他の通算法人（以下**二**において「**他の通算法人**」という。）の当該終了の日に終了する事業年度（以下**二**において「**他の事業年度**」という。）の所得に対する法人税の額（税額関係規定を適用しないで計算した場合の法人税の額から、**三**《分配時調整外国税相当額の控除》並びに一の**4**及び第一節第三十二款の**五の2**による控除をされるべき金額の合計額を控除した金額とし、附帯税の額を除く。）の合計額
（二）	イに掲げる金額からロに掲げる金額を控除した金額	
	イ	①の通算法人の当該通算事業年度の所得金額と他の通算法人の他の事業年度の所得金額の合計額とを合計した金額
	ロ	①の通算法人の当該通算事業年度の欠損金額と他の通算法人の他の事業年度の欠損金額の合計額とを合計した金額
（三）	①の通算法人の当該通算事業年度の調整国外所得金額（当該通算事業年度の調整前国外所得金額から当該通算事業年度の調整金額を控除した金額〔当該調整前国外所得金額が零を下回る場合には、当該調整前国外所得金額〕をいう。）	

（通算事業年度の所得金額及び他の事業年度の所得金額の意義）
（２）　（１）の表の（二）のイに掲げる当該通算事業年度の所得金額及び他の事業年度の所得金額とは、それぞれ第一節第二十一款《繰越欠損金》、第五章第二節の**二**《公共法人等が普通法人等に移行する場合の所得の金額の計算》、第三章第一節第三十五款の一の**1**《通算法人の損益通算》、同一の**3**《欠損金の通算》及び同一の**4**《通算法人の合併等があった場合の欠損金の損金算入》並びに同節第二十七款の**八**《対外船舶運航事業を営む法人の日本船舶による収入金額の課税の特例》、同款の**十六**《組合事業等による損失がある場合の課税の特例》（以下（２）において「対象規定」という。）を適用しないで計算した場合の当該通算事業年度の所得の金額及び当該他の事業年度の所得の金額をいい、（１）の表の（二）のロに掲げる当該通算事業年度の欠損金額及び他の事業年度の欠損金額とは、それぞれ対象規定を適用しないで計算した場合の当該通算事業年度において生ずる欠損金額及び当該他の事業年度において生ずる欠損金額をいう。（法69㉞、令148③）

(調整前国外所得金額の意義)
(3) (1)の表の(三)に掲げる調整前国外所得金額とは、第一節第二十一款《繰越欠損金》、第五章第二節の二《公共法人等が普通法人等に移行する場合の所得の金額の計算》、第三章第一節第三十五款の一の**1**《通算法人の損益通算》、同一の**3**《欠損金の通算》及び同一の**4**《通算法人の合併等があった場合の欠損金の損金算入》並びに同節第二十七款の**八**《対外船舶運航事業を営む法人の日本船舶による収入金額の課税の特例》、同款の**十六**《組合事業等による損失がある場合の課税の特例》を適用しないで計算した場合の**1**の①の表に掲げる国外源泉所得に係る所得の金額の合計額から外国法人税が課されない国外源泉所得に係る所得の金額((4)、④の(3)及び④の(4)において「**非課税国外所得金額**」という。)のうち零を超えるものを減算した金額((4)及び④の(4)において「**加算前国外所得金額**」という。)に、加算調整額を加算した金額((5)において「**調整前国外所得金額**」という。)をいう。(法69㉞、令148④)

(加算調整額の意義)
(4) (3)に掲げる加算調整額とは、①の通算法人の当該通算事業年度の非課税国外所得金額が零を下回る場合のその下回る額及び他の通算法人の他の事業年度の非課税国外所得金額が零を下回る場合のその下回る額の合計額のうち当該通算法人の当該通算事業年度の非課税国外所得金額(零を超えるものに限る。)及び他の通算法人の他の事業年度の非課税国外所得金額(零を超えるものに限る。)の合計額に達するまでの金額に、次の表の(一)及び(二)に掲げる金額の合計額のうちに(一)に掲げる金額の占める割合を乗じて計算した金額をいう。(法69㉞、令148⑤)

(一)	当該通算法人の当該通算事業年度の加算前国外所得金額(零を超えるものに限る。)
(二)	他の通算法人の他の事業年度の加算前国外所得金額(零を超えるものに限る。)の合計額

(調整金額の意義)
(5) (1)の表の(三)に掲げる調整金額とは、同(三)の通算法人の当該通算事業年度の調整前国外所得金額及び他の通算法人の他の事業年度の調整前国外所得金額の合計額が同表の(二)に掲げる金額の$\frac{90}{100}$に相当する金額を超える場合において、その超える部分の金額に(4)に掲げる割合を乗じて計算した金額をいう。(法69㉞、令148⑥)

(控除限度調整額の意義)
(6) ①に掲げる控除限度調整額とは、次の表の(一)に掲げる金額に(二)に掲げる金額のうちに(二)のイに掲げる金額の占める割合を乗じて計算した金額をいう。(法69㉞、令148⑦)

(一)		他の通算法人の他の事業年度の調整前控除限度額が零を下回る場合のその下回る額の合計額
(二)		次に掲げる金額の合計額
	イ	①の通算法人の当該通算事業年度の調整前控除限度額(零を超えるものに限る。)
	ロ	他の通算法人の他の事業年度の調整前控除限度額(零を超えるものに限る。)の合計額

(欠損金額を有する通算法人等の調整前控除限度額)
(7) (1)に掲げる「調整前控除限度額」とは、(1)の表の(一)の通算法人及び他の通算法人の法人税額の合計額に、同表の(二)のイの通算法人及び他の通算法人の損益通算前所得金額((2)により計算した所得の金額をいう。)の合計額から(1)の表の(二)のロの通算法人及び他の通算法人の通算前欠損金額((2)により計算した欠損金額をいう。)の合計額を控除した金額のうちに当該通算法人の調整国外所得金額((1)の表の(三)に掲げる調整国外所得金額をいう。以下(7)において同じ。)の占める割合を乗じて計算した金額をいうのであるから、例えば、欠損金額を有する通算法人であっても、調整国外所得金額がある場合には、調整前控除限度額の計算を行うことに留意する。(基通16-3-49)

　　注　マイナスの調整国外所得金額を有する通算法人であっても、本文の調整前控除限度額の計算を行う必要があり、この場合に算出される調整前控除限度額は、マイナスの金額となるのであるから留意する。

② **当初申告税額控除額を税額控除額とみなす場合**
　1の①、**4**の①及び**4**の②を適用する場合において、通算法人の**1**の①、**4**の①及び**4**の②の各事業年度(当該通算法人に係る通算親法人の事業年度終了の日に終了するものに限るものとし、被合併法人の合併の日の前日の属する事業年度、残余財産の確定の日の属する事業年度及び公益法人等に該当することとなった日の前日の属する事業年度を除く。以下②において「**適用事業年度**」という。)の税額控除額(当該適用事業年度における**1**の①、**4**の①及び**4**の②による控除をさ

れるべき金額をいう。以下二において同じ。）が、当初申告税額控除額（当該適用事業年度の第三款の二の1《確定申告》による申告書に添付された書類に当該適用事業年度の税額控除額として記載された金額をいう。以下②において同じ。）と異なるときは、当初申告税額控除額を税額控除額とみなす。（法69⑮）

（税額控除額の計算の基礎となる事実に隠蔽又は仮装等があった場合）
（1） ②の通算法人の適用事業年度について、次の表の（一）及び（二）に掲げる場合のいずれかに該当する場合には、当該適用事業年度については、②は、適用しない。（法69⑯）

（一）	通算法人又は当該通算法人の適用事業年度終了の日において当該通算法人との間に通算完全支配関係がある他の通算法人が、適用事業年度における税額控除額の計算の基礎となる事実の全部又は一部を隠蔽し、又は仮装して税額控除額を増加させることによりその法人税の負担を減少させ、又は減少させようとする場合
（二）	第一節第三十五款の一の1の③の（3）《みなし金額の否認》の適用がある場合

（修正申告又は更正があった場合）
（2） 適用事業年度について（1）の表の（一）を適用して修正申告書の提出又は更正がされた後における②の適用については、（1）にかかわらず、当該修正申告書又は当該更正に係る第二章第三節の一の1の（3）《更正通知書の記載事項》に掲げる更正通知書に添付された書類に当該適用事業年度の税額控除額として記載された金額を当初申告税額控除額とみなす。（法69⑰）

（隠蔽又は仮装により当初申告税額控除額固定措置が適用されない場合）
（3） （1）の表の（一）の「税額控除額の計算の基礎となる事実の全部又は一部を隠蔽し、又は仮装して税額控除額を増加させることによりその法人税の負担を減少させ、又は減少させようとする場合」とは、例えば、次の表の（一）から（三）に掲げるような事実により税額控除額を増加させている場合がこれに該当する。　（基通16-3-50）

（一）	実際には納付していない外国法人税をあたかも納付したかのように仮装していること。
（二）	国外所得金額（1に掲げる国外所得金額をいう。以下（3）において同じ。）に該当しない所得の金額を国外所得金額に仮装していること。
（三）	①の（3）に掲げる非課税国外所得金額（以下（3）において「非課税国外所得金額」という。）のうち零を超えるものを非課税国外所得金額に該当しない国外所得金額に仮装していること。

注1　例えば、売上除外や架空経費の計上の結果、控除限度額（①により計算される控除限度額をいう。以下（3）において同じ。）が異動して税額控除額が過大となっているような場合は、これに該当しない。
注2　本文の（一）の事実により控除対象外国法人税額を増加させている場合や、（二）又は（三）の事実により控除限度額を増加させている場合であっても、これらの事実により税額控除額が過大となっていないときは、②の適用はなく、（1）の適用もないこととなる。この場合、これらの事実により生じた4の①に掲げる繰越控除限度額又は4の②に掲げる繰越控除対象外国法人税額について4の①又は4の②の適用を受けた事業年度において（1）の適用があることとなる。

③　**過去適用事業年度における税額控除額が過去当初申告税額控除額を超える場合**
　通算法人（通算法人であった内国法人〔公益法人等に該当することとなった内国法人を除く。〕を含む。以下③、（1）から（3）までにおいて同じ。）の各事業年度（以下③、（1）から（4）までにおいて「**対象事業年度**」という。）において、過去適用事業年度（当該対象事業年度開始の日前に開始した各事業年度で②の適用を受けた事業年度をいう。以下③及び（3）において同じ。）における税額控除額（当該対象事業年度開始の日前に開始した各事業年度（以下③において「対象前各事業年度」という。）において当該過去適用事業年度に係る税額控除額につき③又は（1）の適用があった場合には、（1）により当該対象前各事業年度の法人税の額に加算した金額の合計額から③により当該対象前各事業年度の法人税の額から控除した金額の合計額を減算した金額を加算した金額。以下③及び（1）において「**調整後過去税額控除額**」という。）が過去当初申告税額控除額（当該過去適用事業年度の第三款の二の1《確定申告》による申告書に添付された書類に当該過去適用事業年度の1の①、4の①及び4の②による控除をされるべき金額として記載された金額〔当該過去適用事業年度について②の（2）の適用を受けた場合には、その適用に係る修正申告書又は更正に係る第二章第三節の一の1の（3）《更正通知書の記載事項》に掲げる更正通知書に添付された書類のうち、最も新しいものに当該過去適用事業年度の1の①、4の①及び4の②による控除をされるべき金額として記載された金額〕をいう。以下③及び（1）において同じ。）を超える場合には、税額控除不足額相当額（当該調整後過去税額控除額から当該過去当初申告税額控除額を控除した金額に相当する金額

をいう。（2）から（4）までにおいて同じ。）を当該対象事業年度の所得に対する法人税の額から控除する。（法69⑱）

（過去当初申告税額控除額が調整後過去税額控除額を超える場合）
（1）　通算法人の対象事業年度において過去当初申告税額控除額が調整後過去税額控除額を超える場合には、当該対象事業年度の所得に対する法人税の額は、第一款の一の1の①《基本税率》、同1の②《中小法人の年800万円以下の所得に対する軽減税率》、同一の2の①《基本税率》及び同一の1の⑥《中小通算法人の軽減対象所得金額以下の金額に対する税率》にかかわらず、これらの規定により計算した法人税の額に、税額控除超過額相当額（当該過去当初申告税額控除額から当該調整後過去税額控除額を控除した金額に相当する金額をいう。（2）から（4）までにおいて同じ。）を加算した金額とする。（法69⑲）

（対象事業年度の税額控除不足額相当額又は税額控除超過額相当額とみなす場合）
（2）　③及び（1）を適用する場合において、通算法人の対象事業年度の税額控除不足額相当額又は税額控除超過額相当額が当初申告税額控除不足額相当額又は当初申告税額控除超過額相当額（それぞれ当該対象事業年度の第三款の二の1《確定申告》による申告書に添付された書類に当該対象事業年度の税額控除不足額相当額又は税額控除超過額相当額として記載された金額をいう。以下（2）及び（4）において同じ。）と異なるときは、当初申告税額控除不足額相当額又は当初申告税額控除超過額相当額を当該対象事業年度の税額控除不足額相当額又は税額控除超過額相当額とみなす。（法69⑳）

（税額控除不足相当額等の計算の基礎となる事実に隠蔽又は仮装等があった場合）
（3）　（2）の通算法人の対象事業年度について、次の表の（一）から（三）に掲げる場合のいずれかに該当する場合には、当該対象事業年度については、（2）は、適用しない。（法69㉑）

（一）	税額控除不足額相当額又は税額控除超過額相当額の計算の基礎となる事実の全部又は一部を隠蔽し、又は仮装して、当該税額控除不足額相当額を増加させ、又は当該税額控除超過額相当額を減少させることによりその法人税の負担を減少させ、又は減少させようとする場合
（二）	対象事業年度において③により法人税の額から控除した税額控除不足額相当額又は（1）により法人税の額に加算した税額控除超過額相当額に係る過去適用事業年度について②の（1）の適用がある場合
（三）	対象事業年度（④の（5）又は④の（6）による説明が行われた日の属するものに限る。以下（三）において同じ。）の第三款の二の1《確定申告》による申告書に添付された書類に当該対象事業年度の税額控除不足額相当額又は税額控除超過額相当額として記載された金額及びその計算の根拠が④の（5）又は④の（6）による説明の内容と異なる場合

（修正申告又は更正があった場合）
（4）　対象事業年度について（3）を適用して修正申告書の提出又は更正がされた後における（2）の適用については、（3）にかかわらず、当該修正申告書又は当該更正に係る第二章第三節の一の1の（3）《更正通知書の記載事項》に掲げる更正通知書に添付された書類に当該対象事業年度の税額控除不足額相当額又は税額控除超過額相当額として記載された金額を当初申告税額控除不足額相当額又は当初申告税額控除超過額相当額とみなす。（法69㉒）

（過去適用事業年度における税額控除額が過去当初申告税額控除額を超える場合の申告）
（5）　③（④の（1）及び④の（2）において準用する場合を含む。以下二において同じ。）は、申告書等に次の表に掲げる書類（以下（5）において「明細書」という。）の添付があり、かつ、次の表の（二）の過去適用事業年度の6の表の①の（二）のイ及びロ並びに同表の②の（二）のイ及びロに掲げる書類を保存している場合に限り、適用する。この場合において、③による控除をされるべき金額の計算の基礎となる（6）に掲げる金額は、税務署長において特別の事情があると認める場合を除くほか、当該明細書に当該金額として記載された金額を限度とする。（法69㉗、規30の2①②）

（一）	③（④の（1）及び④の（2）において準用する場合を含む。（二）及び（三）において同じ。）による控除を受けるべき金額及びその計算に関する明細を記載した書類
（二）	③による控除を受けるべき金額に係る過去適用事業年度（③に掲げる過去適用事業年度をいう。以下（5）及び（6）において同じ。）の税額控除額（②に掲げる税額控除額をいう。（四）において同じ。）及びその計算に関す

（三）	（二）の過去適用事業年度の**6**の表の①の（一）のイからトまで及び同表の②の（一）のロに掲げる書類（これらの書類が対象前各事業年度〔③に掲げる対象前各事業年度をいう。（四）及び（五）において同じ。〕の申告等等〔**6**に掲げる申告書等をいう。（五）において同じ。〕に添付されている場合における当該書類を除く。）
（四）	対象前各事業年度において（二）の過去適用事業年度に係る税額控除額につき③又は（１）の適用があった場合には、当該対象前各事業年度の③により法人税の額から控除した金額の合計額及び（１）により法人税の額に加算した金額の合計額に関する明細を記載した書類
（五）	（二）の過去適用事業年度における**4**の①及び**4**の②による控除をされるべき金額に係る繰越控除限度額又は繰越控除対象外国法人税額に係る事業年度のうち最も古い事業年度以後の各事業年度（以下（五）並びに（６）の表の（二）及び同表の（三）において「**繰越控除限度額等に係る各事業年度**」という。）の控除限度額及び当該繰越控除限度額等に係る各事業年度において納付することとなった控除対象外国法人税の額を記載した書類（これらの書類が対象前各事業年度の申告書等に添付されている場合における当該書類を除く。）

（控除をされるべき金額の計算の基礎となる金額）
（６）（５）に掲げる金額は、次の表の（一）から（三）に掲げる金額とする。（規30の2③）

（一）	（５）の表の（二）の過去適用事業年度の控除対象外国法人税の額（**5**の②《外国法人税額が減額された場合》の適用があった場合には、同②の表の（一）に掲げる控除後の金額）
（二）	繰越控除限度額等に係る各事業年度の控除限度額
（三）	繰越控除限度額等に係る各事業年度において納付することとなった控除対象外国法人税の額（当該繰越控除限度額等に係る各事業年度において同②の適用があった場合には、同②の表の（一）に掲げる控除後の金額）

（過去当初申告税額控除額が調整後過去税額控除額を超える場合の申告）
（７）（１）（④の（１）及び④の（２）において準用する場合を含む。以下（７）において同じ。）の適用を受ける通算法人（通算法人であった内国法人を含む。④の（５）及び④の（６）において同じ。）は、申告書等に次の表に掲げる書類（以下（７）において「明細書」という。）を添付し、かつ、次の表の（二）の過去適用事業年度の**6**の表の①の（二）のイ及びロ並びに同表の②の（二）のイ及びロに掲げる書類を保存しなければならない。この場合において、（１）により加算されるべき金額の計算の基礎となる（８）に掲げる金額は、税務署長において特別の事情があると認める場合を除くほか、当該明細書に当該金額として記載された金額を限度とする。（法69㉛、規30の5、30の2①②）

（一）	（１）（④の（１）及び④の（２）において準用する場合を含む。（二）及び（三）において同じ。）により法人税の額に加算されるべき金額及びその計算に関する明細を記載した書類
（二）	（１）により法人税の額に加算されるべき金額に係る過去適用事業年度（③〔④の（１）及び④の（２）において準用する場合を含む。以下（二）及び（三）において同じ。〕に掲げる過去適用事業年度をいう。以下（７）及び（８）において同じ。）の税額控除額（②に掲げる税額控除額をいう。（四）において同じ。）及びその計算に関する明細並びに③に掲げる過去当初申告税額控除額を記載した書類
（三）	（二）の過去適用事業年度の**6**の表の①の（一）のイからトまで及び同表の②の（一）のロに掲げる書類（これらの書類が対象前各事業年度〔③に掲げる対象前各事業年度をいう。（四）及び（五）において同じ。〕の申告書等〔**6**に掲げる申告書等をいう。（五）において同じ。〕に添付されている場合における当該書類を除く。）
（四）	対象前各事業年度において（二）の過去適用事業年度に係る税額控除額につき③又は（１）の適用があった場合には、当該対象前各事業年度の③により法人税の額から控除した金額の合計額及び（１）により法人税の額に加算した金額の合計額に関する明細を記載した書類
（五）	（二）の過去適用事業年度における**4**の①及び**4**の②による控除をされるべき金額に係る繰越控除限度額又は繰越控除対象外国法人税額に係る事業年度のうち最も古い事業年度以後の各事業年度（以下（五）並びに（８）の表の（二）及び同表の（三）において「**繰越控除限度額等に係る各事業年度**」という。）の控除限度額及び当該繰越控除限度額等に係る各事業年度において納付することとなった控除対象外国法人税の額を記載した書類（これらの書類が対象前各事業年度の申告書等に添付されている場合における当該書類を除く。）

第三章　第二節　第二款　二《外国税額の控除》

(計算の基礎となる金額)
(8)　(7)に掲げる金額は、次の表の(一)から(三)に掲げる金額とする。(規30の5、30の2③)

(一)	(5)の表の(二)の過去適用事業年度の控除対象外国法人税の額(5の②《外国法人税額が減額された場合》の適用があった場合には、同②の表の(一)に掲げる控除後の金額)
(二)	繰越控除限度額等に係る各事業年度の控除限度額
(三)	繰越控除限度額等に係る各事業年度において納付することとなった控除対象外国法人税の額(当該繰越控除限度額等に係る各事業年度において同②の適用があった場合には、同②の表の(一)に掲げる控除後の金額)

(進行年度調整規定の適用に係る対象事業年度の意義等)
(9)　③又は(1)(以下(9)において「進行年度調整規定」という。)は、③に掲げる通算法人(以下(9)において「通算法人」という。)の③に掲げる調整後過去税額控除額が③に掲げる過去当初申告税額控除額と異なること(以下(9)において「相違事実」という。)が判明した場合に適用があるのであるが、当該進行年度調整規定の適用に当たっては、それぞれ次の表のとおりとする。(基通16－3－51)

(一)	\multicolumn{3}{l	}{相違事実が判明した日(次の表の左欄に掲げる場合に該当する場合にはそれぞれ右欄に掲げる。以下(9)において「判明日」という。)の属する事業年度を③に掲げる対象事業年度(以下(9)において「対象事業年度」という。)として、当該進行年度調整規定を適用する。}
	イ	④の(5)又は④の(6)による調査結果の内容の説明(以下④までにおいて「進行年度調整に係る調査結果説明」という。)が行われた場合	当該進行年度調整に係る調査結果説明が行われた日
	ロ	相違事実の基因となった事由を生じさせた当該通算法人又は他の通算法人について当該事由に係る修正申告書の提出又は更正が必要となる場合(イに掲げる場合を除く。)	当該修正申告書の提出又は更正が行われた日
	注	\multicolumn{2}{l	}{判明日が当該判明日の属する事業年度の開始の日から当該事業年度の直前の事業年度の法定申告期限までの期間内の日である場合には、当該通算法人は、当該直前の事業年度を対象事業年度として進行年度調整規定を適用することができるものとする。なお、イに掲げる場合に該当する場合に、この取扱いを適用するときは、(3)の表の(三)に掲げる場合に該当しないものとして取り扱う。}
(二)	\multicolumn{3}{l	}{判明日が③に掲げる過去適用事業年度の法定申告期限から5年(修正申告書の提出又は更正が次の表の左欄に基づき行われる場合には、それぞれ右欄に掲げる期間)を経過した日以後の日である場合には、当該進行年度調整規定の適用はない。}
	イ	第二章第三節の一の1の(11)《更正又は決定の期間制限》の(三)	左欄の更正の請求書の提出があった日から6か月
	ロ	同(11)の(五)(表のイに係る部分に限る。)又は第一節第三十款の九《更正・決定等の期間制限の特例》(1のチの(13)《関連規定の読替え》において準用する場合を含む。)	当該過去適用事業年度に係る期限内申告書の法定申告期限から7年
	ハ	ロのほか、第二章第三節の一の1の(11)による国税の更正の期間制限についての特例を定める規定	当該規定に定める期間
	注	\multicolumn{2}{l	}{(二)の取扱いは、④の(1)又は④の(2)により③又は(1)を準用する場合においても、同様とする。}

(対象事業年度の税額控除不足額相当額等が進行年度調整に係る調査結果説明の内容と異なる場合)
(10)　(3)の表の(三)に掲げる場合とは、同(三)に掲げる対象事業年度の期限内申告書に添付された書類に当該対象事業年度の税額控除不足額相当額等(③に掲げる税額控除不足額相当額又は(1)に掲げる税額控除超過額相当額をいう。以下(10)において同じ。)として記載された金額及びその計算の根拠のいずれも進行年度調整に係る調査結果説明の内容と異なる場合をいうのであるから、例えば、進行年度調整に係る調査結果説明が行われた後に行った自主監査等において当該進行年度調整に係る調査結果説明の内容とは異なる理由による税額控除額の誤りが判明したことにより、期限内申告書に添付された書類に当該対象事業年度の税額控除不足額相当額等として記載された金額が当該進行年度

－1499－

調整に係る調査結果説明の金額と異なる場合であっても、その計算の根拠が当該進行年度調整に係る調査結果説明の内容を踏まえたものであるときは、(3)の表の(三)に掲げる場合に該当しない。(基通16－3－52)

④ **その他の取扱い**

(通算法人が合併により解散した場合等の準用)
(1) ③及び③の(1)は、通算法人(通算法人であった内国法人を含む。以下(1)及び(2)において同じ。)が合併により解散した場合又は通算法人の残余財産が確定した場合について準用する。この場合において、次の表の左欄に掲げる規定中同表の中欄に掲げる字句は、それぞれ同表の右欄に掲げる字句に読み替えるものとする。(法69㉓)

法人税法第69条第18項	の各事業年度(以下第22項までにおいて「対象事業年度」という。)において、過去適用事業年度(当該対象事業年度	が合併により解散した場合又は通算法人の残余財産が確定した場合において、その合併の日以後又はその残余財産の確定の日の翌日以後に、過去適用事業年度(最終事業年度〔その合併の日の前日又はその残余財産の確定の日の属する事業年度をいう。以下この項及び次項において同じ。〕
	税額控除額(当該対象事業年度	税額控除額(当該最終事業年度
	超える場合には	超えるときは
	を当該対象事業年度	を当該最終事業年度
法人税法第69条第19項	の対象事業年度において	が合併により解散した場合又は通算法人の残余財産が確定した場合において、その合併の日以後又はその残余財産の確定の日の翌日以後に
	場合には、当該対象事業年度	ときは、最終事業年度

(通算法人が公益法人等に該当することとなった場合の準用)
(2) ③及び③の(1)は、通算法人が公益法人等に該当することとなった場合について準用する。この場合において、次の表の左欄に掲げる規定中同表の中欄に掲げる字句は、それぞれ同表の右欄に掲げる字句に読み替えるものとする。(法69㉔)

法人税法第69条第18項	の各事業年度(以下第22項までにおいて「対象事業年度」という。)において、過去適用事業年度(当該対象事業年度	が公益法人等に該当することとなった場合において、その該当することとなった日以後に、過去適用事業年度(最終事業年度〔その該当することとなった日の前日の属する事業年度をいう。以下この項及び次項において同じ。〕
	税額控除額(当該対象事業年度	税額控除額(当該最終事業年度
	超える場合には	超えるときは
	を当該対象事業年度	を当該最終事業年度
法人税法第69条第19項	の対象事業年度において	が公益法人等に該当することとなった場合において、その該当することとなった日以後に
	場合には、当該対象事業年度	ときは、最終事業年度

(非課税国外所得金額の準用)
(3) 1の⑩の(3)《外国法人税が課されない国外源泉所得》及び同⑩の(5)《外国法人税が課されない場合の共通費用の配賦》は、非課税国外所得金額について準用する。(法69㉞、令148⑧)

(他の通算法人に対する通知)
(4) 通算法人(通算法人であった内国法人を含む。)は、当該通算法人の通算事業年度後において、当該通算事業年度の第三款の二の1《確定申告》による申告書に添付された書類に法人税額等(①の(1)の表の(一)のイに掲げる金額、同表の(二)のイに掲げる当該通算事業年度の所得金額若しくは同(二)のロに掲げる当該通算事業年度の欠損金額、非

課税国外所得金額又は加算前国外所得金額をいう。以下（4）において同じ。）として記載された金額と当該通算事業年度の法人税額等とが異なることとなった場合には、他の通算法人に対し、その異なることとなった法人税額等を通知しなければならない。（法69㉞、令148⑨）

（国税庁、国税局又は税務署の当該職員の説明）
（5） 法人税に関する調査を行った結果、通算法人の各事業年度（第三款の二の1《確定申告》による申告書の提出期限が到来していないものに限る。）において③及び③の（1）を適用すべきと認める場合には、国税庁、国税局又は税務署の当該職員は、当該通算法人に対し、その調査結果の内容（③及び③の（1）を適用すべきと認めた金額及びその理由を含む。）を説明するものとする。（法69㉜）

（税務代理人への説明）
（6） 実地の調査により第二章第五節の七の2の①《事前通知》に掲げる質問検査等を行った通算法人について同①の（2）《用語の意義》に掲げる税務代理人がある場合において、当該通算法人の同七の3の④《税務代理人への通知》の同意があるときは、当該通算法人への（5）に掲げる説明に代えて、当該税務代理人への（5）に掲げる説明を行うことができる。（法69㉝）

（進行年度調整に係る調査結果説明における手続通達の準用）
（7） （5）及び（6）の「調査」、「当該職員」及び「実地の調査」については、それぞれ税務調査手続通達第二章第五節の六の1の（4）《「調査」の意義》から（6）《「当該職員」の意義》及び同節の七の1の（5）《「実地の調査」の意義》の取扱いを準用する。
　また、（5）の適用に当たっては、同七の3の①の（1）《国税通則法第74条の11第1項又は第2項の規定の適用範囲》、同3の②の（1）《「更正決定等をすべきと認めた額」の意義》及び同②の（2）《調査結果の内容の説明後の調査の再開及び再度の説明》の取扱いを準用し、（6）の適用に当たっては、同3の①の（4）《税務代理人がある場合の実地の調査以外の調査結果の内容の説明等》及び同3の④の《一部の納税義務者の同意がない場合における税務代理人への説明等》の取扱いを準用する。（基通16－3－53）
　　注　法人税に関する調査の結果、同3の②《調査結果の内容の説明》による調査結果の内容の説明を行わない場合であっても、③又は③の（1）を適用すべきと認めるときには、進行年度調整に係る調査結果説明を行うことに留意する。

三　分配時調整外国税相当額の控除

1　分配時調整外国税相当額の控除

　内国法人が各事業年度において集団投資信託の収益の分配の支払を受ける場合には、当該収益の分配に係る分配時調整外国税（所得税法第176条第3項《信託財産に係る利子等の課税の特例》に規定する外国の法令により課される所得税に相当する税で（1）《分配時調整外国税の意義》に掲げるものをいう。以下三において同じ。）の額で同項又は同法第180条の2第3項《信託財産に係る利子等の課税の特例》の規定により当該収益の分配に係る所得税の額から控除された金額のうち当該内国法人が支払を受ける収益の分配に対応する部分の金額として（3）《分配時調整外国税相当額の計算》で掲げる金額に相当する金額（三において「**分配時調整外国税相当額**」という。）は、（4）《法人税額から控除する分配時調整外国税相当額の計算》で掲げるところにより、当該事業年度の所得に対する法人税の額から控除する。（法69の2①）

　　　（分配時調整外国税の意義）
（1）　分配時調整外国税とは、外国の法令に基づき所得税法第176条第3項の信託財産につき課される税で、所得税法第212条《源泉徴収義務》の規定による源泉徴収に係る所得税に相当するもの（以下（1）において「外国所得税」という。）のうち、当該外国所得税の課せられた収益を分配するとしたならば当該収益の分配につき所得税法第181条《源泉徴収義務》又は同法第212条の規定により所得税を徴収されるべきこととなるものに対応する部分（所得税法第9条第1項第11号《非課税所得》に掲げるもののみに対応する部分を除く。）をいう。（所得税法施行令第300条第1項）

　　　（分配時調整外国税相当額の控除の不適用）
（2）　1は、内国法人である公益法人等又は人格のない社団等の収益事業以外の事業又はこれに属する資産から生ずる所得に係る分配時調整外国税相当額については、適用しない。（法69の2②）

　　　（分配時調整外国税相当額の計算）
（3）　1に掲げる分配時調整外国税相当額は、内国法人が支払を受ける集団投資信託の収益の分配に係る次の表に掲げる金額の合計額とする。（令149①）

（一）	所得税法第176条第3項の規定により当該収益の分配に係る所得税の額から控除すべき外国所得税（（1）に掲げる外国所得税をいう。（二）において同じ。）の額に、当該収益の分配（同法第181条又は第212条の規定により所得税を徴収されるべきこととなる部分〔所得税法第9条第1項第11号《非課税所得》に掲げるもののみに対応する部分を除く。〕に限る。以下（一）において同じ。）の額の総額のうちに当該内国法人が支払を受ける収益の分配の額の占める割合を乗じて計算した金額（当該金額が同法第176条第3項の規定による控除をしないで計算した場合の当該収益の分配に係る所得税の額に当該収益の分配の計算期間の末日において計算した当該収益の分配に係る集団投資信託の同令第300条第9項に規定する外貨建資産割合を乗じて計算した金額を超える場合には、当該外貨建資産割合を乗じて計算した金額）
（二）	所得税法第180条の2第3項の規定により当該収益の分配に係る所得税の額から控除すべき外国所得税の額に、当該収益の分配（同法第181条又は第212条の規定により所得税を徴収されるべきこととなる部分〔所得税法第9条第1項第11号に掲げるもののみに対応する部分を除く。〕に限る。以下（二）において同じ。）の額の総額のうちに当該内国法人が支払を受ける収益の分配の額の占める割合を乗じて計算した金額（当該金額が同法第180条の2第3項の規定による控除をしないで計算した場合の当該収益の分配に係る所得税の額に当該収益の分配の計算期間の末日において計算した当該収益の分配に係る集団投資信託の所得税法施行令第306条の2第7項《信託財産に係る利子等の課税の特例》に規定する外貨建資産割合を乗じて計算した金額を超える場合には、当該外貨建資産割合を乗じて計算した金額）

　　　（法人税額から控除する分配時調整外国税相当額の計算）
（4）　1により法人税の額から控除する分配時調整外国税相当額は、次の表の左欄に掲げる区分に応じそれぞれ右欄に掲げる金額とする。（令149②）

（一）	集団投資信託（合同運用信託、所得税法第2条第1項第15号《定義》に規定する公社債投資信託及び同項第15号の2に規定する公社債等運用投資信託〔第140条の2第	その元本を所有していた期間に対応するものとして計算される分配時調整外国税相当額

		1項第1号《法人税額から控除する所得税額の計算》に規定する特定公社債等運用投資信託を除く。〕を除く。）の収益の分配に係る分配時調整外国税相当額	
	(二)	(一)に掲げるもの以外の分配時調整外国税相当額	その分配時調整外国税相当額の全額

(関連規定の準用)

（5）　一の2《法人税額から控除する所得税額の計算》の②から⑥までは、（4）の表に掲げる金額の計算について、準用する。この場合において、次の表の左欄に掲げる規定中同表の中欄に掲げる字句は、それぞれ同表の下欄に掲げる字句に読み替えるものとする。（法69の2④、令149③）

一の2の②《元本所有期間あん分の計算方法》	①の表のイに掲げる所得税の額	三の1の(4)《法人税額から控除する分配時調整外国税相当額の計算》の表の(一)に掲げる分配時調整外国税相当額
	所得税の額（	分配時調整外国税相当額（三の1に掲げる分配時調整外国税相当額をいう。以下②において同じ。）（
	課される所得税の額（	に係る分配時調整外国税相当額
	同表	①の表のイ
一の2の③《元本所有期間あん分の簡便計算》	、①《法人税額から控除する所得税額》の表のイに	、三の1の(4)《法人税額から控除する分配時調整外国税相当額の計算》の表の(一)に掲げる分配時調整外国税相当額
	、その所得税の額に係る	、その分配時調整外国税相当額（三の1に掲げる分配時調整外国税相当額をいう。以下③において同じ。）に係る
	所得税の額に、	分配時調整外国税相当額に、
一の2の③《元本所有期間あん分の簡便計算》の表	所得税の額に	分配時調整外国税相当額に

(未収の収益の分配に対する分配時調整外国税相当額の控除)

（6）　法人が各事業年度終了の日までに支払を受けていない集団投資信託の収益の分配を当該事業年度の確定した決算において収益として計上し、当該収益の分配（所得税法第23条第1項《利子所得》に規定する利子等に該当するものについては当該事業年度終了の日までにその利払期の到来しているものに、同法第24条第1項《配当所得》に規定する配当等に該当するものについてはその支払のために通常要する期間内に支払を受けることが見込まれるものに限る。）に係る1に掲げる分配時調整外国税相当額（(9)までにおいて「分配時調整外国税相当額」という。）を当該事業年度の法人税の額から控除した場合には、その控除を認める。（基通16－3の2－1）

(証券投資信託の収益の分配の計算期間)

（7）　証券投資信託の収益の分配に係る分配時調整外国税相当額につき(5)において準用する一の2の②《元本所有期間あん分の計算方法》又は一の2の③《元本所有期間のあん分の簡便計算》を適用する場合における当該収益の分配の計算の基礎となった期間については、一の2の②の(4)《証券投資信託の収益の分配の計算期間》の例による。（基通16－3の2－2）

(分配時調整外国税相当額のうち控除されない金額が生じた場合の取扱い)

（8）　内国法人が支払を受ける集団投資信託の収益の分配に係る分配時調整外国税相当額について1の適用を受ける場合には、第一節第十一款の一の7《分配時調整外国税相当額の損金不算入》により当該分配時調整外国税相当額の全額が損金の額に算入されないのであるから、当該分配時調整外国税相当額のうち(4)《法人税額から控除する分配時調整外国税相当額の計算》の表の(一)により当該内国法人の法人税の額から控除されない金額が生じた場合における当該控除されない金額についても、損金の額に算入されないことに留意する。（基通16－3の2－3）

(分配時調整外国税相当額の控除の適用を受けない場合の取扱い)
（9）内国法人が支払を受ける集団投資信託の収益の分配に係る分配時調整外国税相当額につき、1の適用を受けない場合には、その支払を受ける集団投資信託の収益の分配に係る分配時調整外国税相当額については、第一節第十一款の一の7《分配時調整外国税相当額の損金不算入》の適用はないことに留意する。(基通16－3の2－4)

(上場株式等の配当等に係る分配時調整外国税相当額の控除の取扱い)
（10）法人が交付又は支払を受ける次に掲げる配当等に係る1の適用に当たっては、1に掲げる法人税の額から控除される金額は、次の表の左欄に掲げる配当等に応じそれぞれ同表の右欄に掲げる金額を基礎として計算することに留意する。(基通16－3の2－5)

(一)	租税特別措置法第9条の3の2第1項《上場株式等の配当等に係る源泉徴収義務等の特例》に規定する上場株式等の配当等の交付を受ける場合において、同条第3項各号に定める金額があるときにおける当該上場株式等の配当等	当該上場株式等の配当等に係る同条第7項の規定により読み替えて適用される一の1《所得税額の控除》に掲げる調整対象外国税相当額
(二)	租税特別措置法第9条の6第1項《特定目的会社の利益の配当に係る源泉徴収等の特例》に規定する特定目的会社の同項に規定する利益の配当の支払を受ける場合において、当該利益の配当に係る同条第4項に規定する特定目的会社分配時調整外国税相当額があるときにおける当該利益の配当	当該特定目的会社分配時調整外国税相当額
(三)	租税特別措置法第9条の6の2第1項《投資法人の配当等に係る源泉徴収等の特例》に規定する投資法人の同項に規定する配当等の支払を受ける場合において、当該配当等に係る同条第4項に規定する投資法人分配時調整外国税相当額があるときにおける当該配当等	当該投資法人分配時調整外国税相当額
(四)	資産の流動化に関する法律第2条第13項《定義》に規定する特定目的信託の受益権の剰余金の配当の支払を受ける場合において、租税特別措置法第9条の6の3第4項《特定目的信託の剰余金の配当に係る源泉徴収等の特例》に規定する特定目的信託分配時調整外国税相当額があるときにおける当該剰余金の配当	当該特定目的信託分配時調整外国税相当額
(五)	租税特別措置法第9条の6の4第1項《特定投資信託の剰余金の配当に係る源泉徴収等の特例》に規定する特定投資信託の剰余金の配当の支払を受ける場合において、当該剰余金の配当に係る同条第4項に規定する特定投資信託分配時調整外国税相当額があるときにおける当該剰余金の配当	当該特定投資信託分配時調整外国税相当額

注 本文の取扱いは、(6)から(9)までの取扱いの適用に当たっても、同様とする。

2 分配時調整外国税相当額の控除の申告

1《分配時調整外国税相当額の控除》は、確定申告書、修正申告書又は更正請求書に1による控除の対象となる分配時調整外国税相当額、控除を受ける金額及び当該金額の計算に関する明細を記載した書類の添付がある場合に限り、適用する。この場合において、1により控除される金額は、当該書類に当該分配時調整外国税相当額として記載された金額を限度とする。(法69の2③)

四　仮装経理に基づく過大申告の場合の更正に伴う法人税額の控除

1　仮装経理に基づく過大申告の場合の更正に伴う法人税額の控除

　内国法人の各事業年度開始の日前に開始した事業年度（当該各事業年度終了の日以前に行われた当該内国法人を合併法人とする適格合併に係る被合併法人の当該適格合併の日前に開始した事業年度〔以下1において「**被合併法人事業年度**」という。〕を含む。）の所得に対する法人税につき税務署長が更正をした場合において、当該更正につき第三款の八の4《仮装経理に基づく過大申告の場合の更正に伴う法人税額の還付の特例》の適用があったときは、当該更正に係る同4に掲げる仮装経理法人税額（既に同4の（1）《仮装経理法人税額を有する場合の確定法人税額の還付の特例》、同4の（2）《最終申告期限が到来した場合の仮装経理法人税額の還付の特例》又は同4の（6）《還付請求があった場合の還付の手続》により還付されるべきこととなった金額及び1により控除された金額を除く。）は、当該各事業年度（当該更正の日〔当該更正が被合併法人事業年度の所得に対する法人税につき当該適格合併の日前にしたものである場合には、当該適格合併の日〕以後に終了する事業年度に限る。）の所得に対する法人税の額から控除する。（法70）

　　注　仮装経理に基づく過大申告の場合の更正の特例等に関して、上記の規定のほか、次の規定が設けられていることに留意する。（編者）
　　　（1）　仮装経理に基づく過大申告の場合の更正の特例《第二章第三節の一の2参照》
　　　（2）　仮装経理に基づく過大申告の場合の更正に伴う法人税額の還付の特例《第三款の八の4参照》

2　通算法人の仮装経理に基づく過大申告の場合等の法人税額

①　通算法人の仮装経理に基づく過大申告の場合等の法人税額の計算

　内国法人の次の表の左欄に掲げる規定（以下①において「税額控除規定」という。）の適用を受けた1の事業年度（当該内国法人に係る通算親法人の事業年度終了の日に終了するものに限る。以下①において「適用事業年度」という。）後の各事業年度（以下①において「調整事業年度」という。）終了の時において、他の通算法人（当該内国法人の当該適用事業年度終了の日（以下①において「基準日」という。）において当該内国法人との間に通算完全支配関係がある他の内国法人をいう。以下①において同じ。）のいずれかの基準日に終了する事業年度（以下①において「他の適用事業年度」という。）において生じた通算前欠損金額（第一節第三十五款の一の1の①《所得事業年度の通算対象欠損金額の損金算入》に掲げる通算前欠損金額をいい、同一の2《損益通算の対象となる欠損金額の特例》によりないものとされたものを除く。以下①及び（1）において同じ。）が当該他の通算法人の当該他の適用事業年度の確定申告書等に添付された書類に通算前欠損金額として記載された金額を超える場合（その超える部分の金額（以下①において「通算不足欠損金額」という。）のうちに事実を仮装して経理したところに基づくものがある場合に限る。以下①において「過大申告の場合」という。）又は他の通算法人のいずれかの他の適用事業年度の確定申告書等（期限後申告書に限る。）に添付された書類に通算前欠損金額として記載された金額（以下①において「期限後欠損金額」という。）がある場合（以下①において「期限後欠損金額の場合」という。）において、当該税額控除規定により当該適用事業年度の所得に対する法人税の額から控除された金額（以下①において「控除額」という。）のうち通算不足欠損相当税額（他の通算法人〔過大申告の場合又は期限後欠損金額の場合に係るものに限る。〕に係る通算不足欠損金額又は期限後欠損金額の合計額に欠損分配割合〔当該他の通算法人につき同一の1の③《添付書類に記載された金額と異なる場合の取扱い》を適用しないものとした場合の当該内国法人の当該適用事業年度の同③を適用した同1の①の（1）《通算対象欠損金額の意義》に掲げる割合をいう。〕を乗じて計算した金額を当該内国法人の当該適用事業年度の所得の金額とみなして当該所得の金額につき第一節第十五款の九《特定普通財産とその隣接する土地等の交換の場合の課税の特例》並びに第一款の一の4の①《特定の医療法人の法人税率の特例》及び同一の2の③《特定の協同組合等の法人税率の特例》を適用するものとした場合に計算される法人税の額をいう。）次の表の中欄に掲げる割合を乗じて計算した金額から税額控除余裕額（当該控除額が当該適用事業年度の次の表の右欄に掲げる金額に満たない場合におけるその満たない部分の金額をいう。）を控除した金額（当該適用事業年度の所得に対する調整前法人税額（**五の1**の表の②《調整前法人税額》に掲げる調整前法人税額をいう。以下①において同じ。）から当該通算不足欠損相当税額を控除した金額を当該適用事業年度の所得に対する調整前法人税額とみなして**二十一の1**《調整前法人税額超過額の税額控除制度の不適用及び繰越控除》及び同1の表に掲げる規定を適用した場合に同1により当該調整前法人税額から控除しないこととなる同1に掲げる調整前法人税額超過額があるときは、当該控除額のうち当該調整前法人税額超過額を構成することとなる部分に相当する金額を加算した金額）に達するまでの金額（以下①において「個別要加算調整額」という。）（当該控除額のうちに当該調整事業年度前の各事業年度において①又は②により加算された金額がある場合には、当該個別要加算調整額から当該加算された金額の合計額を控除した金額）の合計額（以下①において「要加算調整額」という。）があるときは、当該調整事業年度の所得に対する法人税の額は、第一款の一の1の①《基本税率》、同1の②《中小法人の年800万円以下の所得に対する軽減税率》、同一の2の①《基本税率》及び同一の1の⑥《中小通算法人の軽減対象所得金額以下

第三章　第二節　第二款　四《仮装経理に基づく過大申告の更正に伴う税額控除》

の金額に対する税率》並びに二の**7**の③の（1）《過去当初申告税額控除額が調整後過去税額控除額を超える場合》（同**7**の④の（1）《通算法人が合併により解散した場合等の準用》又は同④の（2）《通算法人が公益法人等に該当することとなった場合の準用》において準用する場合を含む。）、**五**の**5**の①の表の（六）のロ及び（七）（これらを同**5**の④の（3）《通算法人に係る産学官連携の協同研究・委託研究に係る法人税額の特別控除の準用》において準用する場合を含む。）、②、第一款の**一**の**4**の①並びに同**一**の**2**の③その他法人税に関する法令の規定にかかわらず、これらにより計算した法人税の額に、当該要加算調整額を加算した金額とする。（措法42の14①）

(一)	租税特別措置法第42条の6第2項の規定若しくは同条第3項の規定又は同法第42条の12の4第2項の規定若しくは同条第3項の規定	$\frac{20}{100}$	同法第42条の6第2項に規定する$\frac{20}{100}$に相当する金額
(二)	租税特別措置法第42条の9第1項の規定又は同条第2項の規定	$\frac{20}{100}$	同条第1項に規定する$\frac{20}{100}$に相当する金額
(三)	租税特別措置法第42条の10第2項の規定	$\frac{20}{100}$	同項に規定する$\frac{20}{100}$に相当する金額
(四)	租税特別措置法第42条の11第2項の規定	$\frac{20}{100}$	同項に規定する$\frac{20}{100}$に相当する金額
(五)	租税特別措置法第42条の11の2第2項の規定	$\frac{20}{100}$	同項に規定する$\frac{20}{100}$に相当する金額
(六)	租税特別措置法第42条の11の3第2項若しくは同法第42条の12第1項の規定又は同条第2項の規定	$\frac{20}{100}$	同法第42条の11の3第2項又は同法第42条の12第1項に規定する$\frac{20}{100}$に相当する金額
(七)	租税特別措置法第42条の12の2第1項の規定	$\frac{5}{100}$	同項に規定する$\frac{5}{100}$に相当する金額
(八)	租税特別措置法第42条の12の5第1項から第3項までの規定又は同条第4項の規定	$\frac{20}{100}$	同条第1項から第3項までに規定する$\frac{20}{100}$に相当する金額
(九)	租税特別措置法第42条の12の6第2項の規定	$\frac{20}{100}$	同項に規定する$\frac{20}{100}$に相当する金額
(十)	租税特別措置法第42条の12の7第4項の規定、同条第5項の規定、同条第6項の規定、同条第7項の規定又は同条第8項の規定	$\frac{20}{100}$	同条第4項に規定する$\frac{20}{100}$に相当する金額
(十一)	租税特別措置法第42条の12の7第10項の規定又は同条第11項の規定	$\frac{40}{100}$	同条第10項に規定する$\frac{40}{100}$に相当する金額（（十）の左欄に掲げる規定に係る個別要加算調整額がある場合には、当該個別要加算調整額を加算した金額）

注1　──線部分（上表に係る部分を除く。）は、令和6年度改正により改正された部分で、改正規定は、令和6年4月1日以後に開始する事業年度から適用され、令和6年3月31日以前に開始した事業年度の適用については、「までの金額（以下①において「個別要加算調整額」という。）」とあるのは「までの金額」と「当該個別要加算調整額」とあるのは「当該達するまでの金額」とする。（令6改法附38、1）

注2　──線部分（上表の（八）に係る部分に限る。）は、令和6年度改正により改正された部分で、改正規定は、令和6年4月1日以後に開始する事業年度から適用され、令和6年3月31日以前に開始した事業年度の適用については、次による。（令6改法附38、1）

旧(八)	租税特別措置法第42条の12の5第1項の規定	$\frac{20}{100}$	同項に規定する$\frac{20}{100}$に相当する金額
旧(九)	租税特別措置法第42条の12の5第2項の規定	$\frac{20}{100}$	同項に規定する$\frac{20}{100}$に相当する金額

注3　──線部分（上表の（十）及び（十一）に係る部分に限る。）は、令和6年度改正により改正された部分で、改正規定は、新たな事業の創出及び産業への投資を促進するための産業競争力強化法等の一部を改正する法律（令和6年法律第45号）の施行の日から適用され、同日前の適用については、次による。（令6改法附1 XⅢイ）

なお、同法の施行期日を定める政令は、令和6年7月1日現在制定されていない。（編者）

旧(十一)	租税特別措置法第42条の12の7第4項の規定、同条第5項の規定又は同条第6項の規定	$\frac{20}{100}$	同条第4項に規定する$\frac{20}{100}$に相当する金額

（他の適用事業年度において生じた通算前欠損金額とみなすもの）

（1）　①の内国法人の①に掲げる調整事業年度の①の適用において、①の他の通算法人の①に掲げる他の適用事業年度

において生じた通算前欠損金額が既確定通算前欠損金額（当該調整事業年度終了の日以前に提出された当該他の適用事業年度の確定申告書等若しくは修正申告書に添付された書類又は同日以前にされた第二章第三節の一の１の表の①《更正》若しくは同表の③《再更正》による更正に係る同１の（３）《更正通知書の記載事項》に掲げる更正通知書に添付された書類のうち、最も新しいものに通算前欠損金額として記載された金額をいう。以下（１）において同じ。）と異なる場合には、当該既確定通算前欠損金額を当該他の適用事業年度において生じた通算前欠損金額とみなす。（措法42の14②）

（みなし金額の否認があった場合の不適用）
（２）　①の場合において、①に掲げる適用事業年度について第一節第三十五款の一の１の③の（３）《みなし金額の否認》の適用がある場合には、当該適用事業年度に係る①の内国法人の①に掲げる調整事業年度については、①及び（１）は、適用しない。（措法42の14③）

② **通算法人の承認が効力を失う場合の取扱い**

　通算法人（通算法人であった法人を含む。以下②において同じ。）について、第一節第三十五款の二の２の（７）《青色申告の承認の取消し通知を受けた場合の通算承認の効力》により同二の１《通算承認》による承認が効力を失う場合において、当該通算法人がその効力を失う日（以下②において「失効日」という。）前５年以内に開始した各事業年度（当該承認の効力が生じた日前に終了した事業年度を除く。）において特別税額控除規定（六の１《法人税額の特別控除》若しくは六の２《繰越税額控除限度超過額の１年間繰越控除》、七の１《法人税額の特別控除》若しくは七の２《繰越税額控除限度超過額の４年間繰越控除》、十四の１《法人税額の特別控除》若しくは十四の２《繰越税額控除限度額の１年間繰越控除》、十五の４の①《中小企業者等の給与等の引上げを行った場合の法人税額の特別控除》若しくは同４の②《繰越税額控除限度超過額の５年間繰越控除》又は十七の２の①《半導体生産用資産を取得した場合の法人税額の特別控除》、同２の②《繰越税額控除限度超過額の３年間繰越控除》、同２の③《特定産業競争力基盤強化商品を取得した場合の法人税額の特別控除》若しくは同２の④《繰越税額控除限度超過額の４年間繰越控除》をいう。以下②において同じ。）の適用を受けたときは、当該通算法人の失効日の前日（当該前日が当該通算法人に係る通算親法人の事業年度終了の日であるときは、当該失効日）を含む事業年度（以下②において「失効事業年度」という。）の所得に対する法人税の額は、第一款の一の１の①、同１の②、同一の２の①及び同一の１の⑥並びに二の７の③の（１）（同７の④の（１）又は同④の（２）において準用する場合を含む。）の規定、①、第一款の一の４の①及び同一の２の③その他法人税に関する法令の規定にかかわらず、これらの規定により計算した法人税の額に、特別税額控除規定により当該各事業年度の所得に対する法人税の額から控除された金額（当該失効事業年度前の各事業年度において①の適用があった場合には、当該各事業年度において①により加算された金額の合計額を控除した金額）に相当する金額を加算した金額とする。（措法42の14④）

注１　──線部分（注２に係る部分を除く。）は、令和６年度改正により追加された部分で、改正規定は、令和６年４月１日から適用される。（令６改法附１）

注２　──線部分（「十五の４の①《中小企業者等の給与等の引上げを行った場合の法人税額の特別控除》」に係る部分に限る。）は、令和６年度改正により追加された部分で、改正規定は、十五の４の①により令和６年４月１日以後に開始する各事業年度の所得に対する法人税の額から控除された金額について適用される。（令６改法附47①、１）

注３　令和６年４月１日から新たな事業の創出及び産業への投資を促進するための産業競争力強化法等の一部を改正する法律（令和６年法律第45号）の施行の日の前日までの間における②の適用については、「、十五の４の①《中小企業者等の給与等の引上げを行った場合の法人税額の特別控除》若しくは同４の②《繰越税額控除限度超過額の５年間繰越控除》又は十七の２の①《半導体生産用資産を取得した場合の法人税額の特別控除》、同２の②《繰越税額控除限度超過額の３年間繰越控除》、同２の③《特定産業競争力基盤強化商品を取得した場合の法人税額の特別控除》若しくは同２の④《繰越税額控除限度超過額の４年間繰越控除》」とあるのは、「又は十五の４の①《中小企業者等の給与等の引上げを行った場合の法人税額の特別控除》若しくは同４の②《繰越税額控除限度超過額の５年間繰越控除》」とする。（令６改法附47②、１）

　なお、同法の施行期日を定める政令は、令和６年７月１日現在制定されていない。（編者）

③ **その他の取扱い**

（同族会社の特別税率及び外国税額の控除を適用する場合の読替え）
（１）　①又は②の適用がある場合における第一款の二《特定同族会社の特別税率》及び三の《外国税額の控除》並びに地方法人税法の適用については、次の表の左欄に掲げる規定中、中欄に掲げる字句は、それぞれ右欄に掲げる字句とする。（措法42の14⑤）

| ① | 法人税法第67条第１項中 | 前条第１項、第２項及び第６項並びに第69条第19項《外国税額の控除》（同条第23項 | 租税特別措置法第42条の14第１項及び第４項《通算法人の仮装経理に基づく過大申 |

第三章　第二節　第二款　四《仮装経理に基づく過大申告の更正に伴う税額控除》

		において準用する場合を含む。第3項において同じ。)	告の場合等の法人税額》
②	同条第3項中	前条第1項、第2項及び第6項並びに第69条第19項	租税特別措置法第42条の14第1項及び第4項
③	同法第69条第19項中	第66条第1項から第3項まで及び第6項	租税特別措置法第42条の14第1項及び第4項《通算法人の仮装経理に基づく過大申告の場合等の法人税額》
④	<u>地方法人税法第6条第1項第1号中</u>	<u>まで</u>	<u>まで並びに租税特別措置法第42条の14第1項及び第4項（同法第42条の12の7第10項及び第11項に係る部分に限る。）</u>

　注　——線部分は、令和6年度改正により追加された部分で、改正規定は、新たな事業の創出及び産業への投資を促進するための産業競争力強化法等の一部を改正する法律（令和6年法律第45号）の施行の日から適用される。（令6改法附1ⅩⅢイ）
　　　なお、同法の施行期日を定める政令は、令和6年7月1日現在制定されていない。（編者）

　（申告書の記載事項等）
（2）①又は②の適用がある場合における法人税法第二編第一章《各事業年度の所得に対する法人税》（第二節《税額の計算》を除く。）の適用については、第三款の一の3の表の②に掲げる金額は同3に掲げる期間（通算子法人にあっては、同3の(8)《通算法人である場合の適用》に掲げる期間）を1事業年度とみなして同3の表の①に掲げる所得の金額につき法人税法第二編第一章第二節（第一款の二の1《特定同族会社の特別税率》、第二款の一の1の(2)《仮決算の中間申告による所得税額の還付がある場合》及び同款の四《仮装経理の基づく過大申告の場合の更正に伴う法人税額の控除》を除く。）及び①又は②を適用するものとした場合に計算される法人税の額とし、第三款の二の1の表の②に掲げる金額は同表の①に掲げる所得の金額につき法人税法第二編第二節及び①又は②を適用して計算した法人税の額とする。（措法42の14⑥）

　（通算法人の仮装経理に基づく過大申告の場合等の法人税額）
（3）①又は②の適用がある場合における法人税法第二編第一章（第二節を除く。）及び第四章並びに地方法人税法第四章の規定の適用については、次に定めるところによる。（措法42の14⑦、措令27の14）

(一)	第三款の一の1《中間申告》に掲げる法人税額は、当該法人税額から当該法人税額に含まれる①及び②（(二)から(六)までにおいて「特別税額加算規定」という。）により加算された金額を控除した金額とする。
(二)	同款の八の3の②《欠損金の繰戻しによる還付》に掲げる所得に対する法人税の額は、当該所得に対する法人税の額から当該所得に対する法人税の額に含まれる特別税額加算規定により加算された金額を控除した金額とする。
(三)	同八の4の(1)《仮装経理法人税額を有する場合の確定法人税額の還付の特例》に掲げる所得に対する法人税の額は、当該所得に対する法人税の額から当該所得に対する法人税の額に含まれる特別税額加算規定により加算された金額を控除した金額とする。
(四)	第六章第五節の一の1《中間申告》の表の①に掲げる地方法人税額は、当該地方法人税額から当該地方法人税額に係る同章第二節の五《基準法人税額等》に掲げる基準法人税額に含まれる特別税額加算規定により加算された金額の$\frac{10.3}{100}$に相当する金額を控除した金額とする。
(五)	同章第五節の六の3《欠損金の繰戻しによる法人税の還付があった場合の還付》に掲げる基準法人税額に対する地方法人税の額は、当該基準法人税額に対する地方法人税の額から当該基準法人税額に対する地方法人税の額に係る同3に掲げる基準法人税額に含まれる特別税額加算規定により加算された金額の$\frac{10.3}{100}$に相当する金額を控除した金額とする。
(六)	同六の4の(1)《仮装経理法人税額を有する場合の確定地方法人税額の還付の特例》に掲げる所得基準法人税額に対する地方法人税の額は、当該所得基準法人税額に対する地方法人税の額から当該所得基準法人税額に対する地方法人税の額に係る同4《仮装経理に基づく過大申告の場合の更正に伴う地方法人税額の還付の特例》に掲げる所得基準法人税額に含まれる特別税額加算規定により加算された金額の$\frac{10.3}{100}$に相当する金額を控除した金額とする。

五　試験研究を行った場合の法人税額の特別控除

1　用語の意義

　五《試験研究を行った場合の法人税額の特別控除》における用語の意義は、それぞれ次に掲げるところによる。

①　**試験研究費の額**	次の表に掲げる金額の合計額（当該金額に係る費用に充てるため他の者から支払を受ける金額がある場合には当該金額を控除した金額とし、当該法人が内国法人である場合の当該法人の**二**の**1**の②の**イ**《国外源泉所得》の表の(一)に掲げる国外事業所等を通じて行う事業に係る費用の額を除く。）をいう。（措法42の4⑲Ⅰ）					
	イ	次に掲げる費用の額（第一節第一款の**三**の**2**《損金の額に算入すべき金額》の表の①に掲げる額に該当するものを除く。）で各事業年度の所得の金額の計算上損金の額に算入されるもの（措法42の4⑲Ⅰイ）				
		(一)	製品の製造又は技術の改良、考案若しくは発明に係る試験研究（新たな知見を得るため又は利用可能な知見の新たな応用を考案するために行うものに限る。）のために要する費用（研究開発費として損金経理〔第三款の**一**の**3**《仮決算をした場合の中間申告書の記載事項等》の表の①に掲げる金額を計算する場合にあっては、同**3**に掲げる期間に係る決算において費用又は損失として経理することをいう。以下同じ。〕をした金額のうち、(二)に掲げる固定資産の取得に要した金額とされるべき費用の額又は(二)に掲げる繰延資産となる費用の額がある場合における当該固定資産又は繰延資産の償却費、除却による損失及び譲渡による損失を除く。ロにおいて同じ。）で次に掲げるもの（措令27の4⑤）			
			(イ)	その試験研究を行うために要する原材料費、人件費（専門的知識をもって当該試験研究の業務に専ら従事する者に係るものに限る。）及び経費		
			(ロ)	他の者に委託をして試験研究を行う当該法人（人格のない社団等を含む。以下同じ。）の当該試験研究のために当該委託を受けた者に対して支払う費用		
			(ハ)	技術研究組合法第9条第1項《費用の賦課》の規定により賦課される費用		
		ロ	対価を得て提供する新たな役務の開発に係る試験研究として次の(イ)に掲げる試験研究のために要する費用で次の(ロ)に掲げるもの（措令27の4⑦、措規20②）			
			(イ)	対価を得て提供する新たな役務の開発に係る試験研究費	対価を得て提供する新たな役務の開発に係る試験研究は、対価を得て提供する新たな役務の開発を目的として次のAからCまでに掲げるものの全てが行われる場合における当該AからCまでに掲げるもの（当該役務の開発を目的として、Aの(A)の方法によって情報を収集し、又は同(A)に掲げる情報を取得する場合には、その収集又は取得を含む。）（措令27の4⑥、措規20①）	
					A	次の(A)及び(B)に掲げる情報について、一定の法則を発見するために行われる分析としてこれらの情報の解析に必要な確率論及び統計学に関する知識並びに情報処理（情報処理の促進に関する法律第2条第1項《定義》に規定する情報処理をいう。）に関して必要な知識を有すると認められる者（(ロ)のAにおいて「情報解析専門家」という。）により情報の解析を行う専用のソフトウエア（情報の解析を行う機能を有するソフトウエアで、当該専用のソフトウエアに準ずるものを含む。）を用いて行われる分析
						(A)　大量の情報を収集する機能を有し、その機能の全部又は主要な部分が自動化されている機器又は技術を用いる方法によって収集された情報
						(B)　(A)に掲げるもののほか、当該法人が有する情報で、

第三章　第二節　第二款　五《試験研究を行った場合の法人税額の特別控除》

				当該法則の発見が十分見込まれる量のもの
			B	Aの分析により発見された法則を利用した当該役務の設計
			C	Bの設計に係るBに掲げる法則が予測と結果とが一致することの蓋然性が高いものであることその他妥当であると認められるものであること及び当該法則を利用した当該役務が当該目的に照らして適当であると認められるものであることの確認
	(ロ)	試験研究を行うために要する費用	A	その試験研究を行うために要する原材料費、人件費（（イ）のAの分析を行うために必要な専門的知識をもって当該試験研究の業務に専ら従事する者〔情報解析専門家でその専門的な知識をもって（イ）に掲げる試験研究の業務に専ら従事する者〕に係るものに限る。以下Aにおいて同じ。）及び経費（外注費にあっては、これらの原材料費及び人件費に相当する部分並びに当該試験研究を行うために要する経費に相当する部分〔外注費に相当する部分を除く。〕に限る。）
			B	他の者に委託をして試験研究を行う当該法人の当該試験研究のために当該委託を受けた者に対して支払う費用（Aに掲げる原材料費、人件費及び経費に相当する部分に限る。）
(二)	（一）のイ又はロに掲げる費用の額で各事業年度において研究開発費として損金経理をした金額のうち、棚卸資産若しくは固定資産（事業の用に供する時において（一）のイに掲げる試験研究又は（一）のロの（イ）に掲げる試験研究の用に供する固定資産を除く。）の取得に要した金額とされるべき費用の額又は繰延資産（（一）のイに掲げる試験研究又は（一）のロに掲げる試験研究のために支出した費用に係る繰延資産を除く。）となる費用の額（措法42の4⑲Ⅰロ）			

注　──線部分は、令和6年度改正により改正された部分で、令和7年4月1日以後に開始する事業年度（**5**の①の表の（三）の通算法人の適用対象事業年度を除く。）及び同（三）の通算法人に係る通算親法人の令和7年4月1日以後に開始する事業年度終了の日に終了する当該通算法人の適用対象事業年度について適用され、令和7年3月31日以前に開始した事業年度（**5**の①の注の表の旧（三）の通算法人の適用対象事業年度を除く。）及び同（三）の通算法人に係る通算親法人の令和7年3月31日以前に開始した事業年度終了の日に終了する当該通算法人の適用対象事業年度については、「当該金額を控除した金額とし、当該法人が内国法人である場合の当該法人の**二**の**1**の②の**イ**《国外源泉所得》の表の（一）に掲げる国外事業所等を通じて行う事業に係る費用の額を除く。」とあるのは「、当該金額を控除した金額」とする。（令6改法附39③、1Ⅴ）

（試験研究の意義）
（1）　（一）のイに掲げる試験研究とは、事物、機能、現象などについて新たな知見を得るため又は利用可能な知見の新たな応用を考案するために行う創造的で体系的な調査、収集、分析その他の活動のうち自然科学に係るものをいい、新製品の製造又は新技術の改良、考案若しくは発明に係るものに限らず、現に生産中の製品の製造又は既存の技術の改良、考案若しくは発明に係るものも含まれる。（措通42の4（1）－1）

（試験研究に含まれないもの）
（2）　（一）のイに掲げる試験研究には、例えば、次に掲げる活動は含まれない。（措通42の4（1）－2）

イ	人文科学及び社会科学に係る活動
ロ	リバースエンジニアリング（既に実用化されている製品又は技術の構造や仕組み等に係る情報を自社の製品又は技術にそのまま活用することのみを目的として、当該情報を解析することをいう。）その他の単なる模倣を目的とする活動

ハ	事務員による事務処理手順の変更若しくは簡素化又は部署編成の変更
ニ	既存のマーケティング手法若しくは販売手法の導入等の販売技術若しくは販売方法の改良又は販路の開拓
ホ	性能向上を目的としないことが明らかな開発業務の一部として行うデザインの考案
ヘ	ホにより考案されたデザインに基づき行う設計又は試作
ト	製品に特定の表示をするための許可申請のために行うデータ集積等の臨床実験
チ	完成品の販売のために行うマーケティング調査又は消費者アンケートの収集
リ	既存の財務分析又は在庫管理の方法の導入
ヌ	既存製品の品質管理、完成品の製品検査、環境管理
ル	生産調整のために行う機械設備の移転又は製造ラインの配置転換
ヲ	生産方法、量産方法が技術的に確立している製品を量産化するための試作
ワ	特許の出願及び訴訟に関する事務手続
カ	地質、海洋又は天体等の調査又は探査に係る一般的な情報の収集
ヨ	製品マスター完成後の市場販売目的のソフトウエアに係るプログラムの機能上の障害の除去等の機能維持に係る活動
タ	ソフトウエア開発に係るシステム運用管理、ユーザードキュメントの作成、ユーザーサポート及びソフトウエアと明確に区分されるコンテンツの制作

(研究開発費として損金経理をした金額の範囲)
(3) (一)のイに掲げる「研究開発費として損金経理」をした金額には、研究開発費の科目をもって経理を行っていない金額であっても、法人の財務諸表の注記において研究開発費の総額に含まれていることが明らかなものが含まれるものとする。(措通42の4(1)-3)

(新たな役務の意義)
(4) (一)のロに掲げる試験研究は新たに提供する役務に係るものに限られるのであるから、同ロの「新たな役務」に該当するかどうかは、その役務を提供する法人にとって従前に提供していない役務に該当するかどうかにより判定する。(措通42の4(1)-4)

(従前に提供している役務がある場合の新たな役務の判定)
(5) 法人が従前に提供している役務がある場合において、当該法人が提供する役務が(一)のロの「新たな役務」に該当するかどうかについては、例えば、当該法人が提供する役務が従前に提供している役務と比較して新たな内容が付加されている場合又は当該法人が提供する役務の提供方法が従前と比較して新たなものである場合には、「新たな役務」に該当する。(措通42の4(1)-5)

(サービス設計工程の全てが行われるかどうかの判定)
(6) サービス設計工程((一)のロの(イ)のAからCに掲げるものをいう。以下同じ。)の全てが行われるかどうかは、法人がサービス設計工程の全てを実行することを試験研究の計画段階において決定しているかどうかにより判定する。したがって、サービス設計工程の全てが当該事業年度に完了していない場合又は当該事業年度において試験研究が中止になった場合であっても、法人がサービス設計工程の全てを実行することを試験研究の計画段階で決定しているときには、その試験研究はサービス設計工程の全てが行われる試験研究に該当することに留意する。(措通42の4(1)-6)
 注 サービス設計工程の全てを実行することの判定については、当該法人がその全部又は一部を委託により行うかどうかは問わないことに留意する。

(他の者から支払を受ける金額の範囲)
(7) 試験研究費の額の計算上控除される「他の者から支払を受ける金額」には、次の(一)から(三)までに掲げる金額を含むものとする。(措通42の4(2)-1)

(一)	国等からその試験研究費の額に係る費用に充てるため交付を受けた補助金(第一節第十五款の一の**1**《国庫補助金等で取得した固定資産の圧縮額の損金算入》に掲げる国庫補助金等を含む。)の額
(二)	国立研究開発法人科学技術振興機構と締結した新技術開発委託契約に定めるところにより、同機構から返済義務の免除を受けた開発費の額(当該免除とともに金銭の支払をした場合には支払った金銭を控除した額)から引渡した物件の帳簿価額を控除した金額
(三)	委託研究費の額

注1 国庫補助金等の額を第一節第十五款の一の**4**《国庫補助金等に係る特別勘定の金額の損金算入》に掲げる特別勘定を設ける方法により経理した場合又は同**4**の②《適格分割等を行った場合の分割法人等における国庫補助金等に係る期中特別勘定の金額の損金算入》に掲げる期中特別勘定を設けた場合には、当該国庫補助金等の額は、これらの適用を受ける事業年度においては「他の者から支払を受ける金額」には含めないものとし、同一の**5**《国庫補助金等に係る特別勘定の金額の取崩し》により益金の額に算入する日を含む事業年度において、当該益金の額に算入する金額(当該事業年度において返還すべきことが確定したことにより益金の額に算入する金額を除く。)を「他の者から支払を受ける金額」に含める。

注2 第一節第十五款の一の**1**若しくは同一の**3**の①又は同一の**7**《特別勘定を設けた場合の国庫補助金等で取得した固定資産の圧縮額の損金算入》の国庫補助金等による圧縮記帳により試験研究用の固定資産につき損金の額に算入した金額は、その損金の額に算入した日を含む事業年度の試験研究費の額に含める。

(試験研究費の額に含まれる人件費の額)
(8) 試験研究費の額に含まれる人件費の額は、専門的知識をもって試験研究の業務に専ら従事する者((一)のロの(イ)に掲げる試験研究にあっては、同ロの(ロ)のAに掲げる情報解析専門家でその専門的な知識をもって当該試験研究の業務に専ら従事する者)に係るものをいうのであるから、たとえ研究所等に専属する者に係るものであっても、例えば事務職員、守衛、運転手等のように試験研究に直接従事していない者に係るものは、これに含まれないことに留意する。(措通42の4(2)-3)

(試験研究用資産の減価償却費)
(9) 試験研究費の額には、法人が自ら行う製品の製造若しくは技術の改良、考案若しくは発明に係る試験研究又は対価を得て提供する新たな役務の開発を目的として①の(一)のロの(イ)のAからCに掲げるものの全てが行われる場合における同AからCに掲げるもの(当該役務の開発を目的として、同(イ)のAの方法によって情報を収集し、又は同Aの情報を取得する場合には、その収集又は取得を含む。)の用に供する減価償却資産に係る減価償却費の額は含まれるが、第一節第七款の**二十四**《準備金方式による特別償却》による特別償却準備金の積立額は含まれない。(措通42の4(2)-4)

(試験研究用固定資産の除却損等の額)
(10) 試験研究用固定資産の除却損又は譲渡損の額のうち、災害、研究項目の廃止等に基づき臨時的、偶発的に発生するものは試験研究費の額に含まれないのであるが、試験研究の継続過程において通常行われる取替更新に基づくものは試験研究費の額に含まれる。(措通42の4(2)-5)

(試験研究費の額の範囲が改正された場合の取扱い)
(11) 試験研究費の額の範囲が改正された場合には、比較年度の試験研究費の額についてもその改正後の規定により計算するものとする。(措通42の4(2)-6)

②	調整前法人税額	次の表の(一)から(三十)までを適用しないで計算した場合の法人税の額(第二章第一節の**二**の表

第三章 第二節 第二款 五《試験研究を行った場合の法人税額の特別控除》

の**41**《附帯税》に掲げる附帯税の額を除く。)をいう(措法42の4⑲Ⅱ、措令27の4⑨)。

(一)	法人税法第67条……**第一款の二**《特定同族会社の特別税率》
(二)	法人税法第68条……**一**《所得税額の控除》
(三)	法人税法第69条……**二**《外国税額の控除》
(四)	法人税法第69条の2……**三**《分配時調整外国税相当額の控除》
(五)	法人税法第70条……**四**《仮装経理に基づく過大申告の場合の更正に伴う法人税額の控除》
(六)	法人税法第70条の2……**二十**《税額控除の順序》
(七)	租税特別措置法42条の4……**五**《試験研究を行った場合の法人税額の特別控除》
(八)	租税特別措置法第42条の6第2項……**六の1**《法人税額の特別控除》
(九)	同条第3項………**六の2**《繰越税額控除限度超過額の1年間繰越控除》
(十)	租税特別措置法第42条の9……**七**《沖縄の特定地域において工業用機械等を取得した場合の法人税額の特別控除》
(十一)	租税特別措置法第42条の10第2項……**八の1**《法人税額の特別控除》
(十二)	租税特別措置法第42条の11第2項……**九の1**《法人税額の特別控除》
(十三)	租税特別措置法第42条の11の2第2項……**十の1**《法人税額の特別控除》
(十四)	租税特別措置法第42条の11の3第2項……**十一の1**《法人税額の特別控除》
(十五)	租税特別措置法第42条の12……**十二**《地方活力向上地域等において雇用者の数が増加した場合の法人税額の特別控除》
(十六)	租税特別措置法第42条の12の2……**十三**《認定地方公共団体の寄附活用事業に関連する寄附をした場合の法人税額の特別控除》
(十七)	租税特別措置法第42条の12の4第2項……**十四の1**《法人税額の特別控除》
(十八)	同条第3項……**十四の2**《繰越税額控除限度超過額の1年間繰越控除》
(十九)	租税特別措置法第42条の12の5……**十五**《給与等の支給額が増加した場合の法人税額の特別控除》
(二十)	租税特別措置法第42条の12の6第2項……**十六の1**《法人税額の特別控除》
(二十一)	租税特別措置法第42条の12の7第4項……**十七の1の①**《情報技術事業適応設備を取得した場合の法人税額の特別控除》
(二十二)	同条第5項……**同1の②**《事業適応繰延資産を取得した場合の法人税額の特別控除》
(二十三)	同条第6項……**同1の③**《生産工程効率化等設備等を取得した場合の法人税額の特別控除》
(二十四)	同条第7項……**十七の2の①**《半導体生産用資産を取得した場合の法人税額の特別控除》
(二十五)	同条第8項……**同2の②**《繰越税額控除限度超過額の3年間繰越控除》
(二十六)	同条第10項……**同2の③**《特定産業競争力基盤強化商品を取得した場合の法人税額の特別控除》
(二十七)	同条第11項……**同2の④**《繰越税額控除限度超過額の4年間繰越控除》
(二十八)	租税特別措置法第42条の14第1項……**四の2**《通算法人の仮装経理に基づく過大申告の場合等の法人税額》
(二十九)	租税特別措置法第62条第1項……**第一款の三の1**《使途秘匿金の支出がある場合の課税の特例》
(三十)	租税特別措置法第62条の3第1項……**第一款の四の1**《土地の譲渡等がある場合の特別税率》

-1513-

		(三十一)	同条第９項……同四の２《優良住宅地等のための譲渡に該当しなくなった場合の追加課税》
		(三十二)	租税特別措置法第63条第１項……同款の五《短期所有に係る土地の譲渡等がある場合の特別税率》
		(三十三)	租税特別措置法第66条の７第４項……第一節三十二款の二の３《外国関係会社の課税対象金額等に係る所得税等の額の計算等》
		(三十四)	租税特別措置法第66条の９の３第３項……同款の五の２《外国関係法人の課税対象金額等に係る所得税等の額の計算等》

注 ━━線部分は、令和６年度改正により追加された部分で、改正規定は、新たな事業の創出及び産業への投資を促進するための産業競争力強化法等の一部を改正する法律（令和６年法律第45号）の施行の日から適用される。（令６改法附１ⅩⅢイ）
　　なお、同法の施行期日を定める政令は、令和６年７月１日現在制定されていない。（編者）

③	増減試験研究費割合	増減試験研究費の額（２《試験研究を行った場合の法人税額の特別控除》又は３《中小企業者等の試験研究費に係る法人税額の特別控除》に掲げる事業年度〔以下１において「適用年度」という。〕の試験研究費の額から比較試験研究費の額を減算した金額をいう。）の当該比較試験研究費の額に対する割合をいう。（措法42の４⑲Ⅲ）
④	設立事業年度	設立の日（次表の左欄に掲げる法人については、それぞれ同表の右欄に掲げる日）を含む事業年度（合併法人の合併の日、イの（１）《合併等が行われた場合の比較試験研究費の計算》又はイの（３）《分割等が行われた場合の比較試験研究費の額の計算》〔同（３）の表の（二）に係る部分に限る。〕の適用を受ける法人の設立の日〔イの（１）及びイの（３）の表の（二）において同じ。〕を含む事業年度を除く。）をいう。（措法42の４⑲Ⅳ、措令27の４⑩）

(一)	新たに収益事業を開始した公益法人等又は人格のない社団等	その開始した日
(二)	公共法人に該当していた収益事業を行う公益法人等	当該公益法人等に該当することとなった日
(三)	公共法人又は収益事業を行っていない公益法人等に該当していた普通法人又は協同組合等	当該普通法人又は協同組合等に該当することとなった日

⑤	比較試験研究費の額	適用年度（５の①の表の（三）の通算法人の適用対象事業年度にあっては、当該通算法人に係る通算親法人の適用年度）開始の日の３年前の日から適用年度開始の日の前日までの期間内に開始した各事業年度の試験研究費の額（当該各事業年度の月数と当該適用年度の月数とが異なる場合には、当該試験研究費の額に当該適用年度の月数を乗じてこれを当該各事業年度の月数で除して計算した金額）の合計額を当該期間内に開始した各事業年度の数で除して計算した金額（同（三）の通算法人の適用対象事業年度開始の日が当該通算法人の設立の日である場合のうち当該通算法人が次に掲げる法人のいずれにも該当しない場合には、零）をいう。（措法42の４⑲Ⅴ、措令27の４⑪）

(一)	イの（１）の適用を受ける同（１）の表の（一）に掲げる合併法人等	
(二)	イの（３）の適用を受ける同（３）の表の（二）のイに掲げる分割承継法人等	

注　⑤の月数は、暦に従って計算し、１か月に満たない端数を生じたときは、これを１か月とする。（措法42の４⑳）

⑥	試験研究費割合	適用年度の試験研究費の額の平均売上金額に対する割合をいう。（措法42の４⑲Ⅵ）
⑦	平均売上金額	適用年度（５の①《試験研究を行った場合又は中小企業者等の試験研究費に係る法人税額の特別控除》の表の（三）の通算法人にあっては、同表の（二）に掲げる適用対象事業年度。以下⑦において同じ。）の売上金額（棚卸資産の販売その他事業として継続して行われる資産の譲渡及び貸付け並びに役務の提供に係る収益の額〔営業外の収益の額とされるべきものを除く。〕として所得の金額の計算上益金の額に算入される金額。以下１において同じ。）及び当該適用年度（５の①の表の（三）の通算法人にあっては、当該通算法人に係る通算親法人の適用年度）開始の日の３年前の日から適用年度開始の日の前日までの期間内に開始した各事業年度（以下１において「売

第三章　第二節　第二款　五《試験研究を行った場合の法人税額の特別控除》

上調整年度」という。）の売上金額（適用年度の月数と売上調整年度の月数とが異なる場合には、その異なる売上調整年度の売上金額に当該適用年度の月数を乗じてこれを当該売上調整年度の月数で除して計算した金額）の合計額を当該適用年度及び当該各売上調整年度の数で除して計算した金額とする。（措法42の4⑲ⅩⅢ、措令27の4㉖㉗）

注　⑦の月数は、暦に従って計算し、1か月に満たない端数を生じたときは、これを1か月とする。（措令27の4㉝）

イ　比較試験研究費の額

（合併等が行われた場合の比較試験研究費の額の計算）

（1）　**2**《試験研究を行った場合の法人税額の特別控除》又は**3**《中小企業者等の試験研究費に係る法人税額の特別控除》の適用を受ける法人が次の表の左欄に掲げる合併法人等（合併法人、分割承継法人、被現物出資法人又は被現物分配法人をいう。以下(1)において同じ。）に該当する場合のその適用を受ける事業年度（以下「適用年度」という。）の当該法人の**1**の表の⑤に掲げる比較試験研究費の額（(3)において「比較試験研究費の額」という。）の計算における同⑤の試験研究費の額については、当該法人のそれぞれ同表の右欄に掲げる調整対象年度の試験研究費の額（**1**の表の①に掲げる試験研究費の額をいう。以下**五**において同じ。）は、それぞれ同表の右欄に掲げるところによる。（措法42の4㉖、措令27の4⑫）

(一)	合併等（合併、分割、現物出資又は第二章第一節の二の表の**12の5の2**《現物分配法人》に掲げる現物分配〔以下**五**において「現物分配」という。〕をいう。(1)及び(2)において同じ。）で適用年度において行われたもの（残余財産の全部の分配に該当する現物分配にあっては、当該適用年度開始の日の前日から当該適用年度終了の日の前日までの期間内においてその残余財産が確定したもの）に係る合併法人等	当該合併法人等の基準日（次に掲げる日のうちいずれか早い日をいう。以下(1)及び(3)において同じ。）から当該適用年度開始の日の前日までの期間内の日を含む各事業年度（当該合併法人等が当該適用年度開始の日においてその設立の日の翌日以後3年を経過していない法人〔以下**五**において「未経過法人」という。〕に該当する場合には、基準日から当該合併法人等の設立の日の前日までの期間を当該合併法人等の事業年度とみなした場合における当該事業年度を含む。以下(一)において「調整対象年度」という。）については、当該各調整対象年度ごとに当該合併法人等の当該各調整対象年度の試験研究費の額に当該各調整対象年度に含まれる月の当該合併等に係る被合併法人等（被合併法人、分割法人、現物出資法人又は現物分配法人をいう。以下(1)及び(2)において同じ。）の月別試験研究費の額を合計した金額に当該合併等の日（残余財産の全部の分配に該当する現物分配にあっては、その残余財産の確定の日の翌日）から当該適用年度終了の日までの期間の月数を乗じてこれを当該適用年度の月数で除して計算した金額を加算する。
		イ　**2**《試験研究を行った場合の法人税額の特別控除》又は**3**《中小企業者等の試験研究費に係る法人税額の特別控除》の適用を受ける法人が未経過法人に該当し、かつ、当該法人がその設立の日から当該適用年度終了の日までの期間内に行われた合併等（残余財産の全部の分配に該当する現物分配にあっては当該設立の日から当該適用年度終了の日の前日までの期間内においてその残余財産が確定したものとし、その合併等に係る被合併法人等の当該合併等の日前に開始した各事業年度の試験研究費の額が零である場合における当該合併等を除く。イにおいて同じ。）に係る合併法人等である場合（当該設立の日から当該合併等の日の前日〔残余財産の全部の分配に該当する現物分配にあっては、その残余財産の確定の日〕までの期間の試験研究費の額が零である場合に限る。）における当該合併等に係る被合併法人等の当該適用年度開始の日前3年以内に開始した各事業年度のうち最も古い事業年度開始の日
		ロ　当該適用年度開始の日前3年以内に開始した各事業年度のうち最も古い事業年度開始の日
(二)	合併等で基準日から適用年度開始の日の前日までの期間内において	当該合併法人等の基準日から当該合併等の日の前日までの期間内の日を含む各事業年度（当該合併法人等が未経過法人に該当する場合には、基準

第三章　第二節　第二款　五《試験研究を行った場合の法人税額の特別控除》

行われたもの（残余財産の全部の分配に該当する現物分配にあっては、基準日の前日から当該適用年度開始の日の前日を含む事業年度終了の日の前日までの期間内においてその残余財産が確定したもの）に係る合併法人等	日から当該合併法人等の設立の日の前日までの期間を当該合併法人等の事業年度とみなした場合における当該事業年度を含む。以下（二）において「調整対象年度」という。）については、当該各調整対象年度ごとに当該合併法人等の当該各調整対象年度の試験研究費の額に当該各調整対象年度に含まれる月の当該合併等に係る被合併法人等の月別試験研究費の額を合計した金額を加算する。

注　（1）の月数は、暦に従って計算し、1か月に満たない端数を生じたときは、これを1か月とする。（措令27の4㉝）

（月別試験研究費の額）

（2）（1）《合併等が行われた場合の比較試験研究費の額の計算》に掲げる月別試験研究費の額とは、その合併等に係る被合併法人等の当該合併等の日前に開始した各事業年度の試験研究費の額（分割等〔分割、現物出資又は現物分配をいう。以下（4）までにおいて同じ。〕の日を含む事業年度〔以下（2）及び（4）において「分割等事業年度」という。〕にあっては、当該分割等の日の前日を当該分割等事業年度の終了の日とした場合の当該分割等事業年度の試験研究費の額）をそれぞれ当該各事業年度の月数（分割等事業年度にあっては、当該分割等事業年度の開始の日から当該分割等の日の前日までの期間の月数）で除して計算した金額を当該各事業年度に含まれる月（分割等事業年度にあっては、当該分割等事業年度の開始の日から当該分割等の日の前日までの期間に含まれる月）の試験研究費の額とみなした場合における当該試験研究費の額をいう。（措令27の4⑬）

注　（2）の月数は、暦に従って計算し、1か月に満たない端数を生じたときは、これを1か月とする。（措令27の4㉝）

（分割等が行われた場合の比較試験研究費の額の計算）

（3）　**2**《試験研究を行った場合の法人税額の特別控除》又は**3**《中小企業者等の試験研究費に係る法人税額の特別控除》の適用を受ける法人が分割法人等（分割法人、現物出資法人又は現物分配法人をいう。以下（3）及び（4）において同じ。）又は分割承継法人等（分割承継法人、被現物出資法人又は被現物分配法人をいう。（二）において同じ。）である場合において、当該法人の当該適用年度の確定申告書等、修正申告書又は更正請求書に（7）に掲げる事項を記載した書類の添付があるときは、当該適用年度の当該法人の比較試験研究費の額の計算における**1**の表の⑤の試験研究費の額については、当該法人の次の表に掲げる調整対象年度の試験研究費の額は、（1）にかかわらず、同表の左欄に掲げる法人の区分に応じそれぞれ同表の右欄に掲げるところによる。（措法42の4㉖、措令27の4⑭）

（一）分割法人等		当該分割法人等の次の表のイ及びロに掲げる各調整対象年度ごとに当該分割法人等の当該各調整対象年度の試験研究費の額から同表の左欄に掲げる分割法人等の区分に応じそれぞれ同表の右欄に掲げる金額を控除する。
	イ 分割等で適用年度において行われたものに係る分割法人等	当該分割法人等の基準日から当該適用年度開始の日の前日までの期間内の日を含む各事業年度（以下イにおいて「調整対象年度」という。）については、当該分割法人等の当該各調整対象年度の移転試験研究費の額（当該書類に記載された金額に限る。ロ及び（4）において同じ。）に当該分割等の日から当該適用年度終了の日までの期間の月数を乗じてこれを当該適用年度の月数で除して計算した金額 $\left[\begin{array}{l}\text{当該分割法人}\\\text{等の当該各調}\\\text{整対象年度に}\\\text{係る試験研究}\\\text{費の額}\end{array}\right] - \left[\begin{array}{l}\text{当該分割法人}\\\text{等の当該各調}\\\text{整対象年度に}\\\text{係る移転試験}\\\text{研究費の額}\end{array}\right] \times \dfrac{\text{当該分割等の日から当該適用年度終了の日までの期間の月数}}{\text{当該適用年度の月数}}$
	ロ 分割等で基準日から適用年度開始の日の前日までの期間内において行われたものに係る分割法人等	当該分割法人等の基準日から当該分割等の日の前日までの期間内の日を含む各事業年度（以下ロにおいて「調整対象年度」という。）については、当該分割法人等の当該各調整対象年度の移転試験研究費の額 $\left[\begin{array}{l}\text{当該分割法人等の}\\\text{当該各調整対象年}\\\text{度に係る試験研究}\\\text{費の額}\end{array}\right] - \left[\begin{array}{l}\text{当該分割法人等の}\\\text{当該各調整対象年}\\\text{度に係る移転試験}\\\text{研究費の額}\end{array}\right]$

第三章　第二節　第二款　五《試験研究を行った場合の法人税額の特別控除》

(二) 分割承継法人等			当該分割承継法人等の次の表のイ及びロに掲げる各調整対象年度ごとに当該分割承継法人等の当該各調整対象年度の試験研究費の額に同表の左欄に掲げる分割承継法人等の区分に応じそれぞれ同表の右欄に掲げる金額を加算する。
	イ	分割等で適用年度において行われたもの(残余財産の全部の分配に該当する現物分配にあっては、当該適用年度開始の日の前日から当該適用年度終了の日の前日までの期間内においてその残余財産が確定したもの)に係る分割承継法人等	当該分割承継法人等の基準日から当該適用年度開始の日の前日までの期間内の日を含む各事業年度(当該分割承継法人等が未経過法人に該当する場合には、基準日から当該分割承継法人等の設立の日の前日までの期間を当該分割承継法人等の事業年度とみなした場合における当該事業年度を含む。以下イにおいて「調整対象年度」という。)については、当該分割承継法人等の当該各調整対象年度ごとに当該各調整対象年度に含まれる月の当該分割等に係る分割法人等の月別移転試験研究費の額を合計した金額に当該分割等の日(残余財産の全部の分配に該当する現物分配にあっては、その残余財産の確定の日の翌日)から当該適用年度終了の日までの期間の月数を乗じてこれを当該適用年度の月数で除して計算した金額 〔当該分割承継法人等の当該各調整対象年度に係る試験研究費の額〕＋〔当該分割承継法人等の当該調整対象年度に含まれる月の当該分割等に係る分割法人等の月別移転試験研究費の額を合計した金額〕×(当該分割等の日から当該適用年度終了の日までの期間の月数)／(当該適用年度の月数)
	ロ	分割等で基準日から適用年度開始の日の前日までの期間内において行われたもの(残余財産の全部の分配に該当する現物分配にあっては、基準日の前日から当該適用年度開始の日の前日を含む事業年度終了の日の前日までの期間内においてその残余財産が確定したもの)に係る分割承継法人等	当該分割承継法人等の基準日から当該分割等の日の前日までの期間内の日を含む各事業年度(当該分割承継法人等が未経過法人に該当する場合には、基準日から当該分割承継法人等の設立の日の前日までの期間を当該分割承継法人等の事業年度とみなした場合における当該事業年度を含む。以下ロにおいて「調整対象年度」という。)については、当該分割承継法人等の当該各調整対象年度ごとに当該各調整対象年度に含まれる月の当該分割等に係る分割法人等の月別移転試験研究費の額を合計した金額 〔当該分割承継法人等の当該各調整対象年度に係る試験研究費の額〕＋〔当該各調整対象年度ごとに当該分割承継法人等の当該各調整対象年度に含まれる月の当該分割等に係る分割法人等の月別移転試験研究費の額を合計した金額〕

注1　——線部分は、令和5年度改正により改正された部分で、改正規定は、令和5年4月1日以後に開始する事業年度(**5**の①の表の(三)の通算法人の同表の(二)に掲げる適用対象事業年度〔以下「適用対象事業年度」という。〕を除く。)及び同表の(三)の通算法人に係る租税特別措置法第2条第2項第10号の4に規定する通算親法人(以下「通算親法人」という。)の令和5年4月1日以後に開始する事業年度終了の日に終了する当該通算法人の適用対象事業年度から適用され、令和5年3月31日以前に開始した事業年度(令和5年度改正前の**5**の①の表の(三)の通算法人の適用対象事業年度を除く。)及び令和5年度改正前の同(三)の通算法人に係る通算親法人の令和5年3月31日以前に開始した事業年度終了の日に終了する当該通算法人の適用対象事業年度の適用については、(3)は次による。(令5改措令附7①、1)

2　《試験研究を行った場合の法人税額の特別控除》又は3《中小企業者等の試験研究費に係る法人税額の特別控除》の適用を受ける法人が分割法人等(分割法人又は現物出資法人をいう。以下注1において同じ。)又は分割承継法人等(分割承継法人又は被現物出資

第三章　第二節　第二款　**五**《試験研究を行った場合の法人税額の特別控除》

法人をいう。以下注1において同じ。）である場合において、当該適用年度の当該法人の比較試験研究費の額の計算における1の表の①の試験研究費の額については、分割法人等が（9）《特例計算の認定申請書》に掲げるところにより納税地の所轄税務署長の認定を受けた合理的な方法に従って当該分割法人等の各事業年度の試験研究費の額を移転事業（その分割等〔分割又は現物出資をいう。以下注1において同じ。〕により分割承継法人等に移転する事業をいう。以下**五**において同じ。）に係る試験研究費の額（以下**五**において「移転試験研究費の額」という。）と当該移転事業以外の事業に係る試験研究費の額とに区分しているときは、当該分割等に係る分割法人等及び分割承継法人等の全てが（10）《特例計算の適用を受ける旨の届出》に掲げるところによりそれぞれの納税地の所轄税務署長に注1の適用を受ける旨の届出をしたときに限り、当該分割法人等及び分割承継法人等の次の表に掲げる調整対象年度の試験研究費の額は、（1）にかかわらず、同表の左欄に掲げる法人の区分に応じそれぞれ同表の右欄に掲げるところによる。（措法42の4旧㉖、措令27の4旧⑭）

旧(一)	分割法人等		当該分割法人等の次の表のイ及びロに掲げる各調整対象年度ごとに当該分割法人等の当該各調整対象年度の試験研究費の額から同表の左欄に掲げる分割法人等の区分に応じそれぞれ同表の右欄に掲げる金額を控除する。
		イ 分割等で適用年度において行われたものに係る分割法人等	当該分割法人等の基準日から当該適用年度開始の日の前日までの期間内の日を含む各事業年度（以下イにおいて「調整対象年度」という。）については、当該分割法人等の当該各調整対象年度の移転試験研究費の額に当該分割等の日から当該適用年度終了の日までの期間の月数を乗じてこれを当該適用年度の月数で除して計算した金額 〔当該分割法人等の当該各調整対象年度に係る試験研究費の額〕 − 〔当該分割法人等の当該各調整対象年度に係る移転試験研究費の額〕 × (当該分割等の日から当該適用年度終了の日までの期間の月数 / 当該適用年度の月数)
		ロ 分割等で基準日から適用年度開始の日の前日までの期間内において行われたものに係る分割法人等	当該分割法人等の基準日から当該分割等の日の前日までの期間内の日を含む各事業年度（以下ロにおいて「調整対象年度」という。）については、当該分割法人等の当該各調整対象年度の移転試験研究費の額 〔当該分割法人等の当該各調整対象年度に係る試験研究費の額〕 − 〔当該分割法人等の当該各調整対象年度に係る移転試験研究費の額〕
旧(二)	分割承継法人等		当該分割承継法人等の次の表のイ及びロに掲げる各調整対象年度ごとに当該分割承継法人等の当該各調整対象年度の試験研究費の額に同表の左欄に掲げる分割承継法人等の区分に応じそれぞれ同表の右欄に掲げる金額を加算する。
		イ 分割等で適用年度において行われたものに係る分割承継法人等	当該分割承継法人等の基準日から当該適用年度開始の日の前日までの期間内の日を含む各事業年度（当該分割承継法人等が未経過法人に該当する場合には、基準日から当該分割承継法人等の設立の日の前日までの期間を当該分割承継法人等の事業年度とみなした場合における当該事業年度を含む。以下イにおいて「調整対象年度」という。）については、当該分割承継法人等の当該各調整対象年度ごとに当該各調整対象年度に含まれる月の当該分割等に係る分割法人等の月別移転試験研究費の額を合計した金額に当該分割等の日から当該適用年度終了の日までの期間の月数を乗じてこれを当該適用年度の月数で除して計算した金額 〔当該分割承継法人等の当該各調整対象年度に係る試験研究費の額〕 + 〔当該分割承継法人等の当該各調整対象年度に含まれる月の当該分割等に係る分割法人等の月別移転試験研究費の額を合計した金額〕 × (当該分割等の日から当該適用年度終了の日までの期間の月数 / 当該適用年度の月数)
		ロ 分割等で基準日から適用年度開始の日の前日までの期間内において行われたものに係る分割承継法人	当該分割承継法人等の基準日から当該分割等の日の前日までの期間内の日を含む各事業年度（当該分割承継法人等が未経過法人に該当する場合には、基準日から当該分割承継法人等の設立の日の前日までの期間を当該分割承継法人等の事業年度とみなした場合における当該事業年度を含む。以下ロにおいて「調整対象年度」という。）については、当該分割承継法人等の当該各調整

第三章　第二節　第二款　**五**《試験研究を行った場合の法人税額の特別控除》

		等	対象年度ごとに当該各調整対象年度に含まれる月の当該分割等に係る分割法人等の月別移転試験研究費の額を合計した金額
		当該分割承継法人等の当該各調整対象年度に係る試験研究費の額 ＋	当該各調整対象年度ごとに当該分割承継法人等の当該各調整対象年度に含まれる月の当該分割等に係る分割法人等の月別移転試験研究費の額を合計した金額

注2　法人が、分割等で経過期間内に行われたものに係る旧令適用法人（当該分割等に係る分割法人等〔租税特別措置法第2条第2項第5号《分割法人》に規定する分割法人又は同項第7号《現物出資法人》に規定する現物出資法人をいう。以下注2、注3の表の(一)、注8及び注9において同じ。〕又は分割承継法人等〔同条第2項第6号《分割承継法人》に規定する分割承継法人又は同項第8号《被現物出資法人》に規定する被現物出資法人をいう。以下注2、注3の表の(一)、注8及び注9において同じ。〕のうち、当該分割等の日が令和5年3月31日以前に開始した事業年度の期間内であるもの〔当該分割法人等又は分割承継法人等が**5**の①の表の(三)の通算法人である場合には、当該分割等の日が当該分割法人等又は分割承継法人等に係る通算親法人の令和5年3月31日以前に開始した事業年度終了の日に終了する当該分割法人等又は分割承継法人等の事業年度の期間内であるもの〕をいう。以下注2において同じ。）に該当するときは、当該法人に対する注1により次によることとされる場合における注1の適用については、旧令適用法人の全てが注1の届出をした場合には、当該分割等に係る分割法人等及び分割承継法人等の全てが注1の届出をしたものとみなす。（令5改措令附7②、1）

注3　注2に掲げる経過期間とは、分割等に係る次に掲げる日のうちいずれか早い日から当該分割等に係る次に掲げる日のうちいずれか遅い日の前日までの期間をいう。（令5改措令附7③、1）

(一)	分割法人等の令和5年4月1日以後最初に開始する事業年度開始の日（当該分割法人等が**5**の①の表の(三)の通算法人である場合には、当該分割法人等に係る通算親法人の令和5年4月1日以後最初に開始する事業年度終了の日に終了する当該分割法人等の事業年度開始の日）
(二)	分割承継法人等の令和5年4月1日以後最初に開始する事業年度開始の日（当該分割承継法人等が**5**の①の表の(三)の通算法人である場合には、当該分割承継法人等に係る通算親法人の令和5年4月1日以後最初に開始する事業年度終了の日に終了する当該分割承継法人等の事業年度開始の日）

注4　分割等（分割、現物出資又は第二章第一節の二の表の**12の5の2**《現物分配法人》に掲げる現物分配をいう。以下注4において同じ。）について注1の届出をした法人が当該分割等について(3)の適用を受ける場合における適用に関し必要な事項は、注5から注7までによる。（令5改措令附7⑤、1）

注5　分割等（分割又は現物出資をいう。以下注5及び注7において同じ。）について注1の届出をした法人（第二章第一節の三の注3に掲げる人格のない社団等を含む。以下注7までにおいて同じ。）が当該分割等について(3)の適用を受けようとする場合には、その適用を受けようとする事業年度の同第一節の二の(2)《租税特別措置における用語の意義》に掲げる確定申告書等（注6において「確定申告書等」という。）に(3)の書類の添付があるものとみなす。この場合において、当該書類には、当該分割等に係る租税特別措置法第2条第2項第5号《分割法人》に規定する分割法人又は同項第7号《現物出資法人》に規定する現物出資法人の各事業年度の(5)《移転試験研究費の額の意義》に掲げる移転試験研究費の額として、当該分割等に係る(14)《特例計算の適用を受ける旨の届出》の届出書に当該分割法人又は現物出資法人の当該各事業年度の注1に掲げる移転試験研究費の額として記載された金額が記載されているものとみなす。（令5改措規附4①）

注6　第二章第一節の二の表の**12の5の2**《現物分配法人》に掲げる現物分配について(15)《試験研究用資産の移転を受けていない場合の比較試験研究費の額の計算の特例》の届出をした法人が当該現物分配について(3)の適用を受けようとする場合には、その適用を受けようとする事業年度の確定申告書等に(3)の書類の添付があるものとみなす。この場合において、当該書類には、当該現物分配に係る租税特別措置法第2条第2項第9号《現物分配法人》に規定する現物分配法人の各事業年度の(5)に掲げる移転試験研究費の額として零が記載されているものとみなす。（令5改措規附4②）

注7　注3に掲げる経過期間内に行われた分割等に係る注2に掲げる分割法人等又は注2に掲げる分割承継法人等に該当する法人（旧令適用法人〔注2に掲げる旧令適用法人をいう。以下注7において同じ。〕を除く。）が、当該分割等について(3)の適用を受けようとする場合（旧令適用法人が当該分割等について注1の適用を受ける場合に限る。）には、(3)の書類に(7)《特例計算を行う場合の確定申告書等への記載事項》の表の(一)のへに掲げる金額として記載する当該分割法人等の各事業年度の(5)に掲げる移転試験研究費の額は、当該分割等に係る旧令適用法人が当該分割等について(14)の届出書に記載する(14)に掲げる金額のうち当該各事業年度の注1に掲げる移転試験研究費の額と同じ金額としなければならない。（令5改措規附4④）

注8　経過措置分割等に係る分割法人等又は分割承継法人等である法人の令和7年4月1日以後に開始する各事業年度（当該法人が**5**の①の表の(三)に掲げる通算法人〔(一)において「通算法人」という。〕である場合には、当該法人に係る通算親法人の同日以後に開始する事業年度終了の日に終了する当該法人の各事業年度）における当該経過措置分割等に係る(8)の表の(一)及び(三)並びに注5及び注7の適用については、次による。（令6改措規附13①）

(一)	当該経過措置分割等に係る分割法人等又は分割承継法人等が所得税法等の一部を改正する法律（令和6年法律第8号）第13条の規定による改正前の租税特別措置法（以下「旧法」という。）適用年度（令和7年3月31日以前に開始した各事業年度〔当該分割法人等又は分割承継法人等が通算法人である場合には、当該分割法人等又は分割承継法人等に係る通算親法人の令和7年3月31日以前に開始した事業年度終了の日に終了する当該分割法人等又は分割承継法人等の各事業年度〕をいう。(二)において同じ。）において(3)又は注1の適用を受けていた場合には、その適用を受けていなかったものとみなす。

―1519―

第三章　第二節　第二款　**五**《試験研究を行った場合の法人税額の特別控除》

(二)	当該経過措置分割等については、注5及び注7は、適用しない。

注9　注8に掲げる経過措置分割等とは、分割等（分割、現物出資又は現物分配をいう。）に係る分割法人等又は分割承継法人等である法人が、旧法適用年度において当該分割等に係る(3)の適用を受けた、又は当該分割等に係る注1の届出をした法人である場合（当該分割等に係る1の表の⑤に掲げる比較試験研究費の額の計算における次に掲げる金額に同表の①に掲げる試験研究費の額に該当しないものが含まれる場合に限る。）における当該分割等をいう。（令6改措規附13②）

(一)	(3)の表の(一)のイ若しくはロの移転試験研究費の額又は同表の(二)のイ若しくはロの月別移転試験研究費の額の計算の基礎となる(5)に掲げる移転試験研究費の額
(二)	注1の表の旧(一)のイ若しくはロの移転試験研究費の額又は同の旧(二)のイ若しくはロの月別移転試験研究費の額の計算の基礎となる注1に掲げる移転試験研究費の額

注10　(3)の月数は、暦に従って計算し、1か月に満たない端数を生じたときは、これを1か月とする。（措令27の4㉝）

（月別移転試験研究費の額の意義）

（4）　(3)《分割等が行われた場合の比較試験研究費の額の計算》に掲げる月別移転試験研究費の額とは、その分割等に係る分割法人等の当該分割等の日前に開始した各事業年度の移転試験研究費の額をそれぞれ当該各事業年度の月数（分割等事業年度にあっては、当該分割等事業年度の開始の日から当該分割等の日の前日までの期間の月数）で除して計算した金額を当該各事業年度に含まれる月（分割等事業年度にあっては、当該分割等事業年度開始の日から当該分割等の日の前日までの期間に含まれる月）の移転試験研究費の額とみなした場合における当該移転試験研究費の額をいう。（措法42の4㉖、措令27の4⑮）

　注　(4)の月数は、暦に従って計算し、1か月に満たない端数を生じたときは、これを1か月とする。（措令27の4㉝）

（移転試験研究費の額の意義）

（5）　(3)及び(4)に掲げる移転試験研究費の額とは、次に掲げる試験研究費の額をいう。（措法42の4㉖、措令27の4⑯）

(一)	その分割又は現物出資に係る分割法人又は現物出資法人の各事業年度の試験研究費の額を合理的な方法により移転事業（その分割又は現物出資により分割承継法人又は被現物出資法人に移転する事業をいう。以下(一)及び**ロ**の(5)において同じ。）に係る試験研究費の額と当該移転事業以外の事業に係る試験研究費の額とに区分した場合における当該移転事業に係る試験研究費の額
(二)	その現物分配に係る現物分配法人の各事業年度の試験研究費の額のうち移転試験研究用資産（その現物分配により被現物分配法人に移転する試験研究用資産〔1の表の①の(一)のイに掲げる試験研究又は同(一)のロの(イ)に掲げる試験研究の用に供される資産をいい、同(一)のイに掲げる当該固定資産又は繰延資産を除く。〕をいう。）の償却費の額

（移転試験研究費の額等の区分に係る合理的な方法）

（6）　移転事業と移転事業以外の事業とに共通して生じた試験研究費の額がある場合における(5)の表の(一)に掲げる合理的な方法とは、当該試験研究費の額をその試験研究の内容、性質等に応じた合理的な基準により、それぞれの事業に配分する方法をいうのであるから、留意する。（措通42の4(4)-4・編者補正）

　注　分割又は現物出資の時に、分割法人又は現物出資法人において現に営まれていない事業に係る試験研究費の額は、移転事業に係る試験研究費の額に該当しないことに留意する。

（特例計算を行う場合の確定申告書等への記載事項）

（7）　(3)に掲げる事項は、次の表の左欄に掲げる法人（人格のない社団等を含む。以下**五**において同じ。）の区分に応じそれぞれ同表の右欄に掲げる事項とする。（措規20③）

	次の表に掲げる事項	
(一) 分割又は現物出資に係る分割法人若しくは分割承継法人又は現物出	イ	相手先（分割法人又は現物出資法人にあっては分割承継法人又は被現物出資法人をいい、分割承継法人又は被現物出資法人にあっては分割法人又は現物出資法人をいう。）の名称及び納税地並びに代表者（人格のない社団等で代表者の定めがなく、管理人の定めがあるものについては、管理人。以下**五**において同じ。）の氏名
	ロ	分割又は現物出資の年月日

	資法人若しくは被現物出資法人	ハ	移転事業（（5）の表の（一）に掲げる移転事業をいう。以下五において同じ。）の内容及び当該移転事業に係る試験研究の内容並びに当該移転事業と当該試験研究とが関連する理由		
		ニ	分割承継法人又は被現物出資法人がハに掲げる試験研究を行うために当該分割又は現物出資により移転する資産及び従業者の明細及び数		
		ホ	分割法人又は現物出資法人の各事業年度の試験研究費の額を移転事業に係る試験研究費の額と当該移転事業以外の事業に係る試験研究費の額とに区分した合理的な方法		
		ヘ	次の表の左欄に掲げる法人の区分に応じそれぞれ同表の右欄に掲げる金額		
			（イ）分割法人又は現物出資法人	各対象年度（次の表の左欄に掲げる当該分割法人又は現物出資法人の区分に応じそれぞれ同表の右欄に掲げる事業年度をいう。）の試験研究費の額（当該分割法人又は現物出資法人の当該分割又は現物出資の日を含む事業年度（（イ）及び（ロ）において「分割等事業年度」という。）にあっては、当該分割又は現物出資の日の前日を当該分割等事業年度終了の日とした場合の当該分割等事業年度の試験研究費の額に限る。）及び当該各対象年度の（5）に掲げる移転試験研究費の額（以下（7）及び（8）において「移転試験研究費の額」という。）		
				A	（3）の表の（一）のイに掲げる法人	（3）の表の（一）のイに掲げる調整対象年度に該当する事業年度
				B	（3）の表の（一）のロに掲げる法人	（3）の表の（一）のロに掲げる調整対象年度に該当する事業年度
			（ロ）分割承継法人又は被現物出資法人	次の表の左欄に掲げる当該分割承継法人又は被現物出資法人の区分に応じそれぞれ同表の右欄に掲げる事業年度の期間内の日を含む当該分割又は現物出資に係る分割法人又は現物出資法人の各事業年度の試験研究費の額（分割等事業年度にあっては、当該分割又は現物出資の日の前日を当該分割等事業年度終了の日とした場合の当該分割等事業年度の試験研究費の額に限る。）及び当該各事業年度の移転試験研究費の額		
				A	（3）の表の（二）のイに掲げる法人	（3）の表の（二）のイに掲げる調整対象年度に該当する事業年度
				B	（3）の表の（二）のロに掲げる法人	（3）の表の（二）のロに掲げる調整対象年度に該当する事業年度
		ト	その他参考となるべき事項		
（二）	第二章第一節の二の表の12の5の2に掲げる現物分配（以下（二）及び（8）において「現物分配」という。）に係る現物分配法人又は被現物分配法人		次の表に掲げる事項		
		イ	相手先（現物分配法人にあっては被現物分配法人をいい、被現物分配法人にあっては現物分配法人をいう。）の名称及び納税地並びに代表者の氏名		
		ロ	現物分配の年月日（当該現物分配が残余財産の全部の分配である場合には、その残余財産の確定の年月日）		
		ハ	当該現物分配に係る（5）の表の（二）に掲げる移転試験研究用資産（ハ及びニにおいて「移転試験研究用資産」という。）の明細（当該現物分配に係る移転試験研究用資産がない場合には、その旨）		
		ニ	次の表の左欄に掲げる法人の区分に応じそれぞれ同表の右欄に掲げる金額		
			（イ）現物分配法人	各対象年度（次の表の左欄に掲げる当該現物分配法人の区分に応じそれぞれ同表の右欄に掲げる事業年度をいう。（イ）において同じ。）の試験研究費の額（当該現物分配法人の当該現物分配の日を含む事業年度〔（イ）及び		

			（ロ）において「現物分配事業年度」という。〕にあっては、当該現物分配の日の前日を当該現物分配事業年度終了の日とした場合の当該現物分配事業年度の試験研究費の額に限る。）及び当該各対象年度の移転試験研究費の額（当該現物分配に係る移転試験研究用資産がない場合には、各対象年度の移転試験研究費の額）	
			A	（3）の表の（一）のイに掲げる法人	（3）の表の（一）のイに掲げる調整対象年度に該当する事業年度
			B	（3）の表の（一）のロに掲げる法人	（3）の表の（一）のロに掲げる調整対象年度に該当する事業年度
	（ロ）	被現物分配法人	次の表の左欄に掲げる当該被現物分配法人の区分に応じそれぞれ同表の右欄に掲げる事業年度の期間内の日を含む当該現物分配に係る現物分配法人の各事業年度の試験研究費の額（現物分配事業年度にあっては、当該現物分配の日の前日を当該現物分配事業年度終了の日とした場合の当該現物分配事業年度の試験研究費の額に限る。）及び当該各事業年度の移転試験研究費の額（当該現物分配に係る移転試験研究用資産がない場合には、当該各事業年度の移転試験研究費の額）	
			A	（3）の表の（二）のイに掲げる法人	（3）の表の（二）のイに掲げる調整対象年度に該当する事業年度
			B	（3）の表の（二）のロに掲げる法人	（3）の表の（二）のロに掲げる調整対象年度に該当する事業年度
	ホ	その他参考となるべき事項			

（分割等が行われた場合の移転試験研究費の額の計算）

（8） （3）の適用を受けようとする法人が（3）の書類に（7）の表の（一）のヘ又は同表の（二）のニに掲げる金額として記載する分割等（分割、現物出資又は現物分配をいう。以下（8）において同じ。）に係る分割法人等（（3）に掲げる分割法人等をいう。以下（8）において同じ。）の各事業年度の移転試験研究費の額は、次の表の左欄に掲げる場合の区分に応じそれぞれ同表の右欄に掲げる金額がある場合には、当該金額と同じ金額としなければならない。（措規20④）

（一）	当該法人が当該分割等に係る分割承継法人等（（3）に掲げる分割承継法人等をいう。）である場合において、当該分割等に係る分割法人等が当該分割等について（3）の適用を受けるとき	当該分割法人等が（3）の書類に記載する当該各事業年度の移転試験研究費の額
（二）	当該法人が当該分割等について（3）の適用を受けようとする事業年度の修正申告書又は更正請求書を提出する場合において、既に提出した当該事業年度の確定申告書等、修正申告書又は更正請求書に添付した（3）の書類に当該各事業年度の移転試験研究費の額の記載があるとき	当該書類に記載した当該各事業年度の移転試験研究費の額
（三）	当該法人が当該分割等について（3）の適用を受けようとする事業年度前の事業年度で当該分割等について（3）の規定の適用を受けた事業年度がある場合において、その適用を受けた事業年度の確定申告書等、修正申告書又は更正請求書に添付した（3）の書類に当該各事業年度の移転試験研究費の額の記載があるとき	当該書類に記載した当該各事業年度の移転試験研究費の額

注1　経過措置分割等に係る分割法人等（租税特別措置法第2条第2項第5号《分割法人》に規定する分割法人又は同項第7号《現物出資法人》に規定する現物出資法人をいう。以下注2までにおいて同じ。）又は分割承継法人等（同条第2項第6号《分割承継法人》に規定する分割承継法人又は同項第8号《被現物出資法人》に規定する被現物出資法人をいう。以下注2までにおいて同じ。）である法人の令和7年4月1日以後に開始する各事業年度（当該法人が**5**の①の表の（三）に掲げる通算法人〔（一）において「通算法人」という。〕である場合には、当該法人に係る租税特別措置法第2条第2項第10号の4に規定する通算親法人〔（一）において「通算親法人」という。〕の同日以後に開始する事業年度終了の日に終了する当該法人の各事業年度）における当該経過措置分割等に係る（8）の表の（一）及び（三）並びに（3）の注5及び注7の適用については、次による。（令6改措規附13①）

第三章　第二節　第二款　五《試験研究を行った場合の法人税額の特別控除》

(一)	当該経過措置分割等に係る分割法人等又は分割承継法人等が所得税法等の一部を改正する法律（令和6年法律第8号）第13条の規定による改正前の租税特別措置法（以下「旧法」という。）適用年度（令和7年3月31日以前に開始した各事業年度〔当該分割法人等又は分割承継法人等が通算法人である場合には、当該分割法人等又は分割承継法人等に係る通算親法人の令和7年3月31日以前に開始した事業年度終了の日に終了する当該分割法人等又は分割承継法人等の各事業年度〕をいう。(二)において同じ。）において(3)又は(3)の注1の適用を受けていた場合には、その適用を受けていなかったものとみなす。
(二)	当該経過措置分割等については、(3)の注5及び注7は、適用しない。

注2　注1に掲げる経過措置分割等とは、分割等（分割、現物出資又は現物分配をいう。）に係る分割法人等又は分割承継法人等である法人が、旧法適用年度において当該分割等に係る(3)の適用を受けた、又は当該分割等に係る(3)の注1の届出をした法人である場合（当該分割等に係る1の表の⑤に掲げる比較試験研究費の額の計算における次に掲げる金額に同表の①に掲げる試験研究費の額に該当しないものが含まれる場合に限る。）における当該分割等をいう。（令6改措規附13②）

(一)	(3)の表の(一)のイ若しくはロの移転試験研究費の額又は同表の(二)のイ若しくはロの月別移転試験研究費の額の計算の基礎となる(5)に掲げる移転試験研究費の額
(二)	(3)の注1の表の旧(一)のイ若しくはロの移転試験研究費の額又は同表の旧(二)のイ若しくはロの月別移転試験研究費の額の計算の基礎となる(3)の注1に掲げる移転試験研究費の額

（特例計算の認定申請書）

(9)　(3)の注1の税務署長の認定を受けようとする分割法人等は、(3)の注1の表以外の部分に掲げる分割等（以下(9)及び(14)において「分割等」という。）の日以後2か月以内に、次の表の(一)から(七)までに掲げる事項を記載した申請書に分割計画書、分割契約書その他これらに類する書類の写しを添付して、これを納税地の所轄税務署長に提出しなければならない。（措規20旧③）

(一)	申請をする分割法人等の名称、納税地及び法人番号並びに代表者（人格のない社団等で代表者の定めがなく、管理人の定めがあるものについては、管理人。以下同じ。）の氏名
(二)	分割承継法人等（(3)に掲げる分割承継法人をいう。以下(9)及び(14)において同じ。）の名称及び納税地並びに代表者の氏名
(三)	分割等の年月日
(四)	移転事業（(3)に掲げる移転事業をいう。）及び当該移転事業に係る試験研究並びに当該移転事業と当該試験研究とが関連する理由
(五)	分割承継法人等が(四)に掲げる試験研究を行うために当該分割等により移転する資産及び人員
(六)	その認定を受けようとする合理的な方法
(七)	その他参考となるべき事項

注　(9)は、令和5年度改正により廃止されているが、令和5年3月31日以前については、なおその適用がある。（令5改措規附1）

（特例計算の適用を受ける旨の届出）

(10)　(3)の注1の届出は、分割等の日以後2か月以内に、次の(一)及び(二)に掲げる事項を記載した届出書により行わなければならない。（措規20旧⑧）

(一)	(3)の注1の適用を受ける旨	
(二)	次のイからホまでに掲げる事項	
	イ	届出をする法人の名称、納税地及び法人番号並びに代表者の氏名
	ロ	相手先（分割承継法人等にあっては分割法人等を、分割法人等にあっては分割承継法人等をいう。）の名称及び納税地並びに代表者の氏名
	ハ	分割等の年月日
	ニ	分割法人等の分割等の日を含む事業年度（以下ニにおいて「分割等事業年度」という。）開始の日（当該分割法人等が通算法人である場合〔当該分割等事業年度終了の日が当該分割法人等に係る通算親法人の2又は3に掲げる事業年度終了の日である場合に限る。〕には、当該通算親法人の当該事業年度開始の日）から起算して3年前の日又は分割承継法人等の当該分割等の日を含む事業年度（以下ニにおいて「分割承継等事業年度」という。）開始の日（当該分割承継等法人等が通算法人である場合〔当該分割承継

等事業年度終了の日が当該分割承継法人等に係る通算親法人の**2**又は**3**に掲げる事業年度終了の日である場合に限る。〕には、当該通算親法人の当該事業年度開始の日）から起算して3年前の日のうちいずれか早い日から当該分割等の日の前日までの期間（以下ニにおいて「届出対象期間」という。）内の日を含む当該分割法人等の各事業年度の（1）に掲げる試験研究費の額及び移転試験研究費の額（分割等事業年度にあっては、届出対象期間の（1）に掲げる試験研究費の額及び移転試験研究費の額に限る。）

ホ	その他参考となるべき事項

注　(10)は、令和5年度改正により廃止されているが、令和5年3月31日以前については、なおその適用がある。（令5改措規附1）

ロ　平均売上金額

（合併等が行われた場合における売上金額の特例）

（1）　**2**《試験研究を行った場合の法人税額の特別控除》又は**3**《中小企業者等の試験研究費に係る法人税額の特別控除》の適用を受ける法人が次の表の左欄に掲げる合併法人等（合併法人、分割承継法人又は被現物出資法人をいう。以下（1）において同じ。）に該当する場合の適用年度の当該法人の**1**の表の⑦の金額の計算における同⑦の売上金額については、当該法人のそれぞれ次表の右欄に掲げる調整対象年度の売上金額は、それぞれ同表の右欄に掲げるところによる。（措法42の4㉖、措令27の4㉘）

(一)	合併等（合併、分割又は現物出資をいう。以下（1）及び（2）において同じ。）で適用年度において行われたものに係る合併法人等	当該合併法人等の基準日（**イ**の(1)《合併等が行われた場合の比較試験研究費の額の計算》の(一)に掲げる基準日をいう。以下(1)及び(3)の表の(二)において同じ。）から当該適用年度開始の日の前日までの期間内の日を含む各売上調整年度（当該合併法人等が未経過法人に該当する場合には、基準日から当該合併法人等の設立の日〔**1**の表の④に掲げる設立の日をいう。(二)及び(3)の表の(二)において同じ。〕の前日までの期間を当該合併法人等の事業年度とみなした場合における当該事業年度を含む。以下(一)において「調整対象年度」という。）については、当該各調整対象年度ごとに当該合併法人等の当該各調整対象年度の売上金額に当該各調整対象年度に含まれる月の当該合併等に係る被合併法人等（被合併法人、分割法人又は現物出資法人をいう。(二)及び(2)において同じ。）の月別売上金額を合計した金額に当該合併等の日から当該適用年度終了の日までの期間の月数を乗じてこれを当該適用年度の月数で除して計算した金額を加算する。
(二)	合併等で売上調整年度において行われたものに係る合併法人等	当該合併法人等の基準日から当該合併等の日の前日までの期間内の日を含む各売上調整年度（当該合併法人等が未経過法人に該当する場合には、基準日から当該合併法人等の設立の日の前日までの期間を当該合併法人等の事業年度とみなした場合における当該事業年度を含む。以下(二)において「調整対象年度」という。）については、当該各調整対象年度ごとに当該合併法人等の当該各調整対象年度の売上金額に当該各調整対象年度に含まれる月の当該合併等に係る被合併法人等の月別売上金額を合計した金額を加算する。

注　(1)の月数は、暦に従って計算し、1か月に満たない端数を生じたときは、これを1か月とする。（措令27の4㉝）

（月別売上金額の意義）

（2）　（1）に掲げる月別売上金額とは、その合併等に係る被合併法人等の当該合併等の日前に開始した各事業年度の売上金額（分割等〔分割又は現物出資をいう。以下（5）までにおいて同じ。〕の日を含む事業年度〔以下（2）及び（4）において「分割等事業年度」という。〕にあっては、当該分割等の日の前日を当該分割等事業年度終了の日とした場合の当該分割等事業年度の売上金額）をそれぞれ当該各事業年度の月数（分割等事業年度にあっては、当該分割等事業年度開始の日から当該分割等の日の前日までの期間の月数）で除して計算した金額を当該各事業年度に含まれる月（分割等事業年度にあっては、当該分割等事業年度開始の日から当該分割等の日の前日までの期間に含まれる月）の売上金額とみなした場合における当該売上金額をいう。（措令27の4㉙）

（分割等が行われた場合における売上金額の計算の特例）
(3)　**2**又は**3**の適用を受ける法人が分割法人等（分割法人又は現物出資法人をいう。以下(5)までにおいて同じ。）又は分割承継法人等（分割承継法人又は被現物出資法人をいう。以下(二)において同じ。）である場合において、当該法人の当該適用年度の確定申告書等、修正申告書又は更正請求書に(7)《特例計算を行う場合の確定申告書等への記載事項》に掲げる事項を記載した書類の添付があるときは、当該適用年度の当該法人の**1**の表の⑦《平均売上金額》の金額の計算における同⑦の売上金額については、当該法人の次の表の(一)に掲げる各売上調整年度又は同表の(二)に掲げる各調整対象年度の売上金額は、(1)にかかわらず、同表の左欄に掲げる法人の区分に応じそれぞれ同表の右欄に掲げるところによる。（措法42の4㉖、措令27の4㉚）

(一)	分割法人等	当該分割法人等の次のイ及びロに掲げる各売上調整年度ごとに当該分割法人等の当該各売上調整年度の売上金額から次の表の左欄に掲げる分割法人等の区分に応じそれぞれ同表の右欄に掲げる金額を控除する。		
		イ	分割等で適用年度において行われたものに係る分割法人等	当該分割法人等の各売上調整年度については、当該分割法人等の当該各売上調整年度の移転売上金額（当該書類に記載された金額に限る。ロ及び(4)において同じ。）に当該分割等の日から当該適用年度終了の日までの期間の月数を乗じてこれを当該適用年度の月数で除して計算した金額
		ロ	分割等で売上調整年度において行われたものに係る分割法人等	当該分割法人等の売上調整年度のうち最も古い売上調整年度から当該分割等の日の前日を含む売上調整年度までの各売上調整年度については、当該分割法人等の当該各売上調整年度の移転売上金額
(二)	分割承継法人等	当該分割承継法人等の次のイ及びロに掲げる各調整対象年度ごとに当該分割承継法人等の当該各調整対象年度の売上金額に次の表の左欄に掲げる分割承継法人等の区分に応じそれぞれ同表の右欄に掲げる金額を加算する。		
		イ	分割等で適用年度において行われたものに係る分割承継法人等	当該分割承継法人等の各売上調整年度（当該分割承継法人等が未経過法人に該当する場合には、基準日から当該分割承継法人等の設立の日の前日までの期間を当該分割承継法人等の事業年度とみなした場合における当該事業年度を含む。イにおいて「調整対象年度」という。）については、当該分割承継法人等の当該各調整対象年度ごとに当該各調整対象年度に含まれる月の当該分割等に係る分割法人等の月別移転売上金額を合計した金額に当該分割等の日から当該適用年度終了の日までの期間の月数を乗じてこれを当該適用年度の月数で除して計算した金額
		ロ	分割等で売上調整年度において行われたものに係る分割承継法人等	当該分割承継法人等の各売上調整年度（当該分割承継法人等が未経過法人に該当する場合には、基準日から当該分割承継法人等の設立の日の前日までの期間を当該分割承継法人等の事業年度とみなした場合における当該事業年度を含む。ロにおいて「調整対象年度」という。）については、当該分割承継法人等の当該各調整対象年度ごとに当該各調整対象年度に含まれる月の当該分割等に係る分割法人等の月別移転売上金額を合計した金額

注1　──線部分は、令和5年度改正により改正された部分で、改正規定は、令和5年4月1日以後に開始する事業年度（**5**の①の表の(三)の通算法人の適用対象事業年度を除く。）及び同(三)の通算法人に係る通算親法人の令和5年4月1日以後に開始する事業年度終了の日に終了する当該通算法人の適用対象事業年度から適用され、令和5年3月31日以前に開始した事業年度（令和5年度改正前の**5**の①の表の(三)の通算法人の適用対象事業年度を除く。）及び令和5年度改正前の同(三)の通算法人に係る通算親法人の令和5年3月31日以前に開始した事業年度終了の日に終了する当該通算法人の適用対象事業年度の適用については、(3)は次による。（令5改措令附7①、1）

　　2又は**3**の適用を受ける法人が分割法人等（分割法人又は現物出資法人をいう。以下注1において同じ。）又は分割承継法人等（分割承継法人又は被現物出資法人をいう。以下注1において同じ。）である場合において当該適用年度の当該法人の**1**の表の⑦《平均売上金額》の金額の計算における注1の売上金額については分割法人等が(9)《特例計算の認定申請書》に掲げるところにより納税地

第三章　第二節　第二款　五《試験研究を行った場合の法人税額の特別控除》

の所轄税務署長の認定を受けた合理的な方法に従って当該分割法人等の各事業年度の売上金額を移転売上金額と移転事業以外の事業に係る売上金額とに区分しているときは、当該分割法人等の分割又は現物出資（以下注1において「分割等」という。）に係る分割法人等及び分割承継法人等の全てが(10)《特例計算の適用を受ける旨の届出》に掲げるところによりそれぞれの納税地の所轄税務署長に注1の適用を受ける旨の届出をしたときに限り、当該分割法人等の次の表の(一)に掲げる各売上調整年度及び当該分割承継法人等の同表の(二)に掲げる各調整対象年度の売上金額は、（1）にかかわらず、同表の左欄に掲げる分割法人等又は分割承継法人等の区分に応じそれぞれ同表の右欄に掲げるところによる。（措法42の4旧㉖、措令27の4旧㉗）

旧(一)	分割法人等	当該分割法人等の次のイ及びロに掲げる各売上調整年度ごとに当該分割法人等の当該各売上調整年度の売上金額から次の表の左欄に掲げる分割法人等の区分に応じそれぞれ同表の右欄に掲げる金額を控除する。		
			イ	分割等で適用年度において行われたものに係る分割法人等	当該分割法人等の各売上調整年度については、当該分割法人等の当該各売上調整年度の移転売上金額に当該分割等の日から当該適用年度終了の日までの期間の月数を乗じてこれを当該適用年度の月数で除して計算した金額
			ロ	分割等で売上調整年度において行われたものに係る分割法人等	当該分割法人等の売上調整年度のうち最も古い売上調整年度から当該分割等の日の前日を含む売上調整年度までの各売上調整年度については、当該分割法人等の当該各売上調整年度の移転売上金額
旧(二)	分割承継法人等	当該分割承継法人等の次のイ及びロに掲げる各調整対象年度ごとに当該分割承継法人等の当該各調整対象年度の売上金額に次の表の左欄に掲げる分割承継法人等の区分に応じそれぞれ同表の右欄に掲げる金額を加算する。		
			イ	分割等で適用年度において行われたものに係る分割承継法人等	当該分割承継法人等の各売上調整年度（当該分割承継法人等が未経過法人に該当する場合には、基準日から当該分割承継法人等の設立の日の前日までの期間を当該分割承継法人等の事業年度とみなした場合における当該事業年度を含む。イにおいて「調整対象年度」という。）については、当該分割承継法人等の当該各調整対象年度ごとに当該各調整対象年度に含まれる月の当該分割等に係る分割法人等の二の(3)に掲げる月別移転売上金額（ロにおいて「月別移転売上金額」という。）を合計した金額に当該分割等の日から当該適用年度終了の日までの期間の月数を乗じてこれを当該適用年度の月数で除して計算した金額
			ロ	分割等で売上調整年度において行われたものに係る分割承継法人等	当該分割承継法人等の各売上調整年度（当該分割承継法人等が未経過法人に該当する場合には、基準日から当該分割承継法人等の設立の日の前日までの期間を当該分割承継法人等の事業年度とみなした場合における当該事業年度を含む。ロにおいて「調整対象年度」という。）については、当該分割承継法人等の当該各調整対象年度ごとに当該各調整対象年度に含まれる月の当該分割等に係る分割法人等の月別移転売上金額を合計した金額

注2　法人が、分割等で経過期間内に行われたものに係る旧令適用法人（当該分割等に係る分割法人等〔租税特別措置法第2条第2項第5号《分割法人》に規定する分割法人又は同項第7号《現物出資法人》に規定する現物出資法人をいう。以下注2及び注3の表の(一)において同じ。〕又は分割承継法人等〔同条第2項第6号《分割承継法人》に規定する分割承継法人又は同項第8号《被現物出資法人》に規定する被現物出資法人をいう。以下注2及び注3の表の(二)において同じ。〕のうち、当該分割等の日が令和5年3月31日以前に開始した事業年度の期間内であるもの〔当該分割法人等又は分割承継法人等が**5**の①の表の(三)の通算法人である場合には、当該分割等の日が当該分割法人等又は分割承継法人等に係る通算親法人の令和5年3月31日以前に開始した事業年度終了の日に終了する当該分割法人等又は分割承継法人等の事業年度の期間内であるもの〕をいう。以下注2において同じ。）に該当するときは、当該法人に対する注1により次によることとされる場合における注1の適用については、旧令適用法人の全てが注1の届出をした場合には、当該分割等に係る分割法人等及び分割承継法人等の全てが注1の届出をしたものとみなす。（令5改措附7②、1）

注3　注2に掲げる経過期間とは、分割等に係る次に掲げる日のうちいずれか早い日から当該分割等に係る次に掲げる日のうちいずれか遅い日の前日までの期間をいう。（令5改措令附7③、1）

(一)	分割法人等の令和5年4月1日以後最初に開始する事業年度開始の日（当該分割法人等が**5**の①の表の(三)の通算法人である場合には、当該分割法人等に係る通算親法人の令和5年4月1日以後最初に開始する事業年度終了の日に終了する当該分割法人等の事業年度開始の日）
(二)	分割承継法人等の令和5年4月1日以後最初に開始する事業年度開始の日（当該分割承継法人等が**5**の①の表の(三)の通算法人である場合には、当該分割承継法人等に係る通算親法人の令和5年4月1日以後最初に開始する事業年度終了の日に終了する当該分割承継法人等の事業年度開始の日）

注4　分割等（分割、現物出資又は第二章第一節の二の表の**12の5の2**《現物分配法人》に掲げる現物分配をいう。以下注4において同じ。）について注1の届出をした法人が当該分割等について(3)の適用を受ける場合における適用に関し必要な事項は、注5から注7までによる。（令5改措令附7⑤、1）

注5　分割等（分割又は現物出資をいう。以下注5及び注6において同じ。）について注1の届出をした法人（第二章第一節の三の注3に掲げる人格のない社団等を含む。以下注6まで同じ。）が当該分割等について(3)の適用を受けようとする場合には、その適用を受けよう

とする事業年度の同章第一節の二の(2)《租税特別措置法における用語の意義》に掲げる確定申告書等に(3)の書類の添付があるものとみなす。この場合において、当該書類には、当該分割等に係る租税特別措置法第2条第2項第5号《分割法人》に規定する分割法人又は同項第7号《現物出資法人》に規定する現物出資法人の各事業年度の(5)《移転売上金額の意義》に掲げる移転売上金額として、当該分割等に係る(14)《特例計算の適用を受ける旨の届出》の届出書に当該分割法人又は現物出資法人の当該各事業年度の二の(2)《分割等が行われた場合の基準年度試験研究費の額の計算》の表の(一)のイに掲げる移転売上金額として記載された金額が記載されているものとみなす。(令5改措規附4①)

注6 注3に掲げる経過期間内に行われた分割等に係る注2に掲げる分割法人等又は注2に掲げる分割承継法人等に該当する法人(旧令適用法人〔注2に掲げる旧令適用法人をいう。以下注6において同じ。〕を除く。)が、当該分割等について(3)の適用を受けようとする場合(旧令適用法人が当該分割等について注1の適用を受ける場合に限る。)には、(3)の書類に(7)《特例計算を行う場合の確定申告書等への記載事項》の表の(六)に掲げる金額として記載する当該分割法人等の各事業年度の(5)に掲げる移転売上金額は、当該分割等に係る旧令適用法人が当該分割等について(14)の届出書に記載する(14)に掲げる金額のうち当該各事業年度の二の(2)《分割等が行われた場合の基準年度試験研究費の額の計算》の表の(一)のイに掲げる移転売上金額と同じ金額としなければならない。(令5改措規附4④)

注7 (3)の月数は、暦に従って計算し、1か月に満たない端数を生じたときは、これを1か月とする。(措令27の4㉝)

(月別移転売上金額の意義)
(4) (3)に掲げる月別移転売上金額とは、その分割等に係る分割法人等の当該分割等の日前に開始した各事業年度の移転売上金額をそれぞれ当該各事業年度の月数(分割等事業年度にあっては、当該分割等事業年度開始の日から当該分割等の日の前日までの期間の月数)で除して計算した金額を当該各事業年度に含まれる月(分割等事業年度にあっては、当該分割等事業年度の開始の日から当該分割等の日の前日までの期間に含まれる月)の移転売上金額とみなした場合における当該移転売上金額をいう。(措令27の4㉛)

(移転売上金額の意義)
(5) (3)及び(4)に掲げる移転売上金額とは、その分割等に係る分割法人等の各事業年度の売上金額を合理的な方法により移転事業に係る売上金額と当該移転事業以外の事業に係る売上金額とに区分した場合における当該移転事業に係る売上金額をいう。(措令27の4㉜)

(移転試験研究費の額等の区分に係る合理的な方法)
(6) 移転事業と移転事業以外の事業とに共通して生じた売上金額がある場合における(5)の合理的な方法とは、当該売上金額をその試験研究の内容、性質等に応じた合理的な基準により、それぞれの事業に配分する方法をいうのであるから、留意する。(措通42の4(4)-4・編者補正)
注 分割又は現物出資の時に、分割法人又は現物出資法人において現に営まれていない事業に係る売上金額は、移転事業に係る売上金額に該当しないことに留意する。

(特例計算を行う場合の確定申告書等への記載事項)
(7) (3)に掲げる事項は、次に掲げる事項とする。(措規20㉙)

(一)	相手先(分割法人等〔(3)に掲げる分割法人等をいう。以下(7)及び(8)において同じ。〕にあっては分割承継法人等〔(3)に掲げる分割承継法人等をいう。以下(7)及び(8)の表の(一)において同じ。〕をいい、分割承継法人等にあっては分割法人等をいう。)の名称及び納税地並びに代表者の氏名	
(二)	分割等((2)に掲げる分割等をいう。以下(7)及び(8)において同じ。)の年月日	
(三)	移転事業の内容	
(四)	分割承継法人等が移転事業を行うために当該分割等により移転する資産及び従業者の明細及び数	
(五)	分割法人等の各事業年度の売上金額を移転事業に係る売上金額と当該移転事業以外の事業に係る売上金額とに区分した合理的な方法	
(六)	次の表の左欄に掲げる法人の区分に応じそれぞれ同表の右欄に掲げる金額	
	イ 分割法人等	各対象年度(次の表の左欄に掲げる当該分割法人等の区分に応じそれぞれ同表の右欄に掲げる事業年度をいう。)の売上金額(当該分割法人等の当該分割等の日を含む事業年度〔イ及びロにおいて「分割等事業年度」という。〕にあっては、当該分割等の日の前日を当該分割等事業年度終了の日とした場合の当該分割等事業年度の売上金額に限る。)及び当該各対象年度の(5)に掲げる移転売上金額(ロ及び(8)において「移転売上金額」という。)

			(イ)	(3)の表の(一)のイに掲げる法人	(3)の表の(一)のイに掲げる各売上調整年度に該当する事業年度
			(ロ)	(3)の表の(一)のロに掲げる法人	(3)の表の(一)のロに掲げる各売上調整年度に該当する事業年度
	ロ	分割承継法人等	\multicolumn{3}{l	}{次の表の左欄に掲げる当該分割承継法人等の区分に応じそれぞれ同表の右欄に掲げる事業年度の期間内の日を含む当該分割等に係る分割法人等の各事業年度の売上金額（分割等事業年度にあっては、当該分割等の日の前日を当該分割等事業年度終了の日とした場合の当該分割等事業年度の売上金額に限る。）及び当該各事業年度の移転売上金額}
			(イ)	(3)の表の(二)のイに掲げる法人	(3)の表の(二)のイに掲げる調整対象年度に該当する事業年度
			(ロ)	(3)の表の(二)のロに掲げる法人	(3)の表の(二)のロに掲げる調整対象年度に該当する事業年度
(七)	\multicolumn{5}{l	}{その他参考となるべき事項}

（分割等が行われた場合の移転売上金額の計算）

(8) (3)の適用を受けようとする法人が(3)の書類に(7)の表の(六)に掲げる金額として記載する分割等に係る分割法人等の各事業年度の移転売上金額は、次の表の左欄に掲げる場合の区分に応じそれぞれ同表の右欄に掲げる金額がある場合には、当該金額と同じ金額としなければならない。（措規20㉚）

(一)	当該法人が当該分割等に係る分割承継法人等である場合において、当該分割等に係る分割法人等が当該分割等について(3)の適用を受けるとき	当該分割法人等が(3)の書類に記載する当該各事業年度の移転売上金額
(二)	当該法人が当該分割等について(3)の適用を受けようとする事業年度の修正申告書又は更正請求書を提出する場合において、既に提出した当該事業年度の確定申告書等、修正申告書又は更正請求書に添付した(3)の書類に当該各事業年度の移転売上金額の記載があるとき	当該書類に記載した当該各事業年度の移転売上金額
(三)	当該法人が当該分割等について(3)の適用を受けようとする事業年度前の事業年度で当該分割等について(3)の適用を受けた事業年度がある場合において、その適用を受けた事業年度の確定申告書等、修正申告書又は更正請求書に添付した(3)の書類に当該各事業年度の移転売上金額の記載があるとき	当該書類に記載した当該各事業年度の移転売上金額

（特例計算の認定申請書）

(9) (3)の注1の税務署長の認定を受けようとする分割法人等（(3)の注1に掲げる分割法人等をいう。(一)及び(14)において同じ。）は、(3)の注1の表以外の部分に掲げる分割等（以下(9)及び(14)において「分割等」という。）の日以後2か月以内に、次の(一)から(七)までに掲げる事項を記載した申請書に分割計画書、分割契約書その他のこれらに類する書類の写しを添付して、これを納税地の所轄税務署長に提出しなければならない。（措規20旧㊵）

(一)	申請をする分割法人等の名称、納税地及び法人番号並びに代表者の氏名
(二)	分割承継法人等（(3)の注1に掲げる分割承継法人等をいう。以下(9)及び(14)において同じ。）の名称及び納税地並びに代表者の氏名
(三)	分割等の年月日
(四)	移転事業
(五)	分割承継法人等が移転事業を行うために当該分割等により移転する資産及び人員
(六)	その認定を受けようとする合理的な方法

(七)	その他参考となるべき事項		

注 (9)は、令和5年度改正により廃止されているが、令和5年3月31日以前については、なおその適用がある。(令5改措規附1)

(特例計算の適用を受ける旨の届出)

(10) (3)の注1の届出は、分割等の日以後2か月以内に、次の(一)及び(二)に掲げる事項を記載した届出書により行わなければならない。(措規20旧㊺)

(一)	(3)の注1の適用を受ける旨		
	次のイからホまでに掲げる事項		
		イ	届出をする法人の名称、納税地及び法人番号並びに代表者の氏名
		ロ	相手先(分割承継法人等にあっては分割法人等を、分割法人等にあっては分割承継法人等をいう。)の名称及び納税地並びに代表者の氏名
		ハ	分割等の年月日
(二)		ニ	分割法人等の分割等の日を含む事業年度(以下ニにおいて「分割事業年度」という。)開始の日(当該分割法人等が通算法人である場合〔当該分割等事業年度終了の日が当該分割法人等に係る通算親法人の2又は3に掲げる事業年度終了の日である場合に限る。〕には、当該通算親法人の当該事業年度開始の日)から起算して3年前の日又は分割承継法人等の当該分割等の日を含む事業年度(以下ニにおいて「分割承継等事業年度」という。)開始の日(当該分割承継法人等が通算法人である場合〔当該分割承継等事業年度終了の日が当該分割承継法人等に係る通算親法人の2又は3に掲げる事業年度終了の日である場合に限る。〕には、当該通算親法人の当該事業年度開始の日)から起算して3年前の日のうちいずれか早い日から当該分割等の日の前日までの期間(以下ニにおいて「届出対象期間」という。)内の日を含む当該分割法人等の各事業年度の売上金額及び移転売上金額(分割等事業年度にあっては、届出対象期間の売上金額及び移転売上金額に限る。)
		ホ	その他参考となるべき事項

注 (10)は、令和5年度改正により廃止されているが、令和5年3月31日以前については、なおその適用がある。(令5改措規附1)

2 試験研究を行った場合の法人税額の特別控除

青色申告書を提出する法人(人格のない社団等を含む。)の各事業年度(解散〔合併による解散を除く。〕の日を含む事業年度及び清算中の各事業年度を除く。)において、試験研究費の額がある場合には、当該法人の当該事業年度の所得に対する調整前法人税額から、当該事業年度の試験研究費の額に次の表の左欄に掲げる区分に応じそれぞれ右欄に掲げる割合(当該割合に小数点以下3位未満の端数があるときはこれを切り捨てた割合とし、それぞれ次の表の右欄に掲げる割合が $\frac{10}{100}$ を超えるときは $\frac{10}{100}$ とする。)を乗じて計算した金額(以下2において「**税額控除限度額**」という。)を控除する。この場合において、当該税額控除限度額が、控除上限額(当該法人の当該事業年度の所得に対する調整前法人税額の $\frac{25}{100}$ に相当する金額をいう。)を超えるときは、その控除を受ける金額は、当該控除上限額を限度とする。(措法42の4①)

(一)	増減試験研究費割合が零以上である場合((三)に掲げる場合を除く。)	$\frac{11.5}{100}$ から、$\frac{12}{100}$ から当該増減試験研究費割合を減算した割合に0.25を乗じて計算した割合を減算した割合		
(二)	増減試験研究費割合が零に満たない場合((三)に掲げる場合を除く。)	$\frac{8.5}{100}$ から、その満たない部分の割合に $\frac{8.5}{25}$ (次の表の左欄に掲げる事業年度にあっては、それぞれ同表の右欄に掲げる割合)を乗じて計算した割合を減算した割合(当該割合が零に満たないときは、零)		
		イ	令和11年4月1日前に開始する事業年度	$\frac{8.5}{30}$
		ロ	令和11年4月1日から令和13年3月31日までの間に開始する事業年度	$\frac{8.5}{27.5}$
(三)	当該事業年度が設立事業年度である場合又は比較試験研究費の額が零である場合	$\frac{8.5}{100}$		

第三章　第二節　第二款　五《試験研究を行った場合の法人税額の特別控除》

$$\text{税額控除限度額} = \text{試験研究費の額} \times \text{税額控除割合} \quad \text{ただし、控除上限額}\left[\underset{\text{(申告書別表一の「2」欄の金額)}}{\text{当期の所得に対する調整前法人税額}} \times \frac{25}{100}\right]\text{を限度}$$

注──線部分は、令和6年度改正により改正された部分で、改正規定は、令和8年4月1日以後に開始する事業年度（5の①の表の(三)の通算法人の同表の(二)〔5の④の(3)において準用する場合を含む。〕に掲げる適用対象事業年度〔以下注において「適用対象事業年度」という。〕を除く。）から適用され、令和8年3月31日以前に開始した事業年度（5の①の表の(三)の通算法人の適用対象事業年度を除く。）の適用については、上表は次による。（令6改法附39①、1Ⅶ）

旧(一)	旧(二)に掲げる場合以外の場合	$\frac{11.5}{100}$から、$\frac{12}{100}$から当該増減試験研究費割合を減算した割合に0.25を乗じて計算した割合を減算した割合（当該割合が$\frac{1}{100}$未満であるときは、$\frac{1}{100}$）
旧(二)	当該事業年度が設立事業年度である場合又は比較試験研究費の額が零である場合	$\frac{8.5}{100}$

（税額控除限度額の特例）

(1)　2に掲げる法人の令和3年4月1日から令和8年3月31日までの間に開始する各事業年度における2の適用については、2の税額控除限度額は、2にかかわらず、次の表の左欄に掲げる事業年度の区分に応じ同表の右欄に掲げる金額とする。（措法42の4②）

(一)	(二)に掲げる事業年度以外の事業年度	当該事業年度の試験研究費の額に次の表の左欄に掲げる場合の区分に応じそれぞれ同表の右欄に掲げる割合（当該割合に小数点以下3位未満の端数があるときはこれを切り捨てた割合とし、それぞれ次に定める割合が$\frac{14}{100}$を超えるときは$\frac{14}{100}$とする。）を乗じて計算した金額	
		イ　増減試験研究費割合が$\frac{12}{100}$を超える場合（ハに掲げる場合を除く。）	$\frac{11.5}{100}$に、当該増減試験研究費割合から$\frac{12}{100}$を控除した割合に0.375を乗じて計算した割合を加算した割合
		ロ　増減試験研究費割合が$\frac{12}{100}$以下である場合（ハに掲げる場合を除く。）	$\frac{11.5}{100}$から、$\frac{12}{100}$から当該増減試験研究費割合を減算した割合に0.25を乗じて計算した割合を減算した割合（当該割合が$\frac{1}{100}$未満であるときは、$\frac{1}{100}$）
		ハ　当該事業年度が設立事業年度である場合又は比較試験研究費の額が零である場合	$\frac{8.5}{100}$
(二)	試験研究費割合が$\frac{10}{100}$を超える事業年度	当該事業年度の試験研究費の額に次に掲げる割合を合計した割合（当該割合に小数点以下3位未満の端数があるときはこれを切り捨てた割合とし、当該合計した割合が$\frac{14}{100}$を超えるときは$\frac{14}{100}$とする。）を乗じて計算した金額	
		イ　(一)のイからハまでの左欄に掲げる場合の区分に応じそれぞれ同イからハまでの右欄に掲げる割合	
		ロ　イに掲げる割合に控除割増率（当該試験研究費割合から$\frac{10}{100}$を控除した割合に0.5を乗じて計算した割合〔当該割合が$\frac{10}{100}$を超えるときは、$\frac{10}{100}$〕をいう。）を乗じて計算した割合	

（控除上限額の上乗せ）

(2)　2に掲げる法人の次表の左欄に掲げる事業年度における2の適用については、2の控除上限額は、2にかかわらず、当該法人の当該事業年度の所得に対する調整前法人税額の$\frac{25}{100}$に相当する金額に同表の右欄に掲げる金額（同表の左欄に掲げる事業年度のいずれにも該当する事業年度にあっては、それぞれ同表の右欄に掲げる金額の合計額）を加算した金額とする。（措法42の4③）

(一)	次に掲げる要件を満たす事業年度		
	イ	2の適用を受ける事業年度（以下(一)において「適用年度」という。）が当該法人の第一節第二	当該調整前法人税額の$\frac{15}{100}$に相当する金額

		十一款の一の1の②の（6）《内国法人の設立の日》に掲げる内国法人の設立の日（イにおいて「設立日」という。）から当該設立日以後10年を経過する日までの期間内の日を含む事業年度に該当すること（当該法人が通算法人である場合には、他の通算法人のいずれかの適用年度終了の日を含む事業年度が同②の（7）《他の通算法人における設立の日の準用》に掲げる他の通算法人の設立の日〔イにおいて「他の設立日」という。〕から当該他の設立日以後10年を経過する日までの期間内の日を含む事業年度に該当しない場合を除く。）。		
	ロ	当該法人が適用年度終了の時において第一款の一の1の③《中小法人の年800万円以下の所得に対する軽減税率の不適用》のロ又はハに掲げる法人及び第二章第一節の二の表の**12の6の6**《株式移転完全親法人》に掲げる株式移転完全親法人のいずれにも該当しないこと。		
	ハ	適用年度終了の時において第二章第一節の二の（1）《国税通則法における用語の意義》の表の（六）のハに掲げる純損失等の金額（同ハに掲げるものに限るものとし、当該法人が通算法人である場合には当該法人の第一節第三十五款の**一の3の①の（3）**《特定欠損金額の意義》に掲げる特定欠損金額を除く。ハにおいて「純損失等の金額」という。）があること（当該法人が通算法人である場合には、他の通算法人のいずれかの適用年度〔当該法人に係る通算親法人の2に掲げる事業年度終了の日に終了するものに限る。〕終了の日に終了する事業年度終了の時において純損失等の金額がある場合を含む。）。		
（二）	令和5年4月1日から令和8年3月31日までの間に開始する各事業年度のうち右欄の表に掲げる事業年度		当該調整前法人税額に次表の左欄に掲げる事業年度の区分に応じそれぞれ同表の右欄に掲げる割合（イ及びハに掲げる事業年度のいずれにも該当する事業年度にあっては、イに掲げる割合とハに掲げる割合とのうちいずれか高い割合）を乗じて計算した金額	
			イ	増減試験研究費割合が$\frac{4}{100}$を超える事業年度（設立事業年度及び比較試験研究費の額が零である事業年度を除く。）	当該増減試験研究費割合から$\frac{4}{100}$を控除した割合に0.625を乗じて計算した割合（当該割合に小数点以下3位未満の端数があるときはこれを切り捨てた割合とし、当該計算した割合が$\frac{5}{100}$を超えるときは$\frac{5}{100}$とする。）
			ロ	増減試験研究費割合が零に満たない	零から、当該満たない部分の割合から$\frac{4}{100}$を

		場合のその満たない部分の割合が$\frac{4}{100}$を超える事業年度（設立事業年度、比較試験研究費の額が零である事業年度及びハに掲げる事業年度を除く。）	控除した割合に0.625を乗じて計算した割合（当該割合に小数点以下3位未満の端数があるときはこれを切り捨てた割合とし、当該計算した割合が$\frac{5}{100}$を超えるときは$\frac{5}{100}$とする。）を減算した割合
	ハ	試験研究費割合が$\frac{10}{100}$を超える事業年度	当該試験研究費割合から$\frac{10}{100}$を控除した割合に2を乗じて計算した割合（当該割合に小数点以下3位未満の端数があるときはこれを切り捨てた割合とし、当該計算した割合が$\frac{10}{100}$を超えるときは$\frac{10}{100}$とする。）

（試験研究費の額の統一的計算）
（3）　2の適用上、適用年度（1の表の③に掲げる適用年度をいう。）及び比較年度（1の表の⑤の「適用年度開始の日の3年前の日から同表の③に掲げる適用年度開始の日の前日までの期間内に開始した各事業年度」をいう。以下同じ。）の試験研究費の額を計算する場合の共通経費の配賦基準等については、継続して同一の方法によることに留意する。（措通42の4（2）－2・編者補正）

3　中小企業者等の試験研究費に係る法人税額の特別控除

（2）《中小企業者の意義》に掲げる中小企業者（（7）《適用除外事業者の意義》〔（8）《通算適用除外事業者の意義》に掲げる適用除外事業者から除かれるものを除く。〕又は（8）に掲げる通算適用除外事業者に該当するものを除く。）又は（12）《農業協同組合等の意義》に掲げる農業協同組合等（当該農業協同組合等が通算親法人である場合には、通算親法人である農業協同組合等の各事業年度終了の日において当該農業協同組合等との間に通算完全支配関係がある他の通算法人の全てが資本金の額又は出資金の額が1億円以下の法人〔（7）《適用除外事業者の意義》に掲げる適用除外事業者〈（8）《通算適用除外事業者の意義》に掲げる適用除外事業者から除かれるものを除く。〉に該当するものを除く。〕に該当する場合における当該農業協同組合等〔注1において「中小通算農業協同組合等」という。〕に限る。）で、青色申告書を提出するもの（以下3において「中小企業者等」という。）の各事業年度（2の適用を受ける事業年度、解散〔合併による解散を除く。〕の日を含む事業年度及び清算中の各事業年度を除く。）において、試験研究費の額がある場合には、当該中小企業者等の当該事業年度の所得に対する調整前法人税額から、当該事業年度の試験研究費の額の$\frac{12}{100}$に相当する金額（以下3において「中小企業者等税額控除限度額」という。）を控除する。この場合において、当該中小企業者等税額控除限度額が、中小企業者等控除上限額（当該中小企業者等の当該事業年度の所得に対する調整前法人税額の$\frac{25}{100}$に相当する金額をいう。）を超えるときは、その控除を受ける金額は、当該中小企業者等控除上限額を限度とする。（措法42の4④㉖、措令27の4①）

なお、中小企業者等の令和3年4月1日から令和8年3月31日までの間に開始する各事業年度のうち次の表の左欄に掲げる事業年度における3の適用については、3の中小企業者等税額控除限度額は、3にかかわらず、当該事業年度の試験研究費の額に、$\frac{12}{100}$に同表の右欄に掲げる割合を加算した割合（当該割合に小数点以下3位未満の端数があるときはこれを切り捨てた割合とし、当該加算した割合が$\frac{17}{100}$を超えるときは$\frac{17}{100}$とする。）を乗じて計算した金額とする。（措法42の4⑤）

（一）	増減試験研究費割合が$\frac{12}{100}$を超える事業年度（設立事業年度、比較試験研究費の額が零である事業年度及び試験研究費割合が$\frac{10}{100}$を超える事業年度を除く。）	当該増減試験研究費割合から$\frac{12}{100}$を控除した割合に0.375を乗じて計算した割合

(二)	試験研究費割合が$\frac{10}{100}$を超える事業年度（設立事業年度及び比較試験研究費の額が零である事業年度のいずれにも該当しない事業年度で増減試験研究費割合が$\frac{12}{100}$を超える事業年度を除く。）	$\frac{12}{100}$に控除割増率（当該試験研究費割合から$\frac{10}{100}$を控除した割合に0.5を乗じて計算した割合〔当該割合が$\frac{10}{100}$を超えるときは、$\frac{10}{100}$〕をいう。）を乗じて計算した割合
(三)	増減試験研究費割合が$\frac{12}{100}$を超え、かつ、試験研究費割合が$\frac{10}{100}$を超える事業年度（設立事業年度及び比較試験研究費の額が零である事業年度を除く。）	次に掲げる割合を合計した割合
		イ　(一)に掲げる割合
		ロ　イに掲げる割合に(二)に掲げる控除割増率を乗じて計算した割合
		ハ　(二)に掲げる割合

注　**3**の適用を受けようとする通算子法人の各事業年度（当該通算子法人に係る通算親法人の**3**に掲げる事業年度終了の日に終了するものに限る。）終了の日において当該通算親法人が中小通算農業協同組合等に該当する場合には、当該通算子法人に対する**3**の適用については、当該通算子法人は、**3**に掲げる中小企業者に該当するものとする。（措法42の4㉖、措令27の4㉒）

$$\text{税額控除限度額} = \text{試験研究費の額} \times \frac{12}{100} \quad \text{ただし、}\left[\underset{\text{(申告書別表一の「2」欄の金額)}}{\text{当期の所得に対する調整前法人税額}} \times \frac{25}{100}\right]\text{を限度}$$

（中小企業者等控除上限額の特例）

（１）　**3**の中小企業者等の令和3年4月1日から令和8年3月31日までの間に開始する各事業年度のうち次の表の左欄に掲げる事業年度における**3**の適用については、**3**の中小企業者等控除上限額は、**3**にかかわらず、当該中小企業者等の当該事業年度の所得に対する調整前法人税額の$\frac{25}{100}$に相当する金額に同表の右欄に掲げる金額を加算した金額とする。（措法42の4⑥）

(一)	増減試験研究費割合が$\frac{12}{100}$を超える事業年度（設立事業年度及び比較試験研究費の額が零である事業年度を除く。）	当該調整前法人税額の$\frac{10}{100}$に相当する金額
(二)	試験研究費割合が$\frac{10}{100}$を超える事業年度（(一)に掲げる事業年度を除く。）	当該調整前法人税額に当該試験研究費割合から$\frac{10}{100}$を控除した割合に2を乗じて計算した割合（当該割合に小数点以下3位未満の端数があるときはこれを切り捨てた割合とし、当該計算した割合が$\frac{10}{100}$を超えるときは$\frac{10}{100}$とする。）を乗じて計算した金額

（中小企業者の意義）

（２）　中小企業者とは、資本金の額若しくは出資金の額が1億円以下の法人のうち次に掲げる法人以外の法人又は資本若しくは出資を有しない法人のうち常時使用する従業員の数が1,000人以下の法人（当該法人が通算親法人である場合には、(三)に掲げる法人を除く。）をいう。（措法42の4⑲Ⅶ、措令27の4⑰）

(一)	その発行済株式又は出資（その有する自己の株式又は出資を除く。(二)において同じ。）の総数又は総額の$\frac{1}{2}$以上が同一の大規模法人（資本金の額若しくは出資金の額が1億円を超える法人、資本若しくは出資を有しない法人のうち常時使用する従業員の数が1,000人を超える法人又は次のイ若しくはロに掲げる法人をいい、中小企業投資育成株式会社を除く。(二)において同じ。）の所有に属している法人		
	イ	大法人（次に掲げる法人をいう。以下(一)において同じ。）との間に当該大法人による完全支配関係（第二章第一節の二《定義》の表の**12の7の6**《完全支配関係》に掲げる完全支配関係をいう。ロにおいて同じ。）がある普通法人	
		(イ)	資本金の額又は出資金の額が5億円以上である法人
		(ロ)	保険業法第2条第5項《定義》に規定する相互会社及び同条第10項に規定する外国相互会社のうち、常時使用する従業員の数が1,000人を超える法人

	(ハ)	法人税法第4条の3に規定する受託法人
	ロ	普通法人との間に完全支配関係がある全ての大法人が有する株式(投資信託及び投資法人に関する法律第2条第14項《定義》に規定する投資口を含む。)及び出資の全部を当該全ての大法人のうちいずれか一の法人が有するものとみなした場合において当該いずれか一の法人と当該普通法人との間に当該いずれか一の法人による完全支配関係があることとなるときの当該普通法人(イに掲げる法人を除く。)
(二)		(一)に掲げるもののほか、その発行済株式又は出資の総数又は総額の$\frac{2}{3}$以上が大規模法人の所有に属している法人
(三)		他の通算法人のうちいずれかの法人が次に掲げる法人に該当しない場合における通算法人
	イ	資本金の額又は出資金の額が1億円以下の法人のうち(一)又は(二)に掲げる法人以外の法人
	ロ	資本又は出資を有しない法人のうち常時使用する従業員の数が1,000人以下の法人

(中小企業者であるかどうかの判定の時期)

(3)　3及び(1)の適用上、法人が中小企業者((2)に掲げる中小企業者をいう。)に該当するかどうかの判定(以下「中小判定」という。)は、次の表の左欄に掲げる法人の区分に応じそれぞれ同表の右欄に掲げる取扱いによるものとする。(措通42の4(3)−1・編者補正)

イ	通算法人以外の法人	当該法人の当該事業年度終了の時の現況による。
ロ	通算法人	当該通算法人及び他の通算法人(当該通算法人の3の適用を受けようとする事業年度〔以下「適用事業年度」という。〕終了の日において当該通算法人との間に通算完全支配関係がある法人に限る。)の当該適用事業年度終了の時の現況による。

注　ロの取扱いは、通算親法人の事業年度の中途において通算承認の効力を失った通算法人のその効力を失った日の前日に終了する事業年度における中小判定についても、同様とする。

(従業員数基準の適用)

(4)　(2)に掲げる中小企業者に該当するかどうかを判定する場合において従業員数基準が適用されるのは、資本又は出資を有しない法人のみであるから、資本金の額又は出資金の額が1億円以下の法人については、(2)の表の(一)又は(二)に掲げるものを除き、常時使用する従業員の数が1,000人を超えても中小企業者に該当することに留意する。(措通42の4(3)−2・編者補正)

(常時使用する従業員の範囲)

(5)　(2)に掲げる「常時使用する従業員の数」は、常用であると日々雇い入れるものであるとを問わず、事務所又は事業所に常時就労している職員、工員等(役員を除く。)の総数によって判定することに留意する。この場合において、法人が酒造最盛期、野菜缶詰・瓶詰製造最盛期等に数か月程度の期間その労務に従事する者を使用するときは、当該従事する者の数を「常時使用する従業員の数」に含めるものとする。(措通42の4(3)−3・編者補正)

(出資を有しない公益法人等の従業員の範囲)

(6)　出資を有しない公益法人等又は人格のない社団等について、(2)により常時使用する従業員の数が1,000人以下であるかどうかを判定する場合には、収益事業に従事する従業員数だけでなくその全部の従業員数によって行うものとする。(措通42の4(3)−4・編者補正)

(適用除外事業者の意義)

(7)　適用除外事業者とは、当該事業年度開始の日前3年以内に終了した各事業年度(以下(7)において「**基準年度**」という。)の所得の金額の合計額を各基準年度の月数の合計数で除し、これに12を乗じて計算した金額(次の表に掲げる事由がある場合には、当該計算した金額につき当該事由の内容に応じ調整を加えた金額として(9)《調整事由がある場合の調整を加えた金額》により計算した金額)が15億円を超える法人をいう。(措法42の4⑲Ⅷ、措令27の4⑱)

(一)		当該法人（以下(10)までにおいて「**判定法人**」という。）の当該事業年度（以下(10)までにおいて「**判定対象年度**」という。）開始の日において判定法人の設立の日（次の表の左欄に掲げる法人については、それぞれ次の表の右欄に掲げる日。(四)において同じ。）の翌日以後3年を経過していないこと。	
	イ	新たに収益事業を開始した内国法人である公益法人等又は人格のない社団等	その開始した日
	ロ	収益事業を行っていない公益法人等に該当していた普通法人又は協同組合等	当該普通法人又は協同組合等に該当することとなった日
(二)		判定法人（次に掲げる法人に該当するものに限る。以下(二)において同じ。）の判定対象年度開始の日において判定法人の移行日（次の表の左欄に掲げる法人の区分に応じそれぞれ同表の右欄に掲げる日をいう。(四)において同じ。）の翌日以後3年を経過していないこと。	
	イ	公共法人に該当していた収益事業を行う公益法人等	当該公益法人等に該当することとなった日
	ロ	公共法人に該当していた普通法人又は協同組合等	当該普通法人又は協同組合等に該当することとなった日
(三)		判定法人の判定対象年度に係る各基準年度で第三款の**八**の**3**の②《欠損金の繰戻しによる還付》に掲げる還付所得事業年度であるものの所得に対する法人税の額につき同**3**の適用があったこと。	
(四)		判定法人が特定合併等に係る合併法人等に該当するもの（次に掲げるところによりその特定合併等に係る合併法人等の設立の日（(二)の表のイ又はロに掲げる法人については、移行日。以下(四)において同じ。）をみなした場合においても判定対象年度開始の日において判定法人がその設立の日の翌日以後3年を経過していないこととなるときにおける判定法人を除く。）であること。	
	イ	法人を設立する特定合併等が行われた場合には、当該特定合併等に係る被合併法人等のうちその設立の日（既にイ又はロにより当該被合併法人等の設立の日とみなされた日がある場合には、その設立の日とみなされた日）が最も早いものの設立の日をもって当該特定合併等に係る合併法人等の設立の日とみなす。	
	ロ	特定合併等（法人を設立するものを除く。）が行われた場合において、当該特定合併等に係る被合併法人等の設立の日（既にイ又はロにより当該被合併法人等の設立の日とみなされた日がある場合には、その設立の日とみなされた日）が当該特定合併等に係る合併法人等の設立の日（既にイ又はロにより当該合併法人等の設立の日とみなされた日がある場合には、その設立の日とみなされた日）よりも早いときは、当該特定合併等後は、当該被合併法人等の設立の日をもって当該合併法人等の設立の日とみなす。	
(五)		判定法人が判定対象年度開始の日から起算して3年前の日（以下(10)までにおいて「**基準日**」という。）から判定対象年度開始の日の前日までのいずれかの時において内国法人である公益法人等又は人格のない社団等に該当していたこと。	

（通算適用除外事業者の意義）
(8) 通算適用除外事業者とは、通算法人である法人の各事業年度終了の日において当該通算法人である法人との間に通算完全支配関係がある他の通算法人のうちいずれかの法人が適用除外事業者（第一節第三十五款の**二**の**1**の(14)《他の内国法人のみなし承認》又は同**1**の(15)《申請特例年度に係る他の内国法人のみなし承認》の適用を受けるこれらに掲げる他の内国法人〔以下(8)において「他の内国法人」という。〕が当該他の内国法人について同**1**《通算承認》による承認の効力が生ずる日〔以下(8)において「加入日」という。〕を含む事業年度〔当該他の内国法人に係る通算親法人の事業年度終了の日に終了するものに限る。〕において(7)に掲げる適用除外事業者に該当する場合の当該加入日を含む事業年度における当該他の内国法人〔(10)の表の(一)のニに掲げる合併に係る合併法人、当該通算親法人の事業年度開始の日において行われた合併で同日の前日において当該通算親法人との間に通算完全支配関係があった法人を被合併法人とする合併により設立したもの及び当該通算親法人の事業年度開始の時において当該通算親法人との間に通算完全支配関係があるもの並びに次に掲げる要件の全てを満たすものを除く。］)に該当する場合における当該通算法人である法人をいう。（措法42の4⑲ⅧのⅡ、措令27の4㉓）

第三章　第二節　第二款　**五**《試験研究を行った場合の法人税額の特別控除》

(一)	他の内国法人の加入日において当該他の内国法人との間に通算完全支配関係がある他の通算法人のいずれかとの間に当該他の内国法人の当該加入日の前日以前のいずれかの日において通算完全支配関係があったこと。
(二)	他の内国法人の加入日を含む当該他の内国法人に係る通算親法人の事業年度開始の日の前日において当該通算親法人との間に第二章第一節の**二**の表の**12の7の5**《支配関係》に掲げる支配関係があったこと。

(調整事由がある場合の調整を加えた金額)

(9)　調整事由の内容に応じ調整を加えた金額は、次の表の左欄に掲げる区分に応じそれぞれ同表の右欄に掲げる金額とする。(措令27の4⑲)

(一)	(7)の(一)又は(二)に掲げる事由に該当する場合((7)の(四)に掲げる事由に該当する場合を除く。)	零	
(二)	(7)の(三)に掲げる事由に該当する場合((7)の(一)、(二)、(四)又は(五)に掲げる事由に該当する場合を除く。)	\multicolumn{2}{l}{イに掲げる金額をロに掲げる数で除し、これに12を乗じて計算した金額}
		イ	判定法人に係る各基準年度の所得の金額の合計額から(7)の(三)に掲げる事由により還付を受けるべき金額の計算の基礎となった欠損金額に相当する金額を控除した金額
		ロ	イに掲げる各基準年度の月数の合計数
(三)	(7)の(四)に掲げる事由に該当する場合((7)の(二)又は(五)に掲げる事由に該当する場合を除く。)	\multicolumn{2}{l}{イに掲げる金額及び合併等調整額(各被合併法人等のロに掲げる金額を合計した金額をいう。)の合計額を3で除して計算した金額}
		イ	(二)のイに掲げる金額((二)のロに掲げる数が36を超える場合には、当該金額を当該数で除し、これに36を乗じて計算した金額)
		ロ	各対象特定合併等に係る各被合併法人等ごとの次に掲げる金額の合計額(当該対象特定合併等に係る被合併法人等の当該合計額に加算調整額〔イに掲げる金額又は他の対象特定合併等に係る被合併法人等の次に掲げる金額の合計額をいう。〕の計算の基礎とされた金額がある場合には、当該金額を除く。)
			(イ)　判定対象年度開始の日又は当該対象特定合併等の日のいずれか遅い日から起算して3年前の日((イ)において「**修正基準日**」という。)から当該対象特定合併等の日の前日までの期間((イ)において「**修正基準期間**」という。)内に終了した当該対象特定合併等に係る被合併法人等の各事業年度(当該修正基準期間内に終了した事業年度がない場合〔当該対象特定合併等が合併以外のものである場合に限る。〕又は当該各事業年度の月数の合計数が当該修正基準期間の月数に満たない場合には、当該被合併法人等の当該修正基準日を含む事業年度開始の日前1年以内に終了した各事業年度を含む。(イ)において「**被合併等事業年度**」という。)の所得の金額(当該所得に対する法人税の額につき第三款の**八**の**3**《欠損金の繰戻しによる還付》の適用があった場合には、同**3**により還付を受けるべき金額の計算の基礎となった欠損金額に相当する金額を控除した金額とする。)の合計額(当該被合併等事業年度の月数の合計数が修正基準期間の月数を超える場合には、当該合計額を当該被合併等事業年度の月数の合計数で除し、これに当該修正基準期間の月数を乗じて計算した金額)
			(ロ)　当該対象特定合併等に係る被合併法人等の当該対象特定合併等の日を含む設立事業年度(当該被合併法人等の設立の日を含む事業年度をいい、判定対象年度終了の日以前に終了するものに限る。)の所得の金額から当該所得に

第三章　第二節　第二款　五《試験研究を行った場合の法人税額の特別控除》

			対する法人税の額につき第三款の**八の3**《欠損金の繰戻しによる還付》により還付を受けるべき金額の計算の基礎となった欠損金額に相当する金額を控除した金額を当該設立事業年度の月数で除し、これに当該設立事業年度開始の日から当該対象特定合併等の日の前日までの期間の月数を乗じて計算した金額
(四)	(7)の(四)に掲げる事由に該当する場合((7)の(二)に掲げる事由に該当する場合に限る。)又は(7)の(五)に掲げる事由に該当する場合((7)の(一)又は(二)に掲げる事由に該当し、かつ、(7)の(四)に掲げる事由に該当しない場合を除く。)	イ	イに掲げる金額及び合併等調整額（各被合併法人等のロに掲げる金額を合計した金額をいう。）の合計額を3で除して計算した金額
			(イ)に掲げる金額((ロ)に掲げる数が36を超える場合には、当該金額を当該数で除し、これに36を乗じて計算した金額)
			(イ) 判定法人に係る各基準年度の所得の金額（その各基準年度のうち判定法人が公共法人に該当していた事業年度にあっては零とし、その各基準年度のうち判定法人が公益法人等又は人格のない社団等に該当していた事業年度にあっては収益事業から生じた所得の金額に限るものとする。）の合計額から(7)の(三)に掲げる事由により還付を受けるべき金額の計算の基礎となった欠損金額に相当する金額を控除した金額
			(ロ) (イ)に掲げる各基準年度の月数の合計数
		ロ	各対象特定合併等に係る各被合併法人等ごとの(三)のロの(イ)及び(ロ)に掲げる金額の合計額（当該対象特定合併等に係る被合併法人等の当該合計額に加算調整額〔イの(イ)に掲げる金額又は他の対象特定合併等に係る被合併法人等の(三)のロの(イ)及び(ロ)に掲げる金額の合計額をいう。〕の計算の基礎とされた金額がある場合には、当該金額を除く。)

注　(9)の月数は、暦に従って計算し、1か月に満たない端数を生じたときは、これを1か月とする。(措令27の4㉝)

(用語の意義)
(10)　(7)、(9)及び(10)において、次の表の左欄に掲げる用語の意義は、それぞれ同表の右欄に掲げるところによる。(措令27の4⑳㉒)

(一)	**特定合併等**		合併、分割、現物出資、事業の譲受け又は特別の法律に基づく承継（以下(一)及び(六)において「**合併等**」という。）で、次のいずれかに該当するものをいう。
		イ	法人を設立する合併等で事業を移転するもののうち、基準日から判定対象年度開始の日までの間に行われたもの
		ロ	合併法人等との間に第二章第一節の**二**の表の**12の7の5**《支配関係》に掲げる支配関係がある法人を被合併法人等とする合併等で事業を移転するもののうち、基準日から判定対象年度開始の日の前日（合併にあっては、判定対象年度開始の日）までの間に行われたもの
		ハ	次に掲げる合併等で、基準日から判定対象年度終了の日までの間に行われたもの
			(イ) 法人が合併等の直前において事業を行っていない場合（清算中の場合を含む。）において、当該合併等の日以後に事業を開始した又は開始することが見込まれているとき（清算中の当該法人が継続した又は継続することが見込まれているときを含む。）の当該合併等
			(ロ) 判定法人が合併等の直前において行う事業（以下(10)において「**旧事業**」という。）の全てを当該合併等の日以後に廃止した又は廃止することが見込まれている場合において、当該旧事業の当該合併等の直前における事業規模のおおむね5倍を超える資金の借入れ又は出資による金銭その他の資産の受入れ（合併又は分割による資産の受入れを含む。以下《関連規定の準用》において「**資金借入れ等**」とい

		う。）を行った又は行うことが見込まれているときの当該合併等
	(ハ)	判定法人の合併等の直前の第二章第一節の二の表の**15**《役員》に掲げる役員（社長、副社長、代表取締役、代表執行役、専務取締役若しくは常務取締役又はこれらに準ずる者で判定法人の経営に従事している者に限る。）の全てが退任（業務を執行しないものとなることを含む。）をし、かつ、当該合併等の直前において判定法人の業務に従事する使用人（（ハ）において「**旧使用人**」という。）の総数のおおむね$\frac{20}{100}$以上に相当する数の者が判定法人の使用人でなくなった場合において、判定法人の非従事事業（旧使用人が当該合併等の日以後その業務に実質的に従事しない事業をいう。（ハ）において同じ。）の事業規模が旧事業の当該合併等の直前における事業規模のおおむね５倍を超えることとなった又は超えることとなることが見込まれているとき（当該非従事事業の事業規模がその事業規模算定期間の直前の事業規模算定期間における非従事事業の事業規模のおおむね５倍を超えないときを除く。）の当該合併等
ニ	調整対象法人（判定対象年度（判定法人に係る通算親法人の事業年度終了の日に終了するものに限る。ニにおいて同じ。）開始の日を含む当該通算親法人の事業年度開始の日の翌日から判定対象年度終了の日までの間に行われた次の表の左欄に掲げる合併の区分に応じそれぞれ同表の右欄に掲げる合併法人を含む。）を被合併法人とする合併で、当該翌日から判定対象年度終了の日までの間に行われたもの	

(イ)	調整対象法人を被合併法人とする合併	当該合併に係る合併法人
(ロ)	(イ)又は(ハ)に掲げる合併法人を被合併法人とする合併	当該合併に係る合併法人
(ハ)	(ロ)に掲げる合併法人を被合併法人とする合併	当該合併に係る合併法人

（関連規定の準用）

　資金借入れ等により行われることが見込まれる事業の内容が明らかである場合には、判定法人が旧事業の事業規模（ハの(ロ)に掲げる事業規模をいう。）のおおむね５倍を超える資金借入れ等を行ったかどうか又は行うことが見込まれているかどうかの判定については、第一節第二十一款の**一**の３の(10)《新事業の内容が明らかである場合の事業規模の判定》及び同**３**の(16)《適用要件》を準用する。この場合において、同**３**の(10)中「当該旧事業の譲渡収益額、貸付収益額若しくは役務提供収益額」とあるのは「第二節第二款の**五**の３の(10)の(一)《特定合併等》のハの(ロ)に掲げる旧事業（以下(10)及び(16)において「旧事業」という。）の譲渡収益額（同(10)の(五)《事業規模》のイに掲げる金額をいう。以下(10)及び(16)において同じ。）、貸付収益額（同(10)の(五)《事業規模》のロに掲げる金額をいう。以下(10)及び(16)において同じ。）若しくは役務提供収益額（同(10)の(五)《事業規模》のハに掲げる金額をいう。以下(10)及び(16)において同じ。）」と、「当該新事業」とあるのは「新事業（同(10)の(一)の《関連規定の準用》に掲げる見込まれる事業をいう。以下(10)及び(16)において同じ。）」と、同**一**の３の(16)中「(10)の資金借入れ等を行った日の属する事業年度」とあるのは「第二節第二款の**五**の３の(7)《適用除外事業者の意義》の(一)に掲げる判定対象年度」と読み替えるものとする。（措令27の４㉒）

　また、第一節第二十一款の**一**の３の(10)は（７）《適用除外事業者の意義》に掲げる判定法人が旧事業の事業規模（ハの(ロ)に掲げる事業規模をいう。）のおおむね５倍を超える資金借入れ等を行ったかどうか又は行うことが見込まれているかどうかの判定について、第一節第二十一款の**一**の３の(11)《事業に要する資金の額》は前段において準用する第一節第二十一款の**一**の３の(10)に掲げる同３の(11)《事業に要する資金の額》について、第一節第二十一款の**一**の３の(16)《適用要件》の表は、前段において準用する同３の(16)《適用要件》の表について、それぞれ準用する。この場合において、第一節第二十一款の**一**の３の(10)《新事業の内容が明らかである場合の事業規模の判定》の表の(一)のイの(イ)中「(9)の表の

		(一)」とあるのは「第二節第二款の**五**の3の(10)《用語の意義》の表の(六)《事業規模算定期間》」と、「譲渡収益額」とあるのは「第二節第二款の**五**の3の(10)《用語の意義》の表の(五)《事業規模》の表のイに掲げる金額」と、第一節第二十一款の**一**の3の(10)《新事業の内容が明らかである場合の事業規模の判定》の表の(一)のロの(イ)中「貸付収益額」とあるのは「第二節第二款の**五**の3の(10)《用語の意義》の表の(五)《事業規模》の表のロに掲げる金額」と、第一節第二十一款の**一**の3の(10)《新事業の内容が明らかである場合の事業規模の判定》の表の(一)のハの(イ)中「役務提供収益額」とあるのは「第二節第二款の**五**の3の(10)《用語の意義》の表の(五)《事業規模》の表のハに掲げる金額」と読み替えるものとする。(措規20⑤)
(二)	合併法人等	合併法人、分割承継法人、被現物出資法人、譲受け法人(事業の譲受けをした法人をいう。(三)において同じ。)又は承継法人をいう。
(三)	被合併法人等	被合併法人、分割法人、現物出資法人、移転法人(譲受け法人に対して事業の移転をした法人をいう。)又は被承継法人をいい、公共法人を除く。
(四)	対象特定合併等	次に掲げるところにより特定合併等に係る被合併法人等の事業年度を当該特定合併等に係る合併法人等の事業年度とみなしたならば判定法人の事業年度とみなされることとなる事業年度を有する各被合併法人等のそのみなされることとなる基因となった特定合併等をいう。
		イ 特定合併等が行われた場合には、当該特定合併等に係る被合併法人等の当該特定合併等の日(合併にあっては、合併の日の前日。以下(四)において同じ。)以前に開始した各事業年度を当該特定合併等に係る合併法人等の事業年度とみなす。
		ロ イ又はハの合併法人等を被合併法人等とする特定合併等が行われた場合には、当該特定合併等に係る被合併法人等の当該特定合併等の日以前に開始した各事業年度を当該特定合併等に係る合併法人等の事業年度とみなす。
		ハ ロの合併法人等を被合併法人等とする特定合併等が行われた場合には、当該特定合併等に係る被合併法人等の当該特定合併等の日以前に開始した各事業年度を当該特定合併等に係る合併法人等の事業年度とみなす。
(五)	事業規模	次の表の左欄に掲げる事業の区分に応じそれぞれ同表の右欄に掲げる金額(当該事業が2以上ある場合には、それぞれの次の表の左欄に掲げる事業の区分に応じ同表の右欄に掲げる金額の合計額)をいう。
		イ 資産の譲渡を主な内容とする事業	当該事業の事業規模算定期間における当該資産の譲渡による売上金額その他の収益の額の合計額((六)に掲げる合併等直前事業年度〔以下(五)において**合併等直前事業年度**」という。)又は(六)に掲げる合併等以後事業年度〔以下(五)において「**合併等以後事業年度**」という。)が1年に満たない場合には、当該合計額を当該合併等直前事業年度又は合併等以後事業年度の月数で除し、これに12を乗じて計算した金額)
		ロ 資産の貸付けを主な内容とする事業	当該事業の事業規模算定期間における当該資産の貸付けによる収入金額その他の収益の額の合計額(合併等直前事業年度又は合併等以後事業年度が1年に満たない場合には、当該合計額を当該合併等直前事業年度又は合併等以後事業年度の月数で除し、これに12を乗じて計算した金額)
		ハ 役務の提供を主な内容とする事業	当該事業の事業規模算定期間における当該役務の提供による収入金額その他の収益の額の合計額(合併等直前事業年度又は合併等以後事業年度が1年に満たない場合には、当該合計額を当該合併等直前事業年度又は合併等以後事業年度の月数で除し、これに12を乗じて計算した金額)
(六)	事業規模算定期間	旧事業に係る事業の規模を算定する場合にあっては判定法人の合併等直前期間(合併等の日の1年前の日から当該合併等の日までの期間をいう。)又は合併等直前事業年度(当該合併等の日を含む事業年度の直前の事業年度をいう。)をいい、(一)のハの(ハ)に掲げる非従事業に係る事業の規模を算定する場合にあっては合併等以後期間(合併等の日以後の期間を1年ごとに区

(七)	調整対象法人	(一)のニの通算親法人の同ニの事業年度開始の時（当該通算親法人の当該事業年度開始の日に行われた法人を設立する合併に係る合併法人にあっては、同日）において当該通算親法人との間に通算完全支配関係があった法人のうち(7)に掲げる適用除外事業者に該当するものをいう。

注 (10)の月数は、暦に従って計算し、1か月に満たない端数を生じたときは、これを1か月とする。（措令27の4㉝）

（被合併法人等が一定の法人に該当する場合の所得金額）

(11) (9)の被合併法人等が(9)の対象特定合併等の日以前に開始した各事業年度において次の表の左欄に掲げる法人に該当していた場合における当該被合併法人等の当該事業年度の(9)に掲げる所得の金額は、次の表の左欄に掲げる法人の区分に応じそれぞれ同表の右欄に掲げる金額とする。（措法42の4㉖、措令27の4㉑）

(一)	公共法人	零
(二)	内国法人である公益法人等又は人格のない社団等	収益事業から生じた所得の金額（当該所得に対する法人税の額につき第三款の八の3《欠損金の繰戻しによる還付》の適用があった場合には、同3により還付を受けるべき金額の計算の基礎となった欠損金額に相当する金額を控除した金額）

（農業協同組合等の意義）

(12) 3に掲げる農業協同組合等とは、次のものをいう。（措法42の4⑲Ⅸ）

農業協同組合等	農業協同組合、農業協同組合連合会、中小企業等協同組合、出資組合である商工組合及び商工組合連合会、内航海運組合、内航海運組合連合会、出資組合である生活衛生同業組合、漁業協同組合、漁業協同組合連合会、水産加工業協同組合、水産加工業協同組合連合会、森林組合並びに森林組合連合会

4　産学官連携の共同研究・委託研究に係る法人税額の特別控除

青色申告書を提出する法人の各事業年度（解散〔合併による解散を除く。〕の日を含む事業年度及び清算中の各事業年度を除く。）において、**特別試験研究費の額**（当該事業年度において **2**《試験研究を行った場合の法人税額の特別控除》及び **3**《中小企業者等の試験研究費に係る法人税額の特別控除》の適用を受ける場合には、**2** 及び **3** により当該事業年度の所得に対する調整前法人税額から控除する金額の計算の基礎となった特別試験研究費の額を除く。以下 **4** において同じ。）がある場合には、当該法人の当該事業年度の所得に対する調整前法人税額から、次の表の(一)、(二)及び(三)に掲げる金額の合計額（以下 **4** において「**特別研究税額控除限度額**」という。）を控除する。この場合において、当該特別研究税額控除限度額が、当該法人の当該事業年度の所得に対する調整前法人税額の $\frac{10}{100}$ に相当する金額を超えるときは、その控除を受ける金額は、当該 $\frac{10}{100}$ に相当する金額を限度とする。（措法42の4⑦、措令27の4③）

(一)	当該事業年度の特別試験研究費の額のうち国の試験研究機関、大学その他これらに準ずる者（以下(一)において「**特別試験研究機関等**」という。）と共同して行う試験研究又は特別試験研究機関等に委託する試験研究に係る試験研究費の額として(1)の表の(一)、(二)、(七)及び(八)のそれぞれ左欄に掲げる試験研究に係る特別試験研究費の額に相当する金額（以下 **4** において「特別試験研究機関等研究費の額」という。）の $\frac{30}{100}$ に相当する金額
(二)	当該事業年度の特別試験研究費の額（当該特別試験研究機関等研究費の額を除く。）のうち他の者と共同して行う試験研究又は他の者に委託する試験研究であって、革新的なもの又は国立研究開発法人その他これに準ずる者における研究開発の成果を実用化するために行うものに係る試験研究費の額として(1)の表の(三)、(四)、(十)及び(十一)のそれぞれ左欄に掲げる試験研究に係る特別試験研究費の額に相当する金額の $\frac{25}{100}$ に相当する金額
(三)	当該事業年度の特別試験研究費の額のうち(1)の表の(一)、(二)、(三)、(四)、(七)、(八)、(十)及び(十一)のそれぞれ左欄に掲げる試験研究に係る特別試験研究費の額に相当する金額以外の金額の $\frac{20}{100}$ に相当する金額

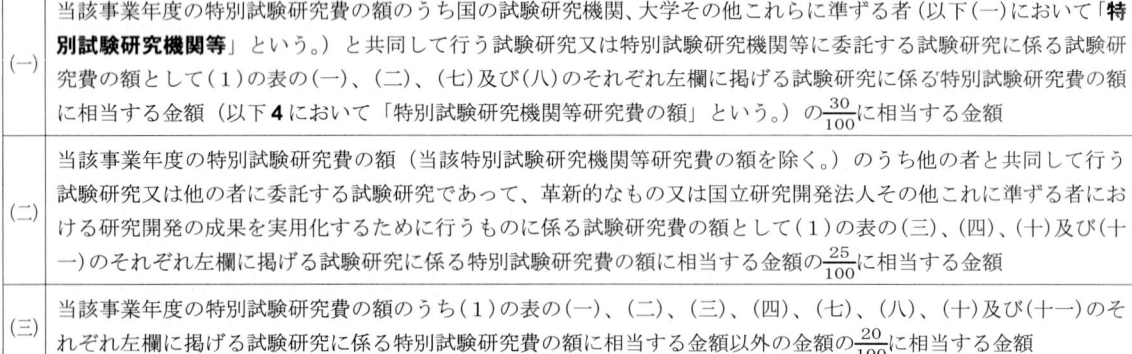

税額控除限度額＝特別試験研究費の額×（$\frac{30}{100}$ 又は $\frac{25}{100}$ 又は $\frac{20}{100}$）　ただし、

$\left[\begin{array}{c}\text{当期の所得に対する調整前法人税額}\\\text{（申告書別表一の「2」欄の金額）}\end{array} \times \frac{10}{100}\right]$ を限度

第三章　第二節　第二款　五《試験研究を行った場合の法人税額の特別控除》

（特別試験研究費の額の意義）

（1）　**4**《産学官連携の共同研究・委託研究に係る法人税額の特別控除》において特別試験研究費の額とは、次の表の左欄に掲げる試験研究の区分に応じそれぞれ同表の右欄に掲げる試験研究費の額（同表の(一)、(七)及び(十四)の左欄に掲げる試験研究については、当該金額が生じた事業年度の確定申告書等にそれぞれ同表の右欄に掲げる認定に係る書類の写しを添付することにより証明がされた金額をいい、同表の(二)から(五)及び(八)から(十二)の左欄に掲げる試験研究については、当該金額が生じた事業年度の確定申告書等にそれぞれ同表の右欄に掲げる監査及び確認に係る書類の写しを添付することにより証明がされた金額）をいう。（措法42の4⑲X、措令27の4㉔㉕、措規20⑩⑮⑯㉕㉖㉗）

(一)	次に掲げる者（以下（1）において「特別研究機関等」という。）と共同して行う試験研究で、当該特別研究機関等との契約又は協定（当該契約又は協定において、当該試験研究に要する費用の分担及びその明細並びに当該試験研究の成果の帰属及びその公表に関する事項が定められているものに限る。）に基づいて行われるもの（措令27の4㉔Ⅰ） ｜イ｜科学技術・イノベーション創出の活性化に関する法律第2条第8項《定義》に規定する試験研究機関等（以下(一)において「試験研究機関等」という。）｜ ｜ロ｜国立研究開発法人｜ ｜ハ｜福島国際研究教育機構｜	**4**の税額控除の適用を受けようとする法人の申請に基づき、試験研究費の額のうち左欄に掲げる試験研究に要した費用（当該試験研究に係る左欄に掲げる契約又は協定において当該法人が負担することとされている費用に限る。）に係るものとして当該試験研究に係る左欄の表のイに掲げる試験研究機関等（以下(一)及び(七)において「試験研究機関等」という。）の長若しくは当該試験研究機関等の属する国家行政組織法第3条《行政機関の設置、廃止、任務及び所掌事務》の行政機関（(七)において「行政機関」という。）に置かれる地方支分部局の長、左欄の表のロに掲げる国立研究開発法人の独立行政法人通則法第14条第1項に規定する法人の長（(七)において「国立研究開発法人の長」という。）又は福島国際研究教育機構理事長が認定した金額（措令27の4㉕Ⅰ、措規20㉕Ⅰ） 　注　上記の試験研究機関等の長又は当該試験研究機関等の属する国家行政組織法第3条の行政機関に置かれる地方支分部局の長の認定に関する手続については、令和5年内閣府、国家公安委員会、総務省、法務省、財務省、文部科学省、厚生労働省、農林水産省、経済産業省、国土交通省、環境省、防衛省告示第1号により定められている。
(二)	大学等（学校教育法第1条《学校の範囲に規定する大学若しくは高等専門学校〔これらのうち構造改革特別区域法第12条第2項《学校教育法の特例》に規定する学校設置会社が設置するものを除く。〕又は国立大学法人法第2条第4項《定義》に規定する大学共同利用機関をいう。以下（1）において同じ。）と共同して行う試験研究で、当該大学等との契約又は協定（当該契約又は協定において、（2）《大学等との契約又は協定において定める事項〔共同して行う試験研究〕》に掲げる事項が定められているものに限る。）に基づいて行われるもの（措令27の4㉔Ⅱ）	試験研究費の額のうち当該試験研究に要した費用であって当該法人が左欄に掲げる契約又は協定に基づいて負担したものに係るものであることにつき、監査（専門的な知識及び経験を有する者が行う検査及び適正であることの証明をいう。以下（1）において同じ。）を受け、かつ、当該大学等の確認を受けた金額（措令27の4㉕Ⅱ、措規20㉖Ⅰ）
(三)	特定新事業開拓事業者（産業競争力強化法第2条第6項に規定する新事業開拓事業者のうちその設立の日以後の期間が15年未満であることその他の（3）《特定新事業開拓事業者の意義》に掲げる要件を満たすものをいい、特別研究機関等、大学等及び次に掲げるものを除く。以下（1）において同じ。）と共同して行う試験研究で、当該特定新事業開拓事業者との契約又は協	試験研究費の額のうち当該試験研究に要した費用であって当該法人が左欄に掲げる契約又は協定に基づいて負担したものに係るものであることにつき、監査を受け、かつ、当該特定新事業開拓事業者の確認を受けた金額（措令27の4㉕Ⅱ、措規20㉖Ⅱ）

	（当該契約又は協定において、（４）《特定新事業開拓事業者との契約又は協定において定める事項》に掲げる事項が定められているものに限る。）に基づいて行われるもの（措令27の4㉔Ⅲ）		
	イ	当該法人（**5の①**《試験研究を行った場合又は中小企業者等の試験研究費に係る法人税額の特別控除》の表の(三)の通算法人にあっては、同(三)のイの他の通算法人を含む。）がその発行済株式又は出資（その有する自己の株式又は出資を除く。ロにおいて同じ。）の総数又は総額の$\frac{25}{100}$以上を有している他の法人（当該他の法人が通算親法人である場合には、他の通算法人を含む。）	
	ロ	当該法人（**5の①**の表の(三)の通算法人にあっては、当該通算法人に係る通算親法人）の発行済株式又は出資の総数又は総額の$\frac{25}{100}$以上を有している他の者（当該他の者が通算法人である場合には、他の通算法人を含む。）	
	ハ	当該法人との間に第二章第一節の**二**の表の**12の7の5**《支配関係》に掲げる支配関係がある他の者	
(四)	成果活用促進事業者（（５）に掲げるものをいい、特別研究機関等、大学等、特定新事業開拓事業者及び(三)のイからハまでに掲げるものを除く。以下（１）において同じ。）と共同して行う試験研究（当該成果活用促進事業者の行う次表に掲げるもの〔(十一)において「成果実用化研究開発」という。〕に該当するものに限る。）で、当該成果活用促進事業者との契約又は協定（当該契約又は協定において、（６）に掲げる事項が定められているものに限る。）に基づいて行われるもの（措令27の4㉔Ⅳ、措規20⑩）		試験研究費の額のうち当該試験研究に要した費用であって当該法人が左欄に掲げる契約又は協定に基づいて負担したものに係るものであることにつき、監査を受け、かつ、当該成果活用促進事業者の確認を受けた金額（措令27の4㉕Ⅱ、措規20㉖Ⅲ）
	イ	科学技術・イノベーション創出の活性化に関する法律第34条の6第1項3号ハに掲げる研究開発	
	ロ	国立大学法人法施行令第3条第2項第1号に掲げる事業として行う研究開発	
	ハ	地方独立行政法人法施行令第4条第2号ロに掲げる研究開発	

(五)	他の者（特別研究機関等、大学等、特定新事業開拓事業者、成果活用促進事業者及び(三)の左欄のイからハまでに掲げるものを除く。）と共同して行う試験研究で、当該他の者との契約又は協定（当該契約又は協定において、(7)《他の者との契約又は協定において定める事項》に掲げる事項が定められているものに限る。）に基づいて行われるもの（措令27の4㉔Ⅴ）	試験研究費の額のうち当該試験研究に要した費用であって当該法人が左欄に掲げる契約又は協定に基づいて負担したものに係るものであることにつき、監査を受け、かつ、当該他の者の確認を受けた金額（措令27の4㉕Ⅱ、措規20㉖Ⅳ）
(六)	技術研究組合の組合員が協同して行う技術研究組合法第3条第1項第1号《原則》に規定する試験研究で、当該技術研究組合の定款若しくは規約又は同法第13条第1項《組合の設立》に規定する事業計画（当該定款若しくは規約又は事業計画において、(8)《定款若しくは規約又は事業計画において定める事項》に掲げる事項が定められているものに限る。）に基づいて行われるもの（措令27の4㉔Ⅵ）	当該試験研究に係る技術研究組合法第9条第1項《費用の賦課》の規定により賦課される費用の額（措令27の4㉕Ⅲ、㉕Ⅲ）
(七)	特別研究機関等に委託する試験研究で、当該特別研究機関等との契約又は協定（当該契約又は協定において、当該試験研究に要する費用の額及びその明細並びに当該試験研究の成果の帰属及びその公表に関する事項が定められているものに限る。以下(七)において同じ。）に基づいて行われるもの（措令27の4㉔Ⅶ）	4の税額控除の適用を受けようとする法人の申請に基づき、試験研究費の額のうち当該試験研究に要した費用の額（当該試験研究に係る左欄に掲げる契約又は協定において定められている金額を限度とする。）に係るものとして当該試験研究に係る試験研究機関等の長若しくは当該試験研究機関等の属する行政機関に置かれる地方支分部局の長、国立研究開発法人の長又は福島国際研究教育機構理事長が認定した金額（措令27の4㉕Ⅰ、措規20㉕Ⅱ） 注　上記の試験研究機関等の長又は当該試験研究機関等の属する国家行政組織法第3条の行政機関に置かれる地方支分部局の長の認定に関する手続については、令和5年内閣府、国家公安委員会、総務省、法務省、財務省、文部科学省、厚生労働省、農林水産省、経済産業省、国土交通省、環境省、防衛省告示第3号により定められている。
(八)	大学等に委託する試験研究で、当該大学等との契約又は協定（当該契約又は協定において、(9)《大学等との契約又は協定において定める事項〔大学等に委託して行う試験研究〕》に掲げる事項が定められているものに限る。）に基づいて行われるもの（措令27の4㉔Ⅷ）	試験研究費の額のうち当該試験研究に要した費用であって当該法人が左欄に掲げる契約又は協定に基づいて負担したものに係るものであることにつき、監査を受け、かつ、当該大学等の確認を受けた金額（措令27の4㉕Ⅱ、措規20㉖Ⅴ）
(九)	特定中小企業者等（租税特別措置法第10条第8項第6号《試験研究を行った場合の所得税額の特別控除》に規定する中小事業者で同法第2条第1項第11号《用語の意義》に規定する青色申告書を提出するもの、**3**《中小企業者等の試験研究費に係る法人税額の特別控除》の(2)に掲げる中小企業者で青色申告書を提出するものに該当するもの（(十三)において「中小事業者等」という。）、第二章第一節の**二別表第二**《公益法人等の表》に掲げる法人その他試験研	試験研究費の額のうち当該試験研究に要した費用であって当該法人が左欄に掲げる委託に係る委任契約等に基づいて負担したものに係るものであることにつき、監査を受け、かつ、当該特定中小企業者等の確認を受けた金額（措令27の4㉕Ⅱ、措規20㉖Ⅵ）

第三章　第二節　第二款　五《試験研究を行った場合の法人税額の特別控除》

	究を行う機関として医薬品、医療機器等の品質、有効性及び安全性の確保等に関する法律第2条第15項《定義》に規定する指定薬物及び同法第76条の4に規定する医療等の用途を定める省令第2条第1号《医療等の用途》イからニまでに掲げるものをいい、特別研究機関等、大学等、(三)の左欄のイからハに掲げるもの及び当該法人が外国法人である場合の法人税法第138条第1項第1号に規定する本店等を除く。以下(1)において同じ。)のうち次の表に掲げる要件を満たすものに委託する試験研究((10)に掲げるものに該当する契約又は協定〔以下(1)において「委任契約等」という。〕により委託するもので、その委託に基づき行われる業務が試験研究に該当するものに限る。以下(十二)までにおいて同じ。)で、当該特定中小企業者等とのその委託に係る委任契約等（当該委任契約等において、(11)《特定中小企業者等との委任契約等において定める事項》に掲げる事項が定められているものに限る。）に基づいて行われるもの（当該試験研究の主要な部分について当該特定中小企業者等が再委託を行うもの及び(十)から(十二)までに掲げる試験研究に該当するものを除く。） (措令27の4㉔Ⅸ、措規20⑮⑯)		
	イ	当該試験研究を行うために必要な拠点を有していること。	
	ロ	イの拠点において、当該試験研究を行うために必要な設備を有していること。	
(十)	特定新事業開拓事業者に委託する試験研究のうち次に掲げる要件のいずれかを満たすもので、当該特定新事業開拓事業者とのその委託に係る委任契約等（当該委任契約等において、(15)《特定新事業開拓事業者とのその委託に係る委任契約等に定める事項》に掲げる事項が定められているものに限る。）に基づいて行われるもの（当該試験研究の主要な部分について当該特定新事業開拓事業者が再委託を行うものを除く。）(措令27の4㉔Ⅹ)		試験研究費の額のうち当該試験研究に要した費用であって当該法人が左欄に掲げる委託に係る委任契約等に基づいて負担したものに係るものであることにつき、監査を受け、かつ、当該特定新事業開拓事業者の確認を受けた金額（措令27の4㉕Ⅱ、措規20㉖Ⅶ）
	イ	その委託する試験研究の成果を活用して当該法人が行おうとする試験研究が工業化研究として(12)《工業化研究の範囲》に掲げるもの（以下(1)において「工業化研究」とい	

		う。）に該当しないものであること（その委託に係る委任契約等において、当該特定新事業開拓事業者に委託する試験研究が当該法人の工業化研究以外の試験研究に該当するものである旨が定められている場合に限る。）。	
	ロ	その委託する試験研究が主として当該特定新事業開拓事業者の有する知的財産権等（知的財産権その他これに準ずるものとして(13)《知的財産権に準ずるもの》に掲げるもの及びこれらを活用した機械その他の減価償却資産をいう。以下**4**において同じ。）を活用して行うものであること（その委託に係る委任契約等において、その活用する知的財産権等が当該特定新事業開拓事業者の有するものである旨及び当該知的財産権等を活用して行う試験研究の内容が定められている場合に限る。）。	
(十一)(措令27の4㉔ⅩⅠ)		成果活用促進事業者に委託する試験研究のうち次に掲げる要件のいずれかを満たすもの（当該成果活用促進事業者の行う成果実用化研究開発に該当するものに限る。）で、当該成果活用促進事業者とのその委託に係る委任契約等（当該委任契約等において、(16)《成果活用促進事業者とのその委託に係る委任契約等に定める事項》に掲げる事項が定められているものに限る。）に基づいて行われるもの（当該試験研究の主要な部分について当該成果活用促進事業者が再委託を行うものを除く。）	試験研究費の額のうち当該試験研究に要した費用であって当該法人が左欄に掲げる委託に係る委任契約等に基づいて負担したものに係るものであることにつき、監査を受け、かつ、当該成果活用促進事業者の確認を受けた金額（措令27の4㉕Ⅱ、措規20㉖Ⅷ）
	イ	その委託する試験研究の成果を活用して当該法人が行おうとする試験研究が工業化研究に該当しないものであること（その委託に係る委任契約等において、当該成果活用促進事業者に委託する試験研究が当該法人の工業化研究以外の試験研究に該当するものである旨が定められている場合に限る。）。	
	ロ	その委託する試験研究が主として当該成果活用促進事業者の有する知的財産権等を活用して行うものであること（その委託に係る委任契	

		約等において、その活用する知的財産権等が当該成果活用促進事業者の有するものである旨及び当該知的財産権等を活用して行う試験研究の内容が定められている場合に限る。）。	
(十二)		他の者（特別研究機関等、大学等、特定新事業開拓事業者、成果活用促進事業者及び(三)の左欄のイからハまでに掲げるものを除く。）に委託する試験研究のうち次に掲げる要件のいずれかを満たすもので、当該他の者とのその委託に係る委任契約等（当該委任契約等において、(17)《他の者とのその委託に係る委任契約等に定める事項》に掲げる事項が定められているものに限る。）に基づいて行われるもの（措令27の4㉔XII）	試験研究費の額のうち当該試験研究に要した費用であって当該法人が左欄に掲げる委託に係る委任契約等に基づいて負担したものに係るものであることにつき、監査を受け、かつ、当該他の者の確認を受けた金額（措令27の4㉕II、措規20㉖IX）
	イ	その委託する試験研究の成果を活用して当該法人が行おうとする試験研究が工業化研究に該当しないものであること（その委託に係る委任契約等において、当該他の者に委託する試験研究が当該法人の工業化研究以外の試験研究に該当するものである旨が定められている場合に限る。）。	
	ロ	その委託する試験研究が主として当該他の者の有する知的財産権等を活用して行うものであること（その委託に係る委任契約等において、その活用する知的財産権等が当該他の者の有するものである旨及び当該知的財産権等を活用して行う試験研究の内容が定められている場合に限る。）。	
(十三)		特定中小企業者等（中小事業者等に限る。）からその有する知的財産権（知的財産基本法第2条第2項《定義》に規定する知的財産権及び外国におけるこれに相当するもの。以下(十三)において同じ。）の設定又は許諾を受けて行う試験研究で、当該特定中小企業者等との契約又は協定（当該契約又は協定において、(18)《特定中小企業者等との契約又は協定において定める事項〔知的財産権の設定又は許諾を受けて行う試験研究〕》に掲げる事項が定められているものに限る。）に基づいて行われるもの（措令27の4㉔XIII）	試験研究費の額のうち左欄に掲げる試験研究に係る知的財産権の使用料であって当該法人が特定中小企業者等（中小事業者等に限る。）に対して支払ったものに係る試験研究費の額であることにつき、監査を受け、かつ、当該特定中小企業者等の確認を受けた金額で、当該金額を支出した事業年度の確定申告書等に当該監査及び確認に係る書類の写しを添付することにより証明がされた金額（(一)から(五)まで、(七)から(十二)まで及び(十四)に掲げる試験研究費の額に該当する金額を除く。）（措令27の4㉕IV、措規20㉗）

第三章　第二節　第二款　五《試験研究を行った場合の法人税額の特別控除》

(十四)	医薬品、医療機器等の品質、有効性及び安全性の確保等に関する法律第2条第16項《定義》に規定する希少疾病用医薬品、希少疾病用医療機器若しくは希少疾病用再生医療等製品又は同法第77条の4《税制上の措置》に規定する特定用途医薬品、特定用途医療機器若しくは特定用途再生医療等製品に関する試験研究で、国立研究開発法人医薬基盤・健康・栄養研究所法第15条第1項第2号《業務の範囲》の規定による助成金の交付を受けてその対象となった期間に行われるもの（措令27の4㉔XIV）		試験研究費の額のうち、4の税額控除の適用を受けようとする法人の申請に基づき、左欄に掲げる試験研究に要した費用の額として国立研究開発法人医薬基盤・健康・栄養研究所理事長が認定した金額に係るもの（措令27の4㉕Ⅰ、措規20㉕Ⅲ）
(十五)	次表に掲げる要件の全てを満たす試験研究（措令27の4㉔XV）		法人の各事業年度の左欄のロの（イ）に掲げる金額であって左欄に掲げる試験研究に係るものであることにつき、当該金額を支出した事業年度の確定申告書等に次表に掲げる事項を記載した書類を添付し、かつ、次の表のハに掲げる者が左欄のイに掲げる新規高度研究業務従事者（ハにおいて「新規高度研究業務従事者」という。）であることを明らかにする書類その他の当該試験研究が左欄のイからハまでに掲げる要件に該当することを明らかにする書類を保存することにより証明がされた金額（（一）から（五）まで、（七）から（十二）まで及び（十四）に掲げる試験研究費の額に該当する金額を除く。）（措令27の4㉕Ⅴ、措規20㉘）
	イ	当該法人の役員（第二章第一節の二の表の15《役員》に掲げる役員をいう。以下（十五）において同じ。）又は使用人である次に掲げる者（ロの（イ）及びハにおいて「新規高度研究業務従事者」という。）に対して人件費を支出して行う試験研究であること。	
		(イ) 博士の学位を授与された者（外国においてこれに相当する学位を授与された者を含む。）で、その授与された日から5年を経過していないもの	
		(ロ) 他の者（（三）の左欄のイからハまでに掲げるものを除く。）の役員又は使用人として10年以上専ら研究業務に従事していた者で、当該法人（（三）の左欄のイからハまでに掲げるものを含む。）の役員又は使用人となった日から5年を経過していないもの	
	ロ	当該法人の当該事業年度の新規高度人件費割合（（イ）に掲げる金額が（ロ）に掲げる金額のうちに占める割合をいう。ロにおいて同じ。）を当該事業年度の前事業年度の新規高度人件費割合で除して計算した割合が1.03以上である場合又は当該法人の当該事業年度の前事業年度の新規高度人件費割合が零である場合（当該事業年度又は当該前事	

イ	当該試験研究の目的及び内容	
ロ	当該試験研究の実施期間	
ハ	当該試験研究に係る新規高度研究業務従事者の氏名及び役職	
ニ	当該試験研究に係る当該事業年度の左欄のロの（イ）に掲げる金額	

		業年度の(ロ)に掲げる金額が零である場合を除く。）に当該事業年度において行う試験研究（工業化研究に該当するものを除く。）であること。	
		(イ)	試験研究費の額（工業化研究に該当する試験研究に係る試験研究費の額を除く。）のうち新規高度研究業務従事者に対する人件費の額
		(ロ)	試験研究費の額のうち当該法人の役員又は使用人である者に対する人件費の額
	ハ	次に掲げる要件のいずれかに該当する試験研究であること。	
		(イ)	その内容に関する提案が広く一般に又は広く当該法人の使用人に募集されたこと。
		(ロ)	その内容がその試験研究に従事する新規高度研究業務従事者から提案されたものであること。
		(ハ)	その試験研究に従事する者が広く一般に又は広く当該法人の使用人に若しくは広く当該法人の役員及び使用人に募集され、当該試験研究に従事する新規高度研究業務従事者がその募集に応じた者であること。

（大学等との契約又は協定において定める事項〔共同して行う試験研究〕）
（2）　（1）の表の（二）の左欄に掲げる大学等との契約又は協定において定める事項は、次に掲げる事項（当該法人が**3**の(2)に掲げる中小企業者〔**3**の(7)に掲げる適用除外事業者又は**3**の(8)に掲げる通算適用除外事業者に該当するものを除く。〕に該当するものを除く。〕又は**3**の(12)に掲げる農業協同組合等である場合には、（一）及び（三）から（八）までに掲げる事項）とする。（措令27の4㉔Ⅱ、措規20⑥）

(一)	当該試験研究の目的及び内容
(二)	当該試験研究に要する費用の見込額（50万円を超えるものに限る。）
(三)	当該試験研究の実施期間
(四)	当該試験研究に係る大学等の名称及び所在地並びに当該大学等の長の氏名
(五)	当該試験研究の実施場所
(六)	当該試験研究の用に供される設備の明細
(七)	当該試験研究に直接従事する研究者の氏名
(八)	当該試験研究に係る定期的な進捗状況に関する報告の内容及び方法

(九)	当該試験研究における当該法人及び当該大学等の役割分担及びその内容
(十)	当該法人及び当該大学等が当該試験研究に要する費用を分担する旨及びその明細
(十一)	当該大学等が当該費用の額のうち当該法人が負担した額を確認する旨及びその方法
(十二)	当該試験研究の成果が当該法人及び当該大学等に帰属する旨及びその内容
(十三)	当該大学等による当該成果の公表に関する事項

(特定新事業開拓事業者の意義)
（３）（１）の表の(三)の左欄に掲げる要件は、研究開発型新事業開拓事業者（経済産業省関係産業競争力強化法施行規則第２条第３号《新事業開拓事業者》に掲げるものをいう。）であること（当該新事業開拓事業者〔同(三)に掲げる新事業開拓事業者をいう。〕と共同して行う試験研究又は当該新事業開拓事業者に委託する試験研究に係る試験研究費の額が生じた事業年度の確定申告書等に当該新事業開拓事業者に係る国内外における経営資源活用の共同化に関する調査に関する省令第４条第４項《経営資源活用の共同化に関する事項の証明の申請》の規定による経済産業大臣の証明に係る書類の写しとして当該新事業開拓事業者から交付を受けたものの添付がある場合に限る。）とする。（措規20⑦）

(特定新事業開拓事業者との契約又は協定において定める事項)
（４）（１）の表の(三)の左欄に掲げる事項は、次に掲げる事項とする。（措令27の４㉔Ⅲ、措規20⑧）

(一)	当該試験研究の目的及び内容
(二)	当該試験研究の実施期間
(三)	当該試験研究に係る(１)の表の(三)に掲げる特定新事業開拓事業者（以下「特定新事業開拓事業者」という。）の名称及び代表者の氏名並びに本店の所在地
(四)	当該試験研究の実施場所
(五)	当該試験研究の用に供される設備の明細
(六)	当該試験研究に直接従事する研究者の氏名
(七)	当該試験研究に係る定期的な進捗状況に関する報告の内容及び方法
(八)	当該試験研究における当該法人及び当該新事業開拓事業者等の役割分担及び内容
(九)	当該法人及び当該新事業開拓事業者等が当該試験研究に要する費用を分担する旨及びその明細
(十)	当該新事業開拓事業者等が当該費用のうち当該法人が負担した額を確認する旨及びその方法
(十一)	当該試験研究の成果が当該法人及び当該新事業開拓事業者等に帰属する旨及びその内容

(成果活用促進事業者)
（５）（１）の表の(四)の左欄に掲げる者は、次の表の左欄に掲げるもの（**4**の適用を受ける事業年度の確定申告書等に次表の右欄に掲げる書類の添付がある場合における次表の左欄に掲げるものに限る。）とする。（措令27の４㉔Ⅳ、措規20⑨）

(一)	研究開発成果活用促進事業者（特別研究開発法人から〔科学技術・イノベーション創出の活性化に関する法律別表第三に掲げる法人をいう。（５）において同じ。〕から同法第34条の６第１項の規定により出資を受ける同法第３号に掲げる者に該当する法人〔当該特別研究開発法人から初めて受けた出資の直前において、その資本金の額又は出資金の額が５億円未満であるものに限る。〕をいう。以下(一)において同じ。）のうちその役員（取締役、執行役、会計参与及び監査役をいう。(二)及び(三)において同じ。）が大学等又は特別研究開発法人の職員として当該大学等を設置する法人又は当該特別研究開発法人に雇用されているもの（これらの法人からその雇用関係を証する書類の交付を受けている場合における当該研究開発成果活用促進事業者に限る。）	当該研究開発成果活用促進事業者の株主名簿等の写し等（株主名簿の写しその他の書類で株主又は社員の氏名又は名称及び住所又は事務所の所在地が確認できる書類をいう。(二)及び(三)において同じ。）のうちその出資をした特別研究開発法人が株主等（第二章第一節の二の表の**14**《株主等》に掲げる株主等をいう。(二)及び(三)において同じ。）として記載されている書類及び当該雇用関係を

—1549—

		証する書類の写し
(二)	国立大学等成果活用促進事業者（国立大学法人法第2条第1項に規定する国立大学法人から同法第22条第1項第8号に掲げる業務として出資を受ける同号に規定する者又は同法第2条第3項に規定する大学共同利用機関法人から同法第29条第1項第7号に掲げる業務として出資を受ける同号に規定する者に該当する法人〔当該国立大学法人又は大学共同利用機関法人から初めて受けた出資の直前において、その資本金の額又は出資金の額が5億円未満であるものに限る。〕をいう。以下(二)において同じ。）のうちその役員が大学等又は特別研究開発法人の職員として当該大学等を設置する法人又は当該特別研究開発法人に雇用されているもの（これらの法人からその雇用関係を証する書類の交付を受けている場合における当該国立大学等成果活用促進事業者に限る。）	当該国立大学等成果活用促進事業者の株主名簿等の写し等のうち当該国立大学法人又は大学共同利用機関法人が株主等として記載されている書類及び当該雇用関係を証する書類の写し
(三)	公立大学成果活用促進事業者（地方独立行政法人法第68条第1項に規定する公立大学法人から同法第21条第2号に掲げる業務として出資を受ける同号に規定する者に該当する法人〔当該公立大学法人から初めて受けた出資の直前において、その資本金の額又は出資金の額が5億円未満であるものに限る。〕をいう。以下(三)において同じ。）のうちその役員が大学等又は特別研究開発法人の職員として当該大学等を設置する法人又は当該特別研究開発法人に雇用されているもの（これらの法人からその雇用関係を証する書類の交付を受けている場合における当該公立大学成果活用促進事業者に限る。）	当該公立大学成果活用促進事業者の株主名簿等の写し等のうち当該公立大学法人が株主等として記載されている書類及び当該雇用関係を証する書類の写し

（成果活用促進事業者との契約又は協定において定める事項）
（6）　(1)の表の(四)の左欄に掲げる事項は、次に掲げる事項とする。（措令27の4㉔Ⅳ、措規20⑪）

(一)	当該試験研究の目的及び内容
(二)	当該試験研究が(1)の(四)の左欄に掲げる成果活用促進事業者（4において「成果活用促進事業者」という。）の行う同(四)の左欄に掲げる成果実用化研究開発（(16)の表の(二)において「成果実用化研究開発」という。）に該当する旨
(三)	当該試験研究の実施期間
(四)	当該試験研究に係る成果活用促進事業者の名称及び代表者の氏名並びに本店の所在地
(五)	当該試験研究の実施場所
(六)	当該試験研究の用に供される設備の明細
(七)	当該試験研究に直接従事する研究者の氏名
(八)	当該試験研究に係る定期的な進捗状況に関する報告の内容及び方法
(九)	当該試験研究における当該法人及び当該成果活用促進事業者の役割分担及びその内容
(十)	当該法人及び当該成果活用促進事業者が当該試験研究に要する費用を分担する旨及びその明細
(十一)	当該成果活用促進事業者が当該費用の額のうち当該法人が負担した額を確認する旨及びその方法
(十二)	当該試験研究の成果が当該法人及び当該成果活用促進事業者に帰属する旨及びその内容

（他の者との契約又は協定において定める事項）
（7）　(1)の表の(五)の左欄に掲げる他の者との契約又は協定において定める事項は、次に掲げる事項とする。（措令27の4㉔Ⅴ、措規20⑫）

(一)	当該試験研究の目的及び内容
(二)	当該試験研究の実施期間

(三)	当該試験研究に係る(1)の表の(五)に掲げる他の者の氏名又は名称及び代表者の氏名並びに住所又は本店若しくは主たる事務所の所在地
(四)	当該試験研究の実施場所
(五)	当該試験研究の用に供される設備の明細
(六)	当該試験研究に直接従事する研究者の氏名
(七)	当該試験研究に係る定期的な進捗状況に関する報告の内容及び方法
(八)	当該試験研究における当該法人及び当該他の者の役割分担及びその内容
(九)	当該法人及び当該他の者が当該試験研究に要する費用を分担する旨及びその明細
(十)	当該他の者が当費用のうち当該法人が負担した額を確認する旨及びその方法
(十一)	当該試験研究の成果が当該法人及び当該他の者に帰属する旨及びその内容

(定款若しくは規約又は事業計画において定める事項)
(8) (1)の表の(六)の左欄に掲げる定款若しくは規約又は事業計画において定める事項は、次に掲げる事項とする。(措令27の4㉔Ⅵ、措規20⑬)

(一)	当該試験研究の目的及び内容
(二)	当該試験研究の実施期間
(三)	当該試験研究の実施場所
(四)	当該試験研究における当該法人及び当該法人以外の当該技術研究組合の組合員の役割分担及びその内容

(大学等との契約又は協定において定める事項〔大学等に委託して行う試験研究〕)
(9) (1)の表の(八)の左欄に掲げる大学等との契約又は協定において定める事項は、次に掲げる事項(当該法人が**3**の(2)に掲げる中小企業者〔**3**の(7)に掲げる適用除外事業者又は**3**の(8)に掲げる通算適用除外事業者に該当するものを除く。〕又は**3**の(12)に掲げる農業協同組合等である場合には、(二)に掲げる事項を除く。)とする。(措令27の4㉔Ⅷ、措規20⑭)

(一)	当該試験研究の目的及び内容
(二)	当該試験研究に要する費用の見込額(50万円を超えるものに限る。)
(三)	当該試験研究の実施期間
(四)	当該試験研究に係る大学等の名称及び所在地並びに当該大学等の長の氏名
(五)	当該試験研究に係る定期的な進捗状況に関する報告の内容及び方法
(六)	当該試験研究における分担すべき役割として当該法人が当該試験研究に要する費用の額を負担する旨及びその明細
(七)	当該大学等が当該費用の額を確認する旨及びその方法
(八)	当該試験研究の成果の帰属及びその公表に関する事項

(その他の契約又は協定の範囲)
(10) (1)の表の(九)に掲げるその他の該当する契約又は協定として定めるものは、当事者の一方が法律行為をすることその他の事務を相手方に委託する契約又は協定((一)から(三)までに掲げる要件の全てを満たすもの及び(四)又は(五)に掲げる要件を満たすものを除く。)とする。(措規20⑰)

(一)	当該事務を履行することに対する報酬を支払うこととされていないこと(当該報酬の支払に係る債務〔当該事務を処理するのに必要と認められる費用の弁償に係る債務を含む。〕がその契約若しくは協定に基づく他の報酬又はその契約若しくは協定に基づき引き渡す物品の対価の支払に係る債務と区分されていないことを含む。)。
(二)	当該事務の履行により得られる成果に対する報酬、仕事の結果に対する報酬又は物品の引渡しの対価を支払う

(三)	当該事務に着手する時において当該事務の履行により得られる成果の内容が具体的に特定できていること（当該成果を得ること、仕事を完成すること又は物品を引き渡すことを主たる目的としている場合を含む。）。
(四)	その委託の終了後における当該事務の経過及び結果の報告を要しないこととされていること。
(五)	当該事務を履行することに対する報酬の支払及び当該事務を処理するのに必要と認められる費用の弁償を要しないこととされていること。

（特定中小企業者等との委任契約等において定める事項）
(11) (1)の表の(九)の左欄に掲げる特定中小企業者等との委任契約等において定める事項は、次に掲げる事項とする。（措規20⑱）

(一)	当該試験研究の目的及び内容
(二)	当該試験研究の実施期間
(三)	当該試験研究に係る当該特定中小企業者等の氏名又は名称及び代表者その他これに準ずる者の氏名並びに住所又は本店若しくは主たる事務所の所在地
(四)	当該試験研究の主要な部分について再委託を行わない旨
(五)	当該試験研究に係る定期的な進捗状況に関する報告の内容及び方法
(六)	当該試験研究における分担すべき役割として当該法人が当該試験研究に要する費用の額を負担する旨及びその明細
(七)	当該特定中小企業者が当該費用の額を確認する旨及びその方法
(八)	当該試験研究の成果が当該法人に帰属する旨

（工業化研究の範囲）
(12) (1)の表の(十)の左欄のイに掲げる工業化研究は、当該法人が行おうとする試験研究（次に掲げる試験研究を除く。）のうち当該試験研究に係る試験研究費の額を第一節第五款の**五**の**1**《棚卸資産の取得価額》（同**1**の表の②に係る部分に限る。）により棚卸資産の取得価額に算入することとなるものとする。（措規20⑲）

(一)	当該法人にとって、基礎研究（特別な応用又は用途を直接に考慮することなく、仮説及び理論を形成するため又は現象及び観察可能な事実に関して新しい知識を得るために行われる理論的又は実験的な試験研究をいう。）又は応用研究（特定の目標を定めて実用化の可能性を確かめる試験研究又は既に実用化されている方法に関して新たな応用方法を探索する試験研究をいう。）に該当することが明らかである試験研究
(二)	当該法人にとって、工業化研究（(一)に掲げる基礎研究及び応用研究並びに実際の経験から得た知識を活用し、付加的な知識を創出して、新たな製品等〔製品、半製品、役務の提供、技術の提供、装置、仕組み、工程その他これらに準ずるもの及びこれらの素材をいう。以下(二)において同じ。〕の創出又は製品等の改良を目的とする試験研究をいう。）に該当しないことが明らかである試験研究

（知的財産権に準ずるもの）
(13) (1)の表の(十)の左欄のロに掲げる知的財産権に準ずるものは、同ロに掲げる知的財産権以外の資産のうち、特別の技術による生産方式その他これに準ずるもの（以下(14)において「技術的知識等財産」という。）を利用する権利で受託者が対価を支払って当該法人以外の者（以下(14)において「第三者」という。）から設定又は許諾を受けたもの及び受託者が対価を得て技術的知識等財産の第三者による利用につき設定し、又は許諾して当該第三者にその利用をさせている当該技術的知識等財産とする。（措規20⑳）

（特別の技術による生産方式その他これに準ずるものの意義）
(14) (13)に掲げる「特別の技術による生産方式その他これに準ずるもの」とは、知的財産権以外で、生産その他業務に関し繰り返し使用し得るまでに形成された創作、すなわち、特別の原料、処方、機械、器具、工程によるなど独自の考案又は方法を用いた生産についての方式、これに準ずる秘けつ、秘伝その他特別に技術的価値を有する知識及び

意匠等をいう。したがって、ノウハウはもちろん、機械、設備等の設計及び図面等に化体された生産方式、デザインもこれに含まれるが、技術の動向、製品の販路、特定の品目の生産高等の情報又は機械、装置、原材料等の材質等の鑑定若しくは性能の調査、検査等は、これに該当しない。（措通42の4（4）－3）

　　　（特定新事業開拓事業者とのその委託に係る委任契約等に定める事項）
(15)　(1)の表の(十)に掲げる新事業開拓事業者等とのその委託に係る委任契約等に定める事項は、次に掲げる事項とする。（措令27の4㉔X、措規20㉑）

(一)	当該試験研究の目的及び内容
(二)	当該試験研究の実施期間
(三)	当該試験研究に係る特定新事業開拓事業者の名称及び代表者の氏名並びに本店の所在地
(四)	当該試験研究の主要な部分について再委託を行わない旨
(五)	当該試験研究に係る定期的な進捗状況に関する報告の内容及び方法
(六)	その委託する試験研究における分担すべき役割として当該法人が当該試験研究に要する費用の額を負担する旨及びその明細
(七)	当該特定新事業開拓事業者が当該費用の額を確認する旨及びその方法
(八)	当該試験研究の成果が当該法人に帰属する旨

　　　（成果活用促進事業者とのその委託に係る委任契約等に定める事項）
(16)　(1)の表の(十一)の左欄に掲げる成果活用促進事業者とのその委託に係る委任契約等に定める事項は、次に掲げる事項とする。（措令27の4㉔XI、措規20㉒）

(一)	当該試験研究の目的及び内容
(二)	当該試験研究が成果活用促進事業者の行う成果実用化研究開発に該当する旨
(三)	当該試験研究の実施期間
(四)	当該試験研究に係る成果活用促進事業者の名称及び代表者の氏名並びに本店の所在地
(五)	当該試験研究の主要な部分について再委託を行わない旨
(六)	当該試験研究に係る定期的な進捗状況に関する報告の内容及び方法
(七)	その委託する試験研究における分担すべき役割として当該法人が当該試験研究に要する費用を負担する旨及びその明細
(八)	当該成果活用促進事業者が当該費用の額を確認する旨及びその方法
(九)	当該試験研究の成果が当該法人に帰属する旨

　　　（他の者とのその委託に係る委任契約等に定める事項）
(17)　(1)の表の(十二)に掲げる他の者とのその委託に係る委任契約等に定める事項は、次に掲げる事項とする。（措令27の4㉔XII、措規20㉓）

(一)	当該試験研究の目的及び内容
(二)	当該試験研究の実施期間
(三)	当該試験研究に係る(1)の表の(十二)の左欄に掲げる他の者の氏名又は名称及び代表者の氏名並びに住所又は本店若しくは主たる事務所の所在地
(四)	当該試験研究に係る定期的な進捗状況に関する報告の内容及び方法
(五)	その委託する試験研究における分担すべき役割として当該法人が当該試験研究に要する費用を負担する旨及びその明細
(六)	当該他の者が当該費用の額を確認する旨及びその方法

| (七) | 当該試験研究の成果が当該法人に帰属する旨 |

(特定中小企業者等との契約又は協定において定める事項〔知的財産権の設定又は許諾を受けて行う試験研究〕)
(18) (1)の表の(十三)の左欄に掲げる特定中小企業者等との契約又は協定において定める事項は、次に掲げる事項とする。(措令27の4㉔ⅩⅢ、措規20㉔)

(一)	知的財産権の設定又は許諾が当該法人が行う試験研究のためである旨並びにその試験研究の目的及び内容
(二)	当該知的財産権の設定又は許諾をする特定中小企業者等（(1)の表の(九)に掲げる中小事業者等に限る。）の氏名又は名称及び代表者の氏名並びに住所又は本店若しくは主たる事務所の所在地
(三)	当該試験研究に係る定期的な進捗状況に関する報告の内容及び方法並びに技術に関する情報の共有の方法
(四)	当該知的財産権の設定又は許諾の期間及び条件
(五)	当該法人が当該特定中小企業者等に対して支払う当該知的財産権の使用料の明細（当該試験研究の進捗に応じて当該知的財産権の使用料を支払う場合には、その旨を含む。）

(事業年度の中途において他の者等に該当しなくなった場合の適用)
(19) (1)の表の(三)から(五)まで又は同表の(九)から(十三)までの適用上、法人と共同し若しくは法人から委託を受けて試験研究を行う者又は法人から同表の(十三)に掲げる知的財産権の使用料の支払を受ける者が、当該法人の事業年度の中途において同表の(三)若しくは同表の(十)に掲げる特定新事業開拓事業者（以下「特定新事業開拓事業者」という。）、同表の(四)若しくは同表の(十一)に掲げる成果活用促進事業者（以下「成果活用促進事業者」という。）、同表の(五)若しくは同表の(十二)に掲げる他の者（以下「他の者」という。）又は同表の(九)若しくは同表の(十三)に掲げる特定中小企業者等（以下「特定中小企業者等」という。）のいずれにも該当しないこととなった場合には、当該法人のその該当しないこととなった日以後の期間に係る当該試験研究のために要する費用又は知的財産権の使用料の額は、(1)に掲げる特別試験研究費の額（以下「特別試験研究費の額」という。）に該当しないことに留意する。(措通42の4(4)-1)

注 法人と共同し若しくは法人から委託を受けて試験研究を行う者又は法人から知的財産権の使用料の支払を受ける者が、当該試験研究に係る契約又は協定の締結時において特定新事業開拓事業者、成果活用促進事業者、他の者又は特定中小企業者等のいずれにも該当しない場合には、たとえその後にこれらの者に該当することとなったときであっても、当該法人の当該試験研究のために要する費用又は知的財産権の使用料の全額が、特別試験研究費の額に該当しないことに留意する。

(知的財産権の使用料及び新規高度研究業務従事者に対する人件費)
(20) 法人が特定中小企業者等からその有する知的財産権の設定又は許諾を受けて行う試験研究に係る試験研究費の額（(1)の試験研究費の額に該当するものを除く。）のうち(1)の表の(十三)の右欄の試験研究費の額に該当する知的財産権の使用料の額以外のものについては、**4**の適用はないが、**2**又は**3**の適用はあることに留意する。
　法人が行う(1)の表の(十五)の要件を満たす試験研究に係る試験研究費の額（(1)の試験研究費の額に該当するものを除く。）のうち(1)の表の(十五)の右欄の試験研究費の額に該当する人件費の額以外のものについても、同様とする。(措通42の4(4)-2)

(中小企業であるかどうかの判定の時期)
(21) (2)又は(9)の適用上、法人が中小企業者に該当するかどうかの判定（以下「中小判定」という。）は、次の表の左欄に掲げる法人の区分に応じそれぞれ同表の右欄に掲げる取扱いによるものとする。(措通42の4(3)-1・編者補正)

イ	通算法人以外の法人	当該法人の(1)の表の(二)又は(八)に掲げる契約又は協定の締結時の現況による。
ロ	通算法人	当該通算法人及び他の通算法人（次の(イ)の時及び(ロ)の日のいずれにおいても当該通算法人との間に通算完全支配関係がある法人に限る。）の当該(イ)の時の現況による。
		(イ) 当該通算法人に係る(1)の表の(二)又は(八)に掲げる契約又は協定の締結時
		(ロ) 当該通算法人の**4**の適用を受けようとする事業年度終了の日

第三章　第二節　第二款　五《試験研究を行った場合の法人税額の特別控除》

注　ロの取扱いは、通算親法人の事業年度の中途において通算承認の効力を失った通算法人のその効力を失った日の前日に終了する事業年度における中小判定についても、同様とする。

　　（学位の意義）
(22)　（1）の表の(十五)の左欄のイの(イ)の学位は、その学位を授与された者が、その学位を得るための研究活動の過程で習得した専門的知識をもって同(十五)の左欄のハの試験研究に従事する場合における当該学位をいうのであるから留意する。（措通42の4(4)－3の2）

　　（被合併法人等において募集が行われていた場合の取扱い）
(23)　（1）の表の(十五)の左欄のハの(イ)の「募集」は、広く一般に又は広く当該法人の使用人に対して行われたものでなければならないのであるが、例えば、法人が他の法人から合併、分割又は現物出資により当該他の法人が行っていた試験研究に関する事業の移転を受ける場合において、当該他の法人において当該試験研究の内容に関する提案が広く当該他の法人の使用人に募集されていたときは、同ハの(イ)に該当するものとする。同ハの(ハ)の「募集」についても、同様とする。（措通42の4(4)－3の3）

　　（新規高度研究業務従事者であることを明らかにする書類）
(24)　（1）の表の(十五)の右欄に掲げる「ハに掲げる者が……新規高度研究業務従事者……であることを明らかにする書類」には、当該法人の役員又は使用人が次の表の左欄に掲げる区分のいずれに該当するかに応じ、例えば、同表の右欄に掲げるような書類が該当する。（措通42の4(4)－3の4）

(一)	（1）の表の(十五)の左欄のイの(イ)の博士の学位を授与された者	当該学位に係る学位記の写し
(二)	同イの(ロ)の他の者の役員又は使用人として10年以上専ら研究業務に従事していた者	その者により作成された職務経歴書（当該他の者の名称並びに当該他の者において従事していた研究業務の内容及びその従事期間が記載されているものに限る。）

5　通算法人における試験研究費に係る法人税額の特別控除

①　試験研究を行った場合又は中小企業者等の試験研究費に係る法人税額の特別控除

通算法人に係る**2**又は**3**の適用については、次に掲げるところによる。（措法42の4⑧）

(一)	通算子法人（当該通算子法人に係る通算親法人の**2**《試験研究を行った場合の法人税額の特別控除》又は**3**《中小企業者等の試験研究費に係る法人税額の特別控除》に掲げる事業年度終了の日において当該通算親法人との間に通算完全支配関係があるものに限る。）については、**2**中「事業年度（解散〔合併による解散を除く。〕の日を含む事業年度及び清算中の各事業年度を除く。）」とあるのは「事業年度」と、**3**中「、解散（合併による解散を除く。）の日を含む事業年度及び清算中の各事業年度を除く」とあるのは「を除く」とする。
(二)	通算法人の適用対象事業年度（当該通算法人の**2**に掲げる事業年度〔当該通算法人に係る通算親法人の**1**に掲げる事業年度終了の日に終了する事業年度に限る。〕又は当該通算法人の**3**に掲げる事業年度〔当該通算法人に係る通算親法人の**3**に掲げる事業年度終了の日に終了する事業年度に限る。〕をいう。以下**五**において同じ。）終了の日において当該通算法人との間に通算完全支配関係がある他の通算法人（以下**五**において「**他の通算法人**」という。）の当該適用対象事業年度終了の日に終了する事業年度（以下**五**において「**他の事業年度**」という。）の試験研究費の額がある場合には、当該通算法人の適用対象事業年度の**2**又は**3**の試験研究費の額は、あるものとする。
(三)	(二)の通算法人の適用対象事業年度の**2**の税額控除限度額又は**3**の中小企業者等税額控除限度額は、税額控除可能額（イに掲げる金額とロに掲げる金額とのうちいずれか少ない金額をいう。以下①及び(7)において同じ。）に当該通算法人の当該適用対象事業年度の所得に対する調整前法人税額がハに掲げる金額のうちに占める割合（③及び③の(1)において「控除分配割合」という。）を乗じて計算した金額（以下①及び(7)において「**税額控除可能分配額**」という。）とする。
---	---	---
	イ	当該適用対象事業年度及び他の通算法人の他の事業年度の試験研究費の額の合計額に、次の表の左欄に掲げる場合の区分に応じそれぞれ同表の右欄に掲げる割合（当該割合に小数点以下3位未満の端数があるときはこ

			れを切り捨てた割合とし、それぞれ同表の右欄に掲げる割合が$\frac{10}{100}$を超えるときは$\frac{10}{100}$とする。）を乗じて計算した金額（**3**の適用を受ける場合には、当該合計額の$\frac{12}{100}$に相当する金額）
		(イ)	合算増減試験研究費割合が零以上である場合（(ハ)に掲げる場合を除く。）	$\frac{11.5}{100}$から、$\frac{12}{100}$から当該合算増減試験研究費割合を減算した割合に0.25を乗じて計算した割合を減算した割合
		(ロ)	合算増減試験研究費割合が零に満たない場合（(ハ)に掲げる場合を除く。）	$\frac{8.5}{100}$から、その満たない部分の割合に$\frac{8.5}{25}$（**2**の(二)の表のイ又はロに掲げる事業年度〔当該通算法人が通算子法人である場合には、当該通算法人に係る通算親法人の同表のイ又はロに掲げる事業年度終了の日に終了する事業年度〕にあっては、それぞれ同表のイ又はロに掲げる割合）を乗じて計算した割合を減算した割合（当該割合が零に満たないときは、零）
		(ハ)	当該通算法人及び他の通算法人の比較試験研究費の額を合計した金額が零である場合	$\frac{8.5}{100}$
	ロ	ハに掲げる金額の$\frac{25}{100}$に相当する金額		
	ハ	当該適用対象事業年度及び他の通算法人の他の事業年度の所得に対する調整前法人税額の合計額		
(四)	(三)の場合において、他の通算法人の各事業年度の試験研究費の額又は当該他の通算法人の他の事業年度の所得に対する調整前法人税額が当初申告試験研究費の額又は当初申告調整前法人税額（それぞれ当該他の事業年度の確定申告書等に添付された書類に当該各事業年度の試験研究費の額又は当該他の事業年度の所得に対する調整前法人税額として記載された金額をいう。以下(四)において同じ。）と異なるときは、当初申告試験研究費の額又は当初申告調整前法人税額を当該各事業年度の試験研究費の額又は当該他の事業年度の所得に対する調整前法人税額とみなす。			
(五)	(三)の場合において、税額控除可能額が当初申告税額控除可能額（通算法人の適用対象事業年度の確定申告書等に添付された書類に当該適用対象事業年度の税額控除可能額として記載された金額をいう。(六)及び(七)において同じ。）以上であるとき（税額控除可能分配額が当初申告税額控除可能分配額〔当該適用対象事業年度の確定申告書等に添付された書類に当該適用対象事業年度の税額控除可能分配額として記載された金額をいう。以下(五)及び(六)において同じ。〕と異なる場合に限る。）は、当初申告税額控除可能分配額を当該適用対象事業年度の税額控除可能分配額とみなす。			
(六)	(三)の場合において、税額控除可能額が当初申告税額控除可能額に満たないときは、次の表の左欄に掲げる場合の区分に応じそれぞれ同表の右欄に掲げるところによる。			
	イ	当初申告税額控除可能分配額が零を超える場合	当初申告税額控除可能分配額から、当初申告税額控除可能額から当該税額控除可能額を減算した金額（ロにおいて「税額控除超過額」という。）を控除した金額を通算法人の適用対象事業年度の税額控除可能分配額とみなす。	
	ロ	税額控除超過額が当初申告税額控除可能分配額を超える場合	通算法人の適用対象事業年度の所得に対する法人税の額は、第一款の一の**1**の①《基本税率》、同一の**2**の①《基本税率》及び同一の**1**の⑥《中小通算法人の軽減対象所得金額以下の金額に対する税率》並びに二の**7**の③の(1)《過去当初申告税額控除額が調整後過去税額控除額を超える場合》（同**7**の④の(1)《通算法人が合併により解散した場合等の準用》又は同**7**の④の(2)《通算法人が公益法人等に該当することとなった場合の準用》において準用する場合を含む。）、(七)(④の(3)《通算法人に係る産学官連携の協同研究・委託研究に係る法人税額の特別控除の準用》において準用する場合を含む。）、**四**の**2**の①《通算法人の仮装経理に基づく過大申告の場合等の法人税額》、第一款の一の**4**の①《特定の医療法人の法人税率の特例》及び同一の**2**の③《特定の協同組合等の法人税率の特例》その他法人税に関する法令の規定にかかわらず、これらの規定により計算した法人税の額に、当該税額控除超過額から当初申告税額控除可能分配額を控除した金額に相当する金額を加算した金額とする。	
(七)	(三)の通算法人の適用対象事業年度において生じた欠損金額のうち第一節第三十五款の一の**3**の①の(3)《特定欠			

第三章　第二節　第二款　五《試験研究を行った場合の法人税額の特別控除》

損金額の意義》に掲げる特定欠損金額以外の金額（以下(七)及び②において「**非特定欠損金額**」という。）が当該適用対象事業年度の確定申告書等に添付された書類に当該適用対象事業年度において生じた非特定欠損金額として記載された金額を超える場合（当該適用対象事業年度の確定申告書等〔期限後申告書に限る。②において「**期限後確定申告書**」という。〕に添付された書類に同一の1の①《所得事業年度の通算対象欠損金額の損金算入》に掲げる通算前欠損金額〔同一の2《損益通算の対象となる欠損金額の特例》によりないものとされたものを除く。以下(七)及び②において「**通算前欠損金額**」という。〕として記載された金額がある場合を含む。）において、当該適用対象事業年度における(三)の表のイに掲げる金額と当該適用対象事業年度における同表のロに掲げる金額から当該超える場合におけるその超える部分の金額（当該通算前欠損金額として記載された金額がある場合には、その記載された金額を含む。）を当該通算法人の当該適用対象事業年度の所得の金額とみなして当該所得の金額につき第一款の一の1の①、1の②、1の③、2の①及び1の⑥並びに同款の一の4《特定の医療法人》及び同一の2の③を適用するものとした場合に計算される法人税の額の$\frac{25}{100}$に相当する金額を控除した金額とのうちいずれか少ない金額（当該通算法人の適用対象事業年度において(六)の適用がある場合には、(六)の表のイに掲げる税額控除超過額を加算した金額。以下(七)において「**調整後税額控除可能額**」という。）が当初申告税額控除可能額に満たないときは、当該通算法人の適用対象事業年度の所得に対する法人税の額は、同款の一の1の①、同一の2の①及び同一の1の⑥並びに第二款の二の7の③の(1)（同7の④の(1)又は同7の④の(2)において準用する場合を含む。）、(六)の表のロ（④の(3)において準用する場合を含む。）、四の2の①、第一款の一の4の①及び同一の2の③その他法人税に関する法令の規定にかかわらず、これらの規定により計算した法人税の額に、当初申告税額控除可能額から調整後税額控除可能額を控除した金額に相当する金額を加算した金額とする。

(八) (三)の通算法人の次に掲げる場合における(三)の適用については、(三)の表のイに掲げる金額は、(三)にかかわらず、同表のイに掲げる合計額にそれぞれ次に掲げる割合を乗じて計算した金額とする。

イ	2の(1)《税額控除限度額の特例》に掲げる各事業年度（当該通算法人が通算子法人である場合には、当該通算法人に係る通算親法人の同(1)に掲げる各事業年度終了の日に終了する事業年度）において2の適用を受ける場合	(イ) (ロ)に掲げる事業年度以外の事業年度	次の表の左欄に掲げる事業年度の区分に応じそれぞれ同表の右欄に掲げる割合（当該割合に小数点以下3位未満の端数があるときはこれを切り捨てた割合とし、それぞれ次に掲げる割合が$\frac{14}{100}$を超えるときは$\frac{14}{100}$とする。）	
			次の表の左欄に掲げる場合の区分に応じそれぞれ同表の右欄に掲げる割合	
			A 合算増減試験研究費割合が$\frac{12}{100}$を超える場合（Cに掲げる場合を除く。）	$\frac{11.5}{100}$に、当該合算増減試験研究費割合から$\frac{12}{100}$を控除した割合に0.375を乗じて計算した割合を加算した割合
			B 合算増減試験研究費割合が$\frac{12}{100}$以下である場合（Cに掲げる場合を除く。）	$\frac{11.5}{100}$から、$\frac{12}{100}$から当該合算増減試験研究費割合を減算した割合に0.25を乗じて計算した割合を減算した割合（当該割合が$\frac{1}{100}$未満であるときは、$\frac{1}{100}$）
			C 当該通算法人及び他の通算法人の比較試験研究費の額を合計した金額が零である場合	$\frac{8.5}{100}$
		(ロ) 合算試験研究費割合が$\frac{10}{100}$を超える事業年度	次に掲げる割合を合計した割合	
			A (イ)のAからCまでに掲げる場合の区分に応じそれぞれ(イ)のAからCまでに掲げる割合	
			B Aに掲げる割合に控除割増率（当該合算試験研究費割合から$\frac{10}{100}$を控除した割合に0.5を乗じて計算した割合〔当該割合が$\frac{10}{100}$を超えるときは、$\frac{10}{100}$〕をいう。）を乗じて計算した割合	
ロ	3のなお書きに掲げる各事業年度（当該通算法人が通		$\frac{12}{100}$に次の表の左欄に掲げる事業年度の区分に応じそれぞれ同表の右欄に掲げる割合を加算した割合（当該割合に小数点以下3位未満の端数があるときはこれを切り捨てた割合とし、当該加算した割合が$\frac{17}{100}$を超えるときは$\frac{17}{100}$とする。）	
		(イ) 合算増減試験研究費割合が$\frac{12}{100}$を	当該合算増減試験研究費割合から$\frac{12}{100}$を控除した	

	算子法人である場合には、当該通算法人に係る通算親法人の同なお書きに掲げる各事業年度終了の日に終了する事業年度）のうち右欄に掲げる事業年度において3の適用を受ける場合		超える事業年度（当該通算法人及び他の通算法人の比較試験研究費の額を合計した金額が零である事業年度並びに合算試験研究費割合が$\frac{10}{100}$を超える事業年度を除く。）	割合に0.375を乗じて計算した割合
		(ロ)	合算試験研究費割合が$\frac{10}{100}$を超える事業年度（当該通算法人及び他の通算法人の比較試験研究費の額を合計した金額が零を超える事業年度で合算増減試験研究費割合が$\frac{12}{100}$を超える事業年度を除く。）	$\frac{12}{100}$に控除割増率（当該合算試験研究費割合から$\frac{10}{100}$を控除した割合に0.5を乗じて計算した割合〔当該割合が$\frac{10}{100}$を超えるときは、$\frac{10}{100}$〕をいう。）を乗じて計算した割合
		(ハ)	合算増減試験研究費割合が$\frac{12}{100}$を超え、かつ、合算試験研究費割合が$\frac{10}{100}$を超える事業年度（当該通算法人及び他の通算法人の比較試験研究費の額を合計した金額が零である事業年度を除く。）	次に掲げる割合を合計した割合 A　(イ)に掲げる割合 B　Aに掲げる割合に(ロ)に掲げる控除割増率を乗じて計算した割合 C　(ロ)に掲げる割合
(九)	イ	右欄に掲げる事業年度において2の適用を受ける場合		

(三)の通算法人の次の表の左欄に掲げる場合における(三)及び(七)の適用については、(三)の表のロに掲げる金額及び(七)に掲げる$\frac{25}{100}$に相当する金額は、これらにかかわらず、同表のロに掲げる金額及び(七)に掲げる$\frac{25}{100}$に相当する金額に、それぞれ同表の右欄に掲げる金額を加算した金額とする。

			(三)の表のハに掲げる金額又は(七)に掲げる計算される法人税の額に次の表の左欄に掲げる事業年度の区分に応じそれぞれ同表の右欄に掲げる割合（同表の左欄に掲げる事業年度のいずれにも該当する事業年度にあっては、それぞれ同表の右欄に掲げる割合を合計した割合）を乗じて計算した金額	
		(イ)	2の(2)《控除上限額の上乗せ》の表の(一)のイからハまでに掲げる要件を満たす事業年度（当該通算法人が通算子法人である場合には、当該通算法人に係る通算親法人の同イからハまでに掲げる要件を満たす事業年度終了の日に終了する事業年度）	$\frac{15}{100}$
		(ロ)	2の(2)の表の(二)に掲げる各事業年度（当該通算法人が通算子法人である場合には、当該通算法人に係る通算親法人の同(二)に掲げる各事業年度終了の日に終了する事業年度）のうち右欄に掲げる事業年度	次の表の左欄に掲げる事業年度の区分に応じそれぞれ同表の右欄に掲げる割合（A及びCに掲げる事業年度のいずれにも該当する事業年度にあっては、Aの右欄に掲げる割合とCの右欄に掲げる割合とのうちいずれか高い割合） A　合算増減試験研究費割合が$\frac{4}{100}$を超える事業年度（当該通算法人及び他の通算法人の比較試験研究費の額を合計した金額　当該合算増減試験研究費割合から$\frac{4}{100}$を控除した割合に0.625を乗じて計算した割合（当該割合に小数点以下3位未満の端数があるときはこれを切り捨てた割合とし、当

第三章　第二節　第二款　五《試験研究を行った場合の法人税額の特別控除》

				が零である事業年度を除く。）	該計算した割合が$\frac{5}{100}$を超えるときは$\frac{5}{100}$とする。）
			B	合算増減試験研究費割合が零に満たない場合のその満たない部分の割合が$\frac{4}{100}$を超える事業年度（当該通算法人及び他の通算法人の比較試験研究費の額を合計した金額が零である事業年度並びにCの左欄に掲げる事業年度を除く。）	零から、当該満たない部分の割合から$\frac{4}{100}$を控除した割合に0.625を乗じて計算した割合（当該割合に小数点以下3位未満の端数があるときはこれを切り捨てた割合とし、当該計算した割合が$\frac{5}{100}$を超えるときは$\frac{5}{100}$とする。）を減算した割合
			C	合算試験研究費割合が$\frac{10}{100}$を超える事業年度	当該事業年度の特例割合（合算試験研究費割合から$\frac{10}{100}$を控除した割合に2を乗じて計算した割合〔当該割合に小数点以下3位未満の端数があるときはこれを切り捨てた割合とし、当該計算した割合が$\frac{10}{100}$を超えるときは$\frac{10}{100}$とする。〕をいう。ロの（ロ）において同じ。）
ロ	3の（1）《中小企業者等控除上限額の特例》に掲げる各事業年度（当該通算法人が通算子法人である場合には、当該通算法人に係る通算親法人の同（1）に掲げ	(三)の表のハに掲げる金額又は(七)に掲げる計算される法人税の額に次の表の左欄に掲げる事業年度の区分に応じそれぞれ同表の右欄に掲げる割合を乗じて計算した金額			
		(イ)	合算増減試験研究費割合が$\frac{12}{100}$を超える事業年度（当該通算法人及び他の通算法人の比較試験研究費の額を合計した金額が零である事業年度を除く。）		$\frac{10}{100}$
		(ロ)	合算試験研究費割合が$\frac{10}{100}$を超える事業年度（(イ)に掲げる事業年度を除く。）		当該超える事業年度の特例割合

—1559—

	る各事業年度終了の日に終了する事業年度）のうち右欄掲げる事業年度において**3**の適用を受ける場合
(十)	(八)又は(九)の適用がある場合における(四)の適用については、(四)中「の各事業年度の試験研究費の額」とあるのは「の各事業年度の試験研究費の額、当該他の通算法人の平均売上金額」と、「当初申告試験研究費の額」とあるのは「当初申告試験研究費の額、当初申告平均売上金額」と、「当該各事業年度の試験研究費の額」とあるのは「当該各事業年度の試験研究費の額、当該他の通算法人の平均売上金額」とする。
(十一)	(三)の場合には、**2**の後段及び**3**の後段は、適用しない。

注 ──線部分は、令和6年度改正により改正された部分で、改正規定は、①の表の(三)の通算法人に係る通算親法人の令和8年4月1日以後に開始する事業年度終了の日に終了する当該通算法人の適用対象事業年度から適用され、注の旧(三)の通算法人に係る通算親法人の令和8年3月31日以前に開始した事業年度終了の日に終了する当該通算法人の適用対象事業年度の適用については、上表の(三)は次による。（令6改法附39②、1 Ⅶ）

旧(三)	(二)の通算法人の適用対象事業年度の**2**の税額控除限度額又は**3**の中小企業者等税額控除限度額は、税額控除可能額（イに掲げる金額とロに掲げる金額とのうちいずれか少ない金額をいう。以下①及び(7)において同じ。）に当該通算法人の当該適用対象事業年度の所得に対する調整前法人税額がハに掲げる金額のうちに占める割合（③及び③の(1)において「控除分配割合」という。）を乗じて計算した金額（以下①及び(7)において「税額控除可能分配額」という。）とする。		
	イ	当該適用対象事業年度及び他の通算法人の他の事業年度の試験研究費の額の合計額に、次の表の左欄に掲げる場合の区分に応じそれぞれ同表の右欄に掲げる割合（当該割合に小数点以下3位未満の端数があるときはこれを切り捨てた割合とし、それぞれ同表の右欄に掲げる割合が$\frac{10}{100}$を超えるときは$\frac{10}{100}$とする。）を乗じて計算した金額（**3**の適用を受ける場合には、当該合計額の$\frac{12}{100}$に相当する金額）	
		(イ) (ロ)に掲げる場合以外の場合	$\frac{11.5}{100}$から、$\frac{12}{100}$から合算増減試験研究費割合を減算した割合に0.25を乗じて計算した割合を減算した割合（当該割合が$\frac{1}{100}$未満であるときは、$\frac{1}{100}$）
		(ロ) 当該通算法人及び他の通算法人の比較試験研究費の額を合計した金額が零である場合	$\frac{8.5}{100}$
	ロ	ハに掲げる金額の$\frac{25}{100}$に相当する金額	
	ハ	当該適用対象事業年度及び他の通算法人の他の事業年度の所得に対する調整前法人税額の合計額	

（用語の意義）
（1） ①に掲げる用語の意義は、次による。（措法42の4⑲ⅩⅠ、ⅩⅡ）

(一)	合算増減試験研究費割合	①の表の(三)の通算法人の適用対象事業年度及び同(三)のイの他の通算法人の他の事業年度の試験研究費の額の合計額から比較試験研究費合計額（当該通算法人及び他の通算法人の比較試験研究費の額を合計した金額をいう。以下(一)において同じ。）を減算した金額の当該比較試験研究費合計額に対する割合をいう。
(二)	合算試験研究費割合	①の表の(三)の通算法人の適用対象事業年度及び同(三)のイの他の通算法人の他の事業年度の試験研究費の額の合計額の当該通算法人及び他の通算法人の平均売上金額の合計額に対する割合をいう。

（特定同族会社の特別税率及び外国税額の控除の計算の特例）
（2） ①の表の(六)のロ又は同表の(七)（同表の(六)のロ又は同表の(七)を④の(3)《通算法人に係る産学官連携の協同研究・委託研究に係る法人税額の特別控除の準用》において準用する場合を含む。）の適用がある場合における第一

第三章　第二節　第二款　五《試験研究を行った場合の法人税額の特別控除》

款の二の1《特定同族会社の特別税率》及び二《外国税額の控除》の適用については、第一款の二の1中「一《各事業年度の所得に対する法人税の税率》、三の1《使途秘匿金の支出がある場合の課税の特例》、四の1《土地の譲渡等がある場合の特別税率》、四の2《優良住宅地等のための譲渡に該当しなくなった場合の追加課税》又は五《短期所有に係る土地の譲渡等がある場合の特別税率》」とあるのは「第二款の五の5の①の表の(六)のロ又は同表の(七)（同表の(六)のロ又は同表の(七)を同5の④の(3)において準用する場合を含む。）」と、第一款の二の2中「一《各事業年度の所得に対する法人税の税率》、三の1《使途秘匿金の支出がある場合の課税の特例》、四の1《土地の譲渡等がある場合の特別税率》、四の2《優良住宅地等のための譲渡に該当しなくなった場合の追加課税》又は五《短期所有に係る土地の譲渡等がある場合の特別税率》」とあるのは「第二款の五の5の①の表の(六)のロ又は同表の(七)（同表の(六)のロ又は同表の(七)を同5の④の(3)において準用する場合を含む。）」と、二の7の③の(1)《過去当初申告税額控除額が調整後過去税額控除額を超える場合》中「第一款の一の1の①《基本税率》、同一の2の①《基本税率》及び同一の1の⑥《中小通算法人の軽減対象所得金額以下の金額に対する税率》」とあるのは「第二款の五の5の①の表の(六)のロ又は同表の(七)（同表の(六)のロ又は同表の(七)を同5の④の(3)において準用する場合を含む。）」とする。(措法42の4㉔)

　　　(法人税額の計算の特例)
（3）①の表の(六)のロ又は同表の(七)（同表の(六)のロ又は同表の(七)を④の(3)において準用する場合を含む。）の適用がある場合における法人税法第二編第一章《各事業年度の所得に対する法人税》（第二節《税額の計算》を除く。）の適用については、第三款の二の1《確定申告》の表の②に掲げる金額は、同表の①に掲げる所得の金額につき法人税法第二編第一章第二節の規定並びに①の表の(六)のロ又は同表の(七)（同表の(六)のロ又は同表の(七)を④の(3)において準用する場合を含む。）を適用して計算した法人税の額とする。(措法42の4㉕)

　　　(特別税額加算規定による計算の特例)
（4）①の表の(六)のロ又は同表の(七)（同表の(六)のロ又は同表の(七)を④の(3)において準用する場合を含む。）の適用がある場合における法人税法第二編第一章《各事業年度の所得に対する法人税》（第二節《税額の計算》を除く。）及び第五章《更正及び決定》並びに地方法人税法第二章第三節《申告、納付及び還付等》及び第四章《更正及び決定》の規定の適用については、次の表に掲げるところによる。(措令27の4㉟)

(一)	第三款の一の1《中間申告》の表の①に掲げる法人税額は、当該法人税額から当該法人税額に含まれる①の表の(六)のロ又は同表の(七)（同表の(六)のロ又は同表の(七)を④の(3)において準用する場合を含む。）（(二)から(四)までにおいて「特別税額加算規定」という。）により加算された金額を控除した金額とする。
(二)	第三款の八の4《仮装経理に基づく過大申告の場合の更正に伴う法人税額の還付の特例》に掲げる所得に対する法人税の額は、当該所得に対する法人税の額から当該所得に対する法人税の額に含まれる特別税額加算規定により加算された金額を控除した金額とする。
(三)	第六章第五節の一の1《中間申告》の表の①に掲げる地方法人税額は、当該地方法人税額から当該地方法人税額に係る同章第二節の五《基準法人税額等》に掲げる基準法人税額に含まれる特別税額加算規定により加算された金額の$\frac{10.3}{100}$に相当する金額を控除した金額とする。
(四)	第六章第五節の六の4の(1)《仮装経理法人税額を有する場合の確定地方法人税額の還付の特例》に掲げる所得基準法人税額に対する地方法人税の額は、当該所得基準法人税額に対する地方法人税の額から当該所得基準法人税額に対する地方法人税の額に係る同4に掲げる所得基準法人税額に含まれる特別税額加算規定により加算された金額の$\frac{10.3}{100}$に相当する金額を控除した金額とする。

　　　(それぞれ含むとするのもの)
（5）①の表の(三)の通算法人又は同(三)のイの他の通算法人に係る1のイの(1)から(5)まで及び1のロの(1)から(5)までの適用については、2又は3の適用を受ける法人には同(三)のイの他の通算法人を、適用年度には同(三)のイの他の通算法人の①の表の(二)に掲げる他の事業年度を、それぞれ含むものとする。(措法42の4㉖、措令27の4㉞)

　　　(通算法人における申告及び書類の添付)
（6）他の通算法人の他の事業年度の試験研究費の額又は他の通算法人の他の事業年度の所得に対する調整前法人税額がある場合における①の通算法人の適用対象事業年度に係る2又は3は、6にかかわらず、これらの他の通算法人の

全てにつき、それぞれ他の事業年度の確定申告書等に税額控除可能額及び税額控除可能分配額並びにこれらの金額の計算に関する明細を記載した書類の添付がある場合で、かつ、当該通算法人の適用対象事業年度の確定申告書等に**6**に掲げる書類並びに税額控除可能額及び税額控除可能分配額並びにこれらの金額の計算に関する明細を記載した書類の添付がある場合に限り、適用する。この場合において、**2**又は**3**により控除される金額の計算の基礎となる試験研究費の額は、当該適用対象事業年度の確定申告書等に添付された書類に記載された試験研究費の額を限度とする。(措法42の4⑨)

　　　(平均売上金額又は基準売上金額が異なることとなった場合の他の通算法人への通知)
(7)　①の通算法人(当該通算法人であった法人を含む。)は、当該通算法人の適用対象事業年度後において、当該適用対象事業年度の確定申告書等に添付された書類及び当該確定申告書等に当該適用対象事業年度若しくは当該適用対象事業年度前の各事業年度の試験研究費の額、当該適用対象事業年度の所得に対する調整前法人税額又は当該適用対象事業年度において生じた欠損金額として記載された金額と当該適用対象事業年度若しくは当該各事業年度の試験研究費の額、当該適用対象事業年度の所得に対する調整前法人税額又は当該適用対象事業年度において生じた欠損金額とが異なることとなった場合(①の表の(八)又は同表の(九)の適用がある場合には、当該確定申告書等に添付された書類に当該通算法人の平均売上金額として記載された金額と当該通算法人の平均売上金額とが異なることとなった場合を含む。)には、他の通算法人に対し、その異なることとなったこれらの金額を通知しなければならない。(措法42の4⑩)

②　通算法人等の対象事業年度において過去適用年度における欠損金増加合計額がある場合

　通算法人(通算法人であった法人を含む。以下②において「通算法人等」という。)が**2**又は**3**の適用を受けるこれらに掲げる事業年度(①の表の(一)の適用がある通算子法人にあっては、同(一)により読み替えて適用される**2**又は**3**に掲げる事業年度。以下②及び(2)において「**対象事業年度**」という。)において、当該通算法人等又は当該対象事業年度終了の日において当該通算法人等との間に通算完全支配関係がある他の通算法人(以下②において「他の通算法人」という。)の過去適用等事業年度(当該通算法人等の対象事業年度終了の日前に終了した当該通算法人等又は他の通算法人の各事業年度で当該各事業年度又は当該各事業年度終了の日において当該通算法人等若しくは他の通算法人との間に通算完全支配関係がある通算法人の同日に終了する事業年度が**2**又は**3**の適用を受けた事業年度〔通算子法人にあっては、その事業年度終了の日において当該通算法人等又は他の通算法人との間に通算完全支配関係がある通算親法人のこれらに掲げる事業年度終了の日に終了するものに限る。〕である場合の当該各事業年度をいう。以下②及び(2)において同じ。)における欠損金増加合計額(当該過去適用等事業年度において生じた非特定欠損金額が当該過去適用等事業年度の確定申告書等に添付された書類に当該過去適用等事業年度において生じた非特定欠損金額として記載された金額〔以下②において「当初非特定欠損金額」という。〕を超える場合〔第二章第三節の一の**1**の表の②《決定》による決定を受けた場合を除くものとし、当該過去適用等事業年度の期限後確定申告書に添付された書類に通算前欠損金額として記載された金額がある場合を含む。〕における非特定欠損金額が当初非特定欠損金額を超えることとなった当該通算法人等及び他の通算法人のそれぞれその超える部分の金額〔当該通算前欠損金額として記載された金額がある場合には、その記載された金額を含む。以下②及び(2)において「**各欠損金増加額**」という。〕の合計額〔既に当該通算法人等の当該対象事業年度終了の日前に終了した当該通算法人等又は他の通算法人の各事業年度において当該過去適用等事業年度に係る各欠損金増加額につき②の適用がある場合には、当該各欠損金増加額のうち次の表に掲げるところにより加算された金額の計算の基礎となった金額を除く。〕をいう。以下②において同じ。)がある場合には、当該通算法人等の当該対象事業年度における次の表の左欄に掲げる区分に応じそれぞれ同表の右欄に掲げるところによる。(措法42の4⑪)

(一)	①の表の(三)の通算法人	当該対象事業年度の①の表の(三)に掲げる税額控除可能額の計算については、同(三)のロに掲げる金額に、欠損金増加合計額を当該通算法人等の当該対象事業年度の所得の金額とみなして当該所得の金額につき第一款の一の**1**の①《基本税率》、同**1**の②《中小法人の年800万円以下の所得に対する軽減税率》、同**1**の③《中小法人の年800万円以下の所得に対する軽減税率の不適用》、同**2**の①《基本税率》及び同**1**の⑥《中小通算法人の軽減対象所得金額以下の金額に対する税率》、並びに同款の一の**4**の①《特定の医療法人の法人税率の特例》及び同一の**2**の③《特定の協同組合等の法人税率の特例》を適用した場合にこれらにより計算される法人税の額として(1)に掲げる金額の$\frac{25}{100}$に相当する金額(次の表の左欄に掲げる場合に該当する場合には、それぞれ同表の右欄に掲げる金額を加算した金額)を加算する。
	イ　①の表の(九)のイに掲げる場合	(1)に掲げる金額に①の(九)のイの表の左欄に掲げる事業年度の区分に応じそれぞれ同表の右欄に掲げる割合(同表の(イ)及び(ロ)に掲げる事

			業年度のいずれにも該当する事業年度にあっては、同表の(イ)及び(ロ)に掲げる割合を合計した割合)を乗じて計算した金額
		ロ ①の表の(九)のロに掲げる場合	(1)に掲げる金額に①の(九)のロの表の左欄に掲げる事業年度の区分に応じそれぞれ同表の右欄に掲げる割合を乗じて計算した金額
(二)	(一)に掲げる法人以外の法人	当該対象事業年度の**2**の控除上限額又は**3**の中小企業者等控除上限額の計算については、当該対象事業年度の所得に対する調整前法人税額に、欠損金増加合計額のうち当該通算法人等に係る各欠損金増加額を当該通算法人等の当該対象事業年度の所得の金額とみなして当該所得の金額につき第一款の一の**1**の①、**1**の②、**1**の③、**2**の①及び**1**の⑥並びに同款の一の**3**の①及び同一の**2**の③を適用するものとした場合に計算される法人税の額に相当する金額を加算する。	

(対象事業年度の税額控除可能額の計算における法人税の額)

(1) ②の表の(一)に掲げる金額は、次の表の左欄に掲げる場合の区分に応じそれぞれ同表の右欄に掲げる金額とする。この場合において、第一款の**1**の⑥の(1)《軽減対象所得金額の意義》に掲げる軽減対象所得金額は800万円(②の表の(一)の通算法人等の次の表の(一)及び同表の(二)のイの対象事業年度終了の日に終了する当該通算法人等に係る通算親法人の事業年度が1年に満たない場合には、800万円を12で除し、これに当該事業年度の月数を乗じて計算した金額)と、通算子法人である②の表の(一)の通算法人等の次の表の(一)及び同表の(二)のイの対象事業年度の月数は当該対象事業年度終了の日に終了する当該通算法人等に係る通算親法人の事業年度の月数として、次の表の右欄に掲げる金額を計算するものとする。(措法42の4㉖、措令27の4④)

(一)	②の表の(一)の通算法人等に係る通算親法人が普通法人(第一款の一の**4**の①《特定の医療法人の法人税率の特例》による承認を受けている同①に掲げる医療法人〔(二)のイの(ロ)において「特定の医療法人」という。〕を除く。)である場合	②の表の(一)の欠損金増加合計額を同(一)の対象事業年度の所得の金額とみなして、当該所得の金額につき当該対象事業年度終了の時において当該通算法人等が次の表の左欄に掲げる法人のいずれに該当するかに応じそれぞれ同表の右欄に掲げる規定を適用するものとした場合に計算される法人税の額に相当する金額		
		イ	ロに掲げる法人以外の法人	第一款の一の**1**の①《基本税率》
		ロ	第一款の一の**1**の⑥《中小通算法人の軽減対象所得金額以下の金額に対する税率》に掲げる中小通算法人	第一款の一の**1**の①及び⑥
(二)	(一)に掲げる場合以外の場合	イ	イに掲げる金額をロに掲げる数で除して計算した金額	
			②の表の(一)の欠損金増加合計額を同(一)の対象事業年度の所得の金額とみなして、当該所得の金額につき当該対象事業年度終了の時において同(一)の通算法人等に係る通算親法人が次の表の左欄に掲げる法人のいずれに該当するかに応じそれぞれ同表の右欄に掲げる規定を適用するものとした場合に計算される法人税の額に相当する金額に、当該所得の金額につき当該対象事業年度終了の時において当該通算法人等に係る通算子法人が(一)の表の左欄に掲げる法人のいずれに該当するかに応じそれぞれ同表の右欄に掲げる規定を適用するものとした場合に計算される法人税の額に相当する金額に当該対象事業年度終了の日において当該通算法人等との間に通算完全支配関係がある他の通算法人(ロにおいて「他の通算法人」という。)の数を乗じて計算した金額を加算した金額		
			(イ) 協同組合等	第一款の一の**2**の①《基本税率》(同**2**の③《特定の協同組合等の法人税率の特例》に掲げる協同組合等にあっては、同③〔同一の**1**の⑤《一般社団法人等又は公益法人等とみなされているものの年800万円以下の所得に対する軽減税率の特例》により読み替えられた同一の**2**の④《特定の協同組合等の年800万円以下の所得に対する軽減税率》により読み替えて適用する場合を含む。〕の規定により読み替えられた同**2**の①

		(ロ)	特定の医療法人	第一款の一の**3**の①
	ロ	他の通算法人の数に1を加算した数		

注　（1）の月数は、暦に従って計算し、1か月に満たない端数を生じたときは、これを1か月とする。（措令27の4㉝）

（既確定各欠損金増加額を当該過去適用等事業年度に係る各欠損金増加額とみなす場合）

（2）　②を適用する場合において、②に掲げる通算法人等の対象事業年度における過去適用等事業年度に係る各欠損金増加額が既確定各欠損金増加額（当該対象事業年度終了の日以前に提出された当該過去適用等事業年度の確定申告書等若しくは修正申告書に添付された書類又は同日以前にされた第二章第三節の一の**1**の表の①《更正》若しくは同表の③《再更正》による更正に係る同**1**の(3)《更正通知書の記載事項》に掲げる更正通知書に添付された書類のうち、最も新しいものに当該過去適用等事業年度に係る各欠損金増加額として記載された金額をいう。以下(2)において同じ。）と異なるときは、既確定各欠損金増加額を当該過去適用等事業年度に係る各欠損金増加額とみなす。（措法42の4⑫）

③　過去適用事業年度等において調整対象金額が当初申告税額控除可能額を超える場合

　青色申告書を提出する内国法人の各事業年度（以下③において「各対象事業年度」という。）終了の時において、当該内国法人又は他の内国法人（当該内国法人の**2**又は**3**の適用を受けた事業年度〔当該内国法人に係る通算親法人のこれらに掲げる事業年度終了の日に終了するものに限る。以下③において「過去適用事業年度」という。〕終了の日において当該内国法人との間に通算完全支配関係がある他の内国法人に限る。以下③において「他の適用内国法人」という。）の過去適用事業年度又は同日に終了する事業年度（以下③において「過去適用事業年度等」という。）における**2**又は**3**の適用について①の表の(六)又は同表の(七)の適用があった場合において、調整税額控除可能額（当該過去適用事業年度における同表の(三)のイに掲げる金額と当該過去適用事業年度における同(三)のロに掲げる金額から当該内国法人又は他の適用内国法人の当該過去適用事業年度等に係る同表の(七)により法人税の額に加算することとされた同(七)に掲げる相当する金額を控除した金額とのうちいずれか少ない金額をいう。(1)及び(2)において同じ。）と既取戻税額控除超過額（当該内国法人又は他の適用内国法人の当該過去適用事業年度等に係る①の表の(六)の適用がある場合における同(六)のイに掲げる税額控除超過額及び同表の(七)により法人税の額に加算することとされた同(七)に掲げる相当する金額の合計額をいう。以下③、(1)及び(2)において同じ。）との合計額（既に当該内国法人の当該各対象事業年度開始の日前に開始した各事業年度において当該過去適用事業年度等に係る既取戻税額控除超過額につき③の適用がある場合には、当該各事業年度において③により控除することとされた金額の計算の基礎となった③に掲げる控除した金額の合計額を除く。以下③において「調整対象金額」という。）が当初申告税額控除可能額（当該内国法人の過去適用事業年度の確定申告書等に添付された書類に当該過去適用事業年度における①の表の(三)に掲げる税額控除可能額として記載された金額をいう。以下③において同じ。）を超えるときは、当該内国法人の当該各対象事業年度の所得に対する調整前法人税額（④の(3)において準用する③により当該調整前法人税額から控除される金額を除く。）から、当該調整対象金額から当初申告税額控除可能額を控除した金額（当該金額が既取戻税額控除超過額を超える場合には、当該既取戻税額控除超過額）に当該内国法人の当該過去適用事業年度に係る控除分配割合を乗じて計算した金額に相当する金額を控除する。（措法42の4⑬）

（調整対象基礎額又は控除分配割合とみなす場合）

（1）　③を適用する場合において、③の内国法人の③の各対象事業年度に係る調整対象基礎額（調整税額控除可能額と既取戻税額控除超過額との合計額をいう。以下(1)において同じ。）又は控除分配割合が当初申告調整対象基礎額又は当初申告控除分配割合（それぞれ当該各対象事業年度の確定申告書等に添付された書類に当該各対象事業年度に係る調整対象基礎額として記載された金額又は当該確定申告書等に添付された書類に当該各対象事業年度に係る控除分配割合として記載された割合をいう。以下(1)において同じ。）と異なるときは、当初申告調整対象基礎額又は当初申告控除分配割合を③の当該各対象事業年度に係る調整対象基礎額又は控除分配割合とみなす。（措法42の4⑭）

（計算に関する明細を記載した書類の添付）

（2）　③は、③の各対象事業年度の確定申告書等に③による控除を受ける金額の計算の基礎となる調整税額控除可能額及び既取戻税額控除超過額並びに控除を受ける金額並びにこれらの金額の計算に関する明細を記載した書類の添付がある場合に限り、適用する。（措法42の4⑮）

第三章　第二節　第二款　五《試験研究を行った場合の法人税額の特別控除》

④　**その他の取扱い**

（みなし金額の否認がある場合の適用対象事業年度又は各対象事業年度の不適用）
（1）　①の通算法人の適用対象事業年度において、第一節第三十五款の一の1の③の（3）《みなし金額の否認》の適用がある場合には、①の表の（四）から（七）までは、当該適用対象事業年度については、適用しない。この場合において、当該適用対象事業年度を②に掲げる過去適用等事業年度とする②に掲げる通算法人等の②に掲げる対象事業年度又は当該適用対象事業年度を③に掲げる過去適用事業年度とする③の内国法人の③の各対象事業年度については、これらは、適用がないものとする。（措法42の4⑯）

（みなし金額の否認がある場合の対象事業年度又は各対象事業年度の不適用）
（2）　②の通算法人の②に掲げる対象事業年度又は③の内国法人の③の各対象事業年度において、第一節第三十五款の一の1の③の（3）《みなし金額の否認》の適用がある場合には、②の（2）又は③の（1）は、当該対象事業年度又は当該各対象事業年度については、適用しない。（措法42の4⑰）

（通算法人に係る産学官連携の協同研究・委託研究に係る法人税額の特別控除の準用）
（3）　①（①の表の（八）から（十）までを除く。）及び②から④までは、通算法人に係る**4**《産学官連携の共同研究・委託研究に係る法人税額の特別控除》を適用する場合について準用する。この場合において、次の表の左欄に掲げる規定中同表の中欄に掲げる字句は、それぞれ同表の右欄に掲げる字句に読み替えるものとする。（措法42の4⑱）

租税特別措置法第42条の4第8項第1号	第1項中	前項中
	「事業年度」と、第4項中「、解散（合併による解散を除く。）の日を含む事業年度及び清算中の各事業年度を除く」とあるのは「を除く	、「事業年度
租税特別措置法第42条の4第8項第2号	第1項に	前項に
	限る。）又は当該通算法人の第4項に規定する事業年度（当該通算法人に係る通算親法人の同項に規定する事業年度終了の日に終了する事業年度に限る	限る
	試験研究費の額が	特別試験研究費の額（前項に規定する特別試験研究費の額をいう。以下第10項までにおいて同じ。）が
	試験研究費の額は	特別試験研究費の額は
租税特別措置法第42条の4第8項第3号	第1項の税額控除限度額又は第4項の中小企業者等税額控除限度額	前項の特別研究税額控除限度額
租税特別措置法第42条の4第8項第3号イ	試験研究費の額の	特別試験研究費の額の
	に、次に掲げる場合の区分に応じそれぞれ次に定める割合（当該割合に小数点以下3位未満の端数があるときはこれを切り捨てた割合とし、それぞれ次に定める割合が$\frac{10}{100}$を超えるときは$\frac{10}{100}$とする。）を乗じて計算した金額（第4項の規定の適用を受ける場合には	のうち前項第1号に規定する政令で定める金額の$\frac{30}{100}$に相当する金額
	の$\frac{12}{100}$に相当する金額）	のうち同項第2号に規定する政令で定める金額の$\frac{25}{100}$に相当する金額並びに当該合計額のうち同項第1号及び第2号に規定する政令で定める金額以外の金額の$\frac{20}{100}$に相当する金額の合計額
租税特別措置法第42条の4第8項第3号	$\frac{25}{100}$	$\frac{10}{100}$

ロ		
租税特別措置法第42条の4第8項第4号	の試験研究費の額	の特別試験研究費の額
租税特別措置法第42条の4第8項第7号	$\frac{25}{100}$	$\frac{10}{100}$
租税特別措置法第42条の4第9項及び第10項	試験研究費の額	特別試験研究費の額
租税特別措置法第42条の4第11項第1号	$\frac{25}{100}$に相当する金額(次に掲げる場合に該当する場合には、それぞれ次に定める金額を加算した金額)	$\frac{10}{100}$に相当する金額
租税特別措置法第42条の4第11項第2号	第1項の控除上限額又は第4項の中小企業者等控除上限額	第7項に規定する$\frac{10}{100}$に相当する金額
租税特別措置法第42条の4第13項	(第18項において準用するこの項の規定により当該調整前法人税額から控除される金額を除く。)から	から

(通算親法人が合併以外の事由による解散をした場合の通算子法人の適用関係)
(4) 通算親法人が解散(合併による解散を除く。)をした場合における当該通算親法人に係る通算子法人の当該解散の日の属する事業年度については、①((3)において準用する場合を含む。)の適用はなく、2若しくは3又は4の適用があることに留意する。(措通42の4(4)-5)

(試験研究費の額又は特別試験研究費の額を有しない通算法人に係る適用関係)
(5) 通算法人の①の表の(二)に掲げる適用対象事業年度における**五**の適用に当たっては、それぞれ次のことに留意する。(措通42の4(4)-6)

(一)	当該通算法人に**1**の表の①に掲げる試験研究費の額がない場合であっても、①の表の(二)に掲げるところにより、**2**又は**3**の適用がある。
(二)	当該通算法人に**4**に掲げる特別試験研究費の額がない場合であっても、(3)において準用する①の表の(二)に掲げるところにより、**4**の適用がある。

6　特別控除の申告

2《試験研究を行った場合の法人税額の特別控除》、**3**《中小企業者等の試験研究費に係る法人税額の特別控除》及び**4**《産学官連携の共同研究・委託研究に係る法人税額の特別控除》は、確定申告書等(**2**、**3**及び**4**の税額控除により控除を受ける金額を増加させる修正申告書又は更正請求書を提出する場合には、当該修正申告書又は更正請求書を含む。)に**2**、**3**及び**4**による控除の対象となる試験研究費の額又は特別試験研究費の額、控除を受ける金額及び当該金額の計算に関する明細を記載した書類の添付がある場合に限り、適用する。この場合において、**2**、**3**及び**4**により控除される金額の計算の基礎となる試験研究費の額又は特別試験研究費の額は、確定申告書等に添付された書類に記載された試験研究費の額又は特別試験研究費の額を限度とする。(措法42の4㉑)

六　中小企業者等が機械等を取得した場合の法人税額の特別控除

1　法人税額の特別控除

　特定中小企業者等（中小企業者等〔**五の3の(2)**《中小企業者の意義》に掲げる中小企業者〈同**3の(7)**《適用除外事業者の意義》に掲げる適用除外事業者又は同**3の(8)**《通算適用除外事業者の意義》に掲げる通算適用除外事業者に該当するものを除く。〉又は同**3の(12)**《農業協同組合等の意義》に掲げる農業協同組合等若しくは商店街振興組合で、青色申告を提出するものをいう。〕のうち、資本金の額又は出資金の額が3,000万円を超える法人〔他の通算法人のうちいずれかの法人が資本金の額又は出資金の額が3,000万円を超える法人に該当する場合における通算法人を含むものとし、同(12)に掲げる農業協同組合等及び商店街振興組合を除く。〕以外の法人をいう。以下**六**において同じ。）が、平成10年6月1日から令和7年3月31日までの期間（以下**六**において「**指定期間**」という。）内に、次の表に掲げる減価償却資産（①から③に掲げる減価償却資産にあっては、（4）《税額控除の対象となる特定機械装置等の規模》に掲げる規模のものに限るものとし、匿名組合契約その他これに類する契約として(8)《匿名組合契約に類する契約》に掲げる契約の目的である事業の用に供するものを除く。以下**六**において「**特定機械装置等**」という。）でその製作の後事業の用に供されたことのないものを取得し、又は特定機械装置等を製作して、これを国内にある当該特定中小企業者等の営む(10)《指定事業の範囲》に掲げる事業の用（⑤に掲げる事業を営む法人で内航海運業法第2条第2項第2号《定義》に掲げる事業を営む法人以外の法人の貸付けの用を除く。以下**六**において「**指定事業の用**」という。）に供した場合において、当該特定機械装置等につき第一節第七款の**一**の**1**《中小企業者等が特定機械装置等を取得した場合の初年度特別償却》の適用を受けないときは、その指定事業の用に供した日を含む事業年度（解散〔合併による解散を除く。〕の日を含む事業年度及び清算中の各事業年度を除く。以下**六**において「**供用年度**」という。）の所得に対する**調整前法人税額**（**五の1**《試験研究を行った場合の法人税額の特別控除》の表の②に掲げる調整前法人税額をいう。以下**六**において同じ。）からその指定事業の用に供した当該特定機械装置等の取得価額（⑤に掲げる減価償却資産にあっては、当該取得価額に$\frac{75}{100}$を乗じて計算した金額。以下**六**において「**基準取得価額**」という。）の合計額の$\frac{7}{100}$に相当する金額（以下**1**及び**2**の(1)において「**税額控除限度額**」という。）を控除する。この場合において、当該特定中小企業者等の供用年度における税額控除限度額が、当該特定中小企業者等の当該供用年度の所得に対する調整前法人税額の$\frac{20}{100}$に相当する金額を超えるときは、その控除を受ける金額は、当該$\frac{20}{100}$に相当する金額を限度とする。（措法42の6②①、措令27の6①②③⑦⑧⑪、措規20の3①②③④⑥）

$$\text{税額控除限度額} = \text{特定機械装置等の基準取得価額の合計額} \times \frac{7}{100} \quad \text{ただし、}\left[\text{供用年度の調整前法人税額}_{\text{（申告書別表一の「2」欄の金額）}} \times \frac{20}{100}\right]\text{を限度}$$

①	機械及び装置（次に掲げる要件に該当するものを除く。）		
	(一)	その管理のおおむね全部を他の者に委託するものであること。	
	(二)	要する人件費が少額なサービス業として洗濯機、乾燥機その他の洗濯に必要な設備（共同洗濯設備として病院、寄宿舎その他の施設内に設置されているものを除く。）を設け、これを公衆に利用させる事業（中小企業者等の主要な事業として次に掲げるものを除く。）の用に供するものであること。	
		イ	継続的に中小企業者等の経営資源（事業の用に供される不動産、事業に関する従業者の有する技能又は知識〔租税に関するものを除く。〕その他これらに準ずるものをいう。）を活用して行い、又は行うことが見込まれる事業
		ロ	中小企業者等が行う主要な事業に付随して行う事業
②	工具（製品の品質管理の向上等に資するものとして測定工具及び検査工具〔電気又は電子を利用するものを含む。〕に限る。）		
③	ソフトウエア（電子計算機に対する指令であって一の結果を得ることができるように組み合わされたもの〔これに関連するシステム仕様書その他の書類を含むものとし、(7)《税額控除の対象から除かれるソフトウエアの範囲》に掲げるものを除く。〕に限る。）		
④	車両及び運搬具（貨物の運送の用に供される自動車で輸送の効率化等に資するものとして、道路運送車両法施行規則別表第一に規定する普通自動車で貨物の運送の用に供されるもののうち車両総重量〔道路運送車両法第40条第3号《自動車の構造》に規定する車両総重量をいう。〕が3.5トン以上のものに限る。）		

⑤	内航海運業法第2条第2項《定義》第1号及び第2号に掲げる事業の用に供される船舶（輸送の効率化等に資するものとして総トン数が500トン以上の船舶にあっては、その船舶に用いられた指定装置等〔環境への負荷の低減に資するものとして国土交通大臣が指定する装置〈機器及び構造を含む。1において同じ。〉をいう。〕の内容その他の（9）《環境への負荷の低減に資するものとして国土交通大臣が指定する装置》に掲げる事項を国土交通大臣に届け出たものであることにつき（9）に掲げるところにより明らかにされた船舶）
	注　国土交通大臣は、上表の⑤に掲げる装置を指定したときは、これを告示する。（措令27の6⑩）

注　⑤に掲げる国土交通大臣が指定する装置は、令和5年国土交通省告示第264号により指定されている。（編者）

(事業年度の中途において中小企業者等に該当しなくなった場合等の適用)
(1) 法人が各事業年度の中途において1に掲げる中小企業者等に該当しないこととなった場合においても、その該当しないこととなった日前に取得等をして指定事業の用に供した特定機械装置等については、1に掲げる適用除外事業者に該当しない限り、1の税額控除の適用があることに留意する。この場合において、(4)《税額控除の対象となる特定機械装置等の規模》の表の(二)に掲げる工具に係る取得価額の合計額が120万円以上であるかどうか、(4)の表の(三)に掲げるソフトウエアに係る取得価額の合計額が70万円以上であるかどうか（以下「取得価額基準額」という。）は、その中小企業者等に該当していた期間内に取得等をして指定事業の用に供していたものの取得価額の合計額によって判定することに留意する。（措通42の6-1・編者補正）

注　法人が各事業年度の中途において特定中小企業者等に該当しないこととなった場合の1の税額控除の適用についても、同様とする。

(通算法人に係る中小企業者であるかどうか等の判定の時期)
(2) 通算法人に係る1の適用上、当該通算法人が**五の3**の(2)《中小企業者の意義》に掲げる中小企業者に該当するかどうかの判定（以下「中小判定」という。）は、当該通算法人及び他の通算法人（次の(一)又は(二)の日及び次の(三)の日のいずれにおいても当該通算法人との間に通算完全支配関係がある法人に限る。）の当該(一)及び(二)の日の現況によるものとする。（措通42の6-1の2）

(一)	当該通算法人が特定機械装置等の取得等をした日
(二)	当該通算法人が当該特定機械装置等を指定事業の用に供した日
(三)	当該通算法人の1の適用を受けようとする事業年度終了の日

通算親法人の事業年度の中途において通算承認の効力を失った通算法人のその効力を失った日の前日に終了する事業年度における中小判定についても、同様とする。

注　本文の取扱いは、当該通算法人が1に掲げる「中小企業者等のうち政令で定める法人以外の法人」に該当するかどうかの判定（**五の3**の(7)《適用除外事業者の意義》に掲げる適用除外事業者又は同3の(8)《通算適用除外事業者の意義》に掲げる通算適用除外事業者に該当するかどうかの判定を除く。）について準用する。

(主要な事業であるものの例示)
(3) 1の表の①の(二)の適用上、次に掲げる事業には、例えば、それぞれ次に掲げるような行為が該当する。（措通42の6-1の3）

(一)	1の表の①の(二)のイに掲げる事業	中小企業者等がその所有する店舗、事務所等の一画を活用して、いわゆるコインランドリーを利用させる役務を提供する行為
(二)	1の表の①の(二)のロに掲げる事業	公衆浴場を営む中小企業者等がその利用客に対して、いわゆるコインランドリーを利用させる役務を提供する行為

(税額控除の対象となる特定機械装置等の規模)
(4) 1の表の①又は②に掲げる特定機械装置等のうち税額控除の対象となるものは、次に掲げる規模のものとする。（措令27の6④）

(一)	機械及び装置	一台又は一基（通常一組又は一式をもって取引の単位とされるものにあっては、一組又は一式。以下(二)において同じ。）の**取得価額**（第一節第六款の**六**の**1**《減価償却資産の取得価額》により計算した取得価額をいう。以下(4)において同じ。）が160万円以上のもの	
(二)	工具	イ	一台又は一基の取得価額が120万円以上のもの

		ロ	当該中小企業者等（**1**に掲げる中小企業者等をいう。以下（4）において同じ。）が当該事業年度（**1**に掲げる指定期間の末日以前に開始し、かつ、当該末日後に終了する事業年度にあっては、当該事業年度開始の日から当該末日までの期間に限る。）において、取得（その製作の後事業の用に供されたことのないものの取得に限る。以下（三）において同じ。）又は製作をして国内にある当該中小企業者等の営む指定事業の用に供した**1**の表の②に掲げる工具（一台又は一基の取得価額が30万円以上のものに限る。）の取得価額の合計額が120万円以上である場合の当該工具を含む。
（三）	ソフトウエア	イ	一のソフトウエアの取得価額が70万円以上のもの
		ロ	当該中小企業者等が当該事業年度（**1**に掲げる指定期間の末日以前に開始し、かつ、当該末日後に終了する事業年度にあっては、当該事業年度開始の日から当該末日までの期間に限る。）において、取得又は製作をして国内にある当該中小企業者等の営む**1**に掲げる指定事業の用に供した**1**の表の③に掲げるソフトウエア（第一節第六款の**二**の**1**《少額の減価償却資産の取得価額の損金算入》又は同**二**の**2**《一括償却資産の損金算入》の適用を受けるものを除く。）の取得価額の合計額が70万円以上のもの

　注　上記の金額基準を満たしているかどうかは、第一節第一款の**七**の**2**の（9）《少額の減価償却資産等の取得価額等の判定》により、法人が適用している税抜経理方式又は税込経理方式に応じ、その適用している方式により算定した価額により判定する。（平元直法2－1「9」参照）

　　（取得価額の判定単位）
（5）（4）《税額控除の対象となる特定機械装置等の規模》の表の（一）及び同表の（二）に掲げる機械及び装置又は工具の一台又は一基の取得価額が160万円以上又は120万円以上であるかどうかについては、通常一単位として取引される単位ごとに判定するのであるが、個々の機械及び装置の本体と同時に設置する自動調整装置又は原動機のような附属機器で当該本体と一体になって使用するものがある場合には、これらの附属機器を含めたところによりその判定を行うことができるものとする。（措通42の6－2・編者補正）

　　注　**1**の表の②に掲げる工具の取得価額の合計額が120万円以上であるかどうかについては、同②に掲げる測定工具及び検査工具の取得価額の合計額により判定することに留意する。

　　（圧縮記帳の適用を受けた場合の特定機械装置等の取得価額要件の判定）
（6）（4）の表に掲げる機械及び装置、工具又はソフトウエアの取得価額が160万円以上、120万円以上又は70万円以上であるかどうかを判定する場合において、その機械及び装置、工具又はソフトウエアが第一節第十五款の**一**《国庫補助金等による圧縮記帳》、同款の**二**《工事負担金による圧縮記帳》、同款の**三**《非出資組合の賦課金による圧縮記帳》及び同款の**四**《保険金等による圧縮記帳》による圧縮記帳の適用を受けたものであるとき（法人が取得等をした（4）の表の（一）から（三）に掲げる機械及び装置、工具並びにソフトウエアにつき、供用年度後の事業年度において同款の**一**から**四**の適用を受けることが予定されている場合を含む。）は、その圧縮記帳後の金額（法人が取得等をした（4）の表の（一）から（三）に掲げる機械及び装置、工具並びにソフトウエアにつき、供用年度後の事業年度において同款の**一**から**四**の適用を受けることが予定されている場合にあっては、第一節第六款の**六**の**1**《減価償却資産の取得価額》に掲げる金額から当該供用年度後の事業年度において第一節第十五款の**一**から**四**の適用を受けるとしたならば、第一節第六款の**六**の**3**《圧縮記帳資産の取得価額の特例》に掲げる「損金の額に算入された金額（……金額を加算した金額）」となることが見込まれる金額を控除した金額）に基づいてその判定を行うものとする。（措通42の6－3、42の5～48（共）－3の2・編者補正）

　　（税額控除の対象から除かれるソフトウエアの範囲）
（7）**1**の表の③のソフトウエアから除かれるものは、次の（一）から（三）までに掲げるものとする。（措令27の6②、措規20の3⑤）

（一）	複写して販売するための原本
（二）	開発研究（新たな製品の製造若しくは新たな技術の発明又は現に企業化されている技術の著しい改善を目的として特別に行われる試験研究をいう。）の用に供されるもの

第三章　第二節　第二款　六《中小企業者等の機械等の税額控除》

次のイからホまでに掲げるもの

(三)	イ	サーバー用オペレーティングシステム（ソフトウエア〔電子計算機に対する指令であって一の結果を得ることができるように組み合わされたものをいう。以下(三)において同じ。〕の実行をするために電子計算機の動作を直接制御する機能を有するサーバー用のソフトウエアをいう。ロにおいて同じ。）のうち、国際標準化機構及び国際電気標準会議の規格15408に基づき評価及び認証をされたもの（ロにおいて「認証サーバー用オペレーティングシステム」という。）以外のもの
	ロ	サーバー用仮想化ソフトウエア（2以上のサーバー用オペレーティングシステムによる一のサーバー用の電子計算機〔当該電子計算機の記憶装置に当該2以上のサーバー用オペレーティングシステムが書き込まれたものに限る。〕に対する指令を制御し、当該指令を同時に行うことを可能とする機能を有するサーバー用のソフトウエアをいう。以下ロにおいて同じ。）のうち、認証サーバー用仮想化ソフトウエア（電子計算機の記憶装置に書き込まれた2以上の認証サーバー用オペレーティングシステムによる当該電子計算機に対する指令を制御するサーバー用仮想化ソフトウエアで、国際標準化機構及び国際電気標準会議の規格15408に基づき評価及び認証をされたものをいう。）以外のもの
	ハ	データベース管理ソフトウエア（データベース〔数値、図形その他の情報の集合物であって、それらの情報を電子計算機を用いて検索することができるように体系的に構成するものをいう。以下ハにおいて同じ。〕の生成、操作、制御及び管理をする機能を有するソフトウエアであって、他のソフトウエアに対して当該機能を提供するものをいう。）のうち、国際標準化機構及び国際電気標準会議の規格15408に基づき評価及び認証をされたもの以外のもの（以下ハにおいて「非認証データベース管理ソフトウエア」という。）又は当該非認証データベース管理ソフトウエアに係るデータベースを構成する情報を加工する機能を有するソフトウエア
	ニ	連携ソフトウエア（情報処理システム〔情報処理の促進に関する法律第2条第3項《定義》に規定する情報処理システムをいう。以下ニにおいて同じ。〕から指令を受けて、当該情報処理システム以外の情報処理システムに指令を行うソフトウエアで、次の(イ)から(ハ)までに掲げる機能を有するものをいう。）のうち、(イ)の指令を日本産業規格（産業標準化法第20条第1項《日本産業規格》に規定する日本産業規格をいう。(イ)において同じ。）X5731-8に基づき認証をする機能及び(イ)の指令を受けた旨を記録する機能を有し、かつ、国際標準化機構及び国際電気標準会議の規格15408に基づき評価及び認証をされたもの以外のもの

	(イ)	日本産業規格X0027に定めるメッセージの形式に基づき日本工業規格X4159に適合する言語を使用して記述された指令を受ける機能
	(ロ)	指令を行うべき情報処理システムを特定する機能
	(ハ)	その特定した情報処理システムに対する指令を行うに当たり、当該情報処理システムが実行することができる内容及び形式に指令の付加及び変換を行い、最適な経路を選択する機能

ホ	不正アクセス防御ソフトウエア（不正アクセスを防御するために、あらかじめ設定された次の表の左欄に掲げる通信プロトコルの区分に応じそれぞれ同表の右欄に掲げる機能を有するソフトウエアであって、インターネットに対応するものをいう。）のうち、国際標準化機構及び国際電気標準会議の規格15408に基づき評価及び認証をされたもの以外のもの

(イ)	通信路を設定するための通信プロトコル	ファイアウォール機能（当該通信プロトコルに基づき、電気通信信号を検知し、通過させる機能をいう。）
(ロ)	通信方法を定めるための通信プロトコル	システム侵入検知機能（当該通信プロトコルに基づき、電気通信信号を検知し、又は通過させる機能をいう。）
(ハ)	アプリケーションサービスを提供するための通信プロトコル	アプリケーション侵入検知機能（当該通信プロトコルに基づき、電気通信信号を検知し、通過させる機能をいう。）

第三章　第二節　第二款　六《中小企業者等の機械等の税額控除》

　　　　（匿名組合契約に類する契約）
（８）　**1**で掲げる匿名組合契約に類する契約は、次に掲げる契約とする。（措令27の６⑤）

(一)	当事者の一方が相手方の事業のために出資をし、相手方がその事業から生ずる利益を分配することを約する契約
(二)	外国における匿名組合契約又は(一)に掲げる契約に類する契約

　　　　（環境への負荷の低減に資するものとして国土交通大臣が指定する装置）
（９）　**1**の表の⑤に掲げる事項は、次表に掲げる事項とし、同⑤に掲げる国土交通大臣に届け出たものであることを明らかにされた船舶は、**1**の適用を受けようとする事業年度の確定申告書等に国土交通大臣の当該事項の届出があった旨を証する書類の写しを添付することにより明らかにされた船舶とする。（措規20の３⑦）

(一)	その船舶に用いられた指定装置等の内容
(二)	指定装置等（その船舶に用いることができないものを除く。）のうちその船舶に用いられていないものがある場合には、その理由及び当該指定装置等に代わり用いられた装置（機器及び構造を含む。）の内容

　　　　（指定事業の範囲）
（10）　**1**の税額控除の対象となる指定事業は、次の(一)から(二十四)までに掲げる事業とする。（措法42の６①、措令27の６⑥、措規20の３⑧）

(一)	製造業		キャバレー、ナイトクラブその他これらに類する事業にあっては、生活衛生同業組合の組合員が行うものに限る。)
(二)	建設業		
(三)	農業		
(四)	林業	(十五)	一般旅客自動車運送業
(五)	漁業	(十六)	海洋運輸業及び沿海運輸業
(六)	水産養殖業	(十七)	内航船舶貸渡業
(七)	鉱業	(十八)	旅行業
(八)	卸売業	(十九)	こん包業
(九)	道路貨物運送業	(二十)	郵便業
(十)	倉庫業	(二十一)	通信業
(十一)	港湾運送業	(二十二)	損害保険代理業
(十二)	ガス業	(二十三)	不動産業
(十三)	小売業	(二十四)	サービス業（娯楽業〔映画業を除く。〕を除く。)
(十四)	料理店業その他の飲食店業（料亭、バー、		

　　注　(十三)から(二十四)までに掲げる事業については、風俗営業等の規制及び業務の適正化等に関する法律第２条第５項《用語の意義》に規定する性風俗関連特殊営業に該当するものを除く。（措規20の３⑧括弧書）

　　　　（主たる事業でない場合の適用）
（11）　法人の営む事業が指定事業に該当するかどうかは、当該法人が主たる事業としてその事業を営んでいるかどうかを問わないことに留意する。（措通42の６－４）

　　　　（事業の判定）
（12）　法人の営む事業が指定事業に該当するかどうかは、おおむね日本標準産業分類（総務省）の分類を基準として判定する。（措通42の６－５）
　　注１　(10)《指定事業の範囲》の(七)に掲げる「鉱業」については、日本標準産業分類の「大分類C鉱業、採石業、砂利採取業」に分類する事業が該当する。
　　注２　(10)《指定事業の範囲》の(二十四)に掲げる「サービス業」については、日本標準産業分類の「大分類G情報通信業」（通信業を除く。）、「小分類693駐車場業」、「中分類70物品賃貸業」、「大分類L学術研究、専門・技術サービス業」、「中分類75宿泊業」、「中分類78洗濯・理容・美容・浴場業」、「中分類79その他の生活関連サービス業」（旅行業を除く。）、「大分類O教育、学習支援業」、「大分類P医療、福祉」、「中分類87協同組合（他に分類されないもの）」及び「大分類Rサービス業（他に分類されないもの）」に分類する事業が該当する。

(その他これらに類する事業に含まれないもの)
(13) (10)の(十四)の括弧書に掲げる料亭、バー、キャバレー、ナイトクラブに類する事業には、例えば大衆酒場及びビヤホールのように一般大衆が日常利用する飲食店は含まないものとする。(措通42の6－6・編者補正)

(指定事業とその他の事業とに共通して使用される特定機械装置等)
(14) 指定事業とその他の事業とを営む法人が、その取得等をした特定機械装置等をそれぞれの事業に共通して使用している場合には、その全部を指定事業の用に供したものとして**1**の税額控除を適用する。(措通42の6－7)

(国庫補助金等の圧縮記帳の適用を受ける場合の取得価額)
(15) **1**に掲げる税額控除限度額の計算の基礎となる特定機械装置等の取得価額は、次の左欄に掲げる場合には、それぞれ次の右欄に掲げる金額による。(措通42の5～48(共)－3の2・編者補正)

(一)	法人が取得等をした特定機械装置等につき、供用年度において第一節第十五款の**一**《国庫補助金等による圧縮記帳》、同款の**二**《工事負担金による圧縮記帳》、同款の**三**《非出資組合の賦課金による圧縮記帳》及び同款の**四**《保険金等による圧縮記帳》の適用を受ける場合	第一節第六款の**六の3**《圧縮記帳資産の取得価額の特例》により同**六の1**《減価償却資産の取得価額》の取得価額とみなすこととされる金額
(二)	法人が取得等をした特定機械装置等につき、供用年度後の事業年度において第一節第十五款の**一**、同款の**二**、同款の**三**及び同款の**四**の適用を受けることが予定されている場合	第一節第六款の**六の1**の表に掲げる金額から当該供用年度後の事業年度において第一節第十五款の**一**、同款の**二**、同款の**三**及び同款の**四**の適用を受けるとしたならば、第一節第六款の**六の3**に掲げる「損金の額に算入された金額(……金額を加算した金額)」となることが見込まれる金額(以下「損金算入見込額」という。)を控除した金額

注1　(二)の損金算入見込額は、当該供用年度終了の日において、第一節第十五款の**一**の**1**《国庫補助金等で取得した固定資産の圧縮額の損金算入》に掲げる国庫補助金等若しくは同款の**二**の**1**《工事負担金で取得した固定資産の圧縮額の損金算入》の金銭の交付を受け、同款の**三**の**1**《非出資組合が賦課金で取得した固定資産の圧縮額の損金算入》の賦課に基づいて納付され、又は同款の**四**の**1**《保険金等で取得した固定資産の圧縮額の損金算入》に掲げる保険金等の支払を受けることが見込まれる金額(同款の**一**の**7**《特別勘定を設けた場合の国庫補助金等で取得した固定資産の圧縮額の損金算入》の適用を受けることが予定されている場合には、同款の**一**の**1**に掲げる国庫補助金等の交付を受けた金額で返還を要しないことが供用年度終了の日までに確定していないものを含む。)とすることができる。

注2　法人が特定機械装置等の供用年度において税額控除限度額等の計算の基礎となる特定機械装置等の取得価額を(二)に定める金額によることなく第一節第六款の**六の1**の表に掲げる金額に基づき税額控除限度額等を計算して申告をしている場合において、供用年度後の事業年度に第一節第十五款の**一**、同款の**二**、同款の**三**及び同款の**四**の適用を受けるときは、第一節第六款の**六の3**により同**六の1**の取得価額とみなすこととされる金額に基づき供用年度の税額控除限度額等を修正することに留意する。

(特定機械装置等の対価につき値引きがあった場合の税額控除限度額の計算)
(16) 法人が供用年度後の事業年度において当該特定機械装置等の対価の額につき値引きがあった場合には、供用年度に遡って当該値引きのあった特定機械装置等に係る**1**の税額控除限度額の修正を行うものとする。(措通42の6－10・編者補正)

(特別償却の適用を受けたものの意義)
(17) 法人が、その有する減価償却資産について、第一節第七款の**一**の**1**《中小企業者等が特定機械装置等を取得した場合の初年度特別償却》による特別償却等に係る償却を実施していない場合においても、当該特別償却等に関する明細書においてその特別償却限度額の計算を行い、同款の**二十三**の**1**《特別償却不足額がある場合の償却限度額の計算》に掲げる特別償却不足額若しくは同**二十三**の**2**《合併等特別償却不足額がある場合の償却限度額の計算》に掲げる合併等特別償却不足額として記載しているとき又はこれらの特別償却等に係る同款の**二十四**《準備金方式による特別償却》による特別償却準備金の積立不足額若しくは合併等特別償却準備金積立不足額として処理したときは、当該減価償却資産は、当該特別償却限度額に係る特別償却等の適用を受けたものに該当することに留意する。(措通42の5～48(共)－2・編者補正)

(適格合併等があった場合の特別償却等の適用)
(18) **1**の税額控除は、減価償却資産を事業の用に供した場合に適用があるのであるから、適格合併等(適格合併、適格分割、適格現物出資又は適格現物分配をいう。)による移転に係る減価償却資産について**1**の適用があるかどうかは、当該減価償却資産を事業の用に供した日の現況において、**1**に掲げる適用要件(適用対象法人、適用期間、適用対象事業等に関する要件をいう。以下(18)において同じ。)を満たすかどうかにより判定することに留意する。(措通42の5〜48(共)−3・編者補正)

 注 例えば、中小企業者等(**1**に掲げる中小企業者等をいう。以下注において同じ。)に該当する被合併法人が減価償却資産を適格合併により中小企業者等に該当しない合併法人に移転する場合の**1**の適用については、次の(一)及び(二)のようになる。

(一)	被合併法人が当該減価償却資産を事業の用に供した場合は、他の適用要件を満たせば、被合併法人において**1**の適用を受けることができる。
(二)	被合併法人が当該減価償却資産を事業の用に供しないで合併法人が事業の用に供した場合は、被合併法人又は合併法人のいずれの法人においても、**1**の適用を受けることができない。

2 繰越税額控除限度超過額の1年間繰越控除

青色申告書を提出する法人が、各事業年度(解散〔合併による解散を除く。〕の日を含む事業年度及び清算中の各事業年度を除く。)において**繰越税額控除限度超過額**を有する場合には、当該事業年度の所得に対する調整前法人税額から、当該繰越税額控除限度超過額に相当する金額を控除する。この場合において、当該法人の当該事業年度における繰越税額控除限度超過額が当該法人の当該事業年度の所得に対する調整前法人税額の$\frac{20}{100}$に相当する金額(当該事業年度においてその指定事業の用に供した特定機械装置等につき**1**の税額控除により当該事業年度の所得に対する調整前法人税額から控除される金額又は**十四**の**1**《法人税額の特別控除》により当該事業年度の所得に対する調整前法人税額から控除される金額がある場合には、これらの金額を控除した残額)を超えるときは、その控除を受ける金額は、当該$\frac{20}{100}$に相当する金額を限度とする。(措法42の6③)

 注 繰越税額控除限度超過額の控除限度額の計算は、次のようになる。(編者)

$$\text{繰越税額控除限度超過額の控除限度額} = \left\{ \begin{pmatrix} \text{当期の所得に対する調整前法人税額} \\ \text{(申告書別表一の「2」欄の金額)} \end{pmatrix} \times \frac{20}{100} - \text{1により控除した金額} - \text{十四の1により控除した金額} \right\}$$

と

$$\begin{pmatrix} \text{繰越税額控除} \\ \text{限度超過額} \end{pmatrix}$$ とのいずれか少ない金額

(繰越税額控除限度超過額の意義)
(1) **2**《繰越税額控除限度超過額の1年間繰越控除》に掲げる繰越税額控除限度超過額とは、**2**に掲げる法人の当該事業年度開始の日前1年以内に開始した各事業年度(当該事業年度まで連続して青色申告書の提出をしている場合の各事業年度に限る。)における税額控除限度額のうち、**1**の税額控除による控除をしてもなお控除しきれない金額(既に**2**により当該各事業年度において調整前法人税額から控除された金額がある場合には、当該金額を控除した残額)の合計額をいう。(措法42の6④)

(被合併法人等が有する繰越税額控除限度超過額)
(2) (1)の繰越税額控除限度超過額を有している法人が、当該法人を被合併法人等(被合併法人、分割法人、現物出資法人又は現物分配法人をいう。)とする合併等(合併、分割、現物出資又は現物分配をいう。以下(2)において同じ。)を行った場合には、当該合併等が適格合併等(適格合併、適格分割、適格現物出資又は適格現物分配をいう。)に該当し、当該繰越税額控除限度額の基となった資産をこれにより移転したときであっても、当該繰越税額控除限度超過額を合併法人等(合併法人、分割承継法人、被現物出資法人又は被現物分配法人をいう。)に引き継ぐことは認められないのであるから留意する。(措通42の5〜48(共)−4・編者補正)

3 特別控除の申告

① 供用年度の特別控除の申告

1の税額控除は、確定申告書等(**1**の税額控除により控除を受ける金額を増加させる修正申告書又は更正請求書を提出する場合には、当該修正申告書又は更正請求書を含む。)に**1**の税額控除の対象となる特定機械装置等の取得価額、控除を

受ける金額及び当該金額の計算に関する明細を記載した書類の添付がある場合に限り、適用する。この場合において、**1**の税額控除により控除される金額の計算の基礎となる特定機械装置等の取得価額は、確定申告書等に添付された書類に記載された特定機械装置等の取得価額を限度とする。（措法42の6⑦）

 注　**六**の特別控除に係る明細を記載した書類は、次のとおり。（編者）
  別表六(十五)「中小企業者等が機械等を取得した場合の法人税額の特別控除に関する明細書」

②　繰越税額控除限度超過額がある場合の特別控除の申告

　2《繰越税額控除限度超過額の1年間繰越控除》の税額控除は、供用年度以後の各事業年度の確定申告書に**2**に掲げる繰越税額控除限度超過額の明細書《別表六(十五)》の添付がある場合で、かつ、**2**の税額控除の適用を受けようとする事業年度の確定申告書等（**2**の税額控除により控除を受ける金額を増加させる修正申告書又は更正請求書を提出する場合には、当該修正申告書又は更正請求書を含む。）に、**2**の税額控除の対象となる繰越税額控除限度超過額、控除を受ける金額及び当該金額の計算に関する明細を記載した書類の添付がある場合に限り、適用する。（措法42の6⑧）

七　沖縄の特定地域において工業用機械等を取得した場合の法人税額の特別控除

1　法人税額の特別控除

　青色申告書を提出する法人で次の表の「事業者」欄に掲げる事業者に該当するものが、平成14年4月1日から令和7年3月31日までの期間のうち(1)《税額控除の適用期間》に掲げる期間内に、同表の「区域」欄に掲げる区域内においてそれぞれ同表の「事業」欄に掲げる事業の用に供する設備で(2)《税額控除の対象となる工業用機械等の規模》に掲げる規模のものの新設又は増設をする場合において、当該新設若しくは増設に係るそれぞれ同表の「資産」欄に掲げる減価償却資産のうち当該区域の振興に資するものとして(3)《区域の振興に資する減価償却資産》に掲げるもの（特定高度情報通信技術活用システムの開発供給及び導入の促進に関する法律第2条第1項に規定する特定高度情報通信技術活用システム（同項第1号に掲げるものに限る。）にあっては当該法人の**十六**《認定特定高度情報通信技術活用設備を取得した場合の法人税額の特別控除》の1に掲げる認定特定高度情報通信技術活用設備に限るものとし、同表の他に掲げるものの適用を受けるものを除く。以下**七**において「**工業用機械等**」という。）でその製作若しくは建設の後事業の用に供されたことのないものを取得し、又は工業用機械等を製作し、若しくは建設して、これを当該区域内において当該法人の当該事業の用に供したときは、その事業の用に供した日を含む事業年度（解散〔合併による解散を除く。〕の日を含む事業年度及び清算中の各事業年度を除く。以下**七**において「**供用年度**」という。）の所得に対する**調整前法人税額**（**五の1**《試験研究を行った場合の法人税額の特別控除》の表の②に掲げる調整前法人税額をいう。以下**七**において同じ。）からその事業の用に供した当該工業用機械等の取得価額（一の生産等設備を構成するものの取得価額の合計額が20億円を超える場合には、20億円に当該工業用機械等の取得価額が当該一の生産等設備を構成する工業用機械等の取得価額の合計額のうちに占める割合を乗じて計算した金額）の$\frac{15}{100}$（建物及びその附属設備並びに構築物については、$\frac{8}{100}$）に相当する金額の合計額（以下**七**において「**税額控除限度額**」という。）を控除する。この場合において、当該法人の供用年度における税額控除限度額が、当該法人の当該供用年度の所得に対する調整前法人税額の$\frac{20}{100}$に相当する金額を超えるときは、その控除を受ける金額は、当該$\frac{20}{100}$に相当する金額を限度とする。（措法42の9①、措令27の9④～⑦⑨⑩、措規20の4④）

$$\text{税額控除限度額} = \text{工業用機械等の取得価額の合計額} \times \text{税額控除割合} \quad \text{ただし、}\left[\begin{array}{c}\text{供用年度の調整前法人税額}\\(\text{申告書別表一の「2」欄の金額})\end{array} \times \frac{20}{100}\right]\text{を限度}$$

　ただし、一の生産等設備を構成する工業用機械等の取得価額の合計額が20億円を超える場合には、上記算式の「取得価額の合計額」は工業用機械等ごとに次により計算した金額とする。

$$20億円 \times \frac{\text{工業用機械等の取得価額}}{\text{工業用機械等の取得価額の合計額}}$$

	事業者	区　域	事　業	資　産
①	沖縄振興特別措置法第8条第1項《課税の特例》に規定する認定事業者	同法第7条第1項《観光地形成促進計画の実施状況の報告等》に規定する提出観光地形成促進計画に定められた同法第6条第2項第2号《観光地形成促進計画の作成等》に規定する観光地形成促進地域の区域	同法第8条第1項に規定する特定民間観光関連施設の設置又は運営に関する事業	当該特定民間観光関連施設に含まれる機械及び装置、建物及びその附属設備並びに構築物のうち、特定の設備を構成する機械及び装置、建物及びその附属設備並びに構築物のうち、対象施設に含まれる部分
②	沖縄振興特別措置法第31条第1項《課税の特例》に規定する認定事業者	同法第29条第1項《情報通信産業振興計画の実施状況の報告等》に規定する提出情報通信産業振興計画に定められた同法第28条第2項第2号に規定する情報通信産業振興地域の区域	イ　電気通信業	機械及び装置
				器具及び備品（(7)《税額控除の対象となる特定の器具及び備品の範囲》に掲げるものに限る。）
				電気通信設備に供される建物並びに研究所用の建物及びその附属設備
				アンテナ及びその支持物並びにケーブル

			ロ	ソフトウェア業、情報処理・提供サービス業及び沖縄振興特別措置法第3条第6号《定義》に規定するインターネット付随サービス業	機械及び装置
					器具及び備品（（7）に掲げるものに限る。）
					事務所用、作業場用又は研究所用の建物及びその附属設備
③	沖縄振興特別措置法第36条《課税の特例》に規定する認定事業者	同法第35条の2第1項《産業イノベーション促進計画の実施状況の報告等》に規定する提出産業イノベーション促進計画に定められた同法第35条第2項第2号《産業イノベーション促進計画の実施状況の報告等》に規定する産業イノベーション促進地域の区域	イ	製造業	機械及び装置、器具及び備品、建物及びその附属設備並びに構築物のうち、（8）《1の表の③の資産の範囲》に掲げるもの
			ロ	道路貨物運送業	
			ハ	倉庫業	
			ニ	卸売業	
			ホ	デザイン業	
			ヘ	自然科学研究に属する事業	
			ト	電気業（沖縄振興特別措置法施行令第4条第8号に掲げる電気業をいう。）	
			チ	ガス供給業（沖縄振興特別措置法施行令第4条第9号に掲げるガス供給業をいう。）	
④	沖縄振興特別措置法第50条第1項《課税の特例》に規定する認定事業者	同法第42条第1項《国際物流拠点産業集積計画の実施状況の報告等》に規定する提出国際物流拠点産業集積計画に定められた同法第41条第2項第2号《国際物流拠点産業集積計画の作成等》に規定する国際物流拠点産業集積地域の区域	イ	製造業	機械及び装置
					工場用の建物及びその附属設備
			ロ	道路貨物運送業	機械及び装置
					工場用の建物、車庫用、作業場用又は倉庫用の建物及びその附属設備
			ハ	倉庫業	機械及び装置
					工場用の建物、作業場用又は倉庫用の建物及びその附属設備
			ニ	卸売業	機械及び装置
					工場用の建物、作業場、倉庫用又は展示場用の建物及びその附属設備
			ホ	無店舗小売業（沖縄振興特別措置法施行令第4条の2第5号《国際物流拠点産業》に掲げる無店舗小売業をいう。）	機械及び装置
					工場用の建物、事務所用、作業場用又は倉庫用の建物及びその附属設備
			ヘ	機械等修理業（沖縄振興特別措置法施行令第4条の2第6号に掲げる機械等修理業をいう。）	機械及び装置
					工場用の建物、作業場用又は倉庫用の建物及びその附属設備
			ト	不動産賃貸業（沖縄振興特別措置法施行令第4条の2第7号に掲げる不動産賃貸業をいう。）	機械及び装置
					工場用の建物、倉庫用の建物及びその附属設備
			チ	航空機整備業（沖縄振興特別	機械及び装置

			措置法施行令第４条の２第９号に掲げる航空機整備業をいう。）	工場用の建物、事務所用、作業場用、格納庫用又は倉庫用の建物及びその附属設備
⑤	沖縄振興特別措置法第57条第１項《課税の特例》に規定する認定事業者	同法第55条第１項《経済金融活性化特別地区の指定》の規定により経済金融活性化特別地区として指定された地区（同条第４項又は第５項の規定により変更があったときは、その変更後の地区）の区域	同法第55条の２第９項《経済金融活性化計画の認定等》に規定する認定経済金融活性化計画に定められた同条第２項第２号に規定する特定経済金融活性化産業に属する事業	機械及び装置
				器具及び備品（（7）に掲げるものに限る。）
				建物及びその附属設備

注　耐用年数省令別表第六《開発研究用減価償却資産の耐用年数表》の「器具及び備品」欄は、次による。

種　　類	細　　目
器具及び備品	試験又は測定機器、計算機器、撮影機及び顕微鏡

（税額控除の適用期間）

(1)　1《法人税額の特別控除》の税額控除の適用がある期間は、次の表の左欄に掲げる場合の区分に応じそれぞれ同表の右欄に掲げる期間とする。（措令27の９①）

(一)	1の表の①の「区域」欄に掲げる区域内において同①の「事業」欄に掲げる事業の用に供する設備の新設又は増設をする場合	沖縄振興特別措置法第６条第４項《観光地形成促進計画の作成等》の規定による提出の日（同条第７項の変更により新たに1の表の①の「区域」欄に掲げる区域に該当することとなった区域については、当該変更に係る同項において準用する同条第４項の規定による提出の日）から令和７年３月31日までの期間（当該期間内に同条第７項の変更により1の表の①の「区域」欄に掲げる区域に該当しないこととなった区域については、当該期間の初日から当該変更に係る同項において準用する同条第４項の規定による提出の日までの期間）
(二)	1の表の②の「区域」欄に掲げる区域内において同②の「事業」欄に掲げる事業の用に供する設備の新設又は増設をする場合	沖縄振興特別措置法第28条第４項《情報通信産業振興計画の作成等》の規定による提出の日（同条第７項の変更により新たに1の表の②の「区域」欄に掲げる区域に該当することとなった区域については、当該変更に係る同項において準用する同条第４項の規定による提出の日）から令和７年３月31日までの期間（当該期間内に同条第７項の変更により1の表の②の「区域」欄に掲げる区域に該当しないこととなった区域については、当該期間の初日から当該変更に係る同項において準用する同条第４項の規定による提出の日までの期間）
(三)	1の表の③の「区域」欄に掲げる区域内において同③の「事業」欄に掲げる事業の用に供する設備の新設又は増設をする場合	沖縄振興特別措置法第35条第４項《産業イノベーション促進計画の作成等》の規定による提出の日（同条第７項の変更により新たに1の表の③の「区域」欄に掲げる区域に該当することとなった区域については、当該変更に係る同項において準用する同条第４項の規定による提出の日）から令和７年３月31日までの期間（当該期間内に同条第７項の変更により1の表の③の「区域」欄に掲げる区域に該当しないこととなった区域については、当該期間の初日から当該変更に係る同項において準用する同条第４項の規定による提出の日までの期間）
(四)	1の表の④の「区域」欄に掲げる区域内において同④の「事業」欄に掲げる事業の用に供する設備の新設又は増設をする場合	沖縄振興特別措置法第41条第４項《国際物流拠点産業集積計画の作成等》の規定による提出の日（同条第７項の変更により新たに1の表の④の「区域」欄に掲げる区域に該当することとなった区域については、当該変更に係る同項において準用する同条第４項の規定による提出の日）から令和７年３月31日までの期間（当該期間内に同条第７項の変更により1の表の④の「区域」欄に掲げる区域に該当しないこととなった区域については、当該期間の初日から当該変更に係る同項において準用する同条第４項の規定による提出の日までの期間）

(五)	1の表の⑤の「区域」欄に掲げる区域内において同⑤の「事業」欄に掲げる事業の用に供する設備の新設又は増設をする場合	沖縄振興特別措置法第55条の2第4項《経済金融活性化計画の認定等》の認定の日(同法第55条第4項《経済金融活性化特別地区の指定》の変更により新たに1の表の⑤の「区域」欄に掲げる区域に該当することとなった区域についてはその新たに該当することとなった日とし、同法第55条の2第7項の変更により新たに同⑤の「事業」欄に掲げる事業に該当することとなった事業については当該変更に係る同条第8項において準用する同条第4項の認定の日とする。)から令和7年3月31日までの期間(当該期間〔以下(五)において「指定期間」という。〕内に同法第55条第4項又は第5項の解除又は変更により1の表の⑤の「区域」欄に掲げる区域に該当しないこととなった区域については指定期間の初日からその該当しないこととなった日までの期間とし、指定期間内に同法第55条の2第7項の変更により同欄に掲げる事業に該当しないこととなった事業については当該初日から当該変更に係る同条第8項において準用する同条第4項の認定の日までの期間とし、指定期間内に同条第10項の規定により同条第9項に規定する認定経済金融活性化計画の認定を取り消された場合には当該初日からその取り消された日までの期間とする。)

(税額控除の対象となる工業用機械等の規模)
(2)　1の税額控除の適用がある設備の規模は、次の表の左欄に掲げる事業の区分に応じそれぞれ同表の右欄に掲げる規模のものとする。(措令27の9②)

(一)	1の表の①の「事業」欄に掲げる事業	一の設備(特定民間観光関連設備〔(5)《税額控除の対象となる特定民間観光関連施設から除かれるもの》に掲げるものを除く。〕のうち沖縄振興特別措置法第6条第2項第3号《観光地形成促進計画の作成等》に規定する観光関連施設の整備に著しく資する施設として(6)《観光関連施設の整備に著しく資する施設》に掲げるもの(以下(一)及び(4)において「**対象施設**」という。)に含まれるものに限る。)で、これを構成する機械及び装置、建物及びその附属設備並びに構築物(当該対象施設に含まれない部分があるものについては、当該対象施設に含まれる部分に限る。)の取得価額(第一節第六款の**六の1**《減価償却資産の取得価額》により計算した取得価額をいう。(二)及び(三)において同じ。)の合計額が1,000万円を超えるもの((4)において「**特定の設備**」という。)
(二)	1の表の②から④までの「事業」欄に掲げる事業	次に掲げるいずれかの規模のもの イ　一の生産等設備(ガスの製造又は発電に係る設備を含む。(二)及び(三)において同じ。)で、これを構成する減価償却資産(第一節第六款の**一の2**《減価償却資産の範囲》の①から⑦までに掲げるものに限る。)の取得価額の合計額が1,000万円を超えるもの ロ　機械及び装置並びに器具及び備品(1の表の④の「事業」欄に掲げる事業にあっては、機械及び装置)で、一の生産等設備を構成するものの取得価額の合計額が100万円を超えるもの
(三)	1の表の⑤の「事業」欄に掲げる事業	次に掲げるいずれかの規模のもの イ　一の生産等設備で、これを構成する減価償却資産の取得価額の合計額が500万円を超えるもの ロ　機械及び装置並びに器具及び備品で、一の生産等設備を構成するものの取得価額の合計額が50万円を超えるもの

　　注　上記の金額基準を満たしているかどうかは、第一節第一款の**七の2**の(9)《少額の減価償却資産等の取得価額等の判定》により、法人が適用している税抜経理方式又は税込経理方式に応じ、その適用している方式により算定した価額により判定する。(平元直法2-1「9」参照)

(区域の振興に資する減価償却資産)
(3) 1に掲げる区域の振興に資するものは、次の表の左欄に掲げる法人の区分に応じそれぞれ同表の右欄に掲げる減価償却資産とする。(措令27の9③)

(一)	1の表の①の「事業者」欄に掲げる事業者に該当する法人	当該法人の沖縄振興特別措置法第7条の2第8項《観光地形成促進措置実施計画の認定等》に規定する認定観光地形成促進措置実施計画に記載された減価償却資産
(二)	1の表の②の「事業者」欄に掲げる事業者に該当する法人	当該法人の沖縄振興特別措置法第29条の2第8項《情報通信産業振興措置実施計画の認定等》に規定する認定情報通信産業振興措置実施計画に記載された減価償却資産
(三)	1の表の③の「事業者」欄に掲げる事業者に該当する法人	当該法人の沖縄振興特別措置法第35条の3第8項《産業高度化・事業革新措置実施計画の認定等》に規定する認定産業高度化・事業革新措置実施計画に記載された減価償却資産
(四)	1の表の④の「事業者」欄に掲げる事業者に該当する法人	当該法人の沖縄振興特別措置法第42条の2第8項《国際物流拠点産業集積措置実施計画の認定等》に規定する認定国際物流拠点産業集積措置実施計画に記載された減価償却資産
(五)	1の表の⑤の「事業者」欄に掲げる事業者に該当する法人	当該法人の沖縄振興特別措置法第55条の4第8項《経済金融活性化措置実施計画の認定等》に規定する認定経済金融活性化措置実施計画に記載された減価償却資産

(税額控除の対象となる特定民間観光関連施設の範囲)
(4) 1の表の①の「資産」欄に掲げる特定民間観光関連施設に含まれる機械及び装置、建物及びその附属設備並びに構築物のうち1の税額控除の対象となるものは、特定の設備を構成する機械及び装置、建物及びその附属設備並びに構築物のうち、対象施設に含まれる部分とする。(措令27の9④)

(税額控除の対象となる特定民間観光関連施設から除かれるもの)
(5) (2)の表の(一)に掲げる特定民間観光関連施設から除かれるものは、次の(一)及び(二)に掲げるものとする。(措令27の9②Ⅰ、措規20の4①)

(一)	風俗営業等の規制及び業務の適正化等に関する法律第2条第1項《用語の意義》に規定する風俗営業及び同条第5項に規定する性風俗関連特殊営業の用に供するもの	
(二)	当該施設の利用について一般の利用客に比して有利な条件で利用する権利を有する者が存する施設として次のイ又はロに掲げるもの	
	イ	会員その他の当該施設を一般の利用客に比して有利な条件で利用する権利を有する者(以下イにおいて「会員等」という。)が存する施設(当該施設の利用につきその利用料金を除き一般の利用客に会員等と同一の条件で当該施設を利用させるものである旨が当該施設の利用に関する規程において明らかにされているものを除く。)
	ロ	沖縄振興特別措置法第6条第2項第3号《観光地形成促進計画の作成等》に規定する観光関連施設のうち宿泊施設に附属する施設で、当該宿泊施設の利用者が主として利用するもの((6)の表の(三)に掲げる温泉保養施設及び国際健康管理・増進施設並びに同表の(四)に掲げる会議場施設及び研修施設〔これらの施設に専ら附属する施設として設置するものを含む。以下ロにおいて「温泉保養施設等」という。〕にあっては、当該温泉保養施設等の利用につきその利用料金を除き一般の利用客に当該宿泊施設の利用者と同一の条件で当該温泉保養施設等を利用させるものである旨が当該温泉保養施設等の利用に関する規程において明らかにされており、かつ、国内においてインターネットの利用その他の方法により容易にその旨の情報を取得することができるものを除く。)

(観光関連施設の整備に著しく資する施設)
(6) (2)《税額控除の対象となる工業用機械等の規模》の表の(一)の右欄に掲げる観光関連施設の整備に著しく資す

る施設は、次の表の左欄に掲げる区分に応じそれぞれ同表の右欄に掲げる施設（当該施設に専ら附属する施設として設置するものを含む。）とする。（措規20の４②）

(一)	沖縄振興特別措置法第８条第１項《課税の特例》に規定する特定民間観光関連施設（以下(6)において「特定民間観光関連施設」という。）のうちスポーツ又はレクリエーション施設	水泳場、スケート場、トレーニングセンター（主として重量挙げ及びボディービル用具を用い室内において健康管理及び体力向上を目的とした運動を行う施設をいう。）、ゴルフ場及びテーマパーク（文化、歴史、科学その他の特定の主題に基づいて施設全体の環境を整備し、その主題に関連する遊戯施設その他の設備を設け、当該設備により客に娯楽を提供する施設をいう。）
(二)	特定民間観光関連施設のうち教養文化施設	劇場、動物園、植物園、水族館及び文化紹介体験施設（自然、伝統的な美術品、工芸品、園芸品若しくは生活文化、伝統芸能若しくは歴史資料を映像により紹介するための施設又は伝統的な美術品、工芸品若しくは園芸品の製作の体験若しくは伝統的な生活文化の体験のための施設をいう。）
(三)	特定民間観光関連施設のうち休養施設	展望施設（高台等の自然の地形を利用して、峡谷、海岸、夜景等の景観を鑑賞させるための施設で、展望台を備えたものをいう。）、温泉保養施設（温泉を利用して心身の健康の増進を図ることを目的とする施設で、温泉浴場、健康相談室〔医師、保健師又は看護師が配置されているものに限る。以下(三)において同じ。〕及び休憩室を備えたものをいう。）、スパ施設（浴場施設であって、海水、海藻、海泥その他の海洋資源、沖縄振興特別措置法第３条第１号《定義》に規定する沖縄〔以下(三)において「沖縄」という。〕の泥岩その他の堆積岩又は沖縄の農産物その他の植物の有する美容・痩身効果その他の健康増進効果を利用し、マッサージその他手技又は機器を用いて心身の緊張を弛緩させるための施術を行うための施設及び休憩室を備えたものをいう。）及び国際健康管理・増進施設（病院又は診療所と連携して心身の健康の増進を図ることを目的とする施設〔全国通訳案内士、沖縄県の区域に係る地域通訳案内士その他これらの者と同等以上の通訳に関する能力を有する者であって、外国人観光客の施設の円滑な利用に資する知識を有する者が配置されているものに限る。〕で、浴場又はプール、有酸素運動施設〔継続的に酸素を摂取して全身持久力に関する生理機能の維持又は回復のための運動を行う施設をいう。〕又はトレーニングルーム〔室内において体力向上を目的とした運動を行う施設をいう。〕及び健康相談室を備えたものをいう。）
(四)	特定民間観光関連施設のうち集会施設	会議場施設（複数の会議室を有する施設で、会議に必要な視聴覚機器を備えたものをいう。）、研修施設（複数の講義室を有する施設で、実習室及び資料室を備えたものをいう。）及び結婚式場（専ら挙式、披露宴の挙行その他の婚礼のための役務を提供するための施設をいい、宿泊施設に附属する施設で当該宿泊施設と同一の建物内に設置されるものを除く。）
(五)	特定民間観光関連施設のうち販売施設	沖縄振興特別措置法第８条第１項に規定する販売施設のうち沖縄振興特別措置法施行令第７条第１号《販売施設の要件》に規定する小売施設及び飲食施設

（税額控除の対象となる特定の器具及び備品の範囲）
(7)　１の税額控除の適用がある器具及び備品は、次の(一)から(四)までに掲げるものとする。（措規20の４③）

(一)	電子計算機	計数型の電子計算機（主記憶装置にプログラムを任意に設定できる機構を有するものに限る。）のうち、処理語長が16ビット以上で、かつ、設置時における記憶容量（検査用

		ビットを除く。）が16メガバイト以上の主記憶装置を有するものに限るものとし、これと同時に設置する附属の入出力装置（入力用キーボード、ディジタイザー、タブレット、光学式読取装置、音声入力装置、表示装置、プリンター又はプロッターに限る。）、補助記憶装置、通信制御装置、伝送用装置（無線用のものを含む。）又は電源装置を含む。
（二）	デジタル交換設備	専用電子計算機（専ら器具及び備品の動作の制御又はデータ処理を行う電子計算機で、物理的変換を行わない限り他の用途に使用できないものをいう。（三）において同じ。）により発信される制御指令信号に基づきデジタル信号を自動的に交換するための機能を有するものに限るものとし、これと同時に設置する専用の制御装置（当該交換するための機能を制御するものに限る。）、変復調装置、宅内回線終端装置、局内回線終端装置、入出力装置又は符号化装置を含む。
（三）	デジタルボタン電話設備	専用電子計算機により発信される制御指令信号に基づき専用電話機のボタン操作に従ってデジタル信号を自動的に交換する機構を有するもの及び当該専用電子計算機を同時に設置する場合のこれらのものに限るものとし、これらと同時に設置する専用の変復調装置、宅内回線終端装置、局内回線終端装置又は符号化装置を含む。
（四）	ICカード利用設備	ICカードとの間における情報の交換並びに当該情報の蓄積及び加工を行うもので、これと同時に設置する専用のICカードリーダライタ、入力用キーボード、タブレット、表示装置、プリンター又はプロッターを含む。

（1の表の③の資産の範囲）

（8）　1の表の③の「資産」欄に掲げるものは、機械及び装置（ガス供給業の用に供されるものにあっては、ガス業用設備に属する機械及び装置のうち、沖縄振興特別措置法施行令第4条第9号に規定する液化ガス貯蔵設備〔(8)において「液化ガス貯蔵設備」という。〕及びこれと一体として設置されるものに限る。）、構築物（液化したガスを貯蔵し、又は利用するためのもの〔製造業又はガス供給業の用に供されるものに限る。〕でガス貯槽〔液化ガス貯蔵設備に該当するものに限る。〕及び液化天然ガスを利用するために当該ガス貯槽と一体として設置される送配管に限る。）並びに次に掲げるものとする。（措令27の9⑧、措規20の4⑤⑥⑦⑧）

（一）	右欄に掲げる事業の区分に応じそれぞれ右欄に定める器具及び備品	イ	製造業、自然科学研究所に属する事業及び電気業	次に掲げる器具及び備品 （イ）　専ら開発研究（新たな製品の製造若しくは新たな技術の発明又は現に企業化されている技術の著しい改善を目的として特別に行われる試験研究をいう。）の用に供される減価償却資産の耐用年数省令別表第六《開発研究用減価償却資産の耐用年数表》の上欄に掲げる器具及び備品（同表の中欄に掲げる固定資産に限る。） （ロ）　（7）に掲げる器具及び備品
		ロ	道路貨物運送業、倉庫業、卸売業及びデザイン業	（7）に掲げる器具及び備品
（二）	工場用の建物及びその附属設備（ガス供給業の用に供される建物及びその附属設備を除く。）並びに右欄に掲げる事業の区分に応じそれぞれ右欄に定める建物及びその附属設備	イ	道路貨物運送業	車庫用、作業場用又は倉庫用の建物及びその附属設備
		ロ	倉庫業	作業場用又は倉庫用の建物及びその附属設備
		ハ	卸売業	作業場用、倉庫用又は展示場用の建物及びその附属設備
		ニ	デザイン業	事務所用又は作業場用の建物及びその附属設備
		ホ	自然科学研究所に属する事業	研究所用の建物及びその附属設備

(圧縮記帳の適用を受けた場合の減価償却資産の取得価額要件の判定)
(9)　(2)の表の(一)の右欄に掲げる一の設備で、これを構成する機械及び装置、建物及びその附属設備並びに構築物の取得価額の合計額が1,000万円を超えるかどうかを判定する場合において、その一の設備を構成する機械及び装置、建物及びその附属設備並びに構築物のうちに法又は措置法の規定による圧縮記帳の適用を受けたものがあるとき（法人が取得等をした(2)の表の(一)の右欄に掲げる一の設備で、これを構成する機械及び装置、建物及びその附属設備並びに構築物につき、供用年度後の事業年度において第一節第十五款の**一**《国庫補助金等による圧縮記帳》、同款の**二**《工事負担金による圧縮記帳》、同款の**三**《非出資組合の賦課金による圧縮記帳》及び同款の**四**《保険金等による圧縮記帳》の適用を受けることが予定されている場合を含む。）は、その圧縮記帳後の金額（法人が取得等をした(2)の表の(一)の一の設備で、これを構成する機械及び装置、建物及びその附属設備並びに構築物につき、供用年度後の事業年度において同款の**一**から**四**の適用を受けることが予定されている場合にあっては、第一節第六款の**六**の1《減価償却資産の取得価額》に掲げる金額から当該供用年度後の事業年度において第一節第十五款の**一**から**四**の適用を受けるとしたならば、第一節第六款の**六**の3《圧縮記帳資産の取得価額の特例》に掲げる「損金の額に算入された金額（……金額を加算した金額）」となることが見込まれる金額を控除した金額）に基づいてその判定を行うものとする。
　　(2)の表の(二)の右欄のイ若しくは同表(三)の右欄のイに掲げる一の生産等設備でこれを構成する減価償却資産の取得価額の合計額が1,000万円若しくは500万円を超えるかどうか又は同(二)の右欄のロ若しくは同(三)の右欄のロに掲げる機械及び装置並びに器具及び備品で一の生産等設備を構成するものの取得価額の合計額が100万円若しくは50万円を超えるかどうかを判定する場合においても、同様とする。(措通42の9－2、42の5～48(共)－3の2・編者補正)

(生産等設備の範囲)
(10)　(2)の表の(二)及び(三)に掲げる生産等設備は、**1**の表の②から⑤までの「事業」欄に掲げる事業の用に直接供される減価償却資産で構成されているものをいう。したがって、例えば、本店、販売所、寄宿舎等の建物、事務用器具備品、乗用自動車、福利厚生施設のようなものは、これに該当しない。(措通42の9－1・編者補正)

(一の設備等の取得価額基準の判定)
(11)　(2)の表の(一)の一の設備又は同表の(二)若しくは同表の(三)の一の生産等設備で、これを構成する減価償却資産の取得価額の合計額が**1**に掲げる(2)に掲げる規模に該当するかどうかについては、当該一の設備又は一の生産等設備を構成する減価償却資産のうちに他の特別償却等の規定（当該他の特別償却等の規定に係る第一節第七款の**二十四**《準備金方式による特別償却》を含む。以下同じ。）の適用を受けるものがある場合であっても、当該他の特別償却等の規定の適用を受けるものの取得価額を含めたところにより判定することに留意する。(措通42の9－1の2)

(新増設の範囲)
(12)　**1**の税額控除の適用上、次の(一)又は(二)に掲げる工業用機械等の取得（製作又は建設を含む。以下同じ。）についても**1**に掲げる新設又は増設に係る工業用機械等の取得に該当するものとする。(措通42の9－4)

(一)	既存設備が災害により滅失又は損壊したため、その代替設備として取得をした工業用機械等
(二)	既存設備の取替え又は更新のために工業用機械等の取得をした場合で、その取得により生産能力、処理能力等が従前に比して相当程度（おおむね30％）以上増加したときにおける当該工業用機械等のうちその生産能力、処理能力等が増加した部分に係るもの

(工場用等の建物及びその附属設備の意義)
(13)　**1**の表の④の「資産」欄及び(8)の表の(二)の工場用（以下(14)までにおいて「工場用」という。）の建物及びその附属設備には、次の(一)又は(二)に掲げる建物及びその附属設備が含まれるものとする。
　　1の表の②、④の「資産」欄及び(8)の表の(二)に掲げる作業場用の建物及びその附属設備についても、同様とする。(措通42の9－5)

(一)	工場の構内にある守衛所、詰所、自転車置場、浴場その他これらに類するもので工場用の建物としての耐用年数を適用するもの及びこれらの建物の附属設備
(二)	発電所又は変電所の用に供する建物及びこれらの建物の附属設備

　　注　倉庫用の建物は、工場用又は作業場用の建物に該当しない。

(工場用、作業場用等とその他の用に共用されている建物の判定)
(14) 一の建物が工場用、作業場用等とその他の用に共用されている場合には、原則としてその用途の異なるごとに区分し、工場用、作業場用等に供されている部分について**1**の税額控除を適用するのであるが、次の(一)又は(二)に掲げる場合には、次の(一)又は(二)によることとする。(措通42の9－6)

(一)	工場用、作業場用等とその他の用に供されている部分を区分することが困難であるときは、当該建物が主としていずれの用に供されているかにより判定する。
(二)	その他の用に供されている部分が極めて小部分であるときは、その全部が工場用、作業場用等に供されているものとすることができる。

(開発研究の意義)
(15) (8)の表の(一)のイの(イ)に掲げる開発研究(以下**1**において「開発研究」という。)とは、次に掲げる試験研究をいう。(措通42の9－6の2)

(一)	新規原理の発見又は新規製品の発明のための研究
(二)	新規製品の製造、製造工程の創設又は未利用資源の活用方法の研究
(三)	(一)又は(二)の研究を基礎とし、これらの研究の成果を企業化するためのデータの収集
(四)	現に企業化されている製造方法その他の生産技術の著しい改善のための研究

(専ら開発研究の用に供される器具及び備品)
(16) (8)の表の(一)のイの(イ)の「専ら開発研究(……)の用に供される器具及び備品」とは、耐用年数省令別表第六に掲げる器具及び備品のうち専ら開発研究の用に供されるものをいうのであるから、開発研究を行う施設において供用されるものであっても、他の目的のために使用されている減価償却資産で必要に応じ開発研究の用に供されるものは、これに該当しないことに留意する。(措通42の9－6の3・編者補正)

(委託研究先への資産の貸与)
(17) 法人が、その取得をした器具及び備品を自己の開発研究の委託先に貸与した場合において、当該委託先において当該器具及び備品が専ら当該法人のためにする開発研究の用に供されるものであるときは、当該器具及び備品は当該法人の行う開発研究の用に供したものとして取り扱う。(措通42の9－6の4)

(税額控除の対象となる工場用建物等の附属設備)
(18) **1**の表の①から⑤までの「資産」欄並びに(8)の表の(二)に掲げる建物の附属設備は、これらの建物とともに取得又は建設をする場合における建物附属設備に限られることに留意する。(措通42の9－7・編者補正)

(取得価額の合計額が20億円を超えるかどうか等の判定)
(19) **1**の税額控除の適用上、**1**に掲げる一の生産等設備を構成する工業用機械等の取得価額の合計額が20億円を超えるかどうかは、その新設又は増設に係る事業計画ごとに判定することに留意する。
　(2)の表の(一)の右欄に掲げる一の設備でこれを構成する機械及び装置、建物及びその附属設備並びに構築物の取得価額の合計額が1,000万円を超えるかどうか、同表の(二)の右欄のイ若しくは同表の(三)の右欄のイの一の生産等設備でこれを構成する減価償却資産の取得価額の合計額が1,000万円若しくは500万円を超えるかどうか又は同(二)の右欄のロ若しくは同(三)の右欄のロの機械及び装置並びに器具及び備品で一の生産等設備を構成するものの取得価額の合計額が100万円若しくは50万円を超えるかどうかの判定についても、同様とする。(措通42の9－8)

(2以上の事業年度において事業の用に供した場合の取得価額の計算)
(20) 一の生産等設備を構成する工業用機械等でその取得価額の合計額が20億円を超えるものを2以上の事業年度において事業の用に供した場合には、その取得価額の合計額が初めて20億円を超えることとなる事業年度(以下(20)において「超過事業年度」という。)における**1**の税額控除による税額控除限度額の計算の基礎となる個々の工業用機械等の取得価額は、次の算式による。(措通42の9－9)

(算式)

$$\left[20億円 - \begin{array}{c}\text{超過事業年度前の各事業年度に}\\\text{おいて事業の用に供した工業用}\\\text{機械等の取得価額の合計額(注)}\end{array}\right] \times \frac{\text{超過事業年度において事業の用に供した個々の工業用機械等の取得価額}}{\text{超過事業年度において事業の用に供した工業用機械等の取得価額の合計額}}$$

注　超過事業年度前の各事業年度において事業の用に供した個々の工業用機械等については、その取得価額の調整は行わないことに留意する。

(指定事業の範囲)

(21)　1の表の①から⑤までの「事業者」欄に掲げる法人が同表の①から⑤までの「区域」欄に掲げる区域内（以下「沖縄の特定地域内」という。）において行う事業が同表の①から⑤までの「事業」欄に掲げる事業（以下「指定事業」という。）に該当するかどうかは、当該沖縄の特定地域内にある事業所ごとに判定する。この場合において、認定事業者である協同組合等が当該沖縄の特定地域内において指定事業を営むその組合員の共同的施設として工業用機械等の取得をしたときは、当該工業用機械等は指定事業の用に供されているものとする。（措通42の9－10）

注1　例えば建設業を営む認定事業者である法人が当該沖縄の特定地域内に建設資材を製造する事業所を有している場合には、当該法人が当該建設資材をその建設業に係る原材料等として消費しているときであっても、当該事業所における事業は指定事業に係る製造業に該当する。

注2　指定事業かどうかの判定は、おおむね日本標準産業分類（総務省）の分類を基準として行う。

(指定事業の用に供したものとされる資産の貸与)

(22)　認定事業者である法人が、自己の下請業者で沖縄の特定地域内において指定事業を営む者に対し、その指定事業の用に供する工業用機械等を貸し付けている場合において、当該工業用機械等が専ら当該法人のためにする製品の加工等の用に供されるものであるときは、当該法人が下請業者の当該沖縄の特定地域内において営む指定事業と同種の事業を営むものである場合に限り、その貸し付けている工業用機械等は当該法人の営む指定事業の用に供したものとして取り扱う。（措通42の9－11）

注　自己の計算において原材料等を購入し、これをあらかじめ指示した条件に従って下請加工させて完成品とするいわゆる製造問屋の事業は、1の表の③又は④の「事業」欄に掲げる製造業に該当しない。

(国庫補助金等の圧縮記帳の適用を受ける場合の取得価額)

(23)　1に掲げる税額控除限度額の計算の基礎となる工業用機械等の取得価額は、次の左欄に掲げる場合には、それぞれ次の右欄に掲げる金額による。（措通42の5～48(共)－3の2・編者補正）

(一)	法人が取得等をした工業用機械等につき、供用年度において第一節第十五款の**一**《国庫補助金等による圧縮記帳》、同款の**二**《工事負担金による圧縮記帳》、同款の**三**《非出資組合の賦課金による圧縮記帳》及び同款の**四**《保険金等による圧縮記帳》の適用を受ける場合	第一節第六款の**六の3**《圧縮記帳資産の取得価額の特例》により同**六の1**《減価償却資産の取得価額》の取得価額とみなすこととされる金額
(二)	法人が取得等をした工業用機械等につき、供用年度後の事業年度において第一節第十五款の**一**、同款の**二**、同款の**三**及び同款の**四**の適用を受けることが予定されている場合	第一節第六款の**六の1**の表に掲げる金額から当該供用年度後の事業年度において第一節第十五款の**一**、同款の**二**、同款の**三**及び同款の**四**の適用を受けるとしたならば、第一節第六款の**六の3**に掲げる「損金の額に算入された金額（……金額を加算した金額）」となることが見込まれる金額（以下「損金算入見込額」という。）を控除した金額

注1　(二)の損金算入見込額は、当該供用年度終了の日において、第一節第十五款の**一**の1《国庫補助金等で取得した固定資産の圧縮額の損金算入》に掲げる国庫補助金等若しくは同款の**二**の1《工事負担金で取得した固定資産の圧縮額の損金算入》の金銭の交付を受け、同款の**三**の1《非出資組合が賦課金で取得した固定資産の圧縮額の損金算入》の賦課に基づいて納付され、又は同款の**四**の1《保険金等で取得した固定資産の圧縮額の損金算入》に掲げる保険金等の支払を受けることが見込まれる金額（同款の**一**の7《特別勘定を設けた場合の国庫補助金等で取得した固定資産の圧縮額の損金算入》の適用を受けることが予定されている場合には、同款の**一**の1に掲げる国庫補助金等の交付を受けた金額で返還を要しないことが供用年度終了の日までに確定していないものを含む。）とすることができる。

注2　法人が工業用機械等の供用年度において税額控除限度額等の計算の基礎となる工業用機械等の取得価額を(二)に定める金額によることなく第一節第六款の**六**の**1**の表に掲げる金額に基づき税額控除限度額等を計算して申告をしている場合において、供用年度後の事業年度に第一節第十五款の**一**、同款の**二**、同款の**三**及び同款の**四**の適用を受けるときは、第一節第六款の**六**の**3**により同**六**の**1**の取得価額とみなすこととされる金額に基づき供用年度の税額控除限度額等を修正することに留意する。

　　　（工業用機械等の対価につき値引きがあった場合の税額控除限度額の計算）
(24)　法人が供用年度後の事業年度において当該工業用機械等の対価の額につき値引きがあった場合には、供用年度に遡って当該値引きのあった工業用機械等に係る税額控除限度額の修正を行うものとする。（措通42の9－12）

2　繰越税額控除限度超過額の4年間繰越控除

　青色申告書を提出する法人で各事業年度（解散〔合併による解散を除く。〕の日を含む事業年度及び清算中の各事業年度を除く。）終了の日において**1**の表の「事業者」欄に掲げる事業者に該当するものが、当該事業年度において**繰越税額控除限度超過額**を有する場合には、当該事業年度の所得に対する調整前法人税額から、当該繰越税額控除限度超過額に相当する金額を控除する。この場合において、当該法人の当該事業年度における繰越税額控除限度超過額が当該法人の当該事業年度の所得に対する調整前法人税額の$\frac{20}{100}$に相当する金額（当該事業年度においてその事業の用に供した工業用機械等につき**1**の税額控除により当該事業年度の所得に対する調整前法人税額から控除される金額がある場合には、当該金額を控除した残額）を超えるときは、その控除を受ける金額は、当該$\frac{20}{100}$に相当する金額を限度とする。（措法42の9②）

　　注　繰越税額控除限度超過額の控除限度額の計算は、次のようになる。（編者）

$$\text{繰越税額控除限度超過額の控除限度額} = \left\{ \underset{\text{(申告書別表一の「2」欄の金額)}}{\text{当期の所得に対する調整前法人税額}} \times \frac{20}{100} - \left(\begin{array}{c}\text{1により控}\\\text{除した金額}\end{array} \right) \right\} \text{と} \left(\begin{array}{c}\text{繰越税額控除}\\\text{限度超過額}\end{array} \right) \text{とのいずれか少ない金額}$$

　　　（繰越税額控除限度超過額の意義）
(1)　**2**《繰越税額控除限度超過額の4年間繰越控除》に掲げる繰越税額控除限度超過額とは、**2**に掲げる法人の当該事業年度開始の日前4年以内に開始した各事業年度（当該事業年度まで連続して青色申告書の提出をしている場合の各事業年度に限る。）における税額控除限度額のうち、**1**の税額控除による控除をしてもなお控除しきれない金額（既に**2**により当該各事業年度において調整前法人税額から控除された金額がある場合には、当該金額を控除した残額）の合計額をいう。（措法42の9③）

　　　（被合併法人等が有する繰越税額控除限度超過額）
(2)　**2**《繰越税額控除限度超過額の4年間繰越控除》の繰越税額控除限度超過額を有している法人が、当該法人を被合併法人等（被合併法人、分割法人、現物出資法人又は現物分配法人をいう。）とする合併等（合併、分割、現物出資又は現物分配をいう。以下**2**において同じ。）を行った場合には、当該合併等が適格合併等（適格合併、適格分割、適格現物出資又は適格現物分配をいう。）に該当し、当該繰越税額控除限度額の基となった資産をこれにより移転したときであっても、当該繰越税額控除限度超過額を合併法人等（合併法人、分割承継法人、被現物出資法人又は被現物分配法人をいう。）に引き継ぐことは認められないのであるから留意する。（措通42の5～48(共)－4・編者補正）

3　特別控除の申告

①　供用年度の特別控除の申告

　1の税額控除は、確定申告書等（**1**の税額控除により控除を受ける金額を増加させる修正申告書又は更正請求書を提出する場合には、当該修正申告書又は更正請求書を含む。）に**1**の税額控除の対象となる工業用機械等の取得価額、控除を受ける金額及び当該金額の計算に関する明細を記載した書類の添付がある場合に限り、適用する。この場合において、**1**の税額控除により控除される金額の計算の基礎となる工業用機械等の取得価額は、確定申告書等に添付された書類に記載された工業用機械等の取得価額を限度とする。（措法42の9④）

　　注　**七**の特別控除に係る明細を記載した書類は、次のとおり。（編者）
　　　　別表六(十六)「沖縄の特定地域において工業用機械等を取得した場合の法人税額の特別控除に関する明細書」

②　繰越税額控除限度超過額がある場合の特別控除の申告

　2《繰越税額控除限度超過額の4年間繰越控除》の税額控除は、供用年度以後の各事業年度の確定申告書に**2**に掲げる繰越税額控除限度超過額の明細書《別表六(十六)》の添付がある場合で、かつ、**2**の税額控除の適用を受けようとする事

業年度の確定申告書等（**2**の税額控除により控除を受ける金額を増加させる修正申告書又は更正請求書を提出する場合には、当該修正申告書又は更正請求書を含む。）に**2**の税額控除の対象となる繰越税額控除限度超過額、控除を受ける金額及び当該金額の計算に関する明細を記載した書類の添付がある場合に限り、適用する。（措法42の9⑤）

八　国家戦略特別区域において機械等を取得した場合の法人税額の特別控除（適用期限の延長）

1　法人税額の特別控除

　青色申告書を提出する法人で**特定事業**（国家戦略特別区域法第27条の2《課税特例》に規定する特定事業をいう。以下八において同じ。）の同法第8条第2項第2号《区域計画の認定》に規定する実施主体として同法第11条第1項《認定の取消し》に規定する認定区域計画（以下1において「**認定区域計画**」という。）に定められたもの（以下1において「**実施法人**」という。）が、同法附則第1条第1号に定める日（平成26年4月1日）から令和8年3月31日までの期間内に、当該認定区域計画に係る同法第2条第1項に規定する国家戦略特別区域（以下1において「**国家戦略特別区域**」という。）内において、当該国家戦略特別区域に係る当該実施法人の事業実施計画（認定区域計画に定められた特定事業の実施に関する計画として(1)《認定区域計画に定められた特定事業の実施に関する計画》に掲げる計画をいう。以下1において同じ。）に記載された機械及び装置、器具及び備品（専ら開発研究〔新たな製品の製造若しくは新たな技術の発明又は現に企業化されている技術の著しい改善を目的として特別に行われる試験研究をいう。〕の用に供される耐用年数省令別表第六《開発研究用減価償却資産の耐用年数》の上欄に掲げる器具及び備品〔同表の中欄に掲げる固定資産に限る。〕に限る。）、建物及びその附属設備並びに構築物（(2)《税額控除の対象となる特定機械装置等の規模》に掲げる規模のものに限る。以下八において「**特定機械装置等**」という。）でその製作若しくは建設の後事業の用に供されたことのないものを取得し、又は当該事業実施計画に記載された特定機械装置等を製作し、若しくは建設して、これを当該実施法人の特定事業の用に供した場合（継続的に実施されることが確保される特定事業として国家戦略特別区域法施行規則第1条第1号ロ(5)《法第2条第2項第2号の内閣府令で定める事業》に掲げる事業の用に供する建物及びその附属設備以外のものを貸付けの用に供した場合を除く。）において、当該特定機械装置等につき第一節第七款の**二の1**《国家戦略特別区域において機械等を取得した場合の初年度特別償却》の適用を受けないときは、その特定事業の用に供した日を含む事業年度（解散〔合併による解散を除く。〕の日を含む事業年度及び清算中の各事業年度を除く。以下八において「**供用年度**」という。）の所得に対する**調整前法人税額**（**五の1**《試験研究を行った場合の法人税額の特別控除》の表の②に掲げる調整前法人税額をいう。以下八において同じ。）からその特定事業の用に供した当該特定機械装置等の取得価額に次の表の左欄に掲げる特定機械装置等の区分に応じ、それぞれ同表の右欄に掲げる割合を乗じて計算した金額の合計額（以下八において「**税額控除限度額**」という。）を控除する。この場合において、当該実施法人の供用年度における税額控除限度額が、当該実施法人の当該供用年度の所得に対する調整前法人税額の$\frac{20}{100}$に相当する金額を超えるときは、その控除を受ける金額は、当該$\frac{20}{100}$に相当する金額を限度とする。（措法42の10②①、措令27の10①、措規20の5②③④）

$$\begin{array}{c}\text{税額控除}\\\text{限度額}\end{array}=\begin{array}{c}\text{特定機械装置等}\\\text{の取得価額}\end{array}\times\frac{14}{100}\text{又は}\frac{7}{100}\quad\text{ただし、}\left[\begin{array}{c}\text{供用年度の調整前法人税額}\\\text{（申告書別表一の「2」欄の金額)}\end{array}\times\frac{20}{100}\right]\text{を限度}$$

※　平成31年4月1日から令和8年3月31日までの間に取得又は製作若しくは建設をした特定機械装置等（平成31年3月31日以前に受けた特定事業の適切かつ確実な実施に関する確認として国家戦略特別区域法施行規則第3条第4項〔同条第5項において準用する場合を含む。〕の規定による国家戦略特別区域担当大臣の確認に係る事業実施計画に同日において記載されている特定機械装置等を除く。）以外の特定機械装置等については、次による。

$$\begin{array}{c}\text{税額控除}\\\text{限度額}\end{array}=\begin{array}{c}\text{特定機械装置等}\\\text{の取得価額}\end{array}\times\frac{15}{100}\text{又は}\frac{8}{100}\quad\text{ただし、}\left[\begin{array}{c}\text{供用年度の調整前法人税額}\\\text{（申告書別表一の「2」欄の金額)}\end{array}\times\frac{20}{100}\right]\text{を限度}$$

①	平成31年4月1日から令和8年3月31日までの間に取得又は製作若しくは建設をした特定機械装置等（平成31年3月31日以前に受けた特定事業の適切かつ確実な実施に関する確認として国家戦略特別区域法施行規則第3条第4項《事業実施計画の提出》〔同条第5項において準用する場合を含む。〕の規定による国家戦略特別区域担当大臣〔国家戦略特別区域法第7条第1項第1号《国家戦略特別区域会議》に規定する国家戦略特別区域担当大臣をいう。〕の確認に係る事業実施計画に同日において記載されている特定機械装置等を除く。）	$\frac{14}{100}$（建物及びその附属設備並びに構築物については、$\frac{7}{100}$）
②	①に掲げる特定機械装置等以外の特定機械装置等	$\frac{15}{100}$（建物及びその附属設備並びに構築物については、$\frac{8}{100}$）

注1　耐用年数省令別表第六《開発研究用減価償却資産の耐用年数表》の「器具及び備品」欄は、次による。

第三章　第二節　第二款　八《国家戦略特別区域において機械等を取得した場合の法人税額の特別控除》

種類	細目
器具及び備品	試験又は測定機器、計算機器、撮影機及び顕微鏡

注2　令和6年7月1日現在における国家戦略特別区域は、次のとおりであり、内閣府告示により詳細は公示されている。(編者)

	区域	指定政令
(一)	北海道の区域	平成26年政令第178号（最終改正令和6年6月26日政令第224号）
(二)	宮城県及び熊本県の区域	
(三)	宮城県仙台市の区域	
(四)	秋田県仙北市の区域	
(五)	福島県及び長崎県の区域	
(六)	茨城県つくば市の区域	
(七)	千葉県千葉市及び成田市、東京都並びに神奈川県の区域	
(八)	新潟県新潟市の区域	
(九)	石川県加賀市、長野県茅野市及び岡山県加賀郡吉備中央町の区域	
(十)	愛知県の区域	
(十一)	京都府、大阪府及び兵庫県の区域	
(十二)	大阪府大阪市の区域	
(十三)	兵庫県養父市の区域	
(十四)	広島県及び愛媛県今治市の区域	
(十五)	福岡県北九州市及び福岡市の区域	
(十六)	沖縄県の区域	

　　　（認定区域計画に定められた特定事業の実施に関する計画）
（1）　1に掲げる計画は、1に掲げる実施法人の国家戦略特別区域法施行規則第3条第4項《事業実施計画の提出》の規定による国家戦略特別区域担当大臣（国家戦略特別区域法第7条第1項第1号に規定する国家戦略特別区域担当大臣をいう。）の確認を受けた同令第3条第1項の事業実施計画（同条第5項において準用する同条第4項の規定による変更の確認があった場合には、その変更後のものとする。）とする。(措規20の5①)

　　　（税額控除の対象となる特定機械装置等の規模）
（2）　1に掲げる特定機械装置等のうち税額控除の対象となるものは、次の表の左欄に掲げる減価償却資産の区分に応じ、それぞれ同表の右欄に掲げる規模のものとする。(措法42の10①、措令27の10②)

(一)	機械及び装置	一台又は一基（通常一組又は一式をもって取引の単位とされるものにあっては、一組又は一式。以下この表において同じ。）の取得価額（第一節第六款の六の1《減価償却資産の取得価額》により計算した取得価額をいう。以下この表において同じ。）が2,000万円以上のもの
(二)	器具及び備品	一台又は一基の取得価額が1,000万円以上のもの
(三)	建物及びその附属設備並びに構築物	一の建物及びその附属設備並びに構築物の取得価額の合計額が1億円以上のもの

　　　注　上表の金額基準を満たしているかどうかは、第一節第一款の七の2の（9）《少額の減価償却資産等の取得価額等の判定》により、法人が適用している税抜経理方式又は税込経理方式に応じ、その適用している方式により算定した価額により判定する。(平元直法2-1「9」参照)

　　　（取得価額の判定単位）
（3）　(2)に掲げる機械及び装置又は器具及び備品の一台又は一基の取得価額が2,000万円以上又は1,000万円以上であるかどうかについては、通常1単位として取引される単位ごとに判定するのであるが、個々の機械及び装置の本体と同時に設置する自動調整装置又は原動機のような附属機器で当該本体と一体になって使用するものがある場合には、これらの附属機器を含めたところによりその判定を行うことができるものとする。(措通42の10-1・編者補正)

　　　（圧縮記帳の適用を受けた場合の特定機械装置等の取得価額要件の判定）
（4）　(2)に掲げる機械及び装置又は器具及び備品の取得価額が2,000万円以上又は1,000万円以上であるかどうかを判定

第三章　第二節　第二款　八《国家戦略特別区域において機械等を取得した場合の法人税額の特別控除》

する場合において、その機械及び装置又は器具及び備品が第一節第十五款の**一**《国庫補助金等による圧縮記帳》、同款の**二**《工事負担金による圧縮記帳》、同款の**三**《非出資組合の賦課金による圧縮記帳》及び同款の**四**《保険金等による圧縮記帳》による圧縮記帳の適用を受けたものであるとき（法人が取得等をした（2）に掲げる機械及び装置並びに器具及び備品につき、供用年度後の事業年度において同款の**一**から**四**の適用を受けることが予定されている場合を含む。）は、その圧縮記帳後の金額（法人が取得等をした（2）に掲げる機械及び装置並びに器具及び備品につき、供用年度後の事業年度において同款の**一**から**四**の適用を受けることが予定されている場合にあっては、第一節第六款の**六**の**1**《減価償却資産の取得価額》に掲げる金額から当該供用年度後の事業年度において第一節第十五款の**一**から**四**の適用を受けるとしたならば、第一節第六款の**六**の**3**《圧縮記帳資産の取得価額の特例》に掲げる「損金の額に算入された金額（……金額を加算した金額）」となることが見込まれる金額を控除した金額）に基づいてその判定を行うものとする。
　　（2）に掲げる建物及びその附属設備並びに構築物の取得価額の合計額が1億円以上であるかどうかを判定する場合においても、同様とする。（措通42の10－2、42の5～48(共)－3の2・編者補正）

　　　　（特別償却等の対象となる建物の附属設備）
（5）　**1**の表に掲げる建物の附属設備は、当該建物とともに取得又は建設をする場合における建物附属設備に限られることに留意する。（措通42の10－3・編者補正）

　　　　（特定事業の用に供したものとされる資産の貸与）
（6）　**1**に掲げる実施法人が、その取得又は製作若しくは建設をした同**1**に掲げる特定機械装置等を自己の下請業者に貸与した場合において、当該特定機械装置等が同**1**に掲げる国家戦略特別区域内において専ら当該実施法人の同**1**に掲げる特定事業のためにする製品の加工等の用に供されるものであるときは、当該特定機械装置等は当該実施法人の営む特定事業の用に供したものとして**八**を適用する。（措通42の10－4）

　　　　（開発研究の意義）
（7）　**1**に掲げる開発研究（以下「開発研究」という。）とは、次に掲げる試験研究をいう。（措通42の10－5・編者補正）

(一)	新規原理の発見又は新規製品の発明のための研究
(二)	新規製品の製造、製造工程の創設又は未利用資源の活用方法の研究
(三)	(一)又は(二)の研究を基礎とし、これらの研究の成果を企業化するためのデータの収集
(四)	現に企業化されている製造方法その他の生産技術の著しい改善のための研究

　　　　（専ら開発研究の用に供される器具及び備品）
（8）　**1**に掲げる「専ら開発研究（……）の用に供されるもの」とは、耐用年数省令別表第六に掲げる器具及び備品のうち専ら開発研究の用に供されるものをいうのであるから、開発研究を行う施設において供用されるものであっても、他の目的のために使用されている減価償却資産で必要に応じ開発研究の用に供されるものは、これに該当しないことに留意する。（措通42の10－6・編者補正）

　　　　（委託研究先への資産の貸与）
（9）　実施法人が、その取得又は製作をした**1**に掲げる機械及び装置並びに器具及び備品を自己の開発研究の委託先に貸与した場合において、当該委託先において当該機械及び装置並びに器具及び備品が専ら当該実施法人のためにする開発研究の用に供されるものであるときは、当該機械及び装置並びに器具及び備品は当該実施法人の行う開発研究の用に供したものとして取り扱う。（措通42の10－7・編者補正）

　　　　（国庫補助金等の圧縮記帳の適用を受ける場合の取得価額）
（10）　**1**に掲げる税額控除限度額の計算の基礎となる特定機械装置等の取得価額は、次の左欄に掲げる場合には、それぞれ次の右欄に掲げる金額による。（措通42の5～48(共)－3の2・編者補正）

(一)	法人が取得等をした特定機械装置等につき、供用年度において第一節第十五款の**一**《国庫補助金等による圧縮記帳》、同款の**二**《工事負	第一節第六款の**六**の**3**《圧縮記帳資産の取得価額の特例》により同**六**の**1**《減価償却資産の取得価額》の取得価額とみなすこととされる金額

第三章　第二節　第二款　八《国家戦略特別区域において機械等を取得した場合の法人税額の特別控除》

	担金による圧縮記帳》、同款の**三**《非出資組合の賦課金による圧縮記帳》及び同款の**四**《保険金等による圧縮記帳》の適用を受ける場合	
(二)	法人が取得等をした特定機械装置等につき、供用年度後の事業年度において第一節第十五款の**一**、同款の**二**、同款の**三**及び同款の**四**の適用を受けることが予定されている場合	第一節第六款の**六**の**1**の表に掲げる金額から当該供用年度後の事業年度において第一節第十五款の**一**、同款の**二**、同款の**三**及び同款の**四**の適用を受けるとしたならば、第一節第六款の**六**の**3**に掲げる「損金の額に算入された金額（……金額を加算した金額）」となることが見込まれる金額（以下「損金算入見込額」という。）を控除した金額

> 注1　(二)の損金算入見込額は、当該供用年度終了の日において、第一節第十五款の**一**の**1**《国庫補助金等で取得した固定資産の圧縮額の損金算入》に掲げる国庫補助金等若しくは同款の**二**の**1**《工事負担金で取得した固定資産の圧縮額の損金算入》の金銭の交付を受け、同款の**三**の**1**《非出資組合が賦課金で取得した固定資産の圧縮額の損金算入》の賦課に基づいて納付され、又は同款の**四**の**1**《保険金等で取得した固定資産の圧縮額の損金算入》に掲げる保険金等の支払を受けることが見込まれる金額（同款の**一**の**7**《特別勘定を設けた場合の国庫補助金等で取得した固定資産の圧縮額の損金算入》の適用を受けることが予定されている場合には、同款の**一**の**1**に掲げる国庫補助金等の交付を受けた金額で返還を要しないことが供用年度終了の日までに確定していないものを含む。）とすることができる。
>
> 注2　法人が特定機械装置等の供用年度において税額控除限度額等の計算の基礎となる特定機械装置等の取得価額を(二)に定める金額によることなく第一節第六款の**六**の**1**の表に掲げる金額に基づき税額控除限度額等を計算して申告をしている場合において、供用年度後の事業年度に第一節第十五款の**一**、同款の**二**、同款の**三**及び同款の**四**の適用を受けるときは、第一節第六款の**六**の**3**により同**六**の**1**の取得価額とみなすこととされる金額に基づき供用年度の税額控除限度額等を修正することに留意する。

(特定機械装置等の対価につき値引きがあった場合の税額控除限度額の計算)

(11)　法人が**1**に掲げる特定機械装置等を特定事業の用に供した日を含む事業年度後の事業年度において当該特定機械装置等の対価の額につき値引きがあった場合には、供用年度に遡って当該値引きのあった特定機械装置等に係る**1**に掲げる税額控除限度額の修正を行うものとする。（措通42の10－8）

(特別償却の適用を受けたものの意義)

(12)　法人が、その有する減価償却資産について、第一節第七款の**二**の**1**《国家戦略特別区域において機械等を取得した場合の初年度特別償却》による特別償却等に係る償却を実施していない場合においても、当該特別償却等に関する明細書においてその特別償却限度額の計算を行い、同款の**二十三**の**1**《特別償却不足額がある場合の償却限度額の計算》に掲げる特別償却不足額若しくは同**二十三**の**2**《合併等特別償却不足額がある場合の償却限度額の計算》に掲げる合併等特別償却不足額として記載しているとき又はこれらの特別償却等に係る同款の**二十四**《準備金方式による特別償却》による特別償却準備金の積立不足額若しくは合併等特別償却準備金積立不足額として処理したときは、当該減価償却資産は、当該特別償却限度額に係る特別償却等の適用を受けたものに該当することに留意する。（措通42の5～48(共)－2・編者補正）

(適格合併等があった場合の特別償却等の適用)

(13)　**1**の税額控除は、減価償却資産を事業の用に供した場合に適用があるのであるから、適格合併等（適格合併、適格分割、適格現物出資又は適格現物分配をいう。）による移転に係る減価償却資産について**1**の適用があるかどうかは、当該減価償却資産を事業の用に供した日の現況において、**1**に掲げる適用要件（適用対象法人、適用期間、適用対象事業等に関する要件をいう。以下(13)において同じ。）を満たすかどうかにより判定することに留意する。（措通42の5～48(共)－3・編者補正）

> 注　例えば、中小企業者等（**六**《中小企業者等が機械等を取得した場合の法人税額の特別控除》の**1**に掲げる中小企業者等をいう。以下注において同じ。）に該当する被合併法人が減価償却資産を適格合併により中小企業者等に該当しない合併法人に移転する場合の**六**の**1**の適用については、次の(一)及び(二)のようになる。

(一)	被合併法人が当該減価償却資産を事業の用に供した場合は、他の適用要件を満たせば、被合併法人において**六**の**1**の適用を受けることができる。
(二)	被合併法人が当該減価償却資産を事業の用に供しないで合併法人が事業の用に供した場合は、被合併法人又は合併法人のいずれの法人においても、**六**の**1**の適用を受けることができない。

2　特別控除の申告

1《法人税額の特別控除》は、確定申告書等（**1**の税額控除により控除を受ける金額を増加させる修正申告書又は更正

第三章 第二節 第二款 八《国家戦略特別区域において機械等を取得した場合の法人税額の特別控除》

請求書を提出する場合には、当該修正申告書又は更正請求書を含む。）に1の税額控除の対象となる特定機械装置等の取得価額、控除を受ける金額及び当該金額の計算に関する明細を記載した書類の添付がある場合に限り、適用する。この場合において、1の税額控除により控除される金額の計算の基礎となる特定機械装置等の取得価額は、確定申告書等に添付された書類に記載された特定機械装置等の取得価額を限度とする。（措法42の10⑤）

注 八の特別控除に係る明細を記載した書類は、次のとおり。（編者）
別表六(十七)「国家戦略特別区域において機械等を取得した場合の法人税額の特別控除に関する明細書」

九 国際戦略総合特別区域において機械等を取得した場合の法人税額の特別控除（適用期限の延長等）

1 法人税額の特別控除

　青色申告書を提出する法人で総合特別区域法第26条第１項《課税の特例》に規定する指定法人に該当するもの（以下**九**において「**指定法人**」という。）が、同法の施行の日（平成23年８月１日）から令和８年３月31日までの期間内に、同法第２条第１項《定義》に規定する国際戦略総合特別区域（以下**九**において「**国際戦略総合特別区域**」という。）内において、当該国際戦略総合特別区域に係る当該指定法人の同法第15条第１項《報告の徴収》に規定する認定国際戦略総合特別区域計画に適合する指定法人の総合特別区域法施行規則第15条第２号《法第26条第１項の指定法人の要件》に規定する指定法人事業実施計画（以下**1**において「**指定法人事業実施計画**」という。）に記載された機械及び装置、器具及び備品（専ら開発研究〔新たな製品の製造若しくは新たな技術の発明又は現に企業化されている技術の著しい改善を目的として特別に行われる試験研究をいう。〕の用に供される耐用年数省令別表第六《開発研究用減価償却資産の耐用年数》の上欄に掲げる器具及び備品〔同表の中欄に掲げる固定資産に限る。〕に限る。）、建物及びその附属設備並びに構築物（（１）《税額控除の対象となる特定機械装置等の規模》に掲げる規模のものに限る。以下**九**において「**特定機械装置等**」という。）でその製作若しくは建設の後事業の用に供されたことのないものを取得し、又は当該指定法人事業実施計画に記載された特定機械装置等を製作し、若しくは建設して、これを当該指定法人の総合特別区域法第２条第２項第２号イ又はロに掲げる事業（以下**九**において「**特定国際戦略事業**」という。）の用に供した場合（貸付けの用に供した場合を除く。）において、当該特定機械装置等につき第一節第七款の**三の1**《国際戦略総合特別区域において機械等を取得した場合の初年度特別償却》の適用を受けないときは、その特定国際戦略事業の用に供した日を含む事業年度（解散〔合併による解散を除く。〕の日を含む事業年度及び清算中の各事業年度を除く。以下**九**において「**供用年度**」という。）の所得に対する**調整前法人税額**（**五の1**《試験研究を行った場合の法人税額の特別控除》の表の②に掲げる調整前法人税額をいう。以下**九**において同じ。）からその特定国際戦略事業の用に供した当該特定機械装置等の取得価額に次の表の左欄に掲げる特定機械装置等の区分に応じ、それぞれ同表の右欄に掲げる割合を乗じて計算した金額の合計額（以下**九**において「**税額控除限度額**」という。）を控除する。この場合において、当該指定法人の供用年度における税額控除限度額が、当該指定法人の当該供用年度の所得に対する調整前法人税額の$\frac{20}{100}$に相当する金額を超えるときは、その控除を受ける金額は、当該$\frac{20}{100}$に相当する金額を限度とする。（措法42の11②①、措令27の11①、措規20の６①②）

①	令和６年４月１日から令和８年３月31日までの間に取得又は製作若しくは建設をした特定機械装置等（令和６年３月31日以前に受けた総合特別区域法第26条第１項の規定による指定に係る指定法人事業実施計画に同日において記載されている特定機械装置等を除く。）	$\frac{8}{100}$（建物及びその附属設備並びに構築物については、$\frac{4}{100}$）
②	①に掲げる特定機械装置等以外の特定機械装置等	$\frac{10}{100}$（建物及びその附属設備並びに構築物については、$\frac{5}{100}$）

$$\text{税額控除限度額} = \text{特定機械装置等の取得価額} \times \frac{8}{100} \text{又は} \frac{4}{100} \quad \text{ただし、}\left[\text{供用年度の調整前法人税額（申告書別表一の「2」欄の金額）} \times \frac{20}{100}\right] \text{を限度}$$

※　令和６年４月１日から令和８年３月31日までの間に取得又は製作若しくは建設をした特定機械装置等（令和６年３月31日以前に受けた総合特別区域法第26条第１項の規定による指定に係る指定法人事業実施計画に同日において記載されている特定機械装置等を除く。）以外の特定機械装置等については、次による。

$$\text{税額控除限度額} = \text{特定機械装置等の取得価額} \times \frac{10}{100} \text{又は} \frac{5}{100} \quad \text{ただし、}\left[\text{供用年度の調整前法人税額（申告書別表一の「2」欄の金額）} \times \frac{20}{100}\right] \text{を限度}$$

注１　──線部分（適用期限に係る部分を除く。）は、令和６年度改正により改正された部分で、改正規定は、令和６年４月１日以後に取得又は製作若しくは建設をする特定機械装置等について適用され、令和６年３月31日以前に取得又は製作若しくは建設をする特定機械装置等の適用については、上表は次による。（令６改法附40、１）

旧①	平成31年４月１日から令和６年３月31日までの間に取得又は製作若しくは建設をした特定機械装置等（平成31年３月31日以前に受けた総合特別区域法第26条第１項の規定による指定に係る指定法人事業実施計画に同日において記載されている特定機械装置等を除く。）	$\frac{10}{100}$（建物及びその附属設備並びに構築物については、$\frac{5}{100}$）

第三章　第二節　第二款　九《国際戦略総合特別区域において機械等を取得した場合の法人税額の特別控除》

| 旧② | 旧①に掲げる特定機械装置等以外の特定機械装置等 | $\frac{12}{100}$（建物及びその附属設備並びに構築物については、$\frac{6}{100}$） |

注２　耐用年数省令別表第六《開発研究用減価償却資産の耐用年数表》の「器具及び備品」欄は、次による。

種類	細目
器具及び備品	試験又は測定機器、計算機器、撮影機又は顕微鏡

注３　令和６年７月１日現在において国際戦略総合特別区域計画（国際戦略事業に国際戦略総合特区設備等投資促進税制があるものに限る。）に指定されている区域の名称は、次のとおり。（編者）

	国際戦略総合特別区域の名称	告示
(一)	つくば国際戦略総合特区	平成24年内閣府告示第48号（最終改正令和３年第40号）
(二)	京浜臨海部ライフイノベーション国際戦略総合特区	平成24年内閣府告示第49号（最終改正令和４年第77号）
(三)	アジアNo.1航空宇宙産業クラスター形成特区	平成24年内閣府告示第50号（最終改正令和６年第３号）
(四)	関西イノベーション国際戦略総合特区	平成24年内閣府告示第51号（最終改正令和４年第45号）
(五)	グリーンアジア国際戦略総合特区	平成24年内閣府告示第52号（最終改正令和３年第44号）
(六)	アジアヘッドクォーター特区	平成24年内閣府告示第248号（最終改正令和６年第84号）

（税額控除の対象となる特定機械装置等の規模）

(1)　１に掲げる特定機械装置等のうち税額控除の対象となるものは、次の表の左欄に掲げる減価償却資産の区分に応じ、それぞれ同表の右欄に掲げる規模のものとする。（措令27の11②）

(一)	機械及び装置	一台又は一基（通常一組又は一式をもって取引の単位とされるものにあっては、一組又は一式。以下(1)において同じ。）の取得価額（第一節第六款の六の１《減価償却資産の取得価額》により計算した取得価額をいう。以下(1)において同じ。）が2,000万円以上のもの
(二)	器具及び備品	一台又は一基の取得価額が1,000万円以上のもの
(三)	建物及びその附属設備並びに構築物	一の建物及びその附属設備並びに構築物の取得価額の合計額が１億円以上のもの

注　上記の金額基準を満たしているかどうかは、第一節第一款の七の２の(9)《少額の減価償却資産等の取得価額等の判定》により、法人が適用している税抜経理方式又は税込経理方式に応じ、その適用している方式により算定した価額により判定する。（平元直法２－１「９」参照）

（国家戦略特別区域において機械等を取得した場合の法人税額の特別控除の適用を受ける場合の不適用）

(2)　１は、次の(一)から(三)の適用を受ける事業年度については、適用しない。（措法42の11④）

(一)	第一節第七款の二の１《国家戦略特別区域において機械等を取得した場合の初年度特別償却》又は八の１《法人税額の特別控除》
(二)	第一節第七款の二の１に係る同款の二十三の１《特別償却不足額がある場合の償却限度額の計算》又は同二十三の２《合併等特別償却不足額がある場合の償却限度額の計算》
(三)	第一節第七款の二の１に係る同款の二十四の１の①《特別償却準備金積立額の損金算入》、同１の②《特別償却準備金積立不足額の１年間繰越し》、同１の③《適格合併等の場合の移転特別償却資産に係る合併等特別償却準備金積立不足額の引継ぎ》、同１の⑤のイ《適格分割等により特別償却対象資産を移転する場合の分割法人等における特別償却準備金の期中積立て》又は同⑤のロ《適格分割等により特別償却対象資産を移転する場合の分割法人等における特別償却準備金の積立不足額の期中積立て》

第三章　第二節　第二款　九《国際戦略総合特別区域において機械等を取得した場合の法人税額の特別控除》

(取得価額の判定単位)
（３）　（１）《税額控除の対象となる特定機械装置等の規模》の表の(一)又は(二)に掲げる機械及び装置又は器具及び備品の一台又は一基の取得価額が2,000万円以上又は1,000万円以上であるかどうかについては、通常一単位として取引される単位ごとに判定するのであるが、個々の機械及び装置の本体と同時に設置する自動調整装置又は原動機のような附属機器で当該本体と一体になって使用するものがある場合には、これらの附属機器を含めたところによりその判定を行うことができるものとする。(措通42の11－1)

(圧縮記帳の適用を受けた場合の特定機械装置等の取得価額要件の判定)
（４）　（１）の表に掲げる機械及び装置又は器具及び備品の取得価額が2,000万円以上又は1,000万円以上であるかどうかを判定する場合において、その機械及び装置又は器具及び備品が第一節第十五款の一《国庫補助金等による圧縮記帳》、同款の二《工事負担金による圧縮記帳》、同款の三《非出資組合の賦課金による圧縮記帳》及び同款の四《保険金等による圧縮記帳》による圧縮記帳の適用を受けたものであるとき（法人が取得等をした（１）に掲げる機械及び装置並びに器具及び備品につき、供用年度後の事業年度において同款の一から四の適用を受けることが予定されている場合を含む。）は、その圧縮記帳後の金額（法人が取得等をした（１）に掲げる機械及び装置並びに器具及び備品につき、供用年度後の事業年度において同款の一から四の適用を受けることが予定されている場合にあっては、第一節第六款の六の１《減価償却資産の取得価額》に掲げる金額から当該供用年度後の事業年度において第一節第十五款の一から四の適用を受けるとしたならば、第一節第六款の六の３《圧縮記帳資産の取得価額の特例》に掲げる「損金の額に算入された金額（……金額を加算した金額）」となることが見込まれる金額を控除した金額）に基づいてその判定を行うものとする。（１）の表に掲げる建物及びその附属設備並びに構築物の取得価額の合計額が１億円以上であるかどうかを判定する場合においても、同様とする。(措通42の11－2、42の5～48（共）－3の2・編者補正)

(特別償却等の対象となる建物の附属設備)
（５）　１に掲げる建物の附属設備は、当該建物とともに取得又は建設をする場合における建物附属設備に限られることに留意する。(措通42の11－3)

(特定国際戦略事業の用に供したものとされる資産の貸与)
（６）　指定法人が、その取得又は製作若しくは建設をした特定機械装置等を自己の下請業者に貸与した場合において、当該特定機械装置等が国際戦略総合特別区域内において専ら当該指定法人の特定国際戦略事業のためにする製品の加工等の用に供されるものであるときは、当該特定機械装置等は当該指定法人の営む特定国際戦略事業の用に供したものとして１の税額控除を適用する。(措通42の11－4)

(開発研究の意義)
（７）　１に掲げる開発研究（以下１において「開発研究」という。）とは、次に掲げる試験研究をいう。(措通42の11－5)

(一)	新規原理の発見又は新規製品の発明のための研究
(二)	新規製品の製造、製造工程の創設又は未利用資源の活用方法の研究
(三)	(一)又は(二)の研究を基礎とし、これらの研究の成果を企業化するためのデータの収集
(四)	現に企業化されている製造方法その他の生産技術の著しい改善のための研究

(専ら開発研究の用に供される器具及び備品)
（８）　１に掲げる「専ら開発研究（……）の用に供されるもの」とは、耐用年数省令別表第六《開発研究用減価償却資産の耐用年数表》に掲げる器具及び備品のうち専ら開発研究の用に供されるものをいうのであるから、開発研究を行う施設において供用されるものであっても、他の目的のために使用されている減価償却資産で必要に応じ開発研究の用に供されるものは、これに該当しないことに留意する。(措通42の11－6)
　注　耐用年数省令別表第六《開発研究用減価償却資産の耐用年数表》の「器具及び備品」欄は、次による。

種類	細目
器具及び備品	試験又は測定機器、計算機器、撮影機及び顕微鏡

第三章　第二節　第二款　**九**《国際戦略総合特別区域において機械等を取得した場合の法人税額の特別控除》

　　　（委託研究先への資産の貸与）
（9）　指定法人が、その取得又は製作をした**1**に掲げる器具及び備品を自己の開発研究の委託先に貸与した場合において、当該委託先において当該器具及び備品が専ら当該指定法人のためにする開発研究の用に供されるものであるときは、当該器具及び備品は当該指定法人の行う開発研究の用に供したものとして取り扱う。（措通42の11－7）

　　　（国庫補助金等の圧縮記帳の適用を受ける場合の取得価額）
（10）　**1**に掲げる税額控除限度額の計算の基礎となる特定機械装置等の取得価額は、次の左欄に掲げる場合には、それぞれ次の右欄に掲げる金額による。（措通42の5～48(共)－3の2・編者補正）

（一）	法人が取得等をした特定機械装置等につき、供用年度において第一節第十五款の**一**《国庫補助金等による圧縮記帳》、同款の**二**《工事負担金による圧縮記帳》、同款の**三**《非出資組合の賦課金による圧縮記帳》及び同款の**四**《保険金等による圧縮記帳》の適用を受ける場合	第一節第六款の**六の3**《圧縮記帳資産の取得価額の特例》により同**六の1**《減価償却資産の取得価額》の取得価額とみなすこととされる金額
（二）	法人が取得等をした特定機械装置等につき、供用年度後の事業年度において第一節第十五款の**一**、同款の**二**、同款の**三**及び同款の**四**の適用を受けることが予定されている場合	第一節第六款の**六の1**の表に掲げる金額から当該供用年度後の事業年度において第一節第十五款の**一**、同款の**二**、同款の**三**及び同款の**四**の適用を受けるとしたならば、第一節第六款の**六の3**に掲げる「損金の額に算入された金額（……金額を加算した金額）」となることが見込まれる金額（以下「損金算入見込額」という。）を控除した金額

　　注1　（二）の損金算入見込額は、当該供用年度終了の日において、第一節第十五款の**一の1**《国庫補助金等で取得した固定資産の圧縮額の損金算入》に掲げる国庫補助金等若しくは同款の**二の1**《工事負担金で取得した固定資産の圧縮額の損金算入》の金銭の交付を受け、同款の**三の1**《非出資組合が賦課金で取得した固定資産の圧縮額の損金算入》の賦課に基づいて納付され、又は同款の**四の1**《保険金等で取得した固定資産の圧縮額の損金算入》に掲げる保険金等の支払を受けることが見込まれる金額（同款の**一の7**《特別勘定を設けた場合の国庫補助金等で取得した固定資産の圧縮額の損金算入》の適用を受けることが予定されている場合には、同款の**一の1**に掲げる国庫補助金等の交付を受けた金額で返還を要しないことが供用年度終了の日までに確定していないものを含む。）とすることができる。

　　注2　法人が特定機械装置等の供用年度において税額控除限度額等の計算の基礎となる特定機械装置等の取得価額を（二）に定める金額によることなく第一節第六款の**六の1**の表に掲げる金額に基づき税額控除限度額等を計算して申告をしている場合において、供用年度後の事業年度に第一節第十五款の**一**、同款の**二**、同款の**三**及び同款の**四**の適用を受けるときは、第一節第六款の**六の3**により同**六の1**の取得価額とみなすこととされる金額に基づき供用年度の税額控除限度額等を修正することに留意する。

　　　（特定機械装置等の対価につき値引きがあった場合の税額控除限度額の計算）
（11）　法人が供用年度後の事業年度において当該特定機械装置等の対価の額につき値引きがあった場合には、供用年度に遡って当該値引きのあった特定機械装置等に係る**1**の税額控除限度額の修正を行うものとする。（措通42の11－8）

　　　（特別償却の適用を受けたものの意義）
（12）　法人が、その有する減価償却資産について、第一節第七款の**三の1**《国際戦略総合特別区域において機械等を取得した場合の初年度特別償却》による特別償却等に係る償却を実施していない場合においても、当該特別償却等に関する明細書においてその特別償却限度額の計算を行い、同款の**二十三の1**《特別償却不足額がある場合の償却限度額の計算》に掲げる特別償却不足額若しくは同**二十三の2**《合併等特別償却不足額がある場合の償却限度額の計算》に掲げる合併等特別償却不足額として記載しているとき又はこれらの特別償却等に係る同款の**二十四**《準備金方式による特別償却》による特別償却準備金の積立不足額若しくは合併等特別償却準備金積立不足額として処理したときは、当該減価償却資産は、当該特別償却限度額に係る特別償却等の適用を受けたものに該当することに留意する。（措通42の5～48(共)－2・編者補正）

　　　（適格合併等があった場合の特別償却等の適用）
（13）　**1**の税額控除は、減価償却資産を事業の用に供した場合に適用があるのであるから、適格合併等（適格合併、適格分割、適格現物出資又は適格現物分配をいう。）による移転に係る減価償却資産について**1**の適用があるかどうかは、当該減価償却資産を事業の用に供した日の現況において、**1**に掲げる適用要件（適用対象法人、適用期間、適用対象事業等に関する要件をいう。以下(13)において同じ。）を満たすかどうかにより判定することに留意する。（措通42の

第三章　第二節　第二款　**九**《国際戦略総合特別区域において機械等を取得した場合の法人税額の特別控除》

5〜48(共)−3・編者補正)
　注　例えば、中小企業者等(**六**《中小企業者等が機械等を取得した場合の法人税額の特別控除》の**1**に掲げる中小企業者等をいう。以下注において同じ。)に該当する被合併法人が減価償却資産を適格合併により中小企業者等に該当しない合併法人に移転する場合の**六**の**1**の適用については、次の(一)及び(二)のようになる。

(一)	被合併法人が当該減価償却資産を事業の用に供した場合は、他の適用要件を満たせば、被合併法人において**六**の**1**の適用を受けることができる。
(二)	被合併法人が当該減価償却資産を事業の用に供しないで合併法人が事業の用に供した場合は、被合併法人又は合併法人のいずれの法人においても、**六**の**1**の適用を受けることができない。

2　特別控除の申告

　1《法人税額の特別控除》の税額控除は、確定申告書等(**1**の税額控除により控除を受ける金額を増加させる修正申告書又は更正請求書を提出する場合には、当該修正申告書又は更正請求書を含む。)に**1**の税額控除の対象となる特定機械装置等の取得価額、控除を受ける金額及び当該金額の計算に関する明細を記載した書類の添付がある場合に限り、適用する。この場合において、**1**の税額控除により控除される金額の計算の基礎となる特定機械装置等の取得価額は、確定申告書等に添付された書類に記載された特定機械装置等の取得価額を限度とする。(措法42の11⑥)
　注　**九**の特別控除に係る明細を記載した書類は、次のとおり。(編者)
　　　別表六(十八)「国際戦略総合特別区域において機械等を取得した場合の法人税額の特別控除に関する明細書」

十 地域経済牽引事業の促進区域内において特定事業用機械等を取得した場合の法人税額の特別控除

1 法人税額の特別控除

　青色申告書を提出する法人で地域経済牽引事業の促進による地域の成長発展の基盤強化に関する法律第25条《課税の特例》に規定する承認地域経済牽引事業者であるものが、企業立地の促進等による地域における産業集積の形成及び活性化に関する法律の一部を改正する法律（平成29年法律第47号）の施行の日（平成29年7月31日）から令和7年3月31日までの期間内に、当該法人の行う同条に規定する承認地域経済牽引事業（以下十において「**承認地域経済牽引事業**」という。）に係る地域経済牽引事業の促進による地域の成長発展の基盤強化に関する法律第4条第2項第1号《基本方針》に規定する促進区域（十において「**促進区域**」という。）内において当該承認地域経済牽引事業に係る承認地域経済牽引事業計画（同法第14条第2項《地域経済牽引事業計画の変更等》に規定する承認地域経済牽引事業計画をいう。以下十において同じ。）に従って**特定地域経済牽引事業施設等**（承認地域経済牽引事業計画に定められた施設又は設備で、(1)《特定地域経済牽引事業施設等の規模》に掲げる規模のものをいう。以下十において同じ。）の新設又は増設をする場合において、当該新設若しくは増設に係る特定地域経済牽引事業施設等を構成する機械及び装置、器具及び備品、建物及びその附属設備並びに構築物（以下十において「**特定事業用機械等**」という。）でその製作若しくは建設の後事業の用に供されたことのないものを取得し、又は当該新設若しくは増設に係る特定事業用機械等を製作し、若しくは建設して、これを当該承認地域経済牽引事業の用に供したとき（貸付けの用に供した場合を除く。）は、当該特定事業用機械等につき第一節第七款の**四の1**《特定事業用機械等を取得した場合の初年度特別償却》の適用を受ける場合を除き、その承認地域経済牽引事業の用に供した日を含む事業年度（解散〔合併による解散を除く。〕の日を含む事業年度及び清算中の各事業年度を除く。十において「**供用年度**」という。）の所得に対する**調整前法人税額**（**五の1**《試験研究を行った場合の法人税額の特別控除》の表の②に掲げる調整前法人税額をいう。以下十において同じ。）からその承認地域経済牽引事業の用に供した当該特定事業用機械等の取得価額（その特定事業用機械等に係る一の特定地域経済牽引事業施設等を構成する機械及び装置、器具及び備品、建物及びその附属設備並びに構築物の取得価額の合計額が80億円を超える場合には、80億円にその特定事業用機械等の取得価額が当該合計額のうちに占める割合を乗じて計算した金額。十において「**基準取得価額**」という。）に次の表の左欄に掲げる減価償却資産の区分に応じそれぞれ同表の右欄に掲げる割合を乗じて計算した金額の合計額（以下十において「**税額控除限度額**」という。）を控除する。この場合において、当該法人の供用年度における税額控除限度額が、当該法人の当該供用年度の所得に対する調整前法人税額の$\frac{20}{100}$に相当する金額を超えるときは、その控除を受ける金額は、当該$\frac{20}{100}$に相当する金額を限度とする。（措法42の11の2②①、措令27の11の2③）

①	機械及び装置並びに器具及び備品	$\frac{4}{100}$（平成31年4月1日以後に地域経済牽引事業の促進による地域の成長発展の基盤強化に関する法律第13条第4項又は第7項《地域経済牽引事業計画の承認》の規定による承認を受けた法人〔以下十において「特定法人」という。〕がその承認地域経済牽引事業〔地域の成長発展の基盤強化に著しく資するものとして(3)《地域の成長発展の基盤強化に著しく資するもの》に掲げるものに限る。〕の用に供したものについては、$\frac{5}{100}$〔その承認地域経済牽引事業が地域の事業者に対して著しい経済的効果を及ぼすものとして(4)《地域の事業者に対して著しい経済的効果を及ぼすもの》に掲げるものである場合には、$\frac{6}{100}$とする。〕）
②	建物及びその附属設備並びに構築物	$\frac{2}{100}$

$$\text{税額控除限度額} = \text{特定事業用機械等の基準取得価額} \times \frac{4}{100} \text{又は} \frac{2}{100} \quad \text{ただし、}\left[\begin{array}{c}\text{供用年度の調整前法人税額}\\ \text{（申告書別表一の「2」欄の金額）}\end{array} \times \frac{20}{100}\right]\text{を限度}$$

　※　機械及び装置並びに器具及び備品で、特定法人がその承認地域経済牽引事業の用に供したものについては、$\frac{5}{100}$、また、その承認地域経済牽引事業が地域の事業者に対して著しい経済的効果を及ぼすものについては、$\frac{6}{100}$

　算式の基準取得価額とは、一の特定地域経済牽引事業施設等を構成する機械及び装置、器具及び備品、建物及びその附属設備並びに構築物の取得価額の合計額が80億円を超える場合には、特定事業用機械等ごとに次により計算した金額とする。

第三章　第二節　第二款　十《地域経済牽引事業の促進区域内において特定事業用機械等を取得した場合の法人税額の特別控除》

$$80億円 \times \frac{特定事業用機械等の取得価額}{特定事業用機械等の取得価額の合計額}$$

注　――線部分は、令和6年度改正により追加された部分で、改正規定は、令和6年4月1日以後に取得又は製作若しくは建設をする特定事業用機械等について適用される。（令6改法附41、1）

（特定地域経済牽引事業施設等の規模）
（1）　1に掲げる規模のものは、一の承認地域経済牽引事業計画（1に掲げる承認地域経済牽引事業計画をいう。）に定められた施設又は設備を構成する第一節第六款の一の**2**《減価償却資産の範囲》に掲げる資産の取得価額（同款の**六**の**1**《減価償却資産の取得価額》により計算した取得価額をいう。）の合計額が2,000万円以上のものとする。（措令27の11の2①）

> 注　上記の金額基準を満たしているかどうかは、第一節第一款の**七**の**2**の（9）《少額の減価償却資産等の取得価額等の判定》により、法人が適用している税抜経理方式又は税込経理方式に応じ、その適用している方式により算定した価額により判定する。（平元直法2－1「9」参照）

（圧縮記帳の適用を受けた場合の特定地域経済牽引事業施設等の取得価額要件の判定）
（2）　（1）の一の承認地域経済牽引事業計画に定められた施設又は設備を構成する第一節第六款の一の**2**《減価償却資産の範囲》に掲げる資産の取得価額の合計額が2,000万円以上であるかどうかを判定する場合において、その一の承認地域経済牽引事業計画に定められた施設又は設備を構成する同**2**に掲げる資産のうちに法又は措置法の規定による圧縮記帳の適用を受けたものがあるとき（法人が取得等をした（1）に掲げる一の承認地域経済牽引事業計画に定められた施設又は設備を構成する同**2**に掲げる資産のうちに、供用年度後の事業年度において第一節第十五款の**一**から**四**の適用を受けることが予定されているものがある場合を含む。）は、その圧縮記帳後の金額（法人が取得等をした（1）に掲げる一の承認地域経済牽引事業計画に定められた施設又は設備を構成する同**2**に掲げる資産のうちに、供用年度後の事業年度において第一節第十五款の**一**から**四**の適用を受けることが予定されているものがある場合にあっては、第一節第六款の**六**の**1**《減価償却資産の取得価額》に掲げる金額から当該供用年度後の事業年度において第一節第十五款の**一**から**四**の適用を受けるとしたならば、第一節第六款の**六**の**3**《圧縮記帳資産の取得価額の特例》に掲げる「損金の額に算入された金額（……金額を加算した金額）」となることが見込まれる金額を控除した金額）に基づいてその判定を行うものとする。（措通42の11の2－1、42の5～48（共）－3の2・編者補正）

（地域の成長発展の基盤強化に著しく資するもの）
（3）　1の表の①に掲げるものは、地域の成長発展の基盤強化に著しく資するものとして経済産業大臣が財務大臣と協議して定める基準に適合することについて主務大臣（地域経済牽引事業の促進による地域の成長発展の基盤強化に関する法律第43条第2項《主務大臣及び主務省令》に規定する主務大臣をいう。（4）において同じ。）の確認を受けたものとする。（措令27の11の2②）

> 注　経済産業大臣は、（3）により基準を定めたときは、これを告示する。（措令27の11の2④）
> なお、（3）により定められた基準は、地域経済牽引事業の促進による地域の成長発展の基盤強化に関する法律第25条の規定に基づく地域の成長発展の基盤強化に特に資するものとして主務大臣が認める基準等に関する告示（平成29年総務省、財務省、厚生労働省、農林水産省、経済産業省、国土交通省、環境省　告示第1号〔最終改正令和3年第1号〕）第1項第5号に該当することとする。（平成31年経済産業省告示第84号〔最終改正令和2年第190号〕）

（地域の事業者に対して著しい経済的効果を及ぼすもの）
（4）　1の表の①に掲げるものは、地域の事業者に対して著しい経済的効果を及ぼすものとして経済産業大臣が財務大臣と協議して定める基準に適合することについて主務大臣の確認を受けたものとする。（措令27の11の2③）

> 注1　（4）は、令和6年度改正により追加されたもので、改正規定は、令和6年4月1日から適用される。（令6改措令附1）
> 注2　経済産業大臣は、（4）により基準を定めたときは、これを告示する。（措令27の11の2④）

（新増設の範囲）
（5）　1の適用上、次に掲げる特定地域経済牽引事業施設等（1に掲げる特定地域経済牽引事業施設等をいう。以下同じ。）の取得又は製作若しくは建設（以下「取得等」という。）についても特定地域経済牽引事業施設等の新設又は増設に該当するものとする。（措通42の11の2－2）

第三章　第二節　第二款　十《地域経済牽引事業の促進区域内において特定事業用機械等を取得した場合の法人税額の特別控除》

（一）　既存設備が災害により滅失又は損壊したため、その代替設備として取得等をした特定地域経済牽引事業施設等
（二）　既存設備の取替え又は更新のために特定地域経済牽引事業施設等の取得等をした場合で、その取得等により生産能力、処理能力等が従前に比して相当程度（おおむね30％）以上増加したときにおける当該特定地域経済牽引事業施設等のうちその生産能力、処理能力等が増加した部分に係るもの

（特別償却等の対象となる建物の附属設備）

（6）　1に掲げる建物の附属設備は、当該建物とともに取得又は建設をする場合における建物附属設備に限られることに留意する。（措通42の11の2－3）

（承認地域経済牽引事業の用に供したものとされる資産の貸与）

（7）　1に掲げる承認地域経済牽引事業者（以下「承認地域経済牽引事業者」という。）が、その取得等をした1に掲げる特定事業用機械等を自己の下請業者に貸与した場合において、当該特定事業用機械等が促進区域内において専ら当該承認地域経済牽引事業者の1に掲げる承認地域経済牽引事業のためにする製品の加工等の用に供されるものであるときは、当該特定事業用機械等は当該承認地域経済牽引事業者の営む承認地域経済牽引事業の用に供したものとして1を適用する。（措通42の11の2－4・編者補正）

（取得価額の合計額が80億円を超えるかどうか等の判定）

（8）　1の適用上、一の特定地域経済牽引事業施設等を構成する機械及び装置、器具及び備品、建物及びその附属設備並びに構築物の取得価額の合計額が80億円を超えるかどうかは、その新設又は増設に係る承認地域経済牽引事業計画（1に掲げる承認地域経済牽引事業計画をいう。以下同じ。）ごとに判定することに留意する。（1）の一の承認地域経済牽引事業計画に定められた施設又は設備を構成する第一節第六款の一の**2**《減価償却資産の範囲》に掲げる資産の取得価額の合計額が2,000万円以上であるかどうかの判定についても、同様とする。（措通42の11の2－5）

（2以上の事業年度において事業の用に供した場合の取得価額の計算）

（9）　特定事業用機械等に係る一の特定地域経済牽引事業施設等を構成する機械及び装置、器具及び備品、建物及びその附属設備並びに構築物でその取得価額の合計額が80億円を超えるものを2以上の事業年度において事業の用に供した場合には、その取得価額の合計額が初めて80億円を超えることとなる事業年度（以下「超過事業年度」という。）における1による税額控除限度額の計算の基礎となる個々の特定事業用機械等の取得価額は、次の算式による。（措通42の11の2－6・編者補正）

（算式）

$$\left[80億円 - \frac{超過事業年度前の各事業年度において事業の用に供した特定事業用機械等の取得価額の合計額（注1）}{}\right] \times \frac{超過事業年度において事業の用に供した個々の特定事業用機械等の取得価額}{超過事業年度において事業の用に供した特定事業用機械等の取得価額の合計額}$$

注1　超過事業年度前の各事業年度において事業の用に供した個々の特定事業用機械等については、その取得価額の調整は行わないことに留意する。
注2　承認地域経済牽引事業計画が、地域経済牽引事業の促進による地域の成長発展の基盤強化に関する法律第13条第1項の規定により、同法第2条第1項に規定する地域経済牽引事業を行おうとする者が共同して作成した同法第13条第1項に規定する地域経済牽引事業計画に係るものである場合には、本文及び算式中「80億円」とあるのは「80億円を承認地域経済牽引事業計画の共同作成者の間で合理的にあん分した金額」とする。

（国庫補助金等の圧縮記帳の適用を受ける場合の取得価額）

（10）　1に掲げる税額控除限度額の計算の基礎となる特定事業用機械等の取得価額は、次の左欄に掲げる場合には、それぞれ次の右欄に掲げる金額による。（措通42の5～48(共)－3の2・編者補正）

（一）	法人が取得等をした特定事業用機械等につき、供用年度において第一節第十五款の**一**《国庫補助金等による圧縮記帳》、同款の**二**《工事負担金による圧縮記帳》、同款の**三**《非出資組合の賦課金による圧縮記帳》及び同款の**四**《保	第一節第六款の**六の3**《圧縮記帳資産の取得価額の特例》により同**六の1**《減価償却資産の取得価額》の取得価額とみなすこととされる金額

-1599-

	険金等による圧縮記帳》の適用を受ける場合	
(二)	法人が取得等をした特定事業用機械等につき、供用年度後の事業年度において第一節第十五款の**一**、同款の**二**、同款の**三**及び同款の**四**の適用を受けることが予定されている場合	第一節第六款の**六**の**1**の表に掲げる金額から当該供用年度後の事業年度において第一節第十五款の**一**、同款の**二**、同款の**三**及び同款の**四**の適用を受けるとしたならば、第一節第六款の**六**の**3**に掲げる「損金の額に算入された金額（……金額を加算した金額）」となることが見込まれる金額（以下「損金算入見込額」という。）を控除した金額

注1 (二)の損金算入見込額は、当該供用年度終了の日において、第一節第十五款の**一**の**1**《国庫補助金等で取得した固定資産の圧縮額の損金算入》に掲げる国庫補助金等若しくは同款の**二**の**1**《工事負担金で取得した固定資産の圧縮額の損金算入》の金銭の交付を受け、同款の**三**の**1**《非出資組合が賦課金で取得した固定資産の圧縮額の損金算入》の賦課に基づいて納付され、又は同款の**四**の**1**《保険金等で取得した固定資産の圧縮額の損金算入》に掲げる保険金等の支払を受けることが見込まれる金額（同款の**一**の**7**《特別勘定を設けた場合の国庫補助金等で取得した固定資産の圧縮額の損金算入》の適用を受けることが予定されている場合には、同款の**一**の**1**に掲げる国庫補助金等の交付を受けた金額で返還を要しないことが供用年度終了の日までに確定していないものを含む。）とすることができる。

注2 法人が特定事業用機械等の供用年度において税額控除限度額等の計算の基礎となる特定事業用機械等の取得価額を(二)に定める金額によることなく第一節第六款の**六**の**1**の表に掲げる金額に基づき税額控除限度額等を計算して申告をしている場合において、供用年度後の事業年度に第一節第十五款の**一**、同款の**二**、同款の**三**及び同款の**四**の適用を受けるときは、第一節第六款の**六**の**3**により同**六**の**1**の取得価額とみなすこととされる金額に基づき供用年度の税額控除限度額等を修正することに留意する。

　　　（特定事業用機械等の対価につき値引きがあった場合の税額控除限度額の計算）
(11)　供用年度後の事業年度においてその特定事業用機械等の対価の額につき値引きがあった場合には、供用年度に遡って当該値引きのあった特定事業用機械等に係る**1**に掲げる税額控除限度額の修正を行うものとする。（措通42の11の2－7）

　　　（特別償却の適用を受けたものの意義）
(12)　法人が、その有する減価償却資産について、第一節第七款の**四**の**1**《特定事業用機械等を取得した場合の初年度特別償却》による特別償却等に係る償却を実施していない場合においても、当該特別償却等に関する明細書においてその特別償却限度額の計算を行い、同款の**二十三**の**1**《特別償却不足額がある場合の償却限度額の計算》に掲げる特別償却不足額若しくは同**二十三**の**2**《合併等特別償却不足額がある場合の償却限度額の計算》に掲げる合併等特別償却不足額として記載しているとき又はこれらの特別償却等に係る同款の**二十四**《準備金方式による特別償却》による特別償却準備金の積立不足額若しくは合併等特別償却準備金積立不足額として処理したときは、当該減価償却資産は、当該特別償却限度額に係る特別償却等の適用を受けたものに該当することに留意する。（措通42の5～48（共）－2・編者補正）

　　　（適格合併等があった場合の特別償却等の適用）
(13)　**1**の税額控除は、減価償却資産を事業の用に供した場合に適用があるのであるから、適格合併等（適格合併、適格分割、適格現物出資又は適格現物分配をいう。）による移転に係る減価償却資産について**1**の適用があるかどうかは、当該減価償却資産を事業の用に供した日の現況において、**1**に掲げる適用要件（適用対象法人、適用期間、適用対象事業等に関する要件をいう。以下(13)において同じ。）を満たすかどうかにより判定することに留意する。（措通42の5～48（共）－3・編者補正）

　注　例えば、中小企業者等（**六**《中小企業者等が機械等を取得した場合の法人税額の特別控除》の**1**に掲げる中小企業者等をいう。以下注において同じ。）に該当する被合併法人が減価償却資産を適格合併により中小企業者等に該当しない合併法人に移転する場合の**六**の**1**の適用については、次の(一)及び(二)のようになる。

(一)	被合併法人が当該減価償却資産を事業の用に供した場合は、他の適用要件を満たせば、被合併法人において**六**の**1**の適用を受けることができる。
(二)	被合併法人が当該減価償却資産を事業の用に供しないで合併法人が事業の用に供した場合は、被合併法人又は合併法人のいずれの法人においても、**六**の**1**の適用を受けることができない。

2　特別控除の申告

　1の税額控除は、確定申告書等（**1**の税額控除により控除を受ける金額を増加させる修正申告書又は更正請求書を提出する場合には、当該修正申告書又は更正請求書を含む。）に**1**の税額控除による控除の対象となる特定事業用機械等の取得

価額、控除を受ける金額及び当該金額の計算に関する明細を記載した書類の添付がある場合に限り、適用する。この場合において、1の税額控除により控除される金額の計算の基礎となる特定事業用機械等の取得価額は、確定申告書等に添付された書類に記載された特定事業用機械等の取得価額を限度とする。(措法42の11の2⑤)

注　十の特別控除に係る明細を記載した書類は、次のとおり。(編者)
　　別表六(十九)「地域経済牽引事業の促進区域内において特定事業用機械等を取得した場合の法人税額の特別控除に関する明細書」

十一　地方活力向上地域等において特定建物等を取得した場合の法人税額の特別控除（適用期限の延長等）

1　法人税額の特別控除

　青色申告書を提出する法人で地域再生法の一部を改正する法律（平成27年法律第49号）の施行の日（平成27年8月10日）から令和8年3月31日までの期間内に地域再生法第17条の2第1項《地方活力向上地域等特定業務施設整備計画の認定等》に規定する地方活力向上地域等特定業務施設整備計画（以下1において「**地方活力向上地域等特定業務施設整備計画**」という。）について同条第3項の認定を受けたものが、当該認定を受けた日から同日の翌日以後3年を経過する日まで（同日までに同条第6項の規定により当該認定を取り消されたときは、その取り消された日の前日まで）の間に、当該認定をした同条第1項に規定する認定都道府県知事（以下1において「**認定都道府県知事**」という。）が作成した同法第8条第1項《報告の徴収》に規定する認定地域再生計画（以下1において「**認定地域再生計画**」という。）に記載されている同法第5条第4項第5号《地方再生計画の認定》イ又はロに掲げる地域（当該認定を受けた地方活力向上地域等特定業務施設整備計画〔同法第17条の2第4項の規定による変更の認定があったときは、その変更後のもの。以下1において「**認定地方活力向上地域等特定業務施設整備計画**」という。〕が同法第17条の2第1項第2号に掲げる事業に関する地方活力向上地域等特定業務施設整備計画〔以下1において「**拡充型計画**」という。〕である場合には、同号に規定する地方活力向上地域）内において、当該認定地方活力向上地域等特定業務施設整備計画に記載された同法第5条第4項第5号に規定する特定業務施設（<u>同号に規定する特定業務児童福祉施設のうち当該特定業務施設の新設に併せて整備されるものを含む。以下1において「**特定業務施設**」という。</u>）に該当する建物及びその附属設備並びに構築物（（2）《特定建物等の規模》に掲げる規模のものに限る。以下**十一**において「**特定建物等**」という。）でその建設の後事業の用に供されたことのないものを取得し、又は当該認定地方活力向上地域等特定業務施設整備計画に記載された特定建物等を建設して、これを当該法人の営む事業の用に供した場合（貸付けの用に供した場合を除く。）において、当該特定建物等につき、第一節第七款の**五の1**《特定建物等を取得した場合の特別償却》の適用を受けないときは、その事業の用に供した日を含む事業年度（解散〔合併による解散を除く。〕の日を含む事業年度及び清算中の各事業年度を除く。以下1において「**供用年度**」という。）の所得に対する**調整前法人税額**（**五の1**《試験研究を行った場合の法人税額の特別控除》の表の②に掲げる調整前法人税額をいう。以下**十一**において同じ。）からその事業の用に供した当該特定建物等の取得価額〔<u>その特定建物等に係る一の特定業務施設を構成する建物及びその附属設備並びに構築物の取得価額の合計額が80億円を超える場合には、80億円にその特定建物等の取得価額が当該合計額のうちに占める割合を乗じて計算した金額。</u>〕の$\frac{4}{100}$（当該認定地方活力向上地域等特定業務施設整備計画が同法17条の2第1項第1号《地方活力向上地域等特定業務施設整備計画の認定等》に掲げる事業に関するものである場合には、$\frac{7}{100}$）に相当する金額の合計額（以下**十一**において「**税額控除限度額**」という。）を控除する。この場合において、当該法人の供用年度における税額控除限度額が、当該法人の当該供用年度の所得に対する調整前法人税額の$\frac{20}{100}$に相当する金額を超えるときは、その控除を受ける金額は、当該$\frac{20}{100}$に相当する金額を限度とする。（措法42の11の3②①）

$$\frac{税額控除}{限度額} = 特定建物等の取得価額 \times \frac{7}{100} 又は \frac{4}{100} \quad\quad ただし、\left[\frac{供用年度の調整前法人税額}{（申告書別表一の「2」欄の金額）} \times \frac{20}{100}\right] を限度$$

注1　――線部分（「「(同号に規定する…「特定業務施設」という。)」に係る部分に限る。）は、令和6年度改正により追加された部分で、改正規定は、地域再生法の一部を改正する法律（令和6年法律第17号）附則第1条ただし書に規定する規定の施行の日（令和6年4月19日）以後に地方活力向上地域等特定業務施設整備計画について1に掲げる認定を受ける法人が取得又は建設をする当該認定に係る認定地方活力向上地域等特定業務施設整備計画に記載された特定建物等について適用される。（令6改法附42②、1 XII）

注2　――線部分（「〔その特定建物等に係る…計算した金額。〕」に係る部分に限る。）は、令和6年度改正により追加された部分で、改正規定は、令和6年4月1日以後に地方活力向上地域等特定業務施設整備計画について1に掲げる認定を受ける法人が取得又は建設をする当該認定に係る認定地方活力向上地域等特定業務施設整備計画に記載された特定建物等について適用される。（令6改法附42①、1）

注3　令和6年4月1日から地域再生法の一部を改正する法律附則第1条ただし書に規定する規定の施行の日（令和6年4月19日）の前日までの間における1の適用については、1中「一の特定業務施設」とあるのは、「一の同号に規定する特定業務施設」とする。（令6改法附42③）

（特定業務施設の意義）
(1)　地域再生法において、「特定業務施設」とは、本店又は主たる事務所その他の地域における就業の機会の創出又は経済基盤の強化に資するものとして次の表に掲げる業務施設のいずれかに該当するもののうち工場を除くものをいう。（地域再生法5④V、地域再生法施行規則8）

(一)	事務所であって、地方活力向上地域特定業務施設整備事業を行う事業者の次に掲げるいずれかの部門のために使用されるもの

第三章　第二節　第二款　**十一**《地方活力向上地域等において特定建物等を取得した場合の法人税額の特別控除》

	イ	調査及び企画部門
	ロ	情報処理部門
	ハ	研究開発部門
	ニ	国際事業部門
	ホ	その他管理業務部門
	ヘ	<u>商業事業部門（専ら業務施設において情報通信技術の活用により対面以外の方法による業務を行うものに限る。）</u>
	ト	情報サービス事業部門
	チ	サービス事業部門（イからホまでに掲げる部門の業務の受託に関する業務を行うものに限る。）
(二)		研究所であって、地方活力向上地域特定業務施設整備事業を行う事業者による研究開発において重要な役割を担うもの
(三)		研修所であって、地方活力向上地域特定業務施設整備事業を行う事業者による人材育成において重要な役割を担うもの

　注　──線部分は、地域再生法施行規則の一部を改正する内閣府令（令和6年内閣府令第43号）により追加された部分で、改正規定は、令和6年4月1日から適用される。（同府令附）

　（特定建物等の規模）
（2）　**1**に掲げる規模のものは、一の建物及びその附属設備並びに構築物の取得価額（第一節第六款の**六**の**1**《減価償却資産の取得価額》により計算した取得価額をいう。以下**十一**において同じ。）の合計額が次の表の左欄に掲げる法人の区分に応じ同表の右欄に掲げる金額以上のものとする。（措令27の11の3）

(一)	(二)に掲げる法人以外の法人	3,500万円
(二)	**五**の**3**の（2）《中小企業者の意義》に掲げる中小企業者（同**3**の（7）《適用除外事業者の意義》に掲げる適用除外事業者又は同**3**の（8）《通算適用除外事業者の意義》に掲げる通算適用除外事業者に該当するものを除く。）	1,000万円

　注1　──線部分は、令和6年度改正により改正された部分で、改正規定は、令和6年4月1日以後に地方活力向上地域等特定業務施設整備計画について**1**に掲げる認定を受ける法人（租税特別措置法第2条第2項第2号に規定する人格のない社団等を含む。）が取得又は建設をする当該認定に係る認定地方活力向上地域等特定業務施設整備計画に記載された特定建物等について適用され、令和6年3月31日以前に地方活力向上地域等特定業務施設整備計画について**1**に掲げる認定を受けた法人が取得又は建設をする当該認定に係る認定地方活力向上地域等特定業務施設整備計画に記載された特定建物等については、「3,500万円」とあるのは「2,500万円」とする。（令6改措令附11、1）
　注2　（2）の金額基準を満たしているかどうかは、第一節第一款の**七**の**2**の（9）《少額の減価償却資産の取得価額等の判定》により、法人が適用している税抜経理方式又は税込経理方式に応じ、その適用している方式により算定した価額により判定する。(平元直法2－1「9」参照)

　（中小企業者であるかどうかの判定の時期）
（3）　（2）の適用上、法人が**五**の**3**の（2）に掲げる中小企業者に該当するかどうかの判定（以下「中小判定」という。）は、次の表の左欄に掲げる法人の区分に応じ同表の右欄に掲げる取扱いによるものとする。（措通42の11の3－2）

(一)	通算法人以外の法人		当該法人の**1**に掲げる建物及びその附属設備並びに構築物の取得等をした日並びに当該建物及びその附属設備並びに構築物を事業の用に供した日の現況による。
(二)	通算法人		当該通算法人及び他の通算法人（次のイ又はロの日及び次のハの日のいずれにおいても当該通算法人との間に通算完全支配関係がある法人に限る。）の当該イ及びロの日の現況による。
		イ	当該通算法人が**1**に掲げる建物及びその附属設備並びに構築物の取得等をした日
		ロ	当該通算法人が当該建物及びその附属設備並びに構築物を事業の用に供した日
		ハ	当該通算法人の**1**の適用を受けようとする事業年度終了の日

第三章　第二節　第二款　**十一**《地方活力向上地域等において特定建物等を取得した場合の法人税額の特別控除》

　　注　通算親法人の事業年度の中途において通算承認の効力を失った通算法人のその効力を失った日の前日に終了する事業年度における中小判定についても、同様とする。

　　（特別償却等の対象となる建物の附属設備）
（4）　1に掲げる建物の附属設備は、当該建物とともに取得又は建設（以下「取得等」という。）をする場合における建物附属設備に限られることに留意する。（措通42の11の3－1）

　　（圧縮記帳の適用を受けた場合の特定建物等の取得価額要件の判定）
（5）　一の建物及びその附属設備並びに構築物の取得価額の合計が3,500万円以上（（2）に掲げる中小企業者にあっては1,000万円以上）であるかどうかを判定する場合において、その一の建物及びその附属設備並びに構築物が第一節第十五款の**一**《国庫補助金等による圧縮記帳》、同款の**二**《工事負担金による圧縮記帳》、同款の**三**《非出資組合の賦課金による圧縮記帳》及び同款の**四**《保険金等による圧縮記帳》による圧縮記帳の適用を受けたものであるとき（法人が取得等をした（2）に掲げる一の建物及びその附属設備並びに構築物につき、供用年度後の事業年度において同款の**一**から**四**の適用を受けることが予定されている場合を含む。）は、その圧縮記帳後の金額（法人が取得等をした（2）に掲げる一の建物及びその附属設備並びに構築物につき、供用年度後の事業年度において同款の**一**から**四**の適用を受けることが予定されている場合にあっては、第一節第六款の**六**の1《減価償却資産の取得価額》に掲げる金額から当該供用年度後の事業年度において第一節第十五款の**一**から**四**の適用を受けるとしたならば、第一節第六款の**六**の3《圧縮記帳資産の取得価額の特例》に掲げる「損金の額に算入された金額（……金額を加算した金額）」となることが見込まれる金額を控除した金額）に基づいてその判定を行うものとする。（措通42の11の3－3、42の5～48（共）－3の2・編者補正）

　　（国庫補助金等の圧縮記帳の適用を受ける場合の取得価額）
（6）　1に掲げる税額控除限度額の計算の基礎となる特定建物等の取得価額は、次の左欄に掲げる場合には、それぞれ次の右欄に掲げる金額による。（措通42の5～48（共）－3の2・編者補正）

（一）	法人が取得等をした特定建物等につき、供用年度において第一節第十五款の**一**《国庫補助金等による圧縮記帳》、同款の**二**《工事負担金による圧縮記帳》、同款の**三**《非出資組合の賦課金による圧縮記帳》及び同款の**四**《保険金等による圧縮記帳》の適用を受ける場合	第一節第六款の**六**の3《圧縮記帳資産の取得価額の特例》により同**六**の1《減価償却資産の取得価額》の取得価額とみなすこととされる金額
（二）	法人が取得等をした特定建物等につき、供用年度後の事業年度において第一節第十五款の**一**、同款の**二**、同款の**三**及び同款の**四**の適用を受けることが予定されている場合	第一節第六款の**六**の1の表に掲げる金額から当該供用年度後の事業年度において第一節第十五款の**一**、同款の**二**、同款の**三**及び同款の**四**の適用を受けるとしたならば、第一節第六款の**六**の3に掲げる「損金の額に算入された金額（……金額を加算した金額）」となることが見込まれる金額（以下「損金算入見込額」という。）を控除した金額

　　注1　（二）の損金算入見込額は、当該供用年度終了の日において、第一節第十五款の**一**の1《国庫補助金等で取得した固定資産の圧縮額の損金算入》に掲げる国庫補助金等若しくは同款の**二**の1《工事負担金で取得した固定資産の圧縮額の損金算入》の金銭の交付を受け、同款の**三**の1《非出資組合が賦課金で取得した固定資産の圧縮額の損金算入》の賦課に基づいて納付され、又は同款の**四**の1《保険金等で取得した固定資産の圧縮額の損金算入》に掲げる保険金等の支払を受けることが見込まれる金額（同款の**一**の7《特別勘定を設けた場合の国庫補助金等で取得した固定資産の圧縮額の損金算入》の適用が予定されている場合には、同款の**一**の1に掲げる国庫補助金等の交付を受けた金額で返還を要しないことが供用年度終了の日までに確定していないものを含む。）とすることができる。
　　注2　法人が特定建物等の供用年度において税額控除限度額等の計算の基礎となる特定建物等の取得価額を（二）に定める金額によることなく第一節第六款の**六**の1の表に掲げる金額に基づき税額控除限度額等を計算して申告をしている場合において、供用年度後の事業年度に第一節第十五款の**一**、同款の**二**、同款の**三**及び同款の**四**の適用を受けるときは、第一節第六款の**六**の3により同**六**の1の取得価額とみなすこととされる金額に基づき供用年度の税額控除限度額等を修正することに留意する。

　　（取得価額の合計額が80億円を超えるかどうかの判定）
（7）　1の適用上、一の特定業務施設を構成する建物及びその附属設備並びに構築物の取得価額の合計額が80億円を超えるかどうかは、その特定業務施設が記載された認定地方活力向上地域等特定業務施設整備計画ごとに判定することに留意する。（措通42の11の3－4）

第三章　第二節　第二款　十一《地方活力向上地域等において特定建物等を取得した場合の法人税額の特別控除》

（2以上の事業年度において事業の用に供した場合の取得価額の計算）
（8）　特定建物等に係る一の特定業務施設を構成する建物及びその附属設備並びに構築物でその取得価額の合計額が80億円を超えるものを2以上の事業年度において事業の用に供した場合には、その取得価額の合計額が初めて80億円を超えることとなる事業年度（以下「超過事業年度」という。）における**1**に掲げる税額控除限度額の計算の基礎となる個々の特定建物等の取得価額は、次の算式による。（措通42の11の3－5・編者補正）

（算式）

$$\left[80億円 - \begin{array}{c}超過事業年度前の各事業年度に\\おいて事業の用に供した特定建\\物等の取得価額の合計額（注）\end{array}\right] \times \frac{超過事業年度において事業の用に供した個々の特定建物等の取得価額}{超過事業年度において事業の用に供した特定建物等の取得価額の合計額}$$

注　超過事業年度前の各事業年度において事業の用に供した個々の特定建物等については、その取得価額の調整は行わないことに留意する。

（特定建物等の対価につき値引きがあった場合の税額控除限度額の計算）
（9）　供用年度後の事業年度において特定建物等の対価の額につき値引きがあった場合には、供用年度に遡って当該値引きのあった特定建物等に係る**1**に掲げる税額控除限度額の修正を行うものとする。（措通42の11の3－6・編者補正）

（特別償却の適用を受けたものの意義）
（10）　法人が、その有する減価償却資産について、第一節第七款の**五**の**1**《特定建物等を取得した場合の特別償却》による特別償却等に係る償却を実施していない場合においても、当該特別償却等に関する明細書においてその特別償却限度額の計算を行い、同款の**二十三**の**1**《特別償却不足額がある場合の償却限度額の計算》に掲げる特別償却不足額若しくは同**二十三**の**2**《合併等特別償却不足額がある場合の償却限度額の計算》に掲げる合併等特別償却不足額として記載しているとき又はこれらの特別償却等に係る同款の**二十四**《準備金方式による特別償却》による特別償却準備金の積立不足額若しくは合併等特別償却準備金積立不足額として処理したときは、当該減価償却資産は、当該特別償却限度額に係る特別償却等の適用を受けたものに該当することに留意する。（措通42の5～48(共)－2・編者補正）

（適格合併等があった場合の特別償却等の適用）
（11）　**1**の税額控除は、減価償却資産を事業の用に供した場合に適用があるのであるから、適格合併等（適格合併、適格分割、適格現物出資又は適格現物分配をいう。）による移転に係る減価償却資産について**1**の適用があるかどうかは、当該減価償却資産を事業の用に供した日の現況において、**1**に掲げる適用要件（適用対象法人、適用期間、適用対象事業等に関する要件をいう。以下(11)において同じ。）を満たすかどうかにより判定することに留意する。（措通42の5～48（共）－3・編者補正）

注　例えば、中小企業者等（**六**《中小企業者等が機械等を取得した場合の法人税額の特別控除》の**1**に掲げる中小企業者等をいう。以下注において同じ。）に該当する被合併法人が減価償却資産を適格合併により中小企業者等に該当しない合併法人に移転する場合の**六**の適用については、次の（一）及び（二）のようになる。

（一）	被合併法人が当該減価償却資産を事業の用に供した場合は、他の適用要件を満たせば、被合併法人において**六**の**1**の適用を受けることができる。
（二）	被合併法人が当該減価償却資産を事業の用に供しないで合併法人が事業の用に供した場合は、被合併法人又は合併法人のいずれかの法人においても、**六**の**1**の適用を受けることができない。

2　特別控除の申告

1の税額控除は、確定申告書等（**1**の税額控除により控除を受ける金額を増加させる修正申告書又は更正請求書を提出する場合には、当該修正申告書又は更正請求書を含む。）に**1**の税額控除による控除の対象となる特定建物等の取得価額、控除を受ける金額及び当該金額の計算に関する明細を記載した書類の添付がある場合に限り、適用する。この場合において、**1**の税額控除により控除される金額の計算の基礎となる特定建物等の取得価額は、確定申告書等に添付された書類に記載された特定建物等の取得価額を限度とする。（措法42の11の3⑤）

注　**十一**の特別控除に係る明細を記載した書類は、次のとおり。（編者）
別表六（二十）「地方活力向上地域等において特定建物等を取得した場合の法人税額の特別控除に関する明細書」

十二　地方活力向上地域等において雇用者の数が増加した場合の法人税額の特別控除

1　用語の意義

　十二《地方活力向上地域等において雇用者の数が増加した場合の法人税額の特別控除》における用語の意義は、それぞれ次に掲げるところによる。（措法42の12⑥、措令27の12②③④⑤⑥⑦⑧⑨⑩⑪、措規20の7①②③）

①	特定業務施設	地域再生法第5条第4項第5号に規定する特定業務施設で、同法第17条の2第6項に規定する認定地方活力向上地域等特定業務施設整備計画に係る計画の認定をした同条第1項に規定する認定都道府県知事が作成した同法第8条第1項に規定する認定地域再生計画に記載されている同号イ又はロに掲げる地域（当該認定地方活力向上地域等特定業務施設整備計画が同法第17条の2第1項第2号に掲げる事業に関するものである場合には、同号に規定する地方活力向上地域）において当該認定地方活力向上地域等特定業務施設整備計画に従って整備されたものをいう。
②	基準日	<u>地域再生法第17条の2第1項《地方活力向上地域等特定業務施設整備計画の認定等》に規定する地方活力向上地域等特定業務施設整備計画（以下**十二**において「**地方活力向上地域等特定業務施設整備計画**」という。）について計画の認定を受けた法人の当該計画の認定を受けた日（当該地方活力向上地域等特定業務施設整備計画が特定業務施設の新設に係るものである場合には、当該特定業務施設を事業の用に供した日）をいう。</u>
③	適用年度	地域再生法の一部を改正する法律（平成27年法律第49号）の施行の日（平成27年8月10日）から<u>令和8年3月31日</u>までの間に地方活力向上地域等特定業務施設整備計画について同条第3項《地方活力向上地域等特定業務施設整備計画の認定等》の認定（以下**十二**において「**計画の認定**」という。）を受けた法人の<u>当該地方活力向上地域等特定業務施設整備計画に係る基準日から当該基準日の翌日以後2年を経過する日までの期間内の日を含む事業年度</u>（設立〔合併、分割又は現物出資による設立を除く。〕の日〔次表の左欄に掲げる法人については、それぞれ右欄に掲げる日〕を含む事業年度、解散〔合併による解散を除く。〕の日を含む事業年度及び清算中の各事業年度を除く。）をいう。<table><tr><td>(一)</td><td>新たに収益事業を開始した公益法人等又は人格のない社団等</td><td>その開始した日</td></tr><tr><td>(二)</td><td>公共法人に該当していた収益事業を行う公益法人等</td><td>当該公益法人等に該当することとなった日</td></tr><tr><td>(三)</td><td>公共法人又は収益事業を行っていない公益法人等に該当していた普通法人又は協同組合等</td><td>当該普通法人又は協同組合等に該当することとなった日</td></tr></table>
④	雇用者	法人の使用人（当該法人の役員〔第二章第一節の二の表の**15**《役員》に掲げる役員をいう。以下**1**において同じ。〕と次の(一)から(四)までに掲げる特殊の関係のある者及び当該法人の使用人としての職務を有する役員を除く。⑤において同じ。）のうち一般被保険者（雇用保険法第60条の2第1項第1号《教育訓練給付金》に規定する一般被保険者をいう。）に該当するものをいう。<table><tr><td>(一)</td><td>役員の親族</td></tr><tr><td>(二)</td><td>役員と婚姻の届出をしていないが事実上婚姻関係と同様の事情にある者</td></tr><tr><td>(三)</td><td>(一)及び(二)に掲げる者以外の者で役員から生計の支援を受けているもの</td></tr><tr><td>(四)</td><td>(二)及び(三)に掲げる者と生計を一にするこれらの者の親族</td></tr></table>
⑤	高年齢雇用者	法人の使用人のうち高年齢被保険者（雇用保険法第37条の2第1項《高年齢被保険者》に規定する高年齢被保険者をいう。）に該当するものをいう。
⑥	基準雇用者数	適用年度終了の日における雇用者の数から当該適用年度開始の日の前日における雇用者（当該適用年度終了の日において高年齢雇用者に該当する者を除く。）の数を減算した数をいう。
⑦	地方事業所基準雇	**適用対象特定業務施設**（<u>地方活力向上地域等特定業務施設整備計画について計画の認定を受</u>

	用者数	けた法人〔当該地方活力向上地域等特定業務施設整備計画に係る基準日が適用年度開始の日から起算して２年前の日から当該適用年度終了の日までの期間内であるものに限る。〕の当該計画の認定に係る特定業務施設。以下**十二**において同じ。）のみを当該法人の事業所とみなした場合における基準雇用者数の計算の基礎となる雇用者の数について記載された**２**の①《特定業務施設である事業所において雇用者の数が増加した場合の法人税額の特別控除》の適用を受けようとする法人の事業所（当該法人が**２**の③の通算法人である場合には当該法人に係る通算親法人の事業所とし、当該法人〔当該法人が同③の通算法人である場合には、当該法人に係る通算親法人〕が２以上の事業所を有する場合には当該２以上の事業所のうち主たる事業所とする。以下**１**及び**２**において同じ。）の所在地を管轄する都道府県労働局又は公共職業安定所の長が当該法人（当該法人が同③の通算法人である場合には、当該法人に係る通算親法人）に対して交付する労働施策の総合的な推進並びに労働者の雇用の安定及び職業生活の充実等に関する法律施行規則附則第８条第３項《雇用促進計画を活用した雇用に関する援助》に規定する雇用促進計画の達成状況を確認した旨を記載した書類（当該法人の雇用促進計画〔同条１項に規定する雇用促進計画をいう。〕以下**十二**において同じ。）の達成状況のうち当該法人が受けた計画の認定に係る特定業務施設に係るものが確認できるものに限る。）の写しを確定申告書等に添付することにより証明がされた当該基準雇用者数をいう。
⑧	特定雇用者	次に掲げる要件を満たす雇用者をいう。
		イ　その法人との間で労働契約法第17条第１項《契約期間中の解雇等》に規定する有期労働契約以外の労働契約を締結していること。
		ロ　短時間労働者及び有期雇用労働者の雇用管理の改善等に関する法律第２条第１項《定義》に規定する短時間労働者でないこと。
⑨	特定新規雇用者数	適用年度（当該適用年度が計画の認定〔**２**の①《特定業務施設である事業所において雇用者の数が増加した場合の法人税額の特別控除》に掲げる計画の認定をいう。以下**十二**において同じ。〕を受けた日を含む事業年度である場合には、同日から当該適用年度終了の日までの期間）に新たに雇用された特定雇用者（⑧に掲げる特定雇用者をいう。以下**十二**において同じ。）で当該適用年度終了の日において適用対象特定業務施設に勤務するものの数について記載された**２**の①の適用を受けようとする法人の事業所の所在地を管轄する都道府県労働局又は公共職業安定所の長が当該法人（当該法人が**２**の③の通算法人である場合には、当該法人に係る通算親法人）に対して交付する労働施策の総合的な推進並びに労働者の雇用の安定及び職業生活の充実等に関する法律施行規則第８条第３項に規定する雇用促進計画の達成状況を確認した旨を記載した書類の達成状況のうち当該法人が受けた計画の認定に係る特定業務施設に係るものが確認できるものに限る。）の写しを確定申告書等に添付することにより証明がされた当該特定雇用者の数をいう。
⑩	移転型特定新規雇用者数	適用年度（当該適用年度が計画の認定を受けた日を含む事業年度である場合には、同日から当該適用年度終了の日までの期間）に新たに雇用された特定雇用者で当該適用年度終了の日において移転型適用対象特定業務施設（地域再生法第17条の２第１項第１号に掲げる事業に関する地方活力向上地域等特定業務施設整備計画について計画の認定を受けた法人の当該計画の認定に係る適用対象特定業務施設をいう。以下**１**において同じ。）に勤務するものの数について記載された**２**の①の適用を受けようとする法人の事業所の所在地を管轄する都道府県労働局又は公共職業安定所の長が当該法人（当該法人が**２**の③の通算法人である場合には、当該法人に係る通算親法人）に対して交付する労働施策の総合的な推進並びに労働者の雇用の安定及び職業生活の充実等に関する法律施行規則附則第８条第３項に規定する雇用促進計画の達成状況を確認した旨を記載した書類（地方活力向上地域等特定業務施設整備計画〔地域再生法第17条の２第１項第１号に掲げる事業に関するものに限る。〕について計画の認定を受けた当該法人の雇用促進計画の達成状況のうち当該計画の認定に係る特定業務施設に係るものが確認できるものに限る。）の写しを確定申告書等に添付することにより証明がされた当該特定雇用者の数をいう。

第三章　第二節　第二款　**十二**《地方活力向上地域等において雇用者の数が増加した場合の法人税額の税額控除》

⑪	新規雇用者総数	適用年度（当該適用年度が計画の認定を受けた日を含む事業年度である場合には、同日から当該適用年度終了の日までの期間）に新たに雇用された雇用者で当該適用年度終了の日において適用対象特定業務施設に勤務するもの（以下**十二**において「**新規雇用者**」という。）の総数について記載された**2**の①の適用を受けようとする法人の事業所の所在地を管轄する都道府県労働局又は公共職業安定所の長が当該法人（当該法人が**2**の③の通算法人である場合には、当該法人に係る通算親法人）に対して交付する労働施策の総合的な推進並びに労働者の雇用の安定及び職業生活の充実等に関する法律施行規則第8条第3項に規定する雇用促進計画の達成状況を確認した旨を記載した書類（当該法人の雇用促進計画の達成状況のうち当該法人が受けた計画の認定に係る特定業務施設に係るものが確認できるものに限る。）の写しを確定申告書等に添付することにより証明がされた当該新規雇用者の総数をいう。
⑫	特定非新規雇用者数	適用年度（当該適用年度が計画の認定を受けた日を含む事業年度である場合には、同日から当該適用年度終了の日までの期間）において他の事業所から適用対象特定業務施設に転勤した特定雇用者（新規雇用者を除く。）で当該適用年度終了の日において当該適用対象特定業務施設に勤務するものの数について記載された**2**の①の適用を受けようとする法人の事業所の所在地を管轄する都道府県労働局又は公共職業安定所の長が当該法人（当該法人が**2**の③の通算法人である場合には、当該法人に係る通算親法人）に対して交付する労働施策の総合的な推進並びに労働者の雇用の安定及び職業生活の充実等に関する法律施行規則附則第8条第3項に規定する雇用促進計画の達成状況を確認した旨を記載した書類（当該法人の雇用促進計画の達成状況のうち当該法人が受けた計画の認定に係る特定業務施設に係るものが確認できるものに限る。）の写しを確定申告書等に添付することにより証明がされた当該特定雇用者の数をいう。
⑬	移転型地方事業所基準雇用者数	移転型適用対象特定業務施設のみを法人の事業所とみなした場合における適用年度の基準雇用者数の計算の基礎となる雇用者の数について記載された**2**の①の適用を受けようとする法人の事業所の所在地を管轄する都道府県労働局又は公共職業安定所の長が当該法人（当該法人が**2**の③の通算法人である場合には、当該法人に係る通算親法人）に対して交付する労働施策の総合的な推進並びに労働者の雇用の安定及び職業生活の充実等に関する法律施行規則附則第8条第3項に規定する雇用促進計画の達成状況を確認した旨を記載した書類（地方活力向上地域等特定業務施設整備計画〔地域再生法第17条の2第1項第1号に掲げる事業に関するものに限る。〕について計画の認定を受けた当該法人の雇用促進計画の達成状況のうち当該計画の認定に係る特定業務施設に係るものが確認できるものに限る。）の写しを確定申告書等に添付することにより証明がされた当該基準雇用者数をいう。
⑭	移転型新規雇用者総数	適用年度（当該適用年度が計画の認定を受けた日を含む事業年度である場合には、同日から当該適用年度終了の日までの期間）に新たに雇用された雇用者で当該適用年度終了の日において移転型適用対象特定業務施設に勤務するものの総数について記載された**2**の①の適用を受けようとする法人の事業所の所在地を管轄する都道府県労働局又は公共職業安定所の長が当該法人（当該法人が**2**の③の通算法人である場合には、当該法人に係る通算親法人）に対して交付する労働施策の総合的な推進並びに労働者の雇用の安定及び職業生活の充実等に関する法律施行規則附則第8条第3項に規定する雇用促進計画の達成状況を確認した旨を記載した書類（地方活力向上地域等特定業務施設整備計画〔地域再生法第17条の2第1項第1号に掲げる事業に関するものに限る。〕について計画の認定を受けた当該法人の雇用促進計画の達成状況のうち当該計画の認定に係る特定業務施設に係るものが確認できるものに限る。）の写しを確定申告書等に添付することにより証明がされた当該雇用者の総数をいう。
⑮	移転型特定非新規雇用者数	適用年度（当該適用年度が計画の認定を受けた日を含む事業年度である場合には、同日から当該適用年度終了の日までの期間）において他の事業所から移転型適用対象特定業務施設に転勤した特定雇用者（新規雇用者を除く。）で当該適用年度終了の日において当該移転型適用対象特定業務施設に勤務するものの数について記載された**2**の①の適用を受けようとする法人の事業所の所在地を管轄する都道府県労働局又は公共職業安定所の長が当該法人（当該法人が**2**の③の通算法人である場合には、当該法人に係る通算親法人）に対して交付する労働施策の総合的な推進並びに労働者の雇用の安定及び職業生活の充実等に関する法律施

第三章　第二節　第二款　十二《地方活力向上地域等において雇用者の数が増加した場合の法人税額の税額控除》

		行規則附則第8条第3項に規定する雇用促進計画の達成状況を確認した旨を記載した書類（地方活力向上地域等特定業務施設整備計画〔地域再生法第17条の2第1項第1号に掲げる事業に関するものに限る。〕について計画の認定を受けた当該法人の雇用促進計画の達成状況のうち当該計画の認定に係る特定業務施設に係るものが確認できるものに限る。）の写しを確定申告書等に添付することにより証明がされた当該特定雇用者の数をいう。
⑯ 地方事業所特別基準雇用者数		地方活力向上地域等特定業務施設整備計画（地域再生法第17条の2第1項第1号に掲げる事業に関するものに限る。）について計画の認定を受けた法人（当該地方活力向上地域等特定業務施設整備計画に係る基準日が適用年度開始の日から起算して2年前の日から当該適用年度終了の日までの期間内であるものに限る。）の当該適用年度及び当該適用年度前の各事業年度のうち、当該基準日以後に終了する各事業年度のイに掲げる数のうちロに掲げる数に達するまでの数の合計数をいう。
	イ	地方活力向上地域等特定業務施設整備計画について計画の認定を受けた法人の当該計画の認定に係る特定業務施設のみを当該法人の事業所とみなした場合における基準雇用者数の計算の基礎となる雇用者の数について記載された2の②の適用を受けようとする法人（その適用を受けようとする事業年度前の各事業年度が適用年度に該当する場合におけるその各事業年度にあっては、当該法人に係る通算親法人。以下イ及びびロにおいて「適用法人等」という。）の事業所の所在地を管轄する都道府県労働局又は公共職業安定所の長が当該適用法人等に対して交付する労働施策の総合的な推進並びに労働者の雇用の安定及び職業生活の充実等に関する法律施行規則附則第8条第3項に規定する雇用促進計画の達成状況を確認した旨を記載した書類（地方活力向上地域等特定業務施設整備計画について計画の認定を受けた当該法人の雇用促進計画の達成状況のうち当該計画の認定に係る特定業務施設に係るものが確認できるものに限る。）の写しを確定申告書等に添付することにより証明がされた当該基準雇用者数。
	ロ	地方活力向上地域等特定業務施設整備計画について計画の認定を受けた法人の当該計画の認定に係る特定業務施設のみを当該法人の事業所と、当該法人の特定雇用者のみを当該法人の雇用者と、それぞれみなした場合における基準雇用者数の計算の基礎となる雇用者の数について記載された適用法人等の事業所の所在地を管轄する都道府県労働局又は公共職業安定所の長が当該適用法人等に対して交付する労働施策の総合的な推進並びに労働者の雇用の安定及び職業生活の充実等に関する法律施行規則附則第8条第3項に規定する雇用促進計画の達成状況を確認した旨を記載した書類（地方活力向上地域等特定業務施設整備計画について計画の認定を受けた当該法人の雇用促進計画の達成状況のうち当該計画の認定に係る特定業務施設に係るものが確認できるものに限る。）の写しを確定申告書等に添付することにより証明がされた当該基準雇用者数。

注1　――線部分（上表の②に係る部分に限る。）は、令和6年度改正により追加されたもので、改正規定は、令和6年4月1日以後に地方活力向上地域等特定業務施設整備計画について計画の認定を受ける法人の当該地方活力向上地域等特定業務施設整備計画について適用される。（令6改法附43、1）

注2　――線部分（上表の③に係る部分に限る。）は、令和6年度改正により改正された部分で、改正規定は、令和6年4月1日以後に地方活力向上地域等特定業務施設整備計画について計画の認定を受ける法人の当該地方活力向上地域等特定業務施設整備計画について適用され、令和6年3月31日以前に地方活力向上地域等特定業務施設整備計画について計画の認定を受けた法人の当該地方活力向上地域等特定業務施設整備計画については、上表の③は次による。（令6改法附43、1）

旧①	適用年度	地域再生法の一部を改正する法律（平成27年法律第49号）の施行の日（平成27年8月10日）から令和6年3月31日までの間に地域再生法第17条の2第1項《地方活力向上地域等特定業務施設整備計画の認定等》に規定する地方活力向上地域等特定業務施設整備計画（以下十二において「**地方活力向上地域等特定業務施設整備計画**」という。）について同条第3項《地方活力向上地域等特定業務施設整備計画の認定等》の認定（以下十二において「**計画の認定**」という。）を受けた法人の当該計画の認定を受けた日から同日の翌日以後2年を経過する日までの期間内の日を含む事業年度〔設立〔合併、分割又は現物出資による設立を除く。〕の日〔次表の左欄に掲げる法人については、それぞれ右欄に掲げる日〕を含む事業年度、解散〔合併による解散を除く。〕の日を含む事業年度及び清算中の各事業年度を除く。）をいう。

第三章　第二節　第二款　**十二**《地方活力向上地域等において雇用者の数が増加した場合の法人税額の税額控除》

(一)	新たに収益事業を開始した公益法人等又は人格のない社団等	その開始した日
(二)	公共法人に該当していた収益事業を行う公益法人等	当該公益法人等に該当することとなった日
(三)	公共法人又は収益事業を行っていない公益法人等に該当していた普通法人又は協同組合等当該普通法人又は協同組合等	当該普通法人又は協同組合等に該当することとなった日

注3　──線部分（上表の⑦に係る部分に限る。）は、令和6年度改正により改正された部分で、改正規定は、令和6年4月1日以後に地方活力向上地域等特定業務施設整備計画について計画の認定を受ける法人の当該地方活力向上地域等特定業務施設整備計画について適用され、令和6年3月31日以前に地方活力向上地域等特定業務施設整備計画について計画の認定を受けた法人の当該地方活力向上地域等特定業務施設整備計画については、上表の⑦は次による。（令6改法附43、1）

旧⑥	地方事業所基準雇用者数	**適用対象特定業務施設**（適用年度〔注2に掲げる適用年度をいう。以下**十二**において同じ。〕開始の日から起算して2年前の日から当該適用年度終了の日までの間に地方活力向上地域等特定業務施設整備計画について計画の認定を受けた法人の当該計画の認定に係る特定業務施設（①に掲げる特定業務施設をいう。⑫及び2の2の（3）《2年を経過する日を含む適用年度の特例》の（二）において同じ。）をいう。以下**十二**において同じ。）のみを当該法人の事業所とみなした場合における⑥に掲げる基準雇用者数（以下**十二**において「**基準雇用者数**」という。）の計算の基礎となる雇用者（④に掲げる雇用者をいう。以下1において同じ。）の数について記載された2の①《特定業務施設である事業所において雇用者の数が増加した場合の法人税額の特別控除》の適用を受けようとする法人の事業所（当該法人が2の③の通算法人である場合には当該法人に係る通算親法人の事業所とし、当該法人（当該法人が同③の通算法人である場合には、当該法人に係る通算親法人）が2以上の事業所を有する場合には当該2以上の事業所のうち主たる事業所とする。以下1及び2において同じ。）の所在地を管轄する都道府県労働局又は公共職業安定所の長が当該法人（当該法人が同③の通算法人である場合には、当該法人に係る通算親法人）に対して交付する労働施策の総合的な推進並びに労働者の雇用の安定及び職業生活の充実等に関する法律施行規則附則第8条第3項《雇用促進計画を活用した雇用に関する援助》に規定する雇用促進計画の達成状況を確認した旨を記載した書類（当該法人の**雇用促進計画**〔同条1項に規定する雇用促進計画をいう。以下**十二**において同じ。〕の達成状況のうち当該法人が受けた計画の認定に係る特定業務施設に係るものが確認できるものに限る。）の写しを確定申告書等に添付することにより証明がされた当該基準雇用者数をいう。

注4　──線部分（上表の⑨に係る部分に限る。）は、令和6年度改正により追加された部分で、改正規定は、令和6年4月1日から適用される。（令6改措令附1）

注5　──線部分（上表の⑯に係る部分に限る。）は、令和6年度改正により改正された部分で、改正規定は、令和6年4月1日以後に地方活力向上地域等特定業務施設整備計画について計画の認定を受ける法人の当該地方活力向上地域等特定業務施設整備計画について適用され、令和6年3月31日以前に地方活力向上地域等特定業務施設整備計画について計画の認定を受けた法人の当該地方活力向上地域等特定業務施設整備計画については、上表の⑯は次による。（令6改法附43、1）

旧⑮	地方事業所特別基準雇用者数	適用年度開始の日から起算して2年前の日から当該適用年度終了の日までの間に地方活力向上地域等特定業務施設整備計画（地域再生法第17条の2第1項第1号に掲げる事業に関するものに限る。）について計画の認定を受けた法人の当該適用年度及び当該適用年度前の各事業年度のうち、当該計画の認定を受けた日以後に終了する各事業年度の当該法人の当該計画の認定に係る特定業務施設のみを当該法人の事業所とみなした場合における基準雇用者数としてその計算の基礎となる雇用者の数について記載された2の②《特定業務施設である事業所において雇用者の数が増加した場合の法人税額の特別控除の特例》の適用を受けようとする法人（その適用を受けようとする事業年度前の各事業年度が2の③の適用年度に該当する場合におけるその各事業年度にあっては、当該法人に係る通算親法人。以下旧⑮において「**適用法人等**」という。）の事業所の所在地を管轄する都道府県労働局又は公共職業安定所の長が当該適用法人等に対して交付する労働施策の総合的な推進並びに労働者の雇用の安定及び職業生活の充実等に関する法律施行規則第8条第3項に規定する雇用促進計画の達成状況を確認した旨を記載した書類（地方活力向上地域等特定業務施設整備計画〔地域再生法第17条の2第1項第1号に掲げる事業に関するものに限る。〕について計画の認定を受けた当該法人の雇用促進計画の達成状況のうち当該計画の認定に係る特定業務施設に係るものが確認できるものに限る。）の写しを確定申告書等に添付することにより証明がされた当該基準雇用者数の合計数をいう。

2　特定業務施設である事業所において雇用者の数が増加した場合の法人税額の特別控除（適用期限の延長等）

①　特定業務施設である事業所において雇用者の数が増加した場合の法人税額の特別控除

青色申告書を提出する法人で地域再生法第17条の2第4項《地方活力向上地域等特定業務施設整備計画の認定等》に規定する認定事業者（地域再生法の一部を改正する法律〔平成27年法律第49号〕の施行の日〔平成27年8月10日〕から令和8年3月31日までの間に地方活力向上地域等特定業務施設整備計画について計画の認定を受けた法人に限る。十二において「**認定事業者**」という。）であるものが、適用年度において、次の表の**イ**に掲げる要件を満たす場合には、当該法人の当該適用年度の所得に対する**調整前法人税額**（**五の1**《試験研究を行った場合の法人税額の特別控除》の表の②に掲げる調

第三章　第二節　第二款　**十二**《地方活力向上地域等において雇用者の数が増加した場合の法人税額の税額控除》

整前法人税額をいう。以下**2**において同じ。）から、次の表の**ロ**に掲げる金額（以下①において「**税額控除限度額**」という。）を控除する。この場合において、当該税額控除限度額が、当該法人の当該適用年度の所得に対する調整前法人税額の$\frac{20}{100}$に相当する金額を超えるときは、その控除を受ける金額は、当該$\frac{20}{100}$に相当する金額を限度とする。

なお、①は、その適用を受けようとする事業年度（以下①において「対象年度」という。）及び当該対象年度開始の日前<u>2</u>年以内に開始した各事業年度において、当該法人に離職者（当該法人の雇用者又は高年齢雇用者であった者で、当該法人の都合による労働施策の総合的な推進並びに労働者の雇用の安定及び職業生活の充実等に関する法律施行規則第8条第2項第4号《雇用促進計画を活用した雇用に関する援助》に規定する労働者の解雇によって離職〔雇用保険法第4条第2項《定義》に規定する離職をいう。〕をしたものをいう。以下①において同じ。）がいないことにつき（2）《離職者がいないことの証明》に掲げる証明がされた場合（当該法人が通算法人である場合における当該法人の対象年度〔当該法人に係る通算親法人の事業年度終了の日に終了するものに限る。〕にあっては、当該対象年度終了の日において当該法人との間に通算完全支配関係がある他の通算法人の同日に終了する事業年度及び当該事業年度開始の日前<u>2</u>年以内に開始した各事業年度において当該他の通算法人に離職者がいないかどうかが確認できる当該他の通算法人に係る（3）《他の通算法人に離職者がいないことの証明》に掲げる書類を確定申告書等に添付することにより証明がされた場合に限る。）に限り、適用する。（措法42の12①⑧、措令27の12⑪⑫⑬、措規20の7②③④⑤）

イ	雇用保険法第5条第1項に規定する適用事業を行い、かつ、他の法律により業務の規制及び適正化のための措置が講じられている事業として同項に規定する適用事業のうち風俗営業等の規制及び業務の適正化等に関する法律第2条第1項に規定する風俗営業又は同条第5項に規定する性風俗関連特殊営業に該当するものを行っていないこと。
ロ	次に掲げる金額の合計額
(イ)	30万円に、当該法人の当該適用年度の地方事業所基準雇用者数（当該地方事業所基準雇用者数が当該適用年度の基準雇用者数を超える場合には、当該基準雇用者数。(ロ)において同じ。）のうち当該適用年度の特定新規雇用者数に達するまでの数（(イ)において「特定新規雇用者基礎数」という。）を乗じて計算した金額（当該適用年度の移転型特定新規雇用者数がある場合には、20万円に、当該特定新規雇用者基礎数のうち当該移転型特定新規雇用者数に達するまでの数を乗じて計算した金額を加算した金額）
(ロ)	20万円に、当該法人の当該適用年度の地方事業所基準雇用者数から当該適用年度の新規雇用者総数を控除した数のうち当該適用年度の特定非新規雇用者数に達するまでの数（(ロ)において「特定非新規雇用者基礎数」という。）を乗じて計算した金額（当該適用年度の移転型地方事業所基準雇用者数から当該適用年度の移転型新規雇用者総数を控除した数のうち当該適用年度の移転型特定非新規雇用者数に達するまでの数〔(ロ)において「移転型特定非新規雇用者基礎数」という。〕が零を超える場合には、20万円に、当該特定非新規雇用者基礎数のうち当該移転型特定非新規雇用者基礎数に達するまでの数を乗じて計算した金額を加算した金額）

税額控除限度額 ＝ (イ)の金額 ＋ (ロ)の金額　　ただし、$\left[\begin{array}{c}\text{適用年度の調整前法人税額}\\\text{（申告書別表一の「2」欄の金額）}\end{array}\times\frac{20}{100}\right]$を限度

（イ）　30万円　×　地方事業所基準雇用者数のうち特定新規雇用者数
（ロ）　20万円　×　地方事業所基準雇用者数 － 新規雇用者総数

注　――線部分（適用期限に係る部分を除く。）は、令和6年度改正により改正された部分で、改正規定は、令和6年4月1日以後に地方活力向上地域等特定業務施設整備計画について計画の認定を受ける法人の当該地方活力向上地域等特定業務施設整備計画について適用され、令和6年3月31日以前に地方活力向上地域等特定業務施設整備計画について計画の認定を受けた法人の当該地方活力向上地域等特定業務施設整備計画については、「2年」とあるのは「1年」とする。（令6改法附43、1）

　　　　（他の規定による特別償却又は法人税額の特別控除の適用を受ける場合の不適用）
（1）　**2**の①は、次に掲げる規定の適用を受ける事業年度については、適用しない。（措法42の12⑦）

(一)	第一節第七款の**五**の1《特定建物等を取得した場合の特別償却》又は**十一**の1《法人税額の特別控除》
(二)	第一節第七款の**五**の1に係る同款の**二十三**の1《特別償却不足額がある場合の償却限度額の計算》又は同**二十三**の2《合併等特別償却不足額がある場合の償却限度額の計算》
(三)	第一節第七款の**五**の1に係る同款の**二十四**の1の①《特別償却準備金積立額の損金算入》、同**1**の②《特別償

> 却準備金積立額不足額の１年間繰越し》、同１の③《適格合併等の場合の移転特別償却資産に係る合併等特別償却準備金積立不足額の引継ぎ》、同１の⑤のイ《適格分割等により特別償却対象資産を移転する場合の分割法人等における特別償却準備金の期中積立て》又は同⑤のロ《適格分割等により特別償却対象資産を移転する場合の分割法人等における特別償却準備金の積立不足額の期中積立て》

（離職者がいないことの証明）

（２）　①《特定業務施設である事業所において雇用者の数が増加した場合の法人税額の特別控除》に掲げる証明がされた場合は、①に掲げる法人の事業所（当該法人が２以上の事業所を有する場合には、当該２以上の事業所のうち主たる事業所。以下同じ。）の所在地を管轄する都道府県労働局又は公共職業安定所の長が当該法人（当該法人が③の通算法人である場合には、当該法人に係る通算親法人）に対して交付する労働施策の総合的な推進並びに労働者の雇用の安定及び職業生活の充実等に関する法律施行規則附則第８条第３項《雇用促進計画を活用した雇用に関する援助》に規定する雇用促進計画の達成状況を確認した旨を記載した書類（当該法人の雇用促進計画の達成状況及び①に掲げる離職者がいないかどうかが確認できるものに限る。）の写しを確定申告書等に添付することにより証明がされた場合とする。（措令27の12⑫、措規20の７⑤）

（他の通算法人に離職者がいないことの証明）

（３）　①に掲げる書類は、①に掲げる他の通算法人に係る通算親法人の事業所（当該通算親法人が２以上の事業所を有する場合には、当該２以上の事業所のうち主たる事業所。①において同じ。）の所在地を管轄する都道府県労働局又は公共職業安定所の長が当該通算親法人に対して交付する労働施策の総合的な推進並びに労働者の雇用の安定及び職業生活の充実等に関する法律施行規則附則第８条第３項に規定する雇用促進計画の達成状況を確認した旨を記載した書類（当該他の通算法人の雇用促進計画の達成状況及び離職者がいないかどうかが確認できるものに限る。）の写しとする。（措規20の７⑥）

（合併法人等における特別控除の適用）

（４）　①の適用を受けようとする法人がその適用を受けようとする事業年度開始の日の<u>２年</u>前の日から当該事業年度終了の日までの間に行われた合併、分割、現物出資又は現物分配（残余財産の全部の分配に該当する現物分配にあっては、当該事業年度開始の日の<u>２年</u>前の日の前日から当該事業年度終了の日の前日までの期間内においてその残余財産が確定したもの）に係る合併法人又は分割承継法人等に該当する場合には、①に掲げる離職者がいないかどうかの判定については、次の（一）及び（二）に掲げる事業年度は、当該法人の当該開始の日前<u>２年</u>以内に開始した事業年度とみなす。（措法42の12⑩、措令27の12⑱）

（一）	当該合併、分割若しくは現物出資（法人を設立するものを除く。）又は現物分配に係る被合併法人又は分割法人等の<u>判定基準日</u>（当該適用を受けようとする事業年度開始の日前<u>２年</u>以内に開始した各事業年度のうち最も古い事業年度開始の日をいう。（二）において同じ。）から当該合併、分割、現物出資又は現物分配の日（残余財産の全部の分配に該当する現物分配にあっては、その残余財産の確定の日の翌日）の前日（当該分割、現物出資又は現物分配の日が当該適用を受けようとする事業年度開始の日後である場合には、同日の前日）までの期間内の日を含む各事業年度
（二）	当該合併、分割又は現物出資（法人を設立するものに限る。以下（二）において「合併等」という。）に係る被合併法人、分割法人又は現物出資法人のうち、当該合併等の直前の時における資本金の額又は出資金の額が最も多いもの（以下（二）において「基準法人」という。）の当該合併等の日前に終了した事業年度及び当該基準法人である分割法人又は現物出資法人の当該分割又は現物出資の日を含む事業年度開始の日から当該分割又は現物出資の日の前日までの期間を当該合併等に係る合併法人、分割承継法人又は被現物出資法人の当該合併等の日前の各事業年度とみなした場合に<u>判定基準日</u>となる日から当該合併等の日の前日までの期間内の日を含む当該被合併法人、分割法人又は現物出資法人の各事業年度

注　──線部分は、令和６年度改正により改正された部分で、改正規定は、令和６年４月１日以後に地方活力向上地域等特定業務施設整備計画について計画の認定を受ける法人の当該地方活力向上地域等特定業務施設整備計画について適用され、令和６年３月31日以前に地方活力向上地域等特定業務施設整備計画について計画の認定を受けた法人の当該地方活力向上地域等特定業務施設整備計画については、「２年」とあるのは「１年」と、「判定基準日」とあるのは「基準日」とする。（令６改措令附12、1）

(合併法人等の基準雇用者数及び基準雇用者割合の計算)
（5）　①の適用を受ける法人が合併で適用年度において行われたものに係る合併法人又は（分割、現物出資又は現物分配をいう。）で適用年度において行われたもの（残余財産の全部の分配に該当する現物分配にあっては、当該適用年度開始の日の前日から当該適用年度終了の日の前日までの期間内においてその残余財産が確定したもの）に係る分割法人等若しくは分割承継法人等に該当する場合の当該法人の基準雇用者数の計算については、当該法人の当該適用年度開始の日の前日における雇用者（当該適用年度終了の日において高年齢雇用者に該当する者を除く。以下同じ。）の数は、次の表の左欄に掲げる法人の区分に応じそれぞれ同表の右欄に掲げる雇用者の数とする。（措法42の12⑩、措令27の12⑭）

（一）	当該合併に係る合併法人		次の表の左欄に掲げる合併法人の区分に応じそれぞれ同表の右欄に掲げる雇用者の数	
		イ	当該合併に係る合併法人（当該合併により設立したものを除く。）	当該合併法人の適用年度開始の日の前日における雇用者の数と当該合併に係る被合併法人の当該合併の直前における雇用者の数とを合計した数
		ロ	当該合併により設立した合併法人	当該合併に係る各被合併法人の当該合併の直前における雇用者の数を合計した数
（二）	当該分割等に係る分割法人等			当該分割法人等の適用年度開始の日の前日における雇用者の数から移転雇用者数（当該分割法人等の当該分割等の直前における雇用者の数から当該分割法人等の当該分割等の直後における雇用者の数を控除した数をいう。）を減算した数
（三）	当該分割等に係る分割承継法人等		次の表の左欄に掲げる分割承継法人等の区分に応じそれぞれ同表の右欄に掲げる雇用者の数	
		イ	当該分割等に係る分割承継法人等（当該分割又は現物出資により設立した分割承継法人又は被現物出資法人を除く。イにおいて同じ。）	次に掲げる雇用者の数を合計した数 （イ）当該分割承継法人等の適用年度開始の日の前日における雇用者の数 （ロ）当該分割等に係る分割法人等の当該分割等の直前における雇用者の数から当該分割法人等の当該分割等の直後における雇用者の数を控除した数
		ロ	当該分割により設立した分割承継法人	当該分割に係る各分割法人の当該分割の直前における雇用者の数を合計した数から当該各分割法人の当該分割の直後における雇用者の数を合計した数を控除した数
		ハ	当該現物出資により設立した被現物出資法人	当該現物出資に係る各現物出資法人の当該現物出資の直前における雇用者の数を合計した数から当該各現物出資法人の当該現物出資の直後における雇用者の数を合計した数を控除した数

② 特定業務施設である事業所において雇用者の数が増加した場合の法人税額の特別控除の特例

　青色申告書を提出する法人で認定事業者（地域再生法第17条の2第1項第1号に掲げる事業に関する地方活力向上地域等特定業務施設整備計画について計画の認定を受けた法人に限る。）であるもののうち、①《特定業務施設である事業所において雇用者の数が増加した場合の法人税額の特別控除》の適用を受ける又は受けたもの（第一節第七款の**五**の１《特定建物等を取得した場合の特別償却》〔第一節第七款の**五**の１に係る同款の**二十三**の１《特別償却不足額がある場合の償却限度額の計算》若しくは同**二十三**の２《合併等特別償却不足額がある場合の償却限度額の計算》又は第一節第七款の**五**の１に係る同款の**二十四**の１の①《特別償却準備金積立額の損金算入》、同１の②《特別償却準備金積立額不足額の１年間繰越し》、同１の③《適格合併等の場合の移転特別償却資産に係る合併等特別償却準備金積立不足額の引継ぎ》、同１の⑤の**イ**《適格分割等により特別償却対象資産を移転する場合の分割法人等における特別償却準備金の期中積立て》又は同⑤の**ロ**《適格分割等により特別償却対象資産を移転する場合の分割法人等における特別償却準備金の積立不足額の期中積立て》を含む。以下②において同じ。〕又は**十一**の１《法人税額の特別控除》の適用を受ける事業年度においてその適用を受けないものとしたならば①の適用があるもの〔以下②において「**要件適格法人**」という。〕を含む。）が、その適用を受ける事業年度（要件適格法人にあっては、第一節第七款の**五**の１又は**十一**の１の適用を受ける事業年度）以後の各適用年度（当該

第三章　第二節　第二款　**十二**《地方活力向上地域等において雇用者の数が増加した場合の法人税額の税額控除》

<u>地方活力向上地域等特定業務施設整備計画に係る基準日</u>以後に終了する事業年度で基準雇用者数又は地方事業所基準雇用者数が零に満たない事業年度以後の事業年度を除く。）において、①の表の**イ**に掲げる要件を満たす場合には、当該法人の当該適用年度の所得に対する調整前法人税額から、40万円に当該法人の当該適用年度の地方事業所特別基準雇用者数を乗じて計算した金額（当該計画の認定に係る特定業務施設が同法第5条第4項第5号ロに規定する準地方活力向上地域内にある場合には、30万円に当該特定業務施設に係る当該法人の当該適用年度の地方事業所特別基準雇用者数を乗じて計算した金額。以下②において「**地方事業所特別税額控除限度額**」という。）を控除する。この場合において、当該地方事業所特別税額控除限度額が、当該法人の当該適用年度の所得に対する調整前法人税額の$\frac{20}{100}$に相当する金額（当該適用年度において①により当該適用年度の所得に対する調整前法人税額から控除される金額又は**十一**の**1**により当該適用年度の所得に対する調整前法人税額から控除される金額がある場合には、これらの金額を控除した残額）を超えるときは、その控除を受ける金額は、当該$\frac{20}{100}$に相当する金額を限度とする。

なお、②は、その適用を受けようとする事業年度（以下②において「対象年度」という。）及び当該対象年度開始の日前<u>2年</u>以内に開始した各事業年度において、当該法人に離職者（当該法人の雇用者又は高年齢雇用者であった者で、当該法人の都合による労働施策の総合的な推進並びに労働者の雇用の安定及び職業生活の充実等に関する法律施行規則附則第8条第2項第4号《雇用促進計画を活用した雇用に関する援助》に規定する労働者の解雇によって離職〔雇用保険法第4条第2項《定義》に規定する離職をいう。〕をしたものをいう。）がいないことにつき（1）《離職者がいないことの証明》に掲げる証明がされた場合（当該法人が通算法人である場合における当該法人の対象年度（当該法人に係る通算親法人の事業年度終了の日に終了するものに限る。）にあっては、当該対象年度終了の日において当該法人との間に通算完全支配関係がある他の通算法人の同日に終了する事業年度及び当該事業年度開始の日前<u>2年</u>以内に開始した各事業年度において当該他の通算法人に離職者がいないかどうかが確認できる当該他の通算法人に係る（2）《他の通算法人に離職者がいないことの証明》に掲げる書類を確定申告書等に添付することにより証明がされた場合に限る。）に限り、適用する。（措法42の12②⑧、措令27の12⑫⑬、措規20の7⑤）

$$\text{地方事業所特別税額控除限度額} = 40\text{万円（又は30万円※）} \times \text{地方事業所特別基準雇用者数}$$

$$\text{ただし、}\left[\text{適用年度の調整前法人税額}_{（申告書別表一の「2」欄の金額）} \times \frac{20}{100} - \text{①又は\textbf{十一}の\textbf{1}により控除した金額}\right]\text{を限度}$$

※　特定業務施設が準地方活力向上地域内にある場合

注　──線部分は、令和6年度改正により改正された部分で、改正規定は、令和6年4月1日以後に地方活力向上地域等特定業務施設整備計画について計画の認定を受ける法人の当該地方活力向上地域等特定業務施設整備計画について適用され、令和6年3月31日以前に地方活力向上地域等特定業務施設整備計画について計画の認定を受けた法人の当該地方活力向上地域等特定業務施設整備計画については、「認定事業者（地域再生法…に限る。）」とあるのは「認定事業者」と、「当該地方活力向上地域等特定業務施設整備計画に係る基準日」とあるのは「当該法人の方活力向上地域等特定業務施設整備計画〔地域再生法第17条の2第1項第1号に掲げる事業に関するものに限る。〕について計画の認定を受けた日」と、「2年」とあるのは「1年」とする。（令6改法附43、1）

（離職者がいないことの証明）
（1）　②《特定業務施設である事業所において雇用者の数が増加した場合の法人税額の特別控除の特例》に掲げる証明がされたことは、②に掲げる法人の事業所の所在地を管轄する都道府県労働局又は公共職業安定所の長が当該法人（当該法人が③の通算法人である場合には、当該法人に係る通算親法人）に対して交付する労働施策の総合的な推進並びに労働者の雇用の安定及び職業生活の充実等に関する法律施行規則附則第8条第3項《雇用促進計画を活用した雇用に関する援助》に規定する雇用促進計画の達成状況を確認した旨を記載した書類（当該法人の雇用計画の達成状況及び②に掲げる離職者がいないかどうかが確認できるものに限る。）の写しを確定申告書等に添付することによる証明がされたこととする。（措令27の12⑫、措規20の7⑤）

（他の通算法人に離職者がいないことの証明）
（2）　②に掲げる書類は、②に掲げる他の通算法人に係る通算親法人の事業所（当該通算親法人が2以上の事業所を有する場合には、当該2以上の事業所のうち主たる事業所。②において同じ。）の所在地を管轄する都道府県労働局又は公共職業安定所の長が当該通算親法人に対して交付する労働施策の総合的な推進並びに労働者の雇用の安定及び職業生活の充実等に関する法律施行規則附則第8条第3項に規定する雇用促進計画の達成状況を確認した旨を記載した書類（当該他の通算法人の雇用促進計画の達成状況及び離職者がいないかどうかが確認できるものに限る。）の写しとする。（措規20の7⑥）

第三章　第二節　第二款　**十二**《地方活力向上地域等において雇用者の数が増加した場合の法人税額の税額控除》

(適用年度が1年に満たない場合の特例)
(3)　適用年度が1年に満たない②に掲げる法人に対する②の適用については、②中「40万円」とあるのは「40万円に当該適用年度の月数を乗じてこれを12で除して計算した金額」と、「30万円」とあるのは「30万円に当該適用年度の月数を乗じてこれを12で除して計算した金額」とする。(措法42の12③)
　　注　(3)の月数は、暦に従って計算し、1か月に満たない端数を生じたときは、これを1か月とする。(措法42の12④)

(2年を経過する日を含む適用年度の特例)
(4)　②の法人が、当該法人の②に掲げる地方活力向上地域等特定業務施設整備計画につき受けた計画の認定に係る**1**の表の③に掲げる2年を経過する日を含む適用年度において次の表の左欄に掲げる場合に該当するときにおける②((3)《適用年度が1年に満たない場合の特例》により読み替えて適用する場合を含む。)の適用については、同表の右欄に掲げるところによる。(措法42の12⑩、措令27の12⑯)

(一) 当該適用年度が1年に満たない場合	当該法人の当該適用年度の(3)《適用年度が1年に満たない場合の特例》により読み替えて適用される②に掲げる40万円に当該適用年度の月数を乗じてこれを12で除して計算した金額は、40万円に当該適用年度開始の日から当該<u>地方活力向上地域等特定業務施設整備計画に係る基準日</u>を含む事業年度(以下(一)及び(二)において「<u>基準事業年度</u>」という。)開始の日以後3年を経過する日までの期間の月数を乗じてこれを12で除して計算した金額とし、当該法人の当該適用年度の(3)により読み替えて適用される②に掲げる30万円に当該適用年度の月数を乗じてこれを12で除して計算した金額は、30万円に当該適用年度開始の日から<u>基準事業年度</u>開始の日以後3年を経過する日までの期間の月数を乗じてこれを12で除して計算した金額
(二) <u>基準事業年度</u>開始の日から当該適用年度終了の日までの期間の月数が36でない場合((一)に掲げる場合を除く。)	当該法人の当該適用年度の②に掲げる地方事業所特別税額控除限度額は、40万円に当該適用年度開始の日から<u>基準事業年度</u>開始の日以後3年を経過する日までの期間の月数を乗じてこれを12で除して計算した金額に当該法人の当該適用年度の地方事業所特別基準雇用者数を乗じて計算した金額(当該計画の認定に係る特定業務施設が②に掲げる準地方活力向上地域内にある場合には、30万円に当該適用年度開始の日から<u>基準事業年度</u>開始の日以後3年を経過する日までの期間の月数を乗じてこれを12で除して計算した金額に当該特定業務施設に係る当該法人の当該適用年度の地方事業所特別基準雇用者数を乗じて計算した金額)

　　注1　──線部分は、令和6年度改正により改正された部分で、改正規定は、令和6年4月1日から適用され、令和6年3月31日以前の適用については、「地方活力向上地域等特定業務施設整備計画に係る基準日」とあるのは「計画の認定を受けた日」、「基準事業年度」とあるのは「認定事業年度」とする。(令6改措令附1)
　　注2　(4)に掲げる月数は、暦に従って計算し、1か月に満たない端数を生じたときは、これを1か月とする。(措令27の12⑰)

(合併法人等における特別控除の適用)
(5)　②の適用を受けようとする法人がその適用を受けようとする事業年度開始の日の<u>2年前の日</u>から当該事業年度終了の日までの間に行われた合併、分割、現物出資又は現物分配(残余財産の全部の分配に該当する現物分配にあっては、当該事業年度開始の日の<u>2年前の日</u>の前日から当該事業年度終了の日の前日までの期間内においてその残余財産が確定したもの)に係る合併法人又は分割承継法人等に該当する場合には、②に掲げる離職者がいないかどうかの判定については、次の(一)及び(二)に掲げる事業年度は、当該法人の当該開始の日前<u>2年</u>以内に開始した事業年度とみなす。(措法42の12⑩、措令27の12⑱)

(一)	当該合併、分割若しくは現物出資(法人を設立するものを除く。)又は現物分配に係る被合併法人又は分割法人等の判定基準日(当該適用を受けようとする事業年度開始の日前<u>2年</u>以内に開始した各事業年度のうち最も古い事業年度開始の日をいう。(二)において同じ。)から当該合併、分割、現物出資又は現物分配の日(残余財産の全部の分配に該当する現物分配にあっては、その残余財産の確定の日の翌日)の前日(当該分割、現物出資又は現物分配の日が当該適用を受けようとする事業年度開始の日後である場合には、同日の前日)までの期間内の日を含む各事業年度
(二)	当該合併、分割又は現物出資(法人を設立するものに限る。以下(二)において「合併等」という。)に係る被

合併法人、分割法人又は現物出資法人のうち、当該合併等の直前の時における資本金の額又は出資金の額が最も多いもの（以下(二)において「基準法人」という。）の当該合併等の日前に終了した事業年度及び当該基準法人である分割法人又は現物出資法人の当該分割又は現物出資の日を含む事業年度開始の日から当該分割又は現物出資の日の前日までの期間を当該合併等に係る合併法人、分割承継法人又は被現物出資法人の当該合併等の日前の各事業年度とみなした場合に<u>判定基準日</u>となる日から当該合併等の日の前日までの期間内の日を含む当該被合併法人、分割法人又は現物出資法人の各事業年度

注 ──線部分は、令和６年度改正により改正された部分で、改正規定は、令和６年４月１日以後に地方活力向上地域等特定業務施設整備計画について計画の認定を受ける法人の当該地方活力向上地域等特定業務施設整備計画について適用され、令和６年３月31日以前に地方活力向上地域等特定業務施設整備計画について計画の認定を受けた法人の当該地方活力向上地域等特定業務施設整備計画については、「２年」とあるのは「１年」と、「判定基準日」とあるのは「基準日」とする。（令６改措附12、１）

（合併法人等の基準雇用者数及び基準雇用者割合の計算）

（６） ②の適用を受ける法人が合併で適用年度において行われたものに係る合併法人又は分割等（分割、現物出資又は現物分配をいう。）で適用年度において行われたもの（残余財産の全部の分配に該当する現物分配にあっては、当該適用年度開始の日の前日から当該適用年度終了の日の前日までの期間内においてその残余財産が確定したもの）に係る分割法人等若しくは分割承継法人等に該当する場合の当該法人の基準雇用者数の計算については、当該法人の当該適用年度開始の日の前日における雇用者（当該適用年度終了の日において高年齢雇用者に該当する者を除く。以下同じ。）の数は、次の表の左欄に掲げる法人の区分に応じそれぞれ同表の右欄に掲げる雇用者の数とする。（措法42の12⑩、措令27の12⑭）

			次の表の左欄に掲げる合併法人の区分に応じそれぞれ同表の右欄に掲げる雇用者の数
(一)	当該合併に係る合併法人	イ	当該合併に係る合併法人（当該合併により設立したものを除く。）	当該合併法人の適用年度開始の日の前日における雇用者の数と当該合併に係る被合併法人の当該合併の直前における雇用者の数とを合計した数
		ロ	当該合併により設立した合併法人	当該合併に係る各被合併法人の当該合併の直前における雇用者の数を合計した数
(二)	当該分割等に係る分割法人等		当該分割法人等の適用年度開始の日の前日における雇用者の数から移転雇用者数（当該分割法人等の当該分割等の直前における雇用者の数から当該分割法人等の当該分割等の直後における雇用者の数を控除した数をいう。）を減算した数
(三)	当該分割等に係る分割承継法人等		次の表の左欄に掲げる分割承継法人等の区分に応じそれぞれ同表の右欄に掲げる雇用者の数
		イ	当該分割等に係る分割承継法人等（当該分割又は現物出資により設立した分割承継法人又は被現物出資法人を除く。イにおいて同じ。）	次に掲げる雇用者の数を合計した数 (イ) 当該分割承継法人等の適用年度開始の日の前日における雇用者の数 (ロ) 当該分割等に係る分割法人等の当該分割等の直前における雇用者の数から当該分割法人等の当該分割等の直後における雇用者の数を控除した数
		ロ	当該分割により設立した分割承継法人	当該分割に係る各分割法人の当該分割の直前における雇用者の数を合計した数から当該各分割法人の当該分割の直後における雇用者の数を合計した数を控除した数
		ハ	当該現物出資により設立した被現物出資法人	当該現物出資に係る各現物出資法人の当該現物出資の直前における雇用者の数を合計した数から当該各現物出資法人の当該現物出資の直後における雇用者の数を合計した数を控除した数

③ 通算法人である場合の取扱い

通算法人の適用年度（当該通算法人に係る通算親法人の事業年度終了の日に終了する事業年度に限る。以下③において同じ。）に係る①及び②の適用については、次に掲げるところによる。（措法42の12⑤）

(一)		①の表のロの(イ)に掲げる金額は、次に掲げる金額の合計額とする。
	イ	30万円に当該適用年度の特定新規雇用者基礎数（①の表のロの(イ)に掲げる特定新規雇用者基礎数をいう。以下(一)において同じ。）を乗じて計算した金額に、特定新規基準雇用者割合（当該適用年度及び当該適用年度終了の日において当該通算法人との間に通算完全支配関係がある他の通算法人（認定事業者であるものに限る。）の同日に終了する適用年度（同表のイに掲げる要件を満たす適用年度に限る。ロ及び(二)において「他の適用年度」という。）の特定新規雇用者基礎数の合計（イ及び(二)において「特定新規雇用者基礎合計数」という。）のうちに占める当該適用年度及び当該適用年度終了の日において当該通算法人との間に通算完全支配関係がある他の通算法人の同日に終了する事業年度の基準雇用者数の合計（以下(一)及び(二)において「基準雇用者合計数」という。）の割合（当該特定新規雇用者基礎合計数が零である場合及び当該基準雇用者合計数が零以下である場合には零とし、当該割合が1を上回る場合には1とする。）をいう。）を乗じて計算した金額
	ロ	20万円に当該適用年度の移転型特定新規雇用者基礎数（特定新規雇用者基礎数のうち移転型特定新規雇用者数に達するまでの数をいう。）を乗じて計算した金額に、移転型特定新規基準雇用者割合（当該適用年度及び他の適用年度の特定新規雇用者基礎数のうち移転型特定新規雇用者数に達するまでの数の合計のうちに占める基準雇用者合計数の割合〔当該合計が零である場合及び当該基準雇用者合計数が零以下である場合には零とし、当該割合が1を上回る場合には1とする。〕をいう。）を乗じて計算した金額
(二)		①の表のロの(ロ)に掲げる金額は、次に掲げる金額の合計額とする。
	イ	20万円に当該適用年度の特定非新規雇用者基礎数（①のロの(ロ)に掲げる特定非新規雇用者基礎数をいう。以下(二)において同じ。）を乗じて計算した金額に、特定非新規基準雇用者割合（当該適用年度及び他の適用年度の特定非新規雇用者基礎数の合計〔イにおいて「特定非新規雇用者基礎合計数」という。〕のうちに占める基準雇用者合計数から特定新規雇用者基礎合計数を控除した数の割合〔当該特定非新規雇用者基礎合計数が零である場合には零とし、当該割合が1を上回る場合には1とする。〕をいう。）を乗じて計算した金額
	ロ	20万円に当該適用年度の特定非新規雇用者基礎数のうち移転型特定非新規雇用者基礎数（①の表のイの(ロ)移転型特定非新規雇用者基礎数が零を超える場合における当該移転型特定非新規雇用者基礎数をいう。ロにおいて同じ。）に達するまでの数を乗じて計算した金額に、移転型特定非新規基準雇用者割合（当該適用年度及び他の適用年度の特定非新規雇用者基礎数のうち移転型特定非新規雇用者基礎数に達するまでの数の合計〔ロにおいて「移転型特定非新規雇用者基礎合計数」という。〕のうちに占める基準雇用者合計数から特定新規雇用者基礎合計数を控除した数の割合〔当該移転型特定非新規雇用者基礎合計数が零である場合には零とし、当該割合が1を上回る場合には1とする。〕をいう。）を乗じて計算した金額
(三)		通算法人の②の適用年度終了の日において当該通算法人との間に通算完全支配関係がある他の通算法人のうちいずれかの他の通算法人の同日に終了する事業年度が当該いずれかの他の通算法人の②に掲げる地方活力向上地域等特定業務施設整備計画に係る基準日以後に終了する事業年度で基準雇用者数又は地方事業所基準雇用者数が零に満たない事業年度以後の事業年度である場合には、当該適用年度については、②は、適用しない。

注 ——線部分は、令和6年度改正により改正された部分で、改正規定は、令和6年4月1日以後に地方活力向上地域等特定業務施設整備計画について計画の認定を受ける法人の当該地方活力向上地域等特定業務施設整備計画について適用され、令和6年3月31日以前に地方活力向上地域等特定業務施設整備計画について計画の認定を受けた法人の当該地方活力向上地域等特定業務施設整備計画については、「係る基準日」とあるのは「ついて計画の認定を受けた日」とする。（令6改法附43、1）

　　　（合併法人等の基準雇用者数及び基準雇用者割合の計算）
（1）　①の(5)及び②の(6)は、③の通算法人の適用年度（当該通算法人に係る通算親法人の事業年度終了の日に終了するものに限る。）終了の日において当該通算法人との間に通算完全支配関係がある他の通算法人（同日に終了する事業年度において①又は②の適用を受けないものに限る。以下（1）において同じ。）が当該他の通算法人の同日に終了する事業年度（以下（1）において「他の事業年度」という。）において行われた合併に係る合併法人又は当該他の通算法人の当該他の事業年度において行われた分割等（残余財産の全部の分配に該当する現物分配にあっては、当該他の事業年度開始の日の前日から当該他の事業年度終了の日の前日までの期間内においてその残余財産が確定したもの）に係る分割法人等若しくは分割承継法人等に該当する場合の当該他の通算法人の当該他の事業年度の基準雇用者数の計算について準用する。この場合において、①の(5)及び②の(6)中「当該法人の当該適用年度」とあるのは「当該他

の通算法人の他の事業年度（③の（１）に掲げる他の事業年度をいう。以下①の（５）及び②の（６）において同じ。）」と、「適用年度終了の日に」とあるのは「他の事業年度終了の日に」と、①の（５）及び②の（６）の表の（一）のイ、同表の（二）、同表の（三）のイ（イ）中「適用年度」とあるのは「他の事業年度」と読み替えるものとする。（措令27の12⑮）

　　　（合併法人等における特別控除の適用）
（２）　①の（４）及び②の（５）は、①及び②に掲げる法人が通算法人である場合における当該法人のこれらの適用を受けようとする事業年度（当該法人に係る通算親法人の事業年度終了の日に終了するものに限る。）終了の日において当該法人との間に通算完全支配関係がある他の通算法人が当該他の通算法人の同日に終了する事業年度〔以下（２）において「他の事業年度」という。〕開始の日の<u>２年</u>前の日から当該他の通算法人の当該他の事業年度終了の日までの間に行われた合併、分割、現物出資又は現物分配（残余財産の全部の分配に該当する現物分配にあっては、当該他の事業年度開始の日の<u>２年</u>前の日の前日から当該他の事業年度終了の日の前日までの期間内においてその残余財産が確定したもの）に係る合併法人又は分割承継法人等に該当する場合における①及び②に掲げる離職者がいないかどうかの判定について準用する。この場合において、①の（４）及び②の（５）中「当該法人の当該」とあるのは「当該他の通算法人の他の事業年度（③の（２）に掲げる他の事業年度をいう。次の表の（一）において同じ。）」と、①の（４）の表の（一）及び②の（５）の表の（一）中「適用を受けようとする事業年度開始の日前」とあるのは「他の事業年度開始の日前」と、「適用を受けようとする事業年度開始の日後」とあるのは「他の事業年度開始の日後」と読み替えるものとする。（措令27の12⑲⑱）

　　　注　――線部分は、令和６年度改正により改正された部分で、改正規定は、令和６年４月１日以後に地方活力向上地域等特定業務施設整備計画について計画の認定を受ける法人の当該地方活力向上地域等特定業務施設整備計画について適用され、令和６年３月31日以前に地方活力向上地域等特定業務施設整備計画について計画の認定を受けた法人の当該地方活力向上地域等特定業務施設整備計画については、「２年」とあるのは「１年」とする。（令６改措令附12、１）

３　特別控除の申告
　２《特定業務施設である事業所において雇用者の数が増加した場合の法人税額の特別控除》の税額控除は、確定申告書等（２の税額控除により控除を受ける金額を増加させる修正申告書又は更正請求書を提出する場合には、当該修正申告書又は更正請求書を含む。）に２の税額控除の対象となる地方事業所基準雇用者数又は地方事業所特別基準雇用者数、控除を受ける金額及び当該金額の計算に関する明細を記載した書類の添付がある場合に限り、適用する。この場合において、２により控除される金額の計算の基礎となる地方事業所基準雇用者数又は地方事業所特別基準雇用者数は、確定申告書等に添付された書類に記載された地方事業所基準雇用者数又は地方事業所特別基準雇用者数を限度とする。（措法42の12⑨）

　　注　十二の特別控除に係る明細を記載した書類は、次のとおり。（編者）
　　　　別表六（二十一）「地方活力向上地域等において雇用者の数が増加した場合の法人税額の特別控除に関する明細書」
　　　　別表六（二十一）付表一「特定新規基準雇用者割合及び特定非新規基準雇用者割合の計算に関する明細書」

　　　（地方事業所基準雇用者数等に係る証明書等の添付）
（１）　法人が２の②に掲げる地方活力向上地域等特定業務施設整備計画（以下「地方活力向上地域等特定業務施設整備計画」という。）につき同②の適用を受ける場合には、当該地方活力向上地域等特定業務施設整備計画につき同②の適用を受ける事業年度の確定申告書等に当該地方活力向上地域等特定業務施設整備計画に<u>係る基準日</u>以後に終了する各事業年度が当該法人の基準雇用者数又は地方事業所基準雇用者数が零に満たない事業年度に該当しないことが確認できる１の表の⑦、⑧、⑩、⑪及び２の②の（１）《離職者がいないことの証明》又は１の表の⑯《地方事業所特別基準雇用者数》及び２の②の（１）に掲げる書類の写し（通算法人の２の②の適用を受ける事業年度〔当該通算法人に係る通算親法人の事業年度終了の日に終了するものに限る。〕にあっては、当該書類及びその適用を受ける事業年度終了の日において当該通算法人との間に通算完全支配関係がある他の通算法人の地方活力向上地域等特定業務施設整備計画に<u>係る基準日</u>以後に終了する各事業年度が当該他の通算法人の基準雇用者数又は地方事業所基準雇用者数が零に満たない事業年度に該当しないことが確認できる（２）《他の通算法人の基準雇用者数又は地方事業所基準雇用者数が零に満たないことの確認》に掲げる書類）を添付しなければならない。（措法42の12⑩、措令27の12⑳、措規20の７⑦）

　　　注　――線部分は、令和６年度改正により改正された部分で、改正規定は、令和６年４月１日から適用され、令和６年３月31日以前の適用については、「係る基準日」とあるのは「ついて計画の認定を受けた日」とする。（令６改措令附１、令６改措規附１）

　　　（他の通算法人の基準雇用者数又は地方事業所基準雇用者数が零に満たないことの確認）
（２）　（１）に掲げる書類は、（１）に掲げる他の通算法人の地方活力向上地域等特定業務施設整備計画に<u>係る基準日</u>以後に終了する各事業年度に係る当該他の通算法人に係る通算親法人の事業所（当該他の通算法人の当該各事業年度のう

第三章 第二節 第二款 十二《地方活力向上地域等において雇用者の数が増加した場合の法人税額の税額控除》

ちその終了の日において当該他の通算法人に係る通算親法人との間に通算完全支配関係がない事業年度〔以下(2)において「他の事業年度」という。〕にあっては当該他の通算法人の事業所とし、当該他の通算法人が他の事業年度において2以上の事業所を有する場合には当該2以上の事業所のうち主たる事業所とする。)の所在地を管轄する都道府県労働局又は公共職業安定所の長が当該通算親法人（他の事業年度にあっては、当該他の通算法人）に対して交付する労働施策の総合的な推進並びに労働者の雇用の安定及び職業生活の充実等に関する法律施行規則附則第8条第3項に規定する雇用促進計画の達成状況を確認した旨を記載した書類であって、次の表の(一)及び(三)又は(二)及び(三)に掲げるものの写しとする。（措規20の7⑧）

(一)	当該他の通算法人の雇用促進計画の達成状況のうち当該他の通算法人が受けた計画の認定に係る特定業務施設に係るものが確認できる書類
(二)	地方活力向上地域等特定業務施設整備計画について計画の認定を受けた当該他の通算法人の雇用促進計画の達成状況のうち当該計画の認定に係る特定業務施設に係るものが確認できる書類
(三)	当該他の通算法人の雇用促進計画の達成状況及び離職者がいないかどうかが確認できる書類

注 ──線部分は、令和6年度改正により改正された部分で、改正規定は、令和6年4月1日から適用され、令和6年3月31日以前の適用については、「係る基準日」とあるのは「ついて計画の認定を受けた日」とする。（令6改措規附1）

十三　認定地方公共団体の寄附活用事業に関連する寄附をした場合の法人税額の特別控除

1　法人税額の特別控除

　青色申告書を提出する法人が、地域再生法の一部を改正する法律（平成28年法律第30号）の施行の日（平成28年４月20日）から令和７年３月31日までの間に、地域再生法第８条第１項《報告の徴収》に規定する認定地方公共団体（以下**十三**において「**認定地方公共団体**」という。）に対して当該認定地方公共団体が行うまち・ひと・しごと創生寄附活用事業（当該認定地方公共団体の作成した同条第１項に規定する認定地域再生計画に記載されている同法第５条第４項第２号《地域再生計画の認定》に規定するまち・ひと・しごと創生寄附活用事業をいう。）に関連する寄附金（その寄附をした者がその寄附によって設けられた設備を専属的に利用することその他特別の利益がその寄附をした者に及ぶと認められるものを除く。以下**十三**において「**特定寄附金**」という。）を支出した場合には、その支出した日を含む事業年度（解散〔合併による解散を除く。〕の日を含む事業年度及び清算中の各事業年度を除く。）の所得に対する**調整前法人税額**（五の１《用語の意義》の表の②に掲げる調整前法人税額をいう。以下**十三**において同じ。）から、当該事業年度において支出した特定寄附金の額（当該事業年度の所得の金額の計算上損金の額に算入されるものに限る。以下**十三**において同じ。）の合計額の$\frac{40}{100}$に相当する金額から当該特定寄附金の支出について地方税法の規定により道府県民税及び市町村民税（都民税を含む。）の額から控除される金額として(1)《道府県民税及び市町村民税等の額から控除される金額》に掲げる金額を控除した金額（当該金額が当該事業年度において支出した特定寄附金の額の合計額の$\frac{10}{100}$に相当する金額を超える場合には、当該$\frac{10}{100}$に相当する金額。以下**十三**において「**税額控除限度額**」という。）を控除する。この場合において、当該税額控除限度額が当該事業年度の所得に対する調整前法人税額の$\frac{5}{100}$に相当する金額を超えるときは、その控除を受ける金額は、当該$\frac{5}{100}$に相当する金額を限度とする。（措法42の12の２①）

$$\text{税額控除限度額} = \text{特定寄附金の額} \times \frac{40}{100} - \left[\begin{array}{c}\text{道府県民税及び市町村民税}\\\text{（都民税を含む。）の額から}\\\text{控除される金額}\end{array}\right]\text{と}\left[\text{特定寄附金の額} \times \frac{10}{100}\right]\begin{array}{l}\text{とのいずれか}\\\text{少ない金額}\end{array}$$

$$\text{ただし、}\left[\begin{array}{c}\text{当期の所得の調整前法人税額}\\\text{（申告書別表一の「２」欄の金額）}\end{array} \times \frac{5}{100}\right]\text{を限度}$$

（道府県民税及び市町村民税等の額から控除される金額）

（1）　１に掲げる道府県民税及び市町村民税の額から控除される金額は、当該事業年度の調整前法人税額に第一款**二の２の(9)**《留保金額の計算上控除する道府県民税及び市町村民税の額》の表の(一)のロ及びハに掲げる金額の合計額（以下(1)において「加算課税額」という。）を加算した金額から同(2)の表の(二)のロ及びハに掲げる規定により法人税の額から控除する金額を控除した金額（次表に掲げる金額がある場合には、当該控除した金額に次表の(一)及び(二)に掲げる金額の合計額を加算した金額から同表の(三)から(八)までに掲げる金額の合計額〔当該加算した金額から加算課税額を控除した金額を超えるときは当該合計額からその超える部分の金額を控除した金額〕を控除した金額）に$\frac{1.4}{100}$を乗じて計算した金額とする。（措令27の12の２①）

(一)	地方税法第53条第11項《法人の道府県民税の申告納付》又は第321条の８第11項《法人の市町村民税の申告納付》に規定する加算対象通算対象欠損調整額
(二)	地方税法第53条第17項又は第321条の８第17項に規定する加算対象被配賦欠損調整額
(三)	地方税法第53条第３項又は第321条の８第３項の規定の適用がある場合のこれらの規定に規定する控除対象通算適用前欠損調整額（同法第53条第５項又は第321条の８第５項の規定により同法第53条第３項又は第321条の８第３項に規定する控除対象個別帰属調整額とみなされる金額を含む。）のうち、同法第53条第３項又は第321条の８第３項に規定する控除されなかった額に相当する金額
(四)	地方税法第53条第８項又は第321条の８第８項の規定の適用がある場合のこれらの規定に規定する控除対象合併等前欠損調整額のうち、これらの規定に規定する控除されなかった額に相当する金額
(五)	地方税法第53条第13項又は第321条の８第13項の規定の適用がある場合のこれらの規定に規定する控除対象通算対象所得調整額（同法第53条第15項又は第321条の８第15項の規定により同法第53条第13項又は第321条の８第13項に規定する控除対象個別帰属税額とみなされる金額を含む。）のうち、同法第53条第13項又は第321条の８第13項に規定する控除されなかった額に相当する金額

第三章　第二節　第二款　十三《認定地方公共団体の寄附活用事業に関連する寄附をした場合の法人税額の特別控除》

（六）	地方税法第53条第19項又は第321条の８第19項の規定の適用がある場合のこれらの規定に規定する控除対象配賦欠損調整額（同法第53条第21項又は第321条の８第21項の規定により同法第53条第19項又は第321条の８第19項に規定する控除対象配賦欠損調整額とみなされる金額を含む。）のうち、同法第53条第19項又は第321条の８第19項に規定する控除されなかった額に相当する金額
（七）	地方税法第53条第23項又は第321条の８第23項の規定の適用がある場合の同法第53条第23項第１号又は第321条の８第23項第１号に規定する内国法人の控除対象還付法人税額（同法第53条第24項〔第１号に係る部分に限る。〕又は第321条の８第24項〔第１号に係る部分に限る。〕の規定により同法第53条第23項第１号又は第321条の８第23項第１号に規定する内国法人の控除対象還付法人税額とみなされる金額を含む。）、同法第53条第23項第２号又は第321条の８第23項第２号に規定する外国法人の恒久的施設帰属所得に係る控除対象還付法人税額（同法第53条第24項〔第２号に係る部分に限る。〕又は第321条の８第24項〔第２号に係る部分に限る。〕の規定により同法第53条第23項第２号又は第321条の８第23項第２号に規定する外国法人の恒久的施設帰属所得に係る控除対象還付法人税額とみなされる金額を含む。）及び同法第53条第23項第３号又は第321条の８第23項第３号に規定する外国法人の恒久的施設非帰属所得に係る控除対象還付法人税額（同法第53条第24項〔第２号に係る部分に限る。〕又は第321条の８第24項〔第２号に係る部分に限る。〕の規定により同法第53条第23項第３号又は第321条の８第23項第３号に規定する外国法人の恒久的施設非帰属所得に係る控除対象還付法人税額とみなされる金額を含む。）のうち、同法第53条第23項各号又は第321条の８第23項各号に規定する控除されなかった額に相当する金額
（八）	地方税法第53条第26項又は第321条の８第26項の規定の適用がある場合のこれらの規定に規定する控除対象還付対象欠損調整額（同法第53条第28項又は第321条の８第28項の規定により同法第53条第26項又は第321条の８第26項に規定する控除対象還付対象欠損調整額とみなされる金額を含む。）のうち、同法第53条第26項又は第321条の８第26項に規定する控除されなかった額に相当する金額

　　（特別区の存する区域内に事務所又は事業所を有する法人の控除される金額）
（２）　特別区の存する区域内の事務所又は事業所を有する法人に係る（１）の適用については、（１）の表の（三）中「規定の」とあるのは「（同法第734条の第３項において準用する場合を含む。）の規定の」と、「の規定により」とあるのは「（同法第734条の第３項において準用する場合を含む。）の規定により」と、同表の（四）中「の規定の」とあるのは、「（同法第734条の第３項において準用する場合を含む。）の規定の」と、同表の（五）から（八）までの規定中「の規定の」とあるのは「（同法第734条第３項において準用する場合を含む。）の規定の」と、「の規定より」とあるのは「（同法第734条第３項において準用する場合を含む。）の規定より」とする。（措令27の12の２②）

2　未払寄附金
　１に掲げる特定寄附金の支出は、各事業年度の所得の金額の計算については、その支払がされるまでの間、なかったものとする。（措法42の12の２④、措令27の12の２④）

3　特別控除の申告
　１の税額控除は、確定申告書等（１の税額控除により控除を受ける金額を増加させる修正申告書又は更正請求書を提出する場合には、当該修正申告書又は更正請求書を含む。）に１の税額控除による控除の対象となる特定寄附金の額、控除を受ける金額及び当該金額の計算に関する明細を記載した書類の添付があり、かつ、１の法人が支出した寄附金を受けた認定地方公共団体が当該寄附金の受領について地域再生法施行規則第14条第１項《まち・ひと・しごと創生寄附活用事業の実施に係る手続》の規定により交付する書類を保存している場合に限り、適用する。この場合において、１の税額控除により控除される金額の計算の基礎となる特定寄附金の額は、確定申告書等に添付された書類に記載された特定寄附金の額を限度とする。（措法42の12の２②、措規20の８）
　なお、１の（１）《道府県民税および市町村民税等の額から控除される金額》の表の（一）から（四）（１の（２）により読み替えて適用する場合を含む。）に掲げる金額は、１の適用を受ける事業年度の確定申告書等、修正申告書又は更正請求書に当該金額を明らかにする書類の添付がない場合には、ないものとする。（措法42の12の２④、措令27の12の２③）
　　注　十三の特別控除に係る明細を記載した書類は、次のとおり。（編者）
　　　別表六(二十二)「認定地方公共団体の寄附活用事業に関連する寄附をした場合の法人税額の特別控除に関する明細書」

第三章　第二節　第二款　**十三**《認定地方公共団体の寄附活用事業に関連する寄附をした場合の法人税額の特別控除》

(控除対象通算適用前欠損調整額等のうち控除されなかった金額を明らかにする書類)
　3に掲げる「当該金額を明らかにする書類」には、例えば、地方税法施行規則第六号様式別表二から第六号様式別表二の八まで又は第二十号様式別表二から第二十号様式別表二の八までの控えの写しが該当する。(措通42の12の2－1)

十四　中小企業者等が特定経営力向上設備等を取得した場合の法人税額の特別控除

1　法人税額の特別控除

　中小企業者等（**五の3の(2)**《中小企業者の意義》に掲げる中小企業者〔同**3の(7)**《適用除外事業者の意義》に掲げる適用除外事業者又は同**3の(8)**《通算適用除外事業者の意義》に掲げる通算適用除外事業者に該当するものを除く。〕又は同**3の(12)**《農業協同組合等の意義》に掲げる農業協同組合等若しくは商店街振興組合で、青色申告書を提出するもののうち、中小企業等経営強化法第17条第1項《経営力向上計画の認定》の認定〔以下**1**において「認定」という。〕を受けた同法特定事業者等に該当するものをいう。以下**十四**において同じ。）が、平成29年4月1日から令和7年3月31日までの期間（**十四**において「**指定期間**」という。）内に、生産等設備を構成する機械及び装置、工具、器具及び備品、建物附属設備並びに**(3)**《生産等設備を構成するソフトウエア》に掲げるソフトウエアで、同法第17条第3項に規定する経営力向上設備等（経営の向上に著しく資するものとして**(5)**《経営の向上に著しく資するものの範囲》に掲げるもので、その中小企業者等のその認定に係る同条第1項に規定する経営力向上計画〔同法第18条第1項《経営力向上計画の変更等》の規定による変更の認定があったときは、その変更後のもの〕に記載されたものに限る。）に該当するもののうち**(6)**《特定経営力向上設備等の規模》に掲げる規模のもの（以下**十四**において「**特定経営力向上設備等**」という。）でその製作若しくは建設の後事業の用に供されたことのないものを取得し、又は特定経営力向上設備等を製作し、若しくは建設して、これを国内にある当該中小企業者等の営む事業の用（**(9)**《中小企業者等が特定機械装置等を取得した場合の特別償却等における指定事業の用》に掲げる指定事業の用に限る。以下**十四**において「**指定事業の用**」という。）に供した場合において、当該特定経営力向上設備等につき第一節第七款の**六の1**《特定経営力向上設備等を取得した場合の初年度即時償却》の適用を受けないときは、その指定事業の用に供した日を含む事業年度（解散〔合併による解散を除く。〕の日を含む事業年度及び清算中の各事業年度を除く。**十四**において「**供用年度**」という。）の所得に対する調整前法人税額（**五の1**《試験研究を行った場合の法人税額の特別控除》の表の②に掲げる調整前法人税額をいう。以下**十四**において同じ。）からその指定事業の用に供した当該特定経営力向上設備等の取得価額の$\frac{7}{100}$（中小企業者等のうち資本金の額又は出資金の額が3,000万円を超える法人（他の通算法人のうちいずれかの法人が資本金の額又は出資金の額が3,000万円を超える法人に該当する場合における通算法人を含むものとし、**五の3の(12)**《農業協同組合等の意義》に掲げる農業協同組合等及び商店街振興組合を除く。）以外の法人がその指定事業の用に供した当該特定経営力向上設備等については、$\frac{10}{100}$）に相当する金額の合計額（以下**十四**において「**税額控除限度額**」という。）を控除する。この場合において、当該中小企業者等の供用年度における税額控除限度額が、当該中小企業者等の当該供用年度の所得に対する調整前法人税額の$\frac{20}{100}$に相当する金額（**六の1**《法人税額の特別控除》により当該供用年度の所得に対する調整前法人税額から控除される金額がある場合には、当該金額を控除した残額）を超えるときは、その控除を受ける金額は、当該$\frac{20}{100}$に相当する金額を限度とする。（措法42の12の4②①、措令27の12の4③）

$$\begin{array}{l}税額控除\\限度額\end{array} = 特定経営力向上設備等の取得価額 \times \frac{7}{100}又は\frac{10}{100}$$

$$ただし、\left[供用年度の調整前法人税額\atop (申告書別表一の「2」欄の金額) \times \frac{20}{100} - \begin{array}{l}\textbf{六の1}により\\控除した金額\end{array}\right]を限度$$

（中小企業者であるかどうかの判定の時期）
(1)　**1**の適用上、法人が**五の3の(2)**《中小企業者の意義》中小企業者に該当するかどうかの判定（以下「中小判定」という。）は、次の表の右欄に掲げる法人の区分に応じ同表の左欄に掲げる取扱いによるものとする。（措通42の12の4－1）

(一)	通算法人以外の法人		当該法人の特定経営力向上設備等の取得又は製作若しくは建設（以下「取得等」という。）をした日及び当該特定経営力向上設備等を事業の用に供した日の現況による。
(二)	通算法人		当該通算法人及び他の通算法人（次のイ又はロの日及び次のハの日のいずれにおいても当該通算法人との間に通算完全支配関係がある法人に限る。）の当該イ及びロの日の現況による。
		イ	当該通算法人が特定経営力向上設備等の取得等をした日
		ロ	当該通算法人が当該特定経営力向上設備等を事業の用に供した日

		ハ	当該通算法人の**1**の適用を受けようとする事業年度終了の日

注1　通算親法人の事業年度の中途において通算承認の効力を失った通算法人のその効力を失った日の前日に終了する事業年度における中小判定についても、同様とする。

注2　本文及び注書1の取扱いは、当該法人が**1**に掲げる「中小企業者等のうち政令で定める法人以外の法人」に該当するかどうかの判定（**五**の**3**の(7)に掲げる適用除外事業者又は同**3**の(8)に掲げる通算適用除外事業者に該当するかどうかの判定を除く。）について準用する。

（生産等設備の範囲）

（2）　**1**に掲げる生産等設備（以下「生産等設備」という。）とは、例えば、製造業を営む法人の工場、小売業を営む法人の店舗又は自動車整備業を営む法人の作業場のように、その法人が行う生産活動、販売活動、役務提供活動その他収益を稼得するために行う活動（以下これらを「生産等活動」という。）の用に直接供される減価償却資産で構成されているものをいう。したがって、例えば、本店、寄宿舎等の建物、事務用器具備品、乗用自動車、福利厚生施設のようなものは、これに該当しない。（措通42の12の4－2）

注　一棟の建物が本店用と店舗用に供されている場合など、減価償却資産の一部が法人の生産等活動の用に直接供されているものについては、その全てが生産等設備となることに留意する。

（生産等設備を構成するソフトウエア）

（3）　**1**に掲げるソフトウエアは、電子計算機に対する指令であって一の結果を得ることができるように組み合わされたもの（これに関するシステム仕様書その他の書類を含むものとし、次に掲げるものを除く。）とする。（措令27の12の4①、27の6②、措規20の3④⑤）

(一)	複写して販売するための原本	
(二)	開発研究（新たな製品の製造若しくは新たな技術の発明又は現に企業化されている技術の著しい改善を目的として特別に行われる試験研究をいう。）の用に供されるもの	
(三)	次のイからホまでに掲げるもの	
	イ	サーバー用オペレーティングシステム（ソフトウエア〔電子計算機に対する指令であって一の結果を得ることができるように組み合わされたものをいう。以下(三)において同じ。〕の実行をするために電子計算機の動作を直接制御する機能を有するサーバー用のソフトウエアをいう。ロにおいて同じ。）のうち、国際標準化機構及び国際電気標準会議の規格15408に基づき評価及び認証をされたもの（ロにおいて「認証サーバー用オペレーティングシステム」という。）以外のもの
	ロ	サーバー用仮想化ソフトウエア（2以上のサーバー用オペレーティングシステムによる一のサーバー用の電子計算機〔当該電子計算機の記憶装置に当該2以上のサーバー用オペレーティングシステムが書き込まれたものに限る。〕に対する指令を制御し、当該指令を同時に行うことを可能とする機能を有するサーバー用のソフトウエアをいう。以下ロにおいて同じ。）のうち、認証サーバー用仮想化ソフトウエア（電子計算機の記憶装置に書き込まれた2以上の認証サーバー用オペレーティングシステムによる当該電子計算機に対する指令を制御するサーバー用仮想化ソフトウエアで、国際標準化機構及び国際電気標準会議の規格15408に基づき評価及び認証をされたものをいう。）以外のもの
	ハ	データベース管理ソフトウエア（データベース〔数値、図形その他の情報の集合物であって、それらの情報を電子計算機を用いて検索することができるように体系的に構成するものをいう。以下ハにおいて同じ。〕の生成、操作、制御及び管理をする機能を有するソフトウエアであって、他のソフトウエアに対して当該機能を提供するものをいう。）のうち、国際標準化機構及び国際電気標準会議の規格15408に基づき評価及び認証をされたもの以外のもの（以下ハにおいて「非認証データベース管理ソフトウエア」という。）又は当該非認証データベース管理ソフトウエアに係るデータベースを構成する情報を加工する機能を有するソフトウエア
	ニ	連携ソフトウエア（情報処理システム〔情報処理の促進に関する法律第2条第3項《定義》に規定する情報処理システムをいう。以下ニにおいて同じ。〕から指令を受けて、当該情報処理システム以外の情報処理システムに指令を行うソフトウエアで、次の(イ)から(ハ)までに掲げる機能を有するものをいう。）のうち、(イ)の指令を日本産業規格（産業標準化法第20条第1項《日本産業規格》に規定する日本産業規格をいう。(イ)において同じ。）X5731-8に基づき認証をする機能及び(イ)の指令を受けた旨を記録する機能を有し、かつ、国際標準化機構及び国際電気標準会議の規格15408に基づき評価及び認

		証をされたもの以外のもの
	(イ)	日本産業規格X0027に定めるメッセージの形式に基づき日本工業規格X4159に適合する言語を使用して記述された指令を受ける機能
	(ロ)	指令を行うべき情報処理システムを特定する機能
	(ハ)	その特定した情報処理システムに対する指令を行うに当たり、当該情報処理システムが実行することができる内容及び形式に指令の付加及び変換を行い、最適な経路を選択する機能
ホ		不正アクセス防御ソフトウエア（不正アクセスを防御するために、あらかじめ設定された次の表の左欄に掲げる通信プロトコルの区分に応じそれぞれ同表の右欄に掲げる機能を有するソフトウエアであって、インターネットに対応するものをいう。）のうち、国際標準化機構及び国際電気標準会議の規格15408に基づき評価及び認証をされたもの以外のもの
	(イ)	通信路を設定するための通信プロトコル／ファイアウォール機能（当該通信プロトコルに基づき、電気通信信号を検知し、通過させる機能をいう。）
	(ロ)	通信方法を定めるための通信プロトコル／システム侵入検知機能（当該通信プロトコルに基づき、電気通信信号を検知し、又は通過させる機能をいう。）
	(ハ)	アプリケーションサービスを提供するための通信プロトコル／アプリケーション侵入検知機能（当該通信プロトコルに基づき、電気通信信号を検知し、通過させる機能をいう。）

（経営力向上設備等の意義）
（4）　中小企業等経営強化法において、「経営力向上設備等」とは、商品の生産若しくは販売又は役務の提供の用に供する施設、設備、機器、装置又はプログラム（情報処理の促進に関する法律〔昭和45年法律第90号〕第2条第2項《定義》に規定するプログラムをいう。）であって、経営力向上に特に資するものとして経済産業省令で定めるものをいう。
（中小企業等経営強化法17③）

注1　（4）に掲げる経済産業省令は、次のとおり。（中小企業等経営強化法施行規則16①）
（経営力向上設備等の要件）
　法第17条第3項の経営力向上に特に資するものとして経済産業省令で定める設備等は、次の一から三のいずれかに該当するものとする。
一　次の表の「指定設備」欄に掲げる指定設備であって、次に掲げるいずれの要件（当該指定設備がソフトウエア〔電子計算機に対する指令であって、一の結果を得ることができるように組み合わされたものをいう。以下一及び二において同じ。〕である場合及びロの比較の対象となる設備が販売されていない場合にあっては、イに掲げる要件に限る。）にも該当するもの
　イ　当該指定設備の区分ごとに同表の「販売が開始された時期に係る要件」欄に掲げる販売が開始された時期に係る要件に該当するものであること。
　ロ　当該指定設備が、その属する型式区分（同一の製造業者が製造した同一の種別に属する設備を型式その他の事項により区分した場合の各区分をいう。以下一において同じ。）に係る販売開始日に次いで新しい販売開始日の型式区分（当該指定設備の製造業者が製造した当該指定設備と同一の種別に属する設備の型式区分に限る。）に属する設備と比較して、生産効率、エネルギー効率、精度その他の経営力の向上に資するものの指標が年平均1パーセント以上向上しているものであること。

指定設備		
減価償却資産の種類	対象となるものの用途又は細目	販売が開始された時期に係る要件
機械及び装置	全ての指定設備	当該設備の属する型式区分に係る販売開始日が、事業者が当該設備を導入した日の10年前の日の属する年度（その年の1月1日から12月31日までの期間をいう。以下この表において同じ。）開始の日以後の日であること。
器具及び備品	全ての指定設備	当該設備の属する型式区分に係る販売開始日が、事業者が当該設備を導入した日の6年前の日の属する年度開始の日以後の日であること。
工具	測定工具及び検査工具（電気又は電子を利用するものを含む。）	当該設備の属する型式区分に係る販売開始日が、事業者が当該設備を導入した日の5年前の日の属する年度開始の日以後の日であること。
建物附属設備	全ての指定設備	当該設備の属する型式区分に係る販売開始日が、事業者が当該設備を導入した日の14年前の日の属する年度開始の日以後の日であること。
建物	断熱材	当該設備の属する型式区分に係る販売開始日が、事業者が当該設備を導入した日の14年前の日の属する年度開始の日以後の日であること。
	断熱窓	

第三章　第二節　第二款　十四《中小企業者等が特定経営力向上設備等を取得した場合の法人税額の特別控除》

ソフトウエア	設備の稼働状況等に係る情報収集機能及び分析・指示機能を有するもの	当該設備の属する型式区分に係る販売開始日が、事業者が当該設備を導入した日の5年前の日の属する年度開始の日以後の日であること。

　二　機械及び装置、工具、器具及び備品、建物、建物附属設備、構築物並びにソフトウエアのうち、事業者が策定した投資計画（次の算式により算定した当該投資計画における年平均の投資利益率が5パーセント以上となることが見込まれるものであることにつき経済産業大臣の確認を受けたものに限る。）に記載された投資の目的を達成するために必要不可欠な設備

　　各年度において増加する営業利益と減価償却費の合計額（設備の取得等をする年度の翌年度以降3箇年度におけるものに限る。）を平均した額÷設備の取得等をする年度におけるその取得等をする設備の取得価額の合計額

　三　機械及び装置、工具、器具及び備品、建物附属設備並びにソフトウエアのうち、事業者が策定した投資計画（次のイからハまでのいずれかに該当することにつき経済産業大臣の確認を受けたものに限る。）に記載された投資の目的を達成するために必要不可欠な設備
　　イ　情報処理技術を用いた遠隔操作を通じて、事業を対面以外の方法により行うこと又は事業に従事する者が現に常時労務を提供している場所以外の場所において常時労務を提供することができるようにすること。
　　ロ　現に実施している事業に関するデータ（電磁的記録に記録された情報をいう。(5)において同じ。）の集約及び分析を情報処理技術を用いて行うことにより、当該事業の工程に関する最新の状況の把握及び経営資源（中小企業等経営強化法第2条第11項に規定する経営資源をいう。以下三及び(5)の注1の三において同じ。）等の最適化を行うことができるようにすること。
　　ハ　情報処理技術を用いて、現に実施している事業の工程に関する経営資源等の最適化のための指令を状況に応じて自動的に行うことができるようにすること。

　四　機械及び装置、工具、器具及び備品、建物、建物附属設備、構築物並びにソフトウエアのうち、事業者が策定した投資計画（次に掲げるいずれかの要件を満たすことが見込まれるものであることにつき経済産業大臣の確認を受けたものに限る。）に記載された投資の目的を達成するために必要不可欠な設備
　　イ　当該事業者が行う認定経営力向上計画の実施期間の終了の日を含む事業年度（ロにおいて「計画終了年度」という。）において減価償却費及び研究開発費を控除する前の営業利益の額を総資産の額で除した値を百分率で表した値が、当該認定経営力向上計画の開始の直前の事業年度（ロにおいて「基準事業年度」という。）における当該値より、次の表の上欄に掲げる当該認定経営力向上計画の計画期間（ロにおいて「計画期間」という。）に応じ、同表の下欄に掲げる水準以上上回ること。

計画期間	水準
3年間	0.3
4年間	0.4
5年間	0.5

　　ロ　計画終了年度の売上高を有形固定資産の帳簿価額で除した値を百分率で表した値が、基準事業年度における当該値より、次の表の上欄に掲げる計画期間に応じ、同表の下欄に掲げる水準以上上回ること。

計画期間	水準
3年間	2%
4年間	2.5%
5年間	3%

注2　――線部分は、中小企業等経営強化法施行規則の一部を改正する省令（令和6年経済産業省令第28号）により改正された部分で、改正規定は、令和6年4月1日から適用され、令和6年3月31日以前の適用については、「電磁的記録」とあるのは「電磁的記録〔電子的方式、磁気的方式その他人の知覚によっては認識することができない方式で作られる記録をいう。〕」とする。（同省令附1）

（経営の向上に著しく資するものの範囲）

(5)　1に掲げるものは、中小企業等経営強化法施行規則第16条第2項に規定する経営力向上に著しく資する設備等とする。（措規20の9①）
　　注　(5)に掲げる経済産業省令は、次のとおり。（中小企業等経営強化法施行規則16②）
　　（経営力向上設備等の要件）
　　　(4)の注の設備等のうち、経営力向上に著しく資する設備等は、コインランドリー業（洗濯機、乾燥機その他の洗濯に必要な設備（共同洗濯設備として病院、寄宿舎その他の施設内に設置されているものを除く。）を設け、これを公衆に利用させる事業をいう。）又は暗号資産マイニング業（主要な事業であるものを除く。）の用に供する設備等でその管理のおおむね全部を他の者に委託するもの以外の設備等で、次の各号のいずれかに該当するものとする。
　　　一　次の表の「指定設備」欄に掲げる指定設備であって、次に掲げるいずれの要件（当該指定設備がソフトウエア〔電子計算機に対する指令であって、一の結果を得ることができるように組み合わされたものをいう。以下一及び二において同じ。〕である場合及びロの比較の対象となる設備が販売されていない場合にあっては、イに掲げる要件に限る。）にも該当するもの
　　　　イ　当該指定設備の区分ごとに同表の「販売が開始された時期に係る要件」欄に掲げる販売が開始された時期に係る要件に該当するものであること。

第三章　第二節　第二款　**十四**《中小企業者等が特定経営力向上設備等を取得した場合の法人税額の特別控除》

　ロ　当該指定設備が、その属する型式区分（同一の製造業者が製造した同一の種別に属する設備を型式その他の事項により区分した場合の各区分をいう。以下一において同じ。）に係る販売開始日に次いで新しい販売開始日の型式区分（当該指定設備の製造業者が製造した当該指定設備と同一の種別に属する設備の型式区分に限る。）に属する設備と比較して、生産効率、エネルギー効率、精度その他の経営力の向上に資するものの指標が年平均１パーセント以上向上しているものであること。

指定設備		
減価償却資産の種類	対象となるものの用途又は細目	販売が開始された時期に係る要件
機械及び装置	全ての指定設備（発電の用に供する設備にあっては、主として電気の販売を行うために取得又は製作をするものとして経済産業大臣が定めるものを除く。）	当該設備の属する型式区分に係る販売開始日が、事業者が当該設備を導入した日の10年前の日の属する年度（その年の１月１日から12月31日までの期間をいう。以下この表において同じ。）開始の日以後の日であること。
器具及び備品	全ての指定設備（医療機器にあっては、医療保健業を行う事業者が取得又は製作をするものを除く。）	当該設備の属する型式区分に係る販売開始日が、事業者が当該設備を導入した日の６年前の日の属する年度開始の日以後の日であること。
工具	測定工具及び検査工具（電気又は電子を利用するものを含む。）	当該設備の属する型式区分に係る販売開始日が、事業者が当該設備を導入した日の５年前の日の属する年度開始の日以後の日であること。
建物附属設備	全ての指定設備（医療保健業を行う事業者が取得又は建設をするものを除くものとし、発電の用に供する設備にあっては主として電気の販売を行うために取得又は建設をするものとして経済産業大臣が定めるものを除く。）	当該設備の属する型式区分に係る販売開始日が、事業者が当該設備を導入した日の14年前の日の属する年度開始の日以後の日であること。
ソフトウエア	設備の稼働状況等に係る情報収集機能及び分析・指示機能を有するもの	当該設備の属する型式区分に係る販売開始日が、事業者が当該設備を導入した日の５年前の日の属する年度開始の日以後の日であること。

二　機械及び装置（発電の用に供する設備にあっては、主として電気の販売を行うために取得又は製作をするものとして経済産業大臣が定めるものを除く。）、工具、器具及び備品（医療機器にあっては、医療保健業を行う事業者が取得又は製作をするものを除く。）、建物附属設備（医療保健業を行う事業者が取得又は建設をするものを除くものとし、発電の用に供する設備にあっては主として電気の販売を行うために取得又は建設をするものとして経済産業大臣が定めるものを除く。）並びにソフトウエアのうち、事業者が策定した投資計画（次の算式により算定した当該投資計画における年平均の投資利益率が５パーセント以上となることが見込まれるものであることにつき経済産業大臣の確認を受けたものに限る。）に記載された投資の目的を達成するために必要不可欠な設備

　各年度において増加する営業利益と減価償却費の合計額（設備の取得等をする年度の翌年度以降３箇年度におけるものに限る。）を平均した額÷設備の取得等をする年度におけるその取得等をする設備の取得価額の合計額

三　機械及び装置（発電の用に供する設備にあっては、主として電気の販売を行うために取得又は製作をするものとして経済産業大臣が定めるものを除く。）、工具、器具及び備品（医療機器にあっては、医療保健業を行う事業者が取得又は製作をするものを除く。）、建物附属設備（医療保健業を行う事業者が取得又は建設をするものを除くものとし、発電の用に供する設備にあっては主として電気の販売を行うために取得又は建設をするものとして経済産業大臣が定めるものを除く。）並びにソフトウエアのうち、事業者が策定した投資計画（次のイからハまでのいずれかに該当することにつき経済産業大臣の確認を受けたものに限る。）に記載された投資の目的を達成するために必要不可欠な設備

　イ　情報処理技術を用いた遠隔操作を通じて、事業を対面以外の方法により行うこと又は事業に従事する者が現に常時労務を提供している場所以外の場所において常時労務を提供することができるようにすること。

　ロ　現に実施している事業に関するデータの集約及び分析を情報処理技術を用いて行うことにより、当該事業の工程に関する最新の状況の把握及び経営資源等の最適化を行うことができるようにすること。

　ハ　情報処理技術を用いて、現に実施している事業の工程に関する経営資源等の最適化のための指令を状況に応じて自動的に行うことができるようにすること。

四　機械及び装置（発電の用に供する設備にあっては、主として電気の販売を行うために取得又は製作をするものとして経済産業大臣が定めるものを除く。）、工具、器具及び備品（医療機器にあっては、医療保健業を行う事業者が取得又は製作をするものを除く。）、建物附属設備（医療保健業を行う事業者が取得又は建設をするものを除くものとし、発電の用に供する設備にあっては主として電気の販売を行うために取得又は建設をするものとして経済産業大臣が定めるものを除く。）並びにソフトウエアのうち、事業者が策定した投資計画（次に掲げるいずれかの要件を満たすことが見込まれるものであることにつき経済産業大臣の確認を受けたものに限る。）に記載された投資の目的を達成するために必要不可欠な設備（当該事業者が行う認定経営力向上計画（法第17条第４項第２号に掲げる事項の記載があるものに限る。）に記載された設備であって、当該認定経営力向上計画に従って事業承継等を行った後に取得又は製作若しく

第三章　第二節　第二款　**十四**《中小企業者等が特定経営力向上設備等を取得した場合の法人税額の特別控除》

は建設をするものに限る。)
　イ　当該事業者が行う認定経営力向上計画（法第17条第4項第2号に掲げる事項の記載があるものに限る。）の実施期間の終了の日を含む事業年度（ロにおいて「計画終了年度」という。）において減価償却費及び研究開発費を控除する前の営業利益の額を総資産の額で除した値を百分率で表した値が、当該認定経営力向上計画の開始の直前の事業年度（ロにおいて「基準事業年度」という。）における当該値より、次の表の上欄に掲げる当該認定経営力向上計画の計画期間（ロにおいて「計画期間」という。）に応じ、同表の下欄に掲げる水準以上上回ること。

計画期間	水準
3年間	0.3
4年間	0.4
5年間	0.5

　ロ　計画終了年度の売上高を有形固定資産の帳簿価額で除した値を百分率で表した値が、基準事業年度における当該値より、次の表の上欄に掲げる計画期間に応じ、同表の下欄に掲げる水準以上上回ること。

計画期間	水準
3年間	2%
4年間	2.5%
5年間	3%

　　（特定経営力向上設備等の規模）
（6）　1に掲げる特定経営力向上設備等のうち特別控除の対象となるものは、次の表の左欄に掲げる減価償却資産の区分に応じ、それぞれ同表の右欄に掲げる規模のものとする。（措令27の12の4②）

(一)	機械及び装置	一台又は一基（通常一組又は一式をもって取引の単位とされるものにあっては、一組又は一式。以下（6）において同じ。）の取得価額（第一節第六款の**六**の1《減価償却資産の取得価額》により計算した取得価額をいう。以下（6）において同じ。）が160万円以上のもの
(二)	工具、器具及び備品	一台又は一基の取得価額が30万円以上のもの
(三)	建物附属設備	一の建物附属設備の取得価額が60万円以上のもの
(四)	ソフトウエア	一のソフトウエアの取得価額が70万円以上のもの

　　注　上表の金額基準を満たしているかどうかは、第一節第一款の**七**の2の(9)《少額の減価償却資産等の取得価額等の判定》により、法人が適用している税抜経理方式又は税込経理方式に応じ、その適用している方式により算定した価額により判定する。（平元直法2－1「9」参照）

　　（取得価額の判定単位）
（7）　(6)に掲げる機械及び装置又は工具、器具及び備品の一台又は一基の取得価額が160万円以上又は30万円以上であるかどうかについては、通常一単位として取引される単位ごとに判定するのであるが、個々の機械及び装置の本体と同時に設置する自動調整装置又は原動機のような附属機器で当該本体と一体になって使用するものがある場合には、これらの附属機器を含めたところによりその判定を行うことができるものとする。（措通42の12の4－4）

　　（圧縮記帳の適用を受けた場合の特定経営力向上設備等の取得価額要件の判定）
（8）　(6)に掲げる機械及び装置、工具、器具及び備品、建物附属設備又はソフトウエアの取得価額が160万円以上、30万円以上、60万円以上又は70万円以上であるかどうかを判定する場合において、その機械及び装置、工具、器具及び備品、建物附属設備又はソフトウエアが第一節第十五款の**一**《国庫補助金等による圧縮記帳》、同款の**二**《工事負担金による圧縮記帳》、同款の**三**《非出資組合の賦課金による圧縮記帳》及び同款の**四**《保険金等による圧縮記帳》による圧縮記帳の適用を受けたものであるとき（法人が取得等をした(6)に掲げる機械及び装置、工具、器具及び備品、建物附属設備並びにソフトウエアにつき、供用年度後の事業年度において同款の**一**から**四**の適用を受けることが予定されている場合を含む。）は、その圧縮記帳後の金額（法人が取得等をした(6)に掲げる機械及び装置、工具、器具及び備品、建物附属設備並びにソフトウエアにつき、供用年度後の事業年度において同款の**一**から**四**の適用を受けることが予定されている場合にあっては、第一節第六款の**六**の1《減価償却資産の取得価額》に掲げる金額から当該供用年度後の事業年度において第一節第十五款の**一**から**四**の適用を受けるとしたならば、第一節第六款の**六**の3《圧縮記帳

資産の取得価額の特例》に掲げる「損金の額に算入された金額（……金額を加算した金額）」となることが見込まれる金額を控除した金額）に基づいてその判定を行うものとする。（措通42の12の4－5、42の5～48（共）－3の2・編者補正）

（中小企業者等が特定機械装置等を取得した場合の特別償却等における指定事業の用）

（9） 1に掲げる指定事業の用とは、次の（一）から（二十四）までに掲げる事業の用（内航海運業法第2条第2項《定義》に規定する内航海運業を営む法人で同項に規定する内航運送の用に供される船舶の貸渡しをする事業を営む法人以外の法人の貸付けの用を除く。）のことをいう。（措法42の6①、措令27の6⑥、措規20の3⑧）

（一）　製造業
（二）　建設業
（三）　農業
（四）　林業
（五）　漁業
（六）　水産養殖業
（七）　鉱業
（八）　卸売業
（九）　道路貨物運送業
（十）　倉庫業
（十一）　港湾運送業
（十二）　ガス業
（十三）　小売業
（十四）　料理店業その他の飲食店業（料亭、バー、キャバレー、ナイトクラブその他これらに類する事業にあっては、生活衛生同業組合の組合員が行うものに限る。）
（十五）　一般旅客自動車運送業
（十六）　海洋運輸業及び沿海運輸業
（十七）　内航船舶貸渡業
（十八）　旅行業
（十九）　こん包業
（二十）　郵便業
（二十一）　通信業
（二十二）　損害保険代理業
（二十三）　不動産業
（二十四）　サービス業（娯楽業〔映画業を除く。〕を除く。）

注　（十三）から（二十四）までに掲げる事業については、風俗営業等の規制及び業務の適正化等に関する法律第2条第5項《用語の意義》に規定する性風俗関連特殊営業に該当するものを除く。（措規20の3⑧括弧書）

（主たる事業でない場合の適用）

（10）　法人の営む事業が1に掲げる指定事業の用に係る事業（以下「指定事業」という。）に該当するかどうかは、当該法人が主たる事業としてその事業を営んでいるかどうかを問わないことに留意する。（措通42の12の4－6）

（指定事業とその他の事業とに共通して使用される特定経営力向上設備等）

（11）　指定事業とその他の事業とを営む法人が、その取得等をした特定経営力向上設備等をそれぞれの事業に共通して使用している場合には、その全部を指定事業の用に供したものとして1を適用する。（措通42の12の4－7）

（貸付けの用に供したものに該当しない資産の貸与）

（12）　法人が、その取得等をした特定経営力向上設備等を自己の下請業者に貸与した場合において、当該特定経営力向上設備等が専ら当該法人のためにする製品の加工等の用に供されるものであるときは、当該特定経営力向上設備等は当該法人の営む事業の用に供したものとして取り扱う。（措通42の12の4－8）

（国庫補助金等の圧縮記帳の適用を受ける場合の取得価額）

（13）　1に掲げる税額控除限度額の計算の基礎となる特定経営力向上設備等の取得価額は、次の左欄に掲げる場合には、それぞれ次の右欄に掲げる金額による。（措通42の5～48（共）－3の2・編者補正）

（一）	法人が取得等をした特定経営力向上設備等につき、供用年度において第一節第十五款の一《国庫補助金等による圧縮記帳》、同款の二《工事負担金による圧縮記帳》、同款の三《非出資組合の賦課金による圧縮記帳》及び同款の四《保険金等による圧縮記帳》の適用を受ける場合	第一節第六款の六の3《圧縮記帳資産の取得価額の特例》により同六の1《減価償却資産の取得価額》の取得価額とみなすこととされる金額
（二）	法人が取得等をした特定経営力向上設備等に	第一節第六款の六の1の表に掲げる金額から当該供用年度後の

つき、供用年度後の事業年度において第一節第十五款の**一**、同款の**二**、同款の**三**及び同款の**四**の適用を受けることが予定されている場合	事業年度において第一節第十五款の**一**、同款の**二**、同款の**三**及び同款の**四**の適用を受けるとしたならば、第一節第六款の**六**の**3**に掲げる「損金の額に算入された金額（……金額を加算した金額）」となることが見込まれる金額（以下「損金算入見込額」という。）を控除した金額

注1　（二）の損金算入見込額は、当該供用年度終了の日において、第一節第十五款の**一**の**1**《国庫補助金等で取得した固定資産の圧縮額の損金算入》に掲げる国庫補助金等若しくは同款の**二**の**1**《工事負担金で取得した固定資産の圧縮額の損金算入》の金銭の交付を受け、同款の**三**の**1**《非出資組合が賦課金で取得した固定資産の圧縮額の損金算入》の賦課に基づいて納付され、又は同款の**四**の**1**《保険金等で取得した固定資産の圧縮額の損金算入》に掲げる保険金等の支払を受けることが見込まれる金額（同款の**一**の**7**《特別勘定を設けた場合の国庫補助金等で取得した固定資産の圧縮額の損金算入》の適用を受けることが予定されている場合には、同款の**一**の**1**に掲げる国庫補助金等の交付を受けた金額で返還を要しないことが供用年度終了の日までに確定していないものを含む。）とすることができる。

注2　法人が特定経営力向上設備等の供用年度において税額控除限度額等の計算の基礎となる特定経営力向上設備等の取得価額を（二）に定める金額によることなく第一節第六款の**六**の**1**の表に掲げる金額に基づき税額控除限度額等を計算して申告をしている場合において、供用年度後の事業年度に第一節第十五款の**一**、同款の**二**、同款の**三**及び同款の**四**の適用を受けるときは、第一節第六款の**六**の**3**により同**六**の**1**の取得価額とみなすこととされる金額に基づき供用年度の税額控除限度額等を修正することに留意する。

　　　（特定経営力向上設備等の対価につき値引きがあった場合の税額控除限度額の計算）
(14)　供用年度後の事業年度においてその特定経営力向上設備等の対価の額につき値引きがあった場合には、供用年度に遡って当該値引きのあった特定経営力向上設備等に係る**1**の税額控除限度額の修正を行うものとする。（措通42の12の4－9・編者補正）

　　　（特別償却の適用を受けたものの意義）
(15)　法人が、その有する減価償却資産について、第一節第七款の**六**の**1**《特定経営力向上設備等を取得した場合の初年度特別償却》による特別償却等に係る償却を実施していない場合においても、当該特別償却等に関する明細書においてその特別償却限度額の計算を行い、同款の**二十三**の**1**《特別償却不足額がある場合の償却限度額の計算》に掲げる特別償却不足額若しくは同**二十三**の**2**《合併等特別償却不足額がある場合の償却限度額の計算》に掲げる合併等特別償却不足額として記載しているとき又はこれらの特別償却等に係る同款の**二十四**《準備金方式による特別償却》による特別償却準備金の積立不足額若しくは合併等特別償却準備金積立不足額として処理したときは、当該減価償却資産は、当該特別償却限度額に係る特別償却等の適用を受けたものに該当することに留意する。（措通42の5～48（共）－2・編者補正）

　　　（適格合併等があった場合の特別償却等の適用）
(16)　**1**の税額控除は、減価償却資産を事業の用に供した場合に適用があるのであるから、適格合併等（適格合併、適格分割、適格現物出資又は適格現物分配をいう。）による移転に係る減価償却資産について**1**の適用があるかどうかは、当該減価償却資産を事業の用に供した日の現況において、**1**に掲げる適用要件（適用対象法人、適用期間、適用対象事業等に関する要件をいう。以下(16)において同じ。）を満たすかどうかにより判定することに留意する。（措通42の5～48（共）－3・編者補正）

注　例えば、中小企業者等（**六**《中小企業者等が機械等を取得した場合の法人税額の特別控除》に掲げる中小企業者等をいう。以下注において同じ。）に該当する被合併法人が減価償却資産を適格合併により中小企業者等に該当しない合併法人に移転する場合の**六**の**1**の適用については、次の（一）及び（二）のようになる。

（一）	被合併法人が当該減価償却資産を事業の用に供した場合は、他の適用要件を満たせば、被合併法人において**六**の**1**の適用を受けることができる。
（二）	被合併法人が当該減価償却資産を事業の用に供しないで合併法人が事業の用に供した場合は、被合併法人又は合併法人のいずれの法人においても、**六**の**1**の適用を受けることができない。

2　繰越税額控除限度超過額の1年間繰越控除

青色申告書を提出する法人が、各事業年度（解散〔合併による解散を除く。〕の日を含む事業年度及び清算中の各事業年度を除く。）において**繰越税額控除限度超過額**を有する場合には、当該事業年度の所得に対する調整前法人税額から、当該繰越税額控除限度超過額に相当する金額を控除する。この場合において、当該法人の当該事業年度における繰越税額控除限度超過額が当該法人の当該事業年度の所得に対する調整前法人税額の$\frac{20}{100}$に相当する金額（当該事業年度においてその指定事業の用に供した特定経営力向上設備等につき**1**の税額控除により当該事業年度の所得に対する調整前法人税額から控

除される金額又は**六の１**《法人税額の特別控除》及び同**六の２**《繰越税額控除限度超過額の１年間繰越控除》により当該事業年度の所得に対する調整前法人税額から控除される金額がある場合には、これらの金額を控除した残額）を超えるときは、その控除を受ける金額は、当該$\frac{20}{100}$に相当する金額を限度とする。（措法42の12の4③）

注　繰越税額控除限度超過額の控除限度額の計算は、次のようになる。（編者）

$$\begin{pmatrix}繰越税額控除\\限度超過額の\\控除限度額\end{pmatrix} = \left\{\begin{pmatrix}当期の所得に対する調整前法人税額\\（申告書別表一の「2」欄の金額）\end{pmatrix} \times \frac{20}{100} - \begin{pmatrix}1又は六の1及び同2により控除\\した金額\end{pmatrix}\right\}$$

と

$\begin{pmatrix}繰越税額控除\\限度超過額\end{pmatrix}$とのいずれか少ない金額

（繰越税額控除限度超過額の意義）

（１）　**２**《繰越税額控除限度超過額の１年間繰越控除》に掲げる繰越税額控除限度超過額とは、当該法人の当該事業年度開始の日前１年以内に開始した各事業年度（当該事業年度まで連続して青色申告書の提出をしている場合の各事業年度に限る。）における税額控除限度額のうち、**1**の税額控除による控除をしてもなお控除しきれない金額（既に**2**の税額控除により当該各事業年度において調整前法人税額から控除された金額がある場合には、当該控除済金額を控除した残額）の合計額をいう。（措法42の12の4④）

（被合併法人等が有する繰越税額控除限度超過額）

（２）　（１）の繰越税額控除限度超過額を有している法人が、当該法人を被合併法人等（被合併法人、分割法人、現物出資法人又は現物分配法人をいう。）とする合併等（合併、分割、現物出資又は現物分配をいう。以下（２）において同じ。）を行った場合には、当該合併等が適格合併等（適格合併、適格分割、適格現物出資又は適格現物分配をいう。）に該当し、当該繰越税額控除限度額の基となった資産をこれにより移転したときであっても、当該繰越税額控除限度超過額を合併法人等（合併法人、分割承継法人、被現物出資法人又は被現物分配法人をいう。）に引き継ぐことは認められないのであるから留意する。（措通42の5～48（共）－4・編者補正）

3　特別控除の申告

①　供用年度の特別控除の申告

1の税額控除は、確定申告書等（**1**の税額控除により控除を受ける金額を増加させる修正申告書又は更正請求書を提出する場合には、当該修正申告書又は更正請求書を含む。）に**1**の税額控除による控除の対象となる特定経営力向上設備等の取得価額、控除を受ける金額及び当該金額の計算に関する明細を記載した書類の添付がある場合に限り、適用する。この場合において、**1**の税額控除により控除される金額の計算の基礎となる特定経営力向上設備等の取得価額は、確定申告書等に添付された書類に記載された特定経営力向上設備等の取得価額を限度とする。（措法42の12の4⑦）

注　**十四**の特別控除に係る明細を記載した書類は、次のとおり。
　　別表六(二十三)「中小企業者等が特定経営力向上設備等を取得した場合の法人税額の特別控除に関する明細書」

（特定経営力向上設備等に係る証明書等の添付）

法人が、その取得し、又は製作し、若しくは建設した機械及び装置、工具、器具及び備品、建物附属設備並びにソフトウエア（以下「機械装置等」という。）につき**1**の税額控除の適用を受ける場合には、当該機械装置等につき**1**の税額控除の適用を受ける事業年度の確定申告書等に当該機械装置等が同**1**に掲げる特定経営力向上設備等に該当するものであることを証する当該法人が受けた中小企業等経営強化法第17条第1項の認定に係る経営力向上に関する命令第2条第1項の申請書（当該申請書に係る同法第13条第1項に規定する経営力向上計画につき同法第18条第1項の規定による変更の認定があったときは、当該変更の認定に係る同令第3条第1項の申請書を含む。以下「認定申請書」という。）の写し及び当該認定申請書に係る認定書（当該変更の認定があったときは、当該変更の認定に係る認定書を含む。）の写しを添付しなければならない。（措令27の12の4④、措規20の9②）

注１　──線部分は、令和６年度改正により改正された部分で、改正規定は、令和６年４月１日から適用され、令和６年３月31日以前の適用については、「第１項」とあるのは「第１項又は第２項」とする。（令６改措規附１）

注２　**2**の《特定経営力向上設備等に係る証明書等の添付》の適用については、同《特定経営力向上設備等に係る証明書等の添付》に掲げる認定申請書には、旧経営力向上命令第２条第２項又は第３条第２項の申請書を含むものとする。（令６改措規附14）

② **繰越税額控除限度超過額がある場合の特別控除の申告**

2《繰越税額控除限度超過額の1年間繰越控除》は、供用年度以後の各事業年度の確定申告書に2に掲げる繰越税額控除限度超過額の明細書《別表六(二十三)》の添付がある場合で、かつ、2の税額控除の適用を受けようとする事業年度の確定申告書等（2の税額控除により控除を受ける金額を増加させる修正申告書又は更正請求書を提出する場合には、当該修正申告書又は更正請求書を含む。）に2の税額控除の対象となる2に掲げる繰越税額控除限度超過額、控除を受ける金額及び当該金額の計算に関する明細を記載した書類の添付がある場合に限り、適用する。（措法42の12の4⑧）

十五　給与等の支給額が増加した場合の法人税額の特別控除

1　用語の意義

　十五《給与等の支給額が増加した場合の法人税額の特別控除》における用語の意義は、それぞれ次に掲げるところによる。

①	設立事業年度	設立の日（次の表の左欄に掲げる法人については、それぞれ同表の右欄に掲げる日）を含む事業年度をいう。（措法42の12の5⑤Ⅰ）		
		イ	新たに収益事業を開始した公益法人等又は人格のない社団等	その開始した日
		ロ	公共法人に該当していた収益事業を行う公益法人等	当該公益法人等に該当することとなった日
		ハ	公共法人又は収益事業を行っていない公益法人等に該当していた普通法人又は協同組合等	当該普通法人又は協同組合等に該当することとなった日
②	国内雇用者	法人の使用人（当該法人の役員〔第二章第一節の二の表の15《役員》に掲げる役員をいう。以下②及び⑦のイの(イ)において同じ。〕と次の表に掲げる特殊の関係のある者及び当該法人の使用人としての職務を有する役員を除く。）のうち当該法人の国内に所在する事業所につき作成された労働基準法第108条《賃金台帳》に規定する賃金台帳に記載された者に該当するものをいう。（措法42の12の5⑤Ⅱ、措令27の12の5⑤⑥）		
		イ	役員の親族	
		ロ	役員と婚姻の届出をしていないが事実上婚姻関係と同様の事情にある者	
		ハ	イ及びロに掲げる者以外の者で役員から生計の支援を受けているもの	
		ニ	ロ及びハに掲げる者と生計を一にするこれらの者の親族	
③	給与等	所得税法第28条第1項《給与所得》に規定する給与等をいう。（措法42の12の5⑤Ⅲ）		
④	継続雇用者給与等支給額	継続雇用者（法人の各事業年度〔以下1において「**適用年度**」という。〕及び当該適用年度開始の日の前日を含む事業年度〔⑤及び⑫において「前事業年度」という。〕の期間内の各月分のその法人の給与等の支給を受けた国内雇用者〔雇用保険法第60条の2第1項第1号に規定する一般被保険者に該当する者に限るものとし、高年齢者等の雇用の安定等に関する法律第9条第1項第2号に規定する継続雇用制度の対象である者として当該法人の就業規則において継続雇用制度を導入している旨の記載があり、かつ、雇用契約書その他これに類する雇用関係を証する書類又は②に掲げる賃金台帳のいずれかにその者が当該継続雇用制度に基づき雇用されている者である旨の記載がある場合のその者を除く。④において「国内雇用者」という。〕のうち次の表の左欄に掲げる場合の区分に応じそれぞれ同表の右欄に掲げるものをいう。⑤において同じ。）に対する当該適用年度の給与等の支給額（その給与等に充てるため他の者から支払を受ける金額〔国又は地方公共団体から受ける雇用保険法第62条第1項第1号に掲げる事業として支給が行われる助成金その他これに類するものの額及び役務の提供の対価として支払を受ける金額を除く。以下④において「補塡額」という。〕がある場合には、当該補塡額を控除した金額。以下**十五**において同じ。）として⑩に掲げる雇用者給与等支給額のうち継続雇用者に係る金額をいう。（措法42の12の5⑤Ⅳ、措令27の12の5⑦⑧、措規20の10④）		
		イ	適用年度の月数と当該適用年度開始の日の前日を含む事業年度（設立の日〔①に掲げる設立の日をいう。〕を含む事業年度にあ	当該法人の国内雇用者として当該適用年度及び当該前事業年度の期間内の各月分の当該法人の給与等の支給を受けた者

			っては、当該設立の日から当該事業年度終了の日までの期間。以下イ及びロにおいて「前事業年度」という。）の月数とが同じ場合（措令27の12の5⑦Ⅰ）		
		ロ	適用年度の月数と前事業年度の月数とが異なる場合（措令27の12の5⑦Ⅱ）	次の表の左欄に掲げる場合の区分に応じそれぞれ同表の右欄に掲げるもの	
				(イ)	前事業年度の月数が適用年度の月数に満たない場合	当該法人の国内雇用者として当該適用年度の期間及び当該適用年度開始の日前1年（当該適用年度が1年に満たない場合には、当該適用年度の期間。(イ)において同じ。）以内に終了した各事業年度（設立の日以後に終了した事業年度に限る。(イ)において「前1年事業年度」という。）の期間（当該開始の日から起算して1年前の日又は設立の日を含む前1年事業年度にあっては、当該1年前の日又は当該設立の日のいずれか遅い日から当該前1年事業年度終了の日までの期間。⑤のロにおいて「前1年事業年度特定期間」という。）内の各月分の当該法人の給与等の支給を受けた者
				(ロ)	前事業年度の月数が適用年度の月数を超える場合	当該法人の国内雇用者として当該適用年度の期間及び前事業年度特定期間（当該前事業年度の期間のうち当該適用年度の期間に相当する期間で当該前事業年度終了の日に終了する期間をいう。）内の各月分の当該法人の給与等の支給を受けた者
⑤	継続雇用者比較給与等支給額	④の法人の継続雇用者に対する前事業年度の給与等の支給額として次の表の左欄に掲げる場合の区分に応じそれぞれ同表の右欄に掲げる金額をいう。（措法42の12の5⑤Ⅴ、措令27の12の5⑨）			
		イ	④のイに掲げる場合（措令27の12の5⑨Ⅰ）	法人の前事業年度に係る給与等支給額（法人の事業年度の所得の金額の計算上損金の額に算入される国内雇用者に対する給与等の支給額〔④に掲げる支給額をいう。(4)及び(5)において同じ。〕をいう。以下**十五**において同じ。）のうち継続雇用者に係る金額	
		ロ	④のロの(イ)に掲げる場合（措令27の12の5⑨Ⅱ）	法人の④のロの(イ)に掲げる前1年事業年度に係る給与等支給額のうち継続雇用者に係る金額（当該前1年事業年度の前1年事業年度特定期間に対応する金額に限る。）の合計額に同(イ)の適用年度の月数を乗じてこれを前1年事業年度特定期間の月数の合計数で除して計算した金額	
		ハ	④のロの(ロ)に掲げる場合（措令27の12の5⑨Ⅲ）	法人の④のロの(ロ)の前事業年度に係る給与等支給額のうち継続雇用者に係る金額（当該前事業年度の同(ロ)に掲げる前事業年度特定期間に対応する金額に限る。）	
⑥	控除対象雇用者給与等支給増加	法人の雇用者給与等支給額からその比較雇用者給与等支給額を控除した金額（当該金額が当該法人の調整雇用者給与等支給増加額〔イに掲げる金額からロに掲げる金額を控除した金額をいう。〕			

	額	を超える場合には、当該調整雇用者給与等支給増加額）をいう。（措法42の12の5⑤Ⅵ）		
		イ	雇用者給与等支給額（当該雇用者給与等支給額の計算の基礎となる給与等に充てるための雇用安定助成金額〔国又は地方公共団体から受ける雇用保険法第62条第1項第1号に掲げる事業として支給が行われる助成金その他これに類するものの額をいう。以下⑥において同じ。〕がある場合には、当該雇用安定助成金額を控除した金額）		
		ロ	比較雇用者給与等支給額（当該比較雇用者給与等支給額の計算の基礎となる給与等に充てるための雇用安定助成金額がある場合には、当該雇用安定助成金額を控除した金額）		
⑦	教育訓練費	法人がその国内雇用者の職務に必要な技術又は知識を習得させ、又は向上させるために支出する費用で次の表の左欄に掲げる場合の区分に応じそれぞれ同表の右欄に掲げる費用とする。（措法42の12の5⑤Ⅶ、措令27の12の5⑩、措規20の10⑤⑥⑦）		
		イ	法人がその国内雇用者に対して教育、訓練、研修、講習その他これらに類するもの（以下十五において「教育訓練等」という。）を自ら行う場合（措令27の12の5⑩Ⅰ）	次に掲げる費用
				(イ)	当該教育訓練等のために講師又は指導者（当該法人の役員又は使用人である者を除く。以下⑦において「講師等」という。）に対して支払う報酬、料金、謝金その他これらに類するもの及び講師等の旅費（教育訓練等を行うために要するものに限る。）のうち当該法人が負担するもの並びに教育訓練等に関する計画又は内容の作成について当該教育訓練等に関する専門的知識を有する者（当該法人の役員又は使用人である者を除く。）に委託している場合の当該専門的知識を有する者に対して支払う委託費その他これに類する費用（措令27の12の5⑩Ⅰ、措規20の10⑤）
				(ロ)	当該教育訓練等のために施設、設備その他の資産を賃借する場合におけるその賃借に要する費用、コンテンツ（文字、図形、色彩、音声、動作若しくは映像又はこれらを組み合わせたものをいう。⑦において同じ。）の使用料（コンテンツの取得に要する費用に該当するものを除く。）（措令27の12の5⑩Ⅰ、措規20の10⑥）
		ロ	法人から委託を受けた他の者が当該法人の国内雇用者に対して教育訓練等を行う場合（措令27の12の5⑩Ⅱ）	当該教育訓練等のために当該他の者に対して支払う費用	
		ハ	法人がその国内雇用者を他の者が行う教育訓練等に参加させる場合（措令27の12の5⑩Ⅲ）	当該他の者に対して支払う授業料、受講料、受験手数料その他の左欄に掲げる他の者が行う教育訓練等に対する対価として支払う費用（措令27の12の5⑩Ⅲ、措規20の10⑦）	
⑧	教育訓練費の額	教育訓練費に充てるため他の者から支払を受ける金額がある場合には、当該金額を控除した金額とする。（措法42の12の5①Ⅱ）		
⑨	比較教育訓練費の額	法人の適用年度開始の日前1年以内に開始した各事業年度の所得の金額の計算上損金の額に算入される教育訓練費の額（当該各事業年度の月数と当該適用年度の月数とが異なる場合には当該教育訓練費の額に当該適用年度の月数を乗じてこれを当該各事業年度の月数で除して計算した金額）の合計額を当該1年以内に開始した各事業年度の数で除して計算した金額をいう。（措法		

第三章　第二節　第二款　**十五**《給与等の支給額が増加した場合の法人税額の特別控除》

		42の12の5⑤Ⅷ）		
⑩	雇用者給与等支給額	法人の適用年度の所得の金額の計算上損金の額に算入される国内雇用者に対する給与等の支給額をいう。（措法42の12の5⑤Ⅸ）		
⑪	特定法人	常時使用する従業員の数が2,000人以下の法人（当該法人及び当該法人との間に当該法人による第二章第一節の**二**の表の**12の7の5**《支配関係》に掲げる支配関係がある他の法人の常時使用する従業員の数の合計数が10,000人を超えるものを除く。）をいう。（措法42の12の5⑤Ⅹ）		
⑫	比較雇用者給与等支給額	法人の前事業年度の所得の金額の計算上損金の額に算入される国内雇用者に対する給与等の支給額（前事業年度の月数と適用年度の月数とが異なる場合には、次の表の左欄に掲げる場合の区分に応じそれぞれ同表の右欄に掲げる金額）をいう。（措法42の12の5⑤ⅩⅠ、措令27の12の5⑱）		
		イ	前事業年度の月数が適用年度の月数を超える場合（措令27の12の5⑱Ⅰ）	当該前事業年度に係る給与等支給額に当該適用年度の月数を乗じてこれを当該前事業年度の月数で除して計算した金額
		ロ	前事業年度の月数が適用年度の月数に満たない場合（措令27の12の5⑱Ⅱ）	次の表の左欄に掲げる場合の区分に応じそれぞれ同表の右欄に掲げる金額
			（イ）当該前事業年度が6月に満たない場合	当該適用年度開始の日前1年（当該適用年度が1年に満たない場合には、当該適用年度の期間）以内に終了した各事業年度（（イ）において「前1年事業年度」という。）に係る給与等支給額の合計額に当該適用年度の月数を乗じてこれを前1年事業年度の月数の合計数で除して計算した金額
			（ロ）当該前事業年度が6月以上である場合	当該前事業年度に係る給与等支給額に当該適用年度の月数を乗じてこれを当該前事業年度の月数で除して計算した金額
⑬	繰越税額控除限度超過額	法人の適用年度開始の日前5年以内に開始した各事業年度（当該適用年度まで連続して青色申告書の提出をしている場合の各事業年度に限る。）における中小企業者等税額控除限度額のうち、**4**の①による控除をしてもなお控除しきれない金額（既に**4**の②により当該各事業年度において調整前法人税額から控除された金額がある場合には、当該金額を控除した残額）の合計額をいう。（措法42の12の5⑤ⅩⅡ）		

注1　──線部分（上表の④に係る部分に限る。）は、令和6年度改正により改正された部分で、改正規定は、令和6年4月1日以後に開始する事業年度から適用され、令和6年3月31日以前に開始した事業年度の適用については、「及び役務の提供の対価として支払を受ける金額を除く。以下④において「補填額」という。」とあるのは「を除く。」と、「当該補填額」とあるのは「当該金額」とする。（令6改法附38、1）

注2　──線部分（上表の⑪及び⑬に係る部分に限る。）は、令和6年度改正により追加された部分で、改正規定は、令和6年4月1日以後に開始する事業年度から適用される。（令6改法附38、1）

注3　上表に掲げる月数は、暦に従って計算し、1か月に満たない端数を生じたときは、これを1か月とする。（措法42の12の5⑥、措令27の12の5㉒）

（合併法人の適用年度における比較雇用者給与等支給額の計算）

（1）　**2、3又は4**の①の適用を受けようとする法人が次の表の左欄に掲げる合併法人に該当する場合のその適用を受けようとする事業年度（以下（3）までにおいて「**適用年度**」という。）の当該法人の比較教育訓練費の額の計算における教育訓練費の額については、当該法人のそれぞれ同表に掲げる調整対象年度に係る教育訓練費の額（法人の事業年度の所得の金額の計算上損金の額に算入される**2**の表の②のイに掲げる教育訓練費の額をいう。以下（1）において同じ。）は、それぞれ同表の右欄に掲げるところによる。（措法42の12の5⑨、措令27の12の5⑫）

（一）	適用年度において行われた合併に係る合併法人	当該合併法人の基準日から当該適用年度開始の日の前日までの期間内の日を含む事業年度（当該合併法人が当該適用年度開始の日においてその設

		立の日の翌日以後１年を経過していない法人〔(3)までにおいて「**未経過法人**」という。〕に該当する場合には基準日から当該合併法人の設立の日の前日までの期間を当該合併法人の事業年度とみなした場合における当該事業年度を含む。以下(一)において「調整対象年度」という。）については、当該各調整対象年度ごとに当該合併法人の当該各調整対象年度に係る教育訓練費の額に当該各調整対象年度に含まれる月の当該合併に係る被合併法人の注１に掲げる月別教育訓練費の額を合計した金額に当該合併の日から当該適用年度終了の日までの期間の月数を乗じてこれを当該適用年度の月数で除して計算した金額を加算する。
(二)	基準日から適用年度開始の日の前日までの期間内において行われた合併に係る合併法人	当該合併法人の基準日から当該合併の日の前日までの期間内の日を含む各事業年度（当該合併法人が未経過法人に該当する場合には基準日から当該合併法人の設立の日の前日までの期間を当該合併法人の事業年度とみなした場合における当該事業年度を含む。以下(二)において「調整対象年度」という。）については、当該各調整対象年度ごとに当該合併法人の当該各調整対象年度に係る教育訓練費の額に当該各調整対象年度に含まれる月の当該合併に係る被合併法人の注１に掲げる月別教育訓練費の額を合計した金額を加算する。

注１ ──線部分は、令和６年度改正により改正された部分で、改正規定は、令和６年４月１日から適用され、令和６年３月31日以前の適用については、「**２、３又は４の①**」とあるのは「**２の注１又は４の①の注**」とする。（令６改措令附１）
注２ 　上表に掲げる月別教育訓練費の額とは、その合併に係る被合併法人の各事業年度に係る教育訓練費の額をそれぞれ当該各事業年度の月数で除して計算した金額を当該各事業年度に含まれる月に係るものとみなしたものをいう。（措令27の12の５⑬）
注３ 　(1)に掲げる月数は、暦に従って計算し、１か月に満たない端数を生じたときは、これを１か月とする。（措令27の12の５㉒）

（分割法人等又は分割承継法人等の適用年度における比較雇用者給与等支給額の計算）

(2)　**２、３又は４の①**の適用を受けようとする法人が分割法人等（分割法人、現物出資法人又は現物分配法人をいう。以下**十五**において同じ。）又は分割承継法人等（分割承継法人、被現物出資法人又は被現物分配法人をいう。以下**十五**において同じ。）に該当する場合（分割法人等にあっては次の表の(一)のイ又はロに掲げる法人に該当する場合に、分割承継法人等にあっては同表の(二)のイ又はロに掲げる法人に該当する場合に、それぞれ限る。）の適用年度の当該法人の比較教育訓練費の額の計算における教育訓練費の額については、それぞれ同表に掲げる調整対象年度に係る教育訓練費の額（法人の事業年度の所得の金額の計算上損金の額に算入される**２**の表の②のイに掲げる教育訓練費の額をいう。以下**十五**において同じ。）は、同表の左欄に掲げる法人の区分に応じそれぞれ同表の右欄に掲げるところによる。（措法42の12の５⑨、措令27の12の５⑭）

(一)	分割法人等	当該分割法人等の次の表のイ及びロに掲げる各調整対象年度ごとに当該分割法人等の当該各調整対象年度に係る教育訓練費の額から次の表の左欄に掲げる分割法人等の区分に応じそれぞれ同表の右欄に掲げる金額を控除する。		
			イ	適用年度において行われた分割等（分割、現物出資又は第二章第一節の二の表の**12の５の２**《現物分配法人》に掲げる現物分配〔以下**十五**において「**現物分配**」という。〕をいう。以下**十五**において同じ。）に係る分割法人等	当該分割法人等の基準日から当該適用年度開始の日の前日までの期間内の日を含む事業年度（イにおいて「調整対象年度」という。）については、当該分割法人等の当該各調整対象年度に係る移転教育訓練費の額に当該分割等の日から当該適用年度終了の日までの期間の月数を乗じてこれを当該適用年度の月数で除して計算した金額
			ロ	基準日から適用年度開始の日の前日までの期間内において行われた分割等に係る分割法人等	当該分割法人等の基準日から当該分割等の日の前日までの期間内の日を含む各事業年度（ロにおいて「調整対象年度」という。）については、当該分割法人等の当該各調整対象年度に係る移転教育訓練費の額

(二)	分割承継法人等	イ	適用年度において行われた分割等（残余財産の全部の分配に該当する現物分配にあっては、当該適用年度開始の日の前日から当該適用年度終了の日の前日までの期間内においてその残余財産が確定したもの）に係る分割承継法人等	当該分割承継法人等の基準日から当該適用年度開始の日の前日までの期間内の日を含む各事業年度（当該分割承継法人等が未経過法人に該当する場合には、基準日から当該分割承継法人等の設立の日の前日までの期間を当該分割承継法人等の事業年度とみなした場合における当該事業年度を含む。イにおいて「調整対象年度」という。）については、当該分割承継法人等の当該各調整対象年度ごとに当該各調整対象年度に含まれる月の当該分割等に係る分割法人等の注1に掲げる月別移転教育訓練費の額を合計した金額に当該分割等の日（残余財産の全部の分配に該当する現物分配にあっては、その残余財産の確定の日の翌日）から当該適用年度終了の日までの期間の月数を乗じてこれを当該適用年度の月数で除して計算した金額
		ロ	基準日から適用年度開始の日の前日までの期間内において行われた分割等（残余財産の全部の分配に該当する現物分配にあっては、基準日の前日から当該適用年度開始の日の前日を含む事業年度終了の日の前日までの期間内においてその残余財産が確定したもの）に係る分割承継法人等	当該分割承継法人等の基準日から当該分割等の日の前日（残余財産の全部の分配に該当する現物分配にあっては、その残余財産の確定の日）までの期間内の日を含む各事業年度（当該分割承継法人等が未経過法人に該当する場合には、基準日から当該分割承継法人等の設立の日の前日までの期間を当該分割承継法人等の事業年度とみなした場合における当該事業年度を含む。ロにおいて「調整対象年度」という。）については、当該分割承継法人等の当該各調整対象年度ごとに当該各調整対象年度に含まれる月の当該分割等に係る分割法人等の注1に掲げる月別移転教育訓練費の額を合計した金額

注1 ──線部分は、令和6年度改正により改正された部分で、改正規定は、令和6年4月1日から適用され、令和6年3月31日以前の適用については、「**2**、**3**又は**4の①**」とあるのは「**2の注1**又は**4の①の注**」とする。（令6改措令附1）

注2 上表の(二)に掲げる月別移転教育訓練費の額とは、その分割等に係る分割法人等の当該分割等の日（残余財産の全部の分配に該当する現物分配にあっては、その残余財産の確定の日の翌日。以下注1及び注2において同じ。）前に開始した各事業年度に係る移転教育訓練費の額をそれぞれ当該各事業年度の月数（分割等の日を含む事業年度等〔以下注1及び注2において**分割等事業年度**という。〕にあっては、当該分割等事業年度の開始の日から当該分割等の日の前日までの期間の月数）で除して計算した金額を当該各事業年度に含まれる月（分割等事業年度にあっては、当該分割等事業年度の開始の日から当該分割等の日の前日までの期間に含まれる月）に係るものとみなしたものをいう。（措令27の12の5⑮）

注3 上表及び注1に掲げる移転教育訓練費の額とは、その分割等に係る分割法人等の当該分割等の日前に開始した各事業年度に係る教育訓練費の額（分割等事業年度にあっては、当該分割等の日の前日を分割等事業年度の終了の日とした場合に損金の額に算入される教育訓練費の額）に当該分割等の直後の当該分割承継法人等に係る分割承継法人等の国内雇用者（当該分割等の直前において当該分割法人等の国内雇用者であった者に限る。）の数を乗じてこれを当該分割等の直前の当該分割法人等の国内雇用者の数で除して計算した金額をいう。（措令27の12の5⑯）

注4 (2)に掲げる月数は、暦に従って計算し、1か月に満たない端数を生じたときは、これを1か月とする。（措令27の12の5㉒）

（基準日の意義）

(3) (1)及び(2)に掲げる基準日とは、次の表に掲げる日のうちいずれか早い日をいう。（措法42の12の5⑨、措令27の12の5⑰）

(一)	**2**、**3**又は**4の①**の適用を受けようとする法人（以下(一)において「適用法人」という。）が未経過法人に該当し、かつ、当該適用法人がその設立の日から適用年度開始の日の前日までの期間内に行われた合併又は分割

等（残余財産の全部の分配に該当する現物分配にあっては当該設立の日から当該適用年度開始の日の前日を含む事業年度終了の日の前日までの期間内においてその残余財産が確定したものとし、その分割等に係る移転給与等支給額〔給与等支給額を教育訓練費の額とみなした場合における（2）の注2に掲げる移転教育訓練費の額をいう。〕が零である場合における当該分割等を除く。以下㈠及び（4）の表の（一）のイにおいて同じ。）に係る合併法人又は分割承継法人等に該当する場合（当該設立の日から当該合併又は分割等の日の前日〔残余財産の全部の分配に該当する現物分配にあっては、その残余財産の確定の日。（4）の表の（一）のイにおいて同じ。〕までの期間に係る給与等支給額が零である場合に限る。）における当該合併又は分割等に係る被合併法人又は分割法人等の当該適用年度開始の日前1年以内に開始した各事業年度のうち最も古い事業年度開始の日

|㈡|適用年度開始の日前1年以内に開始した各事業年度のうち最も古い事業年度開始の日|

注　——線部分は、令和6年度改正により改正された部分で、改正規定は、令和6年4月1日から適用され、令和6年3月31日以前の適用については、「**2、3又は4の①**」とあるのは「**2の注1又は4の①の注**」とする。（令6改措令附1）

（合併法人の適用年度における比較教育訓練費等の額の計算）

（4）　**2、3又は4**の適用を受けようとする法人（以下（4）及び（5）において「**適用法人**」という。）が給与等基準日（次の表の左欄に掲げる場合の区分に応じそれぞれ同表の右欄に掲げる日をいう。以下（4）及び（5）において同じ。）から**2、3又は4**の適用を受けようとする事業年度（以下（4）及び（5）において「**適用年度**」という。）終了の日までの期間内において行われた合併に係る合併法人に該当する場合の当該適用法人の当該適用年度における比較雇用者給与等支給額の計算における**1**の表の⑫に掲げる給与等の支給額（当該適用年度の月数と当該適用年度開始の日の前日を含む事業年度〔以下（4）及び（5）において「**前事業年度**」という。〕の月数とが異なる場合には、同⑫の表のイ又はロの（イ）若しくは（ロ）の給与等支給額）については、給与等基準日を（1）の表に掲げる基準日と、給与等未経過法人（当該適用年度開始の日においてその設立の日の翌日以後1年〔当該適用年度が1年に満たない場合には、当該適用年度の期間。次表の（一）において同じ。〕を経過していない法人をいう。（一）のイ及び（5）において同じ。）を（1）の表に掲げる未経過法人と、給与等支給額（法人の事業年度の所得の金額の計算上損金の額に算入される国内雇用者に対する給与等の支給額をいう。（一）のイにおいて同じ。）を（1）の教育訓練費の額と、それぞれみなした場合における（1）の表の左欄の掲げる法人に応じそれぞれ同表の右欄に掲げるところによる。（措法42の12の5⑨、措令27の12の5⑲）

		次の表に掲げる日のうちいずれか早い日	
（一）	前事業年度の月数が適用年度の月数に満たない場合で、かつ、当該前事業年度が6月に満たない場合	イ	当該適用法人が給与等未経過法人に該当し、かつ、当該適用法人がその設立の日から当該適用年度開始の日の前日までの期間内に行われた合併又は分割等に係る合併法人又は分割承継法人等に該当する場合（当該設立の日から当該合併又は分割等の日の前日までの期間に係る給与等支給額が零である場合に限る。）における当該合併又は分割等に係る被合併法人又は分割法人等の当該適用年度開始の日前1年以内の日を含む各事業年度（当該被合併法人又は分割法人等の設立の日以後に終了した事業年度に限る。）のうち最も古い事業年度開始の日
		ロ	当該適用年度開始の日前1年以内に終了した各事業年度（設立の日以後に終了した事業年度に限る。）のうち最も古い事業年度開始の日
（二）	（一）に掲げる場合以外の場合	前事業年度開始の日	

注1　——線部分は、令和6年度改正により改正された部分で、改正規定は、令和6年4月1日から適用され、令和6年3月31日以前の適用については、「**2、3又は4**」とあるのは「**2の注1又は4の①の注**」とする。（令6改措令附1）

注2　（4）に掲げる月数は、暦に従って計算し、1か月に満たない端数を生じたときは、これを1か月とする。（措令27の12の5㉒）

（分割法人等又は分割承継法人等の適用年度における比較教育訓練費等の額の計算）

（5）　適用法人が給与等基準日から適用年度終了の日までの期間内において行われた分割等に係る分割法人等又は適用年度において行われた分割等（残余財産の全部の分配に該当する現物分配にあっては、当該適用年度開始の日の前日から当該適用年度終了の日の前日までの期間内においてその残余財産が確定したもの）に係る分割承継法人等若しくは給与等基準日から適用年度開始の日の前日までの期間内において行われた分割等（残余財産の全部の分配に該当する現物分配にあっては、給与等基準日の前日から当該適用年度開始の日の前日を含む事業年度終了の日の前日までの期間内においてその残余財産が確定したもの）に係る分割承継法人等に該当する場合の当該適用法人の当該適用年度

における比較雇用者給与等支給額の計算における**1**の表の⑫の給与等の支給額（当該適用年度の月数と前事業年度の月数とが異なる場合には、同⑫の表のイ又はロの(イ)若しくは(ロ)の給与等支給額）については、給与等基準日を(2)の表に掲げる基準日と、給与等未経過法人を(2)の表の(二)に掲げる未経過法人と、給与等支給額（法人の事業年度の所得の金額の計算上損金の額に算入される国内雇用者に対する給与等の支給額をいう。）を(2)に掲げる教育訓練費の額と、それぞれみなした場合における(2)の表の左欄に掲げる法人の区分に応じそれぞれ同表の右欄に掲げるところによる。（措法42の12の5⑨、措令27の12の5⑳）

注　(5)に掲げる月数は、暦に従って計算し、1か月に満たない端数を生じたときは、これを1か月とする。（措令27の12の5㉒）

　　（比較雇用者給与等支給額に係る計算を行う場合における雇用安定助成金額の控除）
（6）**2**、**3**又は**4**の①の規定の適用を受けようとする法人が次の表の左欄に掲げる場合に該当する場合において、それぞれ同表の右欄に掲げる金額の計算の基礎となる給与等に充てるための**1**の⑥の表のイに掲げる雇用安定助成金額があるときは、同表のロに掲げる金額は、次の表の右欄に掲げる金額から当該雇用安定助成金額を控除して計算した**1**の表の⑫に掲げる比較雇用者給与等支給額とする。（措法42の12の5⑨、措令27の12の5㉑）

(一)	**1**の表の⑫の前事業年度の月数と同⑫の適用年度の月数とが異なる場合	同⑫の表のイ又はロの(イ)若しくは(ロ)の給与等支給額
(二)	(4)又は(5)によりみなされた(1)又は(2)の適用を受ける場合	(3)の表の(一)、(4)又は(5)の給与等支給額

注1　――線部分は、令和6年度改正により改正された部分で、改正規定は、令和6年4月1日から適用され、令和6年3月31日以前の適用については、「**2**、**3**又は**4**の①」とあるのは「**2**の注1又は**4**の①の注」とする。（令6改措令附1）

注2　(6)に掲げる月数は、暦に従って計算し、1か月に満たない端数を生じたときは、これを1か月とする。（措令27の12の5㉒）

　　（比較教育訓練費の額が零である場合の要件の判定）
（7）**2**、**3**又は**4**の①の適用を受けようとする法人のその適用を受けようとする事業年度に係る比較教育訓練費の額が零である場合における**2**、**3**又は**4**の①の適用については、次の表の左欄に掲げる場合の区分に応じそれぞれ右欄に掲げるところによる。（措法42の12の5⑨、措令27の12の5㉖）

(一)	当該事業年度に係る教育訓練費の額が零である場合	**2**の表の②のイ、**3**の表の②のイ及び**4**の①の表の(二)のイに掲げる要件を満たさないものとする。
(二)	(一)に掲げる場合以外の場合	**2**の表の②のイ、**3**の表の②のイ及び**4**の①の表の(二)のイに掲げる要件を満たすものとする。

注　――線部分は、令和6年度改正により改正された部分で、改正規定は、令和6年4月1日から適用され、令和6年3月31日以前の適用については、「**2**、**3**又は**4**の①」とあるのは「**2**の注1又は**4**の①の注」と、「**2**の表の②のイ、**3**の表の②のイ及び**4**の①の表の(二)のイ」とあるのは「**2**の注1の表の旧②又は**4**の①の注の表の旧②」とする。（令6改措令附1）

　　（給与等の範囲）
（8）**1**の表の③に掲げる給与等とは、所得税法第28条第1項《給与所得》に規定する給与等（以下「給与等」という。）をいうのであるが、例えば、労働基準法第108条《賃金台帳》に規定する賃金台帳（以下「賃金台帳」という。）に記載された支給額（同表の②に掲げる国内雇用者において所得税法上課税されない通勤手当等の額を含む。）のみを対象として同表の④及び⑤並びに⑩及び⑫の「給与等の支給額」を計算するなど、合理的な方法により継続して給与等の支給額を計算している場合には、これを認める。（措通42の12の5－1の4・編者補正）

　　（補塡額の範囲）
（9）**1**の表の④から⑥まで、⑩及び⑫の適用上、給与等の支給額から控除する「補塡額」には、補助金等（補助金、助成金、給付金又は負担金その他これらに類する性質を有するものをいい、国又は地方公共団体から受ける雇用保険法第62条第1項第1号に掲げる事業として支給が行われる助成金その他これに類するものを除く。以下同じ。）のうち次に掲げるものの交付額が該当する。（措通42の12の5－2・編者補正）
　（一）　補助金等の要綱、要領又は契約において、その補助金等の交付の趣旨又は目的がその交付を受ける法人の給与等の支給額に係る負担を軽減させることであることが明らかにされているもの
　（二）　(一)に掲げるもののほか、補助金等の交付額の算定方法が給与等の支給実績又は支給単価（雇用契約において時間、日、月、年ごとにあらかじめ決められている給与等の支給額をいう。）を基礎として定められているもの

注1　補助金等には、役務の提供に対する対価の性質を有するものは含まれないことに留意する。
注2　例えば、次のイの金額は上記の「補塡額」に該当し、次のロの額は役務の提供に対する対価の性質を有するため上記の「補塡額」に該当しない。
　イ　法人の使用人が他の法人に出向した場合において、その出向した使用人（以下「出向者」という。）に対する給与を出向元法人（出向者を出向させている法人をいう。以下同じ。）が支給することとしているときに、出向元法人が出向先法人（出向元法人から出向者の出向を受けている法人をいう。以下同じ。）から支払を受けた出向先法人の負担すべき給与に相当する金額（以下「給与負担金の額」という。）
　ロ　看護職員処遇改善評価料の額及び介護職員処遇改善加算の額のように、(イ)から(ハ)までに掲げる報酬の額その他これらに類する公定価格（法令又は法令に基づく行政庁の命令、許可、認可その他の処分に基づく価格をいう。）が設定されている取引における取引金額に含まれる額
　　(イ)　健康保険法その他法令の規定に基づく診療報酬の額
　　(ロ)　介護保険法その他法令の規定に基づく介護報酬の額
　　(ハ)　障害者の日常生活及び社会生活を総合的に支援するための法律その他法令の規定に基づく障害福祉サービス等報酬の額

　　（雇用安定助成金額の範囲）
(10)　1の表の④及び⑥のイの「国又は地方公共団体から受ける雇用保険法第62条第1項第1号に掲げる事業として支給が行われる助成金その他これに類するものの額」には、次のものが該当する。（措通42の12の5－2の2）
　(一)　雇用調整助成金、産業雇用安定助成金又は緊急雇用安定助成金の額
　(二)　(一)に上乗せして支給される助成金の額その他の(一)に準じて地方公共団体から支給される助成金の額

　　（出向先法人が支出する給与負担金）
(11)　出向先法人が出向元法人へ出向者に係る給与負担金の額を支出する場合において、当該出向先法人の国内に所在する事業所につき作成された賃金台帳に当該出向者を記載しているときには、当該給与負担金の額は、1の表の④及び⑤並びに⑩及び⑫の「給与等の支給額」に含まれる。
　この場合において、当該出向者が当該出向元法人において雇用保険法第60条の2第1項第1号に規定する一般被保険者（以下「一般被保険者」という。）に該当するときは、当該出向者は当該出向先法人において一般被保険者に該当するものとして、1の表の④の継続雇用者給与等支給額及び同表の⑤の継続雇用者比較給与等支給額を算定する。（措通42の12の5－3）

　　（資産の取得価額に算入された給与等）
(12)　1の表の④及び⑤並びに⑩及び⑫の「給与等の支給額」は、当該事業年度の所得の金額の計算上損金の額に算入されるものが対象になるのであるが、例えば、自己の製造等に係る棚卸資産の取得価額に算入された給与等の額や自己の製作に係るソフトウエアの取得価額に算入された給与等の額について、法人が継続してその給与等を支給した日の属する事業年度の「給与等の支給額」に含めて計算することとしている場合には、その計算を認める。（措通42の12の5－4）

　　（公益法人等の従業員の範囲）
(13)　公益法人等について、1の表の⑪により常時使用する従業員の数が2,000人以下であるかどうか若しくは常時使用する従業員の数の合計数が10,000人を超えるかどうかを判定する場合には、収益事業に従事する従業員数だけでなくその全部の従業員数によって行うものとする。（措通42の12の5－1の2・編者補正）

　　（被合併法人等が有する繰越税額控除限度超過額）
(14)　1の表の⑬に掲げる繰越税額控除限度超過額（以下「繰越税額控除限度超過額」という。）を有している法人が、当該法人を被合併法人等（被合併法人、分割法人、現物出資法人又は現物分配法人をいう。）とする合併等（合併、分割、現物出資又は現物分配をいう。以下同じ。）を行った場合には、当該合併等が適格合併等（適格合併、適格分割、適格現物出資又は適格現物分配をいう。）に該当するときであっても、当該繰越税額控除限度超過額を合併法人等（合併法人、分割承継法人、被現物出資法人又は被現物分配法人をいう。）に引き継ぐことは認められないのであるから留意する。（措通42の12の5－5）

2　法人税額の特別控除

　青色申告書を提出する法人が、令和4年4月1日から令和9年3月31日までの間に開始する各事業年度（設立事業年度、解散〔合併による解散を除く。〕の日を含む事業年度及び清算中の各事業年度を除く。）において国内雇用者に対して給与

等を支給する場合において、当該事業年度において当該法人の継続雇用者給与等支給額からその継続雇用者比較給与等支給額を控除した金額の当該継続雇用者比較給与等支給額に対する割合（次の表の①において「継続雇用者給与等支給増加割合」という。）が$\frac{3}{100}$以上であるとき（当該事業年度終了の時において、当該法人の資本金の額若しくは出資金の額が10億円以上であり、かつ、当該法人の常時使用する従業員の数が1,000人以上である場合又は当該事業年度終了の時において当該法人の常時使用する従業員の数が2,000人を超える場合には、給与等の支給額の引上げの方針、下請中小企業振興法第2条第4項に規定する下請事業者その他の取引先との適切な関係の構築の方針その他の事業上の関係者との関係の構築の方針に関する事項として厚生労働大臣、経済産業大臣及び国土交通大臣が定める事項を公表している場合として適用を受ける事業年度の確定申告書等に、当該法人がインターネットを利用する方法により当該事項を公表していることについて届出があった旨を経済産業大臣が証する書類の写しの添付がある場合に限る。）は、当該法人の当該事業年度の所得に対する**調整前法人税額**（五の1《用語の意義》の表の②に掲げる調整前法人税額をいう。以下**十五**において同じ。）から、当該法人の当該事業年度の控除対象雇用者給与等支給増加額（当該事業年度において**十二**《地方活力向上地域等において雇用者の数が増加した場合の法人税額の特別控除》の適用を受ける場合には、**十二**による控除を受ける金額の計算の基礎となった者に対する給与等の支給額として(1)《地方活力向上地域等において雇用者の数が増加した場合の法人税額の特別控除の適用を受ける場合の調整》により計算した金額を控除した残額）に$\frac{10}{100}$（当該事業年度において次の表の左欄に掲げる要件を満たす場合には、$\frac{10}{100}$にそれぞれ同表の右欄に掲げる割合〔当該事業年度において同表の左欄に掲げる要件のうち2以上の要件を満たす場合には、それぞれ同表の右欄に当該2以上の要件の同表の右欄に掲げる割合を合計した割合〕を加算した割合）を乗じて計算した金額（以下**2**において「**税額控除限度額**」という。）を控除する。この場合において、当該税額控除限度額が、当該法人の当該事業年度の所得に対する調整前法人税額の$\frac{20}{100}$に相当する金額を超えるときは、その控除を受ける金額は、当該$\frac{20}{100}$に相当する金額を限度とする。（措法42の12の5①、措令27の12の5①②）

①	継続雇用者給与等支給増加割合が$\frac{4}{100}$以上であること			$\frac{5}{100}$（継続雇用者給与等支給増加割合が$\frac{5}{100}$以上である場合には$\frac{10}{100}$とし、継続雇用者給与等支給増加割合が$\frac{7}{100}$以上である場合には$\frac{15}{100}$とする。）
②	次の表のイ及びロに掲げる要件の全てを満たすこと			$\frac{5}{100}$
	イ	当該法人の当該事業年度の所得の金額の計算上損金の額に算入される教育訓練費の額からその比較教育訓練費の額を控除した金額の当該比較教育訓練費の額に対する割合が$\frac{10}{100}$以上であること		
	ロ	当該法人の当該事業年度の所得の金額の計算上損金の額に算入される教育訓練費の額の当該法人の雇用者給与等支給額に対する割合が$\frac{0.05}{100}$以上であること		
③	当該事業年度終了の時において次の表のイ又はロに掲げる者のいずれかに該当すること			$\frac{5}{100}$
	イ	次世代育成支援対策推進法第15条の3《特例認定一般事業主の特例等》第1項に規定する特例認定一般事業主		
	ロ	女性の職業生活における活躍の推進に関する法律第13条《特例認定一般事業主の特例等》第1項に規定する特例認定一般事業主		

$$\text{税額控除限度額} = \text{控除対象雇用者給与等支給増加額} \times 10\% ※$$

$$\text{ただし、}\left[\begin{array}{c}\text{適用年度の調整前法人税額}\\\text{（申告書別表一の「2」欄の金額）}\end{array} \times \frac{20}{100}\right]\text{を限度}$$

※ 次のA、B又はCの要件を満たす場合には、それぞれの割合を加算
  A 継続雇用者給与等支給増加割合 ≧ $\frac{4}{100}$ …… 5％
    継続雇用者給与等支給増加割合 ≧ $\frac{5}{100}$ …… 10％

第三章　第二節　第二款　**十五**《給与等の支給額が増加した場合の法人税額の特別控除》

B　
$$\text{継続雇用者給与等支給増加割合} \geqq \frac{7}{100} \cdots\cdots 15\%$$

$$\frac{\text{教育訓練費の額} - \text{比較教育訓練費の額}}{\text{比較教育訓練費の額}} \geqq \frac{10}{100}$$

かつ

$$\frac{\text{教育訓練費の額}}{\text{雇用者給与等支給額}} \geqq \frac{0.05}{100} \cdots\cdots 5\%$$

C　プラチナくるみん認定又はプラチナえるぼし認定を受けている場合　……　5％

注1　―――線部分は、令和6年度改正により改正された部分で、改正規定は、令和6年4月1日以後に開始する事業年度から適用され、令和6年3月31日以前に開始した事業年度の適用については、次による。(令6改法附38、1)

> 青色申告書を提出する法人が、令和4年4月1日から令和6年3月31日までの間に開始する各事業年度（設立事業年度、解散〔合併による解散を除く。〕の日を含む事業年度及び清算中の各事業年度を除く。）において国内雇用者に対して給与等を支給する場合において、当該事業年度において当該法人の継続雇用者給与等支給額からその継続雇用者比較給与等支給額を控除した金額の当該継続雇用者比較給与等支給額に対する割合（次の表の①において「継続雇用者給与等支給増加割合」という。）が$\frac{3}{100}$以上であるとき（当該事業年度終了の時において、当該法人の資本金の額又は出資金の額が10億円以上であり、かつ、当該法人の常時使用する従業員の数が1,000人以上である場合には、給与等の支給額の引上げの方針、下請中小企業振興法（昭和45年法律第145号）第2条第4項に規定する下請事業者その他の取引先との適切な関係の構築の方針その他の事業上の関係者との関係の構築の方針に関する事項として厚生労働大臣、経済産業大臣及び国土交通大臣が定める事項を公表している場合として適用を受ける事業年度の確定申告書等に、経済産業大臣の当該法人がインターネットを利用する方法により当該事項を公表していることについて届出があった旨を証する書類の写しの添付がある場合に限る。）は、当該法人の当該事業年度の所得に対する**調整前法人税額**（五の1《用語の意義》の表の②に掲げる調整前法人税額をいう。以下**十五**において同じ。）から、当該法人の当該事業年度の控除対象雇用者給与等支給増加額（当該事業年度において**十二**《地方活力向上地域等において雇用者の数が増加した場合の法人税額の特別控除》の適用を受ける場合には、**十二**による控除を受ける金額の計算の基礎となった者に対する給与等の支給額として（1）《地方活力向上地域等において雇用者の数が増加した場合の法人税額の特別控除の適用を受ける場合の調整》により計算した金額を控除した残額）に$\frac{15}{100}$（当該事業年度において次の表の左欄に掲げる要件を満たす場合には、$\frac{15}{100}$にそれぞれ同表の右欄に掲げる割合〔当該事業年度において同表の左欄に掲げる要件の全てを満たす場合には、それぞれ同表の右欄に掲げる割合を合計した割合〕を加算した割合）を乗じて計算した金額（以下**2**において「**税額控除限度額**」という。）を控除する。この場合において、当該税額控除限度額が、当該法人の当該事業年度の所得に対する調整前法人税額の$\frac{20}{100}$に相当する金額を超えるときは、その控除を受ける金額は、当該$\frac{20}{100}$に相当する金額を限度とする。(措法42の12の5旧①、措令27の12の5旧①旧②)
>
> | 旧① | 継続雇用者給与等支給増加割合が$\frac{4}{100}$以上であること | $\frac{10}{100}$ |
> |---|---|---|
> | 旧② | 当該法人の当該事業年度の所得の金額の計算上損金の額に算入される教育訓練費の額からその比較教育訓練費の額を控除した金額の当該比較教育訓練費の額に対する割合が$\frac{20}{100}$以上であること | $\frac{5}{100}$ |

注2　厚生労働大臣、経済産業大臣及び国土交通大臣は、**2**により事項を定めたときは、これを告示する。(措令27の12の5㉗)
注3　注2の厚生労働大臣、経済産業大臣及び国土交通大臣が定める事業上の関係者との関係の構築の方針に関する事項は、令和4年厚生労働省、経済産業省、国土交通省告示第1号（最終改正令和6年第1号）により定められている。(編者)
注4　**2**に掲げる事業上の関係者との関係の構築の方針の公表及び届出に係る手続は、令和4年経済産業省告示第88号（最終改正令和6年第68号）により定められている。(編者)

（地方活力向上地域等において雇用者の数が増加した場合の法人税額の特別控除の適用を受ける場合の調整）
（1）　**2**に掲げる**十二**による控除を受ける金額の計算の基礎となった者に対する給与等の支給額として計算した金額とは、**2**の法人の**2**の適用を受けようとする事業年度（以下（1）において「適用年度」という。）に係る雇用者給与等支給額を当該適用年度終了の日における**十二**の1の表の④《雇用者》に掲げる雇用者の数で除して計算した金額に次の表に掲げる数を合計した数（当該合計した数が地方事業所基準雇用者数〔**十二の2**の①《特定業務施設である事業所において雇用者の数が増加した場合の法人税額の特別控除》の表の**ロ**の（イ）に掲げる地方事業所基準雇用者数をいう。以下（1）において同じ。〕を超える場合には、当該地方事業所基準雇用者数）を乗じて計算した金額の$\frac{20}{100}$に相当する金額とする。(措令27の12の5③)

(一)	当該法人が当該適用年度において**十二の2**の①の適用を受ける場合における当該適用年度の特定新規雇用者基礎数（同①の表の**ロ**の（イ）に掲げる特定新規雇用者基礎数をいう。（二）のイにおいて同じ。）と当該適用年度の特定非新規雇用者基礎数（同表の**ロ**の（ロ）に掲げる特定非新規雇用者基礎数をいう。（二）のロにおいて同じ。）とを合計した数
(二)	当該法人が当該適用年度において**十二の2**の②《特定業務施設である事業所において雇用者の数が増加した場

合の法人税額の特別控除の特例》の適用を受ける場合における当該適用年度の**十二**の**1**の表の⑯《地方事業所特別基準雇用者数》のイに掲げる数のうち同⑯のロに掲げる数に達するまでの数から当該法人が当該適用年度において**十二**の**2**の①の適用を受ける場合における当該適用年度の次の表に掲げる数を合計した数を控除した数

イ	特定新規雇用者基礎数のうち**十二**の**1**の表の⑩に掲げる移転型特定新規雇用者数に達するまでの数
ロ	特定非新規雇用者基礎数のうち**十二**の**2**の①の表の**ロ**の(ロ)に掲げる移転型特定非新規雇用者基礎数に達するまでの数

注1 ──線部分は、令和6年度改正により改正された部分で、改正規定は、令和6年4月1日以後に開始する事業年度から適用され、令和6年3月31日以前に開始した事業年度の適用については、「表の⑯《地方事業所特別基準雇用者数》のイに掲げる数のうち同⑯のロに掲げる数に達するまでの数」とあるのは「表の⑬に掲げる移転型地方事業所基準雇用者数」とする。(令6改措令附13①②、1)

注2 注1の場合において、令和6年4月1日以後に終了する事業年度における(1)の適用については、次による。(令6改措令附13②、1)

2の注1に掲げる**十二**による控除を受ける金額の計算の基礎となった者に対する給与等の支給額として計算した金額とは、2の注1の法人の2の注1の適用を受けようとする事業年度(以下(1)において「適用年度」という。)に係る雇用者給与等支給額を当該適用年度終了の日における**十二**の**1**の表の④《雇用者》に掲げる雇用者の数で除して計算した金額に次の表に掲げる数を合計した数(当該合計した数が地方事業所基準雇用者数〔**十二**の**2**の①《特定業務施設である事業所において雇用者の数が増加した場合の法人税額の特別控除》の表のロの(イ)に掲げる地方事業所基準雇用者数をいう。以下(1)において同じ。〕を超える場合には、当該地方事業所基準雇用者数)を乗じて計算した金額の$\frac{20}{100}$に相当する金額とする。

旧(一)	当該法人が当該適用年度において**十二**の**2**の①の適用を受ける場合における当該適用年度の特定新規雇用者基礎数(同①の表の**ロ**の(イ)に掲げる特定新規雇用者基礎数をいう。(二)のイにおいて同じ。)と当該適用年度の特定非新規雇用者基礎数(同表の**ロ**の(ロ)に掲げる特定非新規雇用者基礎数をいう。(二)のロにおいて同じ。)とを合計した数		
旧(二)	当該法人が当該適用年度において**十二**の**2**の②《特定業務施設である事業所において雇用者の数が増加した場合の法人税額の特別控除の特例》の適用を受ける場合における当該適用年度の**十二**の**1**の表の⑯《地方事業所特別基準雇用者数》のイに掲げる数のうち同⑯のロに掲げる数に達するまでの数から当該法人が当該適用年度において**十二**の**2**の①の適用を受ける場合における当該適用年度の次の表に掲げる数を合計した数を控除した数		
	イ	特定新規雇用者基礎数のうち**十二**の**1**の表の⑩に掲げる移転型特定新規雇用者数に達するまでの数	
	ロ	特定非新規雇用者基礎数のうち**十二**の**2**の①の表の**ロ**の(ロ)に掲げる移転型特定非新規雇用者基礎数に達するまでの数	

注3 所得税法等の一部を改正する法律(令和6年法律第8号)附則第43条の規定によりなお従前の例によることとされる場合における旧**十二**の適用がある事業年度における(1)及び注2の適用については、次の表の左欄に掲げる数をもって、右欄に掲げる数とみなす。(令6改令附13③、1)

(一)	**十二**の**2**の①の表の**ロ**の(イ)に掲げる地方事業所基準雇用者	(1)に掲げる地方事業所基準雇用者数及び注2に掲げる地方事業所基準雇用者数
(二)	令和6年3月31日以前に**十二**の**2**の①に掲げる計画の認定を受けた同①に掲げる地方活力向上地域等特定業務施設整備計画に係る注2の表の旧(一)及び旧(二)に掲げる例により計算した同表の旧(一)及び旧(二)に掲げる数	当該地方活力向上地域等特定業務施設整備計画に係る(1)の表の(一)及び(二)に掲げる数及び注2の表の旧(一)及び旧(二)号に掲げる数

(新規雇用者比較給与等支給額が零である場合の要件の判定)

(2) **2**の適用を受けようとする法人のその適用を受けようとする事業年度に係る継続雇用者比較雇用者給与等支給額が零である場合には、**2**に掲げる継続雇用者給与等支給増加割合が$\frac{3}{100}$以上であるときに該当しないものとする。(措法42の12の5⑨、措令27の12の5㉓)

(常時使用する従業員の範囲)

(3) **1**の表の⑪、**2**及び**3**の「常時使用する従業員の数」は、常用であると日々雇い入れるものであるとを問わず、事務所又は事業所に常時就労している職員、工員等(役員を除く。)の総数によって判定することに留意する。この場合において、法人が繁忙期に数か月程度の期間その労務に従事する者を使用するときは、当該従事する者の数を「常時使用する従業員の数」に含めるものとする。(措通42の12の5-1)

(公益法人等の従業員の範囲)

(4) 公益法人等について、**2**により常時使用する従業員の数が1,000人以上であるかどうかを判定する場合又は**2**に

より常時使用する従業員の数が2,000人を超えるかどうかを判定する場合には、収益事業に従事する従業員数だけでなくその全部の従業員数によって行うものとする。（措通42の12の5－1の2・編者補正）

3　中堅企業等の給与等の引上げを行った場合の法人税額の特別控除（創設）

　3は、令和6年度改正により創設されたもので、改正規定は、令和6年4月1日以後に開始する事業年度から適用される。（令6改法附38、1、令6改措令附1、令6改措規附1）

　青色申告書を提出する法人が、令和6年4月1日から令和9年3月31日までの間に開始する各事業年度（**2**の適用を受ける事業年度、設立事業年度、解散〔合併による解散を除く。〕の日を含む事業年度及び清算中の各事業年度を除く。）において国内雇用者に対して給与等を支給する場合で、かつ、当該事業年度終了の時において特定法人に該当する場合において、当該事業年度において当該法人の継続雇用者給与等支給額からその継続雇用者比較給与等支給額を控除した金額の当該継続雇用者比較給与等支給額に対する割合（次の表の①において「継続雇用者給与等支給増加割合」という。）が$\frac{3}{100}$以上であるとき（当該事業年度終了の時において、当該法人の資本金の額又は出資金の額が10億円以上であり、かつ、当該法人の常時使用する従業員の数が1,000人以上である場合には、**3**の適用を受ける事業年度の確定申告書等に、当該法人がインターネットを利用する方法により、給与等の支給額の引上げの方針、下請中小企業振興法第2条第4項に規定する下請事業者その他の取引先との適切な関係の構築の方針その他の事業上の関係者との関係の構築の方針に関する事項として厚生労働大臣、経済産業大臣及び国土交通大臣が定める事項を公表していることについて届出があった旨を経済産業大臣が証する書類の写しの添付がある場合に限る。）は、当該法人の当該事業年度の所得に対する調整前法人税額から、当該法人の当該事業年度の控除対象雇用者給与等支給増加額（当該事業年度において**十二**《地方活力向上地域等において雇用者の数が増加した場合の法人税額の特別控除》の適用を受ける場合には、**十二**による控除を受ける金額の計算の基礎となった者に対する給与等の支給額として(1)《地方活力向上地域等において雇用者の数が増加した場合の法人税額の特別控除の適用を受ける場合の調整》により計算した金額を控除した残額）に$\frac{10}{100}$（当該事業年度において次の表の左欄に掲げる要件を満たす場合には、$\frac{10}{100}$に同表の右欄に掲げる割合〔当該事業年度において同表の左欄に掲げる要件のうち2以上の要件を満たす場合には、当該2以上の同表の右欄に掲げる割合を合計した割合〕を加算した割合）を乗じて計算した金額（以下**3**において「特定税額控除限度額」という。）を控除する。この場合において、当該特定税額控除限度額が、当該法人の当該事業年度の所得に対する調整前法人税額の$\frac{20}{100}$に相当する金額を超えるときは、その控除を受ける金額は、当該$\frac{20}{100}$に相当する金額を限度とする。（措法42の12の5②、措令27の12の5②①、措規20の10①）

①	継続雇用者給与等支給増加割合が$\frac{4}{100}$以上であること		$\frac{15}{100}$
②	次の表のイ及びロに掲げる要件の全てを満たすこと		$\frac{5}{100}$
	イ	当該法人の当該事業年度の所得の金額の計算上損金の額に算入される教育訓練費の額からその比較教育訓練費の額を控除した金額の当該比較教育訓練費の額に対する割合が$\frac{10}{100}$以上であること	
	ロ	当該法人の当該事業年度の所得の金額の計算上損金の額に算入される教育訓練費の額の当該法人の雇用者給与等支給額に対する割合が$\frac{0.05}{100}$以上であること	
③	次の表のイからハまでに掲げる要件のいずれかを満たすこと		$\frac{5}{100}$
	イ	当該事業年度終了の時において次世代育成支援対策推進法第15条の3《特例認定一般事業主の特例等》第1項に規定する特例認定一般事業主に該当すること	
	ロ	当該事業年度において女性の職業生活における活躍の推進に関する法律第9条《基準に適合する一般事業主の認定》の認定を受けたこと（同法第4条《事業主の責務》の女性労働者に対する職業生活に関する機会の提供及び同条の雇用環境の整備の状況が特に良好な場合として女性の職業生活における活躍の推進に関する法律に基づく一般事業主行動計画等に関する省令第8条《法第9条の認定の基準等》第1項第3号に規定する事業主の類型に係るものである場合〔当該事業年度終了の日までに女性の職業生活における活躍の推進に関する法律第11条《認定の取消し》の規定により当該認定が取り消された場合を除く。〕に限る。）	
	ハ	当該事業年度終了の時において女性の職業生活における活躍の推進に関する法律第13条《特例認定一般事業主の特例等》第1項に規定する特例認定一般事業主に該当すること	

第三章　第二節　第二款　**十五**《給与等の支給額が増加した場合の法人税額の特別控除》

$$税額控除限度額 = 控除対象雇用者給与等支給増加額 \times 10\%※$$

ただし、$\left[\begin{array}{c}\text{適用年度の調整前法人税額}\\\text{(申告書別表一の「2」欄の金額)}\end{array} \times \dfrac{20}{100}\right]$ を限度

※　次のA、B又はCの要件を満たす場合には、それぞれの割合を加算

A　継続雇用者給与等支給増加割合 $\geq \dfrac{4}{100}$ ……　15％

B　$\dfrac{\text{教育訓練費の額 － 比較教育訓練費の額}}{\text{比較教育訓練費の額}} \geq \dfrac{10}{100}$

かつ

$\dfrac{\text{教育訓練費の額}}{\text{雇用者給与等支給額}} \geq \dfrac{0.05}{100}$ ……　5％

C　プラチナくるみん認定、えるぼし3段階目又はプラチナえるぼし認定を受けている場合　……　5％

注1　厚生労働大臣、経済産業大臣及び国土交通大臣は、**3**により事項を定めたときは、これを告示する。（措令27の12の5㉗）
注2　注1の厚生労働大臣、経済産業大臣及び国土交通大臣が定める事業上の関係者との関係の構築の方針に関する事項は、令和4年厚生労働省、経済産業省、国土交通省告示第1号（最終改正令和6年第1号）により定められている。（編者）
注3　**3**に掲げる事業上の関係者との関係の構築の方針の公表及び届出に係る手続は、令和4年経済産業省告示第88号（最終改正令和6年第68号）により定められている。（編者）

（地方活力向上地域等において雇用者の数が増加した場合の法人税額の特別控除の適用を受ける場合の調整）

（1）　**3**に掲げる**十二**による控除を受ける金額の計算の基礎となった者に対する給与等の支給額として計算した金額とは、**3**の法人の**3**の適用を受けようとする事業年度（以下（1）において「適用年度」という。）に係る雇用者給与等支給額を当該適用年度終了の日における**十二**の1の表の④《雇用者》に掲げる雇用者の数で除して計算した金額に次の表に掲げる数を合計した数（当該合計した数が地方事業所基準雇用者数〔**十二**の2の①《特定業務施設である事業所において雇用者の数が増加した場合の法人税額の特別控除》の表の口の(イ)に掲げる地方事業所基準雇用者数をいう。以下（1）において同じ。〕を超える場合には、当該地方事業所基準雇用者数）を乗じて計算した金額の $\dfrac{20}{100}$ に相当する金額とする。（措令27の12の5④③）

(一)	当該法人が当該適用年度において**十二**の2の①の適用を受ける場合における当該適用年度の特定新規雇用者基礎数（同①の表の口の(イ)に掲げる特定新規雇用者基礎数をいう。(二)のイにおいて同じ。）と当該適用年度の特定非新規雇用者基礎数（同表の口の(ロ)に掲げる特定非新規雇用者基礎数をいう。(二)の口において同じ。）とを合計した数
(二)	当該法人が当該適用年度において**十二**の2の②《特定業務施設である事業所において雇用者の数が増加した場合の法人税額の特別控除の特例》の適用を受ける場合における当該適用年度の**十二**の1の表の⑯《地方事業所特別基準雇用者数》のイに掲げる数のうち同⑯の口に掲げる数に達するまでの数から当該法人が当該適用年度において**十二**の2の①の適用を受ける場合における当該適用年度の次の表に掲げる数を合計した数を控除した数
	イ　特定新規雇用者基礎数のうち**十二**の1の表の⑩に掲げる移転型特定新規雇用者数に達するまでの数
	口　特定非新規雇用者基礎数のうち**十二**の2の①の表の口の(ロ)に掲げる移転型特定非新規雇用者基礎数に達するまでの数

（新規雇用者比較給与等支給額が零である場合の要件の判定）

（2）　**3**の適用を受けようとする法人のその適用を受けようとする事業年度に係る継続雇用者比較雇用者給与等支給額が零である場合には、**3**に掲げる継続雇用者給与等支給増加割合が $\dfrac{3}{100}$ 以上であるときに該当しないものとする。（措法42の12の5⑨、措令27の12の5㉓）

（公益法人等の従業員の範囲）
（3）　公益法人等について、3により常時使用する従業員の数が1,000人以上であるかどうかを判定する場合には、収益事業に従事する従業員数だけでなくその全部の従業員数によって行うものとする。（措通42の12の5－1の2・編者補正）

4　中小企業者等の給与等の引上げを行った場合の法人税額の特別控除

①　中小企業者等の給与等の引上げを行った場合の法人税額の特別控除

　五の3の（2）《中小企業者の意義》に掲げる中小企業者（**五の3の（7）**《適用除外事業者の意義》に掲げる適用除外事業者又は同**3の（8）**《通算適用除外事業者の意義》に掲げる通算適用除外事業者に該当するものを除く。）又は同**3の（12）**《農業協同組合等の意義》に掲げる農業協同組合等で、青色申告書を提出するもの（以下**4**において「**中小企業者等**」という。）が、平成30年4月1日から令和9年3月31日までの間に開始する各事業年度（**2**又は**3**の適用を受ける事業年度、設立事業年度、解散〔合併による解散を除く。〕の日を含む事業年度及び清算中の各事業年度を除く。）において国内雇用者に対して給与等を支給する場合において、当該事業年度において当該中小企業者等の雇用者給与等支給額からその比較雇用者給与等支給額を控除した金額の当該比較雇用者給与等支給額に対する割合（次の表の①において「雇用者給与等支給増加割合」という。）が$\frac{1.5}{100}$以上であるときは、当該中小企業者等の当該事業年度の所得に対する調整前法人税額から、当該中小企業者等の当該事業年度の控除対象雇用者給与等支給増加額（当該事業年度において**十二**《地方活力向上地域等において雇用者の数が増加した場合の法人税額の特別控除》の適用を受ける場合には、**十二**による控除を受ける金額の計算の基礎となった者に対する給与等の支給額として（1）《地方活力向上地域等において雇用者の数が増加した場合の法人税額の特別控除の適用を受ける場合の調整》により計算した金額を控除した残額）に$\frac{15}{100}$（当該事業年度において次の表の左欄に掲げる要件を満たす場合には、$\frac{15}{100}$にそれぞれ同表の右欄に掲げる割合〔当該事業年度において同表の左欄に掲げる要件のうち2以上の要件を満たす場合には、当該2以上の要件の同表の右欄に掲げる割合を合計した割合〕を加算した割合）を乗じて計算した金額（以下①及び**1**の表の⑬において「**中小企業者等税額控除限度額**」という。）を控除する。この場合において、当該中小企業者等税額控除限度額が、当該中小企業者等の当該事業年度の所得に対する調整前法人税額の$\frac{20}{100}$に相当する金額を超えるときは、その控除を受ける金額は、当該$\frac{20}{100}$に相当する金額を限度とする。（措法42の12の5③、措規20の10②③）

（一）	雇用者給与等支給増加割合が$\frac{2.5}{100}$以上であること		$\frac{15}{100}$
（二）	次の表のイ及びロに掲げる要件の全てを満たすこと		$\frac{10}{100}$
	イ	当該中小企業者等の当該事業年度の所得の金額の計算上損金の額に算入される教育訓練費の額からその比較教育訓練費の額を控除した金額の当該比較教育訓練費の額に対する割合が$\frac{5}{100}$以上であること	
	ロ	当該中小企業者等の当該事業年度の所得の金額の計算上損金の額に算入される教育訓練費の額の当該中小企業者等の雇用者給与等支給額に対する割合が$\frac{0.05}{100}$以上であること	
（三）	次の表のイからニまでに掲げる要件のいずれかを満たすこと		$\frac{5}{100}$
	当該事業年度において次世代育成支援対策推進法第13条《基準に適合する一般事業主の認定》の認定を受けたこと（同法第2条《定義》に規定する次世代育成支援対策の実施の状況が良好な場合として次に掲げるものである場合〔当該事業年度終了の日までに次世代育成支援対策推進法第15条《認定一般事業主の認定の取消し》の規定により当該認定が取り消された場合を除く。〕に限る。）		
	イ	（イ）	次世代育成支援対策推進法施行規則第4条《法第13条の厚生労働省令で定める基準等》第1項第1号に規定する事業主の類型に係るもの（次世代育成支援対策推進法施行規則の一部を改正する省令〔令和3年厚生労働省令第185号〕附則第2条第2項の規定に基づきなお従前の例により行った次世代育成支援対策推進法第13条《基準に適合する一般事業主の認定》の申請〔（ロ）において「認定申請」という。〕に基づき受けたものを除く。）
		（ロ）	次世代育成支援対策推進法施行規則第4条《法第13条の厚生労働省令で定める基準等》第1項第2号に規定する事業主の類型に係るもの（次世代育成支援対策推進法施行規則の一部を改正する省令〔令和3年厚生労働省令第185号〕附則第2条第2項の規定に基づきなお従前

	の例により行った認定申請に基づき受けたもの及び同条第3項の規定により次世代育成支援対策推進法施行規則第4条第1項第2号イに規定する要件を満たしているものとみなされて受けたものを除く。)
ロ	当該事業年度終了の時において次世代育成支援対策推進法第15条の3《特例認定一般事業主の特例等》第1項に規定する特例認定一般事業主に該当すること
ハ	当該事業年度において女性の職業生活における活躍の推進に関する法律第9条《基準に適合する一般事業主の認定》の認定を受けたこと(同法第4条《事業主の責務》の女性労働者に対する職業生活に関する機会の提供及び同条の雇用環境の整備の状況が良好な場合として女性の職業生活における活躍の推進に関する法律に基づく一般事業主行動計画等に関する省令第8条《特例認定一般事業主の特例等》第1項第2号又は第3号に規定する事業主の類型に係るものである場合〔当該事業年度終了の日までに女性の職業生活における活躍の推進に関する法律第11条《認定の取消し》の規定により当該認定が取り消された場合を除く。〕に限る。)
ニ	当該事業年度終了の時において女性の職業生活における活躍の推進に関する法律第13条《特例認定一般事業主の特例等》第1項に規定する特例認定一般事業主に該当すること

$$\text{税額控除限度額} = \text{控除対象雇用者給与等支給増加額} \times 15\% \,※$$

$$\text{ただし、}\left[\text{適用年度の調整前法人税額}_{(申告書別表一の「2」欄の金額)} \times \frac{20}{100}\right]\text{を限度}$$

※ 次のA、B又はCの要件を満たす場合には、それぞれの割合を加算

A 雇用者給与等支給増加割合 $\geq \frac{2.5}{100}$ …… 15%

B $\dfrac{\text{教育訓練費の額} - \text{比較教育訓練費の額}}{\text{比較教育訓練費の額}} \geq \dfrac{10}{100}$

かつ

$\dfrac{\text{教育訓練費の額}}{\text{雇用者給与等支給額}} \geq \dfrac{0.05}{100}$ …… 10%

C プラチナくるみん認定又はプラチナえるぼし認定若しくはくるみん認定又はえるぼし認定(2段階以上)を受けている場合 …… 5%

注 ──線部分は、令和6年度改正により改正された部分で、改正規定は、令和6年4月1日以後に開始する事業年度から適用され、令和6年3月31日以前に開始した事業年度の適用については、次による。(令6改法附38、1)

> **五の3の(2)**《中小企業者の意義》に掲げる中小企業者(**五の3の(7)**《適用除外事業者の意義》に掲げる適用除外事業者又は同**3の(8)**《通算適用除外事業者の意義》に掲げる通算適用除外事業者に該当するものを除く。)又は同**3の(12)**《農業協同組合等の意義》に掲げる農業協同組合等で、青色申告書を提出するもの(以下注において「**中小企業者等**」という。)が、平成30年4月1日から令和6年3月31日までの間に開始する各事業年度(**2の注1**の適用を受ける事業年度、設立事業年度、解散〔合併による解散を除く。〕の日を含む事業年度及び清算中の各事業年度を除く。)において国内雇用者に対して給与等を支給する場合において、当該事業年度において当該中小企業者等の雇用者給与等支給額からその比較雇用者給与等支給額を控除した金額の当該比較雇用者給与等支給額に対する割合(次の表の①において「雇用者給与等支給増加割合」という。)が$\frac{1.5}{100}$以上であるときは、当該中小企業者等の当該事業年度の所得に対する調整前法人税額から、当該中小企業者等の当該事業年度の控除対象雇用者給与等支給増加額(当該事業年度において**十二**《地方活力向上地域等において雇用者の数が増加した場合の法人税額の特別控除》の適用を受ける場合には、**十二**による控除を受ける金額の計算の基礎となった者に対する給与等の支給額として**(1)**《地方活力向上地域等において雇用者の数が増加した場合の法人税額の特別控除の適用を受ける場合の調整》により計算した金額を控除した残額)に$\frac{15}{100}$(当該事業年度において次の表の左欄に掲げる要件を満たす場合には、$\frac{15}{100}$にそれぞれ同表の右欄に掲げる割合〔当該事業年度において同表の左欄に掲げる要件の全てを満たす場合には、それぞれ同表の右欄に掲げる割合を合計した割合〕を加算した割合)を乗じて計算した金額(以下注において「**中小企業者等税額控除限度額**」という。)を控除する。この場合において、当該中小企業者等税額控除限度額が、当該中小企業者等の当該事業年度の所得に対する調整前法人税額の$\frac{20}{100}$に相当する金額を超えるときは、その控除を受ける金額は、当該$\frac{20}{100}$に相当する金額を限度とする。(措法42の12の5旧②)
>
> | 旧① | 雇用者給与等支給増加割合が$\frac{2.5}{100}$以上であること | $\frac{15}{100}$ |
> |---|---|---|

第三章　第二節　第二款　**十五**《給与等の支給額が増加した場合の法人税額の特別控除》

旧②	当該中小企業者等の当該事業年度の所得の金額の計算上損金の額に算入される教育訓練費の額$\frac{10}{100}$以上であること	$\frac{10}{100}$

（地方活力向上地域等において雇用者の数が増加した場合の法人税額の特別控除の適用を受ける場合の調整）

（1）　①に掲げる**十二**による控除を受ける金額の計算の基礎となった者に対する給与等の支給額として計算した金額とは、①に掲げる中小企業者等の①の適用を受けようとする事業年度（以下（1）において「適用年度」という。）に係る雇用者給与等支給額を当該適用年度終了の日における**十二**の1の表の④《雇用者》に掲げる雇用者の数で除して計算した金額に次の表に掲げる数を合計した数（当該合計した数が地方事業所基準雇用者数〔**十二**の2の①《特定業務施設である事業所において雇用者の数が増加した場合の法人税額の特別控除》の表のロの(イ)に掲げる地方事業所基準雇用者数をいう。以下（1）において同じ。〕を超える場合には、当該地方事業所基準雇用者数）を乗じて計算した金額の$\frac{20}{100}$に相当する金額とする。（措令27の12の5④③）

(一)	当該中小企業者等が当該適用年度において**十二**の2の①の適用を受ける場合における当該適用年度の特定新規雇用者基礎数（同①の表のロの(イ)に掲げる特定新規雇用者基礎数をいう。(二)のイにおいて同じ。）と当該適用年度の特定非新規雇用者基礎数（同表のロの(ロ)に掲げる特定非新規雇用者基礎数をいう。(二)のロにおいて同じ。）とを合計した数		
(二)	当該中小企業者等が当該適用年度において**十二**の2の②《特定業務施設である事業所において雇用者の数が増加した場合の法人税額の特別控除の特例》の適用を受ける場合における当該適用年度の**十二**の1の表の⑯《地方事業所特別基準雇用者数》のイに掲げる数のうち同⑯のロに掲げる数に達するまでの数から当該法人が当該適用年度において**十二**の2の①の適用を受ける場合における当該適用年度の次の表に掲げる数を合計した数を控除した数		
	イ	特定新規雇用者基礎数のうち**十二**の1の表の⑩に掲げる移転型特定新規雇用者数に達するまでの数	
	ロ	特定非新規雇用者基礎数のうち**十二**の2の①の表のロの(ロ)に掲げる移転型特定非新規雇用者基礎数に達するまでの数	

注1　──線部分は、令和6年度改正により改正された部分で、改正規定は、令和6年4月1日以後に開始する事業年度から適用され、令和6年3月31日以前に開始した事業年度の適用については、「表の⑯《地方事業所特別基準雇用者数》のイに掲げる数のうち同⑯のロに掲げる数に達するまでの数」とあるのは「表の⑬に掲げる移転型地方事業所基準雇用者数」とする。（令6改措令附13①②、1）

注2　注1の場合において、令和6年4月1日以後に終了する事業年度における（1）の適用については、次による。（令6改措令附13②、1）

①の注に掲げる**十二**による控除を受ける金額の計算の基礎となった者に対する給与等の支給額として計算した金額とは、①の注の法人の①の注の適用を受けようとする事業年度（以下（1）において「適用年度」という。）に係る雇用者給与等支給額を当該適用年度終了の日における**十二**の1の表の④《雇用者》に掲げる雇用者の数で除して計算した金額に次の表に掲げる数を合計した数（当該合計した数が地方事業所基準雇用者数〔**十二**の2の①《特定業務施設である事業所において雇用者の数が増加した場合の法人税額の特別控除》の表のロの(イ)に掲げる地方事業所基準雇用者数をいう。以下（1）において同じ。〕を超える場合には、当該地方事業所基準雇用者数）を乗じて計算した金額の$\frac{20}{100}$に相当する金額とする。

旧(一)	当該法人が当該適用年度において**十二**の2の①の適用を受ける場合における当該適用年度の特定新規雇用者基礎数（同①の表のロの(イ)に掲げる特定新規雇用者基礎数をいう。(二)のイにおいて同じ。）と当該適用年度の特定非新規雇用者基礎数（同表のロの(ロ)に掲げる特定非新規雇用者基礎数をいう。(二)のロにおいて同じ。）とを合計した数		
旧(二)	当該法人が当該適用年度において**十二**の2の②《特定業務施設である事業所において雇用者の数が増加した場合の法人税額の特別控除の特例》の適用を受ける場合における当該適用年度の**十二**の1の表の⑯のイに掲げる数のうち同⑯のロに掲げる数に達するまでの数から当該法人が当該適用年度において**十二**の2の①の適用を受ける場合における当該適用年度の次の表に掲げる数を合計した数を控除した数		
	イ	特定新規雇用者基礎数のうち**十二**の1の表の⑩に掲げる移転型特定新規雇用者数に達するまでの数	
	ロ	特定非新規雇用者基礎数のうち**十二**の2の①の表のロの(ロ)に掲げる移転型特定非新規雇用者基礎数に達するまでの数	

注3　所得税法等の一部を改正する法律（令和6年法律第8号）附則第43条の規定によりなお従前の例によることとされる場合における旧**十二**の適用がある事業年度における（1）及び注2の適用については、次の表の左欄に掲げる掲げる数をもって、右欄に掲げる数とみなす。（令6改措令附13③、1）

(一)	**十二**の2の①の表のロの(イ)に掲げる地方事業所基準雇用者	（1）に掲げる地方事業所基準雇用者数及び注2に掲げる地方事業所基準雇用者数

― 1649 ―

	(二)	令和6年3月31日以前に**十二**の**2**の①に掲げる計画の認定を受けた同①に掲げる地方活力向上地域等特定業務施設整備計画に係る注2の表の旧(一)及び(二)に掲げる例により計算した同表の旧(一)及び旧(二)に掲げる数	当該地方活力向上地域等特定業務施設整備計画に係る(1)の表の(一)及び(二)に掲げる数及び注2の表の旧(一)及び旧(二)号に掲げる数

（比較雇用者給与等支給額が零である場合の要件の判定）

（2） ①の適用を受けようとする中小企業者等のその適用を受けようとする事業年度に係る比較雇用者給与等支給額が零である場合には、①に掲げる雇用者給与等支給増加割合が$\frac{1.5}{100}$以上であるときに該当しないものとする。（措法42の12の5⑨、措令27の12の5㉔）

（中小企業者であるかどうかの判定の時期）

（3） ①の適用上、法人が**五**の**3**の（2）《中小企業者の意義》に掲げる中小企業者（以下「中小企業者」という。）に該当するかどうかの判定（以下「中小判定」という。）は、次の表の左欄に掲げる法人の区分に応じそれぞれ右欄に掲げる取扱いによるものとする。（措通42の12の5－1の3）

(一)	通算法人以外の法人	当該法人の①の適用を受ける事業年度終了の時の現況による。
(二)	通算法人	当該通算法人及び他の通算法人（当該通算法人の①の適用を受けようとする事業年度（以下「適用事業年度」という。）終了の日において当該通算法人との間に通算完全支配関係がある法人に限る。）の適用事業年度終了の時の現況による。

注1 （二）の取扱いは、通算親法人の事業年度の中途において通算承認の効力を失った通算法人のその効力を失った日の前日に終了する事業年度における中小判定についても、同様とする。

注2 ②の適用に当たっては、②の適用を受ける事業年度終了の時において中小企業者に該当する必要はないが、**1**の表の⑬に掲げる繰越税額控除限度超過額の生じた事業年度終了の時において中小企業者に該当する必要があることに留意する。

② **繰越税額控除限度超過額の5年間繰越控除**（創設）

②は、令和6年度改正により創設されたもので、改正規定は、令和6年4月1日以後に開始する事業年度において生ずる**1**の表の⑬に掲げる控除しきれない金額について適用される。（令6改法附44、1、令6改措令附1）

青色申告書を提出する法人の各事業年度（解散〔合併による解散を除く。〕の日を含む事業年度及び清算中の各事業年度を除く。）において当該法人の雇用者給与等支給額がその比較雇用者給与等支給額を超える場合において、当該法人が繰越税額控除限度超過額を有するときは、当該事業年度の所得に対する調整前法人税額から、当該繰越税額控除限度超過額に相当する金額を控除する。この場合において、当該法人の当該事業年度における繰越税額控除限度超過額が当該法人の当該事業年度の所得に対する調整前法人税額の$\frac{20}{100}$に相当する金額（当該事業年度において**2**、**3**及び**4**の①により当該事業年度の所得に対する調整前法人税額から控除される金額がある場合には、当該金額を控除した残額）を超えるときは、その控除を受ける金額は、当該$\frac{20}{100}$に相当する金額を限度とする。（措法42の12の5④）

（比較雇用者給与等支給額が零である場合の要件の判定）

②の適用を受けようとする法人のその適用を受けようとする事業年度に係る比較雇用者給与等支給額が零である場合には、②に掲げる雇用者給与等支給額がその比較雇用者給与等支給額を超える場合には該当しないものとする。（措法42の12の5⑨、措令27の12の5㉕）

5　特別控除の申告

① 適用年度の特別控除の申告

2、**3**及び**4**の①の税額控除は、確定申告書等（**2**、**3**及び**4**の①の税額控除により控除を受ける金額を増加させる修正申告書又は更正請求書を提出する場合には、当該修正申告書又は更正請求書を含む。）に**2**、**3**及び**4**の①の税額控除による控除の対象となる控除対象雇用者給与等支給増加額（**2**又は**3**の適用を受けようとする場合には、継続雇用者給与等支給額及び継続雇用者比較給与等支給額を含む。）、控除を受ける金額及び当該金額の計算に関する明細を記載した書類の添付がある場合に限り、適用する。この場合において、**2**、**3**及び**4**の①の税額控除により控除される金額の計算の基礎となる控除対象雇用者給与等支給増加額は、確定申告書等に添付された書類に記載された控除対象雇用者給与等支給増加

第三章 第二節 第二款 十五《給与等の支給額が増加した場合の法人税額の特別控除》

額を限度とする。(措法42の12の5⑦)

注1 ――線部分は、令和6年度改正により改正された部分で、改正規定は、令和6年4月1日以後に開始する事業年度から適用され、令和6年3月31日以前に開始した事業年度の適用については、「**2、3及び4の①**」とあるのは「**2の注1又は4の①の注**」と、「**2又は3**」とあるのは「**2の注1**」とする。(令6改法附38、1)

注2 **十五**の特別控除に係る明細を記載した書類は、次のとおり。(編者)

別表六(二十一)「地方活力向上地域等において雇用者の数が増加した場合の法人税額の特別控除に関する明細書」
別表六(二十四)「給与等の支給額が増加した場合の法人税額の特別控除に関する明細書」
別表六(二十四)付表一「給与等支給額、比較教育訓練費の額及び翌期繰越税額控除限度超過額の計算に関する明細書」
別表六(二十四)付表二「給与等の支給額が増加した場合の法人税額の特別控除における雇用者給与等支給増加重複控除額の計算に関する明細書」

(教育訓練費の明細を記載した書類の保存)

法人が、**2の表の②、3の表の②又は4の①の表の(二)**に掲げる要件を満たすものとして**2、3及び4の①**の適用を受ける場合には、これらの適用に係る1の表の⑦に掲げる費用の明細を記載した書類として**2、3及び4の①**の適用を受けようとする事業年度の所得の金額の計算上損金の額に算入される**2の表の②のイ**に掲げる教育訓練費の額及び当該事業年度における比較教育訓練費の額に関する次の表に掲げる事項を記載した書類を保存しなければならない。(措令27の12の5⑪、措規20の10⑧)

(一)	1の表の⑦に掲げる費用に係る教育訓練等の実施時期
(二)	当該教育訓練等の内容
(三)	当該教育訓練等の対象となる国内雇用者の氏名
(四)	その費用を支出した年月日、内容及び金額並びに相手先の氏名又は名称

注 ――線部分は、令和6年度改正により改正された部分で、改正規定は、令和6年4月1日から適用され、令和6年3月31日の適用については、「**2の表の②、3の表の②又は4の①の表の(二)**」とあるのは「**2の注1の表の旧②又は4の①の注の表の旧②**」と、「**2、3及び4の①**」とあるのは「**2の注1又は4の①の注**」と、「**2の表の②のイ**」とあるのは「**2の注1の表の旧②**」とする。(令6改措令附1、令6改規附1)

② 繰越税額控除限度超過額がある場合の特別控除の申告 (創設)

②は、令和6年度改正により創設されたもので、改正規定は、令和6年4月1日以後に開始する事業年度から適用される。(令6改法附38、1)

4の②は、**4の①**の適用を受けた事業年度以後の各事業年度の第二章第一節の**二**の表の**31**《確定申告書》に掲げる確定申告書に繰越税額控除限度超過額の明細書の添付がある場合で、かつ、同②の適用を受けようとする事業年度の確定申告書等(同②により控除を受ける金額を増加させる修正申告書又は更正請求書を提出する場合には、当該修正申告書又は更正請求書を含む。)に同②による控除の対象となる繰越税額控除限度超過額、控除を受ける金額及び当該金額の計算に関する明細を記載した書類の添付がある場合に限り、適用する。(措法42の12の5⑧)

十六　認定特定高度情報通信技術活用設備を取得した場合の法人税額の特別控除

1　法人税額の特別控除

　青色申告書を提出する法人で特定高度情報通信技術活用システムの開発供給及び導入の促進に関する法律（令和２年法律第37号）第28条《課税の特例》に規定する認定導入事業者であるものが、同法の施行の日（令和２年８月31日）から令和７年３月31日までの期間内に、当該法人の同法第10条第２項《特定高度情報通信技術活用システム導入計画の変更等》に規定する認定導入計画（以下**十六**において「**認定導入計画**」という。）に記載された機械その他の減価償却資産（同法第28条に規定する認定導入計画に従って実施される特定高度情報通信技術活用システムの導入の用に供するためのものであることその他の要件を満たすものとして《認定特定高度情報通信技術活用設備の範囲》に掲げるものに限る。以下**十六**において「**認定特定高度情報通信技術活用設備**」という。）でその製作若しくは建設の後事業の用に供されたことのないものを取得し、又は当該認定導入計画に記載された認定特定高度情報通信技術活用設備を製作し、若しくは建設して、これを国内にある当該法人の事業の用に供した場合（貸付けの用に供した場合を除く。）において、当該認定特定高度情報通信技術活用設備につき第一節第七款の**七**の１《認定特定高度情報通信技術活用設備を取得した場合の初年度特別償却》の適用を受けないときは、その事業の用に供した日を含む事業年度（解散〔合併による解散を除く。〕の日を含む事業年度及び清算中の各事業年度を除く。以下１において「**供用年度**」という。）の所得に対する**調整前法人税額**（**五**の１《用語の意義》の表の②に掲げる調整前法人税額をいう。以下**十六**において同じ。）からその事業の用に供した当該認定特定高度情報通信技術活用設備の取得価額に$\frac{15}{100}$（次の表の左欄に掲げる認定特定高度情報通信技術活用設備については、それぞれ次の表の右欄に定める割合）を乗じて計算した金額の合計額（以下１において「**税額控除限度額**」という。）を控除する。この場合において、当該法人の供用年度における税額控除限度額が、当該法人の当該供用年度の所得に対する調整前法人税額の$\frac{20}{100}$に相当する金額を超えるときは、その控除を受ける金額は、当該$\frac{20}{100}$に相当する金額を限度とする。（措法42の12の６②①）

①	令和４年４月１日から令和５年３月31日までの間に条件不利地域（次に掲げる地域をいう。②において同じ。）以外の地域内において事業の用に供した認定特定高度情報通信技術活用設備（電波法第27条の12第１項に規定する特定基地局〔同項第１号に係るものに限る。〕の無線設備に限る。②において「特定基地局用認定設備」という。）		$\frac{9}{100}$
	イ	離島振興法第２条第１項の規定により離島振興対策実施地域として指定された地域	
	ロ	奄美群島振興開発特別措置法第１条に規定する奄美群島	
	ハ	豪雪地帯対策特別措置法第２条第１項の規定により豪雪地帯として指定された地域	
	ニ	辺地に係る公共的施設の総合整備のための財政上の特別措置等に関する法律第２条第１項に規定する辺地	
	ホ	山村振興法第７条第１項の規定により振興山村として指定された地域	
	ヘ	小笠原諸島振興開発特別措置法第４条第１項に規定する小笠原諸島	
	ト	半島振興法第２条第１項の規定により半島振興対策実施地域として指定された地域	
	チ	特定農山村地域における農林業等の活性化のための基盤整備の促進に関する法律第２条第１項に規定する特定農山村地域	
	リ	沖縄振興特別措置法第３条第１号に規定する沖縄	
	ヌ	過疎地域の持続的発展の支援に関する特別措置法第２条第１項に規定する過疎地域	
②	令和５年４月１日から令和６年３月31日までの間に事業の用に供した認定特定高度情報通信技術活用設備		$\frac{9}{100}$ 条件不利地域以外の地域内において事業の用に供した特定基地局用認定設備　$\frac{5}{100}$
③	令和６年４月１日から令和７年３月31日までの間に事業の用に供した認定特定高度情報通信技術活用設備		$\frac{3}{100}$

第三章　第二節　第二款　**十六**《認定特定高度情報通信技術活用設備を取得した場合の法人税額の特別控除》

$$\text{税額控除限度額} = \text{認定特定高度情報通信技術活用設備の取得価額の合計額} \times \frac{15}{100} \quad \text{ただし、}\left[\text{供用年度の調整前法人税額（申告書別表一の「2」欄の金額）} \times \frac{20}{100}\right] \text{を限度}$$

（認定特定高度情報通信技術活用設備の範囲）

（1）　**1**に掲げる認定特定高度情報通信技術活用設備は、機械及び装置、器具及び備品、建物附属設備並びに構築物のうち、次に掲げる要件を満たすものであることについて特定高度情報通信技術活用システムの開発供給及び導入の促進に関する法律第34条第1項第6号《主務大臣等》に定める主務大臣の確認を受けたものとする。（措令27の12の6）

（一）	特定高度情報通信技術活用システムの開発供給及び導入の促進に関する法律第28条に規定する認定導入計画に従って実施される特定高度情報通信技術活用システムの導入の用に供するために取得又は製作若しくは建設をしたものであること。
（二）	特定高度情報通信技術活用システムの開発供給及び導入の促進に関する法律第2条第1項第1号に掲げる特定高度情報通信技術活用システムを構成する上で重要な役割を果たすものとして（2）《特定高度情報通信技術活用システムを構成する上で重要な役割を果たすもの》に掲げるものに該当するものであること

（特定高度情報通信技術活用システムを構成する上で重要な役割を果たすもの）

（2）　（1）に掲げる特定高度情報通信技術活用システムを構成する上で重要な役割を果たすものは、次に掲げる減価償却資産とする。（措規20の10の2①）

（一）		3・6ギガヘルツを超え4・1ギガヘルツ以下又は4・5ギガヘルツを超え4・6ギガヘルツ以下の周波数の電波を使用する無線設備（次のいずれにも該当するものに限る。）
	イ	令和6年3月31日以前に**1**の表の（一）に掲げる条件不利地域以外の地域内において事業の用に供する無線設備にあっては、16以上の空中線、位相器及び増幅器を用いて一又は複数の指向性を持つビームパターンを形成し制御する技術を有する無線装置を用いて無線通信を行うために用いられるものであること。
	ロ	総務省・経済産業省関係特定高度情報通信技術活用システムの開発供給及び導入の促進に関する法律施行規則第2条第1号に規定する全国5Gシステム（同号イに掲げる設備を製造する事業者と同号ロ又はハに掲げる設備を製造する事業者とが異なる場合に限る。）を構成するものであること。
	ハ	主として第五世代移動通信アクセスサービス（電気通信事業報告規則第1条第2項第13号に規定する第五世代移動通信アクセスサービスをいう。）の用に供することを目的として設置された交換設備と一体として運用されるものであること。
（二）		27ギガヘルツを超え28・2ギガヘルツ以下又は29・1ギガヘルツを超え29・5ギガヘルツ以下の周波数の電波を使用する無線設備（（一）のロ及びハに該当するものに限る。）
（三）		総務省・経済産業省関係特定高度情報通信技術活用システムの開発供給及び導入の促進に関する法律施行規則第2条第2号に規定するローカル5Gシステムの無線設備（陸上移動局〔電波法施行規則第4条第1項第12号に規定する陸上移動局をいう。（四）において同じ。〕の無線設備にあっては、通信モジュールに限る。）
（四）		専ら（三）に掲げる無線設備（陸上移動局の無線設備を除く。）を用いて行う無線通信の業務の用に供され、当該無線設備と一体として運用される交換設備及び当該無線設備と当該交換設備との間の通信を行うために用いられる伝送路設備（光ファイバを用いたものに限る。）

（貸付けの用に供したものに該当しない資産の貸与）

（3）　**1**に掲げる認定導入事業者が、その取得又は製作若しくは建設をした**1**に掲げる認定特定高度情報通信技術活用設備を自己の下請業者に貸与した場合において、当該認定特定高度情報通信技術活用設備が専ら当該認定導入事業者のためにする製品の加工等の用に供されるものであるときは、当該認定特定高度情報通信技術活用設備は当該認定導入事業者の営む事業の用に供したものとして取り扱う。（措通42の12の6−1）

(国庫補助金等の圧縮記帳の適用を受ける場合の取得価額)

(4) 1に掲げる税額控除限度額の計算の基礎となる認定特定高度情報通信技術活用設備の取得価額は、次の左欄に掲げる場合には、それぞれ次の右欄に掲げる金額による。(措通42の5〜48(共)−3の2・編者補正)

(一)	法人が取得等をした認定特定高度情報通信技術活用設備につき、供用年度において第一節第十五款の**一**《国庫補助金等による圧縮記帳》、同款の**二**《工事負担金による圧縮記帳》、同款の**三**《非出資組合の賦課金による圧縮記帳》及び同款の**四**《保険金等による圧縮記帳》の適用を受ける場合	第一節第六款の**六の3**《圧縮記帳資産の取得価額の特例》により同**六の1**《減価償却資産の取得価額》の取得価額とみなすこととされる金額
(二)	法人が取得等をした認定特定高度情報通信技術活用設備につき、供用年度後の事業年度において第一節第十五款の**一**、同款の**二**、同款の**三**及び同款の**四**の適用を受けることが予定されている場合	第一節第六款の**六の1**の表に掲げる金額から当該供用年度後の事業年度において第一節第十五款の**一**、同款の**二**、同款の**三**及び同款の**四**の適用を受けるとしたならば、第一節第六款の**六の3**に掲げる「損金の額に算入された金額(……金額を加算した金額)」となることが見込まれる金額(以下「損金算入見込額」という。)を控除した金額

注1 (二)の損金算入見込額は、当該供用年度終了の日において、第一節第十五款の**一の1**《国庫補助金等で取得した固定資産の圧縮額の損金算入》に掲げる国庫補助金等若しくは同款の**二の1**《工事負担金で取得した固定資産の圧縮額の損金算入》の金銭の交付を受け、同款の**三の1**《非出資組合が賦課金で取得した固定資産の圧縮額の損金算入》の賦課に基づいて納付され、又は同款の**四の1**《保険金等で取得した固定資産の圧縮額の損金算入》に掲げる保険金等の支払を受けることが見込まれる金額(同款の**一の7**《特別勘定を設けた場合の国庫補助金等で取得した固定資産の圧縮額の損金算入》の適用を受けることが予定されている場合には、同款の**一の1**に掲げる国庫補助金等の交付を受けた金額で返還を要しないことが供用年度終了の日までに確定していないものを含む。)とすることができる。

注2 法人が認定特定高度情報通信技術活用設備の供用年度において税額控除限度額等の計算の基礎となる認定特定高度情報通信技術活用設備の取得価額を(二)に定める金額によることなく第一節第六款の**六の1**の表に掲げる金額に基づき税額控除限度額等を計算して申告をしている場合において、供用年度後の事業年度に第一節第十五款の**一**、同款の**二**、同款の**三**及び同款の**四**の適用を受けるときは、第一節第六款の**六の3**により同**六の1**の取得価額とみなすこととされる金額に基づき供用年度の税額控除限度額等を修正することに留意する。

(認定特定高度情報通信技術活用設備の特別償却の計算)

(5) 1の特別償却は、当該特別償却の対象となる機械設備等について認められているのであるから、機械設備等で特別償却の対象とならないものがあるときはもちろん、当該特別償却の対象となる機械設備等と種類及び耐用年数を同じくする他の機械設備等があっても、それぞれ各別に償却限度額を計算することに留意する。(措通42の5〜48(共)−1・編者補正)

(特別償却の適用を受けたものの意義)

(6) 法人が、その有する減価償却資産について、第一節第七款の**七の1**《認定特定高度情報通信技術活用設備を取得した場合の初年度特別償却》による特別償却等に係る償却を実施していない場合においても、当該特別償却等に関する明細書においてその特別償却限度額の計算を行い、同款の**二十三の1**《特別償却不足額がある場合の償却限度額の計算》に掲げる特別償却不足額若しくは同**二十三の2**《合併等特別償却不足額がある場合の償却限度額の計算》に掲げる合併等特別償却不足額として記載しているとき又はこれらの特別償却等に係る同款の**二十四**《準備金方式による特別償却》による特別償却準備金の積立不足額若しくは合併等特別償却準備金積立不足額として処理したときは、当該減価償却資産は、当該特別償却限度額に係る特別償却等の適用を受けたものに該当することに留意する。(措通42の5〜48(共)−2・編者補正)

(適格合併等があった場合の特別償却等の適用)

(7) 1の税額控除は、減価償却資産を事業の用に供した場合に適用があるのであるから、適格合併等(適格合併、適格分割、適格現物出資又は適格現物分配をいう。)による移転に係る減価償却資産について1の適用があるかどうかは、当該減価償却資産を事業の用に供した日の現況において、1に掲げる適用要件(適用対象法人、適用期間、適用対象事業等に関する要件をいう。以下(7)において同じ。)を満たすかどうかにより判定することに留意する。(措通42の5〜48(共)−3・編者補正)

第三章 第二節 第二款 **十六**《認定特定高度情報通信技術活用設備を取得した場合の法人税額の特別控除》

注 例えば、中小企業者等（**六**《中小企業者等が機械等を取得した場合の法人税額の特別控除》の1に掲げる中小企業者等をいう。以下注において同じ。）に該当する被合併法人が減価償却資産を適格合併により中小企業者等に該当しない合併法人に移転する場合の**六**の1の適用については、次の(一)及び(二)のようになる。

(一)	被合併法人が当該減価償却資産を事業の用に供した場合は、他の適用要件を満たせば、被合併法人において**六**の1の適用を受けることができる。
(二)	被合併法人が当該減価償却資産を事業の用に供しないで合併法人が事業の用に供した場合は、被合併法人又は合併法人のいずれの法人においても、**六**の1の適用を受けることができない。

2　特別控除の申告

1《法人税額の特別控除》は、確定申告書等（1の税額控除により控除を受ける金額を増加させる修正申告書又は更正請求書を提出する場合には、当該修正申告書又は更正請求書を含む。）に1の税額控除による控除の対象となる認定特定高度情報通信技術活用設備の取得価額、控除を受ける金額及び当該金額の計算に関する明細を記載した書類特定高度情報通信技術活用システムの開発供給及び導入の促進に関する法律第34条第1項第6号に定める主務大臣の同法第28条の確認をしたことを証する書類の写しの添付がある場合に限り、適用する。この場合において、1の税額控除により控除される金額の計算の基礎となる認定特定高度情報通信技術活用設備の取得価額は、確定申告書等に添付された書類に記載された認定特定高度情報通信技術活用設備の取得価額を限度とする。（措法42の12の6⑤、措規20の10の2②）

注　**十六**の特別控除に係る明細を記載した書類は次のとおり。（編者）
　　別表六(二十五)「認定特定高度情報通信技術活用設備を取得した場合の法人税額の特別控除に関する明細書」

十七　事業適応設備を取得した場合等の法人税額の特別控除

1　情報技術事業適応設備等を取得した場合の法人税額の特別控除

①　情報技術事業適応設備を取得した場合の法人税額の特別控除

　青色申告書を提出する法人で産業競争力強化法<u>第21条の35第1項</u>に規定する認定事業適応事業者（以下③及び2の①を除き、**十七**において「**認定事業適応事業者**」という。）であるものが、産業競争力強化法等の一部を改正する等の法律（令和3年法律第70号）の施行の日（令和3年8月2日）から令和7年3月31日までの期間（以下**十七**において「**指定期間**」という。）内に、産業競争力強化法<u>第21条の23第2項</u>に規定する認定事業適応計画に従って実施される同法<u>第21条の35第1項</u>に規定する情報技術事業適応（以下①及び②において「**情報技術事業適応**」という。）の用に供するために特定ソフトウエア（（1）に掲げるソフトウエアをいう。以下①において同じ。）の新設若しくは増設をし、又は情報技術事業適応を実施するために利用するソフトウエアのその利用に係る費用（繰延資産となるものに限る。以下**十七**において同じ。）を支出する場合において、当該新設若しくは増設に係る特定ソフトウエア並びに当該特定ソフトウエア若しくはその利用するソフトウエアとともに情報技術事業適応の用に供する機械及び装置並びに器具及び備品（主として産業試験研究〔第二節第二款の**五**の1の表の①《**試験研究費の額**》の（一）のイに掲げる試験研究又は同（一）のロに掲げる試験研究をいう。〕の用に供される耐用年数省令別表第六の上欄に掲げるソフトウエア、機械及び装置並びに器具及び備品（機械及び装置並びに器具及び備品にあっては、同表の中欄に掲げる固定資産に限る。）を除く。以下①において「**情報技術事業適応設備**」という。）でその製作の後事業の用に供されたことのないものを取得し、又は情報技術事業適応設備を製作して、これを国内にある当該法人の事業の用に供したとき（貸付けの用に供した場合を除く。①及び③において同じ。）は、当該情報技術事業適応設備につき第一節第七款の**八**の1《情報技術事業適応設備を取得した場合の初年度特別償却》又は同**八**の3《生産工程効率化等設備を取得した場合の初年度特別償却》の適用を受ける場合を除き、その事業の用に供した日を含む事業年度（解散〔合併による解散を除く。〕の日を含む事業年度及び清算中の各事業年度を除く。以下**十七**において「**供用年度**」という。）の所得に対する調整前法人税額（第二款の**五**の1の表の②《**調整前法人税額**》に掲げる調整前法人税額をいう。以下**十七**において同じ。）からその事業の用に供した当該情報技術事業適応設備の取得価額（情報技術事業適応の用に供するために取得又は製作をする特定ソフトウエア並びに当該特定ソフトウエア又は情報技術事業適応を実施するために利用してその利用に係る費用を支出するソフトウエアとともに情報技術事業適応の用に供する機械及び装置並びに器具及び備品の取得価額並びに情報技術事業適応を実施するために利用するソフトウエアのその利用に係る費用の額の合計額〔以下**十七**において「**対象資産合計額**」という。〕が300億円を超える場合には、300億円に当該情報技術事業適応設備の取得価額が当該対象資産合計額のうちに占める割合を乗じて計算した金額）の$\frac{3}{100}$（情報技術事業適応のうち産業競争力強化法第2条第1項に規定する産業競争力の強化に著しく資するものとして（2）に掲げるものの用に供する情報技術事業適応設備については、$\frac{5}{100}$）に相当する金額の合計額（以下①において「**税額控除限度額**」という。）を控除する。この場合において、当該法人の供用年度における税額控除限度額が、当該法人の当該供用年度の所得に対する調整前法人税額の$\frac{20}{100}$に相当する金額を超えるときは、その控除を受ける金額は、当該$\frac{20}{100}$に相当する金額を限度とする。（措法42の12の7④①、措規20の10の3②）

　　注──線部分は、令和6年度改正により改正された部分で、改正規定は、新たな事業の創出及び産業への投資を促進するための産業競争力強化法等の一部を改正する法律（令和6年法律第45号）の施行の日から適用され、同日前の適用については、「第21条の35第1項」とあるのは「第21条の28」と、「第21条の23第2項」とあるのは「第21条の16第2項」とする。（令6改法附1 XIIIイ）
　　　なお、同法の施行期日を定める政令は、令和6年7月1日現在制定されていない。（編者）

$$\text{税額控除}\atop\text{限度額} = \begin{matrix}\text{情報技術事業}\\\text{適応設備の取}\\\text{得価額}\end{matrix} \times \frac{3}{100}\text{又は}\frac{5}{100} \quad \text{ただし、}\left[\begin{matrix}\text{供用年度の調整前法人税額}\\\text{（申告書別表一の「2」欄の金額）}\end{matrix} \times \frac{20}{100}\right]\text{を限度}$$

　対象資産合計額が300億円を超える場合には、算式の「取得価額」は、300億円に当該情報技術事業適応設備の取得価額が当該対象資産合計額のうちに占める割合を乗じて計算した金額とする。

　　　　（特定ソフトウエアの意義）
（1）　1に掲げるソフトウエアは、電子計算機に対する指令であって一の結果を得ることができるように組み合わされたもの（これに関連するシステム仕様書その他の書類を含むものとし、複写して販売するための原本を除く。）とする。（措令27の12の7①、措規20の10の3①）

(産業競争力の強化に著しく資するものの範囲)

(2) 1の①及び②の産業競争力の強化に著しく資するものは、情報技術事業適応のうち産業競争力強化法第2条第1項に規定する産業競争力の強化に著しく資するものとして経済産業大臣が定める基準に適合するものであることについて主務大臣（同法第147条第1項第7号に定める大臣をいう。）の確認を受けたものとする。(措令27の12の7②)

 注1 ──線部分は、令和6年度改正により改正された部分で、改正規定は、新たな事業の創出及び産業への投資を促進するための産業競争力強化法等の一部を改正する法律（令和6年法律第45号）の施行の日から適用され、同日前の適用については、「第147条第1項第7号」とあるのは、「第147条第1項第6号」とする。(令6改措附1Ⅳ)
  なお、同法の施行期日を定める政令は、令和6年7月1日現在制定されていない。(編者)

 注2 経済産業大臣は、(2)により基準を定めたときは、これを告示する。(措法42の12の7㉓、措令27の12の7⑲)
  なお、(2)により定められた基準は、産業競争力強化法第21条の28に規定する主務大臣の確認を受けようとする同法第21条の16第1項に規定する認定事業適応事業者が行おうとする同法第21条の13第2項第2号に規定する情報技術事業適応が、高度クラウドシステム（事業適応の実施に関する指針〔財務省・経済産業省告示第6号〕第2項第1号ニ③(1)に掲げるデータの利用に係る同ニ②に規定するクラウドシステムをいう。）を活用して行うものであることとする。(令和3年経済産業省告示第165号〔最終改正令和5年第51号〕)

(令和5年4月1日前の申請による情報技術事業適応設備の取扱い)

(3) 令和5年4月1日前に産業競争力強化法第21条の22第1項の認定の申請がされた同法第21条の23第2項に規定する認定事業適応計画（同日以後に同条第1項の規定による変更の認定の申請がされた場合において、その変更の認定があったときは、その変更後のものを除く。）に従って実施される同法第21条の35第1項に規定する情報技術事業適応の用に供する情報技術事業適応設備で同日以後に取得又は製作をされた資産については、①は適用しない。(措法42の12の7⑮Ⅰ)

 注 ──線部分は、令和6年度改正により改正された部分で、改正規定は、新たな事業の創出及び産業への投資を促進するための産業競争力強化法等の一部を改正する法律（令和6年法律第45号）の施行の日以後に適用され、同日前の適用については、「第21条の22第1項」とあるのは「第21条の15第1項」と、「第21条の23第2項」とあるのは「第21条の16第2項」と、「第21条の35第1項」とあるのは「第21条の28」とする。(令6改法附1ⅩⅢイ)
  なお、同法の施行期日を定める政令は、令和6年7月1日現在制定されていない。(編者)

(貸付けの用に供したものに該当しない資産の貸与)

(4) ①に掲げる認定事業適応事業者が、その取得又は製作をした情報技術事業適応設備を自己の下請業者に貸与した場合において、当該情報技術事業適応設備が専ら当該認定事業適応事業者のためにする製品の加工等の用に供されるものであるときは、当該情報技術事業適応設備は当該認定事業適応事業者の営む事業の用に供したものとして取り扱う。(措通42の12の7－2)

(国庫補助金等の圧縮記帳の適用を受ける場合の取得価額)

(5) 1の①の税額控除限度額を計算する場合における情報技術事業適応設備の取得価額は、次に掲げる場合には、それぞれ次に定める金額による。(措通42の5～48（共）－3の2・編者補正)

(一)	法人が取得又は製作若しくは建設（以下「取得等」という。）をした情報技術事業適応設備につき、当該取得等をして事業の用に供した事業年度（以下「供用年度」という。）において第一節第十五款の一《国庫補助金等による圧縮記帳》、同款の二《工事負担金による圧縮記帳》、同款の三《非出資組合の賦課金による圧縮記帳》及び同款の四《保険金等による圧縮記帳》までの規定の適用を受ける場合	第一節第六款の六の3《圧縮記帳資産の取得価額の特例》により同六の1《減価償却資産の取得価額》の取得価額とみなすこととされる金額
(二)	法人が取得等をした情報技術事業適応設備につき、供用年度後の事業年度において第一節第十五款の一、同款の二、同款の三及び同款の四までの適用を受けることが予定されている場合	第一節第六款の六の1《減価償却資産の取得価額》の表に掲げる金額から当該供用年度後の事業年度において同節第十五款の一、同款の二、同款の三及び同款の四までの適用を受けるとしたならば、同節第六款の六の3《圧縮記帳資産の取得価額の特例》に掲げる「損金の額に算入された金額（……金額を加算した金額）」となることが見込まれる金額（以下「損金算入見込額」という。）を控除した金額

注1 (二)の損金算入見込額は、当該供用年度終了の日において、第一節第十五款の**一**の**1**《国庫補助金等で取得した固定資産の圧縮額の損金算入》に掲げる国庫補助金等若しくは同款の**二**の**1**《工事負担金で取得した固定資産の圧縮額の損金算入》の金銭の交付を受け、同款の**三**の**1**《非出資組合が賦課金で取得した固定資産の圧縮額の損金算入》の賦課に基づいて納付され、又は同款の**四**の**1**《保険金等で取得した固定資産の圧縮額の損金算入》に掲げる保険金等の支払を受けることが見込まれる金額（同款の**一**の**7**《特別勘定を設けた場合の国庫補助金等で取得した固定資産の圧縮額の損金算入》の適用を受けることが予定されている場合には、同款の**一**の**1**に掲げる国庫補助金等の交付を受けた金額で返還を要しないことが供用年度終了の日までに確定していないものを含む。）とすることができる。

注2 法人が情報技術事業適応設備の供用年度において税額控除限度額等の計算の基礎となる情報技術事業適応設備の取得価額を(二)に定める金額によることなく第一節第六款の**六**の**1**《減価償却資産の取得価額》の表に掲げる金額に基づき税額控除限度額等を計算して申告をしている場合において、供用年度後の事業年度に第一節第十五款の**一**から同款の**四**までの適用を受けるときは、同節第六款の**六**の**3**の規定により同**六**の**1**の取得価額とみなすこととされる金額に基づき供用年度の税額控除限度額等を修正することに留意する。

　　　　（特別償却の適用を受けたものの意義）
（6）　法人が、その有する減価償却資産について、第一節第七款の**八**の**1**《情報技術事業適応設備を取得した場合の初年度特別償却》による特別償却等に係る償却を実施していない場合においても、当該特別償却等に関する明細書においてその特別償却限度額の計算を行い、同款の**二十三**の**1**《特別償却不足額がある場合の償却限度額の計算》に掲げる特別償却不足額若しくは同**二十三**の**2**《合併等特別償却不足額がある場合の償却限度額の計算》に掲げる合併等特別償却不足額として記載しているとき又はこれらの特別償却等に係る同款の**二十四**《準備金方式による特別償却》による特別償却準備金の積立不足額若しくは合併等特別償却準備金積立不足額として処理したときは、当該減価償却資産は、当該特別償却限度額に係る特別償却等の適用を受けたものに該当することに留意する。（措通42の5～48(共)－2・編者補正）

　　　　（適格合併等があった場合の特別償却等の適用）
（7）　①の税額控除は、減価償却資産を事業の用に供した場合に適用があるのであるから、適格合併等（適格合併、適格分割、適格現物出資又は適格現物分配をいう。）による移転に係る減価償却資産について①の適用があるかどうかは、当該減価償却資産を事業の用に供した日の現況において、①に掲げる適用要件（適用対象法人、適用期間、適用対象事業等に関する要件をいう。以下(7)において同じ。）を満たすかどうかにより判定することに留意する。（措通42の5～48(共)－3・編者補正）

　　注　例えば、中小企業者等（**六**《中小企業者等が機械等を取得した場合の法人税額の特別控除》の**1**に掲げる中小企業者等をいう。以下注において同じ。）に該当する被合併法人が減価償却資産を適格合併により中小企業者等に該当しない合併法人に移転する場合の**六**の**1**の適用については、次の(一)及び(二)のようになる。

(一)	被合併法人が当該減価償却資産を事業の用に供した場合は、他の適用要件を満たせば、被合併法人において**六**の**1**の適用を受けることができる。
(二)	被合併法人が当該減価償却資産を事業の用に供しないで合併法人が事業の用に供した場合は、被合併法人又は合併法人のいずれの法人においても、**六**の**1**の適用を受けることができない。

② 事業適応繰延資産を取得した場合の法人税額の特別控除

　青色申告書を提出する法人で認定事業適応事業者であるものが、指定期間内に、情報技術事業適応を実施するために利用するソフトウエアのその利用に係る費用を支出した場合において、その支出した費用に係る繰延資産（以下②において「事業適応繰延資産」という。）につき第一節第七款の**八**の**2**《事業適応繰延資産を取得した場合の初年度特別償却》の適用を受けないときは、その支出した日を含む事業年度（解散〔合併による解散を除く。〕の日を含む事業年度及び清算中の各事業年度を除く。以下②において「支出年度」という。）の所得に対する調整前法人税額から当該事業適応繰延資産の額（対象資産合計額が300億円を超える場合には、300億円に当該事業適応繰延資産の額が当該対象資産合計額のうちに占める割合を乗じて計算した金額）の$\frac{3}{100}$（情報技術事業適応のうち産業競争力強化法第2条第1項に規定する産業競争力の強化に著しく資するものとして①の(2)に掲げるものを実施するために利用するソフトウエアのその利用に係る費用に係る事業適応繰延資産については、$\frac{5}{100}$）に相当する金額の合計額（以下②において「繰延資産税額控除限度額」という。）を控除する。この場合において、当該法人の支出年度における繰延資産税額控除限度額が、当該法人の当該支出年度の所得に対する調整前法人税額の$\frac{20}{100}$に相当する金額（①により当該支出年度の所得に対する調整前法人税額から控除される金額がある場合には、当該金額を控除した残額）を超えるときは、その控除を受ける金額は、当該$\frac{20}{100}$に相当する金額を限度とする。（措法42の12の7⑤）

第三章　第二節　第二款　**十七**《事業適応設備を取得した場合等の法人税額の特別控除》

$$\text{繰延資産税額}\atop\text{控除限度額} = \text{事業適応繰延}\atop\text{資産の額} \times \frac{3}{100} \text{又は} \frac{5}{100} \text{ただし、} \left[\text{支出年度の調整前法人税額}\atop\text{(申告書別表一の「2」欄の金額)} \times \frac{20}{100}\right] \text{を限度}$$

対象資産合計額が300億円を超える場合には、算式の「事業適応繰延資産の額」は、300億円に当該事業適応繰延資産の額が当該対象資産合計額のうちに占める割合を乗じて計算した金額とする。

また、①により、当該支出年度の調整前法人税額から控除される金額がある場合には、算式の「支出年度の調整前法人税額×$\frac{20}{100}$」から当該金額を控除した金額とする。

　　　　（令和5年4月1日前の申請による情報技術事業適応設備の取扱い）
（1）　令和5年4月1日前に産業競争力強化法<u>第21条の22第1項</u>の認定の申請がされた同法<u>第21条の23第2項</u>に規定する認定事業適応計画（同日以後に同条第1項の規定による変更の認定の申請がされた場合において、その変更の認定があったときは、その変更後のものを除く。）に従って実施される<u>第21条の35第1項</u>に規定する情報技術事業適応を実施するために利用するソフトウエアのその利用に係る費用で同日以後に支出されたものに係る繰延資産については、②は適用しない。（措法42の12の7⑮Ⅱ）
　　　注──線部分は、令和6年度改正により改正された部分で、改正規定は、新たな事業の創出及び産業への投資を促進するための産業競争力強化法等の一部を改正する法律（令和6年法律第45号）の施行の日以後に適用され、同日前の適用については、「第21条の22第1項」とあるのは「第21条の15第1項」と、「第21条の23第2項」とあるのは「第21条の16第2項」と、「第21条の35第1項」とあるのは「第21条の28」とする。（令6改法附1ⅩⅢイ）
　　　なお、同法の施行期日を定める政令は、令和6年7月1日現在制定されていない。（編者）

　　　　（事業適応繰延資産に該当するもの）
（2）　情報技術事業適応を実施するために利用するソフトウエアのその利用に係る費用のうち繰延資産となるものには、①の情報技術事業適応を実施するためにクラウドを通じて利用するソフトウエアの初期費用で第二章第一節の**二**の表の**24**の⑥のロに掲げるもの（資産の取得に要した金額とされるべき費用及び同表の**24**に掲げる前払費用を除き、支出の効果がその支出の日以後1年以上に及ぶものに限る。）が該当する。（措通42の12の7－1）

　　　　（分割払の事業適応繰延資産）
（3）　法人が事業適応繰延資産となる費用を分割して支払うこととしている場合には、たとえその総額が確定しているときであっても、②の繰延資産税額控除限度額は当該費用を支出した日の属する事業年度において支出した金額を基礎として計算することとなり、当該金額に未払金の額を含めることはできないのであるが、分割して支払う期間が短期間（おおむね3年以内）である場合において、当該金額に未払金の額を含めることとしているときは、これを認める。（措通42の12の7－3）

　　　　（特別償却の適用を受けたものの意義）
（4）　法人が、その有する繰延資産について、第一節第七款の**八の2**《事業適応繰延資産を取得した場合の初年度特別償却》による特別償却等に係る償却を実施していない場合においても、当該特別償却等に関する明細書においてその特別償却限度額の計算を行い、同款の**二十三の1**《特別償却不足額がある場合の償却限度額の計算》に掲げる特別償却不足額若しくは同**二十三の2**《合併等特別償却不足額がある場合の償却限度額の計算》に掲げる合併等特別償却不足額として記載しているとき又はこれらの特別償却等に係る同款の**二十四**《準備金方式による特別償却》による特別償却準備金の積立不足額若しくは合併等特別償却準備金積立不足額として処理したときは、当該繰延資産は、当該特別償却限度額に係る特別償却等の適用を受けたものに該当することに留意する。（措通42の5～48（共）－2・編者補正）

③　生産工程効率化等設備を取得した場合の法人税額の特別控除

青色申告書を提出する法人で<u>産業競争力強化法等の一部を改正する等の法律（令和3年法律第70号）の施行の日（令和3年8月2日）から令和8年3月31日までの間にされた産業競争力強化法第21条の22第1項の認定に係る同法第21条の23第1項</u>に規定する認定事業適応事業者（その同条第2項に規定する認定事業適応計画〔同法<u>第21条の20第2項第2号</u>に規定するエネルギー利用環境負荷低減事業適応に関するものに限る。以下**十七**において「認定エネルギー利用環境負荷低減事業適応計画」という。〕当該認定エネルギー利用環境負荷低減事業適応計画に従って行う同法<u>第21条の20第2項第2号</u>に規定するエネルギー利用環境負荷低減事業適応（以下③において「エネルギー利用環境負荷低減事業適応」という。）の

－1659－

第三章　第二節　第二款　**十七**《事業適応設備を取得した場合等の法人税額の特別控除》

ための措置として同法第２条第13項に規定する生産工程効率化等設備〔以下③において「生産工程効率化等設備」という。〕を導入する旨の記載があるものに限る。）であるものが、当該認定の日から同日以後３年を経過する日までの間に、その認定エネルギー利用環境負荷低減事業適応計画に記載された生産工程効率化等設備でその製作若しくは建設の後事業の用に供されたことのないものを取得し、又はその認定エネルギー利用環境負荷低減事業適応計画に記載された生産工程効率化等設備を製作し、若しくは建設して、これを国内にある当該法人の事業の用に供した場合において、当該生産工程効率化等設備につき第一節第七款の**八**の１《情報技術事業適応設備を取得した場合の初年度特別償却》、同**八**の３《生産工程効率化等設備を取得した場合の初年度特別償却》又は①の適用を受けないときは、供用年度の所得に対する調整前法人税額からその事業の用に供した当該生産工程効率化等設備の取得価額（その認定エネルギー利用環境負荷低減事業適応計画に従って行うエネルギー利用環境負荷低減事業適応のための措置として取得又は製作若しくは建設をする生産工程効率化等設備の取得価額の合計額が500億円を超える場合には、500億円にその事業の用に供した生産工程効率化等設備の取得価額が当該合計額のうちに占める割合を乗じて計算した金額。）に次の表の左欄に掲げる生産工程効率化等設備の区分に応じ、それぞれ同表の右欄に定める割合を乗じて計算した金額の合計額（以下③において「生産工程効率化等設備税額控除限度額」という。）を控除する。この場合において、当該法人の供用年度における生産工程効率化等設備税額控除限度額が、当該法人の当該供用年度の所得に対する調整前法人税額の $\frac{20}{100}$ に相当する金額（①及び②により当該供用年度の所得に対する調整前法人税額から控除される金額がある場合には、当該金額を控除した残額）を超えるときは、その控除を受ける金額は、当該 $\frac{20}{100}$ に相当する金額を限度とする。（措法42の12の７⑥、措令27の12の７③）

(一)	**五**の３の(2)《中小企業者の意義》に掲げる中小企業者（同**３**の(7)《適用除外事業者の意義》に掲げる適用除外事業者又は同**３**の(8)《通算適用除外事業者の意義》に掲げる通算適用除外事業者に該当するものを除く。(二)において「中小企業者」という。）が事業の用に供した生産工程効率化等設備のうちエネルギーの利用による環境への負荷の低減に著しく資するものとして経済産業大臣が定める基準に適合するもの		$\frac{14}{100}$
(二)	次に掲げる生産工程効率化等設備		$\frac{10}{100}$
	イ	中小企業者が事業の用に供した生産工程効率化等設備のうち(一)に掲げるもの以外のもの	
	ロ	中小企業者以外の法人が事業の用に供した生産工程効率化等設備のうちエネルギーの利用による環境への負荷の低減に特に著しく資するものとして経済産業大臣が定める基準に適合するもの	
(三)	(一)又は(二)に掲げるもの以外の生産工程効率化等設備		$\frac{5}{100}$

$$\text{生産工程効率化等設備税額控除限度額} = \text{生産工程効率化等設備の取得価額} \times \frac{14}{100}、\frac{10}{100} \text{又は} \frac{5}{100} \text{ただし、} \left[\underset{\text{(申告書別表一の「2」欄の金額)}}{\text{供用年度の調整前法人税額}} \times \frac{20}{100}\right] \text{を限度}$$

認定エネルギー利用環境負荷低減事業適応計画に従って行うエネルギー利用環境負荷低減事業適応のための措置として取得又は製作若しくは建設をする生産工程効率化等設備の取得価額の合計額が500億円を超える場合には、算式の「取得価額」は、500億円にその事業の用に供した生産工程効率化等設備の取得価額が当該合計額のうちに占める割合を乗じて計算した金額とする。

また、①及び②により、当該供用年度の調整前法人税額から控除される金額がある場合には、算式の「供用年度の調整前法人税額× $\frac{20}{100}$ 」から当該金額を控除した金額とする。

注１　――線部分（「第21条の20第２項第２号」に係る部分に限る。）は、令和６年度改正により改正された部分で、改正規定は、新たな事業の創出及び産業への投資を促進するための産業競争力強化法等の一部を改正する法律（令和６年法律第45号）の施行の日以後に適用され、同日前の適用については、「第21条の20第２項第２号」とあるのは「第21条の13第２項第３号」とする。（令６改法附１ⅩⅢイ）

なお、同法の施行期日を定める政令は、令和６年７月１日現在制定されていない。（編者）

注２　――線部分（「第21条の22第１項」、「第21条の23第１項」、及び「第21条の20第２項第２号」に係る部分に限る。）は、令和６年度改正により改正された部分で、令和６年４月１日から新たな事業の創出及び産業への投資を促進するための産業競争力強化法等の一部を改正する法律（令和６年法律第45号）の施行の日の前日までの間においては、「第21条の22第１項」とあるのは「第21条の15第１項」と、「第21条の23第１項」とあるのは「第21条の16第１項」と、「第21条の20第２項第２号」とあるのは「第21条の13第２項第３号」とする。（令６改法附45④）

なお、同法の施行期日を定める政令は、令和６年７月１日現在制定されていない。（編者）

注３　――線部分（注１に係る部分を除く）は、令和６年度改正により改正された部分で、改正規定は、令和６年４月１日以後に取得又は製作若しくは建設をする生産工程効率化等設備について適用し、令和６年３月31日以前に取得又は製作若しくは建設をした生産工程効率化等設備等については、次による。（令６改法附45①、１、令６改措令附１）

第三章　第二節　第二款　**十七**《事業適応設備を取得した場合等の法人税額の特別控除》

> 青色申告書を提出する法人で産業競争力強化法第21条の16第1項に規定する認定事業適応事業者（その同条第2項に規定する認定事業適応計画〔同法第21条の13第2項第3号に規定するエネルギー利用環境負荷低減事業適応に関するものに限る。以下③において「認定エネルギー利用環境負荷低減事業適応計画」という。〕に当該認定エネルギー利用環境負荷低減事業適応計画に従って行う同号に規定するエネルギー利用環境負荷低減事業適応（以下③において「エネルギー利用環境負荷低減事業適応」という。）のための措置として同法第2条第13項に規定する生産工程効率化等設備又は同条第14項に規定する需要開拓商品生産設備〔以下③において「生産工程効率化等設備等」という。〕を導入する旨の記載があるものに限る。）であるものが、産業競争力強化法等の一部を改正する等の法律（令和3年法律第70号）の施行の日（令和3年8月2日）から令和6年3月31日までの間に、その認定エネルギー利用環境負荷低減事業適応計画に記載された生産工程効率化等設備等でその製作若しくは建設の後事業の用に供されたことのないものを取得し、又はその認定エネルギー利用環境負荷低減事業適応計画に記載された生産工程効率化等設備等を製作し、若しくは建設して、これを国内にある当該法人の事業の用に供した場合において、当該生産工程効率化等設備等につき第一節第七款の八の1《情報技術事業適応設備を取得した場合の初年度特別償却》、同八の3《生産工程効率化等設備を取得した場合の初年度特別償却》又は①の適用を受けないときは、供用年度の所得に対する調整前法人税額からその事業の用に供した当該生産工程効率化等設備等の取得価額（その認定エネルギー利用環境負荷低減事業適応計画に従って行うエネルギー利用環境負荷低減事業適応のための措置として取得又は製作若しくは建設をする生産工程効率化等設備等の取得価額の合計額が500億円を超える場合には、500億円にその事業の用に供した生産工程効率化等設備等の取得価額が当該合計額のうちに占める割合を乗じて計算した金額。）の$\frac{5}{100}$（当該生産工程効率化等設備等のうちエネルギーの利用による環境への負荷の低減に著しく資するものとして経済産業大臣が定める基準に適合するもの及び産業競争力強化法第2条第14項に規定する需要開拓商品生産設備については、$\frac{10}{100}$）に相当する金額の合計額（以下③において「生産工程効率化等設備等税額控除限度額」という。）を控除する。この場合において、当該法人の供用年度における生産工程効率化等設備等税額控除限度額が、当該法人の当該供用年度の所得に対する調整前法人税額の$\frac{20}{100}$に相当する金額（①及び②により当該供用年度の所得に対する調整前法人税額から控除される金額がある場合には、当該金額を控除した金額）を超えるときは、その控除を受ける金額は、当該$\frac{20}{100}$に相当する金額を限度とする。（措法42の12の7旧⑥、措令27の12の7旧③）

注4　経済産業大臣は、上表により基準を定めたときは、これを告示する。（措法42の12の7㉓、措令27の12の7⑲）

　　なお、上表の（一）における、生産工程効率化等設備のうちエネルギーの利用による環境への負荷の低減に著しく資するものとして定められた基準は、生産工程効率化等設備について記載された産業競争力強化法第21条の16に規定する認定事業適応計画に記載された事業適応の実施に関する指針（令和3年財務省・経済産業省告示第6号）第1項第2号ハ①のエネルギー利用環境負荷低減事業適応による生産性の向上に関する目標が同号ハ①中「10パーセント」とあるのを「17パーセント」と読み替えた場合における同号ハ①（1）に該当するものであることとする。（令和3年経済産業省告示第170号〔最終改正令和6年第60号〕）

　　また、上表の（二）のロにおける、生産工程効率化等設備のうちエネルギーの利用による環境への負荷の低減に特に著しく資するものとして定められた基準は、生産工程効率化等設備について記載された産業競争力強化法第21条の16第2項に規定する認定事業適応計画に記載された事業適応の実施に関する指針（令和3年財務省・経済産業省告示第6号）第1項第2号ハ①のエネルギー利用環境負荷低減事業適応による生産性の向上に関する目標が同号ハ①中「15パーセント」とあるのを「20パーセント」と読み替えた場合における同号ハ①（1）に該当するものであることとする。（令和6年経済産業省告示第61号）

（令和6年4月1日前の申請による生産工程効率化等設備の取扱い）

（1）　令和6年4月1日前に産業競争力強化法第21条の22第1項の認定の申請がされた認定エネルギー利用環境負荷低減事業適応計画（同日以後に同法第21条の23第1項の規定による変更の認定の申請がされた場合において、その変更の認定があったときは、その変更後のものを除く。）に記載された生産工程効率化等設備で同日以後に取得又は製作若しくは建設をされたものについては、③は適用しない。（措法42の12の7⑮Ⅲ）

　　注　（1）は、令和6年度改正により追加されたもので、改正規定は、令和6年4月1日以後に終了する事業年度から適用される。（令6改法附45③、1）

　　　なお、令和6年4月1日から新たな事業の創出及び産業への投資を促進するための産業競争力強化法等の一部を改正する法律（令和6年法律第45号）の施行の日の前日までの間における（1）の適用については、次による。（令6改法附45④）

　　　なお、同法の施行期日を定める政令は、令和6年7月1日現在制定されていない。（編者）

> 令和6年4月1日前に産業競争力強化法第21条の15第1項の認定の申請がされた認定エネルギー利用環境負荷低減事業適応計画（同日以後に同法第21条の16第1項の規定による変更の認定の申請がされた場合において、その変更の認定があったときは、その変更後のものを除く。）に記載された生産工程効率化等設備で同日以後に取得又は製作若しくは建設をされたものについては、③は適用しない。

（貸付けの用に供したものに該当しない資産の貸与）

（2）　③に掲げる認定エネルギー利用環境負荷低減事業適応事業者が、その取得又は製作若しくは建設（以下(3)において「取得等」という。）をした生産工程効率化等設備（以下(3)において「生産工程効率化等設備」という。）を自己の下請業者に貸与した場合において、当該生産工程効率化等設備が専ら当該認定エネルギー利用環境負荷低減事業適応事業者のためにする製品の加工等の用に供されるものであるときは、当該生産工程効率化等設備は当該認定エネルギー利用環境負荷低減事業適応事業者の営む事業の用に供したものとして取り扱う。（措通42の12の7－2）

(中小企業者であるかどうかの判定の時期)
(3) ③の適用上、法人が**五の3**の(2)《中小企業者の意義》に掲げる中小企業者に該当するかどうかの判定(以下「中小判定」という。)は、次の左欄に掲げる法人の区分に応じそれぞれ次の右欄に定める取扱いによるものとする。(措通42の12の7-4)

(一)	通算法人以外の法人	当該法人の生産工程効率化等設備の取得等をした日及び当該生産工程効率化等設備を事業の用に供した日の現況による。
(二)	通算法人	当該通算法人及び他の通算法人(次のイ又はロの日及び次のハの日のいずれにおいても当該通算法人との間に通算完全支配関係がある法人に限る。)の当該イ及びロの日の現況による。
		イ 当該通算法人が生産工程効率化等設備の取得等をした日
		ロ 当該通算法人が当該生産工程効率化等設備を事業の用に供した日
		ハ 当該通算法人の③の適用を受けようとする事業年度終了の日
		注 通算親法人の事業年度の中途において通算承認の効力を失った通算法人のその効力を失った日の前日に終了する事業年度における中小判定についても、同様とする。

(国庫補助金等の圧縮記帳の適用を受ける場合の取得価額)
(4) **1**の③の生産工程効率化等設備税額控除限度額を計算する場合における生産工程効率化等設備の取得価額は、次に掲げる場合には、それぞれ次に定める金額による。(措通42の5~48(共)-3の2・編者補正)

(一)	法人が取得又は製作若しくは建設(以下「取得等」という。)をした生産工程効率化等設備につき、当該取得等をして事業の用に供した事業年度(以下「供用年度」という。)において第一節第十五款の**一**《国庫補助金等による圧縮記帳》、同款の**二**《工事負担金による圧縮記帳》、同款の**三**《非出資組合の賦課金による圧縮記帳》及び同款の**四**《保険金等による圧縮記帳》までの規定の適用を受ける場合	第一節第六款の**六の3**《圧縮記帳資産の取得価額の特例》により同**六の1**《減価償却資産の取得価額》の取得価額とみなすこととされる金額
(二)	法人が取得等をした生産工程効率化等設備につき、供用年度後の事業年度において第一節第十五款の**一**、同款の**二**、同款の**三**及び同款の**四**までの適用を受けることが予定されている場合	第一節第六款の**六の1**《減価償却資産の取得価額》の表に掲げる金額から当該供用年度後の事業年度において同節第十五款の**一**、同款の**二**、同款の**三**及び同款の**四**までの適用を受けるとしたならば、同節第六款の**六の3**《圧縮記帳資産の取得価額の特例》に掲げる「損金の額に算入された金額(……金額を加算した金額)」となることが見込まれる金額(以下「損金算入見込額」という。)を控除した金額

注1 (二)の損金算入見込額は、当該供用年度終了の日において、第一節第十五款の**一の1**《国庫補助金等で取得した固定資産の圧縮額の損金算入》に掲げる国庫補助金等若しくは同款の**二の1**《工事負担金で取得した固定資産の圧縮額の損金算入》の金銭の交付を受け、同款の**三の1**《非出資組合が賦課金で取得した固定資産の圧縮額の損金算入》の賦課に基づいて納付され、又は同款の**四の1**《保険金等で取得した固定資産の圧縮額の損金算入》に掲げる保険金等の支払を受けることが見込まれる金額(同款の**一の7**《特別勘定を設けた場合の国庫補助金等で取得した固定資産の圧縮額の損金算入》の適用を受けることが予定されている場合には、同款の**一の1**に掲げる国庫補助金等の交付を受けた金額で返還を要しないことが供用年度終了の日までに確定していないものを含む。)とすることができる。

注2 法人が生産工程効率化等設備の供用年度において税額控除限度額等の計算の基礎となる生産工程効率化等設備の取得価額を(二)に定める金額によることなく第一節第六款の**六の1**《減価償却資産の取得価額》の表に掲げる金額に基づき税額控除限度額等を計算して申告をしている場合において、供用年度後の事業年度に第一節第十五款の**一**から同款の**四**までの適用を受けるときは、同節第六款の**六の3**の規定により同**六の1**の取得価額とみなすこととされる金額に基づき供用年度の税額控除限度額等を修正することに留意する。

(特別償却の適用を受けたものの意義)
(5) 法人が、その有する減価償却資産について、第一節第七款の**八の3**《生産工程効率化等設備を取得した場合の初年度特別償却》による特別償却等に係る償却を実施していない場合においても、当該特別償却等に関する明細書においてその特別償却限度額の計算を行い、同款の**二十三の1**《特別償却不足額がある場合の償却限度額の計算》に掲げ

る特別償却不足額若しくは同**二十三の2**《合併等特別償却不足額がある場合の償却限度額の計算》に掲げる合併等特別償却不足額として記載しているとき又はこれらの特別償却等に係る同款の**二十四**《準備金方式による特別償却》による特別償却準備金の積立不足額若しくは合併等特別償却準備金積立不足額として処理したときは、当該減価償却資産は、当該特別償却限度額に係る特別償却等の適用を受けたものに該当することに留意する。(措通42の5〜48(共)－2・編者補正)

(適格合併等があった場合の特別償却等の適用)
(6)　③の税額控除は、減価償却資産を事業の用に供した場合に適用があるのであるから、適格合併等(適格合併、適格分割、適格現物出資又は適格現物分配をいう。)による移転に係る減価償却資産について③の適用があるかどうかは、当該減価償却資産を事業の用に供した日の現況において、3に掲げる適用要件(適用対象法人、適用期間、適用対象事業等に関する要件をいう。以下(6)において同じ。)を満たすかどうかにより判定することに留意する。(措通42の5〜48(共)－3・編者補正)

注　例えば、中小企業者等(**六**《中小企業者等が機械等を取得した場合の法人税額の特別控除》の1に掲げる中小企業者等をいう。以下注において同じ。)に該当する被合併法人が減価償却資産を適格合併により中小企業者等に該当しない合併法人に移転する場合の**六**の1の適用については、次の(一)及び(二)のようになる。

(一)	被合併法人が当該減価償却資産を事業の用に供した場合は、他の適用要件を満たせば、被合併法人において**六**の1の適用を受けることができる。
(二)	被合併法人が当該減価償却資産を事業の用に供しないで合併法人が事業の用に供した場合は、被合併法人又は合併法人のいずれの法人においても、**六**の1の適用を受けることができない。

④　**特別控除の申告**
　①から③の税額控除は、確定申告書等(これらの税額控除により控除を受ける金額を増加させる修正申告書又は更正請求書を提出する場合には、当該修正申告書又は更正請求書を含む。)にこれらの税額控除による控除の対象となる①に掲げる情報技術事業適応設備の取得価額、②に掲げる事業適応繰延資産の額又は<u>生産工程効率化等設備の取得価額</u>、控除を受ける金額及び当該金額の計算に関する明細を記載した書類その他次の表の左欄に掲げる区分に応じ、それぞれ右欄に掲げる書類の添付がある場合に限り、適用する。この場合において、①から③の税額控除により控除される金額の計算の基礎となる①に掲げる情報技術事業適応設備の取得価額、②に掲げる事業適応繰延資産の額又は<u>生産工程効率化等設備の取得価額</u>は、確定申告書等に添付された書類に記載された①に掲げる情報技術事業適応設備の取得価額、②に掲げる事業適応繰延資産の額又は<u>生産工程効率化等設備の取得価額</u>を限度とする。(措法42の12の7⑯、措規20の10の3③)

(一)	①又は②の適用を受ける場合	その適用に係る①に掲げる情報技術事業適応設備又は②に掲げる事業適応繰延資産が記載された産業競争力強化法施行規則第11条の2第1項に規定する認定申請書(当該認定申請書に係る産業競争力強化法第21条の15第1項に規定する事業適応計画につき同法第21条の16第1項の規定による変更の認定があったときは、当該変更の認定に係る同令第11条の4第1項に規定する変更認定申請書を含む。以下(一)及び(二)において「認定申請書等」という。)の写し及び当該認定申請書等に係る同令第11条の3第1項の認定書(当該変更の認定があったときは、当該変更の認定に係る同令第11条の4第4項の変更の認定書を含む。(二)において「認定書等」という。)の写し並びに当該認定申請書等に係る産業競争力強化法第21条の16第2項に規定する認定事業適応計画に従って実施される同法第21条の13第2項第2号に規定する情報技術事業適応に係る同令第11条の19第3項の確認書の写し
(二)	③の適用を受ける場合	その適用に係る③に掲げる<u>生産工程効率化等設備</u>が記載された認定申請書等の写し及び当該認定申請書等に係る認定書等の写し

注1　──線部分は、令和6年度改正により改正された部分で、改正規定は、令和6年4月1日から適用され、令和6年3月31日以前の適用については、「生産工程効率化等設備」とあるのは「生産工程効率化等設備等」とする。(令6改法附1、令6改措規附1)
注2　**十七**の特別控除に係る明細を記載した書類は、次のとおり。(編者)
　　別表六(二十六)「情報技術事業適応設備を取得した場合、事業適応繰延資産となる費用を支出した場合又は生産工程効率化等設備等を取得した場合の法人税額の特別控除に関する明細書」

2　産業競争力基盤強化商品を取得した場合の法人税額の特別控除　(創設)

注　2は令和6年度改正により追加されたもので、改正規定は、新たな事業の創出及び産業への投資を促進するための産業競争力強化法等の一部を改正する法律(令和6年法律第45号)の施行の日以後に取得又は製作若しくは建設をする①《半導体生産用資産を取得した場合の法人税額の

特別控除》に掲げる半導体生産用資産及び③《特定産業競争力基盤強化商品を取得した場合の法人税額の特別控除》に掲げる特定商品生産用資産について適用される。(令6改附法45②、1 XIIIイ、令6改附令1 IV)

なお、同法の施行期日を定める政令は、令和6年7月1日現在制定されていない。(編者)

① 半導体生産用資産を取得した場合の法人税額の特別控除

青色申告書を提出する法人で新たな事業の創出及び産業への投資を促進するための産業競争力強化法等の一部を改正する法律(令和6年法律第45号)の施行の日から令和9年3月31日までの間にされた産業競争力強化法第21条の22第1項の認定に係る同法第21条の35第2項に規定する認定事業適応事業者(③《特定産業競争力基盤強化商品を取得した場合の法人税額の特別控除》において「**認定産業競争力基盤強化商品生産販売事業者**」という。)であるものが、その認定エネルギー利用環境負荷低減事業適応計画に記載された同法第2条第14項に規定する産業競争力基盤強化商品(③において「**産業競争力基盤強化商品**」という。)のうち同条第14項の半導体(以下①及び③において「**半導体**」という。)の生産をするための設備の新設又は増設をする場合において、当該新設若しくは増設に係る機械その他の減価償却資産(以下①及び⑥の(1)《供用中年度の特別控除の申告》において「**半導体生産用資産**」という。)でその製作若しくは建設の後事業の用に供されたことのないものを取得し、又は半導体生産用資産を製作し、若しくは建設して、これを国内にある当該法人の事業の用に供したときは、当該半導体生産用資産につき第一節第七款の八の1《情報技術事業適応設備を取得した場合の初年度特別償却》又は同八の3《生産工程効率化等設備を取得した場合の初年度特別償却》、1の①《情報技術事業適応設備を取得した場合の法人税額の特別控除》又は同1の③《生産工程効率化等設備を取得した場合の法人税額の特別控除》の適用を受ける場合を除き、その事業の用に供した日(以下①において「**供用日**」という。)から当該認定の日以後10年を経過する日まで(同日までに同法第21条の23第2項又は第3項の規定により当該認定を取り消されたときは、その取り消された日の前日まで)の期間(以下①において「**対象期間**」という。)内の日を含む各事業年度(解散〔合併による解散を除く。〕の日を含む事業年度及び清算中の各事業年度を除く。以下①において「**供用中年度**」という。)の所得に対する調整前法人税額から、当該半導体生産用資産により生産された半導体が次の表の左欄に掲げる半導体のいずれに該当するかに応じ、それぞれ同表の右欄に定める金額と、その事業の用に供した当該半導体生産用資産及びこれとともに当該半導体を生産するために直接又は間接に使用する減価償却資産に対して投資した金額の合計額として財務省令で定める金額に相当する金額(当該半導体生産用資産について既に①により当該供用中年度前の各事業年度の所得に対する調整前法人税額から控除された金額その他(1)に掲げる金額がある場合には、これらの金額を控除した残額)とのうちいずれか少ない金額の合計額(以下①及び②の(1)《繰越税額控除限度超過額の意義》において「**半導体税額控除限度額**」という。)を控除する。この場合において、当該法人の当該供用中年度における半導体税額控除限度額が、当該法人の当該供用中年度の所得に対する調整前法人税額の $\frac{20}{100}$ に相当する金額(1の①、同1の②《事業適応繰延資産を取得した場合の法人税額の特別控除》及び同1の③により当該供用中年度の所得に対する調整前法人税額から控除される金額がある場合には、当該金額を控除した残額)を超えるときは、その控除を受ける金額は、当該 $\frac{20}{100}$ に相当する金額を限度とする。(措法42の12の7⑦)

(一)	演算を行う半導体(以下(一)において「演算半導体」という。)	1万6,000円(トランジスター上に配置される導線の中心の間隔が最も短い箇所において130ナノメートルを超える演算半導体にあっては、1万6,000円に当該演算半導体の標準的な価額の基準演算半導体〔トランジスター上に配置される導線の中心の間隔が最も短い箇所において130ナノメートル以下の演算半導体をいう。〕の標準的な価額に対する割合として(2)に掲げる割合を乗じて計算した金額)に、当該半導体生産用資産により生産された演算半導体のうち当該供用中年度(当該供用中年度が対象期間の末日を含む事業年度である場合には、当該末日以前の期間に限る。)において販売されたものの直径200ミリメートルのウエハーで換算した枚数を次の表の左欄に掲げるその販売された日の属する期間ごとに区分した枚数として財務省令で定めるところにより証明がされた数にそれぞれ右欄に定める割合を乗じて計算した数の合計を乗じて計算した金額	
		イ 供用日から供用日以後7年を経過する日までの期間	$\frac{100}{100}$
		ロ 供用日以後7年を経過する日の翌日から供用日以後8年を経過する日までの期間	$\frac{75}{100}$
		ハ 供用日以後8年を経過する日の翌日から供用日以後9年を経過する日までの期間	$\frac{50}{100}$
		ニ 供用日以後9年を経過する日の翌日以後の期間	$\frac{25}{100}$
(二)	(一)に掲げる半導体以外の半導体(以下	4,000円(電流若しくは電圧若しくは光に関連する物理現象を電気的信号に変換し又は電気的信号を電流若しくは電圧若しくは光に関連する物理現象に変換することができるといった固有の機能を果たすその他半導体〔以下(二)において「パワー半導体等」という。〕にあっては、4,000円に当	

第三章　第二節　第二款　**十七**《事業適応設備を取得した場合等の法人税額の特別控除》

(二)において「その他半導体」という。）	該パワー半導体等の標準的な価額の基準半導体〔パワー半導体等以外のその他半導体をいう。〕の標準的な価額に対する割合として(3)に掲げる割合を乗じて計算した金額）に、当該半導体生産用資産により生産されたその他半導体のうち当該供用中年度（当該供用中年度が対象期間の末日を含む事業年度である場合には、当該末日以前の期間に限る。）において販売されたものの直径200ミリメートルのウエハーで換算した枚数を(一)のイからニまでに掲げるその販売された日の属する期間ごとに区分した枚数として財務省令で定めるところにより証明がされた数にそれぞれ同(一)のイからニまでに定める割合を乗じて計算した数の合計を乗じて計算した金額

注　上記に掲げる財務省令は、令和6年7月1日現在制定されていない。（編者）

（半導体生産用資産等の金額から控除する金額）

(1)　①に掲げる事業の用に供した当該半導体生産用資産及びこれとともに当該半導体を生産するために直接又は間接に使用する減価償却資産に対して投資した金額の合計額から控除する金額は、次に掲げる金額の合計額とする。（措令27の12の7⑥）

(一)	当該半導体生産用資産に係る供用中年度前の各事業年度における半導体税額控除限度額のうち、①による控除をしてもなお控除しきれない金額の合計額
(二)	適格合併、適格分割又は適格現物出資（以下**十七**において「**適格合併等**」という。）により移転を受けた当該半導体生産用資産について①により当該適格合併等に係る被合併法人、分割法人又は現物出資法人（以下**十七**において「**被合併法人等**」という。）の過去事業年度（適格合併等の日〔適格合併にあっては、当該適格合併の日の前日〕を含む事業年度以前の各事業年度をいう。以下(二)及び③の(1)《特定産業競争力基盤強化商品等の金額から控除する金額》の表の(二)において同じ。）の所得に対する調整前法人税額（**五の1**《試験研究を行った場合の法人税額の特別控除》の表の②に掲げる調整前法人税額をいう。③の(1)の表の(二)において同じ。）から控除された金額（当該半導体生産用資産に係る当該被合併法人等の過去事業年度における半導体税額控除限度額のうち、①による控除をしてもなお控除しきれない金額の合計額を含む。）

（演算半導体の標準的な価額の基準演算半導体の標準的な価額に対する割合）

(2)　①の表の(一)に掲げる130ナノメートルを超える演算半導体の標準的な価額の基準演算半導体の標準的な価額に対する割合は、次の表の左欄に掲げる特定演算半導体（トランジスター上に配置される導線の中心の間隔が最も短い箇所において130ナノメートルを超える同表の(一)に掲げる半導体をいう。以下(2)において同じ。）の区分に応じ、それぞれ同表の右欄に定める割合とする。（措令27の12の7④）

(一)	トランジスター上に配置される導線の中心の間隔が最も短い箇所において165ナノメートル以下の特定演算半導体	$\frac{13}{16}$
(二)	トランジスター上に配置される導線の中心の間隔が最も短い箇所において165ナノメートルを超え210ナノメートル以下の特定演算半導体	$\frac{11}{16}$
(三)	トランジスター上に配置される導線の中心の間隔が最も短い箇所において210ナノメートルを超える特定演算半導体	$\frac{7}{16}$

（パワー半導体等の標準的な価額の基準半導体の標準的な価額に対する割合）

(3)　①の表の(二)に掲げるパワー半導体等の標準的な価額の基準半導体の標準的な価額に対する割合は、次の表の左欄に掲げるパワー半導体等（同表の(二)に掲げるパワー半導体等をいう。以下(3)において同じ。）の区分に応じ、それぞれ同表の右欄に定める割合とする。（措令27の12の7⑤）

(一)	パワー半導体等であって電流若しくは電圧を電気的信号に変換し又は電気的信号を電流若しくは電圧に変換することができるといった固有の機能を果たすもののうち当該パワー半導体等を構成するウエハーが主としてけい素で構成されるもの	$\frac{3}{2}$
(二)	パワー半導体等であって電流若しくは電圧を電気的信号に変換し又は電気的信号を電流若しくは電圧に変換することができるといった固有の機能を果たすもののうち当該パワー半導体等を構成するウエハーが主として炭化けい素又は窒化ガリウムで構成されるもの	$\frac{29}{4}$

| (三) | パワー半導体等であって光に関連する物理現象を電気的信号に変換し又は電気的信号を光に関連する物理現象に変換することができるといった固有の機能を果たすもの | $\frac{9}{2}$ |

(適格合併等により半導体生産用資産の移転を受けた場合)
（４） 法人が適格合併等により①の適用を受けている半導体生産用資産の移転を受けた場合における①の適用については、当該法人が、①に掲げる設備の新設又は増設をし、かつ、当該半導体生産用資産を取得し、又は製作し、若しくは建設して、これを被合併法人等供用日（当該適格合併等に係る被合併法人等が当該半導体生産用資産をその事業の用に供した日をいう。）に当該法人の事業の用に供したものとみなす。（措令27の12の7⑦）

② **繰越税額控除限度超過額の３年間繰越控除**

　青色申告書を提出する法人が、各事業年度（解散〔合併による解散を除く。〕の日を含む事業年度及び清算中の各事業年度を除く。）において繰越税額控除限度超過額を有する場合には、当該事業年度の所得に対する調整前法人税額から、当該繰越税額控除限度超過額に相当する金額を控除する。この場合において、当該法人の当該事業年度における繰越税額控除限度超過額が当該法人の当該事業年度の所得に対する調整前法人税額の$\frac{20}{100}$に相当する金額（１の①《情報技術事業適応設備を取得した場合の法人税額の特別控除》、同１の②《事業適応繰延資産を取得した場合の法人税額の特別控除》、同１の③《生産工程効率化等設備を取得した場合の法人税額の特別控除》及び①までの規定により当該事業年度の所得に対する調整前法人税額から控除される金額がある場合には、当該金額を控除した残額）を超えるときは、その控除を受ける金額は、当該$\frac{20}{100}$に相当する金額を限度とする。（措法42の12の7⑧）
　注　繰越税額控除限度超過額の控除限度額の計算は、次のようになる。（編者）

$$\begin{aligned}&\text{繰越税額控除}\\&\text{限度超過額の}\\&\text{控除限度額}\end{aligned} = \left\{\begin{aligned}&\text{当期の所得に対する調整前法}\\&\text{人税額}\\&\text{（申告書別表一の「2」欄の金額）}\end{aligned}\right\} \times \frac{20}{100} - \begin{bmatrix}1\text{の①により}\\\text{控除した金額}\end{bmatrix} - \begin{bmatrix}1\text{の②により}\\\text{控除した金額}\end{bmatrix} - \begin{bmatrix}1\text{の③により}\\\text{控除した金額}\end{bmatrix} - \begin{bmatrix}2\text{の①により}\\\text{控除した金額}\end{bmatrix}$$

と

$$\begin{bmatrix}\text{繰越税額控除}\\\text{限度超過額}\end{bmatrix}$$ とのいずれか少ない金額

(繰越税額控除限度超過額の意義)
　②に掲げる繰越税額控除限度超過額とは、当該法人の当該事業年度開始の日前３年以内に開始した各事業年度（当該事業年度まで連続して青色申告書の提出をしている場合の各事業年度に限る。）における半導体税額控除限度額のうち、①による控除をしてもなお控除しきれない金額（既に②により当該各事業年度において調整前法人税額から控除された金額がある場合には、当該金額を控除した残額）の合計額をいう。（措法42の12の7⑨）

③ **特定産業競争力基盤強化商品を取得した場合の法人税額の特別控除**

　青色申告書を提出する法人で新たな事業の創出及び産業への投資を促進するための産業競争力強化法等の一部を改正する法律（令和６年法律第45号）の施行の日から令和９年３月31日までの間にされた産業競争力強化法第21条の22第１項の認定に係る認定産業競争力基盤強化商品生産販売事業者であるものが、その認定エネルギー利用環境負荷低減事業適応計画に記載された産業競争力基盤強化商品（半導体を除く。以下③において「**特定産業競争力基盤強化商品**」という。）の生産をするための設備の新設又は増設をする場合において、当該新設若しくは増設に係る機械その他の減価償却資産（以下③及び⑥の(1)《供用中年度の特別控除の申告》において「**特定商品生産用資産**」という。）でその製作若しくは建設の後事業の用に供されたことのないものを取得し、又は特定商品生産用資産を製作し、若しくは建設して、これを国内にある当該法人の事業の用に供したときは、当該特定商品生産用資産につき第一節第七款の八の１《情報技術事業適応設備を取得した場合の初年度特別償却》又は同八の３《生産工程効率化等設備を取得した場合の初年度特別償却》、１の①《情報技術事業適応設備を取得した場合の法人税額の特別控除》、同１の③《生産工程効率化等設備を取得した場合の法人税額の特別控除》又は①《半導体生産用資産を取得した場合の法人税額の特別控除》の適用を受ける場合を除き、その事業の用に供した日（以下③において「**供用日**」という。）から当該認定の日以後10年を経過する日まで（同日までに同法第21条の23第２項又は第３項の規定により当該認定を取り消されたときは、その取り消された日の前日まで）の期間（以下③において「**対象期間**」という。）内の日を含む各事業年度（解散〔合併による解散を除く。〕の日を含む事業年度及び清算中の各事業年度を除く。以下③において「**供用中年度**」という。）の所得に対する調整前法人税額から、当該特定商品生産用資産により生産された特定産業競争力基盤強化商品が次の表の左欄に掲げる商品のいずれに該当するかに応じ、それぞれ同表

第三章　第二節　第二款　**十七**《事業適応設備を取得した場合等の法人税額の特別控除》

の右欄に定める金額と、その事業の用に供した当該特定商品生産用資産及びこれとともに当該特定産業競争力基盤強化商品を生産するために直接又は間接に使用する減価償却資産に対して投資した金額の合計額として財務省令で定める金額に相当する金額（当該特定商品生産用資産について既に③の規定により当該供用中年度前の各事業年度の所得に対する調整前法人税額から控除された金額その他（1）で定める金額がある場合には、これらの金額を控除した残額）とのうちいずれか少ない金額の合計（以下③及び④の（1）において「**特定商品税額控除限度額**」という。）を控除する。この場合において、当該法人の当該供用中年度における特定商品税額控除限度額が、当該法人の当該供用中年度の所得に対する調整前法人税額の$\frac{40}{100}$に相当する金額（1の①、同1の②《事業適応繰延資産を取得した場合の法人税額の特別控除》、同1の③、①及び②《繰越税額控除限度超過額の３年間繰越控除》までにより当該供用中年度の所得に対する調整前法人税額から控除される金額がある場合には、当該金額を控除した残額）を超えるときは、その控除を受ける金額は、当該$\frac{40}{100}$に相当する金額を限度とする。（措法42の12の7⑩）

（一）	産業競争力強化法第２条第14項に規定する自動車（以下（一）において「自動車」という。）	20万円（内燃機関を有しないもの〔道路運送車両法〈昭和26年法律第185号〉第３条に規定する軽自動車を除く。〕にあっては、40万円）に、当該特定商品生産用資産により生産された自動車のうち当該供用中年度（当該供用中年度が対象期間の末日を含む事業年度である場合には、当該末日以前の期間に限る。）において販売されたものの台数を次の表の左欄に掲げるその販売された日の属する期間ごとに区分した台数として財務省令で定めるところにより証明がされた数にそれぞれ同表の右欄に定める割合を乗じて計算した数の合計を乗じて計算した金額	
		イ　供用日から供用日以後７年を経過する日までの期間	$\frac{100}{100}$
		ロ　供用日以後７年を経過する日の翌日から供用日以後８年を経過する日までの期間	$\frac{75}{100}$
		ハ　供用日以後８年を経過する日の翌日から供用日以後９年を経過する日までの期間	$\frac{50}{100}$
		ニ　供用日以後９年を経過する日の翌日以後の期間	$\frac{25}{100}$
（二）	産業競争力強化法第２条第14項の鉄鋼（以下（二）において「鉄鋼」という。）	２万円に、当該特定商品生産用資産により生産された鉄鋼のうち当該供用中年度（当該供用中年度が対象期間の末日を含む事業年度である場合には、当該末日以前の期間に限る。）において販売されたもののトンで表した重量を（一）のイからニまでに掲げるその販売された日の属する期間ごとに区分した数値として財務省令で定めるところにより証明がされた数にそれぞれ同（一）のイからニまでに定める割合を乗じて計算した数の合計を乗じて計算した金額	
（三）	産業競争力強化法第２条第14項に規定する基礎化学品（以下（三）において「基礎化学品」という。）	５万円に、当該特定商品生産用資産により生産された基礎化学品のうち当該供用中年度（当該供用中年度が対象期間の末日を含む事業年度である場合には、当該末日以前の期間に限る。）において販売されたもののトンで表した重量を（一）のイからニまでに掲げるその販売された日の属する期間ごとに区分した数値として財務省令で定めるところにより証明がされた数にそれぞれ同（一）のイからニまでに定める割合を乗じて計算した数の合計を乗じて計算した金額	
（四）	産業競争力強化法第２条第14項の燃料（以下（四）において「燃料」という。）	30円に、当該特定商品生産用資産により生産された燃料のうち当該供用中年度（当該供用中年度が対象期間の末日を含む事業年度である場合には、当該末日以前の期間に限る。）において販売されたもののリットルで表した体積を（一）のイからニまでに掲げるその販売された日の属する期間ごとに区分した数値として財務省令で定めるところにより証明がされた数にそれぞれ同（一）のイからニまでに定める割合を乗じて計算した数の合計を乗じて計算した金額	

注　上記に掲げる財務省令は、令和６年７月１日現在制定されていない。（編者）

（特定産業競争力基盤強化商品等の金額から控除する金額）
（1）③に掲げる事業の用に供した当該特定商品生産用資産及びこれとともに当該特定産業競争力基盤強化商品を生産するために直接又は間接に使用する減価償却資産に対して投資した金額の合計額から控除する金額は、次に掲げる金額の合計額とする。（措令27の12の7⑧）

（一）	当該特定商品生産用資産に係る供用中年度前の各事業年度における特定商品税額控除限度額のうち、③による控除をしてもなお控除しきれない金額の合計額
（二）	適格合併等により移転を受けた当該特定商品生産用資産について③により当該適格合併等に係る被合併法人等の過去事業年度の所得に対する調整前法人税額から控除された金額（当該特定商品生産用資産に係る当該被合併法人等の過去事業年度における③に掲げる特定商品税額控除限度額のうち、③による控除をしてもなお控除しきれない金額の合計額を含む。）

（適格合併等により特定商品生産用資産の移転を受けた場合）
（２） 法人が適格合併等により③の適用を受けている特定商品生産用資産の移転を受けた場合における③の適用については、当該法人が、③に掲げる設備の新設又は増設をし、かつ、当該特定商品生産用資産を取得し、又は製作し、若しくは建設して、これを被合併法人等供用日（当該適格合併等に係る被合併法人等が当該特定商品生産用資産をその事業の用に供した日をいう。）に当該法人の事業の用に供したものとみなす。（措令27の12の7⑨）

（地方法人税法の規定の適用）
（３） ③又は④《繰越税額控除限度超過額の４年間繰越控除》の適用がある場合における地方法人税法の規定の適用については、第六章第二節の**五**《基準法人税額等》の表の①の右欄中「及び同款の**二十**《税額控除の順序》」とあるのは「、同款の**二十**《税額控除の順序》並びに同款の**十七**《事業適応設備を取得した場合等の法人税額の特別控除》の③《特定産業競争力基盤強化商品を取得した場合の法人税額の特別控除》及び④《繰越税額控除限度超過額の４年間繰越控除》」とする。（措法42の12の7㉒）

④ 繰越税額控除限度超過額の４年間繰越控除

青色申告書を提出する法人が、各事業年度（解散〔合併による解散を除く。〕の日を含む事業年度及び清算中の各事業年度を除く。）において繰越税額控除限度超過額を有する場合には、当該事業年度の所得に対する調整前法人税額から、当該繰越税額控除限度超過額に相当する金額を控除する。この場合において、当該法人の当該事業年度における繰越税額控除限度超過額が当該法人の当該事業年度の所得に対する調整前法人税額の$\frac{40}{100}$に相当する金額（１の①《情報技術事業適応設備を取得した場合の法人税額の特別控除》、同１の②《事業適応繰延資産を取得した場合の法人税額の特別控除》、同１の③《生産工程効率化等設備を取得した場合の法人税額の特別控除》、①《半導体生産用資産を取得した場合の法人税額の特別控除》、②《繰越税額控除限度超過額の３年間繰越控除》及び③《特定産業競争力基盤強化商品を取得した場合の法人税額の特別控除》により当該事業年度の所得に対する調整前法人税額から控除される金額がある場合には、当該金額を控除した残額）を超えるときは、その控除を受ける金額は、当該$\frac{40}{100}$に相当する金額を限度とする。（措法42の12の7⑪）

注　繰越税額控除限度超過額の控除限度額の計算は、次のようになる。（編者）

繰越税額控除限度超過額の控除限度額 ＝ （当期の所得に対する調整前法人税額（申告書別表一の「２」欄の金額））× $\frac{40}{100}$ － １の①より控除した金額 － １の②より控除した金額 － １の③より控除した金額 － ２の①より控除した金額 － ２の②より控除した金額 － ２の③より控除した金額

と

［繰越税額控除限度超過額］とのいずれか少ない金額

（繰越税額控除限度超過額の意義）
④に掲げる繰越税額控除限度超過額とは、当該法人の当該事業年度開始の日前４年以内に開始した各事業年度（当該事業年度まで連続して青色申告書の提出をしている場合の各事業年度に限る。）における特定商品税額控除限度額のうち、③による控除をしてもなお控除しきれない金額（既に④により当該各事業年度において調整前法人税額から控除された金額がある場合には、当該金額を控除した残額）の合計額をいう。（措法42の12の7⑫）

⑤ 法人税額の特別控除の不適用

①《半導体生産用資産を取得した場合の法人税額の特別控除》及び③《特定産業競争力基盤強化商品を取得した場合の法人税額の特別控除》の規定は、法人の次に掲げる要件のいずれにも該当しない事業年度（当該事業年度が**十五**の１《給与等の支給額が増加した場合の法人税額の特別控除》の表の①に掲げる設立事業年度〔（２）において「**設立事業年度**」と

第三章　第二節　第二款　**十七**《事業適応設備を取得した場合等の法人税額の特別控除》

いう。〕及び合併等事業年度のいずれにも該当しない場合であって、当該事業年度の所得の金額が当該事業年度の前事業年度の所得の金額以下である場合として（1）に掲げる場合における当該事業年度を除く。）については、適用しない。（措法42の12の7⑱、措令27の12の7⑩⑪）

(一)		当該法人の**十五**の１の表の④に掲げる継続雇用者給与等支給額からその同表の⑤に掲げる継続雇用者比較給与等支給額（以下(一)において「継続雇用者比較給与等支給額」という。）を控除した金額の当該継続雇用者比較給与等支給額に対する割合が$\frac{1}{100}$以上であること。
(二)		イに掲げる金額がロに掲げる金額の$\frac{40}{100}$に相当する金額を超えること。
	イ	当該法人が当該事業年度において取得等（取得又は製作若しくは建設をいい、合併、分割、贈与、交換、現物出資又は第二章第一節の**二**の表の**12の5の2**《現物分配法人》に掲げる現物分配による取得及び代物弁済としての取得を除く。）をした国内資産（国内にある当該法人の事業の用に供する棚卸資産、同表の**21**《有価証券》に掲げる有価証券〔以下**十七**において「**有価証券**」という。〕及び繰延資産以外の資産のうち同表の**23**《減価償却資産》の表に掲げるもの〔時の経過によりその価値の減少しないものを除く。〕をいう。）で当該事業年度終了の日において有するものの取得価額の合計額
	ロ	当該法人がその有する減価償却資産につき当該事業年度においてその償却費として損金経理をした金額（損金経理の方法又は当該事業年度の決算の確定の日までに剰余金の処分により積立金として積み立てる方法により特別償却準備金として積み立てた金額を含み、第一節第六款の**三**の３《繰越償却超過額の処理》により同**三**の１《償却費等の損金算入》に掲げる損金経理額に含むものとされる金額を除く。）の合計額

（対象年度の所得の金額が当該対象年度の前事業年度の所得の金額以下である場合）
（1）　⑤に掲げる当該事業年度の所得の金額が当該事業年度の前事業年度の所得の金額以下である場合は、（一）に掲げる金額が（二）に掲げる金額以下である場合とする。（措令27の12の7⑫）

(一)	⑤の事業年度（以下（1）及び（3）において「**対象年度**」という。）の基準所得等金額（当該対象年度開始の日前１年（当該対象年度が１年に満たない場合には、当該対象年度の期間。（二）において同じ。）以内に終了した各事業年度（最初課税事業年度開始の日前に終了した各事業年度を除く。（二）において「前事業年度」という。）の月数を合計した数が当該対象年度の月数に満たない場合には、当該基準所得等金額を当該対象年度の月数で除し、これに当該合計した数を乗じて計算した金額）
(二)	前事業年度の基準所得等金額（対象年度開始の日から起算して１年前の日を含む前事業年度にあっては、当該前事業年度の基準所得等金額を当該前事業年度の月数で除し、これに当該一年前の日から当該前事業年度終了の日までの期間の月数を乗じて計算した金額）の合計額

注　（1）の月数は、暦に従って計算し、１か月に満たない端数を生じたときは、これを１か月とする。（措令27の12の7⑬）

（基準所得等金額及び最初課税事業年度の意義）
（2）　（1）において、次の左欄に掲げる用語の意義は、それぞれ右欄に掲げるところによる。（措令27の12の7⑭）

(一)	基準所得等金額	各事業年度のイ及びロに掲げる金額の合計額からハに掲げる金額を控除した金額をいう。
	イ	当該事業年度の所得の金額（第一節第三十四款の**一**の１の②《譲渡利益額又は譲渡損失額の最後事業年度の益金又は損金算入》に掲げる最後事業年度にあっては、同②に掲げる資産及び負債の同②に掲げる譲渡がないものとして計算した場合における所得の金額。（一）において同じ。）
	ロ	第一節の第二十一款の**一**の１《前10年以内の繰越欠損金の損金算入》、同款の**三**《会社更生等による債務免除等があった場合の欠損金の損金算入》、同節第三十五款の**一**の１の①《所得事業年度の通算対象欠損金額の損金算入》又は同**一**の４《通算法人の合併等があった場合の欠損金の損金算入》により当該事業年度の所得の金額の計算上損金の額に算入された金額
	ハ	第一節第四款の**六**《中間申告における繰戻し還付に係る災害損失欠損金額の益金算入》、同節第三十五款の**一**の１の②《欠損事業年度の通算対象所得金額の益金算入》又

		は同一の**3**の③の**ロ**の（４）《非特定欠損金額の益金算入》により当該事業年度の所得の金額の計算上益金の額に算入された金額
		（内国法人である公益法人等又は人格のない社団等である場合の取扱い） ⑤に掲げる法人が内国法人である公益法人等又は人格のない社団等に該当する場合には、基準所得等金額は、（２）にかかわらず、当該事業年度の収益事業から生じた所得の金額及びロに掲げる金額の合計額とする。（措令27の12の７⑮）
（二）	最初課税事業年度	⑤の法人が次の表の左欄に掲げる法人に該当する場合におけるそれぞれ同表の右欄に定める日を含む事業年度をいう。

イ	新たに収益事業を開始した内国法人である公益法人等又は人格のない社団等	その開始した日
ロ	公共法人に該当していた収益事業を行う公益法人等	当該公益法人等に該当することとなった日
ハ	公共法人又は収益事業を行っていない公益法人等に該当していた普通法人又は協同組合等	当該普通法人又は協同組合等に該当することとなった日
ニ	普通法人又は協同組合等に該当していた公益法人等	当該公益法人等に該当することとなった日

（対象年度及び前事業年度における継続雇用者に対する給与等の支給額が零である場合の要件の判定）
（３）⑤の法人の対象年度に係る⑤の表の（一）に掲げる継続雇用者給与等支給額及び同（一）に掲げる継続雇用者比較給与等支給額が零である場合には、⑤の（一）に掲げる要件に該当するものとする。（措法42の12の７㉓、措令27の12の７⑯）

（合併等事業年度の意義）
（４）⑤に掲げる合併等事業年度とは、⑤の法人が、合併、分割若しくは現物出資（分割又は現物出資にあっては、事業を移転するものに限る。以下（４）において「合併等」という。）に係る合併法人、分割法人若しくは分割承継法人若しくは現物出資法人若しくは被現物出資法人であり、事業の譲渡若しくは譲受け（以下（４）において「譲渡等」という。）に係る当該事業の移転をした法人若しくは当該事業の譲受けをした法人であり、又は特別の法律に基づく承継に係る被承継法人若しくは承継法人である場合その他次の表の左欄に掲げる場合における当該合併等の日、当該譲渡等の日又は当該承継の日を含む事業年度その他次の表の左欄に掲げる事実の区分に応じそれぞれ右欄に掲げる日を含む事業年度（当該法人の設立事業年度を除く。）をいう。（措法42の12の７⑲、措令27の12の７⑰）

（一）	第一節第三十五款の**二**の**1**《通算承認》に掲げる親法人である当該法人について同**1**による承認の効力が生じたこと	その承認の効力が生じた日
（二）	当該法人が通算親法人との間に通算完全支配関係を有することとなったこと	その有することとなった日
（三）	当該法人が通算親法人（当該法人が通算親法人である場合には、他の通算法人の全て）との間に通算完全支配関係を有しなくなったこと	その有しなくなった日

（初年度離脱通算子法人に該当する場合）
（５）（４）の法人が第一節第九款の**一**の**4**《通算法人である場合の不適用》に掲げる初年度離脱通算子法人に該当する場合における（４）の適用については、当該法人に生じた同（４）の（二）及び（三）に掲げる事実は、（二）及び（三）に掲げる事実に該当しないものとする。（措令27の12の７⑱）

第三章　第二節　第二款　**十七**《事業適応設備を取得した場合等の法人税額の特別控除》

⑥　**特別控除の申告**

（１）　供用中年度の特別控除の申告

　①《半導体生産用資産を取得した場合の法人税額の特別控除》及び③《特定産業競争力基盤強化商品を取得した場合の法人税額の特別控除》の税額控除は、確定申告書等（これらの税額控除により控除を受ける金額を増加させる修正申告書又は更正請求書を提出する場合には、当該修正申告書又は更正請求書を含む。）にこれらの税額控除による控除の対象となる半導体生産用資産又は特定商品生産用資産に係る①の（一）及び（二）又は③の（一）から（四）に掲げる財務省令で定めるところにより証明がされた数、控除を受ける金額及び当該金額の計算に関する明細を記載した書類（⑤《法人税額の特別控除の不適用》の（一）又は（二）に掲げる要件のいずれかに該当することにより⑤の適用がない場合には、同⑤の（一）又は（二）に掲げる要件のいずれかに該当することを明らかにする書類を含む。）の添付がある場合に限り、適用する。（措法42の12の7⑰）

　　注１　上記に掲げる財務省令は、令和６年７月１日現在制定されていない。（編者）
　　注２　**2**の特別控除に係る明細を記載した書類は、次のとおり。（編者）
　　　　別表六（二十七）「産業競争力基盤強化商品生産用資産を取得した場合の法人税額の特別控除に関する明細書」

（２）　繰越税額控除限度超過額がある場合の特別控除の申告

　②《繰越税額控除限度超過額の３年間繰越控除》及び④《繰越税額控除限度超過額の４年間繰越控除》の税額控除は、①《半導体生産用資産を取得した場合の法人税額の特別控除》又は③《特定産業競争力基盤強化商品を取得した場合の法人税額の特別控除》の適用を受けた事業年度以後の各事業年度の確定申告書に②又は④に掲げる繰越税額控除限度超過額の明細書の添付がある場合で、かつ、②及び④の税額控除の適用を受けようとする事業年度の確定申告書等（これらの税額控除により控除を受ける金額を増加させる修正申告書又は更正請求書を提出する場合には、当該修正申告書又は更正請求書を含む。）に②及び④による控除の対象となる②及び④に掲げる繰越税額控除限度超過額、控除を受ける金額及び当該金額の計算に関する明細を記載した書類の添付がある場合に限り、適用する。（措法42の12の7⑳）

十八　法人税額の特別控除等に関する複数の規定の不適用

　法人の有する減価償却資産が当該事業年度において次の①から④までに掲げる規定のうち二以上の規定の適用を受けることができるものである場合には、当該減価償却資産については、これらの規定のうちいずれか一の規定のみを適用する。
（措法53①⑤、措令32①）

①	**六**《中小企業者等が機械等を取得した場合の法人税額の特別控除》 **七**《沖縄の特定地域において工業用機械等を取得した場合の法人税額の特別控除》 **八**《国家戦略特別区域において機械等を取得した場合の法人税額の特別控除》 **九**《国際戦略総合特別区域において機械等を取得した場合の法人税額の特別控除》 **十**《地域経済牽引事業の促進区域内において特定事業用機械等を取得した場合の法人税額の特別控除》 **十一**《地方活力向上地域等において特定建物等を取得した場合の法人税額の特別控除》 **十四**《中小企業者等が特定経営力向上設備等を取得した場合の法人税額の特別控除》 **十六**《認定特定高度情報通信技術活用設備を取得した場合の法人税額の特別控除》 **十七**《事業適応設備を取得した場合等の法人税額の特別控除》
②	第一節第七款の**一**《中小企業者等が機械等を取得した場合の特別償却》 同款の**二**《国家戦略特別区域において機械等を取得した場合の特別償却》 同款の**三**《国際戦略総合特別区域において機械等を取得した場合の特別償却》 同款の**四**《地域経済牽引事業の促進区域内において特定事業用機械等を取得した場合の特別償却》 同款の**五**《地方活力向上地域等において特定建物等を取得した場合の特別償却》 同款の**六**《中小企業者等が特定経営力向上設備等を取得した場合の特別償却》 同款の**七**《認定特定高度情報通信技術活用設備を取得した場合の特別償却》 同款の**八**《事業適応設備を取得した場合等の特別償却》 同款の**九**《特定船舶の特別償却》 同款の**十**《被災代替資産等の特別償却》 同款の**十一**《関西文化学術研究都市の文化学術研究地区における文化学術研究施設の特別償却》 同款の**十二**《特定事業継続力強化設備等の特別償却》 同款の**十三**《共同利用施設の特別償却》 同款の**十四**《環境負荷低減事業活動用資産等の特別償却》 同款の**十五**《生産方式革新事業活動用資産等の特別償却》 同款の**十六**《特定地域における工業用機械等の特別償却》 同款の**十七**《医療用機器等の特別償却》 同款の**十八**《輸出事業用資産の割増償却》 同款の**十九**《特定都市再生建築物の割増償却》 同款の**二十**《倉庫用建物等の割増償却》
③	②に掲げる規定に係る同款の**二十四**《準備金方式による特別償却》の規定
④	①から③までに掲げるもののほか、減価償却資産に関する特例を定めている規定として次のイからホまでに掲げる規定

④	イ	所得税法等の一部を改正する法律（平成31年法律第6号）附則第52条第5項の規定によりなおその効力を有するものとされる同法第11条の規定による改正前の租税特別措置法第47条の2《特定都市再生建築物等の割増償却》の規定
	ロ	所得税法等の一部を改正する法律（令和2年法律第8号）附則第86条第4項の規定によりなおその効力を有するものとされる同法第15条の規定による改正前の租税特別措置法第47条《企業主導型保育施設用資産の割増償却》の規定
	ハ	所得税法等の一部を改正する法律（令和3年法律第11号）附則第50条第8項の規定によりなおその効力を有するものとされる同法第7条の規定による改正前の租税特別措置法第45条の規定
	ニ	所得税法等の一部を改正する法律（令和5年法律第3号）附則第42条第2項の規定によりなおその効力を有するものとされる同法第10条の規定による改正前の租税特別措置法第43条の2《港湾隣接地域における技術適合施設の特別償却》の規定

第三章　第二節　第二款　**十八**《法人税額の特別控除等に関する複数の規定の不適用》

ホ	イからニまでに掲げる規定に係る同款の**二十四**《準備金方式による特別償却》の規定

注1　――線部分（上表の②の**十五**に係る部分に限る。）は、令和6年度改正により追加された部分で、改正規定は、農業の生産性の向上のためのスマート農業技術の活用の促進に関する法律（令和6年法律第63号）の施行の日から適用される。（令6改法附1 XIV）
　　　なお、同法の施行期日を定める政令は、令和6年7月1日現在制定されていない。（編者）

注2　令和6年度改正により、上表の②から次のものが除かれているが、令和6年3月31日以前の適用については、なおその適用がある。（令6改法附1）

同款の**二十一**《事業再編計画の認定を受けた場合の事業再編促進機械等の割増償却》

注3　――線部分（上表の④のハに係る部分に限る。）は、令和6年度改正により改正された部分で、改正規定は、令和6年4月1日から適用され、令和6年3月31日以前の適用については、「附則第50条第8項」とあるのは「附則第50条第5項又は第8項」とする。（令6改措令附1）

注4　令和6年度改正により、上表の④から次のものが除かれているが、令和6年3月31日以前の適用については、なおその適用がある。（令6改措令附1）

旧イ	所得税法等の一部を改正する法律（平成28年法律第15号）附則第92条第10項の規定によりなおその効力を有するものとされる同法第10条の規定による改正前の租税特別措置法第48条《倉庫用建物等の割増償却》の規定
旧ロ	所得税法等の一部を改正する等の法律（平成29年法律第4号）附則第67条第7項又は第9項の規定によりなおその効力を有するものとされる同法第12条の規定による改正前の租税特別措置法第47条《サービス付き高齢者向け賃貸住宅の割増償却》又は第47条の2《特定都市再生建築物等の割増償却》の規定

（試験研究費の額がある場合の不適用）
（1）　法人の有する減価償却資産の取得価額又は繰延資産の額のうちに第二節第二款の**五**《試験研究を行った場合の法人税額の特別控除》の**1**の表の①に掲げる試験研究費の額が含まれる場合において、その試験研究費の額につき同**五**の**2**、**3**又は**4**の適用を受けたときは、当該減価償却資産又は繰延資産については、**十八**の表の①から④に掲げる規定は、適用しない。（措法53②）

（その事業年度前の各事業年度に特別償却等の適用を受けていた場合の不適用）
（2）　法人の有する減価償却資産につき当該事業年度前の各事業年度において**十八**の表の①から④に掲げる規定のうちいずれか一の規定の適用を受けた場合には、当該減価償却資産については、当該いずれか一の規定以外の同表の①から④に掲げる規定は、適用しない。（措法53③）
　　注　（2）は、令和6年度改正により追加された部分で、改正規定は、令和6年4月1日から適用される。

（適格合併等により移転を受けた減価償却資産の取扱い）
（3）　法人が適格合併、適格分割、適格現物出資又は適格現物分配により被合併法人、分割法人、現物出資法人又は現物分配法人において**十八**の表の①から④に掲げる規定のうちいずれか一の規定の適用を受けた減価償却資産の移転を受けた場合には、当該減価償却資産については、当該法人が当該事業年度前の各事業年度において当該いずれか一の規定の適用を受けたものとみなして、（2）を適用する。（措法53④）
　　注　（3）は、令和6年度改正により追加された部分で、改正規定は、令和6年4月1日から適用される。

十九　圧縮記帳の適用を受けた資産に対する法人税額の特別控除の不適用

次の①から⑤までに掲げる資産については、**十八**《法人税額の特別控除等に関する複数の規定の不適用》の表の①に掲げる法人税額の特別控除は適用しない。(措法61の3④、64⑦、64の2⑭、65⑫、65の7⑦、65の8⑯、67の4⑫)

①	第一節第十五款の**六**《農用地等を取得した場合の課税の特例》の適用を受けた特定農業用機械等
②	同款の**七**《特定の資産の買換えの場合等の課税の特例》の適用を受けた買換資産
③	同款の**十一の2**《転廃業助成金による圧縮記帳》の適用を受けた資産
④	第一節第十六款の**一**《収用等に伴い代替資産を取得した場合の課税の特例》の適用を受けた資産
⑤	同款の**二**《換地処分等に伴い資産を取得した場合の課税の特例》の適用を受けた資産

二十　税額控除の順序

一から十七までによる法人税の額からの控除については、次の順序により控除するものとする。（法70の2、措法42の4㉒、42の6⑨、42の9⑥、42の10⑥、42の11⑦、42の11の2⑥、42の11の3⑥、42の12⑪、42の12の2③、42の12の4⑨、42の12の5⑩、42の12の6⑥、42の12の7㉑、42の13⑨、措令27の13②）

第1順位	五	《試験研究を行った場合の法人税額の特別控除》
	六	《中小企業者等が機械等を取得した場合の法人税額の特別控除》
	七	《沖縄の特定地域において工業用機械等を取得した場合の法人税額の特別控除》
	八	《国家戦略特別区域において機械等を取得した場合の法人税額の特別控除》
	九	《国際戦略総合特別区域において機械等を取得した場合の法人税額の特別控除》
	十	《地域経済牽引事業の促進区域内において特定事業用機械等を取得した場合の法人税額の特別控除》
	十一	《地方活力向上地域等において特定建物等を取得した場合の法人税額の特別控除》
	十二	《地方活力向上地域等において雇用者の数が増加した場合の法人税額の特別控除》
	十三	《認定地方公共団体の寄附活用事業に関連する寄附をした場合の法人税額の特別控除》
	十四	《中小企業者等が特定経営力向上設備等を取得をした場合の法人税額の特別控除》
	十五	《給与等の支給額が増加した場合の法人税額の特別控除》
	十六	《認定特定高度情報通信技術活用設備を取得した場合の法人税額の特別控除》
	十七	《事業適応設備を取得した場合等の法人税額の特別控除》
	二十一	《法人税の額から控除される特別控除額の特例》
第2順位	三	《分配時調整外国税相当額の控除》
第3順位	四	《仮装経理に基づく過大申告の場合の更正に伴う法人税額の控除》
第4順位	一	《所得税額の控除》
	二	《外国税額の控除》

注1　第1順位の特別控除の原則の控除限度額（当該事業年度の調整前法人税額の5％、10％、15％、20％又は25％相当額）は、次に掲げる区分ごとにそれぞれ別枠で計算することとされていることに留意する。（編者）

特　別　控　除　の　区　分	控　除　限　度　額
五《試験研究を行った場合の法人税額の特別控除》（4《産官学連携の共同研究・委託研究に係る法人税額の特別控除》を除く。）	当該事業年度の調整前法人税額の25％相当額
五（4に限る。）	当該事業年度の調整前法人税額の10％相当額
六《中小企業者等が機械等を取得した場合の法人税額の特別控除》	当該事業年度の調整前法人税額の20％相当額
七《沖縄の特定地域において工業用機械等を取得した場合の法人税額の特別控除》	当該事業年度の調整前法人税額の20％相当額
八《国家戦略特別区域において機械等を取得した場合の法人税額の特別控除》	当該事業年度の調整前法人税額の20％相当額
九《国際戦略総合特別区域において機械等を取得した場合の法人税額の特別控除》	当該事業年度の調整前法人税額の20％相当額
十《地域経済牽引事業の促進区域内において特定事業用機械等を取得した場合の法人税額の特別控除》	当該事業年度の調整前法人税額の20％相当額
十一《地方活力向上地域等において特定建物等を取得した場合の法人税額の特別控除》	当該事業年度の調整前法人税額の20％相当額
十二《地方活力向上地域等において雇用者の数が増加した場合の法人税額の特別控除》（2の①《特定業務施設である事業所において雇用者の数が増加した場合の法人税額の特別控除》に限る。）	当該事業年度の調整前法人税額の20％相当額
十二（2の②《特定業務施設である事業所において雇用者の数が増加した場合の法人税額の特別控除の特例》に限る。）	当該事業年度の調整前法人税額の20％相当額 （**十一**又は**十二**の2の①により控除される金額がある場合は、これらを控除した残額）
十三《認定地方公共団体の寄附活用事業に関連する寄附をした場合の法人税額の特別控除》	当該事業年度の調整前法人税額の5％相当額
十四《中小企業者等が特定経営力向上設備等を取得した場合の法人税額の特別控除》	当該事業年度の調整前法人税額の20％相当額 （**六**の**1**又は**十九**により控除される金額がある場合は、これらを控除した残額）
十五《給与等の支給額が増加した場合の法人税額の特別控除》	当該事業年度の調整前法人税額の20％相当額

十六《認定特定高度情報通信活用設備を取得した場合の法人税額の特別控除》	当該事業年度の調整前法人税額の20％相当額
十七《事業適応設備を取得した場合等の法人税額の特別控除》	当該事業年度の調整前法人税額の20％相当額

注2 **六**の特別控除は、同枠内で当期取得分、繰越分及び**十四**の特別控除の当期取得分の控除が認められているので、同一事業年度において、それぞれの税額控除が発生することが考えられるが、その場合に、当該事業年度の法人税額の20％相当額は、次の順序で充当されることになる。（編者）
  1　特定機械装置等を取得した場合の法人税額の特別控除の当期発生税額控除限度額
  2　特定経営力向上設備等を取得した場合の法人税額の特別控除の当期発生税額控除限度額
  3　特定機械装置等を取得した場合の法人税額の特別控除の繰越税額控除限度超過額

注3 **七**の特別控除は、同枠内で当期取得分及び繰越分の控除が認められているので、同一事業年度において、それぞれの税額控除が発生することが考えられるが、その場合に、当該事業年度の法人税額の20％相当額は、次の順序で充当されることになる。（編者）
  1　沖縄の特定地域において工業用機械等を取得した場合の法人税額の特別控除の当期発生税額控除限度額
  2　沖縄の特定地域において工業用機械等を取得した場合の法人税額の特別控除の繰越税額控除限度超過額

注4 **十四**の特別控除は、同枠内で当期取得分、繰越分、**六**の1の特別控除の当期取得分、繰越分及び繰越分の控除が認められているので、同一事業年度において、それぞれの税額控除が発生することが考えられるが、その場合に、当該事業年度の法人税額の20％相当額は、次の順序で充当されることになる。（編者）
  1　特定機械装置等を取得した場合の法人税額の特別控除の当期発生税額控除限度額
  2　経営改善設備を取得した場合の法人税額の特別控除の当期発生税額控除限度額
  3　特定経営力向上設備等を取得した場合の法人税額の特別控除の当期発生税額控除限度額
  4　特定機械装置等を取得した場合の法人税額の特別控除の繰越税額控除限度超過額
  5　特定経営力向上設備等を取得した場合の法人税額の特別控除の繰越税額控除限度超過額

注5 **十五**の特別控除は、同枠内で当期分及び繰越分の控除が認められているので、同一事業年度において、それぞれの税額控除が発生することが考えられるが、その場合に、当該事業年度の法人税額の20％相当額は、次の順序で充当されることになる。（編者）
  1　法人税額の特別控除の当期発生税額控除限度額
  2　法人税額の特別控除の繰越税額控除限度超過額

二十一　法人税の額から控除される特別控除額の特例

1　調整前法人税額超過額の税額控除制度の不適用及び繰越控除

　法人が一の事業年度において次の表の左欄に掲げる法人税額の特別控除のうち2以上の適用を受けようとする場合において、その適用を受けようとする**税額控除可能額**（次の表の左欄に掲げる区分に応じ、それぞれ同表の右欄に掲げる金額をいう。以下**二十一**において同じ。）の合計額が当該法人の当該事業年度の所得に対する**調整前法人税額**（五の1《用語の意義》の表の②に掲げる調整前法人税額をいう。以下**二十一**において同じ。）の $\frac{90}{100}$ に相当する金額を超えるときは、同表の左欄に掲げる規定にかかわらず、その越える部分の金額（以下**二十一**において「**調整前法人税額超過額**」という。）は、当該法人の当該事業年度の所得に対する調整前法人税額から控除しない。この場合において、当該調整前法人税額超過額は、同表の右欄に掲げる金額のうち**控除可能期間**が最も長いものから順次成るものとする。（措法42の13①）

①	五の2《試験研究を行った場合の法人税額の特別控除》	五の2に掲げる税額控除限度額のうち同2に掲げる控除をしても控除しきれない金額を控除した金額
②	五の3《中小企業者等の試験研究費に係る法人税額の特別控除》	五の3に掲げる中小企業者等税額控除限度額のうち同3に掲げる控除をしても控除しきれない金額を控除した金額
③	五の4《産官学連携の共同研究・委託研究に係る法人税額の特別控除》	五の4に掲げる特別研究税額控除限度額のうち同4に掲げる控除をしても控除しきれない金額を控除した金額
④	五の5の③《過去適用事業年度等において調整対象金額が当初申告税額控除可能額を超える場合》（同5の④の（3）《通算法人に係る産学官連携の協同研究・委託研究に係る法人税額の特別控除の準用》において準用する場合を含む。）	五の5に掲げる計算した金額に相当する金額のうち同5による控除しても控除しきれない金額を控除した金額
⑤	六の1《中小企業者等が機械等を取得した場合の法人税額の特別控除》、又は同2《繰越税額控除限度超過額の1年間繰越控除》	それぞれ六の1に掲げる税額控除限度額のうち同1による控除をしても控除しきれない金額を控除した金額又は六の2に掲げる繰越税額控除限度超過額のうち同2による控除をしても控除しきれない金額を控除した金額
⑥	七の1《沖縄の特定地域において工業用機械等を取得した場合の法人税額の特別控除》又は七の2《繰越税額控除限度超過額の4年間繰越控除》	それぞれ七の1に掲げる税額控除限度額のうち同1による控除をしても控除しきれない金額を控除した金額又は七の2に掲げる繰越税額控除限度超過額のうち同2による控除をしても控除しきれない金額を控除した金額
⑦	八の1《国家戦略特別区域において機械等を取得した場合の法人税額の特別控除》	八の1に掲げる税額控除限度額のうち同1による控除をしても控除しきれない金額を控除した金額
⑧	九の1《国際戦略総合特別区域において機械等を取得した場合の法人税額の特別控除》	九の1に掲げる税額控除限度額のうち同1による控除をしても控除しきれない金額を控除した金額
⑨	十の1《地域経済牽引事業の促進区域内において特定事業用機械等を取得した場合の法人税額の特別控除》	十の1に掲げる税額控除限度額のうち同1による控除をしても控除しきれない金額を控除した金額
⑩	十一の1《地方活力向上地域等において特定建物等を取得した場合の法人税額の特別控除》	十一の1に掲げる税額控除限度額のうち同1に掲げる控除をしても控除しきれない金額を控除した金額
⑪	十二の2の①《特定業務施設である事業所において雇用者の数が増加した場合の法人税額の特別控除》又は十二の2の②《特定業務施設である事業所において雇用者の数が増加した場合の法人税額の特別控除の特例》	それぞれ十二の2の①に掲げる税額控除限度額のうち同①による控除をしても控除しきれない金額を控除した金額又は十二の2の②に掲げる地方事業所特別税額控除限度額のうち同②による控除をしても控除しきれない金額を控除した金額
⑫	十三の1《認定地方公共団体の寄附活用事業に関連する寄附をした場合の法人税額の特別控	十三の1に掲げる税額控除限度額のうち同1による控除をしても控除しきれない金額を控除した金額

	除》	
⑬	**十四の1**《中小企業者等が特定経営力向上設備等を取得した場合の法人税額の特別控除》又は**十四の2**《繰越税額控除限度超過額の1年間繰越控除》	それぞれ**十四の1**に掲げる税額控除限度額のうち同**1**による控除をしても控除しきれない金額を控除した金額又は**十四の2**に掲げる繰越税額控除限度超過額のうち同**2**による控除をしても控除しきれない金額を控除した金額
⑭	**十五の2**《給与等の支給額が増加した場合の法人税額の特別控除》、**十五の3**《中堅企業等の給与等の引上げを行った場合の法人税額の特別控除》、**十五の4の①**《中小企業者等の給与等の引上げを行った場合等の法人税額の特別控除》又は同**4の②**《繰越税額控除限度超過額の5年間繰越控除》	それぞれ**十五の2**に掲げる税額控除限度額のうち同**2**による控除をしても控除しきれない金額を控除した金額、**十五の3**に掲げる特定税額控除限度額のうち同**3**による控除をしても控除しきれない金額を控除した金額、**十五の4の①**に掲げる中小企業者等税額控除限度額のうち同**①**による控除をしても控除しきれない金額を控除した金額又は**十五の4の②**繰越税額控除限度超過額のうち同**②**による控除をしても控除しきれない金額を控除した金額
⑮	**十六の1**《認定特定高度情報通信技術活用設備を取得した場合の法人税額の特別控除》	**十六の1**に掲げる税額控除限度額のうち同**1**による控除をしても控除しきれない金額を控除した金額
⑯	**十七の1の①**《情報技術事業適応設備を取得した場合の法人税額の特別控除》、**十七の1の②**《事業適応繰延資産を取得した場合の法人税額の特別控除》及び**十七の1の③**《生産工程効率化等設備を取得した場合の法人税額の特別控除》	それぞれ**十七の1**に掲げる税額控除限度額のうち、同**1**による控除をしても控除しきれない金額を控除した金額、**十七の2**に掲げる繰延資産税額控除限度額のうち、同**2**により控除しても控除しきれない金額を控除した金額又は**十七の3**に掲げる生産工程効率化等設備税額控除限度額のうち同**3**により控除しても控除しきれない金額を控除した金額
⑰	**十七の2の①**《半導体生産用資産を取得した場合の法人税額の特別控除》、**十七の2の②**《繰越税額控除限度超過額の3年間繰越控除》、**十七の2の③**《特定産業競争力基盤強化商品を取得した場合の法人税額の特別控除》又は**十七の2の④**《繰越税額控除限度超過額の4年間繰越控除》	それぞれ**十七の2の①**に掲げる半導体税額控除限度額のうち同**①**による控除をしても控除しきれない金額を控除した金額、**十七の2の②**に掲げる繰越税額控除限度超過額のうち同**②**による控除をしても控除しきれない金額を控除した金額、**十七の2の③**に掲げる特定商品税額控除限度額のうち同**③**による控除をしても控除しきれない金額を控除した金額又は**十七の2の④**に掲げる繰越税額控除限度超過額のうち同**④**による控除をしても控除しきれない金額を控除した金額

注1 ────線部分(⑭に係る部分に限る。)は、令和6年度改正により改正された部分で、改正規定は、令和6年4月1日以後に開始する事業年度から適用され、令和6年3月31日以前に開始した事業年度については、上表の⑭は次による。(令6改法附38、1)

旧⑭	**十五の2**《給与等の支給額が増加した場合の法人税額の特別控除》の注2	**十五の2**の注2に掲げる税額控除限度額のうち同**2**の注2による控除をしても控除しきれない金額を控除した金額
旧⑮	**十五の4の①**《中小企業者等の給与等の引上げを行った場合等の法人税額の特別控除》の注	**十五の4の①**の注に掲げる中小企業者等税額控除限度額のうち同**①**の注による控除をしても控除しきれない金額を控除した金額

注2 ────線部分(⑯に係る部分に限る)は、令和6年度改正により改正された部分で、改正規定は、令和6年4月1日以後に開始する事業年度から適用され、令和6年3月31日以前に開始した事業年度については、「生産工程効率化等設備税額控除限度額」とあるのは「生産工程効率化等設備等税額控除限度額」とする。(令6改法附38、1)

注3 上表の⑰は、令和6年度改正により追加された部分で、改正規定は、新たな事業の創出及び産業への投資を促進するための産業競争力強化法等の一部を改正する法律(令和6年法律第45号)の施行の日以後に開始する事業年度について適用される。(令6改法附38、1 XIIIイ)
　なお、同法の施行期日を定める政令は、令和6年7月1日現在制定されていない。(編者)

(控除可能期間の意義)

(1)　**1**に掲げる**控除可能期間**とは、**1**の適用を受けた事業年度終了の日の翌日から、**1**の表の右欄に掲げる金額について**繰越税額控除**(同欄に掲げる金額を同表の左欄による控除をしても控除しきれなかった金額とみなした場合に適用される**六の2**、**七の2**、**十四の2**、**十五の4の②**又は**十七の2の②**若しくは**十七の2の④**の規定その他これらに類する法人税の繰越税額控除に関する規定として政令で定める場合をいう。以下(3)までにおいて同じ。)を適用したならば、各事業年度の所得に対する調整前法人税額から控除することができる最終の事業年度終了の日までの期間をいう。(措法42の13②)

第三章　第二節　第二款　二十一《法人税の額から控除される特別控除額の特例》

注1　──線部分は、令和6年度改正により追加された部分で、改正規定は、令和6年4月1日以後に開始する事業年度から適用される。（令6改法附38、1）

注2　令和6年4月1日から新たな事業の創出及び産業への投資を促進するための産業競争力強化法等の一部を改正する法律（令和6年法律第45号）の施行の日の前日までの間における(1)の適用については、「、**十五の4の②又は十七の2の②若しくは十七の2の④**」とあるのは「又は**十五の4の②**」とする。（令6改法附46①）

なお、同法の施行期日を定める政令は、令和6年7月1日現在制定されていない。（編者）

（超過事業年度後の繰越税額控除の適用）

(2)　1の法人の1の適用を受けた事業年度（以下(2)及び(3)において「**超過事業年度**」という。）後の各事業年度（当該各事業年度まで連続して青色申告書の提出をしている場合の各事業年度に限る。）において、1の表の右欄に掲げる金額のうち1の後段により調整前法人税額超過額を構成することとされた部分に相当する金額は、当該超過事業年度における同表の左欄に掲げる控除をしても控除しきれなかった金額として、**六の2の(1)**、**七の2の(1)**又は**十四の2の(1)**、**十五の1の表の⑬又は十七の2の②の(1)若しくは十七の2の④の(1)**の規定を適用したならばこれらに掲げる繰越税額控除限度超過額に該当するものその他これに類するものとして政令で定める金額に限り、繰越税額控除を適用する。（措法42の13③）

注1　──線部分は、令和6年度改正により追加された部分で、改正規定は、令和6年4月1日以後に開始する事業年度から適用される。（令6改法附38、1）

注2　令和6年4月1日から新たな事業の創出及び産業への投資を促進するための産業競争力強化法等の一部を改正する法律（令和6年法律第45号）の施行の日の前日までの間における(2)の適用については、「**十五の1の表の⑬又は十七の2の②の(1)若しくは十七の2の④の(1)**」とあるのは「又は**十五の1の表の⑬**」とする。（令6改法附46①）

（特別控除の申告）

(3)　(2)《超過事業年度後の繰越税額控除の適用》は、超過事業年度以後の各事業年度の確定申告書に調整前法人税額超過額の明細書の添付がある場合で、かつ、(2)の適用を受けようとする事業年度の確定申告書等（(2)により適用する繰越税額控除に関する規定により控除を受ける金額を増加させる修正申告書又は更正請求書を提出する場合には、当該修正申告書又は更正請求書を含む。）に、(2)により適用する繰越税額控除による控除の対象となる調整前法人税額超過額、控除を受ける金額及び当該金額の計算に関する明細を記載した書類の添付がある場合に限り、適用する。（措法42の13④）

注　1の特別控除に係る明細を記載した書類は、次のとおり。（編者）

別表六(六)「法人税の額から控除される特別控除額に関する明細書」

別表六(六)付表「前期繰越分に係る当期税額控除可能額及び調整前法人税額超過構成額に関する明細書」

（調整前法人税額超過額を構成することとなる部分に相当する金額の判定）

(4)　1の後段により調整前法人税額超過額を構成することとなる部分に相当する金額を判定する場合において、1の表の左欄に掲げるもののうち異なるものによる1に掲げる税額控除可能額で、控除可能期間を同じくするものがあるときは、当該税額控除可能額について1に掲げる法人が選択した順に控除可能期間が長いものとして、1の後段を適用する。（措法42の13⑨、措令27の13①）

（控除可能期間の判定）

(5)　法人が調整前法人税額超過額を有する場合において、1の表の右欄に掲げる金額を構成する(1)《控除可能期間の意義》の繰越税額控除に掲げる繰越税額控除限度超過額の控除可能期間（1に掲げる控除可能期間をいう。）については、当該繰越税額控除限度超過額が生じた事業年度ごとに判定するものとする。（措通42の13－1）

注　繰越税額控除限度超過額とは、1の表の右欄に掲げる繰越税額控除限度超過額をいう。

2　特定税額控除規定の不適用（適用期限の延長等）

法人（**五の3の(2)**《中小企業者の意義》に掲げる中小企業者〔同**3の(7)**《適用除外事業者の意義》に掲げる適用除外事業者又は同**3の(8)**《通算適用除外事業者の意義》に掲げる通算適用除外事業者に該当するものを除く。〕又は同**3の(12)**《農業協同組合等の意義》に掲げる農業協同組合等を除く。2において同じ。）が、平成30年4月1日から令和9年3月31日までの間に開始する各事業年度（以下2において「**対象年度**」という。）において1《調整前法人税額超過額の税額控除制度の不適用及び繰越控除》の表に掲げる①、③、⑨、⑮又は⑯（以下2において「**特定税額控除規定**」という。）の適用を受けようとする場合において、当該対象年度において次の表に掲げる要件のいずれにも該当しないとき（当該対象年度が**十五の1**《用語の意義》の表の①に掲げる設立事業年度〔次表①ロ及び(1)において「**設立事業年度**」という。〕及

—1679—

第三章　第二節　第二款　二十一《法人税の額から控除される特別控除額の特例》

び合併等事業年度のいずれにも該当しない場合であって、当該対象年度の所得の金額が当該対象年度の前事業年度の所得の金額以下である場合として(11)《対象年度の所得の金額が当該対象年度の前事業年度の所得の金額以下である場合》で掲げる場合を除く。)は、当該特定税額控除規定は、適用しない。(措法42の13⑤)

			左欄に掲げる場合の区分に応じそれぞれ右欄に定める要件に該当すること。
①	イ	(イ)及び(ロ)のいずれにも該当する場合	当該法人の**十五の1**《用語の意義》の表の④に掲げる継続雇用者給与等支給額(以下**二十一**において「**継続雇用者給与等支給額**」という。)から同表⑤に掲げる継続雇用者比較給与等支給額(以下**二十一**において「**継続雇用者比較給与等支給額**」という。)を控除した金額の当該継続雇用者比較給与等支給額に対する割合が$\frac{1}{100}$以上であること。
		(イ) 当該対象年度終了の時において、当該法人の資本金の額若しくは出資金の額が10億円以上であり、かつ、当該法人の常時使用する従業員の数が1,000人以上である場合又は<u>当該対象年度終了の時において当該法人の常時使用する従業員の数が2,000人を超える場合</u>	
		(ロ) 当該対象年度が設立事業年度及び合併等事業年度のいずれにも該当しない場合であって(11)《対象年度の所得の金額が当該対象年度の前事業年度の所得の金額以下である場合》の(二)に掲げる金額が零を超える場合又は当該対象年度が設立事業年度若しくは合併等事業年度に該当する場合 (措令27の13③)	
	ロ	イに掲げる場合以外の場合	当該法人の継続雇用者給与等支給額がその継続雇用者比較給与等支給額を超えること。
②		イに掲げる金額がロに掲げる金額の$\frac{30}{100}$(①のイの(イ)及び(ロ)に掲げる場合のいずれにも該当する場合には、$\frac{40}{100}$)に相当する金額を超えること。	
	イ	当該法人が当該対象年度において取得等(取得または制作若しくは建築をいい、合併、分割、贈与、交換、現物出資又第二章第一節の**二**の表の**12の5の2**《現物分配法人》に掲げる現物分配による取得、代物弁済としての取得を除く。)をした国内資産(国内にある当該法人の事業の用に供する機械及び装置その他の資産で棚卸資産、有価証券及び繰延資産以外の資産のうち同表の**23**《減価償却資産》に掲げるもの〔時の経過によりその価値の減少しないものを除く。〕)で当該対象年度終了の日において有するものの取得価額の合計額(措令27の13④⑤)	
	ロ	当該法人がその有する減価償却資産につき当該対象年度においてその償却費として損金経理をした金額(損金経理の方法又は当該対象年度の決算の確定の日までに剰余金の処分により積立金として積み立てる方法により特別償却準備金として積み立てた金額を含み、第一節の第六款の**三**の**3**《繰越償却超過額の処理》により同**三**の**1**《償却費等の損金算入》に掲げる損金経理額に含むものとされる金額を除く。)の合計額	

注 ──線部分(上表に係る部分に限る。)は、令和6年度改正により改正された部分で、改正規定は、令和6年4月1日以後に開始する事業年度から適用され、令和6年3月31日以前に開始した事業年度については、上表は次による。(令6改法附38、1、令6改措令附1)

旧①	イ	(イ)及び(ロ)のいずれにも該当する場合	当該法人の**十五の1**《用語の意義》の表の④に掲げる継続雇用者給与等支給額(以下**二十一**において「**継続雇用者給与等支給額**」という。)から同表⑤に掲げる継続雇用者比較給与等支給額(以下**二十一**において「**継続雇用者比較給与等支給額**」という。)を控除した金額の当該継続雇用者比較給与等支給額に対する割合が$\frac{1}{100}$(当該対象年度が令和4年4月1日から令和5年3月31日までの間に開始する事業年度である場合には、$\frac{0.5}{100}$)以上であること。
		(イ) 当該対象年度終了の時において、当該法人の資本金の額又は出資金の額が10億円以上であり、かつ、当該法人の常時使用する従業員の数が1,000人以上である場合	
		(ロ) 当該対象年度が設立事業年度及び合併等事業年度のいずれにも該当しない場合であって(11)《対象年度の所得の金額が当該対象年度の前事業年度の所得の金額以下である場合》の(二)に掲げる金額が零を超える場合又は当該対象年度が設立事業年度若しくは合併等事業年度に該当する場合 (旧措令27の13③)	
	ロ	イに掲げる場合以外の場合	当該法人の継続雇用者給与等支給額がその継続雇用者比較給

第三章　第二節　第二款　二十一《法人税の額から控除される特別控除額の特例》

		与等支給額を超えること。
	イに掲げる金額がロに掲げる金額の$\frac{30}{100}$に相当する金額を超えること。	
旧②	イ	当該法人が当該対象年度において取得等（取得または制作若しくは建築をいい、合併、分割、贈与、交換、現物出資又第二章第一節の二の表の**12の5の2**《現物分配法人》に掲げる現物分配による取得、代物弁済としての取得を除く。）をした国内資産（国内にある当該法人の事業の用に供する機械及び装置その他の資産で棚卸資産、同表の**21**《有価証券》に掲げる有価証券〔以下「有価証券」という。〕及び繰延資産以外の資産のうち同表の**23**《減価償却資産》に掲げるもの〔時の経過によりその価値の減少しないものを除く。〕）で当該対象年度終了の日において有するものの取得価額の合計額（旧措令27の13④⑤）
	ロ	当該法人がその有する減価償却資産につき当該対象年度においてその償却費として損金経理をした金額（損金経理の方法又は当該対象年度の決算の確定の日までに剰余金の処分により積立金として積み立てる方法により特別償却準備金として積み立てた金額を含み、第一節の第六款の三の**3**《繰越償却超過額の処理》により同**三**の**1**《償却費等の損金算入》に掲げる損金経理額に含むものとされる金額を除く。）の合計額

（合併等事業年度の意義）

（1）　**2**に掲げる合併等事業年度とは、**2**に掲げる法人が、合併、分割若しくは現物出資（分割又は現物出資にあっては、事業を移転するものに限る。以下（1）において「合併等」という。）に係る合併法人、分割法人若しくは分割承継法人若しくは現物出資法人若しくは被現物出資法人であり、事業の譲渡若しくは譲受け（以下（1）において「譲渡等」という。）に係る当該事業の移転をした法人若しくは当該事業の譲受けをした法人であり、又は特別の法律に基づく承継に係る被承継法人若しくは承継法人である場合その他次の表の左欄に掲げる場合における当該合併等の日、当該譲渡等の日又は当該承継の日を含む事業年度その他次の表の左欄に掲げる事実の区分に応じそれぞれ右欄に掲げる日を含む事業年度（当該法人の設立事業年度を除く。）をいう。（措法42の13⑥、措令27の13⑧）

(一)	第一節第三十五款の二の**1**《通算承認》に掲げる親法人である当該法人について同**1**による承認の効力が生じたこと	その承認の効力が生じた日
(二)	当該法人が通算親法人との間に通算完全支配関係を有することとなったこと	その有することとなった日
(三)	当該法人が通算親法人（当該法人が通算親法人である場合には、他の通算法人の全て）との間に通算完全支配関係を有しなくなったこと	その有しなくなった日

（中小企業者であるかどうかの判定の時期）

（2）　**2**の適用上、法人が**五の3**の（2）《中小企業者の意義》に掲げる中小企業者に該当するかどうかの判定（以下「中小判定」という。）は、次の表の左欄に掲げる法人の区分に応じ同表の右欄に掲げる取扱いによるものとする。（措通42の13－2）

(一)	通算法人以外の法人	当該法人の対象年終了の時の現況による。
(二)	通算法人	当該通算法人及び他の通算法人（当該通算法人の対象年度終了の日において当該通算法人との間に通算完全支配関係がある法人に限る。）の対象年度終了の時の現況による。

注　通算親法人の事業年度の中途において通算承認の効力を失った通算法人のその効力を失った日の前日に終了する事業年度における中小判定についても、同様とする。

（常時使用する従業員の範囲）

（3）　**2**の表の①のイの（イ）の「常時使用する従業員の数」は、常用であると日々雇い入れるものであるとを問わず、事務所又は事業所に常時就労している職員、工員等（役員を除く。）の総数によって判定することに留意する。この場合において、法人が繁忙期に数か月程度の期間その労務に従事する者を使用するときは、当該従事する者の数を「常時使用する従業員の数」に含めるものとする。（措通42の13－3）

（公益法人等の従業員の範囲）

（4）　公益法人等について、**2**の表の①のイの（イ）により常時使用する従業員の数が1,000人以上であるかどうかを判定する場合又は同（イ）により常時使用する従業員の数が2,000人を超えるかどうかを判定する場合には、収益事業に従事

する従業員数だけでなくその全部の従業員数によって行うものとする。（措通42の13－4）

　　　（国内資産の内外判定）
（5）　**2**の表の②のイに掲げる国内資産（以下「国内資産」という。）に該当するかどうかは、その資産が法人の事業の用に供される場所が国内であるかどうかにより判定するのであるが、例えば次に掲げる無形固定資産（第一節第六款の**一**の**2**の表の⑧に掲げる無形固定資産をいう。）が事業の用に供される場所については、原則として、それぞれ次に定める場所による。（措通42の13－5）
　（一）　鉱業権（租鉱権及び採石権その他土石を採掘し又は採取する権利（以下「採石権等」という。）を含む。）　鉱業権に係る鉱区（租鉱権にあってはこれに係る租鉱区、採石権等にあってはこれらに係る採石場）の所在する場所
　（二）　特許権、実用新案権、意匠権、商標権若しくは育成者権（これらの権利を利用する権利を含む。）又は営業権　これらの権利が使用される場所
　（三）　ソフトウエア　そのソフトウエアが組み込まれている資産の所在する場所
　　　注　一の資産について、国内及び国外のいずれの事業の用にも供されている場合には、当該一の資産は国内資産に該当するものとして取り扱う。

　　　（国内事業供用が見込まれる場合の国内資産の判定）
（6）　**2**の表の②のイの適用上、法人の有する資産が対象年度終了の日において当該法人の事業の用に供されていない場合であっても、その後国内において当該法人の事業の用に供されることが見込まれるときには、当該資産は国内資産に該当することに留意する。（措通42の13－6）

　　　（資本的支出）
（7）　法人の有する国内資産につき資本的支出を行った場合の当該資本的支出に係る金額は、(10)のただし書の適用があるものを除き、**2**の表の②のイに掲げる金額（以下「国内設備投資額」という。）に含まれるものとする。（措通42の13－7）

　　　（圧縮記帳をした国内資産の取得価額）
（8）　法人の有する国内資産のうちに法又は措置法の規定による圧縮記帳の適用を受けたものがある場合における**2**の表の②のイの「国内資産……で当該対象年度終了の日において有するものの取得価額」は、その圧縮記帳前の実際の取得価額（(10)のただし書の適用があるものにあっては、その圧縮記帳前の実際の取得価額から同通達の「当該法人の有する国内資産に係るこれらの金額に相当する金額」を控除した金額）によるものとする。（措通42の13－8）

　　　（贈与による取得があったものとされる場合の適用除外）
（9）　**2**の表の②のイにより、贈与による取得は同②のイの取得に該当しないのであるから、次に掲げる場合は、次によることに留意する。（措通42の13－9）
　（一）　資産を著しく低い対価の額で取得した場合において、当該対価の額と取得の時における当該資産の価額との差額に相当する金額について贈与を受けたものと認められるときは、同②のイの適用に当たっては、当該対価の額による取得があったものとする。
　（二）　資産を著しく高い対価の額で取得した場合において、当該対価の額と取得の時における当該資産の価額との差額に相当する金額の贈与をしたものと認められるときは、同②のイの適用に当たっては、当該資産の価額による取得があったものとする。
　　　注　（一）の適用がある場合には、(10)の取扱いの適用はない。

　　　（償却費として損金経理をした金額）
(10)　**2**の表の②のロの「償却費として損金経理をした金額」には、第一節第六款の**三**の**1**の(1)《償却費として損金経理をした金額の意義》又は同**1**の(4)《申告調整による償却費の損金算入》の取扱いにより償却費として損金経理をした金額に該当するものとされる金額が含まれることに留意する。
　　ただし、法人が継続して、これらの金額につき「償却費として損金経理をした金額」に含めないこととして計算している場合には、国内設備投資額の計算につき当該法人の有する国内資産に係るこれらの金額に相当する金額を含めないこととしているときに限り、この計算を認める。（措通42の13－10）

第三章　第二節　第二款　二十一《法人税の額から控除される特別控除額の特例》

(対象年度の所得の金額が当該対象年度の前事業年度の所得の金額以下である場合)

(11) 対象年度の所得の金額が当該対象年度の前事業年度の所得の金額以下である場合は、次の表の(一)に掲げる金額が(二)に掲げる金額以下である場合とする。(措令27の13⑥)

(一)	対象年度の基準所得等金額(当該対象年度開始の日前1年〔当該対象年度が1年に満たない場合には、当該対象年度の期間。以下(一)及び(二)において同じ。〕以内に終了した各事業年度〔最初課税事業年度開始の日前に終了した各事業年度を除く。(二)において「**前事業年度等**」という。〕の月数を合計した数が当該対象年度の月数に満たない場合には、当該基準所得等金額を当該対象年度の月数で除し、これに当該合計した数を乗じて計算した金額)
(二)	前事業年度等の基準所得等金額(対象年度開始の日から起算して1年前の日を含む前事業年度等にあっては、当該前事業年度等の基準所得等金額を当該前事業年度等の月数で除し、これに当該1年前の日から当該前事業年度等の終了の日までの期間の月数を乗じて計算した金額)の合計額

注　(11)の月数は、暦に従って計算し、1か月に満たない端数を生じたときは、これを1か月とする。(措令27の13⑫)

(基準所得等金額及び最初課税事業年度の意義)

(12) (11)及び**3**の(1)において、次の左欄に掲げる用語の意義は、それぞれ右欄に掲げるところによる。(措令27の13⑬)

(一)	**基準所得等金額**		各事業年度のイ及びロに掲げる金額の合計額からハに掲げる金額を控除した金額をいう。
		イ	当該事業年度の所得の金額(第一節第三十四款の**一**の1の②《譲渡利益額又は譲渡損失額の最後事業年度の益金又は損金算入》に掲げる最後事業年度にあっては、同②に掲げる資産及び負債の同②に掲げる譲渡がないものとして計算した場合における所得の金額。)
		ロ	第一節第二十一款の**一**の1《前10年以内の繰越欠損金の損金算入》、同款の**三**《会社更生等による債務免除等があった場合の欠損金の損金算入》、同節第三十五款の**一**の1の①《所得事業年度の通算対象欠損金額の損金算入》又は同**一**の4《通算法人の合併等があった場合の欠損金の損金算入》により当該事業年度の所得の金額の計算上損金の額に算入された金額
		ハ	第一節第四款の**六**《中間申告における繰戻し還付に係る災害損失欠損金額の益金算入》、同節第三十五款の**一**の1の②《欠損事業年度の通算対象所得金額の益金算入》又は同**一**の3の③の口の(4)《非特定欠損金額の益金算入》により当該事業年度の所得の金額の計算上益金の額に算入された金額
			(内国法人である公益法人等又は人格のない社団等である場合の取扱い) **2**に掲げる法人が内国法人である公益法人等又は人格のない社団等に該当する場合には、基準所得等金額は、(12)にかかわらず、当該事業年度の収益事業から生じた所得の金額及び上表のロに掲げる金額の合計額とする。(措令27の13⑭)
(二)	**最初課税事業年度**		**2**に掲げる法人が次の表の左欄に掲げる法人に該当する場合におけるそれぞれ右欄に掲げる日を含む事業年度をいう。
		イ	新たに収益事業を開始した内国法人である公益法人等又は人格のない社団等 / その開始した日
		ロ	公共法人に該当していた収益事業を行う公益法人等 / 当該公益法人等に該当することとなった日
		ハ	公共法人又は収益事業を行っていない公益法人等に該当していた普通法人又は協同組合等 / 当該普通法人又は協同組合等に該当することとなった日
		ニ	普通法人又は協同組合等に該当していた公益法人等 / 当該公益法人等に該当することとなった日

（三）	基準通算所得金額	各事業年度の（一）のイ及び（一）のロに掲げる金額の合計額から（一）のハに掲げる金額及び当該各事業年度において生じた欠損金額（第一節第三十四款の**一**の**1**の②《譲渡利益額又は譲渡損失額の最後事業年度の益金又は損金算入》に掲げる最後事業年度にあっては、同②に掲げる資産及び負債の同②に掲げる譲渡がないものとして計算した場合における欠損金額）の合計額を減算した金額（当該各事業年度において生じた同節第三十五款の**一**の**1**の①《所得事業年度の通算対象欠損金額の損金算入》に掲げる通算前欠損金額のうちに同一の**2**《損益通算の対象となる欠損金額の特例》によりないものとされたものがある場合には、当該減算した金額にそのないものとされた金額を加算した金額）をいう。
（四）	最初通算事業年度	**3**《通算法人である場合の取扱い》の通算法人又は**3**の表の（三）の他の通算法人の次の表の左欄に掲げる区分に応じそれぞれ右欄に掲げる日を含む当該通算法人又は他の通算法人の事業年度をいう。 |		
イ	通算親法人	第一節第三十五款の**二**の**1**《通算承認》による承認の効力が生ずる日
ロ	当該通算法人に係る通算親法人との間に通算完全支配関係を有することとなった法人	その有することとなった日	

（特定税額控除規定の不適用を受けないことを明らかにする書類の提出）

（13） 法人が対象年度において特定税額控除規定の適用を受ける場合（**2**の①及び②に掲げる要件のいずれかに該当することにより**2**の適用がない場合に限る。）における**五**の**5**の①の（7）《通算法人における申告及び書類の添付》（同**5**の④の（3）《通算法人に係る産学官連携の協同研究・委託研究に係る法人税額の特別控除の準用》において準用する場合を含む。）及び**五**の**6**《特別控除の申告》、**十**の**2**《特別控除の申告》、**十六**の**2**《特別控除の申告》並びに**十七**の**1**の④《特別控除の申告》の適用については、これらの規定により添付すべき書類は、これらの規定に規定する書類及び**2**の①及び②に掲げる要件のいずれかに該当することを明らかにする書類とする。（措法42の13⑧）

（対象年度及び前事業年度における継続雇用者に対する給与等の支給額が零である場合の要件の判定）

（14） 法人の対象年度に係る**2**の表の①のイに掲げる継続雇用者給与等支給額及び同①のイに掲げる継続雇用者比較給与等支給額が零である場合には、同①のイ又はロに掲げる要件に該当するものとする。（措法42の13⑨、措令27の13⑦）

3　通算法人である場合の取扱い

　五の**5**の①《試験研究を行った場合又は中小企業者等の試験研究費に係る法人税額の特別控除》の表の（三）の通算法人が同表の（二）（同**5**の④の（3）《通算法人に係る産学官連携の協同研究・委託研究に係る法人税額の特別控除の準用》において準用する場合を含む。）に掲げる適用対象事業年度において**1**《調整前法人税額超過額の税額控除制度の不適用及び繰越控除》の①又は③の適用を受けようとする場合における**2**《特定税額控除規定の不適用》（**2**の表に掲げる部分に限る。）の適用については、次に掲げるところによる。（措法42の13⑦）

（一）	**五**の**3**の（7）《適用除外事業者の意義》に掲げる適用除外事業者に該当する通算法人又は通算親法人である同**3**の（12）《農業協同組合等の意義》に掲げる農業協同組合等で、同**3**《中小企業者等の試験研究費に係る法人税額の特別控除》に掲げる適用除外事業者又は農業協同組合等に該当しないものは、**2**の適用除外事業者又は農業協同組合等に該当しないものとする。
（二）	通算子法人の対象年度は、当該通算子法人に係る通算親法人の対象年度終了の日に終了する当該通算子法人の事業年度とする。
（三）	**2**の表の①のイの（イ）に掲げる場合は、当該通算法人若しくは当該通算法人の対象年度終了の日において当該通算法人との間に通算完全支配関係がある他の通算法人（以下**3**において「他の通算法人」という。）のいずれかが、当該対象年度終了の時において、資本金の額若しくは出資金の額が10億円以上であり、かつ、常時使用する従業員の数が1,000人以上である場合又は当該通算法人若しくは他の通算法人のいずれかが、当該対象年度終了の時において常時使用する従業員の数が2,000人を超える場合とする。

2の表の①のイの(ロ)に掲げる場合は、当該通算法人の対象年度が合併等事業年度（当該通算法人又は他の通算法人のいずれかが、次の表の左欄に掲げる場合のいずれかに該当する場合におけるそれぞれ右欄に掲げる日を含む事業年度をいう。以下(四)及び(八)において同じ。）に該当しない場合であって当該対象年度の前事業年度及び当該対象年度終了の日に終了する他の通算法人の対象年度（(八)において「他の対象年度」という。）の前事業年度の所得の金額の合計額が零を超える場合として(1)《通算法人の対象年度等の所得の金額が当該対象年度の前事業年度等の所得の金額以下である場合》の表の(二)に掲げる金額が零を超える場合又は当該通算法人の対象年度が合併等事業年度に該当する場合とする。（措令27の13⑩）

(四)	イ	分割又は現物出資（事業を移転するものに限る。イ及びロにおいて「分割等」という。）に係る分割法人又は現物出資法人である場合（当該分割等に係る分割承継法人又は被現物出資法人が当該通算法人又は他の通算法人との間に通算完全支配関係がある法人である場合を除く。）	当該分割等の日
	ロ	合併又は分割等に係る合併法人又は分割承継法人若しくは被現物出資法人である場合（当該分割等に係る分割法人又は現物出資法人が当該通算法人又は他の通算法人との間に通算完全支配関係がある法人である場合を除く。）	当該合併又は分割等の日
	ハ	事業の譲渡をした法人である場合（当該事業の譲受けをした法人が当該通算法人又は他の通算法人との間に通算完全支配関係がある法人である場合を除く。）	当該譲渡の日
	ニ	事業の譲受けをした法人である場合（当該事業の移転をした法人が当該通算法人又は他の通算法人との間に通算完全支配関係がある法人である場合を除く。）	当該譲受けの日
	ホ	特別の法律に基づく承継に係る被承継法人である場合（当該承継に係る承継法人が当該通算法人又は他の通算法人との間に通算完全支配関係がある法人である場合を除く。）	当該承継の日
	ヘ	特別の法律に基づく承継に係る承継法人である場合（当該承継に係る被承継法人が当該通算法人又は他の通算法人との間に通算完全支配関係がある法人である場合を除く。）	当該承継の日
	ト	他の法人が当該通算法人に係る通算親法人との間に通算完全支配関係を有することとなった場合（当該他の法人の設立の日に当該通算完全支配関係を有することとなった場合を除く。）	その有することとなった日
	チ	他の法人が当該通算法人に係る通算親法人との間に通算完全支配関係を有しないこととなった場合	その有しないこととなった日

(五)	2の表の①のイに掲げる要件は、当該通算法人及び他の通算法人の継続雇用者給与等支給額の合計額から当該通算法人及び他の通算法人の継続雇用者比較給与等支給額の合計額を控除した金額の当該合計額に対する割合が$\frac{1}{100}$以上であることとする。
(六)	2の表の①のロに掲げる要件は、当該通算法人及び他の通算法人の継続雇用者給与等支給額の合計額が当該通算法人及び他の通算法人の継続雇用者比較給与等支給額の合計額を超えることとする。
(七)	2の表の②に掲げる要件は、当該通算法人及び他の通算法人の同②のイに掲げる金額の合計額が当該通算法人及び他の通算法人の同②のロに掲げる金額の合計額の$\frac{30}{100}$（同表の①のイの(イ)及び(ロ)に掲げる場合のいずれにも該当する場合には、$\frac{40}{100}$）に相当する金額を超えることとする。
(八)	2の表以外の部分に掲げるいずれにも該当しない場合は、当該通算法人の対象年度が合併等事業年度に該当しない場合とし、2の(11)《対象年度の所得の金額が当該対象年度の前事業年度の所得の金額以下である場合》に掲げる場合は、当該通算法人の対象年度及び他の対象年度の所得の金額の合計額が当該対象年度の前事業年度及び当該他の対象年度の前事業年度の所得の金額の合計額以下である場合として(1)に掲げる場合とする。

注──線部分は、令和6年度改正により改正された部分で、改正規定は、通算法人に係る通算親法人の令和6年4月1日以後に開始する事業年度終了の日に終了する当該通算法人の適用対象事業年度について適用され、通算法人に係る通算親法人の令和6年3月31日以前に開始した事業年度終了の日に終了する当該通算法人の適用対象事業年度については、上表の(三)、(五)及び(七)は次による。（令6改法附46②、1）

第三章　第二節　第二款　二十一《法人税の額から控除される特別控除額の特例》

旧(三)	**2**の表の注の旧①のイの(イ)に掲げる場合は、当該通算法人又は当該通算法人の対象年度終了の日において当該通算法人との間に通算完全支配関係がある他の通算法人（以下**3**において「他の通算法人」という。）のいずれかが、当該対象年度終了の時において、資本金の額又は出資金の額が10億円以上であり、かつ、常時使用する従業員の数が1,000人以上である場合とする。
旧(五)	**2**の表の注の旧①のイに掲げる要件は、当該通算法人及び他の通算法人の継続雇用者給与等支給額の合計額から当該通算法人及び他の通算法人の継続雇用者比較給与等支給額の合計額を控除した金額の当該合計額に対する割合が$\frac{1}{100}$（当該通算法人の対象年度終了の日に終了する当該通算法人に係る通算親法人の事業年度が令和4年4月1日から令和5年3月31日までの間に開始する事業年度である場合には、$\frac{0.5}{100}$）以上であることとする。
旧(七)	**2**の表の注の旧②に掲げる要件は、当該通算法人及び他の通算法人の同②のイに掲げる金額の合計額が当該通算法人及び他の通算法人の同②のロに掲げる金額の合計額の$\frac{30}{100}$に相当する金額を超えることとする。

（通算法人の対象年度等の所得の金額が当該対象年度の前事業年度等の所得の金額以下である場合）

（1）　**3**《通算法人である場合の取扱い》の表の(八)に掲げる場合は、次の表の(一)に掲げる金額が(二)に掲げる金額以下である場合とする。（措令27の13⑪）

(一)	次に掲げる金額の合計額（当該合計額が零に満たない場合には、零）	
	イ	**3**の通算法人の対象年度の基準通算所得等金額（当該対象年度終了の日に終了する当該通算法人に係る通算親法人の事業年度（イ及びロにおいて「基準事業年度」という。）開始の日の1年（当該基準事業年度が1年に満たない場合には、当該基準事業年度の期間）前の日から当該開始の日の前日までの期間（当該通算親法人の最初通算事業年度開始の日以後の期間に限る。以下(一)及び(二)において「対象期間」という。）内に終了した当該通算法人の各事業年度（最初通算事業年度開始の日前に終了したものを除く。イ及び(二)のイにおいて「前事業年度」という。）の月数（当該対象年度が最初通算事業年度である場合又は前事業年度のうちに設立の日を含む最初通算事業年度がある場合には、当該対象期間内に終了した当該通算親法人の各事業年度の月数）を合計した数が当該基準事業年度の月数に満たない場合には、当該基準通算所得等金額を当該基準事業年度の月数で除し、これに当該合計した数を乗じて計算した金額）
	ロ	**3**の表の(四)に掲げる他の対象年度の基準通算所得等金額（対象期間内に終了した他の通算法人の各事業年度〔最初通算事業年度開始の日前に終了したものを除く。ロ及び(二)のロにおいて「他の前事業年度」という。〕の月数〔当該他の対象年度が最初通算事業年度である場合又は他の前事業年度のうちに設立の日を含む最初通算事業年度がある場合には、当該対象期間内に終了したイの通算親法人の各事業年度の月数〕を合計した数が基準事業年度の月数に満たない場合には、当該基準通算所得等金額を当該基準事業年度の月数で除し、これに当該合計した数を乗じて計算した金額）
(二)	次に掲げる金額の合計額（当該合計額が零に満たない場合には、零）	
	イ	前事業年度の基準通算所得等金額（対象期間開始の日を含む前事業年度にあっては、当該前事業年度の基準通算所得等金額を当該前事業年度の月数で除し、これに当該開始の日から当該前事業年度終了の日までの期間の月数を乗じて計算した金額）の合計額
	ロ	他の前事業年度の基準通算所得等金額（対象期間開始の日を含む他の前事業年度にあっては、当該他の前事業年度の基準通算所得等金額を当該他の前事業年度の月数で除し、これに当該開始の日から当該他の前事業年度終了の日までの期間の月数を乗じて計算した金額）の合計額

　　注　（1）の月数は、暦に従って計算し、1か月に満たない端数を生じたときは、これを1か月とする。（措令27の13⑫）

（通算法人等の比較雇用者給与等支給額の合計額等が零である場合）

（2）　**3**の通算法人の対象年度に係る当該通算法人及び他の通算法人の**2**《特定税額控除規定の不適用》の表の①のイに掲げる継続雇用者給与等支給額の合計額及び同①のイに掲げる継続雇用者比較給与等支給額の合計額が零である場合には、同①のイ又は同①のロに掲げる要件に該当するものとする。（措令27の13⑮）

（初年度離脱通算子法人に該当する場合）

（3）　**2**の(1)《合併等事業年度の意義》の法人又は加入法人（**3**の通算法人に係る通算親法人との間に通算完全支配関係を有することとなった法人をいう。次の(二)において同じ。）が初年度離脱通算子法人（第一節第九款の**一**の**4**《通

第三章　第二節　第二款　二十一《法人税の額から控除される特別控除額の特例》

算法人である場合の不適用》に掲げる初年度離脱通算子法人をいう。以下（3）において同じ。）に該当する場合における**2**の（1）《合併等事業年度の意義》の表並びに**3**の表の(四)及び(八)の適用については、次に掲げるところによる。（措令27の13⑯）

(一)	初年度離脱通算子法人に該当する**2**の(1)の法人に生じた同(1)の表の(二)及び(三)の左欄に掲げる事実は、同表の(二)及び(三)の左欄に掲げる事実に該当しないものとする。
(二)	初年度離脱通算子法人に該当する加入法人は、**3**の表の(四)のト又はチの他の法人に該当しないものとする。

　　　　（通算親法人が農業協同組合等に該当する場合の特定税額控除規定の不適用）
（4）　通算子法人である**五**の**5**の①《試験研究を行った場合又は中小企業者等の試験研究費に係る法人税額の特別控除》の表の(三)の通算法人が同表の(二)（同**5**の④の(3)《通算法人に係る産学官連携の協同研究・委託研究に係る法人税額の特別控除の準用》において準用する場合を含む。）に掲げる適用対象事業年度において**1**の表の①又は③に掲げる規定の適用を受けようとする場合において、当該通算法人に係る通算親法人が同**五**の**3**《中小企業者等の試験研究費に係る法人税額の特別控除》に掲げる農業協同組合等に該当するときは、当該通算法人に対する**2**《特定税額控除規定の不適用》（**1**の表の①又は③に掲げる規定に係る部分に限る。）の適用については、当該通算法人は、**2**に掲げる中小企業者に該当するものとする。（措令27の13⑨）

－1687－

第三款　申告、納付及び還付等

一　中間申告

1　中間申告《予定申告》

　内国法人である普通法人（清算中のものにあっては、通算子法人に限る。**2**及び**3**において同じ。）は、その事業年度（新たに設立された内国法人である普通法人のうち適格合併〔被合併法人の全てが収益事業を行っていない公益法人等であるものを除く。（1）及び（2）において同じ。〕により設立されたもの以外のものの設立後最初の事業年度、公共法人又は収益事業を行っていない公益法人等が普通法人に該当することとなった場合のその該当することとなった日の属する事業年度及び当該普通法人が通算子法人である場合において第一節第三十五款の**二**の**1**《通算承認》による承認の効力が生じた日が同日の属する当該普通法人に係る通算親法人の事業年度〔以下**1**において「**通算親法人事業年度**」という。〕開始の日以後６か月を経過した日以後であるときのその効力が生じた日の属する事業年度を除く。**3**において同じ。）が６か月を超える場合（当該普通法人が通算子法人である場合には、当該事業年度開始の日の属する通算親法人事業年度が６か月を超え、かつ、当該通算親法人事業年度開始の日以後６か月を経過した日において当該通算親法人との間に通算完全支配関係がある場合）には、当該事業年度（当該普通法人が通算子法人である場合には、当該事業年度開始の日の属する通算親法人事業年度）開始の日以後６か月を経過した日（以下**一**において「**６か月経過日**」という。）から**２か月**以内に、税務署長に対し、次の表に掲げる事項を記載した申告書《**中間申告書**》を提出しなければならない。ただし、①に掲げる金額が**10万円**以下である場合若しくは当該金額がない場合又は当該普通法人と通算親法人である協同組合等との間に通算完全支配関係がある場合は、当該申告書を提出することを要しない。（法71①、措令38⑤Ⅰ、38の４㊹㊺、38の５㉖）

①	当該事業年度の前事業年度の法人税額（確定申告書に記載すべき**二**の**1**《確定申告》に掲げる金額〔第一款の**三**の**1**《使途秘匿金の支出がある場合の課税の特例》、同款の**四**の**1**《土地の譲渡等がある場合の特別税率》、同**四**の**2**《優良住宅地等のための譲渡に該当しなくなった場合の追加課税》又は同款の**五**《短期所有に係る土地の譲渡等がある場合の特別税率》により加算された金額を控除した金額〕をいう。（1）の表の（一）及び（4）において同じ。）で６か月経過日の前日までに確定したものを当該前事業年度の月数で除し、これに当該事業年度開始の日から当該前日までの期間（（1）の表の（一）及び（2）において「**中間期間**」という。）の月数を乗じて計算した金額
②	①に掲げる金額の計算の基礎その他次に掲げる事項（規31①） イ　内国法人の名称、納税地及び法人番号（行政手続における特定の個人を識別するための番号の利用等に関する法律第２条第15項に規定する法人番号をいう。以下この款において同じ。）並びにその納税地と本店又は主たる事務所の所在地とが異なる場合には、その本店又は主たる事務所の所在地 ロ　代表者（人格のない社団等で代表者の定めがなく、管理人の定めがあるものについては、管理人。以下この款において同じ）の氏名 ハ　当該事業年度の開始及び終了の日 ニ　その他参考となるべき事項

注１　更生手続開始の時に続く更生会社の事業年度の法人税については、**1**は、適用しない。（会社更生法232③、金融機関等の更生手続の特例等に関する法律321の２③）
注２　この申告書を一般に**予定申告書**という。（編者）

　　　（適格合併後存続する法人が提出する中間申告書に記載すべき法人税額）
（1）　**1**の場合において、その普通法人が次の表の左欄に掲げる期間内に行われた適格合併（法人を設立するものを除く。）に係る合併法人であるときは、その普通法人が提出すべき当該事業年度の中間申告書については、**1**の表の①に掲げる金額は、同表の①にかかわらず、同表の①により計算した金額に相当する金額にそれぞれ次の表の右欄に掲げる金額を加算した金額とする。（法71②、措令38⑤Ⅰ、38の４㊹㊺、38の５㉖）

（一）	当該事業年度の前事業年度	当該普通法人の当該事業年度開始の日の１年前の日以後に終了した当該適格合併に係る被合併法人の各事業年度（その月数が６か月に満たないものを除く。）の法人税額（第二款の**二**の**7**の④の（1）《通算法人が合併により解散した場合等の準用》において準用する同**7**の③の

		（1）《過去当初申告税額控除額が調整後過去税額控除額を超える場合》により加算された金額がある場合には、当該金額を控除した金額。（4）において同じ。）で6か月経過日の前日までに確定したもののうち最も新しい事業年度に係るもの（以下「**被合併法人確定法人税額**」という。）をその計算の基礎となった当該被合併法人の事業年度の月数で除し、これに当該普通法人の当該前事業年度の月数のうちに占める当該前事業年度開始の日から当該適格合併の日の前日までの期間の月数の割合に中間期間の月数を乗じた数を乗じて計算した金額 $$\frac{\text{被合併法人の各事業年度の確定法人税額}}{\text{被合併法人のその事業年度の月数}} \times \frac{\text{普通法人の前事業年度開始の日から適格合併の日の前日までの期間の月数}}{\text{普通法人の前事業年度の月数}} \times \text{中間期間の月数}$$
（二）	当該事業年度開始の日から6か月経過日の前日までの期間	当該適格合併に係る各被合併法人の被合併法人確定法人税額をその計算の基礎となった当該被合併法人の事業年度の月数で除し、これに当該適格合併の日から6か月経過日の前日までの期間の月数を乗じて計算した金額 $$\frac{\text{被合併法人の各事業年度の確定法人税額}}{\text{被合併法人のその事業年度の月数}} \times \text{適格合併の日から合併法人の当該事業年度開始の日以後6か月経過日の前日までの期間の月数}$$

（適格合併により設立した法人が提出する中間申告書に記載すべき法人税額）

（2）　**1**の場合において、その普通法人が適格合併（法人を設立するものに限る。）に係る合併法人であるときは、その普通法人が提出すべきその設立後最初の事業年度の中間申告書については、**1**の表の①に掲げる金額は、同表の①にかかわらず、当該適格合併に係る各被合併法人の被合併法人確定法人税額をその計算の基礎となった当該被合併法人の事業年度の月数で除し、これに中間期間の月数を乗じて計算した金額の合計額とする。（法71③）

（月数の計算）

（3）　**1**、（1）及び（2）に掲げる月数は、暦に従って計算し、1か月に満たない端数を生じたときは、これを1か月とする。（法71④）

（確定申告書の提出期限の延長の特例及び国税通則法第10条第2項の適用を受けている場合の中間申告）

（4）　**1**に掲げる前事業年度の**二の1**《確定申告《期限内申告》》による申告書の提出期限が**二の3**《確定申告書の提出期限の延長の特例》により4か月間延長されている場合で、かつ、その申告書の提出期限につき第二章第一節の**九の2**《期限の特例》の適用がある場合において、同**2**の適用がないものとした場合における当該申告書の提出期限の翌日から同項の規定により当該申告書の提出期限とみなされる日までの間に法人税額が確定したときは、**1**に掲げる事業年度開始の日以後6か月経過日の前日までに当該法人税額が確定したものとみなして、**1**を適用する。（法71⑤）

（中間申告書の書式）

（5）　**1**の表に掲げる事項を記載する中間申告書（当該申告書に係る修正申告書を含む。）の記載事項のうち別表十九に定めるものの記載については、同表の書式によらなければならない。（規31②）

2　国税通則法第11条の規定による申告期限の延長により中間申告書の提出を要しない場合

第二章第一節の**九の3**《災害等による期限の延長》による申告に関する期限の延長により、内国法人である普通法人の中間申告書の提出期限と当該中間申告書に係る事業年度の**二の1**《確定申告《期限内申告》》による申告書の提出期限とが同一の日となる場合は、**1**《中間申告》にかかわらず、当該中間申告書を提出することを要しない。（法71の2）

3　仮決算をした場合の中間申告書の記載事項等

内国法人である普通法人が当該事業年度開始の日以後6か月の期間を1事業年度とみなして当該期間に係る課税標準である所得の金額又は欠損金額を計算した場合には、その普通法人は、**1**《中間申告》の表に掲げる事項に代えて、次に掲げる事項を記載した中間申告書を提出することができる。ただし、**1**のただし書若しくは**2**により中間申告書を提出することを要しない場合（当該期間において生じた（3）に掲げる災害損失金額がある場合を除く。）、②に掲げる金額が**1**により計算した**1**の表の①に掲げる金額を超える場合又は当該普通法人が法人税法第4条の3《受託法人等に関するこの法律

の適用》に規定する受託法人である場合は、この限りでない。(法72①、措法42の4㉒㉓Ⅱ、42の6⑨、42の9⑥、42の10⑥、42の11⑦、42の11の2⑥、42の11の3⑥、42の12⑪、42の12の2③、42の12の4⑨、42の12の5⑩、42の12の6⑥、42の12の7㉑、42の13①⑨、62の3①⑨⑭、63①⑦、67の2⑤、措令27の13②、38⑤Ⅰ、38の4㊺、38の5㉖)

①	当該所得の金額又は欠損金額
②	当該期間(通算子法人にあっては、(8)《通算法人である場合の適用》の表の(一)に掲げる期間)を1事業年度とみなして①に掲げる所得の金額につき第一款《税率》及び第二款《税額控除》(第一款の二《特定同族会社の特別税率》、第二款の一の1の(2)《仮決算の中間申告による所得税額の還付がある場合》及び第二款の四《仮装経理に基づく過大申告の場合の更正に伴う法人税額の控除》を除く。)を適用するものとした場合に計算される法人税の額
③	①及び②に掲げる金額の計算の基礎その他次に掲げる事項 (規32①) イ　内国法人の名称、納税地及び法人番号並びにその納税地と本店又は主たる事務所の所在地とが異なる場合には、その本店又は主たる事務所の所在地 ロ　代表者の氏名 ハ　当該事業年度の開始及び終了の日 ニ　八の3《欠損金の繰戻しによる還付》の②から⑤により還付の請求をする法人税の額 ホ　その他参考となるべき事項

注1　この申告書を一般に**仮決算による中間申告書**という。(編者)
注2　仮決算による中間申告書は、当該申告書を提出する法人が二の3《確定申告書の提出期限の延長の特例》の適用を受けている場合であっても、中間事業年度終了の日の翌日から2か月以内に提出しなければならないことに留意する。(編者)

　　　(貸借対照表、損益計算書等の添付)
(1)　仮決算による中間申告書には、次の(一)及び(二)に掲げるもの ((一)及び(二)に掲げるものが電磁的記録〔電子的方式、磁気的方式その他人の知覚によっては認識することができない方式で作られる記録であって、電子計算機による情報処理の用に供されるものをいう。以下(1)において同じ。〕で作成され、又は(一)及び(二)に掲げるものの作成に代えてそれぞれに記載すべき情報を記録した電磁的記録の作成がされている場合には、これらの電磁的記録に記録された情報の内容を記載した書類)を添付しなければならない。(法72②、規33①)
(一)　3に掲げる1事業年度とみなした期間(通算子法人にあっては、(8)《通算法人である場合の適用》の表の(一)に掲げる期間。以下(一)及び(2)において同じ。)の末日における貸借対照表並びに3に掲げる1事業年度とみなした期間の損益計算書及び株主資本等変動計算書又は社員資本等変動計算書 (これらの書類に過年度事項〔当該期間の開始の日前に開始した事業年度の貸借対照表、損益計算書又は株主資本等変動計算書若しくは社員資本等変動計算書に表示すべき事項をいう。〕の修正の内容の記載がない場合には、その記載をした書類を含む。)
(二)　(一)に掲げるものに係る勘定科目内訳明細書
(三)　当該内国法人が通算法人である場合には、当該内国法人の第一節第三十五款の一の1《通算法人の損益通算》及び同一の3《欠損金の通算》その他通算法人のみに適用される規定に係る金額の計算の基礎となる当該内国法人及び他の通算法人の有する金額等に関する明細を記載した書類

　　　(他の通算法人の仮決算をした場合の中間申告書の添付書類)
(2)　通算親法人が提出した3の表に掲げる事項を記載した中間申告書に(1)の(三)に掲げる書類の添付があった場合には、他の通算法人が提出した3の表に掲げる事項を記載した中間申告書(当該通算親法人が提出した3の表に掲げる事項を記載した中間申告書に係る3に掲げる期間の末日に終了する当該他の通算法人の3に掲げる期間に係るものに限る。)の全てに(1)の(三)に掲げる書類の添付があったものとみなす。(規33②)

　　　(所得の金額又は欠損金額及び法人税の額の計算)
(3)　3に掲げる1事業年度とみなした期間に係る課税標準である所得の金額又は欠損金額及び当該所得に対する法人税の額の計算における、次の表の第1欄に掲げる規定の適用については、第1欄に掲げる規定中第2欄に掲げる字句は、それぞれ第3欄に掲げる字句とする。(法72③⑥、令150の2①)

	第1欄	第2欄	第3欄
(一)	法人税法第2条第25号《定義》	確定した決算	決算

(二)	同法第二編第一章第一節《課税標準及びその計算》第三款、第四款、第七款及び第十款（同法第57条第2項及び第10項《欠損金の繰越し》並びに第58条第3項《青色申告書を提出しなかった事業年度の欠損金の特例》を除く。）	確定した決算	決算
		確定申告書	中間申告書
(三)	同法第55条第3項《不正行為等に係る費用等》	第74条第1項第1号《確定申告》	第72条第1項第1号《仮決算をした場合の確定申告書の記載事項等》
(四)	同法第64条の5第5項《損益通算》	第74条第1項（確定申告）の規定による申告書	中間申告書
(五)	同法第64条の5第6項《損益通算》	（第74条第1項の規定による申告書	（中間申告書
(六)	同法第64条の5第6項《損益通算》 第1号及び第2号	第74条第1項の規定による申告書	中間申告書
		同項の規定による申告書	中間申告書
(七)	同法第64条の5第7項《損益通算》	第74条第1項の規定による申告書	中間申告書
(八)	同法第64条の7第4項《欠損金の通算》	第74条第1項（確定申告）の規定による申告書	中間申告書
(九)	同法第64条の7第5項、第9項及び第10項《欠損金の通算》	第74条第1項の規定による申告書	中間申告書
(十)	同法第66条第8項（各事業年度の所得に対する法人税の税率）	第74条第1項（確定申告）の規定による申告書	中間申告書
(十一)	同法第68条第4項	確定申告書	中間申告書
(十二)	同法第69条第15項《外国税額の控除》	第74条第1項《確定申告》の規定による申告書	中間申告書
(十三)	同法第69条第20項及び第21項第3号	第74条第1項の規定による申告書	中間申告書
(十四)	同法第69条第25項	確定申告書	中間申告書
(十五)	同法第69条第26項	各事業年度の申告書等	各事業年度の確定申告書、修正申告書又は更正請求書
(十六)	同法第69条の2第3項《分配時調整外国税相当額の控除》	確定申告書	中間申告書
(十七)	法人税法施行令第二編第一章第一節《各事業年度の所得の金額の計算》第一款から第三款まで（同令第23条第1	確定した決算	決算

	項《所有株式に対応する資本金等の額又は連結個別資本金等の額の計算方法等》、第112条第1項《適格合併等による欠損金の引継ぎ等》、第119条第1項《有価証券の取得金額》、第128条第1項《適格合併等が行われた場合における延払基準の適用》及び第131条第2項《適格合併等が行われた場合における工事進行基準の適用》を除く。）及び第四款並びに前節第二款	確定申告書	中間申告書
		損金経理に	決算において費用又は損失として経理することに
		損金経理を	決算において費用又は損失として経理を
(十八)	同令第19条第5項《関連法人株式等に係る配当等の額から控除する利子の額》	法第74条第1項《確定申告》の規定による申告書	中間申告書
(十九)	同令第19条第9項	確定申告書	中間申告書
(二十)	同令第60条《通常の使用時間を超えて使用される機械及び装置の償却限度額の特例》	法第74条第1項《確定申告》の規定による申告書	中間申告書
(二十一)	同令第131条の2第3項《リース取引の範囲》	賃借料として損金経理	賃借料として決算において費用若しくは損失として経理
		償却費として損金経理	償却費として決算において費用又は損失として経理
(二十二)	同令第131条の8第6項第1号（損益通算の対象となる欠損金額の特例）	確定した決算	決算
(二十三)	同令第131条の8第6項第2号	損金経理を	決算において費用又は損失として経理を
		損金経理の	その経理の
(二十四)	同令第133条の2第1項《一括償却資産の損金算入》	当該事業年度の月数	当該事業年度の月数（一括償却資産を事業の用に供した日の属する法第72条第1項《仮決算をした場合の中間申告書の記載事項等》に規定する期間〔通算子法人にあっては、同条第5項第1号に規定する期間〕にあっては、当該期間を1事業年度とみなさない場合の当該事業年度の月数）
(二十五)	同令第148条第9項《通算法人に係る控除限度額の計算》	法第74条第1項（確定申告）の規定による申告書	中間申告書

注1　（3）により、各事業年度の所得の金額及び当該所得に対する法人税の額の計算に関する各規定中「確定申告書」とあるのを「中間申告書」と読み替えるものについては、本書においては「確定申告書等」と表現している。（編者）

注2　租税特別措置法の規定においては、確定申告書及び仮決算による中間申告書を併せて「確定申告書等」ということとしている。（措法2②XXVII）

注3　租税特別措置法の規定においても、仮決算をした場合の中間申告の場合にあっては、「確定した決算」とあるのは1事業年度とみなした期間に係る「決算」とし、「損金経理」とあるのは、1事業年度とみなした期間に係る決算において費用又は損失として経理することをいうこととされている。（措法2②2XXVI）

（災害があった場合の仮決算による中間申告書の提出）

（4）　**災害**（（5）《災害の範囲》に掲げる災害をいう。以下（4）において同じ。）により、内国法人の当該災害のあった日から同日以後6か月を経過する日までの間に終了する3に掲げる期間において生じた**災害損失金額**（当該災害により棚御資産、固定資産又は（6）《災害があった場合の仮決算の中間申告における繰延資産》に掲げる繰延資産につい

て生じた損失の額で(7)《災害があった場合の仮決算の中間申告による還付の対象となる損失の額》に掲げるものをいう。(4)において同じ。)がある場合における3に掲げる中間申告書には、3の表に掲げる事項のほか、次に掲げる事項を記載することができる。(法72④)

(一)	当該期間を1事業年度とみなして第二款の二の1の①《外国法人税を納付することとなる場合の外国税額控除》に掲げる外国法人税の額で同①により控除されるべき金額及び同款の一の1《所得税額の控除》に掲げる所得税の額で同1により控除されるべき金額をこれらの順に控除するものとして同款の二の1の①及び同款の一の1を適用するものとした場合に同款の一の1による控除をされるべき金額で3の表の②に掲げる法人税の額の計算上控除しきれなかったものがあるときは、その控除しきれなかった金額（当該金額が当該期間において生じた災害損失金額を超える場合には、その超える部分の金額を控除した金額）
(二)	(一)に掲げる金額の計算の基礎その他財務省令で定める事項

注　上記の表(二)に掲げる省令は、令和6年7月1日現在制定されていない。(編者)

(災害の範囲)

(5)　(4)に掲げる災害は、震災、風水害、火災、冷害、雪害、干害、落雷、噴火その他の自然現象の異変による災害及び鉱害、火薬類の爆発その他の人為による異常な災害並びに害虫、害獣その他の生物による異常な災害とする。(法72④、令150の2②)

(災害があった場合の仮決算の中間申告における繰延資産)

(6)　(4)に掲げる繰延資産は、第二章第一節の二の24《繰延資産》の表の⑥に掲げる繰延資産のうち他の者の有する固定資産を利用するために支出されたものとする。(令150の2③)

(災害があった場合の仮決算の中間申告による還付の対象となる損失の額)

(7)　(4)に掲げる損失の額は、棚卸資産、固定資産又は(6)に掲げる繰延資産について生じた次に掲げる損失の額（保険金、損害賠償金その他これらに類するものにより補填されるものを除く。）の合計額とする。(令150の2④)

(一)		(4)に掲げる災害により当該資産が滅失し、若しくは損壊したこと又は災害による価値の減少に伴い当該資産の帳簿価額を減額したことにより生じた損失の額（その滅失、損壊又は価値の減少による当該資産の取壊し又は除去の費用その他の付随費用に係る損失の額を含む。）
(二)		災害により当該資産が損壊し、又はその価値が減少した場合その他災害により当該資産を事業の用に供することが困難となった場合において、その災害のやんだ日の翌日から1年を経過した日の前日までに支出する次に掲げる費用その他これらに類する費用に係る損失の額
	イ	災害により生じた土砂その他の障害物を除去するための費用
	ロ	当該資産の原状回復のための修繕費
	ハ	当該資産の損壊又はその価値の減少を防止するための費用
(三)		災害により当該資産につき現に被害が生じ、又はまさに被害が生ずるおそれがあると見込まれる場合において、当該資産に係る被害の拡大又は発生を防止するため緊急に必要な措置を講ずるための費用に係る損失の額

(通算法人である場合の適用)

(8)　3《仮決算をした場合の中間申告書の記載事項等》の普通法人が通算法人である場合における3の適用については、次に掲げるところによる。(法72⑤)

(一)	当該普通法人が通算子法人である場合には、3に掲げる期間は、3の事業年度開始の日から1《中間申告》に掲げる6か月経過日の前日までの期間とする。
(二)	当該普通法人並びに6か月経過日及びその前日において当該普通法人との間に通算完全支配関係がある他の通算法人（以下(二)及び(四)において「他の通算法人」という。）の全てが1のただし書若しくは2《国税通則法第11条の規定による申告期限の延長により中間申告書の提出を要しない場合》により中間申告書を提出することを要しない場合（当該普通法人又は他の通算法人のいずれかについて当該6か月経過日の属する事業

	年度開始の日から当該6か月経過日の前日までの期間（（四）において「中間期間」という。）において生じた（4）《災害があった場合の仮決算による中間申告書の提出》に掲げる災害損失金額がある場合を除く。）又は当該普通法人及び他の通算法人の**3**の表の②に掲げる金額の合計額が当該普通法人及び他の通算法人の**1**により計算した**1**の表の①に掲げる金額の合計額を超える場合には、**3**の本文は、適用しない。
（三）	**3**のただし書きは、適用しない。
（四）	当該普通法人が**3**の表に掲げる事項を記載した中間申告書をその提出期限までに提出した場合において、他の通算法人のいずれかが中間期間につき同表に掲げる事項を記載した中間申告書をその提出期限までに提出しなかったときは、次の表の左欄に掲げる場合の区分に応じそれぞれ右欄に掲げるところによる。

	イ	当該普通法人が中間申告書を提出すべき内国法人である場合	当該普通法人が提出した中間申告書には、**1**の表に掲げる事項の記載があったものとみなす。
	ロ	当該普通法人が中間申告書を提出すべき内国法人でない場合	当該普通法人は、当該中間期間に係る中間申告書を提出しなかったものとみなす。

（通算法人の災害等による中間申告書の提出期限の延長）

（9）　第二章第一節の**九**の**3**《災害等による期限の延長》により通算法人の**1**による申告書の提出期限が延長された場合には、他の通算法人についても、その延長された申告書に係る同**九**の**3**の表の①《国税庁長官の地域指定による期限の延長》、同表の②《個別指定による期限の延長》により指定された期日まで、同**3**により**1**による申告書（その延長された申告書に係る**1**に掲げる6か月経過日の前日に終了する当該他の通算法人の**1**の表の①に掲げる中間期間に係るものに限る。以下（9）において同じ。）の提出期限が延長されたものとみなす。ただし、当該指定された期日が当該他の通算法人の**1**による申告書の提出期限前の日である場合は、この限りでない。（法72の2、令150の3①）

（中間申告書の提出を要しない法人の還付申告）

（10）　**1**《中間申告》のただし書又は**2**《国税通則法第11条の規定による申告期限の延長により中間申告書の提出を要しない場合》により中間申告書の提出を要しないこととされている法人であっても、当該中間期間において生じた災害損失金額（（4）に掲げる災害損失金額をいう。）がある場合には、**3**の表の①から③及び（3）の表の（一）、（二）に掲げる事項を記載した中間申告書を提出することができることに留意する。（基通17－2－1）

　　注　第二章第一節の**二**の表の30《中間申告書》に掲げる中間申告書には期限後申告書は含まれないのであるから、**八**の**1**により同**1**の中間申告書の提出による所得税額の還付を受けようとする場合には、当該中間申告書は**1**の提出期限までに提出しなければならないことに留意する。

（仮決算の中間申告による所得税額の還付における災害損失の額の計算）

（11）　第一節第二十一款の**二**の**1**の（2）《災害損失の対象となる固定資産に準ずる繰延資産の範囲》及び同**二**の**2**の（2）《災害損失の額に含まれる棚卸資産等の譲渡損》から（13）《繰延資産の基因となった資産について損壊等の被害があった場合》は、（4）《災害があった場合の仮決算による中間申告書の提出》を適用する場合の災害損失の額（（7）に掲げる損失の額をいう。）の計算について準用する。（基通17－2－1の2）

（仮決算による中間申告書の様式）

（12）　**3**に掲げる中間申告書（当該申告書に係る修正申告書及び更正請求書を含む。）の記載事項及びこれに添付すべき書類の記載事項のうち別表一、別表一付表、別表二、別表三（二）から別表六（三十一）まで、別表七（一）から別表七（四）付表まで、別表七の二から別表十（九）付表まで、別表十（十一）から別表十七（二の三）付表まで、別表十七（三の二）から別表十七（三の八）まで及び別表十八（一）から別表十八（三）まで（更正請求書にあっては、別表一を除く。）に定めるものの記載については、これらの表の書式によらなければならない。

　　ただし、内国法人が第一節第六款の**十一**の**2**《償却明細書に代わる合計表》又は同節第八款の**五**の**2**《償却明細書に代わる合計表》の適用を受ける場合には、これらに掲げる明細書については、別表十六（一）から別表十六（六）までに定める書式に代え、当該書式と異なる書式（これらの表の書式に定める項目を記載しているものに限る。）によることができるものとする。（規32②）

　　注1　──線部分は、法人税法施行規則の一部を改正する省令（令和6年財務省令第36号）により改正された部分で、改正規定は、令和6年4月12日から適用され、令和6年4月11日以前の適用については、（12）は次による。（同省令附1）

第三章　第二節　第三款　一《中間申告》

> 　　3に掲げる中間申告書（当該申告書に係る修正申告書及び更正請求書を含む。）の記載事項及びこれに添付すべき書類の記載事項のうち別表一、別表一付表、別表二、別表三（二）から別表六（三十二）まで、別表七（一）から別表七（四）付表まで、別表七の二から別表十（九）付表まで、別表十（十一）から別表十七（二の三）付表まで、別表十七（三の二）から別表十七（三の八）まで及び別表十八（一）から別表十八（三）まで（更正請求書にあっては、別表一を除く。）に定めるものの記載については、これらの表の書式によらなければならない。
> 　　ただし、内国法人が第一節第六款の**十一の2**《償却明細書に代わる合計表》又は同節第八款の**五の2**《償却明細書に代わる合計表》の適用を受ける場合には、これらに掲げる明細書については、別表十六（一）から別表十六（六）までに定める書式に代え、当該書式と異なる書式（これらの表の書式に定める項目を記載しているものに限る。）によることができるものとする。（規32旧②）

　注2　──線部分（注1に係る部分に限る。）は、法人税法施行規則の一部を改正する省令（令和5年財務省令第34号）により改正された部分で、改正規定は、令和5年4月14日から適用され、令和5年4月13日以前の適用については、(12)は次による。（同省令附1）

> 　　3に掲げる中間申告書（当該申告書に係る修正申告書及び更正請求書を含む。）の記載事項及びこれに添付すべき書類の記載事項のうち別表一、別表一付表、別表二、別表三（二）から別表三（七）まで、別表四、別表四付表、別表五（一）から別表五（二）まで、別表六（一）から別表六（三十七）まで、別表七（一）から別表七（四）付表まで、別表七の三から別表八（三）付表まで、別表九（一）から別表十（九）付表まで、別表十（十一）、別表十一（一）から別表十四（十）付表二まで、別表十五、別表十五付表、別表十六（一）から別表十七（二の三）付表まで、別表十七（三の二）から別表十七（三の八）まで及び別表十八（一）から別表十八（三）まで（更正請求書にあっては、別表一を除く。）に定めるものの記載については、これらの表の書式によらなければならない。
> 　　ただし、内国法人が第一節第六款の**十一の2**《償却明細書に代わる合計表》又は同節第八款の**五の2**《償却明細書に代わる合計表》の適用を受ける場合には、これらに掲げる明細書については、別表十六（一）から別表十六（六）までに定める書式に代え、当該書式と異なる書式（これらの表の書式に定める項目を記載しているものに限る。）によることができるものとする。（規32旧②）

　（仮決算における損金経理の意義）
(13)　3に掲げる1事業年度とみなした期間（以下「**中間期間**」という。）に係る決算《仮決算》における損金経理とは、株主等に報告する当該期間に係る決算書（これに類する計算書類を含む。）及びその作成の基礎となった帳簿に費用又は損失として記載することをいう。（基通1−7−1）

　（法人税額から控除する所得税額の計算方法の適用）
(14)　法人税額から控除する所得税額の計算する場合の元本所有期間あん分の計算《第二款の**一の2の②**》と元本所有期間あん分の簡便計算《同**2の③**》のように、その計算方法の選択が認められており、かつ、その継続適用を要件としていないものについては、中間事業年度において適用する計算方法と確定事業年度（当該中間事業年度を含む事業年度をいう。以下同じ。）において適用する計算方法とが異なることとなっても差し支えないことに留意する。（編者）
　　注　次のような事項について異なる計算方法の選択が認められている。
　　（一）　返品調整引当金勘定への繰入限度額の計算《第一節第十七款の**二の1の②のイの表の（イ）、（ロ）**》
　　（二）　土地譲渡利益金額を計算する場合の直接又は間接に要した経費の額の計算《本書平成12年版の第一款の**四の3の③のイ、ロ**、同款の**五の2の③のイ、ロ**》

　（6か月ごと総平均法等）
(15)　6か月ごとに総平均法又は売価還元法により棚卸資産の取得価額を計算する方法は、それぞれ総平均法又は売価還元法に該当するものとする。（基通5−2−3の2）
　　注　6か月ごと移動平均法は、移動平均法に該当しない。

　（原価差額の調整期間）
(16)　事業年度が1年である法人の原価差額の調整は、継続適用を条件に、各事業年度を当該事業年度開始の日から中間事業年度終了の日までの期間（以下「上期」という。）と中間事業年度終了の日の翌日から確定事業年度終了の日までの期間（以下「下期」という。）とに区分し、それぞれの期間について行うことができる。この場合、第一節第五款の**六の(4)**《原価差額の調整を要しない場合》及び同(5)《原価差額の調整を工場ごとに行っている場合の調整の省略》の適用に当たっては、上期及び下期のそれぞれの期間ごとに、その期間に発生した原価差額によりその調整の要否を判定することに留意する。（基通5−3−2の2）

　（原価差額の簡便調整方法の特例）
(17)　(16)の適用を受けた法人が、下期に繰り越された個々の棚卸資産に原価差額を配賦しないで一括して処理している場合において、下期における原価差額の調整を第一節第五款の**六の(6)**《原価差額の簡便調整方法》の方法により行うときは、同(6)の算式中「原価差額」とあるのは「下期に生じた原価差額に上期末の棚卸資産に一括配賦した原

−1695−

価差額を加算した金額」と、「売上原価」とあるのは「下期に係る売上原価」と、それぞれ読み替えて適用するものとする。（基通5－3－5の2）

　　　（中間期間における償却率）
(18)　1年決算法人で旧定額法、旧定率法、定額法又は定率法を採用しているものが、その事業年度を6か月ごとに区分してそれぞれの期間につき償却限度額を計算し、その合計額をもって当該事業年度の償却限度額としている場合において、当該各期間に適用する償却率又は改定償却率を、それぞれ減価償却資産の耐用年数等に関する省令別表第七から別表第九までの償却率又は改定償却率に$\frac{1}{2}$を乗じて得た率（小数点以下第4位まで求めた率）とし、当該事業年度の期首における帳簿価額（旧定額法又は定額法を採用している場合は、取得価額）又は当該減価償却資産の改定取得価額を基礎として当該償却限度額を計算しているときは、これを認める。（耐通5－1－2・編者補正）

　　　（中古資産の耐用年数の見積法及び簡便法）
(19)　中古資産についての第一節第六款の八の2《中古資産の耐用年数》による残存耐用年数の算定は、その事業の用に供した事業年度においてすることができるのであるから当該事業年度においてその算定をしなかったときは、その後の事業年度においてはその算定をすることができないことに留意する。（耐通1－5－1）
　　　注　法人が、3に掲げる期間（当該法人が通算子法人である場合には、(8)に掲げる期間。以下(19)において「中間期間」という。）において取得した中古の減価償却資産につき法定耐用年数を適用した場合であっても、当該中間期間を含む事業年度においては当該資産につき見積法又は簡便法により算定した耐用年数を適用することができることに留意する。

　　　（中間期間で増加償却を行った場合）
(20)　法人が、中間期間において第一節第六款の十の3の①《通常の使用時間を超えて使用される機械及び装置の償却限度額の特例》により増加償却の適用を受けている場合であっても、確定事業年度においては、改めて当該事業年度を通じて増加償却割合を計算し、当該特例を適用することに留意する。（基通7－4－6）

4　中間申告書の提出がない場合の特例

　中間申告書を提出すべき内国法人である普通法人がその中間申告書をその提出期限までに提出しなかった場合には、その普通法人については、その提出期限において、税務署長に対し**1**《中間申告》の表の①及び②に掲げる事項を記載した中間申告書《予定申告書》の提出があったものとみなして、法人税法を適用する。（法73）
　　注　中間申告書については、期限後申告書の提出はあり得ないことになる。（編者）

二　確定申告

1　確定申告《期限内申告》

　内国法人は、各事業年度終了の日の翌日から**2か月**以内に、税務署長に対し、確定した決算に基づき次に掲げる事項を記載した申告書《**確定申告書**》を提出しなければならない。（法74①、措法42の4⑳㉒㉓Ⅲ、42の6⑨、42の9⑥、42の10⑥、42の11⑦、42の11の2⑥、42の11の3⑥、42の12⑪、42の12の2③、42の12の4⑨、42の12の5⑩、42の12の6⑥、42の12の7㉑、42の13①⑨、62の3①⑨⑭、63①⑦、67の2⑤、措令27の13②、38⑤Ⅰ、38の4㊺、38の5㉖）

①	当該事業年度の課税標準である所得の金額又は欠損金額
②	①に掲げる所得の金額につき第一款《税率》及び第二款《税額控除》を適用して計算した法人税の額
③	第二款の**一**《所得税額の控除》及び同款の**二**《外国税額の控除》による控除をされるべき金額で②に掲げる法人税の額の計算上控除しきれなかったものがある場合には、その控除しきれなかった金額 　注　この金額を「所得税額等の控除不足額」といい、還付されるものである。（編者）
④	その内国法人が当該事業年度につき中間申告書を提出した法人である場合には、②に掲げる法人税の額から当該申告書に係る中間納付額を控除した金額
⑤	④に掲げる中間納付額で④に掲げる金額の計算上控除しきれなかったものがある場合には、その控除しきれなかった金額 　注　この金額を「中間納付額の控除不足額」といい、還付されるものである。（編者）
⑥	①から⑤までに掲げる金額の計算の基礎その他次に掲げる事項（規34①） 　イ　内国法人の名称、納税地及び法人番号並びにその納税地と本店又は主たる事務所の所在地とが異なる場合には、その本店又は主たる事務所の所在地 　ロ　代表者の氏名 　ハ　当該事業年度の開始及び終了の日 　ニ　当該事業年度が残余財産の確定の日の属する事業年度（イの内国法人が通算法人である場合には、当該内国法人に係る通算親法人の事業年度終了の日に終了するものを除く。）である場合において、当該事業年度終了の日の翌日から1か月以内に残余財産の最後の分配又は引渡しが行われるときは、その分配又は引渡しが行われる日 　ホ　**八の3**《欠損金の繰戻しによる還付》により還付の請求をする法人税の額 　ヘ　その他参考となるべき事項

　　（清算中の内国法人につきその残余財産が確定した場合の取扱い）
（1）　清算中の内国法人につきその残余財産が確定した場合には、当該内国法人の当該残余財産の確定の日の属する事業年度（当該内国法人が通算法人である場合には、当該内国法人に係る通算親法人の事業年度終了の日に終了するものを除く。）に係る**1**の適用については、**1**中「2か月以内」とあるのは「1か月以内（当該翌日から1か月以内に残余財産の最後の分配又は引渡しが行われる場合には、その行われる日の前日まで）」とする。（法74②）

　　（確定申告書の添付書類）
（2）　確定申告書には、次の（一）から（七）までに掲げるもの（（一）から（七）までに掲げるものが電磁的記録〔電子的方式、磁気的方式その他の人の知覚によっては認識することができない方式で作られる記録であって、電子計算機による情報処理の用に供されるものをいう。以下（2）において同じ。〕で作成され、又は（一）から（七）までに掲げるものの作成に代えてそれぞれに記載すべき情報を記録した電磁的記録の作成がされている場合には、これらの電磁的記録に記録された情報の内容を記載した書類）を添付しなければならない。（法74③、規35①）
（一）　当該事業年度の貸借対照表及び損益計算書
（二）　当該事業年度の株主資本等変動計算書若しくは社員資本等変動計算書又は損益金の処分表（これらの書類又は（一）に掲げる書類に次のイ及びロに掲げる事項の記載がない場合には、その記載をした書類を含む。）

イ	当該事業年度終了の日の翌日から当該事業年度に係る決算の確定の日までの間に行われた剰余金の処分の内容
ロ	過年度事項（当該事業年度前の事業年度の貸借対照表、損益計算書又は株主資本等変動計算書若しくは社員資本等変動計算書若しくは損益金の処分表に表示すべき事項をいう。）の修正の内容

(三) (一)に掲げるものに係る勘定科目内訳明細書
(四) 当該内国法人が通算法人である場合には、当該内国法人の第一節第三十五款の一の**1**《通算法人の損益通算》及び同一の**3**《欠損金の通算》その他通算法人のみに適用される規定に係る金額の計算の基礎となる当該内国法人及び他の通算法人の有する金額等に関する明細を記載した書類
(五) 当該内国法人の事業等の概況に関する書類（当該内国法人との間に完全支配関係がある法人との関係を系統的に示した図を含む。）
(六) 組織再編成（合併、分割、現物出資〔新株予約権付社債に付された新株予約権の行使に伴う当該新株予約権付社債についての社債の給付を除く。〕、第二章第一節の二の表の**12の5の2**に掲げる現物分配〔（七）において「現物分配」という。〕、株式交換又は株式移転をいう。（七）において同じ。〕に係る合併契約書、分割契約書、分割計画書、株式交換契約書、株式移転計画書、株式交付計画書その他これらに類するものの写し
(七) 組織再編成（株式交換、株式移転及び株式交付を除く。）により当該組織再編成に係る合併法人、分割承継法人、被現物出資法人若しくは被現物分配法人その他の株主等に移転した資産若しくは負債の種類その他当該組織再編成に係る主要な事項又は組織再編成（現物分配にあっては、適格現物分配に限る。）により当該組織再編成に係る被合併法人、分割法人、現物出資法人、現物分配法人、株式交換完全子法人の株主、株式移転完全子法人の株主若しくは株式交付子会社（会社法第774条の3第1項第1号《株式交付計画》に規定する株式交付子会社をいう。以下（七）において同じ。）の株主から移転を受けた資産若しくは負債その他主要な事項に関する明細書（株式交付に係る株式交付子会社の株主から資産の移転を受けた場合には、当該株式交付子会社の株主に対して交付した株式その他の資産の数又は価額の算定の根拠を明らかにする事項を記載した書類を含む。）

注1 通算親法人が提出した**1**による申告書に上記（四）に掲げる書類の添付があった場合には、他の通算法人が提出した**1**による申告書（当該通算親法人が提出した**1**による申告書に係る事業年度終了の日に終了する当該他の通算法人の事業年度に係るものに限る。）の全てに上記（四）に掲げる書類の添付があったものとみなす。（規35②）

注2 上記（七）に掲げる明細書は、付表の様式（これに準ずる書式を含む。）による。（基通17-1-5）
なお、付表の様式については、省略した。（編者）

(確定申告書の様式)

(3) 確定申告書（当該申告書に係る修正申告書及び更正請求書を含む。）の記載事項及びこれに添付すべき書類の記載事項のうち別表一、別表一付表、別表二から別表六（三十一）まで、別表七（一）から別表十七（四）まで、別表十八（一）から別表十八（三）まで（更正請求書にあっては、別表一を除く。）に定めるものの記載については、これらの表の書式によらなければならない。ただし、内国法人が減価償却に関する明細書又は繰延資産の償却に関する明細書に代わる合計表を確定申告書に添付する場合には、これらの明細書を保存している場合に限り、これらの明細書の添付は要しない。

なお、保存するこれらの明細書については、別表十六（一）から別表十六（六）までに定める書式に代え、当該書式と異なる書式（これらの表の書式に定める項目を記載しているものに限る。）によることができるものとする。（規34②、令63②、67②）

注1 ──線部分は、法人税法施行規則の一部を改正する省令（令和6年財務省令第36号）により改正された部分で、改正規定は、令和6年4月12日から適用され、令和6年4月11日以前の適用については、(3)は次による。（同省令附1）

> 確定申告書（当該申告書に係る修正申告書及び更正請求書を含む。）の記載事項及びこれに添付すべき書類の記載事項のうち別表一、別表一付表、別表二から別表六（三十二）まで、別表七（一）から別表十七（四）まで、別表十八（一）から別表十八（三）まで（更正請求書にあっては、別表一を除く。）に定めるものの記載については、これらの表の書式によらなければならない。ただし、内国法人が減価償却に関する明細書又は繰延資産の償却に関する明細書に代わる合計表を確定申告書に添付する場合には、これらの明細書を保存している場合に限り、これらの明細書の添付は要しない。
>
> なお、保存するこれらの明細書については、別表十六（一）から別表十六（六）までに定める書式に代え、当該書式と異なる書式（これらの表の書式に定める項目を記載しているものに限る。）によることができるものとする。（規34旧②、令63②、67②）

注2 ──線部分（注1に係る部分に限る。）は、法人税法施行規則の一部を改正する省令（令和5年財務省令第34号）により改正された部分で、改正規定は、令和5年4月14日から適用され、令和5年4月13日以前の適用については、(3)は次による。（同省令附1）

> 確定申告書（当該申告書に係る修正申告書及び更正請求書を含む。）の記載事項及びこれに添付すべき書類の記載事項のうち別表一、別表一付表、別表二から別表三（七）まで、別表四、別表四付表、別表五（一）から別表五（二）まで、別表五の二（一）付表二、別表六（一）から別表六（三十七）まで、別表七（一）から別表七（五）まで、別表七の三から別表八（三）付表まで、別表九（一）から別表十（十一）まで、別表十一（一）から別表十四（十）付表二まで、別表十五、別表十五付表、別表十六（一）から別表十七（四）まで及び別表十八（一）から別表十八（三）まで（更正請求書にあっては、別表一を除く。）に定めるものの記載については、これらの表の書式によらなければならない。ただし、内国法人が減価償却に関する明細書又は繰延資産の償却に関する明細書に代わる合計表を確定申告書に添付する場合には、これらの明細書を保存している場合に限り、これらの明細書の添付は要しない。
>
> なお、保存するこれらの明細書については、別表十六（一）から別表十六（六）までに定める書式に代え、当該書式と異なる書式（こ

れらの表の書式に定める項目を記載しているものに限る。）によることができるものとする。（規34旧②、令63旧②、67②）

2　確定申告書の提出期限の延長

　1　《確定申告》による確定申告書を提出すべき内国法人が、災害その他やむを得ない理由（**3**《確定申告書の提出期限の延長の特例》の適用を受けることができる理由を除く。）により決算が確定しないため、当該申告書を**1**に掲げる提出期限までに提出することができないと認められる場合には、第二章第一節の**九**の3《災害等による期限の延長》により、当該提出期限が延長された場合を除き、納税地の所轄税務署長は、その内国法人の申請に基づき、期日を指定してその提出期限を延長することができる。（法75①）

　　　　（確定申告書の提出期限の延長申請書）
（1）　**2**に掲げる申請は、その確定申告書に係る事業年度終了の日の翌日から45日以内に、次に掲げる事項を記載した申請書をもってしなければならない。（法75②、規36）
　（一）　申請をする内国法人の名称、納税地及び法人番号
　（二）　代表者の氏名
　（三）　当該申告書の提出期限までに決算が確定しない理由
　（四）　その指定を受けようとする期日
　（五）　当該申告書に係る事業年度終了の日
　（六）　指定を受けようとする期日までその提出期限の延長を必要とする理由
　（七）　その他参考となるべき事項

　　　　（申請理由が相当でない場合の却下）
（2）　税務署長は、（1）に掲げる申請書の提出があった場合において、その申請に係る理由が相当でないと認めるときは、その申請を却下することができる。（法75③）

　　　　（延長又は却下の処分の通知）
（3）　税務署長は、（1）に掲げる申請書の提出があった場合において、提出期限の延長又は申請の却下の処分をするときは、その申請をした内国法人に対し、書面によりその旨を通知する。（法75④）

　　　　（延長又は却下の処分がなかったときのみなし延長）
（4）　（1）に掲げる申請書の提出があった場合において、その確定申告書に係る事業年度終了の日の翌日から2か月以内にその提出期限の延長又は申請の却下の処分がなかったときは、その申請に係る指定を受けようとする期日を**2**に掲げる期日としてその提出期限の延長がされたものとみなす。（法75⑤）

　　　　（指定期日前に確定申告書の提出があった場合）
（5）　確定申告書の提出期限の延長の適用を受ける内国法人がその確定申告書を指定された期日前に税務署長に提出した場合には、その提出があった日をもって**2**に掲げる期日とされたものとみなす。（法75⑥）

　　　　（利子税の納付）
（6）　確定申告書の提出期限の延長の適用を受ける内国法人は、その確定申告書に係る事業年度の所得に対する法人税の額に、当該事業年度終了の日の翌日以後2か月を経過した日から指定された期日までの期間の日数に応じ、年7.3％の割合（各年の**利子税特例基準割合**が年7.3％の割合に満たない場合には、その年中においては、当該利子税特例基準割合）を乗じて計算した金額に相当する利子税をその計算の基礎となる法人税に併せて納付しなければならない。（法75⑦、措法93①Ⅱ）
　　注1　（6）に掲げる利子税特例基準割合とは、平均貸付割合（各年の前々年の9月から前年の8月までの各月における短期貸付けの平均利率〔当該各月において銀行が新たに行った貸付け〈貸付期間が1年未満のものに限る。〉に係る利率の平均をいう。〕の合計を12で除して計算した割合として各年の前年の11月30日までに財務大臣が告示する割合をいう。以下同じ）に年0.5％の割合を加算した割合をいう。（措法93②）
　　注2　利子税特例基準割合の適用がある場合における利子税の額の計算において、その計算の過程における金額に1円未満の端数が生じたときは、これを切り捨てる。（措法96②）

(通算法人に係る確定申告書の提出期限の延長)
(7) 通算法人に係る**2**《確定申告書の提出期限の延長》、(1)《確定申告書の提出期限の延長申請書》から(6)《利子税の納付》までの適用については、次に掲げるところによる。(法75⑧)

(一)	**2**中「内国法人」とあるのは「通算法人」と、「決算」とあるのは「、当該通算法人若しくは他の通算法人の決算」と、「ため」とあるのは「ため、又は第一節第三十五款その他通算法人に適用される規定による所得の金額若しくは欠損金額及び法人税の額の計算を了することができないため」と、(1)中「理由」とあるのは「理由又は第一節第三十五款その他通算法人に適用される規定による所得の金額若しくは欠損金額及び法人税の額の計算を了することができない理由」と、(5)中「内国法人」とあるのは「通算法人及び他の通算法人の全て」と、「あった日」とあるのは「あった日のうち最も遅い日」とする。
(二)	通算親法人に対して**2**の提出期限の延長の処分があった場合には、他の通算法人の全てにつきその処分により指定された期日((4)《延長又は却下の処分がなかったときのみなし延長》により提出期限の延長がされたものとみなされた場合には、その申請に係る期日)を**2**の期日として**2**の提出期限の延長がされたものとみなす。
(三)	通算子法人は、(1)の申請書を提出することができない。

(他の通算法人に係る確定申告書の提出期限の延長)
(8) 第二章第一節の**九**の**3**《災害等による期限の延長》により通算法人の**1**《確定申告》による申告書の提出期限が延長された場合には、他の通算法人についても、その延長された申告書に係る同**九**の**3**の表の①《国税庁長官の地域指定による期限の延長》、同表の②《個別指定による期限の延長》により指定された期日まで、同**3**により**1**による申告書(その延長された申告書に係る事業年度終了の日に終了する当該他の通算法人の事業年度に係るものに限る。以下(8)において同じ。)の提出期限が延長されたものとみなす。ただし、当該指定された期日が当該他の通算法人の**1**による申告書の提出期限前の日である場合は、この限りでない。(令150の3②)

(申請期限後に災害等が生じた場合の申告書の提出期限の延長)
(9) 法人の事業年度終了の日から45日を経過した日後災害その他やむを得ない理由の発生により決算が確定しないため、確定申告書の提出期限までに確定申告書を提出することができない場合には、**2**に準じて取り扱う。この場合には、確定申告書の提出期限延長の申請書は、当該理由の発生後直ちに提出するものとし、当該申請書の提出があった日から15日以内に承認又は却下がなかったときは、当該申請に係る指定を受けようとする日を税務署長が指定した日としてその承認があったものとする。(基通17-1-1)

(申告書の提出期限の延長の再承認)
(10) 確定申告書の提出期限の延長の承認を受けた法人が指定された提出期限までに決算が確定しないため確定申告書を提出できない場合には、法人の申請によりその指定の日を変更することができる。(基通17-1-2)

(国税通則法第11条による提出期限の延長との関係)
(11) 第二章第一節の**九**の**3**の表の①《国税庁長官の地域指定による期限の延長》又は同表の②《個別指定による期限の延長》の(1)による確定申告書の提出期限の延長がされた場合において、災害その他やむを得ない理由により決算が確定しないため確定申告書をその延長された期限までに提出することができないと認められるときは、当該期限を(1)による申請書の提出期限として、**2**((4)を除く。)の確定申告書の提出期限の延長を適用することができるものとする。この場合には、税務署長は遅滞なく延長又は却下の処分を行うものとし、また、利子税の計算については、(6)中「当該事業年度終了の日の翌日以後2か月を経過した日」とあるのは、「第二章第一節の**九**の**3**の表の①又は同表の②の(1)により指定された期限の翌日」と読み替える。(基通17-1-3)

3 確定申告書の提出期限の延長の特例
1《確定申告》による確定申告書を提出すべき内国法人が、定款、寄附行為、規則、規約その他これらに準ずるもの(以下**3**において「**定款等**」という。)の定めにより、又は当該内国法人に特別の事情があることにより、当該事業年度以後の各事業年度終了の日の翌日から2か月以内に当該各事業年度の決算についての定時総会が招集されない状況にあると認められる場合には、納税地の所轄税務署長は、当該内国法人の申請に基づき、当該事業年度以後の各事業年度(残余財産の

確定の日の属する事業年度を除く。以下（4）までにおいて同じ。）の当該申告書の提出期限を1か月間（次の表の左欄に掲げる場合に該当する場合には、それぞれ右欄に掲げる期間）延長することができる。（法75の2①）

①	当該内国法人が会計監査人を置いている場合で、かつ、当該定款等の定めにより当該事業年度以後の各事業年度終了の日の翌日から3か月以内に当該各事業年度の決算についての定時総会が招集されない常況にあると認められる場合（②に掲げる場合を除く。）	当該定めの内容を勘案して4か月を超えない範囲内において税務署長が指定する月数の期間
②	当該特別の事情があることにより当該事業年度以後の各事業年度終了の日の翌日から3か月以内に当該各事業年度の決算についての定時総会が招集されない常況にあることその他やむを得ない事情があると認められる場合	税務署長が指定する月数の期間

（特別の事情がある法人）
（1） **3**に掲げる「特別の事情」がある法人とは、次のような法人をいう。（基通17－1－4）
　（一）　保険業法第11条《基準日》の規定の適用がある保険株式会社
　（二）　外国法人で、その本社の決算確定手続が事業年度終了後2か月以内に完了しないもの
　（三）　外国株主との関係で、決算確定までに日数を要する合弁会社
　（四）　会社以外の法人で、当該法人の支部又は加入者である単位協同組合等の数が多いこと、監督官庁の決算承認を要すること等のため、決算確定までに日数を要する全国組織の共済組合、協同組合連合会等

（定款の定めにより1か月間の提出期限の延長を受けることができる法人）
（2）　**3**により**1**《確定申告》による申告書の提出期限について1か月間の延長を受けることができる法人には、例えば、次のような定款の定めをしている法人（その事業年度終了の日の翌日から2か月を経過する日までの間に定時株主総会が招集される法人を除く。）がこれに該当する。（基通17－1－4の2）
　（一）　定時株主総会の招集時期を事業年度終了の日の翌日から2か月を経過した日以後とする旨の定め
　（二）　定時株主総会の招集時期を事業年度終了の日の翌日から3か月以内とする旨の定め

（4か月を超えない範囲内で提出期限の延長を受けることができる場合）
（3）　会計監査人を置いている法人が次のような定款の定めをしている場合には、**3**の表の①に掲げる場合に該当する。ただし、事業年度終了の日の翌日から3か月を経過する日（以下（3）において「3か月経過日」という。）までの間に定時株主総会が招集される場合は該当しない。（基通17－1－4の3）
　（一）　定時株主総会を3か月経過日後の一定の期間内に招集する旨の定め
　（二）　定時株主総会の議決権の基準日を事業年度終了の日の翌日以後の特定の日とする旨及び定時株主総会を当該基準日から3か月以内に招集する旨の定め
　　注1　定時株主総会の議決権の基準日を定款に定めていない場合において、定時株主総会を基準日から3か月以内に招集する旨を定款に定めているときは、**3**の表の①に掲げる場合に該当しないことに留意する。
　　注2　（5）に規定する申請書の提出に当たり、定時株主総会を招集する期間が複数の月に及ぶなど定款の定めからは延長する月数が特定できない場合には、定時株主総会の招集時期が確認できる書類を当該申請書に添付する必要があることに留意する。

（通算法人に係る確定申告書の提出期限の延長又は延長の特例の取扱いの準用）
（4）　通算法人が**2**《確定申告書の提出期限の延長》又は**3**《確定申告書の提出期限の延長の特例》の適用を受ける場合には、次表の左欄の取扱いを準用する。この場合において、左欄の規定中の中欄の字句は、右欄の字句に読み替える。（基通17－1－4の4）

左欄	中欄	右欄
17－1－1	法人	通算法人
	により決算が	により、当該通算法人若しくは他の通算法人の決算が
	ため、確定申告書	ため、又は法第2編第1章第1節第11款第1目《損益通算及び欠損金の通算》の規定その他通算法人に適用される規定（以下17－1－3までにおいて「通算法人向け規定」という。）による所得の金額若しくは欠損金額及び法

		人税の額の計算を了することができないため、確定申告書
	第75条第1項《確定申告書の提出期限の延長》	第75条第8項第1号《確定申告書の提出期限の延長》の規定により読み替えて適用される同条第1項
17－1－2	法人が	通算法人が
	決算が	当該通算法人若しくは他の通算法人の決算が
	ため確定申告書	又は通算法人向け規定による所得の金額若しくは欠損金額及び法人税の額の計算を了することができないため確定申告書
	法人の申請	当該通算法人に係る通算親法人の申請
17－1－3	通則法第11条	通算法人又は他の通算法人のいずれかについて通則法第11条
	により決算	により、当該通算法人又は他の通算法人のいずれかについて、決算
	ため確定申告書	ため、又は通算法人向け規定による所得の金額若しくは欠損金額及び法人税の額の計算を了することができないため、確定申告書
	第75条第2項《確定申告書の提出期限の延長》	第75条第8項第1号《確定申告書の提出期限の延長》の規定により読み替えて適用される同条第2項
17－1－4	第75条の2第1項《確定申告書の提出期限の延長の特例》	第75条の2第11項第1号《確定申告書の提出期限の延長の特例》の規定により読み替えて適用される同条第1項
	法人とは、次のような	通算法人又は他の通算法人とは、次の(1)、(3)及び(4)のような
	共済組合、協同組合連合会等	協同組合連合会等
17－1－4の2	第75条の2第1項《確定申告書の提出期限の延長の特例》	第75条の2第11項第1号《確定申告書の提出期限の延長の特例》の規定により読み替えて適用される同条第1項
	1月間の延長	2月間の延長
	法人には	通算法人又は他の通算法人には
	次のような定款の定めをしている法人（その事業年度終了の日の翌日から2月を経過する日までの間に定時株主総会が招集される法人を除く。）	同じ通算グループ内に次のような定款の定めをしている法人（その事業年度終了の日の翌日から2月を経過する日までの間に定時株主総会が招集される法人を除く。）がある通算法人又は他の通算法人
17－1－4の3	会計監査人を置いている法人が	通算法人又は他の通算法人で、会計監査人を置いているものが、
	場合には、法第75条の2第1項第1号《確定申告書の提出期限の延長の特例》	場合には、法第75条の2第11項第1号《確定申告書の提出期限の延長の特例》の規定により読み替えて適用される同条第1項第1号
	翌日から3月	翌日から4月
	3月経過日	4月経過日
	翌日以後	翌日から1月を経過した日以後
	ときは、法第75条の2第1項第1号	ときは、法第75条の2第11項の規定により読み替えて適用される同条第1項第1号

	同条第3項	同条第11項の規定により読み替えて適用される同条第3項

　　　（確定申告書の提出期限の延長に係る変更等）
（5）　**3**の適用を受けている内国法人が、**3**の表の左欄に掲げる場合に該当することとなったと認められる場合、同表の左欄に掲げる場合に該当しないこととなったと認められる場合又は定款等の定め若しくは**3**の特別の事情若しくは**3**の表の②のやむを得ない事情に変更が生じたと認められる場合には、納税地の所轄税務署長は、当該内国法人の申請に基づき、当該事業年度以後の各事業年度に係る**3**に掲げる申告書の提出期限について、**3**の表の右欄の指定をし、**3**の表の右欄の指定を取り消し、又はその指定に係る月数の変更をすることができる。（法75の2②）

　　　（確定申告書の提出期限の延長の特例の申請書）
（6）　**3**及び（5）に掲げる申請は、**3**に掲げる申告書に係る事業年度終了の日までに、次に掲げる事項を記載した申請書をもってしなければならない。（法75の2③、規36の2）
　（一）　申請をする内国法人の名称、納税地及び法人番号
　（二）　代表者の氏名
　（三）　当該申告書に係る事業年度終了の日
　（四）　定款等の定め又は**3**の特別の事情の内容
　（五）　**3**の表の①又は②の月数の指定を受けようとする場合には、その指定を受けようとする月数の期間その提出期限の延長を必要とする理由（**3**の表の②のやむを得ない事情があることにより同表の②の指定を受けようとする場合には、当該事情の内容を含む。）
　（六）　**3**の表の①又は②の指定に係る月数の変更をしようとする場合には、その変更後の月数の期間その提出期限の延長を必要とする理由
　（七）　その他参考となるべき事項

　　　（確定申告書の提出期限の延長の特例の申請書の添付書類）
（7）　（6）の申請書には、**3**又は（5）の申請をする内国法人が定款等の定めにより各事業年度終了の日の翌日から2か月以内に当該各事業年度の決算についての定時総会が招集されない常況にあることを当該申請の理由とする場合にあっては、当該定款等の写しを添付しなければならない。（法75の2④）

　　　（申請理由が相当でない場合の却下及び延長又は却下の処分の通知）
（8）　**2**の（2）《申請理由が相当でない場合の却下》及び同**2**の（3）《延長又は却下の処分の通知》は、（6）に掲げる申請書の提出があった場合について、準用する。（法75の2⑧）

　　　（延長又は却下の処分がなかったときのみなし延長）
（9）　（6）に掲げる申請書の提出があった場合において、確定申告書に係る事業年度終了の日の翌日から15日以内にその提出期限の延長又は申請の却下の処分がなかったときは、1か月間（**3**の表の①又は②の指定を受けようとする旨の申請があった場合にはその申請に係る指定を受けようとする月数の期間とし、**3**の表の①又は②の指定に係る月数の変更をしようとする旨の申請があった場合にはその申請に係る変更後の月数の期間とする。）、**3**の提出期限の延長がされたものとみなす。（法75の2⑧、75⑤）

　　　（利子税の納付）
（10）　確定申告書の提出期限の延長の特例の適用を受ける内国法人は、その確定申告書に係る事業年度の所得に対する法人税の額に、当該事業年度終了の日の翌日以後2か月を経過した日から**3**により延長された提出期限までの期間の日数に応じ、年7.3％の割合（各年の**利子税特例基準割合**が年7.3％の割合に満たない場合には、その年中においては、当該利子税特例基準割合）を乗じて計算した金額に相当する利子税をその計算の基礎となる法人税に併せて納付しなければならない。（法75の2⑧、75⑦、措法93①Ⅱ）
　　注1　（10）に掲げる利子税特例基準割合とは、平均貸付割合（各年の前々年の9月から前年の8月までの各月における短期貸付けの平均利率〔当該各月において銀行が新たに行った貸付け〈貸付期間が1年未満のものに限る。〉に係る利率の平均をいう。〕の合計を12で除して計算した割合として各年の前年の11月30日までに財務大臣が告示する割合をいう。以下同じ）に年0.5％の割合を加算した割合をいう。（措法93②）

注2　利子税特例基準割合の適用がある場合における利子税の額の計算において、その計算の過程における金額に1円未満の端数が生じたときは、これを切り捨てる。（措法96②）

（承認の取消し等）
(11)　税務署長は、**3**の適用を受けている内国法人につき、定款等の定めに変更が生じ、若しくは**3**の特別の事情がないこととなったと認める場合、**3**の表の①又は②に掲げる場合に該当しないこととなったと認める場合又は**3**の特別の事情若しくは同表の②のやむを得ない事情に変更が生じたと認める場合には、その提出期限の延長の処分を取り消し、**3**の表の①又は②の指定を取り消し、又は同表の①又は②の指定に係る月数を変更することができる。この場合において、これらの取消し又は変更の処分があったときは、その処分のあった日の属する事業年度以後の各事業年度につき、その処分の効果が生ずるものとする。（法75の2⑤）

（処分の通知）
(12)　税務署長は、(11)の処分をするときは、その処分に係る内国法人に対し、書面によりその旨を通知する。（法75の2⑥）

（申告期限の延長の特例の取りやめ）
(13)　**3**の適用を受けている内国法人は、当該事業年度以後の各事業年度に係る確定申告書の提出期限について**3**の適用を受けることをやめようとするときは、当該事業年度終了の日までに、次に掲げる事項を記載した届出書を納税地の所轄税務署長に提出しなければならない。この場合において、その届出書の提出があったときは、当該事業年度以後の各事業年度については、**3**に掲げる提出期限の延長の処分は、その効力を失うものとする。（法75の2⑦、規36の3）
（一）　届出をする内国法人の名称、納税地及び法人番号
（二）　代表者の氏名
（三）　確定申告書の提出期限の延長の処分を受けた日又は当該処分があったものとみなされた日
（四）　当該事業年度以後の各事業年度について確定申告書の提出期限の延長の特例の適用をやめようとする当該事業年度の開始及び終了の日
（五）　確定申告書の提出期限の延長の特例の適用をやめようとする理由
（六）　その他参考となるべき事項

（災害等の場合の確定申告書の提出期限の延長への乗換えと特例停止）
(14)　**3**の適用を受けている内国法人について当該事業年度終了の日の翌日から2か月を経過した日前に災害その他やむを得ない理由が生じた場合には、当該事業年度に限り、申告期限の延長の特例の適用がないものとみなして、**2**《確定申告書の提出期限の延長》及び第二章第一節の**九**の**3**《災害等による期限の延長》を適用することができる。（法75の2⑨）

（災害が生じたため法人税法第75条の2の適用を受けなかった事業年度の翌事業年度の申告期限の延長）
(15)　**3**の適用を受けている法人が(14)により当該事業年度について**3**の適用を受けなかった場合であっても、当該事業年度後の各事業年度の確定申告書の提出期限については、**3**の適用があることに留意する。（編者）
注　当該事業年度後の事業年度について、(6)に掲げる申請書を改めて提出する必要はない。

（災害等の場合の確定申告書の提出期限の延長への乗継ぎ）
(16)　**2**《確定申告書の提出期限の延長》に掲げる確定申告書の提出期限の延長は、**3**の適用を受けている内国法人が、当該事業年度（(14)の適用に係る事業年度を除く。）につき災害その他やむを得ない理由により決算が確定しないため、確定申告書を**3**により延長された提出期限までに提出することができないと認められる場合について準用する。この場合の申請は、その確定申告書の提出期限の到来する日の15日前までに**2**の(1)《確定申告書の提出期限の延長申請書》に掲げる申請書を提出しなければならない。（法75の2⑩、75②）

（災害等の場合の確定申告書の提出期限の延長への乗継ぎの場合のみなし延長）
(17)　(16)に掲げる申請書の提出があった場合において、その確定申告書の提出期限までにその提出期限の延長又は却下の処分がなかったときは、その申請に係る指定を受けようとする期日を**2**《確定申告書の提出期限の延長》に掲げ

第三章　第二節　第三款　二《確定申告》

る期日としてその提出期限の延長がされたものとみなす。（法75の2⑩、75⑤）

　　　（災害等の場合の確定申告書の提出期限の延長への乗継ぎの場合の利子税の納付）
(18)　(16)の適用を受ける内国法人は、(10)に掲げる利子税のほか、その確定申告書に係る事業年度の所得に対する法人税の額に、3により延長された当該申告書の提出期限の翌日から2《確定申告書の提出期限の延長》により指定された期日までの期間の日数に応じ、年7.3％の割合（各年の**利子税特例基準割合**が年7.3％の割合に満たない場合には、その年中においては、当該利子税特例基準割合）を乗じて計算した金額に相当する利子税をその計算の基礎となる法人税に併せて納付しなければならない。（法75の2⑩、75⑦、措法93①Ⅱ）

　　注1　(18)に掲げる利子税特例基準割合とは、平均貸付割合（各年の前々年の9月から前年の8月までの各月における短期貸付けの平均利率〔当該各月において銀行が新たに行った貸付け〈貸付期間が1年未満のものに限る。〉に係る利率の平均をいう。〕の合計を12で除して計算した割合として各年の前年の11月30日までに財務大臣が告示する割合をいう。以下同じ）に年0.5％の割合を加算した割合をいう。（措法93②）

　　注2　利子税特例基準割合の適用がある場合における利子税の額の計算において、その計算の過程における金額に1円未満の端数が生じたときは、これを切り捨てる。（措法96②）

　　　（通算法人に確定申告書の提出期限の延長の特例）
(19)　通算法人に係る3《確定申告書の提出期限の延長の特例》の適用については、次に掲げるところによる。（法75の2⑪）

(一)	3中「内国法人が、」とあるのは「通算法人又は他の通算法人が、」と、「又は当該内国法人」とあるのは「若しくは当該通算法人若しくは他の通算法人」と、「あると認められる場合には」とあるのは「あり、又は通算法人が多数に上ることその他これに類する理由により第一節第三十五款その他通算法人に適用される規定による所得の金額若しくは欠損金額及び法人税の額の計算を了することができないために当該事業年度以後の各事業年度の当該申告書を1《確定申告》に掲げる提出期限までに提出することができない常況にあると認められる場合には」と、「内国法人の申請に基づき、」とあるのは「通算法人の申請に基づき、当該通算法人の」と、「事業年度を」とあるのは「事業年度（当該通算法人に係る通算親法人の事業年度終了の日に終了するものを除く。）を」と、「当該申告書」とあるのは「1による申告書」と、「1か月」とあるのは「2か月」と、3の表の①中「内国法人」とあるのは「通算法人又は他の通算法人」と、「3か月」とあるのは「4か月」と、同表の②中「3か月」とあるのは「4か月」と、「その他」とあるのは「、当該通算法人又は他の通算法人に特別の事情があることにより当該事業年度以後の各事業年度終了の日の翌日から4か月以内に第一節第三十五款その他通算法人に適用される規定による所得の金額又は欠損金額及び法人税の額の計算を了することができない常況にあることその他」と、(5)《確定申告書の提出期限の延長に係る変更等》中「内国法人が」とあるのは「通算法人又は他の通算法人が」と、「内国法人の」とあるのは「通算法人の」と、(6)《確定申告書の提出期限の延長の特例の申請書》中「終了の日まで」とあるのは「終了の日の翌日から45日以内」と、「又は3の特別の事情の内容」とあるのは「若しくは3の特別の事情の内容又は第一節第三十五款その他通算法人に適用される規定による所得の金額若しくは欠損金額及び法人税の額の計算を了することができない理由」と、(7)《確定申告書の提出期限の延長の特例の申請書の添付書類》中「又は」とあるのは「若しくは」と、「内国法人」とあるのは「通算法人又は他の通算法人」と、(11)《承認の取消し等》中「内国法人」とあるのは「通算法人又は他の通算法人」と、(9)《延長又は却下の処分がなかったときのみなし延長》中「15日以内にそ」とあるのは、「2か月以内に3」と、「1か月」とあるのは、「2か月」と、(14)《災害等の場合の確定申告書の提出期限の延長への乗換えと特例停止》中「内国法人」とあるのは「通算法人又は他の通算法人」と、((16)《災害等の場合の確定申告書の提出期限の延長への乗継ぎ》中「内国法人が」とあるのは「通算法人が」と、「決算」とあるのは「、当該通算法人若しくは他の通算法人の決算」と、「ため」とあるのは「ため、又は第一節第三十五款その他通算法人に適用される規定による所得の金額若しくは欠損金額及び法人税の額の計算を了することができないため」とする。
(二)	通算親法人に対して3の提出期限の延長又は3の表の指定の処分があった場合には他の通算法人の全てにつき当該提出期限の延長又は指定がされたものとみなし、内国法人が3の適用を受けている通算親法人との間に通算完全支配関係を有することとなった場合には当該内国法人につき3の提出期限の延長（当該通算親法人が3の表の指定を受けた法人である場合には、当該指定を含む。）がされたものとみなし、通算親法人に対して(11)により3の提出期限の延長の取消し、3の表の指定の取消し又は同表の指定に係る月数の変更の処分があった場合には他の通算法人の全てにつきこれらの取消し又は変更がされたものとみなす。

(三)	通算子法人は、(6)の申請書及び(13)《申告期限の延長の特例の取りやめ》の届出書を提出することができない。
(四)	通算親法人が(13)の届出書を提出した場合には、他の通算法人の全てが当該届出書を提出したものとみなす。
(五)	内国法人が第一節第三十五款の二の1《通算承認》による承認(以下(五)及び(六)において「通算承認」という。)を受けた場合には、当該通算承認の効力が生じた日以後に終了する事業年度については、当該通算承認の効力が生ずる前に受けていた3の提出期限の延長の処分は、その効力を失うものとする。
(六)	内国法人について、第一節第三十五款の二の2の(6)《通算制度の取りやめの承認の効力の発生日》から(8)《通算承認の効力を失う日》までにより通算承認が効力を失った場合には、その効力を失った日以後に終了する事業年度については、当該通算承認が効力を失う前に受けていた3の提出期限の延長の処分は、その効力を失うものとする。

(通算法人の災害等による確定申告書の提出期限の延長)

(20)　第二章第一節の九の3《災害等による期限の延長》により通算法人の1による申告書の提出期限が延長された場合には、他の通算法人についても、その延長された申告書に係る同九の3の表の①《国税庁長官の地域指定による期限の延長》、同表の②《個別指定による期限の延長》により指定された期日まで、同3により1による申告書(その延長された申告書に係る事業年度終了の日に終了する当該他の通算法人の事業年度に係るものに限る。以下(20)において同じ。)の提出期限が延長されたものとみなす。ただし、当該指定された期日が当該他の通算法人の1による申告書の提出期限前の日である場合は、この限りでない。(法75の3、令150の3②)

(法人税法第75条と第75条の2との相違点)

(21)　2《確定申告書の提出期限の延長》に掲げる確定申告書の提出期限の延長と3に掲げる確定申告書の提出期限の延長の特例との相違点は、おおむね次表のとおりである。(編者)

区分 事項	法 人 税 法 第 75 条	法 人 税 法 第 75 条 の 2
延　長　理　由	災害その他やむを得ない理由	定款等の定めにより、又は当該内国法人に特別の事情があること
適 用 事 業 年 度	延長が認められた事業年度	延長が認められた事業年度以後の各事業年度
延　長　期　間	当該事業年度終了の日の翌日から2か月を経過した日以後税務署長が指定した期日までの期間(月を単位とはしない。)	原則として1か月間(法人税法第75条の2第1項各号に掲げる場合に該当する場合には、税務署長が指定する月数の期間)
申　請　期　限	当該事業年度終了の日の翌日から45日を経過した日の前日	当該事業年度終了の日
申請に係るみなし承認の日	当該事業年度終了の日の翌日から2か月を経過した日の前日	当該事業年度終了の日の翌日から15日を経過した日の前日
延長期間に係る利子税	年7.3%の割合(各年の利子税特例基準割合が年7.3%の割合に満たない場合には、その年中においては、利子税特例基準割合)	年7.3%の割合(各年の利子税特例基準割合が年7.3%の割合に満たない場合には、その年中においては、利子税特例基準割合)
そ　の　他		(一)　当該事業年度終了の日の翌日から2か月を経過した日の前日までに災害等が発生した場合には、その事業年度に限り本条の適用を排除して、2又は第二章第一節の九の3《災害等による期限の延長》の適用を受けることができる。 (二)　当該事業年度終了の日の翌日から2か月を経過した日以後延長された申

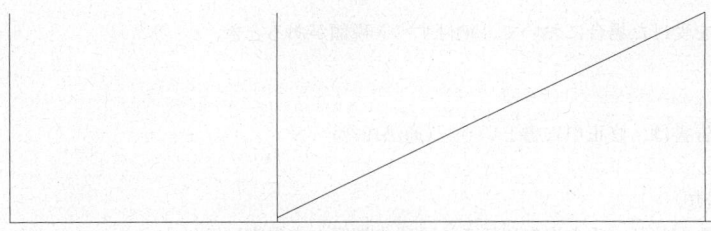

　　注　「延長理由（法人税法第75条適用分）」欄の「その他やむを得ない理由」とは、災害等に準ずる場合をいい、例えば、法令違反の嫌疑による帳簿書類の押収、帳簿書類の盗難等がある。
　　　なお、代表者又は主要役員若しくは経理担当者の出張等による不在、病気その他一身上の都合により決算が確定しない場合には、ここでいう「やむを得ない理由」には該当しない。

三　期限後申告

　期限内申告書を提出すべきであった法人（当該法人の財産に属する権利義務を包括して承継した法人〔法人が分割をした場合にあっては、国税通則法第7条の2第4項《信託に係る国税の納付義務の承継》の規定により当該分割をした法人の国税を納める義務を承継した法人に限る。〕を含む。）は、その提出期限後においても、第二章第三節の**一**の1の表の②《決定》に掲げる決定があるまでは、納税申告書を税務署長に提出することができる。（通法18①）
　これにより提出する納税申告書は、**期限後申告書**という。（通法18②）

　　（期限後申告書の記載事項及び添付書類）
　　期限後申告書には、その申告に係る国税の期限内申告書に記載すべきものとされている事項を記載し、その期限内申告書に添付すべきものとされている書類があるときは当該書類を添付しなければならない。（通法18③）

四　修　正　申　告

　納税申告書を提出した法人（当該提出した法人の財産に属する権利義務を包括して承継した法人〔法人が分割をした場合にあっては、国税通則法第7条の2第4項《信託に係る国税の納付義務の承継》の規定により当該分割をした法人の国税を納める義務を承継した法人に限る。〕を含む。）は、次の表のいずれかに該当する場合には、その申告について第二章第三節の**一**の1の表の①《更正》に掲げる更正があるまでは、その申告に係る**課税標準等**《第二章第一節の**二**の（1）の表の（十一）》又は**税額等**《同表の（十二）》を修正する納税申告書《**修正申告書**》を税務署長に提出することができる。（通法19①）

①	先の納税申告書の提出により納付すべきものとしてこれに記載した税額に不足額があるとき
②	先の納税申告書に記載した純損失等の金額が過大であるとき 　注　純損失等の金額とは、法人税法に規定する欠損金額でその事業年度以前において生じたもののうち、翌事業年度以後の事業年度分の所得の金額の計算上順次繰り越して控除し、又は前事業年度以前の事業年度分の所得に係る還付金の額の計算の基礎とすることができるものをいう。（通法2Ⅵハ（2））
③	先の納税申告書に記載した還付金の額に相当する税額が過大であるとき
④	先の納税申告書に当該申告書の提出により納付すべき税額を記載しなかった場合において、その納付すべき税額があるとき

　　（更正又は決定を受けた後の修正申告）
（1）　更正又は決定《通法24～26》を受けた法人（当該更正又は決定を受けた法人の財産に属する権利義務を包括して承継した法人〔法人が分割をした場合にあっては、国税通則法第7条の2第4項の規定により当該分割をした法人の国税を納める義務を承継した法人に限る。〕を含む。）は、次のいずれかに該当する場合には、その更正又は決定について更正（いわゆる再更正）があるまでは、その更正又は決定に係る課税標準等又は税額等を修正する納税申告書《修正申告書》を税務署長に提出することができる。（通法19②）
　（一）　その更正又は決定により納付すべきものとしてその更正又は決定に係る更正通知書又は決定通知書に記載された税額に不足額があるとき。
　（二）　その更正に係る更正通知書に記載された純損失等の金額が過大であるとき。
　（三）　その更正又は決定に係る更正通知書又は決定通知書に記載された還付金の額に相当する税額が過大であるとき。

（四）　納付すべき税額がない旨の更正を受けた場合において、納付すべき税額があるとき。

　　　（修正申告書）
（２）　**四**又は（１）により提出する納税申告書は、修正申告書という。（通法19③）

　　　（修正申告書の記載事項及び添付書類）
（３）　修正申告書には、次に掲げる事項を記載し、その申告に係る法人税の期限内申告書に添付すべきものとされている書類があるときは当該書類に記載すべき事項のうちその申告に係るものを記載した書類を添付しなければならない。（通法19④）
　（一）　その申告後の課税標準等及び税額等
　（二）　その申告に係る次に掲げる金額
　　イ　その申告前の納付すべき税額がその申告により増加するときは、その増加する部分の税額
　　ロ　その申告前の還付金の額に相当する税額がその申告により減少するときは、その減少する部分の税額
　　ハ　**八**の３の②の（３）《還付請求があった場合の還付の手続》若しくは、第六章第五節の**六**の３《欠損金の繰戻しによる法人税の還付があった場合の還付》により還付する金額に係る還付加算金があるときは、その還付加算金のうちロに掲げる税額に対応する部分の金額
　（三）　その申告前の納付すべき税額及び還付金の額に相当する税額
　（四）　（一）から（三）までに掲げるもののほか、当該期限内申告書に記載すべきものとされている事項でその申告に係るものその他参考となるべき事項

　　　（修正申告の効力）
（４）　修正申告書で既に確定した納付すべき税額を増加させるものの提出は、既に確定した納付すべき税額に係る部分の国税についての納税義務に影響を及ぼさない。（通法20）

五　電子情報処理組織による申告の特例

1　電子情報処理組織による申告

　特定法人である内国法人は、**一**の１《中間申告《予定申告》》、**一**の３《仮決算をした場合の中間申告書の記載事項等》若しくは**二**の１《確定申告《期限内申告》》又は**三**《期限後申告》若しくは**四**《修正申告》により、中間申告書若しくは確定申告書若しくはこれらの申告書に係る修正申告書（以下**五**において「**納税申告書**」という。）により行うこととされ、又はこれに法人税法（これに基づく命令を含む。）、租税特別措置法第三章《法人税法の特例》（これに基づく命令を含む。）、次の表に掲げる規定若しくは**三**の《期限後申告書の記載事項及び添付書類》若しくは**四**の（３）の《修正申告書の記載事項及び添付書類》により納税申告書に添付すべきものとされている書類（以下１及び（２）《電子情報処理組織により行われた申告の法人税法等の適用》において「**添付書類**」という。）を添付して行うこととされている各事業年度の所得に対する法人税の申告については、これらにかかわらず、（３）《事前届出》に掲げるところにより、納税申告書に記載すべきものとされている事項（（２）において「**申告書記載事項**」という。）又は添付書類に記載すべきものとされ、若しくは記載されている事項（以下１及び（２）において「**添付書類記載事項**」という。）を、（５）《申告書記載事項等の送信方法》に掲げるところによりあらかじめ税務署長に届け出て行う電子情報処理組織（国税庁の使用に係る電子計算機〔入出力装置を含む。以下１及び（７）において同じ。〕とその申告をする内国法人の使用に係る電子計算機とを電気通信回線で接続した電子情報処理組織をいう。）を使用する方法として国税関係法令に係る行政手続等における情報通信の技術の利用に関する省令第５条第１項《電子情報処理組織による申請等》の定めるところにより、行わなければならない。ただし、当該申告のうち添付書類に係る部分については、添付書類記載事項を記録した光ディスクその他の（６）《添付書類記載事項の記録用の媒体による提出》に掲げる記録用の媒体を提出する方法により、行うことができる。（法75の４①、措法68の４、措令39の36、規36の４④）

①	貿易保険法（昭和25年法律第67号）第37条《法人税に係る課税の特例》の規定
②	沖縄の復帰に伴う国税関係法令の適用の特別措置等に関する政令第63条の３《特定駐留軍用地等を譲渡した場合の所得の特別控除》の規定
③	所得税法等の一部を改正する等の法律（平成18年法律第10号）附則第109条第５項の規定によりなおその効力を有するものとされる同法第13条の規定による改正前の租税特別措置法第55条の６《特定災害防止準備金》の規定

第三章　第二節　第三款　五《電子情報処理組織による申告の特例》

④	所得税法等の一部を改正する法律（平成28年法律第15号）<u>附則第93条第2項</u>の規定によりなおその効力を有するものとされる同法第10条の規定による改正前の租税特別措置法<u>第56条《新幹線鉄道大規模改修準備金》</u>の規定
⑤	所得税法等の一部を改正する等の法律（平成29年法律第4号）<u>附則第68条</u>又は第69条第9項若しくは第12項の規定によりなおその効力を有するものとされる同法第12条の規定による改正前の租税特別措置法第55条の3《特定事業再編投資損失準備金》又は第65条の7《特定の資産の買換えの場合の課税の特例》から第65条の9《特定の資産を交換した場合の課税の特例》までの規定
⑥	所得税法等の一部を改正する法律（平成31年法律第6号）附則第52条第5項又は第53条の規定によりなおその効力を有するものとされる同法第11条の規定による改正前の租税特別措置法第47条の2又は第55条の2の規定
⑦	所得税法等の一部を改正する法律（令和2年法律第8号）附則第86条第4項又は第87条第1項の規定によりなおその効力を有するものとされる同法第15条の規定による改正前の租税特別措置法第47条又は第55条の2の規定
⑧	所得税法等の一部を改正する法律（令和3年法律第11号）<u>附則第50条第8項</u>の規定によりなおその効力を有するものとされる同法第7条の規定による改正前の租税特別措置法第45条の規定
⑨	所得税法等の一部を改正する法律（令和4年法律第4号）附則第44条の規定によりなおその効力を有するものとされる同法第11条の規定による改正前の租税特別措置法第56条の規定
⑩	所得税法等の一部を改正する法律（令和5年法律第3号）附則第42条第2項の規定によりなおその効力を有するものとされる同法第10条の規定による改正前の租税特別措置法第43条の2の規定

注　──線部分は、令和6年度改正により改正された部分で、改正規定は、令和6年4月1日から適用され、令和6年3月31日以前の適用については、上表の④、⑤及び⑧は次による。（令6改措令附1）

旧④	所得税法等の一部を改正する法律（平成28年法律第15号）附則第92条第10項又は第93条第2項の規定によりなおその効力を有するものとされる同法第10条の規定による改正前の租税特別措置法第48条《倉庫用建物等の割増償却》又は第56条《新幹線鉄道大規模改修準備金》の規定
旧⑤	所得税法等の一部を改正する等の法律（平成29年法律第4号）附則第67条第7項若しくは第9項、第68条又は第69条第9項若しくは第12項の規定によりなおその効力を有するものとされる同法第12条の規定による改正前の租税特別措置法第47条《サービス付き高齢者向け賃貸住宅の割増償却》、第47条の2《特定都市再生建築物等の割増償却》、第55条の3《特定事業再編投資損失準備金》又は第65条の7《特定の資産の買換えの場合の課税の特例》から第65条の9《特定の資産を交換した場合の課税の特例》までの規定
旧⑧	所得税法等の一部を改正する法律（令和3年法律第11号）附則第50条第5項又は第8項の規定によりなおその効力を有するものとされる同法第7条の規定による改正前の租税特別措置法第45条の規定

（特定法人の意義）

（1）　1に掲げる特定法人とは、次に掲げる法人をいう。（法75の4②）

(一)	当該事業年度開始の時における資本金の額又は出資金の額が1億円を超える法人
(二)	通算法人（(一)に掲げる法人を除く。）
(三)	保険業法に規定する相互会社
(四)	投資法人（(一)に掲げる法人を除く。）
(五)	特定目的会社（(一)に掲げる法人を除く。）

（電子情報処理組織により行われた申告の法人税法等の適用）

（2）　1により行われた1の申告については、申告書記載事項が記載された納税申告書により、又はこれに添付書類記載事項が記載された添付書類を添付して行われたものとみなして、法人税法（これに基づく命令を含む。）、国税通則法（同法第124条《書類提出者の氏名、住所及び番号の記載》を除く。）、地方法人税法、租税特別措置法第三章《法人税法の特例》（これに基づく命令を含む。）、租税特別措置の適用状況の透明化等に関する法律（平成22年法律第8号）、東日本大震災の被災者等に係る国税関係法律の臨時特例に関する法律その他の法人税の申告に関する法令（法人税法〔これに基づく命令を含む。〕及び国税通則法を除く。）及び1の表に掲げる規定を適用する。（法75の4③、措法68の4、令150の4）

第三章　第二節　第三款　**五**《電子情報処理組織による申告の特例》

　　　（事前届出等）
（３）　１の内国法人が１により１に掲げる電子情報処理組織を使用して１に掲げる申告書記載事項又は添付書類記載事項を提供しようとする場合における届出その他の手続については、国税関係法令に係る情報通信技術を活用した行政の推進等に関する省令（平成15年財務省令第71号）第４条第１項から第３項まで、第６項及び第７項《事前届出等》の規定の例による。（規36の４①）

　　　（事前届出等の提出期限）
（４）　（３）によりその例によるものとされる国税関係法令に係る情報通信技術を活用した行政の推進等に関する省令第４条第１項の届出は、内国法人（法人税法第４条の３《受託法人等に関するこの法律の適用》に規定する受託法人を除く。以下（４）において同じ。）が資本金の額又は出資金の額が１億円を超えることとなった日（（１）《特定法人の意義》に掲げる特定法人でなかった内国法人について第一節第三十五款の**二**の１《通算承認》による承認〔以下（４）において「通算承認」という。〕の効力が生じた場合には、その効力が生じた日〔同１の（９）《申請特例年度に係る取扱い》の適用を受けて行った同１の（３）《通算承認を受ける場合の記載事項》の申請につき当該内国法人に係る通算親法人が通算承認を受けた場合には、同日と当該通算承認の処分があった日又は同１の（11）《申請特例年度に係るみなし承認》により当該通算承認があったものとみなされた日とのうちいずれか遅い日〕とする。）から１か月以内（当該内国法人が次の表の左欄に掲げる法人に該当する場合には、それぞれ左欄に掲げる法人の区分に応じそれぞれ右欄に掲げる日から２か月以内）に行わなければならない。（規36の４②）

（一）	新たに設立された次に掲げる法人		その設立の日
	イ	その設立の時における資本金の額又は出資金の額が１億円を超える法人（公益法人等を除く。）	
	ロ	保険業法に規定する相互会社	
	ハ	投資法人	
	ニ	特定目的会社	
（二）	新たに収益事業を開始した公益法人等でその開始の時における資本金の額又は出資金の額が１億円を超える法人		その開始した日
（三）	公益法人等（収益事業を行っていないものに限る。）に該当していた協同組合等の当該協同組合等に該当することとなった時における出資金の額が１億円を超える場合における当該協同組合等		その該当することとなった日

　　　（申告書記載事項等の送信方法）
（５）　電子情報処理組織を使用する方法は、次の表の左欄に掲げる事項の区分に応じ当該同表の右欄に掲げる方法とする。（規36の４③）

（一）	申告書記載事項		１に掲げる電子情報処理組織を使用して、当該申告書記載事項を入力して送信する方法
（二）	添付書類記載事項		次に掲げる方法
		イ	１に掲げる電子情報処理組織を使用して、当該添付書類記載事項を入力して送信する方法
		ロ	当該添付書類記載事項が記載された書類をスキャナにより読み取る方法その他これに類する方法により作成した情報通信技術を活用した行政の推進等に関する法律（平成14年法律第151号）第３条第７号《定義》に規定する電磁的記録（これらの方法により国税関係法令に係る情報通信技術を活用した行政の推進等に関する省令第５条第２項各号《電子情報処理組織による申請等》に掲げる要件を満たすように読み取り、又は作成したものに限る。）を１に掲げる電子情報処理組織を使用して送信する方法（イに掲げる方法につき国税庁の使用に係る電子計算機において用いることができない場合に限る。）

第三章　第二節　第三款　五《電子情報処理組織による申告の特例》

(添付書類記載事項の記録用の媒体による提出)
(6)　1に掲げる記録用の媒体は、添付書類記載事項の情報通信技術を活用した行政の推進等に関する法律第3条第7号《定義》に規定する電磁的記録（当該電磁的記録をスキャナにより読み取る方法その他これに類する方法により作成した場合にあっては、国税関係法令に係る情報通信技術を活用した行政の推進等に関する省令第5条第2項各号に掲げる要件を満たすように読み取り、又は作成したものに限る。）を記録した光ディスク又は磁気ディスクとする。（規36の4⑤）

(電子情報処理組織による申告の到達時期)
(7)　1の本文により行われた1の申告は、1の国税庁の使用に係る電子計算機に備えられたファイルへの記録がされた時に税務署長に到達したものとみなす。（法75の4④）

(名称及び法人番号の記載)
(8)　1の場合において、国税通則法第124条の規定による名称及び法人番号（行政手続における特定の個人を識別するための番号の利用等に関する法律〔平成25年法律第27号〕第2条第16項《定義》に掲げる法人番号をいう。）の記載については、1の内国法人は、国税通則法第124条の規定にかかわらず、当該記載に代えて、国税関係法令に係る情報通信技術を活用した行政の推進等に関する省令第6条第1項《申請等において氏名等を明らかにする措置》の規定の例により、名称を明らかにする措置を講じなければならない。（法75の4⑤、規36の4⑦）
　　注 ──線部分は、情報通信技術の活用による行政手続等に係る関係者の利便性の向上並びに行政運営の簡素化及び効率化を図るためのデジタル社会形成基本法等の一部を改正する法律（令和6年法律第46号）により改正された部分で、改正規定は、同法附則第1条第2号に掲げる政令で定める日から適用され、同日前の適用については、「第2条第16項」とあるのは「第2条第15項」とする。（同法附8Ⅴ、1Ⅱ）
　　なお、上記の施行期日を定める政令は、令和6年7月1日現在制定されていない。（編者）

(送信又は提出に関するファイル形式)
(9)　申告書記載事項又は添付書類記載事項を(5)に掲げる方法又は(6)に掲げる記録用の媒体を提出する方法により送信し、又は提出する場合におけるその送信又は提出に関するファイル形式については、国税庁長官が定める。（規36の4⑥）

(ファイル形式の告示──平成30年国税庁告示第14号〔最終改正令6国税庁告示第12号〕)
(10)　国税関係法令に係る情報通信技術を活用した行政の推進等に関する省令第5条第4項《電子情報処理組織による申請等》、(9)《送信又は提出に関するファイル形式》に基づき、これらに掲げる国税庁長官が定めるファイル形式を次のように定める。
(一)　国税関係法令に係る情報通信技術を活用した行政の推進等に関する省令（以下「省令」という。）第5条第4項に規定する国税庁長官が定めるファイル形式は、次の表の左欄に掲げる場合の区分に応じ、それぞれ同表の右欄に掲げるファイル形式とする。

イ	省令第5条第1項の規定により同項に規定する申請書面等記載事項（ハにおいて「申請書面等記載事項」という。）を入力して送信する場合	XML形式
ロ	省令第5条第1項の規定により次に掲げる書類に記載すべきこととされている事項を送信する場合 （イ）　所得税法第10条第3項若しくは第4項（これらの規定を租税特別措置法第4条第2項において準用する場合を含む。）、第225条第1項、第226条第1項から第3項まで又は第227条から第228条の3の2までの規定により提出するこれらの規定に規定する申告書、調書、源泉徴収票及び計算書 （ロ）　相続税法第59条第1項各号、第2項又は第3項に定める調書 （ハ）　租税特別措置法第5条の2第1項、第5項後段若しくは第12項（第1号又は第3号に係る部分に限る。）（同法第5条の3第9項又は第41条の13の3第12項において準用する場合を含む。）、第5条の3第1項若しくは第3項後段、第8条第4項、第8条の4第9項、第9条の4の2第2項、第9条の5第2項、第29条の2第6項若しくは第7項、第37条の11の3第7項、第37条の14第34項、第37条の14の2第27項又は第41条の13の3第1項の規定により提出するこれらの規定に規定する非課税適用申告書、申告書、明細書、報告書及び調書	XML形式又はCSV形式

−1711−

	(ニ) 内国税の適正な課税の確保を図るための国外送金等に係る調書の提出等に関する法律（平成9年法律第110号）第4条第1項、第4条の3第1項又は第4条の5第1項の規定により提出するこれらの規定に規定する国外送金等調書、国外証券移管等調書及び国外電子決済手段移転等調書	
	(ホ) 所得税法施行令第43条第1項から第3項まで、第44条第1項、第45条第1項若しくは第5項若しくは第46条第2項（これらの規定を租税特別措置法施行令第2条の4第3項において準用する場合を含む。）又は第50条第1項の規定により提出するこれらの規定に規定する申告書、書類及び届出書	
	(ヘ) 租税特別措置法施行令第2条の4第5項又は第3条第2項（同令第3条の2第21項又は第26条の20第24項において準用する場合を含む。）の規定により提出するこれらの規定に規定する届出書及び書類	
ハ	省令第5条第2項の規定により申請書面等記載事項をスキャナにより読み取る方法その他これに類する方法により作成した同項に規定する電磁的記録に記録された申請等の情報を送信する場合	ＰＤＦ形式
ニ	省令第5条第3項（イ又はハ〔スキャナにより読み取る方法その他これに類する方法により作成した電磁的記録に係る部分を除く。〕に係る部分に限る。ニまでにおいて同じ。）の規定により次に掲げる書類に記載されている事項又は記載すべき事項を送信し、又は提出する場合 (イ) 一の3の(1)《貸借対照表、損益計算書等の添付》の(一)並びに二の1の(2)《確定申告書の添付書類》の(一)及び(二) (ロ) 法人税法施行規則第61条の3第1号イ及び第2号イ並びに第61条の5第1号イ及びロ並びに第2号イ及びロに掲げる書類並びに同令第61条の3第1号ハ及び第2号ハ並びに第61条の5第1号ヘ及び第2号ヘに掲げる貸借対照表及び損益計算書	ＸＢＲＬ形式又はＣＳＶ形式
ホ	省令第5条第3項の規定により次に掲げる書類に記載されている事項又は記載すべき事項を送信し、又は提出する場合 (イ) 一の3の(1)の(二)及び二の1の(2)の(三)に掲げる勘定科目内訳明細書 (ロ) 法人税法施行規則第61条の3第1号ロ及びハ並びに第2号ロ及びハ並びに第2号ハ及びヘに掲げる勘定科目内訳明細書 (ハ) 別表に掲げる明細書（当該明細書に記載されている事項又は記載すべき事項の内訳に係る部分に限る。）	ＸＭＬ形式又はＣＳＶ形式
ヘ	省令第5条第3項の規定により同項に規定する添付書面等記載事項（ニ、ホに規定する事項を除く。トにおいて同じ。）を送信し、又は提出する場合	ＸＭＬ形式
ト	省令第5条第3項（第2号又は第3号〔スキャナにより読み取る方法その他これに類する方法により作成した電磁的記録に係る部分に限る。〕に係る部分に限る。）の規定により同項に規定する添付書面等記載事項を送信し、又は提出する場合	ＰＤＦ形式

(二) (9)に掲げる国税庁長官が定めるファイル形式は、次の表の左欄に掲げる場合の区分に応じ、それぞれ同表の右欄に掲げるファイル形式とする。

イ	1により1に掲げる申告書記載事項を(5)《申告書記載事項等の送信方法》の表の(一)に掲げる方法により送信する場合	ＸＭＬ形式
ロ	1により(一)のニの(イ)に掲げる書類に記載すべきものとされ、又は記載されている事項を(5)の表の(二)のイに掲げる方法又は1のただし書に掲げる方法（スキャナにより読み取る方法その他これに類する方法により作成した電磁的記録に係るものを除く。ニまでにおいて同じ。）により送信し、又は提出する場合	ＸＢＲＬ形式又はＣＳＶ形式
ハ	1により(一)のホの(イ)及び同ホのハに掲げる書類に記載すべきものとされ、又は記載されている事項を(5)の表の(二)のイに掲げる方法又は1のただし書に掲げる方法により送信し、又は提出する場合	ＸＭＬ形式又はＣＳＶ形式
ニ	1により1に掲げる添付書類記載事項（ロ及びハに掲げる事項を除く。ホにおいて同じ。）	ＸＭＬ形式

第三章　第二節　第三款　**五**《電子情報処理組織による申告の特例》

	を（5）の表の（二）のイに掲げる方法又は**1**のただし書きに掲げる方法により送信し、又は提出する場合	
ホ	**1**により**1**に掲げる添付書類記載事項を（5）の表の（二）のロに掲げる方法又は**1**のただし書きに掲げる方法（スキャナにより読み取る方法その他これに類する方法により作成した電磁的記録に係るものに限る。）により送信し、又は提出する場合	ＰＤＦ形式

注1　（一）の表のホの（ロ）に規定する別表は次のとおりである。（平成30年国税庁告示第14号附別表〔最終改正令和6年第12号〕）

法人税法施行規則別表の番号	書式の名称
別表六（一）	所得税額の控除に関する明細書
別表六（四）	控除対象外国法人税額に関する明細書
別表六（五）	利子等に係る控除対象外国法人税額等に関する明細書
別表六（十二）	特別試験研究費の額に係る法人税額の特別控除に関する明細書
別表六（十五）	中小企業者等が機械等を取得した場合の法人税額の特別控除に関する明細書
別表六（十六）	沖縄の特定地域において工業用機械等を取得した場合の法人税額の特別控除に関する明細書
別表六（二十）	地方活力向上地域等において特定建物等を取得した場合の法人税額の特別控除に関する明細書
別表六（二十二）	認定地方公共団体の寄附活用事業に関連する寄附をした場合の法人税額の特別控除に関する明細書
別表六（二十三）	中小企業者等が特定経営力向上設備等を取得した場合の法人税額の特別控除に関する明細書
別表六（二十八）	特定復興産業集積区域若しくは復興産業集積区域等において機械等を取得した場合の法人税額の特別控除、企業立地促進区域等において機械等を取得した場合の法人税額の特別控除又は避難解除区域等において機械等を取得した場合の法人税額の特別控除に関する明細書
別表六（三十一）	リース資産の使用状況等に関する明細書
別表八（一）	受取配当等の益金不算入に関する明細書
別表八（二）	外国子会社から受ける配当等の益金不算入等に関する明細書
別表十（七）	社会保険診療報酬に係る損金算入、農地所有適格法人の肉用牛の売却に係る所得の特別控除、特定の基金に対する負担金等の損金算入及び特定業績連動給与の損金算入に関する明細書
別表十（九）付表	配当可能利益の額の計算に関する明細書
別表十一（一）	個別評価金銭債権に係る貸倒引当金の損金算入に関する明細書
別表十一（一の二）	一括評価金銭債権に係る貸倒引当金の損金算入に関する明細書
別表十二（十二）	特定船舶に係る特別修繕準備金の損金算入に関する明細書
別表十二（十三）	農業経営基盤強化準備金の損金算入及び認定計画等に定めるところに従い取得した農用地等の圧縮額の損金算入に関する明細書
別表十三（五）	特定の資産の買換えにより取得した資産の圧縮額等の損金算入に関する明細書
別表十四（一）	民事再生等評価換えによる資産の評価損益に関する明細書
別表十四（二）	寄附金の損金算入に関する明細書
別表十四（二）付表	公益社団法人又は公益財団紘人の寄附金の公益法人特別限度額の計算に関する明細書
別表十四（四）	新株予約権に関する明細書
別表十四（六）	完全支配関係がある法人の間の取引の損益の調整に関する明細書
別表十六（七）	少額減価償却資産の取得価額の損金算入の特例に関する明細書
別表十六（九）	特別償却準備金の損金算入に関する明細書
別表十七（一）付表	国外支配株主等及び特定債券現先取引等に関する明細書
別表十七（二の二）付表二	控除対象受取利子等合計額の計算に関する明細書
別表十七（二の三）	超過利子額の損金算入に関する明細書
別表十七（四）	国外関連者に関する明細書

注2　地方法人税法施行規則第8条第6項に規定する国税庁長官が定めるファイル形式については、第六章第五節の**四**の1の(10)《ファイル形式の告示──平成30年国税庁告示第14号》を参照。（編者）

第三章 第二節 第三款 五《電子情報処理組織による申告の特例》

注3 消費税法施行規則第23条の2第5項に規定する国税庁長官が定めるファイル形式については、省略した。(編者)

(電子情報処理組織の使用に係る手続に関し必要な事項及び手続の細目)
(11) **1**《電子情報処理組織による申告》に掲げるもののほか、**1**に掲げる電子情報処理組織の使用に係る手続に関し必要な事項及び手続の細目については、別に定めるところによる。(規36の4⑧)

2 電子情報処理組織による申告が困難である場合の特例

1《電子情報処理組織による申告》の内国法人が、電気通信回線の故障、災害その他の理由により**1**に掲げる電子情報処理組織を使用することが困難であると認められる場合で、かつ、**1**を適用しないで納税申告書を提出することができると認められる場合において、**1**を適用しないで納税申告書を提出することについて納税地の所轄税務署長の承認を受けたときは、当該税務署長が指定する期間内に行う**1**の申告については、**1**は、適用しない。(法75の5①)

(申請書の提出期限)
(1) **2**の承認を受けようとする内国法人は、(2)《申請書の記載事項》に掲げる事項を記載した申請書に(3)《申請書の添付書類》に掲げる書類を添付して、**2**による指定を受けようとする期間の開始の日の15日前まで(**2**に掲げる理由が生じた日が二の**1**《確定申告《期限内申告》》による申告書の提出期限の15日前の日以後である場合において、当該提出期限が当該期間内の日であるときは、当該開始の日まで)に、これを納税地の所轄税務署長に提出しなければならない。(法75の5②)

(申請書の記載事項)
(2) (1)に掲げる申請書の記載事項は、次に掲げる事項とする。(法75の5②、規37①)
　(一) **2**の適用を受けることが必要となった事情
　(二) **2**による指定を受けようとする期間
　(三) 申請をする内国法人の名称、納税地及び法人番号
　(四) 代表者の氏名
　(五) 電気通信回線の故障、災害その他の理由により**2**に掲げる電子情報処理組織を使用することが困難である事情が生じた日
　(六) その他参考となるべき事項

(申請書の添付書類)
(3) (1)に掲げる申請書の添付書類は、電気通信回線の故障、災害その他の理由により**2**に掲げる電子情報処理組織を使用することが困難であることを明らかにする書類とする。(規37②)

(申請の却下)
(4) 税務署長は、(1)の申請書の提出があった場合において、その申請に係る(1)の事情が相当でないと認めるときは、その申請を却下することができる。(法75の5③)

(書面による通知)
(5) 税務署長は、(1)の申請書の提出があった場合において、その申請につき承認又は却下の処分をするときは、その申請をした内国法人に対し、書面によりその旨を通知する。(法75の5④)

(承認又は却下の処分がなかったとき)
(6) (1)の申請書の提出があった場合において、当該申請書に記載した**2**による指定を受けようとする期間の開始の日までに承認又は却下の処分がなかったときは、その日においてその承認があったものと、当該期間を**2**の期間として**2**による指定があったものと、それぞれみなす。(法75の5⑤)

(承認の取消し)
(7) 税務署長は、**2**の適用を受けている内国法人につき、**1**《電子情報処理組織による申告》に掲げる電子情報処理組織を使用することが困難でなくなったと認める場合には、**2**の承認を取り消すことができる。この場合において、その取消しの処分があったときは、その処分のあった日の翌日以後の期間につき、その処分の効果が生ずるものとす

る。(法75の5⑥)

　　　(書面による通知)
(8)　税務署長は、(7)の処分をするときは、その処分に係る内国法人に対し、書面によりその旨を通知する。(法75の5⑦)

　　　(特例の適用の取りやめ)
(9)　2の適用を受けている内国法人は、1《電子情報処理組織による申告》の申告につき2の適用を受けることをやめようとするときは、(10)《届出書の記載事項》に掲げる事項を記載した届出書を納税地の所轄税務署長に提出しなければならない。この場合において、その届出書の提出があったときは、その提出があった日の翌日以後の期間については、2の承認の処分は、その効力を失うものとする。(法75の5⑧)

　　　(届出書の記載事項)
(10)　(9)に掲げる届出書の記載事項は、次に掲げる事項とする。(規37③)
　(一)　2の適用を受けることをやめようとする旨
　(二)　届出をする内国法人の名称、納税地及び法人番号
　(三)　代表者の氏名
　(四)　2の承認を受けた日又はその承認があったものとみなされた日
　(五)　2の適用をやめようとする理由
　(六)　その他参考となるべき事項

六　納税申告書の提出先等

1　納税申告書の提出先
　納税申告書は、その提出の際におけるその国税の納税地(以下「**現在の納税地**」という。)を所轄する税務署長に提出しなければならない。(通法21①)

　　　(納税地に異動があった場合の特例)
　　法人税又は地方法人税に係る納税申告書については、当該申告書に係る課税期間が開始した時以後にその納税地に異動があった場合において、納税者が当該異動に係る納税地を所轄する税務署長で現在の納税地を所轄する税務署長以外のものに対し当該申告書を提出したときは、その提出を受けた税務署長は、当該申告書を受理することができる。この場合においては、当該申告書は、現在の納税地を所轄する税務署長に提出されたものとみなす。(通法21②)
　　なお、上記の納税申告書を受理した税務署長は、当該申告書を現在の納税地を所轄する税務署長に送付し、かつ、その旨をその提出をした者に通知しなければならない。(通法21③)

2　郵送に係る納税申告書の提出時期
　納税申告書(当該申告書に添付すべき書類その他当該申告書の提出に関連して提出するものとされている書類を含む。)その他国税庁長官が定める書類が郵便又は信書便により提出された場合には、その郵便物又は信書便物の通信日付印により表示された日(その表示がないとき、又はその表示が明瞭でないときは、その郵便物又は信書便物について通常要する送付日数を基準とした場合にその日に相当するものと認められる日)にその提出がされたものとみなす。(通法22)
　注　2に掲げる国税庁長官が定める書類は、国税に関する法律の規定により提出する申告書、申請書、請求書、届出書その他の書類のうち、次の表の①に掲げる書類から後続の手続に影響を及ぼすおそれのあるものとして同表の②に掲げる書類を除いた書類とする。(平成18年国税庁告示第7号〔最終改正令和2年第18号〕)

①	(一)	国税に関する法律に提出期限の定めがある書類
	(二)	国税に関する法律に提出期限の定めがある書類に準ずる次に掲げる書類
	イ	国税通則法第74条第1項の規定に基づき時効により消滅する場合がある還付金等に係る国に対する請求権を行使するために提出する書類
	ロ	書類を提出した日を基準として国税に関する法律の規定が適用される期間又は期限が定まるため、一定の期間内又は期日に提出する必要がある書類
②	(一)	次に掲げる書類
	イ	国税徴収法第101条第1項の規定により提出する入札書

	ロ	国税徴収法第130条第1項の規定により提出する申立書
	ハ	国税徴収法第133条第2項の規定により提出する申出書
	ニ	国税徴収法施行令第19条第1項の規定により提出する請求書
	ホ	国税徴収法施行令第20条の規定により提出する請求書
	ヘ	国税徴収法施行令第47条の規定により提出する申出書
	ト	国税徴収法施行規則第1条の2第1項の規定により提出する陳述書
	チ	酒税法施行令第53条第3項の規定により提出する申告書
	リ	酒税法施行令第56条の2第1項の規定により提出する届出書
	ヌ	法人税法第75条の4第2項の規定により提出する申請書
	ル	消費税法第46条の3第2項の規定により提出する申請書
(二)		税務署長、国税局長、国税庁長官、徴収職員(国税徴収法第2条第11号に規定する徴収職員をいう。)若しくは税関長(以下「税務署長等」という。)以外の者に提出する書類又は税務署長等以外の者を経由して提出する書類(①の(二)のイに該当する書類を除く。)

七 納　　付

1 中間申告による納付

　中間申告書を提出した内国法人である普通法人は、当該申告書に記載した法人税の額があるときは、当該申告書の提出期限までに、当該金額に相当する法人税を国に納付しなければならない。(法76)

2 確定申告による納付

　期限内確定申告書を提出した内国法人は、当該申告書に記載した法人税の額(当該事業年度に係る中間納付額がある場合には、これを控除した金額)があるときは、当該申告書の提出期限までに、当該金額に相当する法人税を国に納付しなければならない。(法77、通法35①)

3 利　子　税

① 利子税

　次の表のイからハまでの左欄に掲げる法人は、それぞれ同表の右欄に掲げる利子税をその計算の基礎となる法人税に併せて納付しなければならない。(法75⑦、75の2⑧⑩、通法64①、措法93①Ⅱ)

イ	二の2《確定申告書の提出期限の延長》の適用を受ける内国法人	その確定申告書に係る事業年度の所得に対する法人税の額に、当該事業年度終了の日の翌日以後2か月を経過した日から指定された期日までの期間の日数に応じ、年7.3％の割合(各年の利子税特例基準割合が年7.3％の割合に満たない場合には、その年中においては、当該利子税特例基準割合)を乗じて計算した金額に相当する利子税
ロ	二の3《確定申告書の提出期限の延長の特例》の適用を受ける内国法人	その適用に係る各事業年度の所得に対する法人税の額に、当該各事業年度終了の日の翌日以後2か月を経過した日から二の3により延長された提出期限までの期間の日数に応じ、年7.3％の割合(各年の利子税特例基準割合が年7.3％の割合に満たない場合には、その年中においては、当該利子税特例基準割合)を乗じて計算した金額に相当する利子税
ハ	二の3の(15)《災害等の場合の確定申告書の提出期限の延長への乗継ぎ》の適用を受ける内国法人	ロに掲げる利子税のほか、その確定申告書に係る事業年度の所得に対する法人税の額に、二の3により延長された当該申告書の提出期限の翌日から二の2により指定された期日までの期間の日数に応じ、年7.3％の割合(各年の利子税特例基準割合が年7.3％の割合に満たない場合には、その年中においては、当該利子税特例基準割合)を乗じて計算した金額に相当する利子税

注1　①《利子税》に掲げる**利子税特例基準割合**とは、平均貸付割合(各年の前々年の9月から前年の8月までの各月における短期貸付けの平均利率〔当該各月において銀行が新たに行った貸付け〈貸付期間が1年未満のものに限る。〉に係る利率の平均をいう。〕の合計を12で除して計算した割合として各年の前年の11月30日までに財務大臣が告示する割合をいう。以下同じ)に年0.5％の割合を加算した割合をいう。(措法93②)

注2　利子税特例基準割合の適用がある場合における利子税の額の計算において、その計算の過程における金額に1円未満の端数が生じたときは、これを切り捨てる。(措法96②)

(利子税の計算の基礎となる税額の端数計算等)
（１）　利子税の額を計算する場合において、その計算の基礎となる税額に１万円未満の端数があるとき、又はその税額の全額が１万円未満であるときは、その端数金額又はその全額を切り捨てる。（通法118③）

(一部納付が行われた場合の利子税の額の計算等)
（２）　利子税の額の計算の基礎となる法人税の一部が納付されたときは、その納付の日の翌日以後の期間に係る利子税の額の計算の基礎となる税額は、その納付された税額を控除した金額とする。（通法64③、62①）
　なお、本税と利子税を併せて納付すべき場合において、法人の納付した金額がその利子税の額の計算の基礎となる本税の額に達するまでは、その納付した金額は、まずその計算の基礎となる本税に充てられたものとする。（通法64③、62②）

② 利子税の割合の特例

①《利子税》の表の**イ**から**ハ**までに掲げる利子税の年7.3％の割合は、それぞれ**イ**から**ハ**までにかかわらず、各年の利子税特例基準割合が年7.3％の割合に満たない場合には、その年中においては、当該利子税特例基準割合とする。（措法93①）

注１　②に掲げる利子税特例基準割合とは、平均貸付割合（各年の前々年の９月から前年の８月までの各月における短期貸付けの平均利率〔当該各月において銀行が新たに行った貸付け〈貸付期間が１年未満のものに限る。〉に係る利率の平均をいう。〕の合計を12で除して計算した割合として各年の前年の11月30日までに財務大臣が告示する割合をいう。以下同じ）に年0.5％の割合を加算した割合をいう。（措法93②）

注２　利子税特例基準割合の適用がある場合における利子税の額の計算において、その計算の過程における金額に１円未満の端数が生じたときは、これを切り捨てる。（措法96②）

注３　②の読替規定は、①において表現している。（編者）

③ 確定申告書の提出期限の延長の特例に係る利子税の特例

①《利子税》の表の**ロ**に掲げる利子税の年7.3％の割合は、**二の３の（９）**《利子税の納付》及び②《利子税の割合の特例》にかかわらず、日本銀行の基準割引率が引き上げられた場合において、当該利子税の割合について景気調整対策上の措置を講ずることが必要であると認められる期間として次の**イ**に掲げる期間内は、**ロ**に掲げるところにより、当該基準割引率の引上げに応じ、年12.775％の割合の範囲内で定める割合とする。（措法66の３、措令39の11①②、通法10②、通令２②）

イ 利子税の特例期間	日本銀行法第15条第１項（第１号に係る部分に限る。）《権限》の規定により定められる商業手形の基準割引率が年5.5％を超えて定められる日からその後年5.5％以下に定められる日の前日までの期間（当該期間内に**二の３の（９）**《利子税の納付》に掲げる利子税の割合を同(９)に掲げる利子税特例基準割合とする年に含まれる期間がある場合には、当該期間を除く。以下「**特例期間**」という。） ただし、①の表の**ロ**に掲げる利子税のうち当該事業年度終了の日の翌日から２か月を経過した日の前日（その日が日曜日、国民の祝日その他一般の休日又は土曜日並びに12月29日、同月30日若しくは同月31日に当たるときは、これらの日の翌日。以下「**法人税申告基準日**」という。）が特例期間内に到来する事業年度の法人税に係るもの又は第六章第五節の**二の（２）**《法人税申告書の提出期限が延長された場合の取扱い》によりその提出期限が延長された同**二**《確定申告》による申告書に係る課税事業年度（第六章第二節の**六**に掲げる課税事業年度をいう。以下同じ。）の地方法人税に係る利子税のうち当該課税事業年度終了の日の翌日から２か月を経過した日の前日（その日が日曜日、国民の祝日その他一般の休日又は土曜日並びに12月29日、同月30日若しくは同月31日に当たるときは、これらの日の翌日。以下「**地方法人税申告基準日**」という。）が特例期間内に到来する課税事業年度の地方法人税に係るもので、これらの延長された提出期限の日が特例期間後に到来するものにあっては、当該年5.5％を超えて定められる日から当該延長された提出期限の日までの期間とする。
ロ 利子税の特例割合	年7.3％の割合と当該法人税申告基準日又は当該地方法人税申告基準日における日本銀行法第15条第１項（第１号に係る部分に限る。）《権限》の規定により定められる商業手形の基準割引率のうち年5.5％の割合を超える部分の割合を年0.25％の割合で除して得た数を年0.73％の割合に乗じて計算した割合とを合計した割合（当該合計した割合が年12.775％の割合を超える場合には、年12.775％の割合） 注　基準割引率が年5.5％を超えて引き上げられた場合に、年0.25％引き上げられるごとに利子税を年0.73％引き上げる。（編者）

4 期限後申告、修正申告等による納付

次の表の左欄に掲げる金額に相当する国税を納付すべき法人は、その国税をそれぞれ同表の右欄に掲げる日までに国に

納付しなければならない。（通法35②）

①	期限後申告書の提出により納付すべきものとしてこれに記載した税額又は修正申告書の提出により納付すべきものとしてこれに記載した税額	その期限後申告書又は修正申告書を提出した日
②	更正通知書に記載された納付すべき税額又は決定通知書に記載された納付すべき税額	その更正通知書又は決定通知書が発せられた日の翌日から起算して1か月を経過する日

　（加算税の納付）
　　過少申告加算税、無申告加算税又は重加算税（第二章第三節の三の表の**3**の①《過少申告加算税に代えて課する重加算税》の本文、同**3**の②《無申告加算税に代えて課する重加算税》の本文又は同**3**の①の（1）《5年前の日までの間に無申告加算税等を課されたことがあるときの重加算税の計算》及び同**3**の②の（1）《5年前の日までの間に無申告加算税等を課されたことがあるときの重加算税の計算》〔同**3**の①の本文又は同**3**の②の本文の重加算税に係る部分に限る。以下同じ。）に係る賦課決定通知書を受けた法人は、当該通知書に記載された金額の過少申告加算税、無申告加算税又は重加算税を当該通知書が発せられた日の翌日から起算して1か月を経過する日までに納付しなければならない。（通法35③）

5　延　滞　税

①　延滞税

　法人は、次の**イ**又は**ロ**に該当するときは、延滞税を納付しなければならない。（通法60①Ⅰ、Ⅱ）

イ	期限内申告書を提出した場合において、当該申告書の提出により納付すべき国税をその法定納期限までに完納しないとき
ロ	期限後申告書若しくは修正申告書を提出し、又は更正若しくは決定を受けた場合において、納付すべき国税があるとき

　　（延滞税の額の計算）
（1）　延滞税の額は、国税の法定納期限（純損失の繰戻し等による還付金額が過大であったことにより納付すべきこととなった国税その他国税通則法施行令第25条《延滞税の計算期間の起算日の特例》に定める国税については、同条に定める日。以下(5)において同じ。）の翌日からその国税を完納する日までの期間の日数に応じ、その未納の税額に年14.6%（各年の延滞税特例基準割合〔平均貸付割合に年1%の割合を加算した割合をいう。以下同じ〕が年7.3%に満たない場合には、当該延滞税特例基準割合に年7.3%の割合を加算した割合）の割合を乗じて計算した額とする。ただし、納期限までの期間又は納期限の翌日から2か月を経過する日までの期間については、その未納の税額に年7.3%の割合（当該延滞税特例基準割合が年7.3%に満たない場合には、当該延滞税特例基準割合に年1%の割合を加算した割合〔当該加算した割合が7.3%の割合を超える場合には、年7.3%の割合〕）を乗じて計算した額とする。なお、延滞税は、その額の計算の基礎となる国税に併せて納付しなければならない。（通法60②③、措法94①）
　　　注　延滞税特例基準割合の適用がある場合における延滞税の額の計算において、その計算の過程における金額に1円未満の端数が生じたときは、これを切り捨てる。（措法96②）

　　（延滞税の計算の基礎となる税額の端数計算等）
（2）　延滞税の額を計算する場合において、その計算の基礎となる税額に1万円未満の端数があるとき、又はその税額の全額が1万円未満であるときは、その端数金額又はその全額を切り捨てる。（通法118③）

　　（一部納付が行われた場合の延滞税の額の計算等）
（3）　延滞税の額の計算の基礎となる国税の一部が納付されたときは、その納付の日の翌日以後の期間に係る延滞税の額の計算の基礎となる税額は、その納付された税額を控除した金額とする。（通法62①）
　　なお、本税と延滞税を併せて納付すべき場合において、法人の納付した金額がその延滞税の額の計算の基礎となる本税の額に達するまでは、その納付した金額は、まずその計算の基礎となる本税に充てられたものとする。（通法62②）

(延滞税の額の計算の基礎となる期間の特例)
(4) 修正申告書(偽りその他不正の行為により国税を免れ、又は国税の還付を受けた法人が当該国税についての調査があったことにより当該国税について更正があるべきことを予知して提出した当該申告書〔以下「特定修正申告書」という。〕を除く。)の提出又は更正(偽りその他不正の行為により国税を免れ、又は国税の還付を受けた法人についてされた当該国税に係る更正〔以下「特定更正」という。〕を除く。)があった場合において、次の表の左欄のいずれかに該当するときは、当該申告書の提出又は更正により納付すべき国税については、(1)に掲げる期間から同表の右欄に掲げる期間を控除して、延滞税の額を計算する。(通法61①)

(一)	その申告又は更正に係る国税について期限内申告書が提出されている場合において、その法定申告期限から1年を経過する日後に当該修正申告書が提出され、又は当該更正に係る更正通知書が発せられたとき	その法定申告期限から1年を経過する日の翌日から当該修正申告書が提出され、又は当該更正に係る更正通知書が発せられた日までの期間
(二)	その申告又は更正に係る国税について期限後申告書(還付請求申告書を含む。以下(二)及び(5)において同じ。)が提出されている場合において、その期限後申告書の提出があった日の翌日から起算して1年を経過する日後に当該修正申告書が提出され、又は当該更正に係る更正通知書が発せられたとき	その期限後申告書の提出があった日の翌日から起算して1年を経過する日の翌日から当該修正申告書が提出され、又は当該更正に係る更正通知書が発せられた日までの期間

注 (二)に掲げる還付請求申告書とは、還付金の還付を受けるための納税申告書(納税申告書に記載すべき課税標準等及び税額等が国税に関する法律の規定により正当に計算された場合に当該申告書の提出により納付すべき税額がないものに限る。)で期限内申告書以外のものをいう。(通令26①)

(減額更正後に増額更正があった場合の延滞税の計算期間の特例)
(5) 修正申告書の提出又は納付すべき税額を増加させる更正(これに類するものとして還付金の額を減少させる更正又は納付すべき税額があるものとする更正を含む。以下(5)において「増額更正」という。)があった場合において、その申告又は増額更正に係る国税について期限内申告書又は期限後申告書(以下(5)及び(6)において「期限内申告書等」という。)が提出されており、かつ、期限内申告書等の提出により納付すべき税額を減少させる更正(これに類するものとして期限内申告書等に係る還付金の額を増加させる更正又は期限内申告書等に係る還付金の額がない場合において還付金の額があるものとする更正を含む。以下(5)において「減額更正」という。)があった後に当該修正申告書の提出又は増額更正があったときは、当該修正申告書の提出又は増額更正により納付すべき国税(当該期限内申告書等に係る税額〔還付金の額に相当する税額を含む。〕に達するまでの部分として(6)《期限内申告書又は期限後申告書に係る税額に達するまでの部分》に掲げる国税に限る。以下(5)において同じ。)については、(4)にかかわらず、(1)に掲げる期間から次の表に掲げる期間((7)《特定修正申告書の提出等により納付すべき国税》に掲げる国税にあっては、次の表の(一)に掲げる期間に限る。)を控除して、(1)を適用する。(通法61②、通令26②③)

(一)	当該期限内申告書等の提出により納付すべき税額の納付があった日(その日が当該国税の法定納期限前である場合には、当該法定納期限)の翌日から当該減額更正に係る更正通知書が発せられた日までの期間
(二)	当該減額更正に係る更正通知書が発せられた日(当該減額更正が更正の請求に基づく更正である場合には、同日の翌日から起算して1年を経過する日)の翌日から当該修正申告書が提出され、又は当該増額更正に係る更正通知書が発せられた日までの期間

(期限内申告書又は期限後申告書に係る税額に達するまでの部分)
(6) 期限内申告書等に係る税額に達するまでの部分の国税は、次の表の左欄に掲げる場合の区分に応じ、それぞれ同表の右欄に掲げる税額に相当する国税とする。(通令26④)

(一)	期限内申告書等の提出により納付すべき税額がある場合		次の表のイ又はロに掲げる税額のうちいずれか少ない税額
		イ	(5)に掲げる修正申告書の提出又は増額更正(以下(6)及び(7)において「修正申告書の提出等」という。)により納付すべき税額
		ロ	期限内申告書等の提出により納付すべき税額から(5)に掲げる修正申告書又は増額更正(以下(6)において「修正申告書等」という。)前の税額を控除した税額(修正申告等前の還付金の額に相当する税額がある

		ときは、期限内申告書等の提出により納付すべき税額に当該還付金の額に相当する税額を加算した税額）	
(二)	期限内申告書等の提出により納付すべき税額がない場合（(三)に掲げる場合を除く。）	次の表のイ又はロに掲げる税額のうちいずれか少ない税額	
		イ	修正申告書の提出等により納付すべき税額
		ロ	修正申告等前の還付金の額に相当する税額
(三)	期限内申告書等に係る還付金の額がある場合	次の表のイ又はロに掲げる税額のうちいずれか少ない税額	
		イ	修正申告書の提出等により納付すべき税額
		ロ	修正申告等前の還付金の額に相当する税額から期限内申告書等に係る還付金の額に相当する税額を控除した税額

(特定修正申告書の提出等により納付すべき国税)
（7） （5）に掲げる国税は、次の表の(一)又は(二)に掲げる国税（(6)に掲げる国税に限る。）とする。（通令26⑤）

(一)	（4）に掲げる特定修正申告書の提出又は（4）に掲げる特定更正により納付すべき国税
(二)	（5）に掲げる減額更正が更正の請求に基づく更正である場合において、当該減額更正に係る更正通知書が発せられた日の翌日から起算して1年を経過する日までに修正申告書の提出等があったときの当該修正申告書の提出等により納付すべき国税（(一)に掲げる国税を除く。）

(災害等により納期限を延長した場合の延滞税の免除)
（8） 第二章第一節の**九**の3《災害等による期限の延長》により国税の納期限を延長した場合には、その国税に係る延滞税のうちその延長をした期間に対応する部分の金額は、免除する。（通法63②）

(更正の請求により国税の徴収を猶予した場合の延滞税の免除)
（9） **九**の3の（3）《更正の請求と国税の徴収との関係》のただし書により国税の徴収を猶予した場合には、その猶予をした国税に係る延滞税につき、その猶予をした期間のうち当該国税の納期限の翌日から2か月を経過する日後の期間（国税通則法第63条《納税の猶予等の場合の延滞税の免除》第1項から第3項までの規定により延滞税の免除がされた場合には、当該免除に係る期間に該当する期間を除く。）に対応する部分の金額の$\frac{1}{2}$に相当する金額は、免除する。（通法63④）

なお、免除する金額の計算の基礎となる期間を含む年の猶予特例基準割合（平均貸付割合に年0.5％の割合を加算した割合をいう。）が年7.3％の割合に満たない場合には、当該期間であってその年に含まれる期間に対応する納税の猶予等をした国税に係る延滞税の（9）の適用については、前段中「期間のうち当該国税の納期限の翌日から2か月を経過する日後の期間」とあるのは「期間」と、「の$\frac{1}{2}$」とあるのは「のうち当該延滞税の割合が猶予特例基準割合であるとした場合における当該延滞税の額を超える部分の金額」とする。（措法94②）

　注　上記なお書の猶予特例基準割合の適用がある場合における延滞税の額の計算において、その計算の過程における金額に1円未満の端数が生じたときは、これを切り捨てる。（措法96②）

(利子税を納付する場合の延滞税の計算期間)
（10） 利子税の額の計算の基礎となる期間は、国税通則法第60条第2項《延滞税》に規定する期間に算入しない。（通法64②）

② 延滞税の割合の特例

①の（1）《延滞税の額の計算》に掲げる延滞税の年14.6％の割合及び年7.3％の割合は、同（1）にかかわらず、各年の延滞税特例基準割合（平均貸付割合に年1％の割合を加算した割合をいう。以下同じ。）が年7.3％の割合に満たない場合には、その年中においては、年14.6％の割合にあっては当該延滞税特例基準割合に年7.3％の割合を加算した割合とし、年7.3％の割合にあっては当該延滞税特例基準割合に年1％の割合を加算した割合（当該加算した割合が年7.3％の割合を超える場合には、年7.3％の割合）とする。（措法94①）

注1　延滞税特例基準割合の適用がある場合における延滞税の額の計算において、その計算の過程における金額に1円未満の端数が生じたときは、これを切り捨てる。（措法96②）
注2　②の規定は、①の（1）において表現している。（編者）

（納税の猶予等をした国税に係る延滞税の割合の特例）

①の（9）《更正の請求により国税の徴収を猶予した場合の延滞税の免除》に掲げる延滞税（以下「納税の猶予等をした国税に係る延滞税」という。）につき同（9）により免除する金額の計算の基礎となる期間を含む年の猶予特例基準割合（平均貸付割合に年0.5％の割合を加算した割合をいう。）が年7.3％の割合に満たない場合には、当該期間であってその年に含まれる期間に対応する納税の猶予等をした国税に係る延滞税についての同（9）の適用については、同（9）中「期間のうち当該国税の納期限の翌日から2か月を経過する日後の期間」とあるのは「期間」と、「の$\frac{1}{2}$」とあるのは「のうち当該延滞税の割合が猶予特例基準割合であるとした場合における当該延滞税の額を超える部分の金額」とする。（措法94②）

注1　猶予特例基準割合の適用がある場合における延滞税の額の計算において、その計算の過程における金額に1円未満の端数が生じたときは、これを切り捨てる。（措法96②）
注2　上記は、①の（9）において表現している。（編者）

6　納付の手続

国税を納付しようとする法人は、その税額に相当する金銭に納付書を添えて、これを日本銀行（国税の収納を行う代理店を含む。）又はその国税の収納を行う税務署の職員に納付しなければならない。ただし、証券をもってする歳入納付に関する法律の定めるところにより証券で納付すること又は（1）で掲げるところによりあらかじめ税務署長に届け出た場合に（1）で掲げる方法（(3)において「特定納付方法」という。）により納付することを妨げない。（通法34①）

注　——線部分は、令和5年度改正により追加された部分で、改正規定は、令和6年4月1日から適用される。（令5改法附1Ⅳハ）

（納付に係る届出等）

（1）　6に掲げるあらかじめ税務署長に届け出た場合のそれぞれ納付する方法は、次の表の左欄に掲げるところによりあらかじめ税務署長に届け出た場合、それぞれ同表の右欄に掲げる方法とする。（通規1の3①②）

（一）	（7）に掲げる法人が、（7）に掲げる通知の依頼をするものとして税務署長に届け出た場合	（7）に掲げる金融機関が、（8）の表の（一）に掲げる送付がされた記録媒体（同表の（二）に掲げる送信がされた電磁的記録を含む。）を添えて国税を納付する方法
（二）	電子情報処理組織を使用する方法により国税を納付しようとする者が、国税関係法令に係る情報通信技術を活用した行政の推進等に関する省令（平成15年財務省令第71号）第4条第1項《事前届出等》の規定により税務署長に届け出た場合又は同令第8条第1項《電子情報処理組織による国税の納付手続》に規定する事項の入力及び当該事項の情報の送信をするものとして税務署長に届け出た場合	国税関係法令に係る情報通信技術を活用した行政の推進等に関する省令第8条第1項の規定により国税を納付する方法

注　——線部分は、令和5年度改正により改正された部分で、改正規定は、令和6年4月1日から適用され、令和6年3月31日以前の適用については、「使用する方法により」とあるのは「使用して」と、「入力及び当該事項の情報の送信」とあるのは「入力」と、「国税関係法令に係る情報通信技術を活用した行政の推進等に関する省令」とあるのは「電子情報処理組織を使用して国税を納付しようとする者が、国税関係法令に係る情報通信技術を活用した行政の推進等に関する省令」する。（令5改通規附①）

（納付書の書式）

（2）　6に掲げる納付書の様式は、国税通則法施行規則別紙第1号書式又は別紙第1号の2書式に定めるところによる。（通規16）

注　書式については省略した。（編者）

（電子情報処理組織を使用する方法による納付の手続に係る法定納期限の特例）

（3）　特定納付方法（（1）の表の（二）の右欄に掲げる方法のうち国税関係法令に係る情報通信技術を活用した行政の推進等に関する省令第4条第2項の入出力用プログラム又はこれと同様の機能を有するもののみを使用して国税の納付

の手続を行う方法に限る。）による国税（法定申告期限と同時に法定納期限が到来するものに限るものとし、源泉徴収等による国税を含む。）の納付の手続のうち同省令第5条第1項《電子情報処理組織による申請等》の規定による同項に規定する申請等（国税に関する法律の規定〔国税に関する部分に限る。〕により国税通則法第17条第2項《期限内申告》に規定する期限内申告書又は同令第8条第2項に規定する計算書に記載すべきこととされている事項の情報の送信に限る。）と同時に行われる同令第8条第1項の規定による納付書（**6**に掲げる納付書をいう。（6）及び（8）の表の（一）において同じ。）に記載すべきこととされている事項の情報の送信が法定納期限に行われた場合（その税額が1億円以下である場合に限る。）において、（4）に掲げる日までにその納付がされたときは、その納付は法定納期限においてされたものとみなして、延納及び附帯税に関する規定を適用する。（通法34②、通規1の3③④⑤）

  注1 （3）は、令和5年度改正により追加されたもので、改正規定は、令和6年4月1日から適用される。（令5改法附1Ⅳハ、令5改通規附①）

  注2 （3）中「1億円」とあるのは、令和6年4月1日から令和8年3月31日までの間については「1,000万円」と、令和8年4月1日から令和10年3月31日までの間については「3,000万円」とする。（令5改通規附②）

 （特定納付方法における納付日）

（4）　（3）に掲げる納付日は、法定納期限の翌日（同日が日曜日、国民の祝日に関する法律〔昭和23年法律第178号〕に規定する休日その他一般の休日又は第2条第2項《期限の特例》に規定する日に当たるときは、これらの日の翌日。以下（4）において同じ。）とする。ただし、災害その他やむを得ない理由によりその法定納期限の翌日までに納付することができないと国税庁長官が認めるときは、その承認する日とする。（通令6の3）

  注 （4）は、令和5年度改正により追加されたもので、改正規定は、令和6年4月1日以後から適用される。（令5改通令附）

 （国外納付者の納付）

（5）　国税を納付しようとする者で国税通則法の施行地外の地域に住所又は居所を有するもの（以下（5）において「国外納付者」という。）は、**6**にかかわらず、（6）で掲げるところにより、金融機関の営業所、事務所その他これらに類するもの（国税通則法の施行地外の地域にあるものに限る。以下（5）において「国外営業所等」という。）を通じてその税額に相当する金銭をその国税の収納を行う税務署の職員の預金口座（国税の納付を受けるために開設されたものに限る。）に対して払込みをすることにより納付することができる。この場合において、その国税の納付は、当該国外納付者が当該金融機関の国外営業所等を通じて送金した日においてされたものとみなして、延納、物納及び附帯税に関する規定を適用する。（通法34⑤）

 （国外納付者の納付手続）

（6）　（5）に掲げる国外納付者は、（5）により国税を納付する場合には、国税局長又は税務署長に対し、納付書（**6**に掲げる納付書をいう。以下（8）において同じ。）及び金融機関の（5）に掲げる国外営業所等を通じて送金したことを証する書類（以下（6）において「納付書等」という。）の提出（当該納付書等の提出に代えて行う電子情報処理組織を使用する方法その他の情報通信の技術を利用する方法による当該納付書等に記載すべき事項の提供を含む。）をしなければならない。（通規1の3⑥）

 （口座振替納付に係る納付書の通知）

（7）　税務署長は、預金又は貯金の払出しとその払い出した金銭による法人税の納付をその預金口座又は貯金口座のある金融機関に委託して行おうとする法人から、その納付に必要な事項の当該金融機関に対する通知で（8）に掲げるものの依頼があった場合には、その納付が確実と認められ、かつ、その依頼を受けることが法人税の徴収上有利と認められるときに限り、その依頼を受けることができる。（通法34の2①）

 （口座振替納付に係る通知）

（8）　（7）に掲げる納付に必要な事項の当該金融機関に対する通知は、次の（一）及び（二）に掲げるいずれかの方法による通知とする。（通規1の4）

（一）	納付書記載事項（国税を納付しようとする者の氏名又は名称、当該国税に係る税目及び税額その他の納付書に記載すべきこととされている事項をいう。以下同じ。）を記載した納付書又は納付書記載事項を記録した記録媒体を送付する方法
（二）	納付書記載事項に係る電磁的記録（国税通則法第34条の6第3項《納付受託者の帳簿保存等の義務》に規定する電磁的記録をいう。）を電子情報処理組織を使用して送信する方法

(口座振替納付に係る納付期限)
(9) 期限内申告書の提出により納付すべき税額の確定した法人税でその提出期限と同時に納期限の到来するものが、(7)に掲げる通知に基づき、当該納付書が金融機関に到達した日から2取引日を経過した最初の取引日（災害その他やむを得ない理由によりその日までに納付することができないと税務署長が認める場合には、その承認する日）までに納付された場合には、その納付の日が納期限後である場合においても、その納付は納期限においてされたものとみなして、延滞税に関する規定を適用する。（通法34の2②、通令7①）

　　注　上記の「取引日」とは、金融機関の休日以外の日をいう。（通令7②）

(納付受託者に対する納付の委託)
(10) 国税を納付しようとする者は、その税額が(11)《納付委託の対象》に掲げる金額以下である場合であって、次の表の(一)又は(二)のいずれかに該当するときは、納付受託者（(13)に掲げる納付受託者をいう。以下同じ。）に納付を委託することができる。（通法34の3①、通規2②③）

(一)	次のイ又はロのいずれかに該当する納付書（**6**に掲げる納付書をいう。以下(10)において同じ。）であり、かつ、バーコードの記載があるものに基づき納付しようとするとき		
	イ	国税局又は税務署の職員から交付され、又は送付された納付書	
	ロ	(8)に掲げる納付受託者により作成された納付書	
(二)	電子情報処理組織を使用して行う納付受託者に対する通知で次の表の左欄に掲げる場合の区分に応じ、それぞれ同表の右欄に掲げる事項の通知に基づき納付しようとするとき		
	イ	(11)の表の(二)に掲げるクレジットカードを使用する方法により国税を納付する場合	次に掲げる事項 (イ) 納付書記載事項 (ロ) 当該クレジットカードの番号及び有効期限その他当該クレジットカードを使用する方法による決済に関し必要な事項
	ロ	資金決済に関する法律（平成21年法律第59号）第3条第5項《定義》に規定する第三者型前払式支払手段による取引その他これに類する為替取引（以下(11)において「第三者型前払式支払手段による取引等」という。）により国税を納付する場合	次に掲げる事項 (イ) 納付書記載事項 (ロ) 当該第三者型前払式支払手段による取引等に係る業務を行う者の名称その他当該第三者型前払式支払手段による取引等による決済に関し必要な事項

(納付委託の対象)
(11) (10)に掲げる場合は、次の表に掲げる場合とする。（通規2①）

(一)	(10)（(10)の表の(一)に係る部分に限る。）により国税を納付しようとする金額が30万円以下である場合
(二)	(10)（(10)の表の(二)に係る部分に限る。）により国税を納付しようとする金額が1,000万円未満であり、かつ、当該国税を納付しようとする者のクレジットカードによって決済することができる金額以下である場合
(三)	(10)（(10)の表の(二)に係る部分に限る。）により国税を納付しようとする金額が30万円以下であり、かつ、当該国税を納付しようとする者が使用する第三者型前払式支払手段による取引その他これに類する為替取引によって決済することができる金額以下である場合

(納付受託者に委託した場合の納付の日)
(12) 次の表の左欄に掲げるときに応じ、それぞれ右欄に掲げる日に当該(一)又は(二)に掲げる国税の納付があったものとみなして、附帯税に関する規定を適用する。（通法34の3②）

(一)	国税を納付しようとする者が、(10)の表の(一)に掲げる納付書を添えて、納付受託者に納付しようとする税額に相当する金銭の交付をしたとき	当該交付をした日

(二)	国税を納付しようとする者が(10)の表の(二)の通知に基づき当該国税を納付しようとする場合において、納付受託者が当該国税を納付しようとする者の委託を受けたとき	当該委託を受けた日

(納付受託者)
(13) 納付受託者(国税の納付に関する事務〔以下「納付事務」という。〕を適正かつ確実に実施することができると認められる者であり、かつ、国税通則法施行令第7条の2《納付受託者の指定要件》で定める要件に該当する者として国税庁長官が指定するものをいう。)は、国税を納付しようとする者の委託を受けて、納付事務を行うことができる。(通法34の4①)

 注 (13)に掲げる「納付受託者」は、平成28年国税庁告示第14号(平成29年1月4日から適用)により指定されている。(編者)

7　法人税の確定金額の端数計算等

国税の確定金額に100円未満の端数があるとき、又はその全額が100円未満であるときは、その端数金額又はその全額を切り捨てる。(通法119①)

(附帯税の端数計算)

附帯税の確定金額に100円未満の端数があるとき、又はその全額が1,000円未満(加算税に係るものについては、5,000円未満)であるときは、その端数金額又はその全額を切り捨てる。(通法119④)

八 還　　付

1　所得税額等の還付

　中間申告書（**一の3**《仮決算をした場合の中間申告書の記載事項等》の表に掲げる事項を記載したものに限る。）の提出があった場合又は確定申告書の提出があった場合において、これらの申告書に**一の3の(3)**《災害があった場合の仮決算による中間申告書の提出》の表の(一)又は**二の1**《確定申告》の表の③に掲げる金額の記載があるときは、税務署長は、これらの申告書を提出した内国法人に対し、当該金額に相当する税額を還付する。（法78①）

　　　　（所得税額等の還付の手続）
（1）　税務署長は、**一の3の(3)**《災害があった場合の仮決算による中間申告書の提出》の表の(一)に掲げる金額の記載がある中間申告書又は**二の1**《確定申告》の表の③に掲げる金額の記載がある確定申告書の提出があった場合には、これらの金額が過大であると認められる事由がある場合を除き、遅滞なく、**1**による還付又は充当の手続をしなければならない。（法78④、令151）

　　　　（還付すべき所得税額等の充当の順序）
（2）　**1**による還付金（これに係る還付加算金を含む。）を未納の国税及び滞納処分費に充当する場合には、次の順序により充当するものとする。（法78④、令152）

(一)	**1**の中間申告書に係る事業年度又は**1**の確定申告書に係る事業年度の所得に対する法人税で修正申告書の提出又は更正により納付すべきもの（当該還付金が**二の1**《確定申告》の表の③に掲げる金額に係るものである場合には、中間納付額を除く。）があるときは、当該法人税に充当する。
(二)	(一)に掲げる充当をしてもなお還付すべき金額があるときは、その他の未納の国税及び滞納処分費に充当する。

　　　　（中間納付額の還付と所得税額の還付がある場合の充当の順序）
（3）　その事業年度の所得に対する法人税に係る**1**による還付金（これに係る還付加算金を含む。以下同じ。）と**2**《中間納付額の還付》又は同**2の(2)**《還付する中間納付額に対応する延滞税の還付》による還付金とがある場合において、これらの還付金をその事業年度の所得に対する法人税で未納のものに充当するときは、次の左欄に掲げる場合の区分に応じ、それぞれ同表の右欄に掲げる還付金からまず充当するものとする。（法78④、令154②）

(一)	(2)の表の(一)に掲げる法人税に充当する場合	所得税額等の還付金
(二)	中間納付額に充当する場合	**2**又は同**2の(2)**による還付金

　　　　（充当の場合における延滞税及び利子税の免除等）
（4）　**1**による還付金を同**1**の中間申告書に係る事業年度又は同**1**の確定申告書に係る事業年度の所得に対する法人税で未納のものに充当する場合には、その還付金の額のうちその充当する金額については、還付加算金を付さないものとし、その充当される部分の法人税については、延滞税及び利子税を免除するものとする。（法78③）

　　　　（更正等による所得税額等の還付）
（5）　内国法人の提出した中間申告書（**一の3**《仮決算をした場合の中間申告書の記載事項等》の表に掲げる事項を記載したものに限る。）又は確定申告書に係る法人税につき更正（当該法人税についての更正の請求〔**九**《更正の請求》に掲げる更正の請求をいう。(9)及び**2**〈(1)から(6)を除く。〉において同じ。〕に対する処分に係る不服申立て又は訴えについての決定若しくは裁決又は判決を含む。以下(5)及び(9)において「更正等」という。）があった場合において、その更正等により**一の3の(3)**《災害があった場合の仮決算による中間申告書の提出》の表の(一)又は**二の1**《確定申告》の表の③に掲げる金額が増加したときは、税務署長は、その内国法人に対し、その増加した部分の金額に相当する税額を還付する。（法133①）

　　　　（更正等により還付すべき所得税額等の充当の順序）
（6）　(2)は、(5)による還付金（これに係る還付加算金を含む。）を未納の国税及び滞納処分費に充当する場合につい

　　　　（更正等による所得税額等の還付金を充当する場合における延滞税及び利子税の免除等）
（7）　(5)による還付金を(5)の中間申告書に係る事業年度又は(5)の確定申告書に係る事業年度の所得に対する法人税で未納のものに充当する場合には、その還付金の額のうちその充当する金額については、還付加算金を付さないものとし、その充当される部分の法人税については、延滞税及び利子税を免除するものとする。（法133③）

　　　　（所得税額等の還付金に係る還付加算金の計算期間）
（8）　**1**による還付金について還付加算金を計算する場合には、その計算の基礎となる期間《通法58①》は、**1**の中間申告書又は確定申告書の提出期限（当該確定申告書が期限後申告である場合には、当該確定申告書を提出した日）の翌日からその還付のための支払決定をする日又はその還付金につき充当をする日（同日前に充当をするのに適することとなった日がある場合には、その適することとなった日）までの期間とする。（法78②）

　　　　（更正等による所得税額等の還付金に係る還付加算金の計算期間）
（9）　(5)による還付金について還付加算金を計算する場合には、その計算の基礎となる期間《通法58①》は、更正等の日の翌日以後1か月を経過した日（当該更正等が更正の請求に基づく更正である場合及び更正の請求に対する処分に係る不服申立て又は訴えについての決定若しくは裁決又は判決である場合には、その更正の請求の日の翌日以後3か月を経過した日と当該更正等の日の翌日以後1か月を経過した日とのいずれか早い日）からその還付のための支払決定をする日又はその還付金につき充当をする日（同日前に充当をするのに適することとなった日がある場合には、その適することとなった日）までの期間とする。（法133②）

2　中間納付額の還付

　中間申告書を提出した内国法人である普通法人からその中間申告書に係る事業年度の確定申告書の提出があった場合において、その確定申告書に二の**1**《確定申告》の表の⑤に掲げる中間納付額の控除不足額の記載があるときは、税務署長は、その普通法人に対し、当該金額に相当する中間納付額を還付する。（法79①）

　　　　（中間納付額の還付の手続）
（1）　税務署長は、二の**1**の表の⑤に掲げる金額の記載がある確定申告書の提出があった場合には、当該金額が過大であると認められる事由がある場合を除き、遅滞なく、**2**及び(2)《還付する中間納付額に対応する延滞税の還付》による還付又は充当の手続をしなければならない。（法79⑥、令153）

　　　　（還付する中間納付額に対応する延滞税の還付）
（2）　税務署長は、**2**による還付金の還付をする場合において、**2**の中間申告書に係る中間納付額について納付された延滞税があるときは、その額のうち、還付される中間納付額に対応するものとして(3)《中間納付額に係る延滞税の還付金額の計算》により計算した金額を併せて還付する。（法79②）

　　　　（中間納付額に係る延滞税の還付金額の計算）
（3）　還付する中間納付額に対応する延滞税の額は、（一）に掲げる金額から（二）に掲げる金額を控除した残額とする。（法79⑥、令155①）

（一）	**2**に掲げる中間申告書に係る中間納付額について納付された延滞税の額の合計額
（二）	当該中間納付額（**2**による還付金をもって充当をされる部分の金額を除く。）のうち次に掲げる順序により当該中間納付額に係る事業年度の確定申告書に記載された二の**1**の表の②に掲げる金額（(4)《還付すべき中間納付額の充当の順序》の表の（一）に掲げる充当をされる法人税がある場合には、当該法人税の額を加算した金額）に達するまで順次求めた各中間納付額につき国税に関する法律の規定により計算される延滞税の額の合計額 　イ　当該中間納付額のうち確定の日を異にするものについては、その確定の日の早いものを先順位とする。 　ロ　確定の日を同じくする中間納付額のうち納付の日を異にするものについては、その納付の日の早いものを先順位とする。

(還付すべき中間納付額の充当の順序)
(4) 中間納付額の還付金（これに係る還付加算金を含む。）を未納の国税及び滞納処分費に充当する場合には、次の順序により充当するものとする。（法79⑥、令154①）

(一)	当該還付金の計算の基礎とされた中間納付額に係る事業年度の所得に対する法人税で修正申告書の提出又は更正により納付すべきもの（中間納付額を除く。）があるときは、当該法人税に充当する。
(二)	(一)の充当をしてもなお還付すべき金額がある場合において、(一)に掲げる中間納付額で未納のものがあるときは、当該未納の中間納付額に充当する。
(三)	(一)及び(二)の充当をしてもなお還付すべき金額があるときは、その他の未納の国税及び滞納処分費に充当する。

　　注　1の(3)《中間納付額の還付と所得税額の還付がある場合の充当の順序》を参照。（編者）

(中間納付額の還付金に係る還付加算金の計算期間)
(5) 2による還付金について還付加算金を計算する場合には、その計算の基礎となる期間《通法58①》は、2により還付をすべき中間納付額の納付の日（その中間納付額がその納期限前に納付された場合には、その納期限）の翌日からその還付のための支払決定をする日又はその還付金につき充当をする日（同日前に充当をするのに適することとなった日がある場合には、その適することとなった日）までの期間とする。ただし、2の確定申告書が期限後申告書である場合には、当該申告書の提出期限の翌日からその提出された日までの日数は、当該期間に算入しない。（法79③）

(還付加算金の計算の細目)
(6) 2による還付金について還付加算金の額を計算する場合には、2に掲げる中間申告書に係る中間納付額（当該還付金をもって充当をされる部分の金額を除く。）のうち次に掲げる順序により当該還付金の額（当該還付金をもって(4)の表の(一)又は同表の(二)の充当をする場合には、当該充当をする還付金の額を控除した金額）に達するまで順次遡って求めた各中間納付額を(5)に掲げる還付をすべき中間納付額として、(5)を適用する。（法79⑥、令155②）

(一)	当該中間納付額のうち確定の日を異にするものについては、その確定の日の遅いものを先順位とする。
(二)	確定の日を同じくする中間納付額のうち納付の日を異にするものについては、その納付の日の遅いものを先順位とする。

(決定による中間納付額の還付)
(7) 中間申告書を提出した内国法人である普通法人のその中間申告書に係る事業年度の法人税につき第二章第三節の一の1の表の②《決定》に掲げる決定があった場合において、その決定に係る中間納付額の控除不足額があるときは、税務署長は、その普通法人に対し、当該金額に相当する中間納付額を還付する。（法134①）

(確定申告に係る更正等による中間納付額の還付)
(8) 中間申告書を提出した内国法人である普通法人のその中間申告書に係る事業年度の法人税につき更正（当該法人税についての処分等〔更正の請求に対する処分又は第二章第三節の一の1の表の②《決定》に掲げる決定をいう。〕に係る不服申立て又は訴えについての決定若しくは裁決又は判決を含む。以下(8)、(10)及び(12)の表の(二)において「更正等」という。）があった場合において、その更正等により二の1の表の⑤に掲げる金額が増加したときは、税務署長は、その普通法人に対し、その増加した部分の金額に相当する中間納付額を還付する。（法134②）

(更正等又は決定により還付する中間納付額に対応する延滞税の還付)
(9) 税務署長は、(7)又は(8)による還付金の還付をする場合において、これらの中間申告書に係る中間納付額について納付された延滞税があるときは、その額のうち、(7)又は(8)により還付される中間納付額に対応するものとして(10)《更正等又は決定による中間納付額に係る延滞税の還付金額の計算》により計算した金額を併せて還付する。（法134③）

(更正等又は決定による中間納付額に係る延滞税の還付金額の計算)
(10) 更正等又は決定により還付する中間納付額に対応する延滞税の額は、(一)に掲げる金額から(二)に掲げる金額を

控除した残額とする。（令174①）

(一)	（7）又は（8）の中間申告書に係る中間納付額について納付された延滞税の額の合計額（当該延滞税のうちに既に（2）又は（9）により還付されるべきこととなったものがある場合には、その還付されるべきこととなった延滞税の額を除く。）
(二)	当該中間納付額（**2**、（7）又は（8）による還付金をもって充当をされる部分の金額を除く。）のうち次に掲げる順序により当該還付の基因となる決定（第二章第三節の**一**の1の表の②《決定》に掲げる決定をいう。）又は更正等に係る**二**の1の表の②に掲げる金額（（11）《更正等又は決定により還付すべき中間納付額の充当の順序》において準用する（4）の表の（一）に掲げる充当をされる法人税がある場合には、当該法人税の額を加算した金額）に達するまで順次求めた各中間納付額につき国税に関する法律の規定により計算される延滞税の額の合計額 　イ　当該中間納付額のうち確定の日を異にするものについては、その確定の日の早いものを先順位とする。 　ロ　確定の日を同じくする中間納付額のうち納付の日を異にするものについては、その納付の日の早いものを先順位とする。

　（更正等又は決定により還付すべき中間納付額の充当の順序）
(11)　（4）は、（7）から（9）までによる還付金（これに係る還付加算金を含む。）を未納の国税及び滞納処分費に充当する場合について準用する。（法134⑦、令174④）

　（更正等又は決定による中間納付額の還付金に係る還付加算金の計算期間）
(12)　（7）又は（8）による還付金について還付加算金を計算する場合には、その計算の基礎となる期間《通法58①》は、（7）又は（8）により還付すべき中間納付額の納付の日（その中間納付額がその納期限前に納付された場合には、その納期限）の翌日からその還付のための支払決定をする日又はその還付金につき充当をする日（同日前に充当をするのに適することとなった日がある場合には、その適することとなった日。次の表の（二）のロにおいて「充当日」という。）までの期間とする。ただし、次の表の左欄に掲げる還付金の区分に応じそれぞれ同表の右欄に掲げる日数は、当該期間に算入しない。（法134④、令174②、通法58⑤、通令24④）

(一)	（7）による還付金	（7）に掲げる事業年度の**二**の1による申告書の提出期限（その提出期限後にその中間納付額が納付された場合には、その納付の日）の翌日から決定の日までの日数		
(二)	（8）による還付金	（8）に掲げる事業年度の**二**の1による申告書の提出期限（その提出期限後にその中間納付額が納付された場合には、その納付の日）の翌日から次の表の左欄に掲げる日のうちいずれか早い日までの日数		
		イ	その更正等の日の翌日以後1か月を経過する日（当該更正等が次の表の左欄に掲げるものである場合には、それぞれ同表の右欄に掲げる日）	
			(イ) 更正の請求に基づく更正（当該請求に対する処分に係る不服申立て又は訴えについての決定若しくは裁決又は判決を含む。(イ)において同じ。）	当該請求の日の翌日以後3か月を経過する日と当該請求に基づく更正の日の翌日以後1か月を経過する日とのいずれか早い日
			(ロ) 第二章第三節の**一**の1の表の②《決定》に掲げる決定に係る更正（当該決定に係る不服申立て又は訴えについての決定若しくは裁決又は判決を含み、更正の請求に基づく更正及び（8）に掲げる事業年度の所得の金額の計算の基礎となった事実のうちに含まれていた無効な行為により生じた経済的成果がその行為の無効であることに基因して失われたこと、当該事実のうちに含まれていた取り消すべき行為が取	当該決定の日

第三章　第二節　第三款　八《還　付》

		り消されたこと、その他これらに準ずる次のAからCまでに掲げる理由に基づき行われた更正を除く。）	
		A	**九の2**《後発的事由がある場合の更正の請求の特例》の表の①
		B	同表の③（同③のホを除く。）
		C	国税通則法以外の国税に関する法律の規定により更正の請求の基因とされている理由（修正申告書の提出又は更正若しくは決定があったことを理由とするものを除く。）で当該国税の法定申告期限後に生じたもの
	ロ	その還付のための支払決定をする日又はその還付金に係る充当日	

　　　（更正等又は決定による中間納付額の還付金に係る還付加算金の額の計算）
（13）　（7）又は（8）による還付金について還付加算金の額を計算する場合には、これらに掲げる中間申告書に係る中間納付額（既に（5）に掲げる還付加算金の額の計算の基礎とされた部分の金額があり、又は（7）若しくは（8）による還付金をもって充当をされる部分の金額がある場合には、これらの金額を除く。以下（13）において同じ。）のうち次に掲げる順序により当該還付金の額（当該還付金をもって（11）において準用する（4）の表の（一）又は同表の（二）に掲げる充当をする場合には、当該充当をする還付金の額を控除した金額）に達するまで順次遡って求めた各中間納付額を（12）に掲げる還付をすべき中間納付額として、（12）を適用する。（法134⑦、令174③）

（一）	当該中間納付額のうち確定の日を異にするものについては、その確定の日の遅いものを先順位とする。
（二）	確定の日を同じくする中間納付額のうち納付の日を異にするものについては、その納付の日の遅いものを先順位とする。

　　　（中間納付額の還付金をその事業年度の法人税の額に充当する場合の延滞税等の免除等）
（14）　2による還付金をその額の計算の基礎とされた中間納付額に係る事業年度の所得に対する法人税で未納のものに充当する場合には、その還付金の額のうちその充当する金額については、還付加算金を付さないものとし、その充当される部分の法人税については、延滞税及び利子税を免除するものとする。（法79④、134⑤）

　　　（還付される中間納付額に係る延滞税等の額に対する還付加算金の不加算）
（15）　（2）又は（9）による還付金については、還付加算金は、付さない。（法79⑤、134⑥）

3　欠損金の繰戻しによる還付

①　中小企業者の欠損金等以外の欠損金の繰戻しによる還付の不適用（適用期限の延長）
　②《欠損金の繰戻しによる還付》は、次に掲げる法人以外の法人の平成4年4月1日から令和8年3月31日までの間に終了する各事業年度において生じた欠損金額については、適用しない。ただし、清算中に終了する事業年度（通算子法人の清算中に終了する事業年度のうち当該通算子法人に係る通算親法人の事業年度終了の日に終了するものを除く。）及び④《解散等があった場合の欠損金の繰戻しによる還付についての特例》に該当する場合の④に掲げる事業年度の欠損金額並びに⑤に掲げる災害損失欠損金額並びに銀行等保有株式取得機構の欠損金額については、この限りでない。（措法66の12①、措令39の24①②）

イ	普通法人（投資信託及び投資法人に関する法律第2条第12項《定義》に規定する投資法人及び資産の流動化に関する法律第2条第3項《定義》に規定する特定目的会社を除く。）のうち、当該事業年度終了の時において資本金の額若しくは出資金の額が1億円以下であるもの（当該事業年度終了の時において第一款の**一**の1の③《中小法人の年800万円以下の所得に対する軽減税率の不適用》の表のロ又はハに掲げる法人に該当するもの及び同1の⑥《中小通

	算法人の軽減対象所得金額以下の金額に対する税率》に掲げる大通算法人〔以下①において「大通算法人」という。〕を除く。）又は資本若しくは出資を有しないもの（保険業法に規定する相互会社及び大通算法人を除く。）
ロ	公益法人等又は協同組合等
ハ	法人税法以外の法律によって公益法人等とみなされているもので次に掲げるもの （イ）　地方自治法第260条の2第7項に規定する認可地縁団体 （ロ）　建物の区分所有等に関する法律第47条第2項に規定する管理組合法人及び同法第66条の規定により読み替えられた同項に規定する団地管理組合法人 （ハ）　政党交付金の交付を受ける政党等に対する法人格の付与に関する法律第7条の2第1項に規定する法人である政党等 （ニ）　密集市街地における防災街区の整備の促進に関する法律第133条第1項に規定する防災街区整備事業組合 （ホ）　特定非営利活動促進法第2条第2項に規定する特定非営利活動法人 （ヘ）　マンションの建替え等の円滑化に関する法律第5条第1項に規定するマンション建替組合、同法第116条に規定するマンション敷地売却組合及び同法第164条に規定する敷地分割組合
ニ	人格のない社団等

（大通算法人との間に通算完全支配関係がある場合の不適用）

　通算法人の①《中小企業者の欠損金等以外の欠損金の繰戻しによる還付の不適用》の本文に掲げる事業年度において、当該通算法人が協同組合等に該当し、又は①のただし書きに掲げる欠損金額（①のただし書きに掲げる災害損失欠損金額を除く。以下「還付対象欠損金額」という。）が生じた場合において、当該事業年度終了の日において当該通算法人との間に通算完全支配関係がある他の通算法人が大通算法人であるときは、当該通算法人の当該事業年度及び当該他の通算法人の同日に終了する事業年度に係る⑥の(2)《通算法人の場合の欠損金の繰戻しによる還付についての特例》の適用については、当該他の通算法人（当該事業年度において還付対象欠損金額が生じたものを除く。）の同(2)の表の(三)及び(四)に掲げる所得の金額は、ないものとする。（措法66の12②）

②　欠損金の繰戻しによる還付

　内国法人の青色申告書である確定申告書を提出する事業年度において生じた欠損金額がある場合（④《解散等があった場合の欠損金の繰戻しによる還付についての特例》に該当する場合を除く。）には、その内国法人は、当該確定申告書の提出と同時に、納税地の所轄税務署長に対し、当該欠損金額に係る事業年度（以下②から⑤において「**欠損事業年度**」という。）開始の日前1年以内に開始したいずれかの事業年度の所得に対する法人税の額（附帯税の額を除くものとし、第二款《税額控除》の**一**《所得税額の控除》、**二**《外国税額の控除》又は**四**《仮装経理に基づく過大申告の場合の更正に伴う法人税額の控除》により控除された金額がある場合には当該金額を加算した金額とし、同款の**二**の**7**の③の(1)《過去当初申告税額控除額が調整後過去税額控除額を超える場合》（同**7**の④の(1)《通算法人が合併により解散した場合等の準用》又は同④の(2)《通算法人が公益法人等に該当することとなった場合の準用》において準用する場合を含む。）並びに同款の**五**の**5**の①《試験研究を行った場合又は中小企業者等の試験研究費に係る法人税額の特別控除》の表の(六)のロ及び同表の(七)（これらを同**5**の④の(3)《通算法人に係る産学官連携の協同研究・委託研究に係る法人税額の特別控除の準用》において準用する場合を含む。）、同款の**四**の**2**の①《通算法人の仮装経理に基づく過大申告の場合等の法人税額の計算》及び同**2**の②《通算法人の承認が効力を失う場合の取扱い》、第一款の**三**の**1**《使途秘匿金の支出がある場合の課税の特例》、同款の**四**の**1**《土地の譲渡等がある場合の特別税率》、同**四**の**2**《優良住宅地等のための譲渡に該当しなくなった場合の追加課税》又は同款の**五**《短期所有に係る土地の譲渡等がある場合の特別税率》により加算された金額がある場合には、当該金額を控除した金額とする。以下同じ。）に、当該いずれかの事業年度（以下「**還付所得事業年度**」という。）の所得の金額のうちに占める欠損事業年度の欠損金額（⑤において準用する②により当該還付所得事業年度の所得に対する法人税の額につき還付を受ける金額の計算の基礎とするもの及び他の還付所得事業年度の所得に対する法人税の額につき還付を受ける金額の計算の基礎とするものを除く。④において同じ。）に相当する金額の割合を乗じて計算した金額に相当する法人税の還付を請求することができる。（法80①、69⑲㉓㉔、措法42の4⑧、42の14①④、措令38⑤Ⅱ、38の4㊺、38の5㉖）

$$\text{欠損金の繰戻しによる還付金額} = \left(\begin{array}{c}\text{還付所得事業年度の所得に対する法人税の額}\end{array} + \begin{array}{c}\text{還付所得事業年度の所得税額等の控除額}\end{array} - \begin{array}{c}\text{還付所得事業年度の課税土地譲渡利益金額に対する税額等}\end{array}\right) \times \frac{\text{繰戻し欠損金額}}{\text{還付所得事業年度の所得の金額}}$$

(還付所得事業年度につき既に欠損金の繰戻しによる還付の適用を受けている場合の還付金額の計算)
（１）　②の場合において、既に当該還付所得事業年度の所得に対する法人税の額につき②による還付の適用があったときは、その額からその適用により還付された金額を控除した金額をもって当該法人税の額とみなし、かつ、当該還付所得事業年度の所得の金額に相当する金額からその適用に係る欠損金額を控除した金額をもって当該還付所得事業年度の所得の金額とみなして、還付金額を計算する。（法80②）

(欠損金の繰戻しによる還付請求書)
（２）　②（④《解散等があった場合の欠損金額の繰戻しによる還付についての特例》及び⑤《災害があった場合の欠損金の繰戻しによる還付についての特例》において準用する場合を含む。）による還付の請求をしようとする内国法人は、次に掲げる事項を記載した還付請求書を納税地の所轄税務署長に提出しなければならない。（法80⑨、規38）
　（一）　その内国法人の名称、納税地及び法人番号
　（二）　代表者の氏名
　（三）　還付所得事業年度の開始及び終了の日
　（四）　欠損事業年度の青色申告書である確定申告書をその提出期限後に提出する場合において法人税の還付を請求するときは、当該申告書をその提出期限までに提出することができなかった事情の詳細（③《欠損金の繰戻しによる還付の適用要件》を参照）
　（五）　④による還付の請求をする場合には、④に掲げる事実の生じた日及び当該事実の詳細
　（六）　⑤による還付の請求をする場合には、⑤に掲げる災害のあった日及び当該災害の詳細
　（七）　還付を受けようとする法人税の額
　（八）　（七）に掲げる金額の計算の基礎
　（九）　その他参考となるべき事項

(還付請求があった場合の還付の手続)
（３）　税務署長は、（２）に掲げる還付請求書の提出があった場合には、その請求の基礎となった欠損金額その他必要な事項について調査し、その調査したところにより、その請求をした内国法人に対し、その請求に係る金額を限度として法人税を還付し、又は請求の理由がない旨を書面により通知する。（法80⑩）

(欠損金の繰戻しによる還付における還付金額の計算)
（４）　欠損金の繰戻しによる法人税の還付請求があった場合において、当該還付請求について還付すべき金額は、当該金額の算定を行う時において確定している還付所得事業年度（②に掲げる還付所得事業年度をいう。）の所得の金額及び法人税の額並びに欠損事業年度（②に掲げる欠損事業年度をいう。）の欠損金額（通算法人（その欠損事業年度が当該通算法人に係る通算親法人の事業年度終了の日に終了するものに限る。（６）を除き、以下同じ。）以外の法人にあっては②に掲げる欠損金額をいい、通算法人にあっては⑥の（２）《通算法人の場合の欠損金の繰戻しによる還付についての特例》により計算される金額をいう。③の《還付請求書だけが期限後に提出された場合の特例》を除き、以下同じ。）（当該欠損金額が請求に係る還付金額の計算の基礎として法人が還付請求書に記載した欠損金額を超える場合には、その記載した金額）を基礎として②により計算した金額による。（基通17－2－2）
　　注　④又は⑤において準用する②による法人税の還付請求があった場合においても、同様とする。

(還付加算金の計算期間)
（５）　（３）による還付金について還付加算金を計算する場合には、その計算の基礎となる期間《通法58①》は、②（④及び⑤において準用する場合を含む。）による還付の請求がされた日（②〔⑤において準用する場合を含む。以下（５）において同じ。〕による還付の請求がされた日が②の確定申告書（期限後申告書を除く。）又は仮決算の中間申告書の提出期限前である場合には、その提出期限）の翌日以後3か月を経過した日からその還付のための支払決定をする日又はその還付金につき充当をする日（同日前に充当をするのに適することとなった日がある場合には、その適することとなった日）までの期間とする。（法80⑪）

(還付所得事業年度が2以上ある場合の繰戻し還付)
（６）　欠損金の繰戻しによる還付の適用に当たり、還付所得事業年度が2以上ある場合、欠損金額又は災害損失欠損金額（通算法人（その事業年度又は⑤に掲げる中間期間が当該通算法人に係る通算親法人の事業年度又は⑤に掲げる中間期間終了の日に終了するものに限る。以下（６）において同じ。）以外の法人にあっては⑤に掲げる災害損失欠損金額

をいい、通算法人にあっては⑥の（3）《通算法人である場合の災害があった場合の欠損金の繰戻しによる還付についての特例》により計算される金額をいう。以下同じ。）をいずれの還付所得事業年度に配分するかは法人の計算によることに留意する。（基通17－2－4）

③ 欠損金の繰戻しによる還付の適用要件

　欠損金の繰戻しによる還付は、その内国法人が還付所得事業年度から欠損事業年度の前事業年度までの各事業年度について連続して青色申告書である確定申告書を提出している場合であって、欠損事業年度の青色申告書である確定申告書（期限後申告書を除く。）をその提出期限までに提出した場合（税務署長においてやむを得ない事情があると認める場合には、欠損事業年度の青色申告書である確定申告書をその提出期限後に提出した場合を含む。）に限り、適用する。（法80③）

　　（還付請求書だけが期限後に提出された場合の特例）
　　　法人が欠損事業年度の確定申告書を期限内に提出し、当該申告書に記載された欠損金額（当該法人が通算法人である場合にあっては、⑥の（2）《通算法人の場合の欠損金の繰戻しによる還付についての特例》により計算される欠損金額）に基づいて法人税の還付請求書を期限後に提出した場合において、その期限後の提出が錯誤に基づくものである等期限後の提出について税務署長が真にやむを得ない理由があると認めるときは、その還付請求を認めることができるものとする。（基通17－2－3）
　　　注　⑤において準用する②による法人税の還付請求があった場合においても、同様とする。

④ 解散等があった場合の欠損金の繰戻しによる還付についての特例

　②《欠損金の繰戻しによる還付》による還付は、内国法人につき解散（適格合併による解散を除くものとし、当該内国法人が通算子法人である場合には破産手続開始の決定による解散に限る。）、事業の全部の譲渡（当該内国法人が通算法人である場合における事業の全部の譲渡を除く。）、更生手続の開始その他これらに準ずる（1）《欠損金の繰戻しによる還付をする場合の解散等に準ずる事実》に掲げる事実が生じた場合において、当該事実が生じた日前1年以内に終了したいずれかの事業年度又は同日の属する事業年度において生じた欠損金額（第一節第二十一款の**一**の1の①《前10年以内の繰越欠損金の損金算入》により各事業年度の所得の金額の計算上損金の額に算入されたもの及び同①の（1）《会社更生等による債務免除等があった場合の適用対象となる欠損金額の範囲》又は同款の**四**の2の①《合併法人等の青色欠損金額の繰越額の制限》を除く。）があるときについて準用する。この場合において、②中「確定申告書の提出と同時に」とあるのは「事実が生じた日以後1年以内に」と、「請求することができる。」とあるのは「請求することができる。ただし、還付所得事業年度から欠損事業年度までの各事業年度について連続して青色申告書である確定申告書を提出している場合に限る。」と読み替えるものとする。（法80④）

注　④により読み替えて準用する②は、次のとおり。（編者）

> 　内国法人につき解散（適格合併による解散を除くものとし、当該内国法人が通算子法人である場合には破産手続開始の決定による解散に限る。）、事業の全部の譲渡（当該内国法人が通算法人である場合における事業の全部の譲渡を除く。）、更生手続の開始その他これらに準ずる（1）に掲げる事実が生じた場合において、当該事実が生じた日前1年以内に終了したいずれかの事業年度又は同日の属する事業年度において生じた欠損金額（第一節第二十一款の**一**の1の①《前10年以内の繰越欠損金の損金算入》により各事業年度の所得の金額の計算上損金の額に算入されたもの及び同①の（1）《会社更生等による債務免除等があった場合の適用対象となる欠損金額の範囲》又は同款の**四**の2の①《合併法人等の青色欠損金額の繰越額の制限》を除く。）があるときには、その内国法人は、当該事実が生じた日以後1年以内に、納税地の所轄税務署長に対し、当該欠損金額に係る事業年度（以下、②と同様に「欠損事業年度」という。）開始の日前1年以内に開始したいずれかの事業年度の所得に対する法人税の額に、当該いずれかの事業年度（以下②と同様に「還付所得事業年度」という。）の所得の金額のうちに占める欠損事業年度の欠損金額（⑤において準用する②により当該還付所得事業年度の所得に対する法人税の額につき還付を受ける金額の計算の基礎とするもの及び他の還付所得事業年度の所得に対する法人税の額につき還付を受ける金額の計算の基礎とするものを除く。）に相当する金額の割合を乗じて計算した金額に相当する法人税の還付を請求することができる。ただし、還付所得事業年度から欠損事業年度までの各事業年度について連続して青色申告書である確定申告書を提出している場合に限る。（法80④①）

　　（欠損金の繰戻しによる還付をする場合の解散等に準ずる事実）
（1）　④《解散等があった場合の欠損金の繰戻しによる還付についての特例》に掲げる「その他これらに準ずる事実」は、事業の全部の相当期間の休止又は重要部分の譲渡で、これらの事実が生じたことにより④に掲げる欠損金額につき第一節第二十一款の**一**《欠損金の繰越し》の適用を受けることが困難となると認められるもの及び再生手続開始の決定（通算法人にあっては、再生手続開始の決定）とする。（令155の2①）

第三章　第二節　第三款　八《還　付》

（更生手続の開始の意義）
（2）　④《解散等があった場合の欠損金の繰戻しによる還付についての特例》に掲げる「更生手続の開始」とは、更生手続の開始の申立て（会社更生法第234条《更生手続の終了事由》等に規定する更生手続開始の申立てを棄却する決定があった場合のその申立てを除く。）があったことをいうものとする。（基通17－2－5）

⑤　災害があった場合の欠損金の繰戻しによる還付についての特例
　②《欠損金の繰戻しによる還付》及び③《欠損金の繰戻しによる還付の適用要件》は、**災害**（（1）《災害の範囲》に掲げる災害をいう。以下⑤において同じ。）により、内国法人の当該災害のあった日から同日以後1年を経過する日までの間に終了する各事業年度又は当該災害のあった日から同日以後6か月を経過する日までの間に終了する中間期間（一の3《仮決算をした場合の中間申告書の記載事項等》に掲げる期間（当該内国法人が通算子法人である場合には、同3の（8）《通算法人である場合の適用》の表の（一）に掲げる期間）に係る同3の表に掲げる事項を記載した中間申告書〔以下⑤及び②の(5)において「**仮決算の中間申告書**」という。〕を提出する場合における当該期間をいう。）において生じた**災害損失欠損金額**（事業年度又は中間期間において生じた二の1《確定申告》の表の①又は一の3《仮決算をした場合の中間申告書の記載事項等》の表の①に掲げる欠損金額のうち、災害により棚卸資産、固定資産又は（2）《災害があった場合の欠損金の繰戻しによる還付における繰延資産》に掲げる繰延資産について生じた損失の額で（3）《災害があった場合の欠損金の繰戻しによる還付の対象となる損失の額》に掲げるもの〔仮決算の中間申告書の提出により既に還付を受けるべき金額の計算の基礎となった金額がある場合には、当該金額を控除した金額〕に達するまでの金額をいう。）がある場合について準用する。この場合において、②中「当該確定申告書」とあるのは「当該各事業年度に係る確定申告書又は当該中間期間（⑤に掲げる中間期間をいう。以下②及び③において同じ。）に係る仮決算の中間申告書（⑤に掲げる仮決算の中間申告書をいう。以下②及び③において同じ。）」と、「欠損金額に係る事業年度」とあるのは「災害損失欠損金額（⑤に掲げる災害損失欠損金額をいう。以下②及び③において同じ。）に係る事業年度又は中間期間」と、「前1年」とあるのは「前1年（当該欠損事業年度に係る確定申告書又は仮決算の中間申告書が青色申告書である場合には、前2年）」と、「欠損金額（⑤において準用する②により当該還付所得事業年度の所得に対する法人税の額につき還付を受ける金額の計算の基礎とするもの及び」とあるのは「災害損失欠損金額（」と、③中「連続して青色申告書である」とあるのは「連続して」と、「青色申告書である確定申告書（期限後申告書を除く。）をその提出期限までに提出した場合（税務署長においてやむを得ない事情があると認める場合には、欠損事業年度の青色申告書である確定申告書をその提出期限後に提出した場合を含む。）」とあるのは「確定申告書を提出した場合（中間期間において生じた災害損失欠損金額について②の適用を受ける場合には、当該中間期間に係る仮決算の中間申告書を提出した場合）」と読み替えるものとする。（法80⑤）
注　⑤により読み替えて準用する②及び③は、次のとおり。（編者）

> ②　災害があった場合の欠損金の繰戻しによる還付
> 　災害（（1）《災害の範囲》に掲げる災害をいう。以下同じ。）により、内国法人の当該災害のあった日から同日以後1年を経過する日までの間に終了する各事業年度又は当該災害のあった日から同日以後6か月を経過する日までの間に終了する中間期間（一の3《仮決算をした場合の中間申告書の記載事項等》に掲げる期間（当該内国法人が通算子法人である場合には、同3の（8）《通算法人である場合の適用》の表の（一）に掲げる期間）に係る同3の表に掲げる事項を記載した中間申告書〔以下注及び②の(5)において「**仮決算の中間申告書**」という。〕を提出する場合における当該期間をいう。以下注において同じ。）において生じた**災害損失欠損金額**（事業年度又は中間期間において生じた二の1《確定申告》の表の①又は一の3《仮決算をした場合の中間申告書の記載事項等》に掲げる欠損金額のうち、災害により棚卸資産、固定資産又は（2）《災害があった場合の欠損金の繰越しによる還付における繰延資産》に掲げる繰延資産について生じた損失の額で（3）《災害があった場合の欠損金の繰越しによる還付の対象となる損失の額》に掲げるもの（仮決算の中間申告書の提出により既に還付を受けるべき金額の計算の基礎となった金額がある場合には、当該金額を控除した金額）に達するまでの金額をいう。）がある場合には、その内国法人は、当該各事業年度に係る確定申告書又は当該中間期間に係る仮決算の中間申告書の提出と同時に、納税地の所轄税務署長に対し、当該災害損失欠損金額に係る事業年度又は中間期間（以下「**欠損事業年度**」という。）開始の日前1年（当該欠損事業年度に係る確定申告書又は仮決算の中間申告書が青色申告書である場合には、前2年）以内に開始したいずれかの事業年度の所得に対する法人税の額に、当該いずれかの事業年度（以下「還付所得事業年度」という。）の所得の金額のうちに占める欠損事業年度の災害損失欠損金額（他の還付所得事業年度の所得に対する法人税の額につき還付を受ける金額の計算の基礎とするものを除く。）に相当する金額の割合を乗じて計算した金額に相当する法人税の還付を請求することができる。（法80⑤①）
>
> ③　災害があった場合の欠損金の繰戻しによる還付の適用要件
> 　災害があった場合の欠損金の繰戻しによる還付は、その内国法人が還付所得事業年度から欠損事業年度の前事業年度までの各事業年度について連続して確定申告書を提出している場合であって、欠損事業年度の確定申告書を提出した場合（中間期間において生じた災害損失欠損金額について注の②の適用を受ける場合には、当該中間期間に係る仮決算の中間申告書を提出した場合）に限り、適用する。（法80⑤③）

(災害の範囲)
(1) ⑤に掲げる災害は、震災、風水害、火災、冷害、雪害、干害、落雷、噴火その他の自然現象の異変による災害及び鉱害、火薬類の爆発その他の人為による異常な災害並びに害虫、害獣その他の生物による異常な災害とする。(法80⑤、令155の2②)

(災害があった場合の欠損金の繰戻しによる還付における繰延資産)
(2) ⑤に掲げる繰延資産は、第二章第一節の二の表の**24**《繰延資産》の表の⑥に掲げる繰延資産のうち他の者の有する固定資産を利用するために支出されたものとする。(令155の2③)

(災害があった場合の欠損金の繰戻しによる還付の対象となる損失の額)
(3) ⑤に掲げる損失の額は、棚卸資産、固定資産又は(2)《災害があった場合の欠損金の繰戻しによる還付における繰延資産》に掲げる繰延資産について生じた次に掲げる損失の額(保険金、損害賠償金その他これらに類するものにより補填されるものを除く。)の合計額とする。(令155の2④)

(一)	(1)《災害の範囲》に掲げる災害により当該資産が滅失し、若しくは損壊したこと又は災害による価値の減少に伴い当該資産の帳簿価額を減額したことにより生じた損失の額(その滅失、損壊又は価値の減少による当該資産の取壊し又は除去の費用その他の付随費用に係る損失の額を含む。)
(二)	災害により当該資産が損壊し、又はその価値が減少した場合その他災害により当該資産を事業の用に供することが困難となった場合において、その災害のやんだ日の翌日から1年を経過した日の前日までに支出する次に掲げる費用その他これらに類する費用に係る損失の額
	イ　災害により生じた土砂その他の障害物を除去するための費用
	ロ　当該資産の原状回復のための修繕費
	ハ　当該資産の損壊又はその価値の減少を防止するための費用
(三)	災害により当該資産につき現に被害が生じ、又はまさに被害が生ずるおそれがあると見込まれる場合において、当該資産に係る被害の拡大又は発生を防止するため緊急に必要な措置を講ずるための費用に係る損失の額

(中間申告書の提出を要しない法人の還付請求)
(4) 中間期間(災害〔⑤に掲げる災害をいう。以下(6)《欠損金の繰戻しによる還付における災害損失の額の計算》まで同じ。〕のあった日から同日以後6か月を経過する日までの間に終了するものに限る。)について、一の**1**《中間申告》のただし書又は一の**2**《国税通則法第11条の規定による申告期限の延長により中間申告書の提出を要しない場合》により中間申告書の提出を要しないこととされている法人であっても、当該中間期間の災害損失欠損金額について⑤において準用する②《欠損金の繰戻しによる還付》による災害損失の繰戻しによる法人税の還付を請求することができることに留意する。(基通17－2－6)
　　注　第二章第一節の二の表の**30**《中間申告書》に掲げる中間申告書には期限後申告書は含まれないのであるから、一の**3**に掲げる中間申告書の提出と同時に提出する②の(2)の還付請求書についても、当該中間申告書の一の**1**の提出期限までに提出しなければならないことに留意する。

(災害損失欠損金額と青色欠損金額がある場合の繰戻し還付)
(5) 青色申告書を提出する法人(①《中小企業者の欠損金等以外の欠損金の繰戻しによる還付の不適用》に掲げる法人に限る。)が、⑤において準用する②《欠損金の繰戻しによる還付》に掲げる欠損事業年度(中間期間を除く。)において、②の適用を受ける災害損失欠損金額以外の欠損金額を有する場合には、当該欠損金額について②による法人税の還付請求ができることに留意する。
　　青色申告書を提出する法人が、①のただし書に掲げる事業年度において生じた災害損失欠損金額以外の欠損金額を有する場合についても、同様とする。(基通17－2－7)

(欠損金の繰戻しによる還付における災害損失の額の計算)
(6) 第一節第二十一款の二の**1**の(2)《災害損失の対象となる固定資産に準ずる繰延資産の範囲》及び同二の**2**の(1)《滅失損等の計上時期》から(14)《修繕費用等の支出がある場合の災害損失の額の計算》は、⑤において準用する②《欠

損金の繰戻しによる還付》を適用する場合の災害損失の額（（3）《災害があった場合の欠損金の繰戻しによる還付の対象となる損失の額》の損失の額をいう。）の計算について準用する。（基通17－2－8）

⑥ 通算法人である場合の取扱い

（通算法人の合併等があった場合の欠損金の繰戻しによる還付の不適用）

（1） 第一節第三十五款の一の4《通算法人の合併等があった場合の欠損金の損金算入》の適用がある欠損金額については、②《欠損金の繰戻しによる還付》（④《解散等があった場合の欠損金の繰戻しによる還付についての特例》及び⑤《災害があった場合の欠損金の繰戻しによる還付についての特例》において準用する場合を含む。）は、適用しない。（法80⑥）

（通算法人の場合の欠損金の繰戻しによる還付についての特例）

（2） 通算法人の②に掲げる欠損事業年度（当該通算法人に係る通算親法人の事業年度終了の日に終了するものに限る。以下（2）において「欠損事業年度」という。）に係る②（④において準用する場合を含む。）の適用については、当該通算法人の②（④において準用する場合を含む。）に掲げる欠損事業年度の欠損金額は、次の表の（一）に掲げる金額と（二）に掲げる金額に（三）に掲げる金額が（三）及び（四）に掲げる金額の合計額のうちに占める割合を乗じて計算した金額との合計額（3〔⑤に係る部分を除く。〕により他の還付所得事業年度の所得に対する法人税の額につき還付を受ける金額の計算の基礎とするものを除く。）とする。（法80⑦）

（一）	当該通算法人の欠損事業年度において生じた欠損金額のうち第一節第三十五款の一の2《損益通算の対象となる欠損金額の特例》によりないものとされる金額（以下3において「通算対象外欠損金額」という。）から当該通算対象外欠損金額のうち⑤において準用する②により還付を受ける金額の計算の基礎とするものを控除した金額
（二）	当該通算法人の欠損事業年度及び当該欠損事業年度終了の日において当該通算法人との間に通算完全支配関係がある他の通算法人（同日の属する当該通算法人の事業年度の二の1《確定申告》による申告書の提出期限までに当該申告書を提出したものに限る。（四）において同じ。）の同日に終了する事業年度において生じた欠損金額が通算対象外欠損金額を超える場合のその超える部分の金額から当該金額のうち⑤において準用する②により還付を受ける金額の計算の基礎とするものを控除した金額の合計額
（三）	当該通算法人の欠損事業年度開始の日前1年以内に開始した各事業年度（第一節第三十五款の二の1《通算承認》による承認の効力が生じた日前に終了した事業年度を除く。以下（三）及び（四）において同じ。）の所得の金額（既に当該各事業年度の所得に対する法人税の額につき3の適用があったときは、当該所得の金額に相当する金額からその適用に係る欠損金額を控除した金額）の合計額から（一）に掲げる金額を控除した金額
（四）	当該通算法人の欠損事業年度終了の日において当該通算法人との間に通算完全支配関係がある他の通算法人の前1年内所得合計額（同日に終了する事業年度〔以下（四）において「他の事業年度」という。〕開始の日前1年以内に開始した各事業年度の所得の金額〔既に当該各事業年度の所得に対する法人税の額につき3の適用があったときは、当該所得の金額に相当する金額からその適用に係る欠損金額を控除した金額〕の合計額から当該他の事業年度において生じた通算対象外欠損金額〔⑤において準用する②により還付を受ける金額の計算の基礎とするものを除く。〕を控除した金額をいう。）を合計した金額

（通算法人である場合の災害があった場合の欠損金の繰戻しによる還付についての特例）

（3） 通算法人の⑤において準用する②に掲げる欠損事業年度（当該通算法人に係る通算親法人の事業年度又は中間期間終了の日に終了するものに限る。以下（3）において「欠損事業年度」という。）に係る⑤において準用する②の適用については、当該通算法人の⑤において準用する②に掲げる欠損事業年度の災害損失欠損金額は、（一）に掲げる金額と（二）に掲げる金額に（三）に掲げる金額が（三）及び（四）に掲げる金額の合計額のうちに占める割合を乗じて計算した金額との合計額（3により他の還付所得事業年度の所得に対する法人税の額につき還付を受ける金額の計算の基礎とするものを除く。）とする。（法80⑧）

（一）	当該通算法人の欠損事業年度において生じた災害損失欠損金額のうち通算対象外欠損金額に達するまでの金額

(二)	当該通算法人の欠損事業年度及び当該欠損事業年度終了の日において当該通算法人との間に通算完全支配関係がある他の通算法人（同日の属する当該通算法人の事業年度又は中間期間の二の1による申告書又は仮決算の中間申告書の提出期限までにこれらの申告書を提出したものに限る。(四)において同じ。）の同日に終了する事業年度又は中間期間において生じた災害損失欠損金額が通算対象外欠損金額を超える場合のその超える部分の金額の合計額
(三)	当該通算法人の欠損事業年度開始の日前2年以内に開始した各事業年度（第一節第三十五款の二の1《通算承認》による承認の効力が生じた日前に終了した事業年度を除く。以下(三)及び(四)において同じ。）の所得の金額（既に当該各事業年度の所得に対する法人税の額につき3の適用があったときは、当該所得の金額に相当する金額からその適用に係る欠損金額を控除した金額）の合計額から(一)に掲げる金額を控除した金額
(四)	当該通算法人の欠損事業年度終了の日において当該通算法人との間に通算完全支配関係がある他の通算法人の前2年内所得合計額（同日に終了する事業年度〔以下(四)において「他の事業年度」という。〕開始の日前2年以内に開始した各事業年度の所得の金額〔既に当該各事業年度の所得に対する法人税の額につき3の適用があったときは、当該所得の金額に相当する金額からその適用に係る欠損金額を控除した金額〕の合計額から当該他の事業年度において生じた災害損失欠損金額のうち通算対象外欠損金額に達するまでの金額を控除した金額をいう。）を合計した金額

（通算法人の発生欠損金額又は他の通算法人の欠損金額の計算）
（4）通算法人の各事業年度において生じた欠損金額（以下(4)において「発生欠損金額」という。）又は他の通算法人の当該各事業年度終了の日に終了する事業年度において生じた欠損金額について(2)《通算法人の場合の欠損金の繰戻しによる還付についての特例》を適用して②（④において準用する場合を含む。）により還付の請求をした場合には、第一節第二十一款の一の1の①《前10年以内の繰越欠損金の損金算入》及び同款の四の3の②《時価評価除外法人の繰越欠損金の切捨て》並びに同節第三十五款の一の3の①《前10年以内の繰越欠損金の損金算入》、同①の（1）《繰越欠損金の額》及び同①の（2）《通算法人の繰越欠損金の損金算入限度額》の適用については、発生欠損金額のうち、3（⑤に係る部分を除く。以下(4)において同じ。）により還付を受けるべき金額の計算の基礎となった金額は、次に掲げる金額の合計額とする。（法80⑫）

(一)		3により還付を受けるべき金額の計算の基礎となった金額（当該金額が発生欠損金額を超える場合には、その超える部分の金額を控除した金額）のうち通算対象外欠損金額（(5)の表の(一)に掲げる金額を除く。）に達するまでの金額
(二)		発生欠損金額が通算対象外欠損金額を超える場合のその超える部分の金額（(5)の表の(二)に掲げる金額を除く。）にイに掲げる金額がロに掲げるもののうちに占める割合を乗じて計算した金額
	イ	当該通算法人及び当該各事業年度終了の日において当該通算法人との間に通算完全支配関係がある他の通算法人の(2)により同日に終了する事業年度において生じた欠損金額とされた金額のうち3により還付を受けるべき金額の計算の基礎となった金額から当該事業年度の通算対象外欠損金額（⑤において準用する②により還付を受けるべき金額の計算の基礎となったものを除く。）を控除した金額の合計額
	ロ	(2)の表の(二)に掲げる金額

（通算法人の発生災害損失欠損金額又は他の通算法人災害損失欠損金額の計算）
（5）通算法人の各事業年度若しくは中間期間において生じた災害損失欠損金額（以下(5)において「発生災害損失欠損金額」という。）又は他の通算法人の当該各事業年度若しくは中間期間終了の日に終了する事業年度若しくは中間期間において生じた災害損失欠損金額について(3)《通算法人である場合の災害があった場合の欠損金の繰戻しによる還付についての特例》を適用して⑤において準用する②により還付の請求をした場合には、第一節第二十一款の一の1の①及び同款の四の3の②、同節第三十五款の一の3の①、同①の（1）及び同①の（2）並びに3（(2)の表に掲げる部分以外の部分、(3)の表に掲げる部分以外の部分及び(5)を除く。）の適用については、発生災害損失欠損金額のうち、3（⑤に係る部分に限る。以下(5)において同じ。）により還付を受けるべき金額の計算の基礎となった金額（還付を受ける金額の計算の基礎とするものを含む。以下(5)において同じ。）は、次に掲げる金額の合計額とする。（法

80⑬

(一)	3により還付を受けるべき金額の計算の基礎となった金額（当該金額が発生災害損失欠損金額を超える場合には、その超える部分の金額を控除した金額）のうち通算対象外欠損金額に達するまでの金額
(二)	発生災害損失欠損金額が通算対象外欠損金額を超える場合のその超える部分の金額にイに掲げる金額がロに掲げる金額のうちに占める割合を乗じて計算した金額
	イ 当該通算法人及び当該各事業年度又は中間期間終了の日において当該通算法人との間に通算完全支配関係がある他の通算法人の(3)により同日に終了する事業年度又は中間期間において生じた災害損失欠損金額とされた金額のうち3により還付を受けるべき金額の計算の基礎となった金額から当該事業年度又は中間期間において生じた災害損失欠損金額のうち通算対象外欠損金額に達するまでの金額を控除した金額の合計額
	ロ (3)の表の(二)に掲げる金額

4 仮装経理に基づく過大申告の場合の更正に伴う法人税額の還付の特例

内国法人の提出した確定申告書に記載された各事業年度の所得の金額が当該事業年度の課税標準とされるべき所得の金額を超え、かつ、その超える金額のうちに事実を仮装して経理したところに基づくものがある場合において、税務署長が当該事業年度の所得に対する法人税につき更正をしたとき（当該内国法人につき当該事業年度終了の日から当該更正の日の前日までの間に(2)《最終申告期限が到来した場合の仮装経理法人税額の還付の特例》の表又は(3)《会社更生法による更生手続開始決定があった場合等の仮装経理法人税額の還付の特例》の表に掲げる事実が生じたとき及び当該内国法人を被合併法人とする適格合併に係る合併法人につき当該適格合併の日から当該更正の日の前日までの間に当該事実が生じたときを除く。）は、当該事業年度の所得に対する法人税の額のうち内国法人が提出した確定申告書に記載された二の1《確定申告》の表の②に掲げる金額として納付されたもののうち当該更正により減少する部分の金額でその仮装して経理した金額に係るもの（以下4において「**仮装経理法人税額**」という。）は、(1)《仮装経理法人税額を有する場合の確定法人税額の還付の特例》、(2)又は(6)《還付請求があった場合の還付の手続》の適用がある場合のこれらの規定による還付金の額を除き、還付しない。(法135①、令175①)
　注　仮装経理に基づく過大申告の場合の更正の特例等に関して、上記の規定のほか、次の規定が設けられていることに留意する。(編者)
　　(一)　仮装経理に基づく過大申告の場合の更正の特例《第二章第三節の一の2参照》
　　(二)　仮装経理に基づく過大申告の場合の更正に伴う法人税額の控除《第三章第二節第二款の四参照》

　　　　（仮装経理法人税額を有する場合の確定法人税額の還付の特例）
（1）　4に掲げる場合において、4の内国法人（当該内国法人が4の更正の日の前日までに適格合併により解散をした場合には、当該適格合併に係る合併法人。以下(1)において同じ。）の4の更正の日の属する事業年度開始の日前1年以内に開始する各事業年度の所得に対する法人税の額（附帯税の額を除くものとし、第一款の三の1《使途秘匿金の支出がある場合の課税の特例》、同款の四の1《土地の譲渡等がある場合の特別税率》、同四の2《優良住宅地等のための譲渡に該当しなくなった場合の追加課税》又は同款の五《短期所有に係る土地の譲渡等がある場合の特別税率》により加算された金額を控除した金額とする。）で当該更正の日の前日において確定しているもの（以下(1)において「**確定法人税額**」という。）があるときは、税務署長は、その内国法人に対し、当該更正に係る仮装経理法人税額のうち当該確定法人税額（既に(1)により還付をすべき金額の計算の基礎となったものを除く。）に達するまでの金額を還付する。(法135②、措令38⑤Ⅲ、38の4㊺、38の5㉖)

　　　　（最終申告期限が到来した場合の仮装経理法人税額の還付の特例）
（2）　4の適用があった内国法人（当該内国法人が適格合併により解散をした場合には当該適格合併に係る合併法人とする。以下4において「**適用法人**」という。）について、4の更正の日の属する事業年度開始の日（当該更正が当該適格合併に係る被合併法人の各事業年度の所得に対する法人税について当該適格合併の日前にされたものである場合には、当該被合併法人の当該更正の日の属する事業年度開始の日）から5年を経過する日の属する事業年度の二の1《確定申告》による申告書の提出期限（当該更正の日から当該5年を経過する日の属する事業年度終了の日までの間に当該適用法人につき次の表の左欄に掲げる事実が生じたときは、同表の右欄に掲げる提出期限。以下(2)及び(7)において「**最終申告期限**」という。）が到来した場合（当該最終申告期限までに当該最終申告期限に係る申告書の提出がなかった場合にあっては、当該申告書に係る期限後申告書の提出又は当該申告書に係る事業年度の法人税についての決

定があった場合）には、税務署長は、当該適用法人に対し、当該更正に係る仮装経理法人税額（既に（1）、（2）又は（6）により還付すべきこととなった金額及び第二款の**四**《仮装経理に基づく過大申告の場合の更正に伴う法人税額の控除》により控除された金額を除く。）を還付する。（法135③）

（一）	残余財産が確定したこと	その残余財産の確定の日の属する事業年度の**二**の**1**《確定申告》に掲げる申告書の提出期限
（二）	合併による解散（適格合併による解散を除く。）をしたこと	その合併の日の前日の属する事業年度の**二**の**1**に掲げる申告書の提出期限
（三）	破産手続開始の決定による解散をしたこと	その破産手続開始の日の属する事業年度の**二**の**1**に掲げる申告書の提出期限
（四）	普通法人又は協同組合等が公益法人等に該当することとなったこと	その該当することとなった日の前日の属する事業年度の**二**の**1**に掲げる申告書の提出期限

（会社更生法による更生手続開始決定があった場合等の仮装経理法人税額の還付の特例）

（3） 適用法人につき次に掲げる事実が生じた場合には、当該適用法人は、当該事実が生じた日以後1年以内に、納税地の所轄税務署長に対し、その適用に係る仮装経理法人税額（既に（1）、（2）又は（6）により還付されるべきこととなった金額及び第二款の**四**《仮装経理に基づく過大申告の場合の更正に伴う法人税額の控除》により控除された金額を除く。（5）及び（6）において同じ。）の還付を請求することができる。（法135④、令175②、規60の2①）

（一）	更生手続開始の決定があったこと。		
（二）	再生手続開始の決定があったこと。		
（三）	（一）又は（二）に掲げる事実に準ずる事実として次に掲げる事実		
	イ	特別清算開始の決定があったこと。	
	ロ	第一節第九款の**一**の**3**《民事再生等による特定の事実が生じた場合の資産の評価益の益金算入》の表の②に掲げる事実	
	ハ	法令の規定による整理手続によらない負債の整理に関する計画の決定又は契約の締結で、第三者が関与する協議によるものとして次に掲げるものがあったこと（ロに掲げるものを除く。）。	
		（イ）	債権者集会の協議決定で合理的な基準により債務者の負債整理を定めているもの
		（ロ）	行政機関、金融機関その他第三者のあっせんによる当事者間の協議による（イ）に準ずる内容の契約の締結

（反射的更正があった場合の仮装経理法人税額の還付の特例）

（4） 内国法人につきその各事業年度の所得の金額を減少させる更正で当該内国法人の当該各事業年度開始の日前に終了した事業年度の所得に対する法人税についてされた更正（当該内国法人を合併法人とする適格合併に係る被合併法人の当該適格合併の日前に終了した事業年度の所得に対する法人税についてされた更正を含む。以下（4）において「**原更正**」という。）に伴うもの（以下（4）において「**反射的更正**」という。）があった場合において、当該反射的更正により減少する部分の所得の金額のうちに当該原更正に係る事業年度においてその事実を仮装して経理した金額に係るものがあるときは、当該金額は、当該各事業年度において当該内国法人が仮装して経理したところに基づく金額とみなして、**4**、（1）、（2）又は（3）を適用する。（法135⑤）

（会社更生法による更生手続開始決定があった場合等の仮装経理法人税額の還付請求書）

（5） （3）に掲げる還付の請求をしようとする適用法人は、次に掲げる事項を記載した還付請求書を納税地の所轄税務署長に提出しなければならない。（法135⑥、規60の2②）

（一）	請求をする内国法人の名称、納税地及び法人番号
（二）	代表者の氏名

(三)	還付を受けようとする仮装経理法人税額
(四)	(三)に掲げる金額の計算の基礎
(五)	(3)に掲げる事実の生じた日及び当該事実の詳細
(六)	その他参考となるべき事項

(還付請求があった場合の還付の手続)
（6）　税務署長は、（5）の還付請求書の提出があった場合には、その請求に係る事実その他必要な事項について調査し、その調査したところにより、その請求をした適用法人に対し、仮装経理法人税額を還付し、又は請求の理由がない旨を書面により通知する。（法135⑦）

(還付加算金の計算)
（7）　（1）、（2）又は（6）に掲げる還付金について還付加算金を計算する場合には、その計算の基礎となる期間《通法58①》は、4の更正の日の翌日以後1か月を経過した日（（2）に掲げる還付金にあっては（2）の最終申告期限〔（2）の期限後申告書の提出があった場合にはその提出日とし、（2）の決定があった場合にはその決定の日とする。〕の翌日とし、（6）に掲げる還付金にあっては（3）に掲げる還付の請求がされた日の翌日以後3か月を経過した日とする。）からその還付のための支払決定をする日又はその還付金につき充当をする日（同日前に充当をするのに適することとなった日がある場合には、その適することとなった日）までの期間とする。（法135⑧）

(更正による中間納付額及び更正により還付する中間納付額に対応する延滞税の還付)
（8）　4の場合において、4の更正により二の1《確定申告》の表の⑤に掲げる金額が増加したときは、その増加した部分の金額のうち当該更正に係る仮装経理法人税額に達するまでの金額については、2の（8）《確定申告に係る更正等による中間納付額の還付》は、適用しない。ただし、同2の（9）《更正等又は決定により還付する中間納付額に対応する延滞税の還付》に掲げる延滞税がある場合における同（9）の適用については、この限りでない。（法135⑨）

(仮装経理に基づく過大申告の場合の更正通知書の記載事項)
（9）　税務署長が4の更正をする場合における第二章第三節の一の1の（3）《更正通知書の記載事項》の適用については、同（3）の（三）中「次に掲げる金額」とあるのは、「次に掲げる金額及び二又はホに掲げる金額のうち第三章第二節第三款の八の4《仮装経理に基づく過大申告の場合の更正に伴う法人税額の還付の特例》又は同4の（1）《仮装経理法人税額を有する場合の確定法人税額の還付の特例》の適用がある金額」とする。（法129②）

5　還付金等の端数計算等

還付金等の額に1円未満の端数があるときは、その端数金額を切り捨てる。（通法120①）

(還付加算金の端数計算)
（1）　還付加算金の確定金額に100円未満の端数があるとき、又はその全額が1,000円未満であるときは、その端数金額又はその全額を切り捨てる。（通法120③）

(還付加算金の額を計算する場合の還付金等の端数計算)
（2）　還付加算金の額を計算する場合において、その計算の基礎となる還付金等の額に1万円未満の端数があるとき、又はその還付金等の額の全額が1万円未満であるときは、その端数金額又はその全額を切り捨てる。（通法120④）

九　更正の請求

1　更正の請求

　納税申告書を提出した法人は、次の表のいずれかに該当する場合には、当該申告書に係る法人税の法定申告期限から**5年**（次の表の②に掲げる場合については、**10年**）以内に限り、税務署長に対し、その申告に係る課税標準等又は税額等（当該課税標準等又は税額等に関し更正又は再更正〔以下「更正」という。〕があった場合には、当該更正後の課税標準等又は税額等）につき更正をすべき旨の請求《**更正の請求**》をすることができる。（通法23①）

①	当該申告書に記載した課税標準等若しくは税額等の計算が法人税に関する法律の規定に従っていなかったこと又は当該計算に誤りがあったことにより、当該申告書の提出により納付すべき税額（当該税額に関し更正があった場合には、当該更正後の税額）が過大であるとき
②	①に掲げる理由により、当該申告書に記載した純損失等の金額（当該金額に関し更正があった場合には、当該更正後の金額）が過少であるとき、又は当該申告書（当該申告書に関し更正があった場合には、更正通知書）に欠損金額の記載がなかったとき
③	①に掲げる理由により、当該申告書に記載した還付金の額に相当する税額（当該税額に関し更正があった場合には、当該更正後の税額）が過少であるとき、又は当該申告書（当該申告書に関し更正があった場合には、更正通知書）に還付金の額に相当する税額の記載がなかったとき

　注1　──線部分（10年に係る部分に限る。）は、平成27年度改正により改正（平成28年度改正により再改正）された部分で、改正規定は、法人の平成30年4月1日以後に開始する事業年度において生ずる欠損金額について適用され、法人の平成30年3月31日以前に開始した事業年度において生じた欠損金額については、1中「10年」とあるのは「9年」とする。（平27改法附53①、1Ⅶロ、平28改法18）

　注2　──線部分（注1に係る部分に限る。）は、平成28年度改正により改正された部分で、改正前においては、注1中「平成30年」とあるのは「平成29年」とされていた。（平27改法附53①、1Ⅶロ、平28改法18）

　（国外関連者との取引に係る課税の特例の適用があった場合の当初申告に係る更正の請求）
　法人が当該法人に係る国外関連者（第一節第三十款の一の1《国外関連者との取引に係る課税の特例》に掲げる「国外関連者」をいう。）との間で行った取引につき同1の適用があった場合において、同1の適用に関し1の表の①又は③に掲げる事由が生じたときの法人税及び地方法人税に係る1（1の表の②を除く。）の適用については、「5年」とあるのは「**7年**」とする。（措法66の4㉖）

　　注　──線部分は、令和元年度改正により改正された部分で、改正規定は、法人の令和2年4月1日以後に開始する事業年度について適用され、法人の平成31年3月31日以前に開始した事業年度の適用については、「7年」とあるのは「6年」とする。（平31改法附56①、1Ⅶホ）

2　後発的事由がある場合の更正の請求の特例

　納税申告書を提出した法人又は決定を受けた法人は、次の表の左欄のいずれかに該当する場合（納税申告書を提出した法人については、それぞれ次に掲げる期間の満了する日が1《更正の請求》に掲げる期間の満了する日後に到来する場合に限る。）には、1の当初申告に係る更正の請求にかかわらず、それぞれ同表の右欄に掲げる期間において、その該当することを理由として1に掲げる更正の請求をすることができる。（通法23②、通令6①）

①		その申告、更正又は決定に係る課税標準等又は税額等の計算の基礎となった事実に関する訴えについての判決（判決と同一の効力を有する和解その他の行為を含む。）により、その事実が当該計算の基礎としたところと異なることが確定したとき	その確定した日の翌日から起算して2か月以内
②		その申告、更正又は決定に係る課税標準等又は税額等の計算に当たってその申告をし、又は決定を受けた法人に帰属するものとされていた所得その他課税物件が他の者に帰属するものとする当該他の者に係る国税の更正又は決定があったとき	当該更正又は決定があった日の翌日から起算して2か月以内
③		法人税の法定申告期限後に生じた①及び②に類する次に掲げるやむを得ない理由があるとき	当該理由が生じた日の翌日から起算して2か月以内
	イ	その申告、更正又は決定に係る課税標準等又は税額等の計算の基礎となった事実のうちに含まれていた行為の効力に係る官公署の許可その他の処分が取り消されたこと。	
	ロ	その申告、更正又は決定に係る課税標準等又は税額等の計算の基礎となった事	

	実に係る契約が、解除権の行使によって解除され、若しくは当該契約の成立後生じたやむを得ない事情によって解除され、又は取り消されたこと。
ハ	帳簿書類の押収その他やむを得ない事情により、課税標準等又は税額等の計算の基礎となるべき帳簿書類その他の記録に基づいて法人税の課税標準等又は税額等を計算することができなかった場合において、その後、当該事情が消滅したこと。
ニ	我が国が締結した所得に対する租税に関する二重課税の回避又は脱税の防止のための条約に規定する権限のある当局間の協議により、その申告、更正又は決定に係る課税標準等又は税額等に関し、その内容と異なる内容の合意が行われたこと。
ホ	その申告、更正又は決定に係る課税標準等又は税額等の計算の基礎となった事実に係る国税庁長官が発した通達に示されている法令の解釈その他の国税庁長官の法令の解釈が、更正又は決定に係る審査請求若しくは訴えについての裁決若しくは判決に伴って変更され、変更後の解釈が国税庁長官により公表されたことにより、当該課税標準等又は税額等が異なることとなる取扱いを受けることとなったことを知ったこと。

3　更正請求書の提出等

　更正の請求をしようとする法人は、その請求に係る更正後の課税標準等又は税額等、その更正の請求をする理由、当該請求をするに至った事情の詳細、当該請求に係る更正前の納付すべき税額及び還付金の額に相当する税額その他参考となるべき事項を記載した更正請求書を税務署長に提出しなければならない。（通法23③）

　　　（更正請求書の添付書類）
（１）　更正の請求をしようとする法人は、その更正の請求をする理由が課税標準たる所得が過大であることその他その理由の基礎となる事実が一定期間の取引に関するものであるときは、その取引の記録等に基づいてその理由の基礎となる事実を証明する書類を更正請求書に添付しなければならない。その更正の請求をする理由の基礎となる事実が一定期間の取引に関するもの以外のものである場合において、その事実を証明する書類があるときも、また同様とする。（通令6②）

　　　（更正の請求に対する処分）
（２）　税務署長は、更正の請求があった場合には、その請求に係る課税標準等又は税額等について調査し、更正をし、又は更正をすべき理由がない旨をその請求をした法人に通知する。（通法23④）

　　　（更正の請求と国税の徴収との関係）
（３）　更正の請求があった場合においても、税務署長は、その請求に係る納付すべき国税（その滞納処分費を含む。以下（３）において同じ。）の徴収を猶予しない。ただし、税務署長において相当の理由があると認めるときは、その国税の全部又は一部の徴収を猶予することができる。（通法23⑤）

　　　（更正請求書の提出先等）
（４）　六《納税申告書の提出先等》は、更正の請求について準用する。（通法23⑦）

4　前事業年度の法人税額等の更正等に伴う更正の請求の特例

　内国法人が、確定申告書に記載すべき課税標準等若しくは税額等《二の1《確定申告》の表の①から⑤まで又は第六章第五節の二《確定申告》の表の1から4までに掲げる金額》につき、修正申告書を提出し、又は更正若しくは決定を受け、その修正申告書の提出又は更正若しくは決定に伴い次に掲げる場合に該当することとなるときは、当該内国法人は、その修正申告書を提出した日又はその更正若しくは決定の通知を受けた日の翌日から**2か月**以内に限り、税務署長に対し、それぞれ次に掲げる金額につき1《更正の請求》に掲げる更正の請求をすることができる。この場合においては、その更正の請求書には3《更正請求書の提出等》に掲げる記載事項のほか、その修正申告書を提出した日又はその更正若しくは決

定の通知を受けた日を記載しなければならない。(法81)

①	その修正申告書又は更正若しくは決定に係る事業年度後の各事業年度で決定を受けた事業年度に係る二の1《確定申告》の表の②又は④に掲げる金額(その額につき修正申告書の提出又は更正があった場合には、その申告又は更正後の金額)が過大となる場合
②	その修正申告書又は更正若しくは決定に係る事業年度後の各事業年度で決定を受けた事業年度に係る二の1の表の⑤に掲げる金額(当該金額につき修正申告書の提出又は更正があった場合には、その申告又は更正後の金額)が過少となる場合

第四章　清算所得に対する法人税及び継続等の場合の課税の特例

(平成22年度改正により廃止)

　平成22年度改正により、清算所得課税が廃止され、内国法人である普通法人又は協同組合等に対しては、解散後も各事業年度の所得に対する法人税を課すこととされた。(編者、法5)

　改正規定は、平成22年10月1日以後に解散(合併による解散及び破産手続開始の決定による解散を除く。)若しくは破産手続開始の決定が行われる場合又は平成22年10月1日以後に解散する法人の残余財産が確定する場合に適用され、平成22年9月30日以前に解散(合併による解散及び第一節の一の《信託特定解散の意義》に掲げる信託特定解散を除く。)が行われた場合には、なお第四章の適用がある。(平22改法附10②、平22改令附2②、平22改規附2②)

注1　平成20年3月31日以前の解散による清算所得に対する法人税(清算所得に対する法人税を課される法人の清算中の事業年度の所得に係る法人税及び残余財産の一部分配により納付すべき法人税を含む。)については、第四章中「残余財産分配等予納申告書」とあるのは「残余財産分配予納申告書」と、「分配又は引渡し」(「一部の分配又は引渡しをした」とある部分を除く。)とあるのは「分配」と、「一部の分配又は引渡しをした」とあるのは「一部を分配した」とする。(平20改法附9、平20経過措置を定める政令16)

注2　清算所得に対する法人税が課される法人の地方法人税の取扱いについては第六章第二節の三《納税義務者》を参照。

第一節　課税標準及びその計算

一　解散の場合の清算所得に対する法人税の課税標準

　内国法人である普通法人又は協同組合等(以下第四章において「**内国普通法人等**」という。)が解散(合併による解散及び信託特定解散を除く。以下第四章において同じ。)をした場合における清算所得に対する法人税の課税標準は、解散による清算所得の金額とする。(旧法92①)

　　(信託特定解散の意義)
　　一に掲げる信託特定解散とは、法人課税信託(法人税法第2条第29の2号のロ《定義》に掲げる信託に限る。)に同条第12条第1項《信託財産に属する資産及び負債並びに信託財産に帰せられる収益及び費用の帰属》に規定する受益者(同条第2項の規定により同条第1項に規定する受益者とみなされる者を含むものとし、清算中における受益者を除く。)が存することとなったことに基因して第4条の7第8号《受託法人等に関するこの法律の適用》の規定により同条に規定する受託法人が解散したものとされる場合におけるその解散をいう。(旧法92②)

二　解散による清算所得の金額

　内国普通法人等の解散による清算所得の金額は、その残余財産の価額からその解散の時における資本金等の額と利益積立金額等との合計額を控除した金額とする。(旧法93①)

注1　解散による清算所得の金額は、解散当時の法律の規定を適用して計算した金額によることに留意する。なお、第四章に掲げる法令は、特に断りのない限り、平成22年度改正時における法令番号によっている。(編者)

注2　二の解散による清算所得の金額は、昭和42年6月1日以後の解散による清算所得に対する法人税(清算所得に対する法人税を課される法人の清算中の事業年度の所得に係る法人税及び残余財産の一部分配により納付すべき法人税を含む。以下注2において同じ。)について適用し、同日前の解散による清算所得に対する法人税については、なお従前の例による。(昭42改法附2)

　　なお、昭和42年5月31日以前の解散による清算所得の金額に関することは省略した。

注3　「解散の日」とは、株主総会その他これに準ずる総会等において解散の日を定めたときはその定めた日、解散の日を定めなかったときは解散の決議の日、解散事由の発生により解散した場合には当該事由発生の日をいうものとする。(旧基通1-2-4参照)

三 解散による清算所得の金額の計算

1 残余財産の価額の計算

① 法人税額等の残余財産価額への算入

　内国普通法人等が清算中に納付する次の**イ**から**ホ**までに掲げる国税及び地方税の額（その内国普通法人等に課されたものに限る。）は、その内国普通法人等の解散による清算所得の金額の計算上、残余財産の価額に算入する。（旧法94、旧地方法人特別税に関する暫定措置法22）

イ	法人税のうち次の(イ)又は(ロ)に掲げるもの以外のもの	
	(イ)	解散の日の属する事業年度以前の各事業年度の所得に対する法人税
	(ロ)	退職年金等積立金に対する法人税
ロ	資産再評価法の規定による再評価税	
ハ	地方税法の規定による道府県民税及び市町村民税（都民税を含むものとし、**イ**の(イ)又は(ロ)に掲げる法人税に係るものを除く。）	
ニ	地方税法の規定による事業税及び地方法人特別税に関する暫定措置法（**ホ**において「暫定措置法」という。）の規定による地方法人特別税（解散の日の属する事業年度以前の各事業年度に係るものを除く。）	
ホ	**ハ**及び**ニ**に掲げる地方税又は地方法人特別税に係る地方税法又は暫定措置法の規定による延滞金、過少申告加算金、不申告加算金及び重加算金	

② 寄附金の残余財産価額への算入

　内国普通法人等が清算中に支出した法人税法第37条第7項《寄附金の意義》及び同法第37条第6項《特定公益信託の信託財産とするために支出した金銭のみなし寄附金》に規定する寄附金の額は、その内国普通法人等の解散による清算所得の金額の計算上、残余財産の価額に算入する。（旧法95①本文）

　　　　（残余財産の価額に算入されない寄附金の額）
（1）　②に掲げる寄附金の額のうち、その清算業務の遂行上通常必要と認められるもの並びに法人税法第37条第3項第1号《国又は地方公共団体に対する寄附金》及び同法第37条第3項第2号《指定寄附金》に掲げるものについては、残余財産の価額に算入しない。（旧法95①ただし書）

　　　　（残余財産の価額に算入されない寄附金の額の申告）
（2）　（1）は、清算確定申告書に、残余財産の価額に算入されない寄附金の額の記載があり、かつ、当該寄附金の明細書《別表二十（四）》の添付がある場合に限り、適用する。この場合において、（1）により残余財産の価額に算入されない金額は、当該金額として記載された金額を限度とする。（旧法95②）

　　　　（申告記載等がない場合のゆうじょ規定）
（3）　税務署長は、残余財産の価額に算入されない寄附金の全部又は一部につき（2）に掲げる記載又は明細書の添付がない清算確定申告書の提出があった場合においても、その記載又は明細書の添付がなかったことについてやむを得ない事情があると認めるときは、その記載又は明細書の添付がなかった金額につき（1）を適用することができる。（旧法95③）

③ 外国源泉税等の残余財産価額への算入

　内国普通法人等が法人税法第23条の2第1項《外国子会社から受ける配当等の益金不算入》に規定する外国子会社から清算中に受けた同項に規定する剰余金の配当等の額に係る法人税法第39条の2《外国子会社から受ける配当等に係る外国源泉税等の損金不算入》に規定する外国源泉税等の額（清算中に課されたものに限る。）は、その内国普通法人等の解散による清算所得の金額の計算上、残余財産の価額に算入する。（旧法96）

　　注　③は、平成21年4月1日以後に解散をする内国普通法人等が清算中に受ける③に掲げる剰余金の配当等の額に係る③に掲げる外国源泉税等の額について適用される。（平21改法附18④）

④ 所得税額の残余財産価額への算入

内国普通法人等が第二節の**一**の**2**の①《解散の場合の清算所得に対する法人税額からの所得税額の控除》に掲げる所得税の額につき同①又は同節の**四**の**1**《清算中の所得税額の還付》若しくは同**1**の（4）《清算確定申告に係る更正による所得税額の還付》の適用を受ける場合には、これらによる控除又は還付をされる金額に相当する金額は、その内国普通法人等の解散による清算所得の金額の計算上、残余財産の価額に算入する。（旧法97）

⑤ 国外関連取引の対価の額と独立企業間価格との差額の残余財産価額への算入

租税特別措置法第66条の4第1項《国外関連者との取引に係る課税の特例》の適用がある場合における同項に規定する国外関連取引の対価の額と同項に規定する独立企業間価格との差額で法人の清算中に生じたものは、当該法人の解散による清算所得の金額の計算上、残余財産の価額に算入する。（旧措法66の4⑤）

注　上記のほか、解散による清算所得については、第三章第一節第三十款《国外関連者との取引に係る課税の特例等》の適用があることに留意する。（編者）

⑥ 国外支配株主等に係る負債の利子の損金不算入額の残余財産価額への算入

租税特別措置法第66条の4第1項《国外支配株主等に係る負債の利子等の課税の特例》により損金の額に算入されなかった金額で内国法人の清算中に生じたものは、当該内国法人の解散による清算所得の金額の計算上、残余財産の価額に算入する。（旧措法66の5⑤）

2　利益積立金額等の計算

二《解散による清算所得の金額》に掲げる利益積立金額等とは、次の表の①から④までに掲げる金額の合計額をいう。（旧法93②、旧措法67の6①、旧令163、164①②、164の2、164の3）

①	解散の時における利益積立金額	
②	清算中に受けた法人税法第23条第1項《受取配当等の益金不算入》に規定する配当等の額（同条第3項《短期保有株式等に係る配当等の益金算入》に該当するものを除く。）がある場合には、次のイ及びロに掲げる金額の合計額	
	イ	法人税法第23条第1項に規定する関係法人株式等に該当しない株式等に係る当該配当等の額の合計額から清算中に支払った負債の利子（当該清算の期間において支払う法人税法施行令第21条第1項《負債利子の範囲》に規定する負債利子に準ずるもので当該清算の期間に係るものを含む。ロにおいて同じ。）の額のうち当該株式等に係る部分の金額を控除した金額の$\frac{50}{100}$に相当する金額 　この場合において、「負債の利子の額のうち当該株式等に係る部分の金額」は、当該内国普通法人等が支払う平成22年度改正前の法人税法施行令（②において「旧平22法人税法施行令」という。）第22条第1項《株式等に係る負債の利子の額》に規定する負債の利子の額の合計額につき、清算中の各事業年度ごとに同項の規定に準じて計算した金額の合計額とする。 　注　旧平22法人税法施行令第22条第1項については、本書平成22年版の285ページを参照。（編者）
	ロ	法人税法第23条第1項に規定する関係法人株式等に係る当該配当等の額の合計額から清算中に支払った負債の利子の額のうち当該関係法人株式等に係る部分の金額を控除した金額 　この場合において、「負債の利子の額のうち当該関係法人株式等に係る部分の金額」は、当該内国普通法人等が支払う旧平22法人税法施行令第22条第2項に規定する負債の利子の額の合計額につき、清算中の各事業年度ごとに同項の規定に準じて計算した金額の合計額とする。 　注　旧平22法人税法施行令第22条第2項については、本書平成22年版の286ページを参照。（編者）

注1　平成22年9月30日以前に解散した法人が支払を受けた平成22年度改正前の租税特別措置法第67条の6第1項に規定する特定株式投資信託の収益の分配については、なお②の適用がある。（平22改法附95）

注2　平成15年3月30日以前の解散による清算所得に対する法人税の計算については、②のイ中「法人税法第23条第1項に規定する関係法人株式等に該当しない」とあるのは「平成14年8月改正前の法人税法（ロにおいて「旧法人税法」という。）第23条第1項《受取配当等の益金不算入》に規定する特定株式等以外の」と、「当該株式等に係る部分の金額」とあるのは「当該特定株式等以外の株式等に係る部分の金額（当該配当等の額の合計額を限度とする。）」と、「$\frac{50}{100}$」とあるのは「$\frac{80}{100}$」と、「旧平22法人税法施行令第22条第1項に規定する」とあるのは「平成14年8月改正前の法人税法施行令（ロにおいて「旧法人税法施行令」という。）第22条第1項《特定株式等以外の株式等に係る負債の利子の額の計算式》及び平成14年8月改正前の租税特別措置法施行令（ロにおいて「旧租税特別措置法施行令」という。）に規定する」と、②のロ中「法人税法第23条第1項に規定する関係法人株式等」とあるのは「旧法人税法第23条第1項《受取配当等の益金不算入》に規定する特定株式等」と、「当該関係法人株式等に係る部分の金額を」とあるのは「当該特定株式等に係る部分の金額（当該配当等の額の合計額を限度とする。）を」と、「関係法人株式等に係る部分の金額」は」とあるのは「「特

第四章　第一節　《課税標準及びその計算》

	定株式等に係る部分の金額」は」と、「旧平22法人税法施行令第22条第2項に規定する」とあるのは「旧法人税法施行令第22条第2項《特定株式等に係る配当等の額から控除する負債の利子の額の計算》及び旧租税特別措置法施行令に規定する」とする。（平14．8改法附2、旧法93②） 　なお、旧規定の詳細については、本書平成15年版194ページ及び204ページ以下を参照。（編者） 注3　内国法人である普通法人（解散の時における資本の金額又は出資金額が1億円を超える普通法人及び保険業法に規定する相互会社を除く。）又は協同組合等の平成15年3月31日から平成16年3月31日までの間の解散による清算所得の金額の計算に係る②の適用については、②のイ中「$\frac{50}{100}$」とあるのは、平成15年3月31日の解散にあっては「$\frac{70}{100}$」と、平成15年4月1日から平成16年3月31日までの間の解散にあっては「$\frac{60}{100}$」とする。（平14．8改法附22） 注4　平成14年3月31日以前については、②中「法人税法第23条第1項《受取配当等の益金不算入》に規定する」とあるのは、「平成14年度改正前の法人税法第23条第1項《受取配当等の益金不算入》及び平成14年度改正前の租税特別措置法に規定する」とする。 　なお、これは、特定株式投資信託から平成14年度改正後の租税特別措置法第9条第1項第3号に規定する外国株価指数連動型特定株式信託を除く改正が行われ、平成14年4月1日以後適用することとされたことに伴うもので、旧規定の詳細については、本書平成14年版190ページを参照。（編者） 注5　平成9年4月1日から平成13年3月31日までの間に行われた平成13年度改正前の租税特別措置法第67条の7各号《特定の農業協同組合連合会等の合併に係る受取配当等の益金不算入等の特例》に掲げる合併により金銭その他の資産の交付を受けた場合における剰余金の分配の額とみなされる金額については、二《解散による清算所得の金額》及び2《利益積立金額等の計算》の適用がある。（平13改措法附29、旧措法67の7、平9改措法附1） 　なお、これは、農林中央金庫と信用農業協同組合連合会との合併及び全国区域の農業協同組合連合会と都道府県区域の農業協同組合連合会との合併により金銭その他の資産の交付を受けた場合にみなし配当の金額があるときは、その交付の基因となった出資は特定株式等とみなして二及び2の適用があることとされたもので、旧規定の詳細については、本書平成13年版200ページを参照。（編者） 注6　平成9年3月31日以前については、②中「法人税法第23条第1項《受取配当等の益金不算入》に規定する」とあるのは、「平成9年度改正前の法人税法第23条第1項《受取配当等の益金不算入》及び平成9年度改正前の租税特別措置法に規定する」とする。（平9改措法附1） 　なお、これは、租税特別措置法第67条の6《特定株式投資信託の収益の分配に係る受取配当等の益金不算入等の特例》が改正され、②に掲げる配当等の額に同条第1項（平成9年度改正後のもの）に規定する特定株式投資信託の収益の分配の額を追加する改正が行われ、平成9年4月1日以後適用することとされたことに伴うものである。（編者） 注7　内国普通法人等が平成元年4月1日から平成2年3月31日までの間に解散した場合には、②のイ中「$\frac{50}{100}$」とあるのは、「$\frac{90}{100}$」とする。（昭63改法〔昭63法律第109号〕附19①） 　この場合において、清算中の内国普通法人等が内国法人（人格のない社団等を除く。）から利益の配当、剰余金の分配又は証券投資信託の収益の分配の金額（法人税法第24条第1項《配当等の額とみなす金額》〔昭和63年12月改正後のもの〕により利益の配当又は剰余金の分配の額とみなされる金額を含む。以下注9までにおいて「配当等の金額」という。）を受けたときには、当該清算中の内国普通法人等に対する2《利益積立金額等の計算》の適用については、②に掲げる金額は、上記により読み替えられた②に掲げる金額から、当該金額のうち平成2年3月31日以前に開始した清算中の各事業年度において受けた配当等の金額に係る部分の金額の$\frac{12.5}{100}$に相当する金額を控除した金額とする。（旧措法42の3④、昭63改措法〔昭63法律第109号〕附69） 注8　内国普通法人等が平成元年3月31日以前に解散した場合の2《利益積立金額等の計算》に掲げる利益積立金額等の計算については、②に掲げる金額は、昭和63年12月改正前の法人税法第93条第2項第2号の規定に基づき計算することに留意する。（昭63改法〔昭63法律第109号〕附14、昭63改令〔昭63政令第362号〕附11）（旧規定の詳細については、本書平成元年版1223ページを参照。〔編者〕） 　この場合において、清算中の内国普通法人等が昭和37年1月1日以後に内国法人（人格のない社団等を除く。）から配当等の金額を受けたときには、当該清算中の内国普通法人等に対する2の適用については、②に掲げる金額は、同号の規定に基づき計算した金額から、当該金額のうち同日以後に受けた配当等の金額（平成2年3月31日以前に開始した清算中の各事業年度において受けたものに限る。）を平成元年3月31日以前に開始した清算中の各事業年度に受けた配当等の金額及び平成元年4月1日から平成2年3月31日までの間に開始した清算中の事業年度に受けた配当等の金額に区分し、当該区分ごとの配当等の金額に係る部分の金額に平成元年3月31日以前に開始した清算中の各事業年度については$\frac{25}{100}$、平成元年4月1日から平成2年3月31日までの間に開始した清算中の事業年度については$\frac{12.5}{100}$をそれぞれ乗じて計算した金額の合計額を控除した金額とする。（旧措法42の3④、昭63改措法〔昭63法律第109号〕附69） 注9　租税特別措置法第67条の14第1項《特定目的会社の支払配当の損金算入》に規定する特定目的会社から支払を受ける利益の配当の額及び租税特別措置法第67条の15第1項《投資法人の支払配当の損金算入》に規定する投資法人から支払を受ける配当等の額は、上記本文に掲げる配当等の額に該当しないものとみなされる。（旧措法67の14⑥、67の15⑦） 注10　平成22年9月30日以前に解散した法人が支払を受けた注9に掲げる利益の配当の額及び注9に掲げる配当等の額については、なお②の適用がある。（平22改法附96③、97）
③	清算中に法人税法第23条の2第1項《外国子会社から受ける配当等の益金不算入》に規定する外国子会社から受けた同項に規定する剰余金の配当等の額から当該剰余金の配当等の額に相当するものとして同項に規定する剰余金の配当等の額の$\frac{5}{100}$に相当する金額を控除した金額 　　注　③は、平成21年4月1日以後に解散をする内国普通法人等が清算中に受ける剰余金の配当等の額について適用される。（平21改法附18①）
④	法人税法第26条第1項《租税公課の還付金等の益金不算入》の第2号から第4号までに掲げるものの額で清算中に還付を受け、又は未納の国税若しくは地方税に充当をされたもの、同条第2項《外国源泉税等の額が減額された場

合の益金不算入》に規定する外国源泉税等の額で清算中に減額されたもの、同条第3項《外国法人税の額が減額された場合の益金不算入》に規定する外国法人税の額で清算中の各事業年度（当該外国法人税の額につき法人税法第69条第1項から第3項まで《外国税額の控除》の適用を受けた事業年度の日後7年以内に開始する事業年度に限る。）において減額されたもののうち法人税法第26条第3項に規定する控除対象外国法人税の額が減額された部分として同項又は法人税法施行令第25条第2項により算出される金額に相当する金額、清算中に受け取った附帯税（利子税を除く。以下④において同じ。）の負担額及び附帯税の負担額の減少額並びに同条第6項《罰科金等の還付金の益金不算入》に掲げる損金の額に算入されなかったものの額で清算中に還付を受けたものの合計額

注1　④（外国源泉税等の額に係る部分に限る。）は、平成21年4月1日以後に解散をする内国普通法人等が清算中に減額される④に掲げる外国源泉税の額について適用される。（平21改法附18②）

注2　内国普通法人等が平成21年3月31日までに開始した清算中の事業年度において還付を受けた外国法人税の額については、次による。（平21改法附18③）

> 平成21年度改正前の法人税法（以下注2において「旧法人税法」という。）第26条第1項第2号から第4号まで《租税公課の還付金等の益金不算入》に掲げる金額で清算中に還付を受け、又は未納の国税若しくは地方税に充当されたもの、旧法人税法第26条第2項《外国法人税額が減額された場合の益金算入》に規定する外国法人税の額で清算中に還付を受けたもののうち同項に規定する控除対象外国法人税の額が還付された部分として平成21年度改正前の法人税法施行令第25条第1項《外国法人税額が減額された場合の益金算入》又は同条第2項《適格組織再編成により事業の移転を受けた場合の外国税額の還付金のうち益金の額に算入されない金額》により算出される金額に相当する金額、清算中に受け取った附帯税（利子税を除く。以下注2において同じ。）の負担額及び附帯税の負担額の減少額並びに旧法人税法第26条第5項《罰科金等の還付金の益金不算入》に規定する損金の額に算入されなかったものの額で清算中に還付を受けたものの合計額

なお、旧規定の詳細については、本書平成21年版264ページ以下を参照。（編者）

注3　平成18年3月31日以前については、注2は次による。

> 平成18年度改正前の法人税法（以下注3において「旧法人税法」という。）第26条第1項第1号から第3号まで《租税公課の還付金等の益金不算入》に掲げる金額（当該金額のうち、旧法人税法第2条第18号《利益積立金額》リに掲げる法人並びに道府県民税及び市町村民税に係る部分を除く。）で清算中に還付を受け、又は未納の国税若しくは地方税に充当されたもの、旧法人税法第26条第2項《外国法人税額が減額された場合の益金算入》に規定する外国法人税の額で清算中に還付を受けたもののうち同項に規定する控除対象外国法人税の額が還付された部分として平成18年度改正前の法人税法施行令第25条第1項《外国法人税額が減額された場合の益金算入》又は同条第2項《適格組織再編成により事業の移転を受けた場合の外国税額の還付金のうち益金の額に算入されない金額》により算出される金額に相当する金額並びに清算中に受け取った附帯税（利子税を除く。以下注3において同じ。）の負担額及び附帯税の負担額の減少額の合計額

なお、旧規定の詳細については、本書平成18年版67ページ以下及び214ページを参照。（編者）

注4　平成15年3月30日以前については、注3中「金額並びに清算中に受け取った附帯税（利子税を除く。以下注3において同じ。）の負担額及び附帯税の負担額の減少額の合計額」とあるのは、「金額」とする。（平14.8改法附2）

注5　平成元年3月31日以前に開始した各事業年度において納付することとなった外国法人税の額につき法人税法第69条の適用を受け、その適用を受けた後に還付された注3に掲げる外国法人税の額に係る2《利益積立金額等の計算》の適用については、注3中「もののうち同項に規定する控除対象外国法人税の額が還付された部分として平成18年度改正前の法人税法施行令第25条第1項《外国法人税額が減額された場合の益金算入》又は同条第2項《適格組織再編成により事業の移転を受けた場合の外国税額の還付金のうち益金の額に算入されない金額》により算出される金額に相当する金額」とあるのは、「もの」とする。（昭63改法〔昭63法律第109号〕附19②）

3　解散した内国普通法人等の株式等を取得した場合の解散による清算所得の金額の計算

解散をした内国普通法人等の株主等の1人及びその者と法人税法施行令第4条に規定する特殊の関係その他これに準ずる関係のある者がその内国普通法人等の発行済株式又は出資の総数又は総額の$\frac{1}{2}$以上に相当する数又は金額の株式又は出資を取得した事実があり、かつ、その取得がその内国普通法人等の事業の全部又は重要部分を承継するために行われたものと認められる場合において、その内国普通法人等の法人税法施行令第13条第8号に掲げる資産以外の資産に係る残余財産の価額が、当該承継するために取得したと認められる株式の1株当たりの平均取得価額（出資にあっては、当該承継するために取得したと認められる出資の取得価額の合計額をその内国普通法人等の出資の総額で除し、これに当該承継するために取得したと認められる出資の金額を乗じて計算した金額）にその内国普通法人等の発行済株式又は出資の総数又は総額を乗じて計算した金額に満たないときは、その満たない金額に相当する金額は、同号に掲げる資産の価額とみなして、その内国普通法人等の解散による清算所得の金額を計算する。（旧法98、旧令162）

（法人が営業譲受けのために株式を取得した場合の清算所得の計算の特例）

（1）　3は、株主等の1人及びその者と法人税法施行令第4条に規定する特殊の関係その他これに準ずる関係のある者による株式又は出資の取得が法人の解散前であると解散後であるとを問わず、全て適用があることに留意する。（旧基通19－1－2）

(営業承継のために取得した株式等の平均取得価額の計算)
(2) 3に掲げる「株式の1株当たりの平均取得価額」は、法人の事業の全部又は重要部分を承継する目的をもって取得した株式の取得価額の加重平均による。(旧基通19－1－3)

四 清算中に公益法人等が内国普通法人等に移行する場合の特例

公益法人等が清算中に内国普通法人等に該当することとなる場合には、その該当することとなる日の前日に解散したものとみなして、一《解散の場合の清算所得に対する法人税の課税標準》から三《解散による清算所得の金額の計算》までを適用する。(旧法111)

第二節　税額の計算、申告、納付及び還付

一　税額の計算

1　解散の場合の清算所得に対する法人税の税率

①　普通法人

内国法人である普通法人が解散をした場合における清算所得に対する法人税の額は、解散による清算所得の金額に$\frac{27.1}{100}$の税率を乗じて計算した金額とする。（旧法99①）

注1　解散の場合の清算所得に対する法人税の税率は、解散当時の税率が適用されることに留意する。（編者）

注2　昭和42年6月1日以後の解散による清算所得に対する法人税の税率は、次の表に掲げるとおりである。（昭42改法附2、昭49改法附②、昭56改法附②、昭63改法〔昭63法律第109号〕附14、20、平10改法附2、平18改法附54、161、旧負担軽減措置法16⑤）

普通法人の解散年月日	解散による清算所得に対する法人税率
昭42.6.1から昭49.4.30までの解散	$\frac{30}{100}$
昭49.5.1から昭56.3.31までの解散	$\frac{35}{100}$
昭56.4.1から昭59.3.31までの解散	$\frac{37}{100}$
昭59.4.1から昭62.3.31までの解散	$\frac{38.1}{100}$
昭62.4.1から平元.3.31までの解散	$\frac{37}{100}$
平元.4.1から平2.3.31までの解散	$\frac{35.2}{100}$
平2.4.1から平10.3.31までの解散	$\frac{33}{100}$
平10.4.1から平11.3.31までの解散	$\frac{30.7}{100}$
平11.4.1から平22.9.30までの解散	$\frac{27.1}{100}$

なお、昭和42年5月31日以前の解散による清算所得に対する法人税の税率は省略した。

注3　平成11年4月1日から平成18年12月31日までの解散については、旧負担軽減措置法の適用があることに留意する。（編者）

②　協同組合等

協同組合等が解散をした場合における清算所得に対する法人税の額は、解散による清算所得の金額に$\frac{20.5}{100}$の税率を乗じて計算した金額とする。（旧法99②）

注1　解散の場合の清算所得に対する法人税の税率は、解散当時の税率が適用されることに留意する。（編者）

注2　昭和42年6月1日以後の解散による清算所得に対する法人税の税率は、次の表に掲げるとおりである。（昭42改法附2、昭56改法附②、昭60改措法附14、平10改法附2、平18改法附54、161、旧負担軽減措置法16⑥）

協同組合等の解散年月日	解散による清算所得に対する法人税率
昭42.6.1から昭56.3.31までの解散	$\frac{21}{100}$
昭56.4.1から昭59.3.31までの解散	$\frac{23}{100}$
昭59.4.1から昭60.3.31までの解散	$\frac{23.9}{100}$
昭60.4.1から昭62.3.31までの解散	$\frac{25.8}{100}$
昭62.4.1から平10.3.31までの解散	$\frac{24.8}{100}$
平10.4.1から平11.3.31までの解散	$\frac{23.1}{100}$
平11.4.1から平22.9.30までの解散	$\frac{20.5}{100}$

なお、昭和42年5月31日以前の解散による清算所得に対する法人税の税率は省略した。

注3　平成11年4月1日から平成18年12月31日までの解散については、旧負担軽減措置法の適用があることに留意する。（編者）

2　解散の場合の清算所得に対する法人税額からの所得税額の控除

①　解散の場合の清算所得に対する法人税額からの所得税額の控除

　内国普通法人等が清算中に所得税法第174条各号《内国法人に係る所得税の課税標準》に規定する利子等、配当等、給付補塡金、利息、利益、差益、利益の分配若しくは賞金又は租税特別措置法第3条の3第2項《国外で発行された公社債等の利子所得の分離課税等》に規定する国外公社債等の利子等、同法第6条第1項《民間国外債等の利子の課税の特例》に規定する一般民間国外債につき支払を受けるべき利子、同法第8条の3第2項《国外で発行された投資信託等の収益の分配に係る配当所得の分離課税等》に規定する国外投資信託等の配当等、同法第9条の2第1項《国外で発行された株式の配当所得の源泉徴収等の特例》に規定する国外株式の配当等、同法第41条の9第2項《懸賞金付預貯金等の懸賞金等の分離課税等》に規定する懸賞金付預貯金等の懸賞金等若しくは同法第41条の12第2項《償還差益に対する分離課税等》に規定する償還差益の支払を受ける場合には、これらにつき所得税法又は租税特別措置法の規定により課された所得税の額は、②《解散の場合の清算所得に対する法人税額から控除する所得税額の計算》に掲げるところにより、その内国普通法人等の清算所得に対する法人税の額から控除する。（旧法100①、旧令164の4、旧措法3の3⑤、6③、8の3⑤、9の2④、41の9④、41の12④）

　　注　平成15年3月31日以前に支払を受けるべき平成15年度改正前の所得税法第174条第10号に掲げる報酬又は料金がある場合については、①中「利益の分配」とあるのは「利益の分配、報酬若しくは料金」とする。（平15改法附1、5、旧法100①）

②　解散の場合の清算所得に対する法人税額から控除する所得税額の計算

　法人税法施行令第140条の2《法人税額から控除する所得税の計算》の規定は、①により法人税の額から控除する所得税の額の計算について準用する。（旧令164の4）

③　解散の場合の清算所得に対する法人税額からの所得税額の控除の申告

　解散の場合の清算所得に対する法人税額からの所得税額の控除は、清算確定申告書に控除を受けるべき金額及びその計算に関する明細《別表二十（四）→別表二十（三）→別表二十（二）》の記載がある場合に限り、適用する。この場合において、控除をされるべき金額は、当該金額として記載された金額を限度とする。（旧法100②）

（申告記載がない場合のゆうじょ規定）
　税務署長は、所得税額の全部又は一部につき③に掲げる記載がない清算確定申告書の提出があった場合においても、その記載がなかったことについてやむを得ない事情があると認めるときは、その記載がなかった金額につき①を適用することができる。（旧法100③）

二　申　　告

1　清算中の所得に係る予納申告

　内国普通法人等は、その清算中の各事業年度（残余財産の確定の日の属する事業年度を除く。）の終了の日の翌日から**2か月**以内（当該期間内に残余財産の最後の分配又は引渡しが行われる場合には、その行われる日の前日まで）に、税務署長に対し、次の①から⑦までに掲げる事項を記載した申告書**《清算事業年度予納申告書》**を提出しなければならない。（旧法102①、旧規43①、旧措令38⑤、38の4㊸、38の5㉖）

①	当該事業年度の所得を解散をしていない内国普通法人等の各事業年度の所得とみなして計算した場合における当該事業年度の課税標準である所得の金額又は欠損金額
②	当該事業年度の所得を解散をしていない内国普通法人等の所得とみなして①に掲げる所得の金額につき平成22年度改正前の法人税法第二編第一章第二節《税額の計算》（法人税法第67条《特定同族会社の特別税率》、同法第70条《仮装経理に基づく過大申告の場合の更正に伴う法人税額の控除》を除く。）を適用するものとした場合に計算される法人税の額 　　注　租税特別措置法第62条《使途秘匿金の支出がある場合の課税の特例》、租税特別措置法第62条の3第1項及び第13項《土地の譲渡等がある場合の特別税率》、租税特別措置法第62条の3第8項《優良住宅地等のための譲渡に該当しなくなった場合の追加課税》又は租税特別措置法第63条第1項及び第7項《短期所有に係る土地の譲渡等がある場合の特別税率》の適用がある場合において、解散による清算所得に対する法人税を課される法人の清算中の事業年度の所得に係る法人税につき当該法人が解散をした日における法人税に関する法令の規定が適用されているときは、②に準じてこれらの法令の規定を読み替えて、適用するものとする。（旧措令38⑥、38の4㊹、38の5㉖）

③	当該事業年度中に残余財産の一部の分配又は引渡しをしている場合において、その分配又は引渡しに係る残余財産分配等予納申告書に記載すべき **2**《残余財産の一部分配等に係る予納申告》の表の①に掲げる金額があるときは、当該金額（当該事業年度中に2回以上残余財産の一部の分配又は引渡しをしている場合には、これらの分配又は引渡しに係る当該金額の合計額）に $\frac{30}{100}$（協同組合等については、$\frac{22}{100}$）を乗じて計算した金額
④	②に掲げる法人税の額から③に掲げる金額を控除した金額
⑤	法人税法第68条《所得税額の控除》及び同法第69条《外国税額の控除》による控除をされるべき金額で②に掲げる法人税の額の計算上控除しきれなかったものがある場合には、その控除しきれなかった金額（③に掲げる金額がある場合には、当該控除をされるべき金額のうち、当該控除をしないものとして計算した場合における②に掲げる法人税の額から③に掲げる金額を控除した金額を超える部分の金額）
⑥	①から⑤までに掲げる金額の計算の基礎
⑦	その他次のイからニまでに掲げる事項
	イ　内国普通法人等の名称及び納税地並びにその納税地と本店又は主たる事務所の所在地とが異なる場合には、その本店又は主たる事務所の所在地
	ロ　清算人の氏名及び住所又は居所
	ハ　当該事業年度の開始及び終了の日
	ニ　その他参考となるべき事項

注　清算中の所得に係る②に掲げる法人税の税率及び③に掲げる割合は、解散当時の税率及び割合が適用されることに留意する。（編者）

（所得の金額又は欠損金額及び法人税の額の計算）
（1）　**1**の表の①に掲げる課税標準である所得の金額又は欠損金額及び同表の②に掲げる法人税の額の計算については、法人税法第2編第1章第1節《課税標準及びその計算》第3款、第4款、第7款及び第10款（同法第42条から第50条まで《圧縮記帳》、同法第57条《青色申告書を提出した事業年度の欠損金の繰越し》及び同法第58条《青色申告書を提出しなかった事業年度の災害による損失金の繰越し》を除く。）の規定中「確定申告書」とあるのは「清算事業年度予納申告書」と、同法第57条第1項中「確定申告書」とあるのは「清算事業年度予納申告書」と、同条第11項中「確定申告書」とあるのは「確定申告書又は清算事業年度予納申告書」と、同法第58条第1項中「確定申告書」とあるのは「清算事業年度予納申告書」と、同条第6項中「確定申告書」とあるのは「確定申告書又は清算事業年度予納申告書」と、同法第68条第3項及び第4項《所得税額の控除》並びに同法第69条第10項《外国税額の控除》中「確定申告書」とあるのは「清算事業年度予納申告書」と、同条第11項中「記載した確定申告書」とあるのは「記載した確定申告書若しくは清算事業年度予納申告書」と、「確定申告書にこれら」とあるのは「清算事業年度予納申告書にこれら」と、「の確定申告書に当該」とあるのは「の確定申告書若しくは清算事業年度予納申告書に当該」と、同条第12項中「確定申告書若しくは」とあるのは「確定申告書、清算事業年度予納申告書若しくは」とする。（旧法102②）

（清算中の各事業年度における控除不足の所得税額の損金不算入）
（2）　清算中の内国普通法人等が清算中の各事業年度について清算事業年度予納申告書を提出する場合において、**1**の表の⑤に掲げる控除不足額として当該申告書に記載すべき金額があるときは、その記載すべき金額は、当該事業年度の損金の額に算入しない。（旧基通19－1－1）

（国外関連取引の対価の額と独立企業間価格との差額の損金不算入）
（3）　租税特別措置法第66条の4第1項《国外関連者との取引に係る課税の特例》の適用がある場合における同項に規定する国外関連取引の対価の額と同項に規定する独立企業間価格との差額（寄附金の額に該当するものを除く。）は、**1**の表の①に掲げる所得の金額の計算上、損金の額に算入しない。（旧措法66の4④）
　　注　上記のほか、清算中の各事業年度の所得については、第三章第一節第三十款《国外関連者との取引に係る課税の特例等》の適用があることに留意する。（編者）

（清算事業年度予納申告書の添付書類）
（4）　清算事業年度予納申告書には、次の（一）又は（二）に掲げるもの（（一）又は（二）に掲げるものが電磁的記録〔電子的方式、磁気的方式その他の人の知覚によっては認識することができない方式で作られる記録であって、電子計算機

による情報処理の用に供されるものをいう。以下（４）において同じ。〕で作成され、又は（一）又は（二）に掲げるものの作成に代えてそれぞれに記載すべき情報を記録した電磁的記録の作成がされている場合には、これらの電磁的記録に記録された情報の内容を記載した書類）を添付しなければならない。（旧法102③、旧規44）

（一）	当該事業年度の貸借対照表及び損益計算書
（二）	（一）に掲げるものに係る勘定科目内訳明細書

　　　　（清算事業年度予納申告書の書式）
（５）　清算事業年度予納申告書（当該申告書に係る修正申告書を含む。）の記載事項及びこれに添付すべき書類の記載事項のうち別表三（二）から別表三（八）まで、別表四、別表五（一）から別表五（二）まで、別表六（一）から別表六（五の三）まで、別表七（一）から別表七（二）まで、別表八（一）、別表八（二）、別表九（一）、別表九（二）、別表十（七）から別表十（十）まで、別表十一（一）から別表十一（三）まで、別表十三（四）、別表十四（二）、別表十四（五）から別表十四（七）まで、別表十六（一）から別表十六（八）まで、別表十六（十）から別表十七（四）まで及び別表二十（一）に定めるものの記載については、これらの表の書式によらなければならない。（旧規43②）

２　残余財産の一部分配等に係る予納申告

　内国普通法人等は、その清算中に残余財産の分配又は引渡しをしようとする場合において、その分配又は引渡しをしようとする残余財産の価額がその解散の時における資本金等の額及び利益積立金額（その解散の時からその分配又は引渡しをしようとする時までの間に生じた利益積立金額がある場合には当該利益積立金額を含む。以下２において同じ。）の合計額（既に残余財産の一部の分配又は引渡しをしている場合には、その分配又は引渡しをした残余財産の価額に相当する金額を控除した金額。以下２において同じ。）を超えるときは、残余財産の全部の分配又は引渡しをする場合を除き、分配又は引渡しの都度、その分配又は引渡しの日の前日までに、税務署長に対し、次の①から④までに掲げる事項を記載した申告書《**残余財産分配等予納申告書**》を提出しなければならない。（旧法103①、旧規45①）

①	その分配又は引渡しをしようとする残余財産の価額のうちその解散の時における資本金等の額及び利益積立金額の合計額を超える部分の金額	
②	①に掲げる金額を第一節の**二**《解散による清算所得の金額》に掲げる解散による清算所得の金額とみなし、かつ、**一**の**１**《解散の場合の清算所得に対する法人税の税率》に掲げる法人の区分に応じこれらを適用して計算した場合における法人税の額	
③	①及び②に掲げる金額の計算の基礎	
④	その他次のイからニまでに掲げる事項	
	イ	内国普通法人等の名称及び納税地並びにその納税地と本店又は主たる事務所の所在地とが異なる場合には、その本店又は主たる事務所の所在地
	ロ	清算人の氏名及び住所又は居所
	ハ	残余財産分配等予納申告書に係る残余財産の分配又は引渡しの日
	ニ	その他参考となるべき事項

注　残余財産の一部の分配又は引渡しにより納付すべき②に掲げる法人税の税率は、解散当時の税率が適用されることに留意する。（編者）

　　　　（残余財産分配等予納申告書の添付書類）
（１）　残余財産分配等予納申告書には、次の（一）から（三）までに掲げるもの（（一）から（三）までに掲げるものが電磁的記録〔電子的方式、磁気的方式その他の人の知覚によっては認識することができない方式で作られる記録であって、電子計算機による情報処理の用に供されるものをいう。以下（１）において同じ。〕で作成され、又は（一）から（三）までに掲げるものの作成に代えてそれぞれに記載すべき情報を記録した電磁的記録の作成がされている場合には、これらの電磁的記録に記録された情報の内容を記載した書類）を添付しなければならない。（旧法103②、旧規46）

（一）	解散の時及び残余財産の分配又は引渡しの時における貸借対照表
（二）	残余財産の分配又は引渡しの時における財産目録
（三）	解散の時から分配又は引渡しの時までの清算に関する計算書

(残余財産分配等予納申告書の書式)
（2） 残余財産分配等予納申告書（当該申告書に係る修正申告書を含む。）の記載事項のうち別表二十（二）及び別表二十（三）に定めるものの記載については、これらの表の書式によらなければならない。（旧規45②）

3　清算確定申告

清算中の内国普通法人等は、その残余財産が確定した場合には、その確定した日の翌日から**1か月**以内（当該期間内に残余財産の最後の分配又は引渡しが行われる場合には、その行われる日の前日まで）に、税務署長に対し、次の①から⑦までに掲げる事項を記載した申告書《**清算確定申告書**》を提出しなければならない。（旧法104①、旧規47①、旧措令38⑤、38の4㊸、38の5㉖）

①	課税標準である解散による清算所得の金額		
②	①に掲げる解散による清算所得の金額につき平成22年度改正前の法人税法第三章第一節第二款《税額の計算》、租税特別措置法第62条《使途秘匿金の支出がある場合の課税の特例》、租税特別措置法第62条の3第1項及び第13項《土地の譲渡等がある場合の特別税率》、租税特別措置法第62条の3第8項《優良住宅地等のための譲渡に該当しなくなった場合の追加課税》及び租税特別措置法第63条第1項及び第7項《短期所有に係る土地の譲渡等がある場合の特別税率》を適用して計算した法人税の額		
	注　租税特別措置法第62条、租税特別措置法第62条の3第1項及び第13項、租税特別措置法第62条の3第8項又は租税特別措置法第63条第1項及び第7項の適用がある場合において、解散による清算所得に対する法人税につき当該法人が解散をした日における法人税に関する法令の規定が適用されているときは、②に準じてこれらの法令の規定を読み替えて、適用するものとする。（旧措令38⑥、38の4㊹、38の5㉖）		
③	一の2の①《解散の場合の清算所得に対する法人税額からの所得税額の控除》による控除をされるべき金額で②に掲げる法人税の額の計算上控除しきれなかったものがある場合には、その控除しきれなかった金額		
④	その内国普通法人等が清算事業年度予納申告書又は残余財産分配等予納申告書を提出すべき法人である場合には、②に掲げる法人税の額から当該申告書に係る清算中の予納額を控除した金額		
⑤	④に掲げる清算中の予納額で④に掲げる金額の計算上控除しきれなかったものがある場合には、その控除しきれなかった金額		
⑥	①から⑤までに掲げる金額の計算の基礎		
⑦	その他次のイからニまでに掲げる事項		
		イ	内国普通法人等の名称及び納税地並びにその納税地と本店又は主たる事務所の所在地とが異なる場合には、その本店又は主たる事務所の所在地
		ロ	清算人の氏名及び住所又は居所
		ハ	残余財産が確定した日及びその確定した日から1か月以内に最後の分配又は引渡しが行われる場合には、その分配又は引渡しが行われる日
		ニ	その他参考となるべき事項

注　残余財産の確定により納付すべき②に掲げる法人税の額は、解散当時の税率が適用されることに留意する。（編者）

(清算結了の登記をした法人の納税義務)
（1） 法人が清算結了の登記をした場合においても、その清算の結了は実質的に判定すべきものであるから、当該法人は、各事業年度の所得又は清算所得に対する法人税を納める義務を履行するまではなお存続するものとする。（旧基通1－1－7）

(同族会社等の残余財産の確定)
（2） 解散した同族会社等でその資産、負債の一切を首脳者等が引き継いで事業を継続し、実質的に営業譲渡をしたと認められるような場合には、その引継ぎがあったときに残余財産が確定したものとして取り扱う。（旧基通19－1－4）

(清算確定申告書の添付書類)
（3） 清算確定申告書には、次の(一)から(三)までに掲げるもの（(一)から(三)までに掲げるものが電磁的記録〔電子的方式、磁気的方式その他の人の知覚によっては認識することができない方式で作られる記録であって、電子計算機

による情報処理の用に供されるものをいう。以下（３）において同じ。）で作成され、又は（一）から（三）までに掲げるものの作成に代えてそれぞれに記載すべき情報を記録した電磁的記録の作成がされている場合には、これらの電磁的記録に記録された情報の内容を記載した書類）を添付しなければならない。（旧法104②、旧規48）

（一）	解散の時及び残余財産の確定の時における貸借対照表
（二）	残余財産の確定の時における財産目録
（三）	解散の時から残余財産の確定の時までの清算に関する計算書

　　　（清算確定申告書の書式）
（４）　清算確定申告書（当該申告書に係る修正申告書を含む。）の記載事項及びこれに添付すべき書類の記載事項のうち別表三(二)から別表三(四)付表まで及び別表二十(二)から別表二十(四)までに定めるものの記載については、これらの表の書式によらなければならない。（旧規47②）

三　納　付

1　清算中の所得に係る予納申告による納付
　清算事業年度予納申告書を提出した内国普通法人等は、当該申告書に記載した二の**1**《清算中の所得に係る予納申告》の表の②に掲げる金額（同表の③に該当する場合には、同表の④に掲げる金額）があるときは、当該申告書の提出期限までに、当該金額に相当する法人税を国に納付しなければならない。（旧法105）

2　残余財産の一部分配等に係る予納申告による納付
　残余財産分配等予納申告書を提出した内国普通法人等は、当該申告書の提出期限までに、当該申告書に記載した二の**2**《残余財産の一部分配等に係る予納申告》の表の②に掲げる金額に相当する法人税を国に納付しなければならない。（旧法106）

3　清算確定申告による納付
　清算確定申告書を提出した内国普通法人等は、当該申告書に記載した二の**3**《清算確定申告》の表の②に掲げる金額（同表の④に該当する場合には、同表の④に掲げる金額）があるときは、当該申告書の提出期限までに、当該金額に相当する法人税を国に納付しなければならない。（旧法107）

　　　（清算結了の登記をした法人の納税義務）
（１）　法人が清算結了の登記をした場合においても、その清算の結了は実質的に判定すべきものであるから、当該法人は、各事業年度の所得又は清算所得に対する法人税を納める義務を履行するまではなお存続するものとする。（旧基通１－１－７）

　　　（清算人等の第二次納税義務）
（２）　解散法人が国税を納付しないで残余財産の分配又は引渡しをした場合には、その法人に対し滞納処分を執行してもその徴収すべき額に不足すると認められる場合に限り、清算人及び残余財産の分配又は引渡しを受けた者が第二次納税義務を負う。ただし、清算人は分配又は引渡しをした財産の価額を、残余財産の分配又は引渡しを受けた者はその受けた財産の価額を、それぞれ限度とする。（徴法34参照）

4　清算中の予納額
　清算事業年度予納申告書又は残余財産分配等予納申告書を提出して納付すべき法人税は、清算確定申告書を提出して納付すべき法人税の予納として納付されるものとする。ただし、第三節の**二**《継続等の場合の法人税額の特例》の適用がある場合は、この限りでない。（旧法108）

四 還　　付

1　清算中の所得税額の還付
　清算確定申告書の提出があった場合において、当該申告書に二の3《清算確定申告》の表の③に掲げる金額の記載があるときは、税務署長は、当該申告書を提出した内国普通法人等に対し、当該金額に相当する税額を還付する。(旧法109①)

　　　　（清算中の所得税額の還付金に係る還付加算金）
（1）　1による還付金については、還付加算金は、付さない。(旧法109②)

　　　　（清算中の所得税額の還付の手続）
（2）　税務署長は、二の3の表の③に掲げる金額の記載がある清算確定申告書の提出があった場合には、当該金額が過大であると認められる事由がある場合を除き、遅滞なく、1に掲げる還付又は充当の手続をしなければならない。(旧法109③、旧令165)

　　　　（清算中の所得税額の還付の場合の書類の提示等）
（3）　税務署長は、1に掲げる還付をする場合において、必要があると認めるときは、その還付を受ける内国普通法人等に対し、一の2《解散の場合の清算所得に対する法人税額からの所得税額の控除》に掲げる控除をされるべき金額を証明する書類又は帳簿の提示又は提出を求めることができる。(旧法109③、旧令166)

　　　　（清算確定申告に係る更正による所得税額の還付）
（4）　内国普通法人等の提出した清算確定申告書に係る法人税につき更正があった場合において、その更正により二の3の表の③に掲げる金額が増加したときは、税務署長は、その内国普通法人等に対し、その増加した部分の金額に相当する税額を還付する。(旧法135①)

　　　　（清算確定申告に係る更正による所得税額の還付金に係る還付加算金）
（5）　（4）《清算確定申告に係る更正による所得税額の還付》による還付金については、還付加算金は、付さない。(旧法135②)

2　清算中の予納額の還付
　清算事業年度予納申告書又は残余財産分配等予納申告書を提出すべき内国普通法人等から当該申告書に係る清算確定申告書の提出があった場合において、その清算確定申告書に二の3《清算確定申告》の表の⑤に掲げる金額の記載があるときは、税務署長は、その内国普通法人等に対し、当該金額に相当する清算中の予納額を還付する。(旧法110①)

　　　　（清算中の予納額の還付の手続）
（1）　税務署長は、二の3の表の⑤に掲げる金額の記載がある清算確定申告書の提出があった場合には、当該金額が過大であると認められる事由がある場合を除き、遅滞なく、2又は(2)《清算中の予納額に係る延滞税の還付》による還付又は充当の手続をしなければならない。(旧法110④、旧令167)

　　　　（清算中の予納額に係る延滞税の還付）
（2）　税務署長は、2に掲げる還付金の還付をする場合において、2に掲げる清算事業年度予納申告書又は残余財産分配等予納申告書に係る清算中の予納額について納付された延滞税があるときは、その額のうち、その清算中の予納額で三の1《清算中の所得に係る予納申告による納付》又は同三の2《残余財産の一部分配等に係る予納申告による納付》に掲げる納期限がその還付の日に最も近いものから順次2に掲げる還付金に達するまで遡って求めた場合における各清算中の予納額に対応するものとして(3)《清算中の予納額に係る延滞税の還付金額の計算》により計算した金額の合計額を併せて還付する。(旧法110②)

　　　　（清算中の予納額に係る延滞税の還付金額の計算）
（3）　（2）に掲げる還付する清算中の予納額に対応する延滞税の額の合計額は、次の(一)に掲げる金額から(二)に掲げる金額を控除した残額とする。(旧法110④、旧令169)

(一)	2に掲げる清算事業年度予納申告書又は残余財産分配等予納申告書に係る清算中の予納額について納付された延滞税の額の合計額	
(二)	当該清算中の予納額（2による還付金をもって充当される部分の金額を除く。）のうち次のイからハまでに掲げる順序により当該清算中の予納額に係る清算確定申告書に記載された二の3《清算確定申告》の表の②に掲げる金額（（4）《還付すべき清算中の予納額の充当の順序》の表の(一)に掲げる充当をされる法人税がある場合には、当該法人税の額を加算した金額）に達するまで順次求めた各清算中の予納額につき国税に関する法律の規定により計算される延滞税の額の合計額	
	イ	当該清算中の予納額のうち国税通則法第2条第8号《定義》に規定する法定納期限（以下(3)において「法定納期限」という。）を異にするものについては、その法定納期限の早いものを先順位とする。
	ロ	法定納期限を同じくする清算中の予納額のうち確定の日を異にするものについては、その確定の日の早いものを先順位とする。
	ハ	法定納期限及び確定の日を同じくする清算中の予納額のうち納付の日を異にするものについては、その納付の日の早いものを先順位とする。

（還付すべき清算中の予納額の充当の順序）
（4）　2又は(2)による還付金を未納の国税及び滞納処分費に充当する場合には、次の(一)から(三)までの順序により充当するものとする。（旧法110④、旧令168）

(一)	解散による清算所得に対する法人税で修正申告書の提出又は更正により納付すべきもの（清算中の予納額を除く。）があるときは、当該法人税に充当する。
(二)	(一)に掲げる充当をしてもなお還付すべき金額がある場合において、清算中の予納額で未納のものがあるときは、当該未納の清算中の予納額に充当する。この場合において、法定納期限を異にする未納の清算中の予納額があるときは、その未納の清算中の予納額のうち当該法定納期限がその還付の日に最も近いものから順次当該還付すべき金額に達するまで遡って求めたものに充当する。
(三)	(一)及び(二)に掲げる充当をしてもなお還付すべき金額があるときは、その他の未納の国税及び滞納処分費に充当する。

（清算中の予納額の還付金に係る還付加算金等）
（5）　2及び(2)による還付金については、還付加算金を付さないものとし、2による還付金を清算中の予納額で未納のものに充当する場合には、その充当される部分の清算中の予納額については、延滞税を免除するものとする。（旧法110③）

（清算確定申告に係る決定による清算中の予納額の還付）
（6）　清算事業年度予納申告書又は残余財産分配等予納申告書を提出すべき内国普通法人等のその解散に係る清算所得に対する法人税につき決定があった場合において、その決定に係る二の3《清算確定申告》の表の⑤に掲げる金額があるときは、税務署長は、その内国普通法人等に対し、当該金額に相当する清算中の予納額を還付する。（旧法136①）

（清算確定申告に係る更正による清算中の予納額の還付）
（7）　清算事業年度予納申告書又は残余財産分配等予納申告書を提出すべき内国普通法人等のその解散に係る清算所得に対する法人税につき更正があった場合において、その更正により二の3《清算確定申告》の表の⑤に掲げる金額が増加したときは、税務署長は、その内国普通法人等に対し、その増加した部分の金額に相当する清算中の予納額を還付する。（旧法136②）

（更正又は決定による清算中の予納額に係る延滞税の還付）
（8）　税務署長は、(6)又は(7)による還付金の還付をする場合において、これらの申告書に係る清算中の予納額について納付された延滞税があるときは、その額のうち、その清算中の予納額で三の1《清算中の所得に係る予納申告による納付》又は同三の2《残余財産の一部分配等に係る予納申告による納付》に掲げる納期限がその還付の日に最も

近いものから順次（6）又は（7）に掲げる還付金に達するまで遡って求めた場合における各清算中の予納額に対応するものとして（9）《更正又は決定による清算中の予納額に係る延滞税の還付金額の計算》により計算した金額の合計額を併せて還付する。（旧法136③）

　（更正又は決定による清算中の予納額に係る延滞税の還付金額の計算）
（9）（8）に掲げる更正又は決定により還付する清算中の予納額に対応する延滞税の額の合計額は、次の（一）に掲げる金額から（二）に掲げる金額を控除した残額とする。（旧法136⑤、旧令175①）

（一）		（6）又は（7）に掲げる清算事業年度予納申告書又は残余財産分配等予納申告書に係る清算中の予納額について納付された延滞税の額の合計額（当該延滞税のうちに既に（2）《清算中の予納額に係る延滞税の還付》又は（8）により還付されるべきこととなったものがある場合には、その還付されるべきこととなった延滞税の額を除く。）
（二）		当該清算中の予納額（**2**又は（6）若しくは（7）に掲げる還付金をもって充当をされる部分の金額を除く。）のうち次のイからハまでに掲げる順序により当該還付の基因となる決定（国税通則法第25条《決定》に掲げる決定をいう。）又は更正に係る**二の3**《清算確定申告》の表の②に掲げる金額（（10）《更正又は決定により還付すべき清算中の予納額の充当の順序》において準用する（4）の表の（一）に掲げる充当をされる法人税がある場合には、当該法人税の額を加算した金額）に達するまで順次求めた各清算中の予納額につき国税に関する法律の規定により計算される延滞税の額の合計額
	イ	当該清算中の予納額のうち法定納期限を異にするものについては、その法定納期限の早いものを先順位とする。
	ロ	法定納期限を同じくする清算中の予納額のうち確定の日を異にするものについては、その確定の日の早いものを先順位とする。
	ハ	法定納期限及び確定の日を同じくする清算中の予納額のうち納付の日を異にするものについては、その納付の日の早いものを先順位とする。

　（更正又は決定により還付すべき清算中の予納額の充当の順序）
（10）（4）は、（6）から（8）までによる還付金を未納の国税及び滞納処分費に充当する場合について準用する。（旧法136⑤、旧令175②）

　（更正又は決定による清算中の予納額の還付金に係る還付加算金等）
（11）（6）から（8）までによる還付金については、還付加算金を付さないものとし、（6）又は（7）による還付金を清算中の予納額で未納のものに充当する場合には、その充当される部分の清算中の予納額については、延滞税を免除するものとする。（旧法136④）

五　清算中に公益法人等が内国普通法人等に移行する場合の特例
　公益法人等が清算中に内国普通法人等に該当することとなる場合には、その該当することとなる日の前日に解散したものとみなして、**一**《税額の計算》から**四**《還付》までを適用する。（旧法111）

第三節　継続等の場合の課税の特例

一　継続等の場合の清算所得の金額の特例

　清算中の内国普通法人等が、その残余財産の一部の分配又は引渡しをした後において、継続し又は合併により消滅した場合における第一節の二《解散による清算所得の金額》に掲げる解散による清算所得の金額は、同二にかかわらず、その分配又は引渡しにつき提出する残余財産分配等予納申告書に記載すべき第二節の二の2《残余財産の一部分配等に係る予納申告》の表の①に掲げる金額（その清算中に2回以上残余財産の一部の分配又は引渡しをした場合には、これらの分配又は引渡しに係る当該金額の合計額）に相当する金額とする。（旧法118）

　　注　「継続の日」とは、株主総会その他これに準ずる総会等において継続の日を定めたときはその定めた日、継続の日を定めなかったときは継続の決議の日をいうものとする。（旧基通1－2－4参照）

二　継続等の場合の法人税額の特例

　清算中の内国普通法人等が継続し又は合併により消滅した場合には、その内国普通法人等に対しその解散の日の翌日（清算中に公益法人等が内国普通法人等に該当することとなった場合における当該内国普通法人等にあっては、その該当することとなった日）から継続の日の前日又は合併の日の前日までの期間（以下二において「清算期間」という。）に係る法人税として課する税額は、次の表の左欄に掲げる法人税の区分に応じそれぞれ同表の右欄に掲げる金額とする。（旧法119）

1	各事業年度の所得に対する法人税	清算期間に係る各清算事業年度予納申告書に記載すべき第二節の二の1《清算中の所得に係る予納申告》の表の②に掲げる金額（同表の③に該当する場合には、同表の④に掲げる金額）の合計額
2	清算所得に対する法人税	清算期間に係る残余財産分配等予納申告書に記載すべき第二節の二の2《残余財産の一部分配等に係る予納申告》の表の②に掲げる金額（その清算期間中に2回以上残余財産の一部の分配又は引渡しをした場合には、これらの分配又は引渡しに係る当該金額の合計額）

　　注　平成20年3月31日以前の解散による清算所得に対する法人税（清算所得に対する法人税を課される法人の清算中の事業年度の所得に係る法人税及び残余財産の一部分配により納付すべき法人税を含む。）については、「翌日（清算中に公益法人等が内国普通法人等に該当することとなった場合における当該内国普通法人等にあっては、その該当することとなった日）」とあるのは「翌日」とする。（平20改法附9、平20経過措置を定める政令16）

三　継続等の場合の所得税額等の還付

1　継続等の場合の所得税額等の還付

　清算中の内国普通法人等が継続し又は合併により消滅した場合において、その清算中の各事業年度の清算事業年度予納申告書に記載すべき第二節の二の1《清算中の所得に係る予納申告》の表の⑤に掲げる金額があるときは、納税地の所轄税務署長は、その継続の日の前日又は合併の日の前日の属する事業年度の清算事業年度予納申告書の提出と同時に還付の請求があった場合に限り、その請求をした内国普通法人等に対し、当該金額に相当する税額を還付する。（旧法120①）

　　（継続等の場合の所得税額等の還付の手続）
（1）　税務署長は、（5）《継続等の場合の所得税額等の還付請求書の記載事項》に掲げる継続等の場合の所得税額等の還付請求書の提出があった場合には、その請求に係る第二節の二の1の表の⑤に掲げる金額が過大であると認められる事由がある場合を除き、遅滞なく、1による還付又は充当の手続をしなければならない。（旧法120⑤、旧令171）

　　（継続等の場合の所得税額等の還付をする場合の書類の提示等）
（2）　税務署長は、1による還付をする場合において、必要があると認めるときは、その還付の請求をした内国普通法人等に対し、法人税法第68条《所得税額の控除》及び同法第69条《外国税額の控除》による控除をされるべき金額を証明する書類又は帳簿の提示又は提出を求めることができる。（旧法120⑤、旧令172）

(継続等の場合の所得税額等の還付金に係る還付加算金の計算期間)
(3) 1《継続等の場合の所得税額等の還付》による還付金について還付加算金を計算する場合には、その計算の基礎となる期間《通法58①》は、1の還付の請求があった日(同日が1に掲げる継続の日の前日又は合併の日の前日の属する事業年度の第二節の二の1《清算中の所得に係る予納申告》に掲げる清算事業年度予納申告書の提出期限前である場合には、その提出期限)の翌日からその還付のための支払決定をする日又はその還付金につき充当をする日(同日前に充当をするのに適することとなった日がある場合には、その適することとなった日)までの期間とする。(旧法120④)

(還付請求書が清算事業年度予納申告書の提出後に提出された場合の特例)
(4) 税務署長は、1の還付の請求が1に掲げる継続の日の前日又は合併の日の前日の属する事業年度の清算事業年度予納申告書の提出後にされた場合においても、その提出後にされたことについてやむを得ない事情があると認めるときは、1の還付をすることができる。(旧法120②)

(継続等の場合の所得税額等の還付請求書の記載事項)
(5) 1の還付の請求をしようとする内国普通法人等は、次の(一)から(六)までに掲げる事項を記載した還付請求書を納税地の所轄税務署長に提出しなければならない。(旧法120③、旧規51)

(一)	その還付を受けようとする税額
(二)	請求をする内国普通法人等の名称及び納税地
(三)	代表者の氏名
(四)	その継続又は合併の日
(五)	その還付を受けようとする税額の計算の基礎となった清算中の各事業年度の清算事業年度予納申告書に記載すべき第二節の二の1《清算中の所得に係る予納申告》の表の⑤に掲げる金額の明細
(六)	その他参考となるべき事項

2 継続等の場合の更正による所得税額等の還付

1に掲げる還付の請求があった後にその清算中の各事業年度の清算事業年度予納申告書に係る法人税につき更正があった場合において、その更正により第二節の二の1《清算中の所得に係る予納申告》の表の⑤に掲げる金額が増加したときは、税務署長は、当該還付の請求をした内国普通法人等に対し、その増加した部分の金額に相当する税額を還付する。(旧法137①)

(継続等の場合の更正による所得税額等の還付金に係る還付加算金の計算期間)
2による還付金について還付加算金を計算する場合には、その計算の基礎となる国税通則法第58条第1項《還付加算金》の期間は、2に掲げる還付の請求があった日(同日が1に掲げる継続の日の前日又は合併の日の前日の属する事業年度の第二節の二の1に掲げる清算事業年度予納申告書の提出期限前である場合には、その提出期限)の翌日からその還付のための支払決定をする日又はその還付金につき充当をする日(同日前に充当をするのに適することとなった日がある場合には、その適することとなった日)までの期間とする。(旧法137②)

第五章　公益法人等及び人格のない社団等における課税

第一節　公益法人等及び人格のない社団等における課税

一　公益法人等及び人格のない社団等の納税義務等

1　納税義務及び課税所得の範囲

　内国法人は、法人税法により、法人税を納める義務がある。ただし、公益法人等又は人格のない社団等については、収益事業を行う場合、法人課税信託の引受けを行う場合又は退職年金業務等を行う場合に限る。（法4①）

　注　上記退職年金業務等とは、法人税法第84条第1項《退職年金等積立金の額の計算》に規定する退職年金業務等をいう。

　　　（内国公益法人等の非収益事業所得等の非課税）
（1）　内国法人である公益法人等又は人格のない社団等の各事業年度の所得のうち収益事業から生じた所得以外の所得については、第二章第一節の**五**の**1**《内国法人の課税所得の範囲》にかかわらず、各事業年度の所得に対する法人税を課さない。（法6）

　　　（人格のない社団等に対する法人税法の適用）
（2）　人格のない社団等は、法人とみなして、法人税法（第三章第二節第三款の**五**《電子情報処理組織による申告の特例》、法人税法第82条の7《電子情報処理組織による申告》及び第二章第一節の**二**の**別表第二**《公益法人等の表》を除く。）を適用する。（法3）

　注1　──線部分は、令和5年度改正により追加された部分で、改正規定は、令和6年4月1日から適用される。（令5改法附1Ⅳイ）
　注2　所得税法、国税通則法及び地方法人税法などにおいても、人格のない社団等は法人とみなしてこれらの法律を適用する旨の規定が設けられている。（所法4、通法3、地方法3①）
　注3　法人税法施行令、租税特別措置法などにおいては、人格のない社団等は法人に含まれる旨の規定が設けられている。（令4④、措法2②ⅠのⅡ、42の4①）

2　公益法人等の意義

　公益法人等とは、第二章第一節の**二**の**別表第二**《公益法人等の表》に掲げる法人をいう。（法2Ⅵ）
　注1　別表第二は、109ページに掲載した。
　注2　次の（一）から（十一）までに掲げる法人は、法人税法その他法人税に関する法令の規定の適用については、公益法人等とみなされる。（編者）

（一）	地方自治法第260条の2第7項《地縁による団体》に規定する認可地縁団体（同法260の2⑯）
（二）	建物の区分所有等に関する法律第47条第2項《成立等》に規定する管理組合法人及び同法第66条《建物の区分所有に関する規定の準用》の規定により読み替えられた同項に規定する団地管理組合法人（同法47⑬）
（三）	政党交付金の交付を受ける政党等に対する法人格の付与に関する法律第7条の2第1項《変更の登記》に規定する法人である政党等（同法13①）
（四）	密集市街地における防災街区の整備の促進に関する法律第133条第1項《法人格》に規定する防災街区整備事業組合（同法164の2①）
（五）	特定非営利活動促進法第2条第2項《定義》に規定する特定非営利活動法人（同法70①）
（六）	マンションの建替え等の円滑化に関する法律第5条第1項《マンション建替事業の施行》に規定するマンション建替組合（同法44①）
（七）	マンションの建替え等の円滑化に関する法律第116条《マンション敷地売却事業の実施》に規定するマンション敷地売却組合（同法139①）
（八）	マンションの建替え等の円滑化に関する法律第164条《敷地分割事業の実施》に規定する敷地分割組合（同法188①）
（九）	厚生年金保険制度及び農林漁業団体職員共済組合制度の統合を図るための農林漁業団体職員共済組合法等を廃止する等の法律附則第25条第1項《存続組合の業務等》の規定により農林漁業団体職員共済組合としてなお存続するものとされた同条第3項に規定する存続組合（同法附107①）
（十）	地方公務員等共済組合法の一部を改正する法律（平成23年法律第56号）附則第23条第1項《存続共済会》の規定により地方議会議員共

	済会としてなお存続するもとされた同項に規定する存続共済会（同法附42①）
（十一）	公的年金制度の健全性及び信頼性の確保のための厚生年金保険法等の一部を改正する法律（平成25年法律第63号）附則第4条《旧厚生年金基金の存続》の規定により厚生年金基金としてなお存続するものとされた同法附則第3条第11号に規定する存続厚生年金基金及び同法附則第6条《厚生年金基金の設立に関する経過措置》の規定により従前の例により平成26年4月1日以後に設立された同法附則第3条第11号に規定する存続厚生年金基金（同法附110①、平成26年政令第72号）

3　人格のない社団等の意義

人格のない社団等とは、法人でない社団又は財団で代表者又は管理人の定めがあるものをいう。（法2Ⅷ）

　　　（法人でない社団の範囲）
（1）　3に掲げる「法人でない社団」とは、多数の者が一定の目的を達成するために結合した団体のうち法人格を有しないもので、単なる個人の集合体でなく、団体としての組織を有して統一された意志の下にその構成員の個性を超越して活動を行うものをいい、次に掲げるようなものは、これに含まれない。（基通1－1－1）
　（一）　民法第667条《組合契約》の規定による組合
　（二）　商法第535条《匿名組合契約》の規定による匿名組合

　　　（法人でない財団の範囲）
（2）　3に掲げる「法人でない財団」とは、一定の目的を達成するために出えんされた財産の集合体で特定の個人又は法人の所有に属さないで、一定の組織による統一された意志の下にその出えん者の意図を実現すべく独立して活動を行うもののうち法人格のないものをいう。（基通1－1－2）

　　　（人格のない社団等についての代表者又は管理人の定め）
（3）　法人でない社団又は財団について代表者又は管理人の定めがあるとは、当該社団又は財団の定款、寄附行為、規約等によって代表者又は管理人が定められている場合のほか、当該社団又は財団の業務に係る契約を締結し、その金銭、物品等を管理する等の業務を主宰する者が事実上あることをいうものとする。したがって、法人でない社団又は財団で収益事業を行うものには、代表者又は管理人の定めのないものは通常あり得ないことに留意する。（基通1－1－3）

二　収益事業の範囲

1　収益事業の意義

収益事業とは、次の2《収益事業の種類》に掲げる事業（その性質上その事業に付随して行われる行為を含む。）で、継続して事業場を設けて行われるものをいう。（法2ⅩⅢ、令5①）

　　　（付随行為）
（1）　1に掲げる「その性質上その事業に付随して行われる行為」とは、例えば次に掲げる行為のように、通常その収益事業に係る事業活動の一環として、又はこれに関連して行われる行為をいう。（基通15－1－6）
　（一）　出版業を行う公益法人等又は人格のない社団等が行うその出版に係る業務に関係する講演会の開催又は当該業務に係る出版物に掲載する広告の引受け
　（二）　技芸教授業を行う公益法人等又は人格のない社団等が行うその技芸の教授に係る教科書その他これに類する教材の販売及びバザーの開催
　　　注　教科書その他これに類する教材以外の出版物その他の物品の販売に係る収益事業の判定については、2の①の(2)《宗教法人、学校法人等の物品販売》に掲げるところによる。
　（三）　旅館業又は料理店業を行う公益法人等又は人格のない社団等がその旅館等において行う会議等のための席貸し
　（四）　興行業を行う公益法人等又は人格のない社団等が放送会社に対しその興行に係る催し物の放送をすることを許諾する行為
　（五）　公益法人等又は人格のない社団等が収益事業から生じた所得を預金、有価証券等に運用する行為
　　　注　収益事業以外の事業に属する資産として区分経理した場合の取扱いについては、三の(5)《収益事業の所得の運用》を参照。（編者）
　（六）　公益法人等又は人格のない社団等が収益事業に属する固定資産等を処分する行為
　　　注　収益事業に属する固定資産の処分損益の取扱いについては、三の(9)《収益事業に属する固定資産の処分損益》を参照。（編者）

第五章　第一節《公益法人等及び人格のない社団等における課税》

　　　（継続して行われるもの）
（2）　1に掲げる「継続して……行われるもの」には、各事業年度の全期間を通じて継続して事業活動を行うもののほか、次のようなものが含まれることに留意する。(基通15－1－5)
　　（一）　例えば土地の造成及び分譲、全集又は事典の出版等のように、通常一の事業計画に基づく事業の遂行に相当期間を要するもの
　　（二）　例えば海水浴場における席貸し等又は縁日における物品販売のように、通常相当期間にわたって継続して行われるもの又は定期的に、若しくは不定期に反復して行われるもの
　　　　注　公益法人等又は人格のない社団等が2《収益事業の種類》に掲げる事業のいずれかに該当する事業（以下（2）において「特掲事業」という。）とこれに類似する事業で特掲事業に該当しないものとを行っている場合には、その行う特掲事業が継続して行われているかどうかは、これらの事業が全体として継続して行われているかどうかを勘案して判定する。

　　　（事業場を設けて行われるもの）
（3）　1に掲げる「事業場を設けて行われるもの」には、常時店舗、事務所等事業活動の拠点となる一定の場所を設けてその事業を行うもののほか、必要に応じて随時その事業活動のための場所を設け、又は既存の施設を利用してその事業活動を行うものが含まれる。したがって、移動販売、移動演劇興行等のようにその事業活動を行う場所が転々と移動するものであっても、「事業場を設けて行われるもの」に該当する。(基通15－1－4)

2　収益事業の種類

①　**物品販売業**（動植物その他通常物品といわないものの販売業を含むものとし、国立研究開発法人農業・食品産業技術総合研究機構が国立研究開発法人農業・食品産業技術総合研究機構法第14条1項第4号《業務の範囲》に掲げる業務として行うものを除く。）(令5①Ⅰ)

　　　（物品販売業の範囲）
（1）　物品販売業には、公益法人等又は人格のない社団等が自己の栽培、採取、捕獲、飼育、繁殖、養殖その他これらに類する行為（以下⑥の（1）《製造業の範囲》において「栽培等」という。）により取得した**農産物等**（農産物、畜産物、林産物又は水産物をいう。以下⑩の（1）《請負業の範囲》までにおいて同じ。）をそのまま又は加工を加えた上で直接不特定又は多数の者に販売する行為が含まれるが、当該農産物等（出荷のために最小限必要とされる簡易な加工を加えたものを含む。）を特定の集荷業者等に売り渡すだけの行為は、これに該当しない。(基通15－1－9)
　　　注1　①の括弧書に掲げる「通常物品といわないもの」には、動植物のほか、郵便切手、収入印紙、物品引換券等が含まれるが、有価証券及び手形はこれに含まれない。
　　　注2　公益法人等又は人格のない社団等が一定の時期又は一定の条件の下に販売する目的で特定の物品を取得し、これを保有するいわゆる備蓄事業等に係る業務は、物品販売業に含まれる。
　　　注3　公益法人等又は人格のない社団等がその会員等に対して有償で物品の頒布を行っている場合であっても、当該物品の頒布が当該物品の用途、頒布価額等からみて専ら会員等からその事業規模等に応じて会費を徴収する手段として行われているものであると認められるときは、当該物品の頒布は、物品販売業に該当しない。

　　　（宗教法人、学校法人等の物品販売）
（2）　宗教法人、学校法人等が行う物品の販売が物品販売業に該当するかどうかについては、次に掲げる場合には、それぞれ次による。(基通15－1－10)
　　（一）　宗教法人におけるお守り、お札、おみくじ等の販売のように、その売価と仕入原価との関係からみてその差額が通常の物品販売業における売買利潤ではなく実質は喜捨金と認められる場合のその販売は、物品販売業に該当しないものとする。ただし、宗教法人以外の者が、一般の物品販売業として販売できる性質を有するもの（例えば、絵葉書、写真帳、暦、線香、ろうそく、供花等）をこれらの一般の物品販売業者とおおむね同様の価格で参詣人等に販売している場合のその販売は、物品販売業に該当する。
　　（二）　学校法人等が行う教科書その他これに類する教材以外の出版物の販売は、物品販売業に該当する。
　　　　　注　ここでいう「教科書その他これに類する教材」とは、教科書、参考書、問題集等であって、学校の指定に基づいて授業において教材として用いるために当該学校の学生、生徒等を対象として販売されるものをいう。
　　（三）　学校法人等が行うノート、筆記具等の文房具、布地、糸、編糸、食料品等の材料又はミシン、編物機械、ちゅう房用品等の用具の販売は、たとえこれらの物品が学校の指定に基づいて授業において用いられるものである場合であっても、物品販売業に該当する。
　　（四）　学校法人等が行う制服、制帽等の販売は、物品販売業に該当する。

(五)　学校法人等が行うバザーで年1、2回開催される程度のもの（**1**の（1）《付随行為》の(二)に該当するものを除く。）は、物品販売業に該当しないものとする。

② **不動産販売業**のうち次に掲げるもの以外のもの（令5①Ⅱ）
イ　次に掲げる法人で、その業務が地方公共団体の管理の下に運営されているもの（以下**2**において「**特定法人**」という。）の行う不動産販売業

(イ)	その社員総会における議決権の総数の$\frac{1}{2}$以上の数が当該地方公共団体により保有されている公益社団法人又は第二章第一節の**二**の**別表第二**（以下この章において「**法別表第二**」という。）に掲げる一般社団法人
(ロ)	その拠出をされた金額の$\frac{1}{2}$以上の金額が当該地方公共団体により拠出をされている公益財団法人又は法別表第二に掲げる一般財団法人
(ハ)	その社員総会における議決権の全部が(イ)又は(ロ)に掲げる法人により保有されている公益社団法人又は法別表第二に掲げる一般社団法人
(ニ)	その拠出をされた金額の全額が(イ)又は(ロ)に掲げる法人により拠出をされている公益財団法人又は法別表第二に掲げる一般財団法人

ロ　日本勤労者住宅協会が日本勤労者住宅協会法第23条第1号及び第2号《業務》に掲げる業務として行う不動産販売業

ハ　独立行政法人農業者年金基金が独立行政法人農業者年金基金法附則第6条第1項第2号《業務の特例》に掲げる業務として行う不動産販売業

ニ　独立行政法人中小企業基盤整備機構が独立行政法人中小企業基盤整備機構法第15条第1項第8号《業務の範囲》及び附則第8条の8第2号《改正前中小強化法等に係る業務の特例》に掲げる業務並びに同法附則第8条の2第1項《旧新事業創出促進法に係る業務の特例》及び第8条の4第1項《旧特定産業集積活性化法に係る業務の特例》の規定に基づく業務として行う不動産販売業

ホ　民間都市開発の推進に関する特別措置法第3条第1項《民間都市開発促進機構の指定》に規定する民間都市開発推進機構（③のト及び⑤のトにおいて「**民間都市開発推進機構**」という。）が同法第4条第1項第1号《機構の業務》（都市再生特別措置法第30条《民間都市開発法の特例》又は第104条《民間都市開発法の特例》の規定により読み替えて適用する場合を含む。⑤のトにおいて同じ。）及び民間都市開発の推進に関する特別措置法附則第14条第2項第1号《機構の業務の特例》に掲げる業務並びに同条第10項（同条第12項の規定により読み替えて適用する場合を含む。）の規定に基づく業務として行う不動産販売業

　　　　（不動産販売業の範囲）
(1)　公益法人等又は人格のない社団等が土地（借地権を含む。以下(1)において同じ。）を譲渡するに当たって当該土地に集合住宅等を建築し、又は当該土地につき区画形質の変更を行った上でこれを分譲する行為は、原則として不動産販売業に該当するのであるが、当該土地が相当期間にわたり固定資産として保有されていたものであり、かつ、その建築又は変更から分譲に至る一連の行為が専ら当該土地の譲渡を容易にするために行われたものであると認められる場合には、当該土地の譲渡は、不動産販売業に該当しないものとする。ただし、その区画形質の変更により付加された価値に対応する部分の譲渡については、この限りでない。（基通15－1－12）
　　注　土地の分譲に代えて当該土地に借地権を設定した場合におけるその借地権の設定で第三章第一節第二十七款の**五**の**2**《借地権の設定等により地価が著しく低下する場合の土地等の帳簿価額の一部の損金算入》の適用があるものについても、本文の取扱いによる。

　　　　（特定法人の範囲）
(2)　②のイに掲げる「その業務が地方公共団体の管理の下に運営されている」とは、その法人の事業計画及び資金計画の策定並びにその実施が当該法人の議決権の保有者又は拠出者たる地方公共団体の管理の下に行われ、かつ、予算及び決算について当該地方公共団体の承認を必要とするなど当該法人の業務運営が当該地方公共団体によって実質的に管理されていることをいう。（基通15－1－13）
　　注　当該地方公共団体が当該法人の業務運営を管理していることについては、当該地方公共団体に確認を求めるものとする。

③ **金銭貸付業**のうち次に掲げるもの以外のもの（令5①Ⅲ）
イ　独立行政法人勤労者退職金共済機構が中小企業退職金共済法第70条第2項第1号《業務の範囲》に掲げる業務並びに同法附則第2条第1項《業務の特例》及び中小企業退職金共済法の一部を改正する法律（平成14年法律第164号）附

則第5条《業務の特例》の規定に基づく業務として行う金銭貸付業
ロ　独立行政法人中小企業基盤整備機構が独立行政法人中小企業基盤整備機構法第15条第1項第3号、第4号、第11号及び第13号並びに第2項第8号《業務の範囲》に掲げる業務として行う金銭貸付業
ハ　所得税法施行令第74条第5項《特定退職金共済団体の承認》に規定する特定退職金共済団体が行う同令第73条第1項第5号ヘ《特定退職金共済団体の要件》に掲げる貸付金に係る金銭貸付業
ニ　独立行政法人農業者年金基金が独立行政法人農業者年金基金法附則第6条第1項第2号《業務の特例》に掲げる業務として行う金銭貸付業
ホ　独立行政法人自動車事故対策機構が独立行政法人自動車事故対策機構法第13条第5号及び第6号《業務の範囲》に掲げる業務として行う金銭貸付業
ヘ　国立研究開発法人新エネルギー・産業技術総合開発機構が国立研究開発法人新エネルギー・産業技術総合開発機構法附則第6条第1項《探鉱貸付経過業務》及び第9条第2項《鉱工業承継業務》の規定に基づく業務として行う金銭貸付業
ト　民間都市開発推進機構が民間都市開発の推進に関する特別措置法第4条第1項第2号《機構の業務》に掲げる業務として行う金銭貸付業
チ　日本私立学校振興・共済事業団が日本私立学校振興・共済事業団法第23条第1項第2号《業務》に掲げる業務として行う金銭貸付業
リ　<u>広域的運営推進機関が電気事業法（昭和39年法律第170号）第28条の40第1項第5号の3《業務》に掲げる業務として行う金銭貸付業</u>

注　リは、令和6年度改正により追加された部分で、改正規定は、令和6年4月1日から適用される。（令6改令附1）

（金銭貸付業の範囲）
（1）　金銭貸付業は、その貸付先が不特定又は多数の者である金銭の貸付けに限られないことに留意する。（基通15−1−14）

注　ここでいう「金銭の貸付け」には、手形の割引が含まれるが、公益法人等又は人格のない社団等が余裕資金の運用等として行ういわゆる有価証券の現先取引に係る行為はこれに含まれないものとする。

（金銭貸付業に該当しない共済貸付け）
（2）　公益法人等又は人格のない社団等が、その組合員、会員等の拠出に係る資金を主たる原資とし、当該組合員、会員等を対象として金銭の貸付けを行っている場合において、その貸付けに係る貸付金の利率が全て年7.3%（契約日の属する年の租税特別措置法第93条第2項《利子税の割合の特例》に規定する利子税特例基準割合が年7.3%未満である場合には、当該利子税特例基準割合。以下（2）において「基準割合」という。）以下であるときは、当該組合員、会員等に対する金銭の貸付けは、（1）にかかわらず、金銭貸付業に該当しないものとして取り扱う。当該貸付けに係る貸付金の利率が変動金利である場合には、当該貸付けに係る契約期間における金利がおおむね基準割合以下となるときに限り金銭貸付業に該当しないものとして取り扱う。（基通15−1−15・編者補正）

④　**物品貸付業**（動植物その他通常物品といわないものの貸付業を含む。）のうち次に掲げるもの以外のもの（令5①Ⅳ）
イ　土地改良事業団体連合会が会員に対し土地改良法第111条の9《事業》に掲げる事業として行う物品貸付業
ロ　特定法人が農業若しくは林業を営む者、地方公共団体又は農業協同組合、森林組合その他農業若しくは林業を営む者の組織する団体（以下④及び⑩のハにおいて「**農業者団体等**」という。）に対し農業者団体等の行う農業又は林業の目的に供される土地の造成及び改良並びに耕うん整地その他の農作業のために行う物品貸付業

（物品貸付業の範囲）
例えば旅館における遊技用具の貸付け、ゴルフ練習場、スケート場等における用具の貸付け、遊園地における貸ボート等のように、旅館業、遊技所業等に係る施設内において使用される物品の貸付けは、それぞれの旅館業、遊技所業等の範囲に含まれ、物品貸付業には含まれないことに留意する。（基通15−1−16）

注　著作権、工業所有権、ノウハウ等は、④の括弧書に掲げる「通常物品といわないもの」に含まれない。

⑤　**不動産貸付業**のうち次に掲げるもの以外のもの（令5①Ⅴ）
イ　特定法人が行う不動産貸付業
ロ　日本勤労者住宅協会が日本勤労者住宅協会法第23条第1号及び第2号《業務》に掲げる業務として行う不動産貸付

ハ 社会福祉法第22条《定義》に規定する社会福祉法人が同法第2条第3項第8号《定義》に掲げる事業として行う不動産貸付業
ニ 宗教法人法第4条第2項《法人格》に規定する宗教法人又は公益社団法人若しくは公益財団法人が行う墳墓地の貸付業
ホ 国又は地方公共団体（以下ニにおいて「**国等**」という。）に対し直接貸し付けられる不動産の貸付業
ヘ 主として住宅の用に供される土地の貸付業（イからハまで及びホに掲げる不動産貸付業を除く。）で、その貸付けの対価の額のうち、当該事業年度の貸付期間に係る収入金額の合計額が、当該貸付けに係る土地に課される固定資産税額及び都市計画税額で当該貸付期間に係るものの合計額に3を乗じて計算した金額以下であるもの（規4）
ト 民間都市開発推進機構が民間都市開発の推進に関する特別措置法第4条第1項第1号《機構の業務》に掲げる業務として行う不動産貸付業
チ 独立行政法人農業者年金基金が独立行政法人農業者年金基金法附則第6条第1項第2号《業務の特例》に掲げる業務として行う不動産貸付業
リ 独立行政法人中小企業基盤整備機構が独立行政法人中小企業基盤整備機構法第15条第1項第8号及び附則第8条の8第1項《業務の範囲》に掲げる業務並びに同法附則第8条の2第1項《旧新事業創出促進法に係る業務の特例》及び第8条の4第1項《旧特定産業集積活性化法に係る業務の特例》の規定に基づく業務として行う不動産貸付業

（不動産貸付業の範囲）
（1） 不動産貸付業には、店舗の一画を他の者に継続的に使用させるいわゆるケース貸し及び広告等のために建物その他の建造物の屋上、壁面等を他の者に使用させる行為が含まれる。（基通15－1－17）
注 他の者に不動産を使用させる行為であっても、⑨《倉庫業》、⑭《席貸業》、㉗《遊技所業》又は㉛《駐車場業》に掲げる事業のいずれかに該当するものは、不動産貸付業に含まれないことに留意する。

（非課税とされる墳墓地の貸付け）
（2） ⑤のニにより収益事業とされない墳墓地の貸付業には、同ニに掲げる法人がいわゆる永代使用料を徴して行う墳墓地の貸付けが含まれることに留意する。（基通15－1－18）

（非課税とされる国等に対する不動産の貸付け）
（3） ⑤のホにより収益事業とされない国等に対する不動産の貸付けは、国等によって直接使用されることを目的として当該国等に対して直接貸し付けられるものに限られるのであるから、公益法人等又は人格のない社団等が国等に対して不動産の貸付けを行った場合においても、当該不動産が国等以外の者に転貸されているときは、当該不動産の貸付けはこれに該当しない。（基通15－1－19）

（非課税とされる住宅用地の貸付け）
（4） ⑤のへに掲げる「主として住宅の用に供される土地」とは、その床面積の$\frac{1}{2}$以上が居住の用（貸家住宅の用を含み、別荘の用を除く。）に供される家屋の敷地として使用されている土地のうちその面積が当該家屋の床面積の10倍に相当する面積以下であるものをいう。（基通15－1－20）

（低廉貸付けの判定）
（5） 公益法人等又は人格のない社団等が行う土地の貸付けが⑤のへの要件に該当するかどうかについては、次のことは次による。（基通15－1－21）
　（一） 土地の貸付けが⑤のへに掲げる要件に該当するかどうかは、それぞれの貸付けごとに判定する。
　（二） ⑤のへに掲げる貸付期間に係る収入金額は、当該期間につき経常的に収受する地代の額によるものとし、契約の締結、更新又は更改に伴って収受する権利金その他の一時金の額はこれに含めないものとする。
　（三） ⑤のへに掲げる固定資産税及び都市計画税の額は、当該土地に係る固定資産税又は都市計画税が特別に減免されている場合であっても、その減免がされなかったとした場合におけるこれらの税額による。

⑥ **製造業**（電気又はガスの供給業、熱供給業及び物品の加工修理業を含むものとし、国立研究開発法人農業・食品産業技術総合研究機構が国立研究開発法人農業・食品産業技術総合研究機構法第14条第1項第2号及び第3号に掲げる業務として行うものを除く。）（令5①Ⅵ）

　　（製造業の範囲）
（1）　公益法人等又は人格のない社団等が、製造場、作業場等の施設を設け、自己の栽培等により取得した農産物等につき出荷のために最小限必要とされる簡易な加工の程度を超える加工を加え、又はこれを原材料として物品を製造して卸売する行為は、製造業に該当する。（基通15−1−22）

　　（研究試作品等の販売）
（2）　公益法人等又は人格のない社団等がその研究の成果に基づいて製作した試作品等を他に譲渡する場合において、その譲渡が反復又は継続して行われるなど事業と認められる程度のものであるときは、その製作及び譲渡は、製造業に該当する。（基通15−1−23）

⑦ **通信業**（放送業を含む。）（令5①Ⅶ）

　　（通信業の範囲）
　　通信業（放送業を含む。）とは、他人の通信を媒介若しくは介助し、又は通信設備を他人の通信の用に供する事業及び多数の者によって直接受信される通信の送信を行う事業をいうのであるから、無線呼出業務、電報の集配業務、郵便物又は信書便物の集配業務、公衆電話サービス業務（いわゆる赤電話等）及び共同聴取聴視業務（いわゆる共同アンテナ）に係る事業もこれに含まれることに留意する。（基通15−1−24）

⑧ **運送業**（運送取扱業を含む。）（令5①Ⅷ）

　　（運送業の範囲）
　　運送業には、リフト、ロープウェイ等の索道事業が含まれるが、自動車道事業、運河業及び桟橋業はこれに含まれない。（基通15−1−25）

⑨ **倉庫業**（寄託を受けた物品を保管する業を含むものとし、㉛《駐車場業》に掲げる事業に該当するものを除く。）（令5①Ⅸ）

　　（倉庫業の範囲）
　　倉庫業には、寄託を受けた物品を保管する業が含まれるから、手荷物、自転車等の預り業及び保護預り施設による物品等の預り業（貸金庫又は貸ロッカーを除く。）もこれに該当する。（基通15−1−26）
　　注　貸金庫又は貸ロッカーは、④《物品貸付業》の物品貸付業に該当する。

⑩ **請負業**（事務処理の委託を受ける業を含む。）のうち次に掲げるもの以外のもの（令5①Ⅹ）
　イ　法令の規定に基づき国等の事務処理を委託された法人の行うその委託に係るもので、次に掲げる要件に該当するもの（規4の2）

(イ)	その委託の対価がその事務処理のために必要な費用を超えないことが法令の規定により明らかなこと。
(ロ)	その委託の対価がその事務処理のために必要な費用を超えるに至った場合には、法令の規定により、その超える金額を委託者又はそれに代わるべき者として主務大臣の指定する者に支出することとされていること。
(ハ)	その委託が法令の規定に従って行われていること。

　ロ　土地改良事業団体連合会が会員又は国若しくは都道府県に対し土地改良法第111条の9《事業》に掲げる事業として行う請負業
　ハ　特定法人が農業者団体等に対し農業者団体等の行う農業又は林業の目的に供される土地の造成及び改良並びに耕うん整地その他の農作業のために行う請負業
　ニ　私立学校法第3条《定義》に規定する学校法人がその設置している大学に対する他の者の委託を受けて行う研究に

係るもの（その委託に係る契約又は協定において、当該研究の成果の全部若しくは一部が当該学校法人に帰属する旨又は当該研究の成果について学術研究の発展に資するため適切に公表される旨が定められているものに限る。）

ホ　国民健康保険団体連合会が次に掲げる者の委託を受けて行うもの（法令の規定に基づく委託を受けて行うもの〔これに準ずるものを含む。〕であることその他の（1）に掲げる要件に該当するものに限る。）（規4の2の2②）

(イ)	国又は都道府県、市町村（特別区を含む。）若しくは高齢者の医療の確保に関する法律（昭和57年法律第80号）第48条《広域連合の設立》に規定する後期高齢者医療広域連合
(ロ)	全国健康保険協会、健康保険組合、国民健康保険組合、国家公務員共済組合、地方公務員共済組合又は日本私立学校振興・共済事業団
(ハ)	社会保険診療報酬支払基金又は独立行政法人環境再生保全機構
(ニ)	都道府県の区域をその区域とする国民健康保険団体連合会の全てをその社員とすることに該当する公益社団法人

注　ホは、令和6年度改正により追加された部分で、改正規定は、令和6年4月1日以後に開始する事業年度について適用される。（令6改令附3、1）

（国民健康保険団体連合会が委託を受けて行う事業で収益事業に該当しないものの要件）
（1）　⑩のホに掲げる委託を受けて行うものであることの要件は、法令の規定に基づく委託を受けて行うもの（これに準ずるものを含む。）であること、その委託の対価がその事業を実施するために必要な費用を超えるに至った場合にはその超えるに至った事業年度の翌事業年度の委託の対価を減額することとされていることその他の厚生労働大臣の定める要件に該当することにつき厚生労働大臣の証明を受けたものであることとする。（規4の2の2①）
注1　（1）は、令和6年度改正により追加された部分で、改正規定は、令和6年4月1日から適用される。（令6改規附1）
注2　（1）に掲げる厚生労働大臣の定める要件は、令和6年厚生労働省告示第183号により定められている。（編者）

（請負業の範囲）
（2）　請負業には、事務処理の委託を受ける業が含まれるから、他の者の委託に基づいて行う調査、研究、情報の収集及び提供、手形交換、為替業務、検査、検定等の事業（国等からの委託に基づいて行うこれらの事業を含み、⑩のイからホまでに掲げるものを除く。）は請負業に該当するが、農産物等の原産地証明書の交付等単に知っている事実を証明するだけの行為はこれに含まれない。（基通15－1－27）

（実費弁償による事務処理の受託等）
（3）　公益法人等又は人格のない社団等が、事務処理の受託の性質を有する業務を行う場合においても、当該業務が法令の規定、行政官庁の指導又は当該業務に関する規則、規約若しくは契約に基づき実費弁償（その委託により委託者から受ける金額が当該業務のために必要な費用の額を超えないことをいう。）により行われるものであり、かつ、そのことにつきあらかじめ一定の期間（おおむね5年以内の期間とする。）を限って所轄税務署長（国税局の調査部〔課〕所管法人にあっては、所轄国税局長）の確認を受けたときは、その確認を受けた期間については、当該業務は、その委託者の計算に係るものとして当該公益法人等又は人格のない社団等の収益事業としないものとする。（基通15－1－28）
注　非営利型法人が第二章第一節の二の表の**9の2**の(6)《収益事業を行っていないことの判定》の確認を受けている場合には、本文の確認を受けたものとみなす。

（実費弁償の判定）
（4）　公益法人等又は人格のない社団等が事務処理の受託の性質を有する業務を行う場合において、当該業務について生じた剰余金の処理に関して次のいずれかの事実があり、かつ、現にこれに基づいて当該業務が行われており、将来にわたっても同様であると認められるときは、当該業務は（3）に掲げる「実費弁償により行われるもの」に該当するものとする。（編者）
（一）　法令の規定、行政官庁の指導又は当該業務に関する規則、規約若しくは契約（以下「契約等」という。）により、当該業務について受ける手数料その他その受託に係る対価の額（以下「手数料等の額」という。）が当該業務に必要な費用の額の範囲内で定められており、かつ、当該業務につき剰余金（当該業務の遂行上通常生ずると認められる程度の少額の剰余金を除く。以下同じ。）が生じた場合には、次のいずれかの措置が講ぜられることになっていること。

イ	当該剰余金をその委託者に返還すること。
ロ	当該事業年度において生じた剰余金について、その後の手数料等の額を減額するなどの方法により当該事業年度の翌事業年度(やむを得ない事情がある場合には、翌々事業年度とする。)終了の日までにこれを解消すること。

(二) 当該業務に係る手数料等の額が法令(例えば、計量法、輸出検査法等)の規定により定められている場合において、その手数料等の額が当該業務に必要な費用の額の範囲内で定められており、かつ、当該業務につき剰余金が生じたときはその後の手数料等の額の改訂に際して当該剰余金の額を勘案して当該手数料等の額を減額するなど適正な是正措置が講ぜられることにつき当該法令を所管する行政官庁が証明したこと。

注 (一)又は(二)に掲げる「当該業務に必要な費用の額」には、当該業務のために直接要する経費の額のほか、当該業務の用と当該業務以外の業務の用とに共用される固定資産の減価償却費、修繕費又は租税公課の額及びこれらの業務に従事する従業員に係る人件費の額その他これらの業務に共通する経費の額のうちその受託に係る業務に係るものとして合理的な基準により配分される金額が含まれる。

(請負業と他の特掲事業との関係)

(5) 公益法人等又は人格のない社団等の行う事業が請負又は事務処理の受託としての性質を有するものである場合においても、その事業がその性格からみて**2**《収益事業の種類》に掲げる事業のうち⑩《請負業》以外に掲げるもの(以下(5)において「他の特掲事業」という。)に該当するかどうかにより収益事業の判定をなすべきものであるとき又は他の特掲事業と一体不可分のものとして課税すべきものであると認められるときは、その事業は、請負業には該当しないものとする。(基通15－1－29)

⑪ **印刷業**（令5①XI)

(印刷業の範囲)

印刷業には、謄写印刷業、タイプ孔版印刷業及び複写業のほか、製版業、植字業、鉛版等製造業、銅版又は木版彫刻業、製本業、印刷物加工業等が含まれる。(基通15－1－30)

⑫ **出版業**（特定の資格を有する者を会員とする法人がその会報その他これに準ずる出版物を主として会員に配布するために行うもの及び学術、慈善その他公益を目的とする法人がその目的を達成するため会報を専らその会員に配布するために行うものを除く。)（令5①XII)

(出版業の範囲)

(1) 出版業には、各種の名簿、統計数値、企業財務に関する情報等を印刷物等として刷成し、これを販売する事業が含まれる。(基通15－1－31)

注1 他の者が出版する出版物の編集、監修等を引き受ける事業は、⑩の請負業に該当する。
注2 出版物の取次ぎを行う事業は、①の物品販売業又は⑳の問屋業に該当する。

(特定の資格)

(2) ⑫に掲げる「特定の資格」とは、特別に定められた法律上の資格、特定の過去の経歴からする資格その他これらに準ずる資格をいうのであるから、単に次に掲げることに該当することをもってその会員の資格とするような法人は、特定の資格を有する者を会員とする法人とはならないことに留意する。(基通15－1－32)

(一) 年齢、性別又は姓名が同じであること。
(二) 趣味又はし好が同じであること。
(三) その他(一)又は(二)に準ずるものであること。

(会報に準ずる出版物)

(3) ⑫に掲げる「これに準ずる出版物」とは、会報に代え、又は会報に準じて出版される出版物で主として会員だけに必要とされる特殊な記事を内容とする出版物をいう。したがって、会員名簿又は会員の消息その他これに準ずるものを記事の内容とするものは会報に準ずるものに該当するが、いわゆる単行本、月刊誌のような書店等において通常商品として販売されるものと同様な内容のものは、これに該当しないことに留意する。(基通15－1－33)

(出版物を主として会員に配布すること)
(4) ⑫に掲げる「主として会員に配布する」こととは、会報その他これに準ずる出版物を会員に配布することを目的として刷成し、その部数の大部分（8割程度）を会員に配布していることをいう。この場合において、会員でない者でその会に特別の関係を有する者に対して対価を受けないで配布した部数は、会員に配布したものとして取り扱う。(基通15－1－34)

(会報を専らその会員に配布すること)
(5) ⑫に掲げる「会報を専らその会員に配布する」こととは、会報を会員だけに配布することをいう。この場合において、会員でない者でその会に特別の関係を有する者に対して対価を受けないで配布しているものは、会員に配布したものとして取り扱う。(基通15－1－35)

(代価に代えて会費を徴収して行う出版物の発行)
(6) 公益法人等又は人格のない社団等の行う出版物の配布が出版業に該当する場合において、当該出版物の対価が会費等の名目で徴収されていると認められるときは、次に掲げる場合に応じ、次による。(基通15－1－36)
(一) 会員から出版物の代価を徴収しないで別に会費を徴収している場合には、その会費のうち当該出版物の代価相当額を出版業に係る収益とする。
(二) 会員以外の者に配布した出版物について代価を徴収しないで会費等の名目で金銭を収受している場合には、その収受した金額を出版業に係る収益とする。

⑬ **写真業**（令5①XIII）

(写真業の範囲)
写真業には、他の者の撮影した写真フィルムの現像、焼付け等（その取次ぎを含む。）を行う事業が含まれる。(基通15－1－37)

⑭ **席貸業**のうち次に掲げるもの（令5①XIV）
イ 不特定又は多数の者の娯楽、遊興又は慰安の用に供するための席貸業
ロ イに掲げる席貸業以外の席貸業（次に掲げるものを除く。）

(イ)	国等の用に供するための席貸業
(ロ)	社会福祉法第2条第1項《定義》に規定する社会福祉事業として行われる席貸業
(ハ)	私立学校法第3条《定義》に規定する学校法人若しくは同法第152条第5項《私立専修学校等》の規定により設立された法人又は職業能力開発促進法第31条《職業訓練法人》に規定する職業訓練法人がその主たる目的とする業務に関連して行う席貸業
(ニ)	法人がその主たる目的とする業務に関連して行う席貸業で、当該法人の会員その他これに準ずる者の用に供するためのもののうちその利用の対価の額が実費の範囲を超えないもの

注 ──線部分は、私立学校法の一部を改正する法律の施行に伴う関係政令の整備に関する政令（令和6年政令第209号）により改正された部分で、改正規定は、令和7年4月1日から適用され、令和7年3月31日以前の適用については、「第152条第5項」とあるのは「第64条第4項」とする。（同政令附1）

(席貸業の範囲)
(1) ⑭のイに掲げる「不特定又は多数の者の娯楽、遊興又は慰安の用に供するための席貸業」には、興行（㉖の(2)《慈善興行等》により興行業に該当しないものとされるものを含む。）を目的として集会場、野球場、テニスコート、体育館等を利用する者に対してその貸付けを行う事業（不動産貸付業に該当するものを除く。）が含まれることに留意する。(基通15－1－38)
注 展覧会等のための席貸しは、⑭のイに掲げる娯楽、遊興又は慰安の用に供するための席貸しに該当する。

(会員に準ずる者)
(2) ⑭のロの(ニ)に掲げる「会員その他これに準ずる者」には、公益法人等又は人格のない社団等の正会員のほか、準会員、賛助会員等として当該公益法人等又は人格のない社団等の業務運営に参画し、その業務運営のための費用の一部を負担している者、当該公益法人等又は人格のない社団等が複数の団体を構成員とする組織である場合のその間

接の構成員等が含まれるものとする。(基通15－1－38の2)

　　　(利用の対価の額が実費の範囲を超えないもの)
(3)　公益法人等又は人格のない社団等の行う席貸業が⑭のロの(ニ)に掲げる「その利用の対価の額が実費の範囲を超えないもの」に該当するかどうかは、既往の実績等に照らし、当該事業年度における会員その他これに準ずる者に対する席貸しに係る収益の額と費用の額とがおおむね均衡すると認められるような利用料金が設定されているかどうかにより判定する。(基通15－1－38の3)

⑮　**旅館業**（令5①XV）

　　　(旅館業の範囲)
(1)　旅館業には、下宿営業のほか、旅館業法による旅館業の許可を受けないで宿泊させ、宿泊料（その実質が宿泊料であると認められるものを含む。以下⑮において同じ。）を受ける事業が含まれる。したがって、例えば宗教法人が宿泊施設を有し、信者又は参詣人を宿泊させて宿泊料を受けるような行為も、(4)《低廉な宿泊施設》に該当するものを除き、旅館業に該当する。(基通15－1－39)

　　　(公益法人等の経営に係る学生寮)
(2)　学生又は生徒の就学を援助することを目的とする公益法人等又は人格のない社団等の経営する学生寮（地方税法施行令第51条の8各号《固定資産税が非課税とされる寄宿舎》に掲げる要件の全てに該当するものに限る。）は、旅館業に該当しないものとする。(基通15－1－40)

　　　(学校法人等の経営する寄宿舎)
(3)　学校法人等が専らその学校に在学する者を宿泊させるために行う寄宿舎の経営は、旅館業に該当しないものとする。ただし、㉚《技芸教授業》に掲げる技芸教授業を行う公益法人等又は人格のない社団等が当該技芸教授業に付随して行う寄宿舎の経営については、この限りでない。(基通15－1－41)

　　　(低廉な宿泊施設)
(4)　公益法人等又は人格のない社団等が専ら会員の研修その他その主たる目的とする事業（収益事業に該当する事業を除く。以下(4)において同じ。）を遂行するために必要な施設として設置した宿泊施設で、次の要件の全てを満たすものの経営は、(3)のただし書に該当するものを除き、旅館業に該当しないものとする。(基通15－1－42)

(一)	その宿泊施設の利用が専ら当該公益法人等又は人格のない社団等の主たる目的とする事業の遂行に関連してなされるものであること。
(二)	その宿泊施設が多人数で共用する構造及び設備を主とするものであること。
(三)	利用者から受ける宿泊料の額が全ての利用者につき1泊1,000円（食事を提供するものについては、2食付きで1,500円）以下であること。

⑯　**料理店業その他の飲食店業**（令5①XVI）

　　　(飲食店業の範囲)
　料理店業その他の飲食店業には、他の者からの仕出しを受けて飲食物を提供するものが含まれることに留意する。(基通15－1－43)
　　　注　学校法人がその設置する小学校、中学校、義務教育学校、特別支援学校等において学校給食法等の規定に基づいて行う学校給食の事業は、料理店業その他の飲食店業に該当しない。

⑰　**周旋業**（令5①XVII）

　　　(周旋業の範囲)
　周旋業とは、他の者のために商行為以外の行為の媒介、代理、取次ぎ等を行う事業をいい、例えば不動産仲介業、債権取立業、職業紹介所、結婚相談所等に係る事業がこれに該当する。(基通15－1－44)

⑱ **代理業**（令5①XVIII）

　　（代理業の範囲）
　　代理業とは、他の者のために商行為の代理を行う事業をいい、例えば保険代理店、旅行代理店等に係る事業がこれに該当する。(基通15－1－45)

⑲ **仲立業**（令5①XIX）

　　（仲立業の範囲）
　　仲立業とは、他の者のために商行為の媒介を行う事業をいい、例えば商品売買、用船契約又は金融（手形割引を含む。）等の仲介又はあっせんを行う事業がこれに該当する。(基通15－1－46)

⑳ **問屋業**（令5①XX）

　　（問屋業の範囲）
　　問屋業とは、自己の名をもって他の者のために売買その他の行為を行う事業（いわゆる取次業）をいい、例えば商品取引員、出版取次業（物品販売業に該当するものを除く。）、広告代理店等に係る事業がこれに該当する。(基通15－1－47)

㉑ **鉱業**（令5①XXI）

　　（鉱業の範囲）
　　鉱業には、請負契約により探鉱、坑道掘削、鉱石の搬出等の作業を行う事業のほか、自らは鉱業権者又は租鉱権者としての登録は受けていないが、鉱業権者又は租鉱権者である者との契約に基づいて鉱業経営に関する費用及び損失を負担し、採掘された鉱物（当該鉱物に係る収益を含む。）の配分を受けることとしているため、実質的に鉱業を行っていると認められる場合におけるその事業が含まれる。(基通15－1－48・編者補正)

㉒ **土石採取業**（令5①XXII）

　　（土石採取業の範囲）
　　土石採取業についても㉑に掲げる「鉱業の範囲」と同様とする。(基通15－1－48・編者補正)

㉓ **浴場業**（令5①XXIII）

　　（浴場業の範囲）
　　浴場業には、いわゆるサウナ風呂、砂湯等の特殊浴場業が含まれる。(基通15－1－49)

㉔ **理容業**（令5①XXIV）

　　（理容業の範囲）
　　理容学校を経営する公益法人等又は人格のない社団等が理容所を設けて不特定又は多数の者に対して理容サービスの提供を行っている場合には、たとえその理容サービスの提供が教育実習の一環として行われるものであり、かつ、その理容学校における技芸の教授が㉚《技芸教授業》のニにより収益事業に該当しないものとされるときであっても、当該理容サービスの提供は、理容業に該当する。(基通15－1－50)

㉕ **美容業**（令5①XXV）

　　（美容業の範囲）
　　美容業には、マッサージ、パック、美容体操等の方法により全身美容のサービスを提供する事業のほか、犬、猫等の愛玩動物のシャンプー、トリミング等を行う事業が含まれる。(基通15－1－51)

注 ㉔《理容業》に掲げる「理容業の範囲」は、美容学校を経営する公益法人等又は人格のない社団等が美容所を設けて不特定又は多数の者に対して美容サービスの提供を行っている場合について準用する。

㉖ **興行業**（令5①ⅩⅩⅥ）

（興行業の範囲）

（1） 興行業には、自らは興行主とはならないで、他の興行主等のために映画、演劇、演芸、舞踊、舞踏、音楽、スポーツ、見せ物等の興行を行う事業及び興行の媒介又は取次ぎを行う事業が含まれる。（基通15－1－52）

注 常設の美術館、博物館、資料館、宝物館等において主としてその所蔵品（保管の委託を受けたものを含む。）を観覧させる行為は、興行業に該当しない。

（慈善興行等）

（2） 次に掲げる興行（これに準ずるものを含む。）に該当することにつき所轄税務署長（国税局の調査部〔課〕所管法人にあっては、所轄国税局長）の確認を受けたものは、興行業に該当しないものとする。（基通15－1－53）

(一)	催物に係る純益の金額の全額が教育（社会教育を含む。）、社会福祉等のために支出されるもので、かつ、当該催物に参加し又は関係するものが何らの報酬も受けないいわゆる慈善興行
(二)	学生、生徒、児童その他催物に参加することを業としない者を参加者又は出演者等とする興行（その興行収入の相当部分を企業の広告宣伝のための支出に依存するものについては、これにより剰余金の生じないものに限るものとし、その他の興行については、その興行のために直接要する会場費、人件費その他の経費の額を賄う程度の低廉な入場料によるものに限る。）

㉗ **遊技所業**（令5①ⅩⅩⅦ）

（遊技所業の範囲）

遊技所業とは、野球場、テニスコート、ゴルフ場、射撃場、釣り堀、碁会所その他の遊技場を設け、これをその用途に応じて他の者に利用させる事業（席貸業に該当するものを除く。）をいい、いわゆる会員制のものが含まれる。（基通15－1－54）

㉘ **遊覧所業**（令5①ⅩⅩⅧ）

（遊覧所業の範囲）

遊覧所業とは、展望台、パノラマ、遊園地、庭園、動植物園、海中公園等のように、専ら不特定又は多数の者をして一定の場所を遊歩し、天然又は人工の物、景観等を観覧させる場合におけるその事業をいう。（基通15－1－55）

㉙ **医療保健業**（血液事業〔献血により血液を採取し、その採取した血液〈その血液から生成される安全な血液製剤の安定供給の確保等に関する法律第2条第1項《定義》に規定する血液製剤を含む。〉を供給する事業〕を含む。以下㉙において同じ。）のうち次に掲げるもの以外のもの（令5①ⅩⅩⅨ、規4の3）

イ 日本赤十字社が行う医療保健業
ロ 社会福祉法第22条《定義》に規定する社会福祉法人が行う医療保健業
ハ 私立学校法第3条《定義》に規定する学校法人が行う医療保健業
ニ 全国健康保険協会、健康保険組合若しくは健康保険組合連合会又は国民健康保険組合若しくは国民健康保険団体連合会が行う医療保健業
ホ 国家公務員共済組合又は国家公務員共済組合連合会が行う医療保健業
ヘ 地方公務員共済組合又は全国市町村職員共済組合連合会が行う医療保健業
ト 日本私立学校振興・共済事業団が行う医療保健業
チ 医療法第42条の2第1項《社会医療法人》に規定する社会医療法人が行う医療保健業（同法第42条《附帯業務》の規定に基づき同条各号に掲げる業務として行うもの及び同項の規定に基づき同項に規定する収益業務として行うものを除く。）
リ 公益社団法人若しくは公益財団法人又は法別表第二に掲げる一般社団法人若しくは一般財団法人（以下㉙において

「公益社団法人等」という。）で、結核に係る健康診断（感染症の予防及び感染症の患者に対する医療に関する法律第17条第1項《健康診断》並びに第53条の2第1項及び第3項《定期の健康診断》の規定に基づく健康診断に限る。）、予防接種（予防接種法第5条第1項《市町村長が行う予防接種》及び第6条第1項《臨時に行う予防接種》の規定に基づく予防接種に限る。）及び医療を行い、かつ、これらの医学的研究（その研究につき国の補助があるものに限る。）を行うもののうち法人格を異にする支部を含めて全国的組織を有するもの及びその支部であるものが行う当該健康診断及び予防接種に係る医療保健業

ヌ　公益社団法人等が行うハンセン病患者の医療（その医療費の全額が国の補助によっているものに限る。）に係る医療保健業

ル　公益社団法人若しくは公益財団法人で専ら学術の研究を行うもの又は法別表第二に掲げる一般社団法人若しくは一般財団法人で専ら学術の研究を行い、かつ、当該研究を円滑に行うための体制が整備されているものとして文部科学大臣の定める基準に該当することにつき文部科学大臣の証明を受けた法人がこれらの学術の研究に付随して行う医療保健業（規4の4）

注　ルに掲げる文部科学大臣が定める基準は、平成20年文部科学省告示第108号（最終改正令和元年第58号）により定められている。（編者）

ヲ　一定の地域内の医師又は歯科医師を会員とする公益社団法人又は法別表第二に掲げる一般社団法人で、次に掲げる要件（公益社団法人にあっては、（イ）から（ホ）までに掲げる要件）に該当するものが行う医療保健業（規5）

（イ）	1又は2以上の都道府県、郡、市、町、村、特別区（旧東京都制第140条第2項《区の区域等》に規定する従来の東京市の区を含む。）又は地方自治法第252条の19第1項《指定都市の権能》に規定する指定都市の区若しくは総合区の区域を単位とし、当該区域内の医師又は歯科医師を会員とする公益社団法人又は法別表第二に掲げる一般社団法人である医師会又は歯科医師会（以下ヲにおいて「医師会法人等」という。）で、当該医師会法人等の当該事業年度終了の日において地域医師等（当該医師会法人等の組織されている区域の医師又は歯科医師をいう。（ハ）及び（ニ）において同じ。）の大部分を会員としているものであること。 注　昭和43年3月31日に存する公益法人等で当該法人の同日の属する事業年度において改正前の要件の全てに該当するもののうち、（イ）に掲げる区域に該当しない一定の地域内の医師を会員とする公益社団法人又は法別表第二に掲げる一般社団法人である医師会については、当分の間、当該医師会の組織されている一定の地域（イ）に掲げる区域とみなして判定する。（昭43改規附③、平20改規附10）
（ロ）	医師会法人等の当該事業年度終了の日における定款に、当該医師会法人等が解散したときはその残余財産が国等又は当該医師会法人等と類似の目的を有する他の公益法人等に帰属する旨の定めがあること。
（ハ）	医師会法人等の開設する全ての病院又は診療所（専ら臨床検査をその業務とするものを含む。（ニ）において「病院等」という。）が、当該事業年度を通じて、地域医師等の全ての者の利用に供するために開放され、かつ、当該地域医師等によって利用されていること。
（ニ）	医師会法人等の開設する全ての病院等における診療が、当該事業年度を通じて地域医師等受診患者（当該病院等以外の病院又は診療所において主として診療を行う地域医師等の当該診療を受けた患者でその後引き続き主として当該地域医師等の診療を受けるものをいう。）に対して専ら行われていること。
（ホ）	医師会法人等の受ける診療報酬又は利用料の額が、当該事業年度を通じて、健康保険法第76条第2項《療養の給付に関する費用》の規定により算定される額、同法第85条第2項《入院時食事療養費》に規定する基準により算定された同項の費用の額、同法第85条の2第2項《入院時生活療養費》に規定する基準により算定された同項の費用の額その他これらに準ずる額以下であること。
（ヘ）	医師会法人等の行う事業が、公的に運営され、かつ、地域における医療の確保に資するものとして厚生労働大臣の定める基準に該当することにつき、厚生労働大臣の証明を受けていること。

注　上表の（ヘ）に掲げる厚生労働大臣の定める基準は、平成20年厚生労働省告示第297号（最終改正平成30年第322号）により定められている。（編者）

ワ　次に掲げる事項の全てに該当するものであることについて財務大臣の承認を受けた日から5年を経過していない法別表第二に掲げる農業協同組合連合会が行う医療保健業（規5の2①）

（イ）	当該農業協同組合連合会が自費患者から受ける診療報酬の額が健康保険法第76条第2項《療養の給付に関する費用》の規定により算定される額、同法第85条第2項《入院時食事療養費》に規定する基準により算定された同項の費用の額、同法第85条の2第2項《入院時生活療養費》に規定する基準により算定された同項の費用の額その他これらに準ずる額以下であり、かつ、その行う診療の程度が同法第72条《保険医又は保険薬剤師の責務》に規定する診療の程度以上であること。

(ロ)	当該農業協同組合連合会がヨの表の(ニ)のAからCまでに掲げる施設（同表の(ニ)のCの再教育を行う施設を含む。）のうちいずれかの施設又はこれらの施設以外の施設で公益の増進に著しく寄与する事業を行うに足りる施設を有するものであり、かつ、当該農業協同組合連合会につき医療に関する法令に違反する事実その他公益に反する事実がないこと。
(ハ)	当該農業協同組合連合会の行う事業が公的に運営されるものであることその他の厚生労働大臣及び農林水産大臣の定める基準に該当すること。

注1　上表の(ハ)は、令和6年度改正により追加された部分で、改正規定は、令和6年4月1日から適用される。（令6改規附1）
注2　上表の(ハ)に掲げる厚生労働大臣及び農林水産大臣の定める基準は、令和6年厚生労働省・農林水産省告示第2号により定められている。（編者）

カ　公益社団法人等で看護師等の人材確保の促進に関する法律第14条第1項《指定等》の規定による指定を受けたものが、介護保険法第8条第4項《定義》に規定する訪問看護、同法第8条の2第3項《定義》に規定する介護予防訪問看護、高齢者の医療の確保に関する法律第78条第1項《訪問看護療養費》に規定する指定訪問看護又は健康保険法第88条第1項《訪問看護療養費》に規定する訪問看護の研修に付随して行う医療保健業

ヨ　イからカまでに掲げるもののほか、次に掲げる要件（法別表第二に掲げる一般社団法人及び一般財団法人以外の法人にあっては、(イ)から(ヘ)までに掲げる要件）に該当する公益法人等が行う医療保健業（規6）

(イ)		公益法人等の当該事業年度終了の日における定款又は寄附行為その他これらに準ずるものに、当該公益法人等が解散したときはその残余財産が国等又は当該公益法人等と類似の目的を有する他の公益法人等に帰属する旨の定めがあること。
(ロ)		次に掲げる者（以下ヨにおいて「**特殊関係者**」という。）のうち当該公益法人等の役員となっているものの数が、当該事業年度を通じて当該公益法人等の役員の総数の$\frac{1}{3}$以下であること。
	A	当該公益法人等に対して、財産を無償で提供した者、財産の譲渡（業として行うものを除く。）をした者又は医療施設を貸与している者
	B	当該公益法人等の行う医療保健業が個人又は法人の行っていた医療保健業を継承したと認められる場合には、当該個人又は法人の行っていた医療保健業を主宰していたと認められる者
	C	A又はBに掲げる者の相続人及び当該相続人の相続人
	D	A、B又はCに掲げる者の親族及び当該親族の配偶者
	E	A、B又はCに掲げる者とまだ婚姻の届出をしないが事実上婚姻関係と同様の事情にある者及びA、B又はCに掲げる者（Aに掲げる者にあっては、個人である場合に限る。）の使用人（A、B又はCに掲げる者の使用人であった者で当該公益法人等の事業に従事するためこれらの者の使用人でなくなったと認められるものを含む。）
	F	Aに掲げる者が法人（国及び公共法人並びに公益法人等でその役員のうち公益法人等に対しAからDまで及びGに掲げる者と同様の関係にある者の数がその役員の総数の$\frac{1}{3}$以下であるものを除く。）である場合には、その法人の役員又は使用人（その法人の役員又は使用人であった者で当該公益法人等の事業に従事するためその法人の役員又は使用人でなくなったと認められるものを含む。）
	G	A、B、C又はDに掲げる者の関係会社（A、B、C及びDに掲げる者の有するその会社の株式又は出資の数又は金額が当該会社の発行済株式又は出資〔当該会社が有する自己の株式又は出資を除く。〕の総数又は総額の$\frac{1}{2}$以上に相当する場合におけるその会社をいう。）の役員又は使用人（その関係会社の役員又は使用人であった者で当該公益法人等の事業に従事するためその関係会社の役員又は使用人でなくなったと認められるものを含む。）
(ハ)		公益法人等が自費患者から受ける診療報酬の額が、当該事業年度を通じて、健康保険法第76条第2項《療養の給付に関する費用》の規定により算定される額、同法第85条第2項《入院時食事療養費》に規定する基準により算定された同項の費用の額、同法第85条の2第2項《入院時生活療養費》に規定する基準により算定された同項の費用の額その他これらに準ずる額以下であり、かつ、その行う診療の程度が同法第72条《保険医又は保険薬剤師の責務》に規定する診療の程度以上であること。ただし、当該公益法人等が次の(ニ)のAからDまでに掲げる事項の全てに該当するものであるときは、この限りでない。

第五章　第一節《公益法人等及び人格のない社団等における課税》

<table>
<tr><td colspan="3">公益法人等が、当該事業年度を通じて、次の表のＡからＣまでに掲げる事項のうちいずれかの事項及びＤに掲げる事項に該当し、又はＥに掲げる事項に該当することにつき厚生労働大臣の証明を受けているものであること。</td></tr>
<tr><td rowspan="5">(ニ)</td><td>Ａ</td><td>医療法第22条第1号及び第4号から第9号まで《地域医療支援病院の施設の基準》に掲げる施設の全てを有していること。</td></tr>
<tr><td>Ｂ</td><td>医師法第11条第2号《医師国家試験の受験資格》若しくは歯科医師法第11条第2号《歯科医師国家試験の受験資格》に規定する実地修練又は医師法第16条の2第1項《臨床研修》に規定する臨床研修を行うための施設を有していること。</td></tr>
<tr><td>Ｃ</td><td>都道府県知事の指定する保健師、助産師、看護師（准看護師を含む。）、診療放射線技師、歯科衛生士、歯科技工士、臨床検査技師、理学療法士、作業療法士若しくは視能訓練士の養成所を有し、又は医学若しくは歯学に関する学校教育法の規定による大学（旧大学令の規定による大学及び旧専門学校令の規定による専門学校を含む。）の教職の経験若しくは担当診療科に関し5年以上の経験を有する医師若しくは歯科医師を指導医として、常時3人以上の医師若しくは歯科医師の再教育（再教育を受ける医師若しくは歯科医師に対して報酬を支給しないものに限る。）を行っていること。</td></tr>
<tr><td>Ｄ</td><td>生活保護法第15条《医療扶助》若しくは同法第16条《出産扶助》に規定する扶助に係る診療を受けた者又は無料若しくは健康保険法第76条第2項《療養の給付に関する費用》の規定により算定される額及び同法第85条第2項に規定する基準により算定された同項の費用の額若しくは同法第85条の2第2項に規定する基準により算定された同項の費用の額の合計額の$\frac{1}{10}$に相当する金額以上を減額した料金により診療を受けた者の延べ数が取扱患者の総延べ数の$\frac{1}{10}$以上であること。</td></tr>
<tr><td>Ｅ</td><td>社会福祉法第69条第1項《第二種社会福祉事業開始の届出》の規定により同法第2条第3項第9号《無料又は低額な料金による診療事業》に掲げる事業を行う旨の届出をし、かつ、厚生労働大臣の定める基準に従って当該事業を行っていること。</td></tr>
<tr><td>(ホ)</td><td colspan="2">公益法人等が、当該事業年度を通じて、その特殊関係者に対し、施設の利用、金銭の貸付け、資産の譲渡、給与の支給その他財産の運用及び事業の収入支出に関して特別の利益を与えていないこと。</td></tr>
<tr><td>(ヘ)</td><td colspan="2">公益法人等が当該事業年度においてその特殊関係者（(ロ)のＥ、Ｆ又はＧに掲げる使用人のうち当該公益法人等の役員でない者を除く。）に支給した給与の合計額が、当該公益法人等の役員及び使用人に支給した給与の合計額の$\frac{1}{4}$に相当する金額以下であること。</td></tr>
<tr><td>(ト)</td><td colspan="2">公益法人等の行う事業が公的に運営されるものとして厚生労働大臣の定める基準に該当することにつき、厚生労働大臣の証明を受けていること。</td></tr>
</table>

　注　上表の(ト)に掲げる厚生労働大臣の定める基準は、平成20年厚生労働省告示第298号により定められている。（編者）

　　（医療保健業の範囲）
(1)　医療保健業には、施術業、助産師業、看護業、歯科技工業、獣医業等が含まれる。（基通15－1－56）

　　（日本赤十字社等が行う医療保健業）
(2)　㉙に掲げる公益法人等（チからルまで及びカに掲げる公益法人等を除く。）については、その行う医療保健業の全てが収益事業とならないことに留意する。（基通15－1－57）

　　（病院における給食事業）
(3)　収益事業に該当しない医療保健業に係る医療の一環として行われる患者のための給食であっても、その給食が当該医療保健業を行う公益法人等以外の公益法人等又は人格のない社団等によって行われている場合には、当該給食に係る事業は当該医療保健業には含まれないのであるが、国等又は収益事業に該当しない医療保健業を行う公益法人等の経営する病院における患者給食を主たる目的として設立された公益法人等又は人格のない社団等がこれらの病院における医療の一環として専らその病院の患者のために行う給食は、収益事業に該当しないものとする。（基通15－1－58）

　　注　収益事業に該当しない医療保健業を行う公益法人等がその患者を対象として行うものであっても、日用品の販売、クリーニングの取次ぎ、

公衆電話サービス業務等の行為は、収益事業に該当することに留意する。

　　（専ら学術の研究を行う公益法人等）
（4）㉙のルに掲げる医療保健業の判定に当たって、次の点については、次のとおり取り扱うものとする。（基通15－1－59）
　（一）「公益社団法人若しくは公益財団法人で専ら学術の研究を行うもの」とは、その学術の研究のために専門の研究員をもって常時研究を行うものをいうこととする。
　（二）「学術の研究に付随して行う」とは、その研究の過程又は結果を実証するなどの必要上付随して行うことをいうものとする。

　　（診療所の範囲）
（5）㉙のヲの表の（ハ）に掲げる「診療所」には、巡回診療バス等の臨時に開設される診療所が含まれる。（基通15－1－60）

　　（臨床検査センター）
（6）㉙のヲの表の（ハ）の括弧書に掲げる「専ら臨床検査をその業務とするもの」には、たん、血液、尿等の検体を集中的に検査することを業務とするいわゆる臨床検査センターが含まれることに留意する。（基通15－1－61）

　　（地域医師等による利用）
（7）㉙のヲの表の（ハ）に掲げる地域医師等による「利用」には、当該地域医師等が病院等で医師会法人等の開設するもの（（8）において「医師会病院等」という。）へ患者を転院させるなどの方法により利用するものが含まれる。（基通15－1－62）

　　（地域医師等による継続診療）
（8）㉙のヲの表の（ニ）に掲げる「地域医師等の診療を受けた患者でその後引き続き主として当該地域医師等の診察を受けるもの」には、その医師会病院等において診療を受けた患者でその受診の時において当該医師会病院等を開設する医師会法人等の組織されている区域又は隣接地域に住所又は居所を有するものが含まれる。（基通15－1－63）

　　（オープン病院等の健康保険診療報酬の額に準ずる額）
（9）㉙のヲの表の（ホ）に掲げる「これらに準ずる額」とは、次に掲げるような法令の規定等により算定される診療報酬又は利用料の額をいう。（基通15－1－63の2）
　（一）公害健康被害の補償等に関する法律第4条第4項《認定等》に規定する被認定者に係る診療報酬等で同法第22条《診療方針及び診療報酬》の規定により算定される額
　（二）労働者災害補償保険法第7条第1項第1号に規定する業務災害、同項第2号に規定する複数業務要因災害又は同項第3号に規定する通勤災害を被った者に係る診療報酬等で同法第13条、第20条の3又は第22条の規定による療養の給付に要するものとして昭和51年1月13日付基発第72号「労災診療費算定基準について」厚生労働省通達により算定される額

　　（農業協同組合連合会が行う医療保健業で非収益事業となるための財務大臣への申請）
（10）㉙のワに掲げる財務大臣の承認を受けようとする農業協同組合連合会（以下(10)及び(11)において「**申請法人**」という。）は、次に掲げる事項を記載した申請書を財務大臣に提出しなければならない。（規5の2②、2①）
　（一）申請法人の名称及び主たる事務所の所在地
　（二）申請法人が設置する病院又は診療所の名称及び所在地
　（三）申請法人が農業協同組合法第10条第1項第12号《老人の福祉に関する施設》に掲げる事業を営む場合には、その設置する老人の福祉に関する施設の名称及び所在地
　（四）申請法人の理事の氏名及び住所
　（五）申請法人の営む事業の概要
　（六）その他参考となるべき事項

(財務大臣への申請書の添付書類)
(11)　(10)に掲げる申請書には、次に掲げる書類を添付しなければならない。(規5の2③)
　(一)　申請法人の定款の写し
　(二)　㉙のワの表に掲げる事項に該当する旨を説明する書類
　(三)　申請書を提出する日の属する事業年度の直前の事業年度の損益計算書、貸借対照表、剰余金又は損失の処分表及び事業報告書
　　　注──線部分は、令和6年度改正により改正された部分で、改正規定は、令和6年4月1日から適用され、令和6年3月31日以前の適用については、「事項に該当する」とあるのは「要件を満たす」とする。(令6改規附1)

　　　(非課税とされる福祉病院等の判定)
(12)　公益法人等の行う医療保健業が㉙のヨの表の(イ)から(ト)までに掲げる要件(非営利型法人以外の法人にあっては、(イ)から(ヘ)までに掲げる要件)の全てに該当するかどうかの判定は、公益法人等についてその事業年度ごとに行うものであるから、同表の(ニ)及び(ト)の厚生労働大臣の証明についても事業年度ごとに証明のあることを必要とするのであるが、一度証明された事実に異動のない場合には、同表の(ニ)のA、B及びCに掲げる事項については、当該証明を省略することができる。(基通15−1−64)
　　注　厚生労働大臣の証明した事項が事実と異なると認められる場合には、厚生労働大臣と協議の上処理する。

　　　(災害等があった場合の特例)
(13)　㉙のヨの表の(ロ)又は(ニ)のAからCまでに掲げる要件に該当するかどうかを判定する場合において、災害その他特別の事情の発生により一時的にこれらの要件に該当しない期間が生じても、その後速やかに旧に復しているとき又は旧に復することが確実であると認められるときは、当該事業年度を通じてこれらの要件に該当しているものとする。(基通15−1−65)

　　　(福祉病院等の健康保険診療報酬の額に準ずる額)
(14)　(9)の取扱いは、㉙のヨの表の(イ)に掲げる公益法人等の行う医療保健業に係る診療報酬又は利用料の額が同表の(ハ)に掲げる「これらに準ずる額」に該当するかどうかの判定について準用する。(基通15−1−65の2)

㉚　洋裁、和裁、着物着付け、編物、手芸、料理、理容、美容、茶道、生花、演劇、演芸、舞踊、舞踏、音楽、絵画、書道、写真、工芸、デザイン(レタリングを含む。)、自動車操縦若しくは小型船舶(船舶職員及び小型船舶操縦者法第2条第4項《定義》に規定する小型船舶をいう。)の操縦(以下㉚において「**技芸**」という。)**の教授**(通信教育による技芸の教授及び技芸に関する免許の付与その他これに類する行為を含む。以下㉚において同じ。)のうちイ及びハからホまでに掲げるもの以外のもの**又は**学校の入学者を選抜するための学力試験に備えるため若しくは学校教育の補習のための**学力の教授**(通信教育による当該学力の教授を含む。以下㉚において同じ。)のうちロ及びハに掲げるもの以外のもの**若しくは公開模擬学力試験**(学校の入学者を選抜するための学力試験に備えるため広く一般に参加者を募集し当該学力試験にその内容及び方法を擬して行われる試験をいう。)**を行う事業**(令5①XXX)
　イ　学校教育法第1条《学校の範囲》に規定する学校、同法第124条《専修学校》に規定する専修学校又は同法第134条第1項《各種学校》に規定する各種学校において行われる技芸の教授で次の表の(イ)から(ヘ)までに掲げる事項の全てに該当するもの(規7)

(イ)	その修業期間(普通科、専攻科その他これらに準ずる区別がある場合には、それぞれの修業期間)が1年以上であること。
(ロ)	その1年間の授業時間数(普通科、専攻科その他これらに準ずる区分がある場合には、それぞれの授業時間数)が680時間以上であること(学校教育法第124条《専修学校》に規定する専修学校の同法第125条第1項《専修学校の課程》に規定する高等課程、専門課程又は一般課程にあってはそれぞれの授業時間数が800時間以上であること〔夜間その他特別な時間において授業を行う場合には、その1年間の授業時間数が450時間以上であり、かつ、その修業期間を通ずる授業時間数が800時間以上であること。〕)。
(ハ)	その施設(教員数を含む。)が同時に授業を受ける生徒数に比し十分であると認められること。
(ニ)	その教授が2回を超えない一定の時期に開始され、かつ、その終期が明確に定められていること。
(ホ)	その生徒について学年又は学期ごとにその成績の評価が行われ、その結果が成績考査に関する表簿その他の書類に登載されていること。

第五章　第一節《公益法人等及び人格のない社団等における課税》

(ヘ)	その生徒について所定の技術を修得したかどうかの成績の評価が行われ、その評価に基づいて卒業証書又は修了証書が授与されていること。

ロ　イに掲げる学校、専修学校又は各種学校において行われる学力の教授で、イの表の(イ)から(ヘ)までに掲げる事項の全てに該当するもの及び次の表(イ)及び(ロ)に掲げる事項のいずれかに該当するもの（規7の2）

(イ)	学校教育法の規定による大学の入学者を選抜するための学力試験に直接備えるための学力の教授で、イの表の(イ)から(ヘ)までに掲げる事項の全てに該当する学力の教授を行う同法第1条《学校の範囲》に規定する学校、同法第124条《専修学校》に規定する専修学校又は同法第134条第1項《各種学校》に規定する各種学校（(ロ)において「学校等」という。）において行われるもののうちその教科又は課程の授業時間数が30時間以上であるもの
(ロ)	(イ)に掲げるもののほか、学校等において行われる学力の教授で、次の表のAからCまでに掲げる事項の全てに該当するもの

(ロ)	A	その教科又は課程の授業時間数が60時間以上であること。
	B	その施設（教員数を含む。）が同時に授業を受ける生徒数に比し十分であると認められること。
	C	その教授が年3回を超えない一定の時期に開始され、かつ、その終期が明確に定められていること。

ハ　社会教育法第51条《通信教育の認定》の規定により文部科学大臣の認定を受けた通信教育として行う技芸の教授又は学力の教授

ニ　理容師法第3条第3項《理容師試験》又は美容師法第4条第3項《美容師試験》の規定により都道府県知事の指定を受けた施設において養成として行う技芸の教授で次の表の(イ)から(ヘ)までに掲げる事項の全てに該当するもの並びに当該施設に設けられた通信課程に係る通信及び添削による指導を専ら行う法人の当該指導として行う技芸の教授（規8）

(イ)	その修業期間（普通科、専攻科その他これらに準ずる区別がある場合には、それぞれの修業期間）が次の表の左欄に掲げる課程の区分に応じそれぞれ右欄に掲げる期間であること。

(イ)	A　昼間課程又は夜間課程	2年（修得者課程〔理容師養成施設指定規則（平成10年厚生省令第5号）第2条第4項《養成課程》に規定する美容修得者課程又は美容師養成施設指定規則（平成10年厚生省令第8号）第1条の2《理容修得者課程》に規定する理容修得者課程をいう。Bにおいて同じ。〕にあっては、1年）以上
	B　通信課程	3年（修得者課程にあっては、1年6か月）以上

(ロ)	その教科課目の単位数が理容師養成施設指定規則第4条第1項《養成施設指定の基準》又は美容師養成施設指定規則第3条第1項《養成施設指定の基準》に定める単位数であること。
(ハ)	その施設（教員数を含む。）が同時に授業を受ける生徒数に比し十分であると認められること。
(ニ)	その教授が年2回を超えない一定の時期に開始され、かつ、その終期が明確に定められていること。
(ホ)	その生徒について学年又は学期ごとにその成績の評価が行われ、その結果が成績考査に関する表簿その他の書類に登載されていること。
(ヘ)	その生徒について所定の技術を修得したかどうかの成績の評価が行われ、その評価に基づいて卒業証書又は修了証書が授与されていること。

ホ　技芸に関する国家試験（法令において、国家資格〔資格のうち、法令において当該資格を有しない者は当該資格に係る業務若しくは行為を行い、若しくは当該資格に係る名称を使用することができないこととされているもの又は法令において一定の場合には当該資格を有する者を使用し、若しくは当該資格を有する者に当該資格に係る行為を依頼することが義務付けられているものをいう。ホにおいて同じ。〕を取得し、若しくは維持し、又は当該国家資格に係る業務若しくは行為を行うにつき、試験、検定その他これらに類する者〔ホにおいて「試験等」という。〕を受けることが要件とされている場合における当該試験等をいう。）の実施に関する事務（法令において当該国家資格を取得し、若しくは維持し、又は当該国家資格に係る業務若しくは行為を行うにつき、登録、免許証の交付その他の手続〔ホにおいて「登録等」という。〕を経ることが要件とされている場合における当該登録等に関する事務を含む。ホにおいて「国

家資格付与事務」という。）を行う者として法令において定められ、又は法令に基づき指定された法人が法令に基づき当該国家資格付与事務として行う技芸の教授（国の行政機関の長又は地方公共団体の長が当該国家資格付与事務に関し監督上必要な命令をすることができるものに限る。）で、次のいずれかの要件に該当するもの

(イ)	その対価の額が法令で実費を勘案して定めることとされているものであること又はその対価の額が当該国家資格付与事務の処理のために必要な額を超えないと見込まれるものであること。
(ロ)	国の行政機関の長又は地方公共団体の長以外の者で当該国家資格付与事務を行う者が、公益法人等又は一般社団法人若しくは一般財団法人に限られていることが法令で定められているものであること。

　　　（技芸教授業の範囲）
（1）　技芸の教授には、自らは技芸の習得に関する教授を行わないで㉚に掲げる技芸に関する免許の付与等のみを行う行為が含まれるが、㉚に掲げる技芸以外の技芸に関する免許の付与等はこれに該当しないことに留意する。（基通15－1－66）
　　注1　㉚に掲げる「免許の付与その他これに類する行為」には、卒業資格、段位、級、師範、名取り等の一定の資格、称号等を付与する行為が含まれる。
　　注2　㉚に掲げる技芸の教授若しくは免許の付与等の一環として、又はこれらに付随して行われる講習会等は、たとえ一般教養の講習をその内容とするものであっても、技芸の教授に該当する。

　　　（公開模擬学力試験）
（2）　公開模擬学力試験には、その公開模擬学力試験を行う予備校等の生徒がその選択により受験料を負担してこれに参加する場合のその参加に係る部分が含まれる。（基通15－1－67）

　　　（授業時間数の判定）
（3）　公益法人等の行う技芸又は学力の教授に係る授業時間が㉚のイの表の(ロ)、ロの表の(イ)及び同表の(ロ)のAに掲げる所定の時間数以上であるかどうかの判定は、次による。（基通15－1－67の2）
　（一）　これらの授業時間数には、正味の授業時間のほか、授業と授業の間における通常の休憩時間（昼食のための休息時間を除く。）が含まれるものとする。
　（二）　学力の教授に係る教科又は課程の授業時間数が㉚のロの表の(イ)及び同表の(ロ)のAに掲げる時間数以上であるかどうかは、受講者の募集区分の異なるごと（一の科目ごとに選択して受講させ、当該科目ごとに定められた受講料を収受することとしている場合には、その科目ごととする。）の授業時間数による。

　　　（大学入試のための学力の教授の範囲）
（4）　㉚のロの表の(イ)に掲げる「大学の入学者を選抜するための学力試験に直接備えるための学力の教授」とは、高等学校を卒業した者及び高等学校の第3学年（定時制の高等学校にあっては第4学年）に在籍する者を主たる対象者として行う大学の入学試験に備えるための学力の教授をいう。（基通15－1－67の3）

㉛　**駐車場業**（令5①XXXI）

　　　（駐車場業の範囲）
　　駐車場業には、駐車場所としての土地の貸付けが含まれることに留意する。（基通15－1－68）

㉜　**信用保証業**のうち次に掲げるもの以外のもの（令5①XXXII）
イ　信用保証協会法、清酒製造業等の安定に関する特別措置法、独立行政法人農林漁業信用基金法、農業信用保証保険法、中小漁業融資保証法及び宅地建物取引業法の規定に基づき行われる信用保証業（規8の2①）
ロ　イに掲げる信用保証業以外の信用保証業のうち当該保証契約に係る保証料の額がその保証金額に年2％の割合を乗じて計算した金額以下であるもの（規8の2②）

　　　（低廉保証料の判定）
　　㉜のロに掲げる保証料の額が年2％以下であることの要件については、保証契約ごとに当該保証契約において定められているところに基づいて判定する。この場合において、通常徴収する保証料の額は年2％以下であるが、一定の

条件に該当するときは年２％を超えて保証料を徴することとしているときは、その保証契約に係る保証料は、㉜のロに掲げる要件に該当しないことに留意する。（基通15－１－69）

㉝　その有する工業所有権その他の技術に関する権利又は著作権（出版権及び著作隣接権その他これに準ずるものを含む。）の譲渡又は提供（以下㉝において「**無体財産権の提供等**」という。）のうち次に掲げるもの以外のもの**を行う事業**（令５①XXXIII）

イ　国等（港湾法の規定による港湾局を含む。）に対して行われる無体財産権の提供等

ロ　国立研究開発法人宇宙航空研究開発機構、国立研究開発法人海洋研究開発機構、国立研究開発法人科学技術振興機構、国立研究開発法人新エネルギー・産業技術総合開発機構、国立研究開発法人日本原子力研究開発機構、国立研究開発法人農業・食品産業技術総合研究機構、国立研究開発法人理化学研究所、独立行政法人中小企業基盤整備機構及び放送大学学園（放送大学学園法第３条《目的》に規定する放送大学学園をいう。）がその業務として行う無体財産権の提供等（規８の２の２①）

ハ　無体財産権の提供等に係る収益の額がその行う事業（収益事業〔無体財産権の提供等を行う事業を除く。〕に該当する事業を除く。）に要する費用の額の$\frac{1}{2}$に相当する額を超える公益法人等が行う無体財産権の提供等（規８の２の２②）

㉞　**労働者派遣業**（自己の雇用する者その他の者を、他の者の指揮命令を受けて、当該他の者のために当該他の者の行う事業に従事させる事業をいう。）（令５①XXXIV）

（労働者派遣業の範囲）

労働者派遣業には、労働者派遣事業の適正な運営の確保及び派遣労働者の保護等に関する法律第２条第３号《用語の意義》に規定する労働者派遣事業のほか、自己と雇用関係のない者を、他の者の指揮命令（他の者との雇用関係に基づく指揮命令に限らない。）を受けて、当該他の者の行う事業に従事させる事業等が含まれることに留意する。（基通15－１－70）

3　収益事業の判定

2《収益事業の種類》の①から㉞までの収益事業の判定については、次のような取扱いが定められている。

①　収益事業に含まれる場合

（公益法人等の本来の事業が収益事業に該当する場合）

（１）　公益法人等又は人格のない社団等が**2**の①から㉞までに掲げる事業のいずれかに該当する事業を行う場合には、たとえその行う事業が当該公益法人等又は人格のない社団等の本来の目的たる事業であるときであっても、当該事業から生ずる所得については法人税が課されることに留意する。（基通15－１－１）

（委託契約等による事業）

（２）　公益法人等又は人格のない社団等の行う事業につき次に掲げるような事情がある場合には、その公益法人等又は人格のない社団等が自ら収益事業を行っているものとして取り扱うことになるのであるから留意する。（基通15－１－２）

（一）　公益法人等又は人格のない社団等が収益事業に該当する事業に係る業務の全部又は一部を委託契約に基づいて他の者に行わせている場合

（二）　公益法人等又は人格のない社団等が、収益事業に該当する事業を行うことを目的とする組合契約（匿名組合契約を含む。）その他これに類する契約に基づいて当該事業に関する費用及び損失を負担し、又はその収益の分配を受けることとしているため、実質的に自ら当該事業を行っていると認められる場合

（三）　公益法人等又は人格のない社団等が受益者等課税信託の受益者（法人税法第12条第２項《信託財産に属する資産及び負債並びに信託財産に帰せられる収益及び費用の帰属》の規定により、同条第１項に規定する受益者とみなされる者を含む。）である場合において、当該信託に係る受託者における当該信託財産に係る事業が**2**の①から㉞までに掲げる事業のいずれかに該当するとき

（共済事業）

（３）　公益法人等又は人格のない社団等がいわゆる共済事業として行う事業についても、当該事業の内容に応じてその

第五章　第一節《公益法人等及び人格のない社団等における課税》

全部又は一部が収益事業に該当するかどうかの判定を行うことに留意する。（基通15－1－3）

　　（学校法人等が実習の一環として行う事業）
（4）　収益事業に該当しない技芸の教授を行う学校法人等がその教育実習の一環として行う次のような行為であっても、継続して事業場を設けて行われるなど事業と認められる程度のものであるときは、その行為は収益事業に該当することに留意する。（基通15－1－71）
　（一）　洋裁学校が他の者の求めに応じて行う縫製加工《製造業――2の⑥》
　（二）　タイピスト学校が行う印書の引受け《請負業――2の⑩又は印刷業――2の⑪》
　（三）　音楽学校等が行う演奏会等で2の㉖の（2）《慈善興行等》に該当しないもの《興行業――2の㉖》
　（四）　写真学校が行う撮影等の引受け《写真業――2の⑬》

　　（神前結婚等の場合の収益事業の判定）
（5）　宗教法人が神前結婚、仏前結婚等の挙式を行う行為で本来の宗教活動の一部と認められるものは収益事業に該当しないが、挙式後の披露宴における飲食物の提供、挙式のための衣装その他の物品の貸付け、記念写真の撮影及びこれらの行為のあっせん並びにこれらの用に供するための不動産貸付け及び席貸しの事業は、収益事業に該当することに留意する。（基通15－1－72）

　　（幼稚園が行う各種事業の収益事業の判定）
（6）　公益法人である幼稚園が行う各種事業のうち、次に掲げる事業については、それぞれ次に掲げる基準により収益事業に該当するかどうかの判定をしている場合には、これを認める。（昭58直法2－7）

	事業内容	収益事業・非収益事業区分の判定	備考
（一）	絵本・ワークブックの頒布	非収益事業	2の①の（2）《宗教法人、学校法人等の物品販売》の（二）に掲げる「教科書その他これに類する教材」の販売に該当し、非収益事業となる。
（二）	次のような物品の頒布及びあっせん イ　はさみ、のり、粘土、粘土板、へら等の工作道具 ロ　自由画帳、クレヨン等の絵画製作用具及びノート、筆記用具等の文房具 ハ　ハーモニカ、カスタネット等の楽器 ニ　道具箱 ホ　制服、制帽、スモック、体操着、上靴	収益事業。ただし、物品の頒布のうち原価（又は原価に所要の経費をプラスした程度の価格）によることが明らかなものは非収益事業	2の①の（2）の（三）及び同（2）の（四）により収益事業となるが、原価による物品の頒布は、非収益事業とすることができる。
（三）	園児のうち希望者を対象として行う音楽教室のための教室等の席貸し	収益事業	2の⑭《席貸業》により収益事業となるが、同⑭のロの（ハ）及び（ニ）に該当するものであれば非収益事業となる。
（四）	園児に対し課外授業として実施する音楽教室の開設	収益事業	2の㉚《技芸教授業》により収益事業となる。
（五）	スクールバスの運行	非収益事業	教育事業そのものに含まれるものであり非収益事業となる。
（六）	給食	非収益事業	学校給食法等の規定に基づいて行う学校給食の事業に準ずるものであり非収益事業となる。
（七）	収益事業となる事業であっても、当該事業がその幼稚園の園児（その関係者を含む。）を対象とするもので実費弁償方式によっていると認められるものについては、2の⑩の（2）《実費弁償による事務処理の受託等》と同		

－1781－

様、税務署長の確認を条件として非収益事業とすることができる。

注　(三)の「収益事業・非収益事業区分の判定」欄及び「備考」欄については、昭和59年度の法令改正に伴い、編者において補正した。

② **収益事業に含まれない場合**

次に掲げる事業は、**2**《収益事業の種類》の①から㉞までに掲げる事業に含まれないものとする。（令5②）

イ	公益社団法人又は公益財団法人が行う**2**の①から㉞までに掲げる事業のうち、公益社団法人及び公益財団法人の認定等に関する法律第2条第4号《定義》に規定する公益目的事業に該当するもの
ロ	公益法人等が行う**2**の①から㉞までに掲げる事業のうち、その事業に従事する次に掲げる者がその事業に従事する者の総数の半数以上を占め、かつ、その事業がこれらの者の生活の保護に寄与しているもの （イ）　身体障害者福祉法第4条《身体障害者》に規定する身体障害者 （ロ）　生活保護法の規定により生活扶助を受ける者 （ハ）　児童相談所、知的障害者福祉法第9条第6項《更生援護の実施者》に規定する知的障害者更生相談所、精神保健及び精神障害者福祉に関する法律第6条第1項《精神保健福祉センター》に規定する精神保健福祉センター又は精神保健指定医により知的障害者として判定された者 （ニ）　精神保健及び精神障害者福祉に関する法律第45条第2項《精神障害者保健福祉手帳》の規定により精神障害者保健福祉手帳の交付を受けている者 （ホ）　年齢65歳以上の者 （ヘ）　母子及び父子並びに寡婦福祉法第6条第1項《定義》に規定する配偶者のない女子であって民法第877条《扶養義務者》の規定により現に母子及び父子並びに寡婦福祉法第6条第3項に規定する児童を扶養している者又は同条第4項に規定する寡婦（**ハ**の(ロ)において「寡婦」という。） （身体障害者等従事割合の判定） 　公益法人等の行う事業につき**ロ**の適用があるかどうかを判定する場合において、当該事業に従事する身体障害者等（上記の(イ)から(ヘ)までに掲げる者をいう。以下**ロ**において同じ。）の数が当該事業に従事する者の総数の半数以上を占めるかどうかは、当該事業年度において当該事業に従事した者の延人員により判定するものとする。この場合には、当該事業に従事する身体障害者等のうちに一般の従業員に比し、勤務時間の短い者があるときにおいても、当該者については、通常の勤務時間当該事業に従事するものとしてその判定を行うことができる。（基通15－1－8）
ハ	母子及び父子並びに寡婦福祉法第6条第6項に規定する母子・父子福祉団体が行う**2**の①から㉞までに掲げる事業のうち母子及び父子並びに寡婦福祉法施行令第6条第1項各号《貸付けの対象となる母子・父子福祉団体の事業》に掲げる事業で、次に掲げるもの （イ）　母子及び父子並びに寡婦福祉法第14条《母子・父子福祉団体に対する貸付け》（同法第31条の6第4項《父子福祉資金の貸付け》又は第32条第4項《寡婦福祉資金の貸付け》において準用する場合を含む。）の規定による貸付金の貸付けに係る事業のうち、その貸付けの日から当該貸付金の最終の償還日までの期間内の日の属する各事業年度において行われるもの （ロ）　母子及び父子並びに寡婦福祉法第25条第1項《売店等の設置の許可》に規定する公共的施設内において同条第2項の規定に従って行われている事業（同法第34条第2項《売店等の設置の許可等》の規定により寡婦をその業務に従事させて行われているものを含む。）
ニ	保険業法第259条《目的》の保険契約者保護機構が同法第265条の28第1項第5号《業務》に掲げる業務として行う事業

三　収益事業に係る所得の計算等

　公益法人等及び人格のない社団等は、収益事業から生ずる所得に関する経理と収益事業以外の事業から生ずる所得に関する経理とを区分して行わなければならない。（令6）

　　（所得に関する経理）
（1）　**三**に掲げる「所得に関する経理」とは、単に収益及び費用に関する経理だけでなく、資産及び負債に関する経理

を含むことに留意する。(基通15-2-1)
  注　一の資産が収益事業の用と収益事業以外の事業の用とに共用されている場合（それぞれの事業ごとに専用されている部分が明らかな場合を除く。）には、当該資産については、収益事業に属する資産としての区分経理はしないで、その償却費その他当該資産について生ずる費用の額のうち収益事業に係る部分の金額を当該収益事業に係る費用として経理することになる。

(固定資産の区分経理)
(2)　公益法人等又は人格のない社団等が、収益事業以外の事業の用に供していた固定資産を収益事業の用に供することとしたため、これにつき収益事業に属する資産として区分経理をする場合には、その収益事業の用に供することとなった時における当該固定資産の帳簿価額によりその経理を行うものとする。この場合において、当該公益法人等又は人格のない社団等が、その区分経理に当たりあらかじめ当該固定資産につき評価換えを行い、その帳簿価額の増額をしたときであっても、その増額はなかったものとする。(基通15-2-2)
  注　本文により収益事業に属するものとして区分経理をした固定資産に係るその後の償却限度額の計算については、第三章第一節第六款の**十**の1の(6)《定額法を定率法に変更した場合等の償却限度額の計算》、同1の(7)《定率法を定額法に変更した場合等の償却限度額の計算》及び同1の(8)《旧定率法を旧定額法に変更した後に資本的支出をした場合等》までの例による。

(収益事業に属するものとして区分された資産等の処理)
(3)　収益事業を開始した日において、三により収益事業以外の事業に属する資産及び外部負債につき収益事業に属するものとして区分経理した場合における当該資産の額の合計額から当該外部負債の額の合計額を減算した金額を元入金として経理したとしても、当該金額は、資本金等の額及び利益積立金額のいずれにも該当しないことに留意する。
　その後において、収益事業以外の事業に属する金銭その他資産につき収益事業に属するものとして区分経理した場合における当該金銭その他の資産の価額についても、同様とする。(基通15-2-3)
  注　収益事業に属するものとして区分経理した金額を、他会計振替額等の勘定科目により収益又は費用として経理した場合には、当該金額は益金又は損金の額に算入されない。

(公益法人等のみなし寄附金)
(4)　公益法人等（非営利型法人、特定労働者協同組合（労働者協同組合法第94条の3第2号《認定の基準》に規定する特定労働者協同組合をいう。以下(5)において同じ。）及び第三章第一節第十二款の**一**《寄附金の損金不算入》の表の2の③から⑧までに掲げる法人を除く。）が収益事業に属する金銭その他の資産につき収益事業以外の事業に属するものとして区分経理をした場合においても、その一方において収益事業以外の事業から収益事業へその金銭等の額に見合う金額に相当する元入れがあったものとして経理するなど実質的に収益事業から収益事業以外の事業への金銭等の支出がなかったと認められるときは、当該区分経理をした金額については同款の**四**の4《公益法人等のみなし寄附金》の適用がないものとする。(基通15-2-4)
  注　人格のない社団等並びに非営利型法人、特定労働者協同組合及び同款の**一**の表の2の③から⑧までに掲げる法人が収益事業に属する資産につき収益事業以外の事業に属するものとして区分経理をした場合においても、その区分経理をした金額については同款の**四**の4の適用はないことに留意する。

(収益事業の所得の運用)
(5)　公益法人等又は人格のない社団等が、収益事業から生じた所得を預金、有価証券等に運用する場合においても、当該預金、有価証券等のうち当該収益事業の運営のために通常必要と認められる金額に見合うもの以外のものにつき収益事業以外の事業に属する資産として区分経理をしたときは、その区分経理に係る資産を運用する行為は、二の1の(1)《付随行為》にかかわらず、収益事業に付随して行われる行為に含めないことができる。(基通15-1-7・編者補正)
  注　この場合、公益法人等（人格のない社団等並びに非営利型法人、特定労働者協同組合及び第三章第一節第十二款の**一**の表の2の③から⑧までに掲げる法人を除く。）のその区分経理をした金額については、同款の**四**の4《公益法人等のみなし寄附金》の適用がある。

(費用又は損失の区分経理)
(6)　公益法人等又は人格のない社団等が収益事業と収益事業以外の事業とを行っている場合における費用又は損失の額の区分経理については、次による。(基通15-2-5)
　(一)　収益事業について直接要した費用の額又は収益事業について直接生じた損失の額は、収益事業に係る費用又は損失の額として経理する。
　(二)　収益事業と収益事業以外の事業とに共通する費用又は損失の額は、継続的に、資産の使用割合、従業員の従事割合、資産の帳簿価額の比、収入金額の比その他当該費用又は損失の性質に応ずる合理的な基準により収益事業と

収益事業以外の事業とに配賦し、これに基づいて経理する。
　　注　公益法人等又は人格のない社団等が収益事業以外の事業に属する金銭その他の資産を収益事業のために使用した場合においても、これにつき収益事業から収益事業以外の事業へ賃借料、支払利子等を支払うこととしてその額を収益事業に係る費用又は損失として経理することはできないことに留意する。

　　(収益事業に専属する借入金等の利子)
(7)　公益法人等が、法令の規定、主務官庁の指導等により収益事業以外の事業に係る資金の運用方法等が規制されているため、収益事業の遂行上必要な資金の全部又は一部を外部からの借入金等により賄うこととしている場合には、当該借入金等に係る利子の額のうち当該収益事業の遂行上通常必要と認められる部分の金額は、収益事業について直接要した費用の額とすることができる。(基通15－2－6)

　　(低廉譲渡等)
(8)　公益法人等又は人格のない社団等が通常の対価の額に満たない対価による資産の譲渡又は役務の提供を行った場合においても、その資産の譲渡等が当該公益法人等又は人格のない社団等の本来の目的たる事業の範囲内で行われるものである限り、その資産の譲渡等については第三章第一節第十二款の**四**の**2**《低廉譲渡等による寄附金》の適用はないものとする。(基通15－2－9)

　　(収益事業に属する固定資産の処分損益)
(9)　公益法人等又は人格のない社団等が収益事業に属する固定資産につき譲渡、除却その他の処分をした場合におけるその処分をしたことによる損益は、原則として収益事業に係る損益となるのであるが、次に掲げる損益（当該事業年度において2以上の固定資産の処分があるときは、その全てに係る損益とする。）については、これを収益事業に係る損益に含めないことができる。(基通15－2－10)
　(一)　相当期間にわたり固定資産として保有していた土地（借地権を含む。）、建物又は構築物につき譲渡（第三章第一節第二十七款の**五**の**2**《借地権の設定等により地価が著しく低下する場合の土地等の帳簿価額の一部の損金算入》の適用がある借地権の設定を含む。）、除却その他の処分をした場合におけるその処分をしたことによる損益（**二**の**2**の②の(1)《不動産販売業の範囲》のただし書の適用がある部分を除く。）
　(二)　(一)のほか、収益事業の全部又は一部を廃止してその廃止に係る事業に属する固定資産につき譲渡、除却その他の処分をした場合におけるその処分をしたことによる損益

　　(借地権利金等)
(10)　公益法人等又は人格のない社団等が固定資産である土地又は建物の貸付けをしたことにより収受する権利金その他の一時金の額の取扱いについては、次の区分に応じ、それぞれ次による。(基通15－2－11)
　(一)　その土地の貸付けにより第三章第一節第二十七款の**五**の**2**に該当することとなった場合におけるその貸付けにより収受する権利金その他の一時金の額は、土地の譲渡による収益の額として(9)による。
　(二)　土地又は建物の貸付けに際して収受する権利金その他の一時金で(一)に該当しないものの額及び土地若しくは建物の貸付けに係る契約の更新又は更改により収受するいわゆる更新料等の額は、不動産の貸付けに係る収益の額とする。

　　(補助金等の収入)
(11)　収益事業を行う公益法人等又は人格のない社団等が、国、地方公共団体等から交付を受ける補助金、助成金等（資産の譲渡又は役務の提供の対価としての実質を有するものを除く。以下(11)において「補助金等」という。）の額の取扱いについては、次の区分に応じ、それぞれ次による。(基通15－2－12)
　(一)　固定資産の取得又は改良に充てるために交付を受ける補助金等の額は、たとえ当該固定資産が収益事業の用に供されるものである場合であっても、収益事業に係る益金の額に算入しない。
　(二)　収益事業に係る収入又は経費を補填するために交付を受ける補助金等の額は、収益事業に係る益金の額に算入する。
　　注　(一)に掲げる補助金等をもって収益事業の用に供する固定資産の取得又は改良をした場合であっても、当該固定資産に係る償却限度額又は譲渡損益等の計算の基礎となる取得価額は、実際の取得価額による。

　　(公益法人等が収入したゴルフクラブの入会金)
(12)　公益法人等又は人格のない社団等であるゴルフクラブがその会員となる者から収入した入会金（当該会員が脱退

する場合にこれを返還することが、その定款、規約等において明らかなもの及び会員から預った一種の保証金等に類する性格を有するものを除く。）の額は、その収益事業に係る益金の額に算入するのであるが、当該公益法人等又は人格のない社団等がその入会金の全部又は一部に相当する金額を基金等として特別に区分経理した場合には、その区分経理をした金額は、収益事業に係る益金の額に算入しないことができる。この場合において、当該公益法人等又は人格のない社団等がその基金等として特別に区分経理をしている金額の全部又は一部に相当する金額を取り崩して収益事業に係る損失の補填に充て、又はゴルフ場施設の修理費その他収益事業に係る費用の支出に充てたときは、その補填等に充てた金額は、当該事業年度の収益事業に係る益金の額に算入する。（基通15－2－13）

 注　会員の名義変更に当たって収受する名義書替料等の額は、収益事業に係る益金の額に算入するのであるから留意する。

（公益法人等の確定申告書の添付書類）
(13)　公益法人等又は人格のない社団等が第三章第二節第三款の二の1の(2)《確定申告書の添付書類》により確定申告書に添付する貸借対照表、損益計算書等の書類には、当該公益法人等又は人格のない社団等が行う収益事業以外の事業に係るこれらの書類が含まれることに留意する。（基通15－2－14・編者補正）

第二節　課税所得の変更等の場合の所得の金額の計算

一　課税所得の範囲の変更

1　普通法人又は協同組合等が公益法人等に該当することとなる日の前日の取扱い

　普通法人又は協同組合等が公益法人等に該当することとなる場合には、その該当することとなる日の前日に当該普通法人又は協同組合等が解散したものとみなして、次の表に掲げる規定を適用する。(法10①、令14の7①、措法68の3の4①、措令39の35の4①)

①	法人税法第80条第4項《欠損金の繰戻しによる還付》………第三章第二節第三款の**八**の**3**の④
②	法人税法施行令第81条《国庫補助金等に係る特別勘定の金額の取崩し》………第三章第一節第十五款の**一**の**5**
③	同令第90条《保険差益等に係る特別勘定の金額の取崩し》………同款の**四**の**7**
④	租税特別措置法第55条《海外投資等損失準備金》………第三章第一節第十八款の**一**
⑤	同法第56条《中小企業事業再編投資損失準備金》………同款の**二**
⑥	同法第57条の4《特定原子力施設炉心等除去準備金》………同款の**四**《その他の準備金》の表の**7**
⑦	同法第57条の5《保険会社等の異常危険準備金》………同表の**8**の①
⑧	同法第57条の8《特定船舶に係る特別修繕準備金》………同款の**三**
⑨	同法第58条《探鉱準備金又は海外探鉱準備金》………同節第二十九款の**一**
⑩	同法第61条の2《農業経営基盤強化準備金》………同節第十八款の**四**の表の**11**
⑪	同法第64条の2《収用等に伴い特別勘定を設けた場合の課税の特例》………同節第十六款の**一**の**8**から**15**まで
⑫	同法第65条の8《特定の資産の譲渡に伴い特別勘定を設けた場合の課税の特例》………同節第十五款の**七**の**6**、**8**から**13**まで
⑬	同法第66条の12《中小企業者の欠損金等以外の欠損金の繰戻しによる還付の不適用》………同章第二節第三款の**八**の**3**の①
⑭	同法第67条の4《転廃業助成金等に係る課税の特例》………同章第一節第十五款の**十一**
⑮	経済社会の構造の変化に対応した税制の構築を図るための所得税法等の一部を改正する法律（以下**一**において「平成23年改正法」という。）附則第65条第1項《法人の準備金に関する経過措置》の規定によりなおその効力を有するものとされる改正前の租税特別措置法第55条の6第5項《特定災害防止準備金》
⑯	所得税法等の一部を改正する法律（以下**一**において「平成28年改正法」という。）附則第93条第2項の規定によりなおその効力を有するものとされる改正前の租税特別措置法第56条《新幹線鉄道大規模改修準備金》………同款の**四**の表の**5**
⑰	所得税法等の一部を改正する法律（平成29年法律第4号。以下**一**において「平成29年改正法」という。）附則第69条第9項及び第12項の規定によりなおその効力を有するものとされる平成29年改正法第12条の規定による改正前の租税特別措置法第65条の8《特定の資産の譲渡に伴い特別勘定を設けた場合の課税の特例》………同節第十五款の**七**の**6**、**8**から**13**まで
⑱	所得税法等の一部を改正する法律（平成31年法律第6号。以下**一**において「平成31年改正法」という。）附則第53条の規定によりなおその効力を有するものとされる平成31年改正法第11条の規定による改正前の租税特別措置法第55条の2《新事業開拓事業者投資損失準備金》………同節第十八款の**四**の表の**1**
⑲	所得税法等の一部を改正する法律（令和2年法律第8号。以下**一**において「令和2年改正法」という。）附則第87条第1項の規定によりなおその効力を有するものとされる令和2年改正法第15条の規定による改正前の租税特別措置法第55条の2《金属鉱業等鉱害防止準備金》………同款の**四**の表の**3**
⑳	所得税法等の一部を改正する法律（令和4年法律第4号。以下**一**において「令和4年改正法」という。）附則第44

	条の規定によりなおその効力を有するものとされる令和4年改正法第11条の規定による改正前の租税特別措置法第56条《特定災害防止準備金》………同**四**の表の**4**	
㉑	所得税法等の一部を改正する法律（令和5年法律第3号。以下**一**において「令和5年改正法」という。）附則第43条第1項の規定によりなおその効力を有するものとされる令和5年改正法第10条の規定による改正前の租税特別措置法第57条の4《原子力発電施設解体準備金》及び令和5年改正法附則第43条第4項《原子力発電施設解体準備金に関する経過措置》………同**四**の表の**6**	

注1 ㉑は、令和6年度改正により追加された部分で、改正規定は、令和6年4月1日から適用される。（令6改措令附1）
注2 令和6年度改正により、上表から次のものが除かれたが、令和6年3月31日までは、なおその適用がある。（令6改措令附1）

旧⑯	平成23年改正法附則第65条第4項及び租税特別措置法施行令の一部を改正する政令（以下**一**において「平成23年改正令」という。）附則第11条第10項《法人の準備金に関する経過措置》………第三章第一節第十八款の**三**の**3**の⑤の**ロ**及び同⑤の**ハ**の(1)

注3 令和5年度改正により、上表から次のものが除かれたが、脱炭素社会の実現に向けた電気供給体制の確立を図るための電気事業法等の一部を改正する法律（令和5年法律第44号）の施行の日（令和6年4月1日）の前日までは、なおその適用がある。（令5改法附1 XIII）

旧⑥	旧租税特別措置法第57条の4《原子力発電施設解体準備金》………第三章第一節第十八款の**四**の表の**6**

（該当することとなる日）

1の「該当することとなる日」は、次に掲げる場合に応じ、それぞれ次に掲げる日をいう。（基通1－8－1、1－2－6・編者補正）

イ	一般社団法人又は一般財団法人のうち普通法人であるものが公益社団法人又は公益財団法人に該当することとなった場合	公益社団法人及び公益財団法人の認定等に関する法律第4条《公益認定》に規定する行政庁の認定を受けた日
ロ	一般社団法人又は一般財団法人のうち普通法人であるものが非営利型法人に該当することとなった場合	第二章第一節の**二**の表の**9の2**《非営利型法人》の表の**イ**又は**ロ**に掲げる要件の全てに該当することとなった日
ハ	医療法人のうち普通法人であるものが社会医療法人に該当することとなった場合	医療法第42条の2第1項《社会医療法人》の規定による社会医療法人の認定を受けた日
ニ	出資商工組合が非出資商工組合に移行することとなった場合等、協同組合等（農業協同組合連合会及び生産森林組合を除く。）が公益法人等（農業協同組合連合会を除く。）に該当することとなった場合	移行の登記の日
ホ	生産森林組合が地方自治法第260条の2第7項《地縁による団体》に規定する認可地縁団体に組織変更することとなった場合	森林組合法第100条の23第1項《組織変更の効力の発生等》に規定する効力発生日
ヘ	非出資組合である農業協同組合、農業協同組合連合会又は農事組合法人が農業協同組合法第77条《一般社団法人への組織変更》の規定により一般社団法人に組織変更をした場合（同法第79条第1項に規定する効力発生日において、同**二**の表の**9の2**《非営利型法人》の**イ**又は**ロ**に掲げる要件の全てに該当する場合に限る。）	当該効力発生日
ト	同**二**の**別表第三**《協同組合等の表》に掲げる農業協同組合連合会が農業協同組合法第87条の規定により社会医療法人に組織変更をした場合	同法第91条第1項に規定する効力発生日
チ	労働者協同組合のうち普通法人であるものが特定労働者協同組合に該当することとなった場合	労働者協同組合法第94条の2の規定による行政庁の認定を受けた日

2　普通法人又は協同組合等が公益法人等に該当することとなった日の取扱い

　普通法人又は協同組合等が公益法人等に該当することとなった場合には、その該当することとなった日に当該公益法人等が設立されたものとみなして、次の表に掲げる規定を適用する。（法10②、令14の7②、措法68の3の4②、措令39の35の4②）

①	法人税法第57条第1項《欠損金の繰越し》………第三章第一節第二十一款の**一**	
②	同法第59条《会社更生等による債務免除等があった場合の欠損金の損金算入》………同款の**三**	
③	同法第80条《欠損金の繰戻しによる還付》………同章第二節第三款の**八**の**3**の②	
④	同令第96条第6項及び第8項《貸倒引当金勘定への繰入限度額》………同節第十七款の**一**の**1**の③の（1）及び同③の（2）	
⑤	租税特別措置法第42条の4《試験研究を行った場合の法人税額の特別控除》第1項及び第4項………第三章第二節第二款の**五**の**2**及び**3**	
⑥	同法第42条の6《中小企業者等が機械等を取得した場合の特別償却又は法人税額の特別控除》第3項………同款の**六**の**2**	
⑦	同法第42条の9《沖縄の特定地域において工業用機械等を取得した場合の法人税額の特別控除》第2項………同款の**七**の**2**	
⑧	同法第42条の12《地方活力向上地域等において雇用者の数が増加した場合の法人税額の特別控除》………同款の**十二**	
⑨	同法第42条の12の4《中小企業者等が特定経営力向上設備等を取得した場合の法人税額の特別控除》第3項………同款の**十四**の**2**	
⑩	同法第42条の12の5《給与等の支給額が増加した場合の法人税額の特別控除》………同款の**十五**	
⑪	同法第42条の12の7《事業適応設備を取得した場合等の特別償却又は法人税額の特別控除》第8項、第11項及び第18項………同款の**十七**の**2**の②、同**2**の④、同**2**の**5**の（5）	
⑫	同法第42条の13第5項《法人税の額から控除される特別控除額の特例》………同款の**二十一**の**2**	
⑬	租税特別措置法施行令第27条の4《試験研究を行った場合の法人税額の特別控除》第18項………同款の**五**の**3**の（7）	
⑭	同令第33条の7《中小企業の貸倒引当金の特例》第3項………同章第一節第十七款の**一**の**1**の⑥の**イ**の（3）	
⑮	同令第34条《探鉱準備金又は海外探鉱準備金》第4項（同条第12項において準用する場合を含む。）………同節第二十九款の**一**の**1**の①の**ロ**及び同**1**の②の（4）	

　注　⑪は、令和6年度改正により追加された部分で、改正規定は、新たな事業の創出及び産業への投資を促進するための産業競争力強化法等の一部を改正する法律（令和6年法律第45号）の施行の日から適用される。（令6改法附1ⅩⅢイ）
　　なお、同法の施行期日を定める政令は、令和6年7月1日現在制定されていない。

（該当することとなった日）

　2の「該当することとなった日」は、次に掲げる場合に応じ、それぞれ次に掲げる日をいう。（基通1－8－1、1－2－6・編者補正）

イ	一般社団法人又は一般財団法人のうち普通法人であるものが公益社団法人又は公益財団法人に該当することとなった場合	公益社団法人及び公益財団法人の認定等に関する法律第4条《公益認定》に規定する行政庁の認定を受けた日
ロ	一般社団法人又は一般財団法人のうち普通法人であるものが非営利型法人に該当することとなった場合	第二章第一節の**二**の表の**9**の**2**《非営利型法人》の表の**イ**又は**ロ**に掲げる要件の全てに該当することとなった日
ハ	医療法人のうち普通法人であるものが社会医療法人に該当することとなった場合	医療法第42条の2第1項《社会医療法人》の規定による社会医療法人の認定を受けた日
ニ	出資商工組合が非出資商工組合に移行することとなった場合等、協同組合等（農業協同組合連合会及び生産森林組合を除く。）が公益法人等（農業協同組合連合会	移行の登記の日

	を除く。）に該当することとなった場合	
ホ	生産森林組合が森林組合法第100条の19《組織変更》の規定により認可地縁団体に組織変更をした場合	森林組合法第100条の23第1項《組織変更の効力の発生等》に規定する効力発生日
ヘ	非出資組合である農業協同組合、農業協同組合連合会又は農事組合法人が農業協同組合法第77条《一般社団法人への組織変更》の規定により一般社団法人に組織変更をした場合（同法第78条第2項第6号に規定する効力発生日において非営利型法人に該当する場合に限る。）	当該効力発生日
ト	同二の**別表第三**《協同組合等の表》に掲げる農業協同組合連合会が農業協同組合法第87条の規定により社会医療法人に組織変更をした場合	同法第91条第1項に規定する効力発生日
チ	労働者協同組合のうち普通法人であるものが特定労働者協同組合に該当することとなった場合	労働者協同組合法第94条の2の規定による行政庁の認定を受けた日

3　普通法人又は協同組合等が適格合併を行った場合の取扱い

　普通法人又は協同組合等が、当該普通法人又は協同組合等を被合併法人とし、公益法人等を合併法人とする合併（適格合併に限る。）を行った場合には、当該合併は適格合併に該当しないものとみなして、次の表に掲げる規定を適用する。（法10③、令14の7③、措法68の3の4⑤、措令39の35の4③）

①	法人税法第52条第1項及び第2項《貸倒引当金》………第三章第一節第十七款の**一**の**1**の①及び③
②	同法第57条第2項《欠損金の繰越し》………同節第二十一款の**四**の**1**の①
③	同法第61条の6第3項《繰延ヘッジ処理による利益額又は損失額の繰延べ》………同節第二十五款の**一**の**2**の(1)
④	同法第80条第4項《欠損金の繰戻しによる還付》………同章第二節第三款の**八**の**3**の④
⑤	同法第135条《仮装経理に基づく過大申告の場合の更正に伴う法人税額の還付の特例》……同款の**八**の**4**
⑥	法人税法施行令第81条《国庫補助金等に係る特別勘定の金額の取崩し》………同節第十五款の**一**の**5**
⑦	同令第90条《保険差益等に係る特別勘定の金額の取崩し》………同款の**四**の**7**の①
⑧	同令第96条第6項及び第8項《貸倒引当金勘定への繰入限度額》………同節第十七款の**一**の**1**の③の(1)及び同③の(2)
⑨	同令第121条の5第1項《繰り延べたデリバティブ取引等の決済損益額の計上時期等》（第121条の3の2第5項《オプション取引を行った場合の繰延ヘッジ処理における有効性判定方法等》により読み替えて適用する場合を含む。）………同節第二十五款の**一**の**4**
⑩	同令第125条第2項《延払基準の方法により経理しなかった場合等の処理》………同節第一款の**五**の**1**の①の口の(6)
⑪	同令第128条《適格合併等が行われた場合における延払基準の適用》………同**1**の①の**イ**の(13)
⑫	同令第133条の2第4項《一括償却資産の損金算入》………同節第六款の**二**の**2**の④
⑬	同令第139条の4第9項《資産に係る控除対象外消費税額等の損金算入》………同節第二十七款の**七**の**2**の②の**イ**の(3)
⑭	租税特別措置法第55条《海外投資等損失準備金》………第三章第一節第十八款の**一**
⑮	同法第57条の4の2《特定原子力施設炉心等除去準備金》………同表の**7**
⑯	同法第57条の5《保険会社等の異常危険準備金》………同表の**8**の①
⑰	同法第57条の8《特定船舶に係る特別修繕準備金》………同款の**三**
⑱	同法第58条《探鉱準備金又は海外探鉱準備金》………同節第二十九款の**一**
⑲	同法第61条の2《農業経営基盤強化準備金》………同節第十八款の**四**の表の**11**
⑳	同法第64条の2《収用等に伴い特別勘定を設けた場合の課税の特例》………同節第十六款の**一**の**8**から**15**まで
㉑	同法第65条の8《特定の資産の譲渡に伴い特別勘定を設けた場合の課税の特例》………同節第十五款の**七**の**6**、**8**

	から**13**まで
㉒	同法第66条の12《中小企業者の欠損金等以外の欠損金の繰戻しによる還付の不適用》………同章第二節第三款の**八**の**3**の①
㉓	同法第67条の4《転廃業助成金等に係る課税の特例》………同章第一節第十五款の**十一**
㉔	租税特別措置法施行令第33条の7《中小企業の貸倒引当金の特例》第3項………同章第一節第十七款の**一**の**1**の⑥のイの(3)
㉕	同令第34条《探鉱準備金又は海外探鉱準備金》第5項(同条第12項において準用する場合を含む。)………同節第二十九款の**一**の**5**
㉖	平成23年改正法附則第65条第1項《法人の準備金に関する経過措置》の規定によりなおその効力を有するものとされる改正前の租税特別措置法第55条の6第5項及び第11項《特定災害防止準備金》
㉗	平成28年改正法附則第93条第2項の規定によりなおその効力を有するものとされる改正前の租税特別措置法第56条《新幹線鉄道大規模改修準備金》………第三章第一節第十八款の**四**の表の**5**
㉘	平成29年改正法附則第69条第9項及び第12項の規定によりなおその効力の有するものとされる平成29年改正法第12条の規定による改正前の租税特別措置法第65条の8《特定の資産の譲渡に伴い特別勘定を設けた場合の課税の特例》………第三章第一節第十五款の**七**の**6**、**8**から**13**まで
㉙	平成31年改正法附則第53条の規定によりなおその効力を有するものとされる平成31年改正法第11条の規定による改正前の租税特別措置法第55条の2《新事業開拓事業者投資損失準備金》………第三章第一節第十八款の**四**の表の**1**
㉚	令和2年改正法附則第87条第1項の規定によりなおその効力を有するものとされる令和2年改正法第15条の規定による改正前の租税特別措置法第55条の2の規定《金属鉱業等鉱害防止準備金》………同款の**四**の表の**3**
㉛	令和4年改正法附則第44条の規定によりなおその効力を有するものとされる令和4年改正法第11条の規定による改正前の租税特別措置法第56条《特定災害防止準備金》………同**四**の表の**4**
㉜	令和5年改正法附則第43条第1項の規定によりなおその効力を有するものとされる令和5年改正法第10条の規定による改正前の租税特別措置法第57条の4《原子力発電施設解体準備金》並びに令和5年改正法附則第43条第4項及び第7項から第9項まで《原子力発電施設解体準備金に関する経過措置》………同**四**の表の**6**

注1 ㉜は、令和6年度改正により追加された部分で、改正規定は、令和6年4月1日以後に適用される。(令6改措令附1)
注2 令和6年度改正により、上表から次のものが除かれているが、令和6年3月31日までは、なおその適用がある。(令6改措令附1)

旧㉕	租税特別措置法第57条の4《原子力発電施設解体準備金》………同款の**四**の表の**6**
旧㉘	平成23年改正法附則第65条第4項及び第8項から第10項まで並びに平成23年改正令附則第11条第4項、第5項、第7項及び第10項《法人の準備金に関する経過措置》

二　公共法人等が普通法人等に移行する場合の所得の金額の計算

1　公共法人等が普通法人等に該当することとなった場合の所得の金額の計算

　公共法人又は公益法人等である内国法人が普通法人又は協同組合等に該当することとなった場合には、その内国法人のその該当することとなった日(以下二において「**移行日**」という。)前の収益事業(公益法人等が行うものに限る。以下**1**及び**2**《公益法人等を非合併法人とする適格合併が行われた場合の所得の金額の計算》において同じ。)以外の事業から生じた所得の金額の累積額として(1)に掲げるところにより計算した金額(以下二において「**累積所得金額**」という。)又は当該移行日前の収益事業以外の事業から生じた欠損金額の累積額として(2)に掲げるところにより計算した金額(以下二において「**累積欠損金額**」という。)に相当する金額は、当該内国法人の当該移行日の属する事業年度の所得の金額の計算上、益金の額又は損金の額に算入する。(法64の4①)

　　(累積所得金額の意義)
(1)　累積所得金額とは、**1**の内国法人の移行日における資産の帳簿価額が負債帳簿価額等(負債の帳簿価額並びに資本金等の額及び利益積立金額の合計額をいう。以下**1**並びに**3**の表の③のロ及び⑤のロにおいて同じ。)を超える場合におけるその超える部分の金額をいう。(令131の4①前段)

第五章　第二節《課税所得の変更等の場合の所得の金額の計算》

(累積欠損金額の意義)
（2）　累積欠損金額とは、**1**の内国法人の移行日における負債帳簿価額等が資産の帳簿価額を超える場合におけるその超える部分の金額をいう。（令131の4①後段）

(該当することとなった場合)
（3）　**1**の「該当することとなった場合」は、次に掲げる場合に応じ、それぞれ次に掲げる日をいう。（基通1－8－1、1－2－6・編者補正）

イ	土地改良区が土地改良法第76条の規定により一般社団法人に組織変更をした場合（同法第76条の6第1項に規定する効力発生日において、非営利法人に該当し、かつ、収益事業を行う場合に限る。）	当該効力発生日
ロ	公益社団法人又は公益財団法人が普通法人に該当することとなった場合	公益社団法人及び公益財団法人の認定等に関する法律第29条第1項又は第2項《公益認定の取消し》の規定による公益認定の取消しの日
ハ	非営利型法人が普通法人に該当することとなった場合	第二章第一節の**ニ**の表の**9の2**《非営利型法人》の表の**イ**又は**ロ**に掲げる要件のいずれかに該当しないこととなった日
ニ	社会医療法人が普通法人に該当することとなった場合	医療法第64条の2第1項《収益業務の停止》の規定による社会医療法人の認定を取り消された日
ホ	非出資商工組合が出資商工組合に移行することとなった場合等、公益法人等（農業協同組合連合会を除く。）が協同組合等（農業協同組合連合会を除く。）に該当することとなった場合	移行の登記の日
ヘ	第二章第一節の**ニ**の**別表第二**《公益法人等の表》に掲げる農業協同組合連合会が農業協同組合法第87条《医療法人への組織変更》の規定により医療法人（普通法人に限る。）に組織変更をした場合	同法第91条第1項に規定する効力発生日
ト	特定労働者協同組合（労働者協同組合法第94条の3第2号《認定の基準》に規定する特定労働者協同組合をいう。以下(3)において同じ。）が普通法人に該当することとなった場合	同法第94条の19第1項又は第2項《認定の取消し》の規定による同法第94条の2《認定》の認定の取消しの日

2　公益法人等を被合併法人とする適格合併が行われた場合の所得の金額の計算

公益法人等を被合併法人とし、普通法人又は協同組合等である内国法人を合併法人とする適格合併が行われた場合には、当該被合併法人の当該適格合併前の収益事業以外の事業から生じた所得の金額の累積額として(1)に掲げるところにより計算した金額（以下**ニ**において「**合併前累積所得金額**」という。）又は当該適格合併前の収益事業以外の事業から生じた欠損金額の累積額として(2)に掲げるところにより計算した金額（以下**ニ**において「**合併前累積欠損金額**」という。）に相当する金額は、当該内国法人の当該適格合併の日の属する事業年度の所得の金額の計算上、益金の額又は損金の額に算入する。（法64の4②）

(合併前累積所得金額の意義)
（1）　合併前累積所得金額とは、**2**の内国法人の**2**に掲げる適格合併に係る移転資産帳簿価額（適格合併により被合併法人から引継ぎを受けた資産の帳簿価額をいう。以下**2**及び**3**の表の④のロにおいて同じ。）が移転負債帳簿価額等（適格合併により被合併法人から引継ぎを受けた負債の帳簿価額並びに当該適格合併に係る第二章第一節の**ニ**の表の**16**《資本金等の額》の⑤の**ハ**に掲げる金額及び同表の**18**《利益積立金額》の表の②に掲げる金額の合計額をいう。以下**2**及び**3**の表の④のロにおいて同じ。）を超える場合におけるその超える部分の金額をいう。（令131の4②前段）

（合併前累積欠損金額の意義）
（2） 合併前累積欠損金額とは、**2**の内国法人の**2**に掲げる適格合併に係る移転負債帳簿価額等が移転資産帳簿価額を超える場合におけるその超える部分の金額をいう。（令131の4②後段）

3　公益社団法人又は公益財団法人が公益認定を取り消されたことにより普通法人等に該当することとなった場合等の所得の金額の計算

　1《公共法人等が普通法人等に該当することとなった場合の所得の金額の計算》に掲げる内国法人が次の表の左欄に掲げる場合に該当する場合における**1**及び**2**《公益法人等を被合併法人とする適格合併が行われた場合の所得の金額の計算》の適用については、移行日又は当該適格合併の日以後に公益の目的又は医療法第42条の3第1項に規定する救急医療等確保事業に係る業務の継続的な実施のために支出される金額として同表の左欄に掲げる場合の区分に応じ同表の右欄に掲げる金額に相当する金額は、累積所得金額若しくは合併前累積所得金額から控除し、又は累積欠損金額若しくは合併前累積欠損金額に加算する。（法64の4③、令131の5①）

①	**1**の内国法人が公益社団法人及び公益財団法人の認定等に関する法律第29条第1項又は第2項《公益認定の取消し》の規定によりこれらの規定に規定する公益認定を取り消されたことにより普通法人に該当することとなった法人である場合		当該内国法人の移行日における公益目的取得財産残額（同法第30条第2項《公益認定の取消し等に伴う贈与》に規定する公益目的取得財産残額をいう。以下②及び(4)において同じ。）に相当する金額
②	**2**の内国法人が公益社団法人及び公益財団法人を被合併法人とする**2**に掲げる適格合併に係る合併法人である場合		当該被合併法人の当該適格合併の直前の公益目的取得財産残額に相当する金額
③	**1**に掲げる内国法人が一般社団法人及び一般財団法人に関する法律及び公益社団法人及び公益財団法人の認定等に関する法律の施行に伴う関係法律の整備等に関する法律（以下**3**において「**整備法**」という。）第123条第1項《移行法人の義務等》に規定する移行法人（整備法第126条第3項《合併をした場合の届出等》の規定により整備法第123条第1項に規定する移行法人とみなされるものを含む。④において「移行法人」という。）である場合		次に掲げる金額のうちいずれか少ない金額
		イ	当該内国法人の移行日における修正公益目的財産残額（整備法第119条第2項第2号《公益目的支出計画の作成》に規定する公益目的財産残額を基礎として(1)に掲げるところにより計算した金額をいう。④のイにおいて同じ。）
		ロ	当該内国法人の移行日における資産の帳簿価額から負債帳簿価額等を控除した金額
④	**2**の内国法人が移行法人を被合併法人とする**2**に掲げる適格合併に係る合併法人である場合		次に掲げる金額のうちいずれか少ない金額
		イ	当該被合併法人の当該適格合併の直前の修正公益目的財産残額
		ロ	当該適格合併に係る移転資産帳簿価額から移転負債帳簿価額等を控除した金額
⑤	**1**の内国法人が医療法第42条の3第1項《実施計画》に規定する実施計画（イにおいて「実施計画」という。）に係る同項の認定（以下⑤において「計画の認定」という。）を受けた医療法人である場合		次に掲げる金額のうちいずれか少ない金額
		イ	当該内国法人の移行日における当該計画の認定に係る実施計画に記載された医療法施行令第5条の5の2第1項第2号《実施計画の認定の申請》に規定する救急医療等確保事業に係る業務の実施に必要な施設及び設備（第三章第一節第六款の一の2《減価償却資産の範囲》の表の①から⑧までに掲げる資産に限る。(10)《救急医療等確保事業用資産の意義》において「救急医療等確保事業用資産」という。）の取得価額の見積額の合計額
		ロ	当該内国法人の移行日における資産の帳簿価額から負債帳簿価額等を控除した金額

第五章　第二節《課税所得の変更等の場合の所得の金額の計算》

　　　（修正公益目的財産残額の意義）
（１）　**3**の表の③のイに掲げる修正公益目的財産残額とは、**公益目的財産残額**（整備法第119条第2項第2号《公益目的支出計画の作成》に規定する公益目的財産残額をいう。**4**の表の②のイにおいて同じ。）及び**公益目的収支差額の収入超過額**（一般社団法人及び一般財団法人に関する法律及び公益社団法人及び公益財団法人の認定等に関する法律の施行に伴う関係法律の整備等に関する法律施行規則〔以下**3**において「整備府令」という。〕第23条第2項《公益目的財産残額》に規定する公益目的収支差額が零に満たない場合のその満たない部分の金額をいう。**4**の表の②のイにおいて同じ。）の合計額に整備府令第14条第1項第2号《公益目的財産額》に掲げる金額（既に有していない同項第1号に規定する時価評価資産〔以下**3**及び**4**において「時価評価資産」という。〕に係る部分の金額を除く。**4**の表の②のハにおいて「評価損の額」という。）を加算し、これから整備府令第14条第1項第1号に掲げる金額（既に有していない時価評価資産に係る部分の金額を除く。**4**の表の②のハにおいて「評価益の額」という。）を控除した金額とする。（規27の16の4①）

　　　（累積所得金額等から控除する金額の計算）
（２）　内国法人が、**1**《公益法人等が普通法人に該当することとなった場合の所得の金額の計算》又は**2**《公益法人等を被合併法人とする適格合併が行われた場合の所得の金額の計算》の適用を受ける場合において、**3**の表の左欄に掲げる場合に該当するとき（累積所得金額又は合併前累積所得金額がある場合に限る。）は、**1**に掲げる累積所得金額又は**2**に掲げる合併前累積所得金額は、**1**の（１）又は**2**の（１）にかかわらず、当該累積所得金額又は合併前累積所得金額から**3**の表の左欄に掲げる場合の区分に応じそれぞれ同表の右欄に掲げる金額を控除した金額とする。この場合において、その累積所得金額又は合併前累積所得金額から控除しきれない金額があるときは、その控除しきれない金額は、それぞれ累積欠損金額又は合併前累積欠損金額とみなして、**1**の（１）又は**2**の（１）を適用する。（法64の4⑥、令131の5②）

　　　（累積欠損金額等に加算する金額の計算）
（３）　内国法人が、**1**《公益法人等が普通法人に該当することとなった場合の所得の金額の計算》又は**2**《公益法人等を被合併法人とする適格合併が行われた場合の所得の金額の計算》の規定の適用を受ける場合において、**3**の表の①又は②の左欄に掲げる場合に該当するとき（累積欠損金額又は合併前累積欠損金額がある場合に限る。）は、**1**に掲げる累積欠損金額又は**2**に掲げる合併前累積欠損金額は、**1**の（２）又は**2**の（２）にかかわらず、当該累積欠損金額又は合併前累積欠損金額に**3**の表の①又は②の左欄に掲げる場合の区分に応じそれぞれ同表の右欄に掲げる金額を加算した金額とする。（法64の4⑥、令131の5③）

　　　（公益認定の取消等により資産の贈与をした場合の損金不算入）
（４）　内国法人が、**3**の適用を受ける場合（**3**の表の①又は②の左欄に掲げる場合に該当する場合に限る。）において、公益社団法人及び公益財団法人の認定等に関する法律第5条第17号《公益認定の基準》の定款の定めに従い成立した公益目的取得財産残額に相当する額の財産の贈与に係る契約（同法第30条第1項《公益認定の取消し等に伴う贈与》の規定により成立したものとみなされるものを含む。）により金銭その他の資産の贈与をしたときは、当該贈与により生じた損失の額は、当該内国法人の各事業年度の所得の金額の計算上、損金の額に算入しない。（法64の4⑥、令131の5④）

　　　（支出超過額の損金不算入）
（５）　内国法人が**3**の適用を受ける場合（**3**の表の③又は④の左欄に掲げる場合に該当する場合に限る。（６）において同じ。）において、当該内国法人のその適用を受ける事業年度以後の各事業年度（整備法第124条《公益目的支出計画の実施が完了したことの確認》の確認に係る事業年度〔（６）及び（７）において「確認事業年度」という。〕後の事業年度を除く。）の整備法第119条第2項第1号《公益目的支出計画の作成》の支出の額（以下**3**において「公益目的支出の額」という。）が同項第2号の規定により同号に規定する公益目的財産残額の計算上当該公益目的支出の額から控除される同号の収入の額（（６）において「実施事業収入の額」という。）を超えるときは、その超える部分の金額（当該内国法人の有する**調整公益目的財産残額**が当該超える部分の金額に満たない場合には、当該調整公益目的財産残額に相当する金額。（７）において「支出超過額」という。）は、当該内国法人の各事業年度の所得の金額の計算上、損金の額に算入しない。（法64の4⑥、令131の5⑤）

第五章　第二節《課税所得の変更等の場合の所得の金額の計算》

　　　(収入超過額の益金不算入)
（6）　内国法人が**3**の適用を受ける場合において、当該内国法人のその適用を受ける事業年度以後の各事業年度（確認事業年度後の事業年度を除く。）の実施事業収入の額が公益目的支出の額を超えるとき（当該内国法人が調整公益目的財産残額を有する場合に限る。）は、その超える部分の金額（（7）において「収入超過額」という。）は、当該内国法人の各事業年度の所得の金額の計算上、益金の額に算入しない。(法64の4⑥、令131の5⑥)

　　　(調整公益目的財産残額の意義)
（7）　（5）及び（6）に掲げる**調整公益目的財産残額**とは、**3**の表の③又は④の右欄に掲げる金額から（5）又は（6）の適用を受ける事業年度（以下「適用事業年度」という。）前の各事業年度の支出超過額の合計額を減算し、これに当該適用事業年度前の各事業年度の収入超過額の合計額を加算した金額（確認事業年度後の事業年度にあっては、零）をいう。(法64の4⑥、令131の5⑦)

　　　(被合併法人が調整公益目的財産残額を有する場合の合併法人のみなし規定)
（8）　**3**の適用を受けた内国法人を被合併法人とする合併が行われた場合において、当該被合併法人が当該合併の直前において（7）に掲げる調整公益目的財産残額を有するときは、当該合併に係る合併法人（当該合併の日において公益社団法人又は公益財団法人に該当するものを除く。）の当該合併の日の属する事業年度以後の各事業年度においては、当該合併法人は**3**の適用を受けた内国法人と、当該合併法人の当該合併の日の属する事業年度は当該適用を受けた事業年度と、当該被合併法人が有していた当該調整公益目的財産残額は当該合併法人が当該合併の日の属する事業年度開始の日において有する（7）に掲げる調整公益目的財産残額と、それぞれみなして、（5）又は（6）を適用する。(法64の4⑥、令131の5⑧)

　　　(贈与により生じた損失の額等)
（9）　（4）に掲げる贈与により生じた損失の額及び（5）又は（6）の適用を受ける場合におけるこれらに掲げる公益目的支出の額は、第三章第一節第十二款の**四**の1《寄附金の意義》に掲げる寄附金の額に該当しないものとする。(法64の4⑥、令131の5⑨)

　　　(救急医療等確保事業用資産の意義)
（10）　内国法人が、**3**の適用を受ける場合（**3**の表の⑤の左欄に掲げる場合に該当する場合に限る。）において、医療法施行令第5条の5の4第1項《実施計画の変更》に規定する認定実施計画（以下（10）及び（11）において「認定実施計画」という。）に記載された同令第5条の5の2第1項第3号に規定する実施期間（同令第5条の5の6第1項《実施計画の認定の取消し等》の規定により当該認定実施計画に係る計画の認定が取り消された場合又は同条第4項の規定により当該計画の認定の効力が失われた場合にあっては、当該計画の認定が取り消された日又は当該計画の認定の効力が失われた日以後の期間を除く。以下（10）において「実施期間」という。）内において救急医療等確保事業用資産の取得（第三章第一節第六款の**六**の7の①の（1）《資本的支出がある場合の減価償却資産の取得価額》に掲げる取得を含む。以下（10）において同じ。）をしたときは、当該取得をした救急医療等確保事業用資産の取得価額は、零（当該救急医療等確保事業用資産の取得価額が**3**の表の⑤の右欄に掲げる金額から当該内国法人が実施期間内において既に取得をした各救急医療等確保事業用資産の次の表の左欄に掲げる区分に応じ同表の右欄に掲げる金額の合計額を控除した残額〔以下**3**において「救急医療等確保事業用資産取得未済残額」という。〕を超える場合には、その超える部分の金額）とする。(法64の4⑥、令131の5⑩)

(一)	(10)の適用を受けた救急医療等確保事業用資産	その適用を受ける前の取得価額から(10)により取得価額とされた金額を控除した金額
(二)	(10)の適用を受けるべきこととなる救急医療等確保事業用資産	その取得価額から(10)の規定により取得価額とされる金額を控除した金額

　　　(実施期間終了の時において救急医療等確保事業用資産取得未済残額を有する場合の益金算入)
（11）　**3**の適用を受けた内国法人が認定実施計画に記載された医療法施行令第5条の5の2第1項第3号に規定する実施期間終了の時において救急医療等確保事業用資産取得未済残額を有する場合（同令第5条の5の6第1項の規定により当該認定実施計画に係る計画の認定が取り消され、又は同条第4項の規定により当該計画の認定の効力が失われ

た場合を除く。）には、当該救急医療等確保事業用資産取得未済残額に相当する金額は、当該実施期間終了の日の属する事業年度の所得の金額の計算上、益金の額に算入する。（法64の4⑥、令131の5⑪）

（計画の認定を取り消された場合において救急医療等確保事業用資産取得未済残額を有する場合の益金算入）
(12) 3の適用を受けた内国法人が、医療法施行令第5条の5の6第1項の規定により計画の認定を取り消された場合において、その取り消された日において救急医療等確保事業用資産取得未済残額を有するときは、当該救急医療等確保事業用資産取得未済残額に相当する金額は、その取り消された日の属する事業年度の所得の金額の計算上、益金の額に算入する。（法64の4⑥、令131の5⑫）

（被合併法人が救急医療等確保事業用資産取得未済残額を有する場合の合併法人のみなす規定）
(13) 3の適用を受けた内国法人を被合併法人とする合併が行われた場合において、当該被合併法人が当該合併の直前において救急医療等確保事業用資産取得未済残額を有するときは、当該合併に係る合併法人（当該合併の日において医療法第42条の2第1項《社会医療法人》に規定する社会医療法人に該当するものを除く。）の当該合併の日の属する事業年度以後の各事業年度においては、当該合併法人は3の適用を受けた内国法人と、当該被合併法人が有していた当該救急医療等確保事業用資産取得未済残額は当該合併法人が当該合併の日において有する救急医療等確保事業用資産取得未済残額と、それぞれみなして、(10)、(11)及び(12)を適用する。（法64の4⑥、令131の5⑬）

4　累積所得金額から控除する場合等の申告

3《公益社団法人又は公益財団法人が公益認定を取り消されたことにより普通法人等に該当することとなった場合等の所得の金額の計算》は、確定申告書に3の表の右欄に掲げる金額及びその計算に関する明細の記載があり、かつ、次の表の左欄に掲げる場合の区分に応じ、それぞれ同表の右欄に掲げる書類の添付がある場合に限り、適用する。（法64の4④、規27の16の4②）

①	3の表の①又は②の左欄に掲げる場合に該当する場合	3の表の①又は②の右欄に掲げる金額を証する書類	
②	3の表の③又は④の左欄に掲げる場合に該当する場合	次に掲げる事項を証する書類	
		イ	移行日又は適格合併の直前における公益目的財産残額及び公益目的収支差額の収入超過額
		ロ	移行日に有する時価評価資産又は適格合併により引継ぎを受けた時価評価資産の状況
		ハ	移行日に有する時価評価資産又は適格合併により引継ぎを受けた時価評価資産に係る評価益の額及び評価損の額
③	3の表の⑤の左欄に掲げる場合に該当する場合	3の表の⑤の左欄に掲げる計画の認定を受けた旨を証する書類の写し及び当該計画の認定に係る3の表の⑤の左欄に掲げる実施計画の写し	

（明細の記載等がない場合のゆうじょ規定）
　税務署長は、4の記載又は書類の添付がない確定申告書の提出があった場合においても、その記載又は添付がなかったことについてやむを得ない事情があると認めるときは、3を適用することができる。（法64の4⑤）

三　転用資産等及び移行時資産等の帳簿価額

　内国法人である公益法人等若しくは人格のない社団等のその収益事業以外の事業に属していた資産及び負債がその収益事業に属する資産及び負債となった場合のその資産及び負債（以下「転用資産等」という。）、公共法人が収益事業を行う公益法人等に該当することとなった場合のその該当することとなった時において有する資産及び負債（その収益事業に属する資産及び負債に限る。以下「公益法人等移行時資産等」という。）又は公共法人若しくは公益法人等が普通法人若しくは協同組合等に該当することとなった場合のその該当することとなった時において有する資産及び負債（公益法人等が普通法人又は協同組合等に該当することとなった場合にあっては、その収益事業以外の事業に属していた資産及び負債に限

る。以下「普通法人等移行時資産等」という。)の帳簿価額は、それぞれ当該転用資産等の価額としてその収益事業に関する帳簿に記載された金額、当該公益法人等移行時資産等の価額としてその収益事業を行う公益法人等に該当することとなった時においてその帳簿に記載されていた金額又は当該普通法人等移行時資産等の価額としてその普通法人若しくは協同組合等に該当することとなった時においてその帳簿に記載されていた金額とする。(令131の6)

第六章　地方法人税

第一節　地方法人税法の趣旨

　地方法人税法（平成26年法律第11号）は、地方交付税の財源を確保するための地方法人税について、納税義務者、課税の対象、税額の計算の方法、申告及び納付の手続並びにその納税義務の適正な履行を確保するため必要な事項を定めるものとする。（地方法1）

　（租税特別措置法の趣旨）
　　租税特別措置法は、当分の間、………地方法人税、………を軽減し、若しくは免除し、若しくは還付し、かつ、国税に関する法律関係を明確にするとともに、課税標準若しくは税額の計算、申告書の提出期限若しくは徴収につき、………地方法人税法、………の特例を設けることについて規定するものとする。（措法1）

第二節　総　則

一　定　義

この章において、次に掲げる用語の意義は、それぞれ次に掲げるところによる。（地方法 2、地方令 1、地方規 1）

1	内国法人	法人税法第 2 条第 3 号《第二章第一節の二の表の**3**》に規定する内国法人をいう。
2	外国法人	法人税法第 2 条第 4 号《第二章第一節の二の表の**4**》に規定する外国法人をいう。
3	人格のない社団等	法人税法第 2 条第 8 号《第二章第一節の二の表の**8**》に規定する人格のない社団等をいう。
4	被合併法人	法人税法第 2 条第11号《第二章第一節の二の表の**11**》に規定する被合併法人をいう。
5	合併法人	法人税法第 2 条第12号《第二章第一節の二の表の**12**》に規定する合併法人をいう。
6	通算親法人	法人税法第 2 条第12号の 6 の 7《第二章第一節の二の表の**12の 6 の 7**》に規定する通算親法人をいう。
7	通算子法人	法人税法第 2 条第12号の 7《第二章第一節の二の表の**12の 7**》に規定する通算子法人をいう。
8	通算法人	法人税法第 2 条第12号の 7 の 2《第二章第一節の二の表の**12の 7 の 2**》に規定する通算法人をいう。
9	通算完全支配関係	法人税法第 2 条第12号の 7 の 7《第二章第一節の二の表の**12の 7 の 7**》に規定する通算完全支配関係をいう。
10	適格合併	法人税法第 2 条第12号の 8《第二章第一節の二の表の**12の 8**》に規定する適格合併をいう。
11	恒久的施設	省略
12	事業年度	法人税法第13条及び第14条《第二章第一節の**七**》に規定する事業年度をいう。
12の2	対象会計年度	省略
13	法人課税信託	法人税法第 2 条第29号の 2 に規定する法人課税信託をいう。
14	地方法人税中間申告書	第五節の**一**の 1《中間申告》による申告書をいう。
15	地方法人税確定申告書	第五節の**二**《確定申告》による申告書（当該申告書に係る期限後申告書を含む。）をいう。
16	期限後申告書	国税通則法第18条第 2 項《第三章第二節第三款の**三**》に規定する期限後申告書をいう。
17	修正申告書	国税通則法第19条第 3 項《第三章第二節第三款の**四**》に規定する修正申告書をいう。
18	中間納付額	第五節の**四**の 1《中間申告による納付》により納付すべき地方法人税の額（その額につき修正申告書の提出又は更正があった場合には、その申告又は更正後の地方法人税の額）をいう。
19	更正	国税通則法第24条又は第26条《第二章第三節の**一**の 1 の表の①又は同表の③》の規定による更正をいう。
20	附帯税	国税通則法第 2 条第 4 号に規定する附帯税をいう。
21	充当	国税通則法第57条第 1 項の規定による充当をいう。
22	還付加算金	国税通則法第58条第 1 項に規定する還付加算金をいう。

注　──線部分は、令和 5 年度改正により追加された部分で、改正規定は、令和 6 年 4 月 1 日以後に開始する課税事業年度の基準法人税額に対する地方法人税及び内国法人の同日以後に開始する課税対象会計年度の特定基準法人税額に対する地方法人税について適用される。（令 5 改法附17、1Ⅳロ）

二　法人課税信託の受託者等

人格のない社団等及び法人課税信託の受託者である個人は、法人とみなして、第六章《地方法人税》（第五節の**三**の 1《電

子情報処理組織による申告》及び第六節の**二**《罰則》を除く。）を適用する。（地方法3①）
- 注1　法人課税信託の受託者は、各法人課税信託の法人税法第4条の2第1項《法人課税信託の受託者に関するこの法律の適用》に規定する信託資産等及び固有資産等ごとに、それぞれ別の者とみなして、第六章第二節（**三**《納税義務者》、**七**《納税地》及び第六節の**三**を除く。）を適用する。（地方法3②）
- 注2　次に掲げるものは、注1を適用する場合について準用する。（地方法3③、地方令2①）
  - （一）　法人税法第4条の2第2項
  - （二）　法人税法第4条の3《受託法人等に関するこの法律の適用》
  - （三）　法人税法第4条の4《受託者が2以上ある法人課税信託》
  - （四）　法人税法施行令第14条の6第1項から第5項まで及び第7項から第11項《法人課税信託の併合又は分割等》までの規定

三　納税義務者

　法人税を納める義務がある法人（以下第六章において「法人」という。）は、地方法人税法により、地方法人税を納める義務がある。（地方法4）

四　課税の対象

　法人の各課税事業年度の基準法人税額には、地方法人税法により、<u>基準法人税額に対する</u>地方法人税を課する。（地方法5①）

- 注　——線部分は、令和5年度改正により追加された部分で、改正規定は、令和6年4月1日以後に開始する課税事業年度の基準法人税額に対する地方法人税について適用される。（令5改法附17、1Ⅳロ）

五　基準法人税額等

　地方法人税法において「**基準法人税額**」とは、次の表の左欄に掲げる法人の区分に応じ、それぞれ同表の右欄に掲げる金額をいう。（地方法6①）

①	第二章第一節の**二**の表の**31**に掲げる確定申告書を提出すべき内国法人	当該内国法人の法人税の課税標準である各事業年度の所得の金額につき、法人税法その他の法人税の税額の計算に関する法令の規定（第三章第二節第二款の**一**《所得税額の控除》、同款の**二**《外国税額の控除》、同款の**三**《分配時調整外国税相当額の控除》、同款の**四**《仮装経理に基づく過大申告の場合の更正に伴う法人税額の控除》及び同款の**二十**《税額控除の順序》を除く。）により計算した法人税の額（附帯税の額を除く。）
②	第二章第一節の**二**の表の**33**に掲げる退職年金等積立金確定申告書を提出すべき法人	当該法人の法人税の課税標準である各事業年度の退職年金等積立金の額につき、法人税法その他の法人税の税額の計算に関する法令の規定により計算した法人税の額（附帯税の額を除く。）

六　課税事業年度等

　地方法人税法において「**課税事業年度**」とは、法人の各事業年度をいう。（地方法7①）

七　納　税　地

　法人の地方法人税の納税地は、当該法人の第二章第一節の**八**《納税地》及び法人税法第17条の2《法人課税信託の受託者である個人の納税地》の規定による法人税の納税地とする。（地方法8①）

　　（納税地指定の処分の取消しがあった場合の法人税法の準用）
　　第二章第一節の**八**の**2**の（2）《納税地指定の処分の取消しがあった場合の申告等の効力》は、法人税の納税地の指定の処分の取消しがあった場合における地方法人税について準用する。（地方法8②）

第三節　課税標準

一　課税標準

基準法人税額に対する地方法人税の課税標準は、各課税事業年度の**課税標準法人税額**とする。（地方法9①）

注　――線部分は、令和5年度改正により追加された部分で、改正規定は、令和6年4月1日以後に開始する課税事業年度の基準法人税額に対する地方法人税について適用される。（令5改法附17、1Ⅳロ）

二　課税標準法人税額

各課税事業年度の課税標準法人税額は、各課税事業年度の基準法人税額とする。（地方法9②）

第四節　税額の計算

一　税　率

　基準法人税額に対する地方法人税の額は、各課税事業年度の課税標準法人税額に$\frac{10.3}{100}$の税率を乗じて計算した金額とする。（地方法10①）

　注１　一の場合において、法人の各課税事業年度の基準法人税額に第三章第二節第一款の二の１《特定同族会社の特別税率》により加算された金額がある場合には、一の課税標準法人税額は、当該基準法人税額から当該加算された金額を控除した金額とする。（地方法10②）

　注２　──線部分は、令和５年度改正により追加された部分で、改正規定は、令和６年４月１日以後に開始する課税事業年度の基準法人税額に対する地方法人税について適用される。（令５改法附17、１Ⅳロ）

　　　（特定同族会社の特別税率の適用がある場合の地方法人税の額）
　　　内国法人が各課税事業年度において第三章第二節第一款の二の１《特定同族会社の特別税率》の適用を受ける場合には、第二節の**五**の表の①の基準法人税額に対する地方法人税の額（以下第四節において「**所得地方法人税額**」という。）は、**一**及び**二**の２の（8）（同２の（12）において準用する場合を含む。）にかかわらず、**一**により計算した所得地方法人税額に、第三章第二節第一款の二の１に掲げる合計額に$\frac{10.3}{100}$を乗じて計算した金額を加算した金額とする。（地方法11）

二　外国税額の控除

1　外国税額の控除

　内国法人が各課税事業年度において第三章第二節第二款の二の１の①《外国法人税を納付することとなる場合の外国税額控除》の適用を受ける場合において、当該課税事業年度の同①に掲げる控除対象外国法人税の額が同①に掲げる控除限度額を超えるときは、地方法人税控除限度額（**一**《税率》を適用して計算した当該課税事業年度の所得地方法人税額のうち当該内国法人の当該課税事業年度の国外所得金額（第三章第二節第二款の二の１の①に掲げる国外所得金額をいう。）に対応するものとして（1）《外国税額の控除限度額の計算》に掲げるところにより計算した金額をいう。）を限度として、その超える金額を当該課税事業年度の所得地方法人税額から控除する。（地方法12①）

　　　（外国税額の控除限度額の計算）
（1）　１に掲げるところにより計算した金額は、１の内国法人の当該課税事業年度の第三節《課税標準》に掲げる課税標準法人税額につき**一**を適用して計算した地方法人税の額に、当該課税事業年度に係る第三章第二節第二款の**二**の１の⑩《控除限度額の計算》を適用して計算した同⑩に掲げる割合を乗じて計算した金額とする。（地方令３①）

　　　（公益法人等又は人格のない社団等の収益事業以外の事業等に属する外国税額の控除の不適用）
（2）　第三章第二節第二款の二の１の①の注は、１を適用する場合について準用する。（地方法12③）

　　　（外国税額の控除の申告）
（3）　１は、地方法人税確定申告書、修正申告書又は第三章第二節第三款の**九**の３《更正請求書の提出等》に掲げる更正請求書（以下この章において同じ。）に控除対象外国法人税等の額（第三章第二節第二款の二の１の①に掲げる控除対象外国法人税の額をいう。以下（3）において同じ。）、１による控除を受けるべき金額及び当該金額の計算に関する明細を記載した書類の添付がある場合に限り、適用する。この場合において、１による控除をされるべき金額の計算の基礎となる控除対象外国法人税等の額は、税務署長において特別の事情があると認める場合を除くほか、当該書類に控除対象外国法人税等の額として記載された金額を限度とする。（地方法12⑮）

　　　（外国税額控除に係る規定の適用）
（4）　（2）及び（3）のほか、**二**の適用に関し必要な事項は、政令で定める。（地方法12⑳）

　　　注　（4）の政令は、令和６年７月１日現在制定されていない。（編者）

2　通算法人の外国税額控除

　通算法人の**1**の各課税事業年度(当該通算法人に係る通算親法人の課税事業年度終了の日に終了するものに限る。以下**2**において「**通算課税事業年度**」という。)の**1**の地方法人税控除限度額は、当該通算法人の当該通算課税事業年度の**一**《税率》を適用して計算した所得地方法人税額及び当該通算課税事業年度終了の日において当該通算法人との間に通算完全支配関係がある他の通算法人の当該終了の日に終了する各課税事業年度の**一**を適用して計算した所得地方法人税額の合計額のうち、当該通算法人の当該通算課税事業年度の国外所得金額に対応するものとして通算法人の通算課税事業年度の調整前控除限度額から当該通算課税事業年度の控除限度調整額を控除した金額(当該調整前控除限度額が零を下回る場合には、零)として計算した金額とする。(地方法12④、地方令3④)

　　(調整前控除限度額の意義)
(1)　**2**に掲げる調整前控除限度額とは、次の表に掲げる金額の合計額に当該通算課税事業年度に係る第三章第二節第二款の**二**の**7**の①の(2)から(6)まで及び同**7**の④の(4)《他の通算法人に対する通知》を適用して計算した同①の(1)《調整前控除限度額の意義》に掲げる割合を乗じて計算した金額((2)において「**調整前控除限度額**」という。)をいう。(地方令3⑤)

(一)	**2**の通算法人の当該通算課税事業年度の第三節《課税標準》に掲げる課税標準法人税額につき**一**《税率》を適用して計算した地方法人税の額(当該通算課税事業年度の基準法人税額のうちに第三章第二節第二款の**五**の**5**の①《試験研究を行った場合又は中小企業者等の試験研究費に係る法人税額の特別控除》の表の(六)のロ又は同表の(七)〔同表の(六)のロ又は同表の(七)を同**5**の④の(3)《通算法人に係る産学官連携の協同研究・委託研究に係る法人税額の特別控除の準用》において準用する場合を含む。〕、同款の**四**の**2**の①《通算法人の仮装経理に基づく過大申告の場合等の法人税額の計算》〔東日本大震災の被災者等に係る国税関係法律の臨時特例に関する法律第17条の4の2第1項の規定により読み替えて適用する場合を含む。〕若しくは同**2**の②《通算法人の承認が効力を失う場合の取扱い》又は第二節第一款の**三**《使途秘匿金の支出がある場合の課税の特例》若しくは同款の**四**《土地の譲渡等がある場合の特別税率》〔以下(1)において「税額加算規定」という。〕により加算された金額がある場合には、当該基準法人税額から当該加算された金額を控除した金額を当該通算課税事業年度の基準法人税額とみなして第三節《課税標準》及び**一**《税率》を適用して計算した金額)から、第三章第二節第一款の**二**《特定同族会社の特別税率》及び税額加算規定の適用がないものとして同節第二款の**三**《分配時調整外国税相当額の控除》、**三**《分配時調整外国税相当額の控除》並びに第三章第一節第三十二款の**二**の**3**《外国関係会社の課税対象金額等に係る所得税等の額の計算等》及び同**3**の(10)《控除対象所得税額等相当額が法人税の額を超えた場合》並びに同款の**五**の**2**《外国関係法人の課税対象金額等に係る所得税等の額の計算等》及び同**2**の(10)《控除対象所得税額等相当額が法人税の額を超えた場合》を適用した場合に**三**《分配時調整外国税相当額の控除》並びに第三章第一節第三十二款の**二**の**3**の(10)及び同款の**五**の**2**の(10)により控除をされるべき金額の合計額を控除した金額
(二)	**2**の通算法人の当該通算課税事業年度終了の日において当該通算法人との間に通算完全支配関係がある他の通算法人((2)及び(3)において「**他の通算法人**」という。)の当該終了の日に終了する課税事業年度(以下(二)及び(2)において「**他の課税事業年度**」という。)の第三節《課税標準》に掲げる課税標準法人税額につき**一**《税率》を適用して計算した地方法人税の額(当該他の課税事業年度の基準法人税額のうちに税額加算規定により加算された金額がある場合には、当該基準法人税額から当該加算された金額を控除した金額を当該他の課税事業年度の基準法人税額とみなして第三節《課税標準》及び**一**を適用して計算した金額)から、第二節第一款の**二**《特定同族会社の特別税率》及び税額加算規定の適用がないものとして同節第二款の**三**《分配時調整外国税相当額の控除》、**三**《分配時調整外国税相当額の控除》並びに第三章第一節第三十二款の**二**の**3**《外国関係会社の課税対象金額等に係る所得税等の額の計算等》及び同**3**の(10)並びに同款の**五**の**2**《外国関係法人の課税対象金額等に係る所得税等の額の計算等》及び同**2**の(10)《控除対象所得税額等相当額が法人税の額を超えた場合》を適用した場合に**三**《分配時調整外国税相当額の控除》並びに第三章第一節第三十二款の**二**の**3**の(10)及び同款の**五**の**2**の(10)により控除をされるべき金額の合計額を控除した金額の合計額

　　(控除限度調整額の意義)
(2)　**2**に掲げる控除限度調整額とは、次の表の(一)に掲げる金額に同表の(二)に掲げる金額のうちに同(二)のイに掲げる金額の占める割合を乗じて計算した金額をいう。(地方令3⑥)

(一)	他の通算法人の他の課税事業年度の調整前控除限度額が零を下回る場合のその下回る額の合計額

(二)		次に掲げる金額の合計額
	イ	**2**の通算法人の当該通算課税事業年度の調整前控除限度額（零を超えるものに限る。）
	ロ	他の通算法人の他の課税事業年度の調整前控除限度額（零を超えるものに限る。）の合計額

　　　（他の通算法人に対する地方法人税額の通知）
（３）　通算法人（通算法人であった内国法人を含む。）は、当該通算法人の通算課税事業年度後において、当該通算課税事業年度の第五節の**二**《確定申告》による申告書に添付された書類に地方法人税額（(１)の表の(一)に掲げる金額をいう。以下(３)において同じ。）として記載された金額と当該通算課税事業年度の地方法人税額とが異なることとなった場合には、他の通算法人に対し、その異なることとなった地方法人税額を通知しなければならない。（地方令３⑦）

　　　（適用課税事業年度の税額控除額の金額）
（４）　**1**を適用する場合において、通算法人の**1**の各課税事業年度（当該通算法人に係る通算親法人の課税事業年度終了の日に終了するものに限るものとし、被合併法人の合併の日の前日の属する課税事業年度、残余財産の確定の日の属する課税事業年度及び公益法人等（第二章第一節の**二**の表の**6**《公益法人等》に掲げる公益法人等をいう。以下**二**において同じ。）に該当することとなった日の前日の属する課税事業年度を除く。以下(６)までにおいて「**適用課税事業年度**」という。）の税額控除額（当該適用課税事業年度における**1**による控除をされるべき金額をいう。以下**二**において同じ。）が、当初申告税額控除額（当該適用課税事業年度の第五節の**二**《確定申告》による申告書に添付された書類に当該適用課税事業年度の税額控除額として記載された金額をいう。以下(４)及び(６)において同じ。）と異なるときは、当初申告税額控除額を税額控除額とみなす。（地方法12⑤）

　　　（税額控除額の計算の基礎となる事実に隠蔽又は仮装等があった場合）
（５）　(４)の通算法人の適用課税事業年度について、次の表に掲げる場合のいずれかに該当する場合には、当該適用課税事業年度については、(４)は、適用しない。（地方法12⑥）

(一)	通算法人又は当該通算法人の適用課税事業年度終了の日において当該通算法人との間に通算完全支配関係がある他の通算法人が、適用課税事業年度における税額控除額の計算の基礎となる事実の全部又は一部を隠蔽し、又は仮装して税額控除額を増加させることによりその地方法人税の負担を減少させ、又は減少させようとする場合
(二)	第三章第二節第二款の**二**の**7**の②の(１)《税額控除額の計算の基礎となる事実に隠蔽又は仮装等があった場合》の表の(二)の適用がある場合

　　　（適用課税事業年度の税額控除額）
（６）　適用課税事業年度について(５)((５)の表の(一)に係る部分に限る。)を適用して修正申告書の提出又は更正がされた後における(４)の適用については、(５)にかかわらず、当該修正申告書又は当該更正に係る第二章第三節の**一**の**1**の(３)《更正通知書の記載事項》に掲げる更正通知書に添付された書類に当該適用課税事業年度の税額控除額として記載された金額を当初申告税額控除額とみなす。（地方法12⑦）

　　　（対象課税事業年度における税額控除不足額相当額の調整）
（７）　通算法人（通算法人であった内国法人〔公益法人等に該当することとなった内国法人を除く。〕を含む。以下(10)までにおいて同じ。）の各課税事業年度（以下(11)までにおいて「**対象課税事業年度**」という。）において、過去適用課税事業年度（当該対象課税事業年度開始の日前に開始した各課税事業年度で(４)の適用を受けた課税事業年度をいう。以下(７)及び(10)において同じ。）における税額控除額（当該対象課税事業年度開始の日前に開始した各課税事業年度（以下(７)において「対象前各課税事業年度」という。）において当該過去適用課税事業年度に係る税額控除額につき(７)又は(８)の適用があった場合には、(８)により当該対象前各課税事業年度の所得地方法人税額に加算した金額の合計額から(７)により当該対象前各課税事業年度の所得地方法人税額から控除した金額の合計額を減算した金額を加算した金額。以下(７)又は(８)において「**調整後過去税額控除額**」という。）が過去当初申告税額控除額（当該過去適用課税事業年度の第五節の**二**《確定申告》による申告書に添付された書類に当該過去適用課税事業年度の**1**による控除をされるべき金額として記載された金額〔当該過去適用課税事業年度について(６)の適用を受けた場合には、その

適用に係る修正申告書又は更正に係る第二章第三節の一の1の(3)《更正通知書の記載事項》に掲げる更正通知書に添付された書類のうち、最も新しいものに当該過去適用課税事業年度の1による控除をされるべき金額として記載された金額]をいう。以下(7)又は(8)において同じ。)を超える場合には、税額控除不足額相当額(当該調整後過去税額控除額から当該過去当初申告税額控除額を控除した金額に相当する金額をいう。(9)から(11)までにおいて同じ。)を当該対象課税事業年度の所得地方法人税額から控除する。(地方法12⑧)

　　(対象課税事業年度における税額控除超過額相当額の調整)
(8)　通算法人の対象課税事業年度において過去当初申告税額控除額が調整後過去税額控除額を超える場合には、当該対象課税事業年度の所得地方法人税額は、一《税率》にかかわらず、一により計算した所得地方法人税額に、税額控除超過額相当額(当該過去当初申告税額控除額から当該調整後過去税額控除額を控除した金額に相当する金額をいう。(9)から(11)までにおいて同じ。)を加算した金額とする。(地方法12⑨)

　　(税額控除不足額相当額又は税額控除超過額相当額のみなし規定)
(9)　(7)及び(8)を適用する場合において、通算法人の対象課税事業年度の税額控除不足額相当額又は税額控除超過額相当額が当初申告税額控除不足額相当額又は当初申告税額控除超過額相当額(それぞれ当該対象課税事業年度の第五節の二《確定申告》による申告書に添付された書類に当該対象課税事業年度の税額控除不足額相当額又は税額控除超過額相当額として記載された金額をいう。以下(9)及び(11)において同じ。)と異なるときは、当初申告税額控除不足額相当額又は当初申告税額控除超過額相当額を当該対象課税事業年度の税額控除不足額相当額又は税額控除超過額相当額とみなす。(地方法12⑩)

　　(税額控除不足額相当額又は税額控除超過額相当額のみなし規定を適用しない場合)
(10)　(9)の通算法人の対象課税事業年度について、次の表に掲げる場合のいずれかに該当する場合には、当該対象課税事業年度については、(9)は、適用しない。(地方法12⑪)

(一)	税額控除不足額相当額又は税額控除超過額相当額の計算の基礎となる事実の全部又は一部を隠蔽し、又は仮装して、当該税額控除不足額相当額を増加させ、又は当該税額控除超過額相当額を減少させることによりその地方法人税の負担を減少させ、又は減少させようとする場合
(二)	対象課税事業年度において(7)により所得地方法人税額から控除した税額控除不足額相当額又は(8)により所得地方法人税額に加算した税額控除超過額相当額に係る過去適用課税事業年度について(5)の適用がある場合
(三)	対象課税事業年度((16)又は(17)による説明が行われた日の属するものに限る。以下(三)において同じ。)の第五節の二《確定申告》による申告書に添付された書類に当該対象課税事業年度の税額控除不足額相当額又は税額控除超過額相当額として記載された金額及びその計算の根拠が(16)又は(17)による説明の内容と異なる場合

　　(みなし規定を適用しない場合の税額控除不足額相当額又は税額控除超過額相当額)
(11)　対象課税事業年度について(10)を適用して修正申告書の提出又は更正がされた後における(9)の適用については、(10)にかかわらず、当該修正申告書又は当該更正に係る第二章第三節の一の1の(3)《更正通知書の記載事項》に掲げる更正通知書に添付された書類に当該対象課税事業年度の税額控除不足額相当額又は税額控除超過額相当額として記載された金額を当初申告税額控除不足額相当額又は当初申告税額控除超過額相当額とみなす。(地方法12⑫)

　　(合併により解散した場合又は通算法人の残余財産が確定した場合の読み替え規定)
(12)　(7)及び(8)は、通算法人(通算法人であった内国法人を含む。以下(12)及び(13)において同じ。)が合併により解散した場合又は通算法人の残余財産が確定した場合について準用する。この場合において、次の表の左欄に掲げる規定中同表の中欄に掲げる字句は、それぞれ同表の右欄に掲げる字句に読み替えるものとする。(地方法12⑬)

(7)《対象課税事業年度における税額控除不足額相当額の調整》	の各課税事業年度(以下(11)までにおいて「**対象課税事業年度**」という。)において、過去適用課税事業年度(当該対象課税事業年度	が合併により解散した場合又は通算法人の残余財産が確定した場合において、その合併の日以後又はその残余財産の確定の日の翌日以後に、過去適用課税事業年度(最終課税事業年度〔その合併の日の前日又はその残余財産の確定の日の属する課税事業年度をいう。以下(7)及び(8)において同じ。〕

	税額控除額(当該対象課税事業年度	税額控除額（当該最終課税事業年度
	超える場合には	超えるときは
	を当該対象課税事業年度	を当該最終課税事業年度
（8）《対象課税事業年度における税額控除超過額相当額の調整》	の対象課税事業年度において	が合併により解散した場合又は通算法人の残余財産が確定した場合において、その合併の日以後又はその残余財産の確定の日の翌日以後に
	場合には、当該対象課税事業年度	ときは、最終課税事業年度

(通算法人が公益法人等に該当することとなった場合の読み替え規定)
(13)　(7)及び(8)は、通算法人が公益法人等に該当することとなった場合について準用する。この場合において、次の表の左欄に掲げる規定中同表の中欄に掲げる字句は、それぞれ同表の右欄に掲げる字句に読み替えるものとする。(地方法12⑭)

（7）《対象課税事業年度における税額控除不足額相当額の調整》	の各課税事業年度（以下(11)までにおいて「**対象課税事業年度**」という。）において、過去適用課税事業年度（当該対象課税事業年度	が公益法人等に該当することとなった場合において、その該当することとなった日以後に、過去適用課税事業年度（最終課税事業年度〔その該当することとなった日の前日の属する課税事業年度をいう。以下(7)及び(8)において同じ。〕
	税額控除額(当該対象課税事業年度	税額控除額（当該最終課税事業年度
	超える場合には	超えるときは
	を当該対象課税事業年度	を当該最終課税事業年度
（8）《対象課税事業年度における税額控除超過額相当額の調整》	の対象課税事業年度において	が公益法人等に該当することとなった場合において、その該当することとなった日以後に
	場合には、当該対象課税事業年度	ときは、最終課税事業年度

(対象課税事業年度における税額控除不足額相当額の調整を行う場合の添付書類)
(14)　(7)((12)及び(13)において準用する場合を含む。以下(14)において同じ。)は、申告書等に(7)による控除を受けるべき金額及び当該金額の計算に関する明細を記載した書類の添付がある場合に限り、適用する。この場合において、(7)による控除をされるべき金額の計算の基礎となる控除対象外国法人税の額（第三章第二節第二款の二の1の①《外国法人税を納付することとなる場合の外国税額控除》に掲げる控除対象外国法人税の額をいう。以下(14)及び(15)において同じ。）は、税務署長において特別の事情があると認める場合を除くほか、当該書類に控除対象外国法人税の額として記載された金額を限度とする。(地方法12⑯)

(対象課税事業年度における税額控除超過額相当額の調整を行う場合の添付書類)
(15)　(8)((12)及び(13)において準用する場合を含む。以下(15)において同じ。)の適用を受ける通算法人（通算法人であった内国法人を含む。(16)及び(17)において同じ。）は、申告書等に(8)により所得地方法人税額に加算されるべき金額及び当該金額の計算に関する明細を記載した書類を添付しなければならない。この場合において、(8)により加算されるべき金額の計算の基礎となる控除対象外国法人税の額は、税務署長において特別の事情があると認める場合を除くほか、当該書類に控除対象外国法人税の額として記載された金額を限度とする。(地方法12⑰)

(通算法人に対する調査結果の内容の説明)
(16)　地方法人税に関する調査を行った結果、通算法人の各課税事業年度（第五節の二《確定申告》による申告書の提出期限が到来していないものに限る。）において(7)又は(8)を適用すべきと認める場合には、国税庁、国税局又は税務署の当該職員は、当該通算法人に対し、その調査結果の内容（(7)又は(8)を適用すべきと認めた金額及びその理由を含む。）を説明するものとする。(地方法12⑱)

(税務代理人に対する調査結果の内容の説明)
（17） 実地の調査により第二章第五節の**七**の**2**の①《事前通知》に掲げる質問検査等を行った通算法人について同①の（２）《用語の意義》の表の（二）に掲げる税務代理人がある場合において、当該通算法人の同**七**の**3**の④《税務代理人への通知》の同意があるときは、当該通算法人への(16)に掲げる説明に代えて、当該税務代理人への(16)に掲げる説明を行うことができる。（地方法12⑲）

三　分配時調整外国税相当額の控除

　内国法人が各課税事業年度において第三章第二節第二款の**三**の**1**《分配時調整外国税相当額の控除》の適用を受ける場合において、当該課税事業年度の同**1**に掲げる分配時調整外国税相当額が当該内国法人の当該課税事業年度の第二節の**五**《基準法人税額等》の表の①の右欄に掲げる基準法人税額を超えるときは、（１）に掲げるところにより、その超える金額を当該課税事業年度の所得地方法人税額から控除する。（地方法12の２①）

　　　（所得地方法人税額から控除する金額）
（１）　**三**により各課税事業年度の所得地方法人税額から控除する金額は、当該課税事業年度における第三章第二節第二款の**三**の**1**の（４）《法人税額から控除する分配時調整外国税相当額の計算》の表に掲げる分配時調整外国税相当額のうち当該課税事業年度の第二節の**五**の表の**1**の右欄に掲げる基準法人税額を超える金額とする。（地方令４①）

　　　（公益法人等の適用除外）
（２）　**三**は、内国法人である公益法人等又は人格のない社団等の収益事業以外の事業又はこれに属する資産から生ずる所得に係る分配時調整外国税相当額については、適用しない。（地方法12の２③、法69の２②）

　　　（分配時調整外国税相当額の控除に係る書類の添付）
（３）　**三**は、地方法人税確定申告書、修正申告書又は第三章第二節第三款の**九**の**3**《更正請求書の提出等》に掲げる更正請求書に分配時調整外国税相当額、**三**による控除を受ける金額及び当該金額の計算に関する明細を記載した書類の添付がある場合に限り、適用する。この場合において、これらにより控除される金額は、当該書類に当該分配時調整外国税相当額として記載された金額を限度とする。（地方法12の２④）

四　仮装経理に基づく過大申告の場合の更正に伴う地方法人税額の控除

　内国法人の各課税事業年度開始の日前に開始した課税事業年度（当該各課税事業年度終了の日以前に行われた当該内国法人を合併法人とする適格合併に係る被合併法人の当該適格合併の日前に開始した課税事業年度〔以下**四**において「**被合併法人課税事業年度**」という。〕を含む。）の第二節の**五**《基準法人税額等》の表の①の右欄に掲げる基準法人税額に対する地方法人税につき税務署長が更正をした場合において、当該更正につき第五節の**六**の**4**《仮装経理に基づく過大申告の場合の更正に伴う地方法人税額の還付の特例》の適用があったときは、当該更正に係る同**3**に掲げる仮装経理地方法人税額（既に同**3**の（１）、（２）又は（６）により還付されるべきこととなった金額及び**四**により控除された金額を除く。）は、当該各課税事業年度（当該更正の日〔当該更正が被合併法人課税事業年度の第二節の**五**の表の①の右欄に掲げる基準法人税額に対する地方法人税につき当該適格合併の日前にしたものである場合には、当該適格合併の日〕以後に終了する課税事業年度に限る。）の所得地方法人税額から控除する。（地方法13①）

五　税額控除の順序

　二《外国税額の控除》、**三**《分配時調整外国税相当額の控除》及び**四**《仮装経理に基づく過大申告の場合の更正に伴う地方法人税額の控除》による所得地方法人税額からの控除については、まず、**三**による控除をし、次に**四**による控除をした後において、**二**による控除をするものとする。（地方法14）

第五節　申告、納付及び還付等

一　中間申告

1　中間申告

　第三章第二節第三款の**一**《中間申告》による申告書《中間申告書》を提出すべき法人は、この申告書に係る課税事業年度（当該法人が通算子法人である場合には、当該課税事業年度開始の日の属する当該法人に係る通算親法人の課税事業年度）開始の日以後6か月を経過した日（以下1において「**6か月経過日**」という。）から2か月以内に、税務署長に対し、次に掲げる事項を記載した申告書《**地方法人税中間申告書**》を提出しなければならない。（地方法16①）

①	当該課税事業年度の前課税事業年度の**地方法人税額**（地方法人税確定申告書に記載すべき**二**《確定申告》の表の**2**に掲げる金額〔第四節の**二**の**2**の(8)《対象課税事業年度における税額控除超過額相当額の調整》により加算された金額がある場合には、当該金額を控除した金額〕をいう。(1)の表の(一)及び(4)において同じ。）で6か月経過日の前日までに確定したものを当該前課税事業年度の月数で除し、これに当該課税事業年度開始の日から当該前日までの期間（(1)の表の(一)及び(2)において「**中間期間**」という。）の月数を乗じて計算した金額 $$\frac{\text{前課税事業年度の地方法人税額}}{\text{前課税事業年度の月数}} \times \text{中間期間}$$
②	①に掲げる金額の計算の基礎その他次に掲げる事項（地方規2①） イ　1の法人の名称、納税地及び法人番号（行政手続における特定の個人を識別するための番号の利用等に関する法律第2条第15項《定義》に規定する法人番号をいう。以下この章において同じ。）並びにその納税地と本店又は主たる事務所の所在地とが異なる場合には、その本店又は主たる事務所の所在地 ロ　代表者の氏名 ハ　当該課税事業年度の開始及び終了の日 ニ　その他参考となるべき事項

注　上表に掲げる事項を記載する地方法人税中間申告書（当該申告書に係る修正申告書を含む。）の記載事項のうち別表三に定めるものの記載については、この表の書式によらなければならない。（地方規2②）

　　　　（適格合併後存続する法人が提出する地方法人税中間申告書に記載すべき地方法人税額）
(1)　1の場合において、1の法人が次の表の左欄に掲げる期間内に行われた適格合併（法人を設立するものを除く。以下(1)において同じ。）に係る合併法人であるときは、その法人が提出すべき当該課税事業年度の地方法人税中間申告書については、1の①に掲げる金額は、同①にかかわらず、同①により計算した金額に相当する金額にそれぞれ次の表の右欄に掲げる金額を加算した金額とする。（地方法16②）

(一)	当該課税事業年度の前課税事業年度	当該法人の当該課税事業年度開始の日の1年前の日以後に終了した当該適格合併に係る被合併法人の各課税事業年度（その月数が6か月に満たないものを除く。）の地方法人税額（第四節の**二**の**2**の(12)《合併により解散した場合又は通算法人の残余財産が確定した場合の読み替え規定》において準用する同**2**の(8)《対象課税事業年度における税額控除超過額相当額の調整》により加算された金額がある場合には、当該金額を控除した金額。(4)において同じ。）で6か月経過日の前日までに確定したもののうち最も新しい課税事業年度に係るもの（(二)及び(2)において「**被合併法人確定地方法人税額**」という。）をその計算の基礎となった当該被合併法人の課税事業年度の月数で除し、これに当該法人の当該前課税事業年度の月数のうちに占める当該前課税事業年度開始の日から当該適格合併の日の前日までの期間の月数の割合に中間期間の月数を乗じた数を乗じて計算した金額
(二)	当該課税事業年度開始の日から6か月経過日の前日までの期間	当該適格合併に係る被合併法人の被合併法人確定地方法人税額をその計算の基礎となった当該被合併法人の課税事業年度の月数で除し、これに当該適格合併の日から6か月経過日の前日までの期間の月数を乗じて計算した金額

―1807―

　　　　　　　　（適格合併により設立した法人が提出する地方法人税中間申告書に記載すべき地方法人税額）
（２）　１の場合において、１の法人が適格合併（法人を設立するものに限る。）に係る合併法人であるときは、その法人が提出すべきその設立後最初の課税事業年度の地方法人税中間申告書については、１の①に掲げる金額は、同①にかかわらず、当該適格合併に係る各被合併法人の被合併法人確定地方法人税額をその計算の基礎となった当該被合併法人の課税事業年度の月数で除し、これに中間期間の月数を乗じて計算した金額の合計額とする。（地方法16③）

　　　　　　　　（月数の計算）
（３）　１、（１）及び（２）の月数は、暦に従って計算し、１か月に満たない端数を生じたときは、これを１か月とする。（地方法16④）

　　　　　　　　（法人税申告書の提出期限が延長された場合かつ期限の特例を受けた場合の地方法人税額の確定）
（４）　１の表の①の前課税事業年度の**二**《確定申告》による申告書の提出期限が同**二**の（２）により当該前課税事業年度終了の日の翌日から６か月を経過した日の前日とされている場合で、かつ、当該申告書の提出期限につき第二章第一節の**九**の２《期限の特例》の適用がある場合において、同**九**の２の適用がないものとした場合における当該申告書の提出期限の翌日から同**九**の２により当該申告書の提出期限とみなされる日までの間に地方法人税額が確定したときは、６か月経過日の前日までに当該地方法人税額が確定したものとみなして、１及び（１）から（３）を適用する。（地方法16⑤）

２　仮決算をした場合の中間申告書を提出する場合の記載事項等

　　１《中間申告》に掲げる法人又は通算法人で、第三章第二節第三款の一の３《仮決算をした場合の中間申告書の記載事項等》による申告書を提出するもの（還付請求法人を含む。**４**《地方法人税中間申告書の提出がない場合の特例》において「**仮決算中間申告法人**」という。）は、当該申告書に係る課税事業年度について、１《中間申告》に掲げる事項に代えて、次に掲げる事項を記載した地方法人税中間申告書を提出しなければならない。（地方法17①）

①	当該課税事業年度開始の日以後６か月の期間を１事業年度とみなして計算した場合における当該期間に係る課税標準である課税標準法人税額（第二節の**五**《基準法人税額等》の表の①の右欄に掲げる基準法人税額に係るものに限る。） 　注　①に掲げる期間（通算子法人にあっては、（２）の表の（一）に掲げる期間）に係る②に掲げる地方法人税の額の計算については、第四節の**二**の２の（３）《他の通算法人に対する地方法人税額の通知》中「第五節の**二**《確定申告》による申告書」とあるのは、「地方法人税中間申告書」とする。（地方令５）
②	①に掲げる課税標準法人税額につき第四節（同節の**一**の《特定同族会社等の特別税率の適用がある場合の地方法人税の額》及び**四**《仮装経理に基づく過大申告の場合の更正に伴う地方法人税額の控除》を除く。）を適用して計算した地方法人税の額 　注　②に掲げる地方法人税の額の計算ついては、第四節の**二**の２の（４）《適用課税事業年度の税額控除額の金額》、同**２**の（９）《税額控除不足額相当額又は税額控除超過額相当額のみなし規定》及び同**２**の（10）《税額控除不足額相当額又は税額控除超過額相当額のみなし規定を適用しない場合》の表の（三）中「第五節**二**《確定申告》による申告書」とあり、並びに第四節の**二**の１の（３）《外国税額の控除の申告》及び同節の**三**の（３）《分配時調整外国税相当額の控除に係る書類の添付》中「地方法人税確定申告書」とあるのは、「地方法人税中間申告書」とする。（地方法17③）
③	①及び②に掲げる金額の計算の基礎その他次に掲げる事項（地方規４①） 　イ　２の法人又は通算法人の名称、納税地及び法人番号並びにその納税地と本店又は主たる事務所の所在地とが異なる場合には、その本店又は主たる事務所の所在地 　ロ　代表者の氏名 　ハ　当該課税事業年度の開始及び終了の日 　ニ　第三章第二節第三款の**八**の３の②から⑤より還付の請求をする場合には、**五**の２《欠損金の繰戻しによる法人税の還付があった場合の還付》に掲げる確定地方法人税額のうち還付を受けるべきこととされる金額 　ホ　その他参考となるべき事項

　注　上表の①から③までに掲げる事項を記載する地方法人税中間申告書（当該申告書に係る修正申告書及び更正請求書を含む。）の記載事項及びこれに添付すべき書類の記載事項のうち別表一及び別表二付表三まで（更正請求書にあっては、別表一を除く。）に定めるものの記載については、これらの表の書式によらなければならない。（地方規４②）

　　　　　　　　（還付請求法人の意義）
（１）　**２**に掲げる還付請求法人とは、第三章第二節第三款の一の３《仮決算をした場合の中間申告書の記載事項等》に

よる申告書を提出する法人で、当該申告書に係る同**3**に掲げる期間について、第三章第二節第三款の**八**の**3**の⑤《災害があった場合の欠損金の繰戻しによる還付についての特例》において準用する同**3**の②《欠損金の繰戻しによる還付》による還付の請求をするものをいう。(地方法17②)

（通算子法人である場合の適用）
（２）　**2**の法人が通算子法人である場合における**2**の適用については、次の表に掲げるところによる。(地方法17④)

(一)	**2**の表の①に掲げる期間は、同①の課税事業年度開始の日から**1**《中間申告》に掲げる6か月経過日の前日までの期間とする。
(二)	（１）《還付請求法人の意義》中「同**3**に掲げる期間」とあるのは、「同**3**の（８）《通算法人である場合の適用》の表の（一）に掲げる期間」とする。

3　通算法人の災害等による地方法人税中間申告書の提出期限の延長

第二章第一節の**九**の**3**《災害等による期限の延長》により通算法人の**一**の**1**《中間申告》による申告書の提出期限が延長された場合には、他の通算法人についても、その延長された申告書に係る同**3**により指定された期日まで、同**3**により**一**の**1**による申告書（その延長された申告書に係る同**1**に掲げる6か月経過日の前日に終了する当該他の通算法人の同**1**の表の①に掲げる中間期間に係るものに限る。以下**3**において同じ。）の提出期限が延長されたものとみなす。ただし、当該指定された期日が当該他の通算法人の同**1**による申告書の提出期限前の日である場合は、この限りでない。(地方法17の2、地方令6①)

4　地方法人税中間申告書の提出がない場合の特例

地方法人税中間申告書を提出すべき法人がその地方法人税中間申告書をその提出期限までに提出しなかった場合には、その法人については、その提出期限において、税務署長に対し**1**に掲げる事項（仮決算中間申告法人にあっては、**2**の表に掲げる事項）を記載した地方法人税中間申告書の提出があったものとみなして、地方法人税法を適用する。(地方法18)
　注　地方法人税中間申告書については、期限後申告書の提出はあり得ないことになる。（編者）

二　確定申告

法人（第二節の**五**《基準法人税額等》の表の①の左欄に掲げる法人に限る。）は、各課税事業年度終了の日の翌日から2か月以内に、税務署長に対し、次に掲げる事項を記載した申告書を提出しなければならない。(地方法19①)

1	当該課税事業年度の課税標準である課税標準法人税額（第二節の**五**《基準法人税額等》の表の①の右欄に掲げる基準法人税額に係るものに限る。）
2	**1**に掲げる課税標準法人税額につき第四節《税額の計算》を適用して計算した地方法人税の額
3	第四節の**二**《外国税額の控除》による控除をされるべき金額で**2**に掲げる地方法人税の額の計算上控除しきれなかった金額
4	当該法人が当該課税事業年度につき地方法人税中間申告書を提出した法人である場合には、**2**に掲げる地方法人税の額から当該申告書に係る中間納付額を控除した金額
5	**4**に掲げる中間納付額で**4**に掲げる金額の計算上控除しきれなかったものがある場合には、その控除しきれなかった金額
6	**1**から**5**までに掲げる金額の計算の基礎その他次に掲げる事項（地方規5①） ①　法人の名称、納税地及び法人番号並びにその納税地と本店又は主たる事務所の所在地とが異なる場合には、その本店又は主たる事務所の所在地 ②　代表者の氏名 ③　当該課税事業年度の開始及び終了の日 ④　当該課税事業年度が（１）の内国法人の残余財産の確定の日の属する課税事業年度（当該内国法人が通算法人である場合には、当該内国法人に係る通算親法人の課税事業年度終了の日に終了するものを除く。）である場合において、当該課税事業年度終了の日の翌日から1か月以内に残余財産の最後の分配又は引渡しが行われるときは、その分配又は引渡しが行われる日 ⑤　第三章第二節第三款の**八**の**3**の②《欠損金の繰戻しによる還付》により還付の請求をする場合には、**六**の**3**《欠

　　　　損金の繰戻しによる法人税の還付があった場合の還付》に掲げる確定地方法人税額のうち同**2**により還付を受けるべきこととされる金額
　　⑥　その他参考となるべき事項

　注　地方法人税確定申告書（当該申告書に係る修正申告書及び更正請求書を含む。）の記載事項及びこれに添付すべき書類の記載事項のうち別表一及び別表二付表三まで（更正請求書にあっては、別表一を除く。）に定めるものの記載については、これらの表の書式によらなければならない。（地方規5②）

　　　　（清算中の内国法人につきその残余財産が確定した場合の取扱い）
（1）　清算中の内国法人につきその残余財産が確定した場合には、当該内国法人の当該残余財産の確定の日の属する課税事業年度（当該内国法人が通算法人である場合には、当該内国法人に係る通算親法人の課税事業年度終了の日に終了するものを除く。）に係る**二**の適用については、**二**中「2か月以内」とあるのは、「1か月以内（当該翌日から1か月以内に残余財産の最後の分配又は引渡しが行われる場合には、その行われる日の前日まで）」とする。（地方法19②）

　　　　（法人税申告書の提出期限が延長された場合の取扱い）
（2）　**二**の法人が**二**の課税事業年度の所得に対する法人税の申告につき第三章第二節第三款の**二**の**2**《確定申告書の提出期限の延長》又は同款の**二**の**3**《確定申告書の提出期限の延長の特例》により同款の**二**の**1**《確定申告》に掲げる申告書（以下（2）において「法人税申告書」という。）の提出期限が延長されている場合における**二**に掲げる申告書の提出期限は、**二**にかかわらず、その延長された提出期限とする。この場合において、当該申告書に係る課税事業年度の地方法人税については、同款の**二**の**2**の(6)《利子税の納付》又は同**二**の**3**の(10)《利子税の納付》若しくは同**3**の(17)《災害等の場合の確定申告書の提出期限の延長への乗継ぎの場合の利子税の納付》をそれぞれ準用する。（地方法19④）

三　通算法人の災害等による地方法人税確定申告書の提出期限の延長

　第二章第一節の**九**の**3**《災害等による期限の延長》により通算法人の**二**による申告書の提出期限が延長された場合には、他の通算法人についても、その延長された申告書に係る同**3**により指定された期日まで、同**3**により**二**による申告書（その延長された申告書に係る課税事業年度終了の日に終了する当該他の通算法人の課税事業年度に係るものに限る。以下**三**において同じ。）の提出期限が延長されたものとみなす。ただし、当該指定された期日が当該他の通算法人の**二**による申告書の提出期限前の日である場合は、この限りでない。（地方法19の2、地方令6②）

四　電子情報処理組織による申告の特例

1　電子情報処理組織による申告

　特定法人である内国法人は、**一**の**1**《中間申告》（地方法人税法第16条第6項を除く。）、**一**の**2**《仮決算をした場合の中間申告書を提出する場合の記載事項等》若しくは**二**《確定申告》（同法第19条第5項を除く。）又は第三章第二節第三款の**三**《期限後申告》若しくは同款の**四**《修正申告》により、地方法人税中間申告書若しくは地方法人税確定申告書若しくはこれらの申告書に係る修正申告書（以下**1**及び（2）《電子情報処理組織により行われた申告の地方法人税法等の適用》において「**納税申告書**」という。）により行うこととされ、又はこれに地方法人税法（これに基づく命令を含む。）、租税特別措置法第三章《法人税法の特例》（これに基づく命令を含む。）、次の表に掲げる規定若しくは第三章第二節第三款の**三**の《期限後申告書の記載事項及び添付書類》若しくは同款の**四**の(3)《修正申告書の記載事項及び添付書類》により納税申告書に添付すべきものとされている書類（以下**1**及び（2）において「**添付書類**」という。）を添付して行うこととされている各課税事業年度の第二節の**五**《基準法人税額等》の表の①の右欄に掲げる基準法人税額に対する地方法人税の申告については、**一**の**1**《中間申告》（地方法人税法第16条第6項を除く。）、**一**の**2**《仮決算をした場合の中間申告書を提出する場合の記載事項等》及び**二**《確定申告》（同法第19条第5項を除く。）並びに第三章第二節第三款の**三**《期限後申告》及び同款の**四**《修正申告》にかかわらず、（3）《事前届出》に掲げるところにより、納税申告書に記載すべきものとされている事項（（2）において「**申告書記載事項**」という。）又は添付書類に記載すべきものとされ、若しくは記載されている事項（以下**1**及び（2）において「**添付書類記載事項**」という。）を、（5）《申告書記載事項等の送信方法》に掲げるところによりあらかじめ税務署長に届け出て行う電子情報処理組織（国税庁の使用に係る電子計算機〔入出力装置を含む。以下**1**及び(7)において同じ。〕とその申告をする内国法人の使用に係る電子計算機とを電気通信回線で接続した電子情報処理組織をいう。）を使用する方法として国税関係法令に係る情報通信技術を活用した行政の推進等に関する省令第5条第1項《電子情報処理組織による申請等》の定めるところにより、行わなければならない。ただし、当該申告のうち添付書類に係る部分

第六章　第五節《申告、納付及び還付等》

については、添付書類記載事項を記録した光ディスクその他の(6)《添付書類記載事項の記録用の媒体による提出》に掲げる記録用の媒体を提出する方法により、行うことができる。(地方法19の3①、措法68の4、措令39の36、地方規7④)

①	貿易保険法(昭和25年法律第67号)第37条《法人税に係る課税の特例》の規定
②	沖縄の復帰に伴う国税関係法令の適用の特別措置等に関する政令第63条の3《特定駐留軍用地等を譲渡した場合の所得の特別控除》の規定
③	所得税法等の一部を改正する等の法律(平成18年法律第10号)附則第109条第5項の規定によりなおその効力を有するものとされる同法第13条の規定による改正前の租税特別措置法第55条の6《特定災害防止準備金》の規定
④	所得税法等の一部を改正する法律(平成28年法律第15号)<u>附則第93条第2項の規定によりなおその効力を有するものとされる同法第10条の規定による改正前の租税特別措置法第56条《新幹線鉄道大規模改修準備金》</u>の規定
⑤	所得税法等の一部を改正する等の法律(平成29年法律第4号)<u>附則第68条又は第69条第9項若しくは第12項の規定によりなおその効力を有するものとされる同法第12条の規定による改正前の租税特別措置法第55条の3《特定事業再編投資損失準備金》又は第65条の7《特定の資産の買換えの場合の課税の特例》から第65条の9《特定の資産を交換した場合の課税の特例》までの規定</u>
⑥	所得税法等の一部を改正する法律(平成31年法律第6号)附則第52条第5項又は第53条の規定によりなおその効力を有するものとされる同法第11条の規定による改正前の租税特別措置法第47条の2又は第55条の2の規定
⑦	所得税法等の一部を改正する法律(令和2年法律第8号)附則第86条第4項又は第87条第1項の規定によりなおその効力を有するものとされる同法第15条の規定による改正前の租税特別措置法第47条又は第55条の2の規定
⑧	所得税法等の一部を改正する法律(令和3年法律第11号)<u>附則第50条第8項の規定によりなおその効力を有するものとされる同法第7条の規定による改正前の租税特別措置法第45条</u>の規定
⑨	所得税法等の一部を改正する法律(令和4年法律第4号)附則第44条の規定によりなおその効力を有するものとされる同法第11条の規定による改正前の租税特別措置法第56条《特定災害防止準備金》の規定
⑩	所得税法等の一部を改正する法律(令和5年法律第3号)附則第42条第2項の規定によりなおその効力を有するものとされる同法第10条の規定による改正前の租税特別措置法第43条の2の規定

注　──線部分は、令和6年度改正により改正された部分で、改正規定は、令和6年4月1日から適用され、令和6年3月31日以前の適用については、上表の④、⑤及び⑧は次による。(令6改措附1)

旧④	所得税法等の一部を改正する法律(平成28年法律第15号)附則第92条第10項又は第93条第2項の規定によりなおその効力を有するものとされる同法第10条の規定による改正前の租税特別措置法第48条《倉庫用建物等の割増償却》又は第56条《新幹線鉄道大規模改修準備金》の規定
旧⑤	所得税法等の一部を改正する等の法律(平成29年法律第4号)附則第67条第7項若しくは第9項、第68条又は第69条第9項若しくは第12項の規定によりなおその効力を有するものとされる同法第12条の規定による改正前の租税特別措置法第47条《サービス付き高齢者向け賃貸住宅の割増償却》、第47条の2《特定都市再生建築物等の割増償却》、第55条の3《特定事業再編投資損失準備金》又は第65条の7《特定の資産の買換えの場合の課税の特例》から第65条の9《特定の資産を交換した場合の課税の特例》までの規定
旧⑧	所得税法等の一部を改正する法律(令和3年法律第11号)附則第50条第5項又は第8項の規定によりなおその効力を有するものとされる同法第7条の規定による改正前の租税特別措置法第45条の規定

(特定法人の意義)
(1)　1に掲げる特定法人とは、次に掲げる法人をいう。(地方法19の3②、地方令7①)

(一)	当該課税事業年度開始の時における資本金の額、出資金の額及び銀行等保有株式取得機構がその会員から銀行等の株式等の保有の制限等に関する法律(平成13年法律第131号)第41条《拠出金の納付》第1項及び第3項の規定により納付された同条第1項の当初拠出金の額及び同条第3項の売却時拠出金の額の合計額が1億円を超える法人
(二)	通算法人((一)に掲げる法人を除く。)
(三)	保険業法(平成7年法律第105号)に規定する相互会社((二)に掲げる法人を除く。)
(四)	投資信託及び投資法人に関する法律(昭和26年法律第198号)第2条第12項《定義》に規定する投資法人((一)に掲げる法人を除く。)

(五)	資産の流動化に関する法律（平成10年法律第105号）第2条第3項《定義》に規定する特定目的会社（(一)に掲げる法人を除く。）

(電子情報処理組織により行われた申告の地方法人税法等の適用)

(2) 1により行われた1の申告については、申告書記載事項が記載された納税申告書により、又はこれに添付書類記載事項が記載された添付書類を添付して行われたものとみなして、地方法人税法（これに基づく命令を含む。）、国税通則法（同法第124条《書類提出者の氏名、住所及び番号の記載等》を除く。）、法人税法、租税特別措置法第三章《法人税法の特例》（これに基づく命令を含む。）その他の地方法人税の申告に関する法令（地方法人税法〔これに基づく命令を含む。〕及び国税通則法を除く。）及び1の表を適用する。（地方法19の3③、措法68の4、地方令7②）

(事前届出)

(3) 1の内国法人が1により1に掲げる電子情報処理組織を使用して1に掲げる申告書記載事項又は添付書類記載事項を提供しようとする場合における届出その他の手続については、国税関係法令に係る情報通信技術を活用した行政の推進等に関する省令（平成15年財務省令第71号）第4条《事前届出》第1項から第3項まで、第6項及び第7項の規定の例による。（地方規7①）

(事前届出の提出期限)

(4) (3)によりその例によるものとされる国税関係法令に係る情報通信技術を活用した行政の推進等に関する省令第4条第1項の届出は、内国法人（第二節の二《法人課税信託の受託者等》の注2の(二)において準用する法人税法第4条の3《受託法人等に関するこの法律の適用》に掲げる受託法人を除く。以下(4)において同じ。）が資本金の額又は出資金の額が1億円を超えることとなった日（(1)に掲げる特定法人でなかった内国法人について第三章第一節第三十五款の二の1《通算承認》による承認〔以下(4)において「通算承認」という。〕の効力が生じた場合には、その効力が生じた日〔同1の(9)《申請特例年度に係る取扱い》の適用を受けて行った同1の(3)《通算承認を受ける場合の記載事項》の申請につき当該内国法人に係る通算親法人が通算承認を受けた場合には、同日と当該通算承認の処分があった日又は同1の(11)《申請特例年度に係るみなし承認》により当該通算承認があったものとみなされた日とのうちいずれか遅い日〕とする。）から1か月以内（当該内国法人が次の表の左欄に掲げる法人に該当する場合には、それぞれ左欄に掲げる法人の区分に応じそれぞれ右欄に掲げる日から2か月以内）に行わなければならない。（地方規7②）

(一)	新たに設立された次に掲げる法人		その設立の日
	イ	その設立の時における資本金の額又は出資金の額が1億円を超える法人（公益法人等〔第二章第一節の二の表の6に掲げる公益法人等をいう。(二)及び(三)において同じ。〕を除く。）	
	ロ	保険業法（平成7年法律第105号）に規定する相互会社	
	ハ	投資信託及び投資法人に関する法律（昭和26年法律第198号）第2条第12項《定義》に規定する投資法人	
	ニ	資産の流動化に関する法律（平成10年法律第105号）第2条第3項《定義》に規定する特定目的会社	
(二)	新たに収益事業（第二章第一節の二の表の13に掲げる収益事業をいう。(三)において同じ。）を開始した公益法人等でその開始の時における資本金の額又は出資金の額が1億円を超える法人		その開始した日
(三)	公益法人等（収益事業を行っていないものに限る。）に該当していた第二章第一節の二の表の7に掲げる協同組合等の当該協同組合等に該当することとなった時における出資金の額が1億円を超える場合における当該協同組合等		その該当することとなった日

(申告書記載事項等の送信方法)

(5) 1に掲げる電子情報処理組織を使用する方法は、次の表の左欄に掲げる事項の区分に応じ当該同表の右欄に掲げ

(一)	申告書記載事項	1に掲げる電子情報処理組織を使用して、当該申告書記載事項を入力して送信する方法	
(二)	添付書類記載事項	次に掲げる方法	
		イ	1に掲げる電子情報処理組織を使用して、当該添付書類記載事項を入力して送信する方法
		ロ	当該添付書類記載事項が記載された書類をスキャナにより読み取る方法その他これに類する方法により作成した情報通信技術を活用した行政の推進等に関する法律（平成14年法律第151号）第3条第7号《定義》に規定する電磁的記録（これらの方法により国税関係法令に係る情報通信技術を活用した行政の推進等に関する省令第5条第2項各号《電子情報処理組織による申請等》に掲げる要件を満たすように読み取り、又は作成したものに限る。）を1に掲げる電子情報処理組織を使用して送信する方法（イに掲げる方法につき国税庁の使用に係る電子計算機において用いることができない場合に限る。）

（添付書類記載事項の記録用の媒体による提出）

（6）　1のただし書きに掲げる記録用の媒体は、添付書類記載事項の行政手続等における情報通信技術を活用した行政の推進等に関する法律第3条第7号に規定する電磁的記録（当該電磁的記録をスキャナにより読み取る方法その他これに類する方法により作成した場合にあっては、国税関係法令に係る情報通信技術を活用した行政の推進等に関する省令第5条第2項各号に掲げる要件を満たすように読み取り、又は作成したものに限る。）を記録した光ディスク又は磁気ディスクとする。（地方規7⑤）

（電子情報処理組織による申告の到達時期）

（7）　1により行われた1の申告は、1の国税庁の使用に係る電子計算機に備えられたファイルへの記録がされた時に税務署長に到達したものとみなす。（地方法19の3④）

（名称及び法人番号の記載）

（8）　1の場合において、国税通則法第124条《書類提出者の氏名、住所及び番号の記載等》の規定による名称及び法人番号（行政手続における特定の個人を識別するための番号の利用等に関する法律〔平成25年法律第27号〕第2条第16項《定義》に規定する法人番号をいう。）の記載については、1の内国法人は、国税通則法第124条の規定にかかわらず、当該記載及び押印に代えて、国税関係法令に係る情報通信技術を活用した行政の推進等に関する省令第6条（第4号に係る部分を除く。）第1項《申請等において氏名等を明らかにする措置》の規定の例により、名称を明らかにする措置を講じなければならない。（地方法19の3⑤、地方規7⑦）
　　　注　――線部分は、情報通信技術の活用による行政手続等に係る関係者の利便性の向上並びに行政運営の簡素化及び効率化を図るためのデジタル社会形成基本法等の一部を改正する法律（令和6年法律第46号）により改正された部分で、改正規定は、同法附則第1条第2号に掲げる政令で定める日から適用され、同日前の適用については、「第2条第16項」とあるのは「第2条第15項」とする。（同法附8Ⅶ、1Ⅱ）
　　　　なお、上記の施行期日を定める政令は、令和6年7月1日現在制定されていない。（編者）

（送信又は提出に関するファイル形式）

（9）　申告書記載事項又は添付書類記載事項を(5)に掲げる方法又は(6)に掲げる記録用の媒体を提出する方法により送信し、又は提出する場合におけるその送信又は提出に関するファイル形式については、国税庁長官が定める。（地方規7⑥）

（ファイル形式の告示――平成30年国税庁告示第14号〔最終改正令和6年第12号〕）

(10)　(9)に掲げる国税庁長官が定めるファイル形式は、次の表の左欄に掲げる場合の区分に応じ、それぞれ同表の右欄に定めるファイル形式とする。

イ	1により1に掲げる申告書記載事項を(5)の表の(一)に掲げる方法により送信する場合	ＸＭＬ形式
ロ	1により1に掲げる添付書類記載事項を(5)の表の(二)のイに掲げる方法又は1のただし書に	ＸＭＬ形式

	掲げる方法（スキャナにより読み取る方法その他これに類する方法により作成した電磁的記録に係るものを除く。）により送信し、又は提出する場合	
ハ	**1**により**1**に掲げる添付書類記載事項を(5)の表の(二)のロに掲げる方法又は**1**のただし書に掲げる方法（スキャナにより読み取る方法その他これに類する方法により作成した電磁的記録に係るものに限る。）により送信し、又は提出する場合	ＰＤＦ形式

 注1　国税関係法令に係る情報通信技術を活用した行政の推進等に関する省令第5条第3項及び法人税法施行規則第36条の3の2第6項に規定する国税庁長官が定めるファイル形式については、第三章第二節第三款の**五**の1の(10)《ファイル形式の告示――平成30年国税庁告示第14号〔最終改正令和6年第12号〕》を参照。（編者）
 注2　消費税法施行規則第23条の2第5項に規定する国税庁長官が定めるファイル形式については、省略した。（編者）

　　　（電子情報処理組織の使用に係る手続に関し必要な事項及び手続の細目）
　(11)　**1**《電子情報処理組織による申告》に掲げるもののほか、**1**に掲げる電子情報処理組織の使用に係る手続に関し必要な事項及び手続の細目については、別に定めるところによる。（地方規7⑧）

2　電子情報処理組織による申告が困難である場合の特例

　1の内国法人が、第三章第二節第三款の**五**の2《電子情報処理組織による申告が困難である場合の特例》の承認を受けている場合には、当該承認に係る税務署長が同**五**の2により指定する期間内に行う**1**の申告については、**1**は、適用しない。（地方法19の4）

3　通算法人の電子情報処理組織による申告

　通算親法人が、他の通算法人の**1**《電子情報処理組織による申告》に掲げる地方法人税の申告に関する事項の処理として、同**1**に掲げる申告書記載事項又は添付書類記載事項を、国税関係法令に係る情報通信技術を活用した行政の推進等に関する省令第5条第7項《電子情報処理組織による申請等》の例により、同**1**に掲げる方法により提供した場合には、当該他の通算法人は、当該申告書記載事項又は添付書類記載事項を同**1**に掲げるところにより提供したものとみなす。（地方法30①、地方規9①）

　　　（通算親法人の名称を明らかにする措置）
　　　3の場合において、3の通算親法人が3に掲げる事項の処理に際し国税関係法令に係る情報通信技術を活用した行政の推進等に関する省令第6条第2項《申請等において氏名等を明らかにする措置》の例により当該通算親法人の名称を明らかにする措置を講じたときは、3の他の通算法人は、3の地方法人税の申告について**1**の(8)《名称及び法人番号の記載並びに押印》に掲げる措置を講じたものとみなす。（地方法30②、地方規9②）

五　納　　　付

1　中間申告による納付

　地方法人税中間申告書を提出した法人は、当該申告書に記載した**一**の1《中間申告》の①に掲げる金額（**一**の2《仮決算をした場合の中間申告書を提出する場合の記載事項等》の①から③までに掲げる事項を記載した地方法人税中間申告書を提出した場合には、同2の②に掲げる金額）があるときは、当該申告書の提出期限までに、当該金額に相当する地方法人税を国に納付しなければならない。（地方法20①）

2　確定申告による納付

　二《確定申告》による申告書を提出した法人は、当該申告書に記載した**二**の表の2に掲げる金額（同表の4に該当する場合には、同4に掲げる金額）があるときは、当該申告書の提出期限までに、当該金額に相当する地方法人税を国に納付しなければならない。（地方法21①）

六　還　　　付

1　外国税額の還付

　地方法人税確定申告書の提出があった場合において、当該地方法人税確定申告書に**二**《確定申告》の表の3に掲げる金額の記載があるときは、税務署長は、当該地方法人税確定申告書を提出した内国法人に対し、当該金額に相当する税額を還付する。（地方法22①）

(中間納付額の還付の手続)
（1）　税務署長は、**二**の表の**3**に掲げる金額の記載がある地方法人税確定申告書の提出があった場合には、当該金額が過大であると認められる事由がある場合を除き、遅滞なく、**1**による還付又は充当の手続をしなければならない。(地方法22④、地方令8)

(還付すべき外国税額の充当の順序)
（2）　**1**による還付金（これに係る還付加算金を含む。）を未納の国税及び滞納処分費に充当する場合には、次の順序により充当するものとする。(地方法22④、地方令9)

(一)	**1**の地方法人税確定申告書に係る課税事業年度の第二節の**五**《基準法人税額等》の表の①の右側に掲げる基準法人税額に対する地方法人税で修正申告書の提出又は更正により納付すべきもの（当該還付金が**二**《確定申告》の表の**3**に掲げる金額に係るものである場合には、中間納付額を除く。）があるときは、当該地方法人税に充当する。
(二)	(一)の充当をしてもなお還付すべき金額があるときは、その他の未納の国税及び滞納処分費に充当する。

(外国税額の還付金に係る還付加算金の計算期間)
（3）　**1**による還付金について還付加算金を計算する場合には、その計算の基礎となる国税通則法第58条第1項《還付加算金》の期間は、**1**の地方法人税確定申告書の提出期限（当該地方法人税確定申告書が期限後申告書である場合には、当該地方法人税確定申告書を提出した日）の翌日からその還付のための支払決定をする日又はその還付金につき充当をする日（同日前に充当をするのに適することとなった日がある場合には、その適することとなった日）までの期間とする。(地方法22②)

(外国税額の還付金をその課税事業年度の地方法人税の額に充当する場合の延滞税等の免除等)
（4）　**1**による還付金を**1**の地方法人税確定申告書に係る課税事業年度の第二節の**五**《基準法人税額等》の表の①の右欄に掲げる基準法人税額に対する地方法人税で未納のものに充当する場合には、その還付金の額のうちその充当する金額については、還付加算金を付さないものとし、その充当される部分の地方法人税については、延滞税及び利子税を免除するものとする。(地方法22③)

(確定申告に係る更正等による外国税額の還付)
（5）　内国法人の提出した地方法人税確定申告書に係る地方法人税につき更正（当該地方法人税についての更正の請求〔第三章第二節第三款の**九**の**1**《更正の請求》規定による更正の請求をいう。(6)において同じ。〕に対する処分に係る不服申立て又は訴えについての決定若しくは裁決又は判決を含む。以下(5)及び(6)において「**更正等**」という。）があった場合において、その更正等により**二**の表の**3**に掲げる金額が増加したときは、税務署長は、その内国法人に対し、その増加した部分の金額に相当する税額を還付する。(地方法27の2①)

(更正等により還付すべき外国税額の充当の順序)
（6）　(2)は、(5)による還付金（これに係る還付加算金を含む。）を未納の国税及び滞納処分費に充当する場合について準用する。(地方令14)

(更正等による外国税額の還付金に係る還付加算金の計算期間)
（7）　(5)よる還付金について還付加算金を計算する場合には、その計算の基礎となる国税通則法第58条第1項の期間は、(5)の更正等の日の翌日以後1か月を経過した日（当該更正等が更正の請求に基づく更正である場合及び更正の請求に対する処分に係る不服申立て又は訴えについての決定若しくは裁決又は判決である場合には、その更正の請求の日の翌日以後3か月を経過した日と当該更正等の日の翌日以後1か月を経過した日とのいずれか早い日）からその還付のための支払決定をする日又はその還付金につき充当をする日（同日前に充当をするのに適することとなった日がある場合には、その適することとなった日）までの期間とする。(地方法27の2②)

(更正等による外国税額の還付金をその課税事業年度の地方法人税の額に充当する場合の延滞税等の免除等)
（8）　(5)による還付金を(5)の地方法人税確定申告書に係る課税事業年度の第二節の**五**《基準法人税額等》の表の①の右欄に掲げる基準法人税額に対する地方法人税で未納のものに充当する場合には、その還付金の額のうちその充当

する金額については、還付加算金を付さないものとし、その充当される部分の地方法人税については、延滞税及び利子税を免除するものとする。（地方法27の2③）

2　中間納付額の還付

　地方法人税中間申告書を提出した法人からその地方法人税中間申告書に係る課税事業年度の地方法人税確定申告書の提出があった場合において、その地方法人税確定申告書に二《確定申告》の表の**5**に掲げる金額の記載があるときは、税務署長は、その法人に対し、当該金額に相当する中間納付額を還付する。（地方法22の2①）

　　（中間納付額の還付の手続）
（1）　税務署長は、二の表の**5**に掲げる金額の記載がある地方法人税確定申告書の提出があった場合には、当該金額が過大であると認められる事由がある場合を除き、遅滞なく、**2**又は（2）による還付又は充当の手続をしなければならない。（地方法22の2⑥、地方令10）

　　（還付する中間納付額に対応する延滞税の還付）
（2）　税務署長は、**2**による還付金の還付をする場合において、**2**の地方法人税中間申告書に係る中間納付額について納付された延滞税があるときは、その額のうち、**2**により還付される中間納付額に対応するものとして（3）により計算した金額を併せて還付する。（地方法22の2②）
　　　注　（2）による還付金については、還付加算金は、付さない。（地方法22の2⑤）

　　（中間納付額に係る延滞税の還付金額の計算）
（3）　（2）に掲げる還付される中間納付額に対応する延滞税の還付金額は、（一）に掲げる金額から（二）に掲げる金額を控除した残額とする。（地方令12①）

（一）	**2**に掲げる地方法人税中間申告書に係る中間納付額について納付された延滞税の額の合計額
（二）	当該中間納付額（**2**に掲げる還付金をもって充当をされる部分の金額を除く。）のうち次に掲げる順序により当該中間納付額に係る課税事業年度の地方法人税確定申告書に記載された二の表の**2**に掲げる金額（（4）の（一）の充当をされる地方法人税がある場合には、当該地方法人税の額を加算した金額）に達するまで順次求めた各中間納付額につき国税に関する法律の規定により計算される延滞税の額の合計額
	イ　当該中間納付額のうち確定の日を異にするものについては、その確定の日の早いものを先順位とする。
	ロ　確定の日を同じくする中間納付額のうち納付の日を異にするものについては、その納付の日の早いものを先順位とする。

　　（還付すべき中間納付額の充当の順序）
（4）　**2**又は（2）による還付金（これに係る還付加算金を含む。）を未納の国税及び滞納処分費に充当する場合には、次に掲げる順序により充当するものとする。（地方法22の2⑥、地方令11①）

（一）	当該還付金の計算の基礎とされた中間納付額に係る課税事業年度の第二節の五《基準法人税額等》の表の①の右欄に掲げる基準法人税額に対する地方法人税で修正申告書の提出又は更正により納付すべきもの（中間納付額を除く。）があるときは、当該地方法人税に充当する。
（二）	（一）の充当をしてもなお還付すべき金額がある場合において、（一）に掲げる中間納付額で未納のものがあるときは、当該未納の中間納付額に充当する。
（三）	（一）及び（二）の充当をしてもなお還付すべき金額があるときは、その他の未納の国税及び滞納処分費に充当する。

　　（外国税額の還付がある場合の充当の順序）
（5）　その課税事業年度の基準法人税額（第二節の五《基準法人税額等》の表の①の右側に掲げる基準法人税額をいう。以下（5）において同じ。）に対する地方法人税に係る**1**《外国税額の還付》による還付金（これに係る還付加算金を含む。以下（5）において同じ。）と**2**による還付金とがある場合において、これらの還付金をその課税事業年度の基準法

人税額に対する地方法人税で未納のものに充当するときは、次の表の左欄に掲げる場合の区分に応じ右欄に掲げる還付金からまず充当するものとする。(地方令11②)

(一)	**1**の(2)の表の(一)に掲げる地方法人税に充当する場合	**1**による還付金
(二)	中間納付額に充当する場合	**2**による還付金

　　　(中間納付額の還付金に係る還付加算金の計算期間)
(6)　**2**による還付金について還付加算金を計算する場合には、その計算の基礎となる期間《通法58①》は、**2**により還付をすべき中間納付額の納付の日(その中間納付額がその納期限前に納付された場合には、その納期限)の翌日からその還付のための支払決定をする日又はその還付金につき充当をする日(同日前に充当をするのに適することとなった日がある場合には、その適することとなった日)までの期間とする。ただし、**2**の地方法人税確定申告書が期限後申告書である場合には、当該申告書の提出期限の翌日からその提出された日までの日数は、当該期間に算入しない。(地方法22の2③)

　　　(中間納付額に係る還付加算金の額の計算)
(7)　**2**による還付金について還付加算金の額を計算する場合には、**2**に掲げる地方法人税中間申告書に係る中間納付額(当該還付金をもって充当をされる部分の金額を除く。)のうち次の順序により当該還付金の額(当該還付金をもって(4)の(一)又は(二)の充当をする場合には、当該充当をする還付金の額を控除した金額)に達するまで順次遡って求めた各中間納付額を(6)に掲げる還付をすべき中間納付額として、(6)を適用する。(地方法22の2⑥、地方令12②)

(一)	当該中間納付額のうち確定の日を異にするものについては、その確定の日の遅いものを先順位とする。
(二)	確定の日を同じくする中間納付額のうち納付の日を異にするものについては、その納付の日の遅いものを先順位とする。

　　　(中間納付額の還付金をその課税事業年度の地方法人税の額に充当する場合の延滞税等の免除等)
(8)　**2**による還付金をその額の計算の基礎とされた中間納付額に係る課税事業年度の第二節の**五**《基準法人税額等》の表の①の右欄に掲げる基準法人税額に対する地方法人税で未納のものに充当する場合には、その還付金の額のうちその充当する金額については、還付加算金を付さないものとし、その充当される部分の地方法人税については、延滞税及び利子税を免除するものとする。(地方法22の2④)

　　　(決定による中間納付額の還付)
(9)　地方法人税中間申告書を提出した法人のその地方法人税中間申告書に係る課税事業年度の地方法人税につき第二章第三節の**一**の**1**の表の②《決定》による決定があった場合において、その決定に係る**二**の表の**5**に掲げる金額があるときは、税務署長は、その法人に対し、当該金額に相当する中間納付額を還付する。(地方法28①)

　　　(確定申告に係る更正等による中間納付額の還付)
(10)　地方法人税中間申告書を提出した法人のその地方法人税中間申告書に係る課税事業年度の地方法人税につき更正(当該地方法人税についての更正の請求〔第三章第二節第三款の**九**の**1**《更正の請求》に掲げる更正の請求をいう。(14)の表の(二)の表のイにおいて同じ。〕に対する処分又は決定〔第二章第三節の**一**の**1**の表の②《決定》による決定をいう。(12)の表の(二)及び(14)の表の(二)の表のイにおいて同じ。〕に係る不服申立て又は訴えについての決定若しくは裁決又は判決を含む。以下(10)、(12)の表の(二)及び(14)の表の(二)の表のイにおいて「更正等」という。)があった場合において、その更正等により**二**の表の**5**に掲げる金額が増加したときは、税務署長は、その法人に対し、その増加した部分の金額に相当する中間納付額を還付する。(地方法28②)

　　　(更正等による中間納付額に係る延滞税の還付)
(11)　税務署長は、(9)又は(10)による還付金の還付をする場合において、これらの地方法人税中間申告書に係る中間納付額について納付された延滞税があるときは、その額のうち、(9)又は(10)により還付される中間納付額に対応するものとして(12)に掲げるところにより計算した金額を併せて還付する。(地方法28③)
　　注　(11)による還付金については、還付加算金は、付さない。(地方法28⑥)

第六章　第五節《申告、納付及び還付等》

(更正等又は決定による中間納付額に係る延滞税の還付金額の計算)
(12)　(11)に掲げる更正等又は決定により還付する中間納付額に対応する延滞税の額は、(一)に掲げる金額から(二)に掲げる金額を控除した残額とする。(地方令15①)

(一)	(9)又は(10)に掲げる地方法人税中間申告書に係る中間納付額について納付された延滞税の額の合計額(当該延滞税のうちに既に(2)又は(11)により還付されるべきこととなったものがある場合には、その還付されるべきこととなった延滞税の額を除く。)
(二)	当該中間納付額(**2**又は(9)若しくは(10)による還付金をもって充当をされる部分の金額を除く。)のうち次に掲げる順序により当該還付の基因となる決定又は更正等に係る**二**の表の**2**に掲げる金額((13)において準用する第二節の**五**《基準法人税額等》の表の①の充当をされる地方法人税がある場合には、当該地方法人税の額を加算した金額)に達するまで順次求めた各中間納付額につき国税に関する法律の規定により計算される延滞税の額の合計額

	イ	当該中間納付額のうち確定の日を異にするものについては、その確定の日の早いものを先順位とする。
	ロ	確定の日を同じくする中間納付額のうち納付の日を異にするものについては、その納付の日の早いものを先順位とする。

(更正等又は決定により還付すべき中間納付額の充当の順序)
(13)　(4)は、(9)から(11)までによる還付金(これに係る還付加算金を含む。)を未納の国税及び滞納処分費に充当する場合について準用する。(地方令15④)

(更正等又は決定による中間納付額の還付金に係る還付加算金の計算期間)
(14)　(9)又は(10)による還付金について還付加算金を計算する場合には、その計算の基礎となる期間《通法58①》は、(9)又は(10)により還付すべき中間納付額の納付の日(その中間納付額がその納期限前に納付された場合には、その納期限)の翌日からその還付のための支払決定をする日又はその還付金につき充当をする日(同日前に充当をするのに適することとなった日がある場合には、その適することとなった日。次の表の(二)の表のロにおいて「充当日」という。)までの期間とする。ただし、次の表の左欄に掲げる還付金の区分に応じそれぞれ同表の右欄に掲げる日数は、当該期間に算入しない。(地方法28④、地方令15②、通法58⑤、通令24④)

(一)	(9)による還付金	(9)に掲げる課税事業年度の**二**の申告書の提出期限(その提出期限後にその中間納付額が納付された場合には、その納付の日)の翌日から(9)の決定の日までの日数			
(二)	(9)による還付金	(10)に掲げる課税事業年度の**二**の申告書の提出期限(その提出期限後にその中間納付額が納付された場合には、その納付の日)の翌日から次に掲げる日のうちいずれか早い日までの日数			
		(10)の更正等の日の翌日以後1か月を経過する日(当該更正等が次の表の左欄に掲げるものである場合には、それぞれ同表の右欄に掲げる日)			
			イ	(イ) 更正の請求に基づく更正(当該請求に対する処分に係る不服申立て又は訴えについての決定若しくは裁決又は判決を含む。(イ)において同じ。)	当該請求の日の翌日以後3か月を経過する日と当該請求に基づく更正の日の翌日以後1か月を経過する日とのいずれか早い日
				(ロ) 決定に係る更正(当該決定に係る不服申立て又は訴えについての決定若しくは裁決又は判決を含み、更正の請求に基づく更正及び(10)に掲げる課税事業年度の課税標準法人税額の計算の基礎となった事実のうちに含まれていた無効な行為により生じた経済的成果がその行為の無効であることに基因して失われたこと、当該事実のうちに含まれていた取り消すべき行為が取り消されたことそ	当該決定の日

		の他これらに準ずる次のAからCまでに掲げる理由に基づき行われた更正を除く。)
	A	第三章第二節第三款の**九**の**2**《後発的事由がある場合の更正の請求の特例》の表の①
	B	同表の③(同③のホを除く。)
	C	国税通則法以外の国税に関する法律の規定により更正の請求の基因とされている理由(修正申告書の提出又は更正若しくは決定があったことを理由とするものを除く。)で当該国税の法定申告期限後に生じたもの
ロ		その還付のための支払決定をする日又はその還付金に係る充当日

(更正等又は決定により中間納付額の還付金に係る還付加算金の額の計算)

(15) (9)又は(10)による還付金について還付加算金の額を計算する場合には、これらに掲げる地方法人税中間申告書に係る中間納付額(既に(6)の還付加算金の額の計算の基礎とされた部分の金額があり、又は(9)若しくは(10)による還付金をもって充当をされる部分の金額がある場合には、これらの金額を除く。以下(15)において同じ。)のうち次に掲げる順序により当該還付金の額(当該還付金をもって(13)において準用する(4)の(一)又は(二)の充当をする場合には、当該充当をする還付金の額を控除した金額)に達するまで順次遡って求めた各中間納付額を(14)に掲げる還付すべき中間納付額として、(14)を適用する。(地方法28⑦、地方令15③)

(一)	当該中間納付額のうち確定の日を異にするものについては、その確定の日の遅いものを先順位とする。
(二)	確定の日を同じくする中間納付額のうち納付の日を異にするものについては、その納付の日の遅いものを先順位とする。

(更正等又は決定による中間納付額の還付金をその課税事業年度の地方法人税の額に充当する場合の延滞税等の免除等)

(16) (9)又は(10)による還付金をその額の計算の基礎とされた中間納付額に係る課税事業年度の第二節の**五**《基準法人税額等》の表の①の右欄に掲げる基準法人税額に対する地方法人税で未納のものに充当する場合には、その還付金の額のうちその充当する金額については、還付加算金を付さないものとし、その充当される部分の地方法人税については、延滞税及び利子税を免除するものとする。(地方法28⑤)

3 欠損金の繰戻しによる法人税の還付があった場合の還付

税務署長は、第三章第二節第三款の**八**の**3**の②の(2)《欠損金の繰戻しによる還付請求書》の還付請求書を提出した内国法人に対して同②の(3)《還付請求があった場合の還付の手続》により同②《欠損金の繰戻しによる還付》に掲げる還付所得事業年度に該当する課税事業年度に係る法人税を還付する場合において、当該課税事業年度の第二節の**五**《基準法人税額等》の表の①の右欄に掲げる基準法人税額に対する地方法人税の額(附帯税の額を除くものとし、第四節《税額の計算》の**二**又は**四**により控除された金額がある場合には、当該金額を加算した金額とする。)でその還付の時において確定しているもの(既に**3**の適用がある場合には、当該地方法人税の額からその適用により還付された金額を控除した金額。以下**3**において「**確定地方法人税額**」という。)があるときは、当該内国法人に対し、当該確定地方法人税額のうち、同②の(3)による還付金の額に$\frac{10.3}{100}$を乗じて計算した金額に相当する金額を併せて還付する。ただし、同②に掲げる欠損事業年度に該当する課税事業年度については地方法人税確定申告書の提出がない場合には、この限りでない。(地方法23①)

注——線部分は、平成28年度改正により改正された部分で、改正規定は、第三章第二節第三款の**八**の**3**の②《欠損金の繰戻しによる還付》に掲げる還付所得事業年度に該当する課税事業年度が令和元年10月1日以後に開始する場合に適用され、同課税事業年度が令和元年9月30日以前に開始した場合の適用については、$\frac{10.3}{100}$とあるのは「$\frac{4.4}{100}$」とする。(平28改法附30③、1Ⅶの Ⅲロ・編者補正)

(欠損金の繰戻しによる法人税の還付があった場合の還付の通知)

(1) 税務署長は、**3**に掲げる内国法人に対して第三章第二節第三款の**八**の**3**の②の(3)《還付請求があった場合の還

付の手続》により同②《欠損金の繰戻しによる還付》に掲げる還付所得事業年度に該当する課税事業年度に係る法人税を還付する場合には、当該内国法人に対し、当該課税事業年度の**3**に掲げる確定地方法人税額のうち**3**により還付すべきこととなる金額を通知する。(地方令13)

(還付加算金の計算期間)
(2)　**3**による還付金について還付加算金を計算する場合には、その計算の基礎となる期間《通法58①》は、**3**の還付請求書に係る第三章第二節第三款の**八**の**3**の②の(3)《還付請求があった場合の還付の手続》による還付金について還付加算金を計算する場合における同②の(5)《還付加算金の計算期間》に掲げる3か月を経過した日から**3**による還付のための支払決定をする日又は**3**による還付金につき充当をする日（同日前に充当をするのに適することとなった日がある場合には、その適することとなった日）までの期間とする。ただし、**3**のただし書の地方法人税確定申告書が期限後申告書である場合において、その提出された日が当該3か月を経過した日以後であるときは、当該3か月を経過した日から当該提出された日までの日数は、当該期間に算入しない。(地方法23②)

4　仮装経理に基づく過大申告の場合の更正に伴う地方法人税額の還付の特例

内国法人の提出した地方法人税確定申告書に記載された各課税事業年度の課税標準法人税額が当該課税事業年度の課税標準とされるべき課税標準法人税額（第二節の**五**《基準法人税額等》の表の①の右欄に掲げる基準法人税額〔以下(4)までにおいて「**所得基準法人税額**」という。〕に係るものに限る。）を超え、かつ、その超える額のうちに事実を仮装して経理したところに基づくものがある場合において、税務署長が当該課税事業年度の所得基準法人税額に対する地方法人税につき更正をしたとき（当該内国法人につき当該課税事業年度終了の日から当該更正の日の前日までの間に(2)の表の左欄又は(3)の表に掲げる事実が生じたとき及び当該内国法人を被合併法人とする適格合併〔第四節の**四**《仮装経理に基づく過大申告の場合の更正に伴う地方法人税額の控除》に掲げる適格合併をいう。以下(2)までにおいて同じ。〕に係る合併法人につき当該単体間適格合併の日から当該更正の日の前日までの間に当該事実が生じたときを除く。）は、当該課税事業年度の第二節の**五**の表の①の右欄に掲げる基準法人税額に対する地方法人税の額のうち内国法人が提出した地方法人税確定申告書に記載された**二**の表の2に掲げる金額として納付されたもののうち当該更正により減少する部分の金額でその仮装して経理した金額に係るもの（以下**4**において「**仮装経理地方法人税額**」という。）は、(1)、(2)又は(6)の適用がある場合のこれらによる還付金の額を除き、還付しない。(地方法29①、地方令16①)

(仮装経理法人税額を有する場合の確定地方法人税額の還付の特例)
(1)　**4**の場合において、**4**の内国法人（当該内国法人が**4**の更正の日の前日までに適格合併により解散をした場合には、当該適格合併に係る合併法人。以下(1)において同じ。）の**4**の更正の日の属する課税事業年度開始の日前1年以内に開始する各課税事業年度の所得基準法人税額に対する地方法人税の額(附帯税の額を除く。)で当該更正の日の前日において確定しているもの（既に(1)により還付をすべき金額の計算の基礎となったものを除く。以下(1)において「確定地方法人税額」という。）があるときは、税務署長は、その内国法人に対し、当該更正に係る仮装経理地方法人税額のうち当該確定地方法人税額に達するまでの金額を還付する。(地方法29②)

(最終申告期限が到来した場合の仮装経理地方法人税額の還付の特例)
(2)　**4**の適用があった内国法人（当該内国法人が適格合併により解散をした場合には、当該適格合併に係る合併法人とする。以下**4**において「**適用法人**」という。）について、**4**の更正の日の属する課税事業年度開始の日（当該更正が当該単体間適格合併に係る被合併法人の課税事業年度の所得基準法人税額に対する地方法人税について当該適格合併の日前にされたものである場合には、当該被合併法人の当該更正の日の属する課税事業年度開始の日）から5年を経過する日の属する課税事業年度の**二**に掲げる申告書の提出期限（当該更正の日から当該課税事業年度終了の日までの間に当該適用法人につき次の表の左欄に掲げる事実が生じたときは、同表の右欄に掲げる日の属する課税事業年度の**二**による申告書の提出期限。以下(2)及び(7)において「**最終申告期限**」という。）が到来した場合（当該最終申告期限までに当該最終申告期限に係る申告書の提出がなかった場合にあっては、当該申告書に係る期限後申告書の提出又は当該申告書に係る課税事業年度の地方法人税についての第二章第三節の**一**の1の表の②《決定》に掲げる決定があった場合）には、税務署長は、当該適用法人に対し、当該更正に係る仮装経理地方法人税額（既に(1)、(2)又は(6)により還付すべきこととなった金額及び第四節の**四**《仮装経理に基づく過大申告の場合の更正に伴う地方法人税額の控除》により控除された金額を除く。）を還付する。(地方法29③)

(一)	残余財産が確定したこと	その残余財産の確定の日

(二)	合併（適格合併を除く。）による解散をしたこと	その合併の日の前日
(三)	破産手続開始の決定による解散をしたこと	その破産手続開始の決定の日
(四)	第二章第一節の二《定義》の表の**9**に掲げる普通法人又は同表の**7**に掲げる協同組合等が同表の**6**に掲げる公益法人等に該当することとなったこと	その該当することとなった日の前日

（会社更生法による更生手続開始決定があった場合等の仮装経理地方法人税額の還付の特例）

（３）　適用法人につき次に掲げる事実が生じた場合には、当該適用法人は、当該事実が生じた日以後1年以内に、納税地の所轄税務署長に対し、その適用に係る仮装経理地方法人税額（既に（１）、（２）又は（６）により還付されるべきこととなった金額及び第四節の**四**《仮装経理に基づく過大申告の場合の更正に伴う地方法人税額の控除》により控除された金額を除く。（５）及び（６）において同じ。）の還付を請求することができる。（地方法29④、地方令16②、地方規9①）

(一)	更生手続開始の決定があったこと。	
(二)	再生手続開始の決定があったこと。	
(三)	（一）又は（二）に掲げる事実に準ずる事実として次に掲げる事実	
	イ	特別清算開始の決定があったこと。
	ロ	第三章第一節第九款の**一**の**3**《民事再生等による特定の事実が生じた場合の資産の評価益の益金算入》の表の②に掲げる事実
	ハ	法令の規定による整理手続によらない負債の整理に関する計画の決定又は契約の締結で、第三者が関与する協議によるものとして次に掲げるものがあったこと（ロに掲げるものを除く。）
		（イ）債権者集会の協議決定で合理的な基準により債務者の負債整理を定めているもの
		（ロ）行政機関、金融機関その他第三者のあっせんによる当事者間の協議による（イ）に準ずる内容の契約の締結

（反射的更正があった場合の仮装経理地方法人税額の還付の特例）

（４）　内国法人につきその各課税事業年度の課税標準法人税額（所得基準法人税額に係るものに限る。以下（４）において同じ。）を減少させる更正で当該内国法人の当該各課税事業年度開始の日前に終了した課税事業年度の所得基準法人税額に対する地方法人税についてされた更正（当該内国法人を合併法人とする適格合併に係る被合併法人の当該適格合併の日前に終了した課税事業年度の所得基準法人税額に対する地方法人税についてされた更正を含む。以下（４）において「原更正」という。）に伴うもの（以下（４）において「反射的更正」という。）があった場合において、当該反射的更正により減少する部分の課税標準法人税額のうちに当該原更正に係る課税事業年度においてその事実を仮装して経理した金額に係るものがあるときは、当該金額は、当該各課税事業年度において当該内国法人が仮装して経理したところに基づく金額とみなして、**4**及び（１）から（３）までを適用する。（地方法29⑤）

（会社更生法による更生手続開始決定があった場合等の仮装経理地方法人税額の還付請求書）

（５）　（３）に掲げる還付の請求をしようとする適用法人は、次に掲げる事項を記載した還付請求書を納税地の所轄税務署長に提出しなければならない。（地方法29⑥、地方規8②）

(一)	適用法人の名称、納税地及び法人番号
(二)	代表者の氏名
(三)	（３）に掲げる事実の生じた日及び当該事実の詳細
(四)	その他参考となるべき事項

（還付請求があった場合の還付の手続）

（６）　税務署長は、（５）の還付請求書の提出があった場合には、その請求に係る事実その他必要な事項について調査し、

その調査したところにより、その請求をした適用法人に対し、仮装経理地方法人税額を還付し、又は請求の理由がない旨を書面により通知する。(地方法29⑦)

(還付加算金の計算)
(7) (1)、(2)又は(6)による還付金について還付加算金を計算する場合には、その計算の基礎となる期間《通法58①》は、4の更正の日の翌日以後1か月を経過した日（(2)による還付金にあっては(2)の最終申告期限〔(2)の期限後申告書の提出があった場合にはその提出の日とし、(2)の決定があった場合にはその決定の日とする。〕の翌日とし、(6)による還付金にあっては(3)による還付の請求がされた日の翌日以後3か月を経過した日とする。）からその還付のための支払決定をする日又はその還付金につき充当をする日（同日前に充当をするのに適することとなった日がある場合には、その適することとなった日）までの期間とする。(地方法29⑧)

(更正による中間納付額及び更正により還付する中間納付額に対応する延滞税の還付)
(8) 4の場合において、4の更正により二の表の5に掲げる金額が増加したときは、その増加した部分の金額のうち当該更正に係る仮装経理地方法人税額に達するまでの金額については、2の(10)《確定申告に係る更正等による中間納付額の還付》は、適用しない。ただし、2の(11)《更正等による中間納付額に係る延滞税の還付》に掲げる延滞税がある場合における同(10)の適用については、この限りでない。(地方法29⑨)

七　更正の請求の特例等

1　更正の請求の特例
第三章第二節第三款の九の4《前事業年度の法人税額等の更正等に伴う更正の請求の特例》は、法人が次に掲げる金額につき修正申告書を提出し、又は更正若しくは決定（第二章第三節の一の1の表の②《決定》による決定をいう。以下1において同じ。）を受けた場合において、その修正申告書の提出又は更正若しくは決定に伴い、その修正申告書又は更正若しくは決定に係る事業年度後の各課税事業年度で決定を受けた課税事業年度に係る二の表の2又は4に掲げる金額（当該金額につき修正申告書の提出又は更正があった場合には、その申告又は更正後の金額）が過大となり、又は二の表の5に掲げる金額（当該金額につき修正申告書の提出又は更正があった場合には、その申告又は更正後の金額）が過少となるときについて準用する。(地方法24)

①	第二章第一節の二《定義》の表の31の確定申告書に記載すべき第三章第二節第三款の二の1《確定申告》の表の①から⑤までに掲げる金額
②	地方法人税確定申告書に記載すべき二の表の1から5までに掲げる金額

2　更正に関する特例
内国法人の提出した地方法人税確定申告書に記載された各課税事業年度の課税標準法人税額が当該課税事業年度の課税標準とされるべき課税標準法人税額（第二節の五《基準法人税額等》の表の①の右欄に掲げる基準法人税額に係るものに限る。）を超えている場合において、その超える金額のうちに事実を仮装して経理したところに基づくものがあるときは、税務署長は、当該課税事業年度の当該基準法人税額に対する地方法人税につき、当該事実を仮装して経理した内国法人が当該課税事業年度後の各課税事業年度において当該事実に係る修正の経理をし、かつ、当該修正の経理をした課税事業年度の地方法人税確定申告書を提出するまでの間は、更正をしないことができる。(地方法25①)

(更正をする場合の国税通則法の適用)
(1) 税務署長が五の4《仮装経理に基づく過大申告の場合の更正に伴う地方法人税額の還付の特例》の更正をする場合における第二章第三節の一の1の(3)《更正通知書の記載事項》の適用については、同(3)の(三)中「次に掲げる金額」とあるのは、「次に掲げる金額及びニ又はホに掲げる金額のうち第六章第五節の五の4《仮装経理に基づく過大申告の場合の更正に伴う地方法人税額の還付の特例》又は同4の(1)《仮装経理法人税額を有する場合の確定地方法人税額の還付の特例》の適用がある金額」とする。(地方法25②)

(更正等の期間制限の特例)
(2) 第二章第三節の一の1の(11)《更正又は決定の期間制限》の(三)により法人税について更正の請求（第三章第二節第三款の九の1《更正の請求》に掲げる更正の請求をいう。以下(2)及び(3)において同じ。）に係る更正が行われ

第六章　第五節《申告、納付及び還付等》

た場合には、当該法人税に係る地方法人税についての更正又は当該更正に伴って行われることとなる加算税（第二章第三節の三の（1）《加算税の税目》に掲げる加算税をいう。（3）において同じ。）についてする賦課決定（同三の（3）《加算税の賦課決定》又は（4）《変更決定》による決定をいう。以下（2）及び（3）において同じ。）は、第二章第三節の一の1の(11)《更正又は決定の期間制限》の（一）及び（二）にかかわらず、当該更正の請求があった日から6か月を経過する日まで、することができる。同(11)の（三）により地方法人税について更正の請求に係る更正が行われた場合における当該地方法人税に係る法人税についての更正又は賦課決定についても、同様とする。

　この場合において、同(11)の（五）及び（六）の適用については、同（五）中「（一）、（三）又は（四）」とあるのは「（一）、（三）若しくは（四）又は第六章第五節の七の2の（2）《更正等の期間制限の特例》」と、同（六）中「が（一）から（五）まで」とあるのは「が（一）から（五）まで又は第六章第五節の七の2の（2）」と、「、（一）から（五）まで」とあるのは「、（一）から（五）まで及び同（2）」とする。（地方法26①②）

　　　（更正の期間制限の特例に係る加算税の取扱い）
（3）　第二章第三節の一の1の(11)《更正又は決定の期間制限》の（五）の表のハにより法人税について更正の請求に係る更正が行われた場合において、同ハに定める期間の満了する日が同(11)の（一）から（四）まで又は（2）により当該法人税に係る地方法人税についての更正決定等（第二章第一節の二の表の43《還付加算金》の注1の表の①に掲げる更正決定等をいう。以下（3）及び（5）において同じ。）をすることができる期間の満了する日後に到来するときは、当該地方法人税についての更正又は当該更正に伴って行われることとなる加算税についてする賦課決定は、同(11)の（一）から（四）まで及び（2）にかかわらず、当該更正の請求があった日から6か月間においても、することができる。同(11)の（五）の表のハにより地方法人税について更正の請求に係る更正が行われた場合において、同ハに定める期間の満了する日が同(11)の（一）から（四）まで又は（2）により当該地方法人税に係る法人税についての更正決定等をすることができる期間の満了する日後に到来するときにおける当該地方法人税に係る法人税についての更正又は賦課決定についても、同様とする。（地方法26③）

　　　（国税通則法第71条第1項の適用）
（4）　（1）から（3）までによるほか、地方法人税及び法人税は、同一の税目に属する国税とみなして、第二章第三節の一の1の(11)《更正又は決定の期間制限》の（五）の表のイを適用する。（地方法26⑤）

　　　（地方法人税に対する不服申立て）
（5）　地方法人税に係る更正決定等について不服申立てがされている場合において、当該地方法人税と納税義務者及び課税事業年度が同一である法人税（当該地方法人税に係るものに限る。）についてされた更正決定等があるときは、第二章第四節の一の1の③のロ《みなす審査請求》の表の（ロ）のA若しくはB、同③のハの(33)《他の更正決定等を併せた審理》又は同節の二の（1）《不服申立ての前置等》の表の（二）の適用については、当該法人税についてされた更正決定等は、当該地方法人税の二の表の1《確定申告》に掲げる課税標準等又は税額等についてされた他の更正決定等とみなす。法人税に係る更正決定等について不服申立てがされている場合における当該法人税と納税義務者及び課税事業年度が同一である地方法人税（当該法人税に係るものに限る。）についてされた更正決定等についても、同様とする。（地方法26⑥）

八　青色申告

　法人が第二章第二節の一《青色申告》の承認を受けている場合には、その法人は、地方法人税中間申告書、地方法人税法第16条第6項《中間申告》の規定による申告書（当該申告書に係る期限後申告書を含む。）、地方法人税確定申告書（当該申告書に係る期限後申告書を含む。）及び同法第19条第5項《確定申告》の規定による申告書（当該申告書に係る期限後申告書を含む。）並びにこれらの申告書に係る修正申告書（（1）において「地方法人税申告書等」という。）について、青色の申告書により提出することができる。（地方法27①）

　　　（青色申告の承認の取消しがあった場合）
（1）　法人が第二章第二節の四《青色申告の承認の取消し》により同節の一の青色申告の承認を取り消された場合には、同一の承認の取消しに係る同節の四の表の1から4までに掲げる事業年度開始の日以後その法人が八により青色の申告書により提出した地方法人税申告書等（納付すべき義務が同日前に成立した地方法人税に係るものを除く。）は、青色申告書（八により青色の申告書によって提出する地方法人税申告書等をいう。（2）において同じ。）以外の申告書とみなす。（地方法27②）

(通算法人の青色申告の承認の取消しがあった場合)
（２）　通算法人が第二章第二節の**四**《青色申告の承認の取消し》により同章第一節の**二**の表の**36**《青色申告書》の承認を取り消された場合には、その承認の取消しについては、（１）は、適用しない。（地方法27③）

(通算法人の青色申告の承認の取消しがあった場合の読み替え規定)
（３）　通算法人であった法人に係る（１）の適用については、（１）中「事業年度」とあるのは、「事業年度（当該事業年度が第三章第一節第三十五款の**二**の**1**による承認の効力を失った日の前日〔当該前日がその法人に係る通算親法人の事業年度終了の日である場合には、当該効力を失った日〕の属する事業年度〔以下（１）において「失効事業年度」という。〕前の事業年度である場合には、当該失効事業年度）」とする。（地方法27④）

(更正の理由の付記の準用)
（４）　第二章第三節の**一**の**1**の（７）《更正の理由の付記》は、法人が提出した青色申告書に係る地方法人税について準用する。（地方法27⑤）

第六節　雑　則

一　連帯納付の責任

　法人税法第152条第3項及び第4項《受託者の連帯納付の責任》の規定は、第二節の二《法人課税信託の受託者等》の注2において準用する同法第4条の4第2項《受託者が2以上ある法人課税信託》の規定により同法第152条第3項に規定する主催受託者が納めるものとされる地方法人税について準用する。（地方法31②）

　　（通算法人の連帯納付の責任）
　　法人税法第152条第1項及び第2項《連帯納付の責任》の規定は、通算法人との間に通算完全支配関係がある他の通算法人につきその通算完全支配関係がある期間内に納税義務が成立した各課税事業年度の第二節の五《基準法人税額等》の表の①に掲げる基準法人税額に対する地方法人税について準用する。（地方法31①）

二　罰　則

1　地方法人税を免れる罪

①　偽りその他不正の行為により地方法人税を免れる罪

　偽りその他不正の行為により、第五節の二《確定申告》の表の2に掲げる地方法人税の額（第四節の二《外国税額の控除》により控除される金額がある場合には、同2による計算を第四節の二を適用しないでした地方法人税の額）若しくは地方法人税法第19条第5項第2号《確定申告》に規定する地方法人税の額につき地方法人税を免れ、又は第五節の六の3《欠損金の繰戻しによる法人税の還付があった場合の還付》による地方法人税の還付を受けた場合には、法人の代表者（人格のない社団等の管理人及び法人課税信託の受託者である個人を含む。以下4までにおいて同じ。）、代理人、使用人その他の従業者（当該法人が通算法人である場合には、他の通算法人の代表者、代理人、使用人その他の従業者を含む。4《刑の対象となる者》において同じ。）でその違反行為をした者は、10年以下の**拘禁刑**若しくは1,000万円以下の罰金に処し、又はこれを併科する。（地方法33①）

　　注　──線部分は、刑法等の一部を改正する法律の施行に伴う関係法律の整理等に関する法律（令和4年法律第68号）により改正された部分で、改正規定は、刑法等の一部を改正する法律（令和4年法律第67号）の施行の日（令和7年6月1日）から適用され、同日前の適用については、「拘禁刑」とあるのは「懲役」とする。（令和4年法律第68号184、同法附1、令和5年政令第318号）

　　（免れた地方法人税の額が1,000万円を超える場合）
　　①の免れた地方法人税の額又は①の還付を受けた地方法人税の額が1,000万円を超えるときは、情状により、①の罰金は、1,000万円を超えその免れた地方法人税の額又は還付を受けた地方法人税の額に相当する金額以下とすることができる。（地方法33②）

②　地方法人税申告書を提出しないことにより地方法人税を免れる等の罪

　①に掲げるもののほか、第五節の二による申告書又は地方法人税法第19条第5項の規定による申告書をその提出期限までに提出しないことにより、同二の表の2に掲げる地方法人税の額（第四節の二により控除をされる金額がある場合には、第五節の二の表の2による計算を第四節の二を適用しないでした地方法人税の額）又は地方法人税法第19条第5項第2号に規定する地方法人税の額につき地方法人税を免れた場合には、法人の代表者、代理人、使用人その他の従業者でその違反行為をした者は、5年以下の**拘禁刑**若しくは500万円以下の罰金に処し、又はこれを併科する。（地方法33③）

　　注　──線部分は、刑法等の一部を改正する法律の施行に伴う関係法律の整理等に関する法律（令和4年法律第68号）により改正された部分で、改正規定は、刑法等の一部を改正する法律（令和4年法律第67号）の施行の日（令和7年6月1日）から適用され、同日前の適用については、「拘禁刑」とあるのは「懲役」とする。（令和4年法律第68号184、同法附1、令和5年政令第318号）

　　（免れた地方法人税の額等が500万円を超える場合）
　　②の免れた地方法人税の額が500万円を超えるときは、情状により、②の罰金は、500万円を超えその免れた地方法人税の額に相当する金額以下とすることができる。（地方法33④）

2　地方法人税申告書を提出しない等の罪

　正当な理由がなくて第五節の二又は地方法人税法第19条第5項《確定申告》による申告書をその提出期限までに提出しなかった場合には、法人の代表者、代理人、使用人その他の従業者でその違反行為をした者は、1年以下の<u>拘禁刑</u>又は50万円以下の罰金に処する。ただし、情状により、その刑を免除することができる。（地方法34）

　　注　──線部分は、刑法等の一部を改正する法律の施行に伴う関係法律の整理等に関する法律（令和4年法律第68号）により改正された部分で、改正規定は、刑法等の一部を改正する法律（令和4年法律第67号）の施行の日（令和7年6月1日）から適用され、同日前の適用については、「拘禁刑」とあるのは「懲役」とする。（令和4年法律第68号184、同法附1、令和5年政令第318号）

3　偽りの記載をした中間申告書等を提出する罪

　第五節の一の2《仮決算をした場合の中間申告書を提出する場合の記載事項等》に掲げる事項を記載した地方法人税中間申告書又は地方法人税法第16条第6項《中間申告》の規定による申告書（当該申告書に係る期限後申告書を含む。）に偽りの記載をして税務署長に提出した場合の法人の代表者、代理人、使用人その他の従業者でその違反行為をした者は、1年以下の<u>拘禁刑</u>又は50万円以下の罰金に処する。（地方法36）

　　注　──線部分は、刑法等の一部を改正する法律の施行に伴う関係法律の整理等に関する法律（令和4年法律第68号）により改正された部分で、改正規定は、刑法等の一部を改正する法律（令和4年法律第67号）の施行の日（令和7年6月1日）から適用され、同日前の適用については、「拘禁刑」とあるのは「懲役」とする。（令和4年法律第68号184、同法附1、令和5年政令第318号）

4　刑の対象となる者

　法人の代表者（人格のない社団等の管理人を含む。）又は法人若しくは人の代理人、使用人その他の従業員が、その法人又は人の業務に関して1の①若しくは1の②、2又は3の違反行為をしたときは、その行為者を罰するほか、その法人又は人に対して1の①若しくは同1の②、2又は3の罰金刑を科する。（地方法37①）

　　　　　（人格のない社団等の場合の対象者等）
（1）　人格のない社団等について4の適用がある場合には、その代表者又は管理人がその訴訟行為につきその人格のない社団等を代表するほか、法人を被告人又は被疑者とする場合の刑事訴訟に関する法律の規定を準用する。（地方法37③）

　　　　　（時効の期間）
（2）　4により1の①又は1の②の違反行為につき法人又は人に罰金刑を科する場合における時効の期間は、1の①又は1の②に掲げる罪についての時効の期間による。（地方法37②）

付　録

○減価償却資産の耐用年数等に関する省令　別表

○耐用年数の適用等に関する取扱通達　付表

目　次

一　減価償却資産の耐用年数等に関する省令　別表 …… 1829

- 別表第一　機械及び装置以外の有形減価償却資産の耐用年数表 …… 1829
  - 建　　物 …… 1829
  - 建物附属設備 …… 1833
  - 構　築　物 …… 1834
  - 船　　舶 …… 1839
  - 航　空　機 …… 1841
  - 車両及び運搬具 …… 1841
  - 工　　具 …… 1842
  - 器具及び備品 …… 1843
- 別表第二　機械及び装置の耐用年数表 …… 1848
- 別表第三　無形減価償却資産の耐用年数表 …… 1852
- 別表第四　生物の耐用年数表 …… 1853
- 別表第五　公害防止用減価償却資産の耐用年数表 …… 1855
- 別表第六　開発研究用減価償却資産の耐用年数表 …… 1855
- 別表第七　平成19年3月31日以前に取得をされた減価償却資産の償却率表 …… 1856
- 別表第八　平成19年4月1日以後に取得をされた減価償却資産の定額法の償却率表 …… 1857
- 別表第九　平成19年4月1日から平成24年3月31日までの間に取得をされた減価償却資産の定率法の償却率、改定償却率及び保証率の表 …… 1858
- 別表第十　平成24年4月1日以後に取得をされた減価償却資産の定率法の償却率、改定償却率及び保証率の表 …… 1860
- 別表第十一　平成19年3月31日以前に取得をされた減価償却資産の残存割合表 …… 1862

二　耐用年数の適用等に関する取扱通達　付表

- 付表1　塩素、塩酸、硫酸、硝酸その他の著しい腐食性を有する液体又は気体の影響を直接全面的に受ける建物の例示
- 付表2　塩、チリ硝石……の影響を直接全面的に受ける建物の例示
- 付表3　鉄道業及び軌道業の構築物（総合償却資産であるものに限る）の細目と個別耐用年数
- 付表4　電気業の構築物（総合償却資産であるものに限る）の細目と個別耐用年数
- 付表5　通常の使用時間が8時間又は16時間の機械装置
- 付表6　漁網、活字地金及び専用金型等以外の資産の基準率、基準回数及び基準直径表
- 付表7　旧定率法未償却残額表及び定率法未償却残額表
- 付表8　「設備の種類」と日本標準産業分類の分類との対比表
- 付表9　機械及び装置の耐用年数表（別表第二）における新旧資産区分の対照表
- 付表10　機械及び装置の耐用年数表（旧別表第二）

三　医療用機器等の特別償却の対象となる医療用機器の範囲に関する取扱通達

1. 医療用機器に該当するもの
2. 医療用機器に該当しないもの

四　漁ろう用設備の範囲に関する取扱通達

1. 漁ろう用設備に該当するもの
2. 漁ろう用設備に該当しないもの

注1　付録においては、一部「平成24年4月1日以後に取得をされた減価償却資産の定率法」の償却率による償却方法を「新定率法」としている。（編者）

注2　「二　耐用年数の適用等に関する取扱通達　付表」、「三　医療用機器等の特別償却の対象となる医療用機器の範囲に関する取扱通達」及び「四　漁ろう用設備の範囲に関する取扱通達」については、収録を割愛し、本書Web版にのみ収録しているので、そちらを参照されたい。

一　減価償却資産の耐用年数等に関する省令　別表

別表第一　機械及び装置以外の有形減価償却資産の耐用年数表

種類	構造又は用途	細目	耐用年数	償却率 定額法(別表第八)	定率法(別表第九)	新定率法(別表第十)
建物	鉄骨鉄筋コンクリート造又は鉄筋コンクリート造のもの	事務所用又は美術館用のもの及び下記以外のもの	年 50	0.020		
		住宅用、寄宿舎用、宿泊所用、学校用又は体育館用のもの	47	0.022		
		飲食店用、貸席用、劇場用、演奏場用、映画館用又は舞踏場用のもの 　飲食店用又は貸席用のもので、延べ面積のうちに占める木造内装部分の面積が3割を超えるもの 　その他のもの	34 41	0.030 0.025		
		旅館用又はホテル用のもの 　延べ面積のうちに占める木造内装部分の面積が3割を超えるもの 　その他のもの	31 39	0.033 0.026		
		店舗用のもの	39	0.026		
		病院用のもの	39	0.026		
		変電所用、発電所用、送受信所用、停車場用、車庫用、格納庫用、荷扱所用、映画製作ステージ用、屋内スケート場用、魚市場用又はと畜場用のもの	38	0.027		
		公衆浴場用のもの	31	0.033		
		工場（作業場を含む。）用又は倉庫用のもの 　塩素、塩酸、硫酸、硝酸その他の著しい腐食性を有する液体又は気体の影響を直接全面的に受けるもの、冷蔵倉庫用のもの（倉庫事業の倉庫用のものを除く。）及び放射性同位元素の放射線を直接受けるもの 　塩、チリ硝石その他の著しい潮解性を有する固体を常時蔵置するためのもの及び著しい蒸気の影響を直接全面的に受けるもの 　その他のもの 　　倉庫事業の倉庫用のもの 　　　冷蔵倉庫用のもの 　　　その他のもの 　　その他のもの	24 31 21 31 38	0.042 0.033 0.048 0.033 0.027		

付　録 ─《減価償却資産の耐用年数表》

種類	構造又は用途	細目	耐用年数	償却率 定額法（別表第八）	定率法（別表第九）	新定率法（別表第十）
建物	れんが造、石造又はブロック造のもの	事務所用又は美術館用のもの及び下記以外のもの	41年	0.025		
		店舗用、住宅用、寄宿舎用、宿泊所用、学校用又は体育館用のもの	38	0.027		
		飲食店用、貸席用、劇場用、演奏場用、映画館用又は舞踏場用のもの	38	0.027		
		旅館用、ホテル用又は病院用のもの	36	0.028		
		変電所用、発電所用、送受信所用、停車場用、車庫用、格納庫用、荷扱所用、映画製作ステージ用、屋内スケート場用、魚市場用又はと畜場用のもの	34	0.030		
		公衆浴場用のもの	30	0.034		
		工場（作業場を含む。）用又は倉庫用のもの　塩素、塩酸、硫酸、硝酸その他の著しい腐食性を有する液体又は気体の影響を直接全面的に受けるもの及び冷蔵倉庫用のもの（倉庫事業の倉庫用のものを除く。）	22	0.046		
		塩、チリ硝石その他の著しい潮解性を有する固体を常時蔵置するためのもの及び著しい蒸気の影響を直接全面的に受けるもの	28	0.036		
		その他のもの　　倉庫事業の倉庫用のもの　　　冷蔵倉庫用のもの	20	0.050		
		その他のもの	30	0.034		
		その他のもの	34	0.030		
	金属造のもの（骨格材の肉厚が4ミリメートルを超えるものに限る。）	事務所用又は美術館用のもの及び下記以外のもの	38	0.027		
		店舗用、住宅用、寄宿舎用、宿泊所用、学校用又は体育館用のもの	34	0.030		
		飲食店用、貸席用、劇場用、演奏場用、映画館用又は舞踏場用のもの	31	0.033		
		変電所用、発電所用、送受信所用、停車場用、車庫用、格納庫用、荷扱所用、映画製作ステージ用、屋内スケート場用、魚市場用又はと畜場用のもの	31	0.033		
		旅館用、ホテル用又は病院用のもの	29	0.035		
		公衆浴場用のもの	27	0.038		

付　録 ―《減価償却資産の耐用年数表》

種類	構造又は用途	細目	耐用年数	償却率 定額法（別表第八）	定率法（別表第九）	新定率法（別表第十）
建物		工場（作業場を含む。）用又は倉庫用のもの 　塩素、塩酸、硫酸、硝酸その他の著しい腐食性を有する液体又は気体の影響を直接全面的に受けるもの、冷蔵倉庫用のもの（倉庫事業の倉庫用のものを除く。）及び放射性同位元素の放射線を直接受けるもの	年 20	0.050		
		塩、チリ硝石その他の著しい潮解性を有する固体を常時蔵置するためのもの及び著しい蒸気の影響を直接全面的に受けるもの	25	0.040		
		その他のもの 　　倉庫事業の倉庫用のもの 　　　冷蔵倉庫用のもの	19	0.053		
		その他のもの	26	0.039		
		その他のもの	31	0.033		
	金属造のもの（骨格材の肉厚が3ミリメートルを超え4ミリメートル以下のものに限る。）	事務所用又は美術館用のもの及び下記以外のもの	30	0.034		
		店舗用、住宅用、寄宿舎用、宿泊所用、学校用又は体育館用のもの	27	0.038		
		飲食店用、貸席用、劇場用、演奏場用、映画館用又は舞踏場用のもの	25	0.040		
		変電所用、発電所用、送受信所用、停車場用、車庫用、格納庫用、荷扱所用、映画製作ステージ用、屋内スケート場用、魚市場用又はと畜場用のもの	25	0.040		
		旅館用、ホテル用又は病院用のもの	24	0.042		
		公衆浴場用のもの	19	0.053		
		工場（作業場を含む。）用又は倉庫用のもの 　塩素、塩酸、硫酸、硝酸その他の著しい腐食性を有する液体又は気体の影響を直接全面的に受けるもの及び冷蔵倉庫用のもの	15	0.067		
		塩、チリ硝石その他の著しい潮解性を有する固体を常時蔵置するためのもの及び著しい蒸気の影響を直接全面的に受けるもの	19	0.053		
		その他のもの	24	0.042		
	金属造のもの（骨格材の肉厚が3ミリメートル以下のも	事務所用又は美術館用のもの及び下記以外のもの	22	0.046		
		店舗用、住宅用、寄宿舎用、宿泊所用、学校用又は体育館用のもの	19	0.053		

付　録　—《減価償却資産の耐用年数表》

種類	構造又は用途	細目	耐用年数	償却率 定額法(別表第八)	定率法(別表第九)	新定率法(別表第十)
建物	のに限る。)	飲食店用、貸席用、劇場用、演奏場用、映画館用又は舞踏場用のもの	19年	0.053		
		変電所用、発電所用、送受信所用、停車場用、車庫用、格納庫用、荷扱所用、映画製作ステージ用、屋内スケート場用、魚市場用又はと畜場用のもの	19	0.053		
		旅館用、ホテル用又は病院用のもの	17	0.059		
		公衆浴場用のもの	15	0.067		
		工場(作業場を含む。)用又は倉庫用のもの　塩素、塩酸、硫酸、硝酸その他の著しい腐食性を有する液体又は気体の影響を直接全面的に受けるもの及び冷蔵倉庫用のもの	12	0.084		
		塩、チリ硝石その他の著しい潮解性を有する固体を常時蔵置するためのもの及び著しい蒸気の影響を直接全面的に受けるもの	14	0.072		
		その他のもの	17	0.059		
	木造又は合成樹脂造のもの	事務所用又は美術館用のもの及び下記以外のもの	24	0.042		
		店舗用、住宅用、寄宿舎用、宿泊所用、学校用又は体育館用のもの	22	0.046		
		飲食店用、貸席用、劇場用、演奏場用、映画館用又は舞踏場用のもの	20	0.050		
		変電所用、発電所用、送受信所用、停車場用、車庫用、格納庫用、荷扱所用、映画製作ステージ用、屋内スケート場用、魚市場用又はと畜場用のもの	17	0.059		
		旅館用、ホテル用又は病院用のもの	17	0.059		
		公衆浴場用のもの	12	0.084		
		工場(作業場を含む。)用又は倉庫用のもの　塩素、塩酸、硫酸、硝酸その他の著しい腐食性を有する液体又は気体の影響を直接全面的に受けるもの及び冷蔵倉庫用のもの	9	0.112		
		塩、チリ硝石その他の著しい潮解性を有する固体を常時蔵置するためのもの及び著しい蒸気の影響を直接全面的に受けるもの	11	0.091		
		その他のもの	15	0.067		
	木骨モルタル造のもの	事務所用又は美術館用のもの及び下記以外のもの	22	0.046		

付　録　—《減価償却資産の耐用年数表》

種類	構造又は用途	細目	耐用年数	償却率 定額法(別表第八)	定率法(別表第九)	新定率法(別表第十)
建物		店舗用、住宅用、寄宿舎用、宿泊所用、学校用又は体育館用のもの	20年	0.050		
		飲食店用、貸席用、劇場用、演奏場用、映画館用又は舞踏場用のもの	19	0.053		
		変電所用、発電所用、送受信所用、停車場用、車庫用、格納庫用、荷扱所用、映画製作ステージ用、屋内スケート場用、魚市場用又はと畜場用のもの	15	0.067		
		旅館用、ホテル用又は病院用のもの	15	0.067		
		公衆浴場用のもの	11	0.091		
		工場（作業場を含む。）用又は倉庫用のもの　塩素、塩酸、硫酸、硝酸その他の著しい腐食性を有する液体又は気体の影響を直接全面的に受けるもの及び冷蔵倉庫用のもの	7	0.143		
		塩、チリ硝石その他の著しい潮解性を有する固体を常時蔵置するためのもの及び著しい蒸気の影響を直接全面的に受けるもの	10	0.100		
		その他のもの	14	0.072		
	簡易建物	木製主要柱が10センチメートル角以下のもので、土居ぶき、杉皮ぶき、ルーフィングぶき又はトタンぶきのもの	10	0.100		
		掘立造のもの及び仮設のもの	7	0.143		
建物附属設備	電気設備（照明設備を含む。）	蓄電池電源設備	6	0.167	0.417	0.333
		その他のもの	15	0.067	0.167	0.133
	給排水又は衛生設備及びガス設備		15	0.067	0.167	0.133
	冷房、暖房、通風又はボイラー設備	冷暖房設備（冷凍機の出力が22キロワット以下のもの）	13	0.077	0.192	0.154
		その他のもの	15	0.067	0.167	0.133
	昇降機設備	エレベーター	17	0.059	0.147	0.118
		エスカレーター	15	0.067	0.167	0.133
	消火、排煙又は災害報知設備及び格納式避難設備		8	0.125	0.313	0.250

注　平成28年度改正により、平成28年4月1日以後に取得する建物附属設備及び構築物の償却の方法について、定額法に一本化されたことに留意する。（編者）

付　録　一《減価償却資産の耐用年数表》

種類	構造又は用途	細目	耐用年数	償却率 定額法（別表第八）	定率法（別表第九）	新定率法（別表第十）
建物附属設備	エヤーカーテン又はドアー自動開閉設備		12年	0.084	0.208	0.167
	アーケード又は日よけ設備	主として金属製のもの	15	0.067	0.167	0.133
		その他のもの	8	0.125	0.313	0.250
	店用簡易装備		3	0.334	0.833	0.667
	可動間仕切り	簡易なもの	3	0.334	0.833	0.667
		その他のもの	15	0.067	0.167	0.133
	前掲のもの以外のもの及び前掲の区分によらないもの	主として金属製のもの	18	0.056	0.139	0.111
		その他のもの	10	0.100	0.250	0.200
構築物	鉄道業用又は軌道業用のもの	軌条及びその附属品	20	0.050	0.125	0.100
		まくら木				
		木製のもの	8	0.125	0.313	0.250
		コンクリート製のもの	20	0.050	0.125	0.100
		金属製のもの	20	0.050	0.125	0.100
		分岐器	15	0.067	0.167	0.133
		通信線、信号線及び電灯電力線	30	0.034	0.083	0.067
		信号機	30	0.034	0.083	0.067
		送配電線及びき電線	40	0.025	0.063	0.050
		電車線及び第三軌条	20	0.050	0.125	0.100
		帰線ボンド	5	0.200	0.500	0.400
		電線支持物（電柱及び腕木を除く。）	30	0.034	0.083	0.067
		木柱及び木塔（腕木を含む。）				
		架空索道用のもの	15	0.067	0.167	0.133
		その他のもの	25	0.040	0.100	0.080
		前掲以外のもの				
		線路設備				
		軌道設備				
		道床	60	0.017	0.042	0.033
		その他のもの	16	0.063	0.156	0.125
		土工設備	57	0.018	0.044	0.035
		橋りょう				
		鉄筋コンクリート造のもの	50	0.020	0.050	0.040
		鉄骨造のもの	40	0.025	0.063	0.050
		その他のもの	15	0.067	0.167	0.133

種類	構造又は用途	細目	耐用年数	償却率 定額法(別表第八)	定率法(別表第九)	新定率法(別表第十)
構築物		トンネル	年			
		鉄筋コンクリート造のもの	60	0.017	0.042	0.033
		れんが造のもの	35	0.029	0.071	0.057
		その他のもの	30	0.034	0.083	0.067
		その他のもの	21	0.048	0.119	0.095
		停車場設備	32	0.032	0.078	0.063
		電路設備				
		鉄柱、鉄塔、コンクリート柱及びコンクリート塔	45	0.023	0.056	0.044
		踏切保安又は自動列車停止設備	12	0.084	0.208	0.167
		その他のもの	19	0.053	0.132	0.105
		その他のもの	40	0.025	0.063	0.050
	その他の鉄道用又は軌道用のもの	軌条及びその附属品並びにまくら木	15	0.067	0.167	0.133
		道床	60	0.017	0.042	0.033
		土工設備	50	0.020	0.050	0.040
		橋りょう				
		鉄筋コンクリート造のもの	50	0.020	0.050	0.040
		鉄骨造のもの	40	0.025	0.063	0.050
		その他のもの	15	0.067	0.167	0.133
		トンネル				
		鉄筋コンクリート造のもの	60	0.017	0.042	0.033
		れんが造のもの	35	0.029	0.071	0.057
		その他のもの	30	0.034	0.083	0.067
		その他のもの	30	0.034	0.083	0.067
	発電用又は送配電用のもの	小水力発電用のもの（農山漁村電気導入促進法（昭和27年法律第358号）に基づき建設したものに限る。）	30	0.034	0.083	0.067
		その他の水力発電用のもの（貯水池、調整池及び水路に限る。）	57	0.018	0.044	0.035
		汽力発電用のもの（岸壁、さん橋、堤防、防波堤、煙突、その他汽力発電用のものをいう。）	41	0.025	0.061	0.049
		送電用のもの				
		地中電線路	25	0.040	0.100	0.080
		塔、柱、がい子、送電線、地線及び添架電話線	36	0.028	0.069	0.056
		配電用のもの				
		鉄塔及び鉄柱	50	0.020	0.050	0.040
		鉄筋コンクリート柱	42	0.024	0.060	0.048

付　録 ー《減価償却資産の耐用年数表》

種類	構造又は用途	細目	耐用年数	償却率 定額法(別表第八)	定率法(別表第九)	新定率法(別表第十)
構築物		木柱	15年	0.067	0.167	0.133
		配電線	30	0.034	0.083	0.067
		引込線	20	0.050	0.125	0.100
		添架電話線	30	0.034	0.083	0.067
		地中電線路	25	0.040	0.100	0.080
	電気通信事業用のもの	通信ケーブル 　光ファイバー製のもの 　その他のもの	 10 13	 0.100 0.077	 0.250 0.192	 0.200 0.154
		地中電線路	27	0.038	0.093	0.074
		その他の線路設備	21	0.048	0.119	0.095
	放送用又は無線通信用のもの	鉄塔及び鉄柱 　円筒空中線式のもの 　その他のもの	 30 40	 0.034 0.025	 0.083 0.063	 0.067 0.050
		鉄筋コンクリート柱	42	0.024	0.060	0.048
		木塔及び木柱	10	0.100	0.250	0.200
		アンテナ	10	0.100	0.250	0.200
		接地線及び放送用配線	10	0.100	0.250	0.200
	農林業用のもの	主としてコンクリート造、れんが造、石造又はブロック造のもの 　果樹棚又はホップ棚 　その他のもの	 14 17	 0.072 0.059	 0.179 0.147	 0.143 0.118
		主として金属造のもの	14	0.072	0.179	0.143
		主として木造のもの	5	0.200	0.500	0.400
		土管を主としたもの	10	0.100	0.250	0.200
		その他のもの	8	0.125	0.313	0.250
	広告用のもの	金属造のもの	20	0.050	0.125	0.100
		その他のもの	10	0.100	0.250	0.200
	競技場用、運動場用、遊園地用又は学校用のもの	スタンド 　主として鉄骨鉄筋コンクリート造又は鉄筋コンクリート造のもの 　主として鉄骨造のもの 　主として木造のもの	 45 30 10	 0.023 0.034 0.100	 0.056 0.083 0.250	 0.044 0.067 0.200
		競輪場用競走路 　コンクリート敷のもの 　その他のもの	 15 10	 0.067 0.100	 0.167 0.250	 0.133 0.200
		ネット設備	15	0.067	0.167	0.133

付　録 ―《減価償却資産の耐用年数表》

種類	構造又は用途	細目	耐用年数	償却率 定額法(別表第八)	定率法(別表第九)	新定率法(別表第十)
構築物		野球場、陸上競技場、ゴルフコースその他のスポーツ場の排水その他の土工施設	30年	0.034	0.083	0.067
		水泳プール	30	0.034	0.083	0.067
		その他のもの　児童用のもの　　すべり台、ぶらんこ、ジャングルジムその他の遊戯用のもの　　その他のもの　その他のもの　　主として木造のもの　　その他のもの	10 15 15 30	0.100 0.067 0.067 0.034	0.250 0.167 0.167 0.083	0.200 0.133 0.133 0.067
	緑化施設及び庭園	工場緑化施設	7	0.143	0.357	0.286
		その他の緑化施設及び庭園（工場緑化施設に含まれるものを除く。）	20	0.050	0.125	0.100
	舗装道路及び舗装路面	コンクリート敷、ブロック敷、れんが敷又は石敷のもの	15	0.067	0.167	0.133
		アスファルト敷又は木れんが敷のもの	10	0.100	0.250	0.200
		ビチューマルス敷のもの	3	0.334	0.833	0.667
	鉄骨鉄筋コンクリート造又は鉄筋コンクリート造のもの（前掲のものを除く。）	水道用ダム	80	0.013	0.031	0.025
		トンネル	75	0.014	0.033	0.027
		橋	60	0.017	0.042	0.033
		岸壁、さん橋、防壁（爆発物用のものを除く。）、堤防、防波堤、塔、やぐら、上水道、水そう及び用水用ダム	50	0.020	0.050	0.040
		乾ドック	45	0.023	0.056	0.044
		サイロ	35	0.029	0.071	0.057
		下水道、煙突及び焼却炉	35	0.029	0.071	0.057
		高架道路、製塩用ちんでん池、飼育場及びへい	30	0.034	0.083	0.067
		爆発物用防壁及び防油堤	25	0.040	0.100	0.080
		造船台	24	0.042	0.104	0.083
		放射性同位元素の放射線を直接受けるもの	15	0.067	0.167	0.133
		その他のもの	60	0.017	0.042	0.033
	コンクリート造又はコンクリート	やぐら及び用水池	40	0.025	0.063	0.050
		サイロ	34	0.030	0.074	0.059

付　録　一《減価償却資産の耐用年数表》

種類	構造又は用途	細目	耐用年数	償却率 定額法(別表第八)	定率法(別表第九)	新定率法(別表第十)
構築物	ブロック造のもの（前掲のものを除く。）	岸壁、さん橋、防壁（爆発物用のものを除く。）、堤防、防波堤、トンネル、上水道及び水そう	30年	0.034	0.083	0.067
		下水道、飼育場及びへい	15	0.067	0.167	0.133
		爆発物用防壁	13	0.077	0.192	0.154
		引湯管	10	0.100	0.250	0.200
		鉱業用廃石捨場	5	0.200	0.500	0.400
		その他のもの	40	0.025	0.063	0.050
	れんが造のもの（前掲のものを除く。）	防壁（爆発物用のものを除く。）、堤防、防波堤及びトンネル	50	0.020	0.050	0.040
		煙突、煙道、焼却炉、へい及び爆発物用防壁 　塩素、クロールスルホン酸その他の著しい腐食性を有する気体の影響を受けるもの 　その他のもの	7 25	0.143 0.040	0.357 0.100	0.286 0.080
		その他のもの	40	0.025	0.063	0.050
	石造のもの（前掲のものを除く。）	岸壁、さん橋、防壁（爆発物用のものを除く。）、堤防、防波堤、上水道及び用水池	50	0.020	0.050	0.040
		乾ドック	45	0.023	0.056	0.044
		下水道、へい及び爆発物用防壁	35	0.029	0.071	0.057
		その他のもの	50	0.020	0.050	0.040
	土造のもの（前掲のものを除く。）	防壁（爆発物用のものを除く。）、堤防、防波堤及び自動車道	40	0.025	0.063	0.050
		上水道及び用水池	30	0.034	0.083	0.067
		下水道	15	0.067	0.167	0.133
		へい	20	0.050	0.125	0.100
		爆発物用防壁及び防油堤	17	0.059	0.147	0.118
		その他のもの	40	0.025	0.063	0.050
	金属造のもの（前掲のものを除く。）	橋（はね上げ橋を除く。）	45	0.023	0.056	0.044
		はね上げ橋及び鋼矢板岸壁	25	0.040	0.100	0.080
		サイロ	22	0.046	0.114	0.091
		送配管 　鋳鉄製のもの 　鋼鉄製のもの	30 15	0.034 0.067	0.083 0.167	0.067 0.133
		ガス貯そう 　液化ガス用のもの 　その他のもの	10 20	0.100 0.050	0.250 0.125	0.200 0.100

付　録 ―《減価償却資産の耐用年数表》

種類	構造又は用途	細目	耐用年数	償却率 定額法(別表第八)	定率法(別表第九)	新定率法(別表第十)
構築物		薬品貯そう 　塩酸、ふっ酸、発煙硫酸、濃硝酸その他の発煙性を有する無機酸用のもの	年 8	0.125	0.313	0.250
		有機酸用又は硫酸、硝酸その他前掲のもの以外の無機酸用のもの	10	0.100	0.250	0.200
		アルカリ類用、塩水用、アルコール用その他のもの	15	0.067	0.167	0.133
		水そう及び油そう 　鋳鉄製のもの	25	0.040	0.100	0.080
		鋼鉄製のもの	15	0.067	0.167	0.133
		浮きドック	20	0.050	0.125	0.100
		飼育場	15	0.067	0.167	0.133
		つり橋、煙突、焼却炉、打込み井戸、へい、街路灯及びガードレール	10	0.100	0.250	0.200
		露天式立体駐車設備	15	0.067	0.167	0.133
		その他のもの	45	0.023	0.056	0.044
	合成樹脂造のもの(前掲のものを除く。)		10	0.100	0.250	0.200
	木造のもの(前掲のものを除く。)	橋、塔、やぐら及びドック	15	0.067	0.167	0.133
		岸壁、さん橋、防壁、堤防、防波堤、トンネル、水そう、引湯管及びへい	10	0.100	0.250	0.200
		飼育場	7	0.143	0.357	0.286
		その他のもの	15	0.067	0.167	0.133
	前掲のもの以外のもの及び前掲の区分によらないもの	主として木造のもの	15	0.067	0.167	0.133
		その他のもの	50	0.020	0.050	0.040
船舶	船舶法(明治32年法律第46号)第4条から第19条までの適用を受ける鋼船					
	漁船	総トン数が500トン以上のもの	12	0.084	0.208	0.167
		総トン数が500トン未満のもの	9	0.112	0.278	0.222
	油そう船	総トン数が2,000トン以上のもの	13	0.077	0.192	0.154
		総トン数が2,000トン未満のもの	11	0.091	0.227	0.182

付　録 ー《減価償却資産の耐用年数表》

種類	構造又は用途	細目	耐用年数	償却率 定額法(別表第八)	定率法(別表第九)	新定率法(別表第十)
船舶	薬品そう船		10年	0.100	0.250	0.200
	その他のもの	総トン数が2,000トン以上のもの	15	0.067	0.167	0.133
		総トン数が2,000トン未満のもの　しゅんせつ船及び砂利採取船	10	0.100	0.250	0.200
		カーフェリー	11	0.091	0.227	0.182
		その他のもの	14	0.072	0.179	0.143
	船舶法第4条から第19条までの適用を受ける木船　漁船		6	0.167	0.417	0.333
	薬品そう船		8	0.125	0.313	0.250
	その他のもの		10	0.100	0.250	0.200
	船舶法第4条から第19条までの適用を受ける軽合金船（他の項に掲げるものを除く。）		9	0.112	0.278	0.222
	船舶法第4条から第19条までの適用を受ける強化プラスチック船		7	0.143	0.357	0.286
	船舶法第4条から第19条までの適用を受ける水中翼船及びホバークラフト		8	0.125	0.313	0.250
	その他のもの　鋼船	しゅんせつ船及び砂利採取船	7	0.143	0.357	0.286
		発電船及びとう載漁船	8	0.125	0.313	0.250
		ひき船	10	0.100	0.250	0.200
		その他のもの	12	0.084	0.208	0.167
	木船	とう載漁船	4	0.250	0.625	0.500
		しゅんせつ船及び砂利採取船	5	0.200	0.500	0.400
		動力漁船及びひき船	6	0.167	0.417	0.333

付　録 —《減価償却資産の耐用年数表》

種類	構造又は用途	細目	耐用年数	償却率 定額法(別表第八)	定率法(別表第九)	新定率法(別表第十)
船舶		薬品そう船	7年	0.143	0.357	0.286
	その他のもの	その他のもの	8	0.125	0.313	0.250
		モーターボート及びとう載漁船	4	0.250	0.625	0.500
		その他のもの	5	0.200	0.500	0.400
航空機	飛行機	主として金属製のもの　最大離陸重量が130トンを超えるもの	10	0.100	0.250	0.200
		最大離陸重量が130トン以下のもので5.7トンを超えるもの	8	0.125	0.313	0.250
		最大離陸重量が5.7トン以下のもの	5	0.200	0.500	0.400
		その他のもの	5	0.200	0.500	0.400
	その他のもの	ヘリコプター及びグライダー	5	0.200	0.500	0.400
		その他のもの	5	0.200	0.500	0.400
車両及び運搬具	鉄道用又は軌道用車両（架空索道用搬器を含む。）	電気又は蒸気機関車	18	0.056	0.139	0.111
		電車	13	0.077	0.192	0.154
		内燃動車（制御車及び附随車を含む。）	11	0.091	0.227	0.182
		貨車　高圧ボンベ車及び高圧タンク車	10	0.100	0.250	0.200
		薬品タンク車及び冷凍車	12	0.084	0.208	0.167
		その他のタンク車及び特殊構造車	15	0.067	0.167	0.133
		その他のもの	20	0.050	0.125	0.100
		線路建設保守用工作車	10	0.100	0.250	0.200
		鋼索鉄道用車両	15	0.067	0.167	0.133
		架空索道用搬器　閉鎖式のもの	10	0.100	0.250	0.200
		その他のもの	5	0.200	0.500	0.400
		無軌条電車	8	0.125	0.313	0.250
		その他のもの	20	0.050	0.125	0.100
	特殊自動車（この項には別表第二に掲げる減価償却資産に含まれるブルドーザー、パワーショベルその他の自走式作業用機械並びにトラクター及び農林業用	消防車、救急車、レントゲン車、散水車、放送宣伝車、移動無線車及びチップ製造車	5	0.200	0.500	0.400
		モータースイーパー及び除雪車	4	0.250	0.625	0.500
		タンク車、じんかい車、し尿車、寝台車、霊きゅう車、トラックミキサー、レッカーその他特殊車体を架装したもの　小型車（じんかい車及びし尿車にあっては積載量が2トン以下、その他のものにあっては総排気量が2リットル以下のものをいう。）	3	0.334	0.833	0.667

—1841—

付　録　―《減価償却資産の耐用年数表》

種類	構造又は用途	細目	耐用年数	償却率 定額法(別表第八)	償却率 定率法(別表第九)	償却率 新定率法(別表第十)
車両及び運搬具	運搬機具を含まない。)	その他のもの	4年	0.250	0.625	0.500
	運送事業用、貸自動車業用又は自動車教習所用の車両及び運搬具（前掲のものを除く。)	自動車（二輪又は三輪自動車を含み、乗合自動車を除く。)				
		小型車（貨物自動車にあっては積載量が2トン以下、その他のものにあっては総排気量が2リットル以下のものをいう。)	3	0.334	0.833	0.667
		その他のもの				
		大型乗用車（総排気量が3リットル以上のものをいう。)	5	0.200	0.500	0.400
		その他のもの	4	0.250	0.625	0.500
		乗合自動車	5	0.200	0.500	0.400
		自転車及びリヤカー	2	0.500	1.000	1.000
		被けん引車その他のもの	4	0.250	0.625	0.500
	前掲のもの以外のもの	自動車（二輪又は三輪自動車を除く。)				
		小型車(総排気量が0.66リットル以下のものをいう。)	4	0.250	0.625	0.500
		その他のもの				
		貨物自動車				
		ダンプ式のもの	4	0.250	0.625	0.500
		その他のもの	5	0.200	0.500	0.400
		報道通信用のもの	5	0.200	0.500	0.400
		その他のもの	6	0.167	0.417	0.333
		二輪又は三輪自動車	3	0.334	0.833	0.667
		自　転　車	2	0.500	1.000	1.000
		鉱山用人車、炭車、鉱車及び台車				
		金属製のもの	7	0.143	0.357	0.286
		その他のもの	4	0.250	0.625	0.500
		フォークリフト	4	0.250	0.625	0.500
		ト　ロ　ッ　コ				
		金属製のもの	5	0.200	0.500	0.400
		その他のもの	3	0.334	0.833	0.667
		その他のもの				
		自走能力を有するもの	7	0.143	0.357	0.286
		その他のもの	4	0.250	0.625	0.500
工具	測定工具及び検査工具（電気又は電子を利用するものを		5	0.200	0.500	0.400

付　録 —《減価償却資産の耐用年数表》

種類	構造又は用途	細目	耐用年数	償却率 定額法(別表第八)	定率法(別表第九)	新定率法(別表第十)
工具	含む。)		年			
	治具及び取付工具		3	0.334	0.833	0.667
	ロール	金属圧延用のもの	4	0.250	0.625	0.500
		なつ染ロール、粉砕ロール、混練ロールその他のもの	3	0.334	0.833	0.667
	型(型枠を含む。)、鍛圧工具及び打抜工具	プレスその他の金属加工用金型、合成樹脂、ゴム又はガラス成型用金型及び鋳造用型	2	0.500	1.000	1.000
		その他のもの	3	0.334	0.833	0.667
	切削工具		2	0.500	1.000	1.000
	金属製柱及びカッペ		3	0.334	0.833	0.667
	活字及び活字に常用される金属	購入活字(活字の形状のまま反復使用するものに限る。)	2	0.500	1.000	1.000
		自製活字及び活字に常用される金属	8	0.125	0.313	0.250
	前掲のもの以外のもの	白金ノズル	13	0.077	0.192	0.154
		その他のもの	3	0.334	0.833	0.667
	前掲の区分によらないもの	白金ノズル	13	0.077	0.192	0.154
		その他の主として金属製のもの	8	0.125	0.313	0.250
		その他のもの	4	0.250	0.625	0.500
器具及び備品	1　家具、電気機器、ガス機器及び家庭用品(他の項に掲げるものを除く。)	事務机、事務いす及びキャビネット　主として金属製のもの	15	0.067	0.167	0.133
		その他のもの	8	0.125	0.313	0.250
		応接セット　接客業用のもの	5	0.200	0.500	0.400
		その他のもの	8	0.125	0.313	0.250
		ベッド	8	0.125	0.313	0.250
		児童用机及びいす	5	0.200	0.500	0.400
		陳列だな及び陳列ケース　冷凍機付及び冷蔵機付のもの	6	0.167	0.417	0.333
		その他のもの	8	0.125	0.313	0.250
		その他の家具　接客業用のもの	5	0.200	0.500	0.400
		その他のもの　　主として金属製のもの	15	0.067	0.167	0.133
		その他のもの	8	0.125	0.313	0.250

付　録 —《減価償却資産の耐用年数表》

種類	構造又は用途	細目	耐用年数	償却率 定額法（別表第八）	定率法（別表第九）	新定率法（別表第十）
器具及び備品		ラジオ、テレビジョン、テープレコーダーその他の音響機器	年 5	0.200	0.500	0.400
		冷房用又は暖房用機器	6	0.167	0.417	0.333
		電気冷蔵庫、電気洗濯機その他これらに類する電気又はガス機器	6	0.167	0.417	0.333
		氷冷蔵庫及び冷蔵ストッカー（電気式のものを除く。）	4	0.250	0.625	0.500
		カーテン、座ぶとん、寝具、丹前その他これらに類する繊維製品	3	0.334	0.833	0.667
		じゅうたんその他の床用敷物 　小売業用、接客業用、放送用、レコード吹込用又は劇場用のもの 　その他のもの	3 6	0.334 0.167	0.833 0.417	0.667 0.333
		室内装飾品 　主として金属製のもの 　その他のもの	15 8	0.067 0.125	0.167 0.313	0.133 0.250
		食事又はちゅう房用品 　陶磁器製又はガラス製のもの 　その他のもの	2 5	0.500 0.200	1.000 0.500	1.000 0.400
		その他のもの 　主として金属製のもの 　その他のもの	15 8	0.067 0.125	0.167 0.313	0.133 0.250
	2　事務機器及び通信機器	謄写機器及びタイプライター 　孔版印刷又は印書業用のもの 　その他のもの	3 5	0.334 0.200	0.833 0.500	0.667 0.400
		電子計算機 　パーソナルコンピュータ（サーバー用のものを除く。） 　その他のもの	4 5	0.250 0.200	0.625 0.500	0.500 0.400
		複写機、計算機（電子計算機を除く。）、金銭登録機、タイムレコーダーその他これらに類するもの	5	0.200	0.500	0.400
		その他の事務機器	5	0.200	0.500	0.400
		テレタイプライター及びファクシミリ	5	0.200	0.500	0.400
		インターホーン及び放送用設備	6	0.167	0.417	0.333
		電話設備その他の通信機器 　デジタル構内交換設備及びデジタルボタン電話設備	6	0.167	0.417	0.333

付　録　—《減価償却資産の耐用年数表》

種類	構造又は用途	細目	耐用年数	償却率 定額法(別表第八)	定率法(別表第九)	新定率法(別表第十)
器具及び備品		その他のもの	10年	0.100	0.250	0.200
	3　時計、試験機器及び測定機器	時計	10	0.100	0.250	0.200
		度量衡器	5	0.200	0.500	0.400
		試験又は測定機器	5	0.200	0.500	0.400
	4　光学機器及び写真製作機器	オペラグラス	2	0.500	1.000	1.000
		カメラ、映画撮影機、映写機及び望遠鏡	5	0.200	0.500	0.400
		引伸機、焼付機、乾燥機、顕微鏡その他の機器	8	0.125	0.313	0.250
	5　看板及び広告器具	看板、ネオンサイン及び気球	3	0.334	0.833	0.667
		マネキン人形及び模型	2	0.500	1.000	1.000
		その他のもの　主として金属製のもの	10	0.100	0.250	0.200
		その他のもの	5	0.200	0.500	0.400
	6　容器及び金庫	ボンベ　溶接製のもの	6	0.167	0.417	0.333
		鍛造製のもの　　塩素用のもの	8	0.125	0.313	0.250
		その他のもの	10	0.100	0.250	0.200
		ドラムかん、コンテナーその他の容器　大型コンテナー（長さが6メートル以上のものに限る。）	7	0.143	0.357	0.286
		その他のもの　　金属製のもの	3	0.334	0.833	0.667
		その他のもの	2	0.500	1.000	1.000
		金庫　手さげ金庫	5	0.200	0.500	0.400
		その他のもの	20	0.050	0.125	0.100
	7　理容又は美容機器		5	0.200	0.500	0.400
	8　医療機器	消毒殺菌用機器	4	0.250	0.625	0.500
		手術機器	5	0.200	0.500	0.400
		血液透析又は血しょう交換用機器	7	0.143	0.357	0.286
		ハバードタンクその他の作動部分を有する機能回復訓練機器	6	0.167	0.417	0.333
		調剤機器	6	0.167	0.417	0.333
		歯科診療用ユニット	7	0.143	0.357	0.286

種類	構造又は用途	細目	耐用年数	償却率		
				定額法(別表第八)	定率法(別表第九)	新定率法(別表第十)
器具及び備品		光学検査機器 　ファイバースコープ 　その他のもの	年 6 8	0.167 0.125	0.417 0.313	0.333 0.250
		その他のもの 　レントゲンその他の電子装置を使用する機器 　　移動式のもの、救急医療用のもの及び自動 　　血液分析器 　　その他のもの 　その他のもの 　　陶磁器製又はガラス製のもの 　　主として金属製のもの 　　その他のもの	 4 6 3 10 5	 0.250 0.167 0.334 0.100 0.200	 0.625 0.417 0.833 0.250 0.500	 0.500 0.333 0.667 0.200 0.400
	9　娯楽又はスポーツ器具及び興行又は演劇用具	たまつき用具	8	0.125	0.313	0.250
		パチンコ器、ビンゴ器その他これらに類する球戯用具及び射的用具	2	0.500	1.000	1.000
		ご、しょうぎ、まあじゃん、その他の遊戯具	5	0.200	0.500	0.400
		スポーツ具	3	0.334	0.833	0.667
		劇場用観客いす	3	0.334	0.833	0.667
		どんちょう及び幕	5	0.200	0.500	0.400
		衣しょう、かつら、小道具及び大道具	2	0.500	1.000	1.000
		その他のもの 　主として金属製のもの 　その他のもの	 10 5	 0.100 0.200	 0.250 0.500	 0.200 0.400
	10　生物	植物 　貸付業用のもの 　その他のもの	 2 15	 0.500 0.067	 1.000 0.167	 1.000 0.133
		動物 　魚　　類 　鳥　　類 　その他のもの	 2 4 8	 0.500 0.250 0.125	 1.000 0.625 0.313	 1.000 0.500 0.250
	11　前掲のもの以外のもの	映画フィルム（スライドを含む。）、磁気テープ及びレコード	2	0.500	1.000	1.000
		シート及びロープ	2	0.500	1.000	1.000
		きのこ栽培用ほだ木	3	0.334	0.833	0.667
		漁　　具	3	0.334	0.833	0.667
		葬儀用具	3	0.334	0.833	0.667
		楽　　器	5	0.200	0.500	0.400

付録 —《減価償却資産の耐用年数表》

種類	構造又は用途	細目	耐用年数	償却率		
				定額法(別表第八)	定率法(別表第九)	新定率法(別表第十)
器具及び備品		自動販売機（手動のものを含む。）	5年	0.200	0.500	0.400
		無人駐車管理装置	5	0.200	0.500	0.400
		焼却炉	5	0.200	0.500	0.400
		その他のもの 　主として金属製のもの 　その他のもの	10 5	0.100 0.200	0.250 0.500	0.200 0.400
	12　前掲する資産のうち、当該資産について定められている前掲の耐用年数によるもの以外のもの及び前掲の区分によらないもの	主として金属製のもの	15	0.067	0.167	0.133
		その他のもの	8	0.125	0.313	0.250

別表第二　機械及び装置の耐用年数表

番号	設備の種類	細目	耐用年数	償却率 定額法(別表第八)	定率法(別表第九)	新定率法(別表第十)
1	食料品製造業用設備		10年	0.100	0.250	0.200
2	飲料、たばこ又は飼料製造業用設備		10	0.100	0.250	0.200
3	繊維工業用設備	炭素繊維製造設備　　黒鉛化炉	3	0.334	0.833	0.667
		その他の設備	7	0.143	0.357	0.286
		その他の設備	7	0.143	0.357	0.286
4	木材又は木製品（家具を除く。）製造業用設備		8	0.125	0.313	0.250
5	家具又は装備品製造業用設備		11	0.091	0.227	0.182
6	パルプ、紙又は紙加工品製造業用設備		12	0.084	0.208	0.167
7	印刷業又は印刷関連業用設備	デジタル印刷システム設備	4	0.250	0.625	0.500
		製本業用設備	7	0.143	0.357	0.286
		新聞業用設備　モノタイプ、写真又は通信設備	3	0.334	0.833	0.667
		その他の設備	10	0.100	0.250	0.200
		その他の設備	10	0.100	0.250	0.200
8	化学工業用設備	臭素、よう素又は塩素、臭素若しくはよう素化合物製造設備	5	0.200	0.500	0.400
		塩化りん製造設備	4	0.250	0.625	0.500
		活性炭製造設備	5	0.200	0.500	0.400
		ゼラチン又はにかわ製造設備	5	0.200	0.500	0.400
		半導体用フォトレジスト製造設備	5	0.200	0.500	0.400
		フラットパネル用カラーフィルター、偏光板又は偏光板用フィルム製造設備	5	0.200	0.500	0.400
		その他の設備	8	0.125	0.313	0.250
9	石油製品又は石炭製品製造業用設備		7	0.143	0.357	0.286
10	プラスチック製品製造業用設備（他の号に掲げるものを除く。）		8	0.125	0.313	0.250
11	ゴム製品製造業用設備		9	0.112	0.278	0.222
12	なめし革、なめし革製品又は毛皮製造業用設備		9	0.112	0.278	0.222
13	窯業又は土石製品製造業用設備		9	0.112	0.278	0.222
14	鉄鋼業用設備	表面処理鋼材若しくは鉄粉製造業又は鉄スクラップ加工処理業用設備	5	0.200	0.500	0.400

付　録 —《減価償却資産の耐用年数表》

番号	設備の種類	細目	耐用年数	償却率 定額法（別表第八）	定率法（別表第九）	新定率法（別表第十）
		純鉄、原鉄、ベースメタル、フェロアロイ、鉄素形材又は鋳鉄管製造業用設備	9年	0.112	0.278	0.222
		その他の設備	14	0.072	0.179	0.143
15	非鉄金属製造業用設備	核燃料物質加工設備	11	0.091	0.227	0.182
		その他の設備	7	0.143	0.357	0.286
16	金属製品製造業用設備	金属被覆及び彫刻業又は打はく及び金属製ネームプレート製造業用設備	6	0.167	0.417	0.333
		その他の設備	10	0.100	0.250	0.200
17	はん用機械器具（はん用性を有するもので、他の器具及び備品並びに機械及び装置に組み込み、又は取り付けることによりその用に供されるものをいう。）製造業用設備（第20号及び第22号に掲げるものを除く。）		12	0.084	0.208	0.167
18	生産用機械器具（物の生産の用に供されるものをいう。）製造業用設備（次号及び第21号に掲げるものを除く。）	金属加工機械製造設備	9	0.112	0.278	0.222
		その他の設備	12	0.084	0.208	0.167
19	業務用機械器具（業務用又はサービスの生産の用に供されるもの（これらのものであって物の生産の用に供されるものを含む。）をいう。）製造業用設備（第17号、第21号及び第23号に掲げるものを除く。）		7	0.143	0.357	0.286
20	電子部品、デバイス又は電子回路製造業用設備	光ディスク（追記型又は書換え型のものに限る。）製造設備	6	0.167	0.417	0.333
		プリント配線基板製造設備	6	0.167	0.417	0.333
		フラットパネルディスプレイ、半導体集積回路又は半導体素子製造設備	5	0.200	0.500	0.400
		その他の設備	8	0.125	0.313	0.250
21	電気機械器具製造業用設備		7	0.143	0.357	0.286
22	情報通信機械器具製造業用設備		8	0.125	0.313	0.250
23	輸送用機械器具製造業用設備		9	0.112	0.278	0.222
24	その他の製造業用設備		9	0.112	0.278	0.222
25	農業用設備		7	0.143	0.357	0.286
26	林業用設備		5	0.200	0.500	0.400
27	漁業用設備（次号に掲げるものを除く。）		5	0.200	0.500	0.400
28	水産養殖業用設備		5	0.200	0.500	0.400

付　録 —《減価償却資産の耐用年数表》

番号	設備の種類	細目	耐用年数	償却率 定額法(別表第八)	定率法(別表第九)	新定率法(別表第十)
29	鉱業、採石業又は砂利採取業用設備	石油又は天然ガス鉱業用設備 　坑井設備 　掘さく設備 　その他の設備 その他の設備	年 3 6 12 6	0.334 0.167 0.084 0.167	0.833 0.417 0.208 0.417	0.667 0.333 0.167 0.333
30	総合工事業用設備		6	0.167	0.417	0.333
31	電気業用設備	電気業用水力発電設備 その他の水力発電設備 汽力発電設備 内燃力又はガスタービン発電設備 送電又は電気業用変電若しくは配電設備 　需要者用計器 　柱上変圧器 　その他の設備 鉄道又は軌道業用変電設備 その他の設備 　主として金属製のもの 　その他のもの	22 20 15 15 15 18 22 15 17 8	0.046 0.050 0.067 0.067 0.067 0.056 0.046 0.067 0.059 0.125	0.114 0.125 0.167 0.167 0.167 0.139 0.114 0.167 0.147 0.313	0.091 0.100 0.133 0.133 0.133 0.111 0.091 0.133 0.118 0.250
32	ガス業用設備	製造用設備 供給用設備 　鋳鉄製導管 　鉄鋳製導管以外の導管 　需要者用計量器 　その他の設備 その他の設備 　主として金属製のもの 　その他のもの	10 22 13 13 15 17 8	0.100 0.046 0.077 0.077 0.067 0.059 0.125	0.250 0.114 0.192 0.192 0.167 0.147 0.313	0.200 0.091 0.154 0.154 0.133 0.118 0.250
33	熱供給業用設備		17	0.059	0.147	0.118
34	水道業用設備		18	0.056	0.139	0.111
35	通信業用設備		9	0.112	0.278	0.222
36	放送業用設備		6	0.167	0.417	0.333
37	映像、音声又は文字情報制作業用設備		8	0.125	0.313	0.250
38	鉄道業用設備	自動改札装置 その他の設備	5 12	0.200 0.084	0.500 0.208	0.400 0.167
39	道路貨物運送業用設備		12	0.084	0.208	0.167
40	倉庫業用設備		12	0.084	0.208	0.167

付　録　一《減価償却資産の耐用年数表》

番号	設備の種類	細目	耐用年数	償却率 定額法(別表第八)	定率法(別表第九)	新定率法(別表第十)
41	運輸に附帯するサービス業用設備		10年	0.100	0.250	0.200
42	飲食料品卸売業用設備		10	0.100	0.250	0.200
43	建築材料、鉱物又は金属材料等卸売業用設備	石油又は液化石油ガス卸売用設備（貯そうを除く。） その他の設備	13 8	0.077 0.125	0.192 0.313	0.154 0.250
44	飲食料品小売業用設備		9	0.112	0.278	0.222
45	その他の小売業用設備	ガソリン又は液化石油ガススタンド設備 その他の設備 　主として金属製のもの 　その他のもの	8 17 8	0.125 0.059 0.125	0.313 0.147 0.313	0.250 0.118 0.250
46	技術サービス業用設備（他の号に掲げるものを除く。）	計量証明業用設備 その他の設備	8 14	0.125 0.072	0.313 0.179	0.250 0.143
47	宿泊業用設備		10	0.100	0.250	0.200
48	飲食店業用設備		8	0.125	0.313	0.250
49	洗濯業、理容業、美容業又は浴場業用設備		13	0.077	0.192	0.154
50	その他の生活関連サービス業用設備		6	0.167	0.417	0.333
51	娯楽業用設備	映画館又は劇場用設備 遊園地用設備 ボウリング場用設備 その他の設備 　主として金属製のもの 　その他のもの	11 7 13 17 8	0.091 0.143 0.077 0.059 0.125	0.227 0.357 0.192 0.147 0.313	0.182 0.286 0.154 0.118 0.250
52	教育業（学校教育業を除く。）又は学習支援業用設備	教習用運転シミュレータ設備 その他の設備 　主として金属製のもの 　その他のもの	5 17 8	0.200 0.059 0.125	0.500 0.147 0.313	0.400 0.118 0.250
53	自動車整備業用設備		15	0.067	0.167	0.133
54	その他のサービス業用設備		12	0.084	0.208	0.167
55	前掲の機械及び装置以外のもの並びに前掲の区分によらないもの	機械式駐車設備 ブルドーザー、パワーショベルその他の自走式作業用機械設備 その他の設備 　主として金属製のもの 　その他のもの	10 8 17 8	0.100 0.125 0.059 0.125	0.250 0.313 0.147 0.313	0.200 0.250 0.118 0.250

別表第三　無形減価償却資産の耐用年数表

種類	細目	耐用年数	償却率 定額法年率
漁業権		10年	0.100
ダム使用権		55	0.019
水利権		20	0.050
特許権		8	0.125
実用新案権		5	0.200
意匠権		7	0.143
商標権		10	0.100
ソフトウエア	複写して販売するための原本	3	0.334
ソフトウエア	その他のもの	5	0.200
育成者権	種苗法(平成10年法律第83号)第4条第2項に規定する品種	10	0.100
育成者権	その他	8	0.125
営業権		5	0.200
専用側線利用権		30	0.034
鉄道軌道連絡通行施設利用権		30	0.034
電気ガス供給施設利用権		15	0.067
水道施設利用権		15	0.067
工業用水道施設利用権		15	0.067
電気通信施設利用権		20	0.050

別表第四　生物の耐用年数表

種類	細目	耐用年数	償却率 定額法年率
牛	繁殖用（家畜改良増殖法（昭和25年法律第209号）に基づく種付証明書、授精証明書、体内受精卵移植証明書又は体外受精卵移植証明書のあるものに限る。）　　役肉用牛	年 6	0.167
	乳用牛	4	0.250
	種付用（家畜改良増殖法に基づく種畜証明書の交付を受けた種おす牛に限る。）	4	0.250
	その他用	6	0.167
馬	繁殖用（家畜改良増殖法に基づく種付証明書又は授精証明書のあるものに限る。）	6	0.167
	種付用（家畜改良増殖法に基づく種畜証明書の交付を受けた種おす馬に限る。）	6	0.167
	競走用	4	0.250
	その他用	8	0.125
豚		3	0.334
綿羊及びやぎ	種付用	4	0.250
	その他用	6	0.167
かんきつ樹	温州みかん	28	0.036
	その他	30	0.034
りんご樹	わい化りんご	20	0.050
	その他	29	0.035
ぶどう樹	温室ぶどう	12	0.084
	その他	15	0.067
なし樹		26	0.039
桃樹		15	0.067
桜桃樹		21	0.048
びわ樹		30	0.034
くり樹		25	0.040
梅樹		25	0.040
かき樹		36	0.028
あんず樹		25	0.040
すもも樹		16	0.063

付　録 ―《減価償却資産の耐用年数表》

種　類	細　　　　　目	耐用年数	償却率 定額法年率
いちじく樹		11年	0.091
キウイフルーツ樹		22	0.046
ブルーベリー樹		25	0.040
パイナップル		3	0.334
茶　樹		34	0.030
オリーブ樹		25	0.040
つばき樹		25	0.040
桑　樹	立て通し	18	0.056
	根刈り、中刈り、高刈り	9	0.112
こりやなぎ		10	0.100
みつまた		5	0.200
こうぞ		9	0.112
もう宗竹		20	0.050
アスパラガス		11	0.091
ラミー		8	0.125
まおらん		10	0.100
ホップ		9	0.112

別表第五　公害防止用減価償却資産の耐用年数表

種類	耐用年数	償却率 定額法（別表第八）	定率法（別表第九）	新定率法（別表第十）
構築物	18年	0.056	0.139	0.111
機械及び装置	5	0.200	0.500	0.400

別表第六　開発研究用減価償却資産の耐用年数表

種類	細目	耐用年数	償却率 定額法（別表第八）	定率法（別表第九）	新定率法（別表第十）
建物及び建物附属設備	建物の全部又は一部を低温室、恒温室、無響室、電磁しゃへい室、放射性同位元素取扱室その他の特殊室にするために特に施設した内部造作又は建物附属設備	5年	0.200	0.500	0.400
構築物	風どう、試験水そう及び防壁	5	0.200	0.500	0.400
	ガス又は工業薬品貯そう、アンテナ、鉄塔及び特殊用途に使用するもの	7	0.143	0.357	0.286
工具		4	0.250	0.625	0.500
器具及び備品	試験又は測定機器、計算機器、撮影機及び顕微鏡	4	0.250	0.625	0.500
機械及び装置	汎用ポンプ、汎用モーター、汎用金属工作機械、汎用金属加工機械その他これらに類するもの	7	0.143	0.357	0.286
	その他のもの	4	0.250	0.625	0.500
ソフトウエア		3	0.334		

別表第七　平成19年3月31日以前に取得をされた減価償却資産の償却率表(以下、半年率は編者において付け加えたものである。)

耐用年数	旧定額法の償却率		旧定率法の償却率		耐用年数	旧定額法の償却率		旧定率法の償却率	
	年率	半年率	年率	半年率		年率	半年率	年率	半年率
年					51年	0.020	0.010	0.044	
2	0.500	0.250	0.684	0.438	52	0.020	0.010	0.043	
3	0.333	0.167	0.536	0.319	53	0.019	0.010	0.043	
4	0.250	0.125	0.438	0.250	54	0.019	0.010	0.042	
5	0.200	0.100	0.369	0.206	55	0.019	0.010	0.041	
6	0.166	0.083	0.319	0.175	56	0.018	0.009	0.040	
7	0.142	0.071	0.280	0.152	57	0.018	0.009	0.040	
8	0.125	0.063	0.250	0.134	58	0.018	0.009	0.039	
9	0.111	0.056	0.226	0.120	59	0.017	0.009	0.038	
10	0.100	0.050	0.206	0.109	60	0.017	0.009	0.038	
11	0.090	0.045	0.189	0.099	61	0.017	0.009	0.037	
12	0.083	0.042	0.175	0.092	62	0.017	0.009	0.036	
13	0.076	0.038	0.162	0.085	63	0.016	0.008	0.036	
14	0.071	0.036	0.152	0.079	64	0.016	0.008	0.035	
15	0.066	0.033	0.142	0.074	65	0.016	0.008	0.035	
16	0.062	0.031	0.134	0.069	66	0.016	0.008	0.034	
17	0.058	0.029	0.127	0.066	67	0.015	0.008	0.034	
18	0.055	0.028	0.120	0.062	68	0.015	0.008	0.033	
19	0.052	0.026	0.114	0.059	69	0.015	0.008	0.033	
20	0.050	0.025	0.109	0.056	70	0.015	0.008	0.032	
21	0.048	0.024	0.104	0.053	71	0.014	0.007	0.032	
22	0.046	0.023	0.099	0.051	72	0.014	0.007	0.032	
23	0.044	0.022	0.095	0.049	73	0.014	0.007	0.031	
24	0.042	0.021	0.092	0.047	74	0.014	0.007	0.031	
25	0.040	0.020	0.088	0.045	75	0.014	0.007	0.030	
26	0.039	0.020	0.085	0.043	76	0.014	0.007	0.030	
27	0.037	0.019	0.082	0.042	77	0.013	0.007	0.030	
28	0.036	0.018	0.079	0.040	78	0.013	0.007	0.029	
29	0.035	0.018	0.076	0.039	79	0.013	0.007	0.029	
30	0.034	0.017	0.074	0.038	80	0.013	0.007	0.028	
31	0.033	0.017	0.072	0.036	81	0.013	0.007	0.028	
32	0.032	0.016	0.069	0.035	82	0.013	0.007	0.028	
33	0.031	0.016	0.067	0.034	83	0.012	0.006	0.027	
34	0.030	0.015	0.066	0.033	84	0.012	0.006	0.027	
35	0.029	0.015	0.064	0.032	85	0.012	0.006	0.026	
36	0.028	0.014	0.062	0.032	86	0.012	0.006	0.026	
37	0.027	0.014	0.060	0.031	87	0.012	0.006	0.026	
38	0.027	0.014	0.059	0.030	88	0.012	0.006	0.026	
39	0.026	0.013	0.057	0.029	89	0.012	0.006	0.026	
40	0.025	0.013	0.056	0.028	90	0.012	0.006	0.025	
41	0.025	0.013	0.055	0.028	91	0.011	0.006	0.025	
42	0.024	0.012	0.053	0.027	92	0.011	0.006	0.025	
43	0.024	0.012	0.052	0.026	93	0.011	0.006	0.025	
44	0.023	0.012	0.051	0.026	94	0.011	0.006	0.024	
45	0.023	0.012	0.050	0.025	95	0.011	0.006	0.024	
46	0.022	0.011	0.049	0.025	96	0.011	0.006	0.024	
47	0.022	0.011	0.048	0.024	97	0.011	0.006	0.023	
48	0.021	0.011	0.047	0.024	98	0.011	0.006	0.023	
49	0.021	0.011	0.046	0.023	99	0.011	0.006	0.023	
50	0.020	0.010	0.045	0.023	100	0.010	0.005	0.023	

注　改定耐用年数が100年を超える場合の旧定率法の償却限度額については、第三章第一節第六款の九の1の①の（3）《法人税基本通達7－4－1》参照。

別表第八　平成19年4月1日以後に取得をされた減価償却資産の定額法の償却率表

耐用年数	償却率 年率	償却率 半年率	耐用年数	償却率 年率	償却率 半年率
年			51 年	0.020	0.010
2	0.500	0.250	52	0.020	0.010
3	0.334	0.167	53	0.019	0.010
4	0.250	0.125	54	0.019	0.010
5	0.200	0.100	55	0.019	0.010
6	0.167	0.084	56	0.018	0.009
7	0.143	0.072	57	0.018	0.009
8	0.125	0.063	58	0.018	0.009
9	0.112	0.056	59	0.017	0.009
10	0.100	0.050	60	0.017	0.009
11	0.091	0.046	61	0.017	0.009
12	0.084	0.042	62	0.017	0.009
13	0.077	0.039	63	0.016	0.008
14	0.072	0.036	64	0.016	0.008
15	0.067	0.034	65	0.016	0.008
16	0.063	0.032	66	0.016	0.008
17	0.059	0.030	67	0.015	0.008
18	0.056	0.028	68	0.015	0.008
19	0.053	0.027	69	0.015	0.008
20	0.050	0.025	70	0.015	0.008
21	0.048	0.024	71	0.015	0.008
22	0.046	0.023	72	0.014	0.007
23	0.044	0.022	73	0.014	0.007
24	0.042	0.021	74	0.014	0.007
25	0.040	0.020	75	0.014	0.007
26	0.039	0.020	76	0.014	0.007
27	0.038	0.019	77	0.013	0.007
28	0.036	0.018	78	0.013	0.007
29	0.035	0.018	79	0.013	0.007
30	0.034	0.017	80	0.013	0.007
31	0.033	0.017	81	0.013	0.007
32	0.032	0.016	82	0.013	0.007
33	0.031	0.016	83	0.013	0.007
34	0.030	0.015	84	0.012	0.006
35	0.029	0.015	85	0.012	0.006
36	0.028	0.014	86	0.012	0.006
37	0.028	0.014	87	0.012	0.006
38	0.027	0.014	88	0.012	0.006
39	0.026	0.013	89	0.012	0.006
40	0.025	0.013	90	0.012	0.006
41	0.025	0.013	91	0.011	0.006
42	0.024	0.012	92	0.011	0.006
43	0.024	0.012	93	0.011	0.006
44	0.023	0.012	94	0.011	0.006
45	0.023	0.012	95	0.011	0.006
46	0.022	0.011	96	0.011	0.006
47	0.022	0.011	97	0.011	0.006
48	0.021	0.011	98	0.011	0.006
49	0.021	0.011	99	0.011	0.006
50	0.020	0.010	100	0.010	0.005

付　録　―《減価償却資産の耐用年数表》

別表第九　平成19年4月1日から平成24年3月31日までの間に取得をされた減価償却資産の定率法の償却率、改定償却率及び保証率の表

耐用年数	償却率		改定償却率		保証率
	年率	半年率	年率	半年率	
年					
2	1.000	0.500	—	—	—
3	0.833	0.417	1.000	0.500	0.02789
4	0.625	0.313	1.000	0.500	0.05274
5	0.500	0.250	1.000	0.500	0.06249
6	0.417	0.209	0.500	0.250	0.05776
7	0.357	0.179	0.500	0.250	0.05496
8	0.313	0.157	0.334	0.167	0.05111
9	0.278	0.139	0.334	0.167	0.04731
10	0.250	0.125	0.334	0.167	0.04448
11	0.227	0.114	0.250	0.125	0.04123
12	0.208	0.104	0.250	0.125	0.03870
13	0.192	0.096	0.200	0.100	0.03633
14	0.179	0.090	0.200	0.100	0.03389
15	0.167	0.084	0.200	0.100	0.03217
16	0.156	0.078	0.167	0.084	0.03063
17	0.147	0.074	0.167	0.084	0.02905
18	0.139	0.070	0.143	0.072	0.02757
19	0.132	0.066	0.143	0.072	0.02616
20	0.125	0.063	0.143	0.072	0.02517
21	0.119	0.060	0.125	0.063	0.02408
22	0.114	0.057	0.125	0.063	0.02296
23	0.109	0.055	0.112	0.056	0.02226
24	0.104	0.052	0.112	0.056	0.02157
25	0.100	0.050	0.112	0.056	0.02058
26	0.096	0.048	0.100	0.050	0.01989
27	0.093	0.047	0.100	0.050	0.01902
28	0.089	0.045	0.091	0.046	0.01866
29	0.086	0.043	0.091	0.046	0.01803
30	0.083	0.042	0.084	0.042	0.01766
31	0.081	0.041	0.084	0.042	0.01688
32	0.078	0.039	0.084	0.042	0.01655
33	0.076	0.038	0.077	0.039	0.01585
34	0.074	0.037	0.077	0.039	0.01532
35	0.071	0.036	0.072	0.036	0.01532
36	0.069	0.035	0.072	0.036	0.01494
37	0.068	0.034	0.072	0.036	0.01425
38	0.066	0.033	0.067	0.034	0.01393
39	0.064	0.032	0.067	0.034	0.01370
40	0.063	0.032	0.067	0.034	0.01317
41	0.061	0.031	0.063	0.032	0.01306
42	0.060	0.030	0.063	0.032	0.01261
43	0.058	0.029	0.059	0.030	0.01248
44	0.057	0.029	0.059	0.030	0.01210
45	0.056	0.028	0.059	0.030	0.01175
46	0.054	0.027	0.056	0.028	0.01175
47	0.053	0.027	0.056	0.028	0.01153
48	0.052	0.026	0.053	0.027	0.01126
49	0.051	0.026	0.053	0.027	0.01102
50	0.050	0.025	0.053	0.027	0.01072

付　録 —《減価償却資産の耐用年数表》

耐用年数	償却率		改定償却率		保証率
	年率	半年率	年率	半年率	
51 年	0.049	0.025	0.050	0.025	0.01053
52	0.048	0.024	0.050	0.025	0.01036
53	0.047	0.024	0.048	0.024	0.01028
54	0.046	0.023	0.048	0.024	0.01015
55	0.045	0.023	0.046	0.023	0.01007
56	0.045	0.023	0.046	0.023	0.00961
57	0.044	0.022	0.046	0.023	0.00952
58	0.043	0.022	0.044	0.022	0.00945
59	0.042	0.021	0.044	0.022	0.00934
60	0.042	0.021	0.044	0.022	0.00895
61	0.041	0.021	0.042	0.021	0.00892
62	0.040	0.020	0.042	0.021	0.00882
63	0.040	0.020	0.042	0.021	0.00847
64	0.039	0.020	0.040	0.020	0.00847
65	0.038	0.019	0.039	0.020	0.00847
66	0.038	0.019	0.039	0.020	0.00828
67	0.037	0.019	0.038	0.019	0.00828
68	0.037	0.019	0.038	0.019	0.00810
69	0.036	0.018	0.038	0.019	0.00800
70	0.036	0.018	0.038	0.019	0.00771
71	0.035	0.018	0.036	0.018	0.00771
72	0.035	0.018	0.036	0.018	0.00751
73	0.034	0.017	0.035	0.018	0.00751
74	0.034	0.017	0.035	0.018	0.00738
75	0.033	0.017	0.034	0.017	0.00738
76	0.033	0.017	0.034	0.017	0.00726
77	0.032	0.016	0.033	0.017	0.00726
78	0.032	0.016	0.033	0.017	0.00716
79	0.032	0.016	0.033	0.017	0.00693
80	0.031	0.016	0.032	0.016	0.00693
81	0.031	0.016	0.032	0.016	0.00683
82	0.030	0.015	0.031	0.016	0.00683
83	0.030	0.015	0.031	0.016	0.00673
84	0.030	0.015	0.031	0.016	0.00653
85	0.029	0.015	0.030	0.015	0.00653
86	0.029	0.015	0.030	0.015	0.00645
87	0.029	0.015	0.030	0.015	0.00627
88	0.028	0.014	0.029	0.015	0.00627
89	0.028	0.014	0.029	0.015	0.00620
90	0.028	0.014	0.029	0.015	0.00603
91	0.027	0.014	0.027	0.014	0.00649
92	0.027	0.014	0.027	0.014	0.00632
93	0.027	0.014	0.027	0.014	0.00615
94	0.027	0.014	0.027	0.014	0.00598
95	0.026	0.013	0.027	0.014	0.00594
96	0.026	0.013	0.027	0.014	0.00578
97	0.026	0.013	0.027	0.014	0.00563
98	0.026	0.013	0.027	0.014	0.00549
99	0.025	0.013	0.026	0.013	0.00549
100	0.025	0.013	0.026	0.013	0.00546

付　録　—　《減価償却資産の耐用年数表》

別表第十　平成24年4月1日以後に取得をされた減価償却資産の定率法の償却率、改定償却率及び保証率の表

耐用年数	償却率 年率	償却率 半年率	改定償却率 年率	改定償却率 半年率	保証率
2年	1.000	0.500	—	—	—
3	0.667	0.334	1.000	0.500	0.11089
4	0.500	0.250	1.000	0.500	0.12499
5	0.400	0.200	0.500	0.250	0.10800
6	0.333	0.167	0.334	0.167	0.09911
7	0.286	0.143	0.334	0.167	0.08680
8	0.250	0.125	0.334	0.167	0.07909
9	0.222	0.111	0.250	0.125	0.07126
10	0.200	0.100	0.250	0.125	0.06552
11	0.182	0.091	0.200	0.100	0.05992
12	0.167	0.084	0.200	0.100	0.05566
13	0.154	0.077	0.167	0.084	0.05180
14	0.143	0.072	0.167	0.084	0.04854
15	0.133	0.067	0.143	0.072	0.04565
16	0.125	0.063	0.143	0.072	0.04294
17	0.118	0.059	0.125	0.063	0.04038
18	0.111	0.056	0.112	0.056	0.03884
19	0.105	0.053	0.112	0.056	0.03693
20	0.100	0.050	0.112	0.056	0.03486
21	0.095	0.048	0.100	0.050	0.03335
22	0.091	0.046	0.100	0.050	0.03182
23	0.087	0.044	0.091	0.046	0.03052
24	0.083	0.042	0.084	0.042	0.02969
25	0.080	0.040	0.084	0.042	0.02841
26	0.077	0.039	0.084	0.042	0.02716
27	0.074	0.037	0.077	0.039	0.02624
28	0.071	0.036	0.072	0.036	0.02568
29	0.069	0.035	0.072	0.036	0.02463
30	0.067	0.034	0.072	0.036	0.02366
31	0.065	0.033	0.067	0.034	0.02286
32	0.063	0.032	0.067	0.034	0.02216
33	0.061	0.031	0.063	0.032	0.02161
34	0.059	0.030	0.063	0.032	0.02097
35	0.057	0.029	0.059	0.030	0.02051
36	0.056	0.028	0.059	0.030	0.01974
37	0.054	0.027	0.056	0.028	0.01950
38	0.053	0.027	0.056	0.028	0.01882
39	0.051	0.026	0.053	0.027	0.01860
40	0.050	0.025	0.053	0.027	0.01791
41	0.049	0.025	0.050	0.025	0.01741
42	0.048	0.024	0.050	0.025	0.01694
43	0.047	0.024	0.048	0.024	0.01664
44	0.045	0.023	0.046	0.023	0.01664
45	0.044	0.022	0.046	0.023	0.01634
46	0.043	0.022	0.044	0.022	0.01601
47	0.043	0.022	0.044	0.022	0.01532
48	0.042	0.021	0.044	0.022	0.01499
49	0.041	0.021	0.042	0.021	0.01475
50	0.040	0.020	0.042	0.021	0.01440

付　録 ―《減価償却資産の耐用年数表》

耐用年数	償却率		改定償却率		保証率
	年率	半年率	年率	半年率	
51年	0.039	0.020	0.040	0.020	0.01422
52	0.038	0.019	0.039	0.020	0.01422
53	0.038	0.019	0.039	0.020	0.01370
54	0.037	0.019	0.038	0.019	0.01370
55	0.036	0.018	0.038	0.019	0.01337
56	0.036	0.018	0.038	0.019	0.01288
57	0.035	0.018	0.036	0.018	0.01281
58	0.034	0.017	0.035	0.018	0.01281
59	0.034	0.017	0.035	0.018	0.01240
60	0.033	0.017	0.034	0.017	0.01240
61	0.033	0.017	0.034	0.017	0.01201
62	0.032	0.016	0.033	0.017	0.01201
63	0.032	0.016	0.033	0.017	0.01165
64	0.031	0.016	0.032	0.016	0.01165
65	0.031	0.016	0.032	0.016	0.01130
66	0.030	0.015	0.031	0.016	0.01130
67	0.030	0.015	0.031	0.016	0.01097
68	0.029	0.015	0.030	0.015	0.01097
69	0.029	0.015	0.030	0.015	0.01065
70	0.029	0.015	0.030	0.015	0.01034
71	0.028	0.014	0.029	0.015	0.01034
72	0.028	0.014	0.029	0.015	0.01006
73	0.027	0.014	0.027	0.014	0.01063
74	0.027	0.014	0.027	0.014	0.01035
75	0.027	0.014	0.027	0.014	0.01007
76	0.026	0.013	0.027	0.014	0.00980
77	0.026	0.013	0.027	0.014	0.00954
78	0.026	0.013	0.027	0.014	0.00929
79	0.025	0.013	0.026	0.013	0.00929
80	0.025	0.013	0.026	0.013	0.00907
81	0.025	0.013	0.026	0.013	0.00884
82	0.024	0.012	0.024	0.012	0.00929
83	0.024	0.012	0.024	0.012	0.00907
84	0.024	0.012	0.024	0.012	0.00885
85	0.024	0.012	0.024	0.012	0.00864
86	0.023	0.012	0.023	0.012	0.00885
87	0.023	0.012	0.023	0.012	0.00864
88	0.023	0.012	0.023	0.012	0.00844
89	0.022	0.011	0.022	0.011	0.00863
90	0.022	0.011	0.022	0.011	0.00844
91	0.022	0.011	0.022	0.011	0.00825
92	0.022	0.011	0.022	0.011	0.00807
93	0.022	0.011	0.022	0.011	0.00790
94	0.021	0.011	0.021	0.011	0.00807
95	0.021	0.011	0.021	0.011	0.00790
96	0.021	0.011	0.021	0.011	0.00773
97	0.021	0.011	0.021	0.011	0.00757
98	0.020	0.010	0.020	0.010	0.00773
99	0.020	0.010	0.020	0.010	0.00757
100	0.020	0.010	0.020	0.010	0.00742

別表第十一　平成19年3月31日以前に取得をされた減価償却資産の残存割合表

種類	細目	残存割合
別表第一、別表第二、別表第五及び別表第六に掲げる減価償却資産（同表に掲げるソフトウエアを除く。）		0.100
別表第三に掲げる無形減価償却資産、別表第六に掲げるソフトウエア並びに鉱業権及び坑道		0
別表第四に掲げる生物	牛 　繁殖用の乳用牛及び種付用の役肉用牛 　種付用の乳用牛 　その他用のもの	 0.200 0.100 0.500
	馬 　繁殖用及び競走用のもの 　種付用のもの 　その他用のもの	 0.200 0.100 0.300
	豚	0.300
	綿羊及びやぎ	0.050
	果樹その他の植物	0.050

法令及び通達索引

この索引は、本書に収録した法人税関係の法令及び通達について条文番号及び通達番号順に配列したものである。
なお、法律、政令、規則については、原則として、第1項の位置を示している。

国税通則法──

- 第 1 条（目　　　的）……………………………… 24
- 第 2 条（定　　　義）……………………… 101, 1707
- 第 6 条（法人の合併による国税の納付義務の承継）…… 118
- 第 7 条（人格のない社団等に係る国税の納付義務の承継）…… 118
- 第 9 条の2（法人の合併等の無効判決に係る連帯納付義務）…… 119
- 第 9 条の3（法人の分割に係る連帯納付の責任）…… 99, 119
- 第 10 条（期間の計算及び期限の特例）……… 130, 1717
- 第 11 条（災害等による期限の延長）……………… 131
- 第 15 条（納税義務の成立及びその納付すべき税額の確定）…… 119, 120
- 第 16 条（国税についての納付すべき税額の確定の方式）…… 120
- 第 18 条（期限後申告）…………………………… 1707
- 第 19 条（修正申告）………………………… 101, 1707
- 第 20 条（修正申告の効力）……………………… 1708
- 第 21 条（納税申告書の提出先等）……………… 1715
- 第 22 条（郵送等に係る納税申告書等の提出時期）…… 160, 1715
- 第 23 条（更正の請求）…………………………… 1740
- 第 24 条（更　　　正）…………………………… 99, 142
- 第 25 条（決　　　定）…………………………… 99, 142
- 第 26 条（再　更　正）…………………………… 99, 142
- 第 27 条（国税庁又は国税局の職員の調査に基づく更正又は決定）…… 142
- 第 28 条（更正又は決定の手続）………………… 142
- 第 29 条（更正等の効力）………………………… 143
- 第 30 条（更正又は決定の所轄庁）……………… 143
- 第 32 条（賦課決定）……………………………… 157
- 第 33 条（賦課決定の所轄庁等）………………… 157
- 第 34 条（納付の手続）…………………………… 1721
- 第 34 条の2（口座振替納付に係る通知等）……… 1722
- 第 34 条の3（納付受託者に対する納付の委託）…… 1723
- 第 34 条の4（納付受託者）………………………… 1724
- 第 35 条（申告納税方式による国税等の納付）…… 1716, 1718
- 第 57 条（充　　　当）…………………………… 99
- 第 58 条（還付加算金）……… 100, 1726, 1727, 1731
- 第 60 条（延　滞　税）…………………………… 1718
- 第 61 条（延滞税の額の計算の基礎となる期間の特例）…… 1719
- 第 62 条（一部納付が行われた場合の延滞税の額の計算等）…… 1717, 1718
- 第 63 条（納税の猶予等の場合の延滞税の免除）…… 1720
- 第 64 条（利　子　税）…………………………… 1716
- 第 65 条（過少申告加算税）……………………… 148
- 第 66 条（無申告加算税）………………………… 151
- 第 68 条（重加算税）……………………………… 154
- 第 69 条（加算税の税目）………………………… 157
- 第 70 条（国税の更正、決定等の期間制限）…… 144, 158
- 第 71 条（国税の更正、決定等の期間制限の特例）…… 144
- 第 74 条の2（当該職員の質問検査権）…………… 213
- 第 74 条の7（提出物件の留置き）………………… 215
- 第 74 条の7の2（特定事業者等への報告の求め）…… 216
- 第 74 条の8（権限の解釈）………………………… 218
- 第 74 条の9（納税義務者に対する調査の事前通知）…… 220
- 第 74 条の10（事前通知を要しない場合）………… 223
- 第 74 条の11（調査の終了の際の手続）…………… 224
- 第 74 条の12（事業者等への協力要請）…………… 218
- 第 74 条の13（身分証明書の携帯等）……………… 218
- 第 74 条の14（行政手続法の適用除外）……… 142, 226
- 第 75 条（国税に関する処分についての不服申立て）…… 159
- 第 76 条（適用除外）……………………………… 160
- 第 77 条（不服申立期間）………………………… 160
- 第 77 条の2（標準審理期間）……………………… 160
- 第 78 条（国税不服審判所）……………………… 162
- 第 79 条（国税不服審判官等）…………………… 162
- 第 80 条（行政不服審査法との関係）…………… 160
- 第 81 条（再調査の請求書の記載事項等）……… 162
- 第 82 条（税務署長を経由する再調査の請求）…… 164
- 第 83 条（決　　　定）…………………………… 165
- 第 84 条（決定の手続等）………………………… 164
- 第 85 条（納税地異動の場合における再調査の請求先）…… 163
- 第 86 条（再調査の請求事件の決定機関の特例）…… 164
- 第 87 条（審査請求書の記載事項等）…………… 166
- 第 88 条（処分庁を経由する審査請求）………… 167
- 第 89 条（合意によるみなす審査請求）………… 167
- 第 90 条（他の審査請求に伴うみなす審査請求）…… 167
- 第 91 条（審査請求書の補正）…………………… 167
- 第 92 条（審理手続を経ないでする却下裁決）…… 173
- 第 92 条の2（審理手続の計画的進行）…………… 168
- 第 93 条（答弁書の提出等）……………………… 168
- 第 94 条（担当審判官の指定）…………………… 168
- 第 95 条（反論書の提出）………………………… 169
- 第 95 条の2（口頭意見陳述）……………………… 169
- 第 96 条（証拠書類等の提出）…………………… 169
- 第 97 条（審理のための質問、検査等）………… 170
- 第 97 条の2（審理手続の計画的遂行）…………… 170
- 第 97 条の3（審理関係人による物件の閲覧等）…… 171
- 第 97 条の4（審理手続の終結）…………………… 172
- 第 98 条（裁　　　決）…………………………… 173
- 第 99 条（国税庁長官の法令の解釈と異なる解釈等による裁決）…… 174
- 第 101 条（裁決の方式等）………………………… 173
- 第 102 条（裁決の拘束力）………………………… 174
- 第 103 条（証拠書類等の返還）…………………… 174
- 第 104 条（併合審理等）…………………………… 172
- 第 105 条（不服申立てと国税の徴収との関係）…… 174
- 第 107 条（代　理　人）…………………………… 161
- 第 108 条（総　　　代）…………………………… 161
- 第 109 条（参　加　人）…………………………… 161
- 第 110 条（不服申立ての取下げ）………………… 160

第111条（3か月後の教示） ················· 165
第112条（誤った教示をした場合の救済） ······· 175
第113条の2（国税庁長官に対する審査請求書の提出等）
　　　　　································ 176
第114条（行政事件訴訟法との関係） ··········· 177
第115条（不服申立ての前置等） ··············· 177
第116条（原告が行うべき証拠の申出） ········· 178
第118条（国税の課税標準の端数計算等）
　　　　　················ 157, 1392, 1717, 1718
第119条（国税の確定金額の端数計算等） ······ 1724
第120条（還付金等の端数計算等） ············ 1739
第124条（書類提出者の氏名、住所及び番号の記載等）
　　　　　······················ 161, 162, 166, 179
第126条（罰　　　則） ······················ 227
第128条（罰　　　則） ······················ 227
第130条（罰　　　則） ······················ 228

国税通則法施行令

第 2 条（期限の特例） ················· 130, 1717
第 3 条（災害等による期限の延長） ··········· 131
第 5 条（納税義務の成立時期の特例） ········· 119
第 6 条（更正の請求） ················ 1740, 1741
第 6 条の3（電子情報処理組織を使用する方法による納
　　　　　付の手続に係る法定納期限の特例） ·· 1722
第 7 条（口座振替納付に係る納付期日） ······ 1723
第23条（還付金等の充当適状） ··············· 100
第24条（還付加算金） ······················· 100
第26条（還付請求申告書） ··················· 145
第27条（過少申告加算税等を課さない部分の税額の計算
　　　　　等） ································ 149
第27条の2（期限内申告書を提出する意思等があったと
　　　　　認められる場合） ···················· 154
第27条の3（加重された過少申告加算税等が課される場
　　　　　合における重加算税に代えられるべき過少申告加
　　　　　算税等） ······························ 155
第28条（重加算税を課さない部分の税額の計算） ··· 155
第30条（国税の更正、決定等の期間制限の特例に係る理
　　　　　由） ································ 144
第30条の3（提出物件の留置き、返還等） ····· 216
第30条の4（調査の事前通知に係る通知事項） ··· 220
第31条（国税審判官の資格） ················· 162
第31条の2（再調査の請求書の添付書面） ····· 163
第31条の3（映像等の送受信による通話の方法による再
　　　　　調査の請求に係る口頭意見陳述等） ···· 164
第32条（審査請求書の添付書類等） ··········· 166
第32条の2（審査請求書の送付） ············· 168
第32条の3（答弁書の提出） ················· 168
第33条（担当審判官の通知） ················· 169
第33条の2（反論書等の提出） ··············· 169
第33条の3（映像等の送受信による通話の方法による審
　　　　　査請求に係る口頭意見陳述等） ········ 169
第34条（審査請求人の特殊関係者の範囲） ····· 170
第35条（通話者等の確認） ··················· 171
第35条の2（交付の求め等） ················· 171
第37条の2（代理人等の権限の証明等） ······· 161

国税徴収法

第34条（清算人等の第二次納税義務） ··· 119, 1754

法人税法

第 1 条（趣　　　旨） ······················· 24
第 2 条（定　　　義） ·········· 24, 327, 341, 605
第 3 条（人格のない社団等に対するこの法律の適用）
　　　　　································ 118, 1760
第 4 条（納税義務者） ················ 118, 1760
第 5 条（内国法人の課税所得の範囲） ········· 120
第 6 条（内国公益法人等の非収益事業所得等の非課税）
　　　　　································ 120, 1760
第 6 条の2（内国法人の国際最低課税額の課税） ··· 120
第 7 条（退職年金業務等を行う内国法人の退職年金等積
　　　　　立金の課税） ······················· 120
第10条（課税所得の範囲の変更等） ·········· 1786
第11条（実質所得者課税の原則） ············· 121
第12条（信託財産に属する資産及び負債並びに信託財産
　　　　　に帰せられる収益及び費用の帰属） ··· 1123
第13条（事業年度の意義） ··················· 121
第14条（事業年度の特例） ··················· 123
第15条（事業年度を変更した場合等の届出） ··· 129
第16条（内国法人の納税地） ················· 129
第18条（納税地の指定） ····················· 129
第19条（納税地指定の処分の取消しがあった場合の申告
　　　　　等の効力） ························· 129
第20条（納税地等の異動の届出） ············· 130
第21条（各事業年度の所得に対する法人税の課税標準）
　　　　　···································· 230
第22条（各事業年度の所得の金額の計算） ····· 230
第22条の2（収益の額） ····················· 233
第23条（受取配当等の益金不算入） ··········· 299
第23条の2（外国子会社から受ける配当等の益金不算入）
　　　　　···································· 319
第24条（配当等の額とみなす金額） ··········· 313
第25条（資産の評価益の益金不算入等） ······· 618
第25条の2（受贈益） ······················· 323
第26条（還付金等の益金不算入） ······ 324, 1488
第27条（中間申告における繰戻しによる還付に係る災害
　　　　　損失欠損金額の益金不算入） ·········· 326
第29条（棚卸資産の売上原価等の計算及びその評価の方
　　　　　法） ···················· 328, 329, 333
第31条（減価償却資産の償却費の計算及びその償却の方
　　　　　法） ························ 352, 353
第32条（繰延資産の償却費の計算及びその償却の方法）
　　　　　································ 608, 609
第33条（資産の評価損の損金不算入等） ······· 623
第34条（役員給与の損金不算入） ············· 636
第36条（過大な使用人給与の損金不算入） ····· 657
第37条（寄附金の損金不算入） ·········· 669, 685
第38条（法人税額等の損金不算入） ··········· 662
第39条（第二次納税義務に係る納付税額の損金不算入等）
　　　　　···································· 663
第39条の2（外国子会社から受ける配当等に係る外国源
　　　　　泉税等の損金不算入） ················ 665
第40条（法人税額から控除する所得税額の損金不算入）
　　　　　································ 665, 1418
第41条（法人税額から控除する外国税額の損金不算入）
　　　　　································ 666, 1470
第41条の2（分配時調整外国税相当額の損金不算入） ····· 666
第42条（国庫補助金等で取得した固定資産等の圧縮額の
　　　　　損金算入） ························· 731

| 第43条（国庫補助金等に係る特別勘定の金額の損金算入） ……………………………………… 734
| 第44条（特別勘定を設けた場合の国庫補助金等で取得した固定資産等の圧縮額の損金算入）……… 736
| 第45条（工事負担金で取得した固定資産等の圧縮額の損金算入） ………………………………… 739
| 第46条（非出資組合が賦課金で取得した固定資産等の圧縮額の損金算入） …………………… 742
| 第47条（保険金等で取得した固定資産等の圧縮額の損金算入）……………………………… 744, 747
| 第48条（保険差益等に係る特別勘定の金額の損金算入） ………………………………………… 749
| 第49条（特別勘定を設けた場合の保険金等で取得した固定資産等の圧縮額の損金算入）……… 752
| 第50条（交換により取得した資産の圧縮額の損金算入）… 755
| 第52条（貸倒引当金）……………………………… 972, 983
| 平30改正前の第53条（返品調整引当金）………………… 993
| 第54条（譲渡制限付株式を対価とする費用の帰属事業年度の特例）………………………………… 1040
| 第54条の2（新株予約権を対価とする費用の帰属事業年度の特例等）……………………………… 1042
| 第55条（不正行為等に係る費用等の損金不算入）… 1044
| 第57条（欠損金の繰越し）………………………………… 1048
| 第57条の2（特定株主等によって支配された欠損等法人の欠損金の繰越しの不適用）……………… 1063
| 第58条（青色申告書を提出しなかった事業年度の欠損金の特例）………………………………… 1071
| 第59条（会社更生等による債務免除等があった場合の欠損金の損金算入）…………………… 1075
| 第60条の2（協同組合等の事業分量配当等の損金算入） ………………………………………… 1324
| 第60条の3（特定株主等によって支配された欠損等法人の資産の譲渡等損失額）……………… 1354
| 第61条の2（有価証券の譲渡益又は譲渡損の益金又は損金算入）………………… 1122, 1156, 1157
| 第61条の3（売買目的有価証券の評価益又は評価損の益金又は損金算入等）……………… 1120, 1169
| 第61条の4（有価証券の空売り等に係る利益相当額又は損失相当額の益金又は損金算入等） 1123, 1174
| 第61条の8（外貨建取引の換算）……………… 1180, 1183
| 第61条の9（外貨建資産等の期末換算差益又は期末換算差損の益金又は損金算入等）…… 1180, 1187
| 第61条の10（為替予約差額の配分）………… 1193, 1196
| 第61条の11（完全支配関係がある法人の間の取引の損益）………………………………………… 1328
| 第62条（合併及び分割による資産等の時価による譲渡）………………………………………… 1340
| 第62条の2（適格合併及び適格分割型分割による資産等の帳簿価額による引継ぎ）…………… 1349
| 第62条の3（適格分社型分割による資産等の帳簿価額による譲渡）……………………………… 1350
| 第62条の4（適格現物出資による資産等の帳簿価額による譲渡）………………………………… 1350
| 第62条の5（現物分配による資産の譲渡）… 1348, 1350
| 第62条の6（株式等を分割法人と分割法人の株主等とに交付する分割）………………………… 1348
| 第62条の7（特定資産に係る譲渡等損失額の損金不算入）………………………………………… 1357
| 第62条の8（非適格合併等により移転を受ける資産等に係る調整勘定の損金算入等）……… 1342

第62条の9（非適格株式交換等に係る株式交換完全子法人等の有する資産の時価評価損益）… 1351
第63条（リース譲渡に係る収益及び費用の帰属事業年度）………………………………………… 262
第64条（工事の請負に係る収益及び費用の帰属事業年度）………………………………………… 278
第64条の2（リース取引に係る所得の金額の計算）… 284
第64条の4（公益法人等が普通法人等に移行する場合の所得の金額の計算）…………………… 1790
第66条（各事業年度の所得に対する法人税の税率）… 1392
第67条（特定同族会社の特別税率）………………… 1403
第68条（所得税額の控除）…………………………… 1417
第69条（外国税額の控除）…………………… 1429, 1477
第69条の2（分配時調整外国税相当額の控除）…… 1502
第70条（仮装経理に基づく過大申告の場合の更正に伴う法人税額の控除）………………………… 1505
第70条の2（税額控除の順序）……………………… 1675
第71条（中間申告）………………………………… 99, 1688
第71条の2（中間申告書の提出を要しない場合）… 1689
第72条（仮決算をした場合の中間申告書の記載事項等） ………………………………………… 1690
第72条の2（通算法人の災害等による中間申告書の提出期限の延長）…………………………… 1694
第73条（中間申告書の提出がない場合の特例）…… 1696
第74条（確定申告）………………………………… 99, 1697
第75条（確定申告書の提出期限の延長）…………… 1699
第75条の2（確定申告書の提出期限の延長の特例）… 1701
第75条の3（通算法人の災害等による確定申告書の提出期限の延長）…………………………… 1706
第75条の4（電子情報処理組織による申告）……… 1708
第75条の5（電子情報処理組織による申告が困難である場合）………………………………………… 1714
第76条（中間申告による納付）…………………… 99, 1716
第77条（確定申告による納付）……………………… 1716
第78条（所得税額等の還付）………………………… 1725
第79条（中間納付額の還付）………………………… 1726
第80条（欠損金の繰戻しによる還付）……………… 1732
第81条（前事業年度の法人税額等の更正等に伴う更正の請求の特例）…………………………… 1742
第84条（退職年金等積立金の額の計算）…………… 121
第121条（青色申告）……………………………… 99, 132
第122条（青色申告の承認の申請）………………… 132
第123条（青色申告の承認申請の却下）…………… 133
第124条（青色申告の承認等の通知）……………… 133
第125条（青色申告の承認があったものとみなす場合）… 133
第126条（青色申告法人の帳簿書類）………… 133, 140
第127条（青色申告の承認の取消し）……………… 140
第128条（青色申告の取りやめ）…………………… 141
第129条（更正に関する特例）……………………… 146
第130条（青色申告書等に係る更正）……………… 143
第131条（推計による更正又は決定）……………… 143
第132条（同族会社等の行為又は計算の否認）…… 147
第132条の2（組織再編成に係る行為又は計算の否認）… 148
第132条の3（通算法人に係る行為又は計算の否認）… 148
第133条（更正等による所得税額等の還付）……… 1725
第134条（確定申告に係る更正等又は決定による中間納付額の還付）……………………………… 1727
第135条（仮装経理に基づく過大申告の場合の更正に伴う法人税額の還付の特例）……………… 1737
第148条（内国普通法人等の設立の届出）………… 179

第150条（公益法人等又は人格のない社団等の収益事業の
　　　　開始等の届出）……………………………………… 179
第150条の2（帳簿書類の備付け等）……………… 180, 212
第151条（通算法人の電子情報処理組織による申告）…… 212
第152条（連帯納付の責任）……………………………… 213
第159条（罰　　　則）…………………………………… 226
第160条（罰　　　則）…………………………………… 227
第162条（罰　　　則）…………………………………… 227
第163条（罰　　　則）…………………………………… 228
別表第一（公共法人の表）………………………………… 106
別表第二（公益法人等の表）……………………………… 109
別表第三（協同組合等の表）……………………………… 116

法人税法施行令──

第 1 条（定　　　義）……………………………………… 24
第 2 条（公益法人等に該当する農業協同組合連合会の要
　　　　件等）……………………………………………… 113
第 3 条（非営利型法人の範囲）…………………………… 24
第 4 条（同族関係者の範囲）……………………………… 29
第 4 条の2（支配関係及び完全支配関係）……………… 32
第 4 条の3（適格組織再編成における株式の保有関係等）
　　　　　 ………………………………………………… 34, 39
第 4 条の4（恒久的施設の範囲）………………………… 70
第 5 条（収益事業の範囲）……………………………… 1761
第 6 条（収益事業を行う法人の経理の区分）………… 1782
第 7 条（役員の範囲）……………………………………… 75
第 8 条（資本金等の額）…………………………………… 76
第 9 条（利益積立金額）…………………………………… 89
第 10 条（棚卸資産の範囲）…………………………… 95, 327
第 11 条（有価証券に準ずるものの範囲）………… 96, 1120
第 12 条（固定資産の範囲）…………………………… 96, 341
第 13 条（減価償却資産の範囲）……………………… 96, 341
第 14 条（繰延資産の範囲）…………………………… 98, 605
第 14 条の7（課税所得等の範囲等）…………………… 1786
第 17 条（納税地の指定）………………………………… 129
第 18 条（納税地の異動の届出）………………………… 130
第 18 条の2（収益の額）………………………………… 234
第 19 条（関連法人株式等に係る配当等の額から控除する
　　　　 利子の額）……………………………………… 300
第 20 条（益金に算入される配当等の元本である株式等）
　　　　 …………………………………………………… 309
第 21 条（益金の額に算入される配当等の額）………… 312
第 22 条（関連法人株式等の範囲）……………………… 299
第 22 条の2（完全子法人株式等の範囲）……………… 304
第 22 条の3（非支配目的株式等の範囲）……………… 304
第 22 条の4（外国子会社の要件等）…………………… 319
第 23 条（所有株式に対応する資本金等の金額の計算方法等）
　　　　 ………………………………………… 313, 1161, 1277
第 24 条（資産の評価益の計上ができる評価換え）…… 618
第 24 条の2（再生計画認可の決定に準ずる事実等）
　　　　　　 ……………………………………… 618, 619, 631
第 24 条の3（資産の評価益の計上ができない株式の発行
　　　　　　法人等除外される通算法人）…………… 622
第 25 条（外国税額の還付金のうち益金の額に算入されな
　　　　 いもの）…………………………………… 325, 1488
第 26 条（控除対象外国法人税の額が減額された部分の金
　　　　 額のうち益金の額に算入するもの等）… 325, 1488
第 28 条（棚卸資産の評価の方法）……………………… 329
第 28 条の2（棚卸資産の特別な評価の方法）………… 331
第 29 条（棚卸資産の評価の方法の選定）……………… 332
第 30 条（棚卸資産の評価の方法の変更手続）………… 333
第 31 条（棚卸資産の法定評価方法）…………………… 333
第 32 条（棚卸資産の取得価額）…………………… 334, 337
第 33 条（棚卸資産の取得価額の特例）………………… 337
第 48 条（平成19年3月31日以前に取得した減価償却資産
　　　　 の償却の方法）…………………………… 356, 357
第 48 条の2（平成19年4月1日以後に取得した減価償却
　　　　　　資産の償却の方法）………………… 360, 361
第 48 条の3（適格分社型分割等があった場合の減価償却
　　　　　　資産の償却の方法）……………………… 366
第 48 条の4（減価償却資産の特別な償却の方法）…… 367
第 49 条（取替資産に係る償却の方法の特例）………… 369

第 49 条の 2 （リース賃貸資産の償却の方法の特例） ……… 370
第 50 条 （特別な償却率による償却の方法） ……… 372
第 51 条 （減価償却資産の償却の方法の選定） ……… 377
第 52 条 （減価償却資産の償却の方法の変更手続） ……… 379
第 53 条 （減価償却資産の法定償却方法） ……… 379
第 54 条 （減価償却資産の取得価額） ……… 382, 387
第 55 条 （資本的支出の取得価額の特例） ……… 389
第 56 条 （減価償却資産の耐用年数、償却率等） ……… 430, 432
第 57 条 （耐用年数の短縮） ……… 424
第 58 条 （減価償却資産の償却限度額） ……… 432
第 59 条 （事業年度の中途で事業の用に供した減価償却資産の償却限度額の特例） ……… 436
第 60 条 （通常の使用時間を超えて使用される機械及び装置の償却限度額の特例） ……… 436
第 61 条 （減価償却資産の償却累積額による償却限度額の特例） ……… 440
第 61 条の 2 （堅固な建物等の償却限度額の特例） ……… 442
第 61 条の 3 （損金経理額とみなされる金額がある減価償却資産の範囲等） ……… 354
第 62 条 （償却超過額の処理） ……… 354
第 63 条 （減価償却に関する明細書の添付） ……… 443
第 64 条 （繰延資産の償却限度額） ……… 613
第 65 条 （繰延資産の償却超過額の処理） ……… 610
第 66 条 （移転資産等と密接な関連を有する繰延資産の範囲） ……… 612
第 66 条の 2 （損金経理額とみなされる金額がある繰延資産の範囲等） ……… 610
第 67 条 （繰延資産の償却に関する明細書の添付） ……… 616
第 68 条 （資産の評価損の計上ができる事実） ……… 624
第 68 条の 2 （再生計画認可の決定に準ずる事実等） ……… 631
第 68 条の 3 （資産の評価損の計上ができない株式の発行法人等） ……… 635
第 69 条 （定期同額給与の範囲等） ……… 637
第 70 条 （過大な役員給与の額） ……… 651
第 71 条 （使用人兼務役員とされない役員） ……… 655
第 71 条の 2 （関係法人の範囲） ……… 643
第 71 条の 3 （確定した数の株式を交付する旨の定めに基づいて支給する給与に係る費用の額等） ……… 643
第 72 条 （特殊関係使用人の範囲） ……… 657
第 72 条の 2 （過大な使用人給与の額） ……… 657
第 72 条の 3 （使用人賞与の損金算入時期） ……… 658
第 73 条 （一般寄附金の損金算入限度額） ……… 669
第 73 条の 2 （公益社団法人又は公益財団法人の寄附金の損金算入限度額の特例） ……… 688
第 74 条 （長期給付の事業を行う共済組合等の寄附金の損金算入限度額） ……… 671
第 75 条 （法人の設立のための寄附金の要件） ……… 672
第 76 条 （指定寄附金の指定についての審査事項） ……… 672
第 77 条 （公益の増進に著しく寄与する法人の範囲） ……… 680
第 77 条の 2 （特定公益増進法人に対する寄附金の特別損金算入限度額） ……… 679
第 77 条の 3 （公益社団法人又は公益財団法人の寄附金の額とみなされる金額に係る事業） ……… 688
令 6 改正前の第 77 条の 4 （特定公益信託の要件等） ……… 691
第 78 条 （支出した寄附金の額） ……… 687
第 78 条の 2 （第二次納税義務に係る納付税額） ……… 663
第 78 条の 3 （損金の額に算入されない外国源泉税等） ……… 665
第 79 条 （国庫補助金等の範囲） ……… 731
第 79 条の 2 （国庫補助金等の交付前に取得した固定資産等の圧縮限度額） ……… 732

第 80 条 （国庫補助金等で取得した固定資産等についての圧縮記帳に代わる経理方法） ……… 731, 733, 736
第 80 条の 2 （国庫補助金等で取得した固定資産等の取得価額） ……… 737
第 81 条 （国庫補助金等に係る特別勘定の金額の取崩し） ……… 734
第 82 条 （特別勘定を設けた場合の国庫補助金等で取得した固定資産等の圧縮限度額） ……… 736
第 82 条の 2 （特別勘定を設けた場合の国庫補助金等で取得した固定資産等の取得価額） ……… 737
第 82 条の 3 （工事負担金の交付前に取得した固定資産の圧縮限度額） ……… 739
第 83 条 （工事負担金で取得した固定資産等についての圧縮記帳に代わる経理方法） ……… 739, 740
第 83 条の 2 （事業の範囲） ……… 739
第 83 条の 3 （工事負担金で取得した固定資産等の取得価額） ……… 741
第 83 条の 4 （賦課金の納付前に取得した固定資産等の圧縮限度額） ……… 742
第 83 条の 5 （賦課金で取得した固定資産等の取得価額） ……… 742
第 84 条 （保険金等の範囲） ……… 745
第 84 条の 2 （所有権が移転しないリース取引の範囲） ……… 744
第 85 条 （保険金等で取得した代替資産等の圧縮限度額） ……… 746
第 86 条 （保険金等で取得した固定資産等についての圧縮記帳に代わる経理方法） ……… 744, 747, 752
第 87 条 （保険金等の支払に代わるべきものとして交付を受けた代替資産の圧縮限度額） ……… 747
第 87 条の 2 （保険金等で取得した固定資産等の取得価額） ……… 753
第 88 条 （代替資産の取得に係る期限の延長の手続） ……… 749
第 88 条の 2 （適格合併等後に保険金等をもって行う取得又は改良） ……… 749
第 89 条 （保険差益等に係る特別勘定への繰入限度額） ……… 749
第 90 条 （保険差益等に係る特別勘定の金額の取崩し） ……… 751
第 90 条の 2 （適格合併等により特別勘定の金額の引継ぎを受けた場合の取得指定期間） ……… 752
第 91 条 （特別勘定を設けた場合の保険金等で取得した固定資産等の圧縮限度額） ……… 753
第 91 条の 2 （特別勘定を設けた場合の保険金等で取得した固定資産等の取得価額） ……… 754
第 92 条 （交換により生じた差益金の額） ……… 757
第 92 条の 2 （交換により取得した資産の取得価額） ……… 759
第 93 条 （圧縮記帳をした資産の帳簿価額） ……… 733, 740, 743, 745, 752, 757, 857
第 96 条 （貸倒引当金勘定への繰入限度額） ……… 976, 983
第 97 条 （貸倒実績率の特別な計算方法） ……… 987
第 98 条 （適格分割に係る期中個別貸倒引当金勘定の金額の計算） ……… 982
第 99 条 （貸倒引当金勘定に繰り入れた金） ……… 978, 982, 984, 987
平 30 改正前の第 100 条 （返品調整引当金勘定の設定要件） ……… 993
平 30 改正前の第 101 条 （返品調整引当金勘定への繰入限度額） ……… 994
平 30 改正前の第 102 条 （返品率の特別な計算方法） ……… 995
第 111 条の 2 （譲渡制限付株式の範囲等） ……… 1040
第 111 条の 3 （譲渡制限付新株予約権の範囲等） ……… 1042
第 111 条の 4 （不正行為等に係る費用等） ……… 1044, 1046
第 112 条 （適格合併等による欠損金の引継ぎ等） ……… 1084
第 112 条の 2 （通算完全支配関係に準ずる関係等） ……… 1108

第113条（引継ぎ対象外未処理欠損金額の計算に係る特例）……………………………………………… 1090
第113条の2（事業の再生が図られたと認められる事由等）……………………………………………… 1051
第113条の3（特定株主等によって支配された欠損等法人の欠損金の繰越しの不適用）……………… 1064
第114条（固定資産に準ずる繰延資産）………… 1071
第115条（災害の範囲）…………………………… 1071
第116条（災害損失金額の範囲）………………… 1071
第116条の2（会社更生等の場合の欠損金額の範囲）…………………………………………… 1075
第116条の3（会社更生等の場合の債権の範囲）… 1076
第117条（民事再生等の場合の欠損金額の範囲）… 1077
第117条の2（民事再生等の場合の債権の範囲）… 1077
第117条の3（再生手続開始の決定に準ずる事実等）…………………………………………… 1078
第117条の4（評価損益の計上のない民事再生等の場合の欠損金額の範囲）……………………… 1078
第117条の5（解散の場合の欠損金額の範囲）… 1080
第118条（民事再生等の場合の債務免除額等の限度となる通算所得帰属額）…………………… 1079
第118条の3（特定株主等によって支配された欠損等法人の資産の譲渡等損失額）……………… 1355
第119条（有価証券の取得価額）………………… 1124
第119条の2（有価証券の1単位当たりの帳簿価額の算出の方法）……………………… 1121, 1135
第119条の3（移動平均法を適用する有価証券について評価換え等があった場合の1単位当たりの帳簿価額の算出の特例）…………………… 1136
第119条の4（評価換え等があった場合の総平均法の適用の特例）………………………………… 1154
第119条の5（有価証券の1単位当たりの帳簿価額の算出の方法の選定及びその手続）………… 1155
第119条の6（有価証券の1単位当たりの帳簿価額の算出の方法の変更の手続）………………… 1156
第119条の7（有価証券の1単位当たりの帳簿価額の法定算出方法）……………………… 1156, 1157
第119条の7の2（親法人の保有関係）…… 1125, 1159, 1389
第119条の8（分割型分割の場合の譲渡対価の額及び譲渡原価の額等）………………… 1125, 1160, 1277
第119条の8の2（株式分配の場合の譲渡対価の額及び譲渡原価の額等）…………… 1126, 1161, 1277
第119条の8の3（取得請求権付株式の取得等の対価として生ずる端数の取扱い）……………… 1162
第119条の8の4（集団投資信託の分割の場合の譲渡対価の額及び譲渡原価の額等）…………… 1163
第119条の9（資本の払戻し等の場合の株式の譲渡原価の額等）…………………………………… 1164
第119条の10（空売りをした有価証券の1単位当たりの譲渡対価の額の算出の方法）…………… 1165
第119条の11（有価証券の区分変更等によるみなし譲渡）………………………………………… 1167
第119条の11の2（親法人の保有関係及び親法人株式の取得事由）………………………………… 1168
第119条の12（売買目的有価証券の範囲）……… 1120
第119条の13（売買目的有価証券の時価評価金額）… 1169
第119条の14（償還有価証券の帳簿価額の調整）… 1170
第119条の15（売買目的有価証券の評価益又は評価損の翌事業年度における処理等）………… 1173
第119条の16（有価証券の空売り等に係る利益相当額又は損失相当額の翌事業年度における処理等）…… 1175
第122条（先物外国為替契約により発生時の外国通貨の円換算額を確定させた外貨建資産・負債の換算等）…………………………………………… 1180, 1186
第122条の2（外貨建資産等の評価換えをした場合のみなし取得による換算）……………… 1184, 1188
第122条の3（外国為替の売買相場が著しく変動した場合の外貨建資産等の期末時換算）… 1184, 1188
第122条の4（外貨建資産等の期末換算方法の選定の方法）…………………………………… 1190
第122条の5（外貨建資産等の期末換算の方法の選定の手続）…………………………………… 1190
第122条の6（外貨建資産等の期末換算の方法の変更の手続）…………………………………… 1191
第122条の7（外貨建資産等の法定の期末換算方法）… 1192
第122条の8（外貨建資産等の為替換算差額の翌事業年度における処理等）……………………… 1189
第122条の9（為替予約差額の配分）…………… 1194
第122条の10（為替予約差額の一括計上の方法の選定の手続）…………………………………… 1196
第122条の11（為替予約差額の一括計上の方法の変更の手続）…………………………………… 1196
第122条の12（完全支配関係がある法人の間の取引の損益）………………………………………… 1328
第122条の13（対価の交付が省略されたと認められる分割型分割）……………………………… 1340
第123条（合併等により移転をする資産及び負債）… 1340
第123条の2（合併による移転資産等の譲渡利益額又は譲渡損失額の計算における原価の額）… 1341
第123条の3（適格合併及び適格分割型分割における合併法人等の資産及び負債の引継価額等）… 1349
第123条の4（適格分社型分割における分割承継法人の資産及び負債の取得価額）……………… 1350
第123条の5（適格現物出資における被現物出資法人の資産及び負債の取得価額）……………… 1350
第123条の6（適格現物分配における被現物分配法人の資産の取得価額）…………………… 1351
第123条の7（株式等を分割法人と分割法人の株主等とに交付する分割における移転資産等の按分）… 1348
第123条の8（特定資産に係る譲渡等損失額の損金不算入）…………………………………… 1359, 1375
第123条の9（特定資産譲渡等損失額から控除することができる金額等）………………………… 1369
第123条の10（非適格合併等により移転を受ける資産等に係る調整勘定の損金算入等）……… 1342
第123条の11（非適格株式交換等に係る株式交換完全子法人等の有する資産の時価評価損益）… 1351
第124条（延払基準の方法）……………………… 263
第125条（延払基準の方法により経理しなかった場合等の処理）…………………………………… 264
第126条（非適格株式交換等に伴うリース譲渡に係る収益及び費用の処理に関する規定の不適用）…… 266
第127条（通算制度の開始等に伴うリース譲渡に係る収益及び費用の処理に関する規定の不適用）…… 267
第128条（適格組織再編成が行われた場合における延払基準の適用）…………………………… 264
第129条（工事の請負）……………………………… 278
第130条（工事進行基準の方法による未収入金）… 281
第131条（適格合併等が行われた場合における工事進行基準の適用）…………………………… 281
第131条の2（リース取引の範囲）……………… 284
第131条の4（累積所得金額又は累積欠損金額の計算）…… 1790

条文	頁
第131条の5（累積所得金額から控除する金額等の計算）	1792
第131条の6（転用資産等及び移行時資産等の帳簿価額）	1796
第132条（資本的支出）	392
第133条（少額の減価償却資産の取得価額の損金算入）	344
第133条の2（一括償却資産の損金算入）	346
第134条（繰延資産となる費用のうち少額のものの損金算入）	608
第135条（確定給付企業年金等の掛金等の損金算入）	1197
第136条（特定の損失等に充てるための負担金の損金算入）	1205
第136条の2（金銭債務に係る債務者の償還差益又は償還差損の益金又は損金算入）	1208
第136条の3（医療法人の設立に係る資産の受贈益等）	1210
第137条（土地の使用に伴う対価についての所得の計算）	1211
第138条（借地権の設定等により地価が著しく低下する場合の土地等の帳簿価額の一部の損金算入）	1214
第139条（更新料を支払った場合の借地権等の帳簿価額の一部の損金算入等）	1217
第139条の2（償還有価証券の調整差益又は調整差損の益金又は損金算入）	1175
第139条の3（1株未満の株式等の処理の場合等の所得計算の特例）	1218
第139条の3の2（合併等により交付する株式に一に満たない端数がある場合の所得計算）	1218
第139条の4（資産に係る控除対象外消費税額の損金算入）	1219
第139条の5（資産に係る控除対象外消費税額の損金算入に関する明細書の添付）	1224
第139条の6（相互会社に準ずるもの）	972, 1049, 1393
第139条の7（被支配会社の範囲）	1403
第139条の8（留保金額から控除する金額等）	1406
第139条の9（他の通算法人から受ける配当等の額）	1405
第139条の10（留保金額の計算上控除する道府県民税及び市町村民税の額）	1408
第140条（配当が支払われたものとみなされる事業年度）	1408
第140条の2（法人税額から控除する所得税額の計算）	1418
第141条（外国法人税の範囲）	1458
第141条の2（国外所得金額）	1429
第141条の3（国外事業所等帰属所得に係る所得の金額の計算）	1435
第141条の4（国外事業所等に帰せられるべき資本に対応する負債の利子）	1439
第141条の5（銀行等の資本に係る負債の利子）	1446
第141条の6（保険会社の投資資産及び投資収益）	1446
第141条の7（特定の内部取引に係る国外事業所等帰属所得の金額の計算）	1447
第141条の8（その他の国外源泉所得に係る所得の金額の計算）	1448
第142条（控除限度額の計算）	1469
第142条の2（外国税額控除の対象とならない外国法人税の額）	1459
第143条（地方税控除限度額）	1477
第144条（繰越控除限度額）	1477
第145条（繰越控除対象外国法人税額）	1478
第146条（適格合併等が行われた場合の繰越控除限度額等）	1480
第147条（外国法人税が減額された場合の特例）	1487
第148条（通算法人に係る控除限度額の計算）	1494
第149条（法人税額から控除する分配時調整外国税相当額の計算）	1502
第150条の2（仮決算をした場合の中間申告）	98, 280, 348, 437, 1690
第150条の3（通算法人の災害等による申告書の提出期限の延長）	1694
第150条の4（電子情報処理組織による申告）	1709
第151条（所得税額等の還付の手続）	1725
第152条（還付すべき所得税額等の充当の順序）	1725
第153条（中間納付額の還付の手続）	1726
第154条（還付すべき中間納付額の充当の順序）	1725, 1727
第155条（中間納付額に係る延滞税の還付金額及び還付加算金の額の計算）	1726
第156条（欠損金の繰戻しによる還付）	1732
第173条（事業の主宰者の特殊関係者の範囲）	147
第173条の2（更正等により還付すべき所得税額等の充当の順序）	1726
第174条（更正等又は決定による中間納付額に係る延滞税の還付金額及び還付加算金の額の計算等）	1728
第175条（仮装経理に基づく過大申告の場合の更正に伴う還付特例対象法人税額等の範囲）	1737

法人税法施行規則──

第 1 条（定　　　義）……………………………………… 24
第 2 条（公益法人等に該当する農業協同組合連合会の指定申請書の記載事項等）……… 114
第 2 条の 2 （理事と特殊の関係のある者の範囲等）………… 25
第 3 条（事業関連性の判定）………………… 37, 1089, 1102
第 3 条の 2 （対価の交付が省略された場合における対価株式の帳簿価額等）……………………… 38
第 3 条の 3 （議決権のない株式等）……………………… 102
第 3 条の 4 （恒久的施設の範囲）………………………… 74
第 4 条（住宅用土地の貸付業で収益事業に該当しないものの要件）……………………………… 1765
第 4 条の 2 （事務処理の委託を受ける業で収益事業に該当しないものの要件）……………… 1766
第 4 条の 2 の 2 （国民健康保険団体連合会が委託を受けて行う事業で収益事業に該当しないものの要件）…………………………………… 1767
第 4 条の 3 （血液事業の範囲）…………………………… 1772
第 4 条の 4 （学術の研究に付随した医療保健業を行う法人の要件）………………………………… 1773
第 5 条（医師会法人等が行う医療保健業で収益事業に該当しないものの要件）…………………… 1773
第 5 条の 2 （農業協同組合連合会が行う医療保健業で収益事業に該当しないものの要件等）…… 1773
第 6 条（公益法人等の行う医療保健業で収益事業に該当しないものの要件等）………………… 1774
第 7 条（学校において行う技芸の教授のうち収益事業に該当しないものの範囲）……………… 1777
第 7 条の 2 （学校において行う学力の教授のうち収益事業に該当しないものの範囲）………… 1778
第 8 条（理容師等養成施設において行う技芸の教授のうち収益事業に該当しないものの範囲）… 1778
第 8 条の 2 （信用保証業で収益事業に該当しないものの範囲等）……………………………………… 1779
第 8 条の 2 の 2 （無体財産権の提供等を行う事業で収益事業に該当しないものの範囲等）…… 1780
第 8 条の 2 の 3 （資本金等の額）………………………… 84
第 8 条の 2 の 4 （有価証券に準ずるものの範囲）…… 96, 1120
第 8 条の 3 の 3 （事業年度の特例）……………………… 128
第 8 条の 4 （金銭の分配のうち出資総額等の減少に伴うものの範囲）……………………………… 299
第 8 条の 5 （外国子会社から受ける配当等の益金不算入に関する書類）………………………… 321
第 8 条の 5 の 2 （出資等減少分配による出資総額等の減少額）………………………………… 313
第 8 条の 6 （資産の評価益の益金算入に関する書類等）……………………………………… 619, 632
第 9 条（特別な評価の方法の承認申請書の記載事項）… 331
第 9 条の 2 （棚卸資産の評価の方法の変更申請書の記載事項）………………………………………… 333
第 9 条の 3 （特別な償却の方法の承認申請書の記載事項）… 367
第 10 条（取替資産の範囲）……………………………… 369
第 11 条（取替法を採用する場合の承認申請書の記載事項）………………………………………… 370
第 11 条の 2 （旧リース期間定額法を採用する場合の届出書の記載事項）…………………… 371
第 12 条（特別な償却率によることができる減価償却資産の範囲）………………………………… 372
第 13 条（特別な償却率の認定申請書の記載事項）……… 374
第 14 条（償却の方法の選定の単位）…………………… 377
第 15 条（減価償却資産の償却の方法の変更申請書の記載事項）………………………………… 380
第 16 条（耐用年数の短縮が認められる事由）………… 424
第 17 条（耐用年数短縮の承認申請書の記載事項）…… 424
第 18 条（耐用年数短縮が届出により認められる資産の更新の場合等）……………………………… 425
第 19 条（種類等を同じくする減価償却資産の償却限度額）… 432
第 20 条（増加償却割合の計算）………………………… 437
第 20 条の 2 （増加償却の届出書の記載事項）………… 436
第 21 条（堅固な建物等の償却限度額の特例の適用を受ける場合の認定申請書の記載事項）……… 442
第 21 条の 2 （適格分割により移転する減価償却資産に係る期中損金経理額の損金算入に関する届出書の記載事項）……………………………… 354
第 21 条の 3 （適格分割により引き継ぐ繰延資産に係る期中損金経理額の損金算入に関する届出書の記載事項）……………………………… 609
第 22 条（適格分割等により移転をする資産等と関連を有する繰延資産の引継ぎに関する届出書の記載事項）…………………………………… 612
第 22 条の 2 （資産の評価損の損金算入に関する書類）… 635
第 22 条の 3 （役員の給与等）…………………………… 638
第 22 条の 4 （一般寄附金の損金算入限度額の計算上公益法人等から除かれる法人）……… 669, 679
第 22 条の 5 （公益社団法人又は公益財団法人の寄附金の損金算入限度額の特例計算）……… 688
第 23 条（収益事業から長期給付事業への繰入れについての限度額）………………………………… 671
第 23 条の 2 （公益の増進に著しく寄与する法人の範囲）……………………………………… 681
第 23 条の 3 （特定公益増進法人に対する寄附金の特別損金算入限度額の計算上公益法人等から除かれる法人）…………………………… 679
第 23 条の 4 （特定公益信託の信託財産の運用の方法等）……………………………………… 691
第 24 条（公益の増進に著しく寄与する法人の証明書類等）………………………………………… 683
第 24 条の 2 （国庫補助金等の対象となる助成金の使途）……………………………………… 731
第 24 条の 3 （適格分割等に係る国庫補助金等で取得した固定資産等の圧縮額の損金算入に関する届出書の記載事項）……………………… 733
第 24 条の 4 （適格分割等を行った場合の国庫補助金等に係る期中特別勘定の金額の損金算入に関する届出書の記載事項）………………… 734
第 24 条の 5 （適格分割等による国庫補助金等に係る特別勘定の金額の引継ぎに関する届出書の記載事項）……………………………… 735
第 24 条の 6 （特別勘定を設けた場合の適格分割等に係る国庫補助金等で取得した固定資産等の圧縮額の損金算入に関する届出書の記載事項）… 737
第 24 条の 7 （適格分割等に係る工事負担金で取得した固定資産等の圧縮額の損金算入に関する届出書の記載事項）……………………… 741
第 24 条の 8 （適格分割等に係る保険金等で取得した固定資産等の圧縮額の損金算入に関する届出書の記載事項）……………………… 748

第 24 条の 9 （保険差益等に係る特別勘定の設定期間延長申請書の記載事項） …………………………… 749
第 24 条の10 （適格分割等を行った場合の保険差益等に係る期中特別勘定の金額の損金算入に関する届出書の記載事項） ……………………………………… 750
第 24 条の11 （適格分割等による保険差益等に係る特別勘定の金額の引継ぎに関する届出書の記載事項） …… 751
第 24 条の12 （特別勘定を設けた場合の適格分割に係る保険金等で取得した固定資産等の圧縮額の損金算入に関する届出書の記載事項） ……………………… 752
第 25 条 （適格分割等に係る交換により取得した資産の圧縮額の損金算入に関する届出書の記載事項） …… 758
第 25 条の 2 （更生計画認可の決定等に準ずる事由） … 976
第 25 条の 3 （更生手続開始の申立て等に準ずる事由） … 976
第 25 条の 4 （保存書類） ………………………………… 978
第 25 条の 4 の 2 （銀行又は保険会社の子会社に準ずる会社等の範囲） ……………………………………… 973
第 25 条の 5 （貸倒実績率の特別な計算方法の承認申請書の記載事項） ……………………………………… 987
第 25 条の 6 （適格分割等により移転する金銭債権に係る期中貸倒引当金勘定の金額の損金算入に関する届出書の記載事項） ………………………… 982, 986
平30改正前の第25条の 7 （返品率の特別な計算方法の承認申請書の記載事項） ……………………………… 995
平30改正前の第25条の 8 （適格分割等により移転する対象事業に係る期中返品調整引当金勘定の金額の損金算入に関する届出書の記載事項） ………………… 997
第 25 条の 9 （譲渡制限付株式を対価とする費用） … 1041
第 25 条の10 （不正行為等に係る費用等） …………… 1044
第 26 条 （事業関連性の判定） ……………… 1089, 1102, 1358
第 26 条の 2 （適格合併等による欠損金の引継ぎ等）
……………………………………………… 1087, 1100
第 26 条の 2 の 2 （時価評価除外法人の控除対象外欠損金額に係る事業関連性の判定） ………………… 1111
第 26 条の 2 の 3 （特定資産譲渡等損失額に相当する金額に係る資産の単位等） ………………………… 1113
第 26 条の 2 の 4 （時価純資産価額等に関する保存書類）
……………………………………………… 1092, 1105
第 26 条の 3 （欠損金に係る帳簿書類の保存） … 1054, 1084
第 26 条の 4 （欠損金の繰越しに係る再生支援等の範囲）
……………………………………………………… 1053
第 26 条の 5 （評価損資産の範囲等） ………………… 1065
第 26 条の 6 （会社更生等により債務の免除を受けた金額等の明細等に関する書類） ……………………… 1081
第 26 条の13 （株式交換により取得をした株式交換完全子法人株式の取得価額） ……………………………… 1127
第 26 条の14 （満期保有目的等有価証券に該当する旨の記載の方法等） ……………………………………… 1121
第 27 条 （移動平均法を適用する有価証券について評価換え等があった場合の一単位当たりの帳簿価額の算出の特例に関する書類等） …………………… 1151
第 27 条の 2 （有価証券の一単位当たりの帳簿価額の算出の方法の変更申請書の記載事項） …………… 1156
第 27 条の 3 （有価証券の譲渡損益の発生する日） … 1158
第 27 条の 4 （有価証券の空売り等） ………………… 1122
第 27 条の 5 （売買目的有価証券に該当する旨の記載の方法） ……………………………………………… 1121
第 27 条の 6 （有価証券の空売り等に係る利益相当額又は損失相当額） ……………………………………… 1174
第 27 条の 7 （デリバティブ取引の範囲等） ………… 1180

第 27 条の10 （外貨建資産・負債の発生時の外国通貨の円換算額を確定させる先物外国為替契約） … 1180, 1186
第 27 条の11 （外貨建資産等の決済時の円換算額を確定させる先物外国為替契約等） …………… 1180, 1185
第 27 条の12 （外貨建有価証券） ……………………… 1180
第 27 条の13 （外貨建資産等の期末換算の方法の変更申請書の記載事項） ……………………………… 1191
第 27 条の13の 2 （完全支配関係がある法人の間の取引に係る譲渡損益調整資産の単位） …………… 1328
第 27 条の14 （期中損金経理額の損金算入等に関する届出書の記載事項に係る書式） …… 349, 354, 881, 987
第 27 条の15 （特定資産に係る譲渡等損失額の損金不算入）
……………………………………… 1065, 1355, 1360
第 27 条の15の 2 （特定資産譲渡等損失額から控除することができる金額等） ……………………………… 1370
第 27 条の16 （非適格合併等により移転を受ける資産等に係る調整勘定の損金算入等） …………………… 1342
第 27 条の16の 2 （非適格株式交換等に係る資産の時価評価の単位） ……………………………………… 1351
第 27 条の16の 3 （工事未収入金の帳簿価額の調整） ……… 281
第 27 条の16の 4 （公益法人等が普通法人等に移行する場合の所得の金額の計算） ……………………… 1793
第 27 条の17 （少額の減価償却資産の主要な事業として行う貸付けの判定） ……………………………… 345
第 27 条の17の 2 （一括償却資産の主要な事業として行う貸付けの判定） ……………………………… 346
第 27 条の17の 3 （適格分割等による一括償却資産の引継ぎに関する要件） …………………………… 348
第 27 条の18 （適格分割等により引き継ぐ一括償却資産に係る期中損金経理額の損金算入に関する届出書の記載事項） ………………………………………… 348
第 27 条の19 （適格分割等による一括償却資産の引継ぎに関する届出書の記載事項） …………………… 349
第 27 条の20 （確定給付企業年金の掛金等） ………… 1198
第 27 条の21 （地役権の設定される導流堤等に類するものの範囲） ……………………………………… 1216
第 28 条 （消費税の課税売上割合に準ずる割合の計算等）
……………………………………………………… 1219
第 28 条の 2 （適格分割等による繰延消費税額等の引継ぎに関する要件） ……………………………… 1222
第 28 条の 3 （適格分割等により引き継ぐ繰延消費税額等に係る期中損金経理額の損金算入に関する届出書の記載事項） ………………………………………… 1222
第 28 条の 4 （適格分割等により移転する資産に係る繰延消費税額等の引継ぎに関する届出書の記載事項）
……………………………………………………… 1223
第 28 条の 5 （共通費用の額の配分に関する書類） … 1436
第 28 条の 6 （発生し得る危険の範囲） ……………… 1440
第 28 条の 7 （同業法人比準法を用いた国外事業所等に帰せられるべき資本の額の計算） ………………… 1440
第 28 条の 8 （危険勘案資産額の計算日の特例の適用に関する届出書の記載事項） ……………………… 1443
第 28 条の 9 （国外事業所等に帰せられるべき資本に対応する負債の利子の損金不算入に関する保存書類）
……………………………………………………… 1444
第 28 条の10 （危険勘案資産額の計算に関する特例） … 1445
第 28 条の11 （共通費用の額の配分に関する書類） … 1448
第 29 条 （外国税額控除の対象とならない外国法人税の額の計算に係る総収入金額等） ………………… 1461
第 29 条の 2 （法人税が課されないこととなる金額を課税

　　　　標準として課される外国法人税の額の範囲）…… 1467
第 29 条の 3 （適格分割等が行われた場合の特例の適用に
　　　　関する届出書の記載事項）………………… 1482, 1484
第 29 条の 4 （外国税額控除を受けるための書類等）…… 1489
第 30 条 （繰越し又は繰戻しによる外国税額の控除を受け
　　　　るための書類等）……………………………………… 1492
第 30 条の 2 （税額控除不足額相当額の控除を受けるため
　　　　の書類等）………………………………………………… 1497
第 30 条の 3 （国外事業所等帰属外部取引に関する書類）
　　　　……………………………………………………………… 1493
第 30 条の 4 （内部取引に関する書類）………………… 1493
第 31 条 （中間申告書の記載事項）……………………… 1688
第 32 条 （仮決算をした場合の中間申告書の記載事項）… 1690
第 33 条 （仮決算をした場合の中間申告書の添付書類）… 1690
第 34 条 （確定申告書の記載事項）……………… 616, 1697
第 35 条 （確定申告書の添付書類）……………………… 1697
第 36 条 （確定申告書の提出期限の延長申請書の記載事項）
　　　　……………………………………………………………… 1699
第 36 条の 2 （確定申告書の提出期限の延長の特例の申請
　　　　書の記載事項）………………………………………… 1703
第 36 条の 3 （確定申告書の提出期限の延長の特例の取り
　　　　やめの届出書の記載事項）…………………………… 1704
第 36 条の 4 （電子情報処理組織による申告）………… 1710
第 37 条 （電子情報処理組織による申告が困難である場合
　　　　の特例）…………………………………………………… 1714
第 38 条 （還付）…………………………………………… 1731
第 52 条 （青色申告承認申請書の記載事項）……………… 132
第 53 条 （青色申告法人の決算）……………………………… 134
第 54 条 （取引に関する帳簿及び記載事項）……………… 134
第 55 条 （仕訳帳及び総勘定元帳の記載方法）…………… 136
第 56 条 （棚卸表の作成）……………………………………… 137
第 57 条 （貸借対照表及び損益計算書）…………………… 137
第 58 条 （帳簿書類の記載事項等の省略）………………… 138
第 59 条 （帳簿書類の整理保存）……………………………… 138
第 60 条 （青色申告の取りやめの届出書の記載事項）…… 141
第 60 条の 2 （法令の規定による整理手続によらない負債
　　　　整理計画の決定等）…………………………………… 1738
第 63 条 （設立届出書の添付書類）…………………………… 179
第 65 条 （収益事業の開始等届出書の添付書類）………… 179
第 66 条 （取引に関する帳簿及びその記載事項等）……… 180
第 67 条 （帳簿書類の整理保存等）…………………………… 182
第 69 条 （通算法人の電子情報処理組織による申告）…… 212
別表二十二（青色申告書の提出の承認を受けようとする法
　　　　人の帳簿の記載事項）…………………………………… 135
別表二十三（貸借対照表及び損益計算書に記載する科目）
　　　　……………………………………………………………… 137
別表二十四（普通法人等の帳簿の記録方法）……………… 181

租税特別措置法──

第 1 条（趣　　旨）………………………………… 24, 1797
第 3 条の 2 （内国法人等に対して支払う利子所得等に係
　　　　る支払調書の特例）……………………………………… 308
第 42 条の 3 の 2 （中小企業者等の法人税率の特例）…… 1394
第 42 条の 4 （試験研究を行った場合の法人税額の特別控
　　　　除）………………………………………………………… 1529
第 42 条の 6 （中小企業者等が機械等を取得した場合の特
　　　　別償却又は法人税額の特別控除）……………… 452, 1567
第 42 条の 9 （沖縄の特定地域において工業用機械等を取
　　　　得した場合の法人税額の特別控除）………………… 1575
第 42 条の 10 （国家戦略特別区域において機械等を取得し
　　　　た場合の特別償却又は法人税額の特別控除）… 458, 1587
第 42 条の 11 （国際戦略総合特別区域において機械等を取
　　　　得した場合の特別償却又は法人税額の特別控除）
　　　　…………………………………………………… 462, 1592
第 42 条の 11 の 2 （地域経済牽引事業の促進区域内におい
　　　　て特定事業用機械等を取得した場合の特別償却又
　　　　は法人税額の特別控除）………………………… 466, 1597
第 42 条の 11 の 3 （地方活力向上地域等において特定建物
　　　　等を取得した場合の特別償却又は法人税額の特別
　　　　控除）……………………………………………… 469, 1602
第 42 条の 12 （地方活力向上地域等において雇用者の数が
　　　　増加した場合の法人税額の特別控除）……………… 1611
第 42 条の 12 の 2 （認定地方公共団体の寄附活用事業に関
　　　　連する寄附をした場合の法人税額の特別控除）…… 1620
第 42 条の 12 の 4 （中小企業者等が特定経営力向上設備等
　　　　を取得した場合の特別償却又は法人税額の特別控
　　　　除）………………………………………………… 473, 1623
第 42 条の 12 の 5 （給与等の支給額が増加した場合の法人
　　　　税額の特別控除）………………………………………… 1642
第 42 条の 12 の 6 （認定特定高度情報通信技術活用設備を
　　　　取得した場合の特別償却又は法人税額の特別控
　　　　除）………………………………………………… 481, 1652
第 42 条の 12 の 7 （事業適応設備を取得した場合等の特別
　　　　償却又は法人税額の特別控除）………………… 483, 1656
第 42 条の 13 （法人税の額から控除される特別控除額の特
　　　　例）………………………………………………………… 1677
第 42 条の 14 （通算法人の仮装経理に基づく過大申告の場
　　　　合等の法人税額）………………………………………… 1506
第 43 条 （特定船舶の特別償却）………………………………… 488
令 5 改正前の第43条の 2 （港湾隣接地域における技術基準
　　　　適合施設の特別償却）……………………………………… 584
第 43 条の 2 （被災代替資産等の特別償却）………………… 492
第 44 条 （関西文化学術研究都市の文化学術研究地区にお
　　　　ける文化学術研究施設の特別償却）……………………… 496
第 44 条の 2 （特定事業継続力強化設備等の特別償却）…… 499
第 44 条の 3 （共同利用施設の特別償却）…………………… 501
第 44 条の 4 （環境負荷低減事業活動用資産等の特別償却）
　　　　………………………………………………………………… 503
第 44 条の 5 （生産方式革新事業活動用資産等の特別償却）
　　　　………………………………………………………………… 506
第 45 条 （特定地域における工業用機械等の特別償却）…… 507
第 45 条の 2 （医療用機器等の特別償却）…………………… 553
令 6 改正前の第46条（事業再編計画の認定を受けた場合の
　　　　事業再編促進機械等の割増償却）……………………… 582
第 46 条 （輸出事業用資産の割増償却）……………………… 561
第 47 条 （特定都市再生建築物の割増償却）………………… 563
第 48 条 （倉庫用建物等の割増償却）………………………… 570

第52条の2（特別償却不足額がある場合の償却限度額の計算の特例） …… 586
第52条の3（準備金方式による特別償却） …… 591
平9改正前の第52条の4（特定の登録ホテル等の減価償却資産の耐用年数の特例） …… 429
第53条（特別償却等に関する複数の規定の不適用） …… 600, 1672
第55条（海外投資等損失準備金） …… 1000
令元改正前の第55条の2（新事業開拓事業者投資損失準備金） …… 1032
平29改正前の第55条の3（特定事業再編投資損失準備金） …… 1032
令2改正前の第55条の2（金属鉱業等鉱害防止準備金） …… 1033
令4改正前の第56条（特定災害防止準備金） …… 1034
平28改正前の第56条（新幹線鉄道大規模改修準備金） …… 1034
第56条（中小企業事業再編投資損失額） …… 1015
令5改正前の第57条の4（原子力発電施設解体準備金） …… 1035
第57条の4（特定原子力施設炉心等除去準備金） …… 1035
第57条の5（保険会社等の異常危険準備金） …… 1036
第57条の6（原子力保険又は地震保険に係る異常危険準備金） …… 1037
第57条の7（関西国際空港用地整備準備金） …… 1037
第57条の7の2（中部国際空港整備準備金） …… 1038
第57条の8（特定船舶に係る特別修繕準備金） …… 1022
第57条の9（中小企業者等の貸倒引当金の特例） …… 988
第59条の2（対外船舶運航事業を営む法人の日本船舶による収入金額の課税の特例） …… 1225
第59条の3（特許権等の譲渡等による所得の課税の特例） …… 1234
第60条（沖縄の認定法人の所得の特別控除） …… 1245
第61条（国家戦略総合特別区域における指定法人の課税の特例） …… 1259
第61条の2（農業経営基盤強化準備金） …… 1039
第61条の3（農用地等を取得した場合の課税の特例） …… 760
第61条の4（交際費等の損金不算入） …… 695, 699
第62条（使途秘匿金の支出がある場合の課税の特例） …… 1412
第62条の3（土地の譲渡等がある場合の特別税率） …… 1415
第63条（短期所有に係る土地の譲渡等がある場合の特別税率） …… 1416
第64条（収用等に伴い代替資産を取得した場合の課税の特例） …… 858, 878, 886, 903
第64条の2（収用等に伴い特別勘定を設けた場合の課税の特例） …… 881, 884
第65条（換地処分等に伴い資産を取得した場合の課税の特例） …… 893
第65条の2（収用換地等の場合の所得の特別控除） …… 920
第65条の3（特定土地区画整理事業等のために土地等を譲渡した場合の所得の特別控除） …… 932
第65条の4（特定住宅地造成事業等のために土地等を譲渡した場合の所得の特別控除） …… 940
第65条の5（農地保有の合理化のために農地等を譲渡した場合の所得の特別控除） …… 962
第65条の5の2（特定の長期所有土地等の所得の特別控除） …… 965
第65条の6（資産の譲渡に係る特別控除額の特例） …… 930, 939, 961, 964, 971
第65条の7（特定の資産の買換えの場合の課税の特例） …… 763
第65条の8（特定の資産の譲渡に伴い特別勘定を設けた場合の課税の特例） …… 793

第65条の9（特定の資産を交換した場合の課税の特例） …… 806, 842
第65条の10（特定の交換分合により土地等を取得した場合の課税の特例） …… 839
第66条（特定普通財産とその隣接する土地等の交換の場合の課税の特例） …… 842
第66条の2（株式等を対価とする株式の譲渡に係る所得の計算の特例） …… 1266
第66条の3（確定申告書の提出期限の延長の特例に係る利子税の特例） …… 1717
第66条の6（内国法人の外国関係会社に係る所得の課税の特例） …… 1471
第66条の7（外国関係会社の課税対象金額等に係る税額の計算等） …… 1471
第66条の10（技術研究組合の所得の計算の特例） …… 847
第66条の11（特定の基金に対する負担金等の損金算入の特例） …… 1205
第66条の11の2（特定投資運用業者の役員に対する業績連動給与の損金算入の特例） …… 650
第66条の11の3（認定特定非営利活動法人に対する寄附金の損金算入等の特例） …… 693
令5改正前の第66条の11の4（認定事業適応法人の欠損金の損金算入の特例） …… 1055
第66条の12（中小企業者欠損金等以外の欠損金の繰戻しによる還付の不適用） …… 1729
第66条の13（特定事業活動として特別新事業開拓事業者の株式の取得をした場合の課税の特例） …… 1270
第67条（社会保険診療報酬の所得計算の特例） …… 1282
第67条の2（特定の医療法人の法人税率の特例） …… 1399
第67条の3（農地所有適格法人の肉用牛の売却に係る所得の課税の特例） …… 1287
第67条の4（転廃業助成金等に係る課税の特例） …… 848, 850
第67条の5（中小企業者等の少額減価償却資産の取得価額の損金算入の特例） …… 350
第67条の5の2（特定の公共施設等運営権の設定に係る収益及び費用の帰属事業年度の特例） …… 267
第67条の6（特定株式投資信託の収益の分配に係る受取配当等の益金不算入等の特例） …… 299, 309
第67条の7（保険会社の受取配当等の益金不算入の特例） …… 312
第67条の8（協同組合等が有する普通出資に係る受取配当等の益金不算入の特例） …… 312
第67条の12（組合事業等による損失がある場合の課税の特例） …… 1298
第67条の13（有限責任事業組合契約に係る組合損失超過額の損金不算入等） …… 1306
第67条の14（特定目的会社に係る課税の特例） …… 1310
第67条の15（投資法人に係る課税の特例） …… 1316
第67条の18（国外所得金額の計算の特例） …… 1451
第68条（特定の協同組合等の法人税率の特例） …… 1397
第68条の2（農業協同組合等の合併に係る課税の特例） …… 1378
第68条の2の2（認定株式分配に係る課税の特例） …… 1379
第68条の2の3（適格合併等の範囲等に関する特例） …… 1380, 1389
第68条の3（特定の合併等が行われた場合の株主等の課税の特例） …… 1389
第68条の3の4（課税所得の範囲の変更等の場合の特例） …… 1786
第68条の4（電子情報処理組織による申告の特例） …… 1708

第 68 条の 6 （公益法人等の損益計算書等の提出） ………… 228
第 93 条 （利子税の割合の特例） ……1699, 1703, 1705, 1716, 1717
第 94 条 （延滞税の割合の特例） ………………… 1718, 1720
第 96 条 （利子税等の額の計算） ………………… 1699, 1721

租税特別措置法施行令──

第 2 条 （特定株式投資信託の要件） ………………… 308
第 26 条の11 （償還差益に対する所得税額の法人税額からの控除） ………………………………………… 1423
第 26 条の12 （繰上償還等の場合の所得税の還付） ……… 1424
第 27 条の 3 の 2 （中小企業者等の法人税率の特例） …… 1394
第 27 条の 4 （試験研究を行った場合の法人税額の特別控除） ………………………………………… 1532
第 27 条の 6 （中小企業者等が機械等を取得した場合の特別償却又は法人税額の特別控除） ………… 452, 1567
第 27 条の 9 （沖縄の特定地域において工業用機械等を取得した場合の法人税額の特別控除） ………… 1577
第 27 条の10 （国家戦略特別区域において機械等を所得した場合の特別償却又は法人税額の特別控除）
 ………………………………………… 458, 1587
第 27 条の11 （国際戦略総合特別区域において機械等を取得した場合の特別償却又は法人税額の特別控除）
 ………………………………………… 462, 1592
第 27 条の11の 2 （地域経済牽引事業の促進区域内において特定事業用機械等を取得した場合の特別償却又は法人税額の特別控除） ………… 466, 1598
第 27 条の11の 3 （地方活力向上地域において特定建物等を取得した場合の特別償却又は法人税額の特別控除） ………………………………………… 470, 1603
第 27 条の12 （地方活力向上地域等において雇用者の数が増加した場合の法人税額の特別控除） …… 1611
第 27 条の12の 2 （認定地方公共団体の寄附活用事業に関連する寄附をした場合の法人税額の特別控除） …… 1620
第 27 条の12の 4 （中小企業者等が特定経営力向上設備等を取得した場合の特別償却又は法人税額の特別控除） ………………………… 474, 1623, 1624
第 27 条の12の 5 （給与等の支給額が増加した場合の法人税額の特別控除） ………………………… 1642
第 27 条の12の 6 （認定特定高度情報通信技術活用設備を取得した場合の特別償却又は法人税額の特別控除） ………………………………………… 481, 1653
第 27 条の12の 7 （事業適応設備を取得した場合等の特別償却又は法人税額の特別控除） ………… 483, 1656
第 27 条の13 （法人税の額から控除される特別控除額の特例） ………………………………………… 1679
第 27 条の14 （通算法人の仮装経理に基づく過大申告の場合等の法人税額） ………………………… 1508
第 28 条 （特定船舶の特別償却） ………………… 488
第 28 条の 3 （被災代替資産等の特別償却） ………… 492
第 28 条の 4 （関西文化学術研究都市の文化学術研究地区における文化学術研究施設の特別償却） ………… 496
第 28 条の 5 （特定事業継続力強化設備等の特別償却） …… 500
第 28 条の 6 （共同利用施設の特別償却） ………… 501
第 28 条の 7 （環境負荷低減事業活動用資産等の特別償却）
 ………………………………………… 503
第 28 条の 8 （生産方式革新事業活動用資産等の特別償却）
 ………………………………………… 506
第 28 条の 9 （特定地域における工業用機械等の特別償却）
 ………………………………………… 510
第 28 条の10 （医療用機器等の特別償却） ………… 553
第 29 条 （輸出事業用資産の割増償却） ………… 561
第 29 条の 2 （特定都市再生建築物の割増償却） ………… 563
令 6 改正前の第29条の 3 （事業再編計画の認定を受けた場合の事業再編促進機械等の割増償却） ………… 583

第29条の3（倉庫用建物等の割増償却） ………… 570
第30条（特別償却不足額がある場合の償却限度額の計算の特例） ………… 586
第31条（準備金方式による特別償却） ………… 594
第32条（特別償却等に関する複数の規定の不適用）
　　　　　　　　　　　　　　　　　　　　　　600, 1672
第32条の2（海外投資等損失準備金） ………… 1000
令元改正前の第32条の3（新事業開拓事業者投資損失準備金） ………… 1032
平29改正前の第32条の4（特定事業再編投資損失準備金） ………… 1032
平28改正前の第32条の5（新幹線鉄道大規模改修準備金） ………… 1034
令6改正前の第33条（原子力発電施設解体準備金） ………… 1035
第33条（中小企業事業再編投資損失準備金） ………… 1019
第33条の4（関西国際空港用地整備準備金） ………… 1037
第33条の5（中部国際空港整備準備金） ………… 1038
第33条の6（特定船舶に係る特別修繕準備金） ………… 1022
第33条の7（中小企業者等の貸倒引当金の特例） ………… 988
第35条の2（対外船舶運航事業を営む法人の日本船舶による収入金額の課税の特例） ………… 1225
第35条の3（特許権等の譲渡等による所得の課税の特例） ………… 1234
第36条（沖縄の認定法人の課税の特例） ………… 1245
第37条（国家戦略特別区域における指定法人の課税の特例） ………… 1259
第37条の2（農業経営基盤強化準備金） ………… 1039
第37条の3（農用地等を取得した場合の課税の特例） ………… 760
第37条の4（資本金の額又は出資金の額に準ずるものの範囲等） ………… 695
第37条の5（交際費等の範囲） ………… 699
第38条（使途秘匿金の支出がある場合の課税の特例） ………… 1413
第39条（収用等に伴い代替資産を取得した場合等の課税の特例） ………… 858, 877
第39条の2（換地処分等に伴い資産を取得した場合の課税の特例） ………… 893, 896
第39条の3（収用換地等の場合の所得の特別控除） ………… 924
第39条の4（特定土地区画整理事業等のために土地等を譲渡した場合の所得の特別控除） ………… 932
第39条の5（特定住宅地造成事業等のために土地等を譲渡した場合の所得の特別控除） ………… 940, 953
第39条の6（農地保有の合理化のために農地等を譲渡した場合の所得の特別控除） ………… 962
第39条の6の2（特定の長期所有土地等の所得の特別控除） ………… 965
第39条の7（特定の資産の買換えの場合等の課税の特例） ………… 763
第39条の8（特定の交換分合により土地等を取得した場合の課税の特例） ………… 839
第39条の10（特定普通財産とその隣接する土地等の交換の場合の課税の特例） ………… 842
第39条の10の2（株式等を対価とする株式の譲渡に係る所得の計算の特例） ………… 1266
第39条の11（確定申告書の提出期限の延長の特例に係る利子税の特例） ………… 1717
第39条の18（外国関係会社の課税対象金額等に係る外国法人税額の計算等） ………… 1472
第39条の21（技術研究組合の所得の計算の特例） ………… 847
第39条の22（特定の基金に対する負担金等の損金算入の特例） ………… 1205
第39条の22の2（特定投資運用業者の役員に対する業績連動給与の損金算入の特例） ………… 651
第39条の23（認定特定非営利活動法人に対する寄附金の損金算入等の特例） ………… 693
第39条の23の2（認定事業適応法人の欠損金の損金算入の特例） ………… 1056
第39条の24（中小企業者の欠損金等以外の欠損金の繰戻しによる還付の不適用） ………… 1729
第39条の24の2（特定事業活動として特別新事業開拓事業者の株式の取得をした場合の課税の特例） ………… 1270
第39条の24の3（社会保険診療報酬の所得の計算の特例） ………… 1282
第39条の25（特定の医療法人の法人税率の特例） ………… 1399
第39条の26（農地所有適格法人の肉用牛の売却に係る所得の課税の特例） ………… 1287
第39条の27（転廃業助成金等に係る課税の特例） ………… 848, 851
第39条の28（中小企業者等の少額減価償却資産の取得価額の損金算入の特例） ………… 350
第39条の30（特定株式投資信託の収益の分配に係る受取配当等の益金不算入の特例） ………… 309
第39条の31（組合事業等による損失がある場合の課税の特例） ………… 1298
第39条の32（有限責任事業組合契約に係る組合損失超過額の損金不算入等） ………… 1306
第39条の32の2（特定目的会社に係る課税の特例） ………… 1312
第39条の32の3（投資法人に係る課税の特例） ………… 1317
第39条の34（特定の協同組合等の法人税率の特例） ………… 1397
第39条の34の2（農業協同組合等の合併に係る課税の特例） ………… 1378
第39条の34の3（認定株式分配に係る課税の特例） ………… 1379
第39条の34の4（適格合併等の範囲に関する特例） ………… 1381
第39条の35（特定の合併等が行われた場合の株主等の課税の特例） ………… 1389
第39条の36（電子情報処理組織による申告の特例） ………… 1708
第39条の37（損益計算書等の提出を要しない公益法人等の範囲等） ………… 228

租税特別措置法施行規則──

第 20 条（試験研究を行った場合の法人税額の特別控除）
　………………………………………………… 1509
第 20 条の 3（中小企業者等が機械等を取得した場合の特別償却又は法人税額の特別控除）………… 452, 1567
第 20 条の 4（沖縄の特定地域において工業用機械等を取得した場合の法人税額の特別控除の対象範囲等）
　………………………………………………… 1579
第 20 条の 5（国家戦略特別区域において機械等を取得した場合の特別償却又は法人税額の特別控除）
　………………………………………… 458, 1587
第 20 条の 6（国際戦略総合特別区域において機械等を取得した場合の特別償却又は法人税額の特別控除）
　………………………………………… 462, 1592
第 20 条の 7（地方活力向上地域等において雇用者の数が増加した場合の法人税額の特別控除）…… 1611
第 20 条の 8（認定地方公共団体の寄附活用事業に関連する寄附をした場合の法人税額の特別控除）… 1621
第 20 条の 9（中小企業者等が特定経営力向上設備等を取得した場合の特別償却又は法人税額の特別控除）
　………………………………………… 476, 1626
第 20 条の10（給与等の支給額が増加した場合の法人税額の特別控除）……………………………… 1633
第 20 条の10の 2（認定特定高度情報通信技術活用設備を取得した場合の特別償却又は法人税額の特別控除）……………………………… 481, 1653
第 20 条の10の 3（法人税の額から控除される特別控除額の特例）………………………… 483, 1656
令 5 改正前の第20条の11（港湾隣接地域における技術基準適合施設の特別償却）………… 584
第 20 条の11（特定船舶の特別償却）………… 490
第 20 条の15（環境負荷低減事業活動用資産等の特別償却）
　………………………………………………… 504
第 20 条の16（特定地域における工業用機械等の特別償却）
　………………………………………………… 507
第 20 条の17（医療用機器等の特別償却）……… 558
令 6 改正前の第20条の19（事業再編計画の認定を受けた場合の事業再編促進機械等の割増償却）…… 582
第 20 条の20（輸出事業用資産の割増償却）…… 561
第 20 条の21（特定都市再生建築物等の割増償却）… 564
第 20 条の22（倉庫用建物等の割増償却）……… 574
第 20 条の23（準備金方式による特別償却）…… 596
第 21 条（海外投資等損失準備金）……………… 1002
令元改正前の第21条の 2（新事業開拓事業者投資損失準備金）………………………………… 1032
第 21 条の 2（中小企業事業再編投資損失準備金）… 1020
令 6 改正前の第21条の11（原子力発電施設解体準備金）… 1035
第 21 条の14（特定船舶に係る特別修繕準備金）… 1024
第 21 条の17（対外船舶運航事業を営む法人の日本船舶による収入金額の課税の特例）……… 1225, 1226
第 21 条の17の 2（沖縄の認定法人の課税の特例）… 1245
第 21 条の18（国家戦略特別区域における指定法人の課税の特例）……………………………… 1259
第 21 条の18の 2（農業経営基盤強化準備金）… 1039
第 21 条の18の 3（農用地等を取得した場合の課税の特例）
　………………………………………………… 760
第 21 条の18の 4（交際費等の損金不算入）…… 699
第 22 条の 2（収用等に伴い代替資産を取得した場合等の課税の特例）………………………… 877, 903

第 22 条の 3（収用換地等の場合の所得の特別控除）……… 924
第 22 条の 4（特定土地区画整理事業等のために土地等を譲渡した場合の所得の特別控除）……… 936
第 22 条の 5（特定住宅地造成事業等のために土地等を譲渡した場合の所得の特別控除）……… 956
第 22 条の 6（農地保有の合理化のために農地等を譲渡した場合の所得の特別控除）………………… 962
第 22 条の 7（特定の資産の買換えの場合等の課税の特例）
　………………………………………………… 778
第 22 条の 8（特定の交換分合により土地等を取得した場合の課税の特例）………………… 840, 841
第 22 条の 9（特定普通財産とその隣接する土地等の交換の場合の課税の特例）……………………… 842
第 22 条の 9 の 2（株式等を対価とする株式の譲渡に係る所得の計算の特例）……………………… 1266
令 5 改正前の第22条の12の 2（認定事業適応法人の欠損金の損金算入の特例）………………… 1055
第 22 条の13（特定事業活動として特別新事業開拓事業者の株式の取得をした場合の課税の特例）…… 1270
第 22 条の14（社会保険報酬の所得の計算の特例）… 1283
第 22 条の15（特定の医療法人の法人税率の特例）… 1399
第 22 条の16（農地所有適格法人の肉用牛の売却に係る所得の課税の特例）……………… 1287, 1296
第 22 条の17（転廃業助成金等に係る課税の特例）…… 853, 856
第 22 条の18（中小企業者等の少額減価償却資産の取得価額の損金算入の特例）……………………… 351
第 22 条の18の 2（組合事業等による損失がある場合の課税の特例）……………………………… 1303
第 22 条の18の 3（有限責任事業組合契約に係る組合損失超過額の損金不算入等）……………… 1308
第 22 条の18の 4（特定目的会社に係る課税の特例）… 1312
第 22 条の19（投資法人に係る課税の特例）…… 1317
第 22 条の19の 4（国外所得金額の計算の特例）… 1451
第 22 条の19の 5（農業協同組合等の合併に係る課税の特例）……………………………………… 1378
第 22 条の20（適格合併等の範囲に関する特例に係る事業関連性の判定）……………………………… 1382
第 22 条の22（公益法人等の損益計算書等の記載事項等）
　………………………………………………… 229

別表十（公益法人等の損益計算書等に記載する科目）……… 229

減価償却資産の耐用年数等に関する省令

第 1 条（一般の減価償却資産の耐用年数） ……… 398, 415
第 2 条（特殊の減価償却資産の耐用年数） ……… 417
第 3 条（中古資産の耐用年数等） ……… 420
第 4 条（旧定額法及び旧定率法の償却率） ……… 430
第 5 条（定額法の償却率並びに定率法の償却率、改定償却率及び保証率） ……… 431
第 6 条（残存価額） ……… 432
別表第一（機械及び装置以外の有形減価償却資産の耐用年数表） ……… 1829
別表第二（機械及び装置の耐用年数表） ……… 1848
別表第三（無形減価償却資産の耐用年数表） ……… 1852
別表第四（生物の耐用年数表） ……… 1853
別表第五（公害防止用減価償却資産の耐用年数表） ……… 1855
別表第六（開発研究用減価償却資産の耐用年数表） ……… 1855
別表第七（平成19年3月31日以前に取得をされた減価償却資産の償却率表） ……… 1856
別表第八（平成19年4月1日以後に取得をされた減価償却資産の定額法の償却率表） ……… 1857
別表第九（平成19年4月1日から平成24年3月31日までの間に取得をされた減価償却資産の定率法の償却率、改定償却率及び保証率の表） ……… 1858
別表第十（平成24年4月1日以後に取得をされた減価償却資産の定率法の償却率改定償却率及び保証率） ……… 1860
別表第十一（平成19年3月31日以前に取得をされた減価償却資産の残存割合表） ……… 1862

法人税基本通達

1−1−1（法人でない社団の範囲） ……… 1761
1−1−2（法人でない財団の範囲） ……… 1761
1−1−3（人格のない社団等についての代表者又は管理人の定め） ……… 1761
1−1−4（人格のない社団等の本店又は主たる事務所の所在地） ……… 129
1−1−5（被合併法人の法人税に係る納税地） ……… 129
1−1−7（清算結了の登記をした場合の納税義務等） ……… 118
1−1−8（非営利型法人における特別の利益の意義） ……… 27
1−1−9（特別の利益に係る要件を欠くこととなった場合） ……… 28
1−1−10（主たる事業の判定） ……… 28
1−1−11（収益事業を行っていないことの判定） ……… 28
1−1−12（理事の親族等の割合に係る要件の判定） ……… 28
1−1−13（通算離脱法人の連帯納付責任） ……… 213
1−2−1（設立第1回事業年度の開始の日） ……… 122
1−2−2（組織変更等の場合の事業年度） ……… 122
1−2−3（非営利型法人が公益社団法人又は公益財団法人に該当することとなった場合等の事業年度） ……… 123
1−2−4（解散、継続又は合併の日） ……… 124
1−2−6（公共法人が収益事業を行う公益法人等に該当することとなった事実が生じた日等） ……… 124, 1787, 1788, 1791
1−2−7（設立無効等の判決を受けた場合の清算） ……… 126
1−2−8（人格のない社団等が財産の全部を分配等した場合の残余財産の確定） ……… 126
1−2−9（株式会社等が解散等をした場合における清算中の事業年度） ……… 126
1−2−10（完全支配関係法人がある場合の加入時期の特例の適用） ……… 128
1−2−11（通算法人が他の通算グループに加入する場合の加入時期の特例の適用） ……… 128
1−3−1（同族会社の判定） ……… 30
1−3−2（名義株についての株主等の判定） ……… 30
1−3−3（生計を維持しているもの） ……… 30
1−3−4（生計を一にすること） ……… 30, 657
1−3−5（同族会社の判定の基礎となる株主等） ……… 30
1−3−6（議決権を行使することができない株主等が有する議決権の意義） ……… 30
1−3−7（同一の内容の議決権を行使することに同意している者の意義） ……… 31
1−3−8（同一の内容の議決権を行使することに同意している者がある場合の同族会社の判定） ……… 31
1−3の2−1（名義株がある場合の支配関係及び完全支配関係の判定） ……… 32, 34
1−3の2−2（支配関係及び完全支配関係を有することとなった日の意義） ……… 32, 34
1−3の2−3（完全支配関係の判定における従業員持株会の範囲） ……… 34
1−3の2−4（従業員持株会の構成員たる使用人の範囲） ……… 34
1−4−1（組織再編成の日） ……… 103
1−4−2（合併等に際し1株未満の株式の譲渡代金を被合併法人等の株主等に交付した場合の適格合併等の判定） ……… 103
1−4−4（従業員の範囲） ……… 104
1−4−5（主要な事業の判定） ……… 104
1−4−6（事業規模を比較する場合の売上金額等に準ず

項目	頁
1−4−7（特定役員の範囲）	38
1−4−8（主要な資産及び負債の判定）	104
1−4−9（従業者が従事することが見込まれる業務）	105
1−4−10（出向により分割承継法人等の業務に従事する場合）	105
1−4−11（移転資産の範囲−借地権の設定）	105
1−4−12（工業所有権等の意義）	55
1−4−13（内部取引その他これに準ずるものの例示）	56
1−5−1（資本金又は出資金の増加の日）	88
1−5−2（加入金）	78
1−5−4（資本等取引に該当する利益等の分配）	238
1−5−6（募集株式の買取引受けに係る株式払込剰余金）	77, 605
1−5−7（外国法人の資本金以外の資本金等の額）	89
1−5−8（資本金の額が零の場合）	89, 695
1−6−1（納付すべき道府県民税等の計算）	95
1−6−2（他の通算法人に修更正があった場合の本税に係る通算税効果額の利益積立金額の計算）	95
1−7−1（仮決算における損金経理の意義）	98, 1695
1−8−1（該当することとなる日等）	1787, 1788, 1791
2−1−1（収益の計上の単位の通則）	231
2−1−1の2（機械設備等の販売に伴い据付工事を行った場合の収益の計上の単位）	231
2−1−1の3（資産の販売等に伴い保証を行った場合の収益の計上の単位）	231
2−1−1の4（部分完成の事実がある場合の収益の計上の単位）	231
2−1−1の5（技術役務の提供に係る収益の計上の単位）	232
2−1−1の6（ノウハウの頭金等の収益の計上の単位）	232
2−1−1の7（ポイント等を付与した場合の収益の計上の単位）	232
2−1−1の8（資産の販売等に係る収益の額に含めないことができる利息相当部分）	233
2−1−1の9（割賦販売等に係る収益の額に含めないことができる利息相当部分）	233
2−1−1の10（資産の引渡しの時の価額等の通則）	235
2−1−1の11（変動対価）	235
2−1−1の12（売上割戻しの計上時期）	236
2−1−1の13（一定期間支払わない売上割戻しの計上時期）	236
2−1−1の14（実質的に利益を享受することの意義）	236
2−1−1の15（値増金の益金算入の時期）	236
2−1−1の16（相手方に支払われる対価）	236
2−1−2（棚卸資産の引渡しの日の判定）	239
2−1−3（委託販売による収益の帰属の時期）	239
2−1−4（検針日による収益の帰属の時期）	239
2−1−14（固定資産の譲渡による収益の帰属の時期）	250
2−1−15（農地の譲渡による収益の帰属時期の特例）	250
2−1−16（工業所有権等の譲渡に係る収益の帰属の時期の特例）	250
2−1−18（固定資産を譲渡担保に供した場合）	250
2−1−19（共有地の分割）	250
2−1−20（法律の規定に基づかない区画形質の変更に伴う土地の交換分合）	251
2−1−21（道路の付替え）	251
2−1−21の2（履行義務が一定の期間にわたり充足されるものに係る収益の帰属の時期）	241
2−1−21の3（履行義務が一時点で充足されるものに係る収益の帰属の時期）	241
2−1−21の4（履行義務が一定の期間にわたり充足されるもの）	241
2−1−21の5（履行義務が一定の期間にわたり充足されるものに係る収益の額の算定の通則）	241
2−1−21の6（履行義務の充足に係る進捗度）	242
2−1−21の7（請負に係る収益の帰属の時期）	242
2−1−21の8（建設工事等の引渡しの日の判定）	242
2−1−21の9（不動産の仲介あっせん報酬の帰属の時期）	243
2−1−21の10（技術役務の提供に係る報酬の帰属の時期）	243
2−1−21の11（運送収入の帰属の時期）	244
2−1−22（有価証券の譲渡による損益の計上時期）	251
2−1−23（有価証券の譲渡による損益の計上時期の特例）	251
2−1−23の2（短期売買業務の廃止に伴う売買目的有価証券から満期保有目的等有価証券又はその他有価証券への区分変更）	1166
2−1−23の3（現渡しの方法による決済を行った場合の損益の計上時期）	251
2−1−23の4（売却及び購入の同時の契約等のある有価証券の取引）	1159
2−1−24（貸付金利子等の帰属の時期）	252
2−1−25（相当期間未収が継続した場合等の貸付金利子等の帰属時期の特例）	252
2−1−26（利息制限法の制限超過利子）	252
2−1−27（剰余金の配当等の帰属の時期）	253, 305
2−1−28（剰余金の配当等の帰属時期の特例）	254, 306
2−1−29（賃貸借契約に基づく使用料等の帰属の時期）	254
2−1−30（知的財産のライセンスの供与に係る収益の帰属の時期）	254
2−1−30の2（工業所有権等の実施権の設定に係る収益の帰属の時期）	254
2−1−30の3（ノウハウの頭金等の帰属の時期）	255
2−1−30の4（知的財産のライセンスの供与に係る売上高等に基づく使用料に係る収益の帰属の時期）	255
2−1−30の5（工業所有権等の使用料の帰属の時期）	255
2−1−31（送金が許可されない利子、配当等の帰属の時期の特例）	255
2−1−32（償還有価証券に係る調整差損益の計上）	1176
2−1−33（償還有価証券の範囲）	1170
2−1−34（債権の取得差額に係る調整差損益の計上）	258
2−1−35（デリバティブ取引に係る契約に基づく資産の取得による損益の計上）	256
2−1−36（デリバティブ取引に係る契約に基づく資産の譲渡による損益の計上）	256
2−1−37（有利な状況にある相対買建オプション取引について権利行使を行わなかった場合の取扱い）	685
2−1−38（不利な状況にある相対買建オプション取引について権利行使を行った場合の取扱い）	685
2−1−39（商品引換券等の発行に係る収益の帰属の時期）	244
2−1−39の2（非行使部分に係る収益の帰属の時期）	245
2−1−39の3（自己発行ポイント等の付与に係る収益の帰属の時期）	246
2−1−40（将来の逸失利益等の補填に充てるための補償金等の帰属の時期）	258

項目	頁
2−1−40の2（返金不要の支払の帰属の時期）	258
2−1−41（保証金等のうち返還しないものの額の帰属の時期）	254
2−1−42（法令に基づき交付を受ける給付金等の帰属の時期）	258
2−1−43（損害賠償金等の帰属の時期）	259
2−1−44（金融資産の消滅を認識する権利支配移転の範囲）	256
2−1−45（金融負債の消滅を認識する債務引受契約等）	256
2−1−46（金融資産等の消滅時に発生する資産及び負債の取扱い）	257
2−1−47（金融資産等の利回りが一定でない場合等における損益の計上）	257
2−1−48（有価証券の空売りに係る利益相当額等の外貨換算）	1175
2−2−1（売上原価等が確定していない場合の見積り）	237
2−2−2（造成団地の分譲の場合の売上原価の額）	239
2−2−3（造成団地の工事原価に含まれる道路、公園等の建設費）	240
2−2−4（砂利採取地に係る埋戻し費用）	240
2−2−5（請負収益に対応する原価の額）	242
2−2−6（未成工事支出金勘定から控除する仮設材料の価額）	242
2−2−7（木造の現場事務所等の取得に要した金額が未成工事支出金勘定の金額に含まれている場合の処理）	243
2−2−8（金属造りの移動性仮設建物の取得価額の特例）	243,386
2−2−9（技術役務の提供に係る報酬に対応する原価の額）	243
2−2−10（運送収入に対応する原価の額）	244
2−2−11（商品引換券等を発行した場合の引換費用）	245
2−2−12（債務の確定の判定）	237
2−2−13（損害賠償金）	259
2−2−14（短期の前払費用）	259
2−2−15（消耗品費等）	259,328
2−2−16（前期損益修正）	237
2−3−1（取得条項付株式の取得等に際し1株未満の株式の代金を株主等に交付した場合の取扱い）	1163
2−3−2（信用取引等に係る売付け及び買付けに係る対価の額）	1166
2−3−3（信用取引等の決済約定日後に授受される配当落調整額）	1166
2−3−4（低廉譲受等の場合の譲渡に係る対価の額）	1159
2−3−4の2（対象配当等の額が資本の払戻しによるものである場合の譲渡原価の計算）	1148
2−3−4の3（対象配当等の額が自己株式の取得によるものである場合の譲渡原価の計算）	1148
2−3−5（有価証券の購入のための付随費用）	1133
2−3−7（通常要する価額に比して有利な金額）	1133
2−3−8（他の株主等に損害を及ぼすおそれがないと認められる場合）	1134
2−3−9（通常要する価額に比して有利な金額で新株等が発行された場合における有価証券の価額）	1134
2−3−10（公社債の経過利子）	1134
2−3−11（政府保証債の応募予約料に相当する金額）	1134
2−3−12（新株予約権付社債に付された新株予約権を行使した場合の経過利子の取得価額算入）	1134
2−3−13（信用取引等及びデリバティブ取引に係る契約に基づいて取得される有価証券の取得価額）	1135
2−3−14（債権の現物出資により取得した株式の取得価額）	1135
2−3−15（有価証券の種類）	1155
2−3−16（信託をしている有価証券）	1155
2−3−17（2以上の種類の株式が発行されている場合の銘柄の意義）	1155
2−3−19（原価法 — 期末時評価による評価損益を純資産の部に計上している場合の期末帳簿価額）	1171
2−3−20（その他これに準ずる関係のある者の範囲）	1122
2−3−21（棚卸資産の評価方法の選定に係る取扱いの準用）	1155,1157
2−3−21の2（通算子法人の通算離脱の時価評価と通算子法人株式の投資簿価修正の順序）	1153
2−3−21の3（2以上の通算法人が通算子法人株式を有する場合の投資簿価修正の順序）	1153
2−3−21の4（資産調整勘定対応金額等の計算が困難な場合の取扱い）	1153
2−3−21の5（資産調整勘定対応金額等がある場合の加算措置の対象となる対象株式の取得）	1153
2−3−21の6（資産調整勘定対応金額等の計算における負債調整勘定の金額の取扱い）	1154
2−3−21の7（資産調整勘定対応金額等の計算の基礎となる資産及び負債）	1154
2−3−21の8（資産調整勘定対応金額等の計算の基礎となる対象株式の取得価額）	1154
2−3−22（帳簿価額のうち最も大きいものの意義）	1148
2−3−22の2（外国子会社から受ける配当等がある場合の益金不算入相当額）	1148
2−3−22の3（帳簿価額から減算する金額のあん分）	1136
2−3−22の4（基準時事業年度後に対象配当等の額を受ける場合の取扱い）	1148
2−3−22の5（内国株主割合が90％以上であることを証する書類）	1148
2−3−22の6（対象期間内に利益剰余金の額が増加した場合のその増加額を証する書類）	1149
2−3−22の7（他の法人等が外国法人である場合の円換算）	1149
2−3−22の8（特定支配後増加利益剰余金額超過額に達するまでの金額）	1149
2−3−22の9（総平均法による場合の帳簿価額の減額の判定）	1149
2−3−23（追加型株式投資信託に係る特別分配金の取扱い）	1145
2−3−25（一株に満たない株式等を譲渡した場合等の原価）	1163
2−3−26（専担者売買有価証券の意義）	1120
2−3−27（短期売買目的で取得したものである旨を表示したものの意義）	1121
2−3−28（金銭の信託に属する有価証券）	1121
2−3−29（市場有価証券の区分及び時価評価金額）	1171
2−3−30（取引所売買有価証券の気配相場）	1172
2−3−31（公表する価格の意義）	1172
2−3−32（合理的な方法による価額の計算）	1172
2−3−33（第三者から入手した価格）	1173
2−3−34（売買目的有価証券の時価評価金額に関する書類の保存）	1173
2−3−44（デリバティブ取引の手仕舞約定等に係る損益の計上）	256

2－3－60（繰延ヘッジ処理を適用している場合等における負債の利子の額の計算）……1438, 1445, 1446, 1450
2－4－2（売買があったものとされたリース取引）……262
2－4－3（延払損益の計算の基礎となる手数料の範囲）……263
2－4－5（延払基準の計算単位）……264
2－4－6（時価以上の価額で資産を下取りした場合の対価の額）……262
2－4－7（支払期日前に受領した手形）……264
2－4－8（賦払金の支払遅延等により販売した資産を取り戻した場合の処理）……262
2－4－9（契約の変更があった場合の取扱い）……263, 265
2－4－10（対価の額又は原価の額に異動があった場合の調整）……263, 266
2－4－11（通算制度の開始等に伴う繰延長期割賦損益額の判定）……268
2－4－12（工事の請負の範囲）……278, 281
2－4－13（契約の意義）……278
2－4－14（長期大規模工事に該当するかどうかの判定単位）……279
2－4－15（工事の目的物について個々に引渡しが可能な場合の取扱い）……279
2－4－16（長期大規模工事に該当しないこととなった場合の取扱い）……280
2－4－17（長期大規模工事の着手の日等の判定）……280, 282
2－4－18（契約において手形で請負の対価の額が支払われることになっている場合の取扱い）……279
2－4－18の2（進捗度に寄与しない原価等がある場合の工事進行基準の適用）……282
2－4－19（損失が見込まれる場合の工事進行基準の適用）……281
2－4－20（外貨建工事に係る契約の時における為替相場）……279
2－4－21（外貨建工事の請負の対価の額が増額又は減額された場合の取扱い）……279
2－4－22（外貨建工事の工事進行基準の計算）……283
2－5－1（仕入割戻しの計上時期）……240
2－5－2（一定期間支払を受けない仕入割戻しの計上時期）……240
2－5－3（法人が計上しなかった仕入割戻しの処理）……240
2－6－1（決算締切日）……230, 237
2－6－2（法人の設立期間中の損益の帰属）……230, 237
2－6－3（質屋営業の利息及び流質物）……246
3－1－1（名義株等の配当）……306
3－1－2（名義書換え失念株の配当）……306
3－1－3（支払利子等の額の範囲）……307
3－1－3の2（利子税の額又は延滞金の額）……307
3－1－3の3（割賦購入資産等の取得価額に算入しない利息相当額）……307
3－1－3の4（売上割引料の額）……307
3－1－3の5（輸入決済手形借入金利息の額）……307
3－1－3の6（原価に算入した負債の利子の額）……307
3－1－3の7（通算法人に係る償還差損の額の計算）……303
3－1－4（新株予約権付社債に係る新株予約権を行使した場合の短期保有株式の判定）……312
3－1－6（信用取引に係る配当落調整額）……309
3－1－7（配当等の額に係る配当等がその効力を生ずる日）……305, 312
3－1－7の2（関連法人株式等の判定）……305
3－1－7の3（計算期間の初日から末日まで有していない株式等に係る関連法人株式等の判定）……305
3－1－7の4（配当等の額の支払に係る基準日が2以上ある場合の関連法人株式等の判定）……305
3－1－7の5（金銭以外の資産による配当等の額）……308
3－1－8（自己株式等の取得が予定されている株式等）……313
3－1－9（完全子法人株式等に係る配当等の額）……304
3－3－1（外国子会社の要件のうち「その状態が継続していること」の意義）……319
3－3－2（一の事業年度に2以上の剰余金の配当等を同一の外国法人から受ける場合の外国子会社の判定）……320
3－3－3（租税条約の適用がある場合の外国子会社の判定）……320
3－3－4（自己株式等の取得が予定されている株式等）……321
3－3－5（剰余金の配当等の額に係る費用の額の計算）……321
3－3－6（外国源泉税等の額を課されたことを証する書類）……322
4－1－1（取得価額の修正等と評価益の計上との関係）……618
4－1－2（時価を超える評価益の益金不算入）……618
4－1－3（時価）……621
4－1－4（市場有価証券等の価額）……621
4－1－5（市場有価証券等以外の株式の価額）……621
4－1－6（市場有価証券等以外の株式の価額の特例）……622
4－1－7（企業支配株式等の時価）……622
4－1－8（減価償却資産の時価）……622
4－1－9（その他これに類する減価償却資産）……622, 634
4－2－1（広告宣伝用資産等の受贈益）……257
4－2－2（広告宣伝用資産の取得に充てるため金銭の交付を受けた場合の準用）……257
4－2－3（未払給与を支払わないこととした場合の特例）……257
4－2－4（寄附金の額に対応する受贈益）……323
4－2－5（益金不算入とされない受贈益の額）……323
4－2－6（受贈益の額に該当する経済的利益の供与）……323
5－1－1（購入した棚卸資産の取得価額）……335
5－1－1の2（棚卸資産の取得価額に算入しないことができる費用）……335
5－1－2（取得後の事業年度において購入代価が確定した場合の調整）……336
5－1－3（製造等に係る棚卸資産の取得価額）……336
5－1－4（製造原価に算入しないことができる費用）……336
5－1－5（製造間接費の製造原価への配賦）……337
5－1－6（法令に基づき交付を受ける給付金等の額の製造原価からの控除）……337
5－1－7（副産物、作業くず又は仕損じ品の評価）……337
5－2－1（個別法を選定することができる棚卸資産）……331
5－2－3（月別総平均法等）……330
5－2－3の2（6か月ごと総平均法等）……330, 1695
5－2－4（半製品又は仕掛品についての売価還元法）……330
5－2－5（売価還元法の適用区分）……330
5－2－6（売価還元法により評価額を計算する場合の期中に販売した棚卸資産の対価の総額の計算）……330
5－2－7（売価還元法により評価額を計算する場合の通常の販売価額の総額の計算）……330
5－2－8（原価の率が100％を超える場合の売価還元法の適用）……330

項番	ページ
5－2－8の2（未着品の評価）	330
5－2－9（低価法における低価の事実の判定の単位）	330
5－2－10（原価差額の調整を一括して行っている場合の低価の事実の判定）	330
5－2－11（時価）	331
5－2－12（評価方法の選定単位の細分）	332
5－2－13（評価方法の変更申請があった場合の「相当期間」）	334
5－2－14（評価方法の変更に関する届出書の提出）	334, 381, 1157, 1192
5－3－1（原価差額の調整）	338
5－3－2（原価差額の範囲）	339
5－3－2の2（原価差額の調整期間）	339, 1695
5－3－3（原価差額の調整を要しない場合）	339
5－3－4（原価差額の調整を工場ごとに行っている場合の調整の省略）	339
5－3－5（原価差額の簡便調整方法）	339
5－3－5の2（原価差額の簡便調整方法の特例）	339, 1696
5－3－6（内部振替差額の調整）	339
5－3－7（原価差額を一括調整した場合の翌期の処理）	340
5－3－8（原材料受入差額の処理の簡便計算方式）	340
5－3－9（申告調整できる貸方原価差額）	340
5－4－1（棚卸しの手続）	328
7－1－1（美術品等についての減価償却資産の判定）	342
7－1－2（貴金属の素材の価額が大部分を占める固定資産）	343
7－1－3（稼動休止資産）	343
7－1－4（建設中の資産）	343
7－1－4の2（常備する専用部品の償却）	343
7－1－4の3（工業所有権の実施権等）	343
7－1－5（織機の登録権利等）	343
7－1－6（無形減価償却資産の事業の用に供した時期）	344
7－1－7（温泉利用権）	344
7－1－8（公共下水道施設の使用のための負担金）	344
7－1－8の2（研究開発のためのソフトウエア）	344, 420
7－1－9（電気通信施設利用権の範囲）	344
7－1－10（社歌、コマーシャルソング等）	344
7－1－11（少額の減価償却資産の取得価額の判定）	345, 347
7－1－11の2（一時的に貸付けの用に供した減価償却資産）	345, 347
7－1－11の3（主要な事業として行われる貸付けの例示）	345, 347
7－1－12（使用可能期間が1年未満の減価償却資産の範囲）	346
7－1－13（一括償却資産につき滅失等があった場合の取扱い）	348
7－2－1（部分的に用途を異にする建物の償却）	377
7－2－1の2（旧定率法を採用している建物、建物附属設備及び構築物にした資本的支出に係る償却方法）	357
7－2－2（特別な償却の方法の選定単位）	368
7－2－3（特別な償却の方法の承認）	368
7－2－4（償却方法の変更申請があった場合の「相当期間」）	380
7－3－1（高価買入資産の取得価額）	383
7－3－1の2（借入金の利子）	383
7－3－2（割賦購入資産等の取得価額に算入しないことができる利息相当部分）	383
7－3－3（固定資産の取得に関連して支出する地方公共団体に対する寄附等）	383
7－3－3の2（固定資産の取得価額に算入しないことができる費用の例示）	383
7－3－4（土地についてした防壁、石垣積み等の費用）	383
7－3－5（土地、建物等の取得に際して支払う立退料等）	383
7－3－6（土地とともに取得した建物等の取壊し費等）	384
7－3－7（事後的に支出する費用）	384
7－3－8（借地権の取得価額）	384
7－3－9（治山工事等の費用）	384
7－3－10（公有水面を埋め立てて造成した土地の取得価額）	384
7－3－11（残し等により埋め立てた土地の取得価額）	384
7－3－11の2（宅地開発等に際して支出する開発負担金等）	385, 607
7－3－11の3（土地の取得に当たり支出する負担金等）	385, 607
7－3－11の4（埋蔵文化財の発掘費用）	385
7－3－11の5（私道を地方公共団体に寄附した場合）	385
7－3－12（集中生産を行う等のための機械装置の移設費）	395
7－3－13（山林立木の取得価額）	385
7－3－15（出願権を取得するための費用）	385
7－3－15の2（自己の製作に係るソフトウエアの取得価額等）	385
7－3－15の3（ソフトウエアの取得価額に算入しないことができる費用）	386
7－3－15の4（資本的支出の取得価額の特例の適用関係）	391
7－3－15の5（3以上の追加償却資産がある場合の新規取得とされる減価償却資産）	391
7－3－16（電話加入権の取得価額）	386
7－3－16の2（減価償却資産以外の固定資産の取得価額）	391
7－3－17（固定資産の原価差額の調整）	340, 387
7－3－17の2（固定資産について値引き等があった場合）	387
7－3－17の3（被災者用仮設住宅の設置費用）	387
7－3－18（耐用年数短縮の承認事由の判定）	427
7－3－19（耐用年数の短縮の対象となる資産の単位）	427
7－3－20（機械及び装置以外の減価償却資産の使用可能期間の算定）	427
7－3－20の2（機械及び装置以外の減価償却資産の未経過使用可能期間の算定）	427
7－3－21（機械及び装置の使用可能期間の算定）	428
7－3－21の2（機械及び装置の未経過使用可能期間の算定）	428
7－3－22（耐用年数短縮の承認があった後に取得した資産の耐用年数）	428
7－3－23（耐用年数短縮の承認を受けている資産に資本的支出をした場合）	428
7－3－24（耐用年数短縮が届出により認められる資産の更新に含まれる資産の取得等）	428
7－4－1（改定耐用年数が100年を超える場合の旧定率法の償却限度額）	430
7－4－2（転用資産の償却限度額）	433
7－4－2の2（転用した追加償却資産に係る償却限度額	

等)……………………………………………391, 433	7－6の2－16（減価償却に関する明細書）……443
7－4－3（定額法を定率法に変更した場合等の償却限度額の計算）………………………………433	7－7－1（取り壊した建物等の帳簿価額の損金算入）……444
7－4－4（定率法を定額法に変更した場合等の償却限度額の計算）………………………………433	7－7－2（有姿除却）……………………………444
	7－7－2の2（ソフトウエアの除却）……………444
7－4－4の2（旧定率法を旧定額法に変更した後に資本的支出をした場合等）…………………433	7－7－3（総合償却資産の除却価額）……………445
	7－7－4（償却額の配賦がされていない場合の除却価額の計算の特例）………………………445
7－4－5（増加償却の適用単位）…………………438	
7－4－6（中間期間で増加償却を行った場合）……440, 1696	7－7－5（償却額の配賦がされている場合の除却価額の計算の特例）………………………445
7－4－7（貸与を受けている機械及び装置がある場合の増加償却）……………………………439	7－7－6（個別償却資産の除却価額）……………445
	7－7－7（取得価額等が明らかでない少額の減価償却資産等の除却価額）……………………446
7－4－8（償却累積額による償却限度額の特例の適用を受ける資産に資本的支出をした場合）…441	
	7－7－8（除却数量が明らかでない貸与資産の除却価額）………………………………………446
7－4－9（適格合併等により引継ぎを受けた減価償却資産の償却）……………………………442	
	7－7－9（個別管理が困難な少額資産の除却処理等の簡便計算）………………………………446
7－4－10（堅固な建物等の改良後の減価償却）…443	
7－5－1（償却費として損金経理をした金額の意義）…353	7－7－10（追加償却資産に係る除却価額）………446
7－5－2（申告調整による償却費の損金算入）…353	7－8－1（資本的支出の例示）……………………392
7－6－1（土石採取業の採石用坑道）………358, 363	7－8－2（修繕費に含まれる費用）………………392
7－6－1の2（採掘権の取得価額）………………386	7－8－3（少額又は周期の短い費用の損金算入）…392
7－6－2（鉱業用土地の償却）………………358, 363	7－8－4（形式基準による修繕費の判定）………393
7－6－3（土石採取用土地等の償却）………358, 364	7－8－5（資本的支出と修繕費の区分の特例）…393
7－6－4（鉱業用減価償却資産の償却限度額の計算単位）…………………………………434	7－8－6（災害の場合の資本的支出と修繕費の区分の特例）………………………………394
7－6－5（生産高比例法を定額法に変更した場合等の償却限度額の計算）………………434	7－8－6の2（ソフトウエアに係る資本的支出と修繕費）…………………………………394
7－6－6（生産高比例法を定率法に変更した場合等の償却限度額の計算）………………434	7－8－7（機能復旧補償金による固定資産の取得又は改良）………………………………394
7－6－7（定額法又は定率法を生産高比例法に変更した場合等の償却限度額の計算）………434	7－8－8（地盤沈下による防潮堤、防波堤等の積上げ費）……………………………………396
7－6－8（取替法における取替え）………………369	7－8－9（耐用年数を経過した資産についてした修理、改良等）…………………………394
7－6－9（残存価額となった取替資産）…………369	
7－6－10（撤去資産に付ける帳簿価額）…………370	7－8－10（損壊した賃借資産等に係る補修費）…397
7－6－11（償却限度額の計算）……………………372	7－9－1（劣化資産の意義）………………………446
7－6－12（成熟の年齢又は樹齢）…………………415	7－9－2（棚卸資産とする劣化資産）……………447
7－6－13（転用後の償却限度額の計算）……423, 435	7－9－3（劣化等により全量を一時に取り替える劣化資産）…………………………………447
7－6の2－1（所有権移転外リース取引に該当しないリース取引に準ずるものの意義）……364	7－9－4（全量を一時に取り替えないで随時補充する劣化資産）……………………………447
7－6の2－2（著しく有利な価額）………………364	
7－6の2－3（専属使用のリース資産）…………364	7－9－5（少額の劣化資産の損金算入）…………447
7－6の2－4（専用機械装置等に該当しないもの）…364	8－1－1（定款記載を欠く設立費用）……………605
7－6の2－5（形式基準による専用機械装置等の判定）………………………………………365	8－1－2（資源の開発のために特別に支出する費用）…605
	8－1－3（公共的施設の設置又は改良のために支出する費用）……………………………606
7－6の2－6（識別困難なリース資産）…………365	
7－6の2－7（相当短いものの意義）……………365	8－1－4（共同的施設の設置又は改良のために支出する費用）………………………606, 685
7－6の2－8（税負担を著しく軽減することになると認められないもの）…………………365	
	8－1－5（資産を賃借するための権利金等）……606
7－6の2－9（賃借人におけるリース資産の取得価額）………………………………………386	8－1－6（ノウハウの頭金等）……………………606
	8－1－8（広告宣伝の用に供する資産を贈与したことにより生ずる費用）…………………606
7－6の2－10（リース期間終了の時に賃借人がリース資産を購入した場合の取得価額等）…387, 435	
	8－1－9（スキー場のゲレンデ整備費用）…387, 607
7－6の2－11（リース期間の終了に伴い返還を受けた資産の取得価額）………………………387	8－1－10（出版権の設定の対価）…………………607
	8－1－11（同業者団体等の加入金）………………607
7－6の2－12（リース期間の終了に伴い取得した資産の耐用年数の見積り等）………………423	8－1－12（職業運動選手等の契約金等）…………607
	8－1－13（簡易な施設の負担金の損金算入）……608
7－6の2－13（賃貸借期間等に含まれる再リース期間）…………………………358, 364, 371	8－1－14（移転資産等と密接な関連を有する繰延資産）…………………………………612
7－6の2－14（国外リース資産に係る見積残存価額）…358	8－1－15（双方に関連を有する繰延資産の引継ぎ）……612
7－6の2－15（国外リース資産に係る転貸リースの意義）……………………………………358	8－2－1（効果の及ぶ期間の測定）………………614
	8－2－2（繰延資産の償却期間の改訂）…………614

項目	ページ
8－2－3（繰延資産の償却期間）	614
8－2－4（港湾しゅんせつ負担金等の償却期間の特例）	615
8－2－5（公共下水道に係る受益者負担金の償却期間の特例）	616
8－3－1（固定資産を公共的施設として提供した場合の計算）	608
8－3－2（償却費として損金経理をした金額）	609
8－3－3（分割払の繰延資産）	616
8－3－4（長期分割払の負担金の損金算入）	616
8－3－5（固定資産を利用するための繰延資産の償却の開始の時期）	616
8－3－6（繰延資産の支出の対象となった資産が滅失した場合等の未償却残額の損金算入）	609
8－3－7（繰延資産の償却額の計算単位）	609
8－3－8（支出する費用の額が20万円未満であるかどうかの判定）	608
9－1－1（評価損の判定の単位）	625
9－1－2（評価損否認金等のある資産について評価損を計上した場合の処理）	625
9－1－3（時　価）	625, 634
9－1－3の2（評価換えの対象となる資産の範囲）	625
9－1－3の3（資産について評価損の計上ができる「法的整理の事実」の例示）	625
9－1－4（棚卸資産の著しい陳腐化の例示）	625
9－1－5（棚卸資産について評価損の計上ができる「準ずる特別の事実」の例示）	626
9－1－6（棚卸資産について評価損の計上ができない場合）	626
9－1－6の2（補修用部品在庫調整勘定の設定）	626
9－1－6の3（補修用部品在庫調整勘定の金額の益金算入）	627
9－1－6の4（補修用部品在庫調整勘定の明細書の添付）	627
9－1－6の5（適格分割等に係る期中補修用部品在庫調整勘定の設定等）	627
9－1－6の6（適格組織再編成に係る補修用部品在庫調整勘定等の引継ぎ）	627
9－1－6の7（適格組織再編成により引継ぎを受けた補修用部品在庫調整勘定等の益金算入）	627
9－1－6の8（単行本在庫調整勘定の設定）	627
9－1－6の9（単行本在庫調整勘定の金額の益金算入）	628
9－1－6の10（単行本在庫調整勘定の明細書の添付）	628
9－1－6の11（適格組織再編成に係る単行本在庫調整勘定の設定等）	628
9－1－7（市場有価証券等の著しい価額の低下の判定）	629
9－1－8（市場有価証券等の価額）	628
9－1－9（市場有価証券等以外の有価証券の発行法人の資産状態の判定）	630
9－1－10（外国有価証券の発行法人の資産状態の判定）	630
9－1－11（市場有価証券等以外の有価証券の著しい価額の低下の判定）	630
9－1－12（増資払込み後における株式の評価損）	630
9－1－12の2（帳簿価額が減額された場合における評価換えの直前の帳簿価額の意義）	630
9－1－13（市場有価証券等以外の株式の価額）	629
9－1－14（市場有価証券等以外の株式の価額の特例）	629
9－1－15（企業支配株式等の時価）	629
9－1－15の2（資産評定に係る有価証券の価額）	634
9－1－16（固定資産について評価損の計上ができる「準ずる特別の事実」の例示）	631
9－1－17（固定資産について評価損の計上ができない場合の例示）	631
9－1－18（土地の賃貸をした場合の評価損）	631, 1216
9－1－19（減価償却資産の時価）	631, 634
9－2－1（役員の範囲）	75
9－2－2（法人である役員）	75, 76
9－2－3（代表権を有しない取締役）	656
9－2－4（職制上の地位を有する役員の意義）	656
9－2－5（使用人としての職制上の地位）	656
9－2－6（機構上職制の定められていない法人の特例）	656
9－2－7（使用人兼務役員とされない同族会社の役員）	656
9－2－8（同順位の株主グループ）	656
9－2－9（債務の免除による利益その他の経済的な利益）	659
9－2－10（給与としない経済的な利益）	660
9－2－11（継続的に供与される経済的利益の意義）	639
9－2－12（定期同額給与の意義）	639
9－2－12の2（特別の事情があると認められる場合）	639
9－2－12の3（職制上の地位の変更等）	639
9－2－13（経営の状況の著しい悪化に類する理由）	639
9－2－14（事前確定届出給与の意義）	641
9－2－15の2（過去の役務提供に係るもの）	641
9－2－15の3（確定した額に相当する適格株式等の交付）	642
9－2－15の4（事前確定届出給与の要件）	641
9－2－15の5（業績指標その他の条件により全てが支給されない給与）	648
9－2－16（職務の執行の開始の日）	641
9－2－16の2（業績指標に応じて無償で取得する株式の数が変動する給与）	648
9－2－17（業務執行役員の意義）	648
9－2－17の2（利益の状況を示す指標等の意義）	648
9－2－17の3（有価証券報告書に記載されるべき金額等から算定される指標の範囲）	649
9－2－17の4（利益の状況を示す指標等に含まれるもの）	649
9－2－17の5（職務を執行する期間の開始の日）	649
9－2－18（確定した額等を限度としている算定方法の意義）	649
9－2－19（算定方法の内容の開示）	649
9－2－19の2（一に満たない端数の適格株式等の価額に相当する金銭等を交付する場合の算定方法の内容の開示）	649
9－2－20（業績連動指標の数値が確定した日）	650
9－2－20の2（引当金勘定に繰り入れた場合の損金算入額）	650
9－2－21（役員に対して支給した給与の額の範囲）	652
9－2－22（使用人としての職務に対するものを含めないで役員給与の限度額等を定めている法人）	652
9－2－23（使用人分の給与の適正額）	652
9－2－24（使用人兼務役員に対する経済的な利益）	654
9－2－25（海外在勤役員に対する滞在手当等）	654
9－2－26（他の使用人に対する賞与の支給時期に支給したものの意義）	654

項目	頁
9-2-27（使用人が役員となった直後に支給される賞与等）	653
9-2-27の2（退職給与に該当しない役員給与）	653
9-2-27の3（業績連動給与に該当しない退職給与）	653
9-2-28（役員に対する退職給与の損金算入の時期）	653
9-2-29（退職年金の損金算入の時期）	653
9-2-30（使用人兼務役員に支給した退職給与）	653
9-2-31（厚生年金基金からの給付等がある場合）	653
9-2-32（役員の分掌変更等の場合の退職給与）	654
9-2-33（被合併法人の役員に対する退職給与の損金算入）	654
9-2-34（合併法人の役員となった被合併法人の役員等に対する退職給与）	654
9-2-35（退職給与の打切支給）	658
9-2-36（使用人が役員となった場合の退職給与）	658
9-2-37（役員が使用人兼務役員に該当しなくなった場合の退職給与）	654
9-2-38（使用人から役員となった者に対する退職給与の特例）	659
9-2-39（個人事業当時の在職期間に対応する退職給与の損金算入）	659
9-2-40（生計の支援を受けているもの）	657
9-2-41（生計を一にすること）	657
9-2-42（厚生年金基金からの給付等がある場合の不相当に高額な部分の判定）	657
9-2-43（支給額の通知）	658
9-2-44（同時期に支給を受けるすべての使用人）	658
9-2-45（出向先法人が支出する給与負担金）	660
9-2-46（出向先法人が支出する給与負担金に係る役員給与の取扱い）	660
9-2-47（出向者に対する給与の較差補塡）	660
9-2-48（出向先法人が支出する退職給与の負担金）	660
9-2-49（出向者が出向元法人を退職した場合の退職給与の負担金）	661
9-2-50（出向先法人が出向者の退職給与を負担しない場合）	661
9-2-51（出向者に係る適格退職年金契約の掛金等）	661
9-2-52（転籍者に対する退職給与）	661, 685
9-3-1（退職金共済掛金等の損金算入の時期）	1198
9-3-2（社会保険料の損金算入の時期）	710, 1198
9-3-3（労働保険料の損金算入の時期等）	710
9-3-4（養老保険に係る保険料）	711
9-3-5（定期保険及び第三分野保険に係る保険料）	712
9-3-5の2（定期保険等の保険料に相当多額の前払部分の保険料が含まれる場合の取扱い）	712
9-3-6（定期付養老保険等に係る保険料）	713
9-3-6の2（特約に係る保険料）	722
9-3-7（保険契約の転換をした場合）	722
9-3-7の2（払済保険へ変更した場合）	722
9-3-8（契約者配当）	259, 723, 1204
9-3-9（長期の損害保険契約に係る支払保険料）	723
9-3-10（賃借建物等を保険に付した場合の支払保険料）	723
9-3-11（役員又は使用人の建物等を保険に付した場合の支払保険料）	724
9-3-12（保険事故の発生による積立保険料の処理）	724
9-4-1（子会社等を整理する場合の損失負担等）	686
9-4-2（子会社等を再建する場合の無利息貸付け等）	686
9-4-2の2（個人の負担すべき寄附金）	686
9-4-2の3（仮払経理した寄附金）	672
9-4-2の4（手形で支払った寄附金）	687
9-4-2の5（完全支配関係がある他の内国法人に対する寄附金）	672
9-4-2の6（受贈益の額に対応する寄附金）	672
9-4-3（国等に対する寄附金）	673
9-4-4（最終的に国等に帰属しない寄附金）	673
9-4-5（公共企業体等に対する寄附金）	673
9-4-6（災害救助法の規定の適用を受ける地域の被災者のための義援金）	673
9-4-6の2（災害の場合の取引先に対する売掛債権の免除等）	686
9-4-6の3（災害の場合の取引先に対する低利又は無利息による融資）	686
9-4-6の4（自社製品等の被災者に対する提供）	686
9-4-6の5（優先出資を発行する協同組織金融機関の資本金の額及び資本準備金の額）	686
9-4-7（特定公益増進法人の主たる目的である業務に関連する寄附金であるかどうかの判定）	682
9-4-7の2（出資に関する業務に充てられることが明らかな寄附金）	682
9-4-8（資産を帳簿価額により寄附した場合の処理）	684
9-5-1（租税の損金算入の時期）	666
9-5-2（事業税及び特別法人事業税の損金算入の時期の特例）	667
9-5-3（強制徴収等に係る源泉所得税）	663
9-5-4（道府県民税等の減免に代えて交付を受けた補助金等）	663
9-5-5（内国法人に帰せられるものとして計算される金額を課税標準として当該内国法人に対して課せられる外国法人税）	665
9-5-6（第二次納税義務により納付し又は納入した金額の返還を受けた場合の益金不算入）	664
9-5-7（賦課金、納付金等の損金算入の時期）	668
9-5-8（災害その他やむを得ない事情の範囲）	1045
9-5-9（帳簿書類その他の物件の意義）	1045
9-5-10（取引が行われたことが推測される場合）	1045
9-5-11（相手方に対する調査その他の方法）	1045
9-5-12（役員等に対する罰科金等）	1046
9-5-13（外国等が課する罰金又は科料に相当するもの）	1047
9-5-14（外国等が納付を命ずる課徴金及び延滞金に類するもの）	1047
9-6-1（貸金等の全部又は一部の切捨てをした場合の貸倒れ）	707
9-6-2（回収不能の金銭債権の貸倒れ）	707
9-6-3（一定期間取引停止後弁済がない場合等の貸倒れ）	707
9-6-4（返品債権特別勘定の設定）	708
9-6-5（返品債権特別勘定の繰入限度額）	708
9-6-6（返品債権特別勘定の金額の益金算入）	708
9-6-7（明細書の添付）	708
9-6-8（適格組織再編成に係る返品債権特別勘定の設定等）	709
9-6の2-1（負担金の使用期間）	1205
9-6の2-2（特定の損失又は費用を補塡するための業務の範囲）	1205
9-6の2-3（負担金の損金算入時期）	1205
9-7-1（抽選券付販売に要する景品等の費用）	726

項目	頁
9－7－2（金品引換券付販売に要する費用）	726
9－7－3（金品引換費用の未払金の計上）	726
9－7－4（金品引換費用の未払金の益金算入）	726
9－7－5（明細書の添付）	726
9－7－6（海外渡航費）	726
9－7－7（業務の遂行上必要な海外渡航の判定）	727
9－7－8（同伴者の旅費）	727
9－7－9（業務の遂行上必要と認められる旅行と認められない旅行とを併せて行った場合の旅費）	727
9－7－10（業務の遂行上必要と認められない海外渡航の旅費の特例）	727
9－7－11（ゴルフクラブの入会金）	727
9－7－12（資産に計上した入会金の処理）	728
9－7－13（年会費その他の費用）	705, 728
9－7－13の2（レジャークラブの入会金）	608, 705, 728
9－7－14（社交団体の入会金）	705, 728
9－7－15（社交団体の会費等）	705, 728
9－7－15の2（ロータリークラブ及びライオンズクラブの入会金等）	705, 729
9－7－15の3（同業団体等の会費）	729
9－7－15の4（災害見舞金に充てるために同業団体等へ拠出する分担金等）	729
9－7－16（法人が支出した役員等の損害賠償金）	729
9－7－17（損害賠償金に係る債権の処理）	730
9－7－18（自動車による人身事故に係る内払の損害賠償金）	730
9－7－19（社葬費用）	730
9－7－20（費途不明の交際費等）	702, 706, 730
10－1－1（特別勘定の経理）	734, 749, 795, 852, 881
10－1－2（資産につき除却等があった場合の引当金等の取崩し）	444, 732, 740, 742, 745, 777, 802, 839, 844, 851, 866, 898
10－1－3（積立金の任意取崩しの場合の償却超過額等の処理）	356, 624, 732, 740, 743, 745, 778, 803, 840, 844, 851, 866, 898
10－1－4（圧縮記帳の適用を受けた固定資産の移転を受けた場合の取得価額）	737, 741, 754, 759, 814, 841, 845, 855, 890
10－2－1（返還が確定しているかどうかの判定）	732
10－2－1の2（資本的支出がある場合の圧縮限度額）	736
10－2－3（地方公共団体から土地等を時価に比して著しく低い価額で取得した場合の圧縮記帳）	733
10－2－4（地方税の減免に代えて交付を受けた補助金等）	732
10－2－5（山林の取得等に充てるために交付を受けた国庫補助金等）	732
10－3－1（受益者の範囲）	739
10－3－3（工事負担金を受けた事業年度において固定資産が取得できない場合の仮受経理等）	740
10－4－1（2以上の事業年度にわたり納付金が納付される場合の圧縮記帳）	742
10－4－2（納付金の納付があった事業年度において固定資産の取得等をすることができない場合の仮受経理等）	742
10－5－1（保険金等の範囲）	745
10－5－1の2（立竹木の保険金等に係る圧縮記帳）	746
10－5－2（圧縮記帳をする場合の滅失損の計上時期）	744
10－5－3（同一種類かどうかの判定）	744
10－5－4（代替資産の範囲）	744
10－5－5（滅失等により支出した経費の範囲）	747
10－5－6（2以上の種類の資産の滅失等により支出した共通経費）	747
10－5－7（所有固定資産の滅失等により支出した経費の見積り）	747
10－6－1（遊休資産の交換）	755
10－6－1の2（建設中の期間）	755
10－6－2（交換の対象となる土地の範囲）	756
10－6－2の2（交換の対象となる耕作権の範囲）	756
10－6－3（交換の対象となる建物附属設備等）	756
10－6－3の2（借地権の交換等）	756
10－6－4（2以上の種類の資産を交換した場合の交換差金等）	756
10－6－5（資産の一部を交換とし他の部分を譲渡とした場合の交換の特例の適用）	756
10－6－5の2（交換資産の時価）	756
10－6－6（譲渡資産の譲渡直前の用途）	757
10－6－7（取得資産を譲渡資産の譲渡直前の用途と同一の用途に供したかどうかの判定）	757
10－6－8（取得資産を譲渡資産の譲渡直前の用途と同一の用途に供する時期）	757
10－6－9（譲渡資産の譲渡に要した経費）	758
10－6－10（交換により取得した資産の圧縮記帳の経理の特例）	757
11－1－1（貸倒引当金等の差額繰入れ等の特例）	992, 1004, 1017, 1027
11－2－1（取立不能見込額として表示した貸倒引当金）	978
11－2－1の2（個別評価金銭債権に係る貸倒引当金と一括評価金銭債権に係る貸倒引当金との関係）	978, 985
11－2－1の3（リース資産の対価の額に係る金銭債権の範囲）	976
11－2－2（貸倒損失の計上と個別評価金銭債権に係る貸倒引当金の繰入れ）	978
11－2－3（貸倒れに類する事由）	979
11－2－4（裏書譲渡をした受取手形）	979
11－2－5（担保権の実行により取立て等の見込みがあると認められる部分の金額）	979
11－2－6（相当期間の意義）	979
11－2－7（人的保証に係る回収可能額の算定）	979
11－2－8（担保物の処分以外に回収が見込まれない場合等の個別評価金銭債権に係る貸倒引当金の繰入れ）	979
11－2－9（実質的に債権とみられない部分）	980
11－2－10（第三者の振り出した手形）	980
11－2－11（手形交換所等の取引停止処分）	980
11－2－12（国外にある債務者）	980
11－2－13（中央銀行の意義）	981
11－2－14（繰入れ対象となる公的債務者に対する個別評価金銭債権）	981
11－2－15（取立ての見込みがあると認められる部分の金額）	981
11－2－16（売掛金、貸付金に準ずる債権）	985
11－2－17（裏書譲渡をした受取手形）	985
11－2－18（売掛債権等に該当しない債権）	985
11－2－20（リース取引に係る売掛債権等）	986
11－2－21（返品債権特別勘定を設けている場合の売掛債権等の額）	986
11－2－22（貸倒損失の範囲――返品債権特別勘定の繰入額等）	986

平30改正前の11－3－1（既製服の製造業の範囲）………… 993
平30改正前の11－3－1の2（磁気音声再生機用レコードの製造業の意義）………… 993
平30改正前の11－3－1の3（特約を結んでいる法人の範囲）………… 993
平30改正前の11－3－2（売掛金の範囲）………… 994
平30改正前の11－3－3（割戻しがある場合の棚卸資産の販売の対価の額の合計額等の計算）………… 996
平30改正前の11－3－4（特約に基づく買戻しがある場合の期末前2か月間の棚卸資産の販売の対価の額の合計額）………… 994
平30改正前の11－3－5（買戻しに係る対価の額の計算）………… 996
平30改正前の11－3－6（売買利益率の計算における広告料収入）………… 997
平30改正前の11－3－7（売買利益率の計算の基礎となる販売手数料の範囲）………… 997
平30改正前の11－3－8（返品債権特別勘定を設けている場合の期末売掛金等）………… 994
12－1－1（繰越欠損金の損金算入の順序）………… 1049
12－1－3（共同で事業を行うための合併等の判定）………… 1093, 1106
12－1－4（法人を新設する適格合併に係る被合併法人が3以上ある場合の取扱い）………… 1093
12－1－5（最後に支配関係を有することとなった日）………… 1094, 1106, 1116
12－1－6（事業を移転しない適格分割等）………… 1108
12－1－7（共同事業に係る要件の判定）………… 1116
12－1－8（完全支配関係グループが通算グループに加入する場合のいずれかの主要な事業の意義）………… 1117
12－1－9（新たな事業の開始の意義）………… 1117
12－1－10（新設法人であるかどうかの判定の時期）………… 1054
12－2－1（滅失損等の計上時期）………… 1072
12－2－2（災害損失の対象となる固定資産に準ずる繰延資産の範囲）………… 1071
12－2－3（災害損失の額に含まれる棚卸資産等の譲渡損）………… 1072
12－2－4（災害損失の額に含まれない費用の範囲）………… 1072
12－2－5（災害損失特別勘定を設定した場合の災害損失の範囲）………… 1072
12－2－6（災害損失特別勘定の設定）………… 1072
12－2－7（災害損失特別勘定の繰入限度額）………… 1072
12－2－8（被災資産の修繕費用等の見積りの方法）………… 1073
12－2－9（災害損失特別勘定の損金算入に関する明細書の添付）………… 1073
12－2－10（災害損失特別勘定の益金算入）………… 1073
12－2－11（災害損失特別勘定の益金算入に関する明細書の添付）………… 1074
12－2－12（修繕等が遅れた場合の災害損失特別勘定の益金算入の特例）………… 1074
12－2－13（災害損失特別勘定の益金算入時期の延長確認申請書の書式）………… 1074
12－2－14（繰延資産の基因となった資産について損壊等の被害があった場合）………… 1074
12－2－15（修繕費用等の支出がある場合の災害損失の額の計算）………… 1074
12－3－1（再生手続開始の決定に準ずる事実等）………… 1079
12－3－2（前事業年度以前の事業年度から繰り越された欠損金額の合計額）………… 1076, 1079, 1080
12－3－3（債務の免除を受けた更生債権等の範囲）………… 1076

12－3－4（債務免除等があった場合の債務免除等の金額）………… 1079
12－3－6（債務の免除以外の事由による消滅の意義）………… 1077, 1079
12－3－7（残余財産がないと見込まれるかどうかの判定の時期）………… 1080
12－3－8（残余財産がないと見込まれることの意義）………… 1080
12の2－1－1（被合併法人等から引継ぎ等を受けた帳簿価額の修正）………… 1350
12の2－2－2（共同で事業を行うための適格合併等の判定）………… 1359
12の2－2－3（圧縮記帳を適用している資産に係る帳簿価額又は取得価額）………… 1368
12の2－2－4（資産の評価損の規定の適用がある場合の帳簿価額）………… 1368
12の2－2－5（最後に支配関係を有することとなった日）………… 1360, 1368
12の2－2－6（新たな資産の取得とされる資本的支出がある場合の帳簿価額又は取得価額）………… 1368
12の2－2－7（事業を移転しない適格分割等）………… 1375
12の2－3－1（時価評価資産の判定における資本金等の額）………… 1353
12の4－1－1（譲渡損益調整額の計算における「原価の額」の意義）………… 1330
12の4－2－1（完全支配関係法人間取引の損益の調整を行わない取引）………… 1330
12の4－2－2（譲渡損益調整資産の譲渡に伴い特別勘定を設定した場合の譲渡損益調整額の計算）………… 1330
12の4－3－1（譲渡損益調整額の戻入れ事由）………… 1334
12の4－3－2（契約の解除等があった場合の譲渡損益調整額）………… 1334
12の4－3－3（債権の取得差額に係る調整差損益を計上した場合の譲渡損益調整額の戻入れ計算）………… 1335
12の4－3－4（金銭債権の一部が貸倒れとなった場合の譲渡損益調整額の戻入れ計算）………… 1335
12の4－3－5（土地の一部譲渡に係る譲渡損益調整額の戻入れ計算）………… 1335
12の4－3－6（同一銘柄の有価証券を2回以上譲渡した後の譲渡に伴う譲渡損益調整額の戻入れ計算）………… 1335
12の4－3－8（譲渡損益調整額の戻入れ計算における簡便法の選択適用）………… 1335
12の4－3－9（簡便法を適用した完全支配関係法人を被合併法人とする適格合併をした場合の譲渡損益調整額の戻入れ計算）………… 1336
12の4－3－10（譲渡損益調整資産の耐用年数を短縮した場合の簡便法による戻入れ計算）………… 1336
12の5－1－1（解除をすることができないものに準ずるものの意義）………… 284
12の5－1－2（おおむね$\frac{90}{100}$の判定等）………… 285
12の5－1－3（これらに準ずるものの意義）………… 285
12の5－2－1（金銭の貸借とされるリース取引の判定）………… 285
12の5－2－2（借入金として取り扱う売買代金の額）………… 286
12の5－2－3（貸付金として取り扱う売買代金の額）………… 286
13－1－1（他人に借地権に係る土地を使用させる行為の範囲）………… 1211
13－1－2（使用の対価としての相当の地代）………… 1211
13－1－3（相当の地代に満たない地代を収受している場合の権利金の認定）………… 1211
13－1－4（相当の地代を引き下げた場合の権利金の認定）

………………………………………………… 1212	13の2－2－17（外貨建資産等に係る契約の解除があった場合の調整）………………………… 1195
13－1－5（通常権利金を授受しない土地の使用）……… 1212	13の2－2－18（外貨建資産等の支払の日等につき繰延べ等があった場合の取扱い）……………… 1195
13－1－6（共同ビルの建築の場合）………………… 1212	14－1－1（任意組合等の組合事業から生ずる利益等の帰属）……………………………………………… 259
13－1－7（権利金の認定見合わせ）………………… 1212	
13－1－8（相当の地代の改訂）……………………… 1212	14－1－1の2（任意組合等の組合事業から受ける利益等の帰属の時期）………………………………… 260
13－1－9（建物等の区分所有に係る借地権割合の計算）……………………………………………… 1216	
	14－1－2（任意組合等の組合事業から分配を受ける利益等の額の計算）……………………………… 260
13－1－10（借地権の設定等に伴う保証金等）…… 1216	
13－1－11（複利の方法による現在価値に相当する金額の計算）…………………………………… 1216	14－1－3（匿名組合契約に係る損益）……………… 260
	14－1－4（福利厚生等を目的として組織された従業員団体の損益の帰属）………………………… 260
13－1－12（土地の価額が増加する事由）………… 1217	
13－1－13（更新料等）………………………………… 1217	14－1－5（従業員負担がある場合の従業員団体の損益帰属の特例）………………………………… 261
13－1－14（借地権の無償譲渡等）………………… 1213	
13－1－15（相当の地代で賃借した土地に係る借地権の価額）……………………………………… 1213	14－2－1（事業分量配当の対象となる剰余金）… 1324
	14－2－2（従事分量配当の対象となる剰余金）… 1324
13－1－16（貸地の返還を受けた場合の処理）…… 1217	14－2－3（漁業協同組合等の組合員以外の者に対する剰余金の分配）……………………………… 1324
13の2－1－1（いわゆる外貨建て円払いの取引）… 1181	
13の2－1－2（外貨建取引及び発生時換算法の円換算）……………………………………………… 1181	14－2－3の2（農業協同組合等の組合員の家族等に対する剰余金の分配）………………………… 1324
13の2－1－3（多通貨会計を採用している場合の外貨建取引の換算）………………………………… 1182	14－2－4（漁業生産組合等のうち協同組合等となるものの判定）……………………………… 117, 1324
13の2－1－4（先物外国為替契約等がある場合の収益、費用の換算等）……………………………… 1182	14－2－5（消費生活協同組合剰余金割戻し積立金の損金算入）……………………………………… 1325
13の2－1－5（前渡金等の振替え）………………… 1182	14－2－6（割戻積立金の益金算入）……………… 1325
13の2－1－6（延払基準の適用）…………………… 1182	14－2－7（利用分量割戻しの基準に該当するかどうかの判定）………………………………………… 1325
13の2－1－7（長期割賦販売等に係る債権等につき為替差損益を計上した場合の未実現利益繰延額の修正）………………………………………… 1182	
	14－2－8（領収書等の交付の省略）……………… 1325
13の2－1－8（海外支店等の資産等の換算の特例）… 1183	14－2－9（協同組合等の特別の賦課金）………… 1324
13の2－1－9（為替差損益を計上した場合の資産の取得価額の不修正）………………………………… 1183	14－3－1（更生会社等の事業年度）………………… 122
	14－3－2（更生会社等が新法人の設立に際して営業権を計上した場合の処理）…………………… 1135
13の2－1－10（外貨建てで購入した原材料の受入差額）……………………………………… 340, 1183	
	14－3－3（新法人が負担した租税公課）…………… 663
13の2－1－11（製造業者等が負担する為替損失相当額等）……………………………………………… 1183	14－3－4（解散した法人から受け入れた減価償却資産の耐用年数の見積り等）…………… 423, 551, 562, 567, 580
13の2－2－1（前渡金、未収収益等）……………… 1181	
13の2－2－3（先物外国為替契約等の範囲──選択権付為替予約）…………………………………… 1181	14－3－5（解散した法人の貸倒引当金等の新法人への引継ぎ）…………………………………………… 992
13の2－2－4（発生時換算法──期末時換算による換算差額を資本の部に計上している場合の取扱い）… 1188	14－3－6（債権の弁済に代えて取得した株式若しくは新株予約権又は出資若しくは基金の取得価額）……… 1135
13の2－2－5（期末時換算法──事業年度終了の時における為替相場）……………………………… 1188	14－3－7（非更生債権等の処理）…………………… 708
	15－1－1（公益法人等の本来の事業が収益事業に該当する場合）…………………………………… 1780
13の2－2－6（先物外国為替契約等がある外貨建資産・負債の換算）……………………………… 1186	
	15－1－2（委託契約等による事業）……………… 1780
13の2－2－7（外貨建資産等につき通貨スワップ契約を締結している場合の取扱い）…………… 1186	15－1－3（共済事業）………………………………… 1781
	15－1－4（事業場を設けて行われるもの）……… 1762
13の2－2－8（2以上の先物外国為替契約等を締結している場合の契約締結日の特例）………… 1195	15－1－5（継続して行われるもの）……………… 1762
	15－1－6（付随行為）………………………………… 1761
13の2－2－9（期末時換算法──為替差損益の一括表示）……………………………………… 986, 1186	15－1－7（収益事業の所得の運用）………… 690, 1783
	15－1－8（身体障害者等従事割合の判定）……… 1782
13の2－2－10（為替相場の著しい変動があった場合の外貨建資産等の換算）………………………… 1184	15－1－9（物品販売業の範囲）…………………… 1762
	15－1－10（宗教法人、学校法人等の物品販売）… 1762
13の2－2－11（適正な円換算をしていない場合の処理）……………………………………………… 1186	15－1－12（不動産販売業の範囲）………………… 1763
	15－1－13（特定法人の範囲）……………………… 1763
13の2－2－12（期限徒過の外貨建債権）………… 1190	15－1－14（金銭貸付業の範囲）…………………… 1764
13の2－2－14（届出の効力）……………………… 1191	15－1－15（金銭貸付業に該当しない共済貸付け）… 1764
13の2－2－15（換算方法の変更申請があった場合等の「相当期間」）………………………………… 1192	
	15－1－16（物品貸付業の範囲）…………………… 1764
13の2－2－16（先物外国為替契約等の解約等があった場合の取扱い）………………………………… 1195	15－1－17（不動産貸付業の範囲）………………… 1765
	15－1－18（非課税とされる墳墓地の貸付け）… 1765
	15－1－19（非課税とされる国等に対する不動産の貸付け）

－1887－

項目	頁
…………………………………………………1765	
15－1－20（非課税とされる住宅用地の貸付け） ………1765	
15－1－21（低廉貸付けの判定） ………………………1765	
15－1－22（製造業の範囲） ……………………………1766	
15－1－23（研究試作品等の販売） ……………………1766	
15－1－24（通信業の範囲） ……………………………1766	
15－1－25（運送業の範囲） ……………………………1766	
15－1－26（倉庫業の範囲） ……………………………1766	
15－1－27（請負業の範囲） ……………………………1767	
15－1－28（実費弁償による事務処理の受託等） ……1767	
15－1－29（請負業と他の特掲事業との関係） ………1768	
15－1－30（印刷業の範囲） ……………………………1768	
15－1－31（出版業の範囲） ……………………………1768	
15－1－32（特定の資格） ………………………………1768	
15－1－33（会報に準ずる出版物） ……………………1768	
15－1－34（出版物を主として会員に配付すること）…1769	
15－1－35（会報を専らその会員に配付すること） …1769	
15－1－36（代価に代えて会費を徴収して行う出版物の発行）……………………………………………1769	
15－1－37（写真業の範囲） ……………………………1769	
15－1－38（席貸業の範囲） ……………………………1769	
15－1－38の2（会員に準ずる者） ……………………1770	
15－1－38の3（利用の対価の額が実費の範囲を超えないもの）……………………………………1770	
15－1－39（旅館業の範囲） ……………………………1770	
15－1－40（公益法人等の経営に係る学生寮） ………1770	
15－1－41（学校法人等の経営する寄宿舎） …………1770	
15－1－42（低廉な宿泊施設） …………………………1770	
15－1－43（飲食店業の範囲） …………………………1770	
15－1－44（周旋業の範囲） ……………………………1770	
15－1－45（代理業の範囲） ……………………………1771	
15－1－46（仲立業の範囲） ……………………………1771	
15－1－47（問屋業の範囲） ……………………………1771	
15－1－48（鉱業及び土石採取業の範囲） ……………1771	
15－1－49（浴場業の範囲） ……………………………1771	
15－1－50（理容業の範囲） ……………………………1771	
15－1－51（美容業の範囲） ……………………………1771	
15－1－52（興行業の範囲） ……………………………1772	
15－1－53（慈善興行等） ………………………………1772	
15－1－54（遊技所業の範囲） …………………………1772	
15－1－55（遊覧所業の範囲） …………………………1772	
15－1－56（医療保健業の範囲） ………………………1775	
15－1－57（日本赤十字社等が行う医療保健業） ……1775	
15－1－58（病院における給食事業） …………………1775	
15－1－59（専ら学術の研究を行う公益法人等） ……1776	
15－1－60（診療所の範囲） ……………………………1776	
15－1－61（臨床検査センター） ………………………1776	
15－1－62（地域医師等による利用） …………………1776	
15－1－63（地域医師等による継続診療） ……………1776	
15－1－63の2（オープン病院等の健康保険診療報酬の額に準ずる額）…………………………1776	
15－1－64（非課税とされる福祉病院等の判定） ……1777	
15－1－65（災害等があった場合の特例） ……………1777	
15－1－65の2（福祉病院等の健康保険診療報酬の額に準ずる額）……………………………1777	
15－1－66（技芸教授業の範囲） ………………………1779	
15－1－67（公開模擬学力試験） ………………………1779	
15－1－67の2（授業時間数の判定） …………………1779	
15－1－67の3（大学入試のための学力の教授の範囲）…1779	
15－1－68（駐車場業の範囲） …………………………1779	
15－1－69（低廉保証料の判定） ………………………1780	
15－1－70（労働者派遣業の範囲） ……………………1780	
15－1－71（学校法人等が実習の一環として行う事業）…1781	
15－1－72（神前結婚等の場合の収益事業の判定） …1781	
15－2－1（所得に関する経理） ………………………1783	
15－2－2（固定資産の区分経理） ……………………1783	
15－2－3（収益事業に属するものとして区分された資産等の処理）……………………………………1783	
15－2－4（公益法人等のみなし寄附金） ……………690, 1783	
15－2－5（費用又は損失の区分経理） ………………1783	
15－2－6（収益事業に専属する借入金等の利子） …1784	
15－2－9（低廉譲渡等） ………………………………687, 1784	
15－2－10（収益事業に属する固定資産の処分損益）…1784	
15－2－11（借地権利金等） ……………………………1784	
15－2－12（補助金等の収入） …………………………1784	
15－2－13（公益法人等が収入したゴルフクラブの入会金）……………………………………………1785	
15－2－14（公益法人等の確定申告書の添付書類） …1785	
16－1－1（特別税率を適用されない特定同族会社の範囲）……………………………………………1404	
16－1－2（被支配会社の判定） ………………………1404	
16－1－3（相互に株式を持ち合っている場合の留保金課税）………………………………………………1404	
16－1－5（還付金額が所得等の金額に算入される時期）……………………………………………1410	
16－1－6（期末利益積立金額） ………………………1411	
16－1－7（利益積立金額がマイナスである場合の留保金額の計算）……………………………………1411	
16－1－8（留保金額の端数計算） ……………………1405	
16－2－1（名義書換え失念株の配当に対する所得税の控除）……………………………………………1418	
16－2－2（未収利子又は未収配当等に対する所得税の控除）……………………………………………1418	
16－2－3（支払請求に基づき支払った所得税の控除）…1418	
16－2－5（国外投資信託等の配当等及び国外株式の配当等に係る所得税控除額の所有期間あん分）…1419	
16－2－7（割引債に係る利子の計算期間） …………1420	
16－2－8（証券投資信託の収益の分配の計算期間）…1420	
16－2－10（信用取引等による買付株式がある場合の控除所得税額の簡便計算）………………………1422	
16－2－11（上場株式等の配当等に係る所得税額の控除の取扱い）……………………………………1421	
16－3－1（外国法人税の一部につき控除申告をした場合）……………………………………………1470	
16－3－4（源泉徴収の外国法人税等） ………………1458	
16－3－5（外国税額控除の適用時期） ………………1459	
16－3－6（予定納付をした外国法人税についての税額控除の適用時期）……………………………1459	
16－3－7（国外からの利子、配当等について送金が許可されない場合の外国税額の控除）……………1459	
16－3－9（国外事業所等帰属所得に係る所得の金額の計算）……………………………………………1436	
16－3－9の2（複数の国外事業所得を有する場合の取扱い）……………………………………………1437	
16－3－9の3（国外事業所等帰属所得に係る所得の金額を計算する場合の準用）……1437, 1445, 1446, 1447	
16－3－12（国外事業所等帰属所得に係る所得の金額の計算における共通費用の額の配賦）………1437	
16－3－13（国外事業所等帰属所得に係る所得の金額の計算における負債の利子の額の配賦）……1437	

項目	頁
16－3－14（国外事業所等帰属所得に係る所得の金額の計算における確認による共通費用の額等の配賦方法の選択）	1438
16－3－15（国外事業所等帰属所得に係る所得の金額の計算における引当金の繰入額等）	1438
16－3－16（国外事業所等帰属所得に係る所得の金額の計算における引当金の取崩額等）	1439
16－3－19（国外事業所等帰属所得に係る所得の金額の計算における寄附金、交際費等の損金算入限度額の計算）	1439
16－3－19の2（その他の国外源泉所得に係る所得の金額の計算）	1448
16－3－19の3（その他の国外源泉所得に係る所得の金額の計算における共通費用の額の配賦）	1449
16－3－19の4（その他の国外源泉所得に係る所得の金額の計算における負債の利子の額の配賦）	1449
16－3－19の5（その他の国外源泉所得に係る所得の金額の計算における確認による共通費用の額等の配賦方法の選択）	1450
16－3－19の6（その他の国外源泉所得に係る所得の金額の計算における引当金の繰入額等）	1450
16－3－19の7（その他の国外源泉所得に係る所得の金額の計算における引当金の取崩額等）	1450
16－3－19の7の2（その他の国外源泉所得に係る所得の金額の計算における損金の額に算入されない寄附金、交際費等）	1451
16－3－19の8（国際海上運輸業における運送原価の計算）	1435
16－3－20（欠損金の繰戻しによる還付があった場合の処理）	1489
16－3－21（外国法人税を課さないことの意義）	1470
16－3－22（外国法人税額の高率負担部分の判定）	1460
16－3－23（予定納付等をした場合の高率負担部分の判定）	1460
16－3－24（高率負担部分の判定をする場合の総収入金額の計算における投資簿価修正が行われた通算子法人株式の帳簿価額の取扱い）	1461
16－3－25（高率負担部分の判定をする場合の総収入金額の計算における譲渡損益調整額の取扱い）	1462
16－3－26（外国法人税額に増額等があった場合）	1486
16－3－28（外国法人税の額から控除されるもの）	1462
16－3－29（事業の区分）	1462
16－3－30（所得率等が変動した場合の取扱い）	1463
16－3－31（総収入金額）	1463
16－3－32（引当金勘定の取崩し等による益金の額の収入金額からの除外）	1463
16－3－33（資産の売却による収入金額）	1463
16－3－34（棚卸資産の販売による収入金額）	1462
16－3－35（棚卸資産の販売以外の事業に係る収入金額）	1462
16－3－36（内国法人に帰せられるものとして計算される金額を課税標準として当該内国法人に対して課される外国法人税の額）	1467
16－3－36の2（外国子会社から受ける剰余金の配当等の額に係る外国法人税の額の計算）	1467
16－3－37（国外事業所等帰属所得を認識する場合の準用）	1434
16－3－38（振替公社債等の運用又は保有）	1434
16－3－39（機械設備の販売等に付随して行う技術役務の提供）	1434
16－3－40（船舶又は航空機の貸付け）	1434
16－3－41（振替公社債等の利子）	1434
16－3－42（貸付金に準ずるもの）	1434
16－3－43（工業所有権等の意義）	1434
16－3－44（使用料の意義）	1435
16－3－45（備品の範囲）	1435
16－3－46（利子の範囲）	1435
16－3－47（外国法人税の換算）	1458
16－3－48（外国法人税を課されたことを証する書類）	1493
16－3－49（欠損金額を有する通算法人等の調整前控除限度額）	1495
16－3－50（隠蔽又は仮装により当初申告税額控除額固定措置が適用されない場合）	1496
16－3－51（進行年度調整規定の適用に係る対象事業年度の意義等）	1499
16－3－52（対象事業年度の税額控除不足額相当額等が進行年度調整に係る調査結果説明の内容と異なる場合）	1500
16－3－53（進行年度調整に係る調査結果説明における手続通達の準用）	1501
16－3の2－1（未収の収益の分配に対する分配時調整外国税相当額の控除）	1503
16－3の2－2（証券投資信託の収益の分配の計算期間）	1503
16－3の2－3（分配時調整外国税相当額のうち控除されない金額が生じた場合の取扱い）	1503
16－3の2－4（分配時調整外国税相当額の控除の適用を受けない場合の取扱い）	1504
16－3の2－5（上場株式等の配当等に係る分配時調整外国税相当額の控除の取扱い）	1504
16－4－1（法人の年800万円以下の所得金額の端数計算）	1393
16－4－2（中小通算法人の年800万円以下の軽減対象所得金額の端数計算）	1395
16－5－1（大法人による完全支配関係）	1394
16－5－2（資本金の額等の円換算）	1394
16－5－3（大通算法人であるかどうかの判定の時期）	1396
17－1－1（申請期限後に災害等が生じた場合の申告書の提出期限の延長）	1700
17－1－2（申告書の提出期限の延長の再承認）	1700
17－1－3（国税通則法第11条による提出期限の延長との関係）	1700
17－1－4（特別の事情がある法人）	1701
17－1－4の2（定款の定めにより1月間の提出期限の延長を受けることができる法人）	1701
17－1－4の3（4月を超えない範囲内で提出期限の延長を受けることができる場合）	1701
17－1－4の4（通算法人に係る確定申告書の提出期限の延長又は延長の特例の取扱いの準用）	1701
17－1－5（組織再編成に係る確定申告書の添付書類）	1698
17－2－1（中間申告書の提出を要しない法人の還付申告）	1694
17－2－1の2（仮決算の中間申告による所得税額の還付における災害損失の額の計算）	1694
17－2－2（欠損金の繰戻しによる還付における還付金額の計算）	1731
17－2－3（還付請求書だけが期限後に提出された場合の特例）	1732
17－2－4（還付所得事業年度が2以上ある場合の繰戻し還付）	1732

17－2－5（更生手続の開始の意義） ……………… 1733
17－2－6（中間申告書の提出を要しない法人の還付請求）
　　　　 …………………………………………… 1734
17－2－7（災害損失欠損金額と青色欠損金額がある場合
　　　　 の繰戻し還付） …………………………… 1734
17－2－8（欠損金の繰戻しによる還付における災害損失
　　　　 の額の計算） ……………………………… 1735
20－1－1（その他事業を行う一定の場所） ……………… 70
20－1－2（準備的な性格のものの意義） ………………… 74
20－1－3（補助的な性格のものの意義） ………………… 74
20－1－4（1年を超える建設工事等） …………………… 71
20－1－5（契約の締結の意義） …………………………… 71
20－1－6（契約の締結のために主要な役割を果たす者の
　　　　 意義） ………………………………………… 72
20－1－7（反復して外国法人に代わって行動する者の範
　　　　 囲） …………………………………………… 72
20－1－8（独立代理人） …………………………………… 72
20－1－9（発行済株式） …………………………………… 75
20－1－10（直接又は間接保有の株式） …………………… 75

法人税法関係個別通達

昭28直法1－96（商品仲買人の委託手数料に対する法人税
　　　　 の取扱いについて） ……………………… 246
昭31直法1－116（専門店会に対する法人税の取扱いにつ
　　　　 いて） ……………………………………… 246
昭35直法1－6（配電設備昇圧工事に伴う法人税の取扱い
　　　　 について） ………………………… 395, 608
昭35直法1－218（証券投資信託委託会社の収入する委託
　　　　 者報酬等の収益計上時期等の取扱いについて）
　　　　 ……………………………………… 247, 608
昭41直審（法）72（金融機関の未収利息の取扱いについて）
　　　　 …………………………………………… 247
昭43直審（法）26（農業協同組合等の未収利息の取扱いに
　　　　 ついて） …………………………………… 249
昭43直審（法）69（生産森林組合の従事分量配当について）
　　　　 …………………………………………… 1326
昭44直審（法）29（事業分量配当金の法人税法上の取扱い
　　　　 について） ………………………………… 1326
昭44直審（法）50（保険会社の未収利息の取扱いについて）
　　　　 …………………………………………… 249
昭48直法2－109（金融機関の決算に係る未払利息の計算
　　　　 について） ………………………………… 250
昭49直法2－3（路線バス事業者が団地開発者からバス車
　　　　 両又はその購入費の交付を受けた場合の法人税の
　　　　 取扱いについて） ………………………… 258
昭51直法2－40（船舶の特別な償却方法による減価償却に
　　　　 ついて） …………………………………… 369
昭55直法4－91（社団法人全日本コーヒー協会の会員がコ
　　　　 ーヒーの消費振興を図るために支出する消費振興
　　　　 資金の取扱いについて） ………………… 337
昭58直法2－7（幼稚園が行う各種事業の収益事業の判定
　　　　 について） ………………………………… 1781
昭59直法4－30（抵当証券に係る税務上の取扱い）
　　　　 ………………………………… 252, 606, 985
平元直法2－2（法人税の借地権課税における相当の地代
　　　　 の取扱いについて） ……………………… 1211
平2直審4－19（法人が契約する個人年金保険に係る法人
　　　　 税の取扱いについて） …………………… 715

租税特別措置法関係通達（法人税編）

42の3の2－1（中小企業者等の年800万円以下の所得金
　　　　 額の端数計算） ………………… 1397, 1402
42の4（1）－1（試験研究の意義） …………………… 1510
42の4（1）－2（試験研究に含まれないもの） ……… 1510
42の4（1）－3（試験開発費として損金経理をした金額の
　　　　 範囲） ……………………………………… 1511
42の4（1）－4（新たな役務の意義） ………………… 1511
42の4（1）－5（従前に提供している役務がある場合の新
　　　　 たな役務の判定） ………………………… 1511
42の4（1）－6（サービス設計工程の全てが行われるかど
　　　　 うかの判定） ……………………………… 1511
42の4（2）－1（他の者から支払を受ける金額の範囲） … 1511
42の4（2）－2（試験研究費の額の統一的計算） …… 1532
42の4（2）－3（試験研究費の額に含まれる人件費の額）
　　　　 …………………………………………… 1512
42の4（2）－4（試験研究用資産の減価償却費） …… 1512
42の4（2）－5（試験研究用固定資産の除却損等の額） … 1512
42の4（2）－6（試験研究費の額の範囲が改正された場合
　　　　 の取扱い） ………………………………… 1512
42の4（3）－1（中小企業者であるかどうかの判定の時期）
　　　　 ……………………………………… 1534, 1554
42の4（3）－2（従業員数基準の適用） ……………… 1534
42の4（3）－3（常時使用する従業員の範囲） ……… 1534
42の4（3）－4（出資を有しない公益法人等の従業員の範
　　　　 囲） ………………………………………… 1534
42の4（4）－1（事業年度の中途において他の者等に該当
　　　　 しなくなった場合の適用） ……………… 1554
42の4（4）－2（知的財産権の使用料及び新規高度研究業
　　　　 務従事者に対する人件費） ……………… 1554
42の4（4）－3（特別の技術による生産方式その他これに
　　　　 準ずるものの意義） ……………………… 1553
42の4（4）－3の2（学位の意義） …………………… 1555
42の4（4）－3の3（被合併法人等において募集が行われ
　　　　 ていた場合の取扱い） …………………… 1555
42の4（4）－3の4（新規高度研究業務従事者であること
　　　　 を明らかにする書類） …………………… 1555
42の4（4）－4（移転試験研究費の額等の区分に係る合理
　　　　 的な方法） ……………………… 1520, 1527
42の4（4）－5（通算親法人が合併以外の事由による解散
　　　　 をした場合の通算子法人の適用関係） … 1566
42の4（4）－6（試験研究費の額又は特別試験研究費の額
　　　　 を有しない通算法人に係る適用関係） … 1566
42の5～48（共）－1（特別償却対象資産の特別償却の計
　　　　 算） ……………… 457, 461, 465, 468, 471, 479, 482, 484,
　　　　 491, 494, 498, 501, 503, 505, 514, 551,
　　　　 557, 559, 560, 562, 567, 580, 1654
42の5～48（共）－2（特別償却等の適用を受けたものの
　　　　 意義） ……………… 602, 1572, 1590, 1595, 1600, 1605,
　　　　 1630, 1654, 1658, 1659, 1663
42の5～48（共）－3（適格合併等があった場合の特別償
　　　　 却等の適用）
　　　　 ……… 457, 461, 465, 468, 471, 479, 482, 484, 487, 491, 494,
　　　　 498, 501, 504, 505, 514, 551, 557, 559, 560, 562, 568,
　　　　 580, 590, 591, 593, 1573, 1590, 1596, 1600, 1605,
　　　　 1630, 1654, 1658, 1663
42の5～48（共）－3の2（国庫補助金等の圧縮記帳の適
　　　　 用を受ける場合の取得価額）
　　　　 ……… 454, 460, 464, 467, 471, 478, 497, 500, 502, 503,

　　　　　　　　512, 516, 550, 556, 559, 1572, 1582, 1589, 1594,
　　　　　　　　1598, 1599, 1604, 1629, 1654, 1657, 1662
42の5～48（共）－4（被合併法人等が有する繰越税額控
　　　除限度超過額）……………… 1573, 1585, 1631, 1666
42の6－1（事業年度の中途において中小企業者等に該当
　　　しなくなった場合の適用）……………… 453, 1568
42の6－1の2（通算法人に係る中小企業者であるかどう
　　　か当の判定の時期）……………………… 453, 1568
42の6－1の3（主要な事業であるものの例示）…… 453, 1568
42の6－2（取得価額の判定単位）………………… 454, 1569
42の6－3（圧縮記帳の適用を受けた場合の特定機械装置
　　　等の取得価額要件の判定）……………… 454, 1569
42の6－4（主たる事業でない場合の適用）……… 456, 1571
42の6－5（事業の判定）…………………………… 456, 1571
42の6－6（その他これらに類する事業に含まれないもの）
　　　……………………………………………… 456, 1572
42の6－7（指定事業とその他の事業とに共通して使用さ
　　　れる特定機械装置等）…………………… 456, 1572
42の6－8（貸付けの用に供したものに該当しない資産の
　　　貸与）……………………………………………… 457
42の6－10（特定機械装置等の対価につき値引きがあった
　　　場合の税額控除限度額の計算）……………… 1572
42の9－1（生産等設備の範囲）………………………… 1582
42の9－1の2（一の設備等の取得価額基準の判定）… 1582
42の9－2（圧縮記帳の適用を受けた場合の減価償却資産
　　　の取得価額要件の判定）……………………… 1582
42の9－4（新増設の範囲）……………………………… 1582
42の9－5（工場用等の建物及びその附属設備の意義）… 1582
42の9－6（工場用、作業場用等とその他の用に共用され
　　　ている建物の判定）…………………………… 1583
42の9－6の2（開発研究の意義）……………………… 1583
42の9－6の3（専ら開発研究の用に供される器具及び備
　　　品）……………………………………………… 1583
42の9－6の4（委託研究先への資産の貸与）………… 1583
42の9－7（税額控除の対象となる工場用建物等の附属設
　　　備）……………………………………………… 1583
42の9－8（取得価額の合計額が20億円を超えるかどうか
　　　の判定）………………………………………… 1583
42の9－9（2以上の事業年度において事業の用に供した
　　　場合の取得価額の計算）……………………… 1583
42の9－10（指定事業の範囲）…………………………… 1584
42の9－11（指定事業の用に供したものとされる資産の貸
　　　与）……………………………………………… 1584
42の9－12（工業用機械等の対価につき値引きがあった場
　　　合の税額控除限度額の計算）………………… 1585
42の10－1（取得価額の判定単位）……………… 460, 1588
42の10－2（圧縮記帳の適用を受けた場合の特定機械装置
　　　等の取得価額要件の判定）……………… 460, 1589
42の10－3（特別償却等の対象となる建物の附属設備）
　　　……………………………………………… 460, 1589
42の10－4（特定事業の用に供したものとされる資産の貸
　　　与）………………………………………… 460, 1589
42の10－5（開発研究の意義）…………………… 460, 1589
42の10－6（専ら開発研究の用に供される器具及び備品）
　　　……………………………………………… 460, 1589
42の10－7（委託研究先への資産の貸与）……… 460, 1589
42の10－8（特定機械装置等の対価につき値引きがあった
　　　場合の税額控除限度額の計算）……………… 1590
42の11－1（取得価額の判定単位）……………… 464, 1594
42の11－2（圧縮記帳の適用を受けた場合の特定機械装置
　　　等の取得価額要件の判定）……………… 464, 1594
42の11－3（特別償却等の対象となる建物の附属設備）
　　　……………………………………………… 464, 1594
42の11－4（特定国際戦略事業の用に供したものとされる
　　　資産の貸与）……………………………… 464, 1594
42の11－5（開発研究の意義）…………………… 464, 1594
42の11－6（専ら開発研究の用に供される器具及び備品）
　　　……………………………………………… 464, 1594
42の11－7（委託研究先への資産の貸与）……… 465, 1595
42の11－8（特定機械装置等の対価につき値引きがあった
　　　場合の税額控除限度額の計算）……………… 1595
42の11の2－1（圧縮記帳の適用を受けた場合の特定地域
　　　経済牽引事業施設等の取得価額要件の判定）
　　　……………………………………………… 467, 1598
42の11の2－2（新増設の範囲）………………… 467, 1598
42の11の2－3（特別償却等の対象となる建物の附属設備）
　　　……………………………………………… 467, 1599
42の11の2－4（承認地域経済牽引事業の用に供したもの
　　　とされる資産の貸与）…………………… 467, 1599
42の11の2－5（取得価額の合計額が80億円を超えるかど
　　　うか等の判定）…………………………… 468, 1599
42の11の2－6（2以上の事業年度において事業の用に供
　　　した場合の取得価額の計算）…………… 468, 1599
42の11の2－7（特定事業用機械等の対価につき値引きが
　　　あった場合の税額控除限度額の計算）……… 1600
42の11の3－1（特別償却等の対象となる建物の附属設備）
　　　……………………………………………… 471, 1604
42の11の3－2（中小企業者であるかどうかの判定の時期）
　　　……………………………………………… 470, 1603
42の11の3－3（圧縮記帳の適用を受けた場合の特定建物
　　　等の取得価額要件の判定）……………… 471, 1604
42の11の3－4（取得価額の合計額が80億円を超えるかど
　　　うかの判定）……………………………… 471, 1604
42の11の3－5（2以上の事業年度において事業の用に供
　　　した場合の取得価額の計算）…………… 472, 1605
42の11の3－6（特定建物等の対価につき値引きがあった
　　　場合の税額控除限度額の計算）……………… 1605
42の12の2－1（控除対象通算適用前欠損調整額等のうち
　　　控除されなかった金額を明らかにする書類）……… 1622
42の12の4－1（中小企業者であるかどうかの判定の時期）
　　　……………………………………………… 473, 1623
42の12の4－2（生産等設備の範囲）…………… 474, 1624
42の12の4－4（取得価額の判定単位）………… 478, 1628
42の12の4－5（圧縮記帳の適用を受けた場合の特定経営
　　　力向上設備等の取得価額要件の判定）… 478, 1629
42の12の4－6（主たる事業でない場合の適用）… 479, 1629
42の12の4－7（指定事業とその他の事業とに共通して使
　　　用される特定経営力向上設備等）……… 479, 1629
42の12の4－8（貸付けの用に供したものに該当しない資
　　　産の貸与）………………………………… 479, 1629
42の12の4－9（特定経営力向上設備等の対価につき値引
　　　きがあった場合の税額控除限度額の計算）… 1630
42の12の5－1（常時使用する従業員の範囲）………… 1644
42の12の5－1の2（公益法人等の従業員の範囲）
　　　……………………………………… 1641, 1645, 1647
42の12の5－1の3（中小企業者であるかどうかの判定の
　　　時期）…………………………………………… 1650
42の12の5－1の4（給与等の範囲）…………………… 1640
42の12の5－2（補填額の範囲）………………………… 1640
42の12の5－2の2（雇用安定助成金額の範囲）……… 1641

42の12の5－3　（出向先法人が支出する給与負担金）……… 1641
42の12の5－4　（資産の取得価額に算入された給与等）…… 1641
42の12の5－5　（被合併法人等が有する繰越税額控除限度
　　　　　　　超過額）……………………………………… 1641
42の12の6－1　（貸付けの用に供したものに該当しない資
　　　　　　　産の貸与）………………………… 482, 1653
42の12の7－1　（事業適応繰延資産に該当するもの）
　　　　　　　………………………………………… 485, 1659
42の12の7－2　（貸付けの用に供したものに該当しない資
　　　　　　　産の貸与）……………… 484, 486, 1657, 1661
42の12の7－3　（分割払の事業適応繰延資産）… 485, 1659
42の12の7－4　（中小企業者であるかどうかの判定の時期）
　　　　　　　…………………………………………………… 1662
42の13－1　（控除可能期間の判定）………………………… 1679
42の13－2　（中小企業者であるかどうかの判定の時期）… 1681
42の13－3　（常時使用する従業員の範囲）………………… 1681
42の13－4　（公益法人等の従業員の範囲）………………… 1682
42の13－5　（国内資産の内外判定）………………………… 1682
42の13－6　（国内事業供用が見込まれる場合の国内資産の
　　　　　　判定）…………………………………………… 1682
42の13－7　（資本的支出）…………………………………… 1682
42の13－8　（圧縮記帳をした国内資産の取得価額）……… 1682
42の13－9　（贈与による取得があったものとされる場合の
　　　　　　適用除外）……………………………………… 1682
42の13－10　（償却費として損金経理をした金額）……… 1682
43－1　（海洋運輸業又は沿海運輸業の意義）……………… 491
43の2－1　（同一の用途の判定）…………………………… 493
43の2－2　（床面積の意義）………………………………… 493
43の2－3　（2以上の被災代替建物を取得した場合の適用）
　　　　　　…………………………………………………… 493
43の2－4　（おおむね同程度以下の構築物の意義）……… 493
43の2－5　（貸付けの用に供したものに該当しない資産の
　　　　　　貸与）…………………………………………… 493
43の2－6　（建物等と一体的に事業の用に供される附属施
　　　　　　設）……………………………………………… 494
43の2－7　（付随区域）……………………………………… 494
43の2－8　（中小企業者であるかどうかの判定の時期）… 494
44－1　（研究施設の範囲）…………………………………… 496
44－2　（研究所用施設の要件の判定）……………………… 497
44－3　（研究所用の建物及びその附属設備の意義）……… 497
44－4　（特別償却の対象となる研究所用の建物の附属設備）
　　　　………………………………………………………… 497
44－5　（研究所用とその他の用に共用されている建物の判
　　　　定）…………………………………………………… 497
44－6　（機械及び装置の取得価額の判定単位）…………… 497
44－7　（圧縮記帳の適用を受けた場合の研究施設の取得価
　　　　額要件の判定）……………………………………… 497
44－8　（新増設の範囲）……………………………………… 497
44の2－1　（中小企業者であるかどうかの判定の時期）… 499
44の2－3　（取得価額の判定単位）………………………… 500
44の2－4　（圧縮記帳の適用を受けた場合の特定事業継続
　　　　　　力強化設備等の取得価額要件の判定）……… 500
44の3－1　（圧縮記帳の適用を受けた場合の共同利用施設
　　　　　　の取得価額の要件の判定）…………………… 502
44の4－1　（圧縮記帳の適用を受けた場合の環境負荷低減
　　　　　　事業活動用資産の取得価額要件の判定）…… 503
45－1　（生産等設備等の範囲）…………………… 511, 516, 549
45－2　（一の生産等設備の取得価額基準の判定）
　　　　………………………………………………… 512, 516, 549
45－3　（圧縮記帳の適用を受けた場合の減価償却資産の取
得価額要件の判定）………………………… 512, 516, 550
45－4　（特別償却等の対象となる新設又は増設に伴い取得
　　　　等をした資産）……………………………… 512, 516, 550
45－5　（新増設の範囲）…………………………… 512, 516, 550
45－6　（工場用等の建物及びその附属設備の意義）……… 512
45－7　（工場用、作業場用等とその他の用に共用されてい
　　　　る建物の判定）……………………………………… 513
45－7の2　（開発研究の意義）……………………………… 513
45－7の3　（専ら開発研究の用に供される器具及び備品）
　　　　　　…………………………………………………… 513
45－7の4　（委託研究先への資産の貸与）………………… 513
45－8　（特別償却等の対象となる工場用建物等の附属設備）
　　　　………………………………………………… 513, 516, 550
45－9　（取得価額の合計額が20億円等を超えるかどうか等
　　　　の判定）……………………………………… 513, 516, 550
45－10　（2以上の事業年度において事業の用に供した場合
　　　　　の取得価額の計算）……………………… 513, 517
45－11　（指定事業の範囲）………………………… 514, 517, 550
45－12　（製造業等の用に供したものとされる資産の貸与）
　　　　　………………………………………………… 514, 551
45－13　（中小規模法人であるかどうか等の判定の時期）
　　　　　………………………………………………… 517, 526
45の2－1　（取得価額の判定単位）………………… 556, 558
45の2－2　（圧縮記帳の適用を受けた場合の減価償却資産
　　　　　　の取得価額要件の判定）……………… 556, 558
45の2－3　（主たる事業でない場合の適用）…… 556, 559, 560
45の2－4　（事業の判定）……………………… 556, 559, 560
45の2－5　（特別償却の対象となる建物の附属設備）…… 560
46－1　（特別償却の対象となる建物の附属設備）………… 562
46－2　（開発研究の意義）…………………………………… 562
47－1　（特定都市再生建築物の範囲）……………………… 567
47－2　（特定都市再生建築物に該当する建物附属設備の範
　　　　囲）…………………………………………………… 567
47－3　（用途変更等があった場合の適用）………………… 567
47－4　（資本的支出）………………………………………… 567
48－1　（公共上屋の上に建設した倉庫業用倉庫）………… 580
52の3－1　（積立限度超過額の認容）……………………… 598
52の3－2　（初年度特別償却に代える特別償却準備金の積
　　　　　　立て）…………………………………………… 594
52の3－3　（適格合併等により引継ぎを受けた特別償却準
　　　　　　備金の均分取崩し）…………………………… 599
52の3－4　（耐用年数等の改正が行われた場合の特別償却
　　　　　　準備金の均分取崩し）………………………… 599
55～57の8（共）－1　（海外投資等損失準備金等の差額積
　　　　　　　立て等の特例）………………… 1004, 1017, 1027
55～57の8（共）－2　（合併等に伴う準備金の表示替え）
　　　　　　　………………………………… 1009, 1020, 1029
55－1　（海外投資等損失準備金の積立ての対象となる新増
　　　　資源資源株式等の取得の意義）…………………… 1001
55－2　（積立限度額の計算の基礎となる取得価額）……… 1001
55－3　（特定株式等の取得の日の判定）…………………… 1001
55－4　（分割払込みをした場合の積立ての時期等）……… 1001
55－5　（付随事業の例示）…………………………………… 1002
55－7　（海外投資等損失準備金の経理）…………………… 1004
55－7の2　（適格合併等により引継ぎを受けた海外投資等
　　　　　　損失準備金の均分取崩し）… 1008, 1009, 1010, 1011
55－8　（特定法人が2以上ある場合の海外投資等損失準備
　　　　金の取崩しの計算）……………………… 1004, 1006
55－11　（評価減をした場合の海外投資等損失準備金の取崩
　　　　　し）………………………………………………… 1006

55−12（評価減の額の区分） …… 1006	61の4（1）−4（売上割戻し等と同一の基準により物品を交付し又は旅行、観劇等に招待する費用）…… 700
55−13（特定法人の株式等の評価減を否認した場合の海外投資等損失準備金の特例）…… 1006	61の4（1）−5（景品引換券付販売等により得意先に対して交付する景品の費用）…… 700
55−14（海外投資等損失準備金の基礎としなかった株式等がある場合の評価減）…… 1007	61の4（1）−6（売上割戻し等の支払に代えてする旅行、観劇等の費用）…… 701
55−15（特定法人が適格合併をした場合）…… 1007, 1012	61の4（1）−7（事業者に金銭等で支出する販売奨励金等の費用）…… 701
55−16（換算差益を計上した場合の海外投資等損失準備金の取崩し）…… 1007	61の4（1）−8（情報提供料等と交際費との区分）…… 701
56−1（中小企業者であるかどうかの判定）…… 1016	61の4（1）−9（広告宣伝費と交際費等との区分）…… 701
56−2（評価減の額の区分）…… 1017	61の4（1）−10（福利厚生費と交際費等との区分）…… 701
56−3（特定法人が2以上ある場合の中小企業事業再編投資損失準備金の取崩しの計算）…… 1017, 1019	61の4（1）−10の2（災害の場合の取引先に対する売掛債権の免除等）…… 702
56−4（特定法人の株式等の評価減を否認した場合の中小企業事業再編投資損失準備金の特例）…… 1020	61の4（1）−10の3（取引先に対する災害見舞金等）…… 702
56−5（中小企業事業再編投資損失準備金の基礎としなかった株式等がある場合の評価減）…… 1020	61の4（1）−10の4（自社製品等の被災者に対する提供）…… 702
57の8−1（特定船舶を賃借している場合の特別修繕準備金勘定の積立て）…… 1022	61の4（1）−11（協同組合等が支出する災害見舞金等）…… 702
57の8−2（船舶の定期検査のための修繕）…… 1022	61の4（1）−12（給与と交際費等との区分）…… 702
57の8−4（特別修繕完了の日及び築造の完了の日）…… 1024	61の4（1）−13（特約店等のセールスマンのために支出する費用）…… 703
57の8−6（準備金設定特定船舶を賃貸した場合の取崩し）…… 1027	61の4（1）−14（特約店等の従業員等を対象として支出する報奨金品）…… 703
57の8−7（適格合併等により引継ぎを受けた特別修繕準備金の均分取崩し）…… 1029, 1030	61の4（1）−15（交際費等に含まれる費用の例示）…… 703
57の8−8（原子力発電施設解体準備金の取扱い等の準用）…… 1027	61の4（1）−15の2（飲食その他これに類する行為の範囲）…… 704
57の9−1（実質的に債権とみられないもの）…… 989	61の4（1）−16（旅行等に招待し、併せて会議を行った場合の会議費用）…… 704
57の9−2（実質的に債権とみられないものの簡便計算）…… 990	61の4（1）−17（現地案内等に要する費用）…… 704
57の9−3（適用事業区分）…… 990	61の4（1）−18（下請企業の従業員等のために支出する費用）…… 703, 704
57の9−4（主たる事業の判定基準）…… 990	61の4（1）−19（商慣行として交付する模型のための費用）…… 704
57の9−5（いわゆる製造問屋の繰入率）…… 990	61の4（1）−20（カレンダー、手帳等に類する物品の範囲）…… 700
60−1（実質的に同一であると認められる者の意義）…… 1246, 1252	61の4（1）−21（会議に関連して通常要する費用の例示）…… 704
60−1の2（軽減対象所得金額に係る益金の額）…… 1248	61の4（1）−22（交際費等の支出の相手方の範囲）…… 699
60−2（軽減対象所得金額に係る損金の額）…… 1248	61の4（1）−23（交際費等の支出の方法）…… 705
60−3（災害損失の区分の特例）…… 1249	61の4（1）−24（交際費等の支出の意義）…… 706
60−4（支払利子の区分の特例）…… 1249	61の4（2）−1（交際費等の損金不算入額を計算する場合の資本金の額又は出資金の額等）…… 696
60−5（共通費用の額の配分基準の継続）…… 1249	61の4（2）−2（交際費等の損金不算入額を計算する場合の総資産の帳簿価額等）…… 696
60−6（申告に係る損金の額に算入されるべき金額の意義）…… 1258, 1265	61の4（2）−3（総負債の範囲）…… 696
61−1（軽減対象所得金額に係る益金の額）…… 1264	61の4（2）−4（税金引当金の区分）…… 696
61−2（軽減対象所得金額に係る損金の額）…… 1264	61の4（2）−5（保険会社の総負債）…… 696
61−3（災害損失の区分の特例）…… 1264	61の4（2）−7（原価に算入された交際費等の調整）…… 340, 388, 609, 706
61−4（支払利子の区分の特例）…… 1265	61の4（2）−8（通算法人が1項括弧書適用除外法人又は2項適用除外法人であるかどうかの判定の時期）…… 696
61−5（共通費用の額の配分基準の継続）…… 1265	
61−6（申告に係る損金の額に算入されるべき金額の意義）…… 1265	64〜66（共）−1（特別勘定の経理等）…… 777, 795, 803, 814, 839, 844, 866, 881, 890, 898
61の3−1（贈与による取得があったものとされる場合の適用除外）…… 761	64〜66の2（共）−1（特別勘定の経理等）…… 802
61の3−1の2（取得価額の判定単位）…… 761	64（1）−1（収用又は使用の範囲）…… 862, 894
61の3−1の3（圧縮記帳の適用を受けた場合の特定農用機械等の取得価額要件の判定）…… 761	64（1）−2（関連事業に該当する場合）…… 862, 894
61の3−2（事業の判定）…… 761	64（1）−3（既存の公的施設の機能復旧に該当するための要件）…… 862, 894
61の3−3（貸付けの用に供されているものに該当しない機械の貸与）…… 761	64（1）−4（関連事業の関連事業）…… 863, 895
61の3−4（農用地等の圧縮限度額の計算）…… 762	64（1）−5（関連事業に該当しない場合）…… 863, 895
61の4（1）−1（交際費等の意義）…… 700	
61の4（1）−2（寄附金と交際費等との区分）…… 687, 700	
61の4（1）−3（売上割戻し等と交際費等との区分）…… 700	

64(1)-6 (収用等に伴う課税の特例を受ける権利の範囲) ……864
64(1)-7 (権利変換により新たな権利に変換することがないものの意義) ……864
64(1)-8 (借地権等の価額が10分の5以上となるかどうかの判定) ……868
64(1)-9 (長期先行取得が認められるやむを得ない事情) ……869, 880
64(2)-1 (対価補償金とその他の補償金との区分) ……870
64(2)-2 (補償金の課税上の取扱い) ……870
64(2)-3 (対価補償金等の判定) ……873
64(2)-4 (2以上の資産について収用等が行われた場合の補償金) ……873
64(2)-5 (収益補償金名義で交付を受ける補償金を対価補償金として取り扱うことができる場合) ……873
64(2)-6 (収益補償金名義で交付を受ける補償金を2以上の建物の対価補償金とする場合の計算) ……874
64(2)-7 (事業廃止の場合の機械装置等の売却損の補償金) ……872
64(2)-8 (ひき〔曳〕家補償等の名義で交付を受ける補償金) ……871
64(2)-9 (移転困難な機械装置の補償金) ……872
64(2)-9の2 (除却損等がある場合の譲渡経費の額) ……872
64(2)-10 (残地補償金) ……871
64(2)-11 (残地買収の対価) ……871
64(2)-12 (残地保全経費の補償金) ……872
64(2)-12の2 (地域外の既存設備の付替え等に要する経費の補償金) ……396, 873
64(2)-13 (原木販売業者等の有する立竹木の補償金) ……865
64(2)-14 (代採立竹木の損失補償金と売却代金とがある場合の損失補償金に係る帳簿価額の計算) ……871
64(2)-15 (権利変換による補償金の範囲) ……863
64(2)-16 (土地等の使用に伴う損失の補償金等を対価補償金とみなす場合) ……868
64(2)-17 (逆収用の請求ができる場合に買い取られた資産の対価) ……868
64(2)-18 (取壊し又は除去をしなければならない資産の損失に対する補償金) ……869
64(2)-18の2 (仮換地の指定により交付を受ける仮清算金) ……876
64(2)-19 (換地処分等に伴う損失補償金) ……869
64(2)-20 (発生資材等の売却代金) ……869
64(2)-21 (借家人補償金) ……872
64(2)-23 (借地人が交付を受けるべき借地権の対価補償金の代理受領とみなす場合) ……874
64(2)-24 (借地権の対価補償金の全部又は一部を土地所有者が取得した場合) ……874
64(2)-25 (借地権の対価補償金の交付を受けなかったことについて相当の理由がある場合) ……874
64(2)-26 (借地権の対価補償金の交付を受けることに代えて新たに借地権を取得する場合) ……875
64(2)-27 (借家人が交付を受けるべき補償金についての準用) ……875
64(2)-28 (法人が交付を受けるべき収益補償金等を他の者が取得した場合) ……875
64(2)-29 (団体漁業権等の消滅等による補償金の仮勘定経理) ……877
64(2)-30 (収用等をされた資産の譲渡に要した経費の範囲) ……877
64(2)-31 (2以上の資産について収用等をされた場合の資産の譲渡に要した経費の計算) ……878
64(3)-1 (種類を同じくする2以上の資産について収用等をされた場合等の差益割合) ……865
64(3)-2 (使用させる土地等の差益割合) ……865
64(3)-3 (代替資産とすることができる事業用固定資産の判定) ……879
64(3)-3の2 (資本的支出) ……878
64(3)-4 (2以上の代替資産を取得した場合の対価補償金から成る金額の計算) ……865
64(3)-5 (2以上の収用等をされた資産の対価補償金をもって代替資産を取得した場合の対価補償金から成る金額の計算) ……865
64(3)-6 (資産の譲渡をすることとなることが明らかとなった日) ……870
64(3)-6の2 (収用等事業年度開始の日前において取得した資産の圧縮記帳) ……870
64(3)-7 (発生資材が生ずる場合の圧縮記帳等の計算) ……865
64(3)-8 (取壊し等が遅れる場合の圧縮記帳の計算の調整) ……866
64(3)-9 (圧縮記帳をしない代替資産に係る特別勘定の経理) ……882, 883
64(3)-9の2 (やむを得ない事情がある場合の長期特別勘定の流用) ……875, 887, 888
64(3)-10 (取壊し等が遅れる場合の特別勘定の計算) ……882
64(3)-11 (特別勘定に経理した後に資産の取壊し等をした場合の調整) ……882
64(3)-12 (棚卸資産の圧縮記帳等) ……865, 895
64(3)-13 (換地処分により2以上の交換取得資産を取得した場合の帳簿価額) ……897
64(3)-13の2 (内水面漁業補償金で有価証券を取得した場合) ……879
64(3)-14 (圧縮記帳をした資産についての特別償却等の不適用) ……891
64(3)-15 (経費補償金等の仮勘定経理の特例) ……875, 891
64(3)-16 (収益補償金の仮勘定経理等の特例) ……876
64(3)-17 (換地処分等により取得した資産の圧縮記帳の経理の特例) ……896
64(3)-18 (特別償却等を実施した先行取得資産についての圧縮記帳の不適用) ……891
64(3)-19 (特別勘定の金額が1,000万円未満のものであるかどうかの判定) ……804, 889
64(3)-20 (適格合併等があった場合における圧縮記帳等の計算) ……891
64(4)-1 (収用証明書の保存) ……915
64(4)-2 (代行買収の要件) ……919
64(4)-2の2 (事業施行者以外の者が支払う漁業補償等) ……864
64(4)-3 (証明の対象となる資産の範囲) ……919
64(4)-4 (関連事業に係る収用証明書の記載事項) ……919
65の2-1 (収用等の場合の課税の特例相互間の適用関係) ……920
65の2-2 (5,000万円損金算入の特例と圧縮記帳等の特例との適用関係) ……921
65の2-3 (年又は事業年度を異にする2以上の譲渡等があった場合) ……921
65の2-3の2 (適格合併により引継ぎを受けた特別勘定に係る圧縮記帳と5,000万円損金算入との適用関係) ……924
65の2-4 (補償金の支払請求等の時期) ……926

65の2-5（補償金の支払請求があった土地の上にある建物等の譲渡期間）……… 926
65の2-5の2（団体漁業権等の消滅等があった場合の譲渡期間）……… 926
65の2-6（許可を要しないこととなった日の意義）……… 927
65の2-6の2（最初に買取り等の申出を受けた者以外の法人による譲渡）……… 928
65の2-7（一の収用換地等に係る事業につき譲渡した資産のうちに農地等とその他の資産がある場合の譲渡の時期の特例）……… 927
65の2-8（一の収用換地等に係る事業につき譲渡した資産のうちに権利取得裁決による譲渡資産と明渡裁決による譲渡資産とがある場合の譲渡の時期の特例）……… 928
65の2-9（関連事業）……… 927
65の2-10（事業計画の変更等があった場合の一の収用換地等に係る事業の判定）……… 927
65の2-12（買取り等の申出証明書の発行者）……… 929
65の2-13（代行買収における証明書の発行者）……… 929
65の2-14（仲裁判断等があった場合の証明書類）……… 929
65の3-1（特定土地区画整理事業の施行者とその買取りをする者との関係）……… 935
65の3-1の2（宅地の造成を主たる目的とするものかどうかの判定）……… 935
65の3-2（代行買収の要件）……… 936
65の3-3（事業計画の変更等があった場合の一の特定土地区画整理事業等の判定）……… 936
65の3-4（特定土地区画整理事業等の証明書の保存）……… 939
65の4-1（地方公共団体等が行う住宅の建設又は宅地の造成事業の施行者と買取りをする者との関係）……… 953
65の4-2（代行買収の要件）……… 953
65の4-2の2（収用対償地の買取りに係る契約方式）……… 953
65の4-3（一団地の公営住宅の買取りが行われた場合の措置法第64条等との適用関係）……… 954
65の4-4（公営住宅の買取りが行われた場合における特例の適用対象となる土地等の範囲）……… 954
65の4-6（仮換地の指定が行われないで換地処分が行われた場合の取扱い）……… 954
65の4-7（公募手続開始前の譲渡）……… 954
65の4-8（会員を対象とする土地等の譲渡）……… 955
65の4-9（2以上の3号該当土地等の譲渡がある場合の取扱い）……… 955
65の4-10（2以上の年にわたり買取りが行われた場合の措置法第62条の3との適用関係）……… 955
65の4-11（2以上の年にわたり買取りが行われた場合の措置法第65条の3との適用関係）……… 955
65の4-12（休憩所等に類する施設の範囲）……… 955
65の4-13（事業の区域の面積判定）……… 956
65の4-15（事業計画の変更等があった場合の一の特定住宅地造成事業等の判定）……… 955
65の4-16（2以上の年にわたり収用対償地の買取りが行われた場合の適用）……… 955
65の4-17（特定住宅地造成事業等の証明書の保存）……… 961
65の5-1（農地保有の合理化等の証明書の添付）……… 964
65の5の2(1)-1（土地等の取得の時期）……… 965
65の5の2(1)-2（土地等の引渡しの日に関し特約がある場合）……… 965
65の5の2(1)-3（借地権者が土地を取得した場合等の土地等の取得の時期）……… 965
65の5の2(1)-4（公有水面の埋立てをした場合の土地の取得の時期）……… 966
65の5の2(1)-5（土地の上に存する権利）……… 966
65の5の2(1)-6（固定資産として使用していた土地の分譲）……… 966
65の5の2(1)-8（贈与による取得があったものとされる場合の適用除外）……… 966
65の5の2(1)-9（収用等をされた土地等についての適用除外）……… 966
65の5の2(1)-10（法第50条との選択適用）……… 966
65の5の2(2)-1（年又は事業年度を異にする2以上の譲渡等があった場合）……… 967
65の5の2(2)-4（借地権の返還により支払を受けた借地権の対価に対する特例の適用）……… 967
65の5の2(2)-5（借地権を消滅させた後土地の譲渡をした場合等の譲渡対価の区分）……… 968,969
65の6-1（損金算入限度額の意義）……… 930
65の6-2（事業年度を異にする2以上の譲渡があった場合の損金算入額）……… 930
65の7(1)-1（不動産売買業者の有する土地等）……… 776
65の7(1)-2（固定資産として使用していた土地の分譲）……… 776
65の7(1)-3（収用等をされた資産についての適用除外）……… 783
65の7(1)-4（贈与による譲渡等があったものとされる場合の適用除外）……… 784
65の7(1)-5（特例の適用を受ける資産についての延払基準の不適用）……… 776
65の7(1)-6（土地の上に存する権利）……… 776
65の7(1)-7（借地権の返還により支払を受けた借地権の対価に対する特例の適用）……… 784
65の7(1)-8（借地権の譲渡対価の全部又は一部を土地所有者が取得した場合の特例の適用）……… 784
65の7(1)-9（借地権の譲渡対価に代えて新たに借地権を取得する場合の特例の適用）……… 784
65の7(1)-10（借地権の無償返還に代えて新たに借地権を取得する場合の特例の適用）……… 784
65の7(1)-11（土地等が買換資産に該当するかどうかの判定）……… 776
65の7(1)-12（資本的支出）……… 785
65の7(1)-13（土地造成費等）……… 785,878
65の7(1)-14（貸地の返還を受けた場合に支払った立退料等）……… 785
65の7(1)-15（公有水面の埋立てをした場合の土地の取得の時期）……… 785
65の7(1)-16（届出をした場合における買替資産）……… 785
65の7(1)-17（買換資産の取得価額が譲渡資産の対価の額を超える場合）……… 786
65の7(1)-18（既成市街地等に含まれない埋立地の範囲）……… 786
65の7(1)-20（福利厚生施設の範囲）……… 778
65の7(1)-21（特定施設の敷地の用に供される土地等の意義）……… 778,792
65の7(1)-22（長期所有の土地等の買換えに係る面積の判定）……… 779
65の7(1)-23（特定施設と特定施設以外の施設から成る一の施設の敷地の用に供される土地等の面積の判定）……… 779
65の7(1)-24（船舶の範囲）……… 779
65の7(1)-25（建造された船舶の意義）……… 779
65の7(1)-26（海洋運輸業又は沿海運輸業の意義）……… 779

65の7(1)-27（日本船舶の意義） ………………… 779
65の7(1)-28（土地造成費についての面積制限） ……… 808
65の7(1)-29（共有地に係る面積制限） ………………… 808
65の7(1)-30（仮換地に係る面積制限） ………………… 808
65の7(1)-31（借地権又は底地に係る面積制限） ……… 808
65の7(1)-32（長期先行取得が認められるやむを得ない
　　　　　　事情） ……………………………………… 788
65の7(1)-33（買換取得資産等の取得の日） …………… 783
65の7(1)-34（借地権者が土地を取得した場合等の土地
　　　　　　等の取得の時期） ……………………… 783
65の7(1)-35（市街地再開発事業の施行に伴う権利変換
　　　　　　等により取得した建物等の取得の時期等） … 783
65の7(1)-36（借地権を消滅させた後土地の譲渡をした
　　　　　　場合等の譲渡対価の区分） …………… 783
65の7(1)-37（交換の場合の買換資産） ………………… 807
65の7(1)-38（支払った交換差金についての買換えの適
　　　　　　用） ……………………………………… 807
65の7(2)-1（買換資産を当該法人の事業の用に供した
　　　　　　ことの意義） ………………… 776,791
65の7(2)-1の2（本店資産であるかどうかの判定） … 786
65の7(2)-2（買換資産を当該法人の事業の用に供した
　　　　　　時期の判定） ………………………… 777
65の7(2)-3（適格合併等に係る合併法人等における供
　　　　　　用事業） …………………… 792,813
65の7(3)-1（差益割合の計算） ………………………… 786
65の7(3)-2（特別控除の特例を適用した場合の特定資
　　　　　　産の譲渡からの除外） …………………… 787
65の7(3)-3（買換資産が2以上ある場合のその取得に
　　　　　　充てた対価の額） ……………………… 811
65の7(3)-4（譲渡事業年度前の事業年度において取得
　　　　　　した資産の圧縮記帳） …………………… 789
65の7(3)-5（譲渡資産の譲渡に要する経費の範囲） … 787
65の7(3)-6（譲渡に伴う取壊し損失） ………………… 787
65の7(3)-7（譲渡対価の額等の計算に誤りがあった場
　　　　　　合の損金算入額） ……………………… 787
65の7(3)-8（譲渡経費の支出が遅れる場合の圧縮記帳
　　　　　　等の計算の調整） ……………………… 787
65の7(3)-9（買換資産を当該法人の事業の用に供しな
　　　　　　くなったかどうかの判定） …………… 812
65の7(3)-10（建物、構築物等の建設等が遅れる場合の
　　　　　　土地等の圧縮額の益金算入） …………… 812
65の7(3)-11（圧縮記帳をした資産についての特別償却
　　　　　　の不適用） ……………………………… 815
65の7(3)-12（事業の用に供しなかった買換資産に係る
　　　　　　特別償却等） …………………………… 815
65の7(3)-13（特別償却等を実施した先行取得資産につ
　　　　　　いての圧縮記帳の不適用） …………… 815
65の7(4)-1（取得指定期間の認定） ………… 795,797
65の7(4)-2（取得指定期間の認定を行う場合のやむを
　　　　　　得ない事情） ………………… 795,797
65の7(4)-3（取得指定期間の再延長） ……… 795,797
65の7(4)-4（取得指定期間の延長をした場合の特別勘
　　　　　　定） ………………………… 802,805
65の7(4)-5（やむを得ない事情がある場合の長期特別
　　　　　　勘定の流用） ……………………………… 802
65の7(4)-6（前事業年度分以前の特別勘定の額と当該
　　　　　　事業年度分の譲渡対価の額とをもって圧縮記帳を
　　　　　　する場合の計算） ……………………… 802
65の7(4)-7（特別勘定を設定した場合の取得資産） … 802
65の7(4)-8（特別勘定の金額が1,000万円未満のもの

であるかどうかの判定） …………………… 804
65の7(5)-1（法人税法第50条との選択適用） ………… 807
65の7(5)-2（先行取得資産に関する届出の提出） …… 788
65の7(5)-2の2（確定申告書添付書類等による届出の
　　　　　　代用） ……………………………………… 838
65の7(5)-3（買換えの証明書の添付） ………………… 838
66-1（遊休資産の交換） ………………………………… 843
66-2（交換の対象となる隣接する土地の範囲） ……… 843
66-3（特定普通財産の上に存する権利） ……………… 843
66-4（交換に伴い特定普通財産とともに金銭以外の資産
　　　を取得した場合） ……………………………… 843
66-5（一の所有隣接土地等を交換により譲渡した場合）
　　　 …………………………………………………… 843
66-6（2以上の交換取得資産を取得した場合における圧
　　　縮限度額の計算） ……………………………… 843
66-7（交換譲渡資産の交換に要した経費） …………… 843
66-8（2以上の資産の交換をした場合の経費の額の計算）
　　　 …………………………………………………… 844
66-9（交換に要する経費の支出が遅れる場合の圧縮記帳
　　　の計算の調整） ………………………………… 844
66-10（譲渡対価の額等の計算に誤りがあった場合の損金
　　　算入額） ………………………………………… 844
66の2-1（株式の占める割合が8割以上となる場合の本
　　　　　制度の適用） ……………………………… 1268
66の2-2（株式の占める割合の判定等における株式交付
　　　　　親会社の株式の価額） ………………… 1268
66の2-3（1株未満の株式の譲渡代金を交付した場合の
　　　　　株式の占める割合の判定等） …………… 1269
66の2-4（本制度の適用対象から除外されない同族会社
　　　　　の範囲） …………………………………… 1269
66の6-24（外国法人税の範囲） ……………………… 1472
66の6-30（課税対象金額等に係る外国法人税額の計算）
　　　 …………………………………………………… 1472
66の10-1（目的とする固定資産の賦課金による取得等が
　　　　　できなかった場合の仮受経理） ………… 847
66の11-1（長期間にわたって使用等される基金） … 1206
66の11-2（負担金の損金算入時期） ………………… 1206
66の11-3（中小企業倒産防止共済事業の前払掛金） … 1206
66の11の2-1（組合員集会等に類するものの範囲） … 651
66の13-1（特定株式の取得の日の判定） …………… 1273
66の13-2（特定株式の評価減をした場合の帳簿価額の減
　　　　　額） ………………………… 1273,1280
66の13-3（特別勘定繰入限度超過額の区分計算） … 1274
66の13-6（特別勘定の金額が1,000万円未満のものであ
　　　　　るかどうかの判定） …………………… 1275
66の13-7（特定株式の全部又は一部を有しないこととな
　　　　　った場合の意義） ……………………… 1280
66の13-8（特定株式の評価減を否認した場合の特別勘定
　　　　　の取扱い） ……………………………… 1280
66の13-9（換算差損を計上した場合の特別勘定の取崩し）
　　　 …………………………………………………… 1281
66の13-10（取得の日から3年を経過した増資特定株式に
　　　　　係る特別勘定を取り崩した場合の取扱い） … 1281
67-1（社会保険診療報酬の範囲） …………………… 1284
67-2（社会保険類似の診療報酬についての不適用） … 1285
67-2の2（総収入金額の範囲） ……………………… 1285
67-3（社会保険診療報酬に係る損金の額が特例経費額に
　　　満たない場合の損金算入） …………………… 1285
67-4（社会保険診療報酬に係る損金の額の計算） …… 1285
67-5（医師等が医薬品等の仕入れに関し支払を受ける仕

　　　　入割戻し) ································· 1285
67－6（社会保険診療報酬に係る損金の額の計算明細書の
　　　　添付) ····································· 1286
67の3－1（免税対象飼育牛の売却利益の額の計算) ··· 1288
67の4－1（取壊し等に要する費用) ············ 850, 851
67の4－2（廃材等の処分価額の除却損失等からの控除)
　　　　··· 850, 851
67の5－1（事務負担に配慮する必要があるものであるか
　　　　どうかの判定の時期) ························ 351
67の5－1の2（常時使用する従業員の範囲) ········ 351
67の5－2（少額減価償却資産の取得価額の判定単位) ··· 351
67の5－2の2（一時的に貸付けの用に供した減価償却資
　　　　産) ·· 352
67の5－2の3（主要な事業として行われる貸付けの例示)
　　　　··· 352
67の5－3（少額減価償却資産の取得等とされない資本的
　　　　支出) ······································ 352
67の6－1（名義が異なる特定株式投資信託の収益の分配)
　　　　··· 307
67の6－2（受益権の銘柄) ························· 312
67の12－1（重要な財産の処分若しくは譲受けの判定) ··· 1303
67の12－2（多額の借財の判定) ···················· 1303
67の12－3（重要業務の執行の決定に関与し、かつ、重要
　　　　執行部分を自ら執行する場合) ············· 1303
67の12－4（明らかに欠損とならないと見込まれるときの
　　　　判定) ····································· 1304
67の18－1（国外所得金額の計算の特例) ············ 1454
67の18－2（独立企業間価格との差額の国外所得金額の調
　　　　整) ······································· 1454
67の18－3（独立企業間価格との差額の国外所得金額への
　　　　加算) ····································· 1454
68－1（店舗における物品供給事業の収入金額) ······ 1398
68－2（基準所得金額の端数計算) ·················· 1398
68－2の2－1（認定株式分配の場合の適格株式分配の要
　　　　件に係る従業者の範囲等) ·················· 1380
68の2の3(1)－1（名義株がある場合の特定支配関係の
　　　　判定) ····································· 1388
68の2の3(1)－2（自ら事業の管理、支配等を行ってい
　　　　ることの意義) ················· 1381, 1383, 1384
68の2の3(2)－1（発行済株式) ················· 1388
68の2の3(2)－2（直接又は間接保有の株式) ······· 1388
68の2の3(2)－3（特定軽課税外国法人に該当するかど
　　　　うかの判定) ································ 1388
68の2の3(2)－4（船舶又は航空機の貸付けの意義) ··· 1388
68の2の3(2)－5（自ら事業の管理、支配等を行ってい
　　　　ることの意義) ····························· 1388
68の2の3(2)－6（事業の判定) ·················· 1388
68の2の3(2)－7（金融商品取引業を営む外国法人が受
　　　　けるいわゆる分与口銭) ····················· 1389

租税特別措置法関係個別通達

昭48直審4－3（仮換地等が土地収用法等の規定に基づい
　　　　て使用され補償金等を取得する場合の収用等の場
　　　　合の課税の特例の適用について) ············· 876
昭56直法2－10（租税特別措置法第67条の3に規定する肉
　　　　用牛の売却に係る所得の課税の特例に関する法人
　　　　税の取扱いについて) ······················ 1296

耐用年数の適用等に関する取扱通達

1－1－1（2以上の用途に共用されている資産の耐用年
　　　　数) ·· 398
1－1－2（資本的支出後の耐用年数) ················ 398
1－1－3（他人の建物に対する造作の耐用年数) ··· 398, 400
1－1－4（賃借資産についての改良費の耐用年数) ··· 398
1－1－5（貸与資産の耐用年数) ····················· 398
1－1－6（前掲の区分によらない資産の意義等) ······ 399
1－1－7（器具及び備品の耐用年数の選択適用) ······ 410
1－1－8（耐用年数の選択適用ができる資産を法人が資
　　　　産に計上しなかった場合に適用する耐用年数) ··· 399
1－1－9（「構築物」又は「器具及び備品」で特掲され
　　　　ていないものの耐用年数) ·················· 399
1－1－10（特殊の減価償却資産の耐用年数の適用の特例)
　　　　··· 417
1－2－1（建物の構造の判定) ······················· 399
1－2－2（2以上の構造からなる建物) ··············· 399
1－2－3（建物の内部造作物) ······················· 400
1－2－4（2以上の用途に使用される建物に適用する耐
　　　　用年数の特例) ····························· 400
1－3－1（構築物の耐用年数の適用) ················ 404
1－3－2（構築物と機械及び装置の区分) ············ 404
1－3－3（構築物の附属装置) ······················· 404
1－4－1（機械及び装置の耐用年数) ················ 413
1－4－2（いずれの「設備の種類」に該当するかの判定)
　　　　··· 413
1－4－3（最終製品に基づく判定) ·················· 413
1－4－4（中間製品に係る設備に適用する耐用年数) ··· 413
1－4－5（自家用設備に適用する耐用年数) ·········· 413
1－4－6（複合的なサービス業に係る設備に適用する耐
　　　　用年数) ····································· 413
1－4－7（プレス及びクレーンの基礎) ·············· 413
1－5－1（中古資産の耐用年数の見積り) ····· 420, 1696
1－5－2（見積耐用年数によることができない中古資産)
　　　　··· 420, 422
1－5－3（中古資産の改良等をした後の耐用年数) ··· 421
1－5－4（中古資産の耐用年数の見積りが困難な場合)
　　　　··· 421
1－5－5（経過年数が不明な場合の経過年数の見積り)
　　　　··· 421
1－5－6（資本的支出の額を区分して計算した場合の耐
　　　　用年数の簡便計算) ························· 421
1－5－7（中古資産の耐用年数を簡便法により算定して
　　　　いる場合において法定耐用年数が短縮されたとき
　　　　の取扱い) ································· 421
1－5－8（中古の総合償却資産を取得した場合の総合残
　　　　存耐用年数の見積り) ······················· 421
1－5－9（取得した中古機械装置等が設備の相当部分を
　　　　占めるかどうかの判定) ····················· 422
1－5－10（総合償却資産の総合耐用年数の見積りの特例)
　　　　··· 422
1－5－11（見積法及び簡便法によることができない中古
　　　　の総合償却資産) ··························· 422
1－5－12（取り替えた資産の耐用年数) ············· 422
1－6－1（総合償却資産の使用可能期間の算定) ····· 428
1－6－1の2（総合償却資産の未経過使用可能期間の算
　　　　定) ·· 428
1－6－2（陳腐化による耐用年数の短縮) ············ 428
1－7－1（定率法を定額法に変更した資産の耐用年数改

正後の適用年数) ……………………………… 434	2－3－14 (高架道路) ……………………………… 406
1－7－2 (見積法を適用していた中古資産の耐用年数)	2－3－15 (飼 育 場) ……………………………… 406
……………………………………………… 421	2－3－16 (爆発物用防壁) ………………………… 407
1－7－3 (耐用年数の短縮承認を受けていた減価償却資	2－3－17 (防 油 堤) ……………………………… 407
産の耐用年数) ……………………………… 429	2－3－18 (放射性同位元素の放射線を直接受けるもの)
2－1－1 (下記以外のもの) ………………………… 400	……………………………………………… 407
2－1－2 (内部造作を行わずに賃貸する建物) …… 400	2－3－19 (放射線発生装置の遮へい壁等) ……… 407
2－1－3 (店舗) ……………………………………… 400	2－3－20 (塩素等著しい腐食性を有するガスの影響を受
2－1－4 (保育所用、託児所用の建物) ……… 400, 405	けるもの) …………………………………… 407
2－1－5 (ボーリング場用の建物) ………………… 400	2－3－21 (自動車道) ……………………………… 407
2－1－6 (診療所用、助産所用の建物) …………… 401	2－3－22 (打込み井戸) …………………………… 407
2－1－7 (木造内装部分が3割を超えるかどうかの判定)	2－3－23 (地盤沈下による防潮堤、防波堤の積上げ費)
……………………………………………… 401	………………………………………… 396, 407
2－1－8 (飼育用の建物) …………………………… 401	2－3－24 (地盤沈下対策設備) …………… 396, 407
2－1－9 (公衆浴場用の建物) ……………………… 401	2－4－1 (船舶搭載機器) ………………………… 408
2－1－10 (工場構内の附属建物) …………………… 401	2－4－2 (L.P.Gタンカー) …………………… 408
2－1－11 (給食加工場の建物) ……………………… 401	2－4－3 (しゅんせつ船及び砂利採取船) ……… 408
2－1－12 (立体駐車場) ……………………………… 401	2－4－4 (サルベージ船等の作業船、かき船等) … 408
2－1－13 (塩素等を直接全面的に受けるものの意義) … 401	2－5－1 (車両に搭載する機器) ………………… 408
2－1－14 (塩素等を直接全面的に受けるものの例示) … 402	2－5－2 (高圧ボンベ車及び高圧タンク車) …… 408
2－1－15 (冷蔵倉庫) ………………………………… 402	2－5－3 (薬品タンク車) ………………………… 408
2－1－16 (放射線を直接受けるもの) ……………… 402	2－5－4 (架空索道用搬器) ……………………… 409
2－1－17 (放射線発生装置使用建物) ………… 402, 407	2－5－5 (特殊自動車に該当しない建設車両等) … 409
2－1－18 (著しい蒸気の影響を直接全面的に受けるもの)	2－5－6 (運送事業用の車両及び運搬具) ……… 409
……………………………………………… 402	2－5－7 (貸自動車業用の車両) ………………… 409
2－1－19 (塩、チリ硝石等を常置する建物及び蒸気の影	2－5－8 (貨物自動車と乗用自動車との区分) … 409
響を受ける建物の区分適用) ……………… 402	2－5－9 (乗合自動車) …………………………… 409
2－1－20 (塩、チリ硝石等を常置する建物及び著しい蒸	2－5－10 (報道通信用のもの) …………………… 409
気の影響を受ける建物の例示) …………… 402	2－5－11 (電気自動車に適用する耐用年数) …… 409
2－1－21 (バナナの熟成用むろ) …………………… 402	2－6－1 (測定工具及び検査工具) ……………… 409
2－1－22 (ビルの屋上の特殊施設) ………………… 402	2－6－2 (ロ ー ル) ……………………………… 410
2－1－23 (仮設の建物) ……………………………… 403	2－6－3 (金属性柱及びカッペ) ………………… 410
2－2－1 (木造建物の特例) ………………………… 403	2－6－4 (建設用の足場材料) …………………… 410
2－2－2 (電気設備) ………………………………… 403	2－7－1 (前掲する資産のうち当該資産について定めら
2－2－3 (給水設備に直結する井戸等) …………… 403	れている前掲の耐用年数によるもの以外のもの及
2－2－4 (冷房、暖房、通風又はボイラー設備) … 403	び前掲の区分によらないもの) …………… 410
2－2－4の2 (格納式避難設備) …………………… 403	2－7－2 (主として金属製のもの) ……………… 410
2－2－5 (エヤーカーテン又はドアー自動開閉設備) … 404	2－7－3 (接客業用のもの) ……………………… 410
2－2－6 (店用簡易装備) …………………………… 404	2－7－4 (冷房用又は暖房用機器) ……………… 410
2－2－6の2 (可動間仕切り) ……………………… 404	2－7－5 (謄写機器) ……………………………… 411
2－2－7 (前掲のもの以外のものの例示) …… 404, 606	2－7－6 (電子計算機) …………………………… 411
2－3－1 (鉄道用の土工設備) ……………………… 405	2－7－6の2 (旅館、ホテル業における客室冷蔵庫自動
2－3－2 (高架鉄道の高架構造物のく体) ………… 405	管理機器) …………………………………… 411
2－3－3 (配電線、引込線及び地中電線路) …… 405	2－7－7 (オンラインシステムの端末機器等) … 411
2－3－4 (有線放送電話線) ………………………… 405	2－7－8 (書類搬送機器) ………………………… 411
2－3－5 (広告用のもの) …………………………… 405	2－7－9 (テレビジョン共同聴視用装置) ……… 411
2－3－6 (野球場、陸上競技場、ゴルフコース等の土工	2－7－10 (ネオンサイン) ………………………… 411
施設) ………………………………………… 405	2－7－11 (染色見本) ……………………………… 411
2－3－7 「構築物」の「学校用」の意義) ……… 405	2－7－12 (金　　庫) ……………………………… 411
2－3－8 (幼稚園の水飲場等) ……………………… 405	2－7－13 (医療機器) ……………………………… 412
2－3－8の2 (緑化施設) …………………………… 405	2－7－14 (自動遊具等) …………………………… 412
2－3－8の3 (緑化施設の区分) …………………… 406	2－7－15 (貸　衣　装) …………………………… 412
2－3－8の4 (工場緑化施設を判定する場合の工場用の	2－7－16 (生　　物) ……………………………… 412
建物の判定) ………………………………… 406	2－7－17 (天　幕　等) …………………………… 412
2－3－8の5 (緑化施設を事業の用に供した日) … 406	2－7－18 (自動販売機) …………………………… 412
2－3－9 (庭園) ……………………………………… 406	2－7－19 (無人駐車管理装置) …………………… 412
2－3－10 (舗装道路) ………………………………… 406	2－8－1 (鉱業用の軌条、まくら木等) ………… 414
2－3－11 (舗装路面) ………………………………… 406	2－8－2 (総合工事業以外の工事業用設備) …… 414
2－3－12 (ビチューマルス敷のもの) ……………… 406	2－8－3 (鉄道業以外の自動改札装置) ………… 414
2－3－13 (砂　利　道) ……………………………… 406	2－8－4 (その他の小売業用設備) ……………… 414

2－8－5（ホテル内のレストラン等のちゅう房設備） …… 414
2－8－6（持ち帰り・配達飲食サービス業用のちゅう房
　　　　設備） ……………………………………… 414
2－8－7（その他のサービス業用設備） …………… 414
2－8－8（道路旅客運送業用設備） ………………… 414
2－8－9（電光文字設備等） ………………………… 414
2－9－1（汚水処理用減価償却資産の範囲） ……… 418
2－9－2（建物に係る浄化槽等） …………………… 418
2－9－3（家畜し尿処理設備） ……………………… 418
2－9－4（汚水処理用減価償却資産に該当する機械及び
　　　　装置） ……………………………………… 418
2－9－5（ばい煙処理用減価償却資産の範囲） …… 419
2－9－6（建物附属設備に該当するばい煙処理用の機械
　　　　及び装置） ………………………………… 419
2－9－7（ばい煙処理用減価償却資産に該当する機械及
　　　　び装置） …………………………………… 419
2－10－1（開発研究の意義） ………………………… 419
2－10－2（開発研究用減価償却資産の意義） ……… 419
2－10－3（開発研究用減価償却資産の範囲） ……… 420
3－1－1（増加償却の適用範囲） …………………… 438
3－1－2（中古機械等の増加償却割合） …………… 438
3－1－3（平均超過使用時間の意義） ……………… 438
3－1－4（機械装置の単位） ………………………… 439
3－1－5（標準稼働時間内における休止時間） …… 439
3－1－6（日曜日等の超過使用時間） ……………… 439
3－1－7（日々の超過使用時間の算定方法） ……… 439
3－1－8（日々の超過使用時間の簡便計算） ……… 439
3－1－9（月ごとの計算） …………………………… 439
3－1－10（超過使用時間の算定の基礎から除外すべき機
　　　　械装置） …………………………………… 439
3－1－11（超過使用時間の算定の基礎から除外すること
　　　　ができる機械装置） ……………………… 440
3－1－12（通常使用されるべき日数の意義） ……… 440
4－1－1（漁網の範囲） ……………………………… 372
4－1－2（鉛板地金） ………………………………… 372
4－1－3（映画用フィルムの取得価額） …………… 372
4－1－4（映画フィルムの範囲と上映権） ………… 372
4－1－5（非鉄金属圧延用ロール） ………………… 372
4－1－6（譲渡、滅失資産の除却価額） …………… 372
4－1－7（修繕費と資本的支出の区分） ……… 373, 395
4－1－8（残存価額） ………………………………… 373
4－1－9（残存価額となった資産） ………………… 373
4－2－1（特別な償却率等の算定式） ……………… 373
4－3－1（特別な償却率の認定） …………………… 375
4－3－2（中古資産の特別な償却率） ……………… 375
4－3－3（特別な償却率による償却限度額） ……… 375
4－3－4（特別な償却率の認定を受けている資産に資本
　　　　的支出をした場合の取扱い） …………… 376
5－1－1（事業年度が1年に満たない場合の償却率等）
　　　　………………………………………… 430, 431
5－1－2（中間事業年度における償却率等） … 430, 432, 1696
5－1－3（取替法の承認基準） ……………………… 370

耐用年数の適用等に関する取扱通達（個別通達）

昭54直法2－4（展示用建物の耐用年数の取扱いについ
　　　　て） ………………………………………… 403
昭54直法2－10（排水の再生利用に供する汚水処理用減価
　　　　償却資産について） ……………………… 418
昭54直法2－17（共有持分を有する法人が共有持分の追加
　　　　取得をした場合の耐用年数の適用について） …… 423

50音順索引

この索引は、本書に収録した主要項目について、50音順にひらがな、カタカナ、漢字の順で配列したものである。
（例）　その都度後入先出法
　　　　ソフトウエア
　　　　租税公課

【あ】

- 青色申告 …………………………………… 132
- **青色申告**
  - 青色申告書 ……………………………… 99
  - 青色申告の承認の申請 ……………… 132
  - 青色申告の承認の取消し …………… 140
  - 青色申告の取りやめ ………………… 141
  - 青色申告法人 ………………………… 133
  - 青色申告法人の決算 ………………… 133
  - 青色申告法人の帳簿書類 …………… 133
- 青色申告書を提出しなかった事業年度の欠損金の特例 ……………………………………… 1071
- **圧縮記帳**
  - 圧縮基礎取得価額 …………………… 780
  - 圧縮記帳資産等の取得価額 ………… 889
  - 圧縮記帳資産の取得価額
    ……………… 388, 737, 741, 753, 759, 814, 847, 855, 901
  - 圧縮記帳をした資産の帳簿価額 …… 732, 740, 743, 745
  - 換地処分等の圧縮記帳 ……………… 893
  - 技術研究組合の試験研究用資産の圧縮記帳 …… 847
  - 交換資産の圧縮記帳 ………………… 755
  - 交換分合により取得した土地等の圧縮記帳 …… 839
  - 工事負担金の圧縮記帳 ……………… 739
  - 国庫補助金等の圧縮記帳 …………… 731
  - 収用等の圧縮記帳 …………………… 858
  - 転廃業助成金等の圧縮記帳 ………… 848
  - 特定の資産の買換えの圧縮記帳 …… 763
  - 特定普通財産とその隣接する土地等の交換の圧縮記帳 …………………………… 842
  - 農用地等を取得した場合の課税の特例 …… 760
  - 非出資組合の賦課金の圧縮記帳 …… 742
  - 保険金等の圧縮記帳 ………………… 744
- 圧縮記帳資産に対する特別償却等の不適用 …… 603, 815
- 圧縮記帳の適用を受けた資産に対する法人税額の特別控除の不適用 …………………… 1674
- 圧縮記帳をした資産の帳簿価額
  ……………………… 732, 740, 743, 745, 857

【い】

- いずれの「設備の種類」に該当するかの判定 …… 413
- 1,000万円特別控除 ……………………… 965
- 育成者権 ………………………………… 341
- 異常危険準備金 ………………………… 1035
- 意匠権 …………………………………… 341
- 委託販売による収益の帰属の時期 …… 239
- 著しい陳腐化 …………………………… 625
- 一括償却資産 …………………………… 346
- 一括評価金銭債権 ……………………… 982
- 一般に公正妥当と認められる会計処理の基準 …… 238
- 移転補償金 ……………………………… 870
- 移動平均法 ……………………………… 329
- 医療法人の設立に係る資産の受贈益等 … 1210
- 医療用機器等の特別償却 ……………… 553
- 飲食費 …………………………………… 699
- 隠蔽仮装行為に要する費用等の損金不算入 …… 1044

【う】

- 請負収益に対応する原価の額 ………… 242
- 受取配当等の益金不算入 ……………… 299
- 埋立免許料等 …………………………… 384
- 売上原価等 ……………………………… 328
- 売上原価等が確定していない場合の見積り …… 237
- 売上割戻し等と交際費等との区分 …… 700
- 売掛金基準 ……………………………… 994
- 売れ残り単行本 ………………………… 627

【え】

- 益金の額 ………………………………… 230
- えるぼし ……………………… 1643, 1646, 1648
- 円換算額 ………………………………… 1180
- 延滞税 …………………………………… 1718
- 延滞税の還付 ………………………… 1755, 1756
- 延滞税の計算の基礎となる税額の端数計算等 …… 1718
- 延滞税の割合の特例 …………………… 1720

【お】

沖縄の特定地域において工業用機械等を取得した場合の法人税額の特別控除 ………………… 1575
沖縄の認定法人の課税の特例 ………………… 1245
温泉利用権 ………………………………………… 344

【か】

海外在勤役員に対する滞在手当等 ……………… 654
海外自主開発法人の特定株式等に係る貸倒引当金の繰入れの禁止 …………………………… 1013
海外渡航費 ………………………………………… 726

買換資産
　買換資産として土地等を取得する場合の面積制限 ……………………………………………… 807
　買換資産についての選択適用 ………………… 810
　買換資産の取得の時期 ………………………… 789
　買換資産を事業の用に供しない場合の圧縮額 … 811
　買換えの証明書 ………………………………… 816
　買換えのための先行取得資産 ………………… 787

外貨建資産等 …………………………………… 1180
外貨建資産等の期末換算 ……………………… 1187
外貨建取引 ……………………………………… 1180
外貨建取引に係る会計処理等 ………………… 1181
外貨建取引の換算 ……………………………… 1183
会議に関連して通常要する費用の例示 ………… 704
開 業 費 …………………………………………… 605
会 計 期 間 ………………………………………… 121
外国関係会社の外国法人税額の益金算入 …… 1474
外国子会社から受ける配当等 …………………… 319
外国子会社から受ける配当等に係る外国源泉税等の損金不算入 ……………………………… 664

外国税額控除
　外国税額控除 ………………………………… 1429
　外国法人税が課されない国外源泉所得 …… 1469
　外国法人税額が減額された場合 …………… 1486
　外国法人税の換算 …………………………… 1458
　外国法人税の範囲 …………………………… 1458
　外国法人税を納付することとなる場合の外国税額控除 ………………………………… 1429

外 国 法 人 ………………………………………… 24
外国法人税が増額又は減額された場合の調整 … 1486
介護費用保険に係る保険料 ……………………… 724

解 散
　解散等があった場合の欠損金の繰戻しによる還付 ……………………………………… 1732
　解散による清算所得 ………………………… 1743
　解散の場合の清算所得に対する法人税の税率 …… 1749
　解散の日 ……………………………………… 124

会社更生等による債務免除等があった場合の欠損金の損金算入 …………………………… 1075
会社更生法の規定による更生会社の事業年度 … 122
回収不能の金銭債権の貸倒れ …………………… 707
改定取得価額 …………………………… 362, 371
改定リース期間 …………………………………… 371
買 取 り 等 ………………………………………… 925
買取り等の証明書 ………………………………… 928
買取り等の申出証明書 …………………………… 928
開発研究用減価償却資産の耐用年数表 ……… 1855
開 発 費 …………………………………………… 605
開発負担金等 …………………………… 384, 607
会費及び入会金等の費用 ………………………… 727
各事業年度の所得の金額 ………………………… 230
確定給付企業年金の掛金等 …………………… 1197
確定拠出企業年金の掛金等 …………………… 1197

確 定 申 告
　確定申告書 …………………………… 99, 1697
　確定申告書等 ………………………………… 102
　確定申告書の提出期限の延長 ……………… 1699
　確定申告書の提出期限の延長の特例 ……… 1700
　確定申告書の提出期限の延長の特例に係る利子税の特例 ………………………………… 1717
　確定申告書の添付書類 ……………………… 1697
　確定申告による納付 ………………………… 1716

過去勤務債務等 ………………………………… 1199
加 算 税 …………………………………………… 148
加算税の計算の基礎となる税額の端数計算等 … 157
貸 倒 損 失 ………………………………………… 707
貸倒引当金 ……………………………………… 972
貸倒引当金の益金算入 ………………………… 991
貸倒引当金の差額繰入れ等の特例 …………… 991
貸付金利子等 …………………………………… 252
課税売上割合 …………………………………… 1219
課 税 期 間 ………………………………………… 102
課税所得の範囲 ………………………………… 120
課税所得の変更等の場合の所得の金額の計算 … 1786
課税標準等 ……………………………………… 102
課税標準の端数計算 …………………………… 1392
課税留保金額 …………………………………… 1403

仮 装 経 理
　仮装経理等により支給した役員給与の損金不算入 ………………………………………… 655
　仮装経理に基づく過大申告の場合の更正に伴う法人税額の還付 ……………………… 1737
　仮装経理に基づく過大申告の場合の更正に伴う法人税額の控除 ……………………… 1505

50音順索引

仮装経理に基づく過大申告の場合の更正の特例 ……………………………………………………… 146
過大な使用人給与の損金不算入 …………… 657
過大な役員給与の損金不算入 ……………… 651

合併
　合併による国税の納付義務の承継 ………… 118
　合併法人 …………………………………………… 31
稼働休止資産 ……………………………………… 343
可動間仕切り ……………………………………… 404
株式移転完全親法人 ……………………………… 32
株式移転完全子法人 ……………………………… 32
株式交換完全親法人 ……………………………… 31
株式交換完全子法人 ……………………………… 31
株式交換等 …………………………………………… 57
株式交換等完全親法人 …………………………… 31
株式交換等完全子法人 …………………………… 31
株式交付費 ………………………………………… 605
株式等を対価とする株式の譲渡に係る所得の計算の特例 ……………………………………………… 1266
株式分配 …………………………………………… 56
株主グループ ……………………………………… 655
株主等 ………………………………………………… 75
仮換地に係る面積制限 …………………………… 808
仮決算における損金経理 ……………………… 1695
仮決算による中間申告書 ……………………… 1690
仮清算金 …………………………………………… 876
仮払経理した寄附金 ……………………………… 672
仮払消費税等及び仮受消費税等の清算 ……… 293
為替予約差額の配分 …………………………… 1193
簡易な方法による記録 ………………………… 180
環境負荷低減事業活動用資産等の特別償却 ……… 503
関西国際空港用地整備準備金 ………………… 1037
関西文化学術研究都市の文化学術研究施設の特別償却 ……………………………………………… 496
完全支配関係 ……………………………………… 33
完全支配関係がある法人の間の取引の損益 … 1328
換地処分等 ………………………………………… 893
換地処分又は権利変換の補償金等に係る特別控除 …… 922

還付
　仮装経理に基づく還付 ……………………… 1737
　欠損金の繰戻しによる還付の不適用 ……… 1729
　所得税額等の還付 ………………… 1725, 1758
　中間納付額の還付 ………………… 1725, 1726
還付加算金 ………………………………… 100, 1759
還付加算金の端数計算 ………………………… 1739
還付金額が所得等の金額に算入される時期 … 1410
還付所得事業年度 ……………………………… 1730
還付すべき所得税額等の充当の順序 ………… 1725
還付すべき中間納付額の充当の順序 ………… 1728
還付請求書 ……………………………………… 1731
簡便法 ……………………………………………… 420
元本所有期間あん分 …………………………… 1419
元本所有期間あん分の簡便計算 ……………… 1421
元本所有期間割合 ……………………………… 1419

【き】

機械及び装置以外の有形減価償却資産の耐用年数表 ……………………………………………… 1829
機械及び装置の耐用年数表 …………………… 1848
機械及び装置以外の有形減価償却資産の耐用年数 ……………………………………………… 399
機械及び装置の耐用年数 ……………………… 412
期間の計算 ………………………………………… 130
企業支配株式等 ………………………………… 1122
器具及び備品の耐用年数 ……………………… 410
技芸教授業 ……………………………………… 1779
期限後申告 …………………………… 1707, 1717
期限後申告書 ……………………………………… 99
期限内申告 ……………………………………… 1697
期限の特例 ………………………………………… 130
技術役務の提供に係る報酬に対応する原価の額 …… 243
既成市街地等 ……………………………………… 764
機能復旧補償金 …………………………………… 394

寄附金
　寄附金 ……………………………………… 669, 685
　寄附金と交際費等との区分 ………… 687, 700
　寄附金の範囲 …………………………………… 685
　国等に対する寄附金 …………………………… 673
　指定寄附金 ……………………………………… 672
　みなし寄附金 …………………………………… 687
　未払寄附金 ……………………………………… 687
基本税率 …………………………………… 1392, 1396
逆収用の請求ができる場合に買い取られた資産の対価 ……………………………………………… 868
旧国外リース期間定額法 ……………………… 357
旧生産高比例法 …………………………………… 357
旧定額法 …………………………………………… 357
旧定率法 …………………………………………… 357
給与等課税事由 ………………………………… 1042
給与等の支給額が増加した場合の法人税額の特別控除 ……………………………………………… 1633
給与等と交際費等との区分 …………………… 702
給与負担金 ………………………………………… 660
協同組合等 …………………………………… 24, 1749
協同組合等が支出する災害見舞金等 ………… 702
協同組合等の事業分量配当等 ………………… 1324
協同組合等の特別の賦課金 …………………… 1324

協同組合等の表	116
共同利用施設の特別償却	501
業務執行役員と特殊の関係のある者	646
共有地の分割	250
共有持分を有する法人が共有持分の追加取得	423
供用年度	1567, 1575
漁業権	97, 341
漁業補償等	864
金銭債権の貸倒れ	707
金銭債務に係る債務者の償還差益又は償還差損の益金又は損金算入	1208
金銭の貸借であると認められる場合	284
金品引換券付販売に要する費用	726
金融機関の未収利息	247
金融資産等に係る損益	256
勤労者財産形成基金契約の拠出金等	1198
勤労者財産形成給付金契約の信託金等	1198

【く】

グループ税制	1328
くるみん	1643, 1646, 1648
国又は地方公共団体に対する寄附金	672
熊本地震に関する諸費用の法人税の取扱い	295
繰入限度額	993
繰越欠損金	1048
繰越控除限度額	1477
繰越控除対象外国法人税額	1478
繰越税額控除限度超過額	1573, 1585, 1650

繰延資産

繰延資産	98, 605
繰延資産となる費用のうち少額のものの損金算入	608
繰延資産に該当する費用の具体的例示	608
繰延資産の償却期間	614
繰延資産の償却限度額	613
繰延資産の償却費等	608

繰延消費税額等	1219

【け】

継続手形貸付金	248
継続等の場合の清算所得	1758
継続の日	124
経費補償金	870
景品引換券付販売等により得意先に対して交付する景品の費用	700
契約者配当	723
決算締切日	230, 237

欠損金額	95
欠損金額の引継ぎ及び繰越制限等	1083
欠損金の繰戻しによる還付の不適用	1729
欠損事業年度	1730
決定	99, 142
減額控除対象外国法人税額	1487
原価差額	338

減価償却資産

減価償却資産	96, 377
減価償却資産以外の固定資産の取得価額	391
減価償却資産の取得価額	382
減価償却資産の償却限度額	432
減価償却資産の償却の方法の選定、変更等	377
減価償却資産の償却費等の損金算入	352
減価償却資産の特別な償却の方法	367
減価償却資産の範囲	341
少額の減価償却資産の取得価額の判定	345
平成19年3月31日以前に取得をされた減価償却資産の残存割合表	1862
平成19年3月31日以前に取得をされた減価償却資産の償却率表	1856
平成19年4月1日以後に取得をされた減価償却資産の定額法の償却率表	1857
平成19年4月1日から平成24年3月31日までの間に取得をされた減価償却資産の定率法の償却率、改定償却率及び保証率の表	1858
平成24年4月1日以後に取得をされた減価償却資産の定率法の償却率、改定償却率及び保証率の表	1860

減価償却資産の時価	631
減価償却資産の償却累積額による償却限度額の特例	440
原価に算入された交際費等の調整	706
原価の率	329
原価法	329
減価補償金	860
減価補填金	848
研究開発のためのソフトウエア	344
堅固な建物等の償却限度額の特例	442
建設中の資産	343
現物出資法人	31
現物分配法人	31
権利金	1211
権利金の認定	1211
権利金の認定見合せ	1212
権利変換による補償金の範囲	863

【こ】

5,000万円特別控除······920
ゴルフクラブに支出する年会費······728
ゴルフクラブの年会費その他の費用······705
公益法人等······24
公益法人等及び人格のない社団等における課税······1760
公益法人等の意義······1760
公益法人等の表······109
公害防止用減価償却資産の耐用年数表······1855
高価買入資産の取得価額······383
交換差金······806
交換取得資産······893
交換により生じた差益金の額······757
交換分合······839
恒久的施設······70
公共事業施行者······929
工業所有権······343
工業所有権の実施権等······343
公共的施設の設置又は改良のために支出する費用······606
公共法人······24
公共法人の表······106
鉱業用減価償却資産······357, 362
工業用水道施設利用権······97, 342
工具······409
航空機騒音障害区域······763
広告宣伝の用に供する資産を贈与したことにより生ずる費用······606
広告宣伝費と交際費等との区分······701
広告宣伝用資産等の受贈益······257
交際費等に係る消費税等······294
交際費等に含まれる費用の例示······703
交際費等の損金不算入······695
交際費等の範囲······699
口座振替納付······1722
工事進行基準······278, 281
公社債投資信託······98
控除限度額の計算······1469
控除限度超過額の繰越控除と控除余裕額の繰越使用······1477
控除対象外消費税額等の意義······1219
更新料······1217
更新料を支払った場合の借地権等······1217
更正······99, 142
更生会社等の事業年度······122
更正請求書······99
更正等の効力······143
厚生年金基金······1198
更正の請求······1740
更正の請求書······1741
更正の請求と国税の徴収との関係······1741
更正又は決定の期間制限······144
構築物······404
合同運用信託······98
後発的事由がある場合の更正の請求の特例······1740
高率負担部分の判定······1460
港湾隣接地域における技術基準適合施設の特別償却······584
子会社等を再建する場合の無利息貸付け等······686
子会社等を整理する場合の損失負担等······685
国外······24
国外からの利子、配当等······1459
国外事業所等······1429
国際最低課税額確定申告書······99
国際戦略総合特別区域において機械等を取得した場合の法人税額の特別控除······1592
国際戦略総合特別区域において機械等を取得した場合の特別償却······462
国税······101
国税関係帳簿書類······184
国内······24
個人型確定拠出年金の掛金······1198
個人事業当時の在職期間に対応する退職給与の損金算入······659
個人年金保険に係る保険料······715
国家戦略特別区域において機械等を取得した場合の特別償却······458
国家戦略特別区域において機械等を取得した場合の法人税額の特別控除······1587
国家戦略特別区域における指定法人の課税の特例······1259
国庫補助金等······731
固定資産······96
固定資産について値引き等があった場合······387
固定資産の取得価額に算入しないことができる費用······383
固定資産の譲渡等による損益······250
固定資産の範囲······341
個別償却資産の除却価額等······445
個別評価金銭債権······972
個別法······329

【さ】

災　　　害
- 災害等による期限の延長 130
- 災害の場合の資本的支出と修繕費の区分 394
- 災害の場合の取引先に対する売掛債権の免除等 686, 702
- 災害の場合の取引先に対する低利又は無利息による融資 686
- 災害見舞金に充てるために同業団体等へ拠出する分担金等 729

- 再　更　正 142
- 最終仕入原価法 329
- 再調査の請求書 162
- 再調査の請求についての決定 165
- 債務の確定の判定 237
- 差　益　割　合 780, 858
- 先入先出法 329
- 先物外国為替契約 1180
- 先物外国為替契約等 1185
- 産学官連携の共同研究・委託研究に係る法人税額の特別控除 1540
- 残価保証額 363
- 産業振興機械等の割増償却 517
- 残　存　価　額 432
- 残地補償金 871
- 残地保全経費の補償金 872
- 残余財産の価額の計算 1744
- 残余財産の確定 126
- 残余財産分配等予納申告書 1752

【し】

- 時　　　価 331, 625
- 事業再編計画の認定を受けた場合の事業再編促進機械等の割増償却 582
- 事業適応設備を取得した場合等の特別償却 483
- 事業適応設備を取得した場合等の法人税額の特別控除 1656
- 事　業　年　度 121
- 事業年度の特例 123
- 事業年度を変更した場合等の届出 129
- 事業の主宰者の特殊関係者の範囲 147
- 事業分量配当等 1324
- 資　　　源 1001
- 資源開発事業等 1001, 1002
- 資源開発投資法人 1002
- 資源開発法人 1003
- 試験研究を行った場合の法人税額の特別控除 1509
- 資源探鉱事業法人 1002
- 資源探鉱投資法人 1002
- 資源探鉱等事業 1002
- 自己の建設等に係る減価償却資産の取得価額 387
- 資産に係る控除対象外消費税額等の損金算入 1219
- 資産の評価益 618
- 資産の評価損 623
- 資産流動化法 1310
- 資産を帳簿価額により寄附した場合の処理 684
- 自社製品等の被災者に対する提供 686, 702
- 事前確定届出給与の変更届出 641
- 下請企業の従業員等のために支出する費用 704
- 実費弁償による事務処理の受託等 1767
- 質問検査権 213
- 実用新案権 341
- 自動車による人身事故に係る内払の損害賠償金 730
- 使途秘匿金の支出がある場合の課税の特例 1412
- 支　配　関　係 32
- 地盤沈下対策設備 407
- 資本金等の額 76
- 資本金又は出資金の増加の日 88
- 資本的支出後の耐用年数 398
- 資本的支出と修繕費 392
- 資本等取引 238
- 社歌、コマーシャルソング等の制作のために要した費用の額 344
- 社会保険診療の範囲 1283
- 社会保険診療報酬の所得計算の特例 1282
- 社会保険料の損金算入の時期 710

借　地　権
- 借地権等 1211
- 借地権の取得価額 384
- 借地権の設定等に伴う保証金等 1216
- 借地権の対価とされる特別の経済的な利益 1216
- 借地権の無償譲渡等 1213
- 借地権割合 1216

- 借地権の設定等により地価が著しく低下する場合の土地等の帳簿価額の一部の損金算入 1214
- 借地人が交付を受けるべき借地権の対価補償金の代理受領 874
- 借家人が交付を受けるべき補償金 875
- 借家人補償金 872
- 社交団体の会費等 728
- 社交団体の入会金 728
- 社交団体の入会金等 705
- 社債等発行費 605
- 社　葬　費　用 730
- 砂利採取地に係る埋戻し費用 240

車両及び運搬具……………………………… 408
収 益 事 業 ……………………………………… 75
収益事業開始の届出 ………………………… 179
収益事業の意義 ………………………………1761
収益事業の種類 ………………………………1762
収益事業の判定 ………………………………1780
収 益 の 額 …………………………………… 230
収益補償金 …………………………………… 870
従業員団体の損益の帰属 …………………… 260
従業者の範囲 ………………………………… 104
収支計算書 …………………………………… 228
従事分量配当 …………………………………1324
修 正 申 告 ……………………………………1707
修正申告書 …………………………………99,1707
修繕費と資本的支出の区分 ………………… 373
修繕費に含まれる費用 ……………………… 392
住宅街区整備事業 …………………………… 859
集団投資信託 ………………………………… 99
充　　　当 …………………………………… 99
収　用
　収用換地等の場合の特別控除 …………… 920
　収 用 権 者 …………………………………… 919
　収用証明書 ……………………… 903, 915, 928
　収用対償地の買取りに係る契約方式 …… 953
　収用等に伴い代替資産を取得した場合の課税の特例
　　………………………………………………… 858
　収用等の場合の課税の特例 ……………… 858
　収用等又は換地処分等があった日 ……… 863
受益者から交付を受けた固定資産の圧縮額 … 740
受贈益の益金不算入 ………………………… 323
出向先法人が支出する給与負担金に係る役員給与の取扱い
　………………………………………………… 660
出向者に対する給与の較差補塡 …………… 660
出 訴 期 間 …………………………………… 178
出版権の設定の対価 ………………………… 607
取　　　得 …………………………………… 780
取得指定期間 ………………………………… 793
純損失等の金額 ……………………………… 101
準 備 金
　異常危険準備金 ……………………………1035
　海外投資等損失準備金 ……………………1000
　関西国際空港用地整備準備金 ……………1037
　原子力発電施設解体準備金 ………………1034
　準備金の経理 ………………………………1004
　準備金の差額積立て等 ……… 1004, 1017, 1027
　新幹線鉄道大規模改修準備金 ……………1034
　新事業開拓事業者投資損失準備金 ………1031
　中小企業事業再編投資損失準備金 ………1015
　中部国際空港整備準備金 …………………1038

　特定原子力施設炉心等除去準備金 ………1035
　特定災害防止準備金 ………………………1033
　特定船舶に係る特別修繕準備金 …………1022
　農業経営基盤強化準備金 …………………1038
準備金方式による特別償却 ………………… 591
少額減価償却資産 ………………………344, 350
少 額 物 品 …………………………………… 700
少額又は周期の短い費用の損金算入 ……… 392
償還有価証券の範囲 …………………………1170
償　　　却 …………………………………… 377
償却額の配賦がされていない場合の除却価額 … 445
償却超過額の処理 …………………………… 356
償却の方法の変更手続 ……………………… 379
償却費として損金経理をした金額の意義 … 352
償却保証額 …………………………………… 362
償却明細書 ……………………………… 443, 616
償　却　率 …………………………………… 430
証券投資信託 ………………………………… 98
上場有価証券等 ……………………………… 628
上場有価証券の著しい価額の低下の判定 … 629
譲　　　渡 …………………………………… 779
譲渡資産についての選択適用 ……………… 810
譲渡資産の譲渡に要した経費 …………758, 877
譲渡損益調整資産に係る譲渡利益額又は譲渡損失額の繰延
べ ………………………………………………1328
譲渡対価等 …………………………………… 867
譲 渡 担 保 …………………………………… 250
使用人兼務役員
　使用人兼務役員とされない同族会社の役員 … 656
　使用人兼務役員に支給した退職給与 …… 653
　使用人兼務役員に対する経済的な利益 … 654
　使用人兼務役員の意義 …………………… 655
消費生活協同組合等 …………………………1325
消費税等に係る経理処理の原則 …………… 292
消費税等の益金算入の時期 ………………… 293
消費税等の損金算入の時期 …………… 293, 667
消費税法等の施行に伴う法人税の取扱い … 287
商　標　権 …………………………………… 341
情報提供料等と交際費等との区分 ………… 701
使用補償金 …………………………………… 867
消耗品費等 ……………………………… 259, 327
剰余金の配当等 ……………………………… 253
書画骨とう等 ………………………………… 342
除却損失等 …………………………………… 444
除　却　等 …………………………………… 445
職業運動選手等の契約金等 ………………… 607
所得税額の控除 ………………………………1417
所　得　率 ……………………………………1460
所有権移転外リース取引 …………………… 362

所有割合	655
仕訳帳	136
人格のない社団等	24, 123
人格のない社団等に係る国税の納付義務の承継	118
人格のない社団等の意義	1761
新株予約権を対価とする費用等	1041
申告基準日	1717
申告納税方式	120, 666
審査請求についての裁決	173
審査請求の手続	166
新事業開拓事業者投資損失準備金	1031

【す】

スキー場のゲレンデ整備費用	607
推計による更正又は決定	143
水道施設利用権	97, 342
水利権	341
据置期間経過準備金額	1004

【せ】

| 1,500万円特別控除 | 940 |

税額控除

圧縮記帳の適用を受けた資産に対する法人税額の特別控除の不適用	1674
沖縄の特定地域において工業用機械等を取得した場合の法人税額の特別控除	1575
外国税額控除	1429
仮装経理に基づく過大申告の場合の更正に伴う税額控除	1505
給与等の支給額が増加した場合の法人税額の特別控除	1633
国際戦略総合特別区域において機械等を取得した場合の法人税額の特別控除	1592
国家戦略特別区域において機械等を取得した場合の法人税額の特別控除	1587
事業適応設備を取得した場合等の法人税額の特別控除	1656
試験研究を行った場合の法人税額の特別控除	1509
所得税額の控除	1417
税額控除の順序	1675
地域経済牽引事業の促進区域内において特定事業用機械等を取得した場合の法人税額の特別控除	1597
地方活力向上地域等において雇用者の数が増加した場合の法人税額の特別控除	1606
地方活力向上地域等において特定建物等を取得した場合の法人税額の特別控除	1602
中小企業者等が特定経営力向上設備等を取得した場合の法人税額の特別控除	1623
中小企業者等の特定機械装置等の税額控除	1567
認定地方公共団体の寄附活用事業に関連する寄附をした場合の法人税額の特別控除	1620
認定特定高度情報通信技術活用設備を取得した場合の法人税額の特別控除	1652
法人税額の特別控除等に関する複数の規定の不適用	1672
法人税の額から控除される特別控除額の特例	1677

税額等	102
生計を維持しているもの	30
生計を一にすること	30
制限超過利子	252
清算確定申告	1753
清算確定申告書	1753
清算金	839
清算金等の相殺	898
清算結了の登記をした法人の納税義務等	118
清算事業年度予納申告書	1750
生産高比例法	361
清算中の所得税額の還付	1755
清算中の予納額	1754
清算中の予納額の還付	1755
生産等設備の範囲	511
生産方式革新事業活動用資産等の特別償却	506
製造原価に算入しないことができる費用	336
生物	415
生物の耐用年数表	1853
生命保険に係る保険料	710
設立の届出	179
設立無効等の判決を受けた場合の清算	126
前期損益修正	237
前10年以内の繰越欠損金の損金算入	1048
前10年以内の災害による繰越損失金の損金算入	1071
船舶	408
船舶の特別な償却方法	368
専用金型等	376
専用側線利用権	97, 341

【そ】

増加償却	436
増加償却の適用単位	438
増加償却割合	436
総勘定元帳	134, 137
総合償却資産の使用可能期間	428
総合償却資産の除却価額等	445
倉庫用建物等の割増償却	570

増資払込み後における株式の評価損	630	退職年金の損金算入の時期	653
増殖施設	885	代替資産の圧縮限度額	746
造成団地の工事原価に含まれる道路、公園等の建設費	240	代替資産の範囲	878
造成団地の分譲の場合の売上原価の額	239	第二次納税義務	119
相当期間	334, 380	第二種市街地再開発事業	893
相当の地代	1211	耐用年数の短縮	424
相当の地代の改訂	1212	耐用年数の短縮の対象となる資産の単位	427
総平均法	329	耐用年数を経過した資産についてした修理、改良等	394
創立費	605	貸与資産の耐用年数	398
組織再編成における移転資産等の譲渡損益の取扱い	1340	貸与を受けている機械及び装置がある場合の増加償却	439
組織再編成に関する課税の特例	1378	他資産との交換の場合	806
組織再編成の日	103	立退料等	383, 785
組織変更等の場合の事業年度	122	建物	399
訴訟	177	建物等の取壊し費等	383
租税公課	662	建物附属設備	403
租税条約に基づく合意があった場合の更正の特例	146	建物を賃借するために支出する権利金等	614

棚卸資産

棚卸資産	95, 327
棚卸資産の取得価額	334
棚卸資産の取得価額の特例	337
棚卸資産の特別な評価の方法	331
棚卸資産の販売による収益の帰属の時期	239
棚卸資産の評価の方法	329
棚卸資産の評価の方法の選定等	332
棚卸しの手続	328

租税条約によるみなし外国税額の控除《タックス・スペアリング・クレジット》	1470		
租税の損金算入の時期	666	棚卸資産の取得価額に算入しないことができる費用	335
ソフトウエア	341, 454	棚卸表	137
損害賠償金	259	他人の建物に対する造作の耐用年数	400
損害保険契約に係る保険料	723	ダム使用権	341

損金

損金経理	98
損金の額	230, 237
損金の額に算入される租税公課	666
損金の額に算入しない租税公課	662

		短期外貨建資産等	1196
		短期所有に係る土地の譲渡等がある場合の特別税率	1416
損金算入限度額	669	短期の前払費用	259
損失	237	単行本在庫調整勘定の設定	627

【た】

【ち】

第一種市街地再開発事業	859, 893, 932	地域外の既存設備	872
対外船舶運航事業を営む法人の日本船舶による収入金額の課税の特例	1225	地域経済牽引事業の促進区域内において特定事業用機械等を取得した場合の特別償却	466
対価補償金	870	地域経済牽引事業の促進区域内において特定事業用機械等を取得した場合の法人税額の特別控除	1597
代行買収の要件	919, 935, 953		
貸借対照表及び損益計算書	137	地上権	1214
退職給与の打切支給	658	地方活力向上地域等において雇用者の数が増加した場合の法人税額の特別控除	1606
退職給与の負担金	660		
退職金共済の掛金	1197		
退職年金	1199		
退職年金業務等の意義	121		
退職年金業務等	120		
退職年金等積立金確定申告書	99		
退職年金等積立金中間申告書	99		

地方活力向上地域等において特定建物等を取得した場合の特別償却 ………………………………………… 469
地方活力向上地域等において特定建物等を取得した場合の法人税額の特別控除 ………………………… 1602
地　方　税 ……………………………………… 101
地方税控除限度額 ……………………………… 1477
地　方　法　人　税 …………………………… 1797
中間期間で増加償却を行った場合 ……………… 440
中間事業年度における償却率 ………………… 430
中　間　申　告 ………………………………… 1688
中間申告書 ……………………………… 99, 1688
中間申告書の提出がない場合の特例 ………… 1696
中間申告による納付 …………………………… 1716
中間納付額 ………………………………………… 99
中古機械等の増加償却割合 …………………… 438
中古資産の耐用年数 …………………………… 420
中古資産の耐用年数の見積法及び簡便法 …… 420
中小企業者等が機械等を取得した場合の特別償却 ………………………………………………… 452
中小企業者等が特定経営力向上設備等を取得した場合の特別償却 …………………………… 473
中小企業者等が特定経営力向上設備等を取得した場合の法人税額の特別控除 ……………… 1623
中小企業者等 …………………………………… 452
中小企業者等の少額減価償却資産の取得価額の損金算入の特例 …………………………… 350
中小企業者等の特定機械装置等の税額控除 … 1567
中小企業等の貸倒引当金勘定への繰入限度計算の特例 …………………………………… 988
中小法人の年800万円以下の所得に対する軽減税率 ………………………………………… 1392
中小法人の年800万円以下の所得に対する軽減税率の特例 ………………………………… 1394
抽選券付販売に要する景品等の費用 …………… 726
中部国際空港整備準備金 ……………………… 1038
長期先行取得が認められるやむを得ない事情 ……………………………………………… 788, 791
長期特別勘定の流用 …………………………… 802
長期の損害保険契約に係る保険料 …………… 723
長期分割払の負担金の損金算入 ……………… 616
長期平準定期保険及び逓増定期保険に係る保険料 ……………………………………………… 714
帳　簿　書　類 ………………………………… 133
帳簿書類の整理保存 …………………… 138, 182
帳簿代用書類 …………………………… 139, 183
直接外国税額控除 ……………………………… 1429
賃借資産についての改良費の耐用年数 ……… 398
賃貸借契約に基づく使用料等の帰属の時期 … 254
陳腐化による耐用年数の短縮 ………………… 428

【つ】

通　算　法　人 …………………………………… 32
通常の差益の率 ………………………………… 329
通常の使用時間を超えて使用される機械及び装置の償却限度額 ………………………… 436
月別総平均法等 ………………………………… 330

【て】

デリバティブ取引に係る損益 ………………… 255
定　額　法 ……………………………………… 361
低　価　法 ……………………………………… 329
定期付養老保険等に係る保険料 ……………… 713
定期保険及び第三分野保険に係る保険料 …… 711
抵　当　証　券 ………………………………… 605
定　率　法 ……………………………………… 361
低廉譲渡等による受贈益 ……………………… 323
低廉譲渡等による寄附金 ……………………… 687
適　格　合　併 …………………………………… 34
適格株式移転 …………………………………… 64
適格株式交換等 ………………………………… 57
適格株式分配 …………………………………… 56
適格現物出資 …………………………………… 49
適格現物分配 …………………………………… 56
適　格　分　割 …………………………………… 39
適格分割型分割 ………………………………… 49
適格分社型分割 ………………………………… 49
鉄道軌道連絡通行施設利用権 …………… 97, 341
電気ガス供給施設利用権 ………………… 97, 342
電気通信施設利用権 ………………… 97, 342, 344
電子計算機出力マイクロフィルム …………… 184
電子計算機処理 ………………………………… 184
電子計算機を使用して作成する国税関係帳簿書類の保存方法等の特例 ………………… 184
電子情報処理組織による申告の特例 ………… 1708
転籍・出向者に対する給与等 ………………… 660
転籍者に対する退職給与 ……………………… 685
転廃業助成金による圧縮記帳 ………………… 850
店用簡易装備 …………………………………… 404
転用資産の償却限度額 ………………………… 432
電話加入権 ……………………………………… 341
電話加入権の取得価額 ………………………… 386

【と】

同業者団体等の加入金 … 607
同業団体等の会費 … 729
投資法人 … 32
投資法人に係る課税の特例 … 1316
投資法人の支払配当の損金算入 … 1316
同族会社 … 28
同族会社等の行為又は計算の否認 … 147
同族会社等の判定の時期 … 147
同族会社の使用人 … 76
同族会社の判定 … 30
同族関係者 … 29
道府県民税及び市町村民税 … 1744
投融資 … 1002
投融資法人 … 1002
道路の付替え … 251
特殊投資法人 … 1003
特定株式等 … 1003
特定機械装置等 … 452
特定組合員等に係る組合等損失超過額の損金不算入等 … 1298
特定公益信託の信託財産とするために支出した金銭 … 690
特定災害防止準備金 … 1033
特定事業継続力強化設備等の特別償却 … 499
特定資産に係る譲渡等損失額の損金不算入 … 1357
特定住宅地造成事業等の証明書 … 961
特定住宅地造成事業等のために土地等を譲渡した場合の所得の特別控除 … 940
特定船舶の特別償却 … 488
特定地域における工業用機械等の特別償却 … 507
特定中小企業者等 … 1567
特定同族会社に該当するかどうかの判定の時期 … 1405
特定同族会社の特別税率 … 1403
特定都市再生建築物の割増償却 … 563
特定土地区画整理事業等の証明書 … 939
特定土地区画整理事業等のために土地等を譲渡した場合の所得の特別控除 … 932
特定の医療法人の法人税率の特例 … 1398
特定の基金に対する負担金等の損金算入の特例 … 1205
特定の協同組合等の法人税率の特例 … 1397, 1398
特定の交換分合により土地等を取得した場合の課税の特例 … 839
特定の資産の譲渡に伴い特別勘定を設けた場合の課税の特例 … 793
特定の資産を交換した場合の課税の特例 … 805
特定の損失等に充てるための負担金 … 1205

特定の長期所有土地等の所得の特別控除 … 965
特定の登録ホテル等の減価償却資産の耐用年数 … 429
特定法人 … 1000
特定目的会社 … 32
特定目的会社に係る課税の特例 … 1310
特別勘定 … 749, 793, 881
特別勘定を設けた場合の国庫補助金等で取得した固定資産の圧縮額 … 736
特別勘定を設けた場合の転廃業助成金により取得した固定資産の圧縮記帳 … 854
特別勘定を設けた場合の保険金等で取得した代替資産の圧縮限度額 … 753
特別勘定を設けた場合の保険金等で取得した代替資産の圧縮額 … 752
特別控除の適用対象とならない譲渡資産 … 925

特別償却
圧縮記帳の適用を受けた資産に対する特別償却等の不適用 … 603
医療用機器等の特別償却 … 553
環境負荷低減事業活動用資産等の特別償却 … 503
関西文化学術研究都市の文化学術研究施設の特別償却 … 496
共同利用施設の特別償却 … 501
港湾隣接地域における技術基準適合施設の特別償却 … 584
国際戦略総合特別区域において機械等を取得した場合の特別償却 … 462
国家戦略特別区域において機械等を取得した場合の特別償却 … 458
産業振興機械等の割増償却 … 517
事業再編計画の認定を受けた場合の事業再編促進機械等の割増償却 … 582
事業適応設備を取得した場合等の特別償却 … 483
準備金方式による特別償却 … 591
生産方式革新事業活動用資産等の特別償却 … 506
倉庫用建物等の割増償却 … 570
地域経済牽引事業の促進区域内において特定事業用機械等を取得した場合の特別償却 … 466
地方活力向上地域等において特定建物等を取得した場合の特別償却 … 469
中小企業者等が機械等を取得した場合の特別償却 … 452
中小企業者等が特定経営力向上設備等を取得した場合の特別償却 … 473
特定事業継続力強化設備等の特別償却 … 499
特定船舶の特別償却 … 488
特定地域における工業用機械等の特別償却 … 507
特定都市再生建築物の割増償却 … 563
特別償却等に関する複数の規定の不適用 … 600

認定特定高度情報通信技術活用設備を取得した場合の特
　　　別償却……………………………………………………481
　　　被災代替資産等の特別償却……………………………492
　　　輸出事業用資産の割増償却……………………………561
特別償却準備金……………………………………………………591
特別償却等に関する複数の規定の不適用……………………600
特別償却の対象となる生産等設備の規模……………………510
特別償却不足額がある場合の償却限度額……………………586
特別新事業開拓事業者に対し特定事業活動として出資をし
　た場合の課税の特例………………………………………1270
特別徴収方式………………………………………………………666
匿名組合契約に係る損益…………………………………………260
特約店等の従業員を対象として支出する報奨金品…………703
特約店等のセールスマンのために支出する費用……………703
特約に係る保険料…………………………………………………722
都市再生建築物……………………………………………………563
土地区画整理事業……………………859, 860, 893, 932, 950
土地造成費等………………………………………………………785
土地の交換分合……………………………………………………251
土地の譲渡等がある場合の特別税率…………………………1415
土地の賃貸をした場合の評価損…………………………631, 1216
特　許　権…………………………………………………………341
特許権等の譲渡等による所得の課税の特例…………………1231
届出のない場合の指定会計期間…………………………………123
取 替 資 産…………………………………………………………369
取　替　法…………………………………………………………369
取引先に対する災害見舞金等……………………………………702

【な】

内国普通法人等…………………………………………………1743
内 国 法 人…………………………………………………………24
内国法人の課税所得の範囲……………………………………120

【に】

2,000万円特別控除………………………………………………932
肉用牛の売却に係る利益相当金額の損金算入………………1287
任意組合から受ける利益等……………………………………259
認定地方公共団体の寄附活用事業に関連する寄附をした場
　合の法人税額の特別控除…………………………………1620
認定特定高度情報通信技術活用設備を取得した場合の特別
　償却……………………………………………………………481
認定特定非営利活動法人に対する寄附金の損金算入の特例
　等………………………………………………………………693

【の】

ノウハウの頭金等………………………………………………606
農業協同組合連合会……………………………………………1776
農業経営基盤強化準備金………………………………………1038
納 税 義 務………………………………………………………118
納税義務者………………………………………………………118
納税義務の成立…………………………………………………119
納　税　者………………………………………………………101
納税申告書………………………………………………………101
納税申告書の提出先……………………………………………1715
納　税　地………………………………………………………129
納税地の異動の届出……………………………………………129
納税地の指定……………………………………………………129
農地所有適格法人の肉用牛の売却に係る所得の課税の特例
　…………………………………………………………………1287
農地の譲渡による収益の帰属時期……………………………250
農地保有の合理化等の証明書…………………………………964
農地保有の合理化のために農地等を譲渡した場合の所得の
　特別控除………………………………………………………962
納　　　付………………………………………………1716, 1754
延払基準の方法…………………………………………………262

【は】

800万円特別控除…………………………………………………962
売価還元法………………………………………………………329
廃止業者等………………………………………………………848
売買目的外有価証券………………………………………1122, 1170
売買目的有価証券………………………………………………1121
売買利益率………………………………………………………995
罰　　　則………………………………………………………226
罰則に係る時効期間……………………………………………228
販売奨励金等……………………………………………………701
販売高基準………………………………………………………994
販売費、一般管理費その他の費用……………………………237

【ひ】

ひき〔曳〕家補償等の名義で交付を受ける補償金
　…………………………………………………………………871
非営利型法人……………………………………………………24
被合併法人
　　　被合併法人………………………………………………31
　　　被合併法人の確定法人税額…………………………1689
　　　被合併法人の法人税に係る納税地…………………129
被現物出資法人…………………………………………………31
被現物分配法人…………………………………………………31

非更生債権等の処理	707
被災代替資産等の特別償却	492
費途不明の交際費等	706, 730
評価換えの対象となる資産の範囲	625
評価の方法の選定の届出	332
評価の方法の変更手続	333

【ふ】

賦課課税方式	120, 666
賦課金、納付金等の損金算入の時期	668
賦課金で取得した試験研究用資産の圧縮記帳	847
副産物及び作業くず	327
副産物等	337
福利厚生費と交際費等との区分	701
不作為についての審査請求	176
付随行為	1761
不正行為等に係る費用等の損金不算入	1044
附帯税	99, 101
附帯税、罰科金等の損金不算入	1046
普通法人	24
普通法人、一般社団法人等又は人格のない社団等に対して課する各事業年度の所得に対する法人税の額	1392
普通法人等の帳簿	181
不服申立て	159
不服申立期間	160
部分的に用途を異にする建物の償却	377
分割型分割	39
分割承継法人	31
分割払の繰延資産	616
分割法人	31
分社型分割	39

【へ】

平均超過使用時間	437
返品債権特別勘定	708
返品調整引当金	993
返品調整引当金の差額繰入れ等	997
返品率	994

【ほ】

法人が支出した役員等の損害賠償金	729
法人課税信託	99
法人税額から控除する外国税額の損金不算入	666
法人税額から控除する所得税額の損金不算入	665
法人税額等の損金不算入	662
法人税額の特別控除等に関する複数の規定の不適用	1672
法人税の確定金額の端数計算等	1724
法人税の課税標準	230, 1743
法人の設立期間中の損益の帰属	230, 237
法人の分割に係る連帯納付の責任	119
法定申告期限	102
法定耐用年数	398
法定評価方法	333
保険会社の受取配当等の益金不算入等の特例	312
保険金等で取得した代替資産の圧縮限度額	746
保険金等に代えて交付を受けた代替資産の圧縮額の損金算入	747
保険金等の範囲	745
保険差益金の額	747
保険料	710
補修用部品在庫調整勘定	626, 627
補償金等	893
補償金等の特別勘定経理	881
補償金の意義	870
補償金の課税上の取扱い	870
補償金割合	925
保留地の対価	893
本体事業	862, 894

【ま】

満期保有目的等有価証券	1121

【み】

みなし配当金額	313
みなす審査請求	167
未着品の評価	329
見積法	420

【む】

無形減価償却資産	415
無形減価償却資産の事業の用に供した時期	344
無形減価償却資産の耐用年数表	1852
無形固定資産	341

【め】

名義書換え失念株の配当に対する所得税の控除	1417
名義株についての株主等の判定	30
免税対象飼育牛	1287

【や】

役　　員	75
役員給与の損金不算入	636
役員等に対する罰科金等	1046
役員に対して支給した給与の額の範囲	652
役員に対する退職給与の損金算入の時期	653
役員の範囲	75
役員の分掌変更等の場合の退職給与	653

【ゆ】

有価証券	96, 1120
有価証券の一単位当たりの帳簿価額の算出の方法	1135
有価証券の空売り等に係る利益相当額又は損失相当額	1174
有価証券の取得価額	1124
有価証券の譲渡による損益の計上時期	251
有姿除却	444
郵送に係る納税申告書の提出時期	1715
優良住宅地等のための譲渡に該当しなくなった場合の追加課税	1415
輸出事業用資産の割増償却	561

【よ】

養老保険に係る保険料	710
予定申告	1688
予定申告書	1688
予納額の充当の順序	1756, 1757

【り】

リース期間	363
リース期間定額法	361
リース資産	284, 362
リース賃貸資産の償却の方法の特例	370
リース取引から除かれるもの	284
リース取引に係る所得の金額の計算	284
リース取引の意義	284
利益積立金額	89
利子及び配当等	1417
利子税	1716
利子税の計算の基礎となる税額の端数計算等	1717
利子税の割合の特例	1717
留保金額	1408
留保金額の端数計算	1405
旅館、ホテル業における客室冷蔵庫自動管理機器	411
緑化施設	405

【る】

累積増差税額	148

【れ】

レジャークラブの入会金	728
レジャークラブの年会費等	705
劣化資産の意義	446

【ろ】

6か月ごと総平均法等	330, 1695
ロータリークラブ及びライオンズクラブの入会金等	705, 729
労働保険料の損金算入の時期等	710

【わ】

割引債の償還差益に対する所得税額の控除の計算等	1423

◆編者・執筆者等一覧

早子　　　忠
金子　仁美
中山　ちえ
槙原　　　裕
保名　博貴
青井　勇太
中村　拓史
今子　美佳

令和6年版 法人税の決算調整と申告の手引
（ほうじんぜい けっさんちょうせい しんこく てびき）

2024年10月22日　発行

編　者　　早子　忠
　　　　　（はやこ ただし）

発行者　　新木 敏克

発行所　　公益財団法人 納税協会連合会
　　　　　〒540-0012 大阪市中央区谷町1-5-4　電話（編集部）06(6135)4062

発売所　　株式会社 清文社
　　　　　大阪市北区天神橋2丁目北2-6（大和南森町ビル）
　　　　　〒530-0041　電話 06(6135)4050　FAX 06(6135)4059
　　　　　東京都文京区小石川1丁目3-25（小石川大国ビル）
　　　　　〒112-0002　電話 03(4332)1375　FAX 03(4332)1376
　　　　　URL https://www.skattsei.co.jp/

印刷：㈱広済堂ネクスト

■著作権法により無断複写複製は禁止されています。落丁本・乱丁本はお取り替えします。
■本書の内容に関するお問い合わせは編集部までFAX(06-6135-4063)又はメール(edit-w@skattsei.co.jp)でお願いします。
＊本書の追録情報等は、発売所（清文社）のホームページ（https://www.skattsei.co.jp）をご覧ください。

ISBN978-4-433-70014-0

令和6年版
申告所得税取扱いの手引

公益財団法人 納税協会連合会 編集部 編　☆Web版サービス付き

所得税に関する規定をできるだけわかりやすいものとするため、最新の法令を中心に、政令・省令・告示さらに通達等を一同に掲載し、一覧性・有機的関連性をもたせて整理編集。

■B5判2,088頁／定価 6,160円（税込）

令和6年版
源泉所得税取扱いの手引

公益財団法人 納税協会連合会 編集部 編　☆Web版サービス付き

課税対象が多岐にわたり、数多くの関係法令及び政省令、個別通達等から構成されている源泉所得税について、所得の種類別に法令、通達等をわかりやすく体系的にまとめて収録。

■B5判1,080頁／定価 6,380円（税込）

令和6年版　問答式
源泉所得税の実務

柳沢守人 編

給与、利子、配当、報酬・料金等の源泉徴収の対象となるあらゆる所得を種類別に分類し、複雑な源泉徴収の取扱いを「問答式」でわかりやすく解説。日常の実務において直面する具体的な事例を取り上げ編集。

■A5判944頁／定価 4,620円（税込）

令和6年版
消費税の取扱いと申告の手引

大谷靖洋 編　☆Web版サービス付き

消費税の取扱いについて、最新の税制改正及び法令等を中心に関係通達の改正事項なども網羅し、体系的に整理編集。設例による各種申告書・届出書の作成要領と記載例を収録した実務手引書。

■B5判1,144頁／定価 5,500円（税込）

令和6年版
消費税実務問答集

杉村勝之 編

消費税の概要から、申告・納付・経理処理まで、その仕組みや取扱いの実務知識を、最新の事例問答で整理・解説。

■A5判800頁／定価 3,960円（税込）